러시아어 한국어
한국어 러시아어
합본사전

РУССКО – КОРЕЙСКИЙ
КОРЕЙСКО - РУССКИЙ
СЛОВАРЬ

도서출판 문예림

러시아어 한국어
한국어 러시아어
학습사전

РУССКО-КОРЕЙСКИЙ
КОРЕЙСКО-РУССКИЙ
СЛОВАРЬ

도서출판 문예림

러시아어-한국어
한국어-러시아어
합본 사전

РУССКО - КОРЕЙСКИЙ
КОРЕЙСКО - РУССКИЙ
СЛОВАРЬ

러 - 한 30,000 단어
한 - 러 30,000 단어

저자 M. 안또니나
　　 B. 바실리
　　 김　춘　식
　　 김　경　환

도서출판　문예림

러시아어-한국어
한국어-러시아어
로어 사전

РУССКО - КОРЕЙСКИЙ
КОРЕЙСКО - РУССКИЙ
СЛОВАРЬ

РУССКО - КОРЕЙСКИЙ СЛОВАРЬ

러시아어-한국어 사 전

올림말 30,000 단어

저자 **M. 안또니나**
B. 바실리
G. 굴쇼다
김 춘 식
김 경 환

도서출판 문예림

머 리 말

21세기에 접어들면서 러시아와 한국 사이에 협력 발달 과정이 증가할수록 러시아 사용권에서 한국어 연구에 관심이 더욱 증가하고 있다. 동시에 한국에서도 러시아어 연구에 관심이 증가하는 것이다.

이와 관련하여 여러 가지 유형 번역 사전들이, 즉 소사전과 대사전들이 필요로하는 것이다.

러시어 사용권에서 많은 한-러 사전들이 출판되었다 본 사전은 최신한러 사전출판이례 가장 기본적이고 필수적인 어휘들로 약 삼만오천단어의 표제어로 수록했으며 러-한 사전은 약 삼만 오천단어를 표제어로 수록했다.

. 오래 전부터 독자들의 요구에 의해서 한-러, 러-한 합본 사전이 필요했기 때문에, 연구진들이 본 한-러, 러-한 사전 발행은 한국어를 배우는 학생은 물론이며 특히 번역과 통역의 참고서로 연구하는 사람들에게 큰 도움을 줄 수 있다고 기대한다.

본 사전은 많은 단어와 숙어결합들이 풍부하게 수록되어 있고, 또한 필요한 문법적인 것과 문장들, 광범위한 용어 등이 포함되었다.

연구진들이 본 사전에 러시아 생활에서 새로운 사회적, 과학적과 문화적 현상을 반영할 수 있는 단어와 용어도 포함하려고 했다.

일반적으로 현대의 러시아어 넓게 사용하고 있는 생활어휘는 물론, 본 사전은 사회·정치적 어휘, 또한 기술, 농업, 예술과 스포츠 분야에서 전문 용어들을 포함했다..

게다가 사전에 다수 용어법적인 단어들, 주로 일정한 어휘결합들 (문법적으로 연결된 단어군), 관용구, 속담, 격언 등의 포함되었다. 또한 사전에 지금은 사용하지 않은 단어들도 (진부한 단어들이) 포함되었다. 왜냐하면 이 단어들이 러시아 고전 문학에 관심 가지고 있는 독자들에게 필요하기 때문이다.

본 사전의 저자들이 최근에 남한과 북한에서 출판된 한국어 번역 사전, 백과사전, 또한 현대의 한국 작가들의 작품, 한국 신문잡지와 최근의 출판물, 또한 한국어 어휘와 용어법에 관련한 번역, 통역, 과학 연구적, 편집적과 교육적인 작업 과정에서 저자들로 수집했던 많은 실제적인 자료들을 이용하여 러시아 난어, 어휘결합과 삽화 사례들을 한국어로 번역했다는 것이다.

부록에는 경제법률용어들로 수록하여 찾기에 도움을 주었다.

최근 25-30년 한국어 어휘 구성이 현저한 변화를 겪었던 것을 고려하여 한국 단어를 수록했다.

왜냐하면 많은 단어들이 특히 용어들이 한문에서 근원했고 그 후 예로부터의 한국 단어들로 대체되었기 때문이다. 한문은 고대 한족(漢族)에서 발달하여 현대까지 전승되는 한자(漢字)에 의한 문자언어(文字言語) 및 그것으로 쓰인 문장으로 한문은 한국을 비롯하여 일본 ·베트남 등에서 널리 사용되고, 많은 언어작품이 만들어졌다.

이들 여러 문체는 일찍이 한국에 전해져 훈민정음에 의한 한글이 나오기 전까지는 한문이 전용되었기 때문에 각 표제어마다 한자를 표시해두었다

번역자들 및 통역자들 뿐만 아니라 한국과 러시아어를 공부하는 사람들을 위해 연구진들이 많은 노력을 유익한 사전을 창조했던 것이다. 우리나라들의 언어 공부와 연구는 매년 증대하고 있다. 따라서 우리나라들이 언어 이용을 통해 직접 문화적 연구, 다방면의 협력 과정, 상호존경 그리고 상호 성공에 이해관계를 더욱 유익하게 만들 수 있다는 것이다.

끝으로 이 사전이 나오기까지 수고하신 모든 분들께 감사드리며 특히 사전의 교정과 워드작업에 수고해주신 김진우, 황준호, 초이따찌야나, 알리나초이, 덴나타샤, 손올가, 나우지르지바예바 이리나 연구원들에게 감사드린다.

2012. 11. .

우즈베키스탄 교육센터 한국어 연구소 어문학박사 김 춘 식

Предисловие

По мере дальнейшего развития сотрудничества между Россией и Кореей, в нашей стране возрастает интерес к изучению корейского языка, равно как в Корее - интерес к изучению русского языка. В связи с этим возникает необходимость в переводных словарях разных типов: кратких и больших.

В российском издательстве было издано много корейско-русских словарей. Новый корейско-русский словарь содержит около 35,000 наиболее употребимой и необходимой лексики, а русско-корейский словарь содержит более 35,000 слов.

Данный словарь является первым опытом создания в нашей стране большого русско-корейского словаря. Составители надеются, что выпуск в свет предлагаемого русско-корейского словаря сможет удовлетворить давно назревшую потребность в словаре, который мог бы служить пособием для письменных и устных переводов.

В словаре содержится около слов и словосочетаний с подробной разработкой значений, необходимыми грамматическими и стилистическими указаниями, весьма обширной фразеологией и многочисленными иллюстративными примерами.

Составители стремились по возможности включить в словарь слова и выражения, отражающие новые явления общественной, научной и культурной жизни России.

Наряду с широко употребительной бытовой лексикой современного русского языка словарь включает общественно-политическую лексику, а также специальную терминологию из области науки, техники, сельского хозяйства, искусства, спорта.

Кроме того, в словарь включено множество фразеологических единиц- главным образом устойчивых словосочетаний, идиоматических выражений, пословиц и поговорок.

Есть в словаре и некоторые устаревшие слова, они понадобятся читателям, интересующимся русской классической литературой.

При переводе русских слов, словосочетаний, иллюстративных примеров на корейский язык составителями были использованы толковые и переводные словари корейского языка, энциклопедии, изданные в последние годы в Корейской Народно-Демократической Республике и в Южной Корее, произведения современных корейских писателей, корейская пресса и периодика последних лет, а также большой фактический материал по лексике и фразеологии корейского языка, собранный авторами в процессе научно-исследовательской, переводческой, редакторской и педагогической работы.

Подбор корейских эквивалентов проводился с учётом того, что за последние 25-30 лет лексический состав корейского языка претерпел значительные изменения.

Это выразилось прежде всего в том, что многие слова и особенно термины, являющиеся ханмунными по происхождению (ханмун- это корени- рованная форма древне-китайского литературного языка "вэньяня"), были заменены словами исконно - корейскими, созданными вновь терминами. Составители стремились создать словарь, который мог бы быть полезен как для переводчиков, так и для лиц, изучающих корейский и русский языки. Изучение языков наших стран с каждым годом углубляется и расширяется.

Такое прямое изучение культуры и достижений наших стран посредством языка делает более интенсивным и плодотворным процесс разностороннего сотрудничества в духе взаимного уважения и заинтересованности в успехах друг друга.

В заключение выражаем благодарность всем лицам, участвовавшим в издании данного словаря, особенно благодарим Цой Татьяну, Тен Наталью, Сон Ольгу и Наурзбаеву Ирину, помогавших в текстовой работе словаря и его корректировке.

Научно-исследовательский институт кафедра корейского языка

Ким Чун Сик

❧ 일러두기

1. 러시아어 올림말은 한글의 자모순으로 한다
   매개 러시아어 올림말은 대역 및 그 올림말과 관계되는 설명자료와 함께 올림말해설을 이룬다.

2. 동음이의어 즉 단어는 같으나 의미가 다른 단어들은 개별적인 올림말로 주고 명조체의 로마숫자로 표시한다
   예: **рак** I (남) 가재; **рак** II (남) (의학) 암, 종양

3. 미래완료태동사와 완료태동사는 개별적인 올림말로 준다. 이때 대역은 흔히 미완료태동사에서 주고 완료태동사에서는 미완료태동사를 보라는 표식을 준다.
   обидеть (완) → обижать **обижать** (미완) 모욕하다 노여움을 사다

4. 같은 어간을 가지고 의미상 가까운 단어가 자모순으로 나란히 놓여있는 경우에(이것은 기본적으로 태의 쌍을 이루는 동사들이다) 그것들은 하나의 올림말로 합친다.
   предписать(완), **предписывать** (미완) 지시하다 명령하다
   동사에는 동사의 인칭변화형태를 표시하는 유, 엔. 마주르가 작성한 사전에 첨가된 <러시어 문법도표>를 보라는 색인(1, 2, 3, 4)이 덧붙어 있다.
   4가지중 어느 한 인칭변화형태에도 속하지 않는 동사들은 특수한 부호로 표시한다
   부호 + 는 해당한 동사를 <불규칙 동사표>에서 찾아야 한다는 것이다.
   부호 ° 는 <불규칙 동사표>에서 접두사가 없는 동사를 찾을 수 있다는 것이다(예, <разнести> 는 표에서 <нести>를 찾아야 한다.
   부호 °°는 같은 표에서 두 접두사가 없는 동사를 찾을 수 있다는 것이다(예, <преподнести>의 경우에 표에서«нести»를 찾아야 한다) нести <불규칙 동사의 변화표>에는 -ся, -сь로 끝나는 동사의 본보기가 없다. 똑같은 본보기가 타동사와 -ся, -сь로 끝나는 동사의 형태조성을 보여준다. 따라서 예컨대 동사를 찾으려면 표에서 동사를 찾아보아야 하며 그 본보기에 따라 조사 -ся, -сь를 덧붙여 형태를 조성하여야한다.
   예, стучался, стучалась, стучусь, стучишься, стучись.

5. 대명사(인칭, 의문 등)는 사전에 주격 형태로 올리며 여기에 대명사의 격형태의 사용실례를 준다 사격에 놓인 대명사는 주격형태를 가리키면서 자모순에 따라 해당한 장소에 놓는다. 때로는 이러한 사격형태가 개별적 올림말로 될 수 있다.

6. 러시아어 올림말은 사전에서 굵게 표시하며 신명조체로 준다. 올림말의 변화하지 부분은 평행선(∥)으로 구분된다. 부호 ~(물결표)는 평행선으로 구분된 올림말의 부분을 대신하거나 혹은 그 부호가 없는 경에 올림말

전체를 대신한다.

7. 올림말의 의미는 동그라미속에 든 아라비아수자로 갈라놓는다.
예, **пример** (남) ① 예, 실례 ② 모험, 본보기 ③ (수학)실례

8. 의미상 가까운 조선말의 번역은 서로 반점으로 나누며 의미상 좀 차이가 나는 것은 반두점으로 나눈다. 반두점은 또한 올림말의 번역 다음에 계속되는 단어결합, 예구와 단어 결합 예구와 그리고 그것들 사이에 친다.

9. 번역을 명백히 하는데 필요한 설명은 사선으로 갈라놓는다.
예, **поляна** (여) 숲속의/작은 초원(공지)

10. 꺾쇠 괄호속에 든 단어나 표현의 일부와 또한 그 번역은 보충적인 것이며 따라서 뗄 수 있다.
예, **мочегонный** (형): ~ое средство 이뇨제, 오줌내리기약

11. 기본 단어(번역)와 비슷한 단어는 반달괄호속에 넣는다.
예, **предвидеть** (미완) 예견 (예측, 예상)하다

12. 러시아어 단어가 일정한 단어 결합에서 만 있게 되는 경우에 그러한 단어(또는 의미)는 직접 번역하지 않고 그 다음에 두 점을 찍고 단어 결합을 놓는다.
예, **прибавочн ‖ ый** (형): **~ая стоимость** (경제) 잉여가치

13. 명사화된 형용사는 (명사로)라는 표식을 하여 따로 의미를 구분한다.
예, **бедный** (형) ① 가난한, 구차한 ② (명사로) (남) 가난한 사람

14. 러시아어 형용사가 한국어로는 명사로 번역되는 경우에 한국말의 명사는 번역에서 별표식(*)을 하되 이것은 형용사로 사용하여야 한다는 것을 말한다.
예, **офсетный** (형) 옵세트

15. 마름모(◇) 다음에는 성구와 또한 공고한 단어결합, 표현, 예구를 주는데 이것들은 위에서든 올림말의 어느 한뜻에도 맞지 않는다.
예, **подобн ‖ ый** (형) ① 비슷한, 같은, 닮은 ② 그러한, 이런 ◇ **и тому ~ое** 기타 등등; **ничего ~ого** 그렇지 않다

16. 약어와 설명은 사전에서 다음과 같이 준다.
1) 매 러시아어 동사의 미완료태 (미완)와 완료태(완)를 표시하는 약어를 준다. 같은 형태의 동사가 두 태의 의미에서 같이 사용되는 경우에는 올림말 다음에 두 약어 (미완, 완)를 둔다.
예, **командировать** (미완, 완) 출장을 보내다, 파견하다
2) 매 러시아어 명사에 문법적성 - (남), (여), (중) -을 표시하는 약어를 주며 복수로만 사용되는 명사에는 (복수)라는 약어를 준다
예, **щипцы** (복수) 집게, 못뽑이

명사가 남성에도 여성에도 사용되는 경우에는 두 약어(남, 여)를 준다
 3) 민족을 표시하는 명사는 복수로 준다, 괄호속에 남성과 여성의 단수형태를 준다.
 예, **молдаван** ‖ **е** (~**ин** (남), ~**ка** (여) 몰다비야 사람들)
 4) 필요한 경우에는 단어나 그 개별적 의미에서 단어의 사용분야를 가리키며 약어 - «물리»-«из области физики», «지리»-«из области географии»등-를 줄수 있으며 또는 문체적인 약어 예컨대 «고어(古語)»-«устаревший термин» 등을 줄수 있다.
17. 비킴체를 제외한 모든 러시아단어에 역점을 친다.
18. 지명은 사전의 올림말로 올린다.

☙ О ПОЛЬЗОВАНИИ РУССКО-КОРЕЙСКИМ СЛОВАРЕМ (일러두기)

О пользовании русским словарем.
1. Русские слова расположены в словаре в алфавитном порядке. Каждое русское слово с его переводом и относящимся к нему иллюстративным материалом оьразует словарную статью.
2. Омонимы, т.е. слова с одинаковым написанием, но разные по значению, выделяются в отдельные словарные статьи и обозначаются светлыми римскими цифрами,например:
 рак I (남) 가재   **рак** II (남) (의학) 암, 종양
3. Глаголы несовершенного вида и совершенного видов даются отдельными словарными статьями. При этом переводы приводятся, как правило, при несовершенном виде, а при глаголе в совершенном виде дается отсылка на несовершенный, например:
 обидеть (완) → обижать **обижать** (미완) 모욕하다 노여움을 사다
В тех случаях, когда глагол в совершенном виде более употребителен, чем в несовершенном, перевод может даваться при нем.
4. В том случае, когда слова, имеющие общую основу и близкие по значению (в основном это видовые пары глаголов), оказываются рядом по алфавиту, они объединяются в одну словарную статью, например:
 предписать(완), **предписывать** (미완) 지시하다 명령하다
 Глаголы снабжены индексами (1,2,3,4,), обозначающими тип спряжения и отсылающими к прилагательным к словарю <Грамматическим таблицам>, составленным доц. Мазуром Ю.Н.
Глаголы, не относящиеся ни к одному из четырех типов спряжения, отмечены особыми знаками. Знак + означает, что данный глагол следует искать в <Таблице неправильных глаголов>.
 Знак ° означает, что в <Таблице неправильных глаголов> можно найти глагол без приставки (например, в случае <разнести> следует смотреть в таблице <нести>.
 Знак °° означает, что в той же таблице можно найти глагол без двух приставок (например, в случае <преподнести> следует смотреть в таблице <нести>.
 В <Таблице неправильных глаголов> нет образцов для глаголов на -ся, -сь. Один итог же образец показывает образование форм как у переходных глаголов,

так и у глаголов с -ся, -сь. Следовательно, если надо, например, найти глагол <стучаться>, то следует смотреть в таблице глагол <стучать> и образовывать формы по его образцу, присоединяя частицу -ся, -сь, например: стучался, стучалась, стучусь, стучишься, стучись.

5. Местоимения (личные, вопросительные и т.п.) даются в словаре в форме именительного падежа, здесь же помещаются примеры употребления местоимений в падежных формах. Местоимения в форме косвенных падежей приводятся в соответствующем месте по алфавиту со ссылкой на форму именительного падежа. Иногда такая форма косвенного падежа может сопровождаться отдельной словарной статьёй.

6. Заглавные русские слова даются в словаре полужирным шрифтом, иллюстративные примеры - светлым. Неизменяемая часть заглавного слова отделяется параллельками (‖). Знак ~ (тильда) в словарной статье заменяет часть заглавного слова, отделенную параллельками, или всё слово, если в него не вводится знак параллелек.

7. Значения заглавных слов разделяются арабскими шрифтами в кружках, например:

пример (남) ① 예, 실례 ② 모험, 본보기 ③ (수학)실례

8. Близкие по значению корейские переводы отделяются друг от друга запятой, имеющие некоторые оттенки в значении точкой с запятой. Точка с запятойтакже ставится перед следующим после перевода заглавного слова словосочетания, примером, а также между ними.

9. Косыми линейками выделяются пояснения, необходимые для уточнения перевода, например:

поляна (여) 숲속의/작은 초원(공지)

10. Взятая в квадратные скобки часть слова или выражения, а также их переводыявляются факультативными, т.е. могут быть опущены, например:

мочегонный (형): ~ое средство 이뇨제, 오줌내리기약

11. В круглые скобки заключаются слова, которые являются вариантами основного слова (перевода), например:

предвидеть (미완) 예견 (예측, 예상)하다

12. Если русское слово встречается только в определенных словосочетаниях, то после такого слова (или значения) вместо прямого перевода ставится двоеточие и приводится словосочетание, например:

прибавочн ‖ **ый** (형): ~**ая** стоимость (경제) 잉여가치

13. Субстантивированные прилагательные выделяются отдельными значениями с пометой, (명사로) например:

бедный (형) ① 가난한, 구차한 ② (명사로) (남) 가난한 사람

14. Если русское прилагательное передается в корейском языке существительным, то корейское существительное в переводе отмечается знаком звездочка(*), что указывает на необходимость его употребления в позиции определения, например:

офсетный (형) 옵세트

15. За знаком ромб(◊) даются фразеологизмы, а также устойчивые словосочетания, выражения и примеры, не подходящие ни под одно из приведенных значений заглавного слова, например:

подобн ‖ **ый** (형) ① 비슷한, 같은, 닮은 ② 그러한, 이런 ◊ и

тому ~ое 기타 등등; ничего ~ого 그렇지 않다

16. Пометки и пояснения даются в словаре в следующем порядке:
1) При каждом глаголе приводится пометка, указывающая вид глагола-несовершенный (미완) или совершенный. (완) Если глагол в одной и тойже форме употребляется в значении обоих видов, то после заглавного слова даются две пометки, (미완, 완) например:

командировать (미완, 완) 출장을 보내다, 파견하다

2) При каждом русском существительном дается пометка, указывающая грамматический род (남), (여), (중); при существительных, употребляющихся только во множественном числе, дается пометка(복수), например:

щипцы (복수) 집게, 못뽑이

Если существительное и в мужском и в женском роде, то при нем дается две пометки(남, 여), например:

плакса (남, 여) 울보

3) Существительные, обозначающие национальность, даются во множественном лице. В скобках приводится форма единственного числа мужского и женского рода, например:

молдаван ‖ е (~ин (남), ~ка (여) 몰다비아 사람들)

4) При словах или их отдельных значениях в необходимых случаях могут даваться пометки, указывающие на сферу употребления слова: (물리) -<из области физики>, (지리) -<из области географии> и т.п., или стилистические пометки, например, (고어(古語)) -<устаревший термин> и т.п.

17. Во всех русских словах, кроме набранных курсивом, укащывается ударение.
18. Географические названия приводятся в корпусе словаря.

❀ 참고서적(Лексикографические источники)

1. Словарь русского языка: В 4-х т./ АН СССР. Ин-т рус.яз.; Гл.ред. А.П.Евгеньева. 2-е изд., испр. и доп. М., 1981-1984. Т. 1-4
2. Ожегов С.И. Словарь русского языка/Под ред. Н.Ю.Шведовой.14-е изд.стер.М., 1981
3. Орфографический словарь русского языка. 18-е изд., испр. и доп.М., 1981
4. Орфоэпический словарь русского языка/Под ред.Р.И.Аванесова 2-е изд., стер.М.,1985
5. Фразеологический словарь русского языка/Под ред. А.И.Молоткова. 3-е изд.,М.,1978
6. Большая Советская Энциклопедия/Гл.ред.А.М.Прохоров.3-е изд.М., 1969-1978.Т.1-30
7. Советский Энциклопедический словарь.3-е изд.,М.,1985
8. Мазур Ю.Н.Моздыков Д.М.Усатов В.М.Краткий русско-корейский словарь.2-е изд.,М.,1959
9. 최신러한사전 강안젤리나, 김춘식 편 도서출판 문예림 서울. 2009
10. 새한러 사전 김문욱, 김춘식 편 도서출판 베델사, 서울. 2002.
11. 로-한 사전 고대러시아문화연구소, 황원, 김학수 도서출판 주류 2004.
12. 김일성종합대학 로어강좌, 로조사전, 평양 1954.
13. 러한입문사전 김춘식외3인공저 도서출판문예림 서울 2011

A

a. I (접) ① (대립의미) ~나, ~으나, ~아니라, ~지만; он поехал, а он остался 그는 갔지만 나는 남아 있다; это не тетрадь, а книга 이것은 연습장이 아니라 책이다; уже конец мая, а ещё холодно 벌써 5월 말이 되었지만 아직도 춥다; ② (연결의미) ~고, ~이고, ~그리고, ~ 그런데; это тетрадь, а это книга 이것은 연습장이고 저것은 책이다; он читает книгу, а я пишу письмо 그는 책을 읽고 나는 편지를 쓴다; прекратите разговаривать, а то спать мешаете 이야기는 그만 하시오, 수면 방해됩니다; что вы сегодня делаете? а завтра? 오늘 당신은 무엇을 하며 내일은 무엇을 합니 까?; меня зовут Ким Чун Сик, а его как? 내 이름은 김춘식입니다. 그런데 그의 이름은 무엇입니까?; ③ (말을 꺼내거나 말머리를 돌리때) 그래(서), 그런데; а что дальше было? 그래서 어떻게 되었습니까?; а вы не забудете обещанного. 그런데 당신은 약속을 잊지 마십시오. ◇ а (не) то ~ 그렇지 않으면; спеши, а то опоздаешь 서둘러야지 그렇지 않으면 늦습니다; а именно 즉; а затем 다음에는.

a II (조) ① (주의를 끌기 위해) Откуда вы это знаете? А мне товарищ Ли сказал. 당신은 이것을 어떻게 알았습니까? 나에게 미스터 이가 말해 주었습니다; а не знаешь, так и не говори 모르면 말하지 마십시오.; ② (대답 또는 행동을 계속할 때) Тогда это товарищ Ким, а это кто? 이분은 김씨 친구(김동지)입니다, 저분은 누구십니까?; а что? 왜요? 왜 그러 세요?, 왜 그래?; что ты сказал, а? 너 무슨말을 했니, 응?

а III (감) 아!, 아이구!, 에라!; а, понял 아!, 알았어!.

абажур (남) 전등갓, 등갓; вешать ~ 등갓을 씌우다.

абзац (남) ① 별행(別行); писать с ~а 줄을 바꾸어 쓰다; ② 단락, 문단

абонемент (남) ① 이용권; ② (신문, 잡지, 좌석 등의) 예약(豫約); (전화 등의) 가입(加入)

абонент (남) 예약자, 가입자

абонировать (미완, 완) 예약하다

аборт (남) 유산(流産), 낙태(落胎), 아이를 지우다

абрикос (남) 살구나무, 살구

абсолютно (부) 절대로, 전혀 완전히; ~другой 완전히 다른.

абсолютный(형); 절대(적인), 완전한; ~ое большинство 절대다수; ~ыйслух 완전히 들음; ~ый чемпион 완전한 챔피온

абстрактный (형) 추상적인, 추상.

абсурд (남) 황당한 일, 부질없는 소리, 가소로운 것.

абсцесс(남) (의학) 농양(膿瘍), 고름집

абсцисса (여) (수학) 가로자리표, 횡좌표; ось ~ы 가로축, 엑스축

Абу-Даби (남) (불변) г. 아부다비

авангард (남) 선봉(대) 전위대, 선발대(先發隊); быть в ~ 선두에 서다

аванс (남) 전불금(前拂金), 전도금(前渡金), 선불금, 착수금

авансировать (미완, 완) 선불하다, 전불하다
авансом (부) ① 전도금(前渡金)으로, 선불금으로; ② 미리, 사전에.
авансцена (여) 무대앞, 무대 전면
авантюра (여) 모험(冒險)
авантюризм (남) 모험(주의)
авантюрист (남) 모험가(冒險家)
аварийный (형) ① 수리용; ~ая машина 수리차: ~ый запас 예비품
авария (여) 사고, 파손(破損), 고장(바다에서 조난); потерпеть ~ 파손 되다, 고장나다, 조난당하다.
Авв (Книга Пророка Аввакума, 3장, 906 쪽) 하박국(habakkuk書)
август (남) 8(팔)월
августовский(형) 팔월의(八月, 8월)
Авд (Книга Пророка Авдия, 1장, 896 쪽) 오바댜서(obadiah書)
авиа...*см.* авиационный
авиабаза (여) 항공기지(航空基地), 비행기지, 비행장(飛行場)
авиадесант (남) 낙하산부대, 공수 특전대, 공수부대(空輸部隊)
авиаконструктор (남) 항공기(航空機) 설계가(設計家)
авиалиния (여) 항공로(航空路)
авиамоделист (남) 모형비행기설계가
авиамодель(여)모형비행기(模型飛行-)
авианосец (남) 항공모함(航空母艦)
авиапочта (여) 항공우편(航空郵便)
авиатехник (남) 항공기수, 비행기 정비사(整備士)
авиатор (남) 비행사(飛行士), 항공사
авиационный (형) 항공의, 비행기의; ~ая бомба 폭탄; ~ый завод 비행기 공장; ~ое училище 항공학교
авиация (여) 항공(航空) 항공대; (военная)~ 공군(空軍); гражданская ~ 민간항공(民間航空)
авиачасть (여) 비행대, 항공부대

авиашкола (여) 항공학교(航空學敎)
авитаминоз (남)(의학) 비타민 결핍증
авось 아마, 행여나, 설마;~ сегодня не будет дождя 아마 오늘 비가 오지 않을 것 같다; надеяться(полага-ться) на ~ 행여나, 요행을 바라며.
авоська (여) 혹시 ...되겠지
аврал (남) 비상소집(非常召集), 비상동원(非常動員)
австралийцы (복수)(~ец (남), ~йка(여) 오스트리아(Austria) 사람(들)
Австралия (여) 오스트리아(Austria)
Австрия (여) 오세아니아;(~ец,~йка) 오세아니아 사람(들)
авто... (합성어의 첫부분) «자동차», «자동차»의 뜻; автосцепка 자동차 연결기; автокран 자동차 기중기
автобаза (여) 자동차 사업소, 자동차 정비소, 카센터, 자동차고.
автобетономешалка (여) 레미콘차
автобиграфия (여) 자서전, 이력서.
автоблокировка (여)(철도)자동폐색장치
автобус (남) 버스
автобусный (남) 버스의; ~ая остановка 버스 정류소; ~ое сообщение 버스교통
автогенный (형) ~ая сварка 가승용접, 가스 용접.
автограф (남) 자필(自筆); просить ~ 자필을 요청하다
автодело (중) 자동차 운전
автозавод (남) 자동차 공장
автоинспектор (남) 교통안전원, 교통지도자, 교통순경
автоинспекция (여) 교통안전부, 자동차 관리국.
автокар (남) 지게차, 짐 운반차
автокран (남) 자동차 기중기
автомагистраль(여)*см.* автострада
автомат (남) ① 자동기계, 오토메이션;

② 기관소총, 자동소총;(телефон)~ 자동전화, 전자식전화
автоматизация (여) 자동화(自動化)
автоматика (여) 자동장치, 자동기계
автоматический (형) 자동(식), 자동적인, 오토메이션; ~ая винтовка 자동보총; ~ая телефонная станция 자동 전화국, 전자식전화국; ~ая линия 자동선; 기계적인(機械的-)
автоматчик (남) 자동소총수
автомашина (여) см. автомобиль
автомобиль (남) 자동차, 차(車); грузо-вой ~ 화물차(貨物車)
автомобильный (형) 자동차의
автономия (여) 자치제
автономный (형) 자치(自治)의; ~ая область 자치주(自治州); ~ый район 자치구; ~ая республика 자치공화국
автопоезд (남) 트레일러 화물차
автопогрузчик (남) 지게차
автопоилка (여) (가축용) 자동 물급수기, 자동급수기
автопортрет (남) 자화상(自畵像), 초상화(肖像畵)
автоприцеп (남) 트레일러
автопробег (남) 카레이스
автор (남) 저자, 필자, 저작자, 작성자
авторемонтный (형): ~завод, ~ая мастерская 자동차 정비공장
авторизованный (형): ~ перевод 원작자의 승인 받은 번역.
авторитет (남) ① 위신(威信), 권위(權威); пользоваться ~ом 권위가 있다: поддерживать ~ 위신을 차리다; подрывать ~ 위신을 깎아내리다; ② 권위자(權威者), 중견(中堅);(крупный) ~ в физике 물리학의 대가(大家)
авторитетный (형) ① 위신이 있는, 권위 있는; ② 믿을 만한, 정확한(正確-); ~ источник 정확한 소식통.

авторский (형) 저자의; ~ое право 저작권(著作權), 판권(板權).
авторучка (여) 만년필
автостоп (남) (철도) 자동차 신호기, 기차 정지장치
автосборочный (형): ~ый завод, ~ ая мастерская 자동차 조립공장
автострада (여) 고속도로
автосцепка (남) (철도) 자동연결기, 자동식 차량 연결기.
автотранспорт (남) 자동차 운전수
автотрансформатор(남) 외줄 변압기
автоцистерна (여) 유조차(油槽車)
агат (광물) 마노(瑪瑙)
агент (남) ① 대리인(代理人), 대변인(代辯人), 직원(職員); ② 앞잡이, 간첩(間諜), 밀정(密偵); ~ по снабжению 공급원.
агентство (중) ① 통신사(通信士); ~ печати«Новости», АПН, 아뻬엔 통신사; Телеграфное ~Советского Союза, ТАСС 따스 통신사; ② 대리점(代理店), 지점(支店), 출장소(出張所)
агентура (여)(집합) 앞잡이들, 간첩망
Агг (Книга Пророка Аггея, 2장, 911 쪽) 학개서(haggai書)
агит... (합성어의 첫 부분으로서 «선동»), 선전의 뜻; агитбригада 선동대; агитпункт 선전실, 광고실
агитатор (남) 선동원, 선동이(先童-)
агитационный (형) 선동(煽動), 선동적(煽動的); ~ая работа 선동사업
агитация (여)선동(煽動); пропаганда и ~ 선전 선동
агитбригада (여) 선동대, 예술선전대
агитировать (미완) 선동하다; 설복하다
агитколлектив (남) 선동원집단
агитмассовый (형) 대중선동
агитпункт (남) 선전실, 방송실
агносцитизм (남) (철학) 불가지론

агония (여) 임종(臨終)
аграрный (형) 농업의, 토지의; ~ый вопрос 농촌문제; ~ая реформа 토지개혁(土地改革); ~ая страна 농업국가
агрегат (남) 아그레가트, 종합기계
агрессивный (형) 침략의, 침략적인(侵略的-); ~ая политика 침략정책
агрессия (여) 침략(侵略), 침범(侵犯)
агрессор (남) 침략자, 침범자(侵犯-)
агрикультура (여) 농사, 농업(農業)
агробиология (여) 농업생물학
агроном (남) 농업기사, 농업전문가
агрономический (형) 농업의(農業), 농업으로; ~ая наука 농업과학
агрономия (여) 농학(農學)
агропромышленный (여) ~комплекс 농공복합체(農工 複合體)
агротехника (여) 농업기술, 영농기술
агротехнический (형) 농업기술; ~ие приемы 영농방법
агрохимия (여) 농업화학(農業化學)
агрохимикат (남) 농약(農藥)
ад (남) 지옥(地獄); кромешный ~ 수라장; сущий ~ 생지옥살이
адажно (중) (음악) 아다지오(adagio) 【이탈리아어】 (악보에서, 안단테와 라르고 사이의 느린 속도로 연주하라는 말. 또는 그 속도로 연주하는 곡이나 악장.)
адаптация (여) 적응(適應), 순응
адвокат (남) 변호사, 변호인
Аддис-Абеба (여) 아디스아바바(Addis Ababa: (지명) 에티오피아에 있는 도시. 열대 지방이지만 해발 2,500미터의 고원에 있어 기후가 쾌적하다. 1958년에 유엔 아프리카 경제 위원회가 설치되었다. 에티오피아의 수도이다)
адекватный (형) 일치한, 동등한, 상응한
Аден (남) 2. 아멘.
аденоиды (복수) (의학) 선양증식
административный (형) 행정의, 관리의; ~ое деление 행정상구분; ~ое взыскание 행정벌; ~ый цен-тр 행정중심지; ~ое здание 청사(廳舍)
администратор (남) 관리자(管理者)
администрация (여) 행정부(行政府), 관리부(管理部), 행정기관(行政機關)
администрирование (중) 행정지도(行政指導), 행정화, 관료주의적지도
адмирал (남) 해군대장; ~ флота 해군원수
адмиралтейство (중) 해군사령부
адрес (남) ① 주소(住所), ② 서면으로 하는 축하인사; по ~у(кого-л.) ...에 대하여; не по ~у 어긋나게; в ~ (кого-л.) ... 앞으로, ...에게로.
адресат (남) 수신인, 받는 사람.
адресный; ~ая книга 주소록(住所錄), 주소대장; ~ый стол 주소 안내소
адресовать (미완, 완) ① 보내다, 발송하다; ② 보내다, 파견하다
адский (남) 참지 못할; ~ий холод 강추위, 지독한 추위; ◇ ~ая маши на 시한폭탄(時限爆彈)
адъютант (남) 부관
ажиотаж (남) 격렬하기, 열기(熱氣)
азалия (여) 진달래
азарт (남) 열중, 흥분; с ~ом 흥분하여; рассказывать с ~ом 열이 올라서 이야기하다
азартный (형) 몹시 열중하는, 격정적인; ~ые игры 도박(賭博)
азбука (여) 자모(字母), 자모표(字母表); ◇ ~ Морзе 모르스 부호(- 符號)
азбучный (형) : ~ая истина 분명한 사실, 자명한 사실
Азербайджан (남) 아제르바이잔
азербайджанцы (복수); ~ец(남), ~ка(여) 아제르바이잔사람들
Азия (여) 아시아
азиатский (형) 아세아의
азимут (남) 방위각(方位角)
азот (남) 질소(窒素)(기호 N)

азотистый(형);~ая кислота 아질산

азотный (형); ~ая кислота 질산; ~ые удобрения 질소비료

азы (복수) 입문(入門)

аист (남) 황새

ай (감) 아이, 어이, 에이쿠(나)

айва (여) 모과, 모과나무

айсберг (남) 빙산(氷山), 얼음산

академик (남) 아카데미, 과학자.

академический (형) ① 과학자(科學者), 순수이론적인; ~ час 수업시간

академия (여) 아카데미야; ~ наук 아카데미 과학원; Академия педагогических наук 아카데미 교육과학원; военная ~ 육군대학(陸軍大學)

акация (여) 아카시아

акварель (여) 수채화(水彩畵)

аквариум (남) 어항, 수족관(水族館)

акватория (여) 수역(水域), 물 구역.

акведук (남) 수로교(水路橋)

акклиматизация (여) 풍토(風土).순화

акклиматизироваться (미완, 완) 풍토(風土) 순화되다

аккомпанемент (남) 반주(伴奏)

аккомпаниатор (남) 반주자

аккомпанировать (미완) 반주하다

аккорд (남) 화음(和音), 협화음; ◇ заключительный ~ 결말, 귀결(歸結)

аккордеон (남) 손풍금, 오르겐

аккордеонист (남) 손풍금연주자

аккордный (형): ~ая работа 도급 노동, 청부노동; ~ая оплата труда 도급 노동보수

Аккра (여) Г. 아크라

аккредетив (남) ① 신용장(信用狀), 신용지불위탁서; ② 외교관의 신임장.

аккредитованный (형); дипломатические представители, ~ые в Москве 모스크바주(Moscow 州) 외교관들

аккредитовать (미완, 완) (외교에서) 주재시키다, 임명하다; (재정에서) 위임하다

аккумулировать (미완) 집약화하다

аккумулятор (남) 축전지(蓄電池), 건전지(乾電池), 베터리

аккуратно (부) 깨끗하게, 알뜰하게, 꼼꼼하게, 정확하게

аккуратность(여)정확성(正確性), 치밀성

аккуратный (형) 깨긋한, 아뜰한, 정확한, 주도세밀한; ~ый человек 차근차근한 사람, 주도면밀한 사람

акробат(남) 곡예사(曲藝師), 스커스인

акробатика (여) 곡예술, 스커스 기술

аксиома (여) 자명한 진리, 진리(眞理)

акт (남) ① 행위; террористический ~ 테러행위; ② 조서(調書), 문서(文書) обвинительный ~ 기소장(起訴狀); составлять ~ 조서를 작성하다, 문서를 만들다; ③ (연극의) 막(幕).

актер (남) 배우(配偶)

актерский (형) ~ое мастерство 배우의 기량

актив (남) I (집합) 열성자(들), 열심인 자들; записывать пять очков в ~ 회사에 열심인자들

актив (남) II ① (경제)대국(大國); ② 성과(成果), 성공(成功)

активизация (여) 적극화(積極化)

активизировать (미완, 완) 적극화하다, 발동시키다

активизироваться (미완, 완) 적극화되다, 발동되다, 열성을 발휘하다

активированный (형): ~ уголь 약숯, 활성탄(活性炭)

активистактив (남) 열성자(熱誠者), 적극적인자(積極的-)

активно (부) 열성적으로, 적극적으로, 힘 있게; ~ работать 힘 있게 일하다, 보람 있게 일하다.

активность (여) ① 열성(熱誠), 적극

성(積極性), 활동성(活動性); проявлять ~ 열성을 내다, 적극적으로 하다; ② (화학) 활성(活性)

активный (형) ① 열성적인, 적극적인, 활동적인; ② (의학) 악화(惡化); ~процесс в легких (폐에서의)악화과정

活ивия (여) (동물) 바위꽃

актовый (형) ~ зал 대강당(大講堂)

актриса (여) 여배우(女俳優)

актуальность (여) 절박성(切迫性), 긴박성(緊迫性), 간절성(懇切性)

актуальный (형) 절박한(切迫-), 간절한, 요긴한, 당면한, 초미(焦眉: 매우 급함); ~ вопрос 초미의 문제

акула (여) 상어, 교어, 사어(沙魚)

акустика (여) ① 음향(音響), 음향효과(音響效果); ② 음향학(音響學)

акушер (남) 산부인과 의사(醫師)

акушерка (여) 조산원(助産員)

акушерство (중) 조산술, 산부인과학

акцент (남) ① 악센트, 역점(力點); ② (외국어를 말 할 때) 말의 억양, 말투; делать ~ на(чём-л.) ...에 대하여 특별한 주의를 돌리다.

акцентировать (미완, 완) 힘주어 말하다, 강조하다; ~ внимание 특별한 주의를 돌리다

акционер (남) 주주(株主), 주권자

акционерный (형); ~ое общество 주식회사(株式會社)

акция I (여) 주(主), 주권(株券); курс ~й 주식시세(柱式時勢)

акция II (여) (어떤 목적달성을 위한) 행위(行爲)

Албания (여) 알바니아(Albania)

албанцы (복수), ~ка (여) 알바니아(Albania) 사람들

алгебра (여) 대수, 대수학(代數學)

алгебраический (형) 대수(代數)의

алебастр (남) 사탕석고, 눈꽃석고

алеть (미완) ① 붉어지다; ② 빨갛게 보이다

Алжир (남) 알제리(Algérie)

алжирцы (복수), ~ка (여) 알제리(Algérie) 사람(들)

алименты (복수) 부양비(扶養費), 양육비(養育費);платить ~ 양육비를 지급하다.

алкоголизм (남) 알코올 중독

алкоголик (남) 알코올 중독자, 술꾼, 주정뱅이

алкоголь (남) 알코올, 주정

алкогольный (형) 주정, 알코올; ~ые напитки 알코올음료(alcohol飲料)

аллегорический (형) 비유적인, 비유

аллегория (여) 비유(比喩), 풍유(諷諭), 환유법(換喩法)

аллегр (중) (음악) 알레그로, 바르게

аллергия (여) (의학) 알레르기

аллея (여) 가로수 길, (정원, 공원의) 작은 길, 소로 길,

алло! (전화에서) 여보세요!

алмаз (남) 금강석, 다이아몬드, 유리칼

алмазный (형) 금강석의, 다이아몬드

алоэ (중) (식물) 알로에

алтарь (남) 제단(祭壇)

алфавит (남) 자모(표); по ~у 자모순으로

алфавитный (형); в ~ом порядке 자모순으로

алчность (여) 탐욕(貪慾), 욕심(慾心), 물욕(物慾), 탐심(貪心)

алчный (형) 탐욕스러운, 욕심이 많은; ~человек 욕심쟁이, 욕심이 많은 사람

алый (형) 새빨간, 선홍색, 짙은 붉은 색

альбом (남) 사진첩, 앨범, 그림첩

альманах (남) 문예작품집(文藝作品-)

альпийский (형); ~ие луга 고산초원(高山草原); ~ая рас тительность 고산

(성) 식물(植物)
альпинизм (남) 등산, 등산 유람
альпинист (남) 등산가, 등산유람객
альт (남) 여성저음, 알토(alto)
альтернатива (여) 둘 가운데 하나를 고르는 것
альтруизм (남) 이타주의(利他主義)
альфа (여) 알파; ~-лучи 알파선; ~-частица 알파입자; ~ и омега 처음과 끝, 전부, 모두
альянс (남) 동맹(同盟), 연합(聯合), 결탁(結託),
алюминиевый (형) 알루미늄; ~ая посуда 알루미늄 그릇
алюминий (남) 알루미늄
Ам (Книга Пророка Амоса, 9장, 889 쪽) 아모스(Book of Amos
амбар (남) 곡물창고(穀物倉庫), 곡간
амбиция (여) 야심(野心), 공명심(公明心), 교만(驕慢), 명예심(名譽心)
амбразура (여) 불 아궁이, 화구(火口)
амбулатория (여) 진료소(診療所)
амбулаторный (형): ~ больной 외래환자(外來患者)
амеба (여) 아메바
Америка (여) 미국(美國), 아메리카
американский (형) 미국의
американцы (복수) ~ец (남), ~ка (여) 미국사람들
Амман (남) ㅁ. 암만
аммиак (남) 암모니아(ammonia)
аммоний (남) 암모늄 이온
амнистировать (미완, 완) 대사를 실시하다
амнистия (여) 대사면(大赦免), 일반사면(一般赦免); объявлять ~ю 대사면령을 내리다; указ об ~ 대사령, 일반사면령
аморальный (형) 비도덕적(非道德的)인, 도덕이 없는; ~ое поведение 비도덕적 행동(行動)

амортизатор (남) 완충기, 완충장치
амортизация (여) ① (재정) 감가상각(減價償却); ② 완충(緩衝)(작용)
аморфный (형) ① 무정형(無定型); ② 형태없는, 무형태
ампер (남) 암페어(ampere)
амперметр (남) 전류계(電流計)
амплитуда (여) ① (물리) 진폭(振幅); ② (수학) 편각(偏角), 쏠림각
амплуа (불변) (중) ① (배우의) 배역; ② 역할(役割), 지위(地位)
ампула (여) 앰풀(ampoule)
ампутация (여) 절단, 자르기
ампутировать (미완, 완) 자르다, 절단(切斷)하다.
Амстердам (남) ㅁ. 암스테르담
амулет (남) 호신용 부적
амфитеатр (남) 원형극장(圓形劇場), 반원형관람석
анализ (남) 분석(分析), (의학) 검사(檢査), (화학) 분해(分解)
анализировать (미완, 완) 분석하다, 검사하다
аналитический (형) 분석(分析), 분석적인; ~ая геометрия 해석^기하학(解析幾何學); ~ая химия 분석화학(分析化學)
аналогичный (남) 비슷한, 유사한, 같은; ~ый случай 비슷한 경우
аналогия (여) 유추(類推), 유사(類似); судить по ~и с (чем-л.) 유추하다
анальгин (남) 아스피린, 아날긴
ананас (남) 파인애플, 아나나스
анархизм(남) 무정부주의(無政府主義)
анархист(남) 무정부주의자
анархия (여) ① 무정부상태(無政府狀態); ② 혼란(混亂), 무질서(無秩序)
анатомировать (미완, 완) 해부하다
анатомический (형) 해부(解剖): ~ театр 시체 해부실
анатомия (여) 해부학(解剖學)
анахронизм (남) ① 시대착오; ② 시대

에 뒤진 것 (현재와 맞지 않는것)
ангар (남) 격납고, 비행기창고.
ангел (남) 천사(天使)
ангидрид (남) (화학) 무수물(無水物); серный ~ 무수유산
ангина (여) 편도선염(扁桃腺炎), 후두염(喉頭炎)
английский (남) 영국의(英國); ~язык 영국영어(英國英語)
Англия (여) 영국(英國)
англичане (복수) ~ин (남), ~ка (여) 영국사람(들)
Ангола (여) 앙골라(Angola)
Андорра (여) ① гос-во 안도라; (여) г. 안도라라베야
анекдот (남) 일화(逸話)
анекдотический, ~ный (형) 일화적, 우스운
анемия (여) (의학) 빈혈증(貧血症)
анестезия (여) 마취(痲醉), 지각마비(-瘋痺); местная ~ 국소마취(局所痲醉); общая ~ 전신마취
анилиновый (형); ~ая окраска, ~ый краситель 아날린 염료
Анкара (여) г. 앙카라
анкета (여) ① 조사서(調査書), 조사표(調査標); ② 조사(調査), 조회(照會)
анналы (복수) 연대기(年代記)
аннексия (여) 합병, 병합(竝合)
аннотация (여) 주해(註解), 주석(註釋), (도서의) 해제
аннулировать (미완, 완) 취소하다, 철폐하다, 폐기하다; ~ договор 조약을 폐기하다
анод (남) (電氣의) 양극(陽極)
аномалия (여) 편차(偏差), 이상, 변태(變態); магнитная ~ 자침의 편차
анонимка (여) 무기명편지(無記名便紙), 익명의 편지(匿名 便紙)
анонимный (형) 이름 없는, 익명(匿名)의; ~ое письмо 익명의 편지

ансамбль (남) ① 앙상불, 짜임새; ② 협주단, 무용단(舞踊團), 중창단; ~песни и пляски 가무단
антогонизм (남) 적대성(敵對性), 적대관계, 대립; классовый~ 계급적 대립관계
антогонистический (형) 적대적인; ~ие противоречия 적대적 모순; ~ие отношения 대립적 관계(對立的 關係)
Антарктика (여) 남극(지방)
антарктический 남극지방(南極地方); ~ая экспедиция 남극지방탐험대(南極地方探險隊)
антенна (여) 안테나
анти... (반대의 뜻) 반; антинародный 반민주적(反民主的)인
антибиотик (남) 항생소, 항생물질
антивоенный (형) 반전(反戰), 전쟁을 반대하는; ~ая демонстрация 반전시위(反戰示威); ~ые настроения 반전기세
антикварный (형) 골동품의(骨董品-): ~ый магазин 골동품상(骨董品商); ~ые вещи 골동품(骨董品)
антикоммунистический(형)반공(反共); ~ая пропаганда 반공선전
антикоррозийный (형) 방부제(防腐劑)의; ~ое средство 방부제(防腐劑), 부식억제(腐蝕抑制)
антинародный (형) 반국민적인
антиобщественный (형) 반사회적인
антипартийный (형) 반당(적)
антипатия (여) 반감(反感), 불쾌감(不快感); питать ~ю 불쾌감을 느끼다; вызывать ~ю 반감을 사다
антиракетный (형) 반대의
антирелигиозный (형) 반종교적인
антисанитарный (형) 비위생적인
антисемитизм (남) 유태인배척주의
антисептический (형) 방부제(防腐劑); ~ое средство 소독약, 방부제
антитезис (남) (철학) 반정립(反定立)

антифашист (남) 반파쇼투사
антифашисткий (형) 반파쇼의
антициклон (남) (기상) 역선풍지대
античный (형) 고대 희랍, 로마의
антология (여) 시선집
антоним (남) 반대말, 반의어(反意語)
антракт (남) ① 막간(휴식); ② (음악) 간주곡(間奏曲)
антрацит (남) 무연탄(無煙炭)
антресоли (복수) 다락(방)
анфас (부) : сфотографироваться в ~ 정면으로 사진을 찍다
анчоус (남) 멸치
аншлаг (남) 만원(滿員), 대성황(大盛況); пройти с ~ом 초만원이다, 대성황이다
аорта (여) 대동맥(大動脈)
апартейд (남) 인종격리제도
апатит (남) (광석) 인회석(燐灰石)
апатия (여) 냉정(冷情), 무관심(無關心); впадать в ~ю 무관심해지다
апеллировать (미완, 완) 상소(上訴)하다, 공소(公訴)하다, 호소하다
апелляция (여) 상소(上訴), 공소(公訴); подавать ~ю 상소하다
апельсин (남) 귤, 오렌지
аплодировать (미완) 박수(를)치다, 손뼉(을)치다
аплодисменты (복수) 박수(拍手), 손뼉; бурные ~ 우레 같은 박수
апломб (남) 자신감, 자존심(自尊心); говорить с ~ом 자신만만하게 말하다
апогей (남) ① 극치(極致), 절정(絶頂), 고비; достигнуть ~я 절정에 도달하다, 극치에 이르다; ② (천문) 원지점
аполитичность (여) 정치적 무관심(성), 정치에 관여하지 않는것
апологет (남) 변호인, 비호자, 대변자
апостроф (남) 사이표
аппарат (남) ① 기구(器具), 기계(機械); телефонный ~ 전화기; ② 기관(機關) 기구(機構); государственный ~ 국가기구; ③ (생리) 기관(機關) пищевари- тельный ~ 소화기(消化器)
аппаратура (여) 기구(器具), 장치(裝置), 설비(設備)
аппендикс (남) (의학) 충양돌기, 맹장
аппендицит (남) 맹장염(盲腸炎), 충양돌기염(蟲樣突起炎), 충수염(-炎)
аппетит (남) 식욕(食慾), 밥맛, 입맛; возбуждать ~ 비위를 돋구다; нет ~а 입맛이 쓰다; есть с ~ом 맛있게 먹다; приятного ~а! 많이 잡수십시오! 잘 잡수십시오!
аппетитный (형) ① 먹음직함, 식욕을 돋구는, 입이 단; ② 냄새가 구수한
апрель (남) 사월(四月) 4월.
апрельский (형) 사월의
апробировать (미완, 완) 시인하다
аптека (여) 약국(藥局), 약방(藥房)
аптекарь (남) 약제사(藥劑師)
аптечка (여) 구급함(救急函), 약장
арабский (형) 아랍의; ~ие страны 아랍나라들; ~ие цифры 아라비아숫자
арабы (복수) 아랍사람들
арахис (남) 땅콩, 낙화생(落花生)
арба (여) (두 바퀴) 달구지, 짐마차
арбитр (남) ① 중재인(仲裁人), 조정자(調停者); ② (체육) 심판(審判)
арбитраж (남) 중재(仲裁), 조정(調整), 중재재판; государственный ~ 국가 중재원
арбуз (남) 수박
Аргентина (여) 아르헨티나
аргентинцы (복수) ~ец (남), ~ка (여) 아르헨티나 사람(들)
арго (불변) (중) 결말(結末), 변말, 은어(隱語); воровское ~ 도적들의 결말
аргон (남) (화학) 아르곤(argon)
аргумент (남) 논거(論據), 논증(論證)
аргументация (남) 논증(論證); подкреплять ~ей 논리로 안에서 지지하다

аргументировать (미완, 완) 논증하다, 논거를 들다

арена (여) ① 원형무대, 둥근무대(-舞臺); спортивная ~ 원형경기장(圓形競技場); ② 무대(舞臺), 활동무대(活動舞臺); на международной ~е 국제무대에서; выходить на ~у 무대에 출연하다, 무대에 등장하다

аренда (여) ① 세(歲), 임차(賃借), 소작(小作); брать в ~у *см.* арендовать; сдавать в ~у 세를 놓다; ② 빌려준 값, 임차료(賃借料), 소작료(小作料)

арендатор (남) 소작인(小作人), 세를 내는 사람

арендный; ~ая плата *см.* аренда

арендовать (미완, 완) 세내다, 임차하다; ~землю 소작하다, 땅을 빌려 쓰다

ареометр (남) (물리) 비중계(比重計)

арест (남) ① 체포(逮捕), 구금(拘禁), 검거(檢擧); находиться под ~ом 검거되어있다; посадить под ~ 체포하다, 검거하다; домашний ~ 가택구금; ② 차압(差押); наложить ~ 차압하다

арестант (남) 수감자(收監者)

арестованный (남) 구속자(拘束-)

арестовать(완), арестовывать (미완) 체포하다, 검거하다, 구류하다

ариозо (중)(음악) 아리오조

аристократ (남) 귀족(貴族)

аристократия (여) 귀족계층, 특권층

аритмия (여)(의학) 부정맥(不整脈)

арифметика (여) 산수(算數)

арифметический (형) 산수(算數)의; среднее ~ое 등차중항(等差中項)

арифмометр (남) 계산기(計算器)

ария (여) 아리야

арка (남) 아치(arch), 아치문(-門), 무지개문; триумфальная ~ 개선문

Арктика (여) 북극지방(北極地方)

арктический (남) 북극지방의, 북극의; ~ая экспедиция 북극탐험대

арматура (여) ① (건설) 콘크리트의 철근; ② (공학) 부속품(附屬品); ③ (전기) 조명장치, 조명기구(照明器具)

арматурщик (남) 철근 조립공

армейский (형) 군사용, 군인의

Армения (여) 아르메니야

армия (여) 군대(軍隊); действующая ~ 전방부대(前方部隊); регулярная ~ 정규군(正規軍); наша ~ 아군(我軍); ◇ безработных 실업자대군

армяне (복수) ~ин (남), ~ка (남) 아르메니아 사람(들)

аромат (남) 아로마향기(香氣), 향미(香味)

ароматичный, ароматный (형) 향기로운, 냄새좋은; ~ые масла 향유(香油)

арсенал (남) ① 무기고(武器庫), 병기고(兵器庫); ② 창고(倉庫), 저장고(貯藏)

артезианский (형); ~ие воды 분수, 땅속의 물; ~ий колодец 분수우물

артель (여) 조합(組合), 협동조합(協同組合); сельскохозяйчтвенная ~ 농업협동조합(農業協同組合)

артерия (여) ① (의학) 동맥(動脈); ② 중요간선(重要-)

артикль (남) (언어) 관사(冠詞)

артикуляция (남) (언어) 분절음(分節音), 조음(調音), 소리이루기

артиллерийский (형) 포병의(砲兵-); ~ая подготовка 공격 준비사격; ~ий огонь 포사격, 포화; ~ий снаряд 포탄(砲彈); ~ая часть 포병대(砲兵隊)

артиллерист (남) 포병(砲兵)

артиллерия (여) 포(包), 포병(砲兵), 포대(砲隊), 포병대(砲兵隊)

артист (남) 배우(俳優); заслуженный ~ 명인; народный ~ 국립연예인

артистический(형); ~ая(уборная) 분장실

артистка (여) 여배우(女俳優)

арфа (여) 하프(harp)
архаизм (남) (언어) 고어(古語)
архаический, архаичный (형) 고풍(古風)의, 옛날의
археолог (남) 고고학자(考古學者)
археология (여) 고고학(考古學)
архив (남) ① 고문서(古文書)보관기관, 문서국(文書-); ② 옛 문헌자료, 사료; сдавать в ~ 폐물로 간주하다
архивный (남) 고문서, 고문헌(古文獻); ~ые материалы 고문서자료
архиепископ (남) 대주교(大主敎)
архипелаг (남) 군도(群島),제도(諸島)
архитектор (남) 건축가(建築家)
архитектура (여) ① 건축술(建築-), 건축학(建築學); ② 건축양식(建築樣式)
архитектурный (형) 건축의
арык (남) (중앙아시아의) 관개수로
асбест (남) (광물) 석면(石綿), 돌솜
асептический (형); ~ое средство 방부제
аскетизм (남) 금욕주의(禁慾主義)
аспект (남) 견지(見地), 관점(觀點), 측면
аспирант (남) 연구생(研究生)
аспирантура (여) 연구원(研究員)
аспирин (남)(의학) 아스피린(aspirin)
ассамблея (남) 총회(總會), 대회(大會); Генеральная Ассамблея ООН 유엔총회(UN總會)
ассенизация (여) (소독, 위생)청소, 오물실어내기
ассигнование (중) 지출(支出); ~я 지출금(支出金), 배당금(配當金)
ассигновать (미완, 완) 지출하다, 배당하다, 활당하다
ассимиляция (여) 동화(同化), 동화작용(同化作用)
ассистент (남) 조수(助手), 보조원(補助員), 조교(助敎)
ассортимент(남) 품목(品目), 품종(品種), 가지수; ~ товаров 상품(商品)의 가지수
ассоциация(여) ① 협회(協會), 동맹(同盟); ②(심리)연상(聯想); по ~и 연상하여
астигматизм (남) (의학) 난시(亂視)
астма (여) (의학) 천식(喘息), 천식증(-症); бронхиальная ~ 기관지천식
астра (남) (식물) 개미취, 반혼초, 옹굿나물, 개쑥부쟁이
астронавт (남) 우주비행사(宇宙飛行士), 우주비행가(宇宙飛行-)
астроном (남) 천문학자(天文學者)
астрономический(형) 천문학적인(天文學的-), 천문의(天文); ~ие цифры 천문학적인수자, 엄청난 숫자; ~ие часы 천문시계(天文時計)
астрономия (여) 천문학(天文學)
астрофизика(여) 천체물리학(天體物理學)
асфальт (남) 아스팔트(asphalt)
асфальтированный (형) 아스팔트로 포장한; ~ая дорога 아스팔트 길
асфальтировать 아스팔트로 포장하다
асфальтовый (남) 아스팔트의
атавизм(남)(생물) 격세유전(隔世遺傳)
атака(여) 공격(攻擊), 돌격(突擊), 진격(進擊); идти в ~у 돌격하다; переходить в ~у 돌격으로 넘어가다; бросаться в ~у 돌진하다; штыковая ~ 육박전
атаковать (미완, 완) 공격하다, 돌격하다
атаман (남) 두목(頭目), 두령(頭領), 우두머리
атеизм (남) 무신론(無神論)
атеист (남) 무신론자(無神論者)
ателье (불변) (중) ① 양복점(洋服店); ~ индивидуального поши ва(платья) 개인주문 양복점; ② 화실(畫室), 미술제작실; ③ 사진촬영실(寫眞撮影室);

④ 전파사, 가전제품 수리점
атеросклероз(남)동맥경화(動脈硬化), 동맥경화증(動脈硬化症)
атлантический (남) 대서양(大西洋)
атлас (남) ① (지리) 지도첩(地圖-), 지도책(地圖-); ② 도해집(圖解-); ~ лекарс-твенных растений 약용식물도해집(藥用植物圖解-)
атлас (남) 공단(工團)
атлет (남) (체육) 운동선수, 힘장사
атлетика (여) 경기(競技); лёгкая ~ 육상경기(陸上競技); тяжелая ~ 역기
атмосфера(여) ① 대기(大氣), 공기(空氣); ② 대기권(大氣圈); ③ (물리) 기압(氣壓); ④ 분위기(雰圍氣), 환경(環境);радостная ~ 즐거운 분위기; товари щеская ~ 동반적 분위기
атмосферный(형) 대기(大氣)의; ~ ое давление 대기압(大氣壓); ~ые осадки 눈비, 강우량; ~ые явления 기상
атолл (남) 산호섬(珊瑚-)
атом (남) 원자(原子)
атомный(형) 원자(原子); ~ая бомба 원자폭탄; ~ый вес 원자량(原子量); ~ое оружие 원자무기; ~ый реактор 원자로(原子爐) 원자반응기; ~ая электростанция 원자력발전소; ~ая энергия 원자력(原子力); ~ое ядро 원자핵(原子核)
атрибут (남) ① (철학) 속성(續成); ② 징표(徵標), 특징(特徵)
атропин (남) 아트로핀(atropine)
атрофироваться (미완, 완) 위축되다
АТС (автоматическая телефонная станция) 자동전화국(自動電話局)
атташе (남) 무관(武官); военный ~ 육군무관(陸軍武官), 군사 아따쉐
аттестат (남) 증명서(證明書), 졸업증(卒業-); ~ зрелости 중학교 졸업증
аттестация (여) 자격심사(資格審査), 감정서(鑑定書)
аттестовать (미완, 완) 자격을 심사하다, 평가(評價)하다, 감정하다.
аттракцион (남) ① 오락시설, 유희시설; ② 흥미를 끄는 종목
аудиенция (여) 접견(接見); дать ~ю 접견하다; получить ~ю (у кого-л.) ....의 접견을 받다
аудитория (여) ① 교실(敎室), 강의실(講義室); ② 청중(聽衆), 청강생
аукцион (남) 경매(競賣); продавать с ~а 경매하다, 경매를 붙이다
аут (남) (체육) 바깥, 아웃(out)
аутентичный (형) 원본의, 진짜의, 확실히; ~ текст договора 조약의 원본
Афганистан (남) 아프카니스탄
афганцы (복수) ~ец (남), ~ка (여) 아프카니스탄 사람(들)
афера(여) 협잡(挾雜), 투기; пускаться в ~ы 투기하다
аферист (남) 협잡꾼(挾雜-), 투기군
Афины (복수) 2. 아테네
афиша (여) 광고(廣告)
афишировать (미완, 완) 광고하다, 자랑하다, 뽐내다.
афоризм (남) 경구(警句), 금언(金言)
Африка (여) 아프리카
африканский (형) 아프리카의
африканцы (복수) ~ец (남), ~ка (여) 아프리카 사람(들)
аффикс (남) (언어) 접사, 접두사, 접미사, 덧붙이
ax! 아차!, 아이고!; ах, как красиво! 아! 정말 아름답다!; ах, опоздал! 아뿔사 늦었구나!
ахать(미완), **ахнуть**(완) 아!, 아차! 악! 하고 소리치다; ахнуть не успел, как. 악! 하고 소리 칠 겨를도 없이...
ацетилен (남) (화학) 아세틸렌
ацетон. (남) (화학) 아세톤(acetone)
аэробный (형); ~ые бактерии 호기성 미생물(好氣性 微生物)

аэродинамика (여) 기체력학(-學), 항공력학(航空力學)
аэродинамический (형) 기체력학의, 항공력학의; ~ая труба 풍동(風洞)
аэродром (남) 비행장(飛行場)
аэроклуб (남) 항공클럽(航空-)
аэрология (여) 대기학(大氣學), 고층기상학(高層氣象學)

аэронавигация (여) 항법학(航法學)
аэронавтика (여) 항공학, 항공술
аэроплан (남) 비행기(飛行機)
аэропорт (남) 공항(空港)
аэросани (복수) 프로펠라식 썰매
аэростат (남) 기구(氣球)
аэрофотосъёмка (남) 항공촬영, 항공사진(-寫眞)

Б

баба (여) ① 아낙네, 부녀자(婦女子); ② 처(妻) 아내; снежная ~ 눈사람
бабочка (여) 나비
бабушка (여) 할머니
багаж (남) ① 짐; ручной~ 손짐, 수화물(手貨物); камера хранения ручного ~a 수화물 보관함; сдавать в ~ 짐을 맡기다; ② 지식(知識), 조예(造詣); научный ~ 과학적 지식
багажник (남) 짐받이
багажный (형) 짐의, 수화물(手貨物) ~вагон 손짐차, 수화물차
Багдад (남) г. 바그다드
багор (남) 갈구리, 갈고랑막대기
багроветь (미완) 검붉어지다, 진홍(다홍)색으로 되다; лицо побагровело 낯이 붉었다
багровый (형) 검붉은, 자주빛, 적자색
бадминтон (남) 배드민턴(badminton)
бадья (여) 물통, 두레박
база (여) 기초(基礎), 토대(土臺), 근거(根據); материальная ~ 물질적 토대; ② 창고(倉庫), 공급소; топливная ~ 연료창고; ③ 기지(基地), 근거지(根據地); военная ~ 군사기지(軍事基地); авиационная ~ 공군기지(空軍基地); ④ 본거지(本據地), 거점(據點); ◇ на ~e (чего)... 에 근거하여, 기초하여
базар (남) 시장(市場), 장; книжный ~ 서적판매시장; ходить на ~ 장보러가다
базарный (형) 시장의, 장(場)의; ~ый день 장날; ая~ площадь 장마당
базировать (미완) 기초로 삼다, 근거를 두다; ~ промышленность на отечес-твенном сырье 공업의 기초를 국내원료에 둔다.
базироваться (미완) ① 근거(根據)하다, 기초(基礎)하다, 의거하다 ~ на фактах 사실에 근거하다; ② 근거지(根據地)를 두다, 근거로 정하다, 주둔하다
базис (남) 토대(土臺), 기초(基礎), 근거(根據); ~ и надстройка 토대와 상부구조(上部構造)
базовый (형) 근거지의, 기지(基地)의
байдарка (여) 경기용 보트(boat), 카약(kayak), 바이다르까(baidarka)
байка (여) 융(絨), 모(毛)
байковый (형) 융(絨)으로 만든; ~ое одеяло 융 담요
бак (남) 탱크, 통; ~ для воды 물통
бакалейный (형) 식료품(食料品)의; ~ые товары 식료품; ~ый магазин 식료품상점
бакалея (여) (집합) 식료품(食料品)
бакен (남) 뱃길 표, 뱃길의 부표
бакенбарды (복수) 구레나룻
бакенщик (남) 이정표(里程標), 길잡이 표 감시인(監視人), 부표(浮漂)직이
баклажан (남) 가지
баклан (남) 가마우지(a cormorant.)
баклуши (복수); бить ~ 빈둥거리다, 건달부리다, 게으름을 피우다
бактериологический (형) 세균(細菌); ~ое оружие 세균무기
бактериология (여) 세균학(細菌學)
бактерицидный (형) 살균(殺菌)
бактерия (여) 세균(細菌), 미균(黴菌),

박테리아(bacteria)
бал (남) 무도회(舞蹈會)
балагур (남) 까불이, 어릿광대, 코메디안(comedian), 피에로(프pierrot), 개그맨(gagman)
балалайка (여) (러시아 현악기류) 발랄라이까(balalaika)
баланса(여) 밸런스(balance), 균형(均衡); ~ народного хозяйства 국민경제균형; подводить (сводить)~(수지) 결산하다
балансировать (미완) ① 균형을 잡다, 균형을 유지하다; ② 밸런스를 맞추다, 균형을 맞추다
балансовый (형); ~ отчет 결산보고
балбес(남) 미련퉁이, 머저리, 어리보기
балда (남, 여) 머저리, 천치(天痴)
балерина (여) 발레리나(ballerina)
балет (남) 발레, 무용극(舞踊劇)
балка I (여) 들보, 보
балка II (여) 길쭉한 골짜기
балкон (남) ① 난간(欄干), 발코니(balcony); ② (극장 위층의) 관람대(觀覽臺)
балл (남) ① 바르(기압, 지진 등을 측정하는 단위); ветер в три ~а 3 바르의 풍력(風力); (학교 체육에서) 점수(點數), 득점(得點), 점(點)
баллада (남) 이야기 시(-詩), 담시(譚詩), 발라드(ballade)
балласт (남) ① (배, 기구 등의) 모래주머니, 자갈주머니; ② 군더더기, 무용지물; ③ (철도) 자갈층(-層)
баллистический (형) 탄도(彈道); ~ая ракета 탄도 로켓트, 탄도미사일
баллон (남) (액체 또는 가스를 넣는) 용기(用器), 통(桶), 병(倂); ~c газом 가스통;~ с кислородом 산소통
баллотироваться (미완) 자기를 입후보자로 내세우다

баловать (미완) 응석부리다, 장난질
баловаться (미완) 장난질하다, 까불다; ~ с огнем 불장난질하다
баловень (남) 응석둥이 장난꾸러기
баловство (중) 장난질, 응석받이
бальзам (남) ① 발삼(balsam), 함유수지, 테레빈유(-油); ② 보약(補藥); живительный ~ 소생수(蘇生水)
бамбук (남) 참대, 대
бамбуковый 참대의, 대의
банальный(형) ① 평범한, 범상한; ② 진부한, 케케묵은
банан (남) 바나나, 바나나 나무
Бангкок (남) г. 방콕(Bangkok)
Бангладеш (남) г. 방글라데시
банда (여) 악당(惡黨), 강도단, 도둑
бандаж (남) ① (의학) 특수 붕대, 배띠; грыжевой ~ 탈장대; ② (공학) 겉바퀴, 바퀴의 테
бандероль (여) (우편물 발송에 사용되는) 종이띠, 받침종이, 포장된 우편물
бандит (남) 강도(强盜), 악당, 도적
бандитизм (남) 강도행위, 비적행위
банк(남) 은행(銀行); государственный ~ 국립은행(國立銀行)
банка (여) ① (원통형의) 통, 단지, 병; консервная ~ 통조림통; железная ~ 양은통; пустая ~ 깡통; ② (복수) ~и 변기, 부항단지; ставить ~и 부항을 붙이다
банкет (남) 연회(宴會), 축하연(祝賀宴), 초대연; устраивать ~ 연회를 베풀다
банкир (남) 은행가, 은행경영자
банкнот (남),~a (여) 은행권(銀行券), 은행지폐
банковский (형); ~ билет 은행권; ~ служащий 은행직원
банкрот (남) 파산자(破産者),

파산채무자(破産債務者), 파열당한자
банкротство (중) 파산(破散),
파탄(破綻); потерпеть ~ 파산당하다
бант (남) 나비리본, 나비댕기
баня (여) 목욕탕(沐浴湯); идти в ~ю
목욕하러가다; задать ~ю кому-л
혼내다, 되게 욕하다
бар (남) 술집, 빠, 서양식술집, 작은
음식점; пивной ~ 맥주집
барабан (남) ① 북; бить в ~ 북을
치다; ② (공학) 동체(同體), 원형(圓形)
барабанить(미완) 북을 치다,
짓두드리다
барабанный(형) 북의; ~ые палочки
북채; ~ый бой 북소리; ~ая дробь 잦은
북소리; ~ая перепонка (해부)
고막(鼓膜)
барабанщик (남) 북잡이, 북치는
사람, 고수(鼓手)
барак (남) 임시건물, 가설건물
баран (남) 수양, 양(羊)
баранина (여) 양고기
баранка (여) ① 가락지 모양의 둥근
빵, 도넛; ② 자동차 운전대, 운전대
손잡이; крутить ~у 운전대를 돌리다
барахтаться (미완) 발버둥질하다,
몸부림치다
барашек(남)(공학) 나비너트,
날개나사
барбарис (남) 매발톱나무, 매자나무
барельеф (남) 부각(장식), 돋을 새김
баржа (여) 부선(艀船),
화물선(貨物船); самоходная ~
동력화물선
барий (남) (화학) 바리움
барин (남) 귀족(貴族), 양반(兩班),
나으리; сидеть ~ом 빈둥빈둥
놀고먹다
баритон (남) 남성중음, 바리톤
баркас (남) 해상보트, 소형기계 배.
барограф (남) 자동기록압압계
барометр (남) 기압계(氣壓計)
баррикада (여) 바리케트
барс (남) 표범(豹-)
барский (형) 귀족(貴族)의, 나으리의;
~ое тношение к делу 거만한 태도
барсук (남) 오소리, 토저(土猪), 토웅
барханы (복수) 사막의, 모래언덕
бархат (남) 우단(羽緞), 천아융
(天鵝絨), 벨벳(velvet) 비로도.
бархатистый(형) 부더러운; 아주
부더럽다 ~ голос 부더러운 목소리
бархатный (형) 우단의, 비로도의;
~ое дерево 황경피 나무
барыня (여) 귀부인(貴婦人), 여지주
барыш (남) 이윤(利潤), 소득(所得)
барышня (여) 아씨, 아가씨,
처녀(處女)
барьер (남) ① 장벽(障壁),
장애물(障碍物); брать ~ 장애물을
뛰어넘다, 장애를 극복하다; ②
방해(妨害), 방해물
бас (남) 남성저음, 베이스(base);
남성저음 가수; (악기)바스
баскетбол (남) 농구(籠球)
баскетболист(남),**~ка**(여) 농구선수
баскетбольный (남) 농구의; ~ая
команда 농구팀
баснописец (남) 우화작가(偶話作家)
баснословный (형) 상상외의, 믿기
어려운; ~ые прибыли 엄청난 이윤
басня (여) ① 우화(偶話); ② 꾸며낸
말, 허튼 소리, 거짓말, 허구(虛構);
рассказывать ~и 허튼소리를 하다
бассейн (남) ① 저수지(貯水池); плавательный ~ 수영장; ② 강의 유역; ~
реки Волга 볼가강 유역; ③ (광물)
매장지; угольный ~ 탄전
баста (감) 그만, 그만하면 된다,
충분하다, 다됐다.
бастион (남) 보루(堡壘),
бастовать (미완) 파업(罷業)하다.

бастующий (남) 파업자(罷業者)
баталия (여) ① 전투(戰鬪), 격전(激戰); ② (회화) 다툼질, 싸움; словес- ная ~ 말다툼
батальон (남) 대대(大隊)
батарея (남) ① 포병중대(砲兵中隊), 포대(砲隊); зенитная ~ 고사포 중대; ② (전기) 축전지(蓄電池), 전지; сухая ~ 건전지; ③ (공학) 방열기, 난방장치
батат (남) 고구마, 감서(甘薯), 감저
батерфляй (남) (체육) 접영(蝶泳)
батон (남) 길쭉한 흰빵
батрак (남) 머슴, 고용인(雇傭人)
батрачить (미완) 머슴살이를 하다, 고용살이를 하다
бахвалиться (미완) 허풍을 치다, 뽐내다, 허풍을 치다
бахвальство (남) 허풍, 흰소리, 자만
бахча (여) 원두밭
бахчевой (형); ~ые культуры 원두막, 박과작물(수박, 참외 등)
Бахрейн (남) 바레인(Bahrain)
бацилла (여) 막대균, 간상균(桿狀菌); турбекулезная ~ 결핵균
бациллоноситель (남) 보균자(保菌者), 균을 가진 사람
башенный (형) 탑(塔)의, 타워; ~ый кран 타워 크레인; ~ые часы 시계 탑; ~ый стрелок 탱크포수
башмак (남) ① 구두, 단화(短靴); ② (공학) 받침판, 지지대 ③ (철도) 바퀴쐐기, 제동편
башня (여) 탑(塔), 타워(tower), 탑파; водонапорная ~ 급수대; орудийная ~ 포탑(砲塔); Кремлевская ~ 크레물린탑; крепос-тная ~ 성탑(城塔)
баюкать (미완) 자장 자장하다, 자장가를 불러 재우다, 잠재우다
баян (남) 바얀(러시아 손풍금의 일종)
бдительно (부) 경각성 있게, 각성높이

бдительность (여) 경각성(警覺性), 주의 깊게; повышать ~ 경각성(警覺性)을 높이다; ослаблять ~ 경각성을 늦추다
бдительный (형) 경각성 있는, 경각성이 높은, 주의 깊게
бег (남) ① 달음박질; устать от ~а 달려서 피로해지다; на ~у 달려서; ② (체육) 달리기, 경주(競走); барьерный ~ 장애물경기(障碍物競技); ~ на короткие(средние) дистанции 중거리 달리기; эстафетный ~ 계주(繼走)
бега (복수) 경마(경기)
бегать(미완) ① 뛰어 달리다, 달리다, 달음박질하다, 경주(競走)하다; ② 도주(逃走)하다, 회피하다; не ~й от дела! 사업을 회피하지 말라!; мурашки ~ют 소름이 끼친다
бегемот (남) 하마(河馬)
беглец (남) 도주자(逃走者), 탈주자
бегло (부) ① 유창하게, 거침없이; ② 대강대강, 얼핏
беглый (형) ① ~ый взгляд 대중보기, 대강보기; ~ое описание 간략한 서술; ~ое чтение 유창한 읽기; ~ый огонь 속사(速射); ② (명) 탈주자(脫走者)
беговой(형) ① 경주용(競走用); ~ая дорожка 달림길, 경주코스; ② 경마용(競馬用); ~ая лошадь 경마용말
бегом (부) 뛰어서, 달음질쳐서, 달음박질로; ~ марш! 속보로 갓!
беготня (여) 뛰어 돌아다니는 것, 분주히 서두는 것, 동분서주(東奔西走)
бегство (중) 도망(逃亡), 도주(逃走), 탈주(脫走); обратиться в ~ 도망치다
бегун (남)(체육) 달리기 선수
беда (여) 불행(不幸), 재액(災厄); на ~у 불행하게도; это не ~а! 큰일이 아니다; попадать в ~у 불행에 빠지다, 재난을 입다
беднеть (미완) ① 가난해지다,

구차해지다; ② *чем* 빈곤해지다, 없어지다

бедность (여) ① 빈궁(貧窮), 가난(家難); жить в ~и 가난하게 살다; ② 빈약성(貧弱性), 부족(不足), 불충분한 것.

бедный (남) ① 가난한, 빈한한; ~ый крестьянин 빈농, 빈농민; ② 불쌍한, 가긍스러운, 단조로운; ③ 빈약(貧弱)한, 옹색(壅塞)한, 허술한;~ая обстановка 허술한 가구(家口)

бедро (중) 넓적다리, 허벅지.

бедственный (형) 불운한, 불행한, 비참한, 위급한; ~ое положение 궁경(窮境), 도탄(塗炭), 비참한 처지

бедствие (중) 재난(災難), 재해(災害), 불행(不幸), 참화(慘禍); ~е на море 바다에서의 재해; терпеть ~е 조난을 당하다; стихийное ~е 자연재해를 당하다; сигнал ~я 조난신호; место ~ 조난장소

бедствовать (미완) 가난하게 지내다, 고생스럽게 살다

бежать (미완) ① 달리다, 달음박질하다, 뛰어가다; ~ со всех ног 줄달음을 치다; ② 도망하다, 도주하다; ③ 흐르다, 흘러가다, 지나가다;молоко ~ит 우유가 끓어 넘쳐흐른다.; время ~ит 세월이 빨리 지나간다.

беженец (남) 피난민(避難民), 피난자

без (전) ① ....없이; ~ сомнения 의심할 바 없이; ~ исключения 빠짐없이; работать ~ отдыха 쉴 새 없이 일하다; дом ~ крыши 지붕 없는 집; ② (행동 상태를 표시) ...없이, ...지 않고, ...었을 때; ~ тебя принесли письмо 네가 없을 때 편지가 왔다;~ оглядки 뒤도 돌아보지 않고; ③ (수량, 시간 등을 표시) ~ малого пять килограмм 약 5 kg; ~ четверти час 1시 15분전; быть ~ ума от кого ...에게 홀딱 반하다; и ~ того 그렇지 않아도

безаварийный (형) 무사고(無事故)의, 사고가 없는, 안전하게

безалаберный (형) 난잡한, 무질서한; ~ образ жизни 막살이

безалкогольный(형): ~ напиток 알코올 성분이 없는 음료

безатомный (형) 핵무기가 없는; ~ ая зона 비핵지대(非核地帶)

безбилетник (남) 무임승객(無任乘客), 표가 없는 승객(乘客)

безбожник (남) 무신론자(無神論者), 신을 믿지 않는 사람.

безболезненный (형) ① 아프지 않은, 진통이 없는; ~ая операция 무통수술(無痛手術); 순조로운, 원만한

безбрежный (형) 가망 없는, 망망한, 끝없는; ~ое море 망망대해(茫茫大海)

безветренный (형) 바람기 없는 날씨, 고요한;~ая погода 고요한 날씨

безвинный (형) 죄 없는, 무고한

безвкусица (여) 몰취미, 저속한 취미

безвкусный (형) ① 맛없는; ② 취미 없는, 멋없는, 흥미 없는

безводный (형) ① 물 없는, 물기 없는; ② (화학) 무수(無水)의; ~ая кислота 무수산

безвозвратный (형) 되돌아 올수 없는, 회복할 수없는; ~ая ссуда 무기한 대부

безвоздушный (형) 공기 없는, 진공(眞空)의; ~ое пространство 진공(공간)

безвозмездно (부) 무상으로, 무료로

безвозмездный (형)무상(無常), 무료(無料); ~ая помощь 무상원조(無償援助)

безвольный (형) 의지가 약한, 결단성 없는, 우유부단한

безвредный (형) 해롭지 않는, 해(害)를 끼치지 않는, 악의(惡意) 없는; ~ое лекарство 독이 없는 약
безвременный(형) 너무 이른, 때 이른, 때 아닌;~ая кончина 뜻하지 않는 서거
безвыездно (부) 외출하지 않고, 한곳에 머물러; жить ~ 한 고장에 들이 박혀 지내다
безвыходный(형) 출구 없는, 막다른; ~ое положение 궁경, 궁지, 어찌 할 수 없는 지경; оказаться в ~ом положении 막다른 골목에 이르다
безголовый ① 머리가 없는; ② 머리가 둔한, 암둔한, 우둔한, 기억력이 나쁜
безграмотный (형) ① 문맹(文盲)의, 무식한, 지식이 없는, 교육을 받지 못한; ② (명사) 문맹(文盲)자, 무식쟁이
безграничный (형) ① 무한한, 끝이 없는, 망망한; ② 극도의; ~ая скорбь 극도의 슬픔.
бездарный (형) 재간 없는 무능한, 졸렬한, 서투른; ~ое произведение 졸렬한 작품, 졸작(拙作)
бездарность (여) ① 무재간, 무능(無能); ② 둔재(鈍才), 무능한 사람
бездействовать(미완)활동하지 않다, 움직이지 않다, 멎어있다, 일하지 않다
безделье (중) 안일(安逸), 허송세월(虛送歲月), 무위도식(無爲徒食)
бездельник (남) 건달(乾達), 게으름뱅이, 놀고먹는 놈
бездельничать (미완) 무위도식하다, 건달을 부리다, 놀고먹다, 빈둥거리다
бездетный (형) 아이 없는, 자식 없는
бездна (여) ① 심연(深淵), 심해(深海); ② (술어) *чего* 아주 많다, 엄청나게 많다
бездоказательный(형) 증거(證據)없는, 무근거한
бездомный (형) 집 없는, 고독(孤獨)한, 의지할 곳 없는
бездонный (형) ① 밑바닥 없는, 밑 빠진; ② 한없이 깊은; ~ая бочка 밑 빠진 항아리
бездорожье (중) ① 길이 없는 것, 나쁜 길;② 길이 나빠지는 계절
бездумный (형) 생각이 없는, 경솔한, 머리를 쓰지 않는
бездушие (중) 무정, 박정, 냉정, 냉담
бездушный (형) 무정한, 인정이 없는, 냉정한, 무심한, 냉혹한
безжалостно (형) 무자비하게, 무참하게, 사정없이, 혹독하게, 잔인하게
безжалостный (형) 무자비한, 무참한, 사정없는, 혹독한, 잔인한
безжизненный (형) ① 죽은, 숨결 없는; ② 생기 없는, 죽은듯한, 활기 없는; ~ взгляд 정기 없는 시선
беззаботность (여) 무사태평(無事泰平), 근심하지 않는 것, 걱정하지 않는 것
беззаботный (형) 무사태평(無事泰平)한, 시름없는 안일한, 근심 없는
беззаветный (형) 헌신적(獻身的)인, 자기희생적인(自己 犧牲的), 무한한; ~ое служение 헌신적인 복무; ~ ая преда-нность 무한한 충실성
беззаконие (중) 무법천지(無法天地), 불법행위(不法行爲), 위법(違法), 비법(非法); творить ~ 불법행위를 하다
беззастенчивый (형) 뻔뻔스러운, 부끄러운 줄 모르는, 파렴치한, 난폭한; ~ая ложь 뻔뻔한 거짓말

беззащитный(형) 보호 없는, 무방비한, 의지할 곳 없는, 고립무원(孤立無援)한
беззвучный (형) 소리 없는, 소리를 내지 않는, 조용한
безземелье (중) 토지(土地)의 부족
беззлобный (형) 악의 없는, 착한, 선량한; ~ смех 악의 없는 웃음
беззубый (형) ① 이가 빠진; ② 날카롭지 못한, 약한; ~ая критика 두루뭉술한 비판
безличный (형) (언어) 무인칭의; ~ глагол 인칭변화 없는 동사
безлюдный (형) 인적이 없는, 사람이 적은, 사람이 없는, 인기척이 없는
безмен (남) 손저울
безмерно(부) 무한히, 한량없이, 그지없이
безмолвие(중) 침묵(沈默), 정적(靜寂)
безмолвный(형) 말없는, 묵묵한, 잠잠한, 정적이 깃든
безмятежный(형) 안온한, 풍파가 없는, 평온한, 고요한; ~ое состояние 평온한 상태
безнадежно (부) 희망(希望)이 없는, 절망적(絶望的)으로; ~ больной 살아날 가망이 없는 환자
безнадежный(형) 희망이 없는, 절망적인; ~ое положение 암담한 처지
безнаказанный(형)처벌을 받지 않는; оставаться ~ым 처벌에서 벗어나다;
безналичный (형); ~ расчет 무현금 결재(結齋)
безногий (형) ① 다리가 없는, 발이 없는; ② (가구의) 다리가 없는;~ стол 다리가 없는 책상
безнравственность(여) 부도덕(不道德),도덕이 없는, 패덕(敗德), 방탕(放蕩)
безнравственный (형) 비도덕적(非道德的), 패덕적인, 방탕한
безобидный (형) 악의 없는, 천진한, 순진한; ~ая шутка 악의 없는 농담
безоблачный (형) ① 구름이 없는, 맑음; ~ая погода 맑은 날씨; ② 어두운데 없는, 명랑한; ~ое счастье 끝없는 행복
безобразие (중) ① 흉한 꼴; ② 버릇없는 것, 추태(醜態)
безобразничать (미완) 무례하게 굴다, 추태를 부리다.
безобразный (형) ① 보기 흉한, 몰골사나운, 추한(醜漢); ② 혐오스러운, 추악한, 고약한
безоговорочно (부) 무조건적으로, 무조건하고, 절대적으로
безоговорочный (형) 무조건적인, 절대적인; ~ая капитуляция 무조건항복
безопасность (여) 안전(安全), 무사(無事), 평온; техника и ~ 노동안전시설; Совет Безопасности ООН 유엔 안전보장이사회(安全保障理事會)
безопасный (형) 안전한, 위험하지 않는; ~ая бритва 안전면도
безоружный (형) ① 무기 없는, 무장하지 않은, 적수공권(赤手空拳)의; ② 논거가 희박(稀薄)한
безосновательный (형) 근거 없는, 무근거한
безостановочный(형) 끊임없는, 부단한(不斷-), 연속적(連續的)인, 쉴 새 없는; ~ое движение 부단한 운동
безответственность (여) 무책임성
безответственный (형) 무책임한, 책임감(責任感)이 없는, 책임(責任)을 지지 않은; ~ поступок 무책임한 소행
безотказно (부) 중단 없이, 부단히, 순조롭게; мотор работает ~ 발동기가 순조롭게 돌아간다.
безоткатный (형): ~ое орудие

무반동총(無反動銃)

безотлагательно (부) 지체 없이, 미루지 않고, 즉각에, 시급히

безотлагательный (형) 지체할 수 없는, 미룰 수 없는, 절박한

безотлучно (부) 외출하지 않고, 떠나지 않고, 그냥 그 자리에서; сидеть дома ~ 집에 들어 박혀 있다

безотносительно (부) 관계없이

безотрадный(형) 기쁨이 없는, 음울한

безотчетный (형) 무의식적(無意識的)인, 본의 아닌, 본능적(本能的)인

безошибочный (형) 틀림없는, 잘못이 없는, 오류(誤謬)가 없는

безработица (여) 실업(失業), 실직(失職); массовая ~ 대중적 실업

безработный (형) ① 일자리 없는, 실업을 당한; ②(명사)(남) 실업자(失業者)

безрадостный (형) 기쁨이 없는, 쓸쓸한, 삭막한, 쌀쌀한

безраздельный (형) 나누지 않는, 전일적인, 유일적인, 독자적(獨自的)인; ~ое господство 전일적인 지배

безразличие (중) 무관심(無關心), 냉정(冷情), 냉담(冷淡)

безразлично (부) ① 무관심하게, 냉담하게; ②(술어) 괜찮다, 상관없다.

безразличный (형) 무관심한, 냉정한, 둥한; ~ человек 민숭맨숭이

безрассудный (형) 무모한, 분별없는, 무분별한, 경솔한

безрассудство (중) ① 무모한 것, 무분별, 경솔성; ② 무모한 행동, 무분별한 짓

безрезультатно (부) 결과(結果)없이, 보람없이, 헛되게, 소득(所得)없이

безрезультатный (형) 결과(結果)없는, 성과(成果)없는, 효과(效果)없는

безродный (형) 친척(親戚)이 없는; ~ человек 일가친척이 없는 사람

безропотный (형) 불평 없는, 말썽 없는, 고분고분한, 순종하는; ~ человек 불평 없는 사람

безрукавка(여) 소매 없는(민소매)저고리

безудержный(형) 막을 수 없는, 그칠 줄 모르는, 억제 할 수 없는;~ые слезы 끝없이 흐르는 눈물

безукоризненный (형) 흠(嚝)잡을 데 없는, 결점(缺點)없는, 손색이 없는; ~ работник 나무랄 데 없는 일군

безумец (남) 미치광이, 정신 나간 사람

безумие (중) 광란(狂亂), 지랄, 발광(發狂), 광기(狂氣), 정신착란(精神錯亂); до ~я 정신 나가도록, 비상히

безумно (부) ① 정신없이, 분별없이, 지각없이; ② 무척, 대단히; ~ холодно 몹시 춥다

безумный (형) ① 미친; ② 얼빠진, 무모한; ③ 대단한; ~ая роскошь 지나친 사치; ~ые цены 터무니없는 값

безумолчный (형) 잠자코 있지 않는, 침묵할 줄 모르는, 간단없는

безумство см. безумие

безупречный(형) 나무랄데 없는, 흠잡을데 없는, 완벽한; ~ое поведение 깨끗한 행동

безусловно (부) ① 무조건 하고, 무조건적으로; ② 꼭, 물론, 두말할 것도 없이, 의심 할 바 없이

безусловный (형) 무조건적인, 절대적인, 의심 할 바 없는, 확실한;~ рефлекс (생리) 무조건적(無條件的)반사

безуспешно (부) 성과 없이, 헛되게,

공연히; ~ пытаться 헛되이 애쓰다
безуспешный(형) 성과 없는, 성공 없는, 헛된, 공연한; ~ая попытка 헛된 시도
безутешный (형) 위로할 수 없는, 위안 할 수 없는, 수심에 잠긴
безучастный(형) 관심 없는, 무관심한, 방관적인, 냉정한; ~ое отношение 무관심한 태도; ~ый наблюдатель 우두커니 바라보는 사람
безъядерный (형) 비핵의;~ая зона 비핵지대(非核地帶)
безыдейность(여)무사상성(無思想性)
безыдейный (형) 무사상적인; ~ое произведение 사상성이 없는 작품
безымянный (형) 이름 없는, 무명의; ~ая высота 무명고지; ~ый палец 약손가락, 약지(藥指)
безынициативный (형) 창의성이 없는, 수동적(受動的)인, 소극적인
безысходный (형) 어쩔 수 없는, 절망적인, 그칠 줄 모르는; ~ое горе 절망적인 비애(悲哀)
Бейрут (남) 베이루트(Beirut)
бейсбол (남) (체육) 야구(野球)
бекас (남)(조류) 도요새 휼조(鷸鳥)
бекон (남) 베이컨(bacon)
Белград (남) 베오그라드(Beograd)
белесый (형) 허연, 희끄무레한
белеть (미완) 희어지다, 희슥희슥해 보이다, 희게 보이다. 희끗거리다
Белиз (남) 베리즈
белизна (여) 흰빛, 백색(白色)
белила (복수) ① 백색도료, 흰 페인트; свинцовые ~ 백연; цинковые ~ 아연백색; ② 백분(白粉)
белить (미완) ① 희게 칠하다, 회칠하다; ② ~полотно 아마천을 표백하다
беличий (형) 청설모의(靑—毛); ~ья шкура 청설모가죽; ~ья шуба 청설모 털로 만든 외투
белка (여) 청설모(靑—毛), 머루다람쥐
белковый(형) 단백질(蛋白質)의; ~ый корм 단백질 먹이; ~ый обмен 단백질 대사; ~ое вещество 단백질
беллетристика (여) 소설(小說), 산문학(散文學), 소설문학(小說文學), 대중통속작품
беллетрист (남) 소설가(小說家), 산문작가(散文作家)
белок (남) ① (생물) 단백질(蛋白質); ② (계란, 눈의) 흰자위
белокровие(중)(의학) 백혈병(白血病)
белокурый(형) 금발(金髮)의, 연한밤색
Белоруссия (여) 백러시아
белорусы(복수)(~(남);~ка(여) 백러시아 사람들
белоручка (남, 여) 육체노동이나 힘든 일을 싫어하는 자
белоснежный (형) 눈같이 흰, 새하얀
белый (형) 흰, 흰빛, 백색(白色); ~ый свет 이 세상; ~ая книга 백서(白書); ~ые ночи 백야(白夜); ~ый офицер 백파장교; средь ~а дня 백주에, 대낮에; ~ая горячка 술 중독으로 인한, 헛소리 증
бельгийцы (복수) (~ец(남),~ка(여)) 벨기에(België)사람들
Бельгия (여) 벨기에(België)
бельё (집합) (중): нижнее ~ 속옷, 내복(內服), 내의(內衣); постельное ~ 침대용 백포; теплое ~ 동내의(冬內衣); столовое ~ 식탁보
бельевой (형) 옷의, 내복(內服)의; ~ая веревка 빨래줄; ~ой шкаф 옷장; ~ые ткани 내의용 천
бельмо (중) (의학) 백내장(白內障); как ~ на глазу 눈에 든 가시와 같다
бельэтаж (남) ① (독립가옥의)2층; ②

(극장의) 2층 관람석(觀覽席)
бемоль (남) (음악) 내림표, 플랫(flat)
бензин (남) 휘발유(揮發油)
бензобак (남) 휘발유통
бензовоз (남) 휘발유차
бензоколонка (여) 연료공급소(燃料供給)所), 급유탑(給油塔)
бензохранилище (중) 연료창(燃料倉), 연료저장고(燃料貯藏庫)
Беыйн (남) 베닌
берег (남) ① 물가, 강변(江邊), (강, 바다의) 기슭; ~ моря 바다가, 해변(海邊), 해안(海岸); ~ реки 강기슭, 강변(江邊), 강가; ~ озера 호수가(湖水-); противоположный ~ 대안; пристать к ~у 기슭에 닿다; ② 물, 육지(陸地); сходить на ~ 뭍에 오르다, 육지(陸地)에 오르다; высаживаться на ~ 상륙(上陸)하다
береговой (형) ① 물가에, 강기슭에, 강가에; 바닷가에, 해안에; ~ая линия 해안선; ② 물의, 육지(陸地)의;~ая оборона 해안방어; ~ая служба 육상근무; ~ой ветер 육지바람
бередить (미완) ① 다치다, 아프게 하다, 자극하다; ~ рану 상처를 다치다; ② 건드리다, 자극하다, 괴롭히다; ~ душу 마음을 괴롭히다
бережливость (여) 절약 하는 것,
бережливый (형) 절약하는, 살뜰한
бережный (형) 알뜰한, 살뜰한, 주의 깊은; ~ое отношение 알뜰한 솜씨; ~ое обращение 소중히 다루는 것
берёза (여) 자작나무, 봇 나무
берёзовый (형) 자작나무의, 자작나무로 만든; ~ая роща 자작나무숲
беременеть (미완) 임신(姙娠)하다, 아이를 배다, 잉태하다, 회임(懷妊)하다

беременная (여) 임신부(姙娠婦), 임산부(姙産婦), 임부, 태모(胎母), 산모
беременность(여) 임신(姙娠), 잉태
бересклет (남) (식물) 화살나무, 나래회나무
берёста (여) 자작나무 껍질
берет (남) 베레모, 둥근 모자
беречь (미완) ① 아껴 쓰다, 소중히 다루다, 절약하다; ~ свое время 자기의 시간을 아끼다; ② (소중히) 지키다, 보호(保護)하다; ~тайну 비밀을 지키다; ~как зеницу ока 눈동자와 같이 지키다
беречься (미완) 조심하다, 주의하다; ~ воров 도적을 주의하다; ~ простуды 감기에 걸리지 않게 주의하다; берегись! 주의!, 조심!
беркут (남) 흑 독수리, 검둥 수리
Берлин (남) 베를린(Berlin), 백림
берлога (여) 곰의 굴, 굴
бес(남) 악마(惡魔), 마귀(魔鬼), 도깨비
беседа (여) 담화(談話), 면담(面談), 회담(會談), 좌담(座談), 좌담회(座談會); иметь ~у 담화하다
беседка (여) 정자(亭子), 누각(樓閣)
беседовать (미완) 담화하다, 면담하다, 회담하다, 이야기를 나누다
бесить (미완) 몹시 성나게 하다, 격분하게하다
беситься (미완) ① (짐승이) 미치다; ② 지랄하다, 노발대발하다, 발광하다: ③ 날뛰다, 떠들썩하게 설치다
бесклассовый (형) 무산계급(無産階級), 계급 없는(階級-); ~ое общество 무산계급사회(無産階級社會)
бескомпромиссный(형) 타협(妥協)없는, 비타협적인; ~ая борьба 비타협적투쟁

бесконечно (부) 끝없이, 한없이, 무한히; ~ рад 기쁘기 그지없다; ~ долгий 한없이 긴, 오랜 동안

бесконечный (형) ① 끝없는, 무한한, 무궁한, 무한정한, 그지없는; ② 부단한, 그칠 줄 모르는; ~ая десятичная дробь (수학) 무한소수(無限小數)

бесконтрольный (형) ① 통제가 없는, 무제한한, 검열(감독)이 없는

бескорыстие (중) 사욕이 없는 것, 사심이 없는 것.

бескорыстный (형) 사심 없는, 사욕이 없는, 청렴한; ~ая помощь 사심 없는 원조; ~ый человек 청렴한 사람

бескрайний (형) 끝없는, 가없는, 무연한; ~ее море 무연한 바다

бескровный (형) ① 빈혈의, 핏기 없는; ② 피를 흘리지 않는, 무혈(無血); ~ая революция 무혈혁명(無血革命)

бесноваться (미완) 미쳐 날뛰다, 지랄 치다, 발광하다, 발악하다

беспамятство (중) 인사불성(人事不省), 실신상태; впадать в ~ 까무라치다, 실신하다

беспартийный (형) ① 비당원의, 무소속의; ② (명사)(남) 비당원

бесперебойный (형) 끊임없는, 부단한, 연속적인; ~ое снабжение 체계적인 공급; ~ая связь 무사고 통신

беспересадочный (형) 갈아타지 않는, 직통(直通)의, 직행(直行)의

бесперспективный (형) 전망성(展望性)없는, 전도가 암담한

беспечность (여) 안일성(安逸性), 무사태평(無事泰平)

беспечный (형) 안일한, 무사태평(無事泰平)한; ~ый человек 안일한 사람

бесплановый (형) 무계획적인, 계획이 없는;~ое хозяйство 무계획적인 경리

бесплатно(부) 무료로, 무상으로, 거저

бесплатный(형) 무료의, 무상의; ~ый билет 무료권; ~ая ме дицинская помощь 무상치료(제); ~ое обучение 무상교육(無償敎育); ~ый проезд 무상왕래

бесплодно см. безрезультатно

бесплодный (형) ① 임신능력이 없는, 불임(不姙)의; ② (동물이) 새끼를 낳지 못하는, (식물이) 열매를 맺지 못하는; ③ 헛된, 공연한; ~ые усилия 헛된 노력; ~ая почва 메마른 땅, 불모의 땅

бесповоротный (형) 돌이킬 수 없는, 돌려 세울 수 없는, 종국적인, 최종적인; ~ое решение 종국적인 해결

бесподобный (형) ① 비할 데 없는, 유례가 없는, 무비의; ~ героизм 무비의 용감성; ② 월등한, 아주 좋은, 매우 훌륭한; ~голос 매우 훌륭한 목소리

беспозвоночный(형):~ые животные 무척추 동물(無脊椎 動物)

беспокоить (미완) ① 폐를 끼치다, 불안케 하다, 근심시키다, 걱정시키다, 괴롭히다, 성가시게 굴다; ② (육체적) 고통을 주다; нога ~ит 발이 아프다

беспокоиться (미완) ① 근심하다, 걱정하다, 괴로워하다; ② 마음을 쓰다, 염려하다; не ~йтесь, пожалуйста 염려걱정 마시오.

беспокойный (형) ① 불안한, 불안정한, 불안스러운, 초조한, 뒤숭숭한; ~ое состояние 불안한 상태; ② 안타까운; ~ое дело 안타까운 일

беспокойство (중) ① 불안(不安); ②

근심, 걱정; ③ 폐; простите за ~ 폐를 끼쳐서 미안합니다.
бесполезно (부) 쓸데없이, 쓸모없이, 무익하게, 부질없이
бесполезный (형) ① 쓸데없는, 쓸모없는, 무익한; ~ая вещь 쓸모없는 것; ② 헛된; ~ое занятие 헛된 노력; ~ый труд 헛수고; ~ые усилия 헛된 노력(努力)
беспомощный (형) ① 어찌할 힘이 없는, 맥빠진, 약한; ② 무력한(無力-), 능력(能力)없는, 속수무책한(束手無策-).
беспорядок (남) 무질서(無秩序), 혼란(混亂), 뒤범벅, 난잡(亂雜); приходить в ~ 혼란 상태에 빠지다; находиться в полном ~ке 뒤섞이다.
беспорядочно (부) 무질서(無秩序)하게, 너저분하게, 질서(秩序)없이.
беспорядочный (형) ① 무질서한, 혼란된; ② 어지러운, 난잡한, 얼기설기한; ~ое бегство 패주; ~ые действия 어지러운 행동, 난잡한 행동.
беспосадочный (형): ~ перелёт 무착륙비행(無着陸飛行)
беспочвенный (형) 근거 없는, 엉터리없는, 터무니없는; ~ое обвинение 근거 없는 비난
беспошлинный (형) 면세(免稅), 관세 없는; ~ ввоз товаров 상품의 자유 반입.
беспощадный (형) 무자비한, 가혹한, 사정없는, 용서 없는; ~ая критика 무자비한 비판; ~ая расправа 가혹한 징벌
бесправие (중) 무권리(無權利), 인권유린(人權蹂躪)
бесправный (형) 무권리한, 국민의 권리가 없는.
беспредельный (형) 무한한, 한없는, 끝없는; ~ая радость 끝없는 기쁨; ~ая любовь 무한한 사랑
беспредметный (형) 목적이 없는, 내용이 없는, 추상적인; ~ый разговор 빈말, 헛말, 공담; ~ая критика 막연한 비판
беспрекословно (부) 절대적으로, 무조건적으로;~ подчиняться 무조건 복종하다
беспрекословный (형) 반대나 변명을 허용하지 않는, 무조건적인, 절대적인; ~ое исполнение 무조건적 집행
беспрепятственный (형) 방해 없는, 지장 없는, 거침없는, 자유로운, 순조로운; ~ въезд в страну 자유입국
беспрерывно (부) 끊임없이, 쉴 새 없이, 계속적으로, 연속적으로, 부단히; ~ в течении часа 한 시간 동안 계속하여
беспрерывный (형) 끊임없는, 쉬임 없는, 연속적인; ~ дождь 끊임없이 내리는 비; ~ рост производства 끊임없는 생산의 성장, 생산의 계속적인 성장
беспрестанно (부) 간단없는, 끊임없는, 멎을 줄 모르는, 부단히, 계속적으로; ~ повторять 자꾸 되풀이 하다; ~ двигаться 쉴 새 없이 움직이다
беспрецедентный (형) 전례 없는, 미증유의; ~ случай 동서고금에 없는 일; ~ факт 전례 없는 사실
беспризорник (남) 집 없는 아이, 고아
беспризорный (형) ① 집 없는, 유랑하는, 방랑하는; ② 감독 없는, 방임된
беспримерный (형) 비할데가 없는, 무비의 무쌍한, 미증유의;~ый героизм 용맹한 영웅주의(英雄主義)
беспринципность (여) 원칙이 없는

것, 무원칙성의

беспринципный (형) 원칙이 없는, 무원칙한, 주관이 없는, 정견이 없는

беспристрастный (형) 공평한, 공정한, 공명정대한, 편견이 없는, 치우침이 없는; ~ приговор 공정한 판결

беспричинный (형) 이유 없는, 근거 없는, 까닭이 없는; ~ смех 턱없는 웃음; ~ые придирки 생트집

беспроволочный (형): ~ая связь 무선통신(無線通信)

беспросветный (형) ① 어두운, 캄캄한, 칠흑 같은; ~ая тьма 암흑, 캄캄한 어둠;② 암담한, 희망 없는; ~ая жизнь 암담한 생활

беспроцентный(형) 무이자의, 이자 없는, 이자가 없는; ~ заём 이자 없는 공채

беспутный (형) ① 허랑한, 분별없는, 철없는; ② 방탕한, 부화한

бессвязный (형) 조리가 없는, 두서없는, 앞뒤가 맞지 않는, 단편적(斷片的)인; ~ рассказ 두서없는 이야기, 앞뒤가 맞지 않는 이야기

бессердечный (형)무정한, 박정한, 쌀쌀한, 사정없는

бессильный (형) ① 힘이 없는, 무력한, 무능한, 매우약한; ② 풀길이 없는;~гнев 풀길이 없는 분노

бессистемный (형) 체계(體系)없는, 순서(順序)없는, 무질서(無秩序)한

бесславный (형) 불명예스러운, 수치스러운; ~ конец 불명예스러운 종말

бесследно (부) 흔적도 없이, 온데간데없이, 종적 없이; исчезнуть ~ 자취 없이 사라지다, 행방불명되다.

бессменно (부) 교대 없이, 항시적으로

бессменный(형) 교대하지 않는, 항구적인, 간단없는;~ секретарь 상임서기

бессмертие (중) 불사(不死), 불멸(不滅), 영생(永生), 영원한 삶

бессмертный(형) 불멸(不滅)의, 불후(不朽)의, 영생불멸의(永生不滅-); ~ный подвиг 불멸의 위훈; народ ~ен 백성은 죽지 않는다.

бессмысленный (형) ① 무의미한, 엉터리없는, 어리석은; ~ый поступок 부질없는 짓; ~ое упрямство 생고집; ② 분별없는, 허무한; ~ый взгляд 멀뚱멀뚱한 눈; ~ый смех 허무한 웃음

бессмыслица (여) 무의미한 것

бессовестный (형) 양심 없는, 뻔뻔스러운, 낯 가죽이 두꺼운; ~ обман 파렴치한 기만

бессодержательный (형) 내용이 약한, 실속 없는, 공허한; ~ая статья 실속 없는 논문; ~ый человек 실속 없는 사람

бессознательный (형) 무의식적(無意識的)인, 본의 아닌, 의식(意識)을 잃은; быть в ~ом состоянии 실신(失身) 상태에 있다

бессонница (여) 불면증; страдать ~ей 불면증에 걸려 있다

бессонный (형) 잠 못 이루는, 잠을 자지 않는; провести ~ую ночь 밤을 지세우다

бесспорно (부) ① 논쟁할 바 없이, 의심할 바 없이, 분명히; ② (술어로) 물론이다, 명백하다, 의심 할 바 없다.

бесспорный (형) 논쟁할 여지가 없는, 명백한, 의심할 바 없는, 확실한; ~ая истина 자명한 진리

бессрочный (형) 무기한, 무기(無期)의; ~ый паспорт 멀티 증명서; ~ое пользование 무기한 사용(이용)

бесстрастный (형) 침착한, 꿈쩍도 하지 않는 태연(泰然)한, 냉담(冷淡)한; ~ое выражение лица 무표정한 얼굴
бесстрашие (중) 무서움을 모르는 것, 대담성(大膽性), 겁이 없는
бесстрашный (형) 무서움을 모르는, 두려움이 없는, 대담무쌍한, 용맹한
бесстыдник (남) 부끄러운 줄 모르는 사람, 철면피한 사람.
бесстыдный (형) 부끄러운 줄 모르는, 철면피한, 뻔뻔스러운, 염치가 없는,
бесстыжий (형) 염치가 없는, 몰염치한, 철면피한
бестактность (여) 눈치 없는 것, 민감치 못한 것, 무례한 것; допустить ~ 무례한 짓을 하다
бестактный (형) 눈치 없는, 버릇없는
бестолковый (형) 이해력이 없는, 머리가 돌아가지 않는, 우둔한, 미련한; ~ человек 멍청이; ~ рассказ 뜻이 통하지 않는 이야기, 조리 없는 말
бесформенный (형) 일정한 형태가 없는, 윤곽이 뚜렷하지 않은, 뭉뚱한; ~ая масса 무정형체; ~ая груда 형체 없는 덩어리
бесхарактерный (형) 주대 없는, 속없는, 의지가 약한; ~ человек 의지가 약한 사람, 물렁팥죽
бесхитростный (형) 솔직한, 꾀가 없는, 소박한, 꾸밈없는,
бесхозяйственность (여) 비경제적인 것, 경영을 할 줄 모르는 것, 주인답지 않는 태도.
бесхозяйственный (형) 비경제적(非經濟的)인, 경리운영을 할 줄 모르는, 주인의식(主人意識)이 없는
бесцветный (형) ① 빛깔이 없는, 무색(無色)의; ~ газ 무색가스; ② 특색이 없는, 나타나지 않는, 무미건조(無味乾燥)한;~ рассказ 무미건조한 이야기
бесцельный (형) 목적 없는, 쓸데없는
бесценный (형) 매우 비싼, 극히 귀중한, 고귀(高貴)한; ~ое сокровище 고귀한 보물(寶物)
бесценок (남): покупать за ~ 헐값으로 사다
бесцеремонно (부) 버릇없이, 예절 없이, 건방지게; вести снбя ~ 버릇없이 행동하다, 예의 없는 행동
бесцеремонный (형) 예절을 모르는, 난폭한, 건방진, 버릇없는; ~ое вмешательство 난폭한 간섭(干涉)
бесчеловечность (여) 비인간성, 잔인성, 몰인정(沒人情)
бесчеловечный (형) 비인간적인, 잔인한, 악독한, 몰인정한
бесчестить (미완) 망신시키다, 수치를 당하다, 누명을 씌우다
бесчестный (형) 불명예스러운, 정직하지 못한, 불성실한, 비양심적(非良心的)인; ~ поступок 더러운 행동
бесчестье (중) 불명예(不名譽), 명예훼손(名譽毀損)
бесчинство (중) 질서위반(秩序違反), 무례한 행동, 만행(漫行)
бесчинствовать (미완) 무례한 짓을 하다, 난폭한 행동을 하다, 만행하다
бесчисленный (형) 헤아릴 수 없는, 무수한, 숱한, 다수의; ~ое множество 극히 많은 수, 부지기수
бесчувственный (형) ① 감각이 없는, 무감각한, ② 사정없는, 인정 없는, 냉정한;~ человек 인정이 없는 사람
бесшумно (부) 소리 없이, 조용히
бесшумный (형) 소리 없는, 소리를 내지 않는, 고요한, 조용한
бета(여);~-лучи(물리)베타선(beta線)

бетон (남) 콘크리트(concrete)
бетонировать (미완) 콘크리트를 다져넣다, 타입하다
бетонный (형) 콘크리트(concrete)의; ~ая дорога 콘크리트 길
бетономешалка (여) 콘크리트혼합기(concrete 混合機)
бетоноукладчик (남) 콘크리트 타입기(concrete 打入機)
бетонщик(남) 콘크리트공(concrete 工)
бечёвка (여) 가는 끈, 가는 밧줄
бешено (부) 미친 듯이, 광포하게, 맹렬히, 열광적으로
бешенство(중) ① (의학) 광견병(狂犬病); ② 발광(發狂), 광포(狂暴), 발악(發惡); приходить в ~발광하다, 미쳐 날뛰다
бешеный (형) ① 미친, 광견병에 걸린; ~ая собака 미친개; ② 난폭한, 미친듯한, 사나운, 맹렬한; ~ая скорость 맹속력;~ые деньги 횡재(橫財);~ые цены 터무니없는 가격; ~ые прибыли 폭리(暴利)
биатлон (남) (체육) 비아트론(스키타면서 총을 쏘는 경기)
биатлонист (남) 비아트론선수
библиограф (남) 문헌학자(文獻學者)
библиографический:~ указатель 도서목록(圖書目錄)
библиография (여) 문헌학(文獻學), 참고서목록(參考書目錄)
библиотека(여) ① 도서관(圖書館), 도서실(圖書室), 문고(文庫), 라이브러리(library) ② 장서(藏書), 문고(文庫)
библиотекарь (남) 사서(私書), 도서관원(圖書館員), 서적을 맡아보는 직분
библия (여) 성서(聖書), 성경(聖經)
бидон(남) 양철통;молочный ~ 우유통
биение (중) 고동(鼓動), 약동(躍動); ~ пульса 맥박; ~ сердца 심장의 고동
бизон (남) (동물) 들소
бикфордов: ~ шнур 완연도화선
билет (남) ① 표(票); проездной ~ 차표(車票); железнодорожный ~ 기차표(汽車票); пригласительный ~ 초대권(招待券); ② 증서(證書), 증명서(證明書); партийный ~ 당원증(黨員證); военный ~ 군사증; профсоюзный ~ 직업동맹원증; членский ~ 회원증; экзаменационный ~ 시험문제
билетёр (남) (입장권의) 개찰원
билетный(형): ~ая касса 표 파는곳
бильярд (남) 당구(撞球), 당구대(撞球臺); играть на ~e 당구를 치다
бинокль (남) 쌍안경; полевой ~ 야전용 쌍안경
бином (남) (수학) 2항식(-恒式)
бинт (남) 붕대(繃帶)
бинтовать (미완) 붕대를 감다; ~ руку 손에 붕대를 감다
биография (여) 전기(傳記), 생애(生涯), 경력(經歷); краткая ~ 약전
биолог (남) 생물학자(生物學者)
биологический (형) 생물학의
биология (여) 생물학(生物學)
биосфера (여) 생물권(生物圈)
биотоки (복수) 생물전기
биофизика(여)생물물리학(生物物理學)
биохимия (여) 생물화학(生物化學), 생화학(生化學)
биплан (남) 쌍발비행기
биржа(여) 거래소(去來所), 취인소(取引所); фондовая ~ 주식거래소(株式去來所); ~ труда 직업소개소
бирка (여) 꼬리표, 짐표
Бирма (여) 미얀마(Myanmar),

버마(Burma) 「사람들
бирманцы(~ец(남),~ка(여)) 미얀마
бис (감) 한 번 더!, 재청! кричать на ~ 재청하다; исполнять на ~ 재청에 의해서 다시 출연하다
бисер (남) 오색구슬, 구슬
бисквит (남) 비스케트 과자
биссектриса (여) (수학) 2등분선
битва (여) 전투, 대전투, 격전(激戰)
битком (부): ~ набитый 입추의 여지없이 꽉 찬; вагон набит ~ 차안은 초만원이다
битум (남) 아스팔트(asphalt), 아스콘
битый ① бить...의 피동과거; ② (형) 깨어진; ~час 오랜 시간, 온 한 시간
бить (미완) ① 치다, 때리다, 두드리다; ~ в барабан 북을 치다; ~ кулаком 주먹으로 때리다; ② 때려 부수다, 깨뜨리다; ③ 물리쳐서 이김, 이기다; ~ врага 적을 쳐서 이김; ④ 집짐승을 잡다, 도살하다, 죽이다; ⑤ 쏘다, 사격하다; ~ из зенитки 고사포를 쏘다; ⑥ 분수 등이 솟아오르다; бьёт фонтан 분수가 물을 내뿜고 있다; ~ ключом 끓어 넘치다, 들끓다; ~ в цель 목적을 이룩하다; ~ по карману 돈이 축나게 하다; ~ тревогу 경보를 울리다.
биться (미완) ① обо что. 부딪히다; ② 싸우다, 전투하다; ③ 부스지다, 깨지다; ④ (심장 등이) 맥박치다, 고동치다, 뛰다; ⑤ над чем ...를 하려고 애쓰다, 모진 애를 쓰다; ~над решением задачи 문제 해결에 모든 힘을 다하다; ~ как рыба об лёд 손톱 발톱이 깨지도록 일해도 살기 힘들다
бифштекс (남) (요리) 비프스테이크
бич (남) ① 채찍, 가죽채찍; ② 재난
бичевать (미완) 책망(責望)하다, 신랄하게 비난(非難)하다, 비판(批判)하다
благо (중) 복리(福利), 행복(幸福), 이익(利益), 편안(便安); на ~о народа 국민의 복리(福利) 증진(贈進)을 위하여; материальные ~а 물질적부
благовидный (형) ① 보기 좋은, 허울좋은, 풍채 좋은; под ~ым предлогом 그럴듯한 핑계 되고; ~ая вывеска 허울 좋은 간판; ② 예절바른, 단정한
благовония (복수) 향료(香料)
благоговение (중) 흠모(欽慕), 공경(恭敬), 경건(敬虔); относиться с ~м 경건하게 대하다
благодарить (미완) 감사를 드린다, 사의를 표하다, 치사하다; ~ю вас 감사합니다, 고맙습니다.
благодарность (여) 감사(感謝), 사의(私意); приносить(выражать) ~ь 감사를 드리다, 사례를 드리다, 감사의 뜻을 표하다; слова ~и 감사의 말
благодарный (형) 고맙게 생각하는, 감사히 생각하는, 감사를 표시하는
благодаря (전) ① 덕택에, 덕분으로; ② ...에 의하여, ...로 인하여, ...로 하여, ...때문에; ~ правильной политике 옳은 정책으로 하여
благодетель (남) 은인(隱人), 은공자
благодеяние (중) 선행(先行), 은혜(恩惠), 혜택(惠澤), 은덕(恩德)
благодушие (중) 방심(傍心), 안일성(安逸性), 어진마음
благодушный(형) 어리무던한, 안온한, 어진; ~ое настроение 안온한 기분
благожелательный (형) 호의적(好意的)인, 친절함(親切-), 선량한
благонадёжный (형) ① 믿을만한,

믿음성 있는; ② 견실한
благополучие (중) 무사(武事), 편안(便安), 안녕(安寧), 안락한 것
благополучно (부) 무사히, 편안히; всё обошлось ~ 다 별일 없이 지나갔다, 모든 것이 잘되었다.
благополучный (형) 무사한, 편안한, 순조로운; ~ый исход 만족스러운 종결, 순조로운 결말
благоприятный(형) 유리한, 순조로운, 좋은, 적합한, 이로운; ~ результат 좋은 결과.
благоприятствовать (미완) 이롭게 하다, 협조하다, 도움을 주다, 촉진시키다; погода ~ вует 날씨가 알맞다
благоразумие (중) 이성(理性), 신중성(愼重性), 세심성(細心性)
благоразумный (형) 이성적(理性的)인, 사려 깊은, 세심한, 신중한, 분별 있는
благородный (형) 고상한, 고결한, 숭고한;~ый поступок 갸륵한 소행; ~ый человек 고결한 사람; ~ые металлы 귀금속(貴金屬)
благородство (중) 고결성, 고상한 것
благосклонно (부) 호의적으로, 호의를 가지고
благосклонный(형) 호의 있는, 친절한
благославлять(미완)축복하다, 격려하다
благосостояние (중) 복리(福利), 유족; повышение ~я народа 국민의 복리증진
благотворительность (여) 자선(慈善), 박애(博愛), 선행(善行)
благотворный (형) 유익한, 이로운, 좋은, 효과를 내는; ~ый климат 건강에 유익한 기후; ~ое влияние 감화, 좋은 영향
благоустраивать (미완) 잘 꾸리다, 정비하다, 정돈하다, 문화적으로 꾸리다
благоустраиваться (미완) 잘 정비되어 가다, 잘 꾸려지다
благоустроенный① благоустроить 의 피동과거; ② (형) 잘꾸려진, 갖추어진, 잘 정비된; ~ дом 문화주택
благоустройство (중) 더 잘꾸리는 것 정리, 정돈
благоухание(중)향기(香氣),향취(香臭)
благоухать (미완) 향기를 풍기다, 향기를 내다, 향기를 뿜다, 향기가 서리다
блаженство (중) 향락, 쾌락
бланк (남) 용지(用紙); телеграфный ~ 전보용지
бледнеть (미완) 무색해지다, 창백해지다, 희미해지다; ~ от страха 겁에 질려 얼굴이 창백해지다
бледный (형) ① 창백한; ② 희미한, 생기 없는
блёклый (형) 빛이 낡은, 시들은, 어렴풋한
блёкнуть (미완) ① 빛이 낡은, 퇴색하다, 어렴풋해지다, 시들다; ② 생기를 잃다.
блеск (남) ① 광채(光彩), 섬광(閃光), 눈부신 빛; ② 화려한 것, 광휘로운 것, 영채; с ~ом 아주 훌륭하게, 빛나게
блеснуть (완) (생각, 감정 따위가) 문득 떠오르다, 번뜩이다
блестеть (미완) ① 빛나다, 반짝거리다, 광채나다; ② 유난히 나타나다, 이채를 띠다
блестящий ① 빛나는, 반짝거리는, 영채도는; ② 화려한, 광휘로운, 뛰어난; ~ee будущее 휘황한 앞날, 광휘로운 앞날; ~ий оратор 우수한 연설자
ближайший (형) ① близкий의 최상급; 가장 가까운, 최근의; в ~ем бу- дущем

가까운 앞날에, ② 선차적인, 긴급한; ③ 직접적인

ближневосточный (형) 근동의,

ближний (형) 가까운, 근방의; ~яя деревня 가까운 마을

близ (부) 근처에, 근방에, 부근에; ~ дома 집 가까이; ~ города 도시부근에

близиться (미완) 임박하다, 가까워지다, 닥쳐오다, 다가오다; ~ится зима 겨울이 닥쳐오다; ~ятся каникулы 방학이 다가온다.

близкие (복수) 근친, 가까운 친척

близкий (형) ① 가까운; ~ое расстояние 가까운 거리; ~ое будущее 멀지 않은 장래; ② 친근한, 친밀한; ~ий друг 친근한 벗; ~ие отношения 친밀한 관계, 다정한 사이; ③ 비슷한, 흡사한, 유사한.

близко (부) ① 가까이, 부근에, 근처에; довольно ~ 아주 가까이; ② (술어) 가깝다, 멀지 않다, 오래지 않다; знать ~кого 가까이 알게 되다

близлежащий (형) 가까이에 있는, 부근의, 근처의, 이웃의; ~ посёлок 이웃마을; ~ город 인접도시

близнецы (복수) 쌍둥이

близорукий (형) ① 근시(近視)의; ~ие глаза 근시; ② 근시안적인, 예견성없는

близорукость (여) ① 근시; ② 근시안적인 것, 청맹과니, 눈뜬장님

близость (여) ① 가까운 것, 근방; ② 친근감, 친밀한 관계; ③ 유사성, 상사

блин (남) 전병(煎餅), 지짐; первый ~ комом (속담) 첫술에 배부르랴

блиндаж (남) (군사) 엄폐호, 엄호

блинчики (복수) (찜, 우유를 넣은 작은) 밀지짐; ~ с мясом 고기를 넣은 지짐

блистательный см. блестящий

блистать (미완) ① 빛나다, 반짝이다; ② 뛰어나다, 이채를 띠다; знаниями 지식이 뛰어나다

блок (남) I ① (시계) 활차; ② (각종 부분품들의) 조; оконный ~ 한조의 창문; ③ (건설) (콘크리트) 블록

блок (남) II ① 동맹(同盟), 연합(聯合), 연맹(聯盟); военный ~ 군사연맹; ② (체육) 블로킹(blocking), 막기

блокада (여) 봉쇄(封鎖), 폐쇄(閉鎖); экономическая ~ 경제봉쇄; кольцо ~ы 봉쇄환; прорвать ~у 봉쇄를 뚫다, 격파하다, снимать ~у 봉쇄를 해제하다

блокировать (완, 미완) 봉쇄하다, 막다; ~ порт 항구를 봉쇄하다

блокироваться (완, 미완) с кем... 와 동맹을 형성하다, 동맹을 맺다,

блокнот (남) 수첩(手牒), 필기장(筆記帳); записывать в ~ 수첩에 적어넣다

блондин (남) 금발머리의 사람, 노랑머리

блондинка (여) 금발머리 여자

блоха (여) 벼룩

блуждать (미완) 헤매다, 유랑하다, 방황하다, 멍청해 있다, 헷갈리다; ~ в лесу 숲속을 헤매다; ~ глазами 눈을 팔다

блуза (여) 블라우스(blouse), 작업복(作業服) 상의(上衣); рабочая ~ 작업복(作業服), 잠바

блузка (여) 블라우스(blouse)

блюдо (중) ① 접시; ② 요리(料理) 음식; вкусное ~ 맛있는 음식

блюдце (중) 작은 접시

блюминг (남) 분괴압연기, 블류밍

блюсти (미완) 지키다, 준수하다, 보호하다, 간직하다; ~ порядок 질서를 지키다; ~ закон 법을 준수하다

боб см. бобы

бобовые (복수) 콩과식물
бобовый (형) 콩; ~ые выжимки 콩깨묵; ~ый суп 콩국
бобр (남) 해리(海里)
бобы (복수) 콩의; кофейные ~ 커피열매; остаться на ~ах 한지에 방아를 걸다.
бобыль (남) 외톨이, 고독한 사람
бог (남) 하나님, 신(神);~ его знает 누가 안담, 아무도 모른다; ради ~а 제발; слава ~у 다행이다; ~же мой! (놀람, 분노, 기쁨 등을 나타내는 말로) 아! 야!
богатеть (미완) 부유(富有)해지다, 부자(富者)가 되다
богатство (중) ① 재부(財富), 재물(財物), 재산(財産), 풍부한 것;духовное ~ 정신적인 재부; ② 부원(富源), 자원(資源); природные ~а 자연부원
богатый ① (형) 풍부(豊富)한, 부유(富有)한, 유족(裕足)한, 재산이 있는; ~ урожай 풍작(豊作); ② (명사) 부자(富者)
богатырский (형) 장수의, 건장한; ~ая сила 장수힘; ~ий сон 깊은잠
богатырь (남) 장수(將帥), 힘장사
богач (남) 부자(富者), 장자(長子)
боготворить (미완) ① 숭배하다, 신격화 하다; ② 지극히 존경하다, 몹시 사랑하다
бодать(ся) (미완) 뿔로 받다.
бодрить (미완) 기운을 내게 하다, 힘을 돋아 주다, 원기(元氣)를 내게 하다; весенний воздух ~т 봄의 공기는, 기운을 돋구어준다.
бодриться (미완) 기운을 내다, 원기를 내다, 용기를 내다, 씩씩해지다, 생기 발랄해지다.
бодрость (여) 원기(元氣), 활기(活氣), 생기(生氣), 용기(勇氣); ~ духа 기력

бодрствовать (미완) 밤을 지새우다, 날밤을 새우다, 자지 않다
бодрый (형) 원기 왕성한, 씩씩한, 생기발랄한, 기운찬; ~ое настроение 씩씩한 기분; ~ый шаг 씩씩한 걸음
бодрящий (형) 원기를 돌아 주는, 기운을 돋아주는, 힘을 돋아 주는
боевитость (여) 전투력(戰鬪力), 전투성(戰鬪性)
боевой (형) ① 전투(戰鬪)의, 전투적인, 작전(作戰)의; ~ой вылет 작전비행; ~ая задача 전투임무; ~ой дух 전투적인 기세; ~ое настроение 투쟁심; ② 용감한(勇敢-), 대담한, 활발한(活潑-); ③ 당면한(當面-), 긴급한(緊急)
боеголовка (여) 탄두(彈頭); ядерная ~ 핵탄두(核彈頭)
боеприпасы (복수) 탄약(彈藥); склад ~ов 탄약 창고, 탄약고(彈藥庫)
боеспособность (여) 전투력(戰鬪力)
боеспособный (형) 전투력있는
боец (남) 전투원, 전사, 병사(兵士)
божество (중) ① 하나님(God), 신(神); ② 우상숭배(偶像崇拜)
божий (형) 신의, 하나님의; ~ храм 사원, 교회; каждый ~ день 매일 하루도 쉬지 않고
бой (남) 전투(戰鬪), 싸움; жестокий ~ 격전, 격렬한 싸움; морской ~ 해전; поле боя 전투마당; принимать ~ 응전하다; ~ часов 시계의 종치는 소리; барабанный ~ 북소리
бойкий (형) 기민한, 재치있는, 민첩한, 번환한; ~ая речь 실감있는 말; ~ая улица 번화한 거리; ~ий на язык 입심이 좋은, 주변이 좋은
бойкот (남) 배척(排斥), 배제(排除), 보이코트(boycott); объявлять ~кому 배척하다, 선포하다
бойкотировать 배척하다

бойница (여) 총구멍, 화구(火口)
бойня (여) ① 도살장(屠殺場); ② 살육(殺戮), 학살(虐殺); устраивать ~ю 닥치는 대로 죽이다
бок (남) ① 옆구리; ложиться на ~ 모로 눕다; ворочаться с ~у на ~ 뒤척거리다, 모대기다; повалиться на ~ 모로 나자빠지다; ② (사물의) 측면, 옆, 모; ~ о ~ 어깨를 나란히 하고; под ~ом 바로 곁에; не с того ~у 맞지 않게, 틀리게; с ~у на ~ 이쪽 저쪽 비틀거리면서
бокал(남) 큰 술잔, 잔; поднимать ~за кого-что-를 위하여 축배를 들다
боковой (형) 옆의, 측면(側面)의, 곁의; ~ая дверь 옆문
боком (부) 옆으로, 어깨를 돌려; проходить ~ 게걸음으로 지나가다
бокс (남) 권투(拳鬪)
боксёр (남) 권투선수;~ тяжелого веса 중량급 권투선수
болван(남) 무식쟁이, 미련둥이, 멍텅구리
болванка (여) ① 쇠알, 주궤(主饋); стальная ~ 강궤, 강철덩이, 강괴
Болгария (여) 불가리아(Bulgaria)
болгары(~ин(남),~ка(여)) 불가리아 사람들
болевой (형): ~ые ощущения 아픈 느낌, 통감(痛感), 통각(痛覺)
более (부) ① см. больше; ② 더욱, 보다, 보다 더; ~ спокойный 보다 침착한; все ~ и ~ 더욱 더, 점점 더; не ~ как ...에 불과하다; ~ того 더 나아가서는, 그러잖아도, 그밖에도; ~ или менее 많든 적든, 어느 정도; тем ~ 게다가, 더욱이; ~чем достаточно 아주 충분하다, 극히 충분하다
болезненный (형) ① 병들어 약한, 쇠약한, 잘 앓는; ~ый вид 병색; ~ый человек 병주머니; ② 고통스러운,

병색이 도는; ③ 지나친, 불건전한, 병적인; ~ое самолюбие 지나친 자존심
болезнетворный (형) 병을 일으키는, 병을 낳는; ~ микроб 병균
болезнь (여) 병(病), 질병(疾病), 신병(神病); заразная ~ 전염병; тяжелая ~ 중병; морская ~ь 배 멀미; по ~и 병으로 인하여; переносить ~ 병을 이겨내다
болельщик (남)(체육) 응원자
болеть (미완) ① чем 앓다; ~еть гриппом 유행성 감기에 걸리다; ② 아픔을 느끼다, 아프다; голова ~ит 머리가 아프다; ③ за кого-что 응원하다; ④ 피로워하다, 슬퍼하다, 근심하다; ~еть за дело 사업을 걱정하다; душа ~ит 마음이 아프다, 마음이 쓰리다
болеутоляющий (형) 진통(鎭痛)의; ~ее средство 진통제(鎭痛劑)
Боливия (여) 볼리비아(Bolivia)
болонка (여) 삽살개, 삽사리
болотистый (형) 진펄이 많은, 질퍽질퍽한;~ая местность 진펄지대, 소택지
болотный (형) 진펄의, 늪의 소택의; ~ый газ 메탄가스(methane gas)
болото (중) ① 진펄, 소택(沼澤), 수렁, 사득판; торфяное ~ 토탄이 깔려 있는 진펄; ② 속물들
болт (남) 볼트(bolt), 수나사(-螺絲)
болтать I (미완) чем...를 흔들다, 뒤젓다; ~ ногами 발을 이리저리 흔들다
болтать II (미완) (쓸데없는 말을) 지껄이다, 지절거리다, 시퉁거리다, 입방아를 찧다; ~ языком 허튼 소리를 하다
болтаться (미완) ① на чём 흔들리다, 흔들거리다, 너덜거리다; ② 빈둥빈둥 돌아다니다, 건들거리다

болтливость (여) 말이 많은 것, 수다스러운 것, 입이 가벼운 것
болтливый (형) 수다스러운, 입이 가벼운, 지껄이기 좋아하는
болтовня (여) 지껄이기, 말공부, 헛소리, 잡담(雜談); заниматься ~ей 말공부를 하다, 지껄이다
болтун (남) 말공부쟁이, 사설쟁이, 헛소리꾼
болтушка (여) 밀범벅(음식의 한 가지)
боль (여) 아픔, 고통(苦痛); головная ~ 두통(頭痛), 머리아픔; зубная ~ 치통(齒痛), 이앓이; причинять ~ 아프게 하다; с ~ю в сердце 안타까운 마음으로, 쓰라린 마음으로
больница (여) 병원(病院); выходить из ~ы 퇴원하다; ложиться в ~у 입원하다; класть(помещать) в ~у 입원시키다
больничный (형) 병원(病院)의; ~ лист 진단서(診斷書)
больно (부) ① 아프게, 고통스럽게; ② (술어로) 아프다, 고통스럽다; ~ дышать 숨 쉬면 아프다; ② 분하다, 유감스럽다; мне ~ за этого человека 나는 그 사람 때문에 속이 상하다
больной (형) ① 병든, 앓는, 아픈; ~ой зуб 앓는 사람; ~ое место 아픈 곳, 약점; ② (명사) 환자(患者), 병자(病者); ~ые и раненые 병상자; ~ой вопрос 아픈 문제, 초미의 문제
больше ① (большой, много의 비교급) 더 많다, 더 크게, 크다; как можно ~ 될 수 있는 대로 더 많이; ② (부)(부정 문장에서는) 더는, 다시는, 앞으로는, 그밖에는;~ не пойду 다시는 안가겠다; ~ нет вопросов 더는 질문 없다; ~ не могу 더는 할 수 없다; ③ (부) 이상; ~ половины 절반이상; ~ того 그 밖에; ~ всего 무엇보다 더
больший (형) (большой의 비교급) 더 큰, 더 많은; самое ~ее 기껏 해서; ~ей частью 대부분은, 주로는
большинство (중) 다수(多數), 대다수(大多數), 대부분(大部分);~ом голосов 다수가결(多數可決); подавляющее ~o 압도적 다수; в ~e случаев 대다수경우에
большой (형) ① 큰, 커다란, 대단한; ~ая радость 커다란 기쁨; ~ой дом 큰집; ② 수 많은, 숱한; ~ая семья 큰 가정; в ~м количестве 대대적으로; ③ 나이 든, 다 자란, 다 큰, 어른이 된;~ой сын 다 자란 아들
болячка (여) 부스럼, 헌데, 종기(腫氣)
бомба (여) 폭탄(bomb;爆彈); атомная(водородная) ~ 원자(수소)탄(-彈); зажигательная ~ 소이탄; фугасная ~ 지뢰탄;~ замедленного действия 시한탄(時限彈)
бомбардировать (미완) 폭격하다
бомбардировка (여) 폭격(爆擊); подвергать ~e 폭격하다
бомбардировщик (남) 폭격기(爆擊機); тяжелый ~ 중폭격기
бомбёжка см. бомбардировка
бомбить (미완) 폭격하다,폭탄을 던지다
бомбометание (중) 투탄(投彈), 폭탄투하; прицельное 조준투하
бомбоубежище (중) 방공호, 대피호
Бонн (남) 본(Bonn)
бор (남) 바늘잎나무숲, 침엽수림(針葉樹林); сосновый ~ 솔밭, 소나무밭
борец (남) ① 투사(鬪士), 전사(戰士); ② (체육) 레슬링선수, 씨름 선수
бормотать (미완) 중얼거리다, 중얼대다, 두덜거리다
борный (형); ~ая кислота 붕산;~ый вазелин 붕산 바세린
боров (남) 거세한 돼지

борода (여) 턱수염
бородавка (여) 무사마귀
бородатый (형) ① 턱수염이 많은(긴), ② (명사) 텁석부리, 털보
борозда (여) ① 밭고랑, 이랑; ② 홈, 골, 주름살
бороздить (미완) ① 이랑을 짓다, 고랑을 파다, 골을 타다; ② 가르며 지나가다; ~ небо 하늘을 누비다
борона (여) 써레, 초파(秒耙), 살나레
боронить, бороновать (미완) 써레질하다, 번지질하다
бороться (미완) ① 싸우다, 투쟁하다, 분투하다; ~ с врагом 원수와 싸우다, 원수와 투쟁하다; ② (체육) 씨름을 하다; ~за первенство 선수권 쟁탈전하다
борт (남) ① 배전(配電), 적재함의 벽; брать на ~ 배에 싣다; ② (양복의) 앞섶; остаться за ~ом 제외되다, 따돌리다, 왕따 당하다
бортинженер(남) 항공기사,항공승무기사
бортмеханик (남) 항공기관사
бортпроводница (여) 비행기안내원
борщ (남) 남새국, 야채국, 야채스프
борьба (여) ① 투쟁(鬪爭), 싸움, 다툼, 분쟁(忿爭); классовая ~ 계급투쟁; ~ с засухой 가뭄과 전쟁; ② (체육) 씨름, 레슬링(wrestling);классическая ~ 레슬링; вольная ~ 자유형레슬링
босиком (부) 맨발로
босой,босоногий (형) 맨발의, 발 벗은; на босу ногу 양말을 신지 않고
босоножки(복수) 여자용 센들(sandal)
бот(남) 작은배, 보트(boat), 단정(短艇)
ботаника (여) 식물학(植物學)
ботанический (형) 식물학적(植物學的), 식물학의; ~ сад 식물원(植物園)
ботва (여) (뿌리긴 채소류) 잎과 줄기
ботики (복수) 목이 긴 덧신
ботинки (복수) 구두, 단화, 일상화
Ботсвана (여) 보쯔와나
боты см. ботики
боцман (남) 갑판장, 수부장(水夫長)
бочка(여) 나무통; бездонная ~ 밑빠진 독
боязливый (형) 겁이 많은, 두려워하는, 소심스러운
боязнь (여) 무서움, 공포심(恐怖心), 두려움, 근심, 걱정
боярышник (남) 아가위, 아가위나무
бояться (미완) 무서워하다, 두려워하다, 겁내다, 저어하다; ~ как огня 불처럼 두려워하다; боюсь, что он не придет 나는 그가 오지 않을까봐 걱정된다.
браво! (감) 좋다!, 멋있다!, 잘한다!
бравый (형) 늠름한, 위풍 있는, 남자다운; ~ солдат 늠름하게 생긴 병사
бразды; ~ правления 주권, 권력
Бразилия (여) 브라질(Brazil)
бразильцы (~ец(남),~ьянка(여)) 브라질(Brazil) 사람들
брак I (남) 오작품, 불합격품, 흠, 흠집
брак II (남) 결혼(結婚), 혼인(婚姻); вступать в ~ 결혼하다, 혼인하다; расторгать ~ 파혼시키다
бракованный ① браковать의 피동과거;② (형) 오작(誤作), 불합격(不合格)된, 흠(欠) 있는
браковать (미완) 불합격품으로 판정하다, 오작(誤作)품으로 골라내다
браковка (여) 품질검사(品質檢査), 제품검사(製品檢査), 제품선별
браковщик (남) 품질검사원(品質檢査)員), 제품선별원
бракодел (남) 불량품을 내는 자

браконьер (남) 밀렵자(密獵者), 허가 없이 사냥꾼, 허가 없이 물고기 잡이군
браконьерство(중) 밀렵(密獵), 불법적(不法的)인사냥, 불법적인 물고기 잡이
бракосочетание (중) 결혼식, 혼례식
бранить (미완) 꾸짖다, 꾸중하다, 책망하다.
браниться (미완) ① 말다툼하다; ② 욕설하다, 욕설을 퍼붓다
брань (여) 욕, 욕설, 말다툼
браслет (남) 팔찌, 팔걸이
брасс(남)(체육)
평형(平衡),개구리헤엄
брат (남) ① 형(兄), 아우(兒憂), 오빠, 남동생; младший ~ 아우, 남동생; старший ~ 형, 오빠
братоубийственный (형) 겨레(동포, 동족)살육(殺戮) 하는; ~ая война 동족상쟁(同族相爭)의 내란(內亂)
братский (형) 형제의, 형제적인, 다정한;~ая могила 전사자합장묘
братство(중) 형제적인 우의, 단합
брать (미완) ① 쥐다, 잡다, 받다, 틀어쥐다, 전취하다, 점령하다; ~ шляпу 모자를 쥐다; ~ с собой 가지고 가다; ②; ~ крепость 요새를 점령하다; ③ 맡다, 맡아하다, 담당하다; ~ такси 택시를 타다; ~ на мушку 조준하다; ~ начало 시작되다; ~ верх 우세하다, 압도하다; ~ за горло 강박하다; ~ за сердце 슬프게 하다, 강한 인상을 주다; ~ в расчёт 고려하다, 타산하다; ~ себя в руки 자기를 억제하다, 정신을 차리다; ~ пример 본받다
браться (미완) ① 잡다, 쥐다, 손을 대다; ~ за оружие 무기를 잡다; ② 달라붙다, 건드리다, 틀어쥐고 나가다; ③ 맡아하다, ~ не засвоё дело 자기 일도 아닌데 손을 대다; ④ 나타나다,

생기다; откуда берутся у него деньги? 그는 돈이 어디서 생기는가?; ~ за ум 영리해지다, 똑똑해지다
брачный (형) 결혼(結婚)의, 혼인(婚姻)의; ~ возраст 결혼할 나이
бревенчатый (형) 통나무의, 통나무로 만든
бревно (중) 통나무
бред (남) ① 잠꼬대, 헛소리; ② 망상
бредить (미완) ① 잠꼬대하다, 헛소리하다; ② (чем-л.) ...에 몰두하다; ~ музыкой 음악에 열중하다
бредовый (형) 헛소리를 하는, 잠꼬대를 같은, 환상적인, 얼빠진;~ая идея 허황된 생각
брезгать (미완) 꺼리다, 가리다, 싫어하다
брезгливый (형) 꺼리는, 까다로운, 싫어하는; ~ взгляд 싫어하는 눈초리
брезент(남) 물막이천, 방수포(防水布)
брезжить (미완) ① (등불 등이) 가물거리다, 희미하게 비치다; ② 훤히 밝다, 밝아오다; ~ заря 노을이 비끼기 시작한다.
бремя (중) 부담(負擔), 중하(重荷), 짐; непосильное ~ 힘에 겨운 부담; под ~енем чего...에 짓눌리어, ...의 압박밑에
бренчать (미완) 절렁거리다, 잘거락거리다;~ на гитаре 기타를 서툴게 타다
брести (미완) 겨우 걸어가다, 겨우 발을 옮기다, 터벅터벅걸어가다
брешь (여) ① 구멍, 틈; ② 돌파구(突破口); пробить ~ 돌파구를 열어 놓다
бреющий(형);~ полёт (항공)저공비행
бригада(여) ① 작업반(作業班); ударная ~ 돌격대; паровозная ~ 기관차대; поездная ~ 열차승무대; ② (군사) 여단(旅團), 분함대; танковая ~

탱크여단
бригадир (남) 작업반장(作業班張)
Бриджтаун г. 브릿지 타운
бриз (남) 바닷가에서 부는 미풍, 산들바람, 갯바람
брикет (남) 빚은 덩어리, 연탄(煉炭), 브리켓(briquet); угольный ~ 빚은 탄, 연탄(煉炭), 성형탄
бриллиант, брильянт (남) 금강석(金剛石), 보석(寶石)
британский (형) 영국(英國)
бритва (여) 면도칼; безопасная ~ 안전면도칼
бритвенный (형) 면도용; ~ прибор 면도도구, 면도도구 한조
бритый (형) 면도한
брить(미완) 면도하다, 깎다;~ бороду 수염을 깎다
бриться (미완) 깎다, 면도, 면도하다
бровка (여) ① 도랑, 변두리; ② (철로) 노반턱
бровь (여) 눈썹; не в ~, а в глаз 바로 맞혔다, 정통을 찔렀다
брод (남) 여울; переходить в ~ 여울을 건너가다
бродить I (미완) 슬슬 돌아다니다, 헤매다, 떠돌아다니다, 방황하다; ~ по лесу 숲속을 거닐다, 산책하다
бродить II (미완) 발효하다, 뜨다.
бродяга (남) ① 뜨내기, 부랑자(浮浪者); ② 방랑객(放浪客)
бродяжничать (미완) 떠돌아다니다, 방랑하다, 방랑생활하다,
брожение (중) ① 발효(醱酵); ② 격동(激動), 동요(動搖); ~ умов 민심동요
бром(남)(화학) 브롬(Brom) 취소(臭素)
бромистый (형) (화학) 브롬(Brom; 화의) 브롬을 함유한; ~ калий 브롬칼륨
бронебойный(형); ~ снаряд 철갑탄

броневик (남) 장갑차(裝甲車)
броненосец (남) 장갑선, 철갑함
бронепоезд (남) 장갑열차
бронетанковый (형); ~ые части (войска) 장갑부대, 기갑부대, 전차부대
бронетранспортёр (남) 장갑수송차
бронза (여) 청동(靑銅), 놋쇠
бронзовый (형) ① 청동의, 청동으로 만든; ~ая медаль 동메달; ② 청동색의; ~ое(от загара) лицо 구리 빛 얼굴; ~ый век 청동기 시대
бронированный ① бронировать...의 피동과거; ② (형) 장갑의, 철갑을 씌운; ~ автомобиль 장갑자동차
бронировать (완, 미완) 미리 확보하다, 예약하다
бронировать (완, 미완) 장갑하다, 철갑을 씌우다
бронхи (복수) (해부) 기관지(氣管支)
броня (여) ① 장갑(裝甲), 철갑(鐵甲); ② 갑옷
броня (여) ① 사용권(使用權), 사용증명서; ② (어떤 물건의) 확보(確保)
бросать (미완) ① 던지다, 내버리다, 내던지다; ~ камень 돌을 던지다; ② 그만두다, 끊다, 중단하다; ~курить 담배를 끊다; ~ работу 일손을 떼다; ③ 급속히 파견하다, 출동시키다, 급히 보내다;~ войска в бой 군대를 전투에 파견하다; ~ оружие 무기를 내버리다; ~ слова на ветер 쓸데없는 말하다; ~ деньги на ветер 돈을 낭비하다; ~ взгляд 얼핏보다;~ тень на кого ...의 명예를 훼손시키다; ~ якорь 정박하다, бросьте! 그만두라! 거두게!
бросаться (미완) ① чем 던지다, 마주 던지다; ~ снежками 눈덩이를 서로 던지다; ② на кого...에게

달려들다(덤벼들다); ~ на врага 적을 향하여 돌진하다; ③ 뛰어 내리다, 뛰어들다; ~ с моста 다리에서 뛰어내리다; ~ в воду 물속으로 뛰어들어가다; *кем-чем* 무시하다; ~ на шею 껴안다; ~в объятия 품에 와락 안기다; ~ в глаза 눈에 뛰다, 안겨오다.
бросить(ся) см. бросать(ся)
бросок (남) ① 던지는 것, ② (군사) 돌진(突進), 한달음에; ③ (체육) 넣기
брошка, брошь (여) 브로치, 꽃 핀침, 장식용 핀 침.
брошюра (여) 소책자
брус(남)(나무, 돌, 금속 등의) 각재, 대
брусника (여) 따들쭉 나무, 월귤 나무(Vaccinium vitisidaea), 그열매
брусок (여) ① 숫돌, 갈이돌; ② 길쭉하고 네모난 물건
брусья(복수)(체육):параллельный ~ 평행봉; разновысокие ~ 고저평행봉
брутто (불변) (형, 부) (상업) (포장과 함께) 총량, 총액; вес ~ 총중량
брызгать (미완) ① *чем* 뿌리다, 끼얹다; ② 뿌려지다, 뿜어 나오다
брызгаться (미완) ① 끼얹다, 튀기다; ② 서로 마주 뿌리다
брызги (복수) (튀어 오르는 물방울) 비말(飛沫), 물방울; ~ дождя 빗방울
брызнуть см. брызгать
брыкаться (미완) ① 차는 버릇이 있다. 서로 차다; ② 고집을 쓰다
брынза (여) 양젖치즈
брюква (여) 순무우
брюки (복수) (양복)바지
брюнет(남),~ка(여) 머리칼이 검은사람
брюхо (중) 배, 뚱뚱보, 배통
брюшина (여) 배막, 복막; воспаление ~ы 배막염
брюшной (형) 배의; ~ая полость 배안, 복강, 배통; ~ый тиф 장티푸스
брякать,брякнуть(완) 절커덩거리다, 덜컹거리다; ~ ложками 숟가락을 절커덩거리다
бряцать (미완); ~ оружием 무력으로 위협하다, 전쟁으로 위협하다
бубен (남) (음악) 탬버린, 방울 북
бубенчик(남) 방울; 방울꽃, 초롱꽃
бублик (남) 도넛(doughnut), 가락지빵
бугор (남) 언덕, 둔덕
бугристый (형) 둔덕이 만은, 기복이 심한, 울퉁불퉁한
Будапешт *г.* 부다페스트(Budapest)
буддизм (남) 불교(佛敎)
буддийский (형) 불교의; ~ храм 절, 절간, 사찰(寺刹)
буддист (남) 불교신도(佛敎信徒)
будет (부) 충분하다, 됐다;: ~ тебе! 그만!, 됐소!
будильник (남) 종시계, 자명종
будить (미완) ① 깨우다; ② 자아내다, 불러일으키다; ~ любопытство 호기심을 자아내다, 각성시키다.
будка (여) 초소, 보초막; ~ сторожа 경비실; телефонная ~ 전화실
будни (복수) (명절날을 제외한) 보통날, 평상시(平常時); рабочие ~ 일하는 날.
будничный (형) ① 평범한, 평상시의,일상적인; ② 보통날의, 여느 날의; ~ая жизнь 하루하루의 생활
будоражить(미완) ① 불안케 하다, 들뜨게 하다; ② 흥분시키다, 격동시키다
будто(접)① 마치, ...처럼, ...인듯이, ...것 같이, ...듯한; устал, как ~ ходил целый день 온종일 걸어 다닌 것처럼 피곤하였다; ② ... 것 같다, ...듯싶었다; он как ~ врач 그는 의사 같다; ③ ...체 하다; делает вид,

~ не знает 모르는체하다
будущее (중) 앞날, 장래(將來), 미래(未來); в ~м 앞날에, 장차(將次)
будущий (형) 장래의, 미래의, 앞날의, 다음; ~ месяц 다음달; ~ год 내년
будущность (여) ① 미래, 앞날의(일); ② 전도(前途), 앞길; блестящая ~ 휘황찬 앞날
буженина (여) 삶은 돼지고기의 한 가지
бузина (여) 딱총나무, 지렁이나무
буй (남) (해양) 부표(浮漂), 띄움표
буйвол (남) 물소
буйный (형) ① 사나운, 횡포한; ~ый ветер 세찬바람; ~ый нрав 난폭한 성격; ② 빨리 자라는, 싱싱한, 더부룩한; ~ая шевелюра 숱이 많은 머리카락; ~ые побеги 싱싱한 싹
буйствовать (미완) 난폭하게 행동하다, 횡포를 부리다, 갈개다
бук (남) 나도 밤나무, 너도밤나무
букашка (여) 작은 벌레
буква (여) 글자, 문자; ~ в ~у 아주 정확히 문자 그대로
буквально (부) ① 문자 그대로, 말 그대로의; ② 참말로
буквальный (형) ① 문자 그대로의; ② 정확한; 그대로의; в ~ом смысле слова 말 그대로의, 본 뜻 그대로의
букварь (남) 글자편, 문자편
буквенный (형) 문자의, 자모(子母)의; ~ое обозначение 문자에 의한 표시
букет (남) 꽃다발, 꽃묶음
букинист (남) 헌 책방 점장, 낡은 책장사, 고서적상인(古書籍商人)
букинистический: ~ий магазин 고서점(古書店), 낡은 책방; ~ая книга 휘귀한 책, 고서 책(古書 冊)
буксир (남) ① 끌배; ② 끌바, 견인 바줄; брать на ~ 도와주다, 끌어올리다

буксировать (미완) 바 줄로(배, 자동차 등을) 끌다
буксовать (미완) ① (바퀴가) 헛돌다, 공회전 하다; ② 뭉개다
булавка (여) 핀(pin), 빈침
булка, булочка (여) 흰빵
булочная (여) 빵집, 베이커리(bakery)
булочный (형): ~ые изделия 빵제품
бултыхнуться (완) 철벙거리다, 덤벙거리다, 첨벙빠지다; ~ в реку 강물에 풍덩 빠지다
булыжник (남) (도로포장용) 큰자갈, 막돌
булыжный (형): ~ая мостовая 돌로 포장한 도로
бульвар (남) 산책로, 유보도
бульварный (형) ① 산책로의; ② 비속한, 통속적인; ~ роман 통속소설
бульдозер (남) 불도저
бульдозерист (남) 불도저 운전수
булькать (미완) 꼴깍꼴깍 소리를 내다, 꽈르르 하다
бульон (남) 국물, 곰; мясной ~ 고기 국물; куриный ~ 닭곰
бумага (여) ① 종이; почтовая ~а 편지지(片紙紙); обёрточная ~а 포장지(包裝紙), 꾸림종이; папиросная ~а 담배종이; промокательная ~а 압지(壓紙); копировальная ~а 먹종이, 먹지; ② 문건, 문서; 서류; официальная ~а 공문서; ценные ~и 유가증권
бумажник (남) 지갑
бумажный I (형) 종이로 만든, 종이의; ~ая фабрика 종이공장; ~ые деньги 지폐(紙幣), 종이돈; ~ая волокита 문서놀음
бумажный II (형) 무명의, 면포의, 면직(綿織)의; ~ая ткань 면직물(綿織物)
бумазея см. байка
бумеранг (남) 부메랑(boomerang;

던진 사람에게 되돌아오는 투척무기)
бункер (남) (석탄, 곡물 등의) 창고(倉庫), (콤바인의) 낟알탱크;~ для угля 석탄창고
бунт (남) 반란(反亂), 폭동(暴動), 봉기
бунтарь (남) 폭동 참가자, 반란자
бунтовать (미완) 반란을 일으키다, 폭동을 일으키다, 반항하다
бунтовщик (남) 반란자, 폭동자, 폭도
бур(남) ① 정, 정대; ② 착암기, 천공기
бура (여) (화학) 붕사(硼沙. 硼砂)
бурав (남) 타래정, 타래송곳
буравить(미완)(구멍을)뚫다, 천공하다
буран (남) 눈보라
буревестник (남) 조류(潮流), 해연
бурение (중) 구멍 뚫기, 천공(穿孔), 착암(鑿巖); разведочное ~ 탐사시추
буржуа (불변) 유산자(有産者), 부르주아(bourgeois), 프롤레타리아(prolétariat)
буржуазия (여) 부르주아지, 자본가 계급, 유산계급; крупная(мелкая) ~ 대(소)부르주아지; компрадорская ~ 매판부르주아지, 예속자본가
буржуазно-демократический(형) 부르주아. 민주주의적인((bourgeois 民主主義的)
буржуазный(형) 부르주아적(bourgeois 的); ~ая идеология 부르주아 사상;~ая революция 부르주아 혁명
бурильщик (남) 착암공(鑿巖工), 시추공(試錐孔), 굴진공(掘進工)
бурить (미완) (구멍을) 뚫다, 천공(穿孔)하다, 시추(試錐)하다
бурлить (미완) ① 들끓다, 뒤설레이다, 용솟음치다, 부글부글 끓다, 끓어 번지다; ② 웅성거리다, 야단법석이다
бурный (형) ① 사나운, 격렬(激烈)한, 설레는; ~ое море 사나운 바다; ② 급격한, 비약적인; ~ое время 격동적 시기; ~ый рост 급격한 성장
буровая (여): ~(скважина) 시추탑
Бурунди (중) (불변) 부룬디(Burundi; 중앙아프리카 공화국 수도)
бурундук(남) 시베리아 다람쥐
бурчать (미완) ① 투덜거리다, 웅얼거리다, 중얼거리다; ② 꾸르륵거리다; в живоет ~ит 배가 꾸르륵거리다
бурый (형) 갈색(褐色)의; ~ уголь 갈탄(褐炭); ~ медведь 갈색 곰
бурьян (남) 잡초(雜草)
буря (여) 폭풍(暴風), 폭풍우(暴風雨); снежная ~ 사나운 눈보라
бусы (복수) 실에 펜 구슬, 구슬 꾸러미, 구슬 목걸이
бутафория (여) ① (연극) 소도구(小道具); ② (상점 진열장의) 모조품
бутерброд (남) 부쩨르브로드 (버터, 치즈, 꿀바사 등을 놓은 빵)
бутон (남) 꽃봉오리
бутсы (복수) 축구화(蹴球靴)
бутылка (여) 병(瓶), 유리병(琉璃瓶); молочная ~ 우유병(牛乳瓶)
бутыль (여) 큰 병, 두루미
буфер (남) 완충기(緩衝期)
буфет (남) ① 찬장, 식장; ② (식당의) 매대; ③ 간이식당
буфетчик, ~ца(여) 간이식당판매원
буханка (여): ~(хлеба) 빵덩어리
бухать(미완)① 쾅 울리다; ② 쿵하고 떨어지다;~ют пушки 대포가 쾅울리다
бухгалтер (남, 여) 회계원(會計員), 부기(簿記); главный ~ 부기장
бухгалтерия (여) 부기학(簿記學) 경리부(經理部), 부기실, 부기부
бухта (여) 만, 후미, 물굽이
бушевать (여) 광란을 부리다

буянить (미완) 난폭한 행동을 하다
бы (조) ① (가상적인 가능성을 표시); он бы пришёл, если бы знал 만약 그가 알았더라면 왔을 것이다; ② (희망, 권고, 부탁을 나타냄) посмотреть бы 보았으면 좋겠는데; сходить бы тебе к врачу 의사에게 가보렴;ты прилегбы 좀 누워 쉬렴; я бы ещё почитал 내가 더 읽었을걸; будто бы 마치도; хотя бы.... 만이라도
бывало (삽입어) (과거에 여러번 반복된 동작을 나타냄); ~ он часто приходил (한때)그는 종종 찾아오곤 했다; как ни в чем не ~ 아무 일도 없었던 것처럼, 시치미를 떼고
бывалый (형) 노련한, 노숙한, 경험이 많은, 풍파를 다 격은; ~ человек 노련한 사람, 경험이 많은 사람
бывать (미완) ① 있다. я ~л там 나는 그기에 가본 적 있다; ② 자주 가다, 때때로 가다(드나들다, 방문하다); ете ли вы в театре? 극장에 다니곤 합니까?; ③ 때때로 일어나다, 때때로 생기다; Это часто ~ет 이런 일은 자주 있다; ~ют странные случаи 이상한 경우가 있다
бывший (형) 이전(以前)의, 종전(從前)의; ~ директор 이전교장
бык I (남) 황소;племенной ~ 종자황소
бык II (남) (다리의) 교각(橋脚), 사이기둥
былина (여) 민요서사시, 영웅담(英雄譚)
былинка (여) 풀줄기
было (조) 거의(의 뜻을 나타냄); чуть ~ не забыл 하마터면 잊을 번 하였다; пошёл ~, да вернулся 떠나려다가 돌아섰다
былое (중) 과거(過擧), 지나날, 옛적
быль (여) 실화(實話);это не выдумка, а ~ 이것은 꾸며낸 것이 아니라 실화이다
быстро (부) 빨리, 속히, 급속히; очень ~ 급속히
быстрокрылый (형) 빨리 나는, 빨리 지나가는
быстрота (여) ① 속도(速度), 속력(速力); ② 신속성, 기동성(機動性), 생동성
быстроходный (형) 고속도(高速度) 쾌속도(快速度); ~ое судно 쾌속선
быстрый (형) ① 빠른, 재빠른, 급속한, 신속한; ~ым шагом 빠른 걸음으로; ~ый рост 급속한 성장;~ыми темпами 빠른 속도로; ② 날쌘, 잽싼, 날랜
Быт (Первая глава Моисеева. Бытие 50장, 1쪽) 창세기(創世記, Genesis: (히) Bereshit ('태초에'라는 뜻). 구약성서의 첫 번째 책,
быт (남) ① 일상생활, 실생활; ② 생활관습, 세태풍속
бытие (중) ① 실재(實在), 존재(存在), 생활(生活); ② 물질적 생활(物質的生活), 제조건; ③ 삶, 생존(生存)
бытовать (미완) 있다, 존재하다
бытовой (형) 세태의, 일상생활(日常生活)의; ~ое обслуживание 편의봉사; ~ые условия 생활조건; ~ой холо-дильник 가정용 냉동기, 냉장고
быть (미완) ① 있다; у него был сын 그에게는 아들이 있었다; он был дома 그는 집에 있었다; ② 이다, 되다; был студентом 학생이었다.; ③ (생기다의 뜻을 나타냄) будет дождь 비가 올 것이다; ④ 가다, 오다, 찾아오다, 방문하다; завтра он будет у меня 내일 그는 나한테로 온다; как ~? 어떻게 할까?; может ~ 아마 될 수 있다; будь что будет 어떤 일이 있어도, 기어코;

была не была! (되건 안되건) 해보아야지

бюджет (남) 예산(豫算); закон о государственном ~е 국가 예산법

бюджетный (형) 예산의; ~ый год 예산년도; ~ые ассигнования 예산지출

бюллетень (남) ① 통보, 공보; ② 일보, 주보, 월보, 연보; ③ 투표용지(投票用紙); ④ 진단서(診斷書)

бюро (중) (불변) 뷰로, 사무국(事務局), 국(局), 위원회(委員會); справочное ~ 안내소(案內所); конструкторское ~ 설계소; ~ погоды 기상 예보국

бюрократ (남) 관료주의자
бюрократизм (남) 관료주의
бюрократический (형) 관료주의적인, 관료적인, 관료식('官僚式); ~ое отношение к делу 관료식 사업방법
бюрократия (여) 관료배, 관료파, 관료
бюст (남) ① 반신상(半身像); ② (여자의) 가슴, 가슴통, 가슴패기
бюстгальтер (남) 젖 가슴띠, 브래지어(brassiere)
бязь (여) 광목천

В

в (во) (전) ① (소재지, 장소 등을 표시) 에; находиться в Москве 모스크바에 있다; ② (행동 동작 등을 표시) 에서; рабо тать в лаборатории 실험실에서 일 하다; жить в городе 도시에서 살다; ③ ...안에(서), ...속에(서); положить книгу в портфель 책을 가방에 넣다; ④ (방향을 표시) ...로, ...에; идти в театр 극장으로 가다; ⑤ (시간을 표시) ...에, ...내에서; в конце мая 5월 말에; в два часа 두 시에; ⑥ 크기, 무게, 값, 회수 등을 표시; длиной в три метра 길이가 3미터 되는; в три раза больше 3배나 더 크다; ⑦ 옷, 모자 등이 몸에 붙어있는 상태를 표시; в новом костюме 새 양복을 입고; он в очках 그는 안경을 끼고; ⑧ ...있는 곳을 표시; в двух шагах от меня 내가 있는 곳에서 두 발자국 떨어져서; ⑨ ....째로 во-первых 첫째로; ◇ в гневе 분노하여; в первую очередь 제일 먼저; в поте лица 땀을 흘리면서; во всех отношениях 모든 점에서; во всяком случае 어떤 경우에나; в коне-чном счете 결국; в душе 마음 속으로.

вагон(남) 차량, 차안, 찻간; товарный ~ 짐차, 화물차; купированный ~ 칸막이 찻간; жесткий(мягкий) ~ 우등열차; трамвайный ~ 전차

вагонетка (여) 광산에서, 캐낸 광석을 실어 나르는 뚜껑 없는 화차 (貨車), 갱차(坑車), 광석차(鑛石車), 탄차(炭車)

вагонный (형) 찻간의, 차량의

вагоновожатый (남) 전차 운전사

вагоноремонтный (형); ~ завод 차량 정비공장

важничать (미완) 우쭐거리다, 거드름을 피우다, 뽐내다

важно (부) ① 우쭐거리면서, 점잖게, 위엄있게; ② (술어) 중요하다, 중대하다; это не столь ~ 이것은 그렇게 중요하지 않다

важность (여) ① 중요성, 중대성; ② 교만, 거만, 거드름

важный (형) ① 중요한, 중대한; ~ый вопрос 중요한 문제‘ ~ое сообщение 중대한 방송; ② 거드름 피우는, 뽐내는

ваза (여) ① 꽃병; ② (실과, 과자 등을 담는) 그릇 단지

вазелин (남) 바세린

вакансия (남) 결원(缺員), 공석(公席), 빈자리; открылась ~ 공석이 생겼다, 자리가 났다, 빈자리가 생겼다

вакантный (형) 공석의, 빈자리의

вакуум (남) 진공

вакцина (여) 왁찐, 백신

вакцинация(여) 예방 주사, 백신주사

вал(남)**I** (공학) 축, 축대(築臺), 로

라

вал (남) II ① (흙으로 쌓은) 둔덕, 흙벽, 토성; ② 높은 파도

валежник (남) 넘어진 나무, 부러져 떨어진 나뭇가지.

валенки(복수) 부츠, 겨울용 펠트 장화

валентность (여) (화학) 원자가(原子價), 원잣값

валериана, валерьяна (여) (식물) 바구니 나물

валерьянка (여) (식물) 바구니나물 뿌리로 만든 물약

валерьяновый (형); ~ые капли 바구니나물 뿌리로 만든 물약

валить I (미완) 넘어뜨리다, 쓰러뜨리다, 무너뜨리다; ~ с ног 밀어 넘어뜨리다; ветер валит деревья 바람이 나무를 넘어뜨리다; ◇ ~ всё в одну кучу 뒤섞어 놓다

валить II (미완) ① 와 쓸어오다, 와 밀려오다, 와 나오다; народ валом валит 물밀 듯이 밀려온다(간다); ② 쏟아진다, 떨어지다; снег валит хлопьями 함박눈이 쏟아진다.

валиться (미완) 넘어지다, 쓰러지다, 허물어지다, 자빠지다; ~ с ног от усталости 기진맥진하여 쓰러지다, 휘청거리다; ◇ всё валится из рук 일이 되지 않다, 일이 손에 잡히지 않는다

валовой (형); ~ доход 총수입; ~ой сбор 총수확고; ~ая продукция 총생산량, 총생산액

валторна (여) (금관 악기의 하나) 프렌치 호른(French horn)

валун (남) 크고 둥근 돌, 구름 돌

вальс (남) 왈츠(waltz), 원무(圓舞), 왈츠곡, 원무곡(圓舞曲)

валюта (여) 화폐(貨幣), 통화(通貨); обмен ~ы 화폐교환; золотая ~а 금화(金貨); иностранная ~а 외화

валютный (형); 화폐의, 통화의; ~ые операции 환전(換錢), 환폐 교환

валять (미완) 굴리다; ~ по снегу 눈 위에 굴리다; ~ дурака 바보 노릇하다, 빈둥거리다.

вам (여) см. вы/ **вами** (조) см. вы

ванна (여) ① 목욕탕, 목욕통; ② 목욕; принимать ~у 목욕하다; возду-шная ~а 공기욕; солнечная ~а 일광욕.

ванная (여); ~ (комната) 목욕탕(沐浴湯), 욕실(浴室)

ванночка; детская ~ 어린이 목욕통

вар (남) 송진(松津), 수지(樹脂)

варвар (남) 야만인, 미개한 사람

варежки (복수) 벙어리장갑, 통장갑

варёный (형) 삶은, 끓인

варенье(중) 잼; яблочное ~ 사과잼

вариант (남) 변종, 변형(變形), 변체

варить (미완) 삶다, 끓이다, 찌다, 요리하다; ~ картофель 감자를 삶다; ~ обед 음식을 만들다; ~ пиво 맥주를 만들다; ~ сталь 제강하다; голова варит 머리가 돈다; желудок варит 소화된다, 위가 소화 시킨다

вас (생, 대) см. вы

василёк (남) 수국화(水菊花)

вата(여) 솜, 목화(木花), 면화(棉花), 면(棉); стерильная ~ 약솜; гигроскопическая ~ 탈지면(脫脂綿)

ватага (여) 무리, 떼, 패거리, 도당
ватерлиния(여)(해양)흘수선(吃水線)
ватерпас (남) (공학)수평기, 수준기
ватерполист (남) (체육) 수구선수
ватерполо (남) 수구(水球)
ватин(남)(양복의 심으로 쓰는) 뜨개천
ватман (남) 수채화(水彩畵), 제도용지, 와트먼-지(whatman-紙)
ватный (형) 솜을 넣은, 솜으로 만든, 솜의; ~ое одеяло 솜 이불
ватт (남) (전기) 와트(watt)
ваттметр (남) 전력계(電力計)
вафля (여) 와플랴 (비스켓의 종류)
вахта(여) 당직(當直), 일직(日直); стоять на ~е, нести ~у 당직을 서다;
вахтённый (형) ① 당직의, 일직의; ~ журнал 당직일지; ② (명사로) 당직 근무자(勤務者)
вахтёр (남) 일직(당직) 책임자(責任者), 경비책임자, 일직사령
ваш (소유 대, 남) (ваше(여), ваша(중), ваши(복수)) 당신의, 당신들의, 너희들의, 당신네; ~ дом 당신의 집; ваше поло-жение 당신의 형편; ваша страна 당신들의 나라
ваша ① см. ваш ② (명사) (여) 당신의 것; это ~ 이것이 당신의 것이다.
ваше ① см. ваш ② (명사) (중) 당신의 것; это ~ 이것은 당신의 것이다
ваши ① см. ваш ② (명사) (복수) 당신들의 것, 너희들의 것; (домашние) 당신의 친척, 당신의 가족들; ~ у нас были вчера 어제 당신의 식구들이 우리에게 왔습니다.
вбегать (미완) 뛰어 들어가다, 뛰어 들어오다.
вбивать (미완) 박아 넣다, 박다, 들이박다; ~ гвоздь в стену 벽에 못을 넣다; себе в голову 신념을 굳게 하다, 의지를 굳게 하다
вбирать (미완) ① 빨아들이다, 흡수하다, 마시다; ② 섭취하다, 받아들이다
вбить (완) см. вбивать
вблизи(부) 가까이에, 근처에, 부근에
вбок (부) 옆으로
вброд (부) 여울로, 얕은 곳으로; пере- ходить вброд 여울목으로 건너가다, 얕은 곳으로 건너가다
вваливаться(미완),ввалиться(완) ① 막 밀려들다, 빠지다, 달려들다, 쓸어 들어오다; ~ваться в комнату 방안으로 달려들다; ② 쑥 들어가다, 꺼지다, 오므라들다; щёки ввалились 뺨이 쑥 들어가다.
введение (중) ① 머리말, 서론(序論), 개론(槪論); ② 도입(導入), 제정, 실
ввергать(미완), ввергнуть(완) 빠지게 하다, 끌어넣다, 몰아넣다; ~в катастро-фу 참화속에 몰아넣다; ~ в отчаяние 절망에 빠뜨리다
ввертывать (미완) 틀어박다, 돌려 맞추다; ~ винт 나사못을 돌려 박다
вверх (부) 위로, 올려; смотреть ~ 쳐다보다; ~ по реке 상류로, 강을 거슬러; ~ дном, ~ ногами 거꾸로
вверху (부) 위에, 높은데서
вверять (미완) 위탁(委託)하다, 위임(委任)하다, 맡기다; ~ чью-л. судьбу 생명을 위탁하다
ввиду(전) .... 때문에, ...까닭에, ...으

로 인하여; ~ того, что ... ...기 때문에; ~ болезни 병으로 인하여

ввинтить(완),**ввинчивать**(미완)틀어박다, 틀어맞추다, 돌려꽂다, 돌려넣다.

вводить (미완) ① 끌어들이다, 데려오다, 몰아넣다; ② (어떠한 상태, 처지)에 빠지게(들어가게, 처하게)하다; ~ в заблу-ждение 오해하게 하다, 오도하다; ③ 실시(도입, 설정, 개시)하다; ~ в строй(в эксплуатацию) 조업을 시작하다

вводный (형) 머리말의, 서론(序論)의, 서문(序文)의; ~ курс 서론(序論); ~ое слово (언어) 삽입어(挿入語); ~ое пре-дложение (언어) 삽입문(장)

ввоз (형) 수입(輸入), 반입(搬入)

ввозить (미완) 수입하다, 반입하다, 끌어들이다, 실어들이다; ~ товары 상품을 수입하다

ввозной(형) 수입의, 반입의; ~ая по- шлина 수입세(輸入稅)

вволю (부) 마음껏, 실컷; ~ есть 실컷 먹다

ввысь(부) 위로, 높은 곳으로, 하늘로

ввязаться(완), **ввязываться**(미완) 거들다, 참견하다, 끼어들다, 간섭하다; ~ в разговор 말참견하다; ~ в бой 전투에 참가하다

вглядеться(완), **вглядываться**(미완) 들여다보다, 눈여겨보다, 유심히 바라보다

вдаваться(미완) 깊숙이 들어가다, 뾰족하게 나오다, 돌출(突出)하다; ~ в под- робности 상세히 파고들다, 지지 콜콜이 따지다

вдавить (완), **вдавливать**(미완) 오므라뜨리다, 눌러서 박아 넣다

вдалеке(부) 멀리에, 먼곳에; держаться ~ 떨어져있다, 멀리하다; ~от города 도시에서 멀리 떨어져

вдали см. вдалеке

вдаль(부) 먼 곳으로, 먼데로; смотреть ~ 멀리 앞을 내다보다

вдаться см. вдаваться

вдвигать (미완), **вдвинуть** (완) 밀어넣다, 밀어맞추다, 꽂아넣다

вдвое (부) ① 2배나, 2배로, 곱, 곱절, 배(倍), 갑절(甲折); увеличивать ~ 2배로 증가하다; ~ больше 곱으로 더 많다; ~ меньше 절반 밖에 안된다; ② 둘로, 두 개로; сложить~ 두 겹으로 접다

вдвоём(부) 둘이서, 둘이 함께; жить ~ 둘이 함께 살다; приходить ~ 둘이서 오다

вдвойне(부) 2배나, 2배로; он ~ еправ 그는 두 가지 점에서 옳지 않다

вдевать(미완),**вдеть**(완) 꿰다, 꿰뚫다; ~ нитку в иголку 바늘귀에 실을 꿰다

вдобавок(부) 게다가, 더군다나, 보다더, 더욱이, 가뜩이나, 우중지(又重之)

вдова(여) 과부(寡婦), 미망인(未亡人)

вдовец (남) 홀아비

вдоволь (부) ① 마음껏, 실컷; ② (술어) 충분하다, 풍족하다, 넉넉하다

вдогонку (부) 뒤쫓아, 뒤따라

вдоль① (부) 세로로; резать ~ 세로 자르다; ② (전) ...을 따라; ~ берега 기슭을 따라; ~ и поперёк ① 가로세로, 사방으로; ② 세밀하게

вдох (남) 들숨; ~ и выдох 들숨과

날숨; делать ~ 숨을 들이쉬다

вдохновение (중) 영감(靈感), 감동(感動), 감흥; творческое ~ 창조적 기백

вдохновенно (부) 영감(靈感)에 충만되어, 깊은 감흥을 가지고, 감동적으로

вдохновенный (형) 영감에 충만된, 감동적인; ~ труд 진취적인 근로

вдохновитель (남) 고무자, 추종자

вдохновить см. вдохновляться

вдохновлять (미완) 격려하다, 부추기다, 북돋우다; ~на подвиг 허위로 부추기다

вдохновляться (미완) 고무되다, 떨쳐 일어나다, 분발하다, 격려되다

вдохнуть см. вдыхать

вдребезги (부) 산산(散散)이, 산산조각나다; разбить ~ 산산이 부서지다

вдруг (부) 갑자기, 별안간, 뜻밖에, 불의에; ~ раздался выстрел 갑자기 총소리가 들려왔다; ~ подумалось 얼핏 생각이 났다; ~ упал 탁 떨어졌다

вдувать (미완) 불어넣다; ~ воздух 바람을 불어 넣다, 공기를 불어 넣다

вдуматься см. вдумываться

вдумчиво (부) 생각 없이, 꼼꼼히

вдумчивый (형) 깊이 생각하는, 심사숙고하는; ~ое отношение 철두철미한 태도, 빈틈없는 자세, 꼼꼼한 태도

вдумываться (미완) 깊이생각하다, 심사숙고하다, 용의주도하다

вдуть см. вдувать

вдыхать (미완) 숨을 들이쉬다; ~ све- жий воздух 신선한 공기를 들이 마시다

вегетарианец (남) 채식주의자(菜食主義者), 채식하는 사람

вегетарианский (형) 야채(野菜), 채식(菜食); ~ая пища 채식, 야채로 만든 음식, 소음식, 남새로 만든 음식

вегетативный (형); ~ое размножение 영양생식(營養生殖)

вегетационный (형); ~ период 성장기(成長期), 영양 성장기

ведать (미완) ① чем ...을 관리하다, 관할하다, 주관하다, 담당하다, 맡아보다; ② 알다

ведение (중); находиться в чьём ~и ...의 관할 아래 있다, ...에 속하다

ведение (중) 운영(運營), 진행(進行); ~ хозяйства 경리운영, 회계운영; ~ засе-дания 회의의 진행

ведома: без ~ 알리지 않고, 허가 없이, 무허가로; c ~ 미리 알리고

ведомость (부) ① 일람표(一覽表), 통지서(通知書); расчётная ~ь 계산서; ② (복수) ~и 공보(公報), 통보(通報),

ведомство (중) 부서(副書), 국(局), 당국(當局), 관리국(管理局)

ведро (중) 들통, 물통; дождь льёт как из ~ 비가 억수같이 쏟아진다.

ведущий ① вести... 의 능동현재; ② (형) 주도적인, 주동적인, 지도적인, 주요한; ~ая роль 주도적인 역할

ведь ① (조) (강조의 뜻을 나타냄) ...이 아닌가, 과연 ..인가; ~ сегодня воскресенье? 오늘은 일요일이 아닌가요?; да ~ это он! 그 사람이 아닌가!; ② (접) (원인, 까닭의뜻으로) ....니까, ...니깐, ...이기

때문에,...인 만치; мне нечего волноваться, я ~ слышал эту новость 그 소식을 들으니까 마음이 놓인다.

ведьма (여) 마귀(魔鬼) 할멈, 마녀(魔女), 악마(惡魔) 같은년.

веер (남) 부채

вежливо (부) 정중히, 친절히 상냥하게

вежливость (여) 정중성, 친절성

вежливый (형) 정중한, 친절한

везде (부) 가는 곳마다, 도처에, 곳곳에, 사처에, 사방으로

вездеход (남) 만능자동차

везение (중) 재수, 운행, 운수

везти (미완) ① 나르다, 실어가다, 운반하다, 가지고 가다; ② ему ~ёт(не-ёт) 그는 운수가 좋다(나쁘다)

век (남) ① 세기(世紀); двадцатый ~ 20세기; ② 시대, 시기; каменный ~ 석기시대; ③ 생애, 일생; на моём ~у 나의 생애에; на ~и вечные 영원히

веко (중) 눈까풀, 눈가죽, 눈시울

вековой (형) 세기적(인) 오래 묵은; ~ая отсталость 세기적 낙후성; ~ые тра- диции 오랜 전통

вексель (남) 어음; платить по ~ю 어음에 의하여 지불하다

вектор (남) (수학) 유한집합(벡터)

велеть (미완) 명령하다, 지시하다; ~л прийти в два часа 2시에 오라고 말했다; мне совесть не велит 나의 양심이 허락하지 않는다.

великан (남) 거인(巨人), 어처구니

великий (형) ① 위대한; ~ая победа 위대한 승리; ② (아주) 큰, 대(大); эти ботинки мне ~и 이 구두는 나에게 크다; (все) от мала до ~а 아이 어른 할 것 없이

Великобритания (여) 영국(英國)

великодушие (중) 관대한, 아량, 너그러움, 도량(度量), 관용(寬容)

великодушный (형) ① 너그러운, 관대한, 마음이 큰; ② 아량 있는, 도량이 큰

великолепный (형) ① 화려한, 호화로운, 휘황한; ② 뛰어난, 아주 훌륭한

величественный (형) ① 웅장한, 웅대한, 으리으리한; ② 장엄한, 굉장한

величие (중) 위대성, 웅대한 것, 장엄한 것, 훌륭한 것

величина (여) ① 크기, 치수, 량; ~ой с дом 집만한 크기의; ② (수학) 값, 치; ③ (사람의) 거장(巨匠), 대가(大家), 명인(名人); ~а в науке 과학의 거장

велогонка (여) 자전거 경기

велосипед (남) 자전거(自轉車), 은륜(銀輪); трёхколёсный ~ 세발자전거; ехать на ~е 자전거를 타고 가다

велосипедист (남) 자전거선수

вельвет (남) (면) 비로드(veludo), 벨벳(velvet), 우단(羽緞)

вена (여) (의학) 정맥(靜脈)

Венера (여) (천문) 금성(金星)

венерический (형) 성병(性病)의; ~ая болезнь 성병(性病)

венеролог (남) 성병전문의사

венец (남) ① 관(冠), 화관(花冠), 꽃테; лавровый ~ 월계관; ② 극치(極致), 결실(結實), 종결(終結)

веник (남) 비, 방비, 빗자루

венок (남) 화환(花環), 화관(花冠)

вентилировать (남) 통풍하다, 환기하다, 공기를 갈다, 통기하다

вентилятор (남) 송풍기(送風機), 통풍기(通風機), 환풍기(換風機)

вентиляция ① 통풍(通風), 환기(換氣), 환기(換氣), 공기갈이, 바람빼기; ② 환기장치(換氣裝置)

вентиляционный(형); ~ое отверстие 환기구멍; ~ая труба 통풍관

вера (여) ① 믿음, 신뢰(信賴), 신용(信用); ② 확신(確信), 신심, 신념(信念); ③ 신앙(信仰), 종교(宗敎)

веранда (여) 쪽마루, 베란다, 발코니

верба (여) 버드나무

верблюд (남) 약대, 낙타

вербовать(미완) 모집하다, 채용하다

вербовка(여)모집(募集), 채용(採用)

верёвка (여) 노끈, 끈, 새끼줄, 바, 초삭(草索); бельевая ~ 빨래줄; ~ для упаковки 포장용 노끈

вереница (여) 줄, 행렬(行列), 대열(隊列), 대오(隊伍), 라인; идти ~ей 줄을 지어가다

веретено (중) ① 물렛가락, 방추; ② 굴대, 중심축

верзила(남) 키다리, 꺽다리, 장신(長身)

верительный (형) ~ые грамоты 신임장(信任狀)

верить (미완) 믿다, 신임하다, 신뢰(信賴), 신용(信用); твёрдо ~ 굳게 확신하다; ~ на слово 말만 듣고 믿다; не ~ своим глазам 제눈을 믿지 않다

вериться (미완) 믿어지다, 신심이 생기다; мне не ~ся 나는 믿지 않는다, 나는 믿기 어렵다

вермишель (여) 밀국수, 밀가루로 만든 국수, 칼국수.

верно (부) ① 옳게, 바르게, 정확히, 충실히; ② (술어로) 옳다, 틀림없다, 정확하다

верность (여) ① 확실성(確實性), 정확성(正確性), 진실성(眞實性); ② 충실(忠實)성, 성실성(誠實性); супружеская ~ 수절(守節)

вернуть (완) ① 반환하다, 돌려주다, 되돌려 보내다, 도로 가져오다; ~долг 빚을 갚다; ② 돌아오게 하다, 돌아가게 하다

вернуться (완) 돌아오다, 돌아오다, 되돌아가다; ~ на родину 귀국하다; ~ к вопросу 문제로 되돌아가다; ~лось соз-нание 의식이 회복되었다

верный (형) ① 옳은, 올바른, 정확한(正確-); ~ое сообщение 정확한 정보, 올바른 통보; ② 충실한(忠實-), 성실한(誠實-); ~ый друг 진실한 벗

верование(중) 신앙(信仰), 미신(迷信)

веровать (미완) 신(神)을 믿다

вероисповедание(중)신앙(信仰),종교

вероломный 배신적인, 간교한; ~ое нападение 배신적 공격

вероломство(중) 배신(背信), 배신행위(背信行爲), 간교한, 회활(獪猾), 교활한

вероятно (부) 아마, 틀림없이

вероятность (여) ① 개연성(蓋然性), 가능(可能); ② (수학) 확률(確率)

вероятный (형) 있을수 있는, 있을

- 49 -

상 싶은, 가능한, 있음직한.
версия (여) 설(說), 서로 다른 해석(解釋) 또는 설명(說明); новая ~ 새로운 학설
верстак (남) 작업대(作業臺)
верстать (미완) 조판하다, 정판하다
вёрстка(여) (인쇄) 조판(組版), 정판
вертел(남)(고기를 꿰어 굽는)쇠꼬챙이
вертеть (미완) 돌리다. 회전시키다, 휘두르다, 바꾸다, 전향하다
вертеться ① 돌다, 빙빙 돌다, 돌고 돌다, 회전(回轉)하다, 전회(轉回)하다, 선회(旋回)하다, 돌아치다, 붙어다니다; ② 꾀를 피우다, 속임수를 쓰다, 얼렁뚱땅, 사기(詐欺), 기만행위(欺瞞行爲), 기만책(欺瞞策), 사계(詐計), 사술(詐術), 암수(暗數); ◇ ~ под ногами 시끄럽게 굴다, 방해하다; ~ на кончике языка 말이 혀끝에서 뱅뱅 돌다, 생각날 듯 하면서도 생각나지 않는다
вертикаль (여) 수직선(垂直線)
вертикально (부) 수직으로
вертикальный 수직의; ~ая линия 수직선; ~ое письмо 내려쓰기
вертолёт(남) 헬리콥터, 수직 비행기
верующий (남) 신을 믿는자, 신자
верфь (여) 조선소(造船所)
верх (남) ① 위, 윗부분; ② 윗덮개; одержать ~ 이기다, 승리하다
верхний ① 위의, 상부(上部), 윗부분; ~ этаж 윗층; ~ее течение 상류; ~яя одежда 윗옷; ② 겉의, 거죽, 표면(表面),바깥, 외부(外部), 외면(外面)

верховный (형) 최고의; ~ главнокомандующий 최고 사령관
верховой (형); ~ая лошадь 승마;~ая езда 말타기, 경마
верховье(중) 상류(上流), 상류지방(上流地方); ~ реки 강의 상류
верхом; накладывать~소복이 쌓이다
верхом (부) 말을 타고; ехать ~ 말을 타고 가다
верхушка (여) ① 꼭대기, 절정(絶頂), 윗부분; ~ дерева 나무 꼭대기; ② 상층(上層)부, 수뇌부(首腦部), 우두머리
вершина① 꼭대기, 정점(頂點), 절정; ~ горы 산봉오리, 산마루, 봉오리; ② 영마루, 절정, 최고봉; ~ творчества 창작의 대가
вес (남) ① 무게, 중량(重量); ~ тела 몸무게, 체중; живой~ 무게;удельный ~ 비중; покупать(продавать) на ~ 저울에 달아서 팔다, 저울에 달아서 팔다; ② 위신(威信), 권위(權威), 무게, 위엄(威嚴); человек с большим ~ом 권위있는 사람, 무게있는 사람, 위엄있는 사람; на ~ золота 금값으로
веселить 즐겁게 하다, 유쾌하게 하다.
веселиться 즐거워하다, 즐겁게 놀다, 유쾌히 시간을 보내다
весело (부) ① 즐겁게, 유쾌하게; ② (술어) 즐겁다, 유쾌하다, 기분 좋다
весёлый (형) 즐거운, 유쾌한, 쾌활한; 기분 좋은; ~ое настроение 쾌활한 기분, 즐거운 마음
веселье(중) ① 즐거움, 기쁨, 명랑

한, 기분 좋은; ② 오락(娛樂), 유흥(遊興)

весенний (형) 봄의; ~ий день 봄날; ~яя пахота 봄갈이

весить (미완) 무게가 나가다, 중량이 나가다, 비중이 높다; этот арбуз ~5 килограммов 이 수박은 5kg이다

веский (형) ① 무게가 나가는, 무게있는; ② 의젓한, 믿을만한, 위신있는, 위엄있는; ~ аргумент 유력한 논거

весло (중) 노

весна (여) 봄, 봄철; ранняя ~ 이른 봄

весной (부) 봄에, 봄철에

веснушки (복수) 주근깨

весовой (형) ~ товар 무게로 파는 상품; ~ая категория (체육) 중량급

вести (미완) ① кого...를 데리고 가다, ...를 이끌다; ~ ребёнка за руку 손을 잡고 아이를 데리고 가다; ② кого...를 인도하다, 지도하다, 이끌다; ~народ к победе 백성을 승리로 이끌다; ③ что...를 운전하다, ...를 조종하다; ~ машину 차를 운전하다; ④ через что, куда...으로 가다, ...를 통하여 가다; куда ведет эта дорога? 이 길은 어디로 가는 길입니까?; ⑤ 진행하다, 벌리다, 처리하다, ...(를) 하다; ~переговоры 교섭하다;~ собрание 회의를 진행하다; ~ борьбу 투쟁을 벌이다, 이끌어나가다; ~ хозяйство 살림살이를 해 나가다; ~ себя 행동하다, 처신하다

вестибюль(남) 정문(正門), 현관(現官)

весть(여) 소식, 통지(通知), 기별 (奇別. 寄別), 뉴스(new); пропасть без ~и 행방불명이 되다, 소문 없이 사라지다

весы (복수) 저울, 계량기; аптекарские ~ 약 저울

весь(대), **всё**(여), **все**(복수) ① 모두, 온전히, 전부, 온, 전; ~ день 온종일; ~ мир 전 세계; ~ мокрый 온통 젖은; ② 모든; все жители 모든 주민들; ③ (명사) все (중) 모든 것, 전부; он сделал всё, что мог 그는 할 수 있는 모든 것을 다했다; ④ (명사로) все(복수) (사람에 대하여) 모두 다, 모두들, 전체;все пришли모두 다 왔다; один за всех, все за одного 하나는 전체를 위하여, 전체는 하나를 위하여; все как один 모두다 한결 같이; всё равно 마찬가지다, 어쨌든, 여하튼; при всём желании 희망이 크지만....

весьма (부) 아주, 자못, 매우 대단히; ~ рад 무척 기쁘다; ~ хорошо 아주좋다.

ветвиться (미완) 가지를 뻗다(치다)

ветвь (여) 나무 가지

ветер (남) 바람; сила ~ра 바람씨; встречный ~ 맞바람, 역풍; попутный ~ 순풍; свежий ~ 건들바람; лёгкий ~(ок) 솔솔바람; идти против ~ра 바람을 안고 가다; бросать слова на ~ер 함부로 말을 던지다, 헛말을 하다

ветеран (남) 노병(老兵), 고참, 베테랑, 노익장(老益壯); ~ войны 노전사

ветеринар (남) 수의사(獸醫師)

ветеринария (여) 수의학(獸醫學)

ветеринарный (형) 수의(獸醫); ~ый

врач 수의사;~ая лечебница가축병원
ветка *см.* ветвь 철도지선
вето(중) 거부(拒否), 부인(否認), 금지(禁止); право ~ 거부권(拒否權)
ветреный ① 바람이 부는; ~ день 바람이 부는 날씨; ② 들뜬, 경박한, 바람을 맞은.
ветрянка(여) (의학) 수두(水痘), 풍진(風疹), 수포창, 작은 마마
ветряной(형); ~ая мельница 풍차, 풍력제분소;~ая оспа 수두, 풍진
ветхий(형) ① 낡아빠진, 몹시 헌, 쓰러져가는, 허술한; ② 연로한, 노쇠한
ветхость(중) 낡아빠진 것, 아주 낡은; приходить в ~ 낡아빠지다, 노후하다, 허술하다
ветчина (여) 햄(ham)
веха (여) ① 이정표(里程標), 도로표시; ② 중요한 계기
вечер (남) ① 저녁; по ~ам 저녁이면, 저녁마다; пять часов ~а 오후 5시; ② 야회, 밤의 모임; молодёжный ~ 청년야회
вечереть (미완) 날이 저물다, 저녁이 되다, 어슬어슬해지다
вечеринка(여)저녁놀이, 소야회(小夜會)
вечерний(남) ① 저녁, 야간(夜間); ~яя школа 야간 학교; ~яя газета 석간신문; ~ее заседание 오후회의; ② ~ее платье 저녁나들이 옷, 야회복
вечером (부) 저녁에; вчера ~ 어제 저녁에; поздно ~ 저녁 늦게
вечно (부) 영원히, 항상, 늘
вечность (여) 영원성(永遠性), 영구성; кануть в ~ 영원히 사라지다

вечнозелёный(형) (식물) 언제나 푸른, 푸른 싱싱한, 상록; ~ые деревья 언제나 푸른 나무, 상록수(常綠樹)
вечный (형) ① 영원한, 영구한, 항구적인; ~ая слава 영원한 영광; ② 부단한, 끊임없는; ~ое перо 만년필
вешалка (여) ① 걸이, 모자걸이, 옷걸이; ② 탈의실(脫衣室), 옷 보관실
вешать (미완) I ① 걸다, 드리우다, 매달다; ~ картину 그림을 걸다; ~ бельё 빨래를 널다; ② 교살하다, 목을 매다; ~ голову 고개를 수그리다, 우울해지다
вешать (미완) II 저울에 달다, 저울질 하다
вещание (중) 방송(放送)
вещать (미완) 방송(放送)하다
вещевой (형) 물품(物品); ~ склад 물품창고; ~ мешок 배낭
вещественный(형) 물질적인, 실질적인; ~ое доказательство (법학) 물질적 증거
вещество (중) 물질(物質), 물체(物體); взрывчатое ~ 폭발물; питательное ~ 영양물질; обмен веществ 신진대사
вещь (여) 물건, 물품(物品), 사물(事物)
веялка (여) 풀무, 키.
веяние (중) 추세(趨勢), 형편(形便); новые ~я 새로운 사조
веять (미완) ① 키질하다, 풀무질하다, 까불리다; ② 바람이 불다, 풍겨오다; ③ 펄럭이다, 나부끼다, 휘날리다; ~ют знамёна 깃발이 펄럭이다
взад (부) 뒤로; ходить ~ и вперёд 이

리저리 왔다 갔다 하다, 앞뒤로 왔다 갔다 하다

взаимно (부) 서로 상호, 호상, 피차

взаимный (형) 서로의, 상호간의; ~ое доверие 상호신뢰(相好信賴)

взаимовыгодный(형)서로 이익이있는

взаимодействие(중) ① 상호작용(相互作用), 상호관계(相互關係); ② 협동작전(協同作戰), 협동동작; во ~и с кем ...와 협동하여

взаимообмен(남) 상호교류(相互交流)

взаимоотношение (복) 상호관계

взаимопомощь (여) 상호원조, 상호방조; договор о ~и 상호원조조약(相互援助條約); касса ~и 공제회

взаимопонимание (중) 상호이해

взаимосвязь(여) 상호연관, 교제

взаймы(부) 빌다, 돌리다, 빌려 쓰다, 차용(借用)하다, 채용(債用)하다, 대차(貸借)하다, 차대(借貸)하다, 융통(融通)하다, 융자(融資)하다; брать ~ 꾸다, 빌리다; давать ~ 꾸어주다, 빌리다

взамен (남) *кого, чего* ...의 대신에, ...을 대신하여

взаперти(부) 갇히어, 가두어; сидеть ~ 갇히워 있다.

взбалтывать(미완) 흔들다, 흔들어 뒤섞다, 휘젓다

взбегать (미완), **взбежать** (완) 달려 올라가다, 뛰어 올라가다, 치닫다

взбеситься *см.* бесить(ся)

взбираться (미완) 기어 올라가다, 기어올라서다., 바라 오르다

взболтать *см.* взбалтывать

взбудоражить *см.* будоражить

взбунтоваться *см.* бунтовать

взваливать(미완), **взвалить**(완) ① 지다, 떼메다, 걸머지다; ② 들씌우다, 걸머지다, 부담시키다; ~ вину на кого ... 에게 죄를 뒤집어씌우다

взвесить(ся) *см.* взвешивать(ся)

взвести *см.* взводить

взвешивать (미완) ① 달다, 무게를 재다, 저울질 하다, 계량하다; ② (사람의) 몸무게를 재다; ③ 가늠하다, 따져 헤아리다, 재보다; ~ все (за) и (против) 앞뒤를 재보다

взвешиваться (미완) 몸무게를 재다

взвиваться(미완),**взвиться** (완) 말려올라가다., 빙빙돌며 올라가다, 솟구치다, 새가 날아오르다, 깃발이 펄럭이다

взвизгивать (미완), **взвизгнуть** (완) 찢어지는 듯한 소리를 내다, 새된 소리를 내다.

взвод (남) 소대(小隊); командир ~а 소대장(小隊長)

взводить (미완) 끌어 올리다, 당겨 올리다, 위로 올리다; ~ курок 방아쇠를 당기다; ~ обвине ние на кого ... 에게 죄를 뒤집어씌우다

взволнованный ① волновать...의 피동과거; ② (형) 흥분한, 격동된, 당황한; ~ голос 흥분한 목소리

взволновать(ся) *см.*волновать(ся)

взгляд (남) ① 시선, 눈초리, 눈길, 눈짓; ② 견해(見解), 의견(意見), 관점(觀點); передовые ~ы 진보적인 견해;с первого ~а 첫눈에; на первый ~ 처음보아서는; на мой ~ 내 생각에는

взглянуть (완) 쳐다보다, 눈길을 돌리다, 바라보다, 보다; ~ на часы

시계를 보다; ~ите! 보십시오!
вздор (남) 얼빠진 소리, 부질없는 소리, 무의미한 것, 황당한 것,; нести ~ 허튼 수작을 하다, 얼빠진 소리를 하다
вздорный(형) ① 얼빠진, 부질없는, 허황한; ~ый слух 유언비어, 뜬소리;~ое обвинение 터무니없는 비난; ② 다투기 좋아하는, 말썽부리는; ~ый характер 다투기 좋아하는 성격
вздорожание(중) 물가폭등(物價暴騰), 인상(引上), 폭등(暴騰), 상귀(翔貴),등귀
вздорожать см. дорожать
вздох(남)숨, 한숨;со ~ом 한숨지으며
вздохнуть см. вздыхать
вздрагивать(미완) 떨다, 몸서리치다
вздремнуть (완) 졸다, 잠간 잠들다, 잠간 눈을 붙이다.
вздрогнуть см. вздрагивать
вздуваться (미완), **вздуться** (완) 부풀다, 부르트다, 붓다, 부풀어 오르다; цены вздулись 값이 올랐다
вздыхать(미완) ① 한숨쉬다, 한숨짓다; ② 서러워하다, 그리워하다, 사랑하다, 사모(思慕)하다, 연모(戀慕)하다
взимание(중) 받아내는 것, 징수(徵收)
взимать (미완) 받아내다, 징수하다; ~ налоги 세금을 징수하다
взирать (미완); не ~я на лица 누구라고 할 것 없이, 그 누구를 가리지 않고; не ~я ни на что 만사(萬事)를 불문하고, 온갖 어려움을 무릅쓰고

взламывать (미완) ① 깨뜨리다, 까부수다; ~ дверь 문을 까부수고 열다; ② ~ оборону 방어선을 돌파하다
взлёт (남) ① 날아올라가는 것, 상승(上昇/上升) 낮은 데서 위로 올라감; ② 이륙(離陸);③ 앙양(昂揚), 비등(沸騰)
взлетать (미완), **взлететь** (완) 날아가다, 날아오르다, 뜨다, 이륙하다; ~ на воздух 폭파되다, 폭발하여 하늘로 날아가다
взлётный(형);~о-посадочная полоса 활주로
взлом (남) 까부수는 것, 까부수고, 뜯고 여는 것
взломать см. взламывать
взмах(남) 흔드는 것, 휘젓는 것;~ руки 손을 흔드는 것; ~ крыльев 날개를 치는 것 홰를 치다
взмахивать(미완), **взмахнуть** (완) 흔들다, 휘젓다; ~ крыльями 날개를 치다, 푸드덕거리다
взморье(중) 연해(沿海), 해안(海岸), 연안(沿岸) 바닷가, 연해변(沿海邊), 해안(海岸), 근해(近海); 천해(淺海)
взмывать(미완), **взмыть**(완)빨리 날아 올라가다, 높이 날아오르다, 빨리 뜨다
взнос (남) ① 납부(納付); ② 납부금(納付金); вступительный ~ 입회금
взобраться см. взбираться
взойти см. всходить
взор см. взгляд
взорвать см. взрывать
взрослеть (미완) 어른이 되다, 나이가 들다, 다 자라다.
взрослый ① (형) 다 자란, 어른의, 성인(成人)의; ~ая дочь 다 큰 딸;

② (명사) 어른, 성인(成人)

взрыв (남) ① 폭발(爆發), 폭음(爆音); ② 폭파(爆破) ~ смеха 폭소(爆笑), 웃음이 터져 나오는 것; ~ гнева 분노의 폭발; ~ аплодисментов 우뢰(又賴)같은 박수

взрывать (미완) 폭발시키다, 폭파하다; ~ мост 다리를 폭파하다

взрываться(미완)① 폭발되다, 폭파되다, 터지다; ② 몹시 격분하다, 노발대발하다.

взрывник (남) 발파공(發破工)

взрывной (형) 폭발의, 발파의, 폭파의; ~ая волна 폭풍; ~ые работы 폭파작업

взрывчатка (여) 폭발물(爆發物)

взрывчатый (형) 폭발성(爆發性); ~ое вещество 폭발물(爆發物)

взрыхлить(완),**взрыхлять**(미완)(흙, 땅을) 부드럽게 하다, 파헤치다;~ почву 땅을 부드럽게 하다

взыскание (중) ① 책벌, 처벌(處罰), 처형; административное ~ 행정적 처벌; налагать ~ 책벌을 주다; ② 부과(賦課), 징수(徵收)

взыскательный(형) 엄격한, 요구성이 강한, 엄하다, 무섭다

взыскать(완), **взыскивать**(미완) ① 처벌하다; ② 받아내다, 징수(徵收)하다;~ налог 세금을 받아들이다.

взятка (여) 뇌물(賂物)

взяточник (남) 뇌물을 받는 사람

взяточничество (중) 뇌물행위

взять(ся) см. брать(ся)

вибрация (여)(물리) 진동(振動)

вид I (남) ① 외모, 모습, 모양, 꼴 생김, 차림새; угрюмый~ 우울한 표정; здоровый ~ 건전한 모습; ② 경치, 풍경, 광경; красивый ~ 아름다운 풍경; ③ 예정(豫定), 예상(豫想), 예견(豫見); ~ы на урожай 작황(作況); с ~у 겉보기에; под ~ом чего ...의 구실 밑에; делать ~...체하다; иметь в ~у 고려하다, 염두에 두다

вид II ① 종류(種類), 종(種), 유형(類型); ~ы оружия 각종무기; ② (언어) 태(態); несовершенный~ 미완료태(未完了態); совершенный ~ 완료태

видеть(미완) ① 보다, 바라보다; ~ сон 꿈꾸다; ② 만나다; рад вас ~ 당신을 만나니 반갑습니다.; ③ 체험하다, 겪다; многое видел на своём веку 살아오면서 많은 것을 체험하다; ④ 깨닫다, 인식하다, 발견하다, 깨우치다; ~свою ошибку 자기의 잘못을 깨닫다; ~ наск-возь 환히 꿰뚫어 보다

видеться(미완) (서로) 만나다, 마나보다; ~ с друзьями 친구들과 만나다

видимо (삽입어)아마,보건대, 짐작컨대

видимость (여) ①보이는 것, 시야; ② 겉모양, 겉치례; создавать ~ 겉치례하다; одна ~ 겉모양뿐이다

видимый ① видеть의 피동현재; ② (형) 보이는, 볼 수 있는, 눈에 띄는, 명백한; ~ый успех 명백한 성과; ③ 외견상, 외관상(外觀上), 허울 좋은; этот успех только ~ый 이 성과는 그저 허울뿐이다

виднеться (미완) 보이다, 눈에 띄다

видно ① (술어) 보이다; ничего не ~ 아무것도 보이지 않는다; ② (삽입어) 아마, 짐작컨대, ...인 것 같

다; ~ будет дождь 비가올 것 같다.
видный (형) ① 보이는, 눈에 뜨이는, 현저한; на ~ом месте 잘 보이는 곳에; ② 이름난, 저명한, 뛰어난, 유명한; ~ый учёный 저명한 학자
видоизменение (중) 변형(變形), 변종(變種), 형태의 변화(變化)
виза (여) ① 사증(査證), 비자; ~на въезд 입국사증; ~ на выезд 출국사증; ② 검인(檢印), 검증(檢證), 실증(實證); ставить ~y 검인을 찍다
визг (남) 찢어지는 소리, 캥캥거리는 소리, 째는 듯한 소리
визгливый (형) 찢어지는 듯한, 쨍쨍한; ~ голос 찢어지는 듯한 소리
визжать (미완) 찢어지는 듯한 소리를 내다, 끽끽거리다
визировать (미완, 완) 검인을 찍다
визит (남) 방문; нанести ~ кому...를 방문하다
визитный (형); ~ая карточка 명함
викторина (여) 문답놀이, 퀴즈게임
Виктория г. (여) 빅토리아
вилка (여) ① 포크(fork), 삼지창(三枝槍); ② (공학) 짜개발, 족발이
вилла (여) 저택(邸宅), 별장(別莊)
вилы (복수) 쇠스랑, 걸이대, 소시랑
вильнуть (완), **вилять** (미완) ① 흔들다, 휫다; ~ хвостом 꼬리를 흔들다; ② 핑게 대다
вина (여) ① 죄(罪), 과오(過誤), 잘못; по ~е кого ...의 잘못으로, 죄 때문에; сваливать ~у на кого ...에게 죄를 뒤집어씌우다; ...에게 죄를 전가시키다; ② 원인(原人); по ~е непогоды 날씨가 나쁜 탓으로
винегрет (남) 잡채(雜菜), 냉채(冷菜)
винительный (형); ~ падеж (언어) 대격(對格)
винить (미완) 탓하다, 죄를 만들다, 비난하다
вино (중) ① 포도주(葡萄酒); ② 술
виноватый (형) 죄진, 잘못된, 책임 있는; в этом ~ я 이것은 내 잘못입니다; он не ~ 그는 잘못이 없습니다; кто ? 누가 잘못했습니까?; ~! 실례합니다. 용서 하십시오, 미안합니다; ~ый вид, ~ое выражение 미안한 표정
виновник (남) ① 죄인(罪人), 장본인(張本人); ② 원인(原人); ~ бедствия 재난의 원인
виновность (여) 유죄(有罪), 범죄
виновный (형) ① 죄 있는, 죄 지은; ② (명사) 죄 있는 사람, 죄진 사람
виноград (남) 포도나무, 포도; дикий ~ 머루, 산포도
виноградарство (중) 포도재배
виноградник (남) 포도밭, 포도원
виноделие (남) 포도술 주조(-酒糟)
винокуренный (형) 양조의(釀造-); ~ завод 술공장, 양조장(釀造場)
винт (남) ① 나사, 나사못; завинчивать ~ 나사를 조이다, 나사를 틀어박다; ② (선박, 항공) 추진기(推進機), 프로펠라; гребной ~ 배의 추진기
винтовка (남) (군사) 보병총(步兵銃), 엠원(M1), 엠십육(M16) 따위의 보병이 쓰는 소총. 보총(步銃).
винтовой (형) 나사의, 나선형의; ~ая лестница 나선형 사닥다리, 나선형 층층대

виолончелист (남) 첼로 연주자
виолончель (여) 첼로(cello)
вирус (남) (의학) 바이러스(virus)
вирусный(형) 바이러스(virus)의; ~ое заболевание 바이러스에 의한 질병
виселица (여) 교수대(絞首臺)
висеть (미완) ① 걸려있다, 드리워 있다, 매달려 있다; ② 늘어져있다, 처지다; ~ в воздухе 허공에 떠있다; ~на во лоске 위험천만이다, 위기일발이다, 풍전등화이다
вискоза(여) ① 비스코스(viscose; 인조견사, 셀로판의 원료); ② 인견사
висок (남) 관자노리
високосный(형);~ год 윤년(閏年)
висячий(형) 걸려있는, 드리워있는; ~ замок 거는 자물쇠
витамин (남) 비타민(vitamin)
витать (미완) ① 떠있다, 돌다, 선회하다; ② 환상에 잠기다, 허공에 떠 돌다; ~ в облаках 환상에 잠기다
витрина (여) 진열장(陳列欌)
вить(미완) 꼬다, 비비꼬다, 틀다; ~ верёвку 새끼를 꼬다; ~ гнездо 둥지를 틀다
виться (미완) ① 꼬이다, 감기다, 곱실곱실해지다, 고불꼬불해지다; ② 감돌다, 빙빙 떠돌다, 선회하다; пыль вьётся 먼지가 뭉게뭉게 피어 오르다
вихлять (미완) 비틀거리다, 뒤뚱거리다, 휘청거리다
вихрь(남) ① 회오리바람, 돌개바람, 선풍; ② 소용돌이; мчаться ~ем 질주하다, 질풍같이 달리다; в ~е событий 사회의 격류(激流)속에

вице- (합성어의 첫부분) ~-консул 부영사(副領事); ~-президент 부대통령, 부총재(副總裁), 부회장(副會長)
вишнёвый(형) ① 벚나무, 양벚의, 버찌의; ~ое варенье 버찌쨈; ② 검붉은색의
вишня (여) ① 벚나무, 양벚; ② 버찌
вклад (남) ① 저금(貯金), 예금(預金); ② 기여(寄與), 공헌(公憲); сделать ~ 기여하다
вкладывать (미완) ① 넣다; ②; ~ деньги 저금하다; ~ капитал 투자하다; ~ все силы 전력을 기울이다
вклеивать(미완),**вклеить**(완) 붙여 넣다, 안에 넣어 붙이다
вклиниваться(미완),**вклиниться** (완) ① 쐐기처럼 박다, 끼우다, 밀어 넣다; ② 집어넣다, 삽입하다, 써넣다
включать(미완) ① 포함시키다, 끌어넣다, 적어넣다, 기입하다; ~я что ... 포함하여; ② (전기를) 연결시키다, 스위치를 넣다; ~ радио 라디오를 켜다
включаться (미완) 포함되다, 기입되다, 가입하다, 참가하다;~ в соревнование 경쟁에 참가하기 시작했다
включение (중) ① 포함(包涵), 기입(記入), 삽입;② (전기) 연결, 투입, 이음
включительно(부) 포함하여, 합하여
включить(ся) *см.* включать(ся)
вконец(부) 아주, 완전히; ~измучился 완전히 지쳐버렸다
вкопанный (형); стоять как ~ 못박힌 듯이 서있다, 굳은 듯 서있다
вкопать *см.* вкапывать

вкось (부) 비스듬히, 비뚜로, 엇비슷이; идти ~ 엇나가다; смотреть ~ 가로보다, 흘겨보다.

вкрадчивый (형) 알랑거리는, 빌붙는, 간교한, 간사한.

вкрадываться(미완), **вкрасться** (완) 숨어들다, 잠입하다, 몰래 기어들다, 섞여들다; ~ лась опечатка 오타가 있다; ~ываться в доверие 알랑거리며 신임을 얻다

вкратце (부) 간단히, 요약해서, 대강, 요지, 대충; излагать ~ 간단히 서술하다

вкривь (부) 비뚤비뚤, 비뚜로; ~ и вкось 이리저리, 사방으로

вкрутить см. вкручивать

вкрутую (부); яйцо ~ 완숙(完熟), 푹 삶은 달걀

вкручивать (미완) 비틀어 넣다, 돌려 넣다, 꼬아 넣다

вкус (남) ① 맛, 입맛, 미각(味覺), 맛대가리; пробовать на ~ 맛을 보다; по ~у 입맛에 맞게; ② 취미(趣味), 기호(嗜好); ③ 풍미(風味), 멋, 미감(味感); одеваться со ~ом 옷차림을 맵시있게 하다; войти во ~ 맛을 붙이기 시작하다

вкусный (형) 맛있는, 맛좋은;~ обед 맛있는 식사

вкусовой (형); ~ые ощущения 미각

влага (여) 습기(濕氣), 누기, 수분, 물기

влагонепроницаемый(형) 습기를 막음, 누기막이의, 방습의; ~ая бумага 방습포, 방습지(防濕紙)

владелец (남) 소유자(所有者), 주인(主人), 임자, 소유주(所有主); ~ дома 집주인;~ книги 책의 주인

владение(중) ① 소유(所有), 점유(占有); ② 영토(領土), 영지(領地), 부동산

владеть (미완) ① 소유하다, 점유하다, 가지고 있다; ~ землёй 토지를 소유하다; ② 지배하다, 통치하다; ③ 다룰 줄 알다, 잘 알다, 정통하다, 환히알다; ~ иностранным языком 외국어를 잘 알다, 외국어를 할 줄 알다; ~ собой 자제하다, 정신을 가누다

властвовать(미완) чем, над, над чем - кем ...를 지배하다, 제압하다, 좌지우지하다, ...를 통치하다

властный(형) ① 권력 있는, 세력 있는; ② 위압적인, 명령적인; ~ голос 위엄 있는 목소리

власть(여) ① 정권(政權), 주권(主權); советская ~ 소비에트 정권; полити- ческая ~ 정권; прийти к ~и 정권을 잡다, 장악하다; злоупотреблять ~ью 세도를 쓰다; ② 권력(勸力), 세력(勢力); терять ~ над собой 자제력을 잃다

влажность(여) 습기(濕氣), 누기(漏氣), 습도(濕度), 물기, 축축하다

влажный (형) 물기있는, 습기있는, 습기찬, 축축한; ~ая земля 습기찬 땅, 눅눅한 땅, 습지(濕地); ~ое бельё 축축한 빨래; ~ые глаза 눈물어린눈

влачить (미완);~ жалкое существование 간신히 살아나다, 겨우 연명하다

влево(부) 왼쪽으로, 왼편으로, 왼쪽에

влезать (미완), **влезть** (완) ① 기어오르다, 올라가다; ~ на дерево 나무에 기어오르다; ② 기어들어가다,

겨우 들어가다; ~ в окно 창문으로 기어들다; ③ 들어가다, 자리잡다.; сапоги не ~ют 장화가 작아서 발이 들어가지 않는다.; ~ в долги 빚을 많이 지다

влетать(미완), **влететь** (완) ① 날아들다, 날아 들어오다, 날아 들어가다; 뛰어 들어오다, 급하게 달려오다

влечение(중)①갈망(渴望), 열망(熱望), 애착(愛着);② 흥미(興味),열중(熱中)

влечь (미완) 마음을 끌다, 마음이 쏠리다; меня ~ет к науке 나는 과학에 마음이 쏠리다; за собой что ...초래하다

вливание (중) (의학) 주사

вливать (미완) ① 부어넣다, 쏟아 넣다, 주입하다; ② (의학) 주사를 놓다; ③ 마음에 불어 넣다, 고취하다

вливаться (미완) 흘러들어가다, 흘러들다; река ~ется в море 강이 바다로 흘러들다; ② 합류하다, 가입하다, 보충되다.

влить(ся) (완) см. вливать(ся)

влияние(중)① 영향(影響); под ~ем кого-чего...의 영향 밑에; оказывать ~영향을 주다; ② 세력(勢力), 권세(權勢), 영향력(影響力), 위신(威信), 위엄(威嚴) пользоваться ~м 세력이 있다

влиятельный (형) 유력한, 영향력 있는, 권위 있는; ~ человек 세력가, 권세가 있는 사람

влиять (미완) 영향(影響)을 주다, 영향(影響)이 미치다

вложить см. вкладывать

влюбиться см. влюбляться

влюблённый (형) ① 반한, 사랑에 빠진, 열중하는; ~ в своё дело 자기 사업에 열중하는; ② (명사)(남) 반한남자, 사랑에 빠진 사람

влюбляться (미완) 반하다, 사랑에 빠지다, 열중(熱中)하다; ~ по уши в кого...에 홀딱 반하다

вменить см. вменять

вменяемость (여) (법률) 책임능력

вменять (미완); ~ в вину 유죄로 인정하다, 죄를 부과하다; ~ в обязанность 의무로 하다, 의무를 지니게 하다

вместе (부) 같이, 함께; ~ с ...와 같이, ...와 함께; жить ~생활을 같이 하다; ~ с тем 그와 동시에; всё ~ взятое 모두 통합하여, 총체적으로

вместилище (중) ① 용기(用器); ② 저장고, 탱크; ~ воды 물탱크, 저수지; ~ для зерна 알곡저장고

вместимость, вместительность(여) 용적(容積), 용량(用量), 수용능력

вместительный (형) 용량이 큰, 수용능력이 많은

вместить(ся) см. вмещать(ся)

вместо (전) 대신에; ~ меня 나 대신에; ~ того, чтобы ....할 대신에

вмешательство (중) ① 간섭(干涉), 개입(介入); вооружённое ~ 무력간섭; ② хирур-гическое ~ 외과수술

вмешаться(완), **вмешиваться** (미완) 간섭하다, 개입하다, 섞여 들어가다; ~ во внутренние дела 내정에 간섭하다; ~ в разговор 말참견하다

вмещать (미완) 받아들이다, 수용하다, (..속에) 넣다, 걸어 넣다

вмещаться (미완) 들어가다, 수용하다, 들어 갈 수 있다.

вмиг (부) 순간에, 순식간에, 눈깜

박 할 사이에, 단번에

внаём, внаймы (부); брать ~ 세내다, 임차하다; сдавать(отдавать) ~ 세를 주다, 임대하다.

вначале (부) 처음에는, 애초에, 초기에는; ~ весны 첫봄에; ~ учебного года 학년 초에

вне(전) ① 밖에, 밖에서, 바깥에, 외에; ~ школы 학교 밖에서; ~ плана 계획 이외에; ② ...를 떠나서;~ очереди 줄을 서지 않고, 새치기로; ~ себя 몹시 격분하여; ~ (всякого)сомнения 의심 할 바 없이; ~ конкуренции 무쌍하다, 상대할 대상이 없다

внедрение(중) 도입(導入), 침투(浸透)

внедрить(ся) см. внедрять(ся)

внедрять (미완) 도입하다, 받아들이다, 뿌리박게 하다; ~ новую технику 신(新)기술을 도입(導入)하다, 새 기술(技術)을 받아들이다

внедряться (미완) ① 도입하다, 뿌리박다; ② 침투되다

внезапно (부) ① 갑자기, 뜻밖에, 불의에, 언뜻; ② 돌연히, 난데없이

внезапность (여) 돌연적인 것, 불의성, 돌발적인 것

внезапный (형) 불의의, 뜻밖의, 비의의, 돌발적인, 돌연적인, 우연한; ~ое напа- дение 불의의 공격(攻擊)

внеклассный (형) 과외(課外)의; ~ое чтение 과외독서

внеочередной(형) 순서 밖의, 차례를 따르지 않는, 비상(非常)의, 임시(臨時)의; ~ой съезд 임시(臨時)대회; ~ая задача 특별임무

внеплановый (형) 계획외의, 계획에 없는; ~ое задание 계획 이외의 과제

внесение (중) ① (돈의) 납입, 납부; ② (제안 등의) 제출; ~ законопроекта 법안의 제출; ③ 기입, 등록; ④ ~ удобре-ния 거름주기, 시비

внести см. вносить

внешкольный (형) 학교 밖의, 학교외의; ~ые учреждения 외부 교양기관

внешне (부) 겉으로, 표면상

внешнеполитический (형) 대외정책의, 외교의; ~ая обстановка 대외정치정세

внешнеторговый (형) 대외무역의; ~ оборот 대외무역유통

внешнеэкономический (형) 대외경제의; ~ие связи 대외경제관계

внешний (형) 외부의, 겉의, 외적인; ~ий вид 겉모양, 겉보기, 외모; ② 외국의, 대외적인; ~яя политика 대외정책; ~яя торговля 대외무역; ~ угол (수학) 외각(外角), 밭각

внешность (여) 외부(外部), 외모(外貌), 겉모양, 겉차림

внештатный(형) 정원외, 편제없는, 겸임의; ~ научный сотрудник 겸임 연구사(兼任研究士)

вниз(형) ① 아래로, 밑으로; спускаться ~ 아래로 내려가다; ② 하류로; плыть ~ по реке(по течению) 하류로 떠내려가다, 하류로 흘러가다

внизу (부) 아래에, 밑에

вникать (미완), **вникнуть** (완) 파고들다, 따져보다, 깊이 생각하다; ~ в суть дела 문제의 본질을 파고들다

внимание(중) 주의, 주목; обращать ~ 주의를 돌리다; привлекать ~ 주의를 끌다; ~! 주의!

внимательно (부) ① 주의 깊게, 신중히; ② 세심하게, 차근차근

внимательный (형) ① 주의 깊은, 신중한; ② 친절한, 세심한, 차근차근한

вничью (부); сыграть ~ 비기다

вновь (부) 또다시, 재차(再次), 새로; ~ прибывший 새로 온

вносить (미완) ① 전달하다, 가지고 들어가다; ~ вещи 짐을 들여놓다; ② 납부하다, 지불하다; ~ плату 요금을 물다; ③ 제출하다; ~ предложение 제의하다; ~ в список 명부에 적어 넣다, 장부에 기입하다

внук (남) 손자(孫子), 외손자; ~и (복수) 후손(後孫), 자손(子孫)

внутренний (형) ① 안의, 내부의; ~ие резервы 잔여물, 내부에 남아있는; ~ие противоречия 내적모순(內的矛盾); ~ий угол (수학) 내각(內角); ② 국내의, 대내의; ~яя политика 대내정책; ~ее положение 국내정세; ~ие дела 내정 내무; министерство ~их дел 내무성, 행정자치부; ~ие болезни 내과질환, 속병

внутренность (여) ① 안, 내부(內部), 내면, 속; ② ~и (복수) (해부) 내장(內臟), 장기(臟器), 몸안, 체내(體內)

внутри (부) 안에, 속에, 내부에

внутрипартийный (형) 당내, 정당안의; ~ая демократия 당내민주주의

внутриполитический (형) 국내정치의, 대내적인; ~ое положение 국내정치정세

внутрь (부) 안으로, 속으로, 내부로

внучата (복수) 손자(손녀)들, 외손자들, 외손녀들

внучка (여) 손녀, 외손녀, 손자딸

внушать (미완) (사상, 철학 등을) 불어넣다, 불러일으키다, 깨우쳐주다, 일깨워주다;~страх 공포를 안겨주다;~уважение 존경심을 자아내다, 존경하게되다

внушение (중) ① 일깨워주는 것, 납득(納得), 훈계(訓戒), 교훈(敎訓); по ~ю 일깨워 준대로; ② 견책(譴責), 경고(警告), 주의(注意), 계고(戒告).

внушительный (형) ① 감명깊은, 인상깊은; ② 어마어마한, 위엄있는, 위엄스러운; ~ый вид 도도한 모습; ③ 커다란, 당당한, 대규모의, 아주 큼직하다; ~ая сумма денег 막대한 금액

внушить см. внушать

внятный (형) 똑똑한, 잘 들리는, 명료한, 또렷한; ~ый ответ 똑똑한 대답, 선명한 대답; ~ое произношение 똑똑한 발음

во см. в

вобрать см. вбирать

вовлекать (미완) 인입하다, 끌어넣다, 끌어들이다;; ~ в работу 사업에 끌어 들이다

вовлечение (중) 인입(引入), 끌어들임

вовлечь см. вовлекать

вовремя (부) 제때에, 제시간에, 때마침; приходить ~ 제시간에 오다; не ~ 때 아닌 때에, 적당하지 아닌 때에

вовсе (부) 전혀, 도무지, 아주; ~ не нужно 전혀 필요 없다

вовсю (부) 있는 힘을 다하여, 힘껏,

전력을 다하여, 모든 힘을 다하여
во-вторых (삽입어) 둘째로
вода (여) ① 물; холодная ~ 찬물, 냉수; горячая ~ 더운물; кипячённая ~а 끓인물; минеральная ~ 약수(藥水); ② воды (복수) 광천(鑛泉), 온천(溫泉); лечиться на водах 광천치료를 받다; ③ территориальные воды 영해(領海); ◇ выводить на чистую воду 폭로하다, 자백하게하다; как две капли воды 꼭같다, 쌍둥이 같다; много ~ы утекло 많은 세월이 흘렀다; как в воду канул 자취없이 사라지고 말았다.
водворить(완),**водворять**(미완) ① 이사시키다, 안착시키다; ② 세우다, 수립하다; ~ порядок 질서를 세우다; ~ мир 평화를 확립하다
водевиль (남) 소극(笑劇), 희극(喜劇) 코미디(comedy), 파스(farce)
водитель (남) 운전사(運轉士)
водительский: ~ие права 운전면허증(運轉免許證)
водительство (중); под ~ом 지도 밑에, 영도아래
водить см. вести
водиться (미완) ① 살고 있다, 있다; в этой реке водится много рыбы 이 강에 물고기가 많다; ② с кем 사귀다, 교제하다
водка (여) 보드카, 술
водный (형) 물의, 수상(水上)의; ~ая поверхность 수면(水面); ~ путь 물길, 수로; ~ транспорт 수상운수; ~ спорт 수상경기(水上競技)
водовоз (남) 물 운반하는 사람
водоворот (남) 소용돌이, 도는 물; ~ событий 사건의 격류
водоём (남) 저수지(貯水池), 물탱크

водоизмещение(중) 배수량(排水量); танкер ~м пять тысяч тонн 5 천톤 짜리 유조선(油槽船)
водолаз (남) 잠수부(潛水夫)
водолечебница (여) 물을 이용하여 물리 치료하는 병원(냉수마찰, 전신욕)
водолечение (중) 물 치료법(治療法)
водонапорный (형): ~ая башня 급수탑(給水塔), 급수주, 저수탑
водонепроницаемый (형) 물막이의, 방수의, 방수용; ~ая перегородка 방수막; ~ая ткань 방수포(防水布)
водопад (남) 폭포(瀑布)
водоплавающий (형): ~ая птица 물새; ~ие (복수) 수조류(水鳥-)
водопой (남) (짐승들의) 물터, 물먹이는 곳, 물먹는 곳
водопровод(남) 수도, 수도관(水道管)
водопроводный (형); ~ый кран 수도꼭지; ~ая труба 수도관(水道管)
водопроводчик (남) 수도공(水道-), 수도 관리공
водопроницаемый (남) 물이 스며들 수 있는; 물이 배이는; ~ слой 물이 배여 드는 층
водоразборный(형) 배수탑;~ая башня(колонка) 취수탑(取水塔), 배수탑(配水塔);~ый кран 배수전(配水-)
водораздел(남) (지리) 분수계(分水界); линия ~а 분수선(分水線)
водород (남) 수소(水素)
водородный(형) 수소의; ~ая бомба 수소탄(水素彈), 수소폭탄(水素爆彈)
водоросль (여) 물풀; морские ~и 바다나물
водоснабжение(중) 급수(汲水), 물

공급

водосток(남) 배수로, 물받이, 물도랑

водосточный (형); ~ая труба 낙수관; ~же лоб 낙수물받이

водохранилище (중) 저수지(貯水池), 수원지(水源池), 물탱크

водружать (미완), **водрузить** (완) 세우다, 세워놓다; ~ флаги 깃발을 세우다

водянистый (형) 물기가 많은, 수분이 많은, 묽은

водянка (여) (의학) 수종(水腫), 물종기, 수증(水症), 수포증

водяной (형) ① 수력으로 움직이는; ~ая турбина 수력터빈; ~ая мельница 물방아; ② 물에서 사는, 물의; ~ое рас-тение 수중식물, 물살이 식물

воевать (남) 전쟁을 하다, 전쟁에 참가하다, 싸우다, 말다툼하다

воедино (부) 한곳으로, 하나로, 한데; собирать ~ 한데 모이다; сплачивать ~ 하나로 묶어세우다, 하나로 뭉치다, 단결시키다

военачальник (남) 사령관(司令官)

военизация (여) 군사화, 군사교육

военизировать(완, 미완) 군사화하다

военно-воздушный(형); ~ые силы 공군(空軍)

военно-морской(형); ~ флот 해군

военнообязанный (남) 병역의무자

военнопленный (남) 포로, 포로병

военно-полевой (형) 전시의, 야전의; ~ суд 전시군법회의

военно-политический(형)군정(軍政)

военно-промышленный (형) 군사산업; ~ комплекс 군사산업복합체

военнослужащий(남) 군인, 군복무자

военно-стратегический (남) 군사전략적인

военный (형) ① 군사의, 전쟁의, 군대의; ~ое время 전시, 전쟁시기; ~ая служба 병역, 군무; ~ое положение 전시, 계엄 상태; ~ые действия 군사작전, 군사행동; ② 군수(軍需)의; ~ая промышленность 군수공업(軍需工業); ③ (명사로) (남) 군인, 군복무자

военщина (여) 군벌(軍閥), 군부(軍府)

вожак ① 우두머리, 두목; ② 길잡이, 안내자(案內者); ③ 지도자(指導者)

вожатый (남) 지도원(指導員)

вождь (남) 수령(受領)

вожжи (남) 고삐

воз (남) 짐수레, 달구지; ~ с сеном 말린풀을 실은 수레, 건초달구지

возбудимость (여) 자극성, 흥분성

возбудимый (형) 흥분하기 쉬운, 격하기 쉬운, 자극성 있는

возбудитель (남) (생물) 자극소, 자극제, 매개물; ~ болезни 병원체(病原體), 병균(病菌)

возбудить(완), **возбуждать** (미완) ① 흥분시키다, 자극하다; ② 복돋우다, 일으키다; ~ аппетит 식욕을 돋우다; ~ дело 소송을 제기하다, 기소하다

возбудиться (완), **возбуждаться** (미완) 흥분하다

возбуждающий(형); ~ее средство

(의학) 자극제(刺戟劑), 흥분제(興奮劑)

возбуждение(중) 흥분(興奮), 열기(熱氣); в ~и 흥분하여; приходить в ~ 흥분하다

возбуждённый (형); в ~ом состоянии 흥분상태에

возвести(완), **возводить** (미완) ① 세우다, 축성하다; ~ здание 건물을 세우다; ~ плотину 제방을 쌓아올리다; ② (수학) ~ в квадрат 두제곱하다, 자승(自乘)하다;~ клевету на кого...를 중상하다, ...를 헐뜯다; ~ на престол 즉위시키다

возврат *см.* возвращение

возвратить(ся) *см.* вернуть(ся)

возвратный(형) ① (의학) 재발하는, 덧나다, 재귀의; ~ тиф 재귀열; ② (언어) 재귀의; ~ глагол 재귀동사

возвращение① 돌아가는 것, 귀환(歸還); ~ на Родину 귀국; ② 돌려주는 것, 반환, 귀속;~ долга 빚 갚음

возвысить(완), **возвышать** (미완) (보다 더) 높이다, 더 높이 올리다, 승급시키다; ~ голос 목소리를 높이다

возвыситься(완), **возвышаться** (미완) 우뚝 솟다, 솟아있다

возвышение(중) ① 높이는 것, 올리는 것; ② 높은 곳, 둔덕이 진 곳, 언덕진 곳; стоять на ~ 높은데 서다

возвышенность(여) 고지(高地), 높은 지대, 둔덕, 언덕구릉(丘陵), 구강(丘岡), 구롱(丘壟), 구부(丘阜), 능구(陵丘)

возвышенный (형) ① возвышать의 피동과거; ② (형) (지형, 지대 등이) 높은, 둔덕진, 언덕진; ③ 고상한, 고결한

возглавить(완),**возглавлять** (미완) 앞장서다, 선두에 서다, 앞서다, 지도하다; ~ партию 당을 지도하다;~делегацию 대표단을 인솔하다, 그룹을 지도하다; ~ войско 군대를 지휘하다

возглас(남) 외침(畏鍼), 외침소리, 함성(喊聲); ликующие ~ы 환호(喚呼)

воздавать(미완), **воздать** (완) 주다, 표시하다; ~ должное 응당한 평가를 주다; ~ почести 경의를 표하다

воздвигать(미완), **воздвигнуть** (완) 세우다, 구축하다, 건립하다, 쌓아올리다; ~ памятник 기념비를 세우다;~ плотину 제방을 쌓다

воздействие(중) 영향(影向), 작용(作用); оказывать ~ на кого ...에게 영향을 주다, 작용하다; благотворное ~ 감화(感化)

воздействовать(완, 미완) на кого ... 에게 영향을 주다, 작용하다, 압력을 가하다; благотворно ~ 감화하다

возделать(완), **возделывать** (미완) ① (땅을) 경작하다, 일구다, 갈다; ② 재배하다; ~ ви ноград 포도를 재배하다

возделывание(중) ① 개간(開墾), 경작(耕作); ② 재배(栽培)

воздержавшийся ①воздерживаться 의 능동과거; ② (명사)(남)(투표 등에서) 기권자.

воздержание (중) ① 절제(節制), 제어(制御), 억제; ~в еде 음식의 절제; ~от курения 금연(禁煙); ② 기권(棄權), 거부(拒否)

воздержаться(완),**воздерживаться**

(미완) ① 삼가다, 절제하다, 자제하다, 억제하다; ~ от курения 담배를 삼가다; ② 기권(棄權)하다, 기피하다; ~ от голосования 투표에서 기권하다

воздух (남) ① 공기, 대기; дышать ~ом 바람을 쐬다; в ~е 공중에; на свежем(открытом) ~е 바깥에서, 옥외(屋外)에서; выходить на ~ 바깥으로 나가다; ~! 항공(航空)!

воздухоплавание(중) 항공술(航空術), 비행술(飛行術), 항공(航空), 비행

воздухоплаватель(남) 항공사(航空士), 비행사(飛行士), 조종사(操縱士)

воздушный (형) ① 공기의, 대기의; ~ шар 기구; ~ое пространство 대기공간; ② 공중의; ~ая разведка 공중정찰; ~ый бой 공중전; ③ 항공의, 비행의; ~ое сообщение 항공교통; ~ый транспорт 항공운수(航空運輸); ~ая тревога 항공경보; ④ 가벼운, 하르르한; ~ая ткань 하르르한 천

воззвание (중) 격문(檄文), 호소문(呼訴文); обращаться с ~ем 호소하다

воззрение(중) 견해(見解), 관점(觀點), 의문(疑問), 의견(意見), 시각(視覺)

возить(미완) 실어 나르다, 태우고 다니다, 운반하다, 수송하다; ~ дрова 장작을 나르다

возиться (미완) ① 부산을 떨다, 부산을 피우다, 떠들며 돌아다니다; ② с кем- чем 어떤 일에 매달리다, 주무르다

возлагать (미완) ① (엄숙히) 놓다, 삼가놓다; ~ венок 화환을 증정하다; ② 맡기다, 의뢰하다, 부과하다, 지우다; ~ от-ветственность 책임을 지우다, 책임을 전가하다; ~ вину 죄를 씌우다; ~ на-дежды 희망을 걸다, 기대하다, 소망하다

возле (부) 곁에, 옆에, 가까이에; ~ дома 집 곁에; жить ~ 가까이에 살고 있다

возложение: ~ венка 화환증정

возложить см. возлагать

возлюбленный ① 뜨겁게 사랑하는; ②(명사)(남) 애인(愛人), 사랑하는 사람

возмездие (중) 보복(報復), 징벌(懲罰), 형벌(刑罰), 처벌(處罰)

возместить (완), **возмещать** (미완) 갚다, 보상하다, 벌충하다, 배상하다; ~ ущерб 손해 배상하다

возможно ① (부) 될 수록, 될 수 있는 대로; как ~ скорее 될 수록 빨리, 하루빨리, 속히; ② (삽입어) 아마, ...지도 모른다, ...것 같다; завтра, ~, будет дождь 내일은 비가 올 것 같다, 비가 올는지도 모른다; ③ (술어) 가능하다; вполне ~ 능히 그럴 수 있다, 있을 수 있다

возможность(여) ① 가능성(可能性), 여부(與否); нет ~и выполнить это 이것을 해낼 가능성이 없다; ② 기회(期會); упустить ~ 기회를 놓치다; предста- вилась ~ 기회가 생겼다; при первой ~и 기회만 생기면, 기회만 있으면; по мере ~и 될 수 있는 대로

возможный (형) 가능한, 있을 수 있는, 될 수 있는; делать всё ~ое 모든 것을 다 하다; ~ые последствия 있을 수 있는 후과(後果)

возмужать (완) 성인이 되다, 어른이 되다, 장골이 되다

возмутительно (부) это~ 이것은 언어도단이다, 그것은 격분할 노릇이다

возмутительный(형) 분개할, 격분할; ~ поступок 격분을 자아내게 하는

возмутить(ся) *см.* возмущать(ся)

возмущать (미완) 격분을 자아내다, 불쾌감을 주다

возмущаться (미완) 격분하다, 분개하다, 격분이 치밀다, 통분하다

возмущение (중) 분개(憤慨), 분노(憤怒), 격분(激憤); вызывать ~ 분노를 자아내다; с ~м 격분하여

возмущённый ① возмущать 의 피동과거; ② (형) 격분한, 분개한

вознаградить (완), **вознаграждать** (미완) 갚다, 보수를 주다, 보답하다; ~ за труд 노력에 대하여 보답하다; ~за себя 자기를 만족시키다

вознаграждение (중) ① 갚음, 보수(報酬), 보상(報償); ② 보상금(報償金), 수당금(手當金), 상금(償金)

возненавидеть (완) 몹시 미워하다, 증오에 불타다

возникать (미완) 생기다, 발생하다, 일어나다, 나타나다; ~ пожар 불이 났다; ~ли споры 논쟁이 터졌다; ~ла идея 생각이 떠올랐다, 생각이 났다

возникновение(중) 발생, 출연, 발단

возникнуть *см.* возникать

возня (여) ① 소동(騷動), 소요(騷擾), 북새통, 야단법석; поднимать ~ю 소란을 피우다; ② 골칫거리, 손이 많이 드는 일, 말썽꾸러기, 번잡스러운 일

возобновить(ся)*см.*возобновляться

возобновление (중) 재개(再開), 갱신(更新), 재생(再生), 소생,

возобновлять(미완) 재생(再生)하다, 재개(再改)하다, 갱신(更新)하다, 회복(回復)하다; ~ учёбу 학업을 다시 시작하다; ~ контракт 계약을 갱신하다; ~ отноше-ния 관계를 회복하다

возобновляться(미완) 재개되다, 재상되다, 다시 시작하다, 회복하다, 거듭되다

возомнить (완); ~ о себе 자고자대하다, 자부하다, 우쭐되다

возражать (미완) 반대하다, 반박하다, 말대꾸하다, 되받다, 항의하다; вы не ~ ете? 당신은 반대하지 않습니까?, 반대가 없습니까?

возражение (중) 반대(反對), 반박(反駁), 말대꾸, 항의(抗議); у меня нет ~й 나는 반대 없다; вы зывать ~ 반대의견을 불러일으키다

возразить *см.* возражать

возраст (남) 나이, 년령, 살; детский ~ 어린나이; школьный ~ 학교 나이, 학령; в ~е тридцатилет 서른 살에

возрастание(중) 증대(增大), 증가(增加), 오르는 것

возрастать(미완), **возрасти** (완) 늘어나다, 증가되다, 증대되다, 더하게 되다, 오르다

возрождать (미완), **возродить** (완) 재생(再生)하다, 부흥(復興)시키다, 소생시키다, 복구(復舊)하다.

возродиться(완), **возрождаться**(미완) 재생되다, 부흥하다, 복구하다; ~ к жизни 소생하다

возрождение (중) ① 재생(再生), 부흥(復興); ② эпоха Возрождения (역사) 문예부흥기(文藝復興其)

воин(남) 군인(軍人), 전사(戰士), 병사

воинский (남) 군사의, 군인의, 군대의, 군용(軍用); ~ое звание 군사칭호; ~ий эшелон 군용기차; ~ий устав 군사규정

воинственный(형) 호전적(好戰的)인, 전투적(戰鬪的)인, 적극적(積極的)인

вой(남) 통곡(慟哭), 고함, 울부짖는 소리; ~ветра 울부짖는 바람의 소리;~волков 늑대들의 울부짖는 소리

война (여) 전쟁(戰爭); вести ~у 전쟁을 하다; мировая ~а 세계대전(世界大戰); атомная ~а 핵전쟁(核戰爭); пси- хологическая ~а 심리전(心理戰); па- ртизанская ~а 유격전(遊擊戰); агрес- сивная ~а 침략전쟁(侵略戰爭); молн- иеносная ~а 전격전(電擊戰); звёздные войны 별들의 전쟁

войска(복수) 군대(軍隊), 군부대(軍部隊); регулярные ~ 정규군(正規軍)

войско (중) 군대(軍隊), 부대(部隊)

войсковой (형) 군대의; ~ая часть 군부대의

войти *см*. входить

вокалист (남) 성악가(聲樂家)

вокальный (형) 성악의(聲樂-)

вокзал (남) 역(驛), 역사, 정거장(停車場); морской ~ 항구(港口)역

вокруг ① (부) 주위에, 두레에, 둘레둘레; ② (전) ...의 둘레에, 주위에, 주변에; оглядываться ~주위를 살펴보다; ~дома 집주위에; сплачиваться ~ *кого-чего* 의 둘레에 뭉치다, ...의 주변에 뭉치다; (ходить) ~ да около 두리 뭉실하게

вол (남) (거세한) 수소, 황소

волдырь (남) 물집, 수포(水疱)

волевой(형) 의지가 강한, 의지적 (意志的)인; ~ человек 의지가 강한 사람

волеизъявление(중) 의사표시

волейбол(남) 배구(排球); играть в ~ 배구를 하다

волейболист (남), **~ка** 배구선수

волейбольный(형) 배구(排球)의; ~ая площадка 배구장(排球場);~ая команда 배구팀

волей-неволей(부) 좋든 싫든, 하는 수 없이; ~ согласился 하는 수 없이 동의하다

волк (남) 늑대, 승양(升揚)이, 이리

волна (여) ① 물결, 파도(波濤), 너울, 파랑(波浪); морская ~ 바다의 물결; ② (물리) 파(波), 전파(電波)

волнение (중) ① 근심, 걱정, 격동, 흥분, 불안; приходить в ~ 흥분하다, 격동하다; ② 물결이 이는 것, 파동(波動); ③ 소동(騷動), 소요(騷擾)

волнистый(형) 물결모양, 파도 같은; ~ые волосы 파마머리, 곱슬곱슬한 머리칼

волновать (미완) 불안케 하다, 걱정하게 하다, 흥분시키다, 격동시키다, 마음을 두근거리게 하다, 설레게 하다

волноваться (미완) ① 격동하다, 불안케 하다, 마음이 죄다; ② (바다물이) 파도치다; море ~уется 바다가 설레인다, (바다의)물결이 인다.

волнорез(남) 방파제(防波堤), 방조제

волнующий ① волновать의 능동현재; ② (형) 흥분시키는, 불안하게 하는, 격동적인; 감격적인, 감명적인; в тот~ день 감격의 그날에

волокита (여) 일을 질질 끄는 것, 앉아서 뭉개는 것, 머무적거리다; бумажная ~ 문서놀음

волокно(중) 섬유(纖維); синтетическое ~ 합성섬유(合成纖維)

волос (남) 머리칼, 머리, 머리털(毛); седые ~ы 백발(白髮), 흰머리

волосатый 머리칼이 많은

волосок (남) ① 가는 털, 잔털; ② (시계부속의) 유사; ③ (식물의) 부들(항포)털; ④ (전구안의) 가열선, 필라멘트; ◇ висеть на ~ке 위기일발이다

волосяной (형) 털의, 털로 만든; ~ матрац 털 깔개

волочить (미완) 끌어당기다, 질질 끌다; еле ~ ноги 겨우 발을 옮기다

волочиться (미완) 질질 끌리다, 겨우 걸어가다

волчий (형) 늑대, 이리의, 승냥이의; ~ аппетит 게걸스러운 식욕

волчица (여) 암승냥이, 암이리

волчок (남) 팽이

волчонок (남) 이리(승냥이) 새끼

волшебник (남), **~ца** (여) 마술쟁이, 요술쟁이

волшебный (형) ① 마술의, 요술의; ② 신기한, 매혹적인, 유혹적인

вольно! (부) (구령) 쉬엇!

вольнонаёмный (형) 고용된, 임차한

вольнослушатель(남) 청강생(聽講生)

вольный (남) ① 자유로운, 마음대로 할 수 있는; ② 제한되지 않는, 구속되지 않는, 자유의; ~ые упражнения (체육) 도수체조; ~ый перевод 의역(意譯); на ~ом воздухе 집 바깥에서

вольт (남) (전기) 볼트(volt)

вольтметр(남) (전기) 전압계(電壓計)

вольфрам(남) ① (화학) 텅스텐(tungsten)중석(重石), 볼프람(wolfram); ② (광물) 중석광(重石鑛), 볼프광

воля(여) ① 의지(意志), 의사(意思), 의욕(意慾), 요구(要求); воспитание ~и 의지단련; сила ~и 의지의 힘; ② 자유(自由); выпускать на ~ю 내어놓다, 석방하다; ваша ~ 당신의 권한이다; на ~е 바깥에서

вон I (부) 밖으로; пошел ~!, ~отсюда! 나가라! 저리가라! 물러가라!

вон II (조) 저기, 저기에; ~ он идёт 저기 그가 온다

вонзать (미완), **вонзить** (완) 들이찌르다, 찌르다

вонь (여) 구린내, 나쁜 냄새, 악취

вонючий (형) 냄새가 역한, 악취가 풍기는, 구린내가 나는

вонять (미완) 역한 냄새가 나다, 구린내가 나다, 악취를 풍기다

воображаемый(남) 가상적인, 상상한

воображать (미완) 상상하다, 가상하다, 속으로 생각하다;~зите себе 상상해보다

воображение(중) 상상, 공상, 상상력

вообразить см. воображать

вообще (부) 대개, 대체로, 대략, 일

반적으로; ~ говоря 일반적으로 말하면

воодушевить(ся) (완) *см.* воодушевлять(ся)

воодушевление (중) ① 고무, 격려; ② 열성(熱誠); с ~ем 고무되어, 열성을 내어

воодушевлять (미완) ① 고무하다, 격려하다, 활기를 띠다; ② 열성을 내게 하다, 기세를 올리다

воодушевляться (미완) ① 고무되다, 격려되다, 분발하다; ② 활기를 띠다, 기세가 오르다

вооружать (미완) 무장시키다, 장비하다; ~армию 군대를 무장 시키다;~промыш ленность новой техникой 공업을 새로운 기계로 장치하다

вооружаться (미완) 무장되다, 무장을 갖추다, 장치하다; ~ терпением 참을성을 가지다

вооружение (중) ① 무장시키는 것, 무장하는 것; ② 무장(武裝), 군비(軍備), 무기(武器), 장비(裝備), 병기(兵器), 군장(軍葬); гонка ~й 군비경쟁(軍備競爭); сокраще ние ~й 군비축소

вооружённый (형) 무장의, 무력의, 무장한, 장비된; ~ое восстание 무장폭동; ~ые силы 무력(武力), 병력(兵力);~ый до зубов 발톱까지 무장한

вооружить(ся) *см.* вооружать(ся)

воочию (부) 자기 눈으로, 직접(直接); убеждаться ~ 자기 눈으로 확인하라; увидеть ~ 목격하다, 자기 눈으로 직접보다

во-первых (삽입어) 첫째로

вопить (미완) 함성(고함)을 지르다, 울부짖다, 외치다, 소리를 지르다

вопиющий(형) 용인할 수 없는, 언어도단의; ~ая ошибка 용서 할 수 없는 오류; ~ая бедность 참을 수 없는 빈곤

воплотить(ся) *см.* воплощать(ся)

воплощать (미완) 실현되다, 성취되다; ~ в жизнь 구현, 실현(實現)하다

воплощаться (미완) 실현되다

воплощение (남) 구현, 실현(實現)

вопль (남) 함성소리, 울부짖음, 비명

вопреки (전) *чему*....와 거역하여, ...을 역행하여, ...에 반하여, ...에도 불구하고; ~ желанию 희망하던 바와 어긋나게; ~ здравому смыслу 건전한 사고와

вопрос(남) ① 물음, 질문; задавать ~ 질문하다; отвечать на ~ 물음에 답하다; осаждать ~ами 질문을 퍼붓다; ② 문제(問題); национальный ~ 민족문제; спорный ~ 논쟁문제, 논쟁점; ~ жизни и смерти 생사의 문제, 사활적인 문제; решать ~ 문제를 결정하다; ~, стоящие на повест кедня 일정에 오른 문제들, 현실문제들; находиться под ~ом 미해결문제로 남아있다, 문제시 되고 있다; что за ~? 여무가 있다? 물론이지

вопросительный (형) 의문의, 물음의; ~ знак (언어) 물음표, 의문표

вор (남) 도적(盜賊)(놈), 절도(竊盜); ~-карманник 소매치기군

ворваться *см.* врываться

воробей (남) 참새

воровать (미완) 도적질하다, 훔치다, 살짝 훔쳐가다, 소매치기하다.

воровской (형) 도적의; ~ притон 도

적놈의 소굴(巢窟)
воровство (남) 도적질, 훔치는 것, 소매치기, 날치기를 하다
ворон (남) 큰 까마귀
ворона (여) ① 까마귀; ② 멍청이, 얼뜨기; ворон считать 멍청하니 서 있다
воронка (여) ① 깔대기; ② 포탄구덩이, 폭탄구덩이
ворот (남) (옷) 깃, 동정
ворота (복수) ① 대문(大門), 출입문(出入門), 문(門); ②(체육) футбольные ~ 골문, 골대
воротник (남) 깃, 옷깃; меховой ~ 털깃; поднимать ~ 깃을 세우다; ~ чок (남) 깃받이, 작은 깃; отложной~ 접깃
ворох (남) 더미, 무더기; ~ бумаг 종이 무더기; ~ дел 할일이 산더미 같다
ворочать (미완) 뒤집어엎다, 옮기다, 움직이다; ~ делами 일을 처리하다, 일을 주관하다
ворочаться (미완) 이리 저리 돌아 눕다, 돌다; ~ с боку на бок 몸을 이리저리 뒤척이다; ~ в постели 잠자리에서 몸을 뒤치락거리다
ворошить (미완) 뒤집다, 뒤치다, 뒤적이다; ~ сено 말린 풀을 뒤집다; ~ старое 오래된 일을 들추어내다
ворс (남) 보풀
ворсистый(남) 보풀이 있는, 보풀보풀한
ворчание (중) (사람의) 두덜두덜하는 것, 잔소리; ② (짐승의) 으르렁거리는 것
ворчать (미완) ① 두덜거리다, 투덜거리다; недовольно ~ 웅얼거리다; ② (짐승이) 으르렁대다
ворчливый (형) 투덜거리는, 잔소리가 많은, 말이 많은
ворчун(남) 잔소리군, 불평군, 말썽군
восвояси (부) 제집으로; убираться ~ 제집으로 물러가다
восемнадцатый (수) 열여덟째의, 열여덟번째의, 제 18의
восемнадцать(수) 18(십팔), 열여덟
восемь (수) 8(팔) 여덟
восемьдесят (수) 80(팔십) 여든
восемьсот (수) 800(팔백)
воск (남) 밀, 밀랍, 납밀; пчелиный ~꿀 밀, 벌똥, 봉랍, 황랍(黃蠟).
воскликнуть см. восклицать
восклицание (중) 부르짖음, 외침, 감탄(感歎), 함성(喊聲), 비명(悲鳴)
восклицательный (남) 감탄의, 절규의; ~ знак (언어) 느낌표, 감탄부호
восклицать (미완) (감탄하여, 흥분하여) 외치다, 부르짖다, 절규하다
восковой (형) 밀의, 밀로 만든; ~ая свеча 밀초, 초, 양초
воскресать (미완) ① 되살아나다, 소생하다; ② 갱생하다, 부흥하다, 부활하다, 완쾌하다
воскресенье (중) 일요일, 주일
воскресник (남) 일요노동, 휴일근로
воскреснуть см. воскресать
воспаление (중) (의학) 염증(炎症), 염(炎); ~ лёгких 폐렴; ~ почек 신장염
воспалённый 염증(厭症)이 난; ~ые глаза 충혈된 눈
воспалительный(형) 염증성의, 염증의; ~ процесс 염증과정

воспалиться(완), **воспаляться** (미완) 염증이 생기다

воспевать(미완), **воспеть** (완) (시 혹은 노래로) 찬양(讚揚)하다, 찬송하다; ~ подвиг 허위공로를 노래하다

воспитание(중) 교육(教育), 육성(育成), 양육(養育), 양성(養成); получать ~ 교양을 받다

воспитанник(남) 교육받는 사람, 제자(弟子), 학생(學生), 피교육자(彼教育者)

воспитатель(남), **~ница** (여) 유치원 교사, 유치원(幼稚園), 보육원(保育院)

воспитать(완), **воспитывать** (미완) 기르다, 교양하다, 육성하다, 키우다, 배양하다; ~ детей 어린이들을 키우다; ~ кадры 간부를 육성하다

воспитываться(미완) 교육받다, 양육되다, 육성되다

воспламениться *см.* воспламенять

воспламеняемость (여) 가연성(可燃性), 인화성(引火性)

воспламеняться (미완) ① 불이 나다, 불타다, 발화하다; ② 활기를 띠다, 타오르다

восполнить (완), **восполнять** (미완) 보충하다, 대신 채우다, 채우다; ~ ущерб 손실을 보충하다

воспользоваться *см.* пользоваться

воспоминание(중) ① 회상(回想), 추억(追憶), 회고(回顧); вызывать ~ 추억을 불러일으키다; ② (복수) ~я 회상기, 회상록(回想錄), 회상담(回想談)

воспрепятствовать (완) *см.* препятствовать

воспретить(완), **воспрещать**(미완) 금지하다, 막다, 못하게 하다

воспрещаться(미완) 금지되다, 말리다; курить ~ется 금연(禁煙), 담배를 피우지 마시요; вход строго ~ется 출입금지

восприимчивость (여) 감수성(感受性), 감염(感染)성, 자극감성, 감성(感性)

восприимчивый (형) 감수성이 예민한, 감염되기 쉬운; ~ ум 기발한 지혜

воспринимать (미완), **воспринять** (완) 받아들이다, 받들다, 감수하다, 해득하다, 납득하다, 깨우치다, 알다

восприятие (중) 이해력(理解力), 지각(知覺), 감득(感得), 감수(感受)

воспроизведение (중) ① 재현(再現), 재생(再生); ② 복사(複寫), 모사

воспроизвести (완), **воспроизводить** (미완) ① 재생산하다; ② 재생하다, 재현하다, 반복하다; ③ 복제하다, 복사하다; ~ текст 본문을 복사하다;~ в памяти 기억을 되살리다

воспроизводство (중) 재생산(再生産); простое(расширенное) ~ 단순(확대) 재생산

воспротивиться(완) 반항하다, 대항하다, 반대하다, 항의하기 시작하다

воспрянуть (완) 신이 나다, 생기를 띠다; ~ духом 기운을 내다, 활기를 띠다

восславить,(완),**восславлять** (미완) 명성을 떨치게 하다, 이름나게 하

다, 찬미하다.
воссоединение (중) 재통합, 재통일, 재결합(再結合).
восставлять (미완) ① 폭동(暴動)을 일으키다, 들고일어나다; ② 반항(反抗)하다, 반대하여 나서다.
восстанавливать(미완) ① 복구하다, 부흥시키다, 회복하다; ~ разрушенный завод 파괴된 공장을 복구하다; ~ здо- ровье 건강을 회복하다;② в чём...: ~ в должности 복직시키다; ~ в правах 권리를 회복하다;③ про тив кого-чего 반대하게 하다, 적대시하게 하다.
восстание (중) 폭동(暴動), 봉기(蜂起); поднимать ~ 폭동을 일으키다
восстановительный (형) 복구(復舊), 부흥(復興), 회복(回復); ~ые работы 복구공사; ~ый период 복구시기
восстановить см. восстанавливать
восстановление (중) ① 복구(復舊), 부흥(復興), 회복(回復); ~ здоровья 건강의 회복; ~ города 도시의 복구; ② в чём: ~ в должности 복직; ~ в правах 권리의 회복; ~ в партии 복당
восстать (완) см. восставать
восток (남) ① 동(東), 동쪽; к ~у от ...의 동쪽에 ② 동양(東洋), 동방(東邦); Ближний Восток 근동; Дальний Восток 극동, 원동; Средний Восток 중동(中東)
востоковед (남) 동방학자(東方學者)
востоковедение 동방학(東方學)
восторг (남) 환희(歡喜), 황홀(恍惚), 감탄(感歎); приводить в ~ 황홀하게 하다, 감탄케 하다; прихо дить в ~ 환희에 싸이다, 탄복하다, 감탄하다

восторгаться (미완) 환희에 싸이다, 황홀해하다, 감탄하다
восторженный(형) 환희에 찬 (넘친), 감복하는, 열광적인; ~ое лицо 환희에 찬 얼굴
восторжествовать(완) над ...를 승리하다, 타승하다, 우세를 차지하다
восточный(형)① 동, 동쪽; ~ ветер; 동풍, 동쪽바람 ② 동방(東邦), 동양(東洋); ~ые обычаи 동양풍습
востребование(중): письмо до ~я 유치우편
восхваление (중) 찬양, 찬미, 칭찬
восхвалять(미완) 칭찬하다, 찬양하다
восхитительный (형) 황홀한, 감탄을 자아내는, 매혹적인
восхитить (완) см. восхищать(ся)
восхищать (미완) 황홀케 하다, 감탄케 하다, 매혹케 하다
восхищаться (미완) 황홀해지다, 감탄하다, 탄복하다, 매혹되다
восхищение (중) 감탄, 탄복, 황홀; при-ходить в ~ 황홀해지다, 탄복하다 감탄하다; с ~ем; в ~и 감탄하여
восход (남) (해와 달이) 뜨는 것; ~ солнца 해돋이; ~ луны 달돋이, 달돋이 때
восходить (미완) см. всходить
восхождение (중) ① 올라가는 것; ~ на гору 등산; ② (해, 달 등이) 뜨는 것, 떠오르는 것; ~ солнца 해돋이
восьмёрка (여) ① 수자 8 (여덟) ② 번호 "8"
восьмидесятилетний (형) 여든 살 나는, 80 (팔십)세, 80 (팔십) 년, 80 (팔십) 주년

восьмидесятый (수) 여든째, 여든 번째, 제 80 (팔십)
восьмидневный (형) 8 (팔) 일간
восьмилетний (형) 여덟살, 8 (팔) 년, 8 (팔) 년간
восьмичасовой (형) 여덟시, 8 (팔) 시간, 8 (팔) 시간동안의;~ рабочий день 8 (팔) 시간노동제
восьмой (수) 여덟째, 여덟 번째, 제 8(팔)
вот (조) ① 이것, 저것, 여기에, 저기에; ~ возьмите 이것 받으시오; ~ это хо-рошо! 이것 참 좋구나!;~ здесь 바로 여기 ② 마침내, 드디어;~и осень пришла 드디어 가을이 왔다; ~ как! 그래요!, 그렇구만! 뭐라고요!~ тебе и на! 이런 변이라구야, 뜻밖인데! ~ и всё 이것이 전부요
вот-вот (부) 당장(當場), 곧, 이제 곧;~придёт 이제 곧 올 것이다
воткнуть (완)*см.* втыкать
вотум (남): ~ доверия(недоверия) 신임 (불신임) 결의안(決議案)
воцариться, (완) **воцаряться** (미완) (침묵, 평온 등이) 깃들다, 닥쳐오다, (질서 등이) 잡히다; ~лась тишина 침묵이 깃들었다, 쥐죽은 듯 조용해졌다
вошь (여) 이
воюющий ① воевать 의 능동현재 ② (형) 전쟁하는, 싸우는; ~ие страны 교전국
вояж (남) 행각(行脚)
вояка (남) (야유하면서 쓰는 말) 싸움꾼, 호전광
впадать(미완) ① (강이)흘러들어가다, 합류하다 ② 움푹 들어가다, 꺼

지다; щёки впали 볼이 홀쭉 해졌다. ③ 빠지다, 처하게 되다; впасть в отчаяние 절망에 빠지다
впадение (중) ① (강물이) 흘러들어가는 것 ② 강어구, 합류점, 하구
впадина (여) 움푹 들어간 곳, 웅덩이 ; глазная ~ 눈구멍, 안공(眼孔)
впалый (형) 우묵한, 움푹 들어간, 꺼진; ~ые щёки 홀쭉해진 볼; ~ые глаза 움퍽눈, 우멍눈; ~ая грудь 우묵한 가슴
впасть (완) *см.* впадать ② ③
впервые (부) 처음 (으로), 최초로; 비로소; ~ в жизни 난생 처음으로
вперевалку (부): ходить в ~ 거위걸음을 걷다, 건들건들 걷다
вперегонки (부): бегать ~ 앞을 다루며 달리다 (달음박질하다)
вперёд (부) ① 앞으로; идти ~ 전진하다 ② 먼저, 미리; платить ~ 미리 물다, 선불하다; двигать дело ~ 일을 밀고 나가다; часы идут ~ 시계가 빠르다; ходить(ездить) взад и ~ 왔다 갔다하다, 이리저리로 가다
впереди ① (부) 앞에, 앞에서; идти ~앞에서 가다 ② (부) 앞으로, 앞날에, 장래에; садитесь ~ 앞자리에 앉으십시오 ③ (전): он ~ всех 그는 모든 사람의 앞장에 서 있다
вперемежку (부) 하나씩 번갈아, 어긋매끼로, 엇바뀌어
вперемешку(부) 뒤섞여서, 무질서하게
впечатление (중) 인상, 감명; производить ~ 인상을 남기다; под ~м 감동되어
впечатлительность (여) 감수성이 강한 것

впечатлительный (형) 감수성이 풍부한, 감수성이 강한, 민감한
впиваться(미완) 착 달라붙다, 깊이 들어가다 (박히다); ~ зубами в мясо 이빨로 고기를 깨물다; ~ глазами *в кого* ...을 뚫어지게 보다
вписанный : ~ угол (수학) 원둘레각, 원주각
вписать, (완), **вписывать** (미완) 써넣다, 적어넣다, 기입하다
впитаться (완) *см.* впитывать(ся)
впитывать(미완) ① 빨아들이다, 흡수하다 ② 받아들이다, 받다; ~ новые идеи 새로운 사상을 받아들이다
впитываться(미완) 빨아들다, 스며들다, 잦아들다; вода ~алась в землю 물이 땅속에 스며들었다
впиться (완) *см.* впиваться
впихивать,(미완) **впихнуть** (완) 밀어넣다, 마구 밀쳐넣다, 들이밀다
вплавь (부) 헤엄쳐; переправляться ~ 헤엄쳐 건너다, 헤엄쳐 건너가다.
вплести, (완) **вплетать** (미완) 꼬아 넣다, 겯다, 엮어 넣다, 땋아 넣다; ~ленту в косу댕기를 드려 머리를 땋다
вплотную(부) ① 비좁게, 빼곡하게, 틈이없이; подходить 바싹 다가서다 ② 단단히; 착실하게;заняться~ работой 일에 단단히 달라붙다; подойти ~ к реше нию вопроса 문제를 심중히 대하다
вплоть (조) (전치사 до 와 함께 쓰이면서 그 뜻을 강조한다.) ...이르기까지, 완전히,..까지도; ~ до вечера 저녁이 다 될 때까지; промокло всё ~ до рубашки 셔츠까지 함빡 (다) 젖었다
вполголоса (부) 낮은 목소리로 (말 소리로), 수군수군
вползать, (미완) **вползти** (완) 기어들다, 기어들어가다, 기어오르다
вполне (부) 전적으로, 아주, 완전히; ~ достаточно 아주 충분하다; ~ доволен 아주 만족하다
вполовину (부) 절반만큼, 절반쯤
впопыпах (부) 몹시 서둘러, 황급히, 덤비면서; ~ забыть 덤벼서 (덤비면서) 잊어버리다; прибежать ~ 헐떡거리며 달려오다
впору (부) ① (옷, 신발 등에 대하여) 꼭 맞게; быть ~ 딱 맞는다, 마침 맞다 ② 제때에, 때마침; приходить ~ 제때에, 때마침 오다
впоследствии(부) 그후, 후에, 차후에, 이다음
впотьмах(부) 어둠 속에, 캄캄한 속에, 암흑 속에; сидеть ~ 캄캄한데 (어둠 속에) 앉아있다
вправе (부): быть ~ 권리가 있다; быть не ~ так поступать 이렇게 행동할 권리가 없다
вправить(완), **вправлять** (미완) 집어넣다, 제자리에 맞추다, 끼워 넣다;~ кость 뼈를 이어 맞추다
вправо (부) 오른쪽으로, 오른쪽에
впредь(부) 앞으로는, 이다음에는, 이제부터; и ~ 앞으로도; ~ до...금후에,...까지
вприпрыжку(부) 껑충껑충 뛰면서, 깡충거리면서; бежать ~ 껑충거리며 뛰어달아가다; ходить ~ 상큼상큼 걷다
впроголодь(부) 굶다싶이, 먹는둥마는둥; жить ~ 절반 굶으면서 살다

впрок(부) ① 예비로, 여유로, 저장용으로; запасать ~ 예비로 장만하다, 저장하다 ② (술어로) 이익이 되다; идти ~ 이롭게 되다, 유익하다

впросак(부): попасть ~ 거북해지다

впрочем(접) 그렇지만, 그런데, 그러나, 하기는

впрыскивание (중) 주사

впрыскивать(미완), **впрыснуть**(완) 주사를 놓다

впрягать(미완) **впрячь**(완) (말을 마차에) 메우다

впуск(남) 들여보내는 것, 들여놓는 것, 입장(立場)

впускать(미완) **впустить**(완) 들여보내다, 들이다, 입장시키다, 통과시키다; ~ воду 물을 들이다

впустую (부) 쓸데없이, 공연히, 헛되이; говорить ~ 헛되이 말하다; всё ~ 허탕을 치고 말았다; старался ~ 헛수고했다, 공연히 애썼다

впутать, (완) **впутывать** (미완) 끌어들이다, 끌어넣다, 업어넘기다, 업고들다; ~ в неблаговидное дело 좋지 못한 일에 끌어넣다

впутаться, (완) **впутываться** (미완) 끌려들어가다, 연루자로 되다

враг(남)① 원수(怨讐), 적; классовый ~ 계급적 원수 ② 적군(敵軍), 적병(敵兵) ③ 적대자(敵對者), 반대자(反對者)

вражда (여) 적의(敵意), 적대(敵對), 반목(反牧), 앙심(怏心); непримиримая ~ 불상용적인 적대관계; питать ~у 적의를 품다

враждебность (여) 적의, 적대시하는 것, 반감; вызывать ~ 반감을 사다; про являть ~ 적대시하다

враждебный (형) 적대, 적대적, 적의를 품은; ~ые действия 적대행위

враждовать (미완) 적대시하다, 반목하다, 다투다

вражеский (형) 적(敵), 원수(怨讐); ~ ая армия 적군(敵軍)

вразброд (부) 제각기, 따로따로, 맞추지 않고, 질서 없이; действовать ~ 무질서하게 (따로따로) 행동하다; петь ~ 맞추지 않고 노래하다

вразвалку (부) : ходить ~ 비척비척 걷다

вразрез(부) ~ с ...와 반대로, ...에 어긋나게, ...을 역행하여;~ с желанием 기대에 어긋나게; идти ~어긋나다

вразумительный (형) 알기 쉬운, 이해하기 쉬운, 똑똑한

вразумить(완),**вразумлять**(미완) 깨닫게 하다, 가르쳐주다, 이해시키다, 설득시키다

враки(복수) **враньё** (중) 거짓말, 빈소리, 꾸며낸 말; чистое ~ 새빨간 거짓말

врасплох (부) 느닷없이, 별안간, 불의에; застать ~ 불의에 만나다 (붙잡다); напасть ~ 갑자기 달려들다 (기습하다)

врассыпную (부) 사방으로, 산산이 흩어져서

врастать, (미완) **врасти** (완) (자라면서) 들어가다, 뿌리를 박다

вратарь (남) (체육) 골키퍼, 문지기

врать (미완) 거짓말하다, 거짓부리하다, 허튼소리하다

врач (남) 의사(醫師); военный ~ 군의(軍醫); лечащий ~ 주치의(主治醫師); участковый ~ 구역담당의사; ветеринарный ~ 수의사; зубной 치

과의사, 구강과 의사
врачебный (형) 의료(醫療), 치료(治療); ~ый осмотр 건강진단; ~ая практика 의료 실습(實習)
вращательный (형) 회전, 회전식; ~ое движение 회전운동
вращать (미완) 돌리다, 회전시키다; ~ глазами 눈알을 굴리다
вращаться (미완) ① 돌다, 회전하다 ② (늘, 자주) 드나들다, 교제하다
вращение (중) 회전(回轉), 돌리는(도는)것, 빙빙 도는 것; 선회; ~ Земли 지구의 자전
вред (남) 해, 해독, 손해; причинять ~ 해 (손해)를 끼치다
вредитель (남) ① 해충(害蟲) ② 해독분자, 암해분자
вредительский (형) 해독적, 해독적인; ~ие действия 해독(적) 행위
вредительство (중) 해독행위, 암해책동
вредить (미완) 손해를 끼치다, 해를 끼치다, 암해하다
вредно (부) ① 해롭게, 유해롭게, 해독적으로 ② (술어로) 해롭다
вредный (형) 해로운, 유해로운, 해독적인, 해독스러운; ~ое производство 유해로동; ~ для здоровья 건강에 해로운
врезаться, (미완) **врезаться** (완) ① (쑥) 박히다, 찔리다 ② 뚫고 들어가다; ~ в память 기억에 아로새기다
времена (복수) 때, 시대(時代)
временами (부) 때때로, 이따금, 가끔
временно 일시적으로, 임시로; ~ испо-лняющий обязанности 대리(인), 대리자; ~ исполнять обязанности 대리를 보다
временный (형) 임시, 일시적인, 잠정적(인); ~ое правительство 임시정부; ~ые меры 잠정적 조치; ~ поверенный в делах 대리대사
время (여) ① 때, 시간; в одно(и тоже) ~я 동시에, 같은 때에; во ~я чего ...때에; сколько ~ени? 몇 시입니까? 얼마동안? в рабочее ~я 노동시간에, 일할 때에; в настоящее ~я 현재, 지금; сво-бодное ~я 한가한 시간; в последнее ~я 최근(에), 요즘 ② 동안, 기간(期間), 시기(時期); за короткое ~я 단기간에, 짧은 기간에; в скором ~ени 가까운 시일 안에; в течении долгого ~ени 오랫동안; некоторое ~я 얼마간, 얼마쯤; в мирное ~я 평화적 시기에; военное ~я 전쟁 시기, 전시; в утреннее ~я 아침결에; ~я обеда 점심시간; всё ~я 항상, 늘; ③ 시절, 계절(季節), 철 ④ (언어) 시칭 прошедшее ~я 과거; будущее ~я 미래; ~я от ~ени 때때로, 이따금; в то ~я, как... ...할 때에, ...동시에; тем ~ енем 그 사이에, 그러는 중, 그와 동시에; одно ~я 한때; в первое ~я 처음에는
времяисчисление (중) 역법(曆法), 년대(年代) 계산법(計算法)
времяпрепровождение (중) 시간을 보내는 것, 소일거리
вровень (부) 같은 높이로, 같은 수준으로, 동등하게; 나란히
вроде (전) чего ...과 비슷한, ...과 같은, ...과 마찬가지로
врождённый (형) 타고난, 천성적인, (의학) 선천적인; ~ иммунитет 선천

적인 면역; ~ талант 타고난 재능
врозницу (부) *см.* розница
врозь (부) 따로따로, 떨어져서, 제각기
врубовый (형): ~ая машина 채탄기
врукопашную (부) 맨주먹으로, 총칼을 맞대고; схватиться ~ 육박전을 하다, 백병전을 하다
врун(남)~**ья**(여)거짓말쟁이, 대포쟁이
вручать (미완) 수여하다, 드리다; 위임 차다, 전달하다; ~ орден 훈장을 수여하다; ~ верительные грамоты 신임장을 바치다 (봉정하다)
вручение (중) 수여(受與), 위임, 전달; ~ ордена 훈장수여;~ верительных грамот 신임장봉정
вручить (완) *см.* вручать
вручную (부) 손(노동)으로
врываться (미완) 달려들다, 밀려들다, 뛰어 들어가다, 돌입하다
вряд ли (조) 설마 그렇기야 하랴, 설마... 것 같지 않다; ~ он придёт 그가 오기나 하겠는가, 그가 아마 올 것 같지 않다
всадник (남) 기사(騎士), 말 탄 사람, 기마병(騎馬兵), 기병(騎兵)
всасывать (미완) 들이빨다, 빨아들이다, 흡수하다, 흡입하다,
всасываться (미완) 빨아들다, 흡입되다, 흡수되다
все (복수) *см.* весь
всё (복수) *см.* весь
всё (부) ①: ~ ещё 여지껏, 여전히, 아직도, 그냥;он ~ ещё живет здесь 그는 여지껏 여기에 살고 있다; дождь ~ льёт 비는 계속 퍼붓는다.
② (비교급과 함께) 더욱더; ~ лучше и лучше 더욱더 좋게; ~ больше и больше 더욱더 많이; ~ равно 여하튼, 매한가지다; ~ же *см.* всё-таки
всевозможный (형) ① 온갖, 여러가지, 제반, 모든, 각종; ~ые товары 온갖 상품; ~ые мероприятия 제반대책 ② 있을 수 있는, 가능한; средствами 가능한 모든 수단으로
всегда (부) 언제나, 늘, 항상; как ~ 언제나 같이, 여느 때와 같이; ~ готов 항상 준비 되여 있다
всего (부) ① 다해서, 모두 합해서, 층계; ~ израсходовано сто рублей 모두 100 루블이 지출 되였다 ② 오직, 다만, 불과; ~ двадцать штук 스무 개에 불과하다; ~ пять лет назад 5 년 전만 하여도; только и ~이것뿐이다; ~-на-всего 다해서, 기껏해야, 극상 해야
вселение(중) 집들이, 집에 드는 것, 거주
вселенная (여) 우주(宇宙), 누리, 세상(世上), 만천하(滿天下), 대지(大地)
вселить, (완) **вселять** (미완) 집에 들게 하다, 거주시키다; ~ надежду 희망을 가지게 하다; ~ веру 신심을 안겨주다
всемерно (부) 백방으로, 전력을 다하여, 온갖 수단을 다하여; ~ содействовать 백방으로 촉진시키다
всемирно-исторический (형) 전세계사적인; ~ое значение 전세계사적 의의
всемирный (형) 전세계(全世界), 세계적인; Всемирный Совет Мира 세계평화이사회(世界平和 理事會)

всемогущество (중) 전능(全能), 만능(萬能), 무한한 권력(權力)

всенародный (형) 전인민족(인); ~ое достояние 전인민족재부 (소유물)

всеобщий (형) 전반적인, 일반적인, 총적인; ~ее избирательное право 일반선거권; ~ие выборы 총선거; ~ая заба- стовка 총파업(總罷業)

всеобъемлющий (형) 전체를 포괄하는, 총괄적(總括的)인

всеоружие (중) : быть во ~и 완전히 무장하다, 만단의 준비를 갖추다

всероссийский (형) 전 러시아

всерьёз (부) 진정으로, 신중히, 진담으로; принимать ~ 신중히 (진담으로) 받아들이다

всесильный (형) 전능한, 무한한, 권력을 가진, 강력한

всесоюзный (형) 전연맹적인, 전 소련; ~ый рекорд 전 소련적인 기록

всесторонне (부) 백방으로, 전면적으로, 각방으로, 여러모로; ~ развитой 다방면으로 발전된; обсуждать ~ 여러모로 검토하다

всесторонний (형) 백방, 전면적인, 만반의; оказывать ~юю помощь 백방으로 도와주다; ~яя подготовка 만반 (만단)의 준비

всё-таки (부, 접) 그렇지만, 여하튼, 어쨌든; и ~ я прав 그래도 역시 내가 옳다; ~ я это сделаю 어쨌든 나는 이것을 해내고야 말 것이다

всецело (부) 전적으로, 완전히; ~ пре-дан науке 전적으로 과학에 투신하다

всеядный (형) 아무것이나 먹는

в силу см. сила

вскакивать (미완) ① 뛰어오르다, 뛰어들다; ~ на коня 말에 뛰어올라타다 ② 벌떡 일어나다 (일어서다); ~ с места 자리에서 벌떡 일어서다 ③ (혹 등이) 불룩 (불쑥) 나오다 (나다), 부어오르다

вскапывать (미완) 파헤치다, 파엎다

вскармливать (미완) 기르다, 사육하다, 사양하다, 육성하다; ~ ребёнка грудью 어린애를 젖을 먹여 기르다

вскачь (부) (말을 타고) 달려, 네굽을 놓고, 구보로

вскипать, (미완) **вскипеть** (완) ① 끓어오르다, 끓기 시작하다 ② 벌컥 성을 내다, 노하다

вскипятить (완) см. кипятить

вскладчину (부) см. складчина

всколыхнуть (완) ① 흔들다, 흔들리게 하다, 설레게 하다 ② 들썩거리게 하다, 동요시키다, 궐기시키다, 진동시키다

вскользь (부) 살짝, 약간, 지나가는 김에

вскопать (완) см. вскапывать

вскочить (완) см. вскакивать

вскрикивать, (미완) **~нуть** (완) 소리치다, 외치다, 비명을 올리다

вскружить (완) : ~ голову кому ...를 얼떨떨하게 하다, 현혹케 하다

вскрывать (미완) ① (관지, 꾸러미 등을) 열다, 풀다, 뜯다 ② 폭로하다, 밝혀내다, 털어내다, 적발하다; ~ недос-татки 결함을 들추어내다 (발가내다) ③ (의학) 째다, 절개수술을 하다, 해부하다

вскрываться (미완) ① 드러나다, 폭로 (적발) 되다, 나타나다 ② (강

에 대하여) 풀리다 ③ (종처 등이) 터지다

вскрытие (중) ① (의학) 해부(解剖), 절개(切開), 째기 ② 적발, 폭로, 밝혀내는 것 ③ (강의) 얼음 풀리기, 해빙

вскрыть(ся) *см.* вскрывать(ся)

вслед ① (부) *за кем-чем* ...를 뒤따라, ...의 뒤를 이어; идти ~ *за кем* ... 뒤를 따라가다 ② (전) 직후, ...이어; ~ за собранием 모임이 끝나자 이어

вследствие (전) ...탓으로, ... 때문에, ...로 인하여, ...의 결과에; ~ болезни 병으로 인하여; ~ дождя 비가 왔기 때문에

вслепую(부) 맹목적으로, 되는대로; действовать ~ 맹목적으로 행동하다, 맹동하다

вслух (부) 들리게, 소리를 내여; читать ~ 소리내어 읽다, 낭독하다

вслушаться (완), **вслушиваться** (미완) 귀를 기울이다, 귀담아듣다, 주의하여 듣다

всматриваться (미완), **всмотреться** (완) 눈여겨 (뚫어지게) 보다, 유심히 들여다보다, 주의 깊게 보다

всмятку (부): яйцо ~ 반숙한 달걀

всовывать (미완) 밀어 넣다, 들이밀다, 끼워 넣다, 지르다

всосать (완) *см* всасывать

вспахать, (완) **вспахивать** (미완) *см.* пахать

вспашка (여) 갈이, 논밭갈이, 경작

вспениваться (미완), **~ться** (완) *см.* пениться

всплакнуть (완) 좀 울다, 눈물을 좀 흘리다

всплеск (남) 출렁거리는 소리, 철석거리는 소리

всплескивать, (미완) **~нуть** (완): ~ руками 손뼉 치다, 손을 쳐들다

всплошную(부) 틈 없이, 빽빽이, 꽉차게

всплывать (미완) ① (물 위로) 떠오르다 ② 나타나다, 드러나다, 노출되다;~ть в памяти 기억에 떠오르다

всполошить (완) (갑자기) 놀라게 하다, 발칵 뒤집어놓다, 소란을 일으키다

всполошиться (완) 갑작스레 놀라다, 발칵 뒤집히다, 갑자기 불안해지다

вспоминать, (미완) **вспомнить** (완) 회상하다, 추억하다, 기억이 나다, 생각이 나다; ~прошлое 과거를 회상하다

вспомогательный (형) 보조, 보조적인, 부차적인; ~ый глагол (언어) 조동사, 보조동사

вспотеть (완) *см.* потеть

вспрыгивать,(미완) **~нуть** (완) 뛰어오르다, (뛰어) 올라타다; ~нуть на коня 말에 올라타다

вспрыскивать, (미완) **вспрыснуть** (완) ① 뿌리다, 뿜다; ~ бельё 빨래에 물을 뿜다

вспугивать, (미완) **вспугнуть** (완) 놀래서 자리를 뜨게 하다, 놀래 쫓다 (달아나게 하다); ~ голубей 비둘기를 (놀래) 날아나게 하다

вспылить (완) 불끈 성을 내다, 짜증을 내다, 벌컥 화를 내다

вспыльчивость (여) 성급한 성질, 화증, 벌떡증

вспыльчивый (형) 성미가 급한, 짜

증(화)을 잘 내는, 격하기 쉬운

вспыхивать(미완), **вспыхнуть**(완) ① 확 타오르다, 불이 확 붙다, 발화하다 ② 일어나다, 터지다; ~нула война 전쟁이 일어났다 (터졌다) ③ (얼굴이) 달아오르다, 새빨개지다; вспыхнуть от стыда 부끄러워서 얼굴이 새빨개지다

вспышка (여) ① (불이) 확 타오르는 것, 불붙는 것, 섬광 ② 돌발(突發), 발생; ~ эпидемии 전염병의 발생

вспять (부) 뒤로; повернуть ~ 뒤로 돌리다

вставание(중); почтить ~м 일어서서 경의를 표시하다, 일어서서 묵도하다

вставать (미완) ① 일어서다, 일어나다; рано ~вать 일찍 일어나다; ~вать из-за стола 상에서 일어서다; встать! 일어섯! ② 일며 서다, 궐기하다; ~вать на борьбу 투쟁에 궐기하다 ③ (해, 달, 등이) 돋다, 떠오르다; солнце встало 해가 떴다; река вс- тала 강물이 얼었다; ~ на путь 길에 들어서다; встать на чью сторону ...의 관을 들다; ~ на учёт 명단에 등록하다, 명부에 오르다

вставить (완) см. вставлять

вставка (여) 삽입한 글, 삽입

вставлять (미완) 끼워 넣다, 맞추어 넣다, 삽입하다; ~ стекло в раму 창틀에 유리를 넣다; ~ зубы 이를 해 넣다

встать (완) см. вставать

встревожить(ся)см. тревожить(ся)

встретить(ся) см. встречать(ся)

встреча (여) ① 만나는 것, 대면(對面), 상봉(相逢); ~ с друзьями 친구들과의 상봉; случайная ~ 우연한 상봉 ② 마중, 환영(회), 모임, 회견(會見), 영접(迎接); ~ на высшем уровне 고위급의 회견; ~ гостей 손님 마중 ③ (체육) 시합, 대전; ~ Нового года 새해맞이, 설맞이 (모임)

встречать (미완) ① 만나다, 맞다들다, 마주치다, 영접하다 ② 마중하다, 맞이하다;~ гостя 손님을 마중하다; ~ праз- дник 명절을 맞이하다 ③ 얻다, 받다; ~ поддержку 지지를 받다

встречаться (미완) ① 서로 만나다, 상봉하다, 마주치하다, 맞대면하다 ② 맞다들다, 봉착하다 ; ~ с трудностями 난관에 봉착하다 ③ 나타나다, 보게 되다, 눈에 뜨이다

встречный 만나는, 마주오는, 마주치는; ~ый ветер 맞바람; ~ иск (법학) 맞소송; ~ план 대응계획; первый ~ 처음 만난 (모르는) 사람

встряхивать, (미완) **встряхнуть** (완) 흔들다, 털다, 들추다; ~ платье 옷의 먼지를 털다

вступать (미완) ① 들어가다, 들어서다, 진입하다; ~ в город 도시에 들어가다 ② 가입하다, 입회하다, 가담하다; ~ в партию 입당하다, 당에 들다 ③ 개시하다, 착수하다; ~ в разговор 이야기에 끼우다; ~ в переговоры 교섭을 시작하다; ~ в силу 효력을 발생하다; ~ в строй 조업하다; ~ в должность 취임하다

вступительный(형) : ~ый взнос 입회금, 가입금, ~ое слово 개회사, 개막사; ~ый экзамен 입학시험

вступить (완) см. вступать

вступление (중) ① 들어가는 것, 가입, 입회, 가담; ~ в партию 입당 ② 머리말, 서문, 서론 ③ (음악) 서곡

всунуть (완) см. всовывать

всухомятку (부) (국이나 차 없이) 맨 빵으로; есть ~ 맨 빵으로 끼니를 에우다

всхлипывать (미완) 흐느끼다, 흐느껴 울다

всходить (미완) ① 오르다, 올라가다, 떠오르다 ② (해, 달이) 돋다, 뜨다 ③ 움트다, 싹이 트다

всходы (복수) 움, 눈, 맹아, 싹

всхожесть 눈트는 힘, 발아력, 발아를

всыпать, (미완) **всыпать** (완) 쏟다, 쏟아 넣다, 담다

всюду (부) 어디서나, 가는 곳마다, 도처에서; везде и ~ 그 어디를 가나, 방방곡곡에서; ото~ 사방에서

вся (여) см. весь

всякий (형) ① 각, 매개, 매, 어떤...든지; во ~ое время 언제든지; ~ий раз 매번; ~ий раз, когда ... ... 할 때 마다; ~ий человек 누구든지, 어떤 사람이든지, 사람마다 ② 온갖, 갖가지, 여러 가지, 잡다한; ~ ие товары 온갖 상품; без ~ ой причины 하등의 이유도 없이; без ~ ого сомнения 의심할 바 없이; на ~ий случай 만일의 경우를 생각하여; во ~ом случае 여하간, 어떤 일이 있어도, 하여튼

всячески(부) 갖가지로, 갖은 방법으로, 백방으로; ~ помогать 각방으로 돕다;~ стараться 백방으로 노력하다

всяческий (형) 모든, 갖가지, 각종; оказывать ~ую поддержку 백방의 지원을 주다.

втайне(부)비밀리에, 남모르게, 가만히

вталкивать (미완) 밀어 넣다, 들이밀다, 밀쳐 넣다

втаптывать (미완) 밟아 넣다, 다지다; ~ в грязь 얼굴에 똥칠하다, 중상하다

втаскивать, (미완) **втащить** (완) 끌어넣다, 끌어들이다, 끌고 들어가다, 끌어올리다

втекать (미완) 흘러들어가다

втереть (완) см. втирать

втечь (완) см. втекать

втирание (중) ① 비벼 (문질러) 스며들게 하는 것 ② 피부에 문대는 약, 비비는 약, 연고

втирать (미완) 문질러 스며들게 하다, 비벼 넣다, 문지르다; ~ мазь 고약을 비벼 넣다 (스며들게 문대다); ~ очки 눈을 속이다

втираться (미완) 헤치고 들어가다; ~ в доверие 교묘하게 신용을 얻다

втиснуть (완) 밀어 넣다, 들이밀다, 끼워 넣다, 눌러 넣다

втиснуться (완) 끼우다, 뚫고 들어가다, 끼워 들어가다

втихомолку (부) 가만히, 슬그머니, 남몰래

Втор(Пятая книга Моисея. Второзаконие 34장, 188 쪽) 신명기 (申命記, Deutero-nomy (히)Devarim ('말씀'이라는 뜻). 구약성서의 5번째 책

втолкнуть (완) см. вталкивать

втолковать,(완) **втолковывать** (미완) 일깨위주다, 납득시키다, 역설

하다

вторгаться, (미완) **вторгнуться** (완) ① 침입하다, 돌입하다, 침범하다, 침공하다; ~ разговор 말참견하다

вторжение 침입, 침공, 침범, 개입

вторить (완) ① 되풀이하다, 반복하다 ② 맞장구치다

вторично (또)다시, 재차, 두 번째로

вторичный (형) ① 재차, 두 번째; ~ вызов 두 번째 호출 ② 2 차적인, 제 2 기의, 부차적인; изделия ~ой обработки 2 차 가공품; ~ые признаки болезни 재발한 병

вторник (남) 화요일(火曜日)

второй(수) ① 둘째, 두 번째, 제 2;~ой раз 두 번째로; ~ой этаж 2 층; ~ ой том 제 2 권; ~ая очередь 다음 차례;~ой разряд 제 2 급; ~ое число 2 일 ② 부차적인, 2 차적인, 다음가는; играть ~ые роли 부차적인 역(할)을 놀다 ③ (명사로); ~ ое (식사의) 두 번째 음식; узнать из ~ых рук 간접적으로 알다; это ~ ой вопрос 이것은 2 차적인 문제; это ~ое дело 이것은 다음가는 일이다

второпях (부) 덤비면서, 바삐, 서두르면서, 조급히

второстепенный (형) ① 부차적인; ~ый вопрос 부차적인 문제 ② 평범한

в-третьих (부) 셋째로

втридорога (부) 세배나 (아주) 비싸게; продавать ~ 아주 비싸게 팔다

втрое (부) 세배로, 세배 더, 세 겹으로; увеличивать ~ 3(삼) 배로 증가하다; сложить ~ 세 겹으로 접다;~ больше 세배나 더 많다

втроём (부) 셋이서

втулка (여) (공학) 토시, 라이나

втыкать (미완) (바늘 등을) 꽂다, 찌르다, 들이꽂다, 꽂아 넣다

втягивать (미완) ① 끌어들이다, 끌어당기다 ② 빨아들이다, 들이빨다, 흡수하다 ③ 끌어넣다, 이끌다, 인입하다;~ в беду 재난을 당하게 하다

втягиваться (미완) ① 점차 들어가다 (들어서다), 끌려들어가다 ② 버릇 (습관)이 되다, 익숙해지다; ~ в курение 담배에 인이 박히다; ~ в работу 사업에 익숙해지다

вуаль (여) ① 보이루 ② 너울

ВУЗ (남) (высшее учебное заведение) 대학, 고등교육기관

вулкан(남) 화산(火山); действующий(потухший) ~ 활 (사) 화산

вулканизация(여)(공학) 고무의 유화

вулканизировать (완, 미완) (공학) 고무를 유화하다

вулканический(형) 화산(火山); ~ие острова 화산섬; ~ое озеро 화산호

вульгарный (형) 야비한, 속된, 상스러운, 비속한; ~ вкус 범속한 취미; ~ поступок 비루한 행동;~ материализм 속류유물론

вундеркинд (남) 신동(神童), 재능이 뛰어난 아이

вход (남) ① 들어가는 것, 입장(入場); плата за ~ 입장료; ~ воспрещён 입장 (출입)금지 ② 입구(入口), 문길; главный ~ 정문

входить (미완) ① 들어가다, 입장하다, 들어서다, 포함되다; ~ в дом

집으로 들어가다;~ в порт 입항하다; ~ в состав 성원으로 되다, 들어가다; ~в список 명단에 포함되다 ② (동작, 행동의 시작을 표시함);~ в привычку 버릇되기 시작하다, 버릇을 붙이다; ~ в моду 유행하기 시작하다 ③ 깊이 파고들어가다, 파악하다; ~ в суть дела 본질을 파악하다; ~ в подробности 세부에 파고들어가다; ~ в силу 효력을 발생하다; ~ в поговорку 격언이 되다; ~ в положение кого 처지를 이해해주다; ~ в строй 조업을 개시하다, 조업하다; ~ в курс дела 사업을 정통하다 ; ~ во вкус 취미 (만족)를 느끼기 시작하다, 취미를 붙이다

входной 입장(入場), 입구(入口); ~ой билет 입장권; ~ая плата 입장료; ~ая дверь 나들이 문, 출입문(出入門)

вхолостую(부) 헛되게, 공연히; машина работает~ 기계는 헛돌아간다(공회전하다)

вцепиться, (완) **вцепляться** (미완) 붙잡다, 움켜잡다, 거머잡다, 매달리다; ~ в волосы 머리칼을 움켜쥐다

ВЦСПС (Всесоюзный Центральный Совет Профессиональных Союзов) 전연맹직업동맹 중앙소비에트

вчера (부) 어제, 어저께; ~вечером 어제저녁에

вчерашний 어제, 어제 있는, 어제 날의; ~день 어제 날.

вчерне (부) 대충, 대략적으로, 초벌로; проект ~ готов 초안은 대충 준비되었다 (작성되었다)

вчетверо (부) 네 배로, 네곱으로, 네 겹으로; сложить ~ 네 겹으로 접다

вчетвером (부) 넷이서
в-четвёртых 넷째로
вчитаться, (완) **вчитываться** (미완) 정독하다, 숙독하다, 주의하여 읽다, 자세히 읽다
вшивый (형) 이투성이, 이꾸러기
въезд (남) ① (타고) 들어가는 것; при ~е в город 도시에 들어갈 때에; ~ в страну 입국 ② 입구(入口), 문, 어귀; узкий~ 좁은 입구
въезжать, (미완) **въехать** (완) ① (타고) 들어가다 (오다); ~ в город 도시에 들어가다; ~ в гору 산에 (타고) 올라가다 (오르다) ② 거주하다, 이사하다; ~ в новый дом 집들이하다
въездной (형) 입구(入口);~ая виза 입국사증(入國査證)
вы(인칭대) ① (вас (생, 대), вам (여), вами (조), о вас (전)) 당신; что с ва-ми? 당신은 무슨 일이 생겼습니까? бла-годарю вас 감사합니다. ② (복수) 당시들, 너희들, 여러분

выбалтывать, (미완) **выболтать** (완) (비밀을) 입 밖에 내다, 누설하다
выбегать, (미완) **выбежать** (완) 내닫다, 내달리다, 내달아 나오다 (나가다), 뛰어나가다 (나오다)
выбивать (미완) ① 쳐부수다, 두들겨 부시다; ~ стекло 유리를 두들겨 부시다; ~ дверь 문을 두드려 부수다 ② 때려내 쫓다, 격퇴하다;~ неприятеля 적을 격퇴하다 ③ 털어내다, 떨어내다, 쳐서떨구다; ~ пыль 먼지를 털다; ~ из колеи 정상적인 생활 (사업) 궤도에서 벗어나게

하다

выбирать (미완) ① 고르다, 골라내다, 추리다, 선택하다; ~ книгу 책을 고르다; ~профессию 직업을 선택하다 ② 선거 (선출)하다; ~ делегата 대표를 선거하다; ~свободный час 짬을 내다 (얻다)

выбираться (미완) 나오다, 빠져나오다, 벗어나다; ~ из затруднений 곤경에서 벗어나다; ~ в театр (겨우) 극장에 갈 짬을 얻다

выбиться (완) *см.* выбивать(ся)

выбоина (여) (길에 난) ① 웅덩이, 바퀴자리, 움파리 ② 페인자리, 홈

выболтать (완) *см.* выбалтывать

выбор (남) 선택, 선정, 골라내는 것; большой ~ товаров 다종다양한 상품; по ~у 성미에 따라; на ~ 마음대로 골라서

выборка (여) 골라내는 것, 뽑(아내)기, 선택; делать ~у 골라내다, 뽑(아내)다, 산택하다

выборность (여) 선거제; ~ руководя-щих органов 지도기관선거제

выборный (형) ① 선거(選擧), 선거 받은;~ая процедура 선거절차; ~ое лицо 선거 받은 사람 ② (병사로) (남) 선거 받은 사람, 대표자(代表者)

выборы (복수) 선거(選擧), 투표(投票); ~ в Верховный Совет 최고소비에트선거; всеобщие ~ 총선거

выбрасывать (미완) ① 내던지다, 내버리다, 집어던지다; ~ за окно 창문 밖으로 내던지다; ~ мусор 쓰레기를 내버리다 ② 제거하다, 삭제하다, 없애다; ~ строку 한 줄을 없애다 (지워버리다); ~ товар на рынок 상품을 시장으로 내보내다; ~ из головы 생각을 버리다, 단념하다; ~ лозунг 구호를 제기하다

выбрасываться (미완) 뛰어나가다, 뛰어내리다; ~ с парашютом 낙하산을 타고 내리다

выбрать(ся) (완) *см.* выбирать(ся)
выбрить(ся) (완) *см.* брить(ся)
выбросить(ся) *см.* выбрасывать(ся)

выбывать, (미완) **выбыть** (완) ① 나가다, 외출하다, 떠나다 ② 떨어져 나가다, 퇴직하다; ~ из школы 퇴학하다; ~ из списков 제명되다; ~ из строя 1.대열에서 떨어져 나가다 2.못쓰게 되다; ~ из игры (경기에서) 떨어져 나가다

вываливаться(미완), **вывалиться** (완)① 빠지다, 떨어지다 ② 밀려나오다

вываривать(미완), **выварить** (완) 삶아내다, 삶아서 얻어내다

выведать(완), **выведывать** (미완) 알아내다, 속뽑이하다, 탐지해내다; ~сокро-венное 속에 품은 것을 드러내놓게 하다; ~ тайну 비밀을 탐지하다

выведение(중) ①: ~ новых сортов 새 품종을 얻어내는 것 ②:~ формулы 공식의 유도③~ пятен 얼룩을 빼는 것

вывезти (완) *см.* вывозить
выверить (완) *см.* выверять
вывернуть(완) **вывёртывать** (미완) ① 틀어서 뽑다 (빼다), 비틀어 뽑다 ; ~ винт 나사못을 뽑다; ~ лампочку 전등알을 뽑다 ② 뒤집다; ~ карман 호주머니를 뒤집다 ③ 비틀다; ~ руку 팔을 비틀다

выверять (미완) 바로 잡다, 교정하다, 검사하다; ~ часы 시계를 맞추다

вывесить (완) *см.* вывешивать

вывеска (여) 간판(看板), 알림판, 게시판(揭示板); вешать ~у 간판을 내걸다; под ~ой *чего* ...의 간판 밑에, ...가면을 쓰고

вывестись (완) *см.* выводить(ся)

вывешивать (미완) 내걸다, 걸다, 게시하다; ~ объявление 과고를 붙이다; ~ флаги 기발을 내걸다(드리우다)

вывинтить (완), **вывинчивать** (미완) 돌려 빼다, 틀어 뽑다

вывих (남) (의학) 뼈 어김, 탈구, 탈골

вывихнуть (완) 뼈다, 접질리다; ~ногу 발목을 뼈다

вывод (남) ① 결론(結論), 귀착점(歸着點); приходить к ~у 결론에 이르다, 도출하다; делать ~결론을 짓다 ② 철거, 철병, 철퇴; ~ войск 군대의 철거 (철수) ③ (공학) 배출, 인출, 방출(放出)

выводить (미완) ① (*кого*) 데려 내가다, 이끌어내다, 철퇴시키다, 철거하다; ~ войска 군대를 철거하다, 철병하다 ② 제명하다, 축출하다; ~ из состава президиума 상임위원회에서 제명하다 ③ 자래우다, 키워내다, 길러내다, 배양하다; ~ новый сорт 새로운 품종을 배양하다; ~ цыплят 병아리를 까다 ④ (해충 등을) 없애다, 박멸하다; ~ клопов 빈대를 없애다 ⑤ (얼룩 등을) 빼다 ⑥ (결론, 공식 등을) 짓다, 끌어내다; ~ формулу 공식을 유도하다 ⑦ (어떤 상태, 처지에서) 벗어나게 하다; ~ из трудного положения 곤경에서 벗어나게 하다; ~ из беды 재난에서 구출하다; ~ из себя *кого* 자제력을 잃게 만들다, 성나게 하다;~ из строя 대열에서 제거하다, 전투능력을 잃게 만들다, 못쓰게 만들다, 멎게 만들다; ~ из равновесия 마음의 안정을 깨뜨리다

выводиться (미완) ① 없어지다, 사라지다, 소멸되다 ② (병아리, 새끼가) 까나오다

выводок (남) 한배의 새끼들; ~ цыплят 한배의 병아리; утиный ~ 오리 한배

вывоз (남) ① 실어내는 것, 반출(搬出) ② 수출(輸出), 수출액; ~ капитала 자본수출; ~ и ввоз 수출과 수입

вывозить (미완) ① 실어내다, 반출하다, 실어가다 ② 수출하다

выворачивать (미완) *см.* вывернуть

выгадать, (완) **выгадывать** (미완) 이득을 보다, 벌다, 절약하다; ~ время 시간을 얻어내다

выгибать (미완) 굽히다, 구부리다

выгибаться (미완) 구부러지다, 휘어지다

выгладить (완) *см.* гладить ②

выглядеть (미완) ...처럼 보이다, ...모양을 하다; ~ больным 앓는 사람처럼 보이다; хорошо ~ 얼굴색 (신색, 안색)이 좋다; плохо ~ 얼굴색 (신색, 안색)이 나쁘다; ~ молодо 젊어 보이다

выглядывать (미완), **выглянуть** (완) 내다보다; ~ наружу 밖을 (내다)보

다; ~ в окно 창밖을 내다보다
выгнать (완) *см.* выгонять
выгнуть(ся) (완) *см.* выгибать(ся)
выговаривать (미완) ① 발음하다, 말하다 ② 나무람하다, 꾸짖다
выговор ① 말씨, 말루, 발음; плохой ~ 발음이 나쁘다; местный ~ 지방말씨 ② 책망(責望), 질책, 꾸지람, 꾸중; строгий ~ 엄중경고; делать ~ 꾸지람하다, 책망하다; получать ~ 책망을 듣다;
выговорить (완) *см.* выговаривать
выгода (여) 이익(利益), 이득(利得); взаимная ~ 호혜
выгодно (부) 유리하게, 이익이 나게
выгодный (형) 이익이 되는, 유익한, 이로운, 유리한; ~ая сделка 유익한 거래; представлять себе в ~ом свете 유리한 측면을 생각하다
выгон (남) (방) 목장, 방목지(放牧地)
выгонять (미완) ① 쫓아내다, 몰아내다; ~ вон из дому 집에서 쫓아내다;~скот 집짐승을 내몰다 ② ~ с работы 일자리에서 내쫓다, 퇴직시키다; ~ из школы 출학시키다
выгораживать (미완) *кого* 변명하다, 변호하다, 감싸주다
выгорать, (미완) **выгореть** (완) ① 다 타버리다, 타 없어지다 ② (해별에) 색이 날다, 색이 바래다, 퇴색하다
выгребать(미완) **выгрести**(완) 긁어내다; ~ золу 재를 긁어내다 (체내다)
выгружать, (미완) **выгрузить** (완) (짐, 화물)을 부리다

выгрузка (여) 짐 (화물) 부리기, 짐 (화물) 내리기, 하차; место ~и 짐 (화물) 부림터, 하차장
выдавать (미완) ① 내주다, 주다, 넘겨주다, 발급하다, 교부하다, 수여하다; ~ пропуск 통행증을 내주다; ~ премию 상을 주다 ② 배반하다, 일러바치다, 드러내줏다, 폭하다; ~ тайну 비밀을 털어놓다 ③ 생산해내다, 짜내다, 만들어내다, 내놓다; ~ продкуцию сверх плана 제품을 넘쳐 생산해내다 ④ за кого-что ...체하다, ...이라고 하다, ...으로 가장하다, 속여 내놓다; ~ себя за учёного 학자인체 하다; ~ замуж 시집보내다; ~себя 눈치를 보이다, 자기의 정체를 드러내다 (노출시키다)
выдаваться (미완) ① 뻐죽 나오다, 돌출하다 ② 생기다, 있다; выдался случай 기회가 생겼다 ③ (특별히) 뛰어나다, 뻐어지다.
выдавить, (완) **выдавливать** (미완) ① 짜내다, 짜다 ② 눌러서 깨다 (다스다); ~ слова 말을 짜다
выдалбливать (미완) 쪼아내다, 쪼아 만들다, 우비다
выдать(ся) (완) *см.* выдавать(ся)
выдача (여) ① 내주는 것, 넘겨주는 것, 발급(發給) ② 교부(交付), 분배
выдающийся ① выдаваться ...의 능동현재 ② 뛰어난, 탁월한, 특출한, 출중한; ~ееся достижение 특출한 성과; ~аяся личность 출중한 사람;~ийся талант 뛰어난 재능
выдвигать (미완) ① 내놓다, 빼내다, 내밀다, 앞으로 옮겨놓다 ② 제기하다, 제출하다; ~ предложение

제의하다 ③ 추천 (추대)하다; ~ кандидатуру 후보자를 추천하다; ~ на должность (пост) 직위에 등용하다

выдвигаться (미완) ① 앞으로 나서다 (나가다), 진출하다 ② 삐죽 나오다, 돌출하다 ③ 등용되다

выдвижение (중) ① 제기(提起), 제출(提出), 선출 ② 추천; ~ кандидатов 후보자추천 ③ 등용; ~ кадров 간부등용

выдвинуть(ся) см. выдвигать(ся)

выдворить, (완) выдворять (미완) 추방하다, 내쫓다, 몰아내다

выделать см. выделывать

выделение (중) ① 분리(分利), 선출(先出), 선발(先發); ② 분여, 분배, 할당 ③ (생리); 분비 (물), 배설 (물), 배출(排出); органы ~я 배설기

выделить(ся) см. выделять(ся)

выделка (여) 가공(加功), 제각(題刻); ~ кож 제혁(製革)

выделывать (미완) 가공하다, 만들어내다, 제작 (제조)하다; ~ кожи 생가죽을 이기다

выделять (미완) ① 갈라내다, 뽑아내다, 선발하다 ② 분여하다, 할당하다, 지출하다 ③ (생리) 분비(배설)하다

выделяться (미완) ① 뛰어나다, 빼어나다, 특출해지다 ② (생리) 분비(배설, 배출)되다 ③ 떨어져나가다, 분리되다; ~из семьи 세간(을)나다

выдёргивать(미완) 잡아 뽑다, 잡아채다, 당겨빼다 ~зуб 이를 (잡아)뽑다

выдержанный ① **выдерживать...** 의 피동과거 ② (형) 자제력 있는, 인내성 있는, 침착한

выдерживать (미완) ① 견디어내다, 참아내다, 버티다, 이겨내다; ~ пытки 고문을 이겨내다 ② 합격하다; ~ экза мен 시험에 합격하다③ (술, 담배 등을) 오래 묶여두다; верёвка выдержала 줄이 끊어지지 않았다; ~ несколько изданий 여러 번 거듭 출판되다

выдержка I (여) 자제력(自制力), 인내성(忍耐性), 견딜성, 뒷심; проявлять ~y 인내성을 발휘하다

выдержка II (여) 인용문, 발췌문

выдернуть (완) см. выдёргивать

выдолбить (완) см. выдалбливать

выдох (남) 내쉬는 숨, 날숨, 숨을 내쉬는 것

выдохнуть(ся) см. выдыхать(ся)

выдра (여) 수달(水獺), 수달피

выдрать (완) см. драть ②

выдрессировать см. дрессировать

выдумать (완) см. выдумывать (미완) ① 생각해낸 것, 짜낸 것, 발명, 꾸며내는 것; ~ новую игру 새로운 놀음을 생각해내다

выдыхать (미완) 숨을 내쉬다

выдыхаться (미완) ① 냄새가 빠지다, 맛이 없어지다 ② 힘(맥)이 빠지다, 기진맥진하다, 무기력해지다

выезд (남) ① 떠나는 것, 출발(出發) ② 어귀, 출구(出口)

выездной (형) 외출용; ~ая виза 출국사증; ~ая сессия суда 현지 재판

выезжать (미완) (타고) 떠나다 (나가다), 출발하다; ~ в командировку 출장을 가다

выемка (여) ① 홈, 우묵한 곳 ② 꺼내는 것, 파내는 것, 추출; ~ земли(грунта) 흙 따기, 절토; ~

писем 편지의 압수
выехать (완) *см.* выезжать
выжать (완) **см.** выжимать
выждать (완) *см.* выжидать
выжечь (완) *см.* выжигать
выживать (미완) ① 살아나다, 살아남다; он не выживет (완) 그는 오래 살지 못할 것이다 ② *кого* ...를 퇴거시키다, 살아있지 못하게 만들다, 쫓아내다; ~ из дома 집에서 내쫓다; ~ из ума 노망하다, 망령들다
выжигание (중) ① 낙인(烙印)하는 것 ② 숯구이
выжигать (미완) ① 태우다, 태워버리다 ② (쇠붙이 따위로 문의, 표식 등을) 새기다; ~ клеймо 낙인(烙印)하다; ~ на дереве 나무에 새기다
выжидание (중) 대기, 기회를 노리는 것, 엿보는 것
выжидать (미완) 기다려내다, 대기하다, 엿보다; ~ удобный случай 기회를 엿보다 (노리다)
выжимать (미완) ① 짜내다, 짜다; ~ бельё 빨래를 짜다 (비틀어 짜다, 틀어 짜다); ~ сок 즙을 짜내다 ② (체육) 밀어 올리다, 추상하다; ~ все соки 고혈 (피땀)을 짜내다
выжимки (복수) 찌끼, 찌꺼기; бобовые ~ 콩깨묵
выжить (완) *см.* выживать
вызвать(ся) (완) *см.* вызывать(ся)
вызволить, (완) **вызволять** (미완) 건져내다, 구출(救出)하다, 구원(救援)하다, 구해내다; ~ из беды 재난에서 구출하다
выздоравливать(미완),**выздороветь** (완) 완쾌되다, 병이 낫다, 완치되다
выздоровление (중) 완치, 완쾌, 회복
вызов (남) ① 불러내는 것, 호출, 소환 ② 도전; бросать ~ 도전하다
вызубрить (완) *см.* зубрить
вызывать (미완) ① 불러내다, 부르다, 호출하다; ~ в суд 법정으로 호출하다; ~ по телефону 전화로 불러내다 ② 호소하다, 추동하다; ~ на борьбу 도전하다; ~ на соревнование 경쟁을 호소하다 ③ 일으키다, 일구다, 야기시키다, 자아내다; ~ интерес 흥미를 자아내다; ~ аппетит 입맛을 돋다;~ недовольство 불만을 사다; ~ сомнение 의심을 사다
вызываться (미완) ① 자청하다, 자진해 나서다; ~ помочь 도와주겠다고 자진해 나서다 ② *чем* ...에 의하여 야기되다
вызывающе (부) 도전적으로, 불손하게, 뻔뻔스럽게; вести себя ~ 도전적으로 (불손하게) 행동하다
вызывающий ① вызывать 의 능동현재 ② (형) 도전적인, 불손한, 살똥스러운; ~ вид 건방진 태도
выиграть, (완) **выигрывать** (미완) ① 이기다, 승리하다; ~ войну 전쟁에서 이기다 (승리하다) ② (추첨 등에서) 당첨되다, 당첨되어 얻다, 따다 ③ 이익을 보다; ~ время 시간적 여유를 얻다
выигрыш (남) ① 맞은 돈, 딴 돈, 당첨금 ② 이득, 이익
выигрышный (형) ① 유리한, 우세한; ~ое дело 이익을 얻을 만한 일; ~ое по ложение 유리한 (우세

한) 입장 ②; ~ый заём 당첨공채; ~ый вклад 추첨제저금
выйти (완) *см.* выходить
выказать, (완) **выказывать** (미완) 표시하다, 보여주다, 과시하다;~ храбрость 과감성을 나타내다
выкалывать(미완) 찌르다, 찔러서 빼내다, 꿰뚫다; темно, хоть глаз выколи 눈알을 빼가도 모를 만큼 어둡다
выкапывать (미완) ① 파다; ~ яму 구덩이를 파다 ② 파내다, 캐내다, 발굴하다; ~картофель 감자를 캐내다 ③ 찾아내다
выкармливать (미완) 키우다, 길러내다, 사육하다
выкатить, (완) **выкатывать** (미완) 굴려내다
выкачать(완), **выкачивать**(미완) (펌프로) 빨아내다, 빨아올리다; ~ деньги 돈을 빼앗아내다; ~ прибыль 이윤을 짜내다
выкидывать *см.* выбрасывать
выкипать, (미완) **выкипеть** (완) 끓어 없어지다, 끓어 증발하여버리다
выкладывать ① 내놓다, 꺼내놓다 ② 깔다, 펴다; ~ дорогу галькой 찻길에 자갈을 펴다; ~начистоту 까바치다, 다 (툭) 털어놓다
выкликать, (미완) **выкликнуть** (완) (큰소리로) 불러내다 (부르다) 호명하다, 외치다
выключатель (남) (전기) 스위치, 개폐기, 여닫게
выключать, (미완) **выключить** (완) ① 끄다, 차단하다; ~ электричество 전기 (스위치)를 끄다; ~ радио 라디오를 끄다; ~ мотор 모터(발동기)를 멈추다 ② 빼버리다, 제명하다, 삭제하다; ~ из списка 명단에서 삭제하다
выковать, (완) **выковывать**(미완) *см.* ковать
выколачивать,(미완) **выколотить** (완) *см.* выбивать
выколоть (완) *см.* выкалывать
выкопать (완) *см.* выкапывать
выкормить (완) *см.* выкармливать
выкорчевать, (완) **выкорчёвывать** (미완) ① 뿌리채 뽑다; ~ пень (나무) 그루터기를 뽑아내다 ② 근절하다, 뿌리 뽑다, 뿌리 빼다
выкрасить (완) *см.* красить
выкрик(남)고함, 외침 (소리), 부르짖음
выкрикивать, (미완) **выкрикнуть** (완) 소리치다, 소리쳐 부르다, 부르짖다, 외치다
выкроить(완) *см.* кроить ~ время 시간을 짜내다
выкройка (여) 본, 본보기; делать ~у 본을 뜨다
выкрутить, (완) **выкручивать** (미완) (돌려서) 빼다;~ лампочку 전구를 빼다
выкрутиться, (완) **выкручиваться** (미완) ① 돌아가면서 빠지다 ② (불쾌한 또는 불리한 처지에서) 모면하다, 빠져나오다, 벗어나다
выкуп (남) ① 몸값 ② 저당물을 찾아내는 돈
выкупать (완) *см.* купать(ся)
выкупать, (미완) **выкупить** (완) ① (저당물을) 되찾다 (찾아내다, 찾아오다) ② 몸값을 내고 해방하다
выкуривать(미완) **выкурить** (완) ① (담배를) 다 피워버리다, 피우다 ② 쫓아내다

вылавливать (미완) 잡아내다, 건지다; ~ всю рыбу 물고기를 모조리 잡아내다

вылазка (여) ① 출격(出擊), 기습 ② 산보, 들놀이; лыжная ~ 스키 들놀이

выламывать (미완) 쳐부수다, 마스고 빼내다, 깨뜨려 빼내다

вылезать, (미완) **вылезть** (완) ① 기여 나가다, 기어 나오다; ② 나오다, 내리다; ~ из трамвая 전차에서 내리다 ③ (머리칼, 털 등이) 빠지다; волосы вы- лезли 머리칼이 빠졌다

вылепить (완) см. лепить

вылет (남) ① 날아가는 것, 날아오르는 것 ② 이륙(離陸), 비행기의 출발

вылетать(미완), **вылететь**(완) ① 날아나다, 날아가다, 날아오르다 ② 이륙하다, 출발하다; вылететь из головы 기억에서 사라지다, 잊혀지다

вылечивать(ся) см. вылечить(ся)

вылечить (완) 완치하다, 병을 고치다

вылечиться (완) 완치되다, 다 낫다, 완쾌되다, 아물다

выливать (미완) 따르다, 붓다, 쏟다, 엎지르다

выливаться (미완) ① 쏟아지다, 흘러나오다, 새어나오다 ② *во что* 전화되다, ...로 화하다, ...로 되다

вылитый : он ~ отец 그는 아버지와 생김새가 똑같다

вылить(ся) (완) см. выливать(ся)

выловить (완) см. вылавливать

выложить (완) см. выкладывать

выломать (완) см. выламывать

вылупиться, (완) **вылупляться** (미완) 껍데기를 까고 나오다

вымазать(ся) (완) см. мазать(ся)

выманивать, (미완) **выманить** (완) ① *кого;* 유인하다, 꾀여내다 ② *что* 꾀여 빼앗다, 속여먹다

выматывать (미완) 맥빠지게 하다, 지치게 하다; ~душу 기진맥진케 하다

вымачивать (미완) см. мочить ②

выменивать, (미완) **выменять** (완) 바꾸어서 얻다, 교환하여 얻다, 바꾸다

вымереть (완) см. вымирать

вымерзать, (미완) **вымерзнуть** (완) 얼어 죽다, 얼어버리다

вымести, (완) **выметать** (미완) 쓸어내다, 쓸어버리다, 소제하다; ~ сор из ко-мнаты 방안에서 쓰레기를 쓸어내다; ~ двор 마당을 청소하다

вымирание (중) 사멸(死滅), 죽어 없어지는 것, 죄다 죽는 것, 몰사(沒死)

вымирать (미완) ① 사멸하다, 몰사하다 ② 황폐해지다

вымогательство(중)강요(强要), 강청

вымогать (미완) 강청하다, 강요하다;~ деньги 돈을 강요하여 받다

вымокать,(미완) **вымокнуть** (완) 젖다, 속속들이 젖다; ~ до нитки 흠뻑 젖다

вымолвить (완) 말을 꺼내다, 말하다; он не ~л ни слова 그는 말 한 마디도 하지 못하였다

вымолить (완) см. выпрашивать

вымостить (완) см. мостить

вымотать (완) см. выматывать

вымочить (완) *см.* мочить
вымпел (남) ① (해양) 돛대기 (국적을 표시하는 기발) ② (항공) 통신 배달통 ③ (체육) 페난트
вымысел (남) ① 상상(想像), 허구(虛構) ② 거짓말, 허위, 날조; сплошной ~ 순전한 허튼소리
вымыть(ся) (완) *см.* мыть(ся)
вымышленный (형) 꾸며낸, 상상한, 허위; ~ое имя 가짜이름, 가명
вымя (중) (짐승의) 젖통
вынашивать (미완) 숙고하다; ~ мысль 생각을 익히다; ~ план 계획을 성숙시키다
вынести (완) *см.* выносить
вынимать (미완) 꺼내다, 빼내다, 뽑아내다, 집어내다; ~ занозу 가시를 빼내다
вынос (남): ~ тела 발인
выносить (미완) ① 내가다, 가져가다, 들어내다; ~ из дома 집에서 내가다 ② 참아내다, 견디어내다, 이겨내다; ~ боль 아픔을 참아내다; ~ тяжёлые испыта-ния 어려운 시련을 견디어내다 (이겨내다); я его не ~шу 나는 그를 보기도 싫다; ~ приговор 판결을 내리다; ~ благодарность 감사를 드리다; ~ вопрос 문제를 제기하다; ~ впечатление 인상을 받다
выносливость (여) 참을성, 견딜성, 인내성, 견인성, 지구성
выносливый (형) 참을성 있는, 인내성 있는, 견딜힘이 센
вынудить(완) **вынуждать**(미완) что-л. делать ...하게 하다, ...시키다, 강제로...하게 하다 (시키다), 강압적으로...하게 하다; ~ согласиться (강제로) 동의하게 하다, 동의를 받아내다; ~ противника отступить 적으로 하여금 퇴각케 하다
вынужденный (형) 부득이한; быть ~ым что-л. сделать ...할 수 밖에 없다, 부득이...하게 되다;~ая посадка 불시착륙(不時着陸)
вынуть (완) *см.* вынимать
вынырнуть (완) (물위에) 헤어 나오다 (떠오르다), 물속에서 불쑥 나오다
выпад (남) 적대행동, 공격, 비난, 독설
выпадать (미완) ① 떨어지다; ~ из рук 손에서 떨어지다 ② 빠지다; волосы выпали 머리칼이 빠졌다 ③ (비, 눈이) 내리다, 오다; выпала роса 이슬이 내렸다; выпал снег 눈이 내렸다; выпало счастье 행운이 텄다
выпасть (완) *см.* выпадать
выпачкать(ся) *см.* пачкать(ся)
выпекать, (미완) **выпечь** (완) 구워 만들다, 굽다
выпивать (미완) *см.* пить
выпиливать, (미완) **выпилить** (완) (톱으로) 도려내다, 따내다, 톱으로 켜서 만들다
выпирать (미완) 앞으로 (밖으로) 나오다, 불쑥거리다, 돌출하다
выписать(ся) *см.* выписывать(ся)
выписка(여)발췌한 것, 발췌문, 인용문
выписываться(미완): ~ из больницы 퇴원하다
выпить (완) *см.* выпивать
выпихивать (미완), **выпихнуть** (완) 밀어내다, 밀어 던지다, 내쫓다
выплавить (완) *см.* выплавлять

выплавка (여) (공학) ① 용해(鎔解), 용해하여 뽑아내는 것; ~ стали 제강 ② 용해량; суточная ~ 하루용해량

выплавлять (미완) 용해하여 뽑아내다, 용해하다; ~ чугун 선철을 뽑다 (생산하다); ~ сталь 제강하다

выплата (여) 지불(支拂), 꺾어 물기; ~ долга 빚을 갚는 것; ~ зарплаты 노임지불

выплатить, (완) выплачивать (미완) 지불하다, 다 물다, 물어주다, 치르다; ~ долги 빚을 갚다

выплёвывать (미완) 뱉다, 내뱉다, 뱉아 버리다

выплёскивать, (미완) выплеснуть (완) (물 등을) 내뿌리다, 쏟뜨리다

выплывать, (미완) выплатить (완) ① 헤엄쳐 나오다, 떠오르다 ② 나타나다, 들어나다

выплюнуть (완) *см.* выплёвывать

выползать, (미완) выползти (완) 기어나오다, 기어나가다

выполнение (중) 수행(修行), 완수(完遂), 실행(實行), 이행(移行); ~ плана 계획의 완수; ~ приказа 명령의 이행

выполнить, (완) выполнять (미완) 수행하다, 완수하다, 해내다, 실시하다; ~ план 계획을 완수하다; ~ работу 일을 해내다; ~ свой долг 임무를 수행하다

выполоскать (완) *см.* полоскать

выполоть (완) *см.* полоть

выпотрошить (완) *см.* потрошить

выправить (완) *см.* выправлять

выправка (여) 몸가짐, 자세; военная ~ 군인다운 자세

выправлять (미완) ① 바로잡다, 개선하다, 고치다; ~ положение 사태를 바로잡다 ② 펴다, 곧게 하다, 고르잡다

выпрашивать (미완) 졸라서 얻다, 간청하다

выпроваживать(미완),**выпроводить** (완) 나가게 하다, 쫓아보내다, 쫓아내다

выпросить (완) *см.* выпрашивать

выпрыгивать(미완)**выпрыгнуть** (완) 뛰어나오다, 뛰어나가다, 뛰어내리다

выпрягать(미완),**выпрячь**(완) 마구를 풀다; ~ лошадь 마차에서 말을 떼다

выпрямитель(남)(공학)정류관, 정류기

выпрямить(ся) *см.* выпрямлять(ся)

выпрямлять (미완) 펴다, 곧게 하다; ~ проволоку 쇠줄을 펴다

выпрямляться (미완) 펴지다, 곧아지다, 바로 서다, 허리 (몸)를 펴다

выпрячь (완) *см.* выпрягать

выпуклость (여) 불룩 나오는 것, 불거진 것, 돌출부

выпуклый (형) ① 볼록한, 불룩나온; ~ое зеркало 볼록거울 ② 불거진, 두두룩한

выпуск (남) ① 생산(生産), 생산량; ~ продукции 제품생산 ② 졸업(卒業), 졸업식 ③ 졸업생수 ④ 발행(發行), 발간; ~ займа 공채발행

выпускать (미완) ① 내보내다, 놓아주다; ~ из рук 놓치다 ② 생산하다, 만들어내다; ~ продукцию 제품을 생산하다 ③ 졸업시키다 ④ 발행(발간)하다;~ заём 채권을 발행하다 ⑤ 석방하다, 내놓다, 놓아 보내

다.

выпускник, (남)**~ца** (여) 졸업생(卒業生), 졸업반학생

выпускной (형) ①: ~ые экзамены 졸업시험 ② (공학): ~ой клапан (공학) 배기변; ~ое отверстие 배출구, 뺄 구멍

выпустить (완) *см.* выпускать

выпутаться (완) *см.* выпутываться (미완) ① 풀려나오다 ② 빠져나오다, 벗어나다; ~ из беды 불행에서 빠져나오다

выпучивать, (미완) **выпучить** (완); ~ глаза 눈을 부릅뜨다

выпытать, (완) **выпытывать** (미완) 알아내다, 실토케하다, 밝혀내다

вырабатывать(미완) **выработать** (완) ① 생산하다, 만들어내다, 짜내다, 제작하다; ~ много ткани 천을 많이 싸내다 ② 작성하다; ~ проект 초안을 작성하다 ③ 기르다, 배양하다; ~ силу воли 의지력을 기르다

выработка (여) ① 생산(生産), 제작(製作); ~а электроэнергии 전력생산 ② 생산품(生産品) ③ 생산량, 생산고(生産高); повышать норму ~и 생산기준량을 높이다

выравнивать (미완) 고르게 하다, 평탄하게 하다, 평평하게 하다; ~ дорогу 길바닥을 고르게 하다 (평탄하게 하다); ~ строй 대열을 맞추게 하다

выражать (미완) 표현하다, 표시하다, 나타내다; ~ неудовольствие 불만을 표시하다; ~ мысль 사상을 표현하다; ~ благодарность 감사의 뜻을 표현하다; ~ в цифрах 수자로 표시하다

выражаться (미완) ① 말하다 ② 나타나다, 표현되다, 표시되다

выражение (중) ① 표현(表現), 표명(表明), 표시(標示) ② 말, 말투 ③ (수학) 식(式); алгебраическое ~ 대수식; ~лица 얼굴 표정, 내색; ~ глаз 눈치

выраженный:ярко~ 뚜렷하게 나타난

выразитель (남) 구현자, 표현자

выразительно (부) ① 표현력있게, 표정이 풍부하게, 뚜렷이 ② 실감 있게, 의미심장하게; смотреть ~ 의미심장하게 바라보다

выразительный (형) ① 표현력이 강한, 표현성이 풍부한; ~ое чтение 표현독 ② 표정이 풍부한, 의미심장한, 뜻깊은; ~ое лицо 표정이 풍부한 얼굴; ~ый взгляд 의미심장한 눈치

выразить(ся) *см.* выражать(ся)

вырастать, (미완) **вырасти** (완) ① 자라나다, 자라다, 성장하다 ② 커지다, 증대되다, 늘어나다 ③ 어른(성인)이 되다, 다 자라다

вырастить, (완) **выращивать** (미완) ① 키우다, 기르다, 키워내다, 재배하다, 가꾸다; ~ детей 아이들을 기르다; ~ дерево 나무를 자래우다 ② 교양(양성)하다; ~ национальные кадры 민족 간부를 양성하다

вырвать I (완) *см.* вырывать

вырвать II (완) *см.* рвать II

вырваться (완) *см.* вырываться

вырезать, (미완) **вырезать** (완) ① 베여내다, 잘라내다;~ заметку из газеты 신문에서 기사를 오려내다 ② 조각하다, 새기다

вырезка ①: газетная ~ 신문에서 오려낸 발췌문 ② (등심에서 제일 좋은) 살고기

вырисовываться (미완) 뚜렷이 나타나다, 똑똑히 보이다

выровнять (완) *см.* выравнивать

выродиться, (완) **вырождаться** (미완) 변질하다, 퇴화하다, 나쁘게 되다

вырождение (중) 퇴화(退化), 변질

выронить (완) *см.* ронять

вырубать, (미완) **вырубить** (완) (모조리) 베여버리다, 찍어내다, 채벌하다

вырубка (여) ① 나무베기, 채벌(採伐) ② 나무벤자리, 나무베기터

выругать (완) *см.* ругать

выручать, (미완) **выручить** (완) ① 건져내다, 구출하다, 도와주다, 살려주다; ~ из беды 재난에서 구출하다 ② 벌다, 건지다; ~ капитал 밑천을 건지다; ~ деньги (за товар) 팔아서 돈을 가지다

выручка (여) ① 수익금(收益金), 돈, 매상고 ② 구출(救出), 구원, 건져내는 것; идти на ~y 구원하러 떠나다

вырывать I (미완) 잡아빼다, 빼내다, 뽑아내다, 뜯어내다; ~ из рук 손에서 빼앗다; ~ страницу из книги 책에서 한 장을 찢어내다; ~ признание 강제로 자백시키다

вырывать II (미완) ① 파다; ~ яму 구덩이를 파다 ② 파내다, 캐내다;~камень 돌을 파내다

вырываться(미완) ① 떨어지다, 빠지다; из книги вырвалась страница 책은 한 페이지가 떨어졌다; стакан вырвался из рук 컵이 손에서 떨어졌다 ② 벗어나다, 빠져나오다, 탈출하다; ~из окруже-ния 포위망에서 빠져나오다; ~ вперёд 앞으로 돌진하다, 앞서다

вырыть (완) *см.* вырывать II

высадить(ся) *см.* высаживать(ся)

высадка (여) ① 내리우는 것, 내리는 것, 상륙(上陸), 착륙(着陸)② ~десанта 특전대의 상륙(착륙), 옮겨심기, 떠옮기기; ~ рисовой рассады 모내기

высаживать (미완) ① 내리우다 (차에서) 내리게 하다, 상륙시키다, 착륙시키다;~ пассажира 여객을 내리게 하다; ~ десант 특전대를 상륙(착륙)시키다 ② 옮겨심다, 떠옮기다, 심어가꾸다

высаживаться (미완) (차, 배에서) 내리다, 상륙하다

высасывать (미완) 빨아먹다, 빨아내다; ~ все соки 고혈을 짜내다; ~из пальца 근거없이 꾸며내다

высверливать, (미완) **высверлить** (완) 구멍을 뚫다

высвободить, (완) **высвобождать** (미완) ① 해방하다, 벗어나게 하다, 구출하다 ② 빼내다; ~ ногу из стремени 발을 등자에서 뽑다

высевать,(미완)**высеять** *см.* сеять

высекать (미완) 새기다, 돌을 깎아 조각하다; ~ огонь 부시를 치다

выселение (중) ① 이주시키는 것 ② 추방(追放). 축출(逐出), 추실(追失), 출방.

выселить, (완) **выселять** (미완) 이주시키다, 추방하다; ~ из квартиры 주택을 내게 하다

высечь (완) *см.* сечь

высидеть, (완) **высиживать** (미완) ① (알을 품어서) 까다; ~ цыплят 병아리를 까다 ② 오래 앉아있다 (앉아서 기다리다)

выситься (미완) 솟아있다, 우뚝 (높이) 솟아있다, 드솟다

выскабливать (미완) ① 긁어내다, 깎아내다, 오비다 ② 깨끗하게 하다, 깨끗이 하다 (닦다)

высказать(ся) см. высказывать(ся)

высказывание (중) ① 발언(發言), 진술(陳述) ② 소견(召見), 의견(意見)

высказывать (미완) 말하다, 발언(發言)하다, 말로 표현하다, 진술하다; ~ своё мнение 자기 의견을 말하다

высказываться(미완) 발언하다, 생각(의견)을 말하다, 진술하다;откровенно ~ 토로하다; ~ за ...에 찬성하여 발언하다; ...에 찬동하다; ~ против ...에 반대하다; ~ в пользу кого-чего ...의 이익을 위하여 발언하다, ...하도록 말하다

выскакивать (미완) ① 내뛰다, 뛰어나오다, 뛰어나가다, 뛰어내리다;~ из ком-наты 방에서 뛰어나오다; ~из трамвая 전차에서 뛰어내리다 ② 빠지다, 떨어지다; стакан выскочил из рук 컵이 손에서 떨어졌다; выскочить из головы 기억에서 사라지다

выскальзывать ① 미끄러져 떨어지다 (빠져나가다) ② 슬그머니 나가버리다, 살짝 빠져나가다, 뺑소니를 치다

выскоблить (완) см. выскабливать
выскользнуть см. выскальзывать
выскочить (완) см. выскакивать

выслать (완) см. высылать
выследить, (완) **выслеживать** (미완) ① 자취를 찾아내다, 종적을 찾다;~зверя 짐승의 자취를 찾아내다 ② 몰래 따라다니다, 미행하다

выслуга (여) 근무 년한, 연금; пенсия за ~у лет 근무 년한에 대한 연금

выслуживаться(미완),
выслужиться (완) перед кем 아첨하여 신망을 얻다

выслушать(완), **выслушивать** (미완) ① (끝까지) 듣다 ② (의학) 청진하다

высмеивать(미완), **высмеять** (완) 비웃다, 조롱하다, 조소하다

высморкаться см. сморкаться
высовывать (미완) 내밀다, 밀어내다, 내놓다; ~ зяык 혀를 내밀다

высовываться (미완) ① 내다보다 ② 보이다, 불쑥 밖으로 나오다, 나타나다 ③ 삐어져 나오다.

высокий(형) ① 높은, 드높은, 키큰; ~ дом 높은 집; ~ая цена 높은 값; ~ человек 키가 큰 사람; ~ урожай 높은 수확 ② 고상한, 고귀한, 고매한; ~ое звание 고귀한 칭호; Высокие Догова-ривающиеся Стороны 체약고위쌍방

высоко (부) ① 높이, 크게, 고상하게 ② (술어로) 높다

высоковольтный(형) (전기) 고압; ~ая линия передачи 고압송전선

высокогорный(형) 고산(高山); ~ район 고산지대

высокоидейный (형) 사상성이 높은

высококачественный (형) 질이 높은, 품질이 좋은, 고급의; ~ товар

고습상품; ~ое зерно 우량곡

высококвалифицированный (형) 자질 (기능)이 높은; ~ рабочий 숙련노동자, 숙련공, 고급(기능)공

высокомерие (중) 거만, 교만(驕慢)

высокомерный (형) 거만한, 교만한

высокопарный (형) 과장된, 분식된

высокопоставленный(형)고위급, 지위가 높은; ~ое лицо 고위급인사, 고관

высокопроизводительный(형) 생산성이 높은, 고성능, 성능 높은;~ая машина 성능 높은 기계

высокосортный (형) 품질이 높은, 고급;~ товар 고급상품

высосать (완) см. **высасывать**

высота (여) ① 높이, 고도(高度), 높낮이; ~а потолка 방 높이; на ~е ста метров 100 (백)미터 높이에서; ~а над уровнем моря 해발(고) ② 고지, 높은 곳, 창공; за нимать ~у 고지를 점령하다 ③ (수학) 드림선, 수선, 드림선의 길이

высотный (형); ~ое здание 고층건물(高層建物);~ый полёт 고공비행

высотомер (남) 고도계(高度計)

высохнуть (완) см. высыхать

выспрашивать(미완),**выспросить**(완) 캐어물어 알아내다, 자세히 캐어묻다

выставить (완) см. выставлять

выставка (여) 전람회(展覽會), 전시회(展示會), 전람관(展覽舘); ~ картин 미술전람회(美術展覽會)

выставлять(미완) ① 앞에 (앞으로) 내놓다 (내밀다); ~ стол 책상을 앞으로 내놓다 ② 밖에 내놓다; ~ цветы на во- здух 꽃을 밖에 내놓다 ③ 빼내다, 뽑아내다; ~ раму 창문을 뽑아내다 ④ 진열하다, 전시하다; ~ картины 그림을 전시하다; ~ отметки 점수를 매기다; ~ требования 요구를 제기하다; ~ вон 내쫓다

выставочный (형): ~ зал 전람실(展覽室); ~ павильон 전람관(展覽舘)

выстирать (완) см. стирать

выстоять (완) 이겨내다, 견디어내다

выстраиваться см. строить(ся) II

выстрел (남) ① 사격(射擊), 발사(發射); производить ~ 사격(을) 하다, 쏘다; одним ~ом 단발에 ② 총소리, 포소리, 사격소리

выстрелить (완) см. стрелять

выстроить(ся) см. строить(ся) I

выстукивание (중) (의학) 타진(打診)

выступ(남) 쑥 내민 곳, 돌출부; ~горы 산모퉁이; ~ стены 벽의 쑥 내민 곳; ~ стола 상의 앞턱

выступать, (미완) **выступить** (완) ① 나서다, 앞으로 나가다 ② 출동(出動)하다, 출발(出發)하다, 떠나다; ~ в поход 행군하다, 출진하다 ③ 출연(出演)하다, 공연(公演)하다, 연설하다, 발언하다; ~ с до-кладом 보고(를)하다; ~ по радио 방송연설을 하다; ~ а прениях 토론하다 ④ 솟아나다, 불뚝하다, 쑥 내밀다 ⑤ 돋아나다, 나다; выступил пот 땀이 났다 ⑥ за что ...을 주장하다

выступление (중) ① 출발(出發), 출동(出動), 진출(進出) ② 토론(討論), 발언, 연설 ③ 공연(公演), 출연(出演); ~ арти-стов 배우들의 공연

высунуть(ся) *см.* высовывать(ся)
высушивать, (미완) **высушить** (완) (바싹) 말리다, 건조시키다
высчитать,(완) **высчитывать** (미완) 계산(결산)하다; ~ размер расходов 지출총액을 계산하다
высший (형) ① 제일, 높은, 최고도; ~ая точка 제일 높은 점 ② 최고(最古), 최상(最上); ~ая награда 최고상, 최고표창 ③ 고등(高等), 고급(高級); ~ee образов-ание 고등교육; ~ая ма-тематика 고등수학; ~ая школа 대학; товар ~его качества 고급 상품; в ~ей степени 대단히, 극히, 고도로; переговоры на ~ем уровне 수뇌자회담
высылать(미완) ① 보내다, 발송하다, 파송(파견)하다; ~ посылку 소포를 보내다; ~ подкрепление 증원부대를 파송하다; ~ деньги по почте 우편으로 발송하다 ② 추방하다, 정배 보내다, 내쫓다; ~ из пределов страны 국외로 추방하다
высылка (여) ① 발송(發送), 파송(派送); ② 추방(追放), 유형(類型)
высыпать, (미완) **высыпать** (완) ① 쏟다, 털어내다; ~ соль из мешка 자루에서 소금을 쏟아내다 ② 발진하다, 발진이 돋다 ③ (군중들이) 쏟아져 나오다, 밀려나오다; на улицу высыпал народ 사람들이 거리로 쏟아져 나왔다
высыпаться (미완) **I**, высыпаться (완) 쏟아지다, 흘러 떨어지다
высыпаться (미완) **II** 실컷 자다, 충분히 자다
высыхать (미완) ① 마르다, 건조되다, 들이마르다; бельё высохло 빨래가 말랐다 ② (밀물이) 물러가다,

써다
выталкивать (미완) 내밀다, 밀어내다, 밀치다, 밀쳐서 내쫓다
вытаптывать (미완) 밟아서 없애버리다, 짓밟다, 유린하다
вытаскивать (미완) ① 끌어내다, 들어내다; ~ вещи на улицу 짐을 밖으로 들어내다 ② 뽑다, 빼다, 끄집어내다, 꺼내다; ~ гвоздь 못을 뽑다; ~ из воды 건지다 ③ 훔치다, 소매치기라다
вытачивать (미완): ~ нож 칼을 갈다; ~ деталь 부속품을 깎아 만들다
вытекать (미완) ① 흘러나오다, 흘러내리다 ② 결론이 나오다
вытереть (완) *см.* вытирать
вытерпеть (완) *см.* терпеть
вытеснить, (완) **вытеснять** (미완) 밀어내다, 몰아내다, 내쫓다, 구축하다
вытечь (완) *см.* вытекать
вытирать(미완) 닦다, 씻다; ~ стол 책상을 닦다; ~ посуду 그릇을 닦다; ~ пыль 먼지를 훔치다; ~ пот 땀을 씻다
выткать (완) 짜다; ~ узор 무늬를 놓아 짜다
вытолкать, вытолкнуть *см.* выталкивать
вытоптать (완) *см.* вытаптывать
выточить (완) *см.* вытачивать
вытряхивать, (미완) **вытряхнуть** (완) 털다, 털어내다, 흔들어 떨구다; ~ пыль 먼지를 털다
выть (미완) 울부짖다, 짖다, 울다; собака воет 개가 짖는다; ветер воет 바람이 울부짖는다
вытягивать (미완) ① 끌어내다, 뽑아내다; ~ дым 연기를 내뿜다;~

гной 고름을 빨아내다 ② 늘이다, 펴다, 뻗다, 늘어뜨리다; ~ проволоку 쇠줄을 펴다; ~ ноги 두다리를 뻗다; ~ руки 두 팔을 늘어뜨리다; ~ шею 목을 빼어들다; ~ всю душу 지치게 하다, 진저리나게 하다

вытягиваться (미완) ① 펴지다, 깊어지다 ② 늘어나다, 커지다 ③ 자라다 ④ 몸을 쭉 펴다, 차렷하다

вытяжка (여) ① (화학), (의학) 엑기스, 추출물 ② 뽑아내는 것, 빨아내기; стоять на ~y 곧추서다, 차렷 자세를 취하다

вытяжной (형): ~ шкаф (화학) (유독가스) 배기작업대

вытянуть (완) см. вытягивать

выучить(ся) (완) см. учить(ся)

выучка (여) 훈련, 준비 (정도), 솜씨

выхаживать (미완) ① 기르다, 키우다 ② 돌보다; ~ больного 환자를 간병하다

выхватить, (완) **выхватывать** (미완) 잡아채다, 빼앗다, 가로 채다; ~из рук 손에서 잡아채다

выхлоп (남) (공학) 배기, 배출(排出)

выхлопной:~газ 배기가스;~ая труба 공기배기관, 배기관(排氣管)

выход (남) ① 나가는 것, 나오는 것; ~ на работу 출근; при~е 나갈 때에, 나올 때에 ② 출구(出口), 나가는 문; запа- сный ~ 비상구 ③ 발행(發行), 발간(發刊) ④ 해결책, 출로(出路), 활로 ; ~ из трудного положения 난관으로부터 출로 ⑤ 탈회(脫灰), 탈퇴(脫退); ~ из партии 탈당(脫黨)

выходец (남) 출신(出身), 이주자; ~ из крестьян 농민 출신(의 사람)

выходить (완) см. выхаживать

выходить (미완) ① 나오다, 나가다, 떠나다, 외출하다; ~ из дому 집에서 나가다; ~ из машины 차에서 내리다; ~ в море 바다로 떠나다; ~ на сцену 무대에 나서다; ~ на прогулку 산보하러 가다 ② (어떤 상태에서) 벗어나다, 헤어나다; ~ из затруднения 곤경에서 벗어나다 ③ 되다, 일어나다, 생기다; всё вышло не так, как задумано 모든 것이 생각 하던 대로 되지 않았다 ④ 발간되다, 출판되다; ~ в свет (책이) 세상에 나오다 ⑤ 떨어지다, 끝나다, 소비되다; весь хлеб вышел 빵이 다 떨어졌다; срок вышел 기한이 끝났다; ~ из себя 자제력을 잃다; ~ из моды 이미 낡아져버리다, 유행에(서) 뒤떨어지다; ~ из терпения 참을 수 없게 되다; ~ замуж 시집가다; ~в отставку 사임하다, 사직하다;~из строя 못쓰게 되다, 고장나다; ~из употреб- ления 쓸모없이 되다; ~ в люди 출세하다

выходка (여) 불손한 행동, 무례한 행동, 비행; глупая ~ 어리석은 짓

выходной (형): ~ день 쉬는 날, 휴식일, 공휴일; ~oe платье 나들이옷, 바깥옷, 갈음옷; ~oe пособие 퇴직금

выцвести, (완) **выцветать** (미완) (빛이) 날다, 퇴색하다, 색이 바래다

вычёркивать,(완) **вычеркнуть** (완) 지우다, 삭제(削除)하다, 제명(題名)하다; ~ из памяти 잊어버리다

вычерпать(완) **вычёрпывать** (미완)

퍼내다, 떠내다; ~ воду 물을 퍼내다
вычесть (완) *см.* вычитать
вычет (남) 공제; ~ы (복수) 공제액; за ~ом *чего* ...를 제외하고
вычисление(중)계산(計算), 산출(算出)
вычислительный(형): ~ая машина 계산기(計算機)
вычислить, (완) **вычислять** (미완) 계산(計算)하다, 산출(算出)하다
вычистить (완) *см.* чистить
вычитание(중) 덜기, 감법(減法); прои-зводить ~ 덜다, 감하다
вычитать(미완) 덜다, 감하다, 공제하다;~ три из пяти 다섯에서 셋을 덜다
вышвыривать(미완),**вышвырнуть** (완) ① 내던지다, 내치다, 내뜨리다 ② 쫓아버리다, 몰아내다
выше ① (부) (высоко, высокий 의 비교급) 더 높이, ...보다 높이; поднима-ться ~ 더 높이 오르다; ~ ростом 키가 더 크다 ② 이상, 이상으로; температура ~ нуля 령도 이상의 온도 ③ 우에서, 이상에서; как указывалось ~ 우에서 지적한바와 같이 ④ 상류 쪽으로; идти ~ по течению 상류 쪽으로 가다
вышесказанный(형) 위에서 말한 (이야기한), 상술한; ~ое(중) 앞서 이야기한 것
вышестоящий(형)   상급(上級);~ орган 상급기관
вышеуказанный (형) 위에서 지적한
вышеупомянутый (형) 위에서 언급한
вышивание (중) ① 수놓이, 자수 ② 자수품, 수놓은 것
вышивать (미완) 수놓다, 자수하다
вышивка(여) 수놓은 무늬, 수; платье с ~ой 수를 놓은 옷
вышина (여) ① 높이, 고도(高度); ~ой в 200 метров 높이 200 (이백) 미터의 ② 높은 곳; в ~е 고공(高空)에서, 하늘높이
вышить (완) *см.* вышивать
вышка (여) 탑(塔); сторожевая ~ 감시탑; буровая ~ 시추탑;~ для прыжков в воду 도약대
выявить(ся) (완) *см.* выявлять(ся)
выявлять (미완) 나타내다, 드러내다, 밝혀내다, 찾아내다; ~ талант 재능을 나타내다; ~ причину 원인을 찾다
выявляться (미완) 나타나다, 드러나다, 발로되다, 밝혀지다
выяснение(중) 해명(解明), 조사, 판명
выяснить(ся) *см.* выяснять(ся)
выяснять (미완) 해명하다, 명백히 하다, 밝혀내다, 판명하다, 조사하다;~ ошибки 잘못을 밝히다
выясняться(미완) 해명(판명)되다
Вьетнам (남) 월남, 베트남
вьюга (여) 눈보라
вьюк (남) 바리짐, 부담짝
вьючный (형) 짐 싣는
вьющийся(형) 곱슬곱슬한; ~иеся рас-тения 덩굴성식물, 만경식물
вяжущий (형): ~ее средство (의학) 수렴제(收斂劑)
вяз (남) 느릅나무
вязальный(형): ~ая спица 뜨개바늘
вязание ① 뜨개질, 묶는 것 ② 뜨개 것, 뜨개 옷
вязанка(여)단, 묶음; ~ дров 나무단

вязанный (형): ~ая одежда 뜨개 옷; ~ая кофта 뜨개저고리

вязать (미완) ① 묶다, 매다, 결박하다; ~ снопы 단을 묶다 ② 뜨다, 뜨개를 뜨다, 뜨개질하다; ~ чулки 양말을 뜨다

вязкий (형) ① 점질, 점착성 있는, 끈끈한, 진득진득한; ~ая почва 점질토양 ② 질척한

вязнуть (미완) 빠지다; ~ в грязи 진창에 빠지다

вяленый (형) (볕에) 말린; ~ая рыба 말린 물고기

вялый (형) ① 시든, 시들시들한 ② 풀기 없는, 활기 없는, 나슨한, 느른한

вянуть (미완) 시들다, 시들어 죽어가다.

Г

га см. гектар
габарит(남)① 바깥테두리, 외형(外形), 윤곽(輪廓); ② 크기, 치수, 규격(規格)
Габон (남) 가봉(Gabon)
Габороне *г.*(남) 가보로네(Gaborone)
Гавана *г.* (여) 아바나(Havana)
гавань(여) 항구(港口), 항만(港灣); вое-нная ~ 군항(軍港)
гагара (여) (조류) 논병아리, 담아지
гадалка (여) 여자 점쟁이
гадать (미완) ① 점치다; ② 예측하다
гадить (미완) ① 짐승이 똥싸다, 배설하다; ② *что* 더럽히다; ③ *кому-чему* 해를 주다, 해를 끼치다
гадкий(형) ① 추잡한, 더러운, 망측한; ~ поступок 추잡한 행동, 저저분한 행동 ~ человек 더러운 사람, 저저분한 사람;② 구역질나는, 얄미운, 냄새가 구리터분한
гадость (여) 더러운 것, 추악한, 비열성; говорить ~и 더러운 말을 하다
гадюка (여) 불살모사, 독사(毒蛇)
гаечный (형): ~ ключ 드라이버
газ (남) ① 가스, 기체; природный ~ 천연가스; отравление ~ом 가스중독; ②(복수) ~ы (의학) 방귀; дать ~ 속도를 가하다; сбавлять ~ 속도를 죽이다.
газета (여) 신문; подписываться на ~у 신문을 주문하다
газетный (형) 신문의; ~ая бумага 신문지; ~ая статья 신문기사
газетчик (남) ① 신문일군; ② 신문판매원(新聞販賣員)
газированный(형):~ая вода 탄산수
газификация (여) 가스화
газифицировать (미완) 가스화하다
газовый (형) ① 가스의 기체의; ~ое отопление 가스난방; ~ый двигатель 가스발동기; ~ое топливо 기체연료; ② ~ая атака 독가스 공격
газогенератор (남) 가스 발생기
газолин (남) 가솔린, 휘발유, 벤진
газон (남) 잔디, 잔디밭
газообмен (남) 가스갈이, 가스교환
газообразный (형) 가스성질을 가진, 기체성(氣體性), 기체상의; ~ое тело 기체; ~ое состояние 기체상태
газопровод (남) 가스관, 가스수송관
газоубежище(중)독가스대피소, 방독실
Гайти (중) 아이디(ID; 개인식별기호)
Гайана (여) 가이아나(Guyana)
гайка (여) 암나사, 너트(nut); за-крутить ~и 나사못을 죄다
Гал (Послание к Галатам, 6장, 229쪽) 갈라디아서(갈라디아인들에게 보낸 편지(The Letter of Paul to the Galatians);
Галактика (여) 은하, 은하수, 은하계
галантерейный (형): ~ые товары 잡화; ~ый магазин 잡화점
галантерея (여) 잡화(雜貨)
галдёж (남) 떠드는 소리, 못소리, 웅성대는 소리
галдеть (미완) 떠들다, 지껄이다, 웅성대다, 왁짝거리다
галерея (여) ① (연결)복도; ② (극장안의) 상층좌석(上層坐席); ③ 갱도(坑道); картинная ~ 미술 전람관, 박물관
галёрка см. галерея

галиматья (여) 황당무게한 것, 허튼 소리, 어리석은 말
галка (여) 갈가마귀, 땅까마귀
галлон (남) 겔론(액체체적의 단위)
галлюцинация (여) 환각(幻覺), 착각
галоп (남) (말의) 모두 뜀, 모둠 뛰기; скакать ~ ом 네 굽을 놓고 뛰다
галочка (여) 체크(check) V 모양의 표시),; ставить -у 표시를 해두다
галоша (여) 고무 덧신
галстук (남) 넥타이; завязывать ~ 넥타이를 매다
гальванизация (여) 전기를 흐르게 하는 것, 전기 치료법, 전기도금
гальванический (형): ~ая батарея 갈바니전지
гальванометр(남) (물리) 검류계(檢流計)
гальванотехника (여) 전기도금학
галька (여) 조약돌, 물돌; крупная ~ 밤자갈, 왕자갈; мелкая ~ 잔자갈, 모래자갈
гам (여) 왁자지껄 떠드는 소리, 뭇소리, 웅성대는 소리
гамак (남) 그물침대
Гамбия (여) 감비아(Gambia)
гамма (여) ① (음악) 음계; ② (공학) ~лучи 감마선
Гана (여) 가나(←Cana)
гангрена(여)탈저, 탈저정(脫疽疗) 피저
гангстер (남) 깽, 강도(强盜)
гандбол (남) 송구, 핸드볼(handball)
гандболист(남), ~ка(여) 핸드볼선수
гантели (복) 아령
гаоляк (남) 수수
гараж (남) 자동차 차고, 자동차정비소
гарант (남) 담보자, 보증인(保證人)
гарантийный (형) 보증(保證)의, 담보(擔保)의; ~ое письмо 보증서; ~ый ремонт 보증수리; ~ая мастерская 보증수리소
гарантировать (미완) 보증하다, 보장하다, 담보하다
гарантия (여) 보증(保證), 보장(保藏), 담보(擔保).
гардероб (남) ① 옷장, 양복장(洋服欌); ② 옷보관실, 옷맡기는 곳, 탈의실(脫衣室)
гардеробщик(남),~ца(여) (극장 등에서) 옷맡아 보관하는 사람
гардина (여) 창가림, 커튼
гармоника (여) 손풍금(-風琴), 아코디언(accordion); губная ~ 하모니카(harmo- nica)
гармонировать (미완) с чем ...와 조화하다, 일치하다, 어울리다
гармонист (남) 손풍금수 「어울리는
гармоничный (형) 조화로운, 일치된
гармония (여) ① (음악) 화음(和音), 화성(和聲); ② 조화(調和), 협화, 일치
гармонь(여)손풍금,아코디언(accordion)
гармошка см. гармоника
гарнизон (남) (군사) 수비대(守備隊), 경비대(警備隊), 주둔군(駐屯軍);начальник ~а 위수사령관, 수비대장
гарнир (남) (요리에서) 곁부침, 덧부침, 반찬; овощной ~ 야채 덧붙임
гарнитур (남) (가구 등의) 한조, 한벌, 일식; кухонный ~ 부엌세간 한조; мебельный ~ 가구일식
гарпун (남) 작살, 고래작살
гарпунный (형): ~ая пушка 고래잡이포, 고래포, 포경포(砲徑砲)
гарпунщик (남) 포경포수, 작살군
гарь (여) 탄냄새; пахнет ~ю 탄냄새가 난다
гасить (미완) ① 끄다; ~ свет 전등을

끄다, 전기를 끄다; ② 억제하다, 억누르다

гаснуть (미완) ① 꺼지다; ② 약해지다, 사라지다

гастрит (남) (의학) 위염

гастролёр (남) 순회공연배우

гастролировать(미완) 순회공연하다

гастроль (여) 순회공연(巡廻公演)

гастрольный (형): ~ая поездка 순회공연(巡廻公演)의

гастроном (남) 식료품상점

гастрономический(형):~ магазин см. гастроном

гастрономия (여) 식료품(食料品)

гаубица (여) 곡사포(曲射砲)

гауптвахта (여) (군사) 영창

гашённый (형): ~ая известь 소석회

Гваделупа (여) 바들루빠

гвалт (남) 떠드는 소리, 야단법석이다, 웅성거리는 소리; поднимать ~ 왁자지껄하다

гвардеец (남) 근위병(近衛兵), 근위대원(近衛隊員), 근위병(近衛兵)

гвардейский (형) 근위대의, 근위병의; ~ое знамя 근위군기, 근위깃발; ~ий полк 근위연대; ~ миномёт 방사포, 카추샤포

гвардия (여) 근위대(近衛隊), 근위부대; Красная ~ (역사) 적위군

Гватемала(여)① 과테말라(Guatemala) ② (여) г. 과테말라(Guatemala)

Гвиана (여) 기아나(Guiana)

Гвинея (여) 기네

гвоздика(여) 패랭이꽃, 석죽화(石竹花)

гвоздь(남) 쇠못, 나무못, 구두못, 대갈

где (부) ① (의문) 어디에, 어느 곳에, 어디서; ~ вы живёте? 당신은 어디서 삽니까?; ②(관계대) там,~ находится его дом 그의 집이 있는 곳에; ③ (вот 와 함께) 바로 여기에; ~ бы то ни было 어디서든지, 어디서 나를 막론하고, 어디에 있든지

где-либо, где-нибудь (부) 어디에나, 어디선가, 어떤 곳에서나, 아무데나; ~ в другом месте 어느 다른데서

где-то(부) 어디엔가, 어디선가, 그 어떤곳에(서); ~ здесь 어디엔가, 여기서

гегемон (남) 주동자, 영도자, 패권자

гегемония(여) 지배권(支配權), 헤게모니(Hegemonie), 패권(覇權), 제패(制覇)

гейзер (남) (지질) 간헐천(間歇川), 간헐온천(間歇溫泉)

гектар (남) 헥타르(hectare; 면적의 단위; 1만 ㎡, 100아르; 기호 ha.)

гектограф(남) 등사판(謄寫版), 등사기

гелий (여) 헬륨(helium; 기호는 He, 원자 번호는 2, 원자량은 4.0026.)

гемоглобин (남) 혈색소(血色素), 헤모글로빈(hemoglobin), 피빨강이, 혈구소, 혈적소(血赤素),혈홍소(血紅素).혈색소(血色素)

геморрой (남) (의학) 치질(痔疾)

генеалогия (여) ① 가계, 혈통(血統), 계보; ② 계통학, 계보학(系譜學)

генеалогический (형)~ая таблица 가계표(家系票)

генезис (남) 기원(起源), 발생, 발생사

генерал (남) 장군; ~ армии 대장; ~-лейтенант 중장; ~-майор 소장; ~ы(복수) 장령

генерал-губернатор(남) 총독(總督)

генералиссимус (남) 대원수(大元帥)

генералитет (남) 장령들

генеральный (형) 일반적인, 총체적인, 총적(蔥笛); ~ая линия 총노선; ~ый секретарь 총비서; ~ый план 총계획, 종합적설계;~ое направление 총적방향; ~ый прокурор 검찰총장; ~ый штаб

총참모부; ~ый директор 총장; ~ый консул 총영사

генератор (남) 발전기(發電機, 發展基), 발생기(發生基); газовый ~ 가스발생기;~ переменного(постоянного) тока 교류(직류) 발전기(發電機)

генетика (여) 유전학(遺傳學)

гениальность (여) 천재성

гениальный (형) 천재적인

гений (남) 천재, 수재, 비상한 재능

генконсул (남) 총영사(總領事)

генштаб (남) 총참모부; начальник ~a 총참모장

географ (남) 지리학자(地理學者)

географический (형) 지리학(地理學)의; ~ое название 고장이름, 지명; ~ая ка-рта 지리도

география (여) 지리(地理), 지리학(地理學); физическая ~ 자연지리(自然地理); экономическая ~ 경제지리

геодезия (여) 측지학(測地學)

геодезист (남) 측지일군, 측지학자

геолог (남) 지질탐사일군, 지질학자

геологический(형) 지질의; ~ая карта 지질도(地質圖); ~ая партия 지질탐사대

геология (여) 지질학(地質學)

геологоразведка (여) 지질탐사

геологоразведочный (형) 지질타사의; ~ая экспедиция 지질탐사대

геометрический (형) 기하학의; ~ая прогрессия 기하급수

геометрия (여) 기하, 기하학(幾何學)

геополитика(여)(철학)지정학(地政學)

георгин (남) 다알리아꽃, 싸다리아

геофизика (여) 지구물리학

геохимия (여) 지구화학

герб (남) 국장; государственный ~ 국장(局長)

гербарий(남) 식물표본집(植物標本輯)

гербициды(복수)(화학) 살초제(殺草劑)

гербовый (형) ① 국장의; ② ~ая бумага 인지용지; ~ая марка (수입)인지; ~ый сбор 수입인지세

Германия (여) 독일(獨逸)

германский (형) 독일의

герметический (형) 밀폐(密閉)의 기밀(氣密)의; ~ая камера 밀폐실; ~ий сосуд 기밀용지

героизм(남) 영웅성, 영웅주의(英雄主義)

героиня (여) ① 여성영웅; ② (문학) 여주인공; мать-~ 모성영웅

героически(부) 영웅적으로, 영웅하게

героический (형) 영웅적인, 영웅한, 장렬한; ~ий подвиг 영웅적 위훈; ~ая смерть 장렬한 최후

герой (형) ① 영웅(英雄), 용사(勇士); Герой Советского Союза 소령영웅; Герой Социалистического Труда 사회주의 노력영웅; город-~ 영웅도시; ② (문학) 주인공(主人公)

геройски (부) 영웅적으로, 영용하게

геройский см. героический

геройство (중) 영웅적정신(英雄的情神), 영웅성(英雄性), 용감성(勇敢性)

гетры (복수) 각반(各般), 행전(行纏)

гибель (여) 멸망(滅亡), 사멸(死滅), 파멸(破滅), 죽음; быть(находиться) на краю ~и 파멸의 위기에 처하다

гибельный(형) 파멸적인, 치명적인, 사멸적인; ~ые последствия 치명적후과

гибкий (형) ① 잘휘어지는, 휘어드는, 연약한, 눅진한, 탄력성 있는, 호리호리한; ② 신축성 있는, 융통성 있는, 유약한; ~ая позиция 융통성 있는 태도, 신축성 있는 입장

гибкость (여) ① 휘어드는 것, 연약성, 탄력성; ② 신축성, 융통성, 적응력

гиблый (형); ~ое место 황폐한 곳
гибнуть (미완) 죽다, 사멸하다, 파멸하다, 멸망하다, 쇠멸하다;~ на войне 전사하다
гибрид (남) 잡종(雜種), 혼종, 교잡종
гибридизация (여) 잡종화(雜種化), 이종교배(異種交配), 교잡번식(交雜繁殖)
гигант (남) ① 거물(巨物), 거인(巨人); ② 대건물(-建物); завод~ 대공장
гигантский(형) 거대한, 막대한, 비상한, 특출한; ~ие усилия 비상한 노력
гигиена (여) 위생(衛生), 위생법(衛生法), 위생학(衛生學); соблюдать правила ~ы 위생규범을 지키다
гигенический(형) 위생의, 위생용; ~ие правила 위생규범
гигрометр (남) 습도계(濕度計)
гигроскопический (형) 습기를 흡수하는; ~ая вата 약솜, 탈지면
гид (남) 안내원, 안내자, 길잡이
гидравлика (여) 수력학, 수리학
гидравлический (형) ① 수력학의, 수리학(水理學)의; ② 수력(水力)의, 수압(水壓)의; ~ двигатель 수력발동기, 수압기관; ~ пресс 수압프레스; ~ способ 수압식(水壓式)
гидрат (남) (화학) 수화물(手貨物)
гидро... (합성어의 첫 부분으로서) (수력)의 뜻; гидротурбина 수력터빈
гидродинамика (여) 유체동력학(流體動力學), 수력학(水力學)
гидролиз (남) (화학) 가수분해
гидролог (남) 수문학자
гидрология (여) 수문학
гидромелиорация (여) 관개수리
гидроплан см. гидросамолёт
гидропоника (여) 수경법, 물가꿈법
гидропонный (형);~ метод 수경법
гидроресурсы (복수) 수력자원
гидросамолёт(남)수상비행기, 비행정

гидростанция см. гидроэлектростанция
гидростроительство (중) 수력발전소건설(水力發電所建設)
гидротехника (여) 수력공학
гидротурбина (여) 수력터빈
гидроузел (남) 수력이용시설의 총체, 수력절점, 종합수력발전시설
гидроэлектростанция (여) 수력발전소(水力發電所)
гидроэнергетика (여) 수력발전학
гидроэнергетический (형) 수력공학, 물 에너지의
гидроэнергия (여) 수력(水力)
гиена (여) (동물) 하이에나
гильза (여) ① 탄피(彈皮), 약통(藥桶); ② (공학) 끼움판, 라이나, 붙임판
гимн (남) ①; государственный ~ 국가, 애국가(愛國歌); партийный ~ 당가; ② 찬가(讚歌), 송가(頌歌)
гимназия (여) (제정러시아 일부 나라의) 중학교(中學校)
гимнаст(남),~ка(여) 체조선수
гимнастёрка(여)군복상의, 군복저고리
гимнастика (여) 체조(體操); заниматься ~ ой 체조를 하다; спортивная ~а 기계체조; художественная ~а 예술체조; ритмическая ~а 율동체조
гимнастический (형) 체조의; ~ий зал 체조실, 체육실; ~ий снаряд 체조기구, 운동기구; ~ие упражнения 체조, 운동; ~ая стенка 늑목, 살대틀
гинеколог (남) 산부인과 의사
гинекология (여) 부인과학(婦人科學)
гипербола (여) ① (수학) 쌍곡선(雙曲線); ② (문학) 과장법
гипертоник (남) 고혈압환자
гипертония (여) ① 고혈압(高血壓); ② 고혈압병, 고혈압증(高血壓症)

гипноз (남) 최면술(催眠術)
гипнотизёр (남) 최면술가
гипнотизировать (미완) ① 최면술을 걸다; ② 마음을 빼앗다, 홀리다, 매혹케 하다
гипотеза (여) 가설(假設), 추측(推測), 억측(臆測), 억설(臆說); выдвигать ~у 가설을 내놓다
гипотенуза (여) (수학) 빗변, 사변
гипотоник(남)저혈압환자(低血壓患者)
гипотония (여) ① 저혈압(低血壓); ② 저혈압증(低血壓症)
гиппопотам (남) 하마
гипс (남) ① 석고(石膏); ② (의학) 석고붕대, 깁스(Gips); накладывать ~ на что...에 깁스를 하다
гипсовый (형) ① 석고의, 석고로 만든; ② (의학) 깁스의; ~ая повязка 석고붕대, 깁스붕대
гирлянда (여) 꽃방망이, 꽃갓, 화관(花冠); электрическая ~ 연주등
гиря(여) ① 저울추; ② 추; ③ (체육) 아령.
гистолог (남) 조직학자
гистологический(형) 조직학의, 조직학적인; ~ое исследование 조직학적연구
гистология (여) 조직학(組織學)
гитара (여) 기타(guitar)
гитарист(남),**~ка**(여) 기타연주가
глава I (여) 수뇌자(首腦者), 수반(首班); ~а правительства 정부수반; ~а делегации 대표단 단장; главы дипломатических представительств 외교 대표부 책임자, 외무부 장관; ~а семьи 세대주, 가장; во ~е с кем...를 수위로 하고, ...를 선두로 하고, ...를 수반으로 하고; во главе кого-чего ...의 선두에
глава II (여) (책, 논문 등의) 장(章)
главарь (남) 우두머리, 두목, 주모자

главенствовать (미완) 지배하다, 통치하다, 최고권력을 행사하다, 독판치기를 하다
главк (남) 총국(總局), 본부(本部)
главное (중) 중점(中點), 중요한 것
главнокомандование (중) 총사령부(總司令部); верховное ~ 최고 사령부
главнокомандующий (남) 총사령관(總司令官); верховный ~ 최고사령관
главный (형) ① 주요한, 주되는, 주도적인, 총적; ~ые силы 주력, 주요력량; ~ая цель 주요목적; ~ый горд 수도; ~ое управление 총국; это самое ~ое 이것은 가장 중요한 것이다; ② 주임(主任), 책임(責任); ~ый врач 책임의사, 주치의; ~ый конструктор 책임설계가; ~ый инженер 기사장;~ый редактор 주필; ~ым образом 주로
глагол (남) (언어) 동사(動詞); непереходный ~ 자동사; переходный ~ 타동사(他動詞)
гладильный(형):~ая доска 다리미판
гладить (미완) ① 어루만지다, 쓸어주다, 쓰다듬다, 애무하다; ~ по голове 머리를 쓰다듬다; ② 다리다, 다림질하다, 인두질하다; ~ по головке 눈감아주다, 두둔하다.
гладкий(형) ① 평탄한, 평평한, 미끈한;~ая дорога 평탄한 길; ~ий лёд 평평한 얼음판;②유창한, 순조로운, 순탄한; ~ая речь 유창한 연설, 미끈한 말
глаз (남) ① 눈; ~а (복수) 눈; откры-вать ~а 눈을 뜨다; закрывать ~ 눈을 감다; ② 눈길, 시선(視線), 눈초리; ③ 시력(視力), 시각(視覺); с ~у на ~ 일대일로, 얼굴을 맞대고, 단둘이서; за ~а 1) (본인이) 없는데서, 빗대놓고, 뒤에서, 2) 넉넉히, 여유 있게; на ~ 눈짐작으로; на ~ах кого ...가 있는데서(보는데서); гов-орить правду в ~а 바

른대로 말하다; открывать ~а на *что* ...를 깨우치다, 눈을 뜨게하다
глазастый (형) ① 눈이 둥그란, 눈이 큰; ② 눈이 맑은
глазеть (미완) на *кого-что* ...를 보다, 멍하니 바라보다
глазник (남) 안과의사(眼科醫師)
глазной (형): ~ой врач 안과의사; ~ый болезни 눈병; ~ые капли 눈약; ~ая лечебница 안과병원
глазок *см.* ① глаз; ② (식물) 싹, 눈
глазомер (남) 눈짐작, 눈겨눔, 눈어림, 목측(目測)
глазомерный;~ая съёмка 목측측량
глазунья (여) 계란후라이, 계란지짐
гланды(복수)(해부) 편도(扁桃), 편도선
гласить (미완) 뜻을 담고 있다, 알리다, 말하다; пословица(поговорка) ~т 속담이 말하여 준다, (말하기를) 속담에 있는것처럼; закон ~т 법령에 있다
гласность (여) 공개(公開), 공포(公布); предавать ~и 공포하다, 공개하다
гласный I (형) 공개의; ~ суд 공개재판(公開裁判)
гласный II (형):~(звук) 모음(母音)
глаукома (여) (의학) 녹내장(綠內障)
глашатай (남) ① 선포자, 공포자; ② 주장자, 대변자; ~ мира 평화옹호자
глина (여) 찰흙, 차진흙; белая ~ 사기흙, 흰흙; красная ~ 진흙, 점토; огнеу-порная ~ 불찰흙, 내화점토
глинистый (형) 찰흙질의, 점토질;~ая почва 질땅
глинобитный (형): ~ый дом 흙집
глинозём (남) 알루미늄(aluminium)
глиняный (형) 진흙으로 만든, 찰흙으로 만든; ~ая посуда 도자기 질그릇
глиссер (남) 수상 활주점
глист (남) 회충(蛔蟲), 기생충(寄生蟲)
глистогонный~ое средство 회충약

глицерин (여) 글리세린(glycerin)
глициния (여) 등나무
глобус (남) 지구의
глодать (미완) ① 갉아먹다, 쓸다; ~ кость 뼈를 갉아먹다; ② 괴롭히다, 가책을 받다
глотать (미완) 삼키다, 들이키다, 들이마시다; ~ слёзы 눈물을 삼키다; ~ слова 말을 더듬다, 입속말로 웅얼대다; ~ сл-юньки 갈구리거리다
глотка (여) ① 인두(咽頭); ② 목, 목구멍, 인후(咽喉); кричать во всю ~у 목청껏 외치다, 목이 터지도록 소리를 치다; за тыкать ~у *кому* 입을 틀어막다, 말을 못하게 하다
глоток (남) 한 모금; выпить ~ воды 물을 한 모금 마시다
глохнуть (미완) ① 귀먹다; ② 소리가 멎다, 잠잠해지다, 불이 꺼지다; ③ 황폐해지다, ④ (발동기가) 멎다
глубина (여) ① 깊이, 심도(深度); ~ воды 물의 깊이, 수심; ② 깊은 곳, ③ 심오성; в ~е души 마음속에
глубинный (형); ~ое течение 깊은 층의 흐름; ~ый лов рыбы 심해어업
глубокий (형) 깊은, 깊숙한; ~ая река 깊은 강; ~ое ущелье 깊숙한 골짜기; ~ая пахота 깊이갈이; ② 심각한, 심오한; ~ая ночь 깊은 밤, 심야; ~ая старость 고령; ~ая осень 늦가을; ③ ~ая мысль 깊은 생각, 그윽한 생각; ~ие знания 해박한 지식; ~ий сон 숙면(熟眠), 깊이 든잠; ~ий ана лиз 심오한 분석, 깊이 있는 분석
глубоко (부) ① 깊이, 깊숙이;~ под землёй 땅속깊이; ② 깊게, 깊이 있게, 심오하게, 심각히; ~ осознать 깊이자각하다; ~ задуматься 깊은 생각에 잠기다; ~ уважать 대단히 존경하다; ③ (술어로) 깊다, 심오하다; здесь~ 여기는 깊다

- 107 -

глубоководный (형) 물 깊은; ~ая рыба 심해어류, 깊은 바다 물고기

глубокомысленный (형) 뜻이 깊은, 의미심장한, 사려깊은, 심중한

глубокомыслие (중) 깊은 뜻, 심오한 사상, 심사숙고(深思熟考)

глубокоуважаемый (여) 지극히 존경하는, 존경하여 마지않는

глумиться (미완) над кем-чем 놀려대다, 조롱하다, 희롱하다

глумление (중) 놀려대는 것, 조롱, 희롱

глупец (남) 머저리, 얼뜨기, 바보

глупо (부) 어리석게, 둔하게, 머저리

глупость (여) 우둔, 어리석음; по ~и 어리석은 탓으로; делать ~и 어리석은 짓을 하다

глупый (형) ① 우둔한, 어리석은 미욱한, 아둔한; ~ поступок 우둔한 것; ② 철이 없는, 철을 모르는

глухой (형) ① 귀먹은; ② 무관심한; ③ 숨은, 나타내지 않은; ④ (명사) 귀머거리; ~ое недовольство 속에 품은 불만; ~ая молва 뜬소문; ~ая де- ревня 벽촌; ~ая осень 늦가을; ~ая ночь 괴괴한 깊은밤; ~ой согласный (언어) 무성자음(無聲子音)

глухонемой (남) 귀머거리, 벙어리, 농아(聾啞)

глухота (여) 귀먹은 것, 귀가 먼 것

глушитель (남) ① 소음장치, 소음기 (消音器); ② 억압(抑壓)자, 말살하는 자; ~ критики 비판을 억누르는 사람

глушь (여) 벽지(僻地), 벽촌(僻村), 쓸슬한 곳, 후미진 곳, 산골; горная ~ 두메산골

глыба(여) 큰 덩어리, 큰덩이; ~ льда 얼음덩이; каменная ~ 돌덩어리, 암괴(巖塊); ~ земли 흙덩어리

глюкоза (여) 포도당(葡萄糖); glucose)

глядеть (미완) ① в (на) кого-что 보다, 바라보다, 눈길을 보내다; ② за кем-чем 돌보다, 보살피다; ③ на что 관심을 돌리다, 고려하다, 주의를 돌리다; ④ ...같이 보이다, ...으로보이다; ~еть героем 영웅으로 보이다; того и ~и упадёт 당장 무슨 일이 떨어질 것 같다; ~еть в оба 조심하다, 경계하다

глянец (남) 윤기, 광택

глянцевый (형) 광택이 나는, 윤이나는, 반질거리는; ~ая бумага 광택지

гнать (미완) ① 쫓다, 내쫓다; ② 몰다, 몰아가다; ~ стадо 집짐승떼를 몰다; ③ 재촉하다; ~ машину 자동차를 몰다

гнаться (미완) ① 쫓아가다, 뒤따르다, 추격(追擊)하다; ② за чем ...를 추구하다; ~ за славой 영예를 추구하다; ~ за наживой 이윤을 탐내다, 이윤을 추구하다

гнев (남) 분노(憤怒), 분개(憤慨), 격분(激憤), 격노(激怒); в ~е 격분하여; с ~ом 격분에 넘쳐, 치솟는 격분으로; сдер-живать ~ 분노를 삭이다

гневный (형) 분노한, 분노에 찬, 성난

гнедой (형): ~ая лошадь 털빛이 누런 말, 공골-말, 황부루

гнездиться (미완) (새가) 둥지를 틀다, 둥지를 틀고 살다, 깃들다

гнездо (중) ① 둥지, 알둥지, 보금자리, 굴, 집; вить ~ 둥지를 틀다; ② (공학) 홈, 자리, 구멍; пулемётное ~ 기관총 설치자리; ③ 소굴(巢窟)

гнёт (남) 압박(壓迫), 억압(抑壓)

гнида (여) ① 서캐; ② 더러운 놈

гниение (중) ① 썩는 것, 부패(腐敗), 부패작용; ② 퇴폐(頹廢)

гнилой (여) ① 썩은, 썩어빠진, 상한; ② 퇴폐한, 부패 타락한; ~ая погода 궂은날씨

гнилостный;~ые бактерии 부패균

гниль (여) 썩정이, 썩은것, 부패물
гнить (미완) ① 썩다, 상하다, 부패하다; ② 타락하다, 퇴폐하다, 썩어빠지다; ③ 곪다, 화농(化膿)하다
гноить (미완) ① 썩이다, 부패시키다; ② (가두어) 건강이 나쁘게 하다
гноиться (미완) 곪다, 헐다, 고름이 나다, 화농(化膿)하다
гной (남) 고름
гнойник (남) 고름집, 곪은곳, 농양
гнойный (형) 고름의, 화농(化膿), 곪은; ~ое воспаление 화농성염즘
гносеология(여)(철학)인식론(認識論)
гнусный (형) 추악한, 간악한, 비열한, 추잡한; ~ый поступок 추악한 행동; ~ая клевета 더러운 비방
гнуть (미완) 굽히다, 구부리다, 구부러뜨리다; ~ проволоку 쇠줄을 구부러뜨리다; ~ свою линию 자기 주장대로 하다; ~ спину перед кем ...앞에서 허리를 굽히다.
гнуться (미완) 휘다, 휘어들다, 휘어지다, 구부러지다
гнушаться (미완) ① чем 싫어하다, 꺼리다; ② чего 피하다
гобелен (남) 고벨렌천
говор (남) ① 말소리, 이야기소리; ② 말투, 말씨, 사투리
говорить (미완) ① 말하다, 이야기하다, 담화하다; ~ят, он приехал 그가 왔다고 한다; ② 증명하다, 말하여주다; иначе ~я 달리말하여, 다시 말하자면; по правде ~я 사실대로 말하면; что ни ~и 무어니무어니해도, 어찌 말하자면; нечего и ~ить 말할 것도 없다; не ~я о ...은 고사하고; ~ит Москва 여기는 모스크바 입니다
говориться (미완): как ~ся 흔히 말하듯이, 이야기 되듯이.
говядина (여) 소고기; варёная ~ 삶아 익힌 고기, 수육

гоготать (미완) ① (거위가) 꽥꽥울다, 꽥꽥거리다, ② 큰소리로 웃다
год (남) ① 해, 년도(年度), 년(年); настоящий(этот) ~ 올해, 금년(今年); прошлый ~ 지난해(작년); будущий ~ 다음해, 내년; конец ~а 년말; ② 살, 세; мне 22 ~а 나는 스물 두살이다; Новый ~ 새해; с Новым ~ом! 새해를 축하 합니다; из ~а в ~ 해마다, 세세년년; двадцатые ~ы 이십년대
годиться (미완) 쓸모있다, 적당하다, 맞다; это(никуда) не ~ся 이것은 아무데도 쓸모없다;костюм мне не ~ся 양복이 나에게 맞지 않는다
годичный (형) 일년간의, 일개년간
годный (형) ① 유용한, 쓸만한, 알맞은, 적당한; ② 유효한
годовалый (형) 한살나는, 한살짜리, 한살의, 일년되는; ~ ребёнок 돌잡이; ~ телёнок 한살난 송아지
годовой (형) 1년의, 1개년의, 년간; ~ доход 세입, 년수입; ~ отчёт 년간 총화; ~ план 년간 계획
годовщина (여) 돌, 주년, 기념일
гол (남) 골; забивать ~ 골을 넣다; пропускать ~ 골을 먹다
голенище (중) 장화목
голень (여) 종다리, 종아리, 정갱이
Голландия(여)화란(禍亂; Netherlands)
голландцы(복수) ~ец(남),~ка(여) 화란(禍亂) 사람들, 네들란드 사람들
голова (여) ① 머리, 골(骨), 대가리 두상(頭上); ② 짐승의 마리; ③ 지혜; уйти с ~ой в работу 사업에 몰두 하다; сложить голову 목숨을 받치다; сломя голову 부랴부랴, 바삐; терять голову 어쩔바를 모른다; на свою голову 자기에게 해롭게 말하다; в первую голову 우선, 맨먼저; с ~ы до ног 완전히, 머리끝에서 발끝까지
головка (여) ① 대가리; ~ винта 나사

못 대가리; ② ~лука 파대가리
головной (형) ① 머리의; ~ая боль 두통, 머리아픔; ~ой убор 모자, 머리쓰개; ② 선두의; 주도적; ~ой отряд 선두부대; ~ое предприятие 기간적 기업소
головня (여) (농업) 깜부기병
головокружение (중) 어지럼, 현훈증, 어질병, 현기증; испытывать ~ 현기증이 나다, 희끈거리다; ~ от успехов 성공으로 인한 도취
головокружительный (형) 어지러운, 현기증이 날만한, 놀랄만 한; ~ая вы-сота 아찔하게 높은곳; с ~ой скоростью(быстротой) 아주 빠른 속도로
головорез (남) 강도, 살인귀, 강탈자
головотяп (남) 마구잡이, 일을 되는대로 해치우는 사람.
головотяпство (남) 마구잡이, 일을 되는대로 해치우는 것
голод (남) ① 굶주림, 기아(饑餓), 기근(饑饉); чувство ~а 허기, 헛헛증; чувствовать ~ 허기가 나다;умирать с ~у 굶어죽다; ② 부족(不足), 결핍(缺乏), 미비; квартирный ~ 주택난
голодание (중) ① 굶주리는 것, 굶주림, 단식, 금식; ② (의학) 단식요법
голодать (미완) 굶주리다
голодающий ① голодать의 능동현재; ② (술어) (남) 굶주린 사람; ~ие 굶주린 사람들; помощь ~м 굶주린 사람 구제
голодный (형) 굶주린, 배를 곯은, 허기진; ~ая смерть 굶어죽는것, 아사; я очень голоден 나는 아주 배고프다; ~ая забастовка 단식투쟁;~ый год 흉년; на ~ый желудок 1) 식전에, 먹기전에, 2) 먹지 않고, 먹지 않은체
голодовка (여) 단식투쟁; объявлять ~у 단식을 선언하다
гололедица (여) 비얼음, 살얼음(판)

голос (남) ① 목소리, 소리, 음성(音聲); громкий ~ 높은 목소리, 큰소리; повышать ~ 목소리를 높이다; ② 투표권(投票權), 결의권; право ~а 선거권, 투표권, 발언권; ~ <за> 찬성표; большинством ~ов 다수결로; в один ~ 이구동성으로, 한입으로, 입을 모아; во весь ~ 목청껏
голосистый (형) 성량이 큰, 낭랑한
голословно (부) 근거없이
голословный (형) 근거없는, 무근거한; ~ое обвинение 근거없는 비난
голосование (중) 투표(投票), 표결(票決), 가결(可決); открытое ~ 공개투표; тайное ~е 비밀투표; (по)ста-вить на ~е 표결에 붙이다; воздер-живаться от ~я 투표에서 기권하다
голосовать (미완) 투표하다, 거수하다, 손을들다, 표결하다; ~ за кого-что ... 에 찬성투표하다; ~ против кого-чего ... 반대투표하다
голосовой (형) 음성의; ~ые связки 성대; ~ая щель 성문, 목청문
голубка (여) ① 암피둘기; ② (여자의) 애인, 귀염둥이
голубой (형) 푸른, 하늘색의;~ цвет 연푸른 하늘색, 담청색, 하늘색
голубь(남) 비둘기, 숫비둘기; почто-вый ~ 통신비둘기;~ мира 평화의 비둘기
голубятня (여) 비둘기장
голый (형) ① (벌거) 벗은, 앙상한, 맨, 신지않은; ~ое тело 맨몸, 벗은몸; ~ый ноги 맨발; ② 발가숭이, 아무것도 씌우지 않은, 빈; ~ ое дерево 앙상궂은 나무; ~ая земля 맨 땅바닥;~ыми руками 맨주먹으로; ~ как сокол 백수건달, 빈털터리이다
гомеопат (남) 동종요법을 쓰는 의사
гомеопатический (형) 동종요법의
гомеопатия (여) 동종요법

гонг (남) ① 징(악기); ② 신호종소리
Гондурас (여) 온두라스
гонение (중) 박해(迫害), 압박(壓迫), 등쌀; подвергать ~ю 몰아주다
гонец (남) 급사, 연락병
гонка (여) ① 덤비는것, 분망; ② ~и (복수)(체육) 경주, 속도경기; лыжная ~a 스키경기; ~а вооружений 군비경쟁
Гонконг(남)г. 홍콩(Hong Kong) 샹강
гонорар (남) 보수(報酬); авторский ~ 원고료(原稿料)
гонорея (여) (의학) 임질(淋疾)
гоночный (형) 경주의, 경주용(競走用); ~ велосипед 경기용 자전거
гончар (남) 도자기공
гочарный (형); ~ое производство 요업(窯業), 도자기생산; ~ые изделия 도자기 그릇
гонщик (남) (체육) 육상선수
гонять (미완) ① 쫓다, 몰아치다; ② 심부름을 시키다, 심부름을 보내다
гоняться см. гнаться
гора (여) 산(山); дорога в гору 올르막길; под ~у 내리막으로; ② 무더기, 산더미; не за ~ами 멀지않아서; обещать золотые горы 기막힌 약속을 하다; идти в гору 잘되어 가다, 상승하다, 번영하다
горазд(여):кто во что ~ 제각기 멋대로
гораздо (부) 훨씬, 비할바 없이;~лучше 훨씬 좋다
горб (남) (불룩한) 혹
горбатый (형) ① 불거진, 불룩 올라온; (남) см. горбун
горбиться (미완) 등을 굽히다
горбун,горбунья(여) 곱사등이, 곱추
горбуша (여) 송어(松魚)
горбушка (여): ~ (хлеба) 빵조각
горбыль(남)(건축) 쪽데기, 쪽데기판자

горделивый (형) 거만한(倨慢-), 불손한(不遜-), 건방진(乾方-), 무례하다
гордиться (미완) ① кем-чем....를 자랑하다, 자랑을 떨치다, 긍지를 가지다; ② 뽐내다, 우쭐대다
гордость (여) 자랑, 긍지; чувство ~и 긍지감; с ~ью 자랑스레, 자랑삼아; вселять ~ь 긍지를 가지게 했다
гордый (형) 자랑스러운, 긍지를 가지는, 자부심을 가지는; ~ взгляд 자랑스러운 눈초리; ~ человек 자부심있는 사람.
горе (중) ① 슬픔; ② 불행, 불상사; с ~я 슬픔에 잠겨서, 슬퍼서
горевать (미완) 슬퍼하다, 서러워하다, 탄식하다
горелка (여) 버너(burner), 연소장치
горелый (형) 탄(炭), 불타버린, 눌은; пазнет ~ым 탄냄새가 풍긴다
горение (중) ① 연소(燃燒), 불타오르는것; ② 정열(情熱), 불타는것
горестный (형) 슬픈, 쓰라린, 애절한
гореть (미완) ① 타다, 불타다; дрова ~ят 장작이 탄다; лампа ~ит 등불이 켜 있다; ② 불타다, 끓다; ~еть желанием 갈망하다; ③ 열이나다, 달다; щёки ~ят 뺨이 화끈 달아오르다
горец (남) 산골사람, 산악지대주민
горечь (여) ① 쓴맛, 매운맛; ② 쓰라림, 비애(悲哀), 애상(哀傷)
горизонт (남) ① 하늘가, 지평선(地平線),수평선(水平線); ② 시야(視野), 식견
горизонталь(여)① 수평선(水平線)по ~и 수평으로; ② (거리)등고선(等高線)
горизонтальный (형) 수평의; ~ая линия 수평선;~ ое письмо 가로쓰기
горилла (여) 고릴라, 큰 성성이
горисполком(남) (городской исполнительный комитет) 시집행위원회

гористый (형) 산이 많은, 산지(山地); ~ая местность 산지, 산간지대

горком(남) (городской комитет) 시위원회(市委員會); ~ партии 당위원회

горланить (미완) 소리지르다, 목청껏 소리치다; ~ песни 목청껏 노래부르다

горло (중) 목, 목구멍, 인후(咽喉); про-мочить ~ 목을 추기다; ~ пересохло 목이 말랐다; во всё ~ 목청껏; занят по ~ 눈코뜰사이 없다; дел по ~ 일이 산더미 같다; не идти в ~ 먹기가 떠름하다, 먹을 생각 없다.

горлышко (중) (병, 그릇, 항아리 등의) 목, 모가지, 아가리, 주둥이, 입구;~ кувшина 단지 아가리

гормон (남) (생리) 호르몬(hormone)

горн I(남)(대장간의)풍로(風爐), 단조로

горн II(남) 호른(Horn), 신호나팔

горнило (중): в ~e войны 전쟁의 시련 속에서

горнодобывающий (형);~ая промышленность 채굴공업(採掘工業)

горнолыжник,-ца(여) 산악스키선수

горнолыжный (형); ~ спорт 산악스키경기(山岳 ski 競技)

горнорабочий (남) 광산노동자, 광부

горностай (남) 검은꼬리 흰족제비, 은서

горный (형) ① 산(山)의, 산악(山岳)의; ~ое селение 산촌(山村); ~ая река 산골강; ~ая страна 산악국; ②; ~ая промышленность 광산업; ~ый институт 광산대학; ~ый инженер 광산기사

горняк (여) 광부(鑛夫), 광산노동자

город(남) 도시(都市);~герой 영웅도시

городок (남) 소도시(小都市), 거리(距離), 부락(部落); детский ~ 어린이유원지; студенческий ~ 대학생거리, 대학로; спортивный ~ 체육촌

городской (형) 시내(市內)의, 도시(都市)의; ~ житель 도시주민

горожанин (남) 시민(市民), 도시사람, 도시주민(都市住民)

горох (남) 완두(豌豆), 완두콩

горошек (남): зелёный ~ 선 완두콩

горсовет (남) (городской совет) 시소비에트

горсть (여) 한줌; целыми ~ями 담쑥담쑥

гортань (여) 울대, 후두(後頭)

гортензия (여) (식물) 수국(水菊)

горчить (미완) 쓴(매운) 맛이 나다; во рту ~т 입안이 쓰다; масло ~т 버터가 아리다

горчица(여)겨자(mustard), 청개(靑芥)

горчичник (여) 겨자고약

горшок (남) 단지; цветочный~ 화분; глиняный ~ 자배기; ночной~ 요강, 변기

горький (형) ① 쓴, 매운, 아린; ② 쓰라린, 쓰디쓴, 슬픈; ~ая судьба 애달픈 신세; ~ие слёзы 쓰디쓴 눈물

горько (부) ① 쓰게; ② 슬프게, 불행하게; ③(술어)(맛이) 쓰다; ~ во рту 입안이 쓰다; ④ (술어) 쓰라리라, 괴롭다; ~ думать 생각하기 괴롭다

горьковатый (형) 좀 쓴, 좀 쓴맛이 도는, 매큼한.

горючее (중) (발동기용) 연료(燃料)

горючесть (여) 불발성, 가열성

горючий (형) 불이붙는, 불탈성의, 가연성의; ~ие материалы 가연성물질

горячий (형) ① 뜨거운, 더운, 끓는; ~ий источник 온천; ② 열렬한, 성급한, 특별한, 절실한; ~ая любовь 뜨거운 사랑; ~ее желание 간절한 소원, 갈망; ~ий отклик 대단한 반향; по ~им следам 그 즉시로, 곧 뒤따라서

горячиться (미완) 발끈거리다, 흥분

하다, 격하다

горячка (여) ① (의학) 열병(熱病), 열중(熱中); ② 분망, 동분서주(東奔西走)

горячность (여) (성질이) 성급한 것, 혈기(血氣), 결기.

горячо (부) ① 뜨겁게; ② 열렬히(熱烈-), 열정적(熱情的)으로

госаппарат (남) (государственный ап парат)국가기관(國家機關),국가기구

госбанк(남)(государственный банк) 국립은행(國立銀行)

госпиталь (남) (군대) 병원(病院); пол-евой ~ 야전병원(野戰病院)

госпитализация (여) 입원(入院)

госпитализировать (미완, 완) кого 입원(入院)시키다

господа (복수) 여러분!

господин (남) ① 신사, 양반, 귀족(貴族); ② 님, ...시, 각하(閣下); семья ~а Пака 박시네 집안; ~ президент 대통령각하

господство (중) 제패, 지배(支配), 통치(統治); мировое ~ 세계제패

господствовать (미완) 지배하다, 패권을 잡다, 통치하다, 우세하다

господствующий (여) ① господст-вовать의 능동 현재; ②(형) 지배적, 통치하는, 우세한; ~ий класс 지배계급

госпожа (여) ① 여사(女史); ② ...씨

гостевой(형): ~ые места 내빈석;~ой билет 초대권(招待券)

гостеприимный (형) 손님을 반기는 손님, 손님을 환대하는, 손님을 후대하는

гостепреимство (중) 손님후대, 손님환대; оказывать ~ 손님을 환대하다

гостиная (여) 응접실(應接室), 객실

гостиница (여) 여관(旅館)

гостить (미완) 손님으로 묶다

гость (남) 손님, 방문객(訪問客), 내빈(內賓); высокий ~ь 귀빈; идти в ~и 손님으로 가다(오다); у нас ~и 손님이 와있다

государственность (여) 국가제도, 국가체제, 국가조직(國家組織)

государственный (형) 국가(國家)의, 국립(國立), 국영(國營); ~ая власть 정권, 국가주권; ~ый строй 국가제도; ~ая собственность 국가소유

государство (중) 국가(國家)

готовальня(여)제도기 한조, 제도기함

готовить (미완) ① 준비하다, 마련하다, 차비하다; ~ уроки 예습하다; ~ стол 상을 차리다; ② 양성(養成)하다, 키워내다, 가르치다; ③ (음식을) 만들다, 요리(料理)하다

готовиться (미완) 준비하다, 차비하다; ~ к отъезду 떠날 차비를 하다; ~ к экзаменам 시험 준비를 하다

готовность (여) ① 용의(用意), 각오(覺悟); ② 준비(準備), 준비정도;боевая ~ 전투준비(태세); приводить в бое-вую ~ 전투태세를 갖추다

готовый (형) ① 준비한, 차비가된, 태세를 갖춘; ~вый к отъезду 떠날 차비가된, 출발준비를 한; ~во! 다 되었다; быть ~вым(сделать)что... 할 용의(각오)가 있다; ~вый оказать помощь 도와줄 용의가 있다; будь ~в! 준비하자!; все- гда ~в! 항상준비!; ② 다 된, 기성의; ~вые лекарства 기성약제; ~вая про- дукция 완성품(완제품); ~ вое платье 지은 옷, 기성복

грабёж (남) 강탈(強奪), 약탈(掠奪), 강도질; заниматься грабежом 강탈하다, 약탈하다

грабитель (남) 약탈자(掠奪者), 강탈자, 강도(強盜); ~и 불한당, 강도배

грабительский (형) 약탈(掠奪)의, 강

도적인; ~ая война 약탈전쟁
грабить (미완) 약탈하다, 강탈하다
грабли (복수) 갈퀴, 살고무래
гравёр (남) 판각전문가, 판화미술가; ~ по дереву 목각공
гравий (남) 자갈, 돌자갈
гравировать (미완) 새기다, 판각하다
гравитационный (형) 중력을 받는, 중력의; ~ое поле 중력마당
гравитация (여) 중력(重力)
гравюра (여) 판화; ~ на дереве 목판화(木版畵), 목각화
град(남) 우박(雨雹), 누리, 백우(白雨); с него пот льётся ~ом 구슬땀을 흘리다; ~ пуль 탄우(彈雨)
градус (남) 도(度), 도수(度數); пять ~ов тепла(мороза) 영하 5도; угол в тридцать ~ов 30 도각
градусник (남) 온도계(溫度計), 한란계, 체온계(體溫計), 한서침(寒暑針)
граждане! (복수) 여러분!
гражданин, гражданка (여) 국민
гражданский(형) ① 민간(民間)의, 사민(私民)의; ~ая авиация 민용항공; ~ая одежда 사복; ② (법학) 시민(市民)의, 공민의(公民), 민사(民事)의 ~ие права 시민권; ~ий иск 민사소송; ~ая оборона 민간방위; ~ая война 국내전쟁
гражданство (중) 국적(國籍); права ~а 시민권(市民權), 공민권(公民權)
грамзапись (여) 녹음(綠陰)
грамм (남) 그램(gram; 미터법에 의한 무게의 단위. 1그램은 4℃의 물 1㎤의 질량이다. 기호는 g.)
грамматика (여) 문법(文法)
грамматический (형) 문법적인, 문법의; ~ое правило 문법규칙
граммофон(여) 녹음기(錄音器), 축음기
грамота (여) ① 읽고 쓰기, 초보적인 지식; ② (похвальная) ~а 표창장; ③문서(文書); верительные ~ы 신임장
грамотей (남) 식자(識者), 유식쟁이
грамотность (여) 학식(學識), 학문(學文), 지식(知識)
грамотный (형) ① 읽고 쓸줄 아는, 학식있는; ② 유식한, 지식있는
грампластинка (여) 레코드 소리판
гранат (남) ① 석류나무; ② 석류
граната (여) 유산탄, 유탄; ручная ~ 수류탄(手榴彈)
гранатовый (형) 석류(石榴)의; ~ое дерево 석류나무; ~ый сок 석류즙
гранатомёт (여) 신호탄(信號彈)
грандиозный (형) 웅대한, 굉장한, 거대한, 장엄한.
гранёный (형) ① 다면(多面)의, 다면체(多面體)의; ② 세공한, 연마한
гранит (남) 화강암(花崗巖), 화강석
гранитный (형) 화강암(花崗巖)
граница(여) ① 경계(境界), 경계선(境界線); (государственная) ~а 국경; за ~ей 외국에서; ② 한계(限界)
граничить (미완) ① с чем...와 접경하다, ...와 경계를 두고 있다, 인접하다; ② ...과 거의일치하다, ...에 가깝다
гранка (여) (인쇄) 교정지, 게라지, 초교지(初校紙)
гранулированный(형): ~ые удобре-ния 입상비료, 알비료, 결실비료
грань (여) ① 경계, 계선; ② (수학) 면(面), 모; ~и куба 입방체의 면(모); на ~и войны 전쟁 접경에; быть на ~и смерти 사경에 처하다, 죽음에 직면하다
графа (여) 난(欄), 줄간
график (남) 도표(圖表), 표, 작업진행표; ~ движения поездов 기차운행표
графика (여) ① (미술) 서예(書藝), 선그림(선화), 연필그림; ② (언어) 표

기법(表記法), 글씨체
графин (남) 물병
графит (남) ① 흑연(黑鉛); ② 연필심, 연필속, 연필알.
графить(미완) 줄을 굿다, 행간을 치다
грациозный(여) 우아한, 우미한, 맵시 있는
грач (남) 심산까마귀
гребёнка (여) 빗
гребень (남) ① 빗; ② 볏; ③ 산마루, 산등성이; ④ 물결마루
гребля (여) 노젓기, 노질
гребной (형): ~ спорт 보트경기; ~ канал 보트경기장(boat 競技場)
грезить (미완) 꿈구다, 공상하다
грёзы (복수) 꿈, 공상, 환상(喚想)
грейдер (남) 평토기
греки(~к(남),~чанка(여)희랍사람들
грелка (여) 보온기(保溫器),발열기
греметь (미완) ① 우르릉거리다, 요란하게 울리다; ~ят выстрелы 총소리가 울린다; ② (명성등을) 떨치다
гремучий (형): ~ газ 폭명가스
грена (여) 누에알, 누에씨
Гренландия(여) 그린란드(Greenland)
грести (미완) ① 긁어모으다; ② 노를 젓다, 노질하다
греть (미완) 데우다, 덥히다;~ пищу 음식을 데우다; ~ руки 손을 녹이다; солнце греет 해가 쪼이다
греться (미완) 쪼이다, 더워지다, 뜨거워지다;~ на солнце 햇볕에 쪼이다
грех (남) 죄(罪), 범죄(犯罪), 죄악(罪惡); с ~ом пополам 겨우, 간신히; как на ~ 공교롭게도
Греция (여) 희랍(希臘; Greece)
грецкий (형): ~ орех 희랍호두
гречиха (여) 메밀
гречневый (형): ~ая крупа 메밀쌀; ~ая каша 메밀밥, 메밀죽

грешить (미완) ① 죄를 저지르다; ② *против чего* 과오를 범하다, 위반하다
гриб(남) 버섯; расти как ~ы(после дождя) 무럭무럭자라다, 우후죽순처럼 바라다
грибок(남) 곰팡이, 균(菌);дрожжевые ~ки 발효균(醱酵菌)
грибной (형) 버섯의; ~ суп 버섯국; ~ дождь 해비
грива (여) 갈기
гривенник (남) 십꼬뻬이까자리 은화
грим (남) 분장(扮裝), 분자용 화장품
гримаса (여) 찡그린 얼굴; делать ~ы 얼굴을 찡그리다
гримасничать(미완) 얼굴을 찡그리다
гримёр (남) 분장사(扮裝師)
гримировать (미완) 분장시키다
гримироваться (미완) 분장하다
грипп (어) 유행성감기, 돌림감기
гриппозный (형) 유행성 감기의
гриф I (남) (음악) 목, 지판(指板)
гриф II (남) (조류) 번대수리
грифель (남) 석필(石筆)
гроб (남) 관(棺), 영구(靈柩), 나무관; лечь в ~ 죽다; смотреть в ~ 죽을 때가 가깝다
гробница(여) 고분(古墳), 분묘, 묘(墓)
гробовщик (남) 관(棺)을 짜는 사람
гроза (여) ① 우뢰비, 뇌우(雷雨); ② 위험(危險), 재난(災難)
гроздь(여) 송이;~ винограда 포도송이
грозить (미완) ① 위협하다, 으르다, 울러메다; ② 위험이 있다
грозный (형) 위협적인, 험악한, 무서운; ~ час 험악한 시각; ~ вид 위엄스러운 몸매
гром(남) ① 우뢰(又賴)(소리); гремит ~ 우뢰가 운다; ② 요란한 소리; ~

аплодисментов 우뢰와 같은 박수; ~ среди ясного неба 청천벽력(青天霹靂), 마른하늘에 날(생)벼락
громада (여) 엄청나게 큰 물체; ~ гор 중중첩첩한 산악들, 첩첩산중들
громадный (형) 거대한, 커다란, 대단한; ~ое здание 으리으리한 건물(建物); ~ое значение 거대한 의의; ~ые резервы 막대한 예비
громить (미완) 파괴하다, 들부시다, 격멸하다, 족치다; ~ врага 원수를 족치다
громкий (형) ① 소리 높은, 크게 울리는; ~ий голос 큰 목소리; ② 요란한; ③ 이름 떨친, 유명한;~ие фразы(слова) 말공부, 호언장담
громко (부) 큰 소리로
громкоговоритель (남) 확성기(擴聲器)
громовой (형) ① 우뢰(又賴), 천둥, 뇌성(雷聲); ~ые раскаты 천둥소리; ② 몹시소리가 큰, 우뢰와 같은; ~ой голос 우렁우렁한 목소리
громогласно (부)큰소리로, 공개적으로
громоздить (미완) 쌓다, 쌓아올리다
громоздиться (미완) 쌓이다, 솟아있다, 중첩되다
громоздкий (형) 부피가 큰, 육중한, 둔중한; ~ие вещи 부피가 큰 물건
громоотвод (남) 피뢰침(避雷針)
громыхать (미완) 덜커덩거리다
гроссмейстер (남) 장기명수, 장기선수의 최고 칭호
грохот I (남) 우르릉거리는 소리, 폭음(爆音); ~ орудий 포성
грохот II (남) 요동채, 큰 채
грохотать (미완) 우르릉거리다, 덜커덩거리다, 드르렁거리다, 과르릉거리다
грош (남) ① 한 푼; ② ~й (복수) 푼돈; ~а ломаного не стоит 한푼의 가치도 없다; ни в ~ не ставить 전연무시하다, 대수롭지 않게 여기다
грубеть (미완) 거칠어지다, 조잡해지다; голос ~ет 목소리가 거칠어진다
грубить (미완) 버릇없는 말을 하다, 폭언하다
грубиян, ~ка (여) 버릇없는 사람
грубость (여) ① 무례한 말, 상스러운 말; говорить ~и 말을 쇠다; ② 무례한 짓, 버릇없는 행동; ③ 거친 것, 조잡성
грубый (형) ① 버릇없는, 무례한, 난폭한, 비속한; ~ое обращение 거칠게 대하는 태도; ~ый человек 막된 사람, 무례한 사람; ② 거친, 조잡한, 날쌍한; ~ая ткань 거친천; ③; ~ая ошибка 큰 착오; ~ое нарушение 난폭한 위반
груда (여) 더미, 무더기; ~ камней 돌무지
грудинка (여) 가슴살, 갈비사이 살; говяжья ~ 양지머리 「유종, 젖앓이
грудница (여) (의학) 발유창(發乳瘡)
грудной(형) ① 가슴의;~ая клетка 흉곽, 가슴통; ~ая полость 흉강, 가슴안; ② 젖을 먹이는; ~ой ребёнок 젖먹이
грудь (여) ① 가슴, 흉부(胸部); ② 젖, 젖통; кормить ~ю 젖을 먹이다; отни-мать от ~и 젖을 떼다
груз (남) ① 짐, 화물(貨物); ② 무게, 무거운, 물건(物件)
грузины(~(남),~ка(여) 그루지아 사람, 그루지아 사람들
грузить (미완) 싣다, 적재하다
Грузия(여) 그루지야(Gruziya); Грузинская Советская Социалистическая Республика 구루지야 소비에트사회주의 공화국(共和國)
грузный (형) ① 육중한; ② 무거운
грузовик (남) 짐차, 짐자동차, 화물자동차, 트럭

грузовой (형) 짐의, 화물(貨物)의; ~ое судно 짐배, 화물선(貨物船); ~ой автомобиль *см.* грузовик
грузооборот (여) 화물순환, 짐나르기
грузоотправитель(남) 짐보내는사람
грузоподъёмник (남) 지게차, 기중기
грузоподъёмность(여) 적재량, 싣는 량
грузополучатель (남) 짐받는 사람
грузчик (남) 짐꾼, 상하차공
грунт(남) ① 흙, 땅, 토양(土壤), 토지(土地); глинистый ~ 찰흙; песчаный ~ 모래땅; ② (미술) 밑칠, 바탕칠
грунтовать (미완) 바탕칠하다
грунтовой(형) 땅의, 흙의, 토양의;~ые воды 지하수, 땅속의 물
групорг (남) 조장, 분조장
группа (여) ① 그룹, 패, 무리, 군중(軍衆), 집단(集團); ② 학습조(學習組), 반; ③ 조, 작업반(作業班), 분단(分段);
группировать (미완) ① 집결시키다, 그룹을 만들다;② 분류하다, 조를 나누다
группироваться (미완) ① 패를 짓다, 집결되다, 집중되다; ② 분류되다
группировка(여) ① 집결(集結), 결성(結成); ② 그룹, 종파(宗派), 분파(分派)
групповой (형) 집단적인, 그룹적인
групповщина (여) 파벌주의, 종파주의
грустить (미완) 슬퍼하다, 쓸쓸하다, 애수에 잠기다, 수심에 잠기다.
грустно (부) ① 슬프게, 쓸쓸하게, 애수에 잠겨; ② (술어) 슬프다, 쓸쓸하다
грустный (형) 슬픈, 쓸쓸한, 애수에 잠긴, 우울한; ~ое настроение 우울한 기분; ~ое лицо 수심에 어린 얼굴
грусть (여) 슬픈, 애수(哀愁), 애상(哀想)
груша (여) ① 배나무, ② 배
грыжа (여) 탈장, 헤르니아(hernia)
грызия (여) 싸움, 말다툼, 욕지거리
грызть (미완) ① 널다, 물어뜯다, 가먹다; ② 뇌까리다, 욕지거리하다
грызться (미완) ① 서로 물어뜯다; ② 아웅다웅하다, 서로 다투다
грызун (여) (동물) 설치류(齧齒類)
гряда (여) ① *см.* грядка ; ② 산줄기(山-), 산맥(山脈)
грядка (여) (밭) 이랑
грядущее (중) 닥쳐올 때, 앞날, 장래
грядущий (형) 미래(未來)의, 장래(將來)의; ~ день 앞날, 내일(來日)
грязевой (형): ~ые ванны 감탕찜질
грязелечение(중)진흙(감탕)찜질치료
грязи (복수) (의학) ① 치료용 진흙(감탕); ② 진흙(감탕)찜질요양소
грязниться (미완) 때묻다, 더러워지다, 어지러워지다
грязный (형) ① 진흙투성이가 된, 어지러운, 때가 묻은(낀) 더러운, 불결한; ~ая комната 지저분한 방안; ~ое бельё 더러운 속옷; ② 더러운; ~ое дело 추잡한 일; ~ая игра 부담스러운 장난
грязь (여) 진탕, 흙탕, 치료용 진흙
грянуть (완) ① 요란하게 울리다; ~ул гром 우레 소리가 났다; ② 터지다;~ула война 전쟁이 터지다
гуашь (여) 포스터카라
губа I (여) 입술
губа II (여) (지리) 만(滿)
губернатор(남) 현지사, 주지사, 총독
губительный (형) 파멸적인, 해로운
губить (미완) ① 파멸시키다, 해치다, 죽이다, 망치다; ~ здоровье 건강을 해치다; ② 낭비하다; ~ время 허송세월을 보내다
губка (여) (동물) 해면

губной (형) 입술의;~ые согласные 순음, 입술소리; ~ая по мада 입연지
губчатый (형) 해면질, 구멍이 숭숭한
гудеть (미완) 울리다, 윙윙거리다; гудок ~ит 고동이 울리다
гужевой(형): ~ транспорт 마차수송
гул (남) 우르렁거리는 소리, 둔중한 소리, 소음; ~ голосов 웅성거리는소리
гулянье (중) 야유회(野遊會), 들놀이; праздничное ~ 명절들놀이; народное ~ 군중야유회
гулять (미완) ① 거닐다, 산보하다; ② 즐거워하다, ③ 쉬다, 놀다
гуманизм (남) ① 인도주의(人道主義); ② 인문주의(人文主義)
гуманист(남) 인도주의자, 인문주의자
гуманитарный (형) 인문학(人文學)의, 인문과학(人文科學)의; ~ые науки 인문과학(人文科學)
гуманность (여) 인간성, 인도주의
гуманный(형) 인도적인, 인간성 있는

гурт (남) (가축) 무리, 떼
гурьба (여) 무리, 떼; идти ~ой 떼를 지어가다
гусак (남) 숫 거위
гусеница (여) ① 쐐기벌레; ② 무한궤도; ~ танка 탱크의 무한궤도
гусеничный (형); ~ трактор 무한궤도의 트랙터
густеть (미완) ① 엉겨 굳다, 뒤지다, 짙어지다; ② 무성해지다, 빽빽해지다
густой (형) ① 진한, 짙은, 농후한; ~ой туман 짙은 안개; ~ая каша 된죽; ② 무성한, 빽빽한; ~ая трава 우거진 풀; ~ой лес 울창한 수림; ~ые волосы 더부룩한 머리칼; ~снег 함박눈
густонаселённый(형) 인구가 조밀한
густота (여) ① 농도(濃度), 밀도(密度); ② 우거진 것, 울창한 것
гусь (남) 기러기
гуськом (부) 한 줄로, 줄지어
гуталин (여) 구두약
гуща (여) 밀림, 우거진 곳, 찌끼, 앙금

Д

да I (조) ① 예, 그렇습니다, 오냐, 응; вы смотрели этот фильм? -да(смотрел) 당신은 이 영화를 보았습니까?, 예 보았습니다.; ② (강조의 뜻으로) 그래, 정말, 사실; да, очень красивый 정말 매우 아름답다; да! вот ещё 그래그래 또 있어요!; ③ (희망, 명령의 듯을 나타냄); Да здравствует Первое мая! 5.1절 만세; да будет мир! 평화는 온다.

да II (접) ① ...와(과), 및; отец да мать 아버지와 어머니; ② 그러나, 그런데, 그렇지만; хочу пойти, да нет времени 그로 싶지만 시간이 없다

давать (미완) ① 주다, 부여하다; ② ~й ...하자, ...합시다.; ~йте споём 노래합시다.; ③ 허락하다; ~йте я вам по-могу 나는 당신을 도와 드리겠습니다; дайте мне сказать 내게 말해주십시오; ~ть знать 알려주다; ~ть волю *чему* ...을 막지 않다; дать понять 암시를 주다; дать сигнал 신호를 하다; ~ть за-лп 일제사격하다; ~ть обед 오찬을 베풀다; ~ть телеграмму 전보를 치다; ~ть согласие 동의하다; ~ть клятву 맹세를 다지다; ~ть слово 발언권을 주다; ~ть повод 구실을 주다

давить (미완) ① 누르다, 내리 누르다; ② 압력을 가하다, 억누르다; ③ 억제하다; ~ инициативу 창의성을 억누르다; сапог давит ногу 발이 장화에 조인다.

давиться (미완) 목이 메다

давка (여) 북새통, 대 혼잡, 난장판

давление (중) ① 눌림, 압력(壓力); атмосферное ~기압(氣壓); кровяное ~ 혈압(血壓); ② 압력(壓力), 강박; оказы-вать ~ 억누르다, 압력을 가하다

давний(형) 오랜, 오랜 전(前)에; с ~их пор 오래전부터;~ее желание 오랜 숙원

давно (부) 오래전에, 오래전부터, 오래 동안; ~ пришёл 나는 온지 오래되었습니다.; давным-~ 먼 옛날에, 옛날 옛적에; ~ бы так! 진작 그럴 것이지!

даже (조) ...도, ...까지(도), 조차, 심지어, 마저; я ~ и не знал 나는 알지도 못하였다

далее(부) 나아가서는, 그 다음에; и так ~ 및 기타, 등등; не ~ как вчера 바로 어제

далёкий (형) ① 먼, 먼 곳에; ~ая дорога 먼 길; ② 시간이 오랜, 먼; ~ое прошлое 먼 과거

далеко (부) ① 멀리; ~ от ...에서 멀리, 멀리 떨어져서; ② (술어로) 멀다; это не ~ 멀지 않다; ~ не так 결코 그렇지 않다; ~ не закончено 끝나자면 멀었다; захо дить ~ 지나치다

даль (여) 먼 곳, 먼 거리, 원경(遠境); какая ~! 매우 멀다

дальневосточный (형) 극동, 원동의

дальнейший (형) ① 이후, 이래, 앞으로의;② 가일층의; в ~ем 앞으로, 장차

дальний(형) 먼, 멀리 떨어져있는;~ий родственник 먼 친척;

~ий путь 먼 길; ~ее плавание 원양항해; ~ее расстояние 원거리(遠距離)

дальновидность (여) 선견지명
дальновидный (형) 멀리 내다보는
дальнозоркий (형) 원시안의
дальнозоркость (여) 원시, 원시안
дальномер (남) 거리측정기(-測程器)
дальность (여) 거리, 원거리, 길거리; ~ полёта 비행거리; средняя ~ 중거리; ~ родства 친척관계
дальше ① далеко 의 비교급; 더 멀리; ② 그 다음에, 그 후에; ③ 계속, 더 계속하여; терпеть ~ нельзя 더 참을 수 없다; ~! 계속하시오
дама (여) ① 부인(婦人), 귀부인(貴婦人), светская ~ 숙녀;②(트럼프의)여왕
дамба (여) 뚝, 제방(堤防), 강둑
дамский (형) 여자의, 부인용(婦人用), 여자용; ~ое платье 부인 옷
данные (복수) 자료(資料), 재료(材料); цифровые ~е 숫자적 자료; официальные ~е 공식자료; по неполным ~м 불충분한 재료에 의하여
Дан(Книга Пророка Даниила, 14장, 861쪽) 다니엘서(Book of Daniel)
данный (형) 이, 본; в ~ый момент 이 시각에; в ~ом случае 이 경우에는; ~ая страна 본국
дань (남) 공물(公物), 연공; взимать ~ 공물을 징수하다;отдавать ~ кому-чму ....를 정당하게 평가하다
дар (남) ① 선물(先物), 기증품(寄贈品), 기념품(紀念品); приносить в ~ 선물하다, 기증하다; ② 재능(才能), 천품(天稟)
дарвинизм(남) 다윈의 진화론
дарить (미완) 선물하다, 선사하다
дармоед (남) 밥통, 밥버러지
дарование (중) 재능(才能),

재간(才幹); природное ~ 재질, 천품(天稟)
даровитый (형) 재능이 있는
даровой (여) 무료의, 공짜의
даровщинка (여): жить на ~у 공자로 살다, 거저 살다
даром (부) ① 거저, 공자로, 무급으로, 매우 값 싼; ② 쓸데없이, 헛되이;~тратить время 시간을 허비하다
дата(여) 년, 월, 일, 날자;(по) ставить ~у см. датировать
дательный(형): ~ падеж(언어) 여격
датировать (미완) 날짜를 쓰다
датчане(~ин,~ка) 덴마크 사람들
дать см. давать
дача (여) 별장(別莊); жить на ~е 별장에서 살다
дачник (남), **~ца** (여) 별장 거주자
дачный(형); ~ая местность 피서지
два(남,중) (수) 둘(2); каждые ~ дня 격일, 하루건너 하루; в ~ счёта 단숨에, 즉석에서; в двух словах 간단히; в двух шагах 가까이
двадцатилетие (중) ① 20년 동안, 이십년간; ② 20돌, 20(이십)주년
двадцатилетний (형) ① 20년간의, 스무살; ② 20돌의
двадцатый (수) 스무번째, 제 20
двадцать (수) 스물, 20, 이십
дважды (부) ① 두 번; ~ в неделю 한 주일에 두 번; ② 2(두)배로; ~ два-четыре 2를 2로 곱하면 4이다
двенадцатый (수) 열두 번째, 제12
двенадцать (수) 열둘, 십이
дверной (형) 문의; ~ой замок 열쇠, 문의 자물쇠; ~ая рама 문틀;~ая ручка 문의 손잡이
дверца(여) 작은 문;печная ~ 아궁이
дверь(여) 문; входная ~ь 들어가는 문; раздвижная ~ь 쌍미닫이; при закры-

тых~ях 비공개적으로, 비밀로; политика открытых ~ей 문호개방

двести (수) 이백(二百), 200

двигатель (남) ① 발동기(發動機), 원동기, 전동기(電動機); ~ внутреннего сгорания 내연기관(內燃機關); ②추동력

двигать (미완) 움직이다, 밀고나가다, 옮겨놓다; ~ вперёд 전진시키다

двигаться (미완) 움직이다, 움직여나가다; ~ вперёд 전진하다; ~ в путь 길을 떠나다

движение (중) ① 운동(運動), 움직임; рабочее ~ 노동운동; приводить в ~е 시동하다; ② 통행(通行), 교통(交通); правила дорожного ~я 교통규정; открывать ~е 개통하다

движимость (여) 동산

движущий(형);~ая сила 동력, 추동력

двинуть(ся) см. двигать(ся)

двое(집합수) 둘, 두개; только ~ пришли 둘이 왔다;~ножниц 가위의 두개

двоеточие (중) (언어) 쌍점(雙點)

двойка (여) ① 숫자 둘; ② 번호 2; ③ 채점법에서 2점

двойной (형) 2 배의, 두 가지의 이중의; ~ые рамы 이중창(二重唱); ~ая жизнь 이중생활(二重生活)

двойня (여) 쌍둥이

двойственный (형) ① 이중의; ② 표리부동한(表裏不同-)

двор (남) ① 마당, 뜰; внутренний ~ 안마당; ② 농가(農家), 농호(農戶); скотный ~ 외양간;③ 궁전(宮殿), 궁중(宮中); на ~е 바깥에서

дворец (남) 궁전, 전당;~ культуры 문화궁전; ~ спорта 체육관(體育館)

дворник (남) 집지기, 수위(守衛)

дворняга, дворняжка (여) 잡종개

дворовый (형) 마당

дворцовый(형)~ переворот 쿠데타

дворянин (남) 귀족(貴族), 양반(兩班)

дворянство (중) 귀족층, 귀족계급

двоюродный (형); ~ый брат 사촌형; ~ая сестра 사촌동생

двоякий (형) 두 가지의, 이중의; ~ий смысл 두 가지 의미

двояковогнутый (형); ~ая линза 양면오목렌즈

двояковыпуклый (형) ~ая линза 양면볼록렌즈

двубортный(형); ~ костюм 겹양복

двугорбый(형); ~ верблюд 쌍봉낙타

двузначный~ое число(수학)두자리수

двуколка (여) 두바퀴 마차

двукратный (형) 두 번의, 두 곱절의, 두배의;в ~ом размере 두배의 크기로

двуличный (형) 표리부동한, 위선적인

двуполый (형) 양성(兩性)의, 자웅동체

двурушник(남)표리부동한, 양면주의자

двурушничать (미완) 표리부동하게 행동하다, 양면주의적으로 행동하다

двурушничество (중) 양면주의, 양면성, 표리부동한 행동

двускатный (형) ~ая крыша 양쪽으로 경사진 지붕

двусмысленность (여) 두가지 뜻이 담긴, 두가지 뜻이 겹친, 두가지의 의미

двусмысленный (형) 애매한

двустволка(여) 쌍발사냥총, 쌍알배기

двуствольный: ~ое оружие см. двустволка

двустворчатый:~ая дверь 두 짝문

двухгодичный (형) 2년간, 이 개년의

двухгодовалый(형) 두살난, 두살된

двухдневный (형) 이(2) 일간의

двухколейный:~путь(철도)복선궤도

двухкомнатный(형) 두방의,

두칸자리
двухлетний (형) ① 이(2)년간의, 2개년의; ~ план 2(이)개년계획; ② 두 살의; ③ (식물) 2(이)년생의
двухместный (형) 좌석이 두개있는
двухмесячный (형) (...난지) 두 달되는, 2개월간의
двухмоторный:~самолёт 쌍발비행기
двухнедельный (형) (...난지) 두 주일되는, 2(이)주일간의
двухпалатный (형): ~ая система 양원제도(兩院制度)
двухразовый (형) 두 번으로 진행하는
двухсменный (형): ~ое обучение 2부제교육; ~ ая работа 교대작업
двухсотлетие (중) ① 2(이)백년(百年); ② 2(이)백주년(二百週年)
двухсотый(수) 200(이백) 번째, 제 200
двухспальный (형) ; ~ая кровать 이(2) 인용침대
двухсторонний (형) ① 양면의, 양쪽의; ~ее движение 쌍방통행; ② 쌍의, 쌍방의, 쌍무의; ~ие отношения 쌍방의 관계; ~ее соглашение 쌍무협정
двухцветный (형) 두색의, 이색의
двухэтажный(형) 2층의;~ дом 2층집
двучлен (남)(수학) 2(이)항식
дебатировать (미완) 토론(討論)하다
дебаты (복수) 토론, 토의, 논쟁(論爭)
дебет (남) (부기) 차변(借邊)
дебо (남) 싸움질, 추태; устраивать ~ см. дебоши рить
дебоширить (미완) 싸움질하다, 주정을 부리다, 추태를 부리다
дебри (복수) ① 짙은 숲, 밀림지대; ② 미개척분야
дебют (남) ① 첫 공연(公演), 첫 출연(出演); ② (장기) 선수(善手)
дебютировать (형) 첫 공연을 하다

девальвация (여) 화폐개혁(貨幣改革)
девать (미완) ① 두다, 치우다; ② 소비하다
деваться (미완); куда он ~ался? 그는 어디로 가버렸는가?; не знаю, куда ~алась книга 책이 어디에 잇는지 모르겠다.
деверь (남) 시동생, 시형
девиз(남)신조(信條),좌우명, 구호, 표어
девичий (형) 처녀의
девочка (여) 소녀(小女), 처녀애
девственность (여) 동정, 순결성
девственный (형): ~ лес 원시림
девушка (여) 처녀, 숫처녀, 아가씨
девяносто (수) 아흔, 90(구십)
девяностый (수) 아흔 번째, 제90
девятка (여) 9(아홉), 번호 9
девятнадцатый (수) 열아홉 번째, 19
девятнадцать(수) 열아홉, 19(십구)
девятый (수) 아홉 번째, 제구(9)
девять (수) 아홉, 9
девятьсот (수) 구백(900)
дегазация(여)가스해제, 유독물질해제
дегенерат (남) 변절자(變節者)
дегенерация (여) 퇴화(退化), 변질
дёготь (남) 타르; каменноугольный ~ 콜타르; древесный ~ 나무타르
деградация(여) 쇠퇴, 퇴보(退步),타락
дегустатор (남) (술, 담배, 차등의) 물질감정원
дегустация(여)(술,담배 등) 물질감정
дед (남) ① 할아버지, 조부(祖父); ② 늙은이; ③~ы (복수); наши ~ы 우리의 선조;~~мороз 산타크로스
дедукция (여) 연역, 연역법(演繹法)
дедушка (남) ① 할아버님, 할아버지, 할배; ② 늙은이, 노인네
деепричастие (중) (언어) 부동사
дееспособность (여) ① 활동능력(活動能力); ② (법률)

행위능력(行爲能力)
дежурить (미완) ① 숙직하다, 당직하다, 일직하다; ② 지키고 있다, 붙어있다
дежурны ① 당번, 당직(堂直)의, 숙직의; ~ый врач 당직의사; ~ая сестра 숙직간호사; ② ~ая (여) 당번, 당직, 일직; ночной ~ 숙직원; ~ое блюдо (식당에서) 준비되어 있는 음식
дежурство (중) 당번, 당직; дневное ~ 일직; ночное ~ 숙직; нести ~ см. дежурить
дезавуировать (미완, 완)(행동, 발언 등을) 부인하다, 취소하다
дезертир (남) ① 탈영병(脫營兵), 도피자(逃避子), 도망자(逃亡者), 도주자(逃走者); ② (책임의) 회피자(回避者)
дезертировать (미완, 완) 탈주하다, 도피하다, 도망하다
дезертирство (중) ① 탈주(脫走), 도피, 징집기피; ② 책임회피(責任回避)
дезинфекция (여) 소독살균
дезинфицировать (미완, 완) 소독하다, 살균하다, 멸균하다
дезинфицирующий(형);~ee средство 소독제(消毒劑),
дезинформация (여) 거짓보도, 허위보도, 왜곡보도, 조작 날조 보도
дезорганизатор (남) 교란자(攪亂者), (조직, 질서) 파괴자(破壞者)
дезорганизация (여) 조직해체, 질서파괴; ~ работы 사업파괴; вно сить ~ю в работу 사업을 무질서하게 하다
дезорганизовать(완), **дезоргани-зовывать**(미완) 조직을 와해시키다;~ работу 사업에 혼란을 가져오다; ~ тыл 후방을 교란하다
дезориентировать (완, 미완) 방향(方位)을 잃게하다, 잘못생각하게 하다
действенность (여) 실효성(實效性), 유효(有效)성, 효력(效力)
действенный (형) 실효성있는, 유효성있는, 효과적인; ~ая помощь 실속있는
действие (중) ① 움직임, 행동(行動), 동작(動作); ② 작용(作用), 효력(效力); ~е договора 조약의 효력; вводить в ~е 실시하다; срок ~я 유효기간; ③ 영향(影響); оказывать ~е 영향을 주다;, 작용하다; ④ ~я(복수) 행위(行爲), 운동, 행동; подрывные ~я 파괴행위; военные ~я 군사행동; ⑤ (연극) 막(幕); ⑥ (수학) 셈법(산법); ⑦ 사건(事件); место ~я 사건현장, 사건현지
действительно (부) 실로, 사실, 과연, 그야말로; ~, почему? 과연 무엇 때문인가?; это ~ так 사실 그렇다
действительность (여) 현실, 현실성, 실제; в ~и 사실상, 실제로 실로
действительный(형) ① 실제적인, 현실적인, 확실한; ~ое положение 실정; ② 유효한, 효력(效力)있는;~ая(военная) служба 현역복무
действовать (미완) ① 행동하다, 활동하다, 움직이다; ② (기계 등이) 작용하다, 가동하다, 돌아가다; машина не ~ует 기계가 돌아가지 않는다(섰다) ③ 효과가 있다, 영향을 주다; ④ (법등의) 효력(效力)을 가지다
действующий (형); ~ая армия 전방군인, 전투부대; ~ий закон 현행법; ~ий вулкан 활화산; ~ие лица ① (연극) 등장인물; ② 참가자, 당사자(當事者)
дека (여) (악기의) 공명판, 중심, 중앙
декабрь (남) 12월, 섣달; седьмое ~я 12월 7일

декабрьский (형) 12월의, 섣달의
декада(여) ① 순(旬), 순간(瞬間), 찰나; первая(вторая, третья)~ 상(중, 하)순(-旬); ② (무엇을 기념하여 조직하는)순간(瞬間), 10일간
декалитр 메카리터, 10리터
декан (남) 학부장(學部長)
декламация (여) 낭독, 낭송, 시낭송
декламировать (미완) 낭독하다, 낭송하다; ~ стихи 시낭송하다
декларация (여) ① 선언(宣言), 선언서(宣言書); 포고문 ② 신고문건
дкоративный (형) 장식(용), 관상용
декоратор (남) ① 무대미술가 ② 장식전문가, 인테리어
декорация (여) ① 무대장치, 무대미술, 세트 ② 배경(背景)
декрет (남) 법령(法令), 정령;~о земле 토지법령
декретный (형): ~ отпуск 산전산후휴가(産前産後休暇)
деланный (형) 자연스럽지 않은, 부자연스러운, 인공적(人工的)인
делать (미완) ① ....하다, 일을 하다; что ты здесь ~ешь? 당신은 여기서 무엇을 합니까?; ~ть опыты 실험을 하다 ② 만들다, 제조하다, 제작하다; ~ть вид ...체 하다 ...척 하다; ~ть предложение 청혼하다 (구혼)하다; ~ть нечего 1. 할 일이 없다 2. 할수 없다; ~ упор 중점을 두다
делаться (미완) ① 되다 ② 만들어지다, 제작되다, 제조되다 ③ 벌어지다, 일어나다; что тут ~ется? 일이 벌어지고 있는가?
делегат (남) 대표(代表)
делегация (여) 대표단(代表團); член ~и 대표단성원
делёж (남), **~ка** (여) 나누임, 나눔질, 분배(分配)
деление (중) ① 나누기, 분배(分配); 구분(區分), 분할(分轄) ② (수학) 나누기, 제법(除法); знак ~я 나누기표, 제법기호 ③ (생물) 분식(分蝕) ④ 도수, 도; 눈금
делец (남) 실업가(實業家), 업자(業者); 실무에 밝은 수단꾼
Дели (남) (불변) ㄹ. (뉴) 델리
деликатес (남) 진미, 별식, 고급요리
деликатность (여) 상냥한 것, 정중한 것, 친절성(親切性)
деликатный ① 상냥한 ② 연약한, 친절한; ~ вопрос 미묘한 문제
делимое (중) (수학) 나누일수, 피제수
делитель(남) (수학) 나눔수, 제수(除數)
делить (미완) ① 나누다, 분류(구분)하다; 분배하다 ②(수학) 제하다, 나누다
делиться (미완) ① с кем ...와 서로 나누다, 같이 하다 ② 전하다, 교환하다; ~ впечатлениями 인상을 나누다; ~ опытом 경험을 교환하다 ③ 갈라지다, 나누지다; 구분(분류)되다
дело (중) ① 일, 일손; трудное ~о 어려운 일; в чём ~о? 무슨 일이 생겼소? ② 사업(事業), 직업(職業) ③ (법률) 소송사건(訴訟事件); уголовное ~о 형사소송사건 ④ 문건(文件), 서류(書類) ⑤ 문제(問題); как ~а? 어떻게 지내오?; в са-мом ~е? 정말?; на самом ~е 실지에 있어서는; то ~о 자주, 자꾸, 연방; первым ~ом 우선 보다 먼저; между ~ом 짬을 타서, 틈을 내서; другое ~о 다른 문제다; положение ~а 사태, 실태
деловито (부) 솜씨 있게, 착실하게; 실무적으로
деловитость (여) 실무성(實務性), 솜씨, 정력적인 것
деловой (형) ① 실무 (적인); ~ые

круги 실업계 ② 솜씨 있는, 건설적인 ③ 요령 있는; ~ое обсуждение 진지한 토론; ~ые качества 실무적 자질

делопроизводитель(남) 사무원(事務員), 사무(문서)취급자(取扱者)

делопроизводство (중) 사무(事務), 업무

дельный (형) 유능한, 영리한

дельта (여) 삼각주(三角洲)

дельфин (남)(동물) 돌고래

делячество (중) 실무주의, 실용주의

демагог (남) 거짓선전자, 허위선전자

демагогия (여) 악선전, 허위선전

демаркационный (형): ~ая линия 경계선(境界線), (군사) 분계선(分界線)

демилитаризация (여) 비군사화, 비무장화(非武裝化)

демилитаризованный (형): ~ая зона 비무장지대(非武裝地帶)

демисезонный (형): ~ое пальто 가을봄외투, 스프링코트

демобилизация (여) 제대, 동원해제

демобилизованный(명사로) 제대군인

демобилизовать (미완, 완) 제대시키다, 동원해제하다

демобилизоваться (미완, 와) 제대되다, 동원 해제되다

демократ (남) ① 민주주의자(民主主義者) ② 민주당원(民主黨員)

демократизация (여) 민주주의화(民主主義化), 민주화(民主化)

демократический (형) 민주주의(적), 민주(적); ~ий строй 민주제도; ~ая партия 민주정당; ~ий централизм 민주주의(적) 중앙집권제(中央集權制)

демократия(여) 민주주의, 민주(民主)

демон (남) 악마(惡魔), 악귀; 도깨비

демонстрант (남) 시위자(示威者), 운동권자, 시위참가자

демонстративный (형) ① 시위적인, 허위적인 ② 반발적(反撥的)인

демонстрационный (형): ~ зал 상영실; 표본실(標本室)

демонстрация (여) ① 시위(운동), 시위행진 ② 상영, 전람(展覽); 보이기 ③ 반발(反撥), 반항(反抗)

демонстрировать (미완, 완) ① 전람하다, 사영하다, 실물로 보여주다 (설명하다) ② 시위(파시) 하다 ③ 시위운동을 하다, 시위 (행진)에 참가하다

демонтировать (미완, 완) 분해하다, 해체하다, 뜯어 헤치다

днморализовать (완, 미완) 사기를 저하시키다, 타락시키다; 풍기를 문란케 하다

демпинг(남) (경제) 덤핑, 막팔기, 투매

денатурат (남) 변성알콜 (마실수 없게 유독성물질 따위를 섞은 알콜)

дендрарий (남) 수목원(樹木園), 식수원

денежный (형) ① 돈의, 화폐(禍敗)의, 금전(金錢)의; ~ая реформа 화폐개혁; ~ый налог 세금; ~ое обращение 화폐유통; ~ая премия 현상금 ② 돈 많은, 부유한(富有-)

денонсация (여), **денонсирование** (중) (조약 동의) 폐기; 무효선포하는 것

денонсировать (미완, 완) 폐기하다; ~ договор 조약을 폐기하다, 조약의 무효를 선포하다

денщик (남) 종졸 (장교들의 몸종)

день (남) ① 낮; ~ и ночь 낮과 밤; средь бела дня 대낮에; в час дня 오후 한시에; длинный~ 해가 긴 날 ② 하루, 날, 일; рабочий~노동일; целый ~ 온종일; ~ недели 요일; какой сегодня ~? 오늘은 무슨 요일입니까?; выходной ~ 쉬는 날, 휴식일; вчерашний ~ 어제 날; ③ 절(節), 명절, 날; ~ Первого мая 5.1 (오일) 절; ~ рождения 탄생일 ④ дни (복수) 시대, 시절; наши дни 우리 시대; добрый ~! 안녕하십니까?~ за днём, изо дня в ~ 나날이, 매일같이, 연일; на днях 요즈음, 요사이; со дня на ~ 이삼일내로, 내일내일 하고; ~ ото дня 날이 감에 따라

деньги (복수) ① 돈, 금전; наличные ~ 현금; мелкие ~ 잔돈; крупные ~ 큰돈, 단위가 놈은 화폐; 쇠돈; бумажные ~ 종이돈, 지폐; тратить ~ 돈을 쓰다; мотать ~ 돈을 낭비하다 ② 자금(資金); ни за какие ~ 무엇을 준다 해도; быть при деньгах 돈을 가지고 있다.

Деян (Деяние святых Апостолов, 28장, 130쪽) 사도행전(사도행전(使徒行傳, The Acts of the Apostles)

департамент (남) ① 국(局); Государственный ~ США 미국국무성 ② 현 (프랑스의 행정구역단위)

депо (불변) (중) (철도); пожарное ~ 소방차고; трамвайное ~ (전차) 차고

депрессия (여) ① (경제) 불경기, 침체(沈滯) ②; душевная ~ 우울증

депутат (남) ① 대의원, 의원(議員); ~ Верховного Совета 최고소비에트대의원

дёргать (미완) ① 잡아당기다, 툭툭 채다; ~ за рукав 소매를 잡아채다 ② 잡아뽑다, 빼다; 뜯다 ③ 성가시게 굴다

дёргаться (미완) 움칠하다, 씰룩거리다, 들썩이다

деревенеть(미완)딱딱해지다, 굳어지다

деревенский (형) ① 농촌(農村)의, 시골의,, 마을의; ~ дом 촌집, 농가집; ~ житель 촌사람 ② 촌스러운

деревня (여) 농촌, 촌(부)락; 마을; 동네; родная ~ 향촌, 고향마을

дерево (중) ① 나무; фруктовое ~ 과일나무, 과수; хвойное ~ 침엽수, 바늘잎나무 ② 목재(木材); красное ~ 자단 (나무)

деревообделочный (형) 목재가공의, 목공의; ~ая фабрика 목재가공공장

деревообрабатывающий (형): ~ая промышленность 목재가공공업

деревушка (여) 작은 마을, 자그마한 농촌부락

деревянный (형) 나무로 만든, 목재의

держава (여) 강국(强國), 독립국(獨立國); великие ~ы 열강(列强)

держать (미완) ① 쥐다, (불)잡다, 들다; ~ за руку 손을 잡다; ~ в руке 손에 쥐다 (들다); ~ ребёнка на руках 아이를 안다 ② 키우다, 치다; ~ поросят 돼지를 기르다 ③ 붙잡아두다, 가두어두다; ~ под стражей 감금하여두다 ④ 버티다, 붙들다 ⑤ (어떤 상태, 처지에) 있게 하다, ...(하여) 두다; ...하고 있다; *кого* в страхе 공포감에 얽매어두다; ~окна открытыми 창문을 열어두다; ~ в па-мяти 기억하여두다; ~ книги в шкафу 책을 책장에 넣어두다; ~ в тайне 비밀에 붙여두다 ⑥ 가지고 있다, 지니고 있다; ~ в душе 마음에 지니다; ~ слово 약속을 지키다; ~ ответ 대답(을) 하다; ~ курс на ...에로 향하다, ...의 방침을 취하다; ~ себя 처신하다; ~ экзамен 시험을 치다(치르다);~ язык за зубами 입을 다물다; ~ оборону 방어하다; ~ пари 내기하다; ~ сторону ...의 편을 들다; ~ первенство 첫 자리를 견지하다

держаться (미완) за *кого-что* ...를 붙잡고 있다, 붙들고 있다;~ за поручни 손잡이를 붙잡고 있다 ② *где* ...에 붙다, 자리잡다, 있다 ③ 견디다, 사수하다;надо ~ до конца 끝까지 사수해야 한다; держись! 견디어 내라! ④ 처신하다, 행동하다; ~ прямо 곧바로 서있다, 곧바른 자세를 취하다 ⑤ (어떤 상태에) 있다, 떠있다; едва ~ на ногах 겨우 지탱하고 서있다; ~ на воде 물위에 떠있다 ⑥ *чего* (...에 따라)맞게 행동하다, 준수하다, ...를 따르다; ~ правил 규정을 지키다 ⑦ 계속되어있다, 존속(存續)되다; держится хорошая погода 좋은 날씨가 계속되고 있다; ~ на волоске 위기일발이다

дерзать(미완) 감행하다,...할 용기를 내다

дерзить (미완) 무례한 (불손한) 말을 하다, 샘통(심술)을 부리다

дерзкий (형) ① 당돌한, 시큰둥한, 무례한 ② 대담한, 담력이 센

дерзость (여) ① 당돌한 행동, 무례한 짓, 샘통이; говорить ~и 불손한 말을 하다 ② 대담성, 담기

дерматин (남) 인조가죽, 레자

дерматиновый (형) 인조가축의, 레자

дерматолог (남) (의학) 피부과의사(皮膚科醫師); 피부병학자(皮膚病學者)

дёрн (남) 떼장, 풀이 덮인 땅

дёрнуть(ся) (완) *см.* дёргать(ся)

десант (남) ① 해병대(海兵隊); воздушный ~ 항공해병대; морской ~ 해군해병대; парашютный ~ 낙하산부대 ② 상륙(上陸), 착륙; производить ~ 상륙하다, 착륙하다

десантник (남) 해병대원(海兵隊員)

десерт (남) 식후다과 (식후에 내놓은 실과, 파자 등)

десна (여) 잇몸

деспот(남) ① 폭군(暴君) ② 전제군주

деспотизм(남) 학정, 폭정(暴政); 전횡

деспотический (형) ① 포악한, 횡포한 ② 전제(專制)의;~ режим 전제제도

десятиборье (중) (체육) 10종 경기

десятидневный (형) 10(십) 일간의

десятиклассник(남)~ца(여) 10년생

десятикратный (형) 10 (십) 배의, 10 (십)회의; в ~ом размере 10(십)배로

десятилетие (중) ① 열돌 (10 주년) ② 10(십) 년간, 10(십) 년

десятилетка(여) 10(십) 년제 중학교

десятилетний (형) ① 10(십) 년간의; ② 열살난

десятичный (형) 10(십) 전의, 10(십) 분의; ~ая система(счисления) 열올림법, 10 진법; ~ая дробь 소수

десятка (여) ① (수사) 10 (열) ② (번호)(10) ③ 10(십) 루불지폐

десятник (남) (건설장의) 십장

десяток(남) 열 개 (복수): ~ки 수십; ~ки раз 수십번; ~ки людей 수십명

десятый (수) 열 번째, 제 10(십)

десять (수) 열; 10(십)

детализация (여) 구체화, 세밀하게 하는 것, 세부화; ~ планирования 계획의 세부화

деталь (여) ① (기계의) 부분품(部品), 부속품(附屬品), 요소(要所) ② (건설) 부재; сборные ~и 조립식 부재 ③ 세분(細分), 세세한 (소소한) 점

детально (부) 세밀하게, 상세하게, 치밀하게, 자세하게

детальный (형) 세밀한, 상세한, 치밀한;~ план 면밀한 계획

детвора (여) (집합) 아이들, 어린이들,

아동(兒童)

детдом (남) (детский дом) 애육원(愛育院), 고아원(孤兒院)

детектив (남) ① 탐정(探偵), 형사(刑事) ② 탐정소설(探偵小說)

детективный (형) 탐정적인(探偵-); ~ роман 탐정소설(探偵小說)

детектор (남) (무선) 검파기(檢波器); ~ лжи 거짓말탐지기

детёныш (남) (동물의) 새끼

дети (복수) ① 아이들, 어린이들, 아동 ② 자식들, 자녀

детище (중) 산아, 소산물(所産物)

детонатор (남) 뇌관, 기폭장치

деторождение (중) 출산(出産), 해산

детсад (남) (детский сад) 유치원

детский (형) ① 아동의(兒童-), 어린이의, 소아의(小兒-); ~ий дом см. детдом; ~ий сад см. детсад; ~ая литература 아동도서; 아동문학; ~ие болезни 어린이병; ~ая одежда 어린이옷 ② 어린이 같은, 아이다운

детство (중) 유년(幼年)시절, 어린 시절; с ~а 어릴 때부터; ㅇ впадать в ~о 노망하다

деть(ся) (완) см. девать(ся)

де-факто(부) 사실상, 실지로; признать новое правительство ~ 새 정부를 사실상 승인하다;

дефект (남) 결함(缺陷), 결점, 부족점

дефективный (형) ① (육체상 또는 정신상) 결함이 있는, 비정상적인 ② 병집이 있는, 기형적인

дефектный (형) 흠이 있는, 부족점이 있는, 결함이 있는

дефис (남) 이음표

дефицит (남) ① (경제) 적자; 결손(缺損); ② 부족(不足), 결핍(缺乏)

дефицитный (형) ① (경제) 적자나는, 결손을 가져오는 ② 부족한, 모자라는; ~ товар 부족상품

деформация (여) 변형(變形), 형태변화(形態變化); 기형화(奇形化)

деформировать (미완, 완) 모양이 달라지게 하다, 변형하다

децентрадизация (여) 지방분권화

дециметр (남) 데시미터(decimeter: 길이의 단위). 1미터의 1/10«기호:dm».

дешеветь (미완) 싸지다, 눅어지다, 값이 내리다

дешевизна (여) 아주 눅은 값, 싼값

дёшево (부) (값) 싸게, 눅은 값으로; это стоит ~ 이것은 값이 눅다

дешёвый (형) (값) 싼, 눅은

де-.юре(부) 법률상, 법적으로; признать ~ 법적으로 승인한다.

деятель (남) 활동가(活動家); видный ~ 저명한 활동가; государственный ~ 국가 활동가; общественный ~ 사회 활동가; полити ческий ~ 정치(활동)가, 정객; ~ науки 학자

деятельность (여) ① 활동(活動), 사업(事業); 업무; поле ~и 활동무대 ② 작용(作用); ~ мозга 뇌수의 작용

деятельный (형) 활동적인, 활발한, 정력적인; ~ человек 활동력이 있는 사람

джаз (남) (음악) 재즈; ~-оркестр 재즈(악단)

Джакарта (여) г. 자카르다

джем (남) 잼(jam)

джентельмен (남) 신사(紳士)

джентельменский:~ое соглашение 신사협정

Джибути (남) (불변) ① гос-во 지부티 ② (남) (불변); г. 지부터

джип (남) 짚차

Джорджтаун (남) г. 죠지타운

джоуль (남) (물리) 줄

джунгли (복수) 정글, 열대밀림

джут (남) (식물) 황마, 마닐라삼

диабет (남) (의학) 오줌사태병(-

沙汰病); сахарный ~ 당뇨병
диагноз (남) 진단(診斷); ставить ~ 진단하다, 진단을 내리다
диагностика (여) 진단법, 진단학
диагональ (여) ① (수학) 대각선(對角線) ② 능직(綾織)
диаграмма (여) 비교표(比較表), 도표
диалект (남) 방언(方言), 사투리
диалектика (여) ① (철학) 변증법(辨證法) ② 변증법적 (발전) 과정
диалектический (형) 변증법적(辨證法的); ~ материализм 변증법적 유물론(辨證法的 唯物論)
диалог (남) 문답(問答), 대화(對話); в форме ~а 문답식으로
диаметр (남) 직경(直徑)
диаметрально(부): ~ противоположный 정반대의
диапазон (남) ① (음악) 음역(音域), 성역(聲域), 소리너비 ② 범위(範圍) 크기; 시야; ~ знаний 지식의 범위 ③ (물리); ~ волн 파장(波長)
диапозитив (남) 환등판, 환등용 그림
диафрагма (여) ① (해부) 횡경막 ② (광학) 차광막, 빛발을 좁히는 장치
диван (남) 소파
диверсант (남) 파괴 (암해) 분자
диверсионный (형) 암해적인, 파괴적인; ~ые действия 암해책동, 파괴행위
диверсия (여) 암해공작, 파괴행위
дивидент (남) (경제) 이익배당금
дивизион (남) ① (포병, 기병, 전차부대의) 대대 ② (해군에서) 함선편대
дивизия (여) 사단; гвардейская ~ 근위사단
дивный(형)놀랄만한, 훌륭한, 매혹적인
диез (남) (음악) 올림표, 지예즈

диета (여) 식사요법, 규정식사, 의료식사
диетический (형): ~ое питание 의료식사; ~ая столовая 의료식당
дизель(남) (공학) 디젤기관, 내연기관
дизельный (형) 디젤의, 디젤기관의; ~ый автомобиль 디젤차; ~ое горючее 디젤연료
дизентерия (여) 적리(赤痢), 이질(痢疾); заболеть ~ей 적리에 걸리다
дикарь (남) ① 야만인, 미개인 ② 교제(남)를 싫어하는 사람
дикий (형) ① 야만적인, 미개한 ② 야생(野生)의, 산, 들; ~ сорт 야생종; ~ая яблоня 능금나무; ~ая роза 들장미; ~ие звери 야수, 들짐승 ③ 사교성이 없는, 낯설어하는
диковинный(형)놀라운, 괴상한; 진기한
дикорастущий (형) 야생(野生)의; ~ие травы 야생초
дикость (여) ① 야만(성), 미개한 것 ② 횡포성(橫暴性)
диктант (남) 받아쓰기
диктат (남) 강압, 강요; политика ~а 강요정책
диктатор (남) 독재자(獨裁者)
диктатура (여) 독재(獨裁), 전제; ~ пролетариата 프로레타리아 독재
диктовать (미완) ① (받아쓰도록) 불러주다, 부르다 ② 강요하다, 명령하다, 내려먹이다; ~ условия 조건을 강요하다
диктовка① (받아쓰도록) 불러주는 것 (부르는 것); писать под ~у кого...의 부리는 것을 받아쓰다 ② 받아쓰기
диктор (남) 방송원(放送員)
дикция (여) 발음, 발음법(發音法)
дилемма (여) (논리) ① 양단론법, 지렌마; стоять перед ~ой 지렌마에

직면하다 ② 갈림길, 분기점(分岐點)
дилетант (남) 비전문예술가, 비전문학자(非專門學者)
димедрол (남) (의학) 디메드롤
динамик (남) 다이나미크확성기
динамика (여) ① 동력학, 역학 ② 움직임, 변화과정; развитая ~ 발전과정
динамит(남) 다이나미이트, 폭약(爆藥)
динамический (형) ① 동력학작인, 역학적인 ② 동적인, 활동적인
динамо-машина (여) (직류) 발전기
динамометр (남) 동력계, 측력계
династия (여) (물리) 디오프트리
диоптрия (여) (물리) 디오프트리
дипкорпус (남) (дипломатический корпус) 외교단
дипкурьер (남) (дипломатический курьер) 외교신서사
диплом (남) ① 졸업증서(卒業證書), 자격증(資格證) ② 졸업논문(卒業論文)
дипломат (남) 외교관(外交官)
дипломатический (형) 외교(外交)(적); ~ие отношения 외교관계; ~ие контакты 외교적 접촉
дипломатия (여) ① 외교(外交), 외교활동 ② 외교적수완(外交的手腕)
дипломный(형); ~ проект 졸업설계
директива (여) 지령(指令), 지령서, 지시(指示), 지시문; давать ~y 지령을 내리다 (주다)
директивный(형) 지령의, 지시를 담은
директор (남) 지배인(支配人), 사장; ~ завода 공장 지배인; ~ школы (학교) 교장; ~ института 학장(學長); ~ издательства (출판사) 사장
дирекция (여) 관리부(管理部), 지도부
дирижабль (남) 비행선(飛行船)

дирижёр (남) 지휘자(指揮者), 지도자(指導者); ~ оркестра 악단지휘자
дирижёрский (형): ~ая палочка 지휘봉; ~ий пульт 지휘대
дирижировать (미완) 지휘하다
диск (남) ① 둥근판, 원판(元版); телефонный ~ 번호판 ② (체육) 원반; метание ~a 원반던지기
дискант (남) 높은 소리, 초고음
дисквалификация (여) ① 자격박탈, 권한박탈 ② (체육) 경기 참가권 박탈
дискобол (남) (체육) 원반던지기선수
дискредитировать (미완, 완) 위신을 떨어뜨리다 (하락시키다), 신용을 잃게 하다
дискриминация (여) 차별 (대우); 권리제한; расовая ~ 인종차별대우
дискуссионный (형) 논쟁의, 논쟁적인; ~ вопрос 논쟁(적인) 문제
дискуссия (여) 논쟁, 토론; научная ~ 과학토론회; вступать в ~ю 토론에 들어가다
дискутировать (미완, 완) 논쟁하다, 토론하다
дислокация (여) 주둔, 배치; 주둔지
дислоцировать (완, 미완) 주둔하다, 배치하다
дислоцироваться (완, 미완) 주둔되다, 배치되다
диспансер (남) 전문병원, 예방(치료)원; кожный ~ 피부병예방(치료)원
диспансеризация (여) (의학) 예방치료 (사업), 체력검정
диспетчер (남) 사령, 사령원, 지령원
диспетчерский (형) ①: ~ий пункт 사령실, 지령실 ② (명사로); ~ая (여) см. диспетчерский пункт
диспропорция (여) 불균형, 불균등

диспут (남) 공개토론, 공개변론; 논쟁
диссертант (남) 학위논문제출자
диссертация (여) 학위논문(學位論文); защищать ~ю 학위논문을 공개 (변론) 하다; докторская ~ 박사논문
диссимиляция (여) (생리, 언어) 달라지기, 이화(異化), 이화작용(異化作用)
диссонанс(남) ① (음악) 불협화음(不協和音) ② 불일치(不一致), 조화되지 않는 것
дистанционный (형): ~ое управление 원격조종(遠隔操縱)
дистанция (여) ① 거리(距離), 간격(間隔); короткая ~ 짧은 거리, 단거리; средняя ~ 중거리; длинная ~ 먼 거리, 장거리 ② (철도); ~ пути 구간, 보선구
дистиллированный (형): ~ая вода 증류수
дистиллировать (미완, 완) 증류하다
дистрофия (여) (의학) 영양장애, 영양실조(營養失調)
дисциплина (여) ① 규율; трудовая ~а 노동규율; соблюдать ~у 규율을 지키다 ② (학) 과목(科目)
дисциплинарный (형): ~ое взыскание 징계처벌, 징벌(懲罰)
дисциплинированность (여) 규율성
дисциплинированный (형) 규율성 있는, 규율을 지키는 (준수하는)
дитя (중) 아이, 어린애; ~ природы 자연의 아들 (도시문명을 모르고 자연손에서 자란 순박한 사람에 대하여)
дифирамб (남) ① 송가(頌歌), 찬가(讚歌), 송시(訟詩) ② 지나친 창양; петь ~ы кому ....를 지나치게 찬양하다
дифтерит (남), **дифтерия** (여) (의학) 디프테리아(diphtheria)

дифтонг (남) (언어) 겹모음, 이중모음
дифференциал (남) (수학) 미분(微分)
дифференциальный (형) ①: ~ое исчисление (수학) 미분학(微分學); ~ое уравнение 미분 방정식 ②; ~ая рента 차액지대
дифференциация (여) 분화(分化), 분별(分別), 차별; классовая ~ 계급분화
дифферинцированный (형) 차별적인; ~ая оплата 차액임금제;~ый подход 개별적인, 태도 (취급)
дифференцировать (완, 미완) ① 구분하다, 구별하다, 분화하다; ② (수학) 미분하다
диффузия(여)(물리) 확산 (잔용), 펴짐
дичиться (미완) 수줍어하다, 꺼리다
дичь (여) (접합) ① 들새 ② 들새고기
длина (여) ① 길이; мера ~ы 길이의 단위, 천도; измерять ~у 길이를 재다; ~ой в два метра 길이 2 미터 되는; во всю ~у 전체 길이로 ② (물리); ~а волны 파장 ③ 거리(距離)
длинный (형) ① 긴, 기다란, 길죽한; ~ канат 긴 밧줄 오랜, 장시간의, 오래 계속되는; ~ перерыв 오랜 (긴) 휴식
длительность (여) (시간의) 장기성(長期性), 지속(遲速); 길이
длительный (형) 오랜, 오래 계속되는, 장기적인; ~ая командировка 장기출장; ~ое время 오래 동안
длиться (미완) 지속되다, 계속되다, 오래 끌다
для (전) ① кого-чего .....를 위하여; ~ победы 승리를 위하여; ~ вас 당신을 위하여 ② ...위한, ...용; бумага ~ черчения 제도용종이; книги ~ детей 아동도서 ③ ...에게, ...에게 있어서는; ~ нас время дорого 우리에게 있어서 시간은 귀중하다

дневальный (남) 일직병, 당번(當番)
дневник (남) ① 일기, 일지; рабочий ~ 사업 일지; вести ~ 일기를 쓰다 ② (학생의) 숙제장
дневной (형) ① 낮의; ~ой свет 낮별 ② 하루의, 1 일간의; ~ая норма 하루작업량; ~ая выработка 하루생산량; ~ой план 일일계획
днём (부) 낮에; ~ и ночью 밤낮 (끊임없이)
дно(중) ① (밑) 바닥, 밑창; ~ бочки 통의 밑바닥 ② 밑, 바닥; ~ моря 바다밑; ~ лодки 배바닥; оседать на ~ 가라앉다; идти ко дну 침몰하다, 가라앉다; пускать ко дну 침몰시키다; вверх дном 뒤범벅이 되게, 뒤죽박죽;до дна 끝까지, 몽땅
до (전) ① ...까지; до Москвы 모스크바까지; до сих пор 지금까지; с 5 до 7 다섯부터 일곱까지 ② ...전(에); до отъезда 떠나기 전에; до войны 전쟁전 ③ 대략, 약, 가량, ...정도, ...이하; дети до пя- ти лет 다섯 살 이하의 아이; до край ности 근도로; до основания 완전히; до слёз 눈물이 겹도록

добавить (완) см. добавлять
добавление (중) ① 부가, 추가, 첨가 ② 보탬, 덧불어 (기);~ к сказанному 부언;~ к тексту 별기
добавлять (미완) ① 더하다, 부가하다, 첨가하다 ② 보태다, 덧붙이기, 보탬
добавок(남) 덧불이기, 보탬; в ~ 게다가
добавочный (형) 보충적인, 보조적인
добегать (미완), **добежать** (완) ...까지 달아가다 (뛰어가다), ...까지 뛰어서 도달하다
добела (부): раскалённый ~ 백연된, 새하얗게 단

добиваться (미완) 애쓰다, 노력하다
добираться(미완) ① (시간이 걸려) 다닫다, 도착하다, 이르다; насилу добрались до берега 겨우 기슭에 다달았다 ②; ~ до сути дела 문제의 본질의 본질을 파악하다
добиться (완) 달성하다, 이루다, 쟁취 하다, 성취하다; ~ признания 인정을 받다; ~ успеха 성과를 이룩하다; ~ по- беды 승리를 쟁취하다; ~ своего 자기의 뜻을 이루다
доблестный(형) 용감한, 형용한; 헌신적인
доблесть(여) 용감(성),영웅성; 헌신성
добраться (완) см. добираться
добро I (중) 자선(慈善), 은혜(恩惠); ~ и зло 선과 악; делать ~о кому ....에게 좋은 일을 해주다, 은을 내다; желать ~а 잘 되기를 바라다 ② 재산(財産), 재물(財物); чужое ~о 남의 물건 (재물)
добро II (조) (승낙의 뜻으로) 좋다, 좋소 ~! сделаем так! 좋소, 그렇게 합시다 ~ пожаловать 환영합니다, 어서 오십시오!
добро III (접)(조사 бы와 함께) ...하면 좋으련만, ~бы сам был здесь, а то ...그 자신이 여기에 있었으면 좋겠는데
доброволец (남) 지원자(志願者), 지원병(志願兵), 의용병(義勇兵)
добровольно (부) 스스로, 자발적으로, 자진하여, 자원하여
добровольность (여) 자원성, 자발성(自發性); принцип ~и 자원적원칙
добровольный (형) 자발적인, 자원적인; на ~ых началах 자원적원칙에서
добровольческий (형): ~ая армия 의용군(대)
добродетель(여) 덕행(德行), 선행(善行); 미덕(美德)

добродушие(중) 너그러운, 선심(善心)
добродушный (형) 너그러운, 선량한, 마음이 착한; ~ характер 돈후한 성품; ~ человек 호인
доброжелательность (여) 호의(好意), 호감(好感); 친절(親切)
доброжелательный (형) 호의적(好意的)인, 굽숫거운; 친절한
доброкачественный(형) ① 질(質) (이)좋은; ~ый товар 질 좋은 상품; ② ~ая опухоль (의학) 양성종양
добросердечный (형) 마음씨가 고운, 친절한, 상냥한
добросовестный (형) 성실한, 정직한
добрососедский (형): ~ие отношения 선린관계
доброта (여) 선심, 선량; 인정미; проя- влять ~у 선심을 쓰다
добротный (형) 품질이 좋은, 진긴, 잘 만든, 튼튼한
добрый (형) ① 착한, 선량한, 마음씨 고운, 선한; ~ый человек 성량한 사람; ~ое сердце 착한 마음 ② 좋은; ~ое дело 좋은 일; ~ое слово 고마운 말; вы очень ~ы 당신은 참 고마운 분입니다; будьте ~ы 미안합니다만 .....하여 주십시오;~ый день! 안녕하십니까 (낮인사) ~ое утро 밤새 안녕하십니까 (아침인사); люди ~ой воли 선량한 사람들; по ~ой воле 자진하여, 스스로; всего ~ого! 안녕히 (계십시오, 가십시오); на ~ую память 깨끗한 추억으로
добряк (남) 호인, 마음이 너그러운 사람; 착한 사람
добывать (미완) ① 얻다, 구하다, 획득하다 ② 벌다; ~ хлеб насущный 하루하루 먹고살 아갈 길을 찾다 ③ (품물을) 채취 (채굴) 하다, 캐(여)내다, 따내다; ~ уголь 석탄을 캐내다 (캐다)
добывающий: ~ая промышленность 채취공업(採取工業)
добыть (완) см. добывать
добыча (여) ① 채취(採取), 캐기, 채굴(採掘); 채취량, 채굴량; ~а торфа 니탄캐기 ② 노획품, 획득물(獲得物); 전리품(戰利品);° становиться ~ей кого ...의 회생물로 되다
доверенность (여) 위임장(委任狀)
доверенный (형): ~ое лицо 위임받은자, 위임장소유자; 대리인(代理人)
доверие (중) 믿음, 신임(信任), 신용(信用); 신뢰(信賴); оказывать ~е 신임하다; пользоваться ~ем 신임을 받다; терять ~е 신용을 잃다; заслуживаю-щий ~я 신뢰 할 수 있는, 믿음직한
доверительный(형): ~ое письмо 비밀편지, ~ый разговор 속말
доверить (완) см. доверять
доверху (부) 맨 위까지, 꼭대기까지, 한가득; налить ~ 가득 붓다
доверчивость (여) 믿기 쉬운 마음, (남을) 쉽게 믿는 것
доверчивый (형) 믿기 잘하는, (남을) 쉽게 믿는; 순진한
довершать (미완) 끝마치다, 끝까지 해버리다 (해내다), 완료하다
довершение (중): в ~ всего 게다가; 결국에는
доверять (미완) ① 믿다, 신임하다, 신뢰하다 ② 말기다, 위탁하다, 위임하다; ~ имущество 재산을 맡기다; ~ секрет 비밀을 대주다
довесок(남)보탠 분량, 추가량(追加量)
довести (완) см. доводить
довод(남) 논거(論據),논증; 이유(理由)
доводить (미완) ① куда ....까지 데려다주다 (데려가다, 인도하다) ②

(어떤 상태에) 이르게하다; ~ до беды 불행하게 만들다; ~ до отчаяния 절망케 하다; ~ до конца 끝까지 해버리다 (해내다) ~ до сведения 알리다, 통지하다

доводиться (미완) *кем* ....벌이 되다; он доводится мне дядей 그는 나에게 아저씨벌이 된다

довоенный (형) 전쟁전의

довозить (미완) (어떤 장소까지) 나르다, 운반하다, 데려다주다, 실어 나르다.

довольно (부) ① (술어로) 충분하다, 흡족하다, 족하다 ② 상당히, 자못. 훨씬; ~ много 꽤 많다; ~! 그만두시오; ~ спо-рить! 그만 다투어라!

довольный(형) 만족한, 흐뭇한, 흡족한; ~ вид 흡족한 기색

довольствие (중) (군사) (식료, 물자 등의) 공급(供給), 급여(給與); вещевое ~ 물자공급

довольство (중) ① 부유(富有), 유족(有足); 풍족(豊足); ② 만족(滿足); 충족

довольствоваться (미완) 만족해하다; ~ малым 적은 것에 만족해하다

догадаться (완) *см.* догадываться

догадка(여) 추측, 짐작; теряться в ~х 어느 짐작이 옳은지 몰라 헤매다, 종작을 잡지 못 하다

догадливый (형) 눈치 빠른, 총기 빠른; ~ человек 약은 사람

догадываться (미완) 알아차리다, 알아맞히다; 눈치(를) 차리다 (채다)

догма(여)교조(敎條), 교리; 원리(原理)

догматический (형) 교조주의적(敎條主義的)인; 독단적(獨斷的)인

догнать (완) *см.* догонять

договариваться (미완) ① 약정하다, 서로 약속하다, 합의를 보다, 맞추다; ② ~ до того, что ...할 지경으로 말하다; ~ до хрипоты 목이 쉬도록 이야기하다

договор (남) 조약, 계약; заключать ~ 조약 (계약)을 체결하다 (맺다)

договорённость (여) 합의(合意), (서로의) 약속(約束)

договориться *см.* договариваться

договорный(형):~ое обязательство 조약상 의무, 계약의무(契約義務); на ~ых началах 협약(조약)에 기초하여

догола (부); раздеться ~ 벌거벗다; раздеть ~ 홀딱 벗기다, 벌거벗기다

догонять (미완) 따라잡다, 따라가다

догорать (미완), **догореть** (완) 타버리다, 다(죄다) 타

доделать (완), **доделывать** (미완) 다 (마저) 해치우다, 끝내다, 끝내다, 뒤설겆이하다

додуматься (완) (생각하여) 결론에 도달하다, 생각이 미치다, 알아차리다

доедать (미완) 다 먹다

доезжать(미완) ...까지 가다(오다, 가닿다)

доение (중) 젖짜기, 착유(搾乳)

доесть (완) *см.* доедать

доехать (완) *см.* доезжать

дожаривать(미완),**дожарить**(완)충분히 (끝까지, 마저) 지지다, (굽다, 볶다)

дождаться (완) *см.* дожидаться

дождевальный(형): ~ая установка (машина) (인공) 강우기(降雨期); ~ая система 분수체계

дождевание (중) 인공강우

дождевик (남) 우비(雨備), 비옷

дождевой(형) 비의; ~ая вода 빗물; ~ое облако 매지구름; ~ой червь 지렁이

дождемер (남) 우량계, 측우기(測雨器)

дождик (남) *см.* дождь

дождливый (형) 비가 많이(자주) 오는

дождь (남) 비; крупный ~ 큰 비; мелкий ~ 가랑비; моросящий ~ 보슬비, 이슬비; проливной ~ 소나기; затяжной ~ 장마비; идёт ~ 비가 온다; ~ льёт как из ведра 비가 억수로 퍼붓는다

доживать (미완) ...까지 살아나가다

дожидаться (미완) *кого-чего* ...를 기다리다; 기대하다

дожить (완) *см.* доживать

доза (여) 분량; ~ лекарства 한번에 먹는량; небольшая ~ 약간(얼마 안되는) 량

дозвониться (완) (마침내) 전화 (초인종)로 불러내다

дозировка (여) ① 분량제정, 분량을 나누는 것 ② 분량, 배합률

дознаваться (미완) (탐색하여) 알아내다, 조사해 알다

дознание (중) 수사(搜査), 심문(審問); производить ~ 심문하다

дознаться (완) *см.* дознаваться

дозор (남) 척후(斥候), 척후대(斥候隊), 척후병; головной ~ 선두척후; быть в ~е 척후에 서다

дозревание (중) 뒤익기, 후숙(後熟)

дозревать (미완) 무르익다, 흠뻑 익다, 성숙하다

доильный (형): ~ аппарат 젖 짜는 기계, 착유기(窄乳機)

доискиваться (미완) 찾아내다, 알아내다

доисторический (형) 역사(歷史)이전의, 선사시대(先史時代)의

доить (미완) 젖을 짜다, 착유하다; ~ корову 소의 젖을 짜다

дойка (여) 젖짜기, 착유(窄乳)

дойный (형): ~ая корова 젖소

дойти (완) *см.* доходить

док (남) (선박) 도크(dock)

доказательство (중) 증거(證據),증명(證明); 근거(根據); в ~ чего ...의 증거로써; вещественное ~ 물질적 증거; неопровержимое~ 부정할 수 없는 증거

доказать (완), **доказывать** (미완) 증명(證明)하다, 입증(立證)하다

доканчивать (미완) 끝내다, 끝마치다, 해치우다

докапиталистический (형) 자본주의(資本主義)이전의

докапываться(미완) *см.* докапаться

докатиться (완) ① ...까지 굴러가다 (오다) ② (요란한 소리가) 들려오다 ③ 전락되다, ...에 빠지다

докер (남) 도크

доклад (남) 보고(報告), 보고서(報告書); письменный ~ 보고서; устный ~ 구두보고; отчётный ~ 결산 (총화) 보고; делать ~ 보고(를) 하다

докладной ; ~ая записка 보고요지

докладчик (남) 보고자, 보고요지

докладывать (미완) 보고하다, 알리다

докончить (완) *см.* доканчивать

докопаться (완) 알아내다, 뒤져내다, 따지다; ~ до истины 진리를 알아내다 진실을 알아내다

докрасна (부): раскалённый ~ 시뻘겋게 달군

доктор (남) ① *см.* врач ② 박사(博士); ~технических наук 공학박사(工學博士)

докторский (형): ~ая диссертация 박사논문; ~ая степень 박사학위

доктрина (여) 학설(學說), 교리(敎理)

документ (남) ① 문건(文件), 문서(文書); 문헌(文獻); ~ы 서류 ② 증명서; предъявлять ~ 증명서를 내보이다

документальный (형): ~ фильм 기록영화(記錄映畫)

документация (여) (집합) 문건(文件), 서류(書類), 문서(文書)

докуривать (미완), **докурить** (완) 끝까지 피우다, 다 피워버리다

докучать (미완) 보채다, 성가시게 굴다, 귀찮게 굴다

долбить (미완) 쫓다, 찍다, 쪼아 (찍어) 뚫다 (구멍을 내다)

долг (남) ① 의무, 임무; 본분; по ~у службы 직무상; считать своим ~ом자기의 의무로 여기다 (간주하다); до конца выполнить свой ~ 자기의 본분을 다 하다 ② 빚, 부채; брать в ~ 돈을 꾸다, 빚을 내다; давать в ~ 돈을 꾸어주다, 빚을 놓다; платить ~ 빚을 갚다; государственный ~ 국채; отдать последний ~ *кому* 조상하다, 영결하다; первым ~ом 무엇보다도 먼저, 맨 처음에

долгий (형) 오랜, 장기간의, 긴; ~ое время 오래 동안; ~ий путь 먼 길 (오랜 여행); ~ая песня 오래 끄는 일; от-кладывать в ~ий ящик 일을 오래 끌다

долго (부) 오래동안, 오래; ~ ждать 오래 기다리다; ~~ 길이길이

долговечность (여) ① 장기적(長期的), 오래 계속 되는 것 ② 지구성(遲久性), 오래 견디는 것

долговечный (형) ① 오래 사는, 장수하는 ② 오래 견디는, 튼튼한

долговязый (형) 키만 머쓱하게 큰, 머쓱한

долгожданный (형) 고대하던, 손꼽아 기다리던

долгожитель(남),**~ница** (여) 장수자

долголетие (중) 장수; желать ~я и здоровья 만수무강을 축원하다

долголетний (형) 다년간(多年間)의, 장구한, 기나긴

долгосрочный(형) 장기간의;~ая ссуда 장기대부

долгота(여) ① 길이; ~ дня 낮의 길이, 낮 동안 ② (지리) 경도; 17 ° восточной ~ы 동경 17도

долетать(미완), **долететь** (완) ① ...까지 날아오다(가다) ② (소리가) 돌려오다

долевой (형): ~ое участие 부분적인 참가

должен (술어로) ① *кому* 빚지다; он должен мне пять рублей 그는 나에게서 5 루불을 꾸었다; я ~ ему 나는 그에게 빚을 졌다 ② (미정형) ...하여야 한다, ...하지 않으면 안 된다; он ~ пойти 그는(반드시) 가야 한다; мы не долж- ны так делать 우리는 그렇게 하지 말아야 할 것이다 ③ (+미정형) 아마 ...할(될) 것이다; он скоро ~ прийти 그는 곧 올것이다

должник(남) 빚진사람, 채무자(債務者)

должно быть (삽입어) 아마, 보건대; ~ будет дождь(아마)비가 올 것 같다

должное (중): отдать ~ 응당한 평가를 하다

должностной (형): ~ое лицо 공무원(公務員), 정무원

должность (여) 직무, 직책, 직위

должный(형) 응당한, ...만한, 마땅한, 적절한; на ~ом уровне 응당한 수준에서; ~ые меры 적절한 대책; ~ый ответ 해당한 대답; ~ым образом 마땅히, 적당히

доливать (미완) 더 붓다, 부어서 보태다

долина (여) 골짜기; речная ~ 계곡

долить (완) *см.* доливать

доллар (남) 달라(dollar)

доложить (완) *см.* докладывать

долой! (부) 타도하라!, 물러가라!
доломит (남) (광물) 백운석, 고회석
долото (중) 끌, 정
долька(여): ~ апельсина 귤의 한쪽
доля (여) ① 몫, 부분(部分), 배당(配當); получить свою ~ю 자기 몫을 받다 ② 운명(運命), 운수, 팔자; горькая ~ 신세가 되다, 차례지다; выпадать на ~ю 신세가 되다, 차례지다
дом (남) ① 집, 살림집, 주택(住宅); жилой ~ 살림집 ② 건물(建物), 청사(廳事) ③ 가정(家庭), 가족, 세대; ~ отдыха 휴양소; ~ культуры 문화회관; на ~у, на ~ 자기집에(서)
домашний (형) ① 가정*, 집안*, 집*; ~ее хозяйство 집안살림살이; ~яя хозяйка 가정부인, 주부; ~ий телефон 자가용전화 ② (집에서 기리는); ~ие животные 집짐승, 가축; ~яя птица 가금 ③; ~ие (복수) (명사로) 집안식구들, 가족
доменный (형): ~ая печь 용광로
доменщик (남) 용해공
Доминика (여) 도미니카
доминион (남) 자치령(自治領)
доминировать (미완) ① 지대하다, 압도하다, 우세를 차지하다 ② над чем 보다 더 높이 솟아오르다, 제압하다
домино (중) 도미노 (골패놀음의 하나)
домкрат (남) 쟈끼
домна (여) 용광로(鎔鑛爐)
домовладелец (남) 집주인, 집임자, 건물소유자(建物所有者)
доморолство(중) 가사(관리), 살림살이
домовый (형): ~ая книга 주민대장
домогательство(중) 강한 요구
домогаться(미완)*чего* ...를 강요하다
домой (부) 집으로, 집에; идти ~ 집으로 가다
домосед (남), **~ка** (여) 여가를 집에서 가족들과 함께 지내기 좋아하는 사람
домоуправление (중) 주택관리소
домохозяйка (여) (домашняя хозяйка) 가정부인, 주부
домработница (여) (домашняя работница) 집안일을 맡아하는 여자, 파출부
домочадцы (복수) 집안사람들, 가족
домысел (남) ① 허구(虛構), 상상(想像), ② 억측(臆測), 짐작(斟酌)
донельзя (부) 더 할 나위 없이, 극히
донесение (중) (상부에 알리는) 보도(報道), 보고(報告), 신고(申告)
донести (완) *см.* доносить
донимать (미완) 성가시게 (귀찮게) 굴다, 못살게 굴다
донор (남) 피를 주는 사람, (수혈용) 혈액공급자
донорский (형): ~ пункт 수혈처
донос (남) 밀고(密告), 고발(告發)
доносить (미완) ① 신고하다, 통지(보고) 하다 ② 일러바치다; 고자질하다, 밀고하다
доноситься (미완) 들려오다, 울려오다; 풍겨오다
доносчик(남) 고발자, 고자쟁이, 밀고자
донять (완) *см.* донимать
допивать(미완) 다 (마저) 마시다
допинг (남) 흥분제
дописать(완), **дописывать**(미완) 다 (끝까지) 쓰다; 더 보태어 쓰다, 덧쓰다
допить (완) *см.* допивать
доплата (여) 덧두리, 보충지불금
доплатить (완), **доплачивать** (미완) 보태여(더) 물다
доплатной (형): ~ое письмо 미납편지, 요금을 마저 무는 편지

доплывать(미완), **доплыть** (완) ...까지 헤엄쳐가다 (오다), ...까지 항행하다
доподлинный (형) 확실(確實)한, 정확(正確)한, 진실(眞實)한
доползать (미완), **доползти** (완) ...까지 기어가다
дополнение (중) ① 추가(追加), 부가(附加), 첨가(添加); в ~ 거기에다가 더 ②(언어)보어(補語);прямое(косвенное) ~ 직접 (간접) 보어
дополнительно (부) 보충적(補充的)으로, 추가(追加)하여
дополнительный (형) 보충적(補充的)인, 추가적(追加的)인
дополнить (미완), **дополнять** (완) 보충 (추가) 하다, 첨가하다, 보태다
дополучать(미완), **дополучить** (완) 더 (나머지를) 받다
допотопный (형) 낡아빠진, 케케묵은, 구식의; ~ые взгляды 케케묵은 (탁후한) 견해
допрашивать (미완) 심문하다, 취조
допризывник (남) (예비) 훈련생 (군사복무 전에 군사훈련을 받는 청장년)
допрос (남) 심문(審問), 취조(取調)
допросить (완) см. допрашивать
допуск (남) ① 입장허가, 직업허가 ② (공학) 공차, 허용오차
допускать (미완) ① 허가하다, 허용하다, 용인 (용납)하다; не ~ чего ...지 않도록 하다 ② 가정 (가상) 하다; º ~ ошибку (과오를) 범하다, 실수하다, 잘못을 저지르다; ~ грубость 버릇없는 행동을 하다
допустимый (형) 허용할만 한, 가능한
допустить (완) см. допускать
допытаться (완), **допытываться** (미완) 캐묻다, 애써 알아내다

дорабатывать (미완), **доработать** (완) ① 일을 끝내다, ...까지 일하다: ② 완성하다, 보태고 만들다
дорастать (미완), **дорасти** (완) ...까지 자라나다 (커지다)
дореволюционный (형) 혁명전의
дорога (여) ① 길, 도로(道路); ~ бадак; шоссейная ~а 신작로; просёлочная ~а 촌길; канатная ~а 삭도; дать (уступить) ~у 길을 내어주다; сбиться с ~и 길을 헛들다 ② 여행(旅行), 길; отправляться в ~у 길 (여행)을 떠나다; быть в ~е 여행 중에 있다; железная ~ 철도, 철길; по ~е 가는 길에, 도중에; нам с вами по ~е 가는 길이 서로 같다
дорого(부) ① 비싸게 ② (술어로) 비싸다
дороговизна (여) 너무 비싼 값
дорогой (형) ① 비싼 ② 귀중한, 존귀한 ③ 친애하는, 사랑하는
дорогостоящий(형) см. дорогой
дородный (형) 몸집이 큰, 뚱뚱한
дорожать (미완) 값이 높아지다 (오르다), 비싸지다
дорожить (미완) 귀중히 여기다, 소중히 여기다; ~ временем 시간을 아끼다
дорожка (여) ① 오솔길, 소로(小路) ② (복도 같은데 까는) 좁고 긴 주단 ③ 좁은 홈, 이랑; ~взлётная 활주로; беговая ~ 달림길
дорожный (형) ① 길의, 도로(道路)의; ~ое строительство 도로건설; ~ые работы 도로공사; ~ые знаки 도로표식, 이정표(里程標) ② 여행(旅行) (용)의; ~ые расходы 여비
досада (여) 안타까움, 유감(有感), 불쾌감; испытывать ~у 마음이 언짢다; с ~ой 고깝게; с ~ы 불쾌감에 휩싸여서; какая ~а! 참 유감스럽다!

досадить (완) *см.* досаждать
досадно (술어로) 유감스럽다, 안타깝다, 서운하다; 노엽다
досадный (형) 유감스러운, 안타까운, 민망한; 애달픈
досадовать (미완) 유감스러워하다, 민망해하다, 고까이 여기다
досаждать (미완) 보채다, 성가시게 굴다, 들볶다; 분하게 하다
доска (여) 널판(지), (널)판대기, 판(板); шахматная ~a 장기판; чертёжная ~a 제도판; классная ~a 칠판; гладильная ~a 다리미판; мемориальная ~a 기념판; ~а почёта 영예 게시판; ~a объя-влений 알람판; от ~и до ~и 처음부터 끝까지(읽다); ставить на одну дос-ку 동일하게 취급하다, 동일시하다
досконально (부) 세밀하게, 상세히; 철저히
дословно (부) 문자 그대로
дословный(형) 문자그대로의; ~ перевод (축자역, 직역)
дослушать (완), **дослушивать** (미완) 끝까지; (다) 듣다
досматривать ① 끝까지 (다) 보다 ② (세관에서) 검사 (검열) 하다
досмотр (남) 검사; таможенный ~ 세관검사
досмотреть (완) *см.* досматривать
досохнуть (완) 다 (완전히) 마르다
досрочно (부) 기한 전에, 앞서서; выполнить задание ~ 관제를 앞당겨 수행하다; выполнить план ~ 계획을 기한 전에 완수하다
досрочный (형) 기한전의
доставать (미완) ① *до чего* ...까지 닿다, 미치다; ② *что (чего)* 얻어가지다, 구하다; *что* 꺼내다, 집어내다
доставаться (미완) ① 차례지다, 손에 들어오다; ему ~алось много книг 그는 많은 책을 받게 되였다 ② (무인칭) 단단히 혼나다; ~алось всем 모두 혼줄이 났다
доставить (완) *см.* доставлять
доставка (여) 송달(送達), 배달(倍達), 배포; ~а на дом 집에 날라다주는 것; средства ~и 운반수단(비행기 등)
доставлять (미완) ① 실어오다 (가다), 제공하다, 가져다주다, 데려다주다; ~ на дом 집에 가져다주다; ② 배달(配達)하다, 배포(配布)하다 ③ 끼치다, 주다; ~ рад-ость 기쁘게 하다; ~ огорчение 슬프게 하다, 고민케 하다; ~ беспокойство 폐를 끼치다
достаток (남) 유족(有足), 풍족(豊足); в ~ке 원만히, 넉넉히; жить в ~ке 유족하게 살다
достаточно ① (부) 충분히, 상당히, 꾀; ~ большой 꾀 크다, 자못 크다 ② (술어로) 충분하다, 넉넉하다
достаточный (형) 충분(充分)한, 넉넉한; вполне ~ срок 아주 충분한 기한
достать(ся) (완)*см.* доставать(ся)
достигать (미완), **достигнуть** (완) ① 이르다, 다다르다, 도달하다, 가닿다; ~ места назначения 목적지에 이르다 ② 달성하다, 이룩하다, 거두다, 성취 (쟁취) 하다; ~ цели 목적을 달성하다; ~ ус- пеха 성과를 거두다
достижение (중) ① 달성(達成), 성취(成就), 도달(到達); ~е цели 목적의 달성 ② ~я (복수) 성과(成果), 성적(成績), 업적(業績); добиваться ~й 업적을 쌓아올리다
достичь (완) *см.* достигать
достоверность (여) 믿음성, 확실성(確實性), 정확성(正確性)
достоверный (형) 믿을만한, 정확한

достоинство (중) ① 우점(優點), 장점(長點); 체모; ~a и недостатки 우점고 결점 ② 존엄(尊嚴), 자존심(自尊心); дер- жаться с ~ом 떳떳하게 행동하다; тер-ять своё ~о 얼굴이 깎이다; ③ (화폐 유가증권 등의) 가치(價値), 액면(額面).

достойно (부) 마땅히, 떳떳하게, 어엿하게; ~отвечать떳떳하게 대답하다; ~ представлять 떳떳하게 대표하다

достойный (형) ① *чего* ...할만 한, ...할 자격이 있는; ~ый уважения 존경을 받을만한; ~ый внимания 관심을 돌릴만 한 ② 떳떳한, 어엿한, 마땅한; ~ ая награда 응당한 표창 ③ 공적 있는, 존경할만 한

достопримечательность (여) 명승지(名勝地), 명승고적(名勝古蹟)

достопримечательный (형) 구경할 만 한, 불만 한, 주목할만 한

достояние (중) 재부, 재산(財産); 소유(물); всенародное ~ 전인민적재산

достраивать (미완), **достроить** (완) 끝까지 건설하다, 건설을, 완공하다

доступ(남) ① 통과, 입장 ② 입장허가

доступный (형) ① 통과할 수 있는, 접근할 수 있는 ② 알기 쉬운, 이해하기 쉬운, 평이한; это мне ~о 이것은 알만한 것이다 ③ 공개적인 ④ 알맞은, 마땅한; ~ая цена 알맞은 값; ~ый человек 가까이할 수 있는 사람

досуг (남) 짬, 여가, 겨를, 틈; на ~е 여가에, 한 가할 때에

досужий 형: ~ вымысел 잡담, 공담

досуха (부): вытереть ~ 물기가 없도록 닦다

досыта (부) 배부르게, 배불리; 실컷; наесться ~ 실컷 먹다

досыхать (미완) *см.* досохнуть

досягаемость (여) ① 도달할 수 있는 거리 ② (군사) 사정거리

дотация (여) (국가) 보조금(補助金)

дотла (부): сгореть ~ 재까지 (몽땅) 타버리다

дотошный (형) 꼼꼼한, 차근차근한; ~ человек 간깐이

дотрагиваться (미완), **дотронуться** (완) (살짝) 다치다, 닿다, 손을 대다

доха (여) 털외투

Доха (여) *г.* 도하

дохлый (형) (동물에 대하여) 죽은

дохнуть (미완) (동물이) 죽다

доход (남) 수입(輸入), 소득(所得); 소출(所出); валовой ~ 총수입(總收入); на-циональный ~ 국민소득(國民所得); годовой ~ 년 수입; при- носить ~ 이윤을 가져다주다

доходить (미완) ① ..까지 걸어가다 (오다), 다다르다 ② 이르다, 달하다 ③ (소리가) 들려오다; дошёл слух 소문이 미쳤다; руки не доходят 시간(여유)이 없다

доходный (형) 수입이 있는 (많은); 수익성이 높은; ~ая статья бюджета (재정) 예산의 수입항목

доходчивый(형)알기쉬운,이해하기 쉬운

доцент (남) 부교수(副敎授)

дочиста (부) ① 깨끗이 ② 남김없이, 깡그리, 몽땅

дочитать (완), **дочитывать** (미완) ...까지 읽다, (끝까지) 읽다

дочка (여) (дочь의 애칭) 딸애

дочь (여) 딸

дошкольник (남) 학령 전 어린이

дошкольный (형) 학령전의; 학교전의; ~ые учреждения 학교전 교양기관

дощатый (형) 널*, 판자로 만든; ~ая

дверь 널문; ~ый пол 널마루
дояр (남), **~ка** (여) 젖짜기공, 착유공
драгоценность (여) ① 귀금속(貴金屬), 보석(寶石), 보배 ② 귀중품(貴重品)
драгоценный (형) 고귀한, 귀한, 보배로운; ~ камень 보석(寶石)
дразнить (미완) 약(을) 올리다, 건드리다
дразниться (미완) 사분거리다, 약(을) 올리다
драка (여) 싸움(질), 격투(激鬪)
дракон (남) ① 룡 ② (동물) 날도마뱀
драконовский (형): ~ закон 악법
драма (여) ① 연극(演劇), 극작품(劇作品) ② 비극(悲劇), 극적사건
драматический (형) ① 연극(演劇)의, 극(劇)의; ~ий театр 연극극장; ~ое произведение 극작품 ② 극적인(劇的-), 비극적인(悲劇的-), 아슬아슬한; ~ое со-бытие 극적사건
драматург (남) 극작가(劇作家)
драматургия (여) ① 극작법(劇作法), 극작술 ② 극문학(劇文學), 극예술
дранка (여) 오리목, 오리대, 오럼대
драный (형) 찢어진, 헤어진, 누더기가 된
драп (남) 외투천 (두텁고 탁탁한 모직천의 하나)
дратва (여) 녹밥, 밀을 먹인 실
драть (미완) ① 찢다, 찢어발기다 ② 때리다, 갈기다, 후려치다; ~ за уши 귀를 잡아당겨서 혼내다; ~ розгами 매질하다 ③ 벗기다; ~ кору 나무껍질을 벗기다; ~ горло 큰소리로 외치다
драться (미완) ① 싸우다, 싸움질하다, 서로 때리다; 결투하다 ② 투쟁하다

драчун (남) 싸움꾼
дребезжать (미완) 쟁강거리다, 쟁그랑거리다
древесина (여) 나무질, 목재(木材); деловая ~ 용재
древесный (형) 나무의; ~ая зола 나무재; ~ый спирт 메틸알코올; ~ый уголь 숯, 목탄
древко (중) 막대, 장애; ~ знамени 깃발대, 기대; ~ копья 창대
древний (형) ① 고대(古代)의, 옛적, 유구한; ~яя история 고대사 ② 아주 오랜; 나이 많은
древность (여) ① 옛날, 고대, 옛시대 ② 고적(古蹟), 유적(遺蹟)
древонасаждение (중) ① 나무심기, 식수 ② ~я (복수) 심어놓은 나무, 가로수
дрезина (여) (철도) 모터카, 철길차
дрейф (남) (해양) 표류(漂流)
дрейфовать (미완) 표류하다
дрель (여) 드릴(dill), 쇠송곳
дремать (미완) 졸다
дремота (여) 졸음, 졸리는 것
дремучий (형) ① 울창한; ~ лес 밀림 ② 태고연한, 아주 오랜
дренаж (남) ① (공학) 물빼기 ② (의학) 고름빼기, 배농(排膿)
дрессированный (형) (동물에 대하여) 길들인, 훈련받은
дрессировать (미완) ① (동물을) 길들이다, 훈련시키다 ② 교련하다
дрессировка (여) (동물에 대하여) 길들이기, 훈련(訓練)
дрессировщик (남) (동물을) 길들이는 (훈련시키는) 사람
дробить (미완) ① 바수다, 파쇄(분쇄) 하다, 부스러뜨리다 ② 세분하다
дробиться (미완) 부서지다; 세분되다
дробный (형) (수학): ~ое число 분수

дробь (여) ① 산탄(散彈) ② (수학) 분수(分數), 소수(小數); правильная ~ 진분수; неправильная ~ 가분수(假分數); десятичная ~ 소수; смешанная ~ 대분수(帶分數); барабанная ~ 잦은 북소리, 잦은 덩더러꿍
дрова (복수) 장작, (땔) 나무, 화목(火木); колоть ~장작을 패다; загота-вливать ~ 나무(를) 하다
дровосек (남) 나무군
дровяной (형): ~ой склад 장작창고; ~ое отопление 나무남방
дрогнуть I (미완) 추위하다, 추워지다, 얼다
дрогнуть II (완) см. дрожать
дрожать (미완) ① 떨다, 와들와들 떨다, 진저리(를) 치다 ② 허겁(을) 떨다
дрожжи (복수) 효모(酵母), 누룩
дрожь (여) 떨림, 진저리; 몸서리; бросать в ~ 벌벌 떨다
дрозд (남) (조류) 티티새; чёрный ~ 건은 티티새
друг I (남) 벗, 친구, 친우(親友); 동무; близкий~ 친한 동무; боевой~ 전우
друг II: ~а, с~ом 서로; ~за~ом 연이어 뒤따라; помогать~y 서로 도와주다
другой (형) ① 다른, 딴, 기타 등등; дайте ~ую книгу 다른 책을 주시오; это совершенно ~ой вопрос 전혀 다른 문제이다 ② 다음의; в ~ой раз 다음번에; на ~ой день 이튿날 ~ ими словами 달리 말하면, 다시 말하여; тот или ~ой ...그 어떤 ...이러저러한, 이런 저런
дружба (여) 친선(親選), 우의, 친교
дружелюбие (중) ① 우정(友情), 우의(優毅) ② 부접(附接)
дружелюбный (형) 우정있는. 친절한, 호의적인; ~ разговор 정다운 이야기
дружеский (형) 친선적인, 우의적인, 친한; ~ие отношения 친분관계, 친교; ~ие чувства 친목감, 우정
дружественный (형) 우의적(友誼的)인, 우호적(友好的)인, 친선적인; ~ое госу- дарство 우방(국가)
дружина (여) 단, 대; пионерская ~ 삐오네르단
дружинник (남) 규찰대원
дружить (미완) (서로) 사귀다, 친해지다, 친교를 맺다
дружно (부) ① 사이좋게, 단란하게, 화목하게; 손맞추어 ② 일제히, 다같이
дружный (형) ① 사이좋은, 친한; 화목한; ~ая семья 단란한 가정 ② 일치한, 한결같은
дряблый (형) 생기없는, 시들은, 후즐근한; 날캉한
дрязги (복수) (하찮은 일을 놓고 벌리는) 사소한 언쟁, 옥신각신
дрянной (형) 나쁜, 너절한; 쓸모없는
дрянь (여) 쓰레기, 폐물(廢物); 말짜(末-); ° погода ~ 날씨가 더럽다
дряхлеть (미완) 늙어빠지다, 노쇠해지다
дряхлость (여) 늙어빠짐, 노쇠
дряхлый (형) ① 늙어빠진, 노쇠한 ② 썩어빠진, 낡아빠진
дуб (남) 참나무
дубильный (형): ~ое вещество 탄닌질; ~ая кислота 탄닌산
дубина (여) ① 몽둥이, 곤봉 ② 머저리, 미욱쟁이, 멍청이
дубинка (여) см. дубина ① ; поли-тика большой ~и 큰 몽둥이정책
дубить (미완): ~ кожу 가죽을 다루다 (이기다, 무두질하다)
дублёр (남) 대역, 대역배우
дубликат (남) 부본, 사본(寫本); 동본

Дублин (남) ɑ. 더블린
дублировать (미완) ① 겹치다, 중복하다 ② 대역을 하다; 번역녹음하다
дубовый (형) ① 참나무의, 참나무로 만든 ② 굳은, 딱딱한 ③ 조잡한, 투박스러운
дубрава (여) ① 참나무숲 ② 활엽숲
дуга (여) ① (수학) 호(弧), 활등 ② (수레의) 목걸fp ③ (전기) 전호, 전기불길; ~ трамвая 전차의 접전호
дугообразный (형) 활모양의, 궁형의.
дудка (여) 피리, 퉁소; плясать под чужую~у 남의 장단에(맞추어)춤을 추다
дуло (중) 총구멍, 총구, 포구(砲口)
дудеть (미완) 피리 (단소)를 불다
дума (여) 생각, 사색(思索), 사고(思考); Государственная ~ (역사) 국회
думать (미완) ① 생각하다, 궁리하다; 사고하다; ~ть над задачей 문제를 생각하다 ② (+미정형) ...하려(고)한다; ~ю учить корейский язык 한국말을 배우려고 한다. ③ 여기다, 간주하다, ...고 생각하다; ~ю, что он прав 나는 그가 옳다고 생각한다.; недолго ~я 주저 없이, 곧; я ~ю! 물론이다!; и не ~й 염려 말게!; и ~ть нечего! 생각할 것도 없소
дуновение: ~ ветра 가벼운 바람결
дунуть (완) см. дуть
дупло (중) (나무의) 벌레 먹은, 구새 먹은 구멍; 구새통; ~ в зубе (이빨의) 벌레 먹은 구멍
дура (여), **~ак** (남) 바보, 머저리, 멍텅구리; валять ~ака 바보짓하다.
дурацкий (형) 바보같은, 어리석은
дурачить (미완) 속이다, 속여 넘기다.
дурачиться (미완) 바보짓하다, 머저리 노릇을 하다; 장난질하다

дурить (미완) 어리석은 짓을 하다, 못된 장난을 하다
дурман ① (식물) 독말풀 ② 마취제
дурманить (미완) 마취시키다, 어지럽게 하다, 의식을 흐리게 하다
дурно (부) ① 나쁘게, 역(逆)하게, 거북하다, 메스메스하다; ~ пахнуть 역한 냄새가 나다 ② (술어로); ему ~ 그는 정신이 흐릿하다; мне сделалось ~ 나는 어지러워졌다
дурной (형) 나쁜, 악한, 고약한, 미운; ~ запах 역한 냄새; ~ой вкус 악취미; ~ая привычка 못된 버릇, 악습
дутый (형) 과장된; ~ые цифры 과장된 수자
дуть (미완) 불다, 불어오다; здесь дует 여기는 바람이 통한다. (불어온다)
дутьё (중) (공학) 바람보내기, 송풍
дуться (미완) *на кого* 부르트다, 뾰르퉁하다
дух (남) ① 정신(精神), 넋, 기백(氣魄); здоровый ~ 건전한 정신 ② 기본(基本), 특징(特徵); ~ времени 시대의 흐름; ③ 원기(元氣), 의기; боевой ~ 사기; сила ~а 기세; падать ~ом 낙심하다; собраться с ~ом 마음을 가다듬다, 신이 나다; поднимать ~ 용기를 북돋아주다 ④ 숨; переводить ~ 숨을 돌리다; испустить ~ 숨을 거두다; быть не в ~е 기분이 나쁘; во весь ~ 쏜 살같이, 전속력으로, 힘껏; в этом ~е 이와 같이; ни слуху, ни ~у 종무소식이다
духи (복수) 향수(香水)
духовенство (중) 승려, 승려계급
духовка (여) 훈제용 쇠함
духовный (형) ① 정신적인(精神的-), 정신의(精神-); ~ая жизнь 정신생활 ② 종교(宗教);~ая семинария 신학교
духовой (형): ~ая музыка 취주악; ~ой

оркестр 취주 악대; ~ые инстру- менты 취주 악기

духота (여) 무더위

душ (남) 샤워, 물맞기, 관수욕(灌水浴); принимать ~샤워를 하다, 관수욕을하다

душа (여) ① 마음, 정신(精神); со всей ~ой 진정으로, 진심으로; в ~е 마음속으로; быть по ~е 마음에 들다, 마음이 내키다; ~ болит 가슴앓이한다. ② 마음씨, 성질, 얼; 아량; 심장; добрая ~ 마음씨가 착하다; широкая ~ 아량이 있다 (넓다); нет ни ~и 한 사람도 없다; на душу населения 한 사람당, 인구 일인당; в семье пять ~ 가족은 다섯 명이다; ~ в пятки ушла 깜짝 놀라다, 간이 덜렁하였다; сколько ~е угодно 마음껏; ~и не чаять 정신없이 사랑하다; кривить ~ой 양심을 속이다; выкладывать ~у 마음을 주다, 속심을 털어놓다; ~ не лежит к *кому-чему* 정이 안 든다, 마음이 쏠리지 않는다.; отводить ~у 마음을 풀어놓다; говорить по ~ ам 털어놓고 (솔직하게) 말하다

душевая (여) 샤워실, 물맞이칸

душевнобольной (형) 정신병자

душевный (형) ① 정신*, 마음; ~ое состояние 정신상태 ② 가슴 뜨거운, 다정한, 충심으로 부터의; ~ая беседа 진지한 담화; ~ый человек 마음씨가 고운사람

душегуб(남) 살인귀(殺人鬼), 인간백정

душистый (형) 향기로운

душить I (미완) ① 목을 눌러(서0 죽이다, 교살하다 ② 숨쉬지 못하게 하다, 질식시키다 ③ 억누르다, 진압하다

душить II(미완) 향수를 치다 (뿌리다)

душно (술어로) 무덥다; стало ~ 가슴이 답답해졌다

душный (형) 무더운, 숨쉬기 답답한; ~ая погода 찌물쿠는 (무더운) 날씨

душок (남) 냄새, 썩은 냄새; с ~ом 썩은 냄새가 나는

дуэль (여) 결투(決鬪)

дуэт (남) 이중주, 이중창; 이중주곡

дыбом (부) 곤두(거꾸로), 쭈뼛 꼿꼿하게; волосы встали ~ 머리칼이 쭈뼛하게 섰다

дыбы: вставать на ~ ① (말에 대하여) 뒤발로 서다. ② 한사코 반대하다, 배를 내밀다 (퉁기다)

дылда (남, 여) 키꺽다리

дым (남) 연기; нет ~а без огня 아니 땐 굴뚝에 연기날까?

дымить (미완) ① 연기(를) 내다 (피우다), 연기나다, ② 담배를 피우다, 담배연기를 피우다

дымиться (미완) 연기가 나다, 연기를 피우다

дымка (여) 아지랑이, 실안개

дымный (형) 연기가 찬

дымовой (형): ~ая завеса 연막; ~ая труба 굴뚝, 연통; ~ая шашка 발연통

дымоход (남) 연도(煙道), 내굴길, 불골

дымчатый (형) 연기색의, 뿌연재빛의.

дыня (여) 참외

дыра (여), **дырка** (여) 구멍, 터진 (쾌진) 자리창; весь в дырах 창이 빠진

дырявить (미완) 구멍을 뚫다 (내다)

дырявый (형) 구멍이 난 (많은), 헤진; 새어드는.

дыхание (중) 숨, 숨쉬기, 호흡(呼吸); ровное ~е 숨결이 고른; органы ~я 호흡기(관); затаив ~е 숨을 죽이고; перевести ~е 숨을 돌리다

дыхательный (형) ① 숨쉬기의;

호흡(呼吸)의; ~ые пути 숨길, 기도; ② ~ые упражнения 숨쉬기 운동, 호흡운동

дышать (미완) 숨 쉬다, 호흡하다; ~ свежим воздухом 신선한 공기를 마시다 ~ на ладан 숨이 끊어질 지경이다

дьявол (남) 악마(惡魔), 악귀(惡鬼); 마귀

дюжий(형) 건장한, 장대한; 키가 큰
дюжина 타스 (물건의 12개)
дюйм (남) 인치 (2.54 센치미터)
дюна (여) 모래산, 모래불
дюралюминий (남) 두랄루민
дядя (남) ① 삼촌, 외삼촌, 큰아버지, 작은 아버지 ② (부름말) 아저씨
дятел (남) 딱딱구리

Е

евангелие (중) (종교) 복음서
евреи (복수), (~й (남), ~йка (여)) 유태인(들)
Европа (여) 구라파(歐羅巴)
европейцы(복수)(~ец(남),~ка (여)) 구라파사람(들)
европейский (형) 구리파의
Евр (Послание к Евреям, 13장, 263쪽) 히브리서(Letter to the Hebrews)
Египет (남) 애급(埃及), 이집트
египетский (형) 애급의(埃及-)
его см. он, оно
еда (여) ① 먹는 것, 식사; во время ~ы 식사중에, 먹을 때에; до ~ы 식전에, 먹기전에; после ~ы 식후, 먹은 뒤에 ② 음식, 식사;~а готова 식사가 마련되었다
едва (부) ① 겨우, 간신히, 가까스로, 근근이; ~ добрался 겨우 가 닿았다; ~ выжил 간신히 살아남았다 ② (부) 하마터면 ...할 뻔하다; он ~ не упал 그 사람은 하마터면 넘어질 뻔하였다. ③ (부) 약간; ~ заметный 알릴락말락한 ④(부)방금, 이제; ему ~ исполнилось пять лет 그는 이제 겨우 다섯 살이 되였다 ⑤(접) ...하자마자;~ он уехал, как...그가 가자마자 ...; ~ ли 과연 ... 할 수 있겠는가, 아마 ...하지 못할 것이다; ~ ли ну-жно доказывать 구태여 증명할 필요는 없을 것이다

единение (중) 단결, 단합, 통일, 합동
единица (여) ① 하나 ② 1 점 ③ 단위; денежная ~ 화폐단위 ④ ~ы (복수) (사람에 대하여) 몇 사람
единичный (형) ① 단일한, (오직) 하나밖에 없는; ~ случай 유일한 경우 ② 개별적인, 단독적인
единоборство (중) (1대 1의) 결투
единовластие(중) 1인 독재, 독재, 전제
единовременно (부) 일시(一時)에, 동시(同時)에; 일제히
единовременный (형) 일시적인의; 1회의; ~ое пособие 일시적보조금
единогласие (중) 만장일치, 의견일치; принцип ~я 일치가결의 원칙
единогласно (부) 만장일치로, 일치하게, 이구동성 (동음) (으로); принимать ~ 만장일치로 채택하다
единогласный (형) 만장일치의, 일치(하는)의; ~ое мнение 일치한 의견
единодушие (중) 한 마음 한 뜻, 의견일치(意見一致)
единодушно (부) 한결같이, 만장일치로(滿場一致); 화목하게
единодушный (형) 한결같은, 일치한; 화목한; ~ое мнение 일치한 의견
единоличник (남) 개인농(個人農)
единолично (부) 단독으로, 스스로
единоличный (형) ① 개인적(個人的)인, 자기 자신의; ~ая власть 1 인독재 ② 개인농의;~ое (крестьянское) хозяйство 개인 (농) 경리
единомышленник (남) ① 사상 (견해)이 같은 사람; ~и (복수) 한통(속) ② 공모자(共謀者), 공범자(共犯者)
единоначалие (중) 유일관리제
единообразие (중) 동일성(同一性), 균일성(均一性), 균일제; 동일한 형식
единственно (부) 오직, 다만, 단지; ~ правильный 유일하게 옳은

- 146 -

единственный (형) 단하나의, 하나밖에 없는, 유일한, 오직 하나 (뿐)인; ~ый сын 외아들, 외동; ~ый в своём роде 유일무이한, 독특한; ~ое число (언어) 단수

единство (중) 통일, 통일성, 일치성, 전일성, 공통성; 불가분리성; ~ взглядов 견해의 일치; ~ интересов 이해관계의 공통성

единый (형) ① 통일적인, 하나의, 단일한; 일원적인; ~ое целое 전일체, 혼연일체; ~ый фронт 통일전선 ② 단 하나의, 하나밖에 없는, 오직 하나뿐인, 유일한; все до ~ого 모두다, 한 사람도 빠지지 않고

едкий (형) ① 독한; ~ий запах 독한 (지리)냄새 ② (화학) 가성의, 부식성의; ~ий натр 가성소다 ③ 비꼬는, 신랄한, 독한; ~ая ирония 신랄한 야유

едок (남) ① 식구(食口), 식솔(食率) ② 식량공급대상자

её см. она

ёж (남) 고슴도치

ежевика (여) 검은 양딸기

ежегодник(남) 연감(年鑑), 연보(年報)

ежегодно (부) 해마다, 매해, 매년

ежегодный (형) 매년의, 해마다 있는; 연례의; ~ое мероприятие 연례행사; ~ая конференция 연차회의

ежедневно(부) 날마다, 매일, 하루하루

ежедневный (형) 매일의, 날마다 있는; ~ая газета 일간신문

ежемесячник (남) 월간잡지, 월간지

ежемесячно (부) 달마다, 다달이, 매달, 매월(每月)

ежемесячный(형) 달마다 있는, 매월의, 월간의(月刊-); ~ое мероприятие 월례행사; ~ый журнал 월간잡지(月刊雜誌); ~ый отчёт 월보(月報)

ежеминутно (부) ① 매분마다 ② 부단히, 쉴 새 없이.

еженедельник (남) 주간잡지, 주간지

еженедельный (형) 매주의, 매주 있는; 주간(週刊)의; ~ журнал 주간잡지

ежечасно (부) (매) 시간마다, 매시

ёжиться (미완) 몸을 옹그리다 (쪼그리다); 움츠러들다

ежовый (형): держать кого в ~ых рукавицах 엄하게 대하다

езда (여) 타고 가는 것, 타고 다니는 것, 여행; в двух часах ~ы от ... ...에서 타고가면 두 시간 걸리는 곳에.

ездить (미완) ① 타고가다 (다니다), 오르내리다; ~ть на трамвае 전차를 타고가다; ~ть в гости 손님으로 (타고) 가다 (다니다); он часто туда ~т 그는 거기에 자주 다녀오곤 한다. (갔다 온다) ② 타고 다닐 줄 알다; он ~т на велоси- педе, он умеет ~ть на велосипеде 그는 자전거를 탈줄 안다

ездовой (남) 마사원

Езд(Книга Ездры, 10장, 500 쪽) 에스라(Ezra)

ей см. она

еле(-еле) (부) 겨우, 근근이, 가까스로, 간신히; ~ двигаться 굼뜰거리다; 겨우 움직이다; ~ добрался 겨우 가닿았다

Еккл (Книга Еккселесиаста, или Проповедника, 12장, 666 쪽) 전도서 (傳道書: Ecclesiastes (히)Qohelet ('전도자'라는 뜻)

елейный (형); ~ая улыбка 선웃음; ~ый голос 웅석이 섞인 목소리

ёлка (여) см. ель②; новогодняя ~ 율까(곱게 장식한 설맞이나무), 율까놀이

еловый (형) 가문비(종이) 나무의, 가문비 (종이) 나무로 만든

ель (여) 가문비, 종이나무

ельник (남) 가문비나무숲, 종이나무숲

ёмкий (형) 용량이 큰, 용적이 큰, 많이 담을수 있는; ~ое понятие 뜻깊은 개념

ёмкость (여) ① 용량(用量), 용적(容積), 분량(分量) ② 용기(用器), 그릇

ему см. он, оно

енот (남) (동물) 개곰

епископ (남) (종교) 주교(主敎)

ересь (조교) 이단적인 교리; 허튼소리

ёрзать(미완) 안절부절하다, 옴지락거리다

ерунда (여) 시시한 것, 무의미한 것; 허튼소리, 하찮은 일

ёрш ① 가시고기 ② 등피솔, 밤송이술

Есф (Книга Есфирь, 10장, 529 쪽) 에스더(esther書 Book of Esther)

если (접) ① 만약, 만일, ...면, ...경우에는; я приду, ~ смогу 가능하면 오겠소; ~ только он узнает ...그가 알게만 되면 ② ...라면, ...더 (라) 면, ...이라고 하면; если здесь(и) тепло, то там холодно 여기가 덥다고 하면 거기는 춥다; хорошо было бы, ~ бы не пошёл 가지 않았더라면 좋았을 걸; ~ бы я был на вашем месте, я бы никогда так не поступил 내가 당신이라면 결코 그렇게는 하지 않았을거요 ③ (조사 и, даже 등과 함께 강조의 뜻으로) ...할지라도; ~ даже он и не придёт, всё равно пойду 비록 그가 오지 않더라도 나는 가겠다. всё (воз)можно 할 수 있으면; ~ на то пошло 정 그렇다면

естественно ① (부) 자연스럽게, 당연하게; 응당히 ② (삽입어) 물론, 두말할 것도 없이; ~, что ... ...것은 당연한 일이다

естественный (형) ① 자연적인, 천연적인, 자연의; ~ая гавань 천연항; ~ые науки 자연과학(自然科學) ② 자연스러운, 그대로의; ~ый голос 구성진 목청 □ ~ое дело 당연한 일

естествознание(중) 자연과학(自然科學)

естествоиспытатель (남) 자연과학자(自然科學者), 자연연구가

есть I (미완) ① 먹다; ~ с аппетитом 맛있게 먹다 ② 부식시키다, 삭히다, 썩히다; ржавчина ест железо 철에 녹이 쓴다. □ дым ест глаза 내구려워 눈이 쓰리다; ~ глазами 뚫어지게 보다

есть II (미완) ① см. (быть 의 단수 3인 칭 현재형); это ~ истина 그것인 진리이다 ② 있다; ~ ли у вас словарь? 당신은 사전을 가지고 있습니까?; что ~ силы 힘껏, 있는 힘을 다하여

ефрейтор (남) 상등병

Еф (Послание к Ефесянам, 6장, 234쪽) 에베소서(에페소인들에게 보낸편지 Letter of Paul to the Ephesians)

ехать (미완) ① (타고) 가다 (오다); ~ на велосипеде 자전거를 타고가다(오다) ② (자동차 등이) 가다, 오다 ③ 떠나다, 여행하다

ехидничать (미완) 비꼬아 말하다, 약을 올리다, 빈정거리다

ехидно (부) 독살스럽게, 약을 올려서, 빈정거리면

ехидный(형) 독살스러운, 약을 올리는, 빈정거리는; ~ый взгляд 독이 오른 눈초리; ~ая улыбка 독기어린 웃음

ещё (부) ① 더, 또, 다시, 또다시; ~ раз 다시한번; дайте ~ 더 주시오 ② (비교급의 뜻으로) 더욱더, 더한층; ~ больше 더욱더 많이 ③ 아직(은); ~ не уехал 아직 떠나지 않았다; ~ нет 아직은 없다 ④ 이미, 벌써; ~ вчера 이미 어제; ~ бы; ~ какой! 멋지다, 훌륭하다

ею см. она

Ж

жаба I (여) 두꺼비
жаба II (여): грудная ~ (의학) 심장신경통, 협심증(狭心症)
жабры (복수) 아가미
жаворонок (남) 종달새, 종다리
жадничать (미완) 욕심(을) 부리다, 인색하게 굴다
жадно (부) ① 게걸스럽게, 걸탐스럽게; 욕심(탐) (을) 내여; ~ пить 처마시다 ② 애타게, 안타까이, 열중하여; ~ слушать 매우 열심히 듣다
жадность (여) ① 탐욕; 인색, 욕심. 게걸 ② 욕망(慾望), 열망(熱望); с ~ю 열중하여. 걸탐스럽게
жадный (형) 걸탐스러운, 인색한, 깍쟁이부리는, 부드드한; 욕심많은
жажда (여) ① 갈증(渴症); испытывать ~y 갈증이 나다, 목말라하다 ② 갈망, 열망; ~a знаний 지식욕, 향학열
жаждать (미완) 갈망 (열망) 하다
жакет (남) 쟈케트, 웃저고리
жалеть (미완) ① 가엾게 여기다, 동정하다 ② *что* ...를 아끼다, 아까워하다; не ~я сил 힘을 아끼지 않고, 몸바쳐 ③ 슬퍼하다, 애석해하다, 뉘우치다 ④ 깍쟁이부리다
жалить (미완) ① (곤충들이) 쏘다 ② (뱀이) 물다
жалкий (형) ① 가련한, 불쌍한; 꾀죄죄한; 가궁한; ~ий вид 초라한 겉모양; ~ая одежда 꾀죄죄한 차림; ~ое существование 가궁한 신세 ② 보잘것없는, 비겁한; ~ая роль 시시한 역할
жалко(부) 가엾게, 불쌍하게; ~ смотреть 보기도 딱하다
жало (중) ① (벌 따위의) 독침(毒針), 침(針), 살 ② (독사 등의) 혀끝, 이빨
жалоба (여) ① 신소(申訴), 소송(訴訟); подавать ~у на *кого-что* ...에 대한 소송을 제기하다, 고소하다 ② 하소연, 애소(哀訴), 우는소리; 불평(不評); ~ы бо-льного 환자의 호소
жалобный(형) 구슬픈, 애처로운; ~ым голосом 청승맞은 소리로, 우는 소리
жалованье (중) *см.* зарплата
жаловаться (미완) ① 신소 (고소) 하다 ② 하소연(호소)하다, 원망하다
жалостливый (형) ① 동정심 (자비심) 많은 ② 구슬픈, 청승맞은, 청승궂은
жалость (여) 자비심(慈悲心), 동정(同情), 동정심(同情心), 가엾음; вызывать ~ 동정심을 일으키다; какая ~! 정말 유감한 일인데!
жаль (술어로) ① 유감스럽다, 아깝다, 안타깝다; 서운하다; очень ~ 참 유감입니다; ~, что ... ...유감이다, 섭섭하다; ~, что он не придёт 그가 오지 않는 것이 유감스럽습니다. ② 아까워하다
жандарм (남) 헌병(憲兵)
жанр (남) ① 장르, 갈래 ② 풍속화
жар (남) ① (신)열, 열기, 더위; ② 열정, 정열, 열심; с ~ ом 열렬하게, 열심히 ③ 단숯불, 불땀
жара(여) 더위, 무더위, 강더위; стоит ~ 무더운 날씨가 계속 되고 있다
жаргон (남) 변말, 통용어(通用語)
жареный (형) 볶은, 지진, 구운
жарить (미완) ① 볶다, 지지다, 굽다 ②(해가) 내려 쪼이다, 뜨겁게 덥히다
жариться (미완) ① 볶아지다, 지져지다, 구워지다② ~(на солнце)해별을 쪼

이다

жаркий (형) ① 더운, 뜨거운, 무더운; ~ий день 무더운 날 ② 격렬한, 열렬한; 맹렬한; ~ий бой 격전; ~ий спор 맹렬한 논쟁 (말다툼)

жарко (부) ① 덥게, 뜨겁게 ② 열렬히, 격렬하게 ③ 무덥다, 뜨겁다

жаркое (중) 볶은 (지진, 구운) 음식

жаровня (여) 화로(火爐), 화독

жаропонижающий(형):~ее средство 해열제(解熱劑), 해열약(解熱藥)

жасмин (남) (식물) 고광나무

жатва ① 가을걷이, 추수(秋收), 수확(收穫) ② 가을걷이 때

жать I (미완) ① 누르다, 꽉 쥐다, 죄다; ~ руку 악수하다; 손목을 꽉 쥐다; ② (옷, 신발 등이) 죄여들다; в плечах жмёт 어깨가 죄인다. ③ 짜다, 짠다, 압착하다; ~ сок 즙을 짜다

жать II (미완) 가을 (추수) 하다, 낫질하다; ~ рожь 호밀을 가을하다

жаться(미완) ① 움츠리다, 옹송그리다, 몸을 웅크리다; ~ от холода 추위서 몸을 웅크리다 ② 바싹 다가붙다; 꽉 안기다; ~ к стене 벽에 바싹 다가붙다 ③ 망설이다, 꺼려하다, 인색하게 굴다

жвачка(여)(소 등의)새김질;жевать ~у ① 새기다, 새김질하다② 껌을 씹다

жвачный (형): ~ые животные 새김질 동물, 반추동물(反芻動物)

жгучий(형) ① 타는 듯한, 찌는 듯한, 쨍쨍한 ② 쓰린, 신랄한; 살(가슴)을 에는 듯한; ~ая боль 쓰라린 아픔; ~ий мороз 살을 에는 듯한 추위; ~ая ненависть 불타는 증오(憎惡); ~ий вопрос 초미의 문제

ждать (미완) ① *кого-чего* 기다리다, 대기하다; ~гостей 손님을 기다리다; ~ (удобного) случая 기회를 엿보다 ② 기대하다, 바라다; 예상하다; ~ лучшего 보다 더 좋은 것을 바라다; жду не дожд-усь 애타게 기다린다; время не ждёт 지체 할 수 없다, 더는 미룰 수 없다; ~ у моря погоды 막연하게 기다리다

же I (접) (대립의 뜻으로) 그러나, 그런데, ...지만; я уеду, ты ~ останься 나는 가지만 너는 남아있어라

же II (조) ① (강조의 뜻으로) 과연, 정말, 그럼; когда ~ вы придёте? 도대체 언제쯤 오시렵니까? ну пойдёмте ~! 그럼 가자는데두!; как ~ так? 어째 그런가? ② (동일, 동등의 뜻으로) 바로; в то ~ время 동시에; сегодня ~ 오늘이야; такой ~ 바로 그러한, 꼭 같은; тогда ~ 바로 그때에 ③ (삽입어) (ведь의 뜻으로); я ~ не знал 나는 몰랐으니까; я ~ ничего не сказал 내가 아무것도 말하지 않지 않았는가.

жевательный (형): ~ая резинка 껌

жевать (미완) 씹다

желание (중) 희망(希望), 소원(所願), 염원(念願); горячее ~e 열망; по ~ю 희망에 따라, 마음대로; против ~я 희망과는 달리; при ~и 희망한다면; гореть ~ем 갈망하다, 희망에 불타다 ② 의욕(意慾); ~e учиться 학습의욕

желанный (형) ① 바라던, 반가운; 고대하던; ~ гость 반가운 손님 ② 귀여운, 사랑하는

желательно (술어로): ~ получить 받을 수 있으면 좋겠다.; ~, чтобы ... ...하면 좋겠는데

желательный (형) 바람직한, 희망하는; 요망되는

желатин (남) (화학) 젤라틴(gelatin)

желать (미완) ① 바라다, 소원하다, 원하다, ..고 싶어하다; 마음이 달리다; горячо ~ть 열망 (갈망 하다) ② 축원(祝願)하다, 축복 하다, 바라다

желвак (남) 혹, 매듭, 결절(結節)

желе (중) 젤리(jelly), 단묵
железа (여) (의학) 선; щитовидная ~ 갑상선; поджелудочная ~ 위하선
железистый (형) (화학) 철을 함유한, 철분이 있는
железнодорожник (남) 철도일군, 철도종업원, 철도노동자
железнодорожный (형) 철길의, 철도; ~ые пути (복수) 철길, 기차길, 철로; ~ый билет 기차표; ~ый транспорт 철도운수; ~ое сообщение (철도)교통
железный (형) 쇠의, 철의, 쇠로 만든, 철제; ~ая руда 철광석; ~ый лом 헌쇠붙이; ~ая дорога 철도, 철길; ~ая воля 강철같은 의지
железо (중) 쇠, 철; листовое ~ 철판; кровельное ~ 지붕에 쓰이는 양철 (함석); куй ~, пока горячо (속담) 소뿔은 단김에 빼랬다
железобетон (남) 철근 콘크리트
железобетонный (형) 철근 콘크리트
жслезоделательный (형): ~ завод 제철소(製鐵所)
железопрокатный (형): ~ цех 철압연직장; ~ стан 철압연기
железорудный (형) 철광(鐵鑛)의
жёлоб (남) ① 홈, 홈통, 개탕 ② 낙수(물) 받이, 물빼기 홈
желтеть (미완) ① 누르러지다, 노랗게 되다 ② 노랗게 보이다
желтизна (여) 누런색갈
желток (남): (яичный) ~ 노란자위
желтуха (여) (의학) 황달병(黃疸病)
жёлтый (형) 누런, 노란, 황색의(설사)
желудок(남)위(胃);расстройство~ка
желудочек (남) (심장이) 심실(心室)
желудочный (형) 위의; ~ое заболевание 위병; 배탈; ~ый сок 위액
жёлудь (남) 도토리
желчнокаменный(형): ~ая болезнь 열돌증, 담석증(膽石症)

жёлчный(형) ①: ~ пузырь 열주머니, 담낭(膽囊); ② 표독스러운, 독살스러운
жёлчь (여) 열물, 다액(多額)
жеманиться (미완) 거드름피우다
жеманный(형) 건들거리는, 거드름을 피우는
жемчуг (남) 진주(珍珠)
жемчужина (여) 진주알
жемчужный (형) 진주의, 진주로 만든; ~ое ожерелье 진주목걸이
жена (여) 처(妻), 아내, 부인(夫人), моя ~ 집사람
женатый (형) ① 장가간, 결혼한, 아내가 있는 ② (명사로) (남) 결혼한 남자
женить (완, 미완) 결혼(장가)시키다
женитьба (여) 결혼식(結婚式), 결혼(結婚), 장가; 혼인(婚姻)
жениться (완, 미완) 장가들다, 장가(를) 가다, 아내를 맞다
жених(남) 신랑(감); 약혼자, 새서방
женский (형) ① 여성의, 부인의; 여자용, 여성용; ~ое платье 여자 옷, 부인복 ② 여자다운; ~ая красота 여성다운 아름다움
женственность(여) 여성다움, 여성미
женственный (형) 여성 (여자) 다운
женщина (여) 여자, 부인(婦人); 아낙네(집합) 여성; замужняя ~ 시집간 여자
женьшень (남) 인삼(人蔘); дикий ~ 산삼; культивированный ~ 가삼
жердь (여) 장대, 작대기, 긴 막대기
жеребёнок (남) 망아지
жеребец (남) 수말
жеребьёвка (여)제비뽑기, 추첨; производить ~у 제비뽑기하다
жерло (중): ~ пушки 포구, 포(의) 아가리; ~ вулкана 분화구
жёрнов (남) 매돌; мельничный ~ 매돌

짝

жертва (여) 희생(犧牲), 희생자(犧牲者), 희생물; приносить себя в ~у 자기를 희생하다; стать ~ой чего ...의 희생물이 되다; человеческие (людские) ~ы 인적희생

жертвовать (미완) ① *кем-чем* ...을 희생으로 하다, 희생시키다; ~ жизнью (собой) 목숨을 바치다 ② *что*...을 희사하다, 기부(寄附)하다

жертвоприношение (중) ① 공물(供物) ② 공물 (제물)을 바치는 것

жест (남) 손짓, 몸짓

жестикулировать(미완) 손짓을 하다

жестикуляция (여) (말할 때에) ① 손짓을 하는 것, 손동작을 쓰는 것 ② 몸동작, 손짓

жёсткий (형) ① 굳은, 딱딱한, 깔깔한; ~ие волосы 센 머리털; ~ая кожа 거친 피부 ② 엄격한(嚴格寒); 엄한(嚴寒); ~ие условия 엄격한 조건 ③ 매몰한, 까다로운; ~ий человек 성질이 까다로운 사람; ~ая вода 센물, 경수

жестокий(형) ① 가혹, 무자비한, 잔인한; ~ая расправа 무자비한 제재; ~ий человек 가혹 스러운; ~ое обращение 학대 ② 모진(冒進), 지독한, 엄혹한, 혹독한; ~ая пытка 모진 고문; ~ое испы-тание 엄혹한 시련; ~ий бой 가열한 싸움; ~ие морозы 혹독한 추위, 혹한; ~ характер 지독한 성미

жестоко (부) 가혹하게, 무자비하게

жестокость (여) ① 잔인성, 무자비. 몰인정, 냉정한, 비정한

жесть (여) 양철, 함석

жестяной (형) 양철*, 함석*; 양철로 만든; ~ая банка 양철통, 깡통

жестянщик (남) 양철공

жетон (남) 메달, 휘장, 표

жечь (미완) ① 태우다, 대다; 불사르다, 소각하다; ~ дрова 장작을 때다 ② 뜨겁게 쬐이다; солнце жжёт 해가 쪼인다 ③ 쑤시다, 따끔거리다

живительный (형) 활기 (생기)를 (북돋아) 주는, 소생시키는; ~ая влага 생명수; ~ый воздух 상쾌한 공기

живо (부) ① 생동하게, 생생하게, 실속 있게; 표정이 풍부하게; ~ помнить 똑똑히 기억하다 ② 빨리, 재빨리, 왈칵; ~ собраться 빨리 모여들다

живой(형) ① 산, 살아있는; ~ая рыба 산물고기;~ое существо 생물; остаться в ~ых 살아남다 ② 생기 있는, 생기로운, 활기 띤;~ой ребёнок 민첩한 아이; ~ые глаза 생기발랄한 눈;~ой отклик 열렬한 반향; ~ая действительность 생동한 현실; ~ой пример 산 모범; ~ой инвентарь 길들인 짐승;~ая сила (군사) 유생역량(전투에 참가하는 모든 사람), 병력; ~ые цветы 생화; ~ой уг-олок 동물실;~ой вес 산재로(생채로)단 무게; задеть за ~ое 아픈데를 다치다

живописец (남) 화가(畵家)

живописный (형) ① 그림의, 회화의 ② 그림 같은, 그림 같은 아름다운

живопись (여) ① 회화술 ② 그림, 회화; пейзажная ~ 풍경화(風景畵)

живородящий (형): ~ая рыба 태생어류; живородящие (명사로) 동물

живость(여) 활발, 생기, 양기; 생동성

живот (남) 배, 복부, 배살; лежать на ~е 엎드려있다

животновод(남) 축산전문가, 축산일군

животноводство (중) ① 축산업(畜産業), 목축업(牧畜業); продукция ~а 축산물 ② 축산학(畜産學)

животноводческий (형) 축산(업)의; ~ая ферма 목장

животное (중) 동물(動物), 짐승, 맹수; домашнее ~ 집짐승

животный (형) ① 동물(動物)의, 동물성(動物性)의; ~ жир 동물성기름; ~ мир 동물계 ② 동물적인, 동물(금수) 같은; 본능적인; ~ инстинкт 동물적본능

животрепещущий (형) 초미의, 절박한, 긴박한; ~ вопрос 초미의 문제

живучесть (여) 생활력, 불멸; 장수

живучий (형) ① 생활력이 강한, 견디는힘이 센, 목숨이 진긴 ② 오래 사는, 불멸의; ~ обычай 뿌리깊은 풍습

живьём (부) 산채로

жидкий (형) ① 물같은, 진 묽은, 물긋물긋한; ~ая каша 흘거운 죽 ② 연한, 멀건; ~ий чай 연한 차 ③ 성긴, 드문; ~ие волосы 성긴 머리칼

жидкость(여) 액체(液體), 유동체(流動體)

жижа(여) 죽탕, 진탕; навозная~ 두엄물

жизнедеятельность (여) ① 생활기능 ② 활동력(活動力), 기능, 능력(能力)

жизненно (부): ~ важный 사활적인, 극히 중요한

жизненность(여)① 생활력 ② 현실성

жизненный (형) ① 생명의, 생활의, 생애의;~ый путь 인생행로, 생애;~ый опыт 생활 체험; ~ые силы 활력, 원기; ~ый уровень 생활수준 ② 사활적인, 극히 중대한;~ый вопрос 사활적인 문제

жизнерадостный (형) 생을 즐기는, 낙천적(樂天的)인, 경쾌한, 명랑한; ~ смех 호탕한 웃음

жизнеспособность (여) 생활력

жизнеспособный (형) 생활력(生活力)있는, 목숨이 질긴

жизнь (여) ① 목숨, 생명(生命); за всю ~ь 한 평생; при ~и 생존시, 살아 있을 때; лишать ~и 목숨을 빼앗다 ② 생활(生活), 살림, 삶; ~ь и смерть 삶과 죽음 (생사); вопрос ~и 생활상문제; образ ~и 생활양식; зарабатывать на ~ь 품팔이하다 ③ 현실(現實), 실재(實在); про-водить в ~ь 실천하다, 실현하다; ~ни в ~ь 결코 절대로; полный ~и 생기발랄한

жила (여) ① (해부) 힘줄, 혈관(血管), 정맥(靜脈) ② (지질)지맥(地脈), 광맥(鑛脈), 광석줄기; золотоносная ~а 금맥(金脈) □ тянуть ~ы из кого ...를 못살게 하다, 시달리게 하다

жилет (남)**, ~ка** (여) 조끼

жилец (남) 동거자, 거주자(居住者), 세방살이하는 사람; не ~ 오래 살지 못할 사람이다, 죽을 날이 많지 않다

жилистый (형) ①: ~ое мясо 질긴 고기, 소심뗘깨 ② 힘줄이 두드러진; ~ые руки 힘줄이 내돋은 손

жилище (중) 주택, 살림집, 집, 가옥

жилищно-бытовой (형) 주택생활의; ~ые условия 주택생활조건

жилищно-строительный (형) 주택건설*; ~ кооператив 주택건설협동조합

жилищный (형) 살림집의, 주택의, 주택관계의; ~ые условия 주택조건; ~ое строительство 살림집건설

жилка ① (잎의) 잎줄기 ② 천분, 소질

жилой(형) 사람이 살고 있는, 인적있는; ~ой дом 살림집, 주택; ~ая комната 살림방;~ая площадь см. жилплощадь

жилплощадь (여) ① 주택내부면적 ② 살림집, 주택(住宅)

жильё (중) ① (살림이) 사는 곳, 거주지(居住地) ② 주택(住宅), 살림집

жимолость (여) (식물) 인동덩굴

жир (남) 기름, 지방(脂肪); рыбий ~ 물고기기름, 어유, 간유; растительные

~ы 식물성기름 (지방); животные ~ы 동물성기름

жираф (남) 기린

жиреть (미완) 기름지다, 살찌다; 비대해지다

жирность (여) 지방율; ~ молока 기름 짜는량, 착유량; ~ мяса 비대율

жирный (형) 기름진, 기름이 많은, 살찐; ~ый суп 기름진 국; ~ая свинина 비게진 돼지고기 ② 비만한, 뚱뚱한; 유들진 □ ~ая земля 기름진 (건) 땅, 비옥한 토지; ~ый шрифт (인쇄) 굵은 활자; 고직활자; ~ое пятно 기름 묻은 얼룩

жировик (남) 기름혹, 지방종(脂肪腫)

житейский (형) 생활의, 일상적인, 인생의; ~ие дела 세상만사; ~ие трудности 생활고

житель (남) 주민(住民), 거주자(居住者); городской~ 도시주민, 시민; сельский(деревенский) ~ 농촌주민

жительство (중) 거주; место ~a 거주지; вид на ~о 거주권, 거주증

житница (여) ① 낟알창고, 곡창(穀倉) ② 곡창지대(穀倉地代), 곡산지

жить (미완) ① 살다, 살아있다; 생활 (살림)을 하다; ~ в городе 도시에서 살다; ~ в достатке 넉넉한 (유족한) 생활을 하다 ② 거주하다, 살고 있다

житьё (중) 생활(生活), 살림살이; привольное ~ё 안락한 생활; не давать ~я 못살게 굴다

жмурить: ~ глаза см. жмуриться

жмуриться (미완) 눈을 가늘게 뜨다, 실눈을 하다

жмурки (복수) 까막잡기, 소경놀이, 소경장난; играть в ~ 까막잡기 하다, 소경놀이 하다

жмыхи (복수) 깨묵 (기름을 짜고난 다음에 남은 것)

жнейка (여) 곡식 베는 기계, 수확기

жнец(남),**жница**(여) 곡식 베는 사람

жокей (남) 경마수

жонглёр (남) 여러개의 물건을 동시에 던지고 받는 곡예사(曲藝師)

жонглировать(미완) (몇 개의 물건을 동시에 던지고 받는) 손재주를 부리다

жребий (남) 제비; тянуть ~ 제비를 뽑다

жужжание(중) (곤충 등이 날개로) 웅웅 (웽웽)거리는 소리, 붕붕거리는 소리

жужжать (미완) 웅웅 (웽웽, 붕붕) 거리다, 앵앵울다(거리다-)

жук (남) 딱정벌레

жулик (남) ① 좀도적(-盜賊) ② 협잡꾼(挾雜-), 사기꾼(詐欺-)

жульничать (미완) 협잡하다, 사기하다, 속임수를 쓰다

жульничество (중) 협잡, 사기(詐欺)

журавль (남) 두루미

журнал (남) ① 잡지(雜誌); ~ мод 양재잡지 ② 일지(日誌); классный ~ 학급부, 학급일지, 출석부(出席簿)

журналист (남) 기자(記者), 문필가(文筆家), 편집일군

журналистика (여) ① 신문학(新文學, 新聞學) ② 문필활동(文筆活動)

журчание (중) 졸졸거리는 소리, 콸콸거리는 소리, 과르르하는 소리, 졸졸 흐르는 소리

журчать (미완) 졸졸거리다, 콸콸거리다, 콸콸 흐르다

жуткий (형) ① 무시무시한, 끔찍스러운, 무서운, 전율케 하는, 소름끼치는; ~ое зрелище 무시무시한 광경 ② 지독한, 모진; ~ий ветер 모진 바람

жутко (부) ① 무시무시하게, 지긋지긋하게, 끔찍이 ② (술어로); мне ~ 무시무시하다

жюри(중) 심사위원회; член ~심사위원

З

за (전) ① (위치표시) 뒤에, 건너편에, 밖에, 이외의, 이밖에; за домом 집 뒤에; за рекой 강 건너편에; за городом 시외에서, 교외에서; ② (방향을 표시) 뒤로, 밖으로, 저쪽으로, 건너편으로; выйти за дверь 문밖으로 나가다; уехать за реку 강 건너로 떠나다; отойти за дом 집 뒤로 물러서다; ③ 뒤따라, 뒤이어; идите за мной 내 뒤로 따라오시오; вслед за дождями наступила жа-ра 비온 뒤에 더위가 닥쳐왔다; ④ (어떤 일을 하면서) 가까이에, 곁에, 주위에; си- деть за столом 상에 마주 앉다;сидеть за книгами 책을 보려고 오래 앉아있다; ⑤ (목적을 표시); идти за водой 물을 길러가다; ⑥ (원인을 표시) 때문에, 탓으로, ...에 대하여; за отсутствием чего ...이 없기 때문에; благодарить за внимание 돌보아준데 대하여 감사드리다; ⑦ 넘어서, ...이상; ему за сорок (лет) 그는 마흔 살이 넘었다; ⑧ ...의 거리에; за сто километров от Москвы 모스크바에서 100(백km) 키로 미터 거리에 (떨어진 곳에); ⑨ 동안에, 기간에; это можно сделать за час 이것을 한 시간 동안에 할 수 있다; за последние десять лет 최근 10년간에; 10) ...전에; за два дня до праздника 명절을 앞두고 이틀 전에; за час до отъезда 떠나기 한시간전에; 11) 대신에; я расписался за него 나는 그를 대신하여 서명하였다; 12) (값, 대가를 표시); купил за пять рублей 5루불 주고 샀다; платить за квартиру 주택 사용료를 물었다; 13) 위하여; бороться за мир 평화를 위하여 투쟁하다; 14) ...때에, ...걸쳐; за обедом 점심을 먹을때; за работой 일하는 중에; за прошедшие несколько лет 지난 몇해를 걸쳐; 15) (동작이 미치는 대상을 표시), ...을; брать за руку 손을 잡다;за мной пять рублей 나는 5 루불을 갚아야 된다; за неиме- нием кого-чего ...이 없어서 слово за вами 당신이 말할 차례이다; за исклю-чением чего...를 제외하고; голос(за)(표결을 할 때) 찬성표(贊成票)

за (앞붙이) (동사에 붙어서 다음과 같은 뜻을 나타냄) ① 행동의 시작(始作); заплакать 울기 시작하다; ② 극도에 도달한 행동(行動); закормить 지나치게 먹이다

забава (여) ① 재미나게 하다, 웃기다, 놀음; ② 재롱받이

забавлять (미완) 재미나게 하다, 웃기다, 즐겁게 하다

забавляться (미완) 즐기다, 재미나다, 심심풀이하다, 즐겁게 시간을 보내다

забавный (형) 익살스러운, 재미있는

забаллотировать (완) 반대(反對)투표하다, 낙선(落選)시키다

забастовка (여) 파업(罷業), 동맹파업; всеобщая ~ 총파업; сидячая ~ 앉아 버티기 파업

забастовочный(형) 동맹파업의(同盟罷業), 파업(罷業)의;~комитет 파업위원회

забастовщик (남) 파업자(罷業者)

забвение(중) ① 망각(忘却); предавать ~ю 망각하다, 기억에서 지워버리다;

② 혼수상태(昏睡狀態)
забег (남) (체육) 달리기, 경주(競走)
забегать(완),**забежать**(완) ① 잠간(잠시)돌리다, 뛰어 들어가다; ② 멀리 달아나다(가버리다);~ далеко вперёд 멀리 앞으로 달아나다; вперёд먼저하다, 앞지르다
забеливать (미완), **забелить** (완) 희게 칠하다, 회칠하다
забеременеть (완) 임신(姙娠)하다, 아이를 배다, 아이를 가지다
забивать(미완) ① 박다; ~вать гвоздь 못을 박다; ② 막다, 봉하다; ~вать окно досками 판자로 창문을 막아버리다; ③ (가득) 채우다, 메우다; трубу забило песком 관이 모래가 차서 막혔다; ④; ~вать гол(мяч) (체육) 공을 차넣다; ~ насмерть 죽도록 때리다, 얼빠지게 하다
забиваться (미완) ① 들어박히다, 몸을 감추다; ~ в угол 한쪽구석에 숨어 몸을 움츠리다; ② (꽉) 메이다, 박히다; ~ гр-язью 오물로 꽉 메다
забинтовать (완) *см.* бинтовать
забирать (미완) ① 잡다, 그러쥐다, 가지다, 빼앗다; ② 구금하다, 잡아가다
забираться (미완) ① 숨어들다, 기어들어가다; ② 올라가다
забитый① забить의 피동과거; ② (형) 1) (억눌리고) 시달린, 억눌리운; 2) 겁에 질린, 기를 못 펴는
забить *см.* забивать
забиться(완) ① *см.* забиваться① ② *см.* биться ④
забияка (남) 시비꾼, 싸움꾼
заблаговременно (부) 미리, 사전에; ~ готовиться к *чему* 미리 준비하다
заблаговременный (형) 미리 준비된, 예비적인(豫備的-), 사전의(事前-)
заблестеть *см.* блестеть

заблудиться (완) 길을 잃다, 헤메다
заблуждаться (미완) 잘못생각하다, 잘못 판단하다, 착각하다, 그릇된 생각하다
заблуждение (중) 잘못된(그릇된)생각, 착각, 오해; вводить в ~ 착각을 일으키다, 오해하다
забой (남) 막장, 마구리
забойщик (남) 막장 노동자, 채굴공
заболачивание (중) 진펄로 되는 것
заболеваемость(여) 병에 걸릴 확률
заболевание (중) ① 병나기, 발병(發病); ② 병(病), 질병; тяжёлое ~ 중병
заболеть (완) ① 병이 나다, 병에 걸리다, 탈이 나다; ② 아프기 시작하다
забор (남) (나무) 울타리, (널) 담장; ка-менный ~ 돌담, 돌각담
забота(여) ① 근심, 염려, 걱정; ② 배려, 보살핌; проявлять ~у 배려해주다
заботиться (미완) ① 근심하다, 걱정하다, 염려하다, 마음을 쓰다; ② 배려하다, 보살피다, 시중하다; ~ о детях 아이들을 보살피다;~о здоровье 건강을 돌보다
заботливо (부) ① 성의있게, 주의깊게, 세심히, 살뜰하게
заботливость(여) 배려, 염려, 보살핌
заботливый (형) ① 잘 보살피는, 잘 돌봐주는; ② 알뜰한, 살뜰한, 소중한
забраковать *см.* браковать
абрасывать I (미완) *чем* ...을 뿌려서 채우다, 매우다, 끼얹다; ~ яму землёй 구덩이를 흙으로 메우다; ~ вопросами 질문을 퍼붓다
забрасывать II (미완) ① *куда;*...에 집어던지다, 던져넣다, 멀리 내던지다; ~ мяч в сетку 뽈을 그물에 던져넣다; ~ вещи на полку 짐을 시렁에 던져 놓다; ② (하던 일을) 던져두다, 내버려두다, 방임하다

забрать(ся) *см.* забираться
забрезжить (완) 동트기 시작하다, 밝기 시작하다, 반짝거리기 시작하다; ~ло (무인칭) 날이 밝기 시작하였다, 먼동이 트기 시작하였다
забронировать *см.* бронировать
забросить *см.* забрасывать I. II
заброшенный (형) ① 내버려 둔, 던져둔, 방임된; ~ый дом (못쓰게 되어) 내버려둔 집; ② 황폐화 된 ~ая земля 황폐화된 땅
забрызгать(완),**забрызгивать**(미완) 뿌려던지다, 끼얹다;~ одежду грязью 옷을 진창투성이로 만들다
забывать (미완) ① 잊다, 잊어버리다, 망각하다; ② 잊어버리고 남겨두다, 가져가지 않다
забываться (미완) ① 졸다, 잠간 잠들다; ② 깊은 생각에 잠기다, 사색하다; ~ во сне 자면서 세상만사를 잊다; ③ 의식을 잃다, 혼수상태에 빠지다
забывчивость(여)잊음증, 기억력부족
забывчивый (형) 잘 잊어버리는, 기억력이 나쁜, 산만한
забыть *см.* забывать
забытьё (중) ① 졸음; ② 인사불성, 혼수상태; впасть в ~ 인사불성에 빠지다; ③ 심사숙고(深思熟考)
забыться *см.* забываться
завал (완) ① 더미, 큰 무더기, 덩어리; снежный ~ 눈 더미; ② 장애물
заваливать (미완) ① 던져넣어 메우다, 채워넣다, 덮치다; ~ яму песком 구덩이를 모래로 메우다; ② 가득쌓아서 막다, 가득쌓다, 가득놓다; ~ дорогу камнями 돌로 가득 쌓아서 길을 막다;~ работой 일을 과중하게 걸머지우다; ~ дело 일을 망치다
заваливаться(미완)①(뒤로, 뒤에) 떨어지다, 무너지다; свёрток завалился за сундук 꾸러미가 장롱 뒤에 떨어졌다; стена завалилась 벽이 무너졌다; ② 기울어지다; машина завалилась на бок 자동차가 옆으로 기울어졌다; ~ спать 자려고 눕다
завалить(ся) *см.* заваливать(ся)
заваляться (완) 오래 묵다, 쓰지 않고 그대로 나아있다
заваривать(미완), **заварить**(완) *что...*를 끓는 물에 넣다(우리다); ~ чай 끓는 물에 차(茶)를 타다; ~ кашу 소동을 일으키다, 귀찮은 일을 벌려놓다
заведение (중) 기관(機關), 시설(施設); учебное ~ 학교, 교육기관; лечебное ~ 치료기관; высшее учебное ~ 대학, 고등교육기관
заведовать (미완) *чем* ...를 관리하다, 지도하다, 책임지다; ~ кафедрой 강좌를 책임지다
заведомо (부) 미리, 앞서, 미리미리; ~ зная(известно) 미리 알면서;~ ложные показания 고위적인, 허위진술
заведомый(형): ~ая ложь 뻔한 거짓
заведующий (남) 지배인(支配人), 관리자(管理者), 책임자;~ отделом 부장; ~кафедрой 강좌장; ~ хозяйством 경리부장
завезти *см.* завозить
завербовать *см.* вербовать
заверить *см.* заверять
завернуть(완), **завёртывать**(미완) ① 싸다, 둘러싸다, 감싸다, 포장하다; ~ ре- бёнка в одеяло 아이를 포대기로 감싸다; ~ в бумагу 종이에 싸다; ② 틀어 맞추다, 틀어막다; ~ рукава 소매를 걷어 올리다; ~ за угол 모퉁이를 돌다, 모퉁이 뒤로 가다
завернуться(완),**завёртываться**(미완) 자기 몸을 감싸다, 자기 몸에 두르다
завершать (미완) 끝마치다, 완수하다, 마무리하다, 마감 짓다, 해치우다
завершаться (미완) 끝나다, 결말이

나다, 완수하다, 완성하다
завершение (중) 완수(完遂), 종결(終決), 결속(結束), 마무리; блестящее ~ 빛나는 결실; ~ строительства 완공
завершить(ся) см. завершать(ся)
заверять (미완) ① 믿게 하다, 확언하다; ② 보증하다, 증명하다; ~ копию 부본에 도장을 찍다
завеса (여) 막, 휘장(徽章), 장막(帳幕); дымовая ~ 연막
завесить см. завешивать
завести(сь) см. заводить(ся)
завет (남) 유언(遺言), 유훈
заветный (형) : ~ая мечта, ~ое желание 숙망(宿望), 염원(念願)
завешивать 가리다, 가득 걸어놓다
завещание (중) 유언(遺言), 유서(遺書), 재산상속유언장(財産相續遺言狀)
завещать (완, 미완) ① 유언하다; ② 유산을 물려주다
завивать (미완) 꼬불꼬불하게 하다, 비틀다;~ волосы 머리를 지지다(파마)
завиваться (완) 파마를 하다
завивка (여) ① 머리를 지지는 것, 파마를 하는 것; ② 지진머리, 파마머리
завидно (부) (술어) 부럽다
завидный (형) 부러워할만한, 부러울 만큼 훌륭한, 아주 좋은
завидовать (미완) 부러워하다, 시샘한다, 게염을 피우다; он ~ует мне 그는 나를 부러워하다
завинтить(완), **завинчивать** (미완) (나사 등을) 틀어넣다, 틀어 맞추다; ~ кран 수도꼭지를 채우다; ~ гайки 나사못을 죄다
зависеть (미완) ① 달려있다, 매달리다, 좌우되다; ② 예속되다; всё ~ит от нас 모든 것은 우리에게 달려있다; по обстоятельствам, от кого-чего не ~ящим ...에 좌우되지 않는 사정으로 말미암아
зависимость (여) ① 예속(隷屬), 종속, 종속관계; колониальная ~ь 식민지적 예속; ② 의존심(依存心), 종속관계 находиться в ~и см. зависеть ①②; в ~и от...에 따라
зависимый(형)예속된, 종속된, 복종된, 의존된; ~ое государство 예속국가
завистливый (형) 부러워하는, 시샘하는, 게염스러운; ~ое выражение лица 선망의 빛, 부러워하는 얼굴표정
завистник (남) 시샘바리, 질투쟁이
зависть (여) 부러움, 선망, 시샘, 질투감; проявлять ~ь 시샘을 내다; из ~и 부러워하여
завить(ся) см. завивать(ся)
завком (заводской комитет профсоюзной организации) 공장노동위원회
завладевать(미완), **завладеть** (완) ① кем-чем ...를 수중에 넣다, 틀어쥐다, 틀어잡다, 점유하다; ② 복종시키다, 자기에게 끌다; ~ вниманием 주의를 집중시키다
завлекать(미완), **завлечь**(완) ① 꾀어 끌어가다, 유인하다; ② 이끌다; ③ 홀리다, 유혹하다
завод I (남) 공장(工場)
завод II (남) (시계 등의) ① 태엽 감아주는 것, 시동; ② 태엽, 시동장치
заводила(남,여) 주모자(主謀者)발기자
заводить (미완) ① куда 끌어가다, 데려다주다, 가져다 넣다; ~ ребёнка в детский сад (가는 길에) 아이를 유치원에 데려다주다; ② что 제정하다, 세우다; ~ новые порядки 새 질서를 세우다; ③ (기계를) 시동하다, 돌아가게 하다; ~ мотор 발동을 걸다; ~часы 시계태엽을 감아주다; ④ 두다, 갖추다, 가지게 되다; ~ собаку 개를

얻다; ~ разговор 이야기를 시작하다; ~ знакомство 교제를 맺다, 알고지내다
заводиться (미완) ① 나타나다, 생기다; ② 시동되다, 움직이기 시작하다
заводной (형) 태엽장치가 있는; ~ая игрушка 태엽장치를 한 장난감
заводоуправление (중) 공장관리부
заводский, заводской (형) 공장의
завоевание (중) ① 전취, 쟁취(爭取), 점령(占領), 정복; ~ прав 권리의 쟁취; ② 전취물; ③ 업적(業績), 성과(成果)
завоеватель (남) 정복자, 쟁취자
завоевать(완), **завоёвывать**(미완) ① 전취하다, 쟁취하다, 얻어내다, 얻어가지다;~победу 승리를 쟁취하다;~доверие 신임을 얻다; ② 정복하다, 강점하다
завозить (미완) ① (가는 길에) 실어다주다, 가져다주다; ② 나르다, 실어가다; ~ товары в магазин 상품을 상점에 실어가다, 실어다주다
заволакивать (미완) (구름, 안개 등이) 가리다, 덮다; тучи ~окли небо 구름이 하늘을 덮다
заволакиваться(완)덮이다, 가려지다
заволноваться см. волноваться
заволочь(ся)см. заволакивать(ся)
завопить см. вопить
заворачивать см. завёртывать
заворчать см. ворчать
завсегдатай(남)단골손님, 늘오는사람
завтра (부) ① 내일; ② (명사로) 내일, 가까운 앞날, 미래; откладывать на ~ 내일로 미루다; до ~! (인사) 내일 또 만납시다
завтрак (남) 아침밥, 아침식사, 조찬회; лёгкий ~ 간단한 아침식사; кормить ~ами 허위약속으로 속이다
завтракать (미완) 아침밥을 먹다, 아침식사를 하다
завтрашний (형) 내일의; ~ день 내일, 가까운 앞날, 장래에
завуч(заведующий учебной частью) (남) 교무주임, 교무부장
завхоз (заведующий хозяйством) (남) 경리책임자, 경리부장, 경리과장
завывать см. выть
завысить см. завышать
завыть см. выть
завышать (미완) 너무 지나치게 높이다; ~ план 계획을 너무 높이 세우다; ~ оценку 점수를 너무 높이 매기다
завязать(ся) см. завязывать(ся)
завязка (여) ① 끈, 줄, 바; ② 발단, 단서, 시초; ~ романа 소설의 발단
завязнуть см. вязнуть
завязывать(미완) ① 매다, 묶다, 싸매다;~ узел 매듭을 짓다; ~ галстук 넥타이를 매다; ~ вещи 짐을 꾸리다; ② (관계 등을) 맺다, 시작하다; ~ знакомс-тво 교제를 맺다;~ разговор 이야기를 시작하다
завязываться (미완) ① 매어지다, 맺히다; ② 맺어지다, 일어나다, 시작되다; ③ (열매가) 맺다, 열리기 시작하다
завязь (여) (식물) 씨앗집, 자방, 결실
завянуть см. вянуть
загадать см. загадывать
загадка (여) 수수께끼; загадать(отгадать) ~у 수수께끼를 내다(풀다); говорить ~ами ..에 둘러말하다
загадочный (형) 수수께끼 같은, 이상스러운, 이상야릇한; ~ые обстоятельства 이상한 상황
загадывать (미완): ~ загадку 수수께끼를 걸다(내다); ~ вперёд 미리 추측(예측)하다
загар (남) 햇볕에 탄 피부색; покрываться ~ом 햇볕에 타다
загвоздка (여) 매듭, 난점, 난문제
загиб(남)① 굴곡, 만곡, 굽이; ② 편향

загибать (미완) ① 굽히다, 구부리다, 접다;~ палец 손가락을 구부리다;~ угол страницы 페지를 접다; ~ гвоздь 못을 사리다; ~ углы 귀접이하다; ② (길을) 꺾어 돌다, 돌아가다; ~ за угол 모퉁이를 돌다

загибаться (미완) 구부러지다, 접히다, 휘다

заглавие (중) 제목, 표제, 제명; под ~м 제목으로

заглавный (형): ~ая буква 대문자; ~ая роль 주역

загладить(완), **заглаживать** (미완) ① см. гладить ② 고치다, 갚다, 씻다, 완화하다; ~ вину 속죄하다

заглатывать(미완), **заглотать** (완) 삼켜버리다, 마구삼키다

заглохнуть (완) ① (소리가) 들리지 않게 되다, 소리가 멎다; ② 멎다; мотор заглох 발동기가 멎었다; ③ (불이) 꺼지다; ④ 정원 등이 황폐해지다, 잡초가 우거지다; дело ~ло 일이 침체상태에 빠지다

заглушать(미완), **заглушить**(완) ① (소리가) 들리지 않게 하다; ② (잡초가) 다른 식물을 못 자라게 하다; сорняки ~или всё поле 잡초가 온 밭을 못 쓰게 만들었다; ③ 억누르다, 꺼버리다, 끄다; ~ жажду 욕망을 억누르다

заглядеться см. заглядываться

заглядывать (미완) ① 엿보다, (피뜩, 얼핏) 들여다보다, 갸웃이 내다보다; ~ в окно 창문을 피뜩 들여다보다; ~ через забор 울타리로 넘겨다 보다; ② 잠깐 들리다, 찾아오다

заглядываться (미완) 홀린 듯이, 정신없이 바라보다

заглянуть см. заглядывать

загнать см. загонять

загнивание (중) 썩는 것, 부패화

загнивать(미완) 썩다, 썩어가다, 부패하다, 썩기 시작하다, 부패하기 시작하다

загнить см. загнивать

загноиться см. гноиться

загнуть(ся) см. загибать(ся)

заговаривать см. заговорить

заговор(남)음모(陰謀),공모(共謀),밀약(密約); устраивать ~ 음모를 꾸미다

заговорить (완) ① 말하기 시작하다, 입을 열다, 말이 나다; ② 이야기를 꺼내다, 말을 꺼내다

заговорщик (남) 음모자, 공모자

заголовок (남) 제목, 표제

загон (남) 우리, 집짐승우리, 외양간; быть в ~е 버림받다, 멸시당하다

загонять (미완) ① 몰아넣다, 몰아들이다; ② (힘을 주어) 박아넣다, 들이박다; ~ гвоздь в доску 널빤지에 못을 깊이 박다; ③ 지치게 하다, 힘들게 하다; ~ лошадь 말을 너무 몰아서 지치게 하다

загораживать (미완) ① 막다, 둘러막다;~ забором 울타리를 치다; ② 가로막다, 밀막다; ~ свет 빛을 가리다

загорать(미완) (햇볕에) 타다, 그을다

загораться (미완) ① 불이나다, 불붙다, 불타오르다, 불타기 시작하다; ② 불타다, ...하고 싶어 못견디다, 내키다

загорелый (형) 햇볕에 탄(그을은)

загореть(ся) см. загорать(ся)

загородить см. загораживать

загородка (여) 울타리, 담, 바자

загородный (형) 교외의, 시외의; ~ая прогулка 교외산보

заготавливать (미완) ① 준비하여두다, 미리준비하다; ② 장만하다, 갖추어놓다, 예비로 두다; ~ овощи 나물을 주니하다; ③ 수매하다

заготовитель (남) 수매원, 수매일군

заготовительный (형) 수매(收買)의; ~ые цены 수매가격(收買價格)

заготовить *см.* заготовлять
заготовка (여) ① 장만하는 것, 갖추어 놓는 것, 수매; ② 반제품, 소재
заготовлять *см.* заготавливать
заградительный (형) 막기위한, 차단하는, 저지하는, 견제하는; ~ огонь (군사) 예비사격
заграждение (중) 장애물(障碍物), 차단물(遮斷物);проволочные ~я 철조망
заграница(여) 외국(外國), 국외(國外)
заграничный (형) 외국의, 국외의; ~ паспорт 외국여권
загребать (미완) ① 긁어 모으다, 긁어 들이다; ② 빼앗다, 긁아먹다
загреметь *см.* греметь
загрести *см.* загребать
загримировать(ся) *см.*гримировать
загромождать(미완),**загромоздить** (완) 잔뜩 쌓아놓다, 가득 채우다, 쌓다
загрохотать *см.* грохотать
загрубеть *см.* грубеть
загружать(미완), **загрузить**(완) ① 싣다, 적재하다, 채우다; ②~ работой 일을 맡기다, 일감을 주다
загрузка (여) ① 싣는 것, 적재(積財), 적재량; ② (기계 등의) 부하, 가동
загрустить *см.* грустить
загрызть (완) 물어죽이다
загрязнение (중) 더럽히다, 더러워지는 것, 오염(汚染); ~ окружающей среды 주위환경의 오염
загрязнить(완), **загрязнять** (미완) 더럽히다, 어지럽다, 더럽게하다, 찌들다
загс (남) (отдел записи актов гражданского состояния) 신분등록과, 주민등록(住民登錄)과
загубить *см.* губить
загудеть *см.* гудеть
загустеть *см.* густеть
зад(남) ① 뒤, 뒷면, 뒷부분; ② 엉덩이

задавать (미완) 주다; ~ вопрос 질문하다; ~ тон 모범을 보이다; ~ жару 벌주다, 되게 욕하다
задаваться (미완): ~ целью 목적을 추구하다, 목적으로 삼다
задавить (완) ① 깔아죽이다, 눌러죽이다, 암살하다; ② 진압하다, 억누르다
задание (중) 과제(課題), 과업(課業), 임무(任務); домашнее ~ 숙제; производственное ~ 생산과제; боевое ~ 전무임무; выполнять ~ 과제를 완수하다
задатки(복수) 소질(素質), 천품(天稟)
задаток (남) 선금, 예약금
задаться *см.* задаваться
задача (여) ① 과업(課業), 과제(課題), 임무(任務); ставить ~у 과업을 내세우다; ② 연습(練習)문제; решать ~у 문제를 풀다
задачник (남) 문제집
задвигать (미완) ① 밀어 넣다, 치워넣다, 닫다; ② 막다, 가리다; ~ штору 커텐을 치다; ~ задвижку 빗장지르다
задвижка (여) ① 빗장; дверная ~ 문빗장; ② 미끄럼변, 셔트
задвинуть *см.* задвигать
задворки (복수) 뒤곁, 뒤마당; на ~ах 외따른 곳에
задевать (미완) ① 다치다, 스치다, 걸리다; ~ за порог 문턱에 걸치다; ~ за гвоздь 못에 걸리다; ② 건드리다, 스치다, 언급하다; слегка ~ 슬쩍 다치다; ~ самолюбие 자존심을 상하게 하다; ~ за живое 몹시 자극하다, 아픈데를 다치다
заделать(완), **заделывать**(미완) 메우다, 막다; ~ щель 짬을 메우다
задёргивать (미완) (휘장을 치려고) 끌어당기다, 가리다, 잡아당기다
задержание (중) ① 구금(拘禁), 검거(檢擧), 억류(抑留); ② 지체(遲滯); ~

кро- вотечения 지혈(止血)
задержать(ся) *см.* задерживать(ся)
задерживать (미완) ① 포착하다, 억류하다, 멈추다, 잡아두다; ② 구금하다, 검거하다; ③지체하다, 지연시키다, 끌다
задерживаться (미완) ① 늦어지다, 지체되다, 지연되다; ~ на неделю 1주일이 지연되다; ~ в дороге 도중에 지체되다; ② 우물쭈물하다, 멈추다; ~ у входа 입구에서 멈추다
задержка (여) 정지(停止), 지체(肢體), 지장; без ~и 지체 없이
задёрнуть *см.* задёргивать
задеть *см.* задевать
задира (남, 여) 상비군(常備軍)
задирать (미완) ① 쳐들다, 추겨들다, 걷어 올리다; ~ голову 머리를 쳐들다; ② 찢어죽이다; ~ нос 우쭐대다
задник (남) (신발의) 뒤꿈치
задний(형) 뒤의, 뒤에 있는;~ие колёса 뒤바퀴; ~ие ноги 뒷발;~яя мысль 속심, 다른 생각, 숨은 의도; ~ий ход 후진, 후퇴; без ~их ног 지쳐서 넘어질 지경이다; ~ий проход (해부) 항문
задолго (부) 오래전에, 미리미리
задолжать (완) 빚을 지다, 돈을 꾸다
задолженность ① 빚, 부채(負債); погасить ~ 빚을 갚다; ② 낙제(落第)
задом (부) 뒤로, 등지고; пятиться ~ 뒤걸음치다; идти ~ 뒤걸음질하다; ◦ ~ наперёд 앞뒤를 바꾸어, 거꾸로
задор(남)① 열정, 혈기; ② 결기, 격정
задорный (형) ① 혈기 있는, 열정적인; ② 패기 있는, 결기 있는
задохнуться *см.* задыхаться
задрать *см.* задирать
задребезжать *см.* дребезжать
задремать *см.* дремать
задрожать *см.* дрожать
задувать I (미완) 불어서 끄다; ~свечу 초불을 끄다
задувать II (공학): ~ домну 용광로에 불을 지피다
задумать(ся) *см.* задумывать(ся)
задумчиво (부) 생각에 잠긴, 묵상
задумчивый (형) 묵상에 잠긴
задумывать (미완) 생각해 내다, 기도하다, 꾸며내다
задумываться (미완) 깊이 생각하다, 생각에 잠기다; не ~ясь 서슴지 않고, 조금도 주저 없이
задуть *см.* задувать I, II
задушевный (형) 다정한, 진정한, 진심의; ~ разговор 다정한 이야기
задушить (완) ① 목을 눌러서 죽이다, 교살하다; ② 억누르다, 진압하다
задыхаться (미완) 숨이 막히다, 숨차하다, 헐떡거리다, 질식하다; ~ от радости 기뻐서 씨근거리다
заезжать (미완) ① (가는 길에) 들리다; ~ к знакомым 아는 사람에게 잠간 들리다; ② 들어가다; ③ за *кем-чем* ...을 가지러오다; ~ за детьми 아이들을 데리러 오다
заём (남) 부채(負債), 공채(公債), 빚, 차관(借款); государственный ~ 국채; выпускать ~ 공채를 발행하다
заехать *см.* заезжать
зажарить *см.* жарить
зажать *см.* зажимать
зажечь(ся) *см.* зажигать(ся)
заживать (미완) 낫다, 아물다
заживо (부) 산채로; погребать ~ 생매장하다
зажигалка (여) 라이타, 소이탄
зажигание (중) ① 점화(點火); ② (내연기관(內燃機關)의) 점화기
зажигательный(형):~ая бомба 소이탄; ~ая речь 뜨거운 연설, 열강
зажигать (미완) ① 불붙이다, 불 지르다; ~ спичку 성냥불을 켜다; ~ лампу 등불을 켜다; ② *кого* 흥분시

키다, 격동시키다, 고무추동하다
зажигаться (미완) ① 불붙다, 불타기 시작하다; ② 불타오르다
зажим (남) ① (기계의) 조이개, 쬠쇠; ② 억압(抑壓), 억제(抑制); ~ критики 비판에 대한 억제
зажимать (미완) ① 꽉 틀어쥐다, 끼우다; ② 막다; ~ уши 귀를 막다; ③ 억누르다, 억제하다; ~ критику 비판을 억제하다
зажиточный (형) 부유한, 유족한
зажить I см. заживать
зажить II (완) 살기 시작하다, 생활하기 시작하다; ~ поновому 새 방식으로 살기 시작하다
зажмурить(ся) см. жмурить(ся)
зазвать см. зазывать
зазвенеть см. звенеть
зазвонить см. звонить
зазвучать см. звучать
зазеваться (완) 멍청해 있다, 멍하니 바라보다
зазеленеть см. зеленеть
заземление (중) ① 접지, 땅묻이; ② 아스선, 접지선
заземлить(완), **заземлять** 접지하다
зазнаваться (미완) 자만하다, 자고자대하다, 뻐기다, 거드름 피우다
зазнайство(중) 자만, 자존, 자고자대
зазнаться см. зазнаваться
зазор (완) 틈, 짬, 사이, 새
зазрение (중): без ~я совести 뻔뻔스럽게, 양심의 가책도 느끼지 않고
зазубрина(여) 톱날모양의 홈, 톱날모양
зазубрить см. зубрить
зазывать (미완) 간청하다, 조르다
заиграть см. играть
заигрывать (미완) 알랑거리다, 아첨하다, 애교를 부리다
зайка (남, 여) 말더듬이
заикаться(미완),**заикнуться**(완) 말을 더듬거리다; он и не ~нулся об этом 그는 이 일에 대해서 입밖에도 내지 않았다
заимообразно (부): брать ~ 꾸다; давать ~ 꾸어주다
заимствование (중) ① 차용(借用); ② 들어온 말, 외래어(外來語), 차용어
заимствовать (완, 미완) 얻어오다, 얻어가지다, 받아들이다; ~ опыт 경험을 받아들이다
заиндеветь (완) 서리가 앉다, 성에가 끼다, 유빙이 끼이다
заинтересованность (여) 관심(觀心), 관심성, 이해관계(利害關係)
заинтересованный (형) 관심있는, 이해관계가 있는; ~ое лицо 당사자
Заир (남) 자이르
заискивать (미완) 빌붙다, 아부하다, 알랑거리다
зайти см. заходить 「예속화
закабаление (중) 노예화(奴隷化),
закабалить(완), **закабалять** (미완) 노예화하다, 예속시키다
закадычный (형): ~ друг 다정한 벗, 막역한 친구, 친우
заказ (남) ① 주문(注文); делать ~см. 주문하다; на ~, по ~у 주문에 의해서; ② 주문품(注文品)
заказать см. заказывать
заказной (형) ① 주문(注文)의, 주문에 의하여 만든; ② 등기의; ~ое письмо 등기편지
заказчик (남) 주문자(注文者)
заказывать (미완) 주문(注文)하다; ~ костюм 양복을 맞추다, 주문하다
закалённый (형) 단련된, 강인한
закаливание см. закалка
закаливать(ся), **закалить(ся)** см. **закалять(ся)**
закалка (여) ① 단련(鍛鍊); ② (공학) 불림, 달굼 질, 굳히기

закалывать (미완) ① 찔러죽이다; ② (뼈 등을) 꽂다, 이어대다

закалять (미완) ① 단련하다, 튼튼하다; ② 불리다, 버리다

закаляться (미완) ① 단련되다, 튼튼하다; ② 소경되다

заканчивать (완) 끝마치다, 끝내다, 마감 짓다, 마감하다

заканчиваться (미완) 끝나다, 끝장나다, 결말이 나다, 완결되다

закапывать (미완) 파묻다, 껴묻다, 메우다; ~ яму 구덩이를 메우다

закат (남) ① 저녁 무렵, 일몰(日沒), 해질 무렵; ② 서산낙일, 말기(末期)

закатить(ся) см. закатывать(ся)

закатывать (미완) 굴려 넣다; ~ глаза 눈을 뒤집다, 눈을 치뜨다; ~ истерику 히스테리를 일으키다

закатываться (미완) ① *куда* ...에 굴러들어가다; ② (해가)지다; солнце~илось 해가졌다; ③ (웃음 등이) 터지다; ~ыва-ться смехом 웃음이 터지다, 껄껄 웃어대다

закачать(ся) см. качать(ся)

закашляться (완) 기침이 나다

заквасить см. квасить

закваска (여) 누룩, 효모; 소질, 품성

закидать, закидывать см. забрасывать I, II

закипать, закипеть см. кипеть

закисать, закиснуть см. киснуть

закись (여) (화학) 아산화물;~ меди 아산화동 내기하다, 다짐하다

заклад (남) биться об ~ 내기하다, 다짐하다

закладка (여) ① 닦는 것, 쌓는 것, 부설; ② (책에서) 갈피끈, 책끈;

закладная (여) 전당표, 저당증서

закладывать (완) ① 넣다, 끼워 넣다; ② (토대 등을) 닦다, 닦아놓다, 쌓다; ③ 저당하다; ~ под залог 담보물로 넣다; ④ 메우다, 가득 놓다, 치워놓다;

~ руки за спину 뒷짐 지다; ~ нос 코가 메다; ~ уши 귀가 먹먹하다; ~ лошадей см. запрягать

заклеивать(미완),**заклеить**(완) 붙이다, 붙여서 봉하다;~ щель бумагой 틈 사이에 종이를 바르다

заклеймить см. клеймить

заклепать см. клепать

залёпка (여) 맞머리 못(리벳 rivet)

заключать (미완) ① (조약 등을) 맺다, 체결하다; ~ пари 내기를 걸다; ② 결론하다, 결론짓다; ③ 끝맺다;~ речь при-ветствиями 축하의 말로 연설을 끝맺다; ④ 가두다, 감금하다; ~ в оюъятия; ~ в себе 얼싸안다, 포옹하다; ~ в скобки 내포하다

заключаться ① ...에 있다, ...으로 되다, 귀착(歸着)되다; дело ~ется в следу-ющем 문제는 다음과 같은데 귀착되다; ②(포함되어) 있다; ③ 끝나다, 끝맺어지다

заключение (중) ① 체결(締結); ② 결론(結論); обвинительное ~е 기소장; медицинское ~е 의학적 소견(所見); приходить к ~ю 결론을 짓다; ③ 구금 (拘禁), 감금(監禁); место ~я 구금소; тюремное ~е 투옥(投獄); находиться (быть) в ~и 구금되다, 감금되다

заключённый (남) 구금자, 죄수(罪囚)

заключительный (형) 마지막의 끝맺는, 최종의; ~ое слово 결론, 맺는말; ~ый этап 마지막 단계

заключить см. заключать

заклятый (완); ~ враг 철천지원수

заковать(완),**заковывать** (미완) 쇠사슬로 매다, 묶다, 수갑을 채우다

заколачивать (미완) ① 박다, 박아넣다; ~ гвоздь 못을 쳐박다; ② ~ окно 창문에 못질하여 봉하다

заколебаться см. колебаться

заколоситься см. колоситься

заколотить см. заколачивать

заколоть см.колоть см.закалывать
заколыхать(ся) см. колыхать(ся)
закон (남) ① 법칙(法則); ~ общественного развития 사회발전법칙; ~ы природы 자연법칙; ② 법(法), 법령(法令), 법률(法律); свод(кодекс) ~ ов 법전(法典); по ~y 법에 의하여, 법에 따라; вопреки ~y 법에 어긋나게; ~ о труде 노동법령;объявлять кого вне ~а 비법화하다, 법적권리를 박탈하다; соблюдать ~ 법을 준수하다
законность (여) 합법성, 준법성(遵法性)
законный (형) ① 법적(法的), 법적인, 합법적인, 법에 맞는; ~ые права 합법적권리; на ~ом основании 법에 근거하여; ② 정당한, 응당한, 당연한; ~ ое требование 정당한 요구
законодательный (형) 입법(立法)의; ~ый орган 입법기관
законодательство (중) ① 입법(立法), 법률의 제정(制定); ② 법전(法典), 법제(法制); уголовное ~ 형법(刑法)
закономерно (부) 합법적으로, 합법칙적으로, 당연하게
закономерность(여)합법칙성, 법칙성
закономерный (형) ① 합법칙적인; ② 응당한, 당연한; ~ое влияние 당연한 일, 당연한 현상
законопроект(남) 법안(法案), 법률안
законченность (여) 완결(完結)성, 완전(完全)성, 완성(完成), 완벽(完璧)
законченный (형) ① 완성된, 완결된, 완전한; ~ая мысль 완결된 사상(思想); ② 완벽(完璧)한, 원숙(圓熟)한
закончить(ся)см. заканчивать(ся)
закопать см. закапывать
закоптить см. коптить
закоптиться (완) 그을음이 앉다, 그을다, 그을리다, 훈작하다
закоренелый (형) 뿌리깊이 박힌, 고질이 된, 완고한; ~ая привычка 인이 박힌 관습(慣習)
закоулок (남) 뒷골목
закоченелый (형) (추워서) 곱은, 차다, 저리다,
закоченеть (완) 꽁꽁 얼다, 곱다
закрасить(ся)см. закрашивать(ся)
закрашивать (완) ① 색칠하다, 물들이다; ② 색을 칠하여 없애다, 지우다
закрашиваться (미완) 색칠 때문에 없어지다, 지워지다
закрепление (중) ① 고정(固定), 고착(固着); ② (군사) 견지, 지탱; ③ 공고화, 견고화;~знаний 지식의 공고화
закреплять(미완)① 고정시키다, 고착시키다, 흔들리지 않게 하다;~ доску гво-здем 판자를 못으로 단단하게 고정시키다; ② 공고히 하다, 견고하게하다; ~ успехи 성과를 공고히 하다; ③ за кем 확보하다, 고정시키다; ~ право на что ...할 권리를 확보하다; ④ (의학) 설사를 멎게 하다
закрепляться (미완) ① 고정(固定)되다, 고착되다; ② 공고해지다, 강화되다; ③ (군사) 견지(堅持)하다, 지탱하다; ~ на занятых позициях 탈취한 진지를 지탱하다
закрепляющий (형); ~ее средство 설사(멎는)약, 지사제(止瀉劑)
закрепостить(완),**закрепощать** (미완) 노예화하다, 예속시키다
закричать см. кричать
закройщик (남) 재단사(裁斷師)
закром(남),**закрома**(복수) 탈곡 저장
заруглить(완), **закруглять** (미완) 동그랗게 하다; фразу 문장을 미끄럽게 하다
закружить(ся) см. кружить(ся)
закрутить, закручивать см. завёртывать ①, ②
закрывать(미완) ① 닫다; ~ дверь 문

을 닫다; ② (전기, 가스, 물 등을) 끄다, 막다; ③ 가리다, 덮다; ~ лицо руками 손으로 얼굴을 가리다; ④ (운영하던 것을) 그만두다, 끝마치다, 닫다, 폐쇄하다, ~ собрание 폐회하다, 회의를 끝마치다; ~ глаза на что .... 을 보고도 못 본체 하다

закрываться (미완) ① 닫히다; ② 가려지다, 덮이다; ③ 폐쇄하다, 문을 닫다

закрытие (중) ① 폐회(閉會), 폐막(閉幕), 끝남; ② 폐쇄(閉鎖), 쇄폐

закрытый (형) ① 덮개가 있는, 유개(有蓋)의, 덮인; ~ая машина 유개차; ② 비공개(非公開), 비공개적인;~ое заседание 비공개회의;~ый перелом (의학) 내부골절; ~ое голосование 비밀투표; при ~ых дверях 비공개적으로, 비밀리에

закрыть(ся) см. закрывать(ся)

закулисный (형): ~ые переговоры 막후교섭; ~ые махинации 막후공작

закупать (미완), **закупить** (완) (몰아서, 전부, 몰아서) 사다, 사들이다, 수매하다, 대량구입하다, 구입하다

закупка(여) 구입(購入), 구매(購買), 수매

закупоривать (미완), **закупорить** (완) 봉하다, 틀어막다; ~ бутылку 병을 봉하다, 병에 마개를 막다

закупорка(여)①(구멍을) 틀어막는 것, 뚜껑 막기, 밀봉; ② (의학) 폐쇄, 폐색

закупочный(형): ~ая цена 수매가격

закуривать (미완), **закурить** (완) 담배 피우기 시작하다

закусить см. закусывать

закуска (여) 반찬, 찬, (술) 안주

закусочная (여) 간이식당, 음식점

закусывать (미완) 조금 먹다, 요기하다, (술 마실 때)안주를 먹다

закутать(ся), закутывать(ся) см. кутать(ся)

закуток (남) 방구석

зал (남) 홀, 회의장; актовый ~ (대) 강당; ~ заседаний, конференц~ 회의실; зрительный ~ 관람실; ~ суда 재판정, 법정

залаять см. лаять

залегать (미완) (광석이) 매장되어있다, 묻혀있다

залежный (형): ~ые земли 황무지

залежь (여) ① (지질) 광상(鑛床), 광층(鑛層); ~и каменного угля 탄층; ② (복수) ~и 무더기, 더미; ③ (집합) ~и товаров 제고품; ④ см. залежные земли

залезать (미완), **залезть** (완) ① 기어오르다, 기어들다; ~ в окно 창문으로 기어들다; ② 들어가다;~ в воду 물속으로 들어가다;~в долги 빚을 잔뜩 걸머지다

залепить (완), **залеплять** (미완) ① 발라 막다; ~ дыру глиной 구멍을 진흙으로 막다; ② 바르다, 붙이다

залетать, залететь (완) 날아들다

залечивать, залечить см. лечить

залечь (완) ① 오래 누워있다, 눕다; ~ в берлогу 굴속에 (오래) 누워있다; ② (군사) 엎드려 숨다;~ в засаду 매복하다

залив (남) 만, 후미(後尾)

заливать(미완), **залить**(완) ① (물 또는 다른 액체로) 온통 잠기게 하다, 침수하다; ② 부어넣다, 부어서 채우다; ~ горючее в бак 탱크에 연유를 채워 넣다; ~ ска-терть 상보를 마치다; ~ огонь 물로 불을 끄다

заливной ~ луг 물에 잠기는 표현

залог I (남) ① 저당(抵當), 저당품(抵當品); денежный залог 보증금; ② 담보(擔保); освобождать под ~ 담보하여

석방하다
залог II (남) (언어) 상(相), 양태(樣態); действительный ~ 능동상(能動相); страдательный ~ 피동상(被動相)
заложить см. закладывать
заложник (남) 인질(人質)
залп (남) ① 일제사격; давать ~ 일제사격하다; ② 예포(禮砲), 축포(祝砲)
залпом (부): пить ~ 단숨에 마시다
залюбоваться см. любоваться
замазать (완) ① см. мазать ② см. замазывать
замазка (여)(메우고, 때우는데 쓰는) 접착성 물질 (아교, 빠데, 풀 같은 것)
замазывать (미완) ① 발라 막다, 발라서 메우다; ② 감춰두다, 호도하다; ③ 더럽히다
замалчивать (미완) 묵살하다
заманивать (미완), **заманить** (완) 꾀어들이다, 유인하다, 유혹하다
заманчивый (형) 유혹적인, 매혹적인; ~ое предложение 매혹적인 제의
замариновать см. мариновать
замаскировать см. маскировать
замахать см. махать
замахиваться (미완), **замахнуться** (완) (때리려고) 둘러메다, 번쩍 들다
замашка(여) 거동(擧動), 버릇, 행세(行勢); дурные ~и 못된 행세, 악습(惡習)
Замбия (여) 잠비아
замедление (중) 지체, 늦은, 지연(遲延)
замедленный (형) 더딘, 느린, 지체된; ~ая съёмка (영화) 미속도촬영
замедлить(ся) см. замедлять(ся)
замедлять (미완) 늦추다, 지체시키다
замедляться(미완)늦어지다, 지체되다
замелькать см. мелькать
замена(여) ① 바꾸기, 가는 것, 대용(代用); ② 교체(交替), 교대(交代), 대용품(代用品), 대신할 사람

заменитель (남) 대용물, 대용품(代用品)
заменить (완), **заменять** (미완) ① 바꾸다, 갈다, 교대하다, 교체하다;~ старое оборудование 낡은 설비를 갈다;~ одно слово другим 한 단어를 다른 단어로 바꾸어 쓰다; ② 대신하다
замереть см. замирать
замерзание (중) 얼어붙음, 결빙(結氷), 동결(凍結); точка ~я 빙점
замерзать (미완), **замёрзнуть** (완) ① 얼다, 얼어붙다, 동결되다; ② 얼어죽다; ③ 꽁꽁 얼다, 추워하다, 곱아들다
замерить, замерять см. мерить
замертво (부) 죽은 듯이, 정신없이; упасть ~ 죽은 듯이 넘어지다, 죽어 넘어지다
замесить см. месить
замести см. заметать
заместитель (남) 대리자(代理者), 부책임자; ~ министра 부상; ~ заведующего отделом 부부장
заместить см. замещать
заметать (미완) ① 쓸다, 쓸어 모으다;~ сор 쓰레기를 쓸다, 쓸어 모으다; ② (눈, 모래 등으로) 덮다; дорогу ~ло снегом 길에 눈으로 덮였다; ~тать следы 자취를 감추다
заметаться см. метаться
заметить см. замечать
заметка (여) ① 기사(記事); ② 수기(手記), 수필(隨筆); путёвые ~и 여행기, 기행문; брать на ~у 점찍어두다, 염두에 두다
заметно (부) ① 눈에 띄게, 확연히, 현저히; ② (술어) 볼 수 있다, 알 수 있다
заметный (형) ① 눈에 띠는, 눈에 보이는; ② 현저한, 상당한
замечание (중) ① 소견(所見), 지적, 의견, 주석; ② 책망(責望), 주의 처분

замечательный (형) ① 훌륭한, 아주 좋은; ② 뛰어난, 우수한, 특기할만한; ~ое время 보람찬 시기;~ праздник 경사스러운 명절

замечать (미완) ① 보다, 알다, 포착하다; ② 기억하다, 알아채다, 눈치채다; ③ 표식을 하다; ④ 말하다, 발언하다, 지적하다; ⑤ 유의하다, 주의를 주다

замечтаться (완) 공상에 잠기다

замешательство (중) ① 혼란(混亂), 혼잡(混雜); внести ~ 혼란을 조성하다; ② 난처한 것, 당황망조(唐慌罔措), 무안(無顔); приходить в ~ 황당하다

замешать(완), **замешивать** (미완) 인입하다, 끌어넣다

замешкаться *см.* мешкать

замещать (미완) 대신하다, 대리하다

замигать *см.* мигать

заминировать *см.* минировать

заминка (여) ① 지체(遲滯), 지장(支障); ② (말) 더듬이; говорить без ~и 유창하게 말하다

замирать (미완) ① 멎다, 서다; 멈칫하다; ② (소리가) 사라지다, 잠잠해지다; ③ (무서움 등으로) 숨을 죽이다, 멈추다, 아찔해하다

замкнутый (형) 홀로 지내기 좋아하는, 숨어사는, 사교성이 없는, 고립(孤立)된; ~ образ жизни 은거생활

замкнуть(ся) *см.* замыкать(ся)

замок(남) 성새, 궁궐; средневековый ~ 중세기의 성(城); воздушные замки 공중누각(空中樓閣)

замок(남) ① 자물쇠, 열쇠; запирать на ~ 열쇠를 잠그다;②(총포의) 폐쇄기

замолкать (미완), **замолкнуть** (완) (말소리 등이) (문득) 그치다, 끊다, 잠잠해지다; звуки ~ли 소리가 사라졌다; разговор замолк 이야기가 그쳤다

замолчать ① *см.* замолкать ② *см.* замалчивать

замораживать (미완) ① 얼구다, 얼게하다, 냉동하다; ② 동결시키다

заморгать *см.* моргать

заморить~ червячка 얼요기를 하다

заморозить *см.* замораживать

заморозки (복수) (봄, 가을의) 아침의 찬 기운, 아침의 냉기(冷氣)

замостить *см.* мостить

замотать *см.* мотать I

замочить *см.* мочить

замуж (부): выходить ~ 시집을 가다; выдавать ~ 시집을 보내다; быть ~ ем 시집살이하다

замужество (중) 시집살이, 결혼생활

замужняя (형): ~ (женщина) 기혼녀, 시집간 여자; ~ жизнь 시집살이

замуровать(완), **замуровывать** (미완) (벽돌 속에) 밀폐하다, 묻어두다

замусолить(완) 어지럽히다, 더럽히다

замутить *см.* мутить ①

замучить (완) ① *см.* мучить ② 학살하다; ③ 성가시게 굴다, 괴롭히다

замучиться (완) 기진맥진해지다, 맥이 빠지다, 지치다, 시달리다

замша (여) 사슴가죽, 녹비(鹿-)

замшевый (형) 사슴가죽으로 만든

замыкание(중) 폐색, 합선; короткое ~ 맞닿이, 단락(段落)

замыкать (미완) ① 자물쇠로 잠그다, 닫아걸다; ② (끝을) 잇다, 이어대다

замыкаться (완) 들어박히다, 외따로 나 앉다

замысел (남) ① 의도, 기도; ② 계책(戒責), 획책(劃策); ③ 구상, 착상(着想)

замыслить *см.* замышлять

замысловатый (형) 까다로운, 교묘한

замышлять (미완) 꾀하다, 마음을 내다, 기도하다, 획책하다

замять (완) ① 짓누르다, 짓뭉개다;

② ; ~ дело 일을 어물쩍 넘기다
замяться (완) ① 머뭇거리다, 뭉그적거리다; ② ; разговор ~лся 이야기가 끊어졌다
занавес (남) ① 막, 장막(帳幕), 휘장(揮帳); дать ~ 막을 내리다; ② 창가림, 커튼(curtain); под ~ 끝날 무렵에
занавесить см. занавешивать
занавеска (여) 커튼(curtain), 휘장(揮帳); задёргивать ~у 커튼을 치다
занавешивать (미완) 커튼을 치다, 막을 내리다, 막으로 가리다
занемочь (완) 탈이 나다, 몸이 편치 않게 되다
занести см. заносить
занижать (미완), **занизить** (완) 낮추다, 낮게 만들다
занимательный (형) 흥미 있는, 마음을 끄는; ~ рассказ 재미있는 이야기
занимать I (미완) 빌리다, 꾸다; ~ деньги 돈을 꾸다
занимать II (미완) ① (위치 등을) 차지하다; ~ первое место (체육) 제 1위를 쟁취하다, 1등을 하다; ② (시간이) 걸리다; это займёт много времени 이것은 시간을 많이 잡아먹는다; ③ 흥미를 끌게 하다, 재미를 붙이게 하다; ④ 점령하다; ~ город 도시를 점령하다; ⑤ *кого чем;*~ детей игрушками 아이들에게 놀이감을 가지고 놀게하다
заниматься(미완) ① *чем...*을 일삼다, ...을 하다, ...에 종사하다; ~ться спортом 운동을 하다; ~ться земледелием 농사를 짓다; чем ты ~ешься? 너는 무엇을 하고 있니?; ② 공부하다, 연구하다, 배우다; *с кем....*에 학습을 도와주다; ~ с детьми 아이들을 지도하다, 아이들을 돌보다
заново (부) 새로, 다시, 처음부터, 새롭게, 새로이, 처음
заноза (여) 가시

занозить (완) 가시가 돋다, 박히다
заносить (미완) ① 들여가다, 드려놓다, 가져다놓다; ② 써 넣다, 적어 넣다; ~ в список 명단에 써넣다, 명단에 기입하다; см. заметать
заносчивость (여) 교만(驕慢), 거만
заносчивый (형) 교만(驕慢)한, 거만(倨慢)한, 거드름 스러운
заносы (복수) 눈 더미, 눈 무지
заночевать см. ночевать
занятие (중) ① 일, 사업(事業); род ~й 직종(職種), 직업의 종류; ~я (복수) 공부.수업, 학습; практические ~я 실습
занятный см. занимательный
занятой,занятый (형) 바쁜, 분주한, 다망한; быть ~ым 바쁘다, 다망하다
занять см. занимать ① ②
заняться см. заниматься
заодно (부) ① 같이, 함께, 공동으로; действовать ~ 합심하여 행동하여; ② 동시(同時)에, 겸사겸사; ~ можно и кино посмотреть 겸사겸사 영화를 볼 수 있다
заокеанский (형) 대양건너편의, 대양건너편에 있는; ~ гость 바다 건너온 손님
заострить(완), **заострять** (미완) ① 날카롭게하다, 뾰족하게 하다, 예리하게 하다; ② 강조하다, 두드러지게 나타나다; ~ить внимание 주의를 집중하다
заохать см. охать
заочник,~ца (여) 통신(대) 학생
заочно (부) ① 본인이 없이, 결석 중에; судить ~ 결석재판을 하다; ② 통신으로;обучаться ~ 통신교육을 받다
заочный (형): ~ое обучение 통신교육; ~ый приговор 결석판결; ~ое знакомство 편지에 의한 교제, 펜팔
запад(남) ① 서부(西部), 서방(西方), 서쪽; ② Запад 서양(西洋), 서부 구

라파

западать (남) (인상 등이) 새겨지다, 박히다; ~ глубоко в сердце 심장에 깊숙이 박히다

западноевропейский (형) 서구라파

западня (여) 덫, 함정(陷穽); попадать в ~ю 함정에 빠지다

запаздывать (미완) 늦어지다, 늦다, 지각하다.

запаивать (미완) 땜질하다, 납땜하다; ~ кастрюлю 냄비를 때우다

запаковать(완), **запаковывать** (미완) 포장하다, 꾸리다

запальчивый (형) 발끈거리는, 성급한

запас (남) ① 예비품(豫備品), 재고품(在庫品); про - 예비로; ②; ~ слов 어휘(語彙)축적; ~ знаний 학식; ③ (군사) 예비(豫備), 예비역(豫備役)

запасать (미완) 저축하다, 마련하다

запасаться(미완)чем ...를 장만하다 ;~ терпением 견디어낼 각오를 하다

запасной,запасный (형) 예비의, 비상용, 후비의; ~ой выход 비상구; ~ый путь (철도) 예비선; ~ой игрок (체육) 후보선수(候補選手)

запасти(сь) см. запасать(ся)

запасть см. западать

запах (남) 내, 냄새, 향기(香氣), 향수(香水); издавать ~ 냄새를 피우다

запачкать(ся) см. пачкать(ся)

запаять см. запаивать

запев (남) 선소리, 선창(先唱)

запевала(남,여) 선창자, 발기자(發起者)

запевать(미완) 선창하다, 선창을 긋다

запереть(ся) см. запирать(ся)

запеть см. запевать

запечатать см. запечатывать

запечатлеть(완) ① 묘사하다, 표현하다; ② 감명하다, 새기다, 인상에 남기다

запечатлеться (완) 인상을 받다, 기억에 남다, 기억에 새겨지다

запечатывать (미완) 봉인(封印)하다, 봉하다, 밀봉(密封)하다

запивать см. запить

запинаться (미완) ① (발이 걸려) 넘어질 뻔하다, 걸려 비틀거리다; ② 말을 더듬다, 말이 막히다

запинка (여) 말을 더듬는 것; без ~и 막힘없이; отвечать без ~и 줄줄 대답하다

запирательство (중) (죄과의) 부인

запирать (미완) ① 잠그다, 잠가두다, 채우다; ~ на замок 자물쇠로 잠그다; ② 가두어두다, 간수해두다

запираться (미완): ~ в комнате 방에 들어가 박혀있다

записать(ся) см. записывать(ся)

записка (여) ① 글쪽지, 쪽지편지; ② ~и (복수) 수기, 일기, 회상록; учёные ~и 학보;путёвые ~и 여행기, 기행문

записной (형): ~ая книжка 수첩

записывать (미완) ① 써넣다, 적어넣다, 필기하다; ② 등록하다, 기록하다; ③ 명단에 올리다, 기입하다; ④ 녹음하다; ~ на плёнку 테이프에 녹음하다; ~ сына в школу 아들을 학교에 입학시키다

записываться (미완) 기입(記入)하다, 등록하다, 가입(加入)하다, 입적하다; ~ в библиотеку 도서관에 등록하다

запись (여) ① 필기(筆記), 녹음(錄音); ② 기입(記入), 등록(登錄), 기록

запить (완) ① чем (음식, 약 등을) 먹은 다음에 ...을 마시다, 입가심으로 마시다;~ водой горькое лекарство 쓴 물약을 입에 넣고 물을 마시다; ② 술독에 빠지다

запихать(완),**запихивать**(미완),**запихнуть** (완) 밀어 넣다, 쑤셔 넣다

запищать *см.* пищать
заплакать *см.* плакать
запланировать *см.* планировать
заплата (여) 기운헝겊, 덧댄 천 조각; весь в ~x 온통 너덕너덕 기운자리
заплатить *см.* платить
заплесневелый (형) 곰팡이 쓴
заплесневеть *см.* плесневеть
заплести(완), **~тать**(미완) 땋다; ~ косу 머리채를 땋다
заплетаться(미완) ①: от волнения язык ~ется 흥분하여 혀가 잘 돌지 않는다; ②; от усталости ноги ~ются 지쳐서 겨우 걸어간다
запломбировать *см.* пломбировать
заплыв (남) (체육) 수영경기
заплывать(미완), **заплыть**(완) ① (사람이) 헤엄쳐 들어가다, 멀리 헤엄쳐 가다; ② (배가) 항해하여가다;~ жиром 피둥피둥 살찌다, 비대해지다
заповедник (남) 보호구역, 보호구(保護區), 금렵구(禁獵區); лесной ~ 보호림(保護林), 산림보호구역
заповедь (여) 유훈(遺訓), 유시
заподозрить *см.* подозревать
запоздалый (형) 늦어진, 때늦은; ~ое развитие 때늦은 발전
запоздание (중) 지연(遲延), 지각(遲刻), 지체(遲滯); поезд пришёл с ~м 기차가 늦게 닿았다
запоздать *см.* запаздывать
запой (남) 술중독(-中毒); пить ~ем 술을 많이 마시다; читать ~ем 읽기에 몰두하다
заползать(미완), **заползти** (완) 기어들어가다, 기어들다
заполнить(ся) *см.* заполнять(ся)
заполночь (부) 야밤이 지나서, 한밤중에, 삼경이 지나서
заполнять (미완) ① 가득 채우다, 가득 메우다; ② 기입(記入)하다, 써넣다; ~ бланк 양식용지에 써넣다

заполняться(미완) 가득차다, 충만되다
запоминать(미완),**запомнить** (완) 기억해두다, 명심해두다, 기억하다; ~ наизу-сть 암기하다
запомниться (완) 기억되다
запонка (여) 카라단추
запор I (남) 빗장, 자물쇠; держать на ~е 잠겨두다; дверной ~ 문쇠
запор II (남) (의학) 변비, 변비증
заправила (남) 우두머리, 두목(頭目)
заправить *см.* заправлять
заправка (여) 기름넣기, 기름치기
заправлять (미완) ① 기름을 주다, 휘발유를 넣다; ~ машину 자동차에 휘발유를 넣다; ② 양념을 치다;~ салат 나물을 무치다; ③ 밀어 넣다; ~ рубашку в брюки 아이샤스를 바지에 밀어 넣다
запрашивать (미완) ① 질문하다, 문의하다, 조회하다; ~ мнение 의견을 묻다; ② 값을 부르다, 에누리하다
запрет (남) 금지(禁止); налагать ~ 금지하다;быть под ~ом 금지되어있다
запретить *см.* запрещать
запретный (형) 금지의, 금지된; ~ая зона 통행금지 구역
запрещать (미완) 금하다, 금지하다, 밀막다; курить ~ется 금연
запрещение (중) 금지(禁止)
запрокидывать(미완),**запрокинуть** (완) 뒤로 젖히다; ~ голову 머리를 뒤로 젖히다
запрос (남) ① 조회(朝會), 문의(問議), 청구(請求); делать ~*см.* запра-шивать ①, ②-ы (복수) 수요
запросить *см.* запрашивать
запротоколировать (완) 기록에 기입하다, 회의록에 기입하다
запруда (여) ① 뚝, 제방; ② 보, 물동
запрудить (완) 물을 막다, 뚝을 쌓다

запрыгать *см.* прыгать
запрягать(미완), **запрячь** (완) 메우다;~ лошадь в сани 말구에 말을 메다
запрятать *см.* прятать
запугать *см.* запугивать
запугивание (중) 공갈, 위협(威脅)
запугивать (미완) 공갈하다, 겁에 질리게 하다, 놀라게 하다
запуск (남) ① 시동; ② 발사(發射)
запускать (미완) ① (발동기 등을) 시동시키다, 돌아가게 하다; ② (힘껏) 던지다, 뿌리다; ③ 발사(發射)하다; ~ искуст- венный спутник Земли 인공위성을 발사하다
запустение(중) 황폐(荒廢), 황량한것
запустить *см.* запускать
запутанный (형) ① 엉클어진; ② 얽힌, 얼기설기한, 복잡한; ~ый вопрос 복잡하게 얽힌 문제; ~ое дело 엉클어진 일(문제)
запутать(완), **~ывать** (미완) ① 엉클다, 뒤얽히게 하다; ② 끌어넣다; ~ в историю *кого* ...를 사건에 끌어넣다
запутаться(완),**~ываться**(미완) ① 엉키다, 헝클리다; ② *в чём* ...에 걸려들다, 끌려들다; ③ 궁지에 빠지다
запущенность (여) 방임, 황폐한 것
запущенный (형) 내버려둔, 방임(房任)된, 황폐화(荒廢化)된; ~ые дела 손질안하고 내버려둔 사업
запылённый (형) 먼지가 낀, 먼지로 덮인, 닥지닥지한
запылать *см.* пылать
запылиться (완) 먼지가 끼다
запыхаться(완) 헐떡거리다, 숨이차다
запястье (중) 손목, 팔목
запятая (여) ① 반점; ② 난점
запятнать (완) ① 얼룩지게하다; ② 명예를 더럽히다, 훼손시키다
зарабатывать(미완), **заработать I** (완) 돈을 벌다, 돈벌이하다; заработать выговор 책벌을 받다
заработать II (완) (기계 등이) 움직이기, (돌기, 일하기) 시작하다, 돌아가게 하다
заработный (형): ~ая плата 노임
заработок (남) 품삯, 노임(勞賃); ~ки (복수) 품팔이, 돈벌이
заражать (미완) ① 전염시키다, 감염시키다, 중독 시키다; ②; ~ примером 모범을 본받게 하다
заражаться (미완) ① 전염되다, 감염되다, 옮다, 병독에 바지다;~ гриппом 유행 감기에 걸리다; ② 본받다, 닮다
заражение(중) 전염(傳染), 감염(感染)
зараза (여) 전염병(傳染病), 전염병균, 전염(傳染), 옮다
заразительный (형) ① 전염되기 쉬운, 쉽게 옮는; ② 본받기 쉬운;~ смех 남을 따라 웃게하는 웃음
заразить(ся) *см.* заражать(ся)
заразный (형) 전염성의, 전연병의; ~ая болезнь 전염병(傳染病)
заранее (부) 미리, 사전에
зарастать(미완), **зарасти**(완) ① 무성해지다, 우거져 무성하다; ② (털 등이)덮이다; ~ травой 풀로 덮이다; ③ (상처가) 아물다
зареветь *см.* реветь
зарево(중) (공중에 비친) 불빛, 서광(曙光), 노을빛;~ пожара 화재의 불빛
зарезать (완) 잘라죽이다, 베어죽이다, (짐승을) 잡다, 도살하다
зарекаться (미완) ...을 안하겠다고 맹세하다, 다짐하다; ~ пить вино 술을 마시지 않겠다고 다짐하다
зарекомендовать (완); ~ себя с хорошей (плохой) стороны 자기의 좋은 (나쁜) 면을 나타내다(보여주다), 좋은 (나쁜)평을 받다
заречься *см.* зарекаться

заржаветь см. ржаветь
зарисовать см. рисовать
зарисовка (여) (약도) 그림;~ с натуры 사생화(寫生畫), 본 모양그림
зарница(여) 섬광(閃光),먼 번개 불,불빛
зародиться см. зарождаться
зародыш(남) ① 씨눈, 배(胚), 배아(胚芽), 태아(胎芽); ② 맹아(盲兒), 발단(發端), 시작
зарождаться (미완) ① 씨눈이 나다, 태어나다, 태았다; ② 발생하다, 생기다
зарождение(중)산생(産生), 발생(發生)
зарок (남) 다짐, 맹세, 서약(誓約), 언약; давать ~ 다짐하다
заросль (여) 덤불, 수풀
зарплата (заработная плата) 노임
зарубежный (형) 외국의, 해외(海外)의; ~ые страны 외국들, 다른 나라들
зарубить (완) ① 찍어죽이다, 베어죽이다; ② 찍어 표적하다, 자리를 남기다
зарубка (여) (칼 따위로) 찍은 자리
зарубцеваться, зарубцовываться (미완)(상처가) 허물을 남기면서 아물다
заручаться(미완), **заручиться** (완) 미리 확보하다, 얻어가지다; ~ согласием 사전에 동의를 얻다
зарывать(미완) 묻다, 파묻다; ~ яму 구덩이를 메우다
зарываться(미완)파묻히다, 파고들어가다
зарыдать см. рыдать
зарыть(ся) см. зарывать(ся)
зарыгать см. рыгать
заря (여) ① 노을, 노을빛, 서광(曙光); утренняя ~ 아침노을, 새벽햇빛; на ~е (이른) 새벽에; от ~и до ~и 온종일; ② 여명기, 시초(始初), 서광(曙光); на ~е жизни 생활의 여명기에
заряд (남) ① 장약(裝藥), 탄약(彈藥), 총알; ② (전기) 충전(充電), 전하
зарядить см. заряжать
зарядка (여) 체조(體操); утренняя ~ 아침체조
заряжать (미완) ① (총 등을) 채우다, 장탄하다, 장약하다; ② 충전하다; ~ акку-мулятор 축전지를 충전하다
засада (여) 매복(埋伏), 복병(伏兵); уст-раивать ~у 매복하다; попасть в ~у 매복에 걸려들다
засадить (완): ~ за учёбу 공부에 붙박아 놓다
засасывать (미완) ① 빨아들이다; ② 끌어들이다, 끌어당기다; 빠져들다
засветиться см. светиться
засветло (부) 저물기 전에
засвидетельствовать (완) 증명하다, 확증하다, 증언하다
засевать см. засеять
заседание (중) 회의(會議), 모임
заседатель(남): народный ~배심원
заседать (미완) 회의(會議)를 하다
засекретить(완),**засекречивать** (미완) 비밀에 붙이다, 기밀에 붙이다
заселение (중) 집들이, 거주등록
заселить(완), **заселять** (미완) 집에 들다, 집에 들게 하다, 거주를 하다
засесть (완) 눌러앉다, 붙박히다; ~ за работу 일에 달라붙다
засеять (완) 씨뿌리다, 파종하다, 심다; ~ поле пшеницей 밭에 밀을 심다
засиять см. сиять
заскрежетать см. скрежетать
заскрипеть см. скрипеть
заслать см. засылать
заслонить(ся) см. заслонять(ся)
заслонка (여) (벽난로의) 뚜껑, 아궁 뚜껑, 마개
заслонять (미완) 가리다, 막다, 엄폐하다; ~ свет 빛을 가리다
заслоняться (미완) 가려지다, 막다, 덮이다; ~ от удара 타격을 막다

заслуга (여) 공훈(功勳), 공로, 업적 (業績); иметь большие ~и 업적을 쌓아올리다; по ~ам 1) 공로에 따라, 2) 저지른 만큼, 죄과에 알맞게

заслуженный (형) ① 공훈 있는, 공적 있는, 공로 있는; ~ артист 공로배우; ② 응당한, 마땅한;~ упрёк 마땅한 비난

заслуживать(미완) ...할만하다, ...할 가치가 있다;он ~ает похвалы 찬양할 만한 사람이다; это ~ает внимания 이것은 주목할만한 하다

заслужить (완) 얻다, 받다, 얻어내다; ~ доверие 신임을 얻다; ~ награду 상을 받다

заслушать(완),**заслушивать**(미완) 듣다, 청취하다;~ доклад 보고를 듣다

засматривать(ся) см. заглядывать

заснеженный (형) 눈이 덮인(쌓인)

заснуть см. засыпать

заснять (완) 사진을 찍다, 촬영하다

засов (남) 빗장; задвигать ~ 빗장을 지르다

засовывать (미완) 들여밀다, 밀어넣다, 끼워넣다, 쑤셔넣다; ~ руку в карман 호주머니에 손을 지르다

засол (남) 절임, 염장(鹽藏)

засолить см. солить

засорение(중) (먼지, 쓰레기 등으로) 메워지는 것, 폐쇄(閉鎖); ~ желудка 소화불량(消化不良)

засорить(ся) см. засорять(ся)

засорять (미완) (쓰레기, 모래 등으로) 어지럽히다, 더럽히다; ~ глаза пылью 눈에 먼지가 들다

засоряться (미완) (쓰레기, 모래 등으로) 더러워지다, 막히다, 메다

засосать см. засасывать

засохнуть см. засыхать

заспанный (형) 잠에 취한; ~ вид 자고난 얼굴

застава (여) (군사) 경비분대, 전초(前哨); пограничная ~ 국경수비대

заставать см. застать

заставить I,II см.заставлять I,II

заставлять I (미완) ① 쌓아놓다, 가득 들여놓다, 꽉 들어차게 하다; ~ комнату мебелью 방안에 가구들을 들여놓다; ② 막다, 가리다

заставлять II (미완) (+미정형) ...시키다, ...하게 하다, 강요하다; ~ идти 가게하다; ~ отвечать 대답하게하다

застарелый (형) 만성(晚成)의, 뿌리 박힌; ~ая болезнь 고질병

застать(완) 만나다; его ~л дождь 그는 비를 만났다; ~ть на месте преступления 범죄의 현장에서 붙잡다

застёгивать (미완); ~ пуговицы 단추를 채우다

застёгиваться (미완) 단추를 채우다

застегнуть(ся)см.застёгивать(ся)

застёжка (여) 단추, 맞단추, 결단추

застеклить(완), **застеклять** (미완) 유리를 넣다, 유리를 끼우다

застелить см. застилать

застенок (남) 감방(坎方), 고문실

застенчивость(여) 수줍음, 부끄러움

застенчивый (형) 수줍어하는, 부끄러워하는, 스스러워하는

застигать,застигнутьсм. застать

застилать(완),**застлать**(완) ① 깔다, 깔아놓다, 펴놓다; ② 가리다, 뒤덮다

застой (남) ① 정체, 침체, 불경기, 부진; ② ; ~ крови (의학) 피몰림, 울혈

застольный (형); ~ая песня 주연의 노래, 전주가

застонать см. стонать

застопориться (완) 멎다, 서다, 정지하다; дело ~лось 일이 지연되었다

застраивать (미완) (어떤 지역에 건물 등을) 가득 짓다

застраховать(ся)см.страховать(ся)

застревать (미완) ① 빠지다, 끼이다, 걸키다, 들어박히다; ② 오래있다, 머

물다, 지체되다; ~ в гостях 손님으로 오래 머물다

застрелить (완) 쏴죽이다, 사살하다

застрелиться (완) (총으로)자살하다

застрельщик (남) 발기자, 제창자

застроить см. застраивать

застройка (여) (어떤 장소에서) 건물을 세우는 것, 집짓기

застройщик(남)건축허가를 받은 사람

застрять см. застревать

заступ (남) 삽

заступаться(미완),**заступиться**(완) за кого ...의 편을 들다, 역성을 들다, 비호하다; ~ за правду 진리의 편에 들다

заступник (남) 옹호(擁護)자, 비호자

заступничество(중) 옹호, 비호, 변호

застучать см. стучать

застывать (미완), **застыть** (완) 되어지다, (식어서) 굳어지다; застыть от удивления 놀라서 굳어지다

застыдиться см. стыдиться

засуетиться см. суетиться

засунуть см. засовывать

засуха (여) 가뭄; подвергаться ~е 가뭄을 타다

засухоустойчивый (형) 가뭄에 견디는, 내한성 있는; ~ые культуры 가뭄에 견디는 작물

засучить (완) 걷어 올리다, 걷다; ~ ру-кава 소매를 걷다

засушивать(미완),**засушить**(완)말리다, 건조시키다;~ цветок 꽃을 말리다

засушливый (형) 가무는, 가뭄이 드는; ~ климат 가무는 기후

засчитать(완), **засчитывать**(미완) 계산에 넣다, 계산하다

засылать (미완) 보내다, 들여다보내다, 잠입시키다

засыпать I (미완) 잠들다

засыпать II (미완), **засыпать** (완) ① 묻다, 메우다; ~ яму 구덩이를 메우다; ② 뿌리다, 뿌려 덮다; ~ воп-росами 질문을 퍼붓다

засыхать (미완) 마르다, 말라들다, 말라죽다, 시들다, 굳어지다, 생기없다; цветы засохли 꽃이 시들었다

затаённый (형) 내심(內心)의, 마음속에 품은; ~ое желание 숙망(宿望)

затаить (완) 마음속에 품다, 감추어두다; ~ злобу 악의를 품다;~ дыхание 숨을 죽이다

затаиться(완) 몸을 숨기다, 숨어들어가다

заталкивать см. затолкнуть

затапливать I (미완): ~ печь 벽난로에 불을 피우다, 불을 지피다, 불때다

затапливать II (미완) ① 물에 잠기게 하다, 침식(浸蝕)시키다; ② 침몰(沈沒)시키다, 가라앉히다

затасканный ① 다 해진, 입어서 낡아진; ② 진부한, 낡아빠진

затаскивать (미완), **затащить** (완) 끌어들이다, 끌어넣다, 멀리 끌어가다; ~ в лес 숲 속으로 끌어들이다

затвердение(중) ① 굳기, 엉겨 굳기, 경화(硬化); ② (의학) 경화증(硬化症)

затвердевать (미완), **затвердеть** (완) 굳어지다, 경화하다, 꼿꼿하다

затвердить (완) ① 외우다, 암기하다, 잘 기억해두다; ② 자꾸되풀이하다

затвор (남) (총, 포의) 격발(擊發)기, 폐쇄기(閉鎖機), (사진기의) 여닫이

затворить (완), **затворять** (미완) 닫다; ~ окно 창문을 닫다

затевать (미완) ① 기도(祈禱)하다, 고안(考案)하다, 생각해내다; ② 시작하다; ~ разговор 이야기를 시작하다

затейливый (형) 진기한, 흥미있는, 기묘한; ~ая игрушка 교묘한 놀이감

затейник (남) ① 익살꾼; ② 대중오락의 사회자

затекать (미완) ① 흘러들다; ② 붓다;

глаз ~ёк (완) 눈이 부었다; ③ 저리다, 저려나다, 마비(痲痹)되다; рука ~екла (완) 손이 저렸다

затем (부) ① 다음에, 그후에; ② 그 때문에; ведь я ~ и пришёл 그 때문에 내가 왔단 말이요.

затемнение (중) ① 등화관제(燈火管制), 차등(遮燈); ② 차광막(遮光幕); ③ (의학) 검은점

затемнить (완), **затемнять** (미완) 어둡게 하다, 빛을 가리다; ~ окна 창문에 차광막을 치다; ~ сознание 몽롱하게 하다

затереть (완) ① 비벼서 없애다, 발라 지우다; ② (움직이지 못하도록) 조이다, 치우다; судно затёрло льдами 배가 얼음덩어리들 사이에 끼워서 움직이지 못하였다

затерять см. терять

затеряться (완) ① 잃어지다, 없어지다; ② 보이지 않게 되다, 사라지다

затесаться (완) 숨어들다, 기어들다

затечь см. затекать

затея (여) ① 기도(祈禱), 의도(意圖), 획책(劃策); ② 놀음, 장난

затеять см. затевать

затирать см. затереть

затихать(미완), **затихнуть** (완) ① 잠잠해지다, 조용해지다, 멎다; вьюга ~ла 눈보라가 잠잠해졌다; ② 멎다, 진정되다; боль ~ла 아픔이 멎었다

затишье(중) ① 잠잠한 것, 정적(靜寂), 고요(古謠), 평온(平穩); ② 부진 상태

заткнуть см. затыкать

затмевать см. затмить

затмение (중) ①: лунное ~ 월식(月蝕); солнечное ~ 일식(日蝕); ② 흐릿한, 멍청한, 몽롱한 것

затмить (완) ① 가리다; ② 능가하다, 압도하다, 앞서다

зато (접) 그 대신에 ....지만; это не интересно, ~ полезно 그것은 재미없지만 유익하다

затоваривание (중) 상품의 체화

затолкнуть (완) 밀어 넣다, 밀어넣어 뜨리다, 밀쳐 넣다

затонуть (완) 가라앉다, 침몰하다

затопить I, II см. затапливать I,II

затопление(중)침몰(沈沒), 침수(沈水)

затоптать (완) 짓밟다, 밟아넣다, 밟 아더럽히다; ~ в грязь 모욕하다

затор (완) ① 길이 막힌 것, 통행금지 (通行禁止); ② 애로(匡路), 장애(障碍)

затормозить см. тормозить

затосковать см. тосковать

заточать см. заточить I

заточение(중) 감금(監禁), 투옥, 유형

заточить I (완) ~ в тюрьму 감옥에 가두다

заточить II (완) см. точить

затравить (완) ① (개를 데리고) 몰아 잡다, 개를 풀어 풀어 뜯게하다; ② кого 박해하다, 중상하다

затрагивать (미완) ① 다치다, 건드리다; ② 언급하다;~ интересы 이해관계에 저촉되다; ~ самолюбие 자존심을 손상시키다

затрата (여) ① 소비(消費), 지출(支出), 소모(消耗); ~а энергии 에너지 소모; ~ы (복수) 비용(費用)

затратить(완), **затрачивать** (미완) ① 쓰다, 사용하다, 이용하다, 소모하다; ~ время 시간을 소모하다; ② 소비하다, 지출하다; ~ средства 자금을 지출하다

затребовать (완) 청구(請求)하다, 요구(要求)하다; ~ документ 문서를 제출하도록 요구하다

затрещать см. трещать

затронуть см. затрагивать

затруднение (중) 난관(難關), 애로, 곤란(困難); выводить из ~я 곤경에서 벗어나게 하다; быть в ~и 곤란을 당하

다.

затруднительный(형)곤란한, 어려운, 난처한;~ое положение 곤란한 처지

затруднить(ся) *см.*затруднять(ся)

затруднять (미완) ① *кого* ...를 괴롭히다, 시끄럽게하다; ~ просьбами 부탁으로 괴롭히다; ② *что* ...을 곤란하게 하다, 어렵게 하다, 방해하다

затрудняться (미완) 어려워하다, 곤란해지다; ~ ответить 대답하기 어려워하다; ~ сделать 만들기 어려워하다

затуманиться (완) ① 안개 끼다, 안개에 덮이다; ② 아리송해지다, 혼몽해지다, 어슴푸레해지다, 아리아리해지다

затупить (완) 무디게 하다; ~ нож 칼을 무디게 하다

затупиться (완) 무디어지다, 무디다

затухание (중) ① 불이 꺼지는 것; ② 감쇠(減衰), 완화(緩和)

затухать (미완) ① 점점 꺼지다, 사그라지다; ② 멎다, 줄어들다, 점차 없어지다

затушевать(완), **~ёвывать** (미완) ① 먹칠하다, 시꺼멓게 만들다; ② 해멀걸게 하다, 몽롱케 하다, 감추다

затушить *см.* тушить I

затхлость (여) ① 곰팡내, 썩은 냄새; ② 정체(停滯), 침체(沈滯)

затхлый (형) ① 곰팡내 나는, 썩은내 나는; ② 케케묵은, 고리타분한, 침체한

затыкать(미완) ① (구멍 등을) 막다, 틀어박다, 메우다;~ бутылку пробкой 병에 마개를 막다; ② 밀어놓다, 들어밀다; ~ топор за пояс 도끼를 허리춤에 차다

затылок (남) 뒤통수, 뒷머리

затычка (여) 마개

затягивать (미완) ① 죄다, 죄어 매다, 당겨 매다, ; ~ пояс 허리띠를 졸라매다; ② 빨아들이다, 흡입(吸入)하다; ③ 끌어 늘이다; ④ (시간, 기한 등을) 오래 늘이다, 늦잡다, 오래 끌다, 지체시키다;~ отъезд 출발을 늦추다; ⑤ 노래하기시작하다; ⑥ (구름이) 가리다, 덮다; небо затянуло тучами 구름이 하늘을 덮었다; ⑦ (무인칭) (상처가) 낫다, 아물다

затягиваться (미완) ① (일, 회의 등) 지연되다, 지체되다, 늦추어지다; ② (구름 등으로) 가려지다, 덮이다; ③ 담배연기를 들이 삼키다, 담배 한 모금 빨다; ④ (상처가) 낫다, 아물다

затяжка (여) ① 지체(遲滯), 지연(遲延); ② 담배 한 모금

затяжной(형) 오래 끄는, 장기적(長期的)인, 오랜 기간에 걸치는, 장시간에; ~ая болезнь 장기질환(長期疾患); ~ая вой на 지구전(持久戰)

затянуть(ся) *см.* затягивать(ся)

заунывный (형) 구슬픈, 쓸쓸한, 처량한; ~ое пение 구슬픈 노래

заупрямиться *см.* упрямиться

заурядный (형) 평범한, 범상한; ~ая личность 평범한 사람

заусеница (여) 손거스러미, 거스러미

заученный (형) 외운, 암기한, 틀에 박힌, 상습적(常習的)인; ~ые фразы 미리 외운 문구

заучивать(미완), **заучить**(완) 외우다, 암기하다, 암송하다; ~ наизусть 암기하다, 외워두다

зафиксировать *см.* фиксировать

захандрить *см.* хандрить

захвалить (완) 너무 지나치게 찬양하다, 지나친 창양으로 망치다, 아부

Зах (Книга Пророка Захарии, 14장, 913쪽) 스가랴(zechariah書)

захват (남) 강점(强點), 점령(占領), 탈취(奪取);~ трофеев 노획(鹵獲);~ власти 정권장악

захватить *см.* захватывать
захватнический (형) 침략적(侵略的)인, 약탈(掠奪)적인, 강탈(强奪)적인; ~ая политика 침략적(侵略的)인
захватчик (남) 강점자(强占者), 강탈(强奪)자, 침략(侵略)자
захватывать (미완) ① *кого* ...을 데리고 가다; *что* ...을 가지고 가다; ② 쥐다, 잡다, 움켜쥐다; ~ в горсть 한줌 쥐다; ③ 점령하다, 강점하다, 탈취하다, 빼앗다; ~ трофеи 노획하다; ~ власть 정권을 장악하다; ④ 사로잡다;~дух 숨이 막히다
захватывающий (형) 마음을 사로잡는, 퍽 흥미 있는, 탐탐한
захворать *см.* хворать
захлебнуться(완), **захлёбываться** (완) ① (물 따위로) 목이 막히다, 사레가 들다; ② 숨이 막히다; ~ться от радости 기뻐서 가슴이 뿌듯하다; мотор ~лся 발동기가 멎었다
захлестнуть(완), **захлёстывать**(미완) ① (물결이) 덮치다, 덮어쓰우다; ② (감정이) 휩싸이다, 사로잡다
захлопать *см.* хлопать
захлопнуть(완) 탁 닫다, 쾅 닫다; ~ книгу 책을 탁 덮다; ~ крышку 덮개를 쾅 덮다; ~ дверь 문을 쾅 닫다
захлопнуться (완) (쾅, 탁) 닫기다
захлопывать(ся)*см.*захлопнуть(ся)
заход (남) ①; ~ солнца 일몰(日沒), 해지기, 해넘이; ~ луны 월몰, 달지기; до ~а солнца 해가 지기 전에; ②; ~ в порт 기항(寄港)
заходить (미완) ① к *кому* (가는 길에) 들리다, 찾아들다; ~ к приятелю 친구에게 들리다; ② за *кем-чем* ....를 데리러(가지러) 가다; ③ куда: ~ в порт 기항하다; ④ (해, 달이) 지다; ⑤ (뒤에, 뒤로) ~ за дом 집 뒤에 가다, 집 뒤로 돌아가다;~ слишком далеко 너무 지나치다, 과도하다; ~ в тупик 막다른 골목에 이르다, 궁지에 빠지다
захолустный (형) 벽촌(僻村)의, 구석진, 궁벽(窮僻)한, 벽지(僻地)의
захолустье (중) 궁벽한 곳, 벽촌(僻村), 구석진 고장, 벽지마을
захотеть(ся) *см.* хотеть(ся)
захохотать *см.* хохотать
зацвести(완), **~тать** (미완) 꽃피기 시작하다, 꽃이 피어나다, 개화하다
зацепить(ся) *см.* зацеплять(ся)
зацеплять(미완) 걸다, 걸어놓다, 걸어 당기다; ~ за гвоздь 못에 걸어놓다
зацепляться(미완) 걸리다, 걸키다
зачастить (완) ① 찾아지다, 빈번해지다, 빨라지다; дождь ~ил 비가 잦아졌다; ② 자주 다니기 시작하다
зачастую (부) 자주, 종종, 흔히
зачаточный (형); в ~ом состоянии 초기에, 애초에, 첫 시작에
зачем (부) 왜, 어째서, 무엇 때문에, 무슨 목적으로; ~ ты пришёл? 무엇하러 왔느냐?
зачёркивать(미완), **зачеркнуть**(완) 지워버리다, 그어버리다
зачерпнуть(완), **зачёрпывать**(완) (물을) 뜨다, 긷다, 길어내다
зачерстветь *см.* черстветь
зачесать *см.* зачёсывать
зачесаться *см.* чесаться
зачесть *см.* зачитывать II
зачёсывать (미완) (머리를) 빗어 넘기다, 빗어 올리다
зачёт (남) 중간시험, 보조시험; сдать ~ 중간시험에 합격하다
зачётный;~ая книжка 성적증명서
зачинатель (남) 발기자, 발기인
зачинить *см.* чинить
зачинщик (남) 주모자(主謀者), 원흉(元兇), 원악(元惡), 발기자(發起者)
зачисление (중) 편입(編入), 입적(入籍); ~ в институт 대학에 입학; ~ в

армию 군 입대; ~ в штат 정원에 편입되는 것; ~ в списки 명단에 기입되는 것

зачислить(완), **зачислять**(미완) 편입시키다, 입적시키다, 가입(加入)시키다; ~ в институт 대학에 편입시키다

зачитать(ся) *см.* зачитывать(ся) I

зачитывать I (미완) 읽어주다, 낭독하다, 낭송하다, 독송하다

зачитывать II ① 셈에 넣다, 셈치다, 치부하다; ② (보조시험에서) 합격점수를 메기다, 통과시키다

зачитываться I 독서에 몰두하다

зачитываться II (미완) 가산(加算)되다, 셈에 보태다, 더하다

зашататься *см.* шататься

зашевелиться *см.* шевелить(ся)

зашивать(미완), **зашить**(완) 꿰매다, 깁다; ~ дыру 해진자리를 꿰매다

зашифровать, зашифровывать *см.* шифровать

зашнуровать, зашнуровывать *см.* шнуровать

заштопать *см.* штопать

заштукатурить *см.* штукатурить

зашуметь *см.* шуметь

защита (여) ① 방어(防禦), 보위(保衛); ~а родины 조국보위; ② 보호(保護), 옹호(擁護), 변호(辯護), 변론(辯論); ~а мира 평화옹호;~а диссертации 학위논문의 발표(변론); выступать в ~у *кого-чего* ...를 변호하여 나서다; ③ (법학) 변호측; ④ (체육) 방어(防禦), 수비(守備)

защитительный (형); ~ая речь 변론(辯論), 변호연설, 논변(論辨), 진술(陳述)

защитить(ся) *см.* защищаться

защитник (남) ① 옹호자(擁護-), 보위자, 보호자; ② (법학) 변호사(辯護士); ③ (체육) 방어수(防禦-), 수비수(守備-)

защитный (형) ① 보호의, 방어의 막기 위한; ~ые сооружения 방어시설; ~ые лесные полосы 방풍림, 바람막이 숲; ② 보호색의, 보위색의;~ая гимнастёрка 보호색 군복, 저고리; ~ые очки 보호안경, 색안경

защищать (미완) ① 지키다, 지켜 싸우다, 방위하다; ② 옹호하다, 수호하다, 보호하다, 변론하다; ③ 막다, 방지하다

защищаться ① (자기 몸을) 지키다, 자신을 옹호하다, 자신을 보호하다; ~ от дождя 비를 막다; ② 방어하다

заявить *см.* заявлять

заявиться *см.* являться

заявка (여) ① 청구서(請求書), 신청서; представлять ~у 신청서를 제출하다; ② 청구(請求), 요구(要求) 신청(申請); делать ~у 청구하다, 신청하다;концерт по ~ам 음악 연주회

заявление (중) ① 성명, 언명(言明); ② 청원서(請願書), 청구서(請求書), 신청서(申請-); ~ о приёме в учебное заведение 입학원서; ③ 신고(申告)

заявлять (미완) 성명하다, 언명하다, 선언하다, 표명하다; ~ протест 항의를 제출하다

заядлый (형) 혹해하는, 정신없는, 열중하는; ~ курильщик 골초, 담배를 많이 피우는 사람; ~ охотник 사냥에 미친 사람; ~ футболист 축구광

заяц (남) 토끼; ехать зайцем 무임승차(無賃乘車); убить (сразу) двух зайцев 일거양득(一擧兩得)

звание (중) 칭호(稱號); воинское ~ 군사칭호; учёное ~ 학직; присвоить ~ 칭호를 수여하다

званый (형); ~ обед 초대연회; ~ гость 초대한 손님

звательный (여); ~ падеж 호격

звать (미완) ① (소리 등으로) 부르다;

② 초대(招待)하다, 초청(招請)하다, 호소(呼訴)하다; ~ на помощь 도움을 빌다; ③ 명명하다; как его (зовут)? 그 사람의 이름이 무엇이니까?

звезда(여) ① 별, 성좌(星座); Полярная ~ 북극성; пятиконечная ~ 오각별; Золотая ~ 금메달; ② 제1인자; ~ экрана 스타, 영화명배우; восходящая ~ 명성을 떨치기 시작한 사람

звёздный (형) 별의; ~ая ночь 별이 총총한 밤; ~ый пробег (체육) 성형경주; ~ые войны 별들의 전쟁

звёздочка (여) 작은 별, 아기별; 별표

звенеть (미완) 울리다, 딸랑거리다

звено(중)① 고리; ~ цепи 사슬의 고리; ~ гусеницы 이대; ② 요소(要所); главное ~ 중심 고리, 중점(中點); слабое ~ 약한 고리, 약점; ③ 분조(分組), 조(組)

звеньевая(여), **~ой** (남) 조장(組長), 반장(班長), 분단장(分團長)

зверёныш (남) 짐승의 새끼

зверинец (남) 동물원

звериный (형) ① 짐승의, 야수의; ~ след 짐승의 자취; ② 야수적인, 혹독한

зверобой (남) (식물) (큰)물레나물

звероводство (중) 모피(종)동물사육

зверолов (남) 포수(捕手), 사냥꾼

звероловство(중) 짐승잡이, 수렵(狩獵)

зверосовхоз (звероводческий совхоз) 모피(종) 동물사육 농장(콜호스)

зверский (형) ① 짐승 같은, 야수적인, 비인간; ~ое обращение 학대(虐待); ~ ое убийство 야수적인 학살(虐殺); ② 심한, 지독한, 사나운

зверство (중) ① 야수성(野獸性), 잔인성; ② 야수적 행위, 비인간성행위, 만행

зверствовать (미완) 잔인무도하게 행동하다, 야만적으로 행동하다, 사납게 굴다, 횡포가 심하다

зверь (남) ① 짐승; хищный ~ 맹수; ② 짐승같은 놈, 흉악한 놈, 귀축

звон (남) 울리는 소리, 뎅그렁 소리; колокольный ~ 종소리; издавать ~ 뎅그렁거리다; ~ в ушах 귀에 왱왱거리는 소리

звонить (미완) 울리다, 종을 치다; ~ по телефону 전화를 하다(걸다)

звонкий (형) 잘 울리는, 쟁쟁한;~ие согласные (언어) 유성자음

звонок(남) ① 종, 초인종; давать ~ 종을 울리다; ② 종소리; телефонный ~ 전화소리

звук (남) ① 소리, 음성(音聲), 음(音), 음향(音響); (음악) 성부(聲部), 성음(聲音);~ речи 말소리, 어음(語音); ② (영화) 토키(talkies) пустой ~헛소리

звуковой(형);~ое кино,~ой фильм 발성영화, 토키; ~ая сигнализация 소리 신호

звукозаписывающий (형):~аппарат 녹음기(錄音器)

звукозапись(여) 녹음(錄音), 녹음방송

звукоизоляция (여) 방음(防音)

звуконепроницаемый (형) 소리를 막는, 방음(防音)의

звукооператор (남) 녹음 담당자, 녹음전문가(錄音 專門家)

звукоподражание (중) 의성, 의음

звукоусилитель (남) 음향증폭기

звучание (중) 울림, 음향, 소리나는것

звучать(형) 소리나다, 울리다, 들리다

звучность (여) 음향성, 울리는 성질

звучный (형) 잘 울리는, 낭랑한, 청청한; ~ голос 청청한 목소리

звякать(미완), **звякнуть** (완) 찰랑거리다, 절꺽거리다, 덜컥거리다

- 180 -

зги:(не видно) ни ~(어두워서) 아무것도 보이지 않는다, 지적을 분간할 수 없다
здание (중) 건물(建物), 건축물(建築物); административное ~ 청사;~ вокзала 역사; высотное ~ 고층건물
здесь (부) 여기(에서), 이곳에서
здешний (형) 여기에 있는, 이곳의; ~ие жители 이곳 주민들
здороваться (미완) 인사하다, 인사를 나누다;~ за руку 악수하며 인사하다
здороветь см. поздороветь
здоровиться (미완): мне не ~тся 나는 몸이 편치 못하다
здорово (부) ① (감탄) 잘!, 잘해!, 멋있다! 참 좋다!; ② 참, 몹시, 굉장하게: ~ устал 몹시 피로했다; ~ поработали 굉장히 일을 많이 했다
здорово (인사말) 잘있소!, 안녕하시오
здоровый(형) ① 건강한, 튼튼한; ~ый ребёнок 튼튼한 아이; ~ый организм 건강한 폐; ~ый зуб; быть ~ым 건강하다; ② 건강에 이로운, 건강에 좋은; ~ая пища 건강에 좋은 음식; ③ 큰 커다란; ④ 건전한; будьте ~ы! 안녕히 계십시오!; будь ~! 잘 있어라!
здоровье (중) 건강, 건강상태; как ваше ~? 건강이 어떠하십니까?
здравица (여) (건강을 위하여 드는) 축배; провозглашать ~у в честь кого ... 의 건강을 위하여 축배를 들다
здравница (여) 휴양소, 요양소(療養所)
здраво(부); ~ мыслить 건전하게 생각하다; ~ судить 정당하게 판단하다
здравомыслящий (형) 건전하게 사고(생각)하는, 상식적인(常識的-)
здравоохранение 보건(保健)
здравствовать (미완) 건강히 지내다, 건재하다, 평온히 지내다; ~уй! 안녕하오!; ~уйте! 안녕하십니까?; да ~ует! 만세!
здравый (형) 건전한, 올바른, 분별있는; ~ ум 건전한 두뇌;~ смысл 상식
зебра (여) 얼룩말(아프리카 야생말)
зев (남) ① 인두; ② 입, 아가리
зевака(남, 여) 멍청이, 한가한, 구경꾼
зевать(미완), зевнуть(완) 하품하다; ~ть по сторонам 멍청하게 사방을 바라보다; не ~й! 정신 차려라!
зевота (여) 하품
зеленеть (미완) ① 푸르러지다, 초록빛이 되다; ② 푸르게 보이다
зелёный (형) ① 푸른, 초록색의; ② 익지 않은, 여물지 않은, 미숙한; ~ театр 야외극장(野外劇場)
зелень(여) 푸성귀, 풋나물; 초목(草木)
земельный (형) 토지(土地)의, 땅의, 농지(農地)의; ~ая реформа 토지개혁(土地改革); ~ая собственность 소유지(所有地); ~ая рента 지대
землевладелец(남) 토지소유자, 지주
землевладение(중) 토지소유, 소유지
земледелец(남)농부(農夫),농민,농사꾼
земледелие (중) 농업(農業), 농사(農事); интенсивное ~ 집약농사(集約農事); заниматься ~ем 농사를 짓다
земледельческий (형) 농사의, 농업의; ~ие машины 농기계; ~ий район 농사지대
землекоп(남)토공(土工),흙일하는 노동자
землемер (남) 토지 측량사(測量士)
землепользование (중) 토지이용
землеройный:~ая машина 굴착기
землесос (남) 모래펌프, 흙물펌프
землетрясение (중) 지진(地震)
землеустройство (중) 토지건설(土地建設), 토지정리, 토지사업(土地事業)
землечерпалка (여) 준설기, 준설선
землистый (형) 흙이 많이 섞인; ~

цвет 흙색

земля (여) ① 지구(地球); ② 흙, 땅, 토지(土地), 토양(土壤); комок ~и 흙덩이; плодородная ~я 비옥한 땅(토지); па- хотная ~я 경작지(耕作地), 농경지(農耕地); целинные земли 처녀지(處女地); обрабатывать землю 경작하다, 밭갈이 하다; ③ 육지(陸地), 대륙(大陸), 들(野); ④ 영토(領土), 영지(領地); колхозная ~я 농장의 소유지, 콜호스(소프호스).

земляк (남) 동향인, 한 고향 사람

земляника (여) 땅 딸기

земляничный (형) 땅 딸기의; ~ое варенье 땅 딸기 쨈

землянка (여) 움막집, 움집, 움막 땅굴집, 토굴집(土窟-), 토막집

земляной (형) 흙의, 흙으로 된; ~ой пол 토마루, 흙바닥; ~ые работы 토공, 흙일; ~ой орех 땅콩, 낙화생

землячество (중) 동향

земноводные (복수) 양서류(兩棲類)

земной (형) 지구(地球)의, 지구(地球) 상의; ~ой шар 지구(地球)

земснаряд (남) 준설선(浚渫船)

зенит(남) ① (천문) 천정 천정점, 천심;② 절정;в ~е славы 영광의 절정에

зенитка (여) 고사포(高射砲)

зенитный (형) ① (천문) 천정의, 천상의; ② (군사); ~ое орудие 고사포; ~ый огонь 대공화력, 고사화력

зенитчик(남),**~ца**(여) 고사포수(병)

зеница(여): беречь как ~у ока 눈동자와 같이 보호하다

зеркало (중) 거울; смотреть(ся) в ~ 거울을 보다

зеркальный (형) 거울과 같은, 거울의

зернистый (형) 알이 많이 진, 알이 굵은, 알 모양, 입상; ~ая икра 알갱이알, 입 상어란(-卵)

зерно (중) ① 낟알, 씨앗, 종자; ② (집합) 알곡, 곡물(穀物), 곡식(穀食)

зерно-бобовый (형):~ые культуры (복수) 콩과 작물(作物)

зерновой (형) 알곡의, 곡물(穀物)의, 양곡의; ~ой район 곡창지대; ~ые культуры 곡식(穀食), 알곡작물

зерноочистительный (형); ~ая машина 낟알 정선기, 키, 어레미, 풍구

зерносовхоз (남) 곡물생산농장

зерносушилка (여) 알곡 건조실, 알곡 건조기(乾燥機)

зерноуборочный (형) 알곡수확용의; ~ комбайн 알곡 수확기

зернофураж (남) 낟알먹이

зернохранилище(중) 양곡창고 저장고

зигзаг (남) 톱날 형, 갈지자형; ~ом 구불구불하게, 갈지자형으로

зиждиться (미완) *на чем* ...에 입각하다, 기초하다

зима (여) 겨울, 겨울철; начало ~ы 첫겨울; конец ~ы 늦겨울; на ~у 겨울나기로; подготовка к ~е 겨울나이차비, 월동준비

Зимбабве (중) (불변) 짐바브웨

зимний (형) 겨울의, 겨울철의; ~ий сезон 겨울철, 동계; ~яя одежда 겨울옷, 동복(冬服); ~яя обувь 겨울 신; ~ий пейзаж 겨울풍경; ~ее обмундирование 겨울군복

зимовать (미완) 겨울을 나다

зимовка (여) 겨울나이, 겨울나이 장소

зимовщик (남) 겨울을 나는 사람

зимовье (중) ① 월동장소; ② 겨울을 나는 집짐승우리

зимой (부) 겨울철에, 동계(冬季)

зимостойкий (형); ~ие культуры 월동 작물(越冬作物)

зиять (미완) (속이 들여다보이게) 쩍

벌려져있다, 열려져있다

злаки (복수) 벼목식물; хлебные ~ 낟알식물; кормовые ~ 사료작물

злаковый:~ые растения 벼목식물

злейший(형): ~ враг 가장 흉악한 원수, 철천지원수

злить (미완) 화나게 하다, 약올리다

злиться (미완) 화를 내다, 짜증을 부리다, 역증을 내다

зло I (중) ① 악(惡), 죄악(罪惡), 해독, 폐단(弊端); причинять ~ 해를 주다; ② 재앙(災殃), 불행(不幸); ③ 악의(惡意), 앙심(怏心), 악감(惡感); со зла 약이 올라서, 악에 받쳐; держать ~ 앙심을 먹다; ~ берёт 부아가 난다

зло II (부) 악의를 품고, 독살스럽게, 악에 받쳐; смотреть ~ 독살스레 쳐다보다

злоба (여) 악의(惡意), 양심(良心), 원한(怨恨), 독살(毒殺); затаить ~у 앙심을 품다; ° на ~у дня 초미의 문제

злобно см. зло II

злобный (형) 악의에 찬, 표독스러운, 독살스러운, 앙칼진

злободневный: ~ вопрос 당면문제

злобствовать (미완) 발악하다, 잔인 포악한, 흉악한 행동을 하다

зловещий (여) 불길한, 험상궂은

зловоние (중) 고린내, 악취;издавать ~ 악취를 풍기다

зловонный (형) 악취가 풍기는

зловредный (형) 독이 있는, 유해로운; ~ характер 까다로운 성미; ~ человек 심술꾸러기

злодей (남) 악한(惡漢), 악독한놈

злодейский (형) 간악한, 잔인한, 흉악한;~ий план 흉책; ~ая пуля 흉난

злодейство, злодеяние (중) 악행

злой (형) ① 악의를 가진, 독살스러운, 흉악한; ~ человек 악인, 악한사람; ~ характер 암팡진 성미; ② 독한, 맵찬; ~ ветер 맵찬 바람; ③ 사나운; злая соба-ка 맹견, 사나운 개; злая судьба 불행한 운명

злокачественный (형) 악성(惡性)의, 불치의; ~ая опухоль 악성종양

злонамеренный (형) 흉계를 품은, 악의를 품은, 음흉한

злопамятный (형) 원한을 잊지 않는, 앙심을 품어두는, 모진

злополучный (형) 불운한, 불우한, 신수가 나쁜; ~ охотник 불행한 사냥꾼

злопыхатель (남) 앙심을 품은 사람

злорадный(형) 남의 재난을 기뻐하는, 고소해하는, 심술궂은;~ая усмешка 악의를 품은 조소

злорадствовать (미완) 남의 재난을 기뻐하다, 고소해 하다

злословие (중) 독설, 악담, 중상

злословить (미완) 악담을 퍼붓다, 욕설을 하다, 헐뜯다

злостный (형) ① 악의에 찬, 흉악한; ~ая клевета 악의에 찬 중상(中殤); ~ые намерения 흉악한 기도(祈禱); ② 고의적으로 나쁜 짓을 하는, 악질적인; ~ый прогульщик 고질적인 결근자

злость (여) 악의(惡意), 악심, 앙심(怏心), 원한(怨恨); со ~ю 악의에 차서

злоумышленник (남) 흉계를 꾸미는 사람, 속이 검은 사람

злоупотребитьсм. злоупотреблять

злоупотребление (중) 남용(濫用), 악용(惡用);~ служебным положением 직권남용(職權濫用)

злоупотреблять (미완) 남용(濫用)하다, 악용(惡用)하다; ~ властью 권력을 남용하다, 세도(勢道)를 부리다; ~ доверием 신임을 악용하다

злоязычный (형) 독설을 퍼붓는

злюка,злючка (남, 여) 화를 잘 내는 사람, 괴팍한 사람

змеиный (형) 뱀의;~яд 뱀의 독

змей (남): бумажный ~й 연(鳶), 풍연; запускать ~я 연을 띄우다

змея (여) 뱀; ядовитая ~ 독사(毒蛇)

знак (남) ① 표(標), 표식(標式), 부호(符號), 기호(記號); дорожный ~ 도로표식; вопросительный ~ 물음표, 의문표(?); восклицательный ~ 느낌표(!); мяг-кий(твёрдый) ~ 연음(경음)부호; ус-ловный ~ 약호, (약속)부호; ② 신호(信號); (по)дать ~ рукой 손짓으로 알리다; ③ 징조(徵兆), 표시(標示); в ~ благодарности 감사의 표시로; ~ внимания 관심이 표시; добрый ~ 좋은 징조; ④ 문자, 자; сокращённый ~ 한자의 약자; ~и препинания (언어) 구두점; ~и различия 직급표; под ~ком чего …의 구호 아래

знакомить (미완) ① 알게 한다, 낯을 익히다, 통성명시키다, 소개하다; ② (어떤 것을) 알게 하다, 지식을 가지게 하다; ~ с новостями 새소식을 알게 하다

знакомиться (미완) ① с кем …와, …를 (서로) 알게 되다, 낯을 익히다, 사귀다; ② с чем …를 알아보다, 이해하다, 조사하다 ~ с делом 사업을 이해하다

знакомство (중) ① 아는 사이, 교제, 아는 사람들; завязывать ~ 교제를 맺다, 서로 알고 지내다; водить ~ 서로 사귀다; ② 정통(正統), 지식(知識)

знакомый (형) ① 아는, 낯을 익은, 안면(면목)있는; я с ним знаком 나는 그와 아는 사이다; мне ~о это дело 내가 아는 일이다; ② (명사로) ~ый (남) 아는 사람, 낯이 익은 사람

знаменатель (남) (수학) 분모(分母); приводить к общему ~ю 통분하다

знаменательный(형)뜻깊은, 의의 깊은, 의미심장한, 중요한;~ая дата 뜻 깊은 날

знаменитость (여) 명인, 유명지인

знаменитый (형) 유명한, 이름을 떨친

знаменосец (남) 기수

знамя (중) 깃발, 기치; переходящее ~я 순회우승기; водрузить ~я 깃발을 꽂다; под ~енем чего …의 기치 아래

знание (중) 아는 것, 지식(知識), 학식(學識); глубокие ~я 깊은 지식; со ~ем дела 솜씨 있게

знатный (형) 이름 있는, 뛰어난, 유명한; 훌륭한; ~ род 명문가정 출신

знаток (남) 박식한 사람, 조예가 깊은 사람, 전문가(專門家); быть ~ом чего …에 정통하다

знать I (미완) 알다, 이해하다; не ~ 모르다; не знаю, как быть 어떻게 하면 좋을지 모르겠다; на сколько я знаю 내가 아는 한에서는; даёт себя ~ 느끼게 한다. 감촉이 있다; кто его знает 누가 안담, 누가 알랴? 모르겠다.

знать II (여) 귀족(貴族), 명문가출신

значение(중) ① 뜻, 의미(意味), 의의; переносное ~е 전의; ~е слова 단어의 의미; ② 의의(意義), 가치(價値), реша- ющее ~е 결정적 의의;придавать ~е 의의를 부여하다, 중요시하다; не имеет ~я 가치가 없다, 괜찮습니다.

значимость (여) ① 의미(意味), 의의(意義); ② 중요성(重要性)

значит (삽입어) 따라서, 그런즉, 즉; ~ пора ехать? 그런즉 떠날 때가 되었단 말이지요?; ~ так... 그러니까....

значительно (부) 현저히, 훨씬; ~ больше 훨씬 더 많이

значительный (형) ① 현저한, 큰, 많은; в ~ой мере (степени) 현저하게; ~ая сумма 거액, ② 중요한, 의의 있는; ~ое событие 중대한 사변; ③ 의미심장한, 의미 있는 듯한

значить (미완) 의미하다, 의미를 가

지다; что это ~т? 이것은 무엇을 의미하는가?; это совсем не ~т, что... ...을 전혀 의미하지 않는다

значок (남) ① 표시(標示), 기호(記號); ② 마크, 휘장; университетский ~ 종합대학휘장

знающий (형) 지식이 있는, 유식한; ~ человек 학식이 많은 사람

знобить (미완) 오한이 나다, 오슬오슬하다; меня ~т 나는 오한이 난다

зной (남) 지독한 더위, 무더위

знойный (형) 지독히 더운, 무더운; ~ ветер 열풍(熱風), 뜨거운 바람

зоб (남) (조류의) 모래주머니

зов (남) ① 부름, 호소(呼訴); по ~у кого-чего ...의 부름에 따라; ② 초청(招請), 초대(招待)

зодчество (중) 건축술(建築術)

зодчий (남) 건축가(建築家)

зола (여) 재; древесная ~ 나무재

золовка (여) 시누이

золотистый (형) 금빛의, 황금(黃金)빛; ~ые волосы 금발머리; ~ цвет 금빛, 개나리 빛

золотить (미완) ① 도금하다, 금칠하다; ② 금빛으로 물들이다

золотник(남) (공학) 시설, 설비(設備)

золото(중) ① 금, 황금(黃金); чистое ~о 순금; белое ~о 백금; червонное ~о 적금(赤金);вес ~а 황금같이; ② (집합) 금화(金貨); ③ 금품, 금세공품(金細工-)

золотоискатель (남) 금 탐지꾼

золотой (형) 금의, 황금의, 황금으로 만든; ~ые часы 금시계; ~ая медаль 금메달; ◦ ~ые руки 손재주가 훌륭하다; ~ая осень 황금가을;~ые слова 금언(金言); ~ая середина 중용

золотоносный (형) 금이 들어있는, 금분이 있는; ~ая жила 금줄

золотопромышленность (여) 금광업

золотуха (여) 선종양, 선병(腺病)

зона (여) 지대(地代), 지역(地域)

зональный (형) 지대의, 지역의; ~ая растительность 지대적 식물

зонд (남) ① (의학) 탐지관, 탐침(探針); ② 기상관측 기구; ③ 수심측정기

зондировать (미완) ① (의학) 탐침으로 검진하다; ② (광업) 시추기로 탐사하다; ③ 미리알아 보다, 탐지하다, 타진하다

зонтик (남) 우산(雨傘), 양산(洋傘); рас-крыть(закрыть) ~ 양산을 펴다(접다)

зооветеринарный:~пункт 가축병원

зоолог (남) 동물학자, 수의사(獸醫師)

зоологический (형) 동물학의; ~ сад 동물원(動物園)

зоология (여) 동물학(動物學)

зоопарк (남) 동물원(動物園)

зоотехник (남) 축산전문가

зоотехника (여) 축산학(畜産學)

зоотехнический (형) 축산학의, 가축사육학의;~ие приёмы 가축사육법

зоркий (형) ① 눈이 맑은, 잘 보는; ② 명철(名哲)한, 예민한; ~ взгляд 혜안(慧眼), 예민한 시안; ③ 각성 깊은

зорко (부) 눈을 밝혀, 경각성 있게

зоркость (여) ① 밝은 시력, 혜안(慧眼); ②통찰력(通察力);③경각성(警覺性)

зрачок (남) 눈동자, 동공(瞳孔)

зрелище(중) 구경거리;공연(公演), 상연

зрелость (여) 성숙(成熟), 성숙성(成熟性), 성장(成長); аттестат ~и 중학교 졸업증서

зрелый (형) ① 익은, 여문, 성숙한; ~ые груши 익은 배; ② 성장한, 성숙한; ~ый учёный 노련한 학자, 베테랑 학자; ~ый возраст 성년

зрение (중) 시력, 시각(視覺); слабое ~е 약한 시력; обман ~я 눈의 착각, 착시(錯視); точка ~я 관점, 견지
зреть (미완) 익다, 여물다, 성숙하다; яблоки ~ют 사과가 익어간다
зритель (남) 관람자(觀覽者), 구경꾼, 관중(觀衆); места для ~ей 관람석
зрительный (형) ① 시각의, 시력의; ~ый нерв 시신경; ~ая память 시각; ② 관람용(觀覽用); ~ый зал 관람실
зря (부) 헛되이, 공연히, 쓸데없이; не теряя времени ~ 헛되이 시간을 낭비하지 않고; ~ стараться 헛되이 애쓰다
зуб (남) 이, 이빨, 치아(齒牙); передние ~ы 앞니; искусственные ~ы 틀니; коренной ~ 어금니; золотой ~ 금니; молочные ~ы 젖니; ~ы мудрости 사랑니; ~ы болят 이앓이를 한다.; ~ на зуб не попадает 으슬으슬 추위하다, 벌벌 떨다.; сквозь ~ы 입안의 소리로; держать язык за ~ами 말을 참다; иметь ~ против(на) кого 원한을 품다, 앙심(怏心)을 품다; ни в ~ ногой 아무것도 모르다
зубастый (형) ① 이가 큰, 이가 날카로운; ② 입이 건, 입심이 센
зубец (남) 이빨, 날; ~ец пилы 톱날; ~цы башни 성가퀴, 성첩

зубило (중) (공학) 정
зубной (형) ① 이의, 치아(齒牙)의;~ая боль 이앓이; ~ой врач 치과의사; ~ой порошок 치분; ~ая паста 치약;~ая щётка 칫솔; ② (언어) ~ой звук 잇소리, 치음(齒音)
зубоврачебный (형) 이빨치료, 치과진료; ~ кабинет 치과(齒科)
зубочистка (여) 이쑤시개
зубрёжка (여) 기계적암기
зубрить (미완) 기계적으로 외우다
зубчатый (형): зубчатое колесо 톱니바퀴, 치차(齒車)
зуд (남) ① 가려움, ②열망, 의욕(意慾)
зудеть (미완) ① 가렵다, 근질근질하다; ② 자근거리다
зыбкий (형) ① 흔들리는, 건들거리는; ② 불안정한, 튼튼치 못한; ~ое положение 불안정한 상태
зыбь (여) 물놀이 잔물결
зычный (형): ~ голос 쟁쟁한 목소리
зяблевый: ~ая вспашка 가을갈이
зябнуть (미완) 추워하다, 얼다
зябь (여) 가을갈이 한 밭; поднимать ~ 가을갈이 하다
зять (남) 사위; 매부(妹夫); 시누이 남편

И

и I (접) ① ...과 (와), 및, 그리고, 또; я и вы 나와 당신; он работает и учит-ся 그는 일하며 공부한다. мы изучаем корейский, японский и английский языки 우리는 한국어, 일본어 및 영어를 배운다. ② (강조의 뜻으로) ...도; и я пойду 나도 가겠다.; и в этом случае 이 경우에 있어서도 ③ (열거할 때에) ...도 ...도; он оди- наково хорошо и говорит,и читает, и пишет по корейски 그는 한국어로 말하기도 읽기도 쓰기도 모두 (다같이) 잘한다. ④ (양보의 뜻으로) ...지만, 그러나; и время есть, а пойти немогу 시간이 있지만 갈 수 없다; хотел пойти и не мог 가려고 하였으나 갈 수 없었다. ⑤ 바로; об этом я и думаю 나는 바로 이것에 대하여 생각한다.

и II (조) ...도, 지어, ...조차, ...까지도; и для него это трудно 그 사람에게도 이것은 힘들다.; не могу и поду-мать об этом 이것은 생각조차 할 수 없다.

Иак (послание Якова, 5장, 169쪽) 야고보서(야고보의 편지(— 便紙, Letter of James)

ибо (접) 왜냐하면, ...때문에

ива (여) 버드나무, 버들; плакучая ~ 수양버들

ивняк (남) 버드나무숲

иволга (여) (조류) 꾀꼬리

игла (여) ① 바늘, 침(針); швейная ~ 재봉바늘 ② 바늘잎 (침엽); сосновые иглы 솔잎 ③ 가시

иглотерапия(여) (의학) 침술, 침료법

иглоукалывание см. иглотерапия

игнорировать (미완) 무시하다, 홀시(忽視)하다, 도외시하다, 얕잡아보다

иго (중) 기반, 멍에

иголка(여) см. игла; вдевать нитку в ~у 바늘에 실을 꿰다; сидеть как на ~ах 바늘방석에 안자있는 듯하다

иголочка (여): костюм с ~и 방금 지은 양복, 옷

игольный (형): ~ое ушко 바늘귀

игра (여) ① 놀음, 놀이, 유희(遊戲), 장난; азартная ~ 노름; ~ с огнём 불장난 ② 연주, 연기; ~ на скрипке 바이올린 연주 ③ 경기(競技), 구기(球技), 시합(試合); футбольная ~ 축구경기; вне игры 공격 어김; ~ слов 말장난; ~ воображения 헛된 생각; ~ не стоит свеч 헛수고다, 수지가 맞지 않는다

играть (미완) ① 놀다, 장난하다, 유희하다; ~ в футбол 축구를 하다; ~ в ша-хматы 장기를 놀다 ② 연주하다, 연기하다; ~ на рояле 피아노를 치다 (타다); ~ первую. скрипку 주요인물로 나서다, 주도적 역할을 하다; ~ на руку кому ...에게 유리하다(도움이 되다); ~ с огнём 불장난을 하다

игривый (형) 놀기 좋아하는, 들뜬, 발랑거리는, 장난을 즐기는

игрок (남) ① 노름꾼, 도박꾼 ② 선수(先手); запасной ~ 후보 선수

игрушечный(형) 놀이감; ~ое ружьё 놀이감총 ② 놀이감 같은, 매우 작은

игрушка (여) ① 놀이감, 완구(玩具) ② 농락물

идеал(남) ① 이상(理想) ② 모범(模範)

идеализация (여) 이상화(理想化)
идеализировать (미완) 이상화하다
идеализм(남) ① 관념론(觀念論), 유심론(唯心論) ② 이상화(理想化), 이상주의
идеалист (남) ① 관념론자, 유심론자 ② 이상주의자, 공상가(空想家)
идеально (부) 이상적으로, 완벽하게, 훌륭히
идеальный (형) 이상적인, 완벽한, 나무랄데 없는
идейно-воспитательный (형) 사상교양(思想敎養)
идейно-политический (형) 정치사상적인(政治思想的-)
идейный (형) 사상적인, 사상(思想), 이념(理念); ~ое воспитание 사상교양
идентичный (형) 동일한, 똑같은, 일치하는
идеолог (남) 사상가(思想家), (어떤 사상의) 대변자(代辯者)
идеологический (형) 사상적(思想的)인; ~ая война 사상전
идеология (여) 사상(思想)
идея (여) ① 사상, 이념, 관념 ② 생각
идиома (여) 관용어(慣用語), 관용구
идиот (남) ① 바보, 백치(白痴), 천치(天痴) ② (욕설) 반편(半偏), 머저리
идиотизм(남) 백치, 천치, 어리석은 것
идол (남) 우상(偶像)
идти (미완) ① 가다, 오다;~ пешком 걸어가다; поезд идёт до Москвы 기차가 모스크바까지 간다. ② 늘어지다, 뻗어가다, 펴지다; дорога идёт в лес 길은 숲 속으로 뻗어있다 ③ 나오다, 흐르다; кровь идёт из раны 비가 상처에서 흐른다. ④ 지나가다, 진행되다, ...중이다; время идёт быстро 시간이 빨리 지나간다.; идут переговоры 회담이 진행되고 있다; дела идут успешно 일이 잘 되어 간다.; идут занятия 수업시간중이다 ⑤ 쓰이다, 필요하다; на это идет много времени 이 일에는 많은 시간이 걸린다. ⑥ 맞다, 어울리다; шляпа вам идёт 모자는 당신에게 잘 어울린다. ⑦ (시계가) 가다 ⑧ 상영되다, 공연되다; что сегодня идёт? 오늘이 무엇이 상연됩니까? ⑨ (비, 눈 등이) 오다, 내리다 дождь идёт 비가 온다.; идёт! 좋다!;~ впрок 이롭다, 도움이 되다; ~ ко дну 갈아 앉다, 침몰하다; идти по чьим стопам ...의 뒤를 따라가다; ему идёт третий год 그는 세살이 잡힌다.; ~ вногу 1) с кем ...의 발(을) 맞추어가다; 2) с чем ...의 흐름에 따라 나가다; ~ против кого ...를 반대하여 나서다; ~ на убыль 줄어들다, 감소되다, 떨어지다; ничего в голову не идёт 아무 생각이 나지 않는다.; о чём идёт речь? 무엇이 논의 됩니까? 무슨 문제가 이야기되고 있습니까?;~ на всё 무엇이나 다하다, 아무것이나 다하다
иена(여)(일본 화폐단위;en ¥)엔([円])
Иез (Книга Пророка Иезекииля, 48장, 803 쪽) 에스겔(에제키엘[The Book of Ezekiel]: The Prophecy of Ezechiel이라고도 함.
Иер(Книга Пророка Иеремии, 52장, 735 쪽) 예레미야(Book of Jeremiah: Prophecy of Jeremias라고도 함
иероглиф (남): китайский ~ 한자
иждивенец (남) 부양가족, 식구
иждивение (중) 부양; быть на чьём ~и ...의 부양을 받다
из (전) (+ 생) ① ...로부터, ...에서; он приехал из Кореи 그는 한국에서 왔다; пить из стакана 컵으로 마시다; исходить из того, что ...으로부터 출발하다 ② ...로 (으로) 만든(구성된); из

железа 철로 만든 ③ (출신 등을 나타냄); из кре- стьян 농민출신 ④ ... 중, ...가운데; один из них 그들 중 하나; лучший из всех 그 중에서 가장 좋은 ⑤ ... 때문에, ...로 인하여; из страха 공포 때문에, 무서워서; изо всех сил 힘껏, 힘을 다 내여; выходить из себя 몹시 성을 내다, 자제력을 잃다; выбиваться из сил 기진맥진하다; из рук вон плохо 매우 나쁘다, 아주 서툴다

изба (여) 농가(農家), 촌집

избавить(ся)(완)*см.* избавлять(ся)

избавление (중) 구출(救出), 구원(救援), 해방(解放)

избавлять (미완) 면하게 하다, 구원(구출)하다, 해방시키다;~ от опасности 위험에서 벗어나게 하다 (구출하다)

избавляться (미완) 구원되다, 구출되다, 벗어나다, 빠져나오다, 해방되다; ~ от плохой привычки 나쁜 버릇을 고치다; ~ от смерти 죽음을 면하다; ~ от оп-асности 위험에서 벗어나다

избалованный(형) 어리광부리는, 버릇이 궂은;~ребёнок 응석동이, 응석꾸러기

избаловать (완) *см.* баловать

избегать,(완) **избегнуть** (완) ① *кого* 피하다, 회피하다; ~ знакомых 아는 사람을 피하다; ② *чего* 구원되다, 빠져나오다, 면하다, 모면하다; ~ ответственности 책임을 피하다 (회피하다); ~ опасности 위험을 면하다

избежание (중): во ~ чего ...를 피하기 위하여

избежать (완) *см.* избегать

избивать (미완) 때리다, 구다 하다

избиение (중) ① 구타, 때리는 것 ② 학살(虐殺); массовое ~ 대중적 학살

избиратель(남) 선거자(選擧者), 유권자

избирательный (형) 선거(選擧);~ый участок 선거분구; ~ая кампания 선거운동

избирать (미완) *см.* выбирать

избитый ① избивать 의 피동과거 ② (형) 진부한, 케케묵은, 평범한; ~ое выражение 케케묵은 말

избить (미완) *см.* избивать

избороздить (완) *см.* бороздить

избрание (중) 당선(當選), 선택, 선거

избранник (남), ~ца (여) 당선자(當選者), 선거 받은 사람

избранный(형) ① 피선된(被選-), 당선된; ~ый депутат 당선된 대의원; ② 선출된, 선정된, 골라낸; ~ые произведения 선집 ③ 우수한

избыток (남) 나머지, 여분, 잉여(剩餘) с ~ком 충분히, 여유 있게, 남을 만큼 넉넉히

изваяние (중) 조각(組閣), 소상(小像)

изведать (완) 겪다, 체험하다, 느끼다, 맛보다; ~ горе 슬픔을 맛보다; всё ~ 쓴맛, 단맛 다 보다

изверг (남) 귀축, 살인귀

извергать (미완), **извергнуть** (완) 내뿜다, 분출하다; ~ ругательства 욕설을 퍼붓다

извержение (중) 분출(噴出), 분화(噴火); ~ вулкана 화산의 분화

извернуться *см.* изворачиваться

извести (완)*см.* изводить

известие (중) ① 통지(通知), 통신(通信), 보도(報道), 소식; последние ~я (방송에서) 보도 ② (복수) ~я (정기간행물의 명칭) 학보(學報), 통보(通報)

известить (완) *см.* извещать

извёстка (여) *см.* известь

известковый (형) 석회(石灰), 석회질(石灰質); ~ый раствор 석회용액

известно ① (술어로) 알려져 있다; как ~ 아는바와 같이 ② (삽입어) 물

론

известность (여) ①: ставить в ~ь 알리다, 통지하다 ② 명성(名聲), 인기(引氣); пользоваться ~ью 유명하다

известный (형) ① 아는, 알려진 ② 이름난, 명성이 높은 ③ 일정한, 어느 정도의; в ~ый час 일정한 시각에; в ~ых случаях 어떤 경우에는

известняк(남) 석회석(石灰石), 석회암

известь (여) 석회(石灰); гашёная(негашёная) ~ 소(생)석회

извещать (미완) 알려주다, 공시하다, 통지하다, 통보하다

извещение (중) 알림, 통고(通告), 통보(通報), 통지서(通知書)

извиваться (미완) 구불거리다, 구부러지다, 구불구불해지다, 굽이쳐가다

извилина (여) 굽이, 굴곡(屈曲), 만곡(彎曲), 굽은 것; ~ы мозга 뇌습

извилистый(형) 구불구불한, 굴곡이 많은; ~ая дорога 구불구불한 길

извинение (중) ① 용서(容恕), 사죄(赦罪); просить ~я см. извиняться ② 변명(辨明), 구실(口實)

извиниться (완) см. извянять(ся)

извинять (미완) ① 용서하다; ~ите!(완) 용서하십시오! 미안합니다. ~ите за опоздание 늦게와서 미안합니다.; ~ите за беспокойство 폐를 끼쳐 미안합니다. ② 변명하다

извиняться (미완) 용서를 빌다, 사과하다; ~итесь за меня 내대신에 미안하다는 말을 하시오.

извлекать (미완) ① 끄집어내다, 뽑아내다, 꺼내다; ~ пользу 이익을 짜내다 ② 얻어내다, 받다; ~ урок 교훈을 찾다; ~ корень (수학) 뿌리를 구하다

извлечение (중) ① 꺼내기, 뽑아내기, 빼어내기; ~ корня (수학) 개방법 ② 인용(引用), 발취(拔取)

извлечь (완) см. извлекать

извне (부) 밖으로부터, 외부로부터

изводить (미완) ① 써버리다, 소비하다, 잡아먹다 ② 못살게 굴다, 몹시 괴롭히다, 뒤볶다, 시달리게 하다

извозчик(남)마차군, 마부(馬夫), 마차

изворачиваться (미완) ① 몸을 돌리다, (재빠르게) 빠져나가다 ② 모면하다, 능갈치다

изворотливый (형) ① 날쎈, 민첩한, 재빠른 ② 솜씨 있는, 잘 둘러맞추는

извратить(완), **извращать**(미완) 외곡하다, 곡해하다, 위조하다; ~ факты 사실을 외곡하다

извращение (중) ① 외곡(하는 것), 곡해(曲解), 위조(僞造) ② 기형성, 퇴화

извращённый (형) ① 외곡된, 곡해된 ② 비정성적인, 퇴화한

изгадить (완) см. гадить

изгиб (남) 굽이, 굴곡, 구부러진 것

изгибать (미완) 굽히다, 구부러뜨리다, 휘다

изгибаться (미완) 구부러지다, 굽혀지다, 휘어지다, 휘청거리다

изгладиться (미완): ~ из памяти 기억에서 사라지다 (지워지다)

изгнание (중) 추방(追放), 축출(逐出), 유형(流刑); жить в ~и 추방되어 생활하다, 유형살이를 하다

изгнанник (남) 추방된 사람

изгнать (완) см. изгонять

изголовье(중) 머리맡, 베개머리; сидеть у ~я 머리맡에 앉다

изгонять (미완) 내쫓다, 몰아내다, 추방하다, 축출하다

изгородь (여) 울타리, 바자;обносить ~ю 울타리(바자)로 둘러막다

изготавливать(미완),**изготовить** (완) 만들다, 제작(製作)하다, 생산(生産)하다, 제조(製造)하다, 짜내다

изготовитель(남) 제조자(製造者), 생산자; завод - (제품을) 생산해낸 공장

изготовление (중) 생산, 제조(製造)

издавать (미완) ① 출판하다, 발간하다; ~ журнал 잡지를 발간하다 ② (법령 등을) 발포(公布)하다;~ приказ 명령을 내리다 ③ (냄새 등을) 풍기다, 내다

издавна (부) 오래전부터, 옛적부터

издалека, издали (부) 멀리에서, 먼 곳에서; приезжать ~ 먼 곳에서 오다; начинать ~ 돌려서 말하다

издание (중) ① 발행(發行), 발간(發刊), 발포(發布), 공포(公布) ② 간행물(刊行物), 출판물(出版物); первое ~ 초판; иновое ~ 신판(新版), 새판; исправленное и дополненное 개정증보판; периодичес-кое ~ 정기간행물(定期刊行物)

издатель (남) ① 발행자(發行者), 출판업자(出版業者) ② 발행(發行)

издательство (중) 출판사(出版社);~ (газеты);~ "Правда" "쁘라우다" 신문사

издать (완) *см.* издавать

издевательский (형) 놀려주는, 조롱하는, 비꼬는

издевательство (중) 놀림, 조소(嘲笑), 조롱; подвергаться ~ам 조소를 받다

издеваться (미완) 놀려주다, 조소하다, 조롱하다

изделие (중) 제품(製品), 제조품(製造品), 생산품(生産品);готовое ~ 기성품

издержать (완) 써버리다, 소비하다, 잡아먹다

издержки (복수) 비용(費用), 경비(經費), 지출(支出); ~ производства 생산비; судебные ~ 소송비용

издыхание (중): при последнем ~и 숨을 거둘 때에, 임종할 때에

изжарить(ся) (완) *см.* жарить(ся)

изживать (미완), **изжить** (완) 없애버리다, 제거(除去)하다, 근절(根絶)하다; ~ недостатки 결함을 퇴치하다

изжога (여) 가슴쓰리기

из-за (전) (+ 생) ① ...의 뒤로부터, ... 뒤에서(부터); ~ двери 문 뒤에서; ~ границы 해외에서 ② ... 때문에, ...로 말미암아, ...로 인하여, ...탓으로; ~ дождя 비 때문에; я задержался ~ вас 당신 때문에 지체하였다

излагать (미완) 진술(서술)하다, 설명하다, 말하다; ~ своё мнение 자기 의견을 말하다

излечение (중) 완치(完治), 완쾌(完快), 회복(回復); находиться на ~и 치료를 받고 있다

излечимый (형) 완치할 수 있는, 고칠 수 있는, 치료할 수 있는

изливать (미완), **излить** (완) 털어놓다, 표명하다, 토로하다; ~ душу 심정을 털어놓다, 가슴을 헤쳐 놓다; ~ гнев на *кого* ...에게 성을 내다

изливаться(미완) 마음속을 털어놓다

излишек (남) 여분(餘分), 과잉(過剩), 잉여(剩餘), 나머지; с излишком 남음이 있다, 여분으로, 필요이상으로

излишество (중) 지나침, 과도(過度)

излишне (부) ① 지나치게, 너무 ② (술어로); ~ и говорить об этом 이에 대하여 말할 필요도 없다

излишний (형) ① 지나친, 과도한, 과분한; ~яя осторожность 지나친 조심성 ② 쓸데없는, 필요 없는

изложение(중) 진술(陳述), 서술(敍述), 설명(說明); краткое ~ 간단한 설명

изложить (완) *см.* излагать

излом (남) ① 꺾인 곳 ② 굽어진 부분, 굽이진 곳, 굽이굽이

изломать (완) ① 부수다, 마사뜨리다, 못쓰게 만들다, 파손하다; ~ игрушку 놀이감을 망그러뜨리다 ② 망쳐놓다, 찌그러뜨리다

излучать (미완) (열, 빛 등을) 방사하다; ~ свет 빛을 내다
излучение (중) 방사, 방출, 발산(發散)
излучина (여) 굽인 돌이, 굴곡(屈曲); ~ реки 강굽이
излюбленный (형) 제일(第一) 좋아하는, 즐겨 쓰는, 애용(愛用)하는, 버릇된; ~ое средство 상투적 수단
измазать (완) см. мазать
измазаться (완) см. мазаться
измельчить (완) см. мельчить
измена (여) 배신, 반역, 배반, 변절
изменение (중) ① 변화, 변경, 변동; ~е погоды 날씨의 변동 ② 수정(修正); вносить ~я во что ...에 수정을 가하다
изменить(ся)(완) см. изменять(ся)
изменник (남) 반역자, 배반자(背反者), 변절자; ~ родины 매국노, 반역자
изменчивость (여) 변하기 쉬운 것, 가변성(可變性), 변덕(變德), (생물) 변이성(變異性)
изменчивый (형) 변하기 쉬운, 변덕스러운 ; ~ая погода 변덕스러운 날씨
изменять I (미완) 변화시키다, 변경하다, 다르게 하다
изменять II (미완) 변절(배반, 배신)하다; ~ своему слову 자기 말(약속)을 어기다; ~ себе 자기 자신을 거역하다
изменяться (미완) 달라지다, 변하다, 변화되다
измерение (중) ① 재기(再起), 측정(測定), 측량(測量) ② (수학) 차원
измерить (완), **измерять** (미완) см. мерить
измождённый(형) 녹작지근한, 초췌한, 쇠약해진; ~ вид 극도로 지친 모양
изморозь (여) 성에, 서리
изморось(여) 이슬비, 는개(비), 안개비
измотать(ся) (완) 쇠약해지다
измученный (형) 시달린, 피로한, 기진맥진한, 괴로운
измучить (완) ① см. мучить ② 피로하게 하다, 시달리게 하다, 기진맥진하게 만들다
измучиться (완) ① см. мучиться ② 피로하다, 기진맥진해지다, 시달리다
измышление (중) 날조(捏造), 허위
измышлять (미완) 지어내다, 꾸며내다, 날조하다
измятый (형) 구겨진, 구깃구깃한, 쭈글쭈글한
измять (완) см. мять
изнанка (여) ① (천, 옷 등의) 안, 뒤면 ② 리면; ~ событий 사건의 이면
изнасилование (중) 강간(强姦)
изнасиловать(완) см. насиловать
изнашивать (미완) (신발, 옷 등을) 해어뜨리다, 쳐뜨리다; ~ платье 옷을 해어뜨리다
изнашиваться (미완) 해지다, 헐다, 모자라지다, 마모되다
изнеженный(형)안온한, 나약한, 연약한
изнемогать (미완) 힘이 진하다, 맥이 빠지다, 허탈하다;~от жары 더워서 지치다
изнеможение (중) 극도의 피곤, 맥이 진한 것, 쇠약; в ~и 맥이 빠져서, 기진맥진하여
износ(남) (기계 등의) 마모 не знать ~у(~а) 오래 견디다 (헐어지지 않다)
износить(ся) см. изнашивать(ся)
изношенный (형) 해진, 허름한, 달아 떨어진, 마모된; ~ая одежда 넝마
изнурительный (형) 아주 고된, 고달픈, 기진맥진케 하는, 괴로운;~ый труд 고된 노동; ~ая болезнь 모진 병, 골병
изнурить (완), **изнурять** (미완) 맥이 빠지게 하다, 피로케 하다, 몹시 괴롭히다

изнутри (부) 안에서, 내부로부터; запи-рать ~ 안으로 잠그다

изнывать (미완) 몹시 시달리다, 신음하다, 몹시 괴로워하다;~ в ожидании 기다리는데 지치다

изо (전) *см*. из

изобилие (중) 다량(多量), 풍족한 것; ~ товаров 풍족한 상품

изобиловать (미완) 많이 있다, 풍부하게 있다; озеро ~ует рыбой 호수에는 물고기가 많다

изобильный (형) 풍족한, 유족한, 넉넉한; ~ая растительность 풍부한 식물

изобличать (미완) 드러내다, 밝혀내다, 폭로하다, 실증하다

изобличение (중) 폭로, 적발(摘發)

изобличить (완) *см*. изобличать

изображать (미완) ① 묘사하다, 그리다, 형상하다 ② 나타내다, 표현하다; его лицо ~зило удивление 그의 얼굴은 놀라움을 나타냈다 (그의 얼굴에는 놀라움이 비꼈다)

изображение (중) ① 묘사(描寫), 그림 ② (문학) 형상(形象)

изобразительный (형) 형상적인, 조형의, 묘사의; ~ое искусство 조형 예술

изобразить (미완) *см*. изображать

изобрести (미완) *см*. изобретать

изобретатель (남) 발명가, 고안자

изобретательный (형) 발명가적기질이 있는

изобретательство (중) 발명(發明), 고안, 발명가의 활동(活動)

изобретать (미완) 발명하다, 고안(창안)하다, 생각해내다

изобретение (중) ① 발명(發明), 고안 (考案) ② 발명품(發明品)

изогнутый (형) 구부러진, 휜, 굽은, 구불구불한

изогнуть(ся)(완) *см*. изгибать(ся)

изодранный (형) 찢어진, 해진, 너덜너덜한

изолировать (미완, 완) ① 고립(격리)시키다, 분리하다 ② (전기) 절연하다, 피복을 하다

изолятор (남) ① (병원에서) 격리실 ② 절연체, 뚱딴지 (애자)

изоляция (여) ① 고립(孤立), 격리(隔離), 절연 ② (전기) 절연체, 절연물

изорвать (완) *см*. рвать I

изотоп(남) (화학) 동위원소(同位元素)

изощрённый (형) 예민한, 정교한, 섬세한(纖細-); ~ый вкус 섬세한 취미;~ая пытка 잔인한 고문

из-под (전) (+생) ① 밑으로부터, 밑에서; вылезать ~ стола 상 밑에서 기여 나오다② (...을 넣었던): бутылка ~ молока 우유병; банка ~ консервов 통조림통

Израиль (남) 이스라엘

израсходовать (완) *см*. расходовать 다 쓰다 (써버리나), 탕진(소비)차다, 잡아먹다

изредка (부) 드문드문, 이따금, 때때로; ~ выходить на улицу 가끔 바깥에 나오다

изрезать (완) ① 조각조각 베다 (자르다), 토막 치다, 자박자박 썰다 ②: ~ стол ножом 책상에 많은 칼자리를 내다

изрекать (미완) 말을 내다, 말하다

изречение(중) 격언(格言), 명언(名言)

изречь (완) *см*. изрекать

изрешетить (완) 온통 구멍을 내다; ~ пулями 총알로 쏘아 벌집처럼 만들다

изрубить (완) *см*. рубить

изругать (완) *см*. ругать

изрыгать (미완): ~ огонь 불을 뿜다; ~ ругательства 욕설을 퍼붓다

изрытый (형): ~ оспой 몹시 얽은

изрыть (완) 마구 파헤지다, 구덩이 투성이로 만들다
изрядно (부) ① 몹시, 상당히: ② 썩, 잘
изрядный (형) 상당한, 꽤 많은, 대단한
изуверский (형) 잔인한, 야수적인, 잔혹한
изувечить (완) см. увечить
изумительный (형) 놀랄만한, 경탄할만한, 매혹적인
изумить(ся) (완) см. изумлять(ся)
изумление (중) 놀라움, 경탄(敬憚); приводить в ~ см. изумлять; с ~ем 경탄하여, 놀라서
изумлять (미완) 놀라게 하다, 경탄케 하다
изумляться (미완) 놀라다, 경탄하다
изумруд (남) 녹주석, 녹보석
изучать (미완) 배우다, 연구하다, 학습하다
изучение (중) 연구(研究), 학습(學習)
изучить (완) см. изучать
изъездить (완) (타고) 돌아다니다; ~ всю страну 온 나라를 돌아다니다
изъявительный (형):~ое наклонение (언어) 직설법
изъявить (완), **изъявлять** (미완) 표명(표현)하다, 표시하다; ~ своё согласие 동의를 표하다
изъян (남) 결점(缺點), 흠집
изъятие (중) 몰수, 징발, 제거(除去), 제외; всё без ~я 제외 없이 모두
изъять (완), **изымать** (미완) 몰수하다, 징발하다, 삭제하다, 제외하다; ~ из обращения 유통을 막다 (금지하다)
изыскание (중) 탐구(探究), 탐색(探索), 연구(硏究); геологические ~я 지질탐사; проводить ~я 탐사를 진행하다
изысканный (형) 세련된, 고상한, 청

아한; ~ вкус 고상한 취미; ~ наряд 우아한 (우미한) 차림새
изыскатель (남) 탐구자(探究者), 탐사지(探査地), 답사지(踏査地)
изыскать (완), **изыскивать** (미완) 찾아내다, 얻어내다, 탐색하다, 탐구하다
изюм (남) 마른 포도, 건포도
изящество (중) 우아한 것, 아릿다움
изящный (형) 우아한, 아릿다운, 정갈한; ~ слог 우아한 말씨; ~ почерк 미끈하게 쓴 글씨
икать (미완), **икнуть** (완) 딸꾹거리다, 딸꾹질하다
икона (여) 성상
икота (여) 딸꾹질
икра I (여) 물고기알; метать ~у 알을 쏠다(낳다)
икра II (여), икры 장딴지, 종아리
икрометание (중) 알 낳이, 산란(産卵)
икс (남) (수학) 미지수, 엑스, 가위표
ил (남) 감탕
или (접) ① 혹은, 또는; исегодня или завтра 오늘이나 내일 ② 정말, 과연; ~ ты не знал об этом? 네가 정말 이것을 모른단 말이냐? ③ 그렇지 않으면, 그렇지 않은 경우에; я должен сегодня это закончить, ил завтра придётся начать всё сначала 나는 이것을 오늘 해내야 한다, 그렇지 않으면 내일 모든 것을 다시 시작하게 될 것이다; более ~ менее 일정한 정도로, 얼마간, 많건 적건, 많든 적든 간에
иллюзия (여) 착각, 환각
иллюминатор (남) (배 등에서) 선창
иллюминация (여) 전광장식; устраива-ть ~ю 전광장식을 하다
иллюстрация (여) ① 그림, 삽화(挿畵) ② 실례(實例)
иллюстрировать (미완, 완) ① 그림을 그리다, 삽화를 넣다 ② 예증하다

им *см.* он, оно (조), они (여)
имение (중) 저택(邸宅)
именинник (남), **~ца** (여) 명명 일을 맞는 사람
именины (복수) ① 명명일 ② 명명일 잔치
именительный (형): ~ падеж (언어) 주격(主格)
именно (조) 바로; вот ~! 바로 그렇다! ~ это 그것이야말로, 바로 이것
именной(형) 이름이 적혀있는;~список 명단(名單), 명부(名簿)
именованный (형): ~ое число (수학) 이름수, 명수
иметь (미완) 가지다, 소유(所有)하다; ~ право 권리를 가지다; ~ дело с кем-чем ...와 상대하다, ...와 관계를 가지다; ~место 있다, 생기다, 일어나다; ничего не ~ против 반대 없다; ~ значение 의미하다, 의의가 있다; ~ склонность 경향성을 띠다 (가지다)
иметься (미완) 있다
имеющийся (형) 있는, 기존, 현존; ~ееся оборудование 있는(현존) 설비
ими *см.* они
имитация (여) ① 모방(模倣), 모조(模造), 흉내 ② 위조물(僞造物), 모조물
имитировать (미완) 모방하다, 모조하다, 흉내 내다.
иммигрант (남),**~ка** (여) 이주민, 이주해 온 외국인
иммиграция (여) 외국인의 이주
иммигрировать (미완, 완) (외국에) 이주하다
иммунитет (남) ① 면역(免疫), 면역성(免疫性), 저항력(抵抗力); врождённый ~ 선천적면역성 ② 특전(特典), 특권(特權); дипломатический ~ 외교관의 법적특권, 외교특권
император (남) 황제(皇帝), 제왕(帝王), 군주(君主)
империализм (남) 제국주의(帝國主義)
империалист (남) 제국주의자
империалистический (형) 제국주의적인, 제국주의; ~ое окружение 제국주의적 포위; ~ая война 제국주의 전쟁; ~ие страны 제국주의 나라들
империя (여) 제국(帝國)
импонировать (미완) 마음에 들게 하다, 좋은 인상을 주다
импорт (남) 수입(輸入, 收入)
импортировать (미완, 완) 수입하다
импортный (형) 수입; ~ые товары 수입품(輸入品)
импрессионизм(남)인상주의(印象主義)
импровизация (여) 즉흥 (창작), 즉흥 작품, 즉흥곡, 즉흥시(卽興詩)
импровизированный (형) 즉흥적으로 만든 (창작한), 즉흥적(卽興的)인
импровизировать (미완, 완) 즉흥적으로 창작하다, 간단히 차리다 (만들다)
импульс (남) ① (물리) 임풀스 ② 충동(衝動), 충격(衝擊), 자극(磁極)
имущество (중) 재산(財産), 소유물(所有物); домашнее ~ 살림살이, 가산; государственное ~ 국유재산(國有財産); движимое(недвижимое) ~ 동(부동)산
имущий (형) ①: ~ие классы 유산계급(층) ② (명사로); ~ие (복수) 유산자; власть ~ие 집권자들
имя (중) ① 이름; ~ и фамилия 성명; как твоё ~? 너의 이름은 뭐냐? знать по имени кого ...의 이름(성명)을 알다; дать ~ 이름을 달아 주다 (짓다) ② 명성; человек с именем 이름난 사람, 명성 있는 사람 ③ (언어) 체언(體言); ~ существительное 명사; во ~ чего ...를 위하여;от нашего имени 우리의 명의(名義; 이름)으로; Государственная

библиотека имени Ленина 국립레닌명칭도서관;под чужим именем 변명으로, 본명을 감추고

Ин (Евангелия от Иоанна, 21장, 100쪽) 요한복음(요한의 복음서(-福音書), Gospel According to John)

1 Ин (Первое послание Иоанна, 5장, 180쪽) 요한일서(요한의 첫째 편지 letters of John)

2 Ин (Второе послание Иоанна, 1장, 184쪽) 요한이서(요한의 둘째 편지)

3 Ин (Третье послание Иоанна, 1장, 185쪽) 요한삼서(요한의 셋째 편지)

иначе① (부) 다르게, 달리;~ говоря 달리 말하면 ② (접) 그렇지 않으면, 그렇지 않은 경우에는; так или ~ 하여튼, 하여간, 이렇든 저렇든; не ~ 틀림없다

инвалид (남) 노동능력상실자, 불구자 (不具者), 장애인, 병신; ~ войны 영예군인; ~ труда 노동 불구자

инвалидность(여)불구, 노동능력상실

инвентаризация (여) 재산목록작성(財産目錄作成), 비품목록작성

инвентарь (남) ① 비품(備品), 도구(道具), 재산; сельскохозяйственный ~ 농(기)구 ② 재산목록(財産目錄), 비품대장(備品臺帳); составить ~ 목록을 작성하다; живой ~ 부림 짐승; мёртвый ~ 논쟁기, 쟁기(기구, 도구, 운수수단 등)

инвестиция (여) 투자(投資)

ингаляция (여) 흡입(吸入), 흡인요법

индейка (여) 칠면조(七面鳥)

индейский (형) (미국) 인디언

индейцы (복수) (~еец (남),~ианка (여)) (미국) 인디안 사람(들)

индекс (남) (경제, 수학) 지수, 보임수

индивид (남) см. индивидуум

индивидуализм (남) 개인주의

индивидуалист (남) 개인주의자

индивидуальность (여) 개성(個性), 개성적 특성, 인격(人格)

индивидуальный (형) 개인적인, 개성적인; ~ое хозяйство 개인경리;~ый подход 개별적 취급

индивидуум(남) 개인, 개체, 어떤 사람

индийский (형) 인도(印度)

индийцы (복수) (~ец (남), ~анка(여)) 인도사람(들)

индикатор (남) ① (화학) 지시약(指示藥) ② (공학)기록계기, 지시계기, 화살표

индифферентный (형) 무관심한, 냉담한, 차가운.

Индия (여) 인도(印度)

Индокитай (남) 인도지나(印度支那)

индонезийский (형) 인도네시아의

индонезийцы(복수)(~ец (남),~йка (여)) 인도네시아사람(들)

Индонезия (여) 인도네시아(Indonesia)

индуктор (남) ① (물리, 전기) 감응기, 유전자(遺傳子), 유도자 ② (화학) 유도질

индукционный (형) (물리) 유도(誘導), 유전(流轉), 감응(기): ~ ток 감응전류, 감전전류

индукция (여) (물리) 감응(感應), 유도(誘導), 유도작용(誘導作用)

индустриализация (여) 공업화

индустриальный (형) 공업(工業), 산업(産業); ~ые страны 공업국가들

индустрия (여) 공업(工業); тяжёлая (лёгкая) ~ 중(경)공업

индюк (남) (수) 칠면조

индюшка (여) (암) 칠면조

иней(남) 서리;~ на стекле 서리꽃

инертность (여) ① (물리) 관성(慣性), 타성(他姓) ② 타성, 나태

инертный (형) ① (물리) 관성(타성)이 있는; ~ газ (화학) 불활성가스 ②

나태한, 게으른

инерция (여) ① (물리) 타성(他姓), 관성(慣性) ② 나태; по ~и 습관적으로, 무의식적으로

инженер (남) 기사(技士); главный ~ 기사장; ~ механик 기계기사;~ -строитель 건축기사

инженерно-технический (형) 기사-기수의; ~ие работники (ИТР) 기술자들

инженерный (형) 공학(工學), 기사(技士); ~ые войска 공병

инжир (남) 무화과, 무화과나무

инициалы (복수) 이름과 부칭의 첫자

инициатива (여) ① 창의(創意), 발기(勃起), 창발성; творческая ~ 창조적인 발기; проявлять ~y 발기하다, 창의성을 발휘하다 ② 주도권(主導權), 주동력; брать ~в в свои руки 주도권을 틀어쥐다 (장악하다); по ~е 창의에 의하여, 발기로

инициативный (형) 창발적인, 발기하는; ~ая группа 발기지 그룹

инициатор (남) 발기자(發起者), 제창자(提唱者), 주동자, 선구자(先驅者)

инкассатор (남) 현금 출납원

инкрустация (여) 무늬박이, 자개박이

инкубатор (남) 알깨우는 기구(실), 인공부화기, 세균배양이

инкубационный(형)~ период 잠복기

иногда(부) 때때로, 가끔, 이따금, 간간이

иногородний (형) ① 다른 도시의, 다른 도시에서 사는 (온, 가져온) ② (명사로) 다른 도시사람

иноземец (남) 외국인, 외국사람

иноземный (형) см. иностранный

иной (형) ① 다른; никто ~й 다른 사람이 아니라; не что ~е, как ...바로..., 다름 아닌...; по ~му 달리, 다르게 ② 어떤, 어느; ~й раз 어떤 때에

инородный (형): ~ое тело (의학) 이물(異物), 이체(異體)

иносказание (중) 풍유(諷諭), 비유(比喩), 결말, 말 바꿈법

иносказательный (형) 비유적인, 숨은 (다른) 뜻을 담고 있는

иностранец (남) 외국인, 외국사람

иностранный(형) ① 외국(外國); ~ый язык 외국어 ② 대외사업, 외무(外務); министерство ~ых дел 외교부(外交部), 외무성(外務省)

инспектирование (중) 시찰(視察), 검열(檢閱), 감독(監督)

инспектировать (미완) 시찰하다, 검사하다, 감독하다

инспектор (남) ① 시찰관(視察官), 검열원, 감독원(監督員) ② 교학(敎學)

инспекция (여) ① 감독국, 시찰기관 ② см. инспектирование

инспирировать (미완, 완) 부추기다, 사촉하다

инстанция (여) ① (재판) 상급(上級), 상급법원(上級法院); высшая ~ 대법원, 최종심판 ② (조직체계의) 매개급; низшая ~ 하급 (기관)

инстинкт (남) 본능(本能), 본성(本性)

инстинктивный (형) 본능적인

институт (남) 대학; научно-исследовательский ~ 연구소

инструктаж (남) 훈령(訓令), 훈시(訓示), 지령(指令)

инструктировать (미완, 완) 훈령(훈시)하다, 지시를 주다

инструктор (남) 지도원, 교관(敎官)

инструкция (여) 지도(指導), 지시(指示), 지도서(指導書), 지령서(指令書)

инструмент (남) ① 도구(道具), 공구(工具), 기구; хирургические ~ы 수술도구 ②: музыкальные ~ы 악기

инструментальный (형) ① 공구(기구) 제작용; ~ая сталь 공구강, 공구제

작용 강재; ~ый цех 공구지구직장 ② ; ~ая музыка 기악

инсулин (남)(의학) 인슐린

инсульт(남)(의학) 발작, 뇌출혈(腦出血)

инсценировать (미완, 완) ① 각색하다; ~ повесть 소설을 각색하다 ② 꾸며대다, ...체하다

интеграл (남)(수학) 적분(積分)

интегральный (형): ~ое уравнение 적분방정식

интеграция (여) ① (수학) 적분(積分), 적분법 ② 통합(統合), 집성(集成)

интегрировать (미완, 완) ① (수학) 적분하다 ② 집성하다

интеллект (남) 지성(知性), 지력(智力)

интеллектуальный (형) 이성적인, 지적인; ~ая работа 지적사업

интеллигент (남) 지식인(知識人)

интеллигентный (형) ① 인테리, 지식인 ② 인테리적인, 교양(敎養)있는

интеллигенция (여) ① 지식층(知識層), 인테리(들) ② (집합) 인테리계층

интендант (남)(군사) 후방일군

интенсивность(여)세기, 강도, 집약성

интенсивный (형) ① 긴장된, 강도가 높은 ② 집약적인; ~ое земледелие 집약농법

интенсификация (여) 집약화, 강화

интервал (남) ① 사이, 간격(間隔) ② 구간, 거리 ③ (음악) 음정(音程)

интервент (남)(무장) 간섭자, 강점자

интервенция (여) 간섭, 강점(强點); вооружённая ~ 무장(무력)간섭

интервью (중)(불변) 인터뷰, 회견(會見), 면담; тдавать ~ кому ...와 회견(면담)하다

интерес (남) ① 재미, 흥미(興味), 관심; с ~ом 흥미를 가지다; проявлять ~ 관심을 가지다; вызывать ~ 관심을 불러일으키다, 흥미를 자아내다 ② ~ы (복수) 이익, 이해관계; общность ~ов 이해관계의 공통성

интересный (형) 재미(흥미)있는

интересовать (미완) 흥미(관심, 주의)를 끌다; меня ~ует литература 나는 문학에 흥미를 가지고 있다

интересоваться (미완) кем-чем ...에 관심을 가지다, 흥미를 느끼다

интернат (남) 기숙학교, 특수학교

интернационал (남) ① 인터내셔널, 국제(공산)당 ② 인터내셔널 (노래)

интернационализм (남) 국제주의(國際主義); пролетарский ~ 프로레타리아 국제주의(國際主義)

интернациональный (형) 국제적인, 국제주의적인; ~ая помощь 국제주의적 원조; ~ долг 국제주의적 의무

интернировать (미완, 완) 구류(拘留)하다, 억류(抑留)하다

интерпритация (여) 해석(解釋), 설명

интимный (형) 친밀(친숙)한, 다정한; ~ разговор 허물없는 이야기

интоксикация (여)(의학) 중독(中毒)

интонация (여) 어조, 억양(抑揚)

интрига (여) 간계, 계략, 모략(謀略)

интриговать (미완) ① 흉책(모략)을 꾸미다, 계략을 짜다 ② 흥미(호기심)을 일으키다 (자아내다)

интуитивно (부) 직관적으로

интуиция (여) 직관, 직각(直覺)

инфаркт (남)(의학) 경색(梗塞)

инфекционный (형)(의학) 전염성(傳染性); ~ая болезнь 전염병, 돌림병

инфекция (여) 전염(傳染), 감염(感染)

инфинитив(남)(언어) (동사의) 비정형

инфляция (여) (경제) 통화팽창(通貨膨脹), 인플레이션(inflation)

информационный (형) 정보(情報), 통보(通報), 보도(報道); ~ое бюро 보도국(報道局), 정보국(情報局)

информация (여) 정보, 보도, 통지; средства массовой ~и 대중보도수단
информировать (미완, 완) 보도(報道)하다, 통보(通報)하다, 통지(通知)하다
инфракрасный (형): ~ые лучи (물리) 적외선(赤外線)
инцидент (남) 사건(事件), 충돌사전
инъекция (여) (의학) 주사
ион (남) (물리) 이온(ion)
ионизация (여) (물리) 이온화(ion 化), 전기해리
Иордания (여) 요르단(Jordan)
Иов (Книга Иова, 42장, 538 장) 욥기 (— 記, Book of Job)
Иоиль (Книга Пророка Иоиля, 3장, 886쪽) 요엘서(Book of Joel)
Иона (Книга Пророка Ионы, 4장, 897쪽) 요나서(jonah書)
ипподром (남) 경마장(競馬場)
иприт (남) (화학) 미란성가스(糜爛性 gas), 이프리트
Ирак (남) 이라크(Iraq)
иракский (형) 이라크의(Iraq)
Иран (남) 이란(Iran)
иранский 이란의(Iran)
иранцы (복수) (**~ец** (남), **~ка** (여)) 이란 사람(들)
ирис (남) (식물) 붓꽃
Ирландия (여) 아일랜드(Ireland)
ирландский (형) 아일랜드(Ireland)의
иронизировать (미완) 야유(揶揄)하다, 비꼬아 말하다, 풍자(諷刺)하다
иронический (형) 야유적인, 풍자적인; ~ тон 비양조
ирония(여) 비양(肥壤), 아이러니, 풍자
ирригационный (형) 관개(灌漑)의, 수리화(水理化); ~ая система 관개체계; ~ые сооружения 관개시설
ирригация (여) 관개(灌漑), 수리화
Ис(Книга Пророка Исайи, 66장, 680 쪽) 이사야(Book of IsaiahIsaias라고도 씀)
иск (남) 고소(告訴), 소송; предъявлять ~ кому ...에 대한 소송을 제기하다; во-збуждать ~ 소송을 걸다
искажать (미완) ① 외곡하다, 곡해하다 ② (얼굴을) 찡그러뜨리다, 어그러지게 하다
искажаться(미완) ① 외곡 되다, 곡해되다 ② (얼굴이) 찡그리다, 어그러지다
искажение(중) ① 외곡, 곡해 ② 틀림
искажённый (형) ① 외곡된 ② 찡그린, 찌그러뜨린
исказить(ся)(완) *см.* искажать(ся)
искалечить (완) *см.* калечить
искать (미완) ① 찾다, 찾아다니다, 구하다; ~ работу 일자리를 구하다 ② 탐색(모색)하다, 탐구하다
исключать (미완) ① 제외(제거)하다; ~ возможность чего ...의 가능성을 제거하다; ~из школы(института) 퇴학시키다 ② 제명하다, 삭제하다; ~ из списка 명단에서 빼버리다
исключение (중) ① 제외(除外), 제명(除名), 삭제(削除), 제거(除去);за ~ем 제외하고는 ② 예외(例外); в виде ~я 예외로서; нет правил без ~я 예외 없는 규칙은 없다; всё без ~я 깡그리
исключительно (부) 다만, 오직, 극히; ~ хорошо 아주 좋다; ~ важно 극히 중요하다
исключительный (형) ① 예외적인, 독특한, 출중한; ~ый случай 특별한 경우 ② 우수한, 아주 좋은; товар ~ого качества 특제품, 특등품
исключить (완) *см.* исключать
исковеркать (완) ① 못쓰게 만들다, 망치다 ② 외곡하다
исколесить (완) (타고 또는 걸어서) 돌아다니다; ~ весь город 온 도시를

- 199 -

돌아다니다

искомый (형): ~ое число (수학) 미지수(未知數)

исконный (형) 예로부터 내려오는, 고유한; ~ые земли 본래부터 있는 영토; ~ый житель 본토 배기, 토착주민

ископаемые (복수) 광물; полезные ~ 유용광물

искоренение(중) 근절(根絶), 숙청(熟淸), 퇴치(退治); ~ недостатков 결함의 퇴치

искоренить (완), **искоренять** (미완) 근절하다, 뿌리 뽑다, 숙청하다

искоса (부): смотреть ~ 곁눈 질하다, 흘끔흘끔 쳐다보다

искра (여) ① 불꽃 ② 서광(曙光), 섬광(閃光), 맹아; ~а надежды 희망의 섬광; у него ~ы из глаз посыпались 그의 눈에서 불이 번쩍하였다

искренне (부) 진정으로, 성심으로, 진실하게; говорить ~ 진정으로 말하다

искренний(형) 진심(충심)으로부터의 진정(진지)한, 성의 있는, 솔직한; ~яя помощь 지성어린 지원; ~яя благодарность 충심으로부터의 감사; ~ие чувства 진실한 감정

искренность (여) 진실성, 진정, 진심

искривить(ся) см. искривлять(ся)

искривление (중) ① 구부러진 곳, 비뚤어진 것, 굴곡부분 ② 왜곡(歪曲)

искривлять (미완) ① 굽히다, 구부러뜨리다, 비뚤이다 ② 찡그리다, 찡그러뜨리다

искривляться (미완) ① 구부러지다, 비뚤어지다 ② (얼굴이) 찡그러지다

искристый (형) 반짝거리는, 불꽃이 튀는, 거품이이는

искриться(미완)번쩍거리다, 반짝이다

искромсать (완) см. кромсать

искрошить (완) см. крошить

искупать I (완) (죄 등을) 씻다, 속죄하다; ~ свою вину чем ...으로 자기 죄를 씻다

искупать II (완) см. купать

искупить (완) см. искупать I

искупление (중) 갚음, 갚음을 하는 것, 속죄(贖罪)

искусать (완) см. кусать ①, ②

искусно (부) 솜씨 있게, 재치 있게, 능숙하게, 능란하게

искусный (형) 솜씨 있는, 재치 있는, 교묘한

искусственный (형) ① 인공적(人工的)인, 인조(人造); ~ое дыхание 인공호흡; ~ый спутник Земли 인공지구위성; ~ый зуб 만든 이, 틀이;~ шёлк 인견, 인조비단; ~ые цветы 조화 ② 꾸며낸, 가짜, 거짓; ~ый смех 헛(거짓)웃음

искусство (중) ① 예술(藝術), 예능(藝能), 아트(art); изобразительное ~о 조형예술; деятель ~а 예술가 ② 솜씨, 재간(才幹), 기술(技術);~о шитья 재봉기술; сделано с ~ом 능란하게 (재치 있게) 만들었다; из любви к ~y 사업에 대한 애착에서

искусствовед (남) 예술학자(藝術學者), 예술이론가(藝術理論家)

искусствоведение(중)예술학, 예술론

искушать (미완) 유혹하다 ~ судьбу 목숨을 내걸고 해보다

искушение (중) 유혹(誘惑), 꾀임, 욕망(慾望); поддаваться ~ю 유혹을 받다; вводить в ~е кого ...를 유혹하다; впадать в ~е 욕망에 사로잡히다

искушённый (형) 시련을 겪은 (이겨낸); ~ опытом 경험이 많은, 체험한; ~ в политике 정책에 능한

ислам (남) 이스람교(Islam敎), 회회교

Исламабад (남) 이슬라마바드

Исландия (여) 아이슬란드(Iceland)
Испания (여) 에스파냐(España)
испанцы (복수) (**~ец** (남), **~ка** (여)) 에스파냐사람(들)
испарение (중) ① 증발(蒸發), 기화(氣化) ② **~я** (복수) 수증기, 김, 증발물(蒸發物), 증발기체(蒸發氣體)
испарина (여) 땀기, 땀
испариться (완), **испаряться** (미완) ① 증발하다, 날아나다 ② 사라지다, 없어지다, 가버리다
испачкать(ся)(완) *см.* пачкать(ся)
испечь (완) *см.* печь II
испещрить (완), **испещрять** (미완) (반점, 표식 등으로) 얼룩지게 하다, 잔 글씨로 많이 써넣다; ~ книгу заметками 책에다 표식을 잔뜩 해두다
исписать (완), **исписывать** (미완) 가득 쓰다 (써넣다), 써버리다, 써서 없애다; ~ весь карандаш 연필이 다 닳도록 쓰다
исповедь (여) ① 고백(告白), 자백(自白) ② (종교) 참회(懺悔)
исподволь (부) 서서히, 조금씩, 점차적으로
исподлобья (부): смотреть ~ 눈을 치뜨고 보다, 아니꼽게 바라보다
исподтишка (부) 슬그머니, 슬며시, 몰래; действовать ~ 남몰래 행동하다
исполин (남) ① 거인(巨人), 장사(將士) ② 대가(大家), 거장(巨場)
исполком (남) *см.* исполнительный (комитет)
исполнение (중) ① 집행(執行), 실행(實行), 수행(修行); приводить в ~ 집행하다 ② 연기(演技), 연주(演奏)
исполнитель (남) ① 집행자, 실행자; судебный ~ (법률) 집행원, 집달리; ② 연기자, 연주가
исполнительный (형) ① 집행(執行),

실행(實行); ~ комитет 집행위원회 ② (사람에 대하여) 집행력이 강한, 부지런한
исполнить(ся) *см.* исполнять(ся)
исполнять (미완) ① 집행(수행, 실행)하다 ②: ~ обязанности 대리하다 ③ 연기(연주)하다; ~ танец 춤을 추다
исполняться (미완) ① 집행(수행, 실행, 실현)되다; желание исполнилось 소원이 성취 되었다 ② (나이가) 되다, 차다; ему исполнилось двадцать лет 그는 스무 살이다.; исполнилось уже десять лет 벌써 10년이 되었다
исполняющий; ~ обязанности 대리
использование (중) 쓰임, 이용(移用), 사용(私用), 용도(用度)
использовать (완) 쓰다, 써먹다, 이용(사용)하다, 적용하다
испортить(ся)(완) *см.* портить(ся)
испорченный (형) ① 못쓰게 된, 파손된 ② 부패한, 타락한 ③ 썩은
исправительно-трудовой : ~ые работы 교화노동; ~ая колония 교화소(敎化所)
исправительный (형) 교화(敎化), 시정(是正); ~ые меры 시정대책
исправить(ся) *см.* исправлять(ся)
исправление (중) ① 수정(修正), 정정(呈政), 교정(校定); вносить ~я 정정(수정)하다 ② 수리
исправлять (미완) ① 고치다, 바로잡다, 수정(시정)하다, 교정(정정)하다;~ошибку 오유를 시정하다 ② 수리하다
исправляться (미완) 고쳐지다, 시정되다, 수정되다
исправность (여) 결함(고장)이 없는 것; быть в ~и 고장이 없다, 정상상태에 있다
исправный (형) 고장(결함)이 없는, 정연한, 정상상태에 있는
испражнения (복수) 대변, 똥

испражняться (미완) 변을 보다
испробовать (완) см. пробовать
испуг (남) 놀라움, 혼줄; в ~е; с ~а 놀라서, 혼이 나서, 겁을 먹고
испуганно (부) 놀라서, 겁에 질려
испугать(ся) (완) см. пугать(ся)
испускать (미완), **испустить** (완) 내다, 내뿜다, 발산하다; ~ запах 냄새를 뿜다 (풍기다); ~ дух 숨을 거두다, 숨이 지다 (넘어가다, 끊어지다)
испытание (중) ① 시험(試驗), 실험(實驗) ② 시련(試鍊); подвергаться ~ям 시련을 겪다
испытанный (형) ① 세련된, 시련(試鍊)을 겪은 ② 경험 많은, 믿음직한; ~ое средство 믿음직한 수단; ~ый принцип 검증된 원칙
испытатель (남) 시험관(試驗官), 실험자; лётчик-испытатель 시험비행사
испытательный (형) 시험(試驗), 실험(實驗); ~ полёт 시험비행; ~ срок 견습기간, 시험기간
испытать (완), **испытывать** (미완) ① 시험(실험)하다 ② 겪다, 맛보다, 체험(체득)하다, 느끼다; ~ нужду 곤궁을 겪다; ~ ра- дость 기쁨을 느끼다
исследование (중) ① 연구(硏究), 탐구(探究), 답사(踏査), 탐사(探査) ② 과학적 저작, 과학적 저술, 연구논문
исследователь (남) 연구자(硏究者), 탐구자(探究者), 학자(學者)
исследовательский (형) 연구(硏究), 탐구(探究); ~ая работа 연구사업
исследовать (미완, 완) ① 연구하다, 탐구하다, 답사(踏査)하다, 조사하다 ②: ~ больного 환자를 진찰하다
исступление (중) 미칠 듯한 지경, 광란; приходить в ~ 미친 듯이 마구 날뛰다, 광란하다
иссякать (미완), **иссякнуть** (완) 소모되다, 고갈되다, 떨어지다, 진하다; ручей иссяк 개울바닥이 말라버렸다
истекать (미완) ① (시간, 기한이) 끝나다, 차다, 만료되다 ② 흘러나오다 ~ кр-овью 피를 많이 흘리다
истекший (형) 지난, 과거; ~ год 지난해, 작년; за ~ период 지난 기간에
истерика (여) 히스테리; впадать в ~у; закатывать ~у 히스테리를 부리다
истеричный (형) 히스테리에 걸린, 히스테리적인, 발광적인
истерия (여) ① (의학) 히스테리 ② 발광적인 (광식적인) 행동; военная ~ 전쟁광, 전쟁히스테리
истец (남) (법률) 원고(原告), 고소인
истечение (중): ~ срока 만료, 만기; по ~и месяца 한 달이 지난 후
истечь (완) см. истекать
истина (여) 진리(眞理), 진실(眞實), 사실(事實); объективная ~ 객관적 진리; голая ~ 적나라한 사실
истинный (형) ① 진실(眞實), 사실(事實); ~ое положение вещей 실태, 현실 ② 진정한, 진리의, 참다운, 참된; ~ый друг 진정한 벗
истлевать (미완), **истлеть** (완) 썩어버리다, 삭아버리다, 사그라지다
исток (남) ① 수원(水源)
истолкование (중) см. толкование
истолковать (완), **истолковывать** (미완) см. толковать ①, ②
истолочь (완) см. толочь
истома (여) 나른함, 노곳함
истомить(ся) (완) см. томить(ся)
истопить (완) см. топить Ⅰ
истопник (남) 불 때는 사람, 화부(火夫)
истоптать (완) см. топтать; ~ пол 마루를 밟아 더럽히다
историк (남) 역사가(歷史家), 역사학자

исторический (형) ① 역사(歷史), 유서 깊은; ~ий материализм 역사적 유물론; ~ая наука 역사과학; ~ий роман 역사소설; ~ие места 역사유적 ② 역사상 중요한, 역사적인

история (여) ① 역사(歷史), 역사학(歷史學); ~ СССР 소련역사; новая ~ 근세사, 근대사; новейшая ~ 최근세사; впервые в истории 유사이래처음으로, 역사상 처음으로 ② 내력(來歷), 경력(經歷), 연혁(沿革) ③ 사건(事件) ④ 이야기;~ болезни 병력서; совсем другая ~ 문제가 전혀 다르다

источать (미완) 내다, 뿜다, 풍기다

источник (남) ① 샘, 수원; горячий ~ 온천 ② 본원, 발원(發源), 출처(出處), 원천; достоверный ~; 믿을만한 출처 ③ 사료(史料), 문헌(文獻)

истошно (부): ~ кричать 고함을 지르다, 절망적으로 외치다

истощать (미완) ① 소모하다, 탕진하다, 써버리다 ② 쇠약케 하다, 피폐케 하다

истощаться (미완) ① 소모되다, 탕진되다, 고갈되다, 끝장나다;ресурсы ~ились 자원이 고갈 되였다; запасы ~ились 예비가 다 떨어졌다 ② 쇠약(수척)해지다; почва ~илась 땅이 척박해지다

истощение (중) ① 소모(消耗), 탕진(蕩盡), 고갈(枯渴) ② 쇠약(衰弱), 허약; ~ е нервной системы 신경쇠약 ③ (토양의) 척박해지는 것, 황폐화(荒廢化)

истощённый (형) 수척한, 극도로 쇠약한, 피폐한, 척박한

истощить(ся)(완) см. истощать(ся)

истратить (완) см. тратить

истребитель (남) ① 전투기(戰鬪機), 추격기(追擊機); ~ - бомбардировщик 전투폭격기 ② 박멸자(撲滅者)

истребительный(형): ~ая авиация 추격항공(대)

истребить (완) см. истреблять

истребление (중) 박멸(撲滅), 전멸, 근절

истреблять (미완) 박멸(전멸)하다, 근절하다, 없애버리다, 소탕하다

истрепать (완) см. трепать

истрепаться (완) 헐다, 해지다, 너덜너덜해지다, 모지라지다

истукан (남) 우상(偶像), 신상(神像) стоять ~ом 꼼짝 안 하고 (멍청하니) 서있다

истый (형) 진정한, 참다운

истязание (중) 고문, 학대(虐待)

истязать (미완) 고문하다, 학대하다, 지독하게 고통을 주다

Исх(Вторая книга Моисеева. Исход 40장, 57쪽) 출애굽기(出 — 記, Exodus: 구약성서의 2번째 책)

исход (남) 결말(結末), 종결, 결과(結果)

исходить (미완) I 나오다, 퍼져나오다, 생기다, 흘러나오다

исходить (미완) II ① ...로부터 출발하다 ② ..에 의거하다

исходный(형):~ пункт; ~ая точка 출발점; ~ое положение 출발적 명제

исхудание (중) 여위고 상한 것

исхудать (완) 살이 빠지다, (몹시) 여위다, 야위다, 수척해지다

исцеление (중) 완쾌, 회복(回復)

исцелить (완), **исцелять** (미완) 병을 완치하다

исцелиться (완), **исцеляться** (미완) 나아지다, 완치되다, 완쾌하다

изчезать (미완) ① 사라지다, 없어지다, 사그라지다, 소실되다; ~ из вида 보이지 않게 되다 ② 탈락하다

изчезновение (중) ① 사라지는 것, 사그라지는 것, 없어지는 것 ② 소실

(燒失), 분실(分室)

исчезнуть (완) *см.* исчезать

исчерпать (완) ① 다 써버리다, 탕진하다 ② 종결짓다; вопрос ~ан 문제는 해결 되었다; инцидент ~ан 사건은 종결지어졌다

исчерпаться(완), **исчерпываться**(미완) 종결되다, 끝나다, 진하다; этим дело не ~ывается 이것으로써 문제가 끝나는 것은 아니다

исчерпывающий (형) 완전한, 완전무결한, 남김 없는; ~ ответ 완전무결한 대답

исчисление (중) ① 계산(計算), 산출(算出) ②: дифференциальное ~ 미분학(微分學)

исчислить (완), **исчислять** (미완) 산출(算出)하다, 계산(計算)하다; ~ стоимость ремонта 수리비를 계산하다

исчисляться (미완) ...의 수량에 달하다, ...의 수량으로 계산되다

итак(접)그러니, 이리하여, 그런즉, 따라서

Италия (여) 이탈리아(Italia)

итальянцы (복수) (**~ец** (남), **~ка** (여)) 이탈리아사람(들)

и т.д. (и так далее ...의 간략형) ...등등

итог (남) ① 총액(總額), 총계(總計), 총화(總和); подводить ~ 총계를 내다, 총화를 짓다 ② 결과(結果), 결론(結論); ~и пятилетки 5개년의 결과; в конечном ~е 결국, 요컨대

итого (부) 총계(總計), 합하여

итоговый (형) 총화(總和), 총계(總計); ~ая сумма 총액(總額)

и т.п. (и тому подобное 의 간략형) ...등등

Иуд(Послане Иуды, 1장, 186쪽) 유다서(유다의 편지(— 便紙, Letter of Jude)

их *см.* они

ихтиоловый (형): ~ая мазь (의학) 이호티올 연고

ихтиология (여) 어류학(魚類學)

ишак (남) 당나귀

ищейка (여) 사냥개, 수색견

июль (남) 7월; в ~е 7월에; 23 ~я 7월 23일

июльский (형) 7월

июнь (남) 6월; в ~е 6월에; 29 ~я 6월 29일

июньский (형) 6월

Й

Йемен (남) 예멘(Yemen)

йод (남) 요드(Jod), 옥도정기(沃度丁幾)

йодистый (형) 요드화(Jod 化), 요드분이 있는

йодный(형) 요드(Jod):~ая настойка 옥도정기(沃度丁幾)

йота (여): ни на ~у 조금도

К

к (전) ① (+여) ...에, ...로, ...에로, ...에게(로), ...을 향하여, ...쪽으로; идти к лесу 숲을 향하여 가다;к югу от чего ... 에서 남쪽에; тянуть к себе 자기에기로 끌다; призывать к борьбе 투쟁에로 불러일으키다 ② ...에 대하여, ...에 대한; у меня к вам просьба 나는 당신에게 부탁이 있습니다.; любовь к кому-чему ...에 대한 사랑 ③ (시간에 대하여) ...에, ...까지, ...쯤, ...녘에, ...무렵에, ...즈음하여; к трём часам 세시까지; к тому времени 그때에 가서; к вечеру 저녁녘에; к со-жалению 유감스럽게도; плечо к пле-чу 어깨 나란히

кабала (여) 노예상태(奴隷狀態), 예속(隷屬); попадать в ~у 예속되다

кабальный (형) 노예적인, 예속적인; ~ договор 예속적인 조약

кабан (남) 멧돼지, 수퇘지

кабаре (중) 카바레(cabaret), 무도장

кабачок (남) 땅호박

кабель (남) 케이블(선), 피복선

кабина (여) 운전대, 운전실, 운전칸; ~ лётчика 비행사조종실

кабинет (남) ① 연구실(研究室); физи-ческий ~ 물리연구실 ② 서재(書齋), 집무실; ~ директора 지배인실, 교장실 ③ ~ министров 내각(內閣)

кабинка (여): ~ телефона 전화실

каблук (남) 구두뒤축, 굽; быть под ~ом 눌려 지내다

каботажный : ~ое судно 가까운 바다에서 항행하는 선박; ~ое плаванье 가까운 바다 항행

Кабул (남) *г.* 카불(Kabul)

кавалер (남): ~ ордена Ленина 레닌훈장수훈자

кавалерийский (형) 기병(騎兵)의

кавалерист (남) 기병(騎兵)

кавалерия (여) 기병대(騎兵隊)

каверзный (형) 교활한, 간교한, 풀기 어려운; ~ вопрос 풀기 어려운 문제

каверна (여) (의학, 지질) 구멍, 공동

Кавказ (남) 까프까즈

кавказский (형) 까프까즈

кавычки (복수) 옮김표 (인용표); поставить(заключить) в ~и 옮김표를 치다; учёный в ~ах 사이비학자

кадка (여) 나무통

кадр (남) 필림의 한 토막, 영화의 한 화면 (장면)

кадровый (형) 상비(常備), 핵심적인, 간부(幹部); ~ая армия 상비군, 간부군대; ~ый рабочий 핵심노동자; ~ая политика 간부정책

кадры (복수) 간부(幹部), 인재; отдел ~ов 간부부

каждодневный(형) 매일, 날마다 있는

каждый (대) ① 매개, 각개, 제각기; ~ день 매일; ~ый год 매해, 해마다; ~ раз 매번; ~ этаж 각층 ② (명사로) 매 사람, 각자

кажется *см.* казаться

казак (남) 까자크

казарма (여) 병영, 병사(兵士)

казаться (미완) ① 보이다; ~ весёлым 홍겨워 보이다; ~ умным 영리해 보이다 ② 생각되다; мне кажется, что это неверно 나는 이것이 옳지 않다고 생각된다.; как мне кажется 내가 생각하

는바와 같이 ③ (삽입어로) 아마 (도), ...것 같다, 보건대; он, кажется, не придёт 아마 그는 오지 않을 것이다

казахи (복수) **(~х** (남)**; ~шка** (여)**)** 카자흐사람(들)

казахский (형) 카자흐스탄

Казахстан (남) 카자흐스탄

казацкий, ~чий (형) 카자끼

казеин (남) (화학) 카제인

казённый (형) ① 국고(國庫), 국고금(國庫金), 국가(國家); ~ое имущество 국가재산; ~ые деньги 공금, 나라 돈, ~ая квартира 국가주택; на ~ый счёт 국가비용으로 ② 관료적(官僚的)인, 관료주의적(官僚主義的)인, 형식적(形式的)인, 형식주의적(形式主義的)인

казна (여) 국고(國庫)의, 국고금(國庫金)의, 국가재산(國家財産)

казначей (남) 재정취급자, 금고책임자, 출납원(出納員)

казначейский (형): ~ (государственный) билет 불환지폐(不換紙幣)

казнить (미완, 완) 처형하다, 사형에 처하다

казнь (여): (смертная) ~ь 사형(死刑); приговорить к смертной ~и 사형을 선고하다

Каир (남) 까히라

кайма (여) 꾸미개, 마구리, 테, 테두리

как (부) ① 어떻게; ~ быть? 어떻게 할까? ~ поживаете? 어떻게 지내십니까? ② (감탄의 뜻으로): ~ жаль! 참으로 유감이요!; о, ~ я рад! 얼마나 기쁜지 모르겠다. ③ (접) (부문장을 연결한다) я видел, ~ он пришёл 나는 그가 온 것을 보았다; уже два года, ~ я его не видел 그 사람을 못 본지 벌써 2년이나 된다. ④ (접) ...와 같다, ...처럼, 마치; белый ~ снег 눈처럼 흰 ⑤ (접) ...로서; ~ истинный патриот 진실한 애국자로서; ~ известно 아는바와 같이; ~ вы знаете 아시다시피; ~ будто 마치 ...듯싶다; ~ никогда 그 어느 때보다도; ~ попало 되는대로; ~ следует 제대로; ~ бы то ни было 어하튼; ~ ни в чём не бывало 아무 일도 없은 듯이; ~ раз 1) 때마침, 바로 2) 딱 맞다; ~ когда 때에 따라서

какао (중) 카카오나무, 코코아가루, 코코아차

как-нибудь (부) ① 어떻게든지, 어떻게 해서라도, 아무렇게든, 아무렇게나 ② 이럭저럭, 되는대로 ③ *см.* когда-нибудь

как-либо (부) *см.* как-нибудь

как-никак (부) 어쨌든, 결국(結局)

каков (대) (술어로) 어떠한가. ~ результат? 결과가 어떤가?; ~ он собой? 그는 어떻게 생겼는가?

какой (대) ① 어떠한, 어느, 무슨; ~ая сегодня погода? 오늘 날씨는 어떠한가?; с ~ой целью 무슨 목적으로 ② (부문장을 연결시키다); не знаю, ~ую книгу вы хотите 어떠한 책을 요구하시는지 모르겠습니다.; радость, ~ую я никогда не испытывал 내가 느껴보지 못한 기쁨 ③ (느낌 문에서) 얼마나; ~ая глупость! 참 어리석군! ~ой бы то ни был 그 어떤 여하한

какой-либо, какой-нибудь (대) ① 그 어떤, 그 어느, 아무런, 이러저러한; ~ой либо рассказ 아무런 이야기라도, 아무 이야기나 ② ...쯤, 약;за ~ие-нибудь пять минут 불과 5분 동안

какой-то (대) ① 어떤 (알지 못할); ~ человек ждёт тебя 어떤 사람이 너를 기다린다. ② 비슷한, ...와 같은; он ~ чудак 그는 어딘가 괴짜 비슷하다

как-то (부) ① 어떻게 하여 (되여),

이럭저럭, 어떤 방법으로; ~ сумел уладить это дело 그럭저럭 일을 처리할 수가 있었다. ② 언젠가, 한번은;~ раз 언젠가 한번 ③ 좀, 어딘가 좀, 어쩐지 좀, 예컨대; здесь ~ неудобно 여기는 어쩐지 좀 불편하다

кактус (남) (식물) 선인장
кал (남) 대변, 똥
каламбур (남) 말장난, 농담(弄談)
каланча (여) ① 망루; пожарная ~ 소방대망루 ② 키꺽다리
калач (남) 가락지(고리)모양의 흰 빵
калачик (남): свернувшись ~ом 허리를 꼬부리고, 가락지모양으로
калейдоскоп (남) ① 만화경, 주마등 ②: ~ событий 사건의 천변만화
калека (남, 여) 불구자(不具者), 병신
календарный(형) 역서, 일력; ~ год 역년;~ план 일정계획, 일정표, 진도표
календарь (남) ① 일역(一易), 역서(曆書); лунный ~ 음력; отрывной ~ 한장씩 뜯게 된 역서 ② 진행표(進行表), 일정표(日程表), 진도표(進度表)
календула (여) ① (식물) 금잔화(金盞花) ② (의약) 금잔화침제(연고)
каление (중) 가열(假熱), 달구는 것 доводить до белого ~я 극도로 격분케 하다
калечить (미완) ① 불구자로 만들다 ② 망치다, 파손하다, 타락시키다
калибр (남) ① (총, 포 등의) 구경(口徑); (탄알, 포탄의) 직경(直徑) ② (공학) 계지, 기준 치수, 규격(規格)
калий (남) (화학) 카리, 칼륨(Kalium)
калина(여) (식물) 들쭝나무, 분꽃나무
калитка(여) 울타리문, 바자문, 쪽대문
каллиграфический (형) : ~ почерк 능한 필치, 곱게 쓰는 글씨
каллиграфия (여) 필법(筆法), 글씨,

서법(書法), 글씨를 곱게 쓰는 기술
калорийность (여) 칼로리량, 발열량
калориметр(남) 칼로리측정기, 열량계
калория (여) 칼로리(calorie)
калоша (여) 덧신 сесть в ~у 창피를 당하다, 웃음거리가 되다
калька(여) 비침 종이(투사지), 사도지
калькулировать (미완) 계산(計算)하다, 타산(打算)하다
калькулятор (남) 계산기(計算機)
калькуляция (여) (상품의 원가, 판매가격 등의) 계산(計算)
кальсоны (복수) (남자용) 속바지
кальмар (남) 낙지
кальций (남) (화학) 칼슘(calcium)
камбала (여) 가자미
камвольный (형): ~ый комбинат 소모방직(연합) 공장(工場)
каменистый (형) 돌이 많은; ~ая дорога 돌길; ~ая почва (돌) 자갈밭
каменноугольный (형) 석탄(石炭); ~ бассейн 탄전(炭田)
каменный(형) ① 돌, 돌로 만든; ~ый дом 돌집 ② 무정한(無情-), 냉혹한 (冷酷-); ~ое сердце 돌 심장; ~йуголь 석탄
каменоломня (여) 채석장(採石場)
каменотёс (남) 석공(石工)
каменщик (남) 벽돌공, 석축공(石築-)
камень (남) ① 돌, 바위(들), 돌덩이; точильный ~ень 갈이돌; мостить ~нем 돌로 포장하다 ② (의학) 돌, 결석(缺席); не оставить ~ня на ~не 여지없이 파괴하다, 일소하다
камера(여) ① 방, 실; дизенфекционная ~ 소독실 ② 감방; одиночная ~ 독감방 ③ (공학) 패쇄부,, 실(-室) ④ (다이야, 축구공 등의) 속고무(내피); ~ хранения (철도) 짐보관실

камерный (형): ~ая музыка 실내악, 실내음악
Камерун (남) 카메룬(Cameroon)
камин (남) 벽난로; электрический ~ 전기난로
камнедробилка (여) 돌 부수는 기계, 쇄석기(碎石機)
каморка (여) 작은 방
Кампала (여) 캄팔라(Kampala)
кампания (여) 캠페인(campaign), 깜빠니야, 운동(運動); избирательная ~ 선거캠페인(운동)
Кампучия (여) 깜뿌찌야
камуфляж (남) 캄프라지, 위장(僞裝)
камфара (여) 캄파, 장뇌(長腦)
камыш (남) ① 갈, 갈대 ② (복수) 갈밭
канава (여) 도랑, 고랑창, 배수로
канавокопатель (남) 도랑파는 기계
Канада (여) 캐나다(Canada)
канал (남) 운하(運河), 물길, 수로(水路); оросительный ~ 관개수로
канализация (여) 하수도, 하수도시설
канарейка (여) (조류) 금방울새(金---), 카나리아(canaria)
канат (남) 동아줄, 밧줄; стальной ~ 쇠밧줄; ходить по ~у 줄타기를 하다
Канберра (여) 캔베라
канва (여) ① 바탕천 ② 기본, 바탕
кандалы (복수) 수갑, 족쇄
кандидат (남) ① 후보자(候補者); ~ в депутаты 대의원후보자; ~в члены партии 후보당원 ②: ~ наук 준박사
кандидатура (여) 후보(候補), 입후보자(立候補者); выдвигать ~у чью 입후보로 추천하다
каникулы (복수) 방학(放學), 휴가(休嘉); летние ~ 여름방학
каникулярный (형): ~ое время 방학기간
канителиться (미완) 꾸물거리다, 늦장부리다
канитель (여) 지루하게 끄는 일; разводить(тянуть) ~ 지루하게 하다, 꾸물거리다
канифоль(여) (정제) 송진, 콜로포니움
канонада (여) 강한 포(사)격(발포); 폿소리(포성)
канонерка (여) 포함
каноэ (중) (체육) 카누 (canoe; 경기용 단정의 하나)
кант (남) 색줄, 테
кантата (여) (음악) 칸타타, 교성곡
канун (남) 전야(全野), 직전(直前); ~ праздника 명절전날; ~ Нового года 설전날, 그믐날
кануть (완) 사라지다, 사그라지다; ~ть в вечность 영영 사라지다; как в воду ~л 간데온데없이 사라졌다
канцелярия (여) 사무소, 사무실(事務室)
канцелярский (형) 사무(事務), 사무실; ~ие принадлежности 사무용품; ~ий стиль работы 사무실적사업방법
канцлер (남) (오지리 등의) 수상
каолин (남) 고령토(高嶺土), 사기흙
капать (미완) ① 방울방울(뚝뚝) 떨어지다; дождь ~ет 비방울이 떨어진다. ② (물방울 같은 것을) 떨어뜨리다
капель (여) 낙숫물
капелька(여) 작은 방울; ни ~и 조금도
капилляр (남) 모세관(毛細管), 모세혈관
капиллярный (형) 모세관, 모세혈관
капитал (남) ① 자본; финансовый ~ 금융자본(金融資本); промышленный ~ 산업자본(産業資本); основной ~ 고정자본(固定資本); оборотный ~ 유동자본(流動資本) ② 자산(資産), 밑천, 많은 돈

капитализм (남) 자본주의(資本主義), 자본주의제도(資本主義制度)

капиталист (남) 자본가(資本家)

капиталистический (형) 자본주의(資本主義), 자본주의적인(資本主義的-); ~ способ производства 자본주의적 생산방식

капиталовложение (중) (기본) 투자(投資), 투자된 자금

капитальный(형) 기본적인(基本的-); ~ый ремонт 대보수, 대수리; ~ое строительство 기본건설

капитан (남) ① 선장(船將), 함장(艦長) ② 대위(大尉) ③ (체육) 주장(主張); ~-лейтенант 해군대위; ~ первого ранга 해군대좌

капитулировать (미완, 완) 항복(투항)하다, 백기를 들다; ~ перед трудностями 난관 앞에서 굴복하다

капитуляция(여) 항복(降伏), 투항(投降)

капкан (남) 덫; ставить ~ 덫을 놓다; попасть в ~ 덫에 걸리다

капля (여) ① 방울; ~и дождя 빗방울; ~и пота 구슬땀 ② (복수) 방울약; глазные ~и 눈약; ни ~и 조금도; (быть похожим) как две ~и воды 1) 판에 박은 듯하다, 똑같다 2) на кого 쓰고 나다; ~я в море 창해(의) 일속; ~я за ~ей 한 방울 한 방울, 조금씩

капнуть (완) см. капать

капот(남)(기관부, 발동기 등의)덮개, 씌우개

каприз(남) 변덕(變德), 도섭, 밴덕

капризничать (미완) 변덕부리다, 도섭(을)부리다 (피우다), 이랬다저랬다 하다

капризный (형) 변덕스러운, 변덕이 많은; ~ая погода 변덕스러운 날씨

капрон(남) 카프론(capron; 합성섬유의 한 가지)

капроновый (형) 카프론(capron), 카프론으로 만든

капсюль (남) (군사) 뇌관(雷管)

капуста (여) 캐비지(cabbage) 양배추, 감람(甘藍), 가두배추; морская ~ 곤포, 다시마, 미역

капюшон (남) (외투, 비옷 등에 달린) 비옷모자, 고깔모자

кара (여) 처벌, 징벌, 제재; понести ~у 징벌을 받다; подвергнуть строгой ~e 엄벌에 처하다

карабин (남) 카빈총, 기병총

карабкаться (미완) 기어오르다

караван (남) ① 대상(隊商) (짐이나 사람을 수송하는 낙타의 무리) ② 선단(船團), 선박대열

Каракас (남) 카라카스(Caracas; 베네수엘라 수도)

каракатица (여) 오징어

каракули (복수) 갈려 쓰기, 서투르게 쓴 글씨

каракуль(남) 까라꿀 양털가죽, 구슬 양피 (중앙아세아 특종의 양새끼에서 얻은 고급털가죽)

карамель (여) 기름사탕, 캬라멜

карандаш (남) 연필; цветной ~ 색연필; простой ~ (보통)연필; точить ~ 연필을 깎다

карантин (남) ① (보균자, 접촉자의) 일시적 격리; наложить ~ 일시적으로 격리시키다 ② 검역소(檢疫所)

карась (남) 붕어(崩御)

карат (남) 카라트 (금은보석의 중량의 단위=0.2 그람)

карательный (형) 징벌(懲罰), 처벌(處罰); ~ отряд 토벌대

карать(미완) 벌주다, 처벌하다, 징벌하다

караться (미완) 벌을 받다, 처벌하다, 징벌하다

каратэ (중) (체육) 태권도, 당수

караул (남) ① 위병대; почётный ~ 명

예위병대 ② 위병근무; нести ~ 위병근무를 서다 ③: ~! 사람 살려!
караулить (미완) ① 지키다, 감시하다 ② 기다리다, 망을 보다
караульный (형) ① 위병(衛兵); ~ое помещение 위병소 ② (명사로): ~ая (여) 위병소; ~ый (남) 위병
карбид (남) (화학) 카바이드
карболка *см.* карболовая(кислота)
карболовый; ~ая кислота 석탄산
карбюратор (남) 가스만들개, 기화기
кардинал (남) (천주교에서) 대승정, 추기승정
кардинальный (형) 근본적인, 본질적인, 주되는; ~ вопрос 기본적인 문제
кардиограмма (여) (의학) 심동곡선, 심동도
карета(여) 승용유개마차 (대형4륜마차)
кариес (남) (의학) 카리에스(caries)
карий (형) 갈색, 밤색; ~е глаза 밤빛 눈
карикатура (여) 풍자만화, 만화
карикатурист (남) 만화가, 풍자화가
карикатурный (형) ① 만화, 풍자화 ② 만화 같은, 희극적인, 우스운
каркас (남) (건축물 등의) 골조(骨組), 골격(骨格), 골간(骨幹)
каркать(미완) 까욱까욱 울다, 까욱거리다
карлик (남) 난쟁이
карликовый (형) 난쟁이 같은, 매우 작은; ~ые растения 난쟁이식물
карман(남) (호)주머니; бить по ~у 손해를 입히다; не по ~у 너무 비싸다
карманный (형) 호주머니용; ~ый фонарь 손전등; ~ый нож 주머니칼; ~ые деньги 용돈, 주머닛돈; ~ый вор 따기군
карнавал (남) 가장무도회, 가장행렬
карниз (남) ① 처마굽도리 ② (창가림을 거는) 가름대

карп (남) 잉어(—魚: carp) 이어(鯉魚)
карта(여) ① 지도(地圖); физическая ~а 자연지도 ② 트럼프; (복수): играть в ~ы 트럼프를 놀다
картавить (미완) 혀짧은 소리를 하다
картавый (형) ① 혀짧은 소리를 하는 ② (명사로) (남) 혀짤배기
картель (남) (경제) 카르텔(Kartell)
картечь (여) ① 산탄 ② 큰 총알
картина (여) ① 그림, 회화(繪畵), 유화(油畵) ② 광경, 장면, 경치 ③ 영화
картинка (여) ① 조그마한 그림, 도해(圖解), 일러스트레이션(illustration); книга с ~ами 그림책 ② 삽화(揷畵); как на ~е 그림같이 아름답다
картинный (형) ① 그림, 회화(繪畵); ~ая галерея 미술박물관 ② 그림같이 아름다운
картон (남) 판종이, 판지
картонный (형) 판종이, 판지
картотека (여) 카드(목록), 카드함
картофель (남) 감자, 감저; сладкий ~ 고구마; молодой ~ 올감자; ~ в мундире 껍질이 있는 삶은 감자
картофельный (형) 감자; ~ая мука 감자가루, 농마
карточка (여) 카드(card), 지표(紙票); фотографическая ~ 사진; визитная ~ 명함; продовольственная ~ (식료품) 구매권
карточный(형): ~ая система 배급제
картошка (여) *см.* картофель
карусель (여) 회전목마, 회전그네
карусельный(형): ~ станок 타닝반
карцер (남) 독감방
карьер I (남) 노천채굴장(露天採掘場); каменный ~ 채석장
карьер II (남) (말의) 최고 속보(-速步),

전속력(全速力)

карьера (여) 출세(出世); делать ~у 출세하다; выбрать ~у 직종을 정하다

карьеризм (남) 출세주의(出世主義)

карьерист (남) 출세주의자(出世主義者)

касательная(여) (수학) 닿이선, 접선

касаться (미완) ① 닿다, 맞닿다, 잇닿다, 다치다, 대다;~ться рукой чего ... 에 손을 대다 ② 관계되다, 관련이 있다; это меня не ~ется 이것은 나와 상관없다; что ~ется *кого-чего, то* ...에 대하여서는, ...에 대하여 말한다면 ③ 언급(논급)하다

каска (여) 철갑모(鐵甲)

касса (여) ① 돈 받는 곳, 수납처(受納); сберегательная ~ 저금소; билетная ~ 표파는 곳, 매표소 ② 현금(現金)

кассационный (형) : ~ суд 상소심의재판소; ~ая жалоба 상소

кассация(여) ① (법률) 상소(上訴); по- давать ~ю 상소하다 ② 판결의 재심

кассета (여) ① (사진기의) 카세트, 필림 케이스 ② (녹음기의) 테프감개

кассир (남),**~ша** (여) 출납원(出納員), 매표원(賣票員), 표 파는 사람

каста (여) (인도와 일부 동방국가에서) 카스트, (사회) 계층

касторка *см.* касторовое (масло)

касторовый(형);~ое масло 피마자기름

кастрация (여) 거세

кастрюля (여) 냄비, 쟁개비; алюминиевая ~ 알루미늄냄비;эмалированная ~ 법랑난비

катализатор (남) (화학) 촉매(觸媒), 접촉매(接觸媒)

каталог (남) 목록(目錄), 도서카트

катание (중) 타기, 타고 다니는 것, 설매; ~ на коньках 스케이트타기; фигурное ~ 피겨

катапульта (여) 사출기(射出機)

катар (남) (의학) 카타르, 끈끈막염

Катар (남) 카타르(catarrh)

катаракта (여) (의학) 백내장(白內障)

катастрофа (여) 참사(參事), 참화(慘火), 사고(事故); авиационная ~ 비행기 사고; ядерная ~ 핵참화

катастрофический(형)비참한, 파국적인

катать (미완) ① 굴리다 ② 태우고 다니다 ③ 둥그렇게 빚다 ④ 압연하다

кататься (미완) 타고 다니다; ~ на коньках 스케이트를 타다

категорический (형) 단호한, 결연한, 절대적인; ~ отказ 단호한 거절

категория (여) ① 종류(種類), 등급(等級); ② (철학) 범주(範疇); ③ (체육) 부류, 급; весовая ~ 무게급, 중량급

катер(남) 똑딱선, 발농선; торпедный ~ 어뢰정

катет (남) (수학) 직각변

катить (완) *см.* катать ①, ②

катиться (미완) ① 굴러가다 ② (자동차 등의) 달리다 ③ (소리가) 울리다 ④: слёзы катятся 눈물이 흘러내리다

Катманду (남) (불변) г. 까뜨만두

катод (남) (전기) 음극(陰極)

каток I (남) 스케트이장, 얼음판, 빙상경기장

каток II (남) (공학) 길닦기 로라

католик (남) 가톨릭 (교도), 천주교도

католический (형) 가톨릭교, 천주교

католичество (중) 가톨릭교, 천주교

каторга (여) ① 징역(懲役), 징역(懲役)살이; отбывать ~у 징역살이하다 ② 고역(雇役)

каторжник (남) 징역군

каторжный (형) ① 징역(懲役); ~ые работы 징역 ② 징역살이의, 고통스러운; ~ труд 고역
катушка (여) ① 실톳 ② (전기) 코일, 선륜, 줄톳
каустический (형) 가성; ~ая сода 가성소다
каучук (남) 생고무; синтетический ~ 합성고무
каучуковый(형) 생고무;~ое дерево 고무나무
кафе (중) 카페
кафедра (여) ① 강단(講壇), 연단, 교단(教壇) ② 강좌(講座); заведующий ~ой 강좌장
кафель (남) 타일
кафетерий (남) 간이식당 (카페)
качать (미완) ① 흔들다; ~ головой 머리를 젓다 (흔들다) ② (아이를) 잠재우다 ③ (펌프로) 푸다 ④ кого 공중에 추켜올리다
качаться (미완) ① 흔들리다, 동요하다, 넘늘거리다 ② 비틀거리다
качели (복수) 그네; качаться на ~ях 그네를 뛰다
качественный (형) ① 질적인, 질의; ② 질 좋은 ~ая сталь 특수강; ~ое прилагательное (언어) 성질형용사
качество (중) ① 질(質), 품질(品質), 품위(品位); высшего ~а 고급, 최상급; повышать ~о 질을 높이다 ② 성질(性質), 품성(品性); моральные ~а 도덕적 품성; в ~е кого ...로서; в~е учителя 교원으로서;в ~е примера 예컨대
качка (여) 흔들림, 진동; морская ~ 배의 흔들림
каша (여) ① 죽; манная ~а 밀암죽 ② 뒤범벅, 섞음; заварить ~у 시끄러운 일을 만들다 (시작하다); с ним ~и не сваришь 그 사람과는 손발이 맞지 않는다.; мало ~и ел 힘이 약하다
кашалот (남) 말향고래
кашевар (남) 취사원
кашель (남) 기침; сильный ~ 목기침; лекарство от ~ля 기침약
кашлять (미완) 기침하다, 기침이 나다, 콜록거리다
кашне (중) 목도리, 머플러(muffler); 목덜개, 목두리; 목수건(-手巾)
каштан (남) 밤, 밤나무; жареные ~ы 군밤
каштановый(형)① 밤나무, 밤 ② 밤색
каюта (여) 선실(船室)
кают-компания (여) (기선의) 휴게실(休憩室); (군함의) 군장교실
каяться (미완) 뉘우치다, 후회(참회)하다, 고백하다
квадрат (남) ① 정사각형, 정방형(正方形) ② 평방(平方), 두 제곱, 2승; возво- дить в ~ 두 제곱하다
квадратный (형) ① 정방형(正方形), 정사각형; ~ые скобки 꺽쇠괄호 ② (수학) 평방(平方), 두 제곱; ~ый корень 이승근; ~ое уравнение 2차방정식
квакать (미완) 개굴개굴 울다, 맹꽁맹꽁하다
квалификационный (형): ~ая комиссия 자격(급수)사정위원회
квалификация (여) ① 자격(급수)사정 ② 기능(技能), 숙련, 자질 ③ 자격(資格)
квалифицированный (형) 숙련된, 능숙한, 자질(기능)이 높은; ~ рабочий 기능공, 숙련공
квалифицировать (미완, 완) (자격, 기능 등을) 사정하다, 평정하다
квартал (남) ① 구역(區域), 구(區); жилой ~ 주택구역 ② 분기; первый ~ 1.4 분기
квартет (남) ① 4(사) 중주곡, 4(사)

К

중창곡 ② 4(사) 중주, 4 중창
квартира (여) 아파트, 주택(住宅), 사택
квартирант (남) 셋방살이하는 사람, 주택사용자
квартирный (형): ~ая плата 집세, 주택사용료
кварплата см. (квартирная плата)
кварц (남) (광물) 석영(石瓔)
кварцевый (형) 석영; ~ая лампа 석영등
квас (남) 크와스 (러시아 청량음료의 한가지)
квасить (미완) 발효시키다, 시게 하다; ~ капусту 양배추를 (절여서) 시게 만들다
квасцы (복수) 백반, 명반석(明礬石)
квашенный (형): ~ая капуста 시게 된 양배추
кверху (부) 위로; поднимать глаза ~ 눈을 올려 뜨다
квитанция (여) 영수증(領收證), 인수증(引受證); багажная ~ 화물영수증
квиты (술어로): теперь мы ~ 우리는 서로 다 청산하였다
кворум (남) 필요한 인원수, 정족수(定足數) (회의 등을 진행하기 위하여)
квота (여) (경제) 배당액(配當額), 배당수(配當數), 할당량(割當量)
кедр (남) 게드르 (소나무의); корейский ~ 잣나무
кекс (남) 케이크, 카스테라 (건포도를 넣은 단빵)
кем см. кто
кенаф (남) 케나프, 인도삼
кенгуру (남) 캥거루
Кения (여) 케니아
кепка (여) 캡 (모자의 한가지)
керамика (여) 도자기(陶磁器), 토기(土器)
керамический (형) 도자기(陶瓷器), 도자기제조, 요업(窯業)
керосин (남) 석유(石油), 등잔기름
керосинка (여) 석유곤로
керосиновый (형) 등잔기름, 석유; ~ая лампа 석유등
кета (여) 연어(鱸魚)
кефаль (여) 숭어, 수어(秀魚), 치어(鯔魚)
кефир (남) 요구르트, 발효우유(醱酵牛乳)
кивать (미완), **кивнуть** (완) 머리를 끄덕이다;~головой 머리(고개)를 끄덕이다
кивок (남) 고개짓
Кигали (남) (불변) 끼갈리
кидать(ся) см. бросать(ся)
кизил (남) 말채나무, 말채나무열매
кий (남) 당구봉
кило (중) см. килограмм
киловат (남) 킬로와트(kilowatt); ~-час 킬로와트시(kilowatt時)
килограмм (남) 킬로그램(kilogram)
километр (남) 킬로미터(kilometer: km); квадратный ~ 평방킬로미터(km²)
киль (남) ① (선박의) 용골(龍骨) ② (비행기의) 수직안정판(垂直安定板)
ктльватер (남) 배가 지나간 자리
килька (여) 작은 청어, 멸치
кинематография (여) 영화예술(映畵藝術), 영화제작(映畵製作)
кинетический (형): ~ая энергия 운동(運動)에너지
кинжал (남) 단검(短劍), 비수(匕首)
кино (중) ① 영화 ② 영화관(映畵館)
кино ...(합성어의 첫 부분으로서 (영화)의 뜻을 가짐); киностудия 영화촬영소
киноактёр (남) 영화배우(映畵俳優)
киноаппарат (남) 영화촬영기, 영사기
киноартист (남) см. киноактёр
киноварь (여) (광물, 화학) 진사, 진

사에서 뽑은 물감
киножурнал (여) 시보영화
киноискусство (중) 영화예술(映畵藝術)
кинокамера (여) 영사기, 영화촬영기
кинокартина (여) 영화(映畵)
кинокомедия (여) 희극영화
киномеханик (남) 영사기사
кинооператор (남) 촬영가(撮影家), 영화촬영기사(映畵撮影技士)
кинопередвижка (여) 이동영사기
киноплёнка (여) 영화필름
кинопрокат (남) 영화보급
кинопромышленность(여)영화제작업
кинорежиссёр (남) 영화연출가
киносеанс (남) 영화상영, 상영시간
киностудия (여) 영화촬영소
киносценарий(남)영화대본, 영화문학
киносъёмка (여) 영화촬영
кинотеатр (남) 영화관(映畵館)
кинофестиваль (남) 영화축전
кинофикация (여) 영화시설설치, 영사설비설치
кинофильм (남) 영화; цветной ~ 천연색영화
кинохроника (여) см. киножурнал
киноэкран (남) 영사막
кинуть(ся) (완) см. бросать(ся)
Киншаса (여) г. 킨샤사
киоск (남) 간이매점; газетный ~ 신문가판점; книжный ~ 책매점
кипа (여) ① 꾸러미, 뭉치, 묶음; ~ бумаги 종이 뭉치 ② 덩어리, 통구리; ~ хлопка 목화덩어리, 목화뭉치
кипарис (남) (식물) 쿠프레스
кипение(중) ① 끓음, 비등(沸騰); точка ~я 끓음점, 비등점(沸騰點) ② 들끓는 것, 끓어 번지는 것
кипеть(미완) ① 끓다, 끓어오르다 ② 들끓다, 끓어 번지다, 끓어 넘치다; работа ~ит 일이 한창이다

Кипр (남) 끼쁘로스
кипучий (형) 들끓는, 끓어 번지는; ~ая деятельность 맹렬한 활동
кипятильник(남) (전기) 가열기(加熱器)
кипятить (미완) 끓이다, 삶다;~ бельё 빨래를 삶다
кипятиться (미완) ① 끓다, 삶아지다 ② 끓다, 발끈 성내다
кипяток (남) 끓인 물
кипячение (중) 끓이는 것
кипячённый (형) 끓인: ~ая вода 끓인 물
Киргизия(여)키르기즈스탄(Kirgizstan)
киргизский (형) 키르기wm스탄의
киргизы (복수) (~ (남), ~ка (여)) 키르기즈스탄사람(들)
кирка (여) 곡괭이
кирпич (남) 벽돌; красный ~ 붉은색 벽돌; огнеупорный ~ 내화벽돌; силикатный ~ 실리카트벽돌
кирпичный (형) 벽돌; ~ завод 벽돌공장
кисель (남) 과일묵, 잼(jam), 쨈
кисет (남) 담배쌈지
кислород (남) 산소(酸素)
кислородный (형) 산소(酸素); ~ая подушка 산소주머니
кислота(여) ① (화학) 산(酸); серная ~ 유산; лимонная ~ 레몬산; борная ~ 붕산; уксусная ~ 초산, 식초산 ② 신맛
кислотность (여) (화학) 산성(酸性), 산도(酸度); повышенная кислотность (의학) 위산과다(증)
кислый (형) ① 신, 시금시금한, 시큼한 ② 시어진; ~ая капуста 시어진(초절임한)양배추; ~ое лицо 시무룩한 표정
киснуть (미완) ① 시어지다, 쉬다, 삭다 ② 의기소침해지다, 침울해있다

- 214 -

кисточка (여) 붓, 솔
кисть ① см. кисточка; малярная ~ 미장솔 ② 송이; ~ винограда 포도송이 ③ 손 (손목부터 손가락 끝까지의 부분) ④ (장식용) 술; пояс с кистями 술이 달린 띠
кит (남) 고래
Китай(남) 중국; Китайская Народная Республика, КНДР 중화인민공화국
китайский (형) 중국(中國)
китайцы (복수) (~ец (남), ~янка (여)) 중국사람(들)
китель (남) (깃을 세운) 제복의 웃옷
китобойный (형) 고래잡이;~ое судно 고래잡이배
кичиться (미완) 뽐내다, 우쭐대다, 자만하다
кичливый(형)뽐내는, 우쭐대는, 교만한
кишеть (미완) 오글거리다, 옥실거리다, 꾀다; кишмя ~ 우글우글하다.
кишечник (남) (해부) 배알, 장(腸); очистить ~ 관장하다
кишечный (형) 장(腸)의 배알의; ~ое заболевание 장질환
кишка (여) ① 배알, 장; толстая ~ 굵은 밸, 대장; тонкая ~ 가는 밸, 소장; прямая ~ 직장; слепая ~ 맹장; двенадцатиперстная ~ 12지장,(드)자밸 ② 호스; ~ тонка 힘이 약하다(모자란다)
клавиатура (여) (피아노, 타자기 등의) 누르개, 건반
клавиша (여) 누르개, 건반, 건, 키
клад (남) 보배(寶-), 보물(寶物)
кладбище (중) 묘지(墓地)
кладка (여) ① 축조(築造), 쌓기; ② 쌓아올린 것
кладовая (여) 고간, 창고(倉庫)
кладовщик (남) 창고원
кланяться (미완) ① 절하다, 맞절하다 ② 안부(인사)를 보내다 (전하다)

клапан (남) ① (공학) 여닫이, 변, 발브 ② (해부) 심장판막
кларнет (남) (음악)클라리넷(clarinet)
класс (남) ① 계급(階級); рабочий ~ 오동계급 ② 교실(敎室) ③ 학년(學年), 학급(學級) ④ 등, 급, 등급(等級), 수준(水準) ⑤ (생물) 부류, 강(江)
классик (남) 고전가, 고전작가
классика см. классическая
классификация(여) 분류(分類), 분류법
классифицировать (미완, 완) 분류(분별)하다, 구분하다
классицизм (남) 고전주의(古典主義)
классический(형) ① 고전적인; ~ая литература 고전문학(古典文學) ② 전형적인, 훌륭한
классный(형): ~ая доска 칠판; ~ый руководитель 담임교원, 학급담임
классовый (형) 계급, 계급적인; ~ая борьба 계급투쟁; ~ые противоречия 계급적 모순
класть (미완) ① во что 넣다, 집어넣다, 담다; на что 놓다, 둬두다 ② (벽 등을) 세우다, 쌓아올리다 ③: ~ больного в больницу 환자를 입원시키다; ~ яйца 알을 낳다(쓸다); ~ начало 시작하다, 일어나게 하다;~ под сукно (신청서 등을) 깔아버리다
клевать (미완) ① 쫓다, 쪼아 먹다 ② (고기가 미끼를) 물다; ~ носом 꾸덕꾸덕 졸다
клевер (남) 토끼풀, 클로버. 화란자운영
клевета (여) 중상(重傷), 비방(誹謗)
клеветать (미완) на кого. 비방하다, 중상하다
клеветник (남) 중상자(重傷者), 비방자
клеветнический (형) 비방(誹謗)하는, 중상적인

клеевой (형): ~ая краска 갖풀물감
клеёнка (여) 유포, 물막이보
клеить (미완) 풀질하다, 풀로 붙이다
клеиться (미완): дело не ~ся 일이 잘 안되다; разговор не ~ся 이야기가 순조롭게 되여 가지 않는다.
клей (남) 풀, 무리풀; столярный ~ 갖풀
клейкий (형) ① 찐득찐득한, 끈끈한, 교질; ~ая бумага 끈끈이 ②: ~ий рис 찰벼
клеймить (미완) ① 도장을 찍다, 낙인을 찍다, 표식을 찍다 ② 규탄하다, 단죄하다; ~ позором 치욕의 낙인을 찍다
клеймо (중) ① 검인(檢印), 낙인(烙印), 도장, 상표; ставить ~ 검인을 찍다 ② 오명(汚名), 누명(縷命)(陋名)
клейстер (남) 밀가루풀, 농말풀
клёмма (여) (전기) 단자, 끝머리
клён (남) 단풍나무
клепать (미완) (공학) 맞머리 못을 박다, 리벳(rivet)를 박다, 병접하다
клёпка (여) 리벳(rivet), 못치기, 병접
клетка I (여) ① 새장, 조롱, 쇠그물우리 ② 네모칸, 격자무늬
клетка II (여) (생물) 세포(細胞); грудная ~ 가슴통, 흉곽, 흉부
клетчатка (여) 섬유소(纖維素)
клетчатый I (형) 격자무늬, 바둑(판)(정자) 무늬 있는
клетчатый II (형) 세포(細胞), 세포질
клешня (여) (게, 가재의) 집게발
клещ (남) 진드기
клещевина (여) 피마자, 아주까리
клещи (복수) 못뽑이, 방울집게 брать в ~ (군사) 양면공격하다
клиент (남) ① 손님, 단골손님 ② (변호사에게 자기 일을 의뢰한) 의뢰인(依賴人)
клиентура (여) ① 손님들 ② 의뢰인들
клизма (여) ① 관장; ставить ~у 관장을 하다 ② 관장기
клика (여) 도당, 도배
кликнуть (완) 큰소리로 부르다;~клич 호소하다
климат (남) 기후; континентальный ~ 대륙성기후; умеренный ~ 온화한 기후; жаркий ~ 열대성기후
климатический (형) 기후(氣候); ~ая карта 기후도
клин (남) ① 쐐기; вбивать ~ 쐐기를 치다(박다) ② (옷에 붙이는) 삼각천; куда ни кинь, всюду ~ 빠져나갈 데가 없다; свет ~ом не сошёлся 세상은 넓다
клиника (여) 연구소(대학)부속병원
клинический (형): ~ая медицина 임상의학
клинок (남) 칼날
клич (남) 부름, 호소(呼訴), кликнуть ~ 호소하다
кличка(여)①(집짐승의) 이름; давать ~у 이름을 지어주다 ② (사람의) 별명
клок (남) ① 한잠 ② см. клочок; разорвать в ~чья 갈기갈기 찢다
клокотать (미완) 끓다, 부글부글 끓다, 들끓다, 비등하다
клонить (미완) 기울이다, 기울어뜨리다, 굽히다; ~ ко сну 졸리다
клониться (미완) 기울어지다, 수그러지다, 비딱거리다
клоп (남) 빈대
клоун (남) (곡예단의) 어릿광대
клочок (남) ① 조각, 부스러기; ~ бумаги 종이조각; рвать на ~ки 조각조각 찢다 ②: ~ земли 땅뙈기
клуб I (남) 클럽(club), 구락부
клуб II (남); ~ы дыма (пара, пыли) 뭉게뭉게 오르는 연기 (김, 증기, 먼지);

клубами (부) 무럭무럭, 뭉실뭉실
клубень (남) (감자 등의) 덩이뿌리, 구경; ~ картофеля 감자알
клубиться (미완) 뭉게뭉게 피여 오르다, 감돌아 오르다
клубника (여) 양딸기, 땅딸기
клубок (남) 뭉치, 실꾸리; свернуться ~ком (в ~ок) 몸을 옹크리고 눕다
клумба (여) 꽃밭, 화단
клык (남) 송곳이, 견치
клюв (남) 주둥이, 부리
клюква (여) 월귤나무, 그 열매
клюнуть (완) см. клевать
ключ I (남) ① 열쇠, 키(key) ② (공학); гаечный ~ 나사틀개, 드라이브;~ для завола пружины 태엽 돌리개; ③ к чему 실머리, 열쇠, 관건 ④ (음악) 음부기호 ⑤ 암호기호
ключ II (남) 샘, 샘물; горячий ~ 온천; бить ~ом 용솟음치다, 괄괄 솟다, 끓어 번지다
ключевой(형): ~ая вода 샘물; ~ ой вопрос 관건적인 문제
ключица (여) 꺾쇠뼈, 쇄골
клякса (여) 잉크얼룩; посадить ~у 잉크방울을 떨구다
клянчить (미완) 시끄럽게 졸라대다, 비럭질하다
клясть (미완) см. проклинать
клясться (미완) 맹세하다, 서약하다; ~ в верности 충성을 맹세하다
клятва (여) 맹세, 선서; давать ~у 맹세(서약)를 다지다, 선서하다
клятвенный(형):~ое обещание 서약
кляуза (여) 악담, 뒷소리, 비방
кляузничать (미완) 뒷소리 질하다, 비방하다
кляузный(형)뒷소리 질하는, 중상하는
кляча (여) 늙다리 말, 맥빠진 말
книга (여) ① 책(冊), 서적(書籍); инте-ресная ~ 재미있는 책; сидеть за ~ой 독서하다 ② домовая ~а 주민대장; ~а отзывов 감상록(感想錄); ~а жалоб (ипредложений) 신소책
книгопечатание (중) 서적인쇄(書籍印刷), 도서출판(圖書出版)
книгохранилище (중) ① 서고(書庫) ② 도서보관소, 대도서관
книжка (여) ① см. книга ② 증명서(證明書), 통장(通帳); зачётная ~ 성적증명서; сберегательная ~ 저금통장
книзу (부) 아래로, 밑으로
кнопка (여) ① 압정, 압침 ② 맞단추, 똑딱단추 ③ (스위치) 단추
кнут (남) 채찍
княгиня (여) 공작부인(孔雀夫人)
княжество (중) 공국(公國)
князь (남) 공작(孔雀)
ко (전) см. к
коалиционный (형): т~ое правительство 련립정부
коалиция (여) 련립, 련합체, 동맹(同盟)
кобальт (남) (화학) 코발트(cobalt)
кобель (남) 수캐
кобра (여) 코브라, 안경뱀
кобура (여) 권총집
кобыла (여) 암말
коварный (형) 간교한, 교활한, 내흉스러운, 능청맞은; ~ враг 간악한 원수; ~ вопрос 교활한 문제; ~ метод 모략적인 방법
коварство (중) 간교(奸巧), 교활성(狡猾性); проявлять ~ 능청을 피우다, 교활하게 행동하다
ковать (미완) ① 벼리다, 단조하다 ② 편자를 신기다 ③ 단련하다, 창조하다; ~ победу 승리를 얻기 위하여 노력하다
ковёр (남) 모전, 양탄자, 주단(紬緞)
коверкать (미완) ① 망치다, 못쓰게

하다 ② 외곡하다; ~ слова 틀리게 발음하다
ковка (여) ① 벼리는 것, 단조 ② 편자를 신기는 것
ковкий (형) 잘 벼려지는, 벼릴 수 있는; ~ое железо 가단철
ковкость (여) 벼려지는 성질, 가단성
коврига (여) 크고 둥근 빵 덩어리
ковш (남) ① 국자, 바가지, 쪽박; ② (기계의) 바가지, 냄비
ковыль (남) (식물) 나래새
ковылять (미완) 절름거리다, 기우뚱거리며 걷다, 절뚝거리다; еле ~ 자축거리다
ковырять (미완) 후비다, 우비다, 쑤시다; ~ в зубах 이를 쑤시다
когда (부) ① 언제, 언제인가, 어느 때에 ② 때로는...때로는; работает ~ утром, ~ вечером 때로는 아침에 때로는 저녁에 일한다. ③ (접) (부문장을 연결한다.); я уйду, ~ кончу работу 일을 끝마치고야 가겠다.; я увидел его, ~ он ве-рнулся 나는 그가 돌아왔을 때에 그를 봤다.
когда-либо, когда-нибудь (부) 어느 때나, 어느 한때, 언제인가, 그 어느 때; видели вы это ~? 언제인가 이것을 보았습니까?; бывал ли ты в Корее ~? 자네가 한국에 가본 적이 있는가?
когда-то (부) 한때, 어떤 때, 어느 때인가, 언제인가; ~ давно 오래전의 한때; ~ я смотрел этот фильм 언제인가 나는 이 영화를 보았다.; ~ я жил там 한때 나는 그곳에서 살아본 적이 있다.
кого см. что (생, 대)
коготь (남) 발톱
код (남) 부호(符號), 암호(暗號)
кодеин (남) (화학) 코데인(codeine)
кодекс (남)① 법전(法典); гражданский ~ 민법; уголовный ~ 형법 ② 규범(規範); моральный ~ 도덕규범
кое-где (부) 여기저기, 이곳저곳에서, 곳에 따라
кое-как (부) ① 겨우, 간신히 ② 되는대로, 함부로, 그럭저럭, 근근이
кое-какой (형) 몇 가지의, 몇몇, 약간, 어떤
кое-что (미정 대) 몇몇 사람, 어떤 사람
кое-куда (부) 몇 군데로, 어디 론가, 어떤 곳으로
кое-что (미정 대) 이것저것, 약간의 것, 무엇인가, 어떤 것
кожа (여) ① 살갗, 살가죽, 피부 ② 가죽; дублёная ~ 이긴 가죽 ③ см. кожура; из ~ вон лезть 아득바득 애를 쓰다; ~ да кости 피골이 상접하다
кожаный (형) 가죽, 가죽으로 만든; ~ая обувь 가죽신; ~ое кресло 가죽을 씌운 안락의자
кожевенный (형) 제혁(製革), 가죽; ~ый завод 가죽공장; ~ая промышленность 제혁공업
кожица (여) 엷은 껍질, 엷은 피부
кожник (남) 피부과의사, 피부병의사
кожный (형) 살갗, 피부(皮膚); ~ые болезни 피부병
кожура (여) (과일, 열매의) 껍질; снимать ~у 껍질을 벗기다
кожух (남) ① 양가죽외투 ② (기계 등의) 씌우개, 덮개
коза (여) 암염소, 암산양
козёл (남) 숫염소, 수산양; ~ отпущения 항상 남의 죄를 뒤집어쓰는 사람
козлёнок (남) 염소새끼, 산양새끼
козлы (복수) ① 마부대 ② (장작을 켤 때 쓰는) 받침대; ставить винтовки в ~ 총을 마주세우다
козни (복수) 음모(陰謀), 책동, 간계, 흉모; строить ~ 간계(음모)를 꾸미다
козырёк (남) (모자의) 채양; брать под

- 218 -

~(군사) 거수경례를 하다

козырь (남) ① (트럼프의) 주패 ② 장기, 우월한 점

козырять I (미완) ① 거수경례를 하다

козырять II (미완) ① *чем* 뽐내다 ② (트럼프놀이에서) 주패를 내놓다 (대다)

койка (여) (요람씩) 침대

кок (남) (배에서) 요리사(料理師)

кокетка (여) 애교(교태)를 부리는 여자, 아양을 떠는 여자, 애교 쟁이

кокетливый (형) 애교(교태)를 부리는, 아양을 떠는

кокетничать (미완) 애교(교태)를 부리다, 아양을 떨다, 뻐기다

кокетство (중) 애교, 아양

коклюш (남) (의학) 백일해(百日咳)

кокон (남) 고치(cocoon), 알주머니; шелковичный ~ 누에고치

кокосовый (형): ~ый орех 야자 (열매); ~ая пальма 야자나무, 야자수; ~ое масло 야자기름

кокс (남) 콕스웨인(coxswain)

коксующийся (형): ~ уголь 콕스탄

коктейль (남) 혼합주, 혼합음료

Кол(Послание к Колоссянам, 4장, 243쪽)골로새서(골로사이인들에게 보낸 편지 The Letter of Paul to the Colossians)

кол (남) 말뚝, 울대

колба (여) 플라스크, 실험병

колбаса (여) 서양순대, 꼴바싸; варёная ~ 삶은 꼴바싸; копчёная ~ 훈제한 꼴바싸

колдовство (중) 마술(魔術), 요술(妖術)

колдун (남) 요술쟁이, 마술사(魔術師)

колебание (중) ① (물리) 떨기 (진동) ② (온도 등의) 변동, 변화 ③ 동요(童謠), 주저; без ~й 주저 없이

колебать (미완) ① 흔들다, 진동하다 ② 동요시키다, 뒤흔들어놓다

колебаться (미완) ① 흔들거리다, 진동하다 ② 동요하다, 오르내리다 ③ 주저하다, 망설이다, 오물쪼물 거리다

коленный (형): ~ сустав 무릎마디, 슬관절(膝關節)

колено (중) ① 무릎; вставать на ~и 무릎을 꿇다; сажать на ~и 무릎에 앉히다 ② (기계, 관 등의) 마디, 관절(貫節); поставить на ~и 굴복시키다

коленчатый(형):~ вал (공학)크랭크축(crank축), 크랭크샤프트, 곡축(曲軸)

колесить (미완) ① (타고) 돌아다니다 ② 비틀거리며 가다

колесо (중) 바퀴, 차바퀴; зубчатое ~ 이 바퀴

колея (여) ① 바퀴자리 ② 궤도(軌道); широкая (узкая) ~я 넓은 (좁은) 철길; выйти(выбиться) из ~и 궤도를 벗어나다; войти в (свою) ~ю 궤도에 들어서다

колики (복수) (의학) 아픔, 통증(痛症) (동통), 산통(産痛)

колит(남)(의학) 대장염, 결장염(結腸炎)

количественный (형) 수량(數量), 양적; в ~ом отношении 양적으로 (보아); ~ое числительное (언어) 수량수사

количество (중) 수량(數量), 량(量), 수(數); большое ~ 다수, 다량

колкий(형) ① 찌르는, 찌르는 듯한 ② 신랄한, 쏘아붙이는; ~ое замечание 툭 쏘는 말

колкость (여) 신랄한 것, 툭 쏘는 말

коллега (여) 동료(同僚), 동업자(同業者), 같이 일하는 사람

коллегиальность (여) 합의제(合議制), 집체적 협의제(協議制)

коллегиальный (형) 집체적인, 합의제에 의한; ~ое управление 공동관리

коллегия (여) ① 참회회, 협의회, 협

의기관; редакционная 편집위원회 ②: ~ адвокатов 변호사회

коллектив (남) 집단(集團), 단위, 단체, 종업원일동; ~ преподавателей 교원일동, 교원집단

коллективизация (여) 협동화, 집단화; ~ сельского хозяйства 농업경리(농업)의 집단화 (협동화)

коллективизм (남) 집단주의

коллективный (형) 집단적인, 집체적인, 공동적인; ~ое руководство 집체적 지도; ~ый договор 단체계약; ~ое хозяй- ство см. колхоз

коллекционер (남) 수집자, 채집자

коллекционировать (미완) 수집(收集)하다, 채집(採集)하다

коллекция (여) 수집, 수집품, 표본

колода I (여) 짧은 통나무

колода II (여) 한조의 트럼프

колодец(남)① 우물; ② (광산) 수직갱도

колодка (여) 구두모형

колокол (남) 종(鍾); бить в ~ 종(鍾)을 치다

колокольный (형): ~ звон 종소리

колокольня (여) 종루(鐘樓), 종각(鐘閣)

колокольчик (남) ① 방울, 작은 종 ② (식물) 방울꽃, 초롱꽃

Коломбо (남) (불변) 콜롬보

колониализм (남) 식민주의(植民主義)

колониальный (형) 식민주의, 식민주의적인; ~ая система 식민지체계; ~ый гнёт 식민지적 압박

колонизатор (남) 식민주의자

колонизация (여) ① 식민지화(植民地化) ② 식민(植民)

колония (여) ① 식민지(植民地) ② 거류지(居留地), 거류민단; трудовая ~ 노동교화소

колонка (여) ① (신문, 책의) 단, 란 ②: (водоразборная) ~ 급수탑; бензиновая ~ см. бензоколонка

колонна (여) ① 종대; походная ~행군종대 ② 두리기둥, 원주; пятая ~ 오열 (간첩암해분자들)

колоннада (여) (건축) 주랑, 연주

колонок (남) (동물) (북) 족제비

колорит (남) ① 색깔, 색채, 색조 ② 특색, 특징; местный ~ 향토풍

колоритный (형) ① 색깔이 선명한, 색이 조화된 ② 특징적인, 독특한

колос (남) 이삭

колоситься (미완) 이삭이 나다(피다)

колосовые (복수) 이삭식물 (이삭이 달리는 식물)

колосс (남) 거인(巨人), 거물(巨物); ~ науки 과학의 거장

колоссальный (형) 커다란, 거대한, 굉장한; ~ая сумма 고액

колотить (미완) см. бить ①, ②

колотиться (미완) см. биться ④

колотый (형) ①: ~ сахар 각사탕 ②: ~ая рана 찔리운 상처

колоть I (미완) ① 쪼개다, 깨뜨리다, 패다; ~ дрова 장작을 패다;~ орехи 가래를 까다; ~ лёд 얼음을 깨다 ② 찌르다, 꽂다

колоть II (미완) 쿡쿡 쑤시다, 쏘다, 찌르다; колет в боку 옆구리가 쿡쿡 쏜다.; правда глаза колет (속담) 옳은 말은 귀를 찌른다.

колпак (남) ① 고깔모자, 위생모(자) ② 씌우개, 덮개

колумбийский (형) 콜롬비아

Колумбия (여) 콜롬비아

колхоз (남) 콜호스(kolkhoz)

колхозник(남),**~ца**(여) 콜호스원

колхозный (형) 콜호스(kolkhoz)

колыбель (여) 요람, 요람지, 발원지

колыбельный(형):~ая песня 자장가

колыхать (미완) 흔들리게 하다, 펄럭

이게 하다

колыхаться (미완) 펄럭이다, 설레다, 너붓거리다, 흔들리다

колыхнуть(ся)(완)*см.* колыхать(ся)

колышек (남) 작은 말뚝

кольнуть (완) *см.* колоть ①

кольцевой (형) 고리, 고리모양; ~ая линия 순환선; ~ая дорога 순환도로, 순환철도

кольцо (중) ① 고리, 가락지, 반지; зо-лотое ~о 금가락지 ② (공학) 링그, 고리, 가락지 ③ (체육) 윤; упражнения на кольцах 윤 운동

кольчуга (여) 갑옷

колючий (형) ① 가시 있는, 콕콕 찌르는, 쏘는; ~ая проволока 가시쇠줄 ② 쏘아붙이는, 꼬집는, 신랄한; ~ие слова 툭 쏘는 말

колючка (여) 가시

коляска (여) ① 승용마차 ② 유모차 (乳母車) ③ 싸이드카

ком I (남) 덩어리, 덩이; снежный ~ 눈덩이; ~ земли 흙덩이; ~ в горле 목이 메다

ком II *см.* кто (전)

команда (여) ① 구령(口令), 명령(命令); отдавать ~у 구령을 내리다 ② 대, 반; пожарная ~ 소방대 ③ (배의) 승무원 ④ (체육) 팀, 선수단; сборная ~ 종합팀, 종합선수단

командир (남) 지휘관; ~ взвода 소대장; ~ корабля 함장

командировать (미완, 완) 출장 보내다, 파견하다

командировка(여)출장(出場), 파견(破見); быть (находиться) в ~е 출장중이다

командировочные (복수) 출장비

командировочный (형) ① 출장(出場); ~ое удостоверение 출장증명서 ② (명사로) 출장원

командный (형) ① 지휘(指揮), 통솔; ~ состав 지휘성원(들) ② 지도적인, 책임적인; ~ пост 지도적인 위치

командование (중) ① 사령부, 지휘부 ② 지휘; под ~м 지휘하에

командовать (미완) ① *чем* ...을 지휘하다 ② 구령을 치다

командующий (남) 사령관(司令官)

комар (남) 모기

комбайн (남) 종합기계, 복식수확기, 콤바인(combine); (уборочный) ~ 종합수확기

комбайнер (남) 콤바인운전수

комбикорм (남) (комбинированный корм) 배합먹이, 배합사료

комбинат (남) 종합공장 (기업소), 콤비나트; ~ бытового обслуживания 종합편의 (봉사) 시설

комбинация (여) ① 배합(配合), 연합(聯合), 결합(結合); ~ чисел 수자의 결합 ② 술책(術策), 계책; хитрая ~ 계교, 교묘한 꾀

комбинезон (남) (아래위가 맞붙은) 노동복, 작업복; лётный ~ 비행사복

комбинировать (미완) ① 배합(연합)하다, 결합하다 ② 책략(계책)을 꾸미다

комедия(여) ① 희극(喜劇) ② 광대극

комендант ① (성새, 요새지 등의) 사령관(司令官) ② 건물(建物)관리원; ~ общежития 기숙사관리원

комендатура (여) 위수사령부, 관리부, 경무부

комета (여) 혜성(彗星), 살별, 고리별

комик (남) ① 희극배우 ② 희극쟁이, 익살꾼

комиссар (남) 정치위원, 전권위원

комиссариат (남): военный ~ 군사 동원부

комиссионный (형) ①: ~ магазин 위탁판매점(委託販賣占) ②: ~ые (복수)

위탁판매보수

комиссия (여) 위원회(委員會), 협의회; избирательная ~ 선거위원회

комитет (남) 위원회; Центральный Комитет КПСС 소련공산당 중앙위원회; исполнительный ~ 집행위원회; пар-тийный ~ 당위원회

комический (형) ① 희극(喜劇) ② 희극적(喜劇的)인, 우스운, 익살스러운

комичный (형) 우스강 스러운. 우스운

комкать (미완) ① 꾸기다, 구기지르다, 뭉치다, 고기작거리다 ② 되는대로 재깍 헤치우다, 끝마치다

комментарий (남) ① 주해(註解), 주석(註釋) ② ~и (복수) 해설(解說), 논평(論評); излишни 설명(해설)이 필요없다, 일목요연하다

комментатор (남) 주해자(註解者), 주석자(註釋者), 시사해설원(時事解說員), 논설원; политический ~ 정치논설원

комментировать (미완) 주해를 하다, 주석을 주다, 해설하다, 논평하다

коммерсант (남) 상인(商人), 상업가

коммерческий (형) 상업(商業), 통상; ~ое соглашение 통상협정

коммуна (여) 코뮌; Парижская ~ (역사) 파리코뮌

коммунальный (형) 공공(公共); ~ая квартира 공공주택; ~ое хозяйство 도시경영; ~ые услуги 공공편의봉사

коммунизм (남) 공산주의(共産主義)

коммуникация (여) 연락, 교통(交通)

коммунист (남) 공산주의자, 공산당원

коммунистический (형) 공산주의(共産主義), 공산주의적인; ~ая партия 공산당; Коммунистическая партия Советского Союза 소련공산당; ~ий субботник 공산주의 토요노동

коммутатор (남) ① 교환기(交換機) ② 전류고르개, 정류기

коммюнике (중) 커뮤니케이션; совмес-тное ~ 공동콤뮤니케

комната (여) 방, 간(칸), 호실; жилая ~ 살림방; убирать ~у 방을 청소하다; ~ матери и ребёнка (역에서) 애기 어머니칸, 유모실

комнатный (형) 방안(房-), 실내(室內); ~ая температура 실내온도; ~ая антенна 실내안테나; ~ые растения 실내식물

комод (남) (서랍이 달린) 장롱(欌籠), 농(籠), 반닫이

комок (남) 덩이, 덩어리, 멍울, 뭉치

компактный (형) 촘촘한, 조밀한

компания (여) ① 패, 패거리, 동아리; составить ~ю 한패가 되다, 한데 어울리다 ② 회사(會社), 상사(商事)

компаьон (남) ① 동료, 동반자 ② (회사의) 공동경영자, 공동출자자, 동업자

компартия (여) (коммунистичекая партия) 공산당(共産黨); братская ~ 형제적공산당

компас (남) 나침판, 지남침(指南針)

компенсация(여) 보상(報償), 배상(賠償)

компенсировать (미완. 완) 보상(배상)하다, 갚아주다, 벌충하다

компетентный (형) ① 권한(권위)있는 ② 통달(정통)하고 있는

компетенция (여) ① 권한(權限), 권위(權威); ② 통달(通達), 정통(正統)

компиляция (여) ① 편작, 편저(編著) ② 편작물, 편작한 글

комплекс (남) ① 총체(總體), 종합체; ~ упражнений 체조동작의 종합 ②: орб-итальный ~ 궤도종합체

комплексный (형) 종합적인, 총체적인, 합성적인; ~ план 종합적 계획

комплект (남) 한조, 한 벌, 일식; ~

белья내의 한 벌

комплектование (중) (한조가 되게) 갖추는 것 (묶는 것), 편성; ~ штатов 정원보충

комплектовать (미완) ① (한조가 되게) 갖추다 (묶다), 편성하다 ② 보충하다, 채우다;~ штаты 저원을 보충하다

комплекция (여) 체질, 체격, 몸집

комплимент (남) 말치레, 찬사(讚辭); говорить ~ кому 말치레를 하다

композитор (남) 작곡가(作曲家)

композиция (여) ① (문학예술작품의) 구성(構成) ② 작곡(作曲), 작곡법

компост (남) 퇴비, 풋거름, 두엄

компостер (남) (차표 등을 찍는) 구멍가위

компостировать (미완) (차표 등을) 구멍가위로 찍다, (차표를) 찍다

компот (남) 과일 졸임, 과일통조림

компрадорский (형):~ая буржуазия 매판자본가, 예속자본가

компресс (남) 온천(溫泉)

компрессор (남) (공기, 가스등의) 압축기

компрометировать (미완) 창피를 주다, 명예를 훼손시키다

компромисс (남) 타협(妥協); идти на ~ 타협하다

компромиссный (형) 타협, 타협적인; ~ый план 타협안; ~ое решение 타협적인 결정

компьютер (남) 컴퓨터, 전자계산기

компьютеризация (여) 전자계산기화

комсомол (남) (коммунистический союз молодёжи) 공산주의청년동맹

комсомолец (남), **~ка** (여) 공청원

комсомольский (형) 공청(公廳)

комсорг (남) (комсомольский организатор) 공청책임자

комсостав см. (командный состав)

кому см. кто (여)

комфорт (남) 안락(安樂), 편리(便利)

комфортабельный (형) 안락한, 아담한, 매우 편리하게 꾸린

Конакри (남) (불변) г. 꼬나크리

конвейер (남) 콘베어; ленточный ~ 벨트콘베아

конвенция (여) 협약(協約), 공약(公約); международная ~ 국제공약

конверт (남) 봉투(封套)

конвертор (남) (금속) 전로

конвоир (남) 호송병, 호위병(護衛兵)

конвой (남) ① 호송대, 호위대(扈衛隊) ② 호위함대

конвульсия (여) 경련

Конго (중) (불변) 콩고(Congo)

конголезский (형) 콩고(Congo)의

конгресс (남) ① 국제회의(國際會議); Всемирный ~ сторонников мира 세계평화옹호대회 ② (일부 나라들의) 국회(國會), 의회(議會)

конгрессмен (남) 국회의원(國會議員)

конденсатор (남) ① (전기) 축전기(蓄電器), 냉각기(冷却機) ② (화학) 응결기(凝結器), 응축기(凝縮機)

кондитер (남, 여) 제과공

кондитерская (여) 과자상점

кондитерский (형): ~ая фабрика 과자공장; ~ие изделия 과자, 당과류; ~ий магазин см. кондитерская

кондиционер (남) (기계) 공기조절기

кондиционирование (중):~ воздуха 공기조절

кондуктор (남) 차장

коневодство (중) 말 기르기, 양마업

конёк (남) ① (지붕의) 용마루, 마루터기 ② 즐겨서 하는 생각 (이야깃거리); сесть на любимого конька 자기가 좋아하는 이야기를 꺼내다

конец (남) ① 끝, 마지막, 막바지; ~ец верёвки 노끈 끝; ~ец дороги 길이

- 223 -

끝난 곳; до ~ца 끝까지 ② 종말(終末) 멸망(滅亡), 마감; ~ец века 세기말; под-ходить к ~цу 끝나가다, 다 떨어지다 ③ 끄트머리, 끄덩이 ④ 종점(終點), 마지막 역, 절반길; билет в оба ~ца 왕복차표 ⑤ 죽음, 막바지; положить ~ец 끝장내다; без ~ца 끝없이, 끊임없이, 무한히; в ~це ~ ов 결국; на худой ~ец 적어도, 최악의 경우에는, 잘못되는 경우에는; сводить ~цы с ~ами 겨우 살아나가다, 이리저리 돌려 맞추다

конечно ① (끼움말) 물론, 틀림없이; он, ~, прав 그는 물론 옳다 ② (조) 물론이다, 두말할 것도 없다

конечности (복수) 손발, 수족(手足), 사지(四肢), 각

конечный (형) ① 최후, 마지막, 끝에 있는; ~ая станция 마감 역, 마지막 역 ② 종국적인, 궁극적인; ~ая цель 종국적인 목적; ~ый результат 최종결과; в ~ом счёте 결국

конина (여) 말고기

конический (형) 원뿔꼴, 원추형: ~ое сечение 원추곡선

конкретизация (여) 구체화(具體化)

конкретизировать(미완, 완) 구체화하다

конкретно (부) 구체적으로

конкретность (여) 구체성(具體性)

конкретный (형) 구체적인; ~ план 구체적인 계획

конкурент (남) 경쟁자, 적수

конкуренция (여) 경쟁(競爭); вне ~и 무쌍, 무적

конкурировать (미완) 경쟁(競爭)하다, 다루다

конкурс (남) 경연(대회), 콩쿠르, 경쟁(競爭); пройти по ~у 경연에서 당선되다; ~ скрипачей 바이올린연주가 콩쿠르 (경연대회); объявить ~ 현상모집을 하다; вне ~а 무쌍, 무비, 무적

конкурсный (형) 경연(競演), 콩쿠르; ~ экзамен 경쟁시험

конник (남) 기병(騎兵), 기수(旗手)

конница (여) 기병대(騎兵隊)

конный (형) ①: ~ завод 양마 장 ②: ~ спорт 승마경기

конопля (여) 삼(森), 대마(大麻)

конопляный (형):~ое масло 삼기름

консервативный (형) 보수적인

консерватизм(남)보수주의(保守主義)

консерватор (남) ① 보수주의자(保守主義者) ② 보수당원; ~ы (복수) 보수파

консерватория (여) 음악대학

консервировать (미완) ① 통조림하다 ② (활동 등을) (일시) 중지(중단)하다

консервный (형) 통조림; ~ завод 통조림공장

консервы (복수) 통조림; рыбные ~ 물고기 통조림

консилиум (남) 의사협의회; созвать ~ 의사협의를 소집하다

консистенция (여) 경도, 밀도, 농도

конский (형) 말; ~ волос 말총

консолидация (여) 단결, 단합

конспект (남) 개요, 요강, 요점 따기

конспективный (형) 개략적인(概略的-), 요약적인(要約的-)

конспектировать (미완) 요점을 따다, 요약하다

конспиративный(형) 비밀리(秘密裏), 비합법(非合法), 지하; ~ая квартира 비밀공작장소, 아지트

конспиратор (남) 비밀공작원, 비밀을 지키는 사람

конспирация (여) 비밀보장, 비밀준수, 비밀공작

констатировать (미완, 완) 확인(확정)하다, 검증하다

- 224 -

конституционный (형) 헌법(憲法), 헌법상, 입건(적인);~ые права 헌법상 권리

конституция (여) 헌법(憲法), 법헌; Конституция СССР 소련헌법

конструировать (미완) ① 조직하다 ② 구성(설계)하다, 구조를 만들다

конструктивный (형) ① 설계상, 구조상 ② 건설적인; ~ое предложение 건설적인 제의

конструктор (남) ① 설계가, 설계자 ② 조립유희놀이감

конструкторский (형): ~ое бюро 설계부

конструкция (여) ① 구조(構造), 구성; автомобиль новой ~и 신형자동차 ② (복수) 구조물; железобетонные ~и 철근콘크리트구조물

консул (남) 영사(領事); генеральный ~ 총영사(總領事)

консульство (중) 영사관(領事館); гене-ральное ~ 총영사관

консультант (남) 협의자, 심의원, 고문; врач-~ 협의의사

консультация (여) ① 협의, 상담, 질의응답 ② 상담소, 협의장소; женская ~ 여성보건상담소

консультировать (미완) ① (전문가와) 협의(상담)하다 ② (전문가로서) 조언(충고)을 주다

консультироваться (미완) (전무가 등과) 협의(상담)하다, 의논하다

контакт (남) ① (공학) 접촉자, 접점(接點), 접촉개소 ② 접촉(接觸), 연계; уста-навливать ~ 접촉하다, 연계를 맺다

контактировать (미완) 접촉하다, 연계를 가지다

контейнер (남) (짐을 포장하지 않고 나르는) 규격용기, 용기, 보호함

контекст (남) 문맥(文脈)

контингент (남) 정원, 인원(수), 총수; ~ учащихся 학생인원(총수)

континент (남) 대륙(大陸)

континентальный (형) 대륙성(大陸性), 대륙(大陸); ~ климат 대륙성기후

контора (여) 사무소(事務所), 사무실(事務室); нотариальная ~ 공증소

контрабанда (여) ① 밀수(업) ② 밀수품(密輸品); заниматься ~ой 밀수하다, 밀수입하다

контрабандист (남) 밀수업자

контрабас (남) 콘드라바스

контр-адмирал (남) 해군소장

контракт(남) 계약(契約), 계약서(契約書); заключать ~ 계약을 맺다; расторгать ~ 계약을 파기하다

контрактация (여) ① 계약체결(契約締結) ② 예약수매(豫約收買)

контрактовать (미완) 계약을 맺다, 수매를 예약하다; ~ урожай 농산물수매를 예약하다; ~ рабочих 노동자의 채용을 계약하다

контральто (중) (음악) 여성최저음

контраст (남) 대조, 대립, 정반대

контратака (여) 반공격, 역습(逆襲)

контрибуция (여) 전쟁배상금

контрнаступление (중) 반공격, 반공격전; переходить в ~ 반공격으로 넘어가다

контролёр (남) 검사원(檢査員), 감독원; билетный(железнодорожный) ~ 검표원

контролировать (미완) 검사(검열, 감독, 감시)하다, 통제하다, 따져보다

контроль (남) ① 검열(檢閱), 검사, 감독, 통제 ② 검열원, 검사원(檢査員), 검표원; поставить ~ у входа 입구에 검열원을 세우다

контрольный (형) 검열(檢閱), 검사(檢査), 감시(監視), 통제; ~ая комиссия 검열위원회; ~ая работа 검열작업

контрразведка (여) 반첩보기관, 반간첩기관
контрреволюционер (남) 반혁명분자
контрреволюционный (형) 반혁명
контрреволюция (여) 반혁명
контрудар (남) 반격(反擊), 반타격; наносить ~ 반격을 가하다
контуженный (형) 타박상을 입은
контузить (완) 타박상을 입히다
контузия (여) 타박상(打撲傷); получить ~ю 타박상을 입다
контур (남) 윤곽, 겉모습, 외형, 언저리
контурный (형); ~ая карта 백지도
конура (여) ① 개우리 ② 오막살이 (집)
конус (남) 원추(형), 추면
конфедерация (여) 연방(聯邦), 연방제, 연맹(聯盟); ~ труда 노동평의회
конферансье (남) 공연종목소개자
конференц-зал (남) 회의실, 회의장
конференция (여) 회의(會議), 대회(大會), 대표자회(代表者會)
конфета (여) 알사탕
конфиденциальный (형) 내막적인, 비밀리의; ~ разговор 내막적인 이야기
конфискация (여) 몰수(沒收), 압수
конфисковать (미완, 완) 몰수(沒收)하다, 압수(押收)하다
конфликт (남) 충돌(衝突), 분쟁(忿爭), 쟁의(爭議); трудовой ~ 노동쟁의; разрешать ~ 쟁의(분쟁)를 판결하다
конфликтный (형): ~ая ситуация 분쟁으로 말미암아 조성된 정세 (사태); и~ая комиссия 쟁의조정위원회
конфуз (남) 부끄러움, 창피스러운 것, 당황; привести в ~ 부끄럽게 만들다, 당황케 하다
конфузиться (미완) 부끄러워하다
конфуцианство (중) 유곡, 유학(儒學)
концентрат (남) ① 농축식료품, 건먹이, 농후사료 ② (광업) 정광
концентрационный (형): ~ лагерь 집단수용소
концентрация (여) ① 집중(集中), 집결(集結), 집적; ~ производства 생산의 집중 ② (화학) 농화, 농도(濃度)
концентрированный (형) ① 집중적인, 집중된 ②: ~ раствор (화학) 농축액; ~ корм 건사료, 농후사료
концентрировать (미완) 집중(集中)하다, 집결(集結)하다
концентрироваться (미완) 집중(集中)되다, 집결(集結)되다
концепция (여) 견해, 학설, 개념(概念)
концерн (남) (경제) 콘체른(Konzern), 기업합동(企業合同), 카르텔, 트러스트
концерт (남) ① 음악회, 연주회, 예술 공연; давать ~ 연주(공연)하다 ② 협주곡; фортепианный ~ 피아노협주곡
концертмейстер (남) 피아노반주자
концертный (형) 음악회(音樂-)의, 연주회(演奏會)의; ~ зал 음악당
концессионер (남) 이권소유자
концессионный (형): ~ое предприятие 특허기업소; ~ договор 이권제공조약
концессия (여) ① 이권(利權), 특권(特權); отдавать на ~ю что ...의 이권을 양도하다 ② 특허기업소
концлагерь *см.* концентрационный
кончать (미완) ① 끝내다, 끝마치다, 마감하다, 완료하다 ② *чем* ...로 끝맺다 ③ 졸업하다
кончаться (미완) ① 끝나다, 완료되다 ② 떨어지다, 다 소비되다
кончик (남) 끝, 모서리, 초리; ~пера 펜촉; ~ карандаша 연필 끝; ~ хвоста 꼬리초리
кончина (여) 죽음, 서거(逝去)
кончить(ся) (완) *см.* кончать(ся)

конъюктивит (남)(의학)결막염(結膜炎)
конъюктура (여) ① 시국(時局), 정세(政勢), 정국(政局) ② (경제) 시세(時勢), 경기; благоприятная ~ 호경기
конь (남) ① 말(馬); боевой ~ь 군마(軍馬) ② (체육) 목마(牧馬), 안마(按摩); упражнения на ~е 안마운동 ③ (장기의) 말(馬)
коньки (복수) 스케이트;кататься на ~ах 스케이트를 타다
конькобежец (남) 스케이트선수
конькобежный (형) ~ые соревнования 빙상경기
коньяк (남) 꼬냑 (서양 술의 한 가지)
конюх (남) 마부, 말시중군
конюшня (여) 마구(간)
кооператив (남) 협동조합(協同組合); сельскохозяйственный ~ 협동농장, 농업협동조합; жилищный ~ 주택알선협동조합
кооперация (여) 협동단체, 협동조합; промысловая ~ 생산협동조합
кооперировать (미완, 완) 협동화하다, 협동조합에 망라하다 (가입시키다)
координата (여) (수학) 자리표 (좌표)
координация (여) 조절, 조정, 일치
координировать (미완, 완) 일치시키다, 조절(조정)하다
копать (미완) ① 파다, 파엎다;~ землю 땅을 파다 ② 파내다, 캐다;~ картофель 감자를 캐내다
копаться (미완) ① 뒤지다, 파헤치다, 더듬적거리다 ② 늦장부리다, 꾸물거리다; ~ с работой 일을 하느라고 꾸물거리다 ③ 파고들다
копейка (여) 코뻬이카(100 분의 1 루블); беречь ~у 푼돈을 아끼다
Копенгаген (남) 피뻰하븐
копи (복수) (광석, 석탄, 소금 등의); соляные ~ 돌소금채취장, 소금밭
копилка (여) 저금통(貯金筒)

копирка см. копировальная(бумага)
копировальный (형) 복사(複寫), 등사(謄寫); ~ая машина 복사기, 등사기; ~ая бумага 복사지, 먹지
копировать ① 복사하다, 등사하다, 모사하다 ② 모방하다, 흉내내다
копировщик (남) 복사원, 등사원
копить (미완) 모아두다, 축적하다, 쌓아두다; ~ силы 역량을 축적하다; ~ злобу 악의를 품다
копия (여) 등본(謄本), 사본(寫本), 복사;~я картины 그림의 모사; снимать ~ю 사본을 만들다, 복사하다
копна (여) (곡식, 마른 풀의) 낟가리, 더미; ~ соломы 짚(낟)가리
копоть (여) 검댕, 그을음
копошиться (미완) 우글거리다, 곰지락거리다, 꾸물거리다
коптилка (여) 등잔, 석유등잔
коптеть (미완) см. коптить (완)
коптить(미완) ① 그을음을 내다, 검댕이 있다; лампа коптит 등잔이 그을음을 낸다. ② (고기 등을) 훈제하다, 그슬리다
копчение (중) ① 내굴찜, 훈제(燻製), 그스는 것 ② ~я (복수) 훈제품
копчёности (복수) см. копчение ②
копчик (남) (해부) 미골, 꽁무니뼈
копыто (중) 발굽, 말발굽
копьё (중) 창(槍); метание ~я 창던지기; ломать копья 열을 올려 말다툼(논쟁)하다
1 Кор (Первое послание к Коринфянам, 고린도 전서(고린토인들에게 보낸 편지(— 人 — 便紙, The Letter of Paul to the Corinthians)
2 Кор (Второе послание к Коринфянам, 16장, 204쪽) 고린도후서(고린토인들에게 보낸 편지(— 人 — 便紙, The Letter of Paul to the Corinthians)
кора(여) ① 껍질 ②: земная ~ 지각,

지구껍데기;~ головного мозга 대뇌피질

кораблекрушение (중) 조난(遭難), 난파(難破); потерпеть ~ 조난당하다

кораблестроение (중) 조선공업(造船工業), 선박건조, 선박건조학

корабль (남) 배, 선박(船舶);военный ~ 군함, 함선; воздушный ~ 비행선; космический ~ 우주비행선

коралл (남) ① 산호층 ② 산호(장식물)

коран (남) 회교경전, 코란(Koran)

Корейская Народно-Демократическая Республика, КНДР 조선민주주의인민공화국

корейский (형) 한국(韓國)의

корейцы(복수) (~ец (남),~янка (여)) 대한민국사람(들)

коренастый (형) ① 앙바틈한 ② 다부지게 생긴, 옹골찬

корениться (미완) ① в чём ...에 근원을 두다, 기원하다, 유래하다 ② (악습 등이) 뿌리박다

коренной (형) ① 근본적인, 기본적인, 본질적인; ~ой вопрос 근본적인 문제 ② 본래; ~ой житель 토착민, 본토배기; ~ой зуб 이뿌리

корень (남) ① 뿌리, 밑뿌리, 그루 ② 본원, 본질 ③ (언어) (말)뿌리, 어근(語根) ④ (수학) 뿌리, 근(根); в ~не не сог- ласен 절대로 찬성할 수 없다; пускать глубокие ~ни 뿌리를 깊이 박다; смо-треть в ~ень 본질을 파고들다; унич-тожить с ~нем 뿌리 채 뽑아 버리다, 근절하다

Корея (여) 대한민국. 한국, 조선, 고려

корзина (여) 광주리, 바구니; ~ для бумаги 휴지통

корзинка (여) 작은 광주리 (바구니)

коридор (남) 복도

корить (미완) 나무라다, 욕지거리하다, 꾸지람하다

корифей (남) (주로 문학, 예술의) 대가(大家), 거장(巨匠)

корица (여) 계피

коричневый (형) 계피색, 갈색

корка (여) 껍질, 껍데기, 딱지

корм (남) 먹이, 모이, 사료

корма (여) 고물, 배꼬리

кормилец (남) 부양자, 먹여살리는자

кормилица (여) 유모(乳母)

кормить (미완) ① 먹이다, 먹이를 주다; ~ ребёнка грудью 아이에게 젖을 먹이다; ~ больного 환자에게 음식을 떠먹이다 ② 부양하다, 먹여살리다; ~ семью 가족을 부양하다

кормиться (미완) 먹다, 음식을 구하다, 먹고 살다

кормление (중) ① 사육(飼育), 먹이를 주는 것 ② 젖먹이기

кормовой (형) 먹이, 사료(飼料);~ые культуры 먹이작물; ~ая база 사료기지

кормушка (여) 구유, 여물통, 모이통

корнеплод (남) 뿌리남새, 근채

корнет (남) (음악) 코르네트

коробить (미완) ① 굽히다, 쪼그라뜨리다 ② 기분 상하게 하다, 불쾌감을 주다

коробиться (미완) 쪼그라지다, 앙당그러지다, 구부러지다, 비뚤어지다

коробка (여) 갑, 통; ~ спичек 성냥갑; ~ конфет 알사탕통

корова (여) 암소, 젖소

коровка (여) : божья ~ 무당벌레

коровник (남) 외양간

короед (남) 나무좀벌레

королева (여) ① 여왕 ② 왕비, 왕후

королевство (중) 왕국(王國)

король (남) 왕, 국왕(國王)

коромысло (중) ① 멜대 (멜채), 어깨채 ② 저울대, 흔들대

корона (여) 왕관(王冠)
коронация (여) 대관식(戴冠式)
коронка (여) 이발그루 (치관)
короста (여) 딱지, 주버기, 더뎅이
коротать (미완): ~ время (심심치 않게) 시간(세월)을 보내다
короткий (형) ① 짧은, 짤막한, 껑둥한; ~ий рукав 짧은 소매;~ая юбка 짧은 치마, 스커트; ② 가까운, 간단한; ~ий день 해가 짧은 날; ~ие волны (물리) 단파; ~ий срок 단기간; ~ий ответ 짤막한 대답;~ое знакомство 친한 사이
коротковолновый(형):~ предатчик 단파송신기; ~ приёмник 단파수신기
короткометражный (형): ~ фильм 단편영화(短篇映畵)
коротышка (남, 여) 땅딸보, 난쟁이
корпеть (미완) 골몰하다, 전념하다; ~ над книгами 골똘히 독서하다
корпорация (여) 회사(會社), 협회
корпус (남) ① (수개건물 중의) 집채, 채; главный ~ 본청사, 본관 ② 몸둥이, 몸통 ③ (기계 등의) 본체(本體), 골조(骨組), 동체(同體); ~ судна 선체; ~ самолёта 비행기동체 ④ 군단; дипломатический ~ 외교단
корректирование (중) 수정(修正), 교정(校定), 고침
корректирвоть (미완) 교정하다, 수정하다, 정정하다
корректировкасм.корректирование
корректировщик (남) ① 포사격지휘기 ② 사격수정수
корректный (형) 예절바른, 절도 있는
корректор (남) 교정원
корректура (여) ① 교정(校定), 정정(正定) ② 교정지
корреспондент (남) 기자(記者), 통신원(通信員); специальный ~ 특파기자; собственный ~ 본사기자
корреспонденция (여) ① 서신(書信) ② 우편물(郵便物) ③ 통신기사, 기고, 보도
коррозия (여) ① 부식, 부식작용 ② (지질) 침식, 용식
коррупция (여) 매수, 매관매직 (행위)
корт (남): теннисный ~ 정구장
кортеж (남) (예식의) 행렬; ~ автомашин 자동차행렬; свадебный ~ 혼례행렬
кортик (남) (군관의) 단검
корточки (복수); сидеть на ~ах 무릎을 쪼그리고 앉아있다
корунд (남) (광물) 강옥(석)
корчевальный (형): ~ая машина 나무뿌리 그루터기를 뽑는 기계
корчевать (미완) 뿌리 뽑다; ~ пни 그루터기를 파내다 (뿌리 채 뽑다)
корчить(미완) ①: его корчит от боли 그는 아파서 몸을 끈다 ②: ~ из себя ...한체하다; ~ гримасы 얼굴을 찡그리다
корчиться (미완) 몸을 꼬다 (뒤틀다); ~ от боли 아파서 몸을 꼬부리다(쪼크리다)
коршун (남) 소리개
корыстный (형) 사리사욕, 사심 있는, 탐욕스러운; ~ый(корыстолюбивый) человек 자기 욕심만 차리는 사람; в ~ых целях 이기적인 목적으로
корыстолюбие (중) 사리사욕(私利私慾), 사심(私心), 탐욕(貪慾), 욕심(慾心)
корысть (여) ① *см.* корыстолюбие ② 이익(利益), 이득(利得)
корыто (중) 함지, 빨래통, 구유
корь (여) (의학) 홍역(紅疫)
корявый (형) ① 울툭불툭한, 우굴쭈굴한; ~ое дерево 울툭불툭한 나무 ② (손, 손가락이) 불퉁불퉁한, 울퉁불퉁

한 ③ (글씨가) 졸렬한, 조잡한
коса I (여) (자루가 긴) 낫, 큰낫
коса II (여) 머리태; заплетать косу 머리를 땋다
коса III (여) (기슭의) 감풀; песчаная ~ 모래곶
косарь (남) 풀베기군, 꼴꾼
косвенный (형) 간접적(間接的-), 부차적인; ~ые доказательства 간접적인 (부차적인) 증거; ~ый налог 간접세; ~ый падеж (언어) 간접적, 사격
косеканс(남)(수학)코시컨트(cosecant)
косилка (여) 풀 베는 기계
косинус (남) (수학) 코사인(cosine)
косить I (미완) (풀, 곡식을) 베다
косить II (미완) ①: ~рот 입을 비쭉거리다 ②: ~ глаза 가로보다, 흘겨보다
коситься (미완) ① 흘겨보다, 가로보다 ② 휘우뚱거리다, 비뚤어지다, 기울어지다; стена косит 벽이 비뚤어진다. ③ 노려보다, 마땅치 않게 보다
косматый(형) 텁수룩한, 헙수룩한, 털이 더부룩한; ~ая голова 더펄머리; ~ый медведь 털북숭이 곰
косметика (여) ① 미안술(美顔術), 화장법 ② 화장품(化粧品), 안료(顔料)
космический(형) 우주(宇宙)의;~полёт 우주비행; ~ корабль 우주비행선; ~ое пространство 우주공간
космодром (남) 우주비행장
космонавт (남) 우주비행사
космополит (남) 세계주의자
космополитизм (남) 세계주의
космос (남) 우주, 우주계; освоение ~а 우주의 개척
косность (여) 보수성, 완고성
коснуться (완) см. касаться
косный(형)보수적인, 완고한, 케케묵은
косо(부) 비스듬히, 경사지게, 삐뚜름히

косовица (여) 풀베기, 곡식베기
косоглазие (중) 사팔눈
косоглазый(명사) 사팔뜨기, 모들뜨기
косогор (남) 언덕의 비탈, 자드락
косой(형) ① 경사진, 기울어진, 비뚤어진 ② 휘어진, 옆으로 탄; ~ пробор 옆으로 탄 가리마 ③: ~ глаз 사팔눈; бросать ~ взгляд 노려보는 (곱지 않은) 눈초리를 던지다
Коста-Рика (여) 코스타리카
костёр (남) 모닥불, 우등불, 화톳불; ра- зложить(разжечь) ~ 모닥불을 피우다
костлявый (형) ① 뼈가 앙상한, 앙상궂은; ~ые руки 뼈마디가 앙상한 손 ② (물고기가) 잔뼈가 많은
костный (형): ый мозг 골수; ~ая ткань 뼈 조직, 골 조직
косточка(여) ① 작은 뼈 ② (열매의) 씨 ③ 수판알; перемывать~и 남을 헐뜯다
костыль (남) 쌍지팡이; ходить на ~ях 쌍지팡이를 짚고 다니다
кость (여) 뼈, 뼈다귀; слоновая ~ь 상아; игральная ~ь 주사위;продрогнуть до ~ей 뼈 속까지 얼다
костюм (남) 옷, 의복(衣服), 양복, 복장; выходной ~ 외출복; спортивный ~ 체육복, 운동복; национальный ~ 민족의상
костюмированный (형): ~ бал 가장무도회
костяк (남) ① 골격(骨格), 해골(骸骨) ② 골간(骨幹), 정수문자
костяной(형) 뼈, 뼈로 만든; ~ая мука 뼈가루; ~ой клей 갖풀, 아교풀
косуля (여) 노루
косынка (여) (여자용 삼각형의) 머리수건, 목수건
косьба (여) 풀베기

косяк (남) ① 물고기 떼 ② 새떼 ③ 말떼, 말무리
кот (남) 수고양이
котангенс (남) (수학) 코탄젠트 (cotangent), 탄젠트의 역수
котёл (남) ① 가마, 가마솥, 솥 ② 보이라, 증기가마
котелок (남) ① 작은 가마(솥), 쟁개비 ② (군대용) 밥통, 반합
котельная (여) 보이라실
котёнок (남) 고양이새끼
котик (남) ① 물개, 바닷개 ② 물개털가죽
котлета (여) 까쯔레쯔
котлован (남) (건축물의) 기초 구덩이, 기초 홈
котловина (여) 분지(盆地)
котомка (여) (여행용) 배낭, 개나리보짐
Котону (남) (불변) ㄹ 꼬또누.
который (대) ① (의문 대) 어느, 어떤, 몇 번째; ~ый час? 몇 시입니까? ② (관계 대) (부문장을 주문장과 연결시키며 주문장의 명사를 규정한): дом, в ~ом он родился 그가 출생한 집
коттедж (남) (한 가족이 들 수 있는) 작은 문화주택 (흔히 이층은 다락방)
кофе (중) (불변) ① 커피 ② 커피나무
кофеин (남) (의약) 코페인
кофейник (남) 커피주전자
кофейный (형) 커피; ~ цвет 커피색
кофта, кофточка (여) (여자용) 짧은 웃 저고리, 쟈케트, 브라우스
кочан (남) 양배추 통
кочанный(형):~ая капуста 결구양배추
кочевать (미완) ① 유랑하다, 유랑생활을 하다 ② 유목하다 ③ 자주 이사하다
кочевник (남) 유랑이, 유목민(遊牧民)
кочевой (형) ① 유랑(流浪)하는; ~ ая жизнь 유랑생활 ② 유목하는, 유목민(遊牧民); ~ое скотоводство 유목
кочегар (남) 화부, 보일러공
коченеть (미완) ① (꽁꽁) 얼다, 곱다 ② (시체가) 굳어지다
кочерга (여) 불갈구리
кочерыжка (여) (양배추) 밑동
кочка (여) 작은 둔덕
кошачий (형) 고양이, 고양이와 같은
кошелёк (남) 돈지갑
кошка (여) 암고양이, 고양이
кошмар (남) ① 악몽 ② 참사, 참화
кошмарный : ~ый сон 악몽; ~ые условия жизни 한심한 생활조건; ~ое зрелище 보기 끔찍한 광경
коэффициент (남) (물리, 수학) 계수(係數), 률; ~ полезного действия, КПД 효율(계수); ~ прочности 안전율
КПСС (Коммунистическая партия Советского Союза) 소련공산당
краб (남) 게
краденый (형) 훔친, 도적맞은; ~ая вещь 도적맞은 물건
краеведение (중) 향토연구, 향토학
краеведческий (형): ~ музей 향토박물관
краевой (형) 변방(邊防), 지방(地方)
краеугольный (형): ~ камень чего ...의 초석, 중요사상, 근본적인 것
кража (여) 훔치기, 도적질, 절도(竊盗); мелкая ~а 좀도적; совершать ~у 도적질하다
край (남) ① 끝, 가, 변두리, 모서리, 가장자리; ~й стола 책상의 모서리 (가장자리); ~й деревни 마을의 변두리; ~й дороги 길가; на самом ~ю 맨 끄트머리에 ② 나라, 고장; родной ~й 향토, 고향; тёплые ~я 따뜻한 지방 ③ (행정구역으로서의) 변경(邊境), 변방(邊防), 변강소재지; передний ~й 제일선, 전연; через ~й 지나치게, 너무; на

~ю света 멀고먼 곳에; быть на ~ю гибели 죽을 지경이다, 멸망에 직면하다
крайне (부) 극히, 극도로; ~ бедный 극빈한; ~ важно 대단히 중요하다
крайний (형) ① 끝에 있는, 가장 먼 데 있는, 말단; ~ий дом 끝집 ② 극도, 극난한; ~яя бедность 극도의 빈궁; ~яя необходимость 절대적 필요(성); в ~ем случае 극난한 경우에; по ~ей мере 적어도, 최소한도
крайность (여) 극단성, 극도, 과격성; впадать в ~ь 극도에 빠지다; доходить до ~и 극도에 이르다
кран I (남) (수도용) 꼭지, 코크, 여닫이; открывать(закрывать) ~ 꼭지를 열다 (닫다)
кран II (남) 기중기; подъёмный ~ 기중기
крановщик (남), **~ца** (여) 기중기운전공
крапать (미완): дождь ~ет 비가 보슬보슬 내린다.
крапива (여) 쐐기풀
крапивница (여) (의학) 두드러기
крапинка (여) 얼룩, 작은 반점
краса (여) 아름다움, 미(美); во всей (своей) ~е 1) 아름답게 단장하고, 자기의 아름다움을 다 드러내어 2) (야유) 보기 흉한 꼴을 그대로 하고
красавец (남) 미남자(美男子)
красавица (여) 미인(美人), 미녀(美女)
красиво (부) 아름답게, 곱게
красивый (형) ① 아름다운, 고운, 어여쁜, 훌륭한; ~ почерк 맵시 있는 글씨; ~ голос 청아한 목소리 ② 고결한; ~ поступок 아름다운 소행
красильня (여) 물들이는 집, 염색소 (染色所), 염색직장
краситель (남) 물감, 칠감, 안료
красить (미완) ① (청 등을) 물들이다, 염색하다 ② 칠하다, 바르다; ~ губы 입술에 연지를 바르다
краска (여) 도료(塗料), 물감, 칠감, 채색감; акварельная ~а 수채화구; масля-ная~а 유화도구; сгущать ~и 과장하다
краснеть (미완) ① 붉어지다 ② (피부, 얼굴이) 빨개지다; ~ от стыда 부끄러워서 빨개지다 (얼굴을 붉히다)
красноармеец (남) 붉은 군대 병사
красноармейский (형) 붉은 군대
краснознамённый (형) 적기훈장을 수여받은, 붉은기의
красноречивый (형) 웅변적인, 말이 능한, 말재간이 있는
красноречие (중) 웅변(술), 말재주
краснота (여) 붉은 것, 붉은 색, 붉은 반점, 붉어진 것
краснощёкий (형) 뺨(불)이 빨간, 홍조를 띤
красный (형) 붉은, 붉은색; Красное знамя 붉은 기; Красная Армия 붉은 군대; ~ый уголок 선전실; ~ая строка 단락의 첫줄
красоваться ① 아름답게 보이다, 자기의 미를 나타내다 ② 자랑삼아 자기를 드러내 보이다, 모양을 부리다
красота (여) 아름다움, 미(美), 맵시; же-нская ~ 여성미; красоты природы 자연의 미, 자연의 아름다움
красочный (형) 다채로운, 선명한, 표현적인
красть (미완) 훔치다, 도적질하다
красться (미완) 살금살금 다가들다, 살살 가다, 가만히 지나가다
красящий (형): ~ее вещество 물감, 칠감, 안료(顔料)
кратер (남) 분화구(噴火口)
краткий (형) 짧은, 간략한, 간단한; ~ая биография 약전; ~ий словарь 소사전; ~ое изложение 개요; в ~ их словах

몇 마디로, 간단히
кратко (부) 간단히, 간결(簡潔)하게, 요약(要約)해서
кратковременный (형) 단시간(短時間), 단기간(短期間), 단기(短期)
краткосрочный(형) 단기, 단기간;~ый отпуск 단기휴가; ~ая ссуда 단기대부
краткость (여) 간단한 것, 간결성(簡潔性), 함축성(含蓄性)
кратное (중) (수학) 배수(倍數), 곱절수; общее ~ 공배수(公倍數)
крах (남) ① 파산(破散), 몰락 ② 실패, 참패; потерпеть ~ 실패하다, 파탄되다
крахмал (남) 전분, 농마, 풀가루
крахмалить(미완)(빨래에)풀을 먹이다
крахмальный (형) ① 풀을 먹인; ~ воротничок 풀을 먹인 깃 ② 전분, 풀; ~ завод 전분공장
крашеный (형) 물들인, 색칠한, 착색한
креветка (여) 쌀새우
кредит (남) ① 신용(대부), 차관(借款); покупать в ~ 외상으로 사다 ② 지출예산금(支出豫算金)
кредитный (형) 신용(信用), 신용대부(信用貸付); ~ые операции 신용거래; ~ый билет 지폐(紙幣)
кредитовать (미완) 신용대부하다, 융자하다, 자금을 지출하다
кредитор (남) 채권자(債權者), 대부자
кредитоспособность (여) 상환능력
кредитоспособный (형) (대부금) 상환능력이 있는
крейсер (남) 순양함(巡洋艦)
крекинг(남)(공학) 분해증류(分解蒸溜)
крем (남) ① (먹는) 크림 ② (화장용) 크림 ③: ~ для обуви 구두약; ~ для бритья 면도크림
крематорий (남) 화장터

кремация (여) 화장
кремень (남) 부싯돌, 라이타돌
кремлёвский (형) 크렘린(Kremlin)의; Кремлёвские куранты 크렘린(Kremlin 塔)의 시계
Кремль (남) 크렘린(Kremlin)
кремнезём (남) 이산화규소, 규사(硅砂)
кремний (남) 규소(硅素)
кремовый (형) 노르무레하고 흰
крен (남) 경사(傾瀉); дать ~ 옆으로 기울어지다
кренить (미완) 기울이다, 옆으로 기울게 하다
крениться (미완) 기울어지다, 옆으로 기울다, 휘우뚱거리다, 비뚝거리다
креп (남) 크레프(천)
крепить (미완) ① 공고히 하다, 튼튼히 하다, 강화하다; ~ оборону 방어를 강화하다 ② 고정시키다, 든든히 잡아매다
крепиться (미완) 참다, 견디다, 기운을 내다
крепкий (형) ① 굳은, 단단한 ② 튼튼한, 힘센, 공고한, 견고한; ~ человек 튼튼한 (건실한) 사람; ~ тыл 공고한 후방 ③ 세찬, 강한; ~ мороз 심한 추위 ④ 진한, 독한, 센; ~ чай 진한 차; ~ табак 독한 담배;~сон 깊은 잠
крепко (부) ① 굳게, 단단히; ~ привязать 단단히 동여매다; ~ держать в руках 손에 꽉 쥐다 ② 확고하게 ③ 공하게, 세차게; ~ любить 몹시 사랑하다
крепко-накрепко(부) 매우 단단히, 꽁꽁
крепление (중) ① (광산) 동발(銅鉢) ② (스키의) 조이개
крепнуть(미완) ① 튼튼해지다, 견고해지다 ② 강화되다, 굳세어지다, 두터워지다

крепостничество (중) 농노제도(農奴-)
крепостной I (형) ①: ~ое право (역사) 농노제 ② (명사로) (남) 농노(農奴)
крепостной II (형) 성새(城塞), 요새(要塞); ~ая стена 성벽
крепость I (여) 요새(要塞), 성새(城塞)
крепость II (여) ① 경도, 강의성 ② 강도, 농도, 도수; ~ табака 담배의 약 (독한 정도)
крепчать (미완) 강해지다, 세지다, 심해지다; мороз ~ет 추위가 심해진다.
кресло (중) 안락의자(安樂椅子)
крест (남) 십자가(十字架)
крестец (남) (해부) 천골(天骨)
крестины (복수) (종교) 세례(洗禮), 세례식(洗禮式), 세례축하잔치
крестить(미완)(아이에게)세례를 주다
креститься (미완) ① 세례(洗禮)를 받다 ② 십자(十字)를 긋다
крест-накрест (부) 십자모양으로, 교차되게
крёстный (형): ~ отец 교부; ~ая мать 교모
крестьянин (남) 농민(農民), 농사군
крестьянка (여) 여성농민(女性農民)
крестьянский(형) 농민(農民)의;~ двор 농가(農家)
крестьянство (중) (집합) 농민(農民), 농민계급(農民階級), 농민층(農民層)
крещение (중) 세례(洗禮), 세례식(洗禮式); боевое ~ 전투세례
кривая (여) (수학) 곡선(曲線)
кривизна (여) ① 휜 곳, 비뚤어진 곳 ② 굴곡정도, 곡곡율(屈曲律),곡률(曲律)
кривить (미완) 비뚤어지게 하다, 구부리다, 찌그러지게 하다; ~ губы 입술을 삐죽거리다; ~ душой 양심을 속이다
кривляка (남, 여) 비쌔는 사람
кривлянье (중) 비쌔는 것

кривляться(미완) 부자연스럽게 굴다
кривой (형) ① 비뚤어진, 구부러진, 구붓구붓한; ~ая линия 곡선 ② (사람의 대하여) 애꾸눈의, 외눈의 ③ (명사로) 애꾸눈, 외눈
кривоногий (형) 다리가 휘어진
кривотолки (복수) 반대되는 논의, 모순된 소문
кризис ① 위기(危機), 급변(急變) ② 공황(恐慌); экономический ~ 경제공황; политический ~ 정치위기
крик (남) 외침(고함)소리, 부르짖음
крикливый (형) ① (소리가) 새된, 날카로운, 째는듯한 ② 요란스러운, 남들의 주목을 끄는; ~ наряд 요란스러운 옷차림; ~ человек 떠들기 좋아하는 사람
крикнуть (완) см. кричать
крикун (남) ① 호통꾼 ② 흰소리쟁이, 떠벌이
криминалистика (여) 형법학(刑法學)
криминальный (형) 형사상, 형법(刑法)에 저촉되는, 범죄(犯罪)의
кристалл (남) (광물) 결정(체)
кристаллизация (여) 결정화
кристаллический (형) 결정, 결정질; ~ая форма 결정형
кристальный (형) ① 수정같이 맑은 (투명한), 수정 같은 ② 결백한, 순결한
критерий (남) 기준, 표준, 척도(尺度)
критик (남) 비평가(批評家), 비판가, 평론가; театральный ~ 극평론가
критика (여) 비판(批判), 비평, 평론
критиковать (미완) 비판(批判)하다, 비평(批評)하다, 평론(評論)하다
критически(부) 비판적으로;относиться ~ к чему ...을 비판적으로 대하다
критический(형) ① 비판(批判), 비판적인, 비평(批評), 평론(評論); ~ая

статья 비평론설, 평론; ~ий подход 비판적인 태도 ② 위급한; ~ий момент 위급한 시기; ~ая ситуация 위급한 정세(정황)

кричать (미완) ① 외치다, 부르짖다, 고함치다 ② на *кого* 꾸짖다 ③ 큰소리로 말하다

кричащий (형) *см.* крикливый

кров (남) 집, 거처; остаться без ~а 한지에 나앉다

кровавый (형) ① 피묻은, 피투성이 ② 유혈적인, 피비린 내나는; ~ бой (유) 혈전; ~ режим 살벌한 체제

кровать 침대, 침상(寢牀)

кровельный (형): ~ое железо 지붕을 잇는 함석 (양철)

кровельщик (남) 지붕을 잇는 사람, 기와공

кровеносный (형): ~ые сосуды 혈관; ~ая система 혈관계통

кровля (여) 지붕; жить под одной ~ей 한집에서 (지붕 밑에서) 살다

кровный (형) ① 같은 피를 나눈, 혈통이 같은, 혈연적인; ~ая связь 혈연적인 연계; ~ые братья 피를 나눈 형제; ~ое родство 핏줄기, 혈통 ② 사활적인, 절실한; ~ые интересы 절실한 이해관계; ~ое дело 사활적인 일; ~ая месть 근친복수; ~ая обида 혹독한 모욕

кровожадный (형) 피에 주린 피에 굶 주린, 살벌한

кровоизлияние (중) (의학) 피새내기, 일혈(溢血), 피나기, 출혈(出血); ~ в мозг 뇌출혈(腦出血)

кровообращение (중) 혈액순환

кровоостанавливающий (형); ~ее средство 피멎는 약, 지혈제(止血劑)

кровопийца(남) 흡혈귀, 잔인무도한 자

кровоподтёк (남) 피얼룩 (혈반)

кровопролитие (중) 유혈, 살육(殺戮)

кровопролитный (형) 유혈적인; ~ая борьба 유혈적인 투쟁; ~ый бой 유혈전 (투)

кровотечение(중) 피나기, 출혈(出血)

кровоточить (미완) 피가 나다, 출혈(出血)되다

кровохарканье(중) 피게우기, 각혈(咯血)

кровь (여) 피, 혈액(血液); анализ ~и 피검사; переливать ~ь 수혈하다; проливать ~ь за *кого-что* ...를 위하여 피를 흘리다, ...를 위하여 피 흘려 싸우다; до последней капли ~и 마지막 피 한 방울까지; ~ь за ~ь 피는 피로써; портить себе ~ь 기분이 상하다

кровяной (형): ~ое давление 혈압(血壓); ~ые шарики 혈구(血溝)

кроить (미완) 마르다, 재단하다

кройка (여) 마름질, 재단

крокет(남) 크로케트(야유회의 한가지)

крокодил (남) 악어(鰐魚)

крокодилов (형): ~ы слёзы 거짓 눈물, 거짓 동정

кролик (남) 집토끼

кролиководство(중) 집토끼사양 (업)

кроличий(형) 집토끼, 집토끼 털로 만든

кроль (남) (체육) 자유형, 크롤(crawl), 크롤 스트로크(crawl stroke)

кроме (전) ① (+생) 밖에, 외에;~ меня 나를 제외하고 ② 게다가, 또

кромешный (형): ~ая тьма 캄캄한 어둠; ~ый ад 생지옥, 수라장

кромка (여) 언저리, 가장자리, 모서리

кромсать (미완) 마구 조각내다 (자르다, 베다)

крона I (여) 나무갓

крона II (여) 크로네(krone; 화폐단위)

кронштейн (남) 까치발, 받침틀
кропотливый (형) 면밀한, 꼼꼼한
кросс (남) (산야) 횡단경주
кроссворд (남) 가로세로글품이
крот (남) 두더지
кроткий (형) 온순한, 양순한, 유순한; ~ характер 유순한 성격
крохобор (남) 꼼바리, 각쟁이
крохотный,**крошечный**(형) 아주 작은
крошить (미완) ① *что* 썰다, 이기다, 잘게 베다 ② *чем* 부스러뜨리다, 해뜨리다
крошиться(미완) 부서지다, 잘 부스러지다
крошка (여) ① 부스러기; ~и хлеба 빵 부스러기 ② 꼬마, 어린애; ни ~и 조금도, 손톱만치도
круг (남) ① 동그라미, 원형(圓形); спа- сательный ~ 구명대 ② 계층(階層); официальные ~и 공식계층; правящие ~и 지배층 ③ (가까이 지내는 사람들에 대하여): в ~у друзей 벗들 가운데서; в семейном ~у 가족들 속에서, 가족들이(다) 있는데서 ④ 범위(範圍), 영역(領域); ~ обязанностей 임무의 범위 (한계); голова ~ом идёт 어질어질하다, 얼떨떨해지다, 눈이 핑핑 돌 정도로 바쁘다
круглолицый (형) 얼굴이 둥근
круглый (형) 둥근, 원형(圓形); ~ год 온 일년, 사시장철; ~ день 온종일; ~ отличник 전과목 최우등생; ~ сирота 고아; ~ дурак 알머저리
круговой (형): ~ые движения 원형운동;~ая оборона 원형방어; ~ая порука 연대책임, 호상보증
круговорот (남) ① 순환(循環), 회전(回傳) ② 부단한 운동 (변화)
кругозор (남) ① 시야(視野) ② 식견 (識見), 견문(見聞); политический ~ 정치적 식견
кругом (부) ① 빙 돌아, 둥글게, 원으로 ② 주위에, 사방에, 둘레둘레; 뒤로 돌앗! ③ 전혀, 전적으로;~виноват 전적으로 잘못이다
кругооборот (남) 회전(回傳), 순환(順換); ~ капитала 자본의 순환
кругосветный(형); ~ое путешествие 세계일주여행
кружева (복수) *см.* кружево
кружевница (여) 레이스직조공
кружевной (형) 레이스, 레이스를 단
кружево(중) 레이스; плести кружева 레이스를 뜨다
кружить (미완) ① 돌리다, 빙글빙글 돌게 하다 ② 에돌아가다, 휘돌다 ③ 헤매다
кружиться (미완) 휘돌다, 빙글빙글 돌다, 돌아가다, 감돌다; снег ~ся 눈이 흩날린다.; вихрем ~ься 회오리를 치다; голова ~ся 어지러워진다.; 어지럼증이 난다.
кружка (여) (손잡이가 달린) 큰 잔, 큰 컵, 조끼
кружной(형):~ путь 돌음 길, 에돌이 길
кружок (남) ① *см.* круг ① ② 동아리, 동호회(同好會), 서클(circle), 무리, 패, 패거리, 울, 편, 당(黨); драматический ~ 연극동아리
крупа (여) 쌀, 싸래기; гречневая ~ 메밀쌀
крупнокалиберный (형) 대구경; ~ пулемёт 대구경기관총
крупный (형) ① 커다란, 큰, 집채 같은, 웅대한, 규모가 큰; ~ое яблоко 큰 사과; ~ое предприятие 대기업소; ~ая бур-жуазия 대부르죠아지 ② 저명한, 고위; ~ый писатель 대작가, 이름 있는 큰 작가; ~ый работник 고위간부, 요인; ~ые деньги 큰 돈; ~ый рогатый

скот 소, 대유각 가축

крупозный (형): ~ое воспаление лёгких 크루프성 폐렴

крупорушка (여) ① 맷돌, 방아, 정미기 ② 방앗간, 정미소(精米所)

крутизна (여) 벼랑, 가파른 곳, 낭떠러지

крутить (미완) ① 돌리다, 회전시키다 ② 비꼬다, 비틀다; ~ голову 얼떨떨하게 만들다

крутиться (미완) ① 휘돌다, 핑(빙글)돌다, 회전하다 ② (눈, 먼지 등) 몽글몽글 올라가다, 흩날리다; 이리저리 바삐 돌아다니다 (돌아가다)

круто (부) ① 가파르게, 험하게, 곤추 ② 급하게, 갑작스레 ③ 엄하게

крутой (형) ① 가파른, 험한, 험악한; ~ая гора 험산 ② 급한, 갑작스러운 ③ 엄격한, 준열한; ~ой нрав 드센 성격; ~ые меры 엄격한 조치 (대책); ~ой кипяток 펄펄 끓는 물; ~ое яйцо 푹 삶은 계란, 완숙

круча (여) см. крутизна

кручёный (형) 꼬인, 꼰; ~ые нитки 꼰 실; ~ый мяч (체육) 깎아친 공

крушение (중) ① (기차, 배의) 사고 (事故), 전복(顚覆), 파선(破船); ② 파멸(破滅), 붕괴(崩壞); ~ надежд 실망

крушить (미완) см. сокрушать

крыжовник (남) 까치밥나무의 한 가지, 그 열매

крылатый (형); ~ые слова 명구, 경구; ~ая ракета 순항 미사일

крыло(중) ① 날개; махать крыльями 날개를 치다 ② 익, 익측;~o самолёта 주의 ③ (정치적) 과, 익; левое ~o раб-очего движения 노동운동에서의 좌익

крыльцо (중) 바깥현관

крыса (여) 시궁쥐; канцелярская ~ 관청서기

крытный (형) 지붕이 있는, 유개(有蓋); ~ая машина 유개차, 지붕차; ~ый стадион 유개경기장

крыть (미완) 덮다, 씌우다; ~ крышу 지붕을 잇다

крыться (미완) 귀결되다, ...에 있다; причина кроется в ....원인은 ...에 있다

крыша (여) 지붕; жить под одной ~ей 한 지부 밑에서 (한 집에서) 살다

крышка (여) 뚜껑, 덮개

крюк (남) ① 갈고랑이, 갈고랑 못, 군두쇠 ② 에돌이길, 돌음 길; делать ~ 에돌아가다

крючок (남) ① 갈고랑이, 갈고랑 못; дверной ~ 갈고랑쇠, 문고리, 손잡이 문걸쇠 ②: рыболовный ~ 낚시; ~ для вязания 코바늘 ③ 호크, 걸단추

кряж (남) 산맥(山脈), 산줄기

крякать(미완)(오리 등이) 박박(꺽꺽)울다

кряхтеть (미완) 킹킹(끙끙)거리다

кстати(부) ① 겸사겸사, 겸하여; ~ зайти за кем-чем ...을 가져갈 겸 들리다 ② 때마침, 제때에; как нельзя ~ 아주 적절하다 (때맞다)

кто(대) ① (의문 대) 누구; ~ там? 누구십니까? ② (관계 대) ~ не работает, тот не ест 일하지 않는 자는 먹지 말라; ~ бы не пришёл 누(구)가 올지라도; ~ бы ни был 누구라도, 누구든지 간에; ~ знает! 누가 안담!

кто-либо, кто-нибудь (미정 대) 누구나, 누구든지, 누구인지; ~ другой 누구나 다른 사람; ~ из вас 당신들 중에서 누구든지

кто-то(미정 대) 어떤 사람, 누구인가, 누구인지; ~ пришёл 누구인지 왔다

Куала-лумпур (남) г. 쿠알라룸푸르

куб I (남) ① 입방체 ② (수학) 3승, 세제곱 ③ 입방미터

куб II (남) 증류기, 보이라

Куба (여) 쿠바(Cuba)
кубарем (부): скатиться ~ 구르는 듯이 내려 달리다
кубатура (여) 용적, 입방적(立方積)
кубинский (형) 쿠바의
кубинцы (복수) (**~ец** (남), **~ка** (여)) 쿠바사람(들)
кубический(형) 입방; ~ метр 입방(미터); ~ корень (수학) 3 (삼) 승근, 세제곱뿌리
кубок (남) ① 컵, 큰 잔 ② 우승컵
кубометр (남) 입방미터
кубрик (남) (선박의) 승무원실, 선원실
кубышка (여) 저금통, 돈 상자
кувалда (여) 큰 망치, 큰 메
Кувейт (남) 쿠웨이트(Kuwait)
кувшин (남) 독, 동이, 독동이, 단지, 항아리
кувшинка (여) (식물) 수련
кувыркаться (미완) 곤두박질하다, 공중제비(허궁 잡이)로 나뒹굴다
кувырком (부) 곤두박질하여, 거꾸로; полететь ~ 곤두박이다
куда (부) ① (의문) 어디로; ~ ты идёшь? 너는 어디로 가느냐? ② (관계 부); завод, ~ мы идём 우리가 가는 공장 ③ (조) (형용사, 부사의 비교급과 결합하여) 훨씬; ~ лучше 훨씬 좋다; ~ бы ни поехали 어디로 가든지; ~ ни шло 어찌되든 좋다
куда-либо, куда-нибудь (부) 어디(로)든지, 어디론가
куда-то (부) 어디론가, 알지 못할데로
кудахтать(미완)(암탉이)꼬꼬맥거리다
кудри (복수) 고수머리, 곱슬머리
кудрявый (형) 곱슬곱슬한, 고수머리의; ~ые волосы 고수머리; ~ая берёза 고수머리 붓나무
кузнец(남) 대장 쟁이, 단야공, 단조공

кузнечик (남) (동물) 귀뚜라미
кузнечный (형) 대장, 단조; ~ цех 단야직장; ~ молот 단조망치
кузница(여) 대장간, 야장간, 단야직장
кузов (남) 적재함, 짐함, 차체
кукареку(감) (수탉의) 꼬끼오(꼬끼오)
кукла (여) 인형꼭두각시
куковать(미완)(뻐꾸새)뻐꾹뻐꾹울다
куколка (여) (동물) 번데기
кукольный (형) 인형(人形), 인형 같은; ~ театр 인형극장(人形劇場)
кукуруза (여) 강냉이
кукушка (여) 뻐꾸기, 뻐꾹새
кулак I (남) 주먹; грозить ~ом 주먹을 쳐들어 위협하다
кулак II (남) (농촌에서) 부농(富農)
кулацкий (형) 부농(富農)의
кулачество (중) 부농층, 부농 (계급)
кулёк(남) 봉지, 종이봉투
кули (불변) (남) 막 노동자
кулик (남) (조류) 도요새
кулинар (남) 요리사, 요리전문가
кулинария (여) ① 요리법(料理法), 요리술 ② 음식점(飮食店)
кулинарный (형) 요리(料理), 요리법 (料理法); ~ое искусство 요리술
кулисы (복수) 측면무대장치; за ~ами 막 뒤에서, 막후에
кулички(복수): жить у чёрта на ~ах 벽지에서 살다
кулуарный (형) 비공식적인, 비공개적인; ~ые разговоры 비공식적인 대화 (풍문)
кулуары(복수) 휴게실, 휴게복도; в ~ах 막 뒤에서, 막후에서
куль (남) 가마니, 마대
кульминационный (형): ~ пункт (момент) 절정 (점), 고비
культ (남) ① 예배(禮拜) ② 숭배(崇拜), 우상화; ~ личности 개인미신

культ... (합성어의 첫 부분) 문화, 문화적; культтовары 문화용품

культиватор (남) 중경기, 중경제초기

культивация (여) 골갈이, 중경제초

культивировать (미완) ① 골갈이 하다, 중경제초하다 ② 심다, 재배하다, 배양하다 ③ 보급시키다, 장려하다

культмассовый (형) см. культурно-массовый

культтовары (복수) 문화용품

культура (여) ① 문화(文化) ② 작물(作物), 농작물(農作物); зерновые ~ы 알곡작물; технические ~ы 공예작물; фи- зическая ~a 체육

культурно-бытовой (형): ~ое обслуживание 문화편의 봉사

культурно-массовый (형) 대중문화

культурный (형) ① 문화(文化); ~ая революция 문화혁명; ~ый обмен 문화교류; ~ые запросы 문화적 수요 ② 교양 있는, 문화수준이 높은; ~ый человек 문명인, 문화인 ③:~ые растения 재배작물 (식물)

кумыс (남) 말젖술

кунжут (남) 참깨

куница (여) 담비, 산달, 누른 돈

купальный (형) 수영(水泳), 목욕의, 해수욕의; ~ый костюм 수영복; ~ сезон 해수욕계절

купальня (여) 수영장(水泳場), 해수욕장

купание (중) 목욕(沐浴), 해수욕(海水浴); морские ~я 해수욕

купать (미완) 미역을 감기다, 목욕하다

купаться (미완) 미역을 감다, 목욕하다

купе (불변) (중) 차실, 꾸뻬

купец (남) 장사군, 상인(商人)

купированный (형): ~ вагон 칸막이차량

купить (완) см. покупать

куплет (남) (노래, 시의) 한절, 구절

купля (여) 사는 것, 사들이기, 구입; ~ и продажа 팔고사기, 매매

купол (남) 둥근 지붕, 구릉식천정

купон (남) 이표, 절취표; стричь ~ы 이자를 받아먹고 살다

купорос (남) 유산염; медный ~ 유산동, 담반; железный ~ 유산철, 녹반

купюра (여) (재정) 표기가격

куранты (복수) 시계탑(時計塔)

курган (남) ① 구릉(丘陵), 둔덕 ② 고분

курение (중) 담배를 피우는 것, 흡연(吸煙); бросить ~ 담배를 끊다

курильщик (남) 담배피우는 사람, 애연가(愛煙家)

куриный (형) 닭; ~ое яйцо 달걀; ~ая слепота (의학) 야맹증, 밤눈증

курительный (형) 담배를 피우는데 쓰는, 흡연(吸煙); ~ый табак 담배; ~ая бумага 담배종이; ~ая комната 흡연실

курить (미완) 담배(를) 피우다; ~ воспрещается 금연

курица (여) ① 닭 ② 닭고기

курносый (형) ①: ~нос 들창코 ② (명사로) 들창코

курок (남) (군사) 방아쇠, 격철; взводить ~ 격철을 올리다

куропатка (여) 자고새 (새의 한 가지)

курорт (남) 정양소, 요양자, 요양지

курортник (남) 정양자, 요양자, 요양생

курортный (형) 정양, 요양(療養); ~ая книжка 요양권, 정양권

курс (남) ① 방향(方向), 항로; держать ~ на ......에로 향하다 (방향을 잡다) ② 방침(方針), 노선(路線), 방책(方策); ~ на индустриализацию 공업화방침 ③ 과정(科程), 학과, 학년 ④ 학과목, 교정 ⑤ (경제) 시가, 시세 ⑥: ~ лечения 치료주기; быть в ~е *чего* ...을 환히 꿰뚫고 있다, 정통하다; вводить в ~ дела ...를 알려주다,

курсант (남) ① 강습생(講習生) ② 군사학교 학생(學生)

курсив (남) (인쇄) 이테리체, 비낌체

курсировать (미완) (교통수단) 정기 항행(통행)하다, 오가다, 돌아치다, 왕래하다

курсовка (여) 요양원(療養院)

курсовой (형); ~ая работа (학년)과정작업

курсы (복수) 강습(講習), 강습소, 양성소(養成所); вечерние ~ 야간강습소

куртка (여) 짧은 웃옷, 잠바; кожаная ~ 가죽잠바

курчавый (형) *см.* кудрявый

курьёз (남) 우스운 (진기한 일)

курьёзный (형) 우스운, 진기한; ~ случай 우스운 사건

курьер (남) ① 문서배달원 ② 급사

курьерский (형): ~ поезд 급행열차

курятина (여) 닭고기

курятник (남) 닭우리, 닭장

курящий (형) ① 담배피우는 ② (명사) 흡연자, 담배피우는 사람

кусать (미완) ① 물다, 깨물다, 쏘다 ② (피부를) 찌르다

кусаться (미완) ① 물다, 무는 버릇이 있다; наша собака не ~ется 우리 개는 물지 않는다 ② *см.* кусать ②

кусковой (형) 조각으로 된;~ сахар 덩이 사탕

кусок (남) 조각, 덩어리, 토막, 동강; ~ мяса 고기 덩어리; ~ хлеба 빵 조각; ~дерева 나무토막; ~ мыла 비누덩어리

куст (남) 떨기나무, 관목

кустарник(남)떨기나무숲, 떨기나무, 관목

кустарный (형) 수공업(手工業), 수공업적인; ~ые изделия 수공업제품; ~ая промышленность 수공업

кустарь (남) 수공업자(手工業者)

кутать (미완) ① 덮싸다, 감싸다 ② 너무 (많이 덮게) 입히다

кутаться (미완) 몸을 감싸다, 몸에 두르다, 많이 입다

кутёж (남) 술놀이

кутерьма (여) 뒤범벅(판), 혼잡(混雜)

кутила (남) 모주망태(母酒-), 음주(飮酒)방탕하는 사람

кутить(미완) 술 놀이하다, 음주방탕하다

кухарка (여) 식모(食母), 부엌데기

кухня (여) ① 부엌 (간), 주방(廚房), 취사실(炊事室); походная ~ 가마마차 ② 요리(料理), 음식(飮食); корейская ~ 조선요리;молочная ~ 젖먹이영양제공급소

кухонный(형) 부엌, 주방, 취사; ~ый нож 식칼, 찬칼; ~ая утварь(мебель) 부엌세간; ~ые принадлеж-ности 취사도구;~ое полотенце 행주

куцый (형) ① 꼬리가 짧은 ② 제한된, 국한된, 불충분한

куча (여) ① 무더기, 더미, 덩어리, 뭉치; складывать в ~у 무더기로 쌓다 ② 다량(多量), 다수(多數); ~а дел 일이 산더미 같다;~а детей 아이들이 수두룩하다

кучевой (형): ~ые облака 뭉게구름, 더미구름

кучер (남) 마부(馬夫), (마)차부(車夫)

кучка (여) ① 작은 무더기 (더미) ② (사람들의) 무리

куш (남) 많은 돈 (금액)

кушак (남) (폭이 넓은) 띠

кушанье (중) 음식(飮食), 요리(料理)

кушать (미완) 먹다, 자시다, 식사하다; ~йте, пожалуйста 어서 잡수십시오. (드십시오)

кушетка (여) (침대겸용) 소파

кювет (남) 길옆도랑

Л

лабиринт (남) ① 미로(迷路), 미궁(迷宮); ② (해부) 와우각
лаборант (남) 실험실조수, 부수
лаборатория (여) 실험실(實驗室)
лава I (여) 용암
лава II (여) (광업) 장벽막장
Ла-Валетта (여) 왈레따
лавина (여) ① 세찬, 흐름, 분류, 사태(事態); снежная ~ 눈사태 ② 격류(激流), 거센, 흐름
лавировать (미완) ① 요리조리 피해가다 ② 술책을 쓰다, 수시로 변경하다
лавка I (여) 긴 걸상, 긴 의자
лавка II (여) 가게방, 매점(賣店)
лавр (남) 월계(月桂), 월계수(月桂樹); почивать на ~ах 성과에 자만하다, 승리에 도취하다
лавровый (형): ~ венок 월계관
лагерный (형) 야영, 숙영, 수용소; ~ая жизнь 야영생활; ~ый сбор 야영(훈련)강습
лагерь (남) ① 야영(野營), 야영지(野營地), 숙영(宿營); пионерский ~ 삐오넬야영(소); военный ~ 병영 ② 수용소(收容所); ~ (для) военнопленный 포로수용소 ③ 진영(陣營)
Лагос (남) г. 라고스
Лагуна (여) (지리) 바다 막힌 호수(湖水), 석호(潟湖)

лад (남) ① 화목(和睦), 의좋은 것; жить в ~у 의좋게 살다; не в ~ах с кем... ...와 의가 틀려, 화목하지 못하고 ② 방식(方式), 풍; на другой~ 다른 방식으로; на все ~ы 여러 가지로; дело идёт (пошло) на ~ 일이 잘 되어간다.
ладить (미완) 의좋게 지내다, 화목하게 살다; они не ~ят 그들은 사이가 나쁘다
ладиться (미완) 잘 되어 가다, 순조로이 이루어지다; дело не ~ся 일이 잘 되지 않는다.
ладно (조) 좋고, 됐소, 네, 오냐; ну и ~ 그럼 좋아; ~, будь по-твоему 좋네, 자네 마음대로 하세
ладонь (여) 손바닥; видно как на ~и 손금 보듯 빤하다
ладоши(복수): бить (хлопать) в ~ 손뼉치다, 손바닥을 마주치다, 박수를 치다
ладья (여) (장기의) 차(車)
лазарет (남) (군대에서) 병원(病院); 진료소(診療所); полевой(походный) ~ 야전병원
лазать (미완) см. лазить
лазейка (여) ① 개구멍 ② 뒷구멍, 빠질 구멍
лазер (남) (물리) 레이저(laser)
лазерный(형) 레이저(laser);~ый луч 레이저광선(빛); ~ое оружие 레이저무기
лазить (미완) 기어오르다
лазоревый (형); ~ цвет 파란색, 감청색, 하늘색
лазурный (형) 감청색, 하늘색
лазурь(여) 감청색, 하늘색; 푸른 하늘
лазутчик (남) 밀정, 탐정, 간첩(間諜)
лай (남) (개, 승냥이 등의) 짖는 소리, 컹컹 짖는 소리

лайковый (형): ~ые перчатки 기또장갑

лак (남) 라크; (완) 니스

лакей (남) ① 머슴 ② 앞잡이

лакированный (형) 옻칠한; ~ая шкатулка 칠함

лакировать (미완) ① 라크칠을 하다 (옻칠을 하다, 니스칠을 하다) ② 분식하다, 허식하다, 겉발림하다

лакировка (여) 라크칠, 니스칠, 옻칠; ~ действительности 현실의 미화분식

лакмус (남) (화학) ① 리트머스(litmus) ② 리트머스 (시험지)

лакмусовый (형): ~ая бумага 리트머스 시험지

лаковый (형) 라크, 니스, 니스칠을 한; ~ое дерево 옻나무

лакомиться (미완) 마음에 드는 음식을 먹다, 맛있게 먹다

лакомка (남, 여) 맛있는 음식만 먹는 사람, 식도락가

лакомство (중) ① 맛있는 음식 ② 단 것, 당과

лакомый (형) 맛있는, 몹시 좋아하는; ~ кусочек 군침이 도는 꿀단지

лаконичный (형) 간결한

лама I (남) (동물) 라마(llama)

лама II (남) 라마승(lama僧)

лампа (여) ① 등, 전등; настольная ~а 탁상전등; зажигать(гасить) ~у (전)불을 켜다 (끄다) ② (공학) 진공관, 전자관

лампочка (여) 전등알; см. лампа

лангет (남) 란게트 (등심살을 저며서 만든 요리)

ландшафт (남) ① 지형(地形), 지세(地勢); горный ~ 산악지형 ② 풍경(風景), 경치(景致)

ландыш (남) 방울꽃

лань (여)(구라파) 누렁이(사슴의 일종)

Лаос (남) 라오스(Laos)

лаосцы (복수) (**~ец** (남), **~ка** (여)) 라오스(Laos)사람(들)

лапа (여) ① (짐승의) 발 ②: ~ы (복수) 독수; протягивать ~ы 독수를 뻗치다; попасть в ~ы 독수에 걸리다, 손아귀에 들어가다

Ла-Пас (남) г. 라빠스

лапша (여) 밀국수, 마른국수, 칼제비

ларёк (남) 간이매점, 매대

ларингит (남) (의학) 후두염(喉頭炎)

ласка I (여) 애무, 귀염

ласка II (여)(동물) 족제비

ласкать (미완) 귀여워하다, 애무하다

ласково (부) 다정스럽게, 상냥하게

ласковый (형) 정다운, 귀여운

ласточка (여) 제비

латвийский (형) 라트비아(Latvia)의

Латвия (여) 라트비아(Latvia); Латвийская Советская Социалистическая Республика 라트비아 소비에트 사회주의공화국

латинский (형): ~ язык 라틴어

латать (미완) 조각을 대다, 깁다

латунь (여) 놋쇠, 황동(黃銅)

латынь (여) 라틴어(Latin語)

латыши (복수) (**латыш** (남), **~ка** (여)) 라트비아사람(들)

лауреат(남) 최고상을 받은 사람, 계관인, 수상자; ~ Ленинской премии 레닌상계관인; ~ Государственной премии 국가상계관인

лафет (남) (군사) 포가

лачуга (여) 오막살이집, 판자집

лаять (미완) (개, 등이) 짖다, 컹컹짖다; ~ на кого ...를 보고 짖다

лгать(미완) 거짓말하다, 허튼소리하다

лгун (남),**~ья** (여) 거짓말쟁이

лебеда (여) 능쟁이

лебединый(형) 백조(白鳥)의, 고니;~ая песня 최후의 작품, 재능의 마

지막 발현
лебёдка (여) (공학) 권양기, 윈찌
лебедь (남) (조류) 백조(白鳥), 고니
лебезить (미완) перед кем ...에게 굽실거리다, 아첨하다, 환심을 하다
Лев(Третья книга Моисеева. Левит 27장, 105쪽) 레위기(— 記, Leviticus: 히브리어로는 Wayiqra'('그리고 그가 불렀다'를 뜻함) 라틴어 불가타 성서의 3번째 책.
лев (남) 사자; морской ~ 바다사자
левацкий (형) 좌경적, 좌경기회주의적인; ~ уклон 좌경 기회주의적 경향
левобережье (중) 왼쪽대안, 왼쪽기슭
левша (남, 여) 왼손잡이
левый (형) ① 왼쪽; ~ глаз 왼눈 ② 좌익, ~ защитник (체육) 좌측 수비수 ③ 좌경; ~ уклон 좌경 ④ (명사로) (남) 좌익분자, 좌경분자(左傾分子)
легализировать, легализовать (미완, 완) 합법화하다, 법률상 공인하다
легальный (형) 합법적인, 공개적인
легенда I (여) 전설(傳說)
легенда II (여) (지도, 도표 등의) 범례(凡例), 설명(說明)
легендарный (형) 전설적인, 전설과 같은; ~ герой 전설적 영웅
легированный (형): ~ая сталь 합금강(合金鋼)
лёгкие (복수) см. лёгкое
лёгкий(형) ① 가벼운; ~ий вес 가벼운 무게 ② 쉬운, 손쉬운, 헐한, 용이한; ~ая работа 헐한 일 ③ (상처, 병 등이) 중하지 않는, 경한, 가벼운, 경상(輕傷); ~ая рана 경상 ④ 경박한, 경솔한; ~ое поведение 경박한 행동; ~ий ветерок 실바람; ~ий мороз 가벼운 추위; ~ая музыка 경음악;~ая промышленность 경공업(輕工業);~ая атлетика (체육) 육상경기;с ~им сердцем 가뿐한 마음으로

легко (부) ① 가볍게 ② 쉽게, 가뜬하게 ③ (술어로) 쉽다, 수월하다; ~ на душе 마음이 거뿐하다
легкоатлет (남) 육상경기선수
легкоатлетика (여) 육상경기
дегковерный(형) 쉽게 믿는, 속기 쉬운
легковой (형): ~ автомобиль 승용차
лёгкое(중) 폐(肺), 허파; воспаление ~их 폐렴(肺炎)
легкомысленно (부) 경박하게, 경솔하게; вести себя ~ 경솔하게 행동하다
легкомысленный (형) 방정맞은, 경박(輕薄)한, 경솔한; ~ человек 방정꾸러기, 경솔한 사람
легкомыслие (중) 경솔성, 경박한 것
легкоплавкий (형) 잘 녹는, 잘 용해되는, 이용성; ~ металл 이용금속, 녹기 쉬운 금속
лёгочный (형) 폐(肺); ~ больной 폐병환자(肺病患者)
лёд (남) 얼음; вечные льды 영구얼음산; искусственный ~ 인공 얼음; ~ тронулся 행동이 개시 되었다
леденеть (미완) ① 얼다 ② (무서움 등으로) 굳어지다, 멍해지다
леденец(남) 얼음사탕, 빙사탕, 아이스바
ледник (남) 냉장고(冷藏庫), 냉동고(冷凍庫); вагон-~ 냉동차
ледник (남) 빙하(氷河), 얼음 벌
ледниковый(형): ~ период 빙하시대, 빙하기
ледокол (남) 얼음 까기 배, 쇄빙선
ледостав (남) (강 등이) 얼어붙는 것
ледоход (남) 얼음흐름, 유빙(遊氷), 빙하(氷河), 빙하기
ледяной (형) ① 얼음, 얼음으로 덮인, 얼음이 언; ~ая гора 얼음산 ② 얼음처럼 찬; ~ой ветер 맵짠 바람 ③ 언, 곱은; ~ые пальцы 곱은 손가락 ④ 냉정

한, 무정한
лежать (미완) ① 누워있다; ~ать больным 앓아누워있다 ② (놓여)있다; книга ~ит на столе 책은 책상위에 있다; ~ать в основе чего ...의 기초로 되다; ~ать под спудом 파묻혀있다; душа не ~ит 마음이 들지 않는다. (가지 않는다)
лежебока (남, 여) 게으름뱅이, 건달꾼
лезвие (중) 날, (안전) 면도날
лезть (미완) ① (우로) 기어오르다 ② (안으로) 들어가다, 기어들어가다 ③ (머리칼이) 빠지다 ④ 성가시게 굴다, 치근거리다; ~ не в своё дело 남의 일에 참견하다; ~ из кожи вон 아득바득 애를 쓰다, 죽을힘을 다하다
лейборист (남) (영국의) 레이버당원
лейбористкий (형) 레이버; ~ая партия 레이버당
лейка (여) 물뿌리개, 물조리개
лейкоцит (남) (생물) 흰 피 알, 백혈구(白血球)
лейтенант (남) 중위(中尉); младший ~ 소위; старший ~ 상위
лейтмотив (남) ① (음악) 시도악곡 ② 중심주제, 중심의도
лекало (중) (공학) 주형, 형(型), 모형(模型) ③ 구름자
лекарственный (형) 의약(醫藥); ~ые травы 약초(藥草)
лекарство (중) 약, 약제; прописать ~о 약을 처방하다; готовые ~а (복수) 판매약품
лексика (여) (언어) 어휘(語彙)
лексикограф (남) 사전편찬학자(辭典編纂學者), 사전편찬자(辭典編纂者)
лексикография (여) 사전편찬학
лексикология (여) 어휘론(語彙論)
лексический (형) 어휘, 어휘적
лектор (남) 강사, 강연자
лекторий (남) 강연장소, 대중강연실
лекционный (형) 강의(講義), 강연(講筵); ~ зал 강의실, 강당
лекция (여) 강의(講義), 강연; читать ~ю 강의(강연)하다
лелеять(미완) 귀여워하다, 떠받들다, 알뜰히 손질하다; ~ надежду 희망을 품다
лемех (남) 보습날
лён (남) 아마
ленивый(형) 게으른, 굼뜬, 느럭느럭한
ленинградский (형) 레닌그라드(시)
ленинградцы (복수) (~ец (남), ~ка (여)) 레닌그라드사람(들)
ленинизм (남) 레닌주의
ленинский (형) 레닌, 레닌적인
лениться (미완) 게으름부리다, 게을리 하다, 태만하다
лента(여) 댕기, 리본; 테이프, 벨트; изоляционная ~ 절연테이프; магнитная ~녹음테이프; пулемётная ~ 기관총의 탄띠; телеграфная ~ 전신테이프 ③ 영화 필름
ленточный(형) 띠형;~ый конвейер 콘베아 벨트; ~ая пила 줄톱
лентяй (남) 게으름뱅이, 건달꾼
лентяйничать (미완) 게으리하다, 게으름(을) 피우다, 건달부리다
лень (여) ① 게으름, 나태(懶怠), 권태(倦怠); из-за ~и 게을러서 ② (술어로) (+미정형) ...하기가 싫다, ...하기를 게을리하다; ему ~ь написать 그는 쓰기 싫어한다.; ~ь учиться 학습을 게을리하다
леопард (남) 표범
лепесток (남) 꽃잎
лепет (남) 웅얼거리는 소리, 웅얼대는 말; детский ~ 설득력 없는 말, 김빠진 소리
лепетать (미완) ① (어린애가) 종알

종알 말하다, 조잘거리다 ② 중얼거리다 ③ 지껄이다
лепёшка (여) 레뾰쉬까 (납작하고 둥근 떡, 빵, 과자)
лепить (미완) ① 조각(소조)하다, 소상을 만들다 (빚다) ② (둥지 등을) 짓다, 틀다, 빚다; ~ снежную бабу 눈사람을 (빚어)만들다
лепка (여) 빚은 조각, 소조
лепной: ~ые украшения 소조장식
лепта (여) 기여; внести свою ~у во что ...에 기여(이바지)하다
лес (남) ① 수풀, 산림(山林), 수림(樹林); густой ~ 밀림; смешанный ~ 혼성림; лиственный ~ 넓은잎나무 숲; хвойный ~ 바늘잎나무 숲 ② (건설) 재목(材木), 목재(木材)
леса (여) 낚시 줄
леса (복수) (건설) 발대, 발판
лесистый (형) 숲이 많은 (우거진)
лесник (남) 산림지기, 산림보호원
лесничество (중) 산림구, 산림경영
лесничий (남) 산림경영소장, 산림구 책임자
лесной (형) 산림(山林), 수풀; ~ая промышленность 임업
лесоводство (중) ① 산림경영(山林經營) ② 산림학(山林學)
лесовоз (남) 목재수성선(차)
лесозавод (남) 제재공장, 제재소(製材所)
лесозаготовитель (남) 벌목공(伐木工)
лесозаготовки (복수) 산림채벌
лесозащитный (형) 산림보호(山林保護); ~ая полоса 바람막이숲 (지대), 방풍림
лесоматериалы (복수) 목재(木材), 재목
лесонасаждение (중) ① 나무심기, 숲만들기, 조림(稠林); ② 조림지대, 인공 조성림; 물(모래)막이숲

лесопарк (남) 교외의 원림, 풍치림
лесопилка (여) см. лесозавод
лесопильный: ~завод см лесозавод
лесопитомник (남) 양묘장(養苗場)
лесопромышленность (여) 임업(林業)
лесоразработки (복수) 벌목장(伐木場)
лесоруб (남) 벌목공(伐木工)
лесосека (여) 벌목장(伐木場), 채벌장
лесосплав (남) 떼몰이, 유벌
лесостепь (여) 산림초원(지)
Лесото (중) (불변) 레소토
леспромхоз (남) 임산사업소
лёсс (남) 누렁 흙, 황토(黃土)
лестница (여) 계단(階段), 사다리; приставная ~ 사닥다리; винтовая ~ 회전사다리, 나선계단; верёвочная ~ 줄사다리; пожарная ~ 방화용 사닥다리
лестничный (형): ~ая площадка 계단 복도
лестный (형) ① 찬양한, 칭찬한; ~ отзыв 호평 ② 아첨하는, 발라맞추는
лесть (여) 아첨, 아부, 발라맞춤
лёт (남): на лету ① 날면서, 날아가면서 ② 쉽게, 빨리; схватывать на лету 첫마디에 알아차리다 ③ 바삐, 서둘러
лета (복수) ① см. год ② 나이 (연령), 살; сколько вам ~? 당신은 몇 살입니까? (나이가 몇입니까?); человек средних ~ 중년(中年); ему около сорока ~ 그는 마흔 살쯤 됩니다.; на старости ~ 늘그막에; во цвете ~ 한창나이에
летательный: ~ аппарат 항공기
летать (완), **лететь** (미완) ① 날다, 날아가다 (오다); птица ~ит 새가 날아간다.; самолёт ~ает 비행기가 날아간다. ② 내달리다, 질주하다 ③ (시간이) 빨리 지나가다; время ~ит 세월이 빨리 흘러간다.
летний (형) 여름; ~ день 여름날; ~

сезон 여름철;~ee платье 여름옷
лётный (형); ~ая погода 비행하기 좋은 날씨; ~ый состав 비행성원; ~oe поле 이륙장, 착륙장
лето(중)여름; в начале ~a 초여름에
летосчисление (중) 역법(曆法), 기원; европейское ~ 서력(기원), 서기
летом (부) 여름에; ~ этого года 올해 여름에
летопись (여) 연대기(年代記)
летучий (형) ①: ~ая мышь 박쥐 ② (화학): ~ие масла 휘발유
летучка (여) 간단한 회의(會議), 비상회의, 긴급회의(緊急會議)
лётчик (남) 비행사; ~-испытатель 시험비행사; ~-космонавт 우주비행가, 우주비행사
лечебница (여) (전문) 병원; глазная ~ 안과병원
лечебный (형) 치료(治療), 의료(醫療); ~ые средства 의약품(醫藥品)
лечение (중) 치료(治療), 의료(醫療); амбулаторное ~ 외래치료
лечить (미완) 치료하다, 고치다, 가시다, 아물리다
лечиться (미완) 치료받다, 치료하다
лечь (완)см. ложиться
лже...(합성어의 첫 부분으로서 <거짓>,<허위>, <가짜>의 뜻을 가짐) 사이비; лженаука 사이비과학
лжесвидетель (남) 허위증인, 날조자
лжец (남) 거짓말쟁이
лживость (여) 허위성(虛僞性)
ли (조) ① (직접물음에) ...인가?, ...한가?, ...인지?; дома ~ он? 그는 집에 있습니까? не пойти ~ и нам? 우리들도 가야 하지 않을 가요? возможно ~? 가능한지? ②(간접물음에)не знаю, здесь ~ он 그가 여기 있는지 없는지 나는 모른다.
либерал (남) ① 자유주의자(自由主義者) ② 자유당원(自由黨員)
либерализм (남) 자유주의(自由主義)
либеральничать (미완) ① 자유주의를 부리다 ② с кем-чем ...을 관용하다, 융화하다
либеральный (형) 자유주의(自由主義), 자유주의적(自由主義的)인; ~ая партия 자유당; ~ое отношение 자유주의적 태도, 융화목과
Либерия (여) 리베리아
либо (접) см. или
Либревиль (남) 리브르빌
либретто (중) (불변) ① (음악) 큰 성악작품의 가사, 가극의 대본 ② (발레, 영화의) 연출대본
Ливан (남) 레바논
ливень (남) 소나기, 폭우(暴雨);дождь льёт ~нем 비가 억수로 쏟아진다.
ливерный (형) : ~ая колбаса 순대
Ливия (여) 리비아
лига(여) 연맹; Лига Наций 국제연맹
лидер (남) ① 지도자(指導者), 수뇌자(首腦者); партийный ~ 당수 ② (경기) 제일 앞선 사람, 선두주자
лидировать (미완, 완) (경기에서) 앞서다, 우세를 차지하다
лизать (미완), лизнуть (완) 핥다, 핥아먹다
ликвидаторский (형) 청산주의적인
ликвидация(여) 청산, 숙청, 폐기(廢棄), 근절; ~ неграмотности 문맹퇴치
ликвидировать (미완, 완) 청산(숙청)하다, 근절하다, 박멸하다, 없애다
ликёр (남) 감로주(甘露酒)
ликование (중) 환희(歡喜), 환호(歡呼); возгласы ~я 환호소리, 환성
ликовать (미완) 환희에 넘치다, 환호하다, 기뻐 날뛰다
лилипут (남),~ка (여) 난쟁이
лилия (여) (식물) 나리(꽃); водяная ~ 수련

лиловый (형) 보랏빛, 연자색
Лилонгве (남) (불변) *г.* 리롱웨
Лима (여) *г.* 리마
лиман (남) 바다, 막힌 호수(-湖水)
лимит (남) 리미트(limit), 한도(限度), 한계(限界), 제한; устанавливать ~ 한도(한계)를 정하다
лимитировать (미완, 완) 한정(제한)하다, 한계를 정하다; ~ импорт 수입을 제한하다
лимон (남) 레몬; чай с ~ом 레몬차
лимонад (남) 레몬수
лимонник (남) (식물) 오미자(나무)
лимонный (형) 레몬; ~ая кислота (화학) 레몬산
лимфа (여) (생리) 임파(淋巴), 임파액
лимфатический (형): ~ая железа (해부) 임파(淋巴), 임파선
лингвист (남) 언어학자
лингвистика (여) 언어학(言語學)
лингвистический (형) 언어학(言語學)의, 언어학적인(言語學的-)
линейка (여) ① 줄, 줄간; нотные ~и (음악) 오선; ② (줄간치는, 재는) 자, 계산자; логарифмическая ~а 로그자
линейный (형) 선, 줄모양, 선모양; ~ый масштаб 선축척; ~ые меры (길이의) 척도
линза (여) 렌즈; вогнуто-выпуклая ~ 오목-블록 렌즈
линия (여) ① 줄, 선; проводить ~ю 줄을 치다 (긋다), вертикальная ~я 수직선; горизонтальная ~я 수평선 ② 선로, 철길; трамвайная ~я 전차선; железнодорожная ~я 철도선 ③ 노선(路線), 방침(方針); генеральная ~я 총노선; работать по профсоюзной ~и 직맹(계통)에서 일하다
линкор (남) 주력함, 전투함
линовать (미완) 줄을 긋다 (치다)
линолеум (남) 리놀리움

линотип (남) 자동식자주조기, 자동식자기, 리노찌프
линчевать (미완, 완) 사형에 처하다, 린치에 처하다
линялый (형) 퇴색한, 색이 난 (바랜)
линять (미완) ① 색이 날다, 퇴색하다 ② (동물에 대하여) 털(허물)을 벗다
липа (여) 보리수, 달피나무
липкий (형) 진득진득한, 끈끈거리는, 차진; ~ пластырь 붙임띠, 반창고
липнуть (미완) ① 끈끈거리다, 끈적끈적 들어붙다, 진득거리다 ② 들어붙다, 맞붙다
липовый (형) ① 달피나무, 보리수 ② 가짜, 위조(僞造);~документ 위조문서
лира I (여) 리라(lyra), 칠현금(七絃琴) ② 시가(詩歌), 서정시(抒情詩)
лира II (여) 리라(lira; 화폐단위)
лирика (여) ① 서정시 ② 정서(情緒)
лирический (형) 서정적인, 정서적인; ~ое стихотворение 서정시; ~ое отступление (문학) 주정토로
лиса (여) (동물) 여우
лисий (형) 여우, 여우같은
лисица (여) *см.* лиса
Лиссабон (남) *г.* 리스봉
лист (남) ① (식물) 잎, 잎사귀 ② (종이 등의) 장; ~ бумаги 종이 한 장 ③ 판; ~ железа 철판; больничный~진단서
листать (미완) 뒤적이다, 뒤지다, 넘기다, 건네주다, 옮기다
листва (여) (집합) 나뭇잎
лиственница (여) 잎갈나무, 낙엽송
лиственный (형): ~ый лес 넓은잎나무숲, 활엽숲
листовка (여) 삐라, 격문
листовой(형): ~ое железо 철판; ~ое стекло 유리판; ~ая сталь 강판

листок (남): боевой ~ 전투속보, 전투소보
листопад (남) 잎 지기, 낙엽(落葉), 잎 지는 시절 (때)
листопрокатный(형):~ стан 판압연기
литавры (복수) (음악) 자바라, 팀파니
Литва (여) 리트바; Литовская Советская Социалистическая Республика 리트바 소비에트 사회주의공화국
литейная (여) 주조직장
литейный (형) 주조(鑄造), 주물(鑄物); ~ цех 주조(주물)직장
литейщик (남) 주물공, 주조공
литератор (남) 문학기, 문필가, 문장가
литература (여) ① 문학(文學) ② 서적(書籍), 저작(著作), 저술(著述)
литературный (형) 문학(文學); ~ язык 문화어, 표준어
литературовед (남) 문예학자(文藝學者), 문학연구자
литературоведение (중) 문예학
литовский (형) 리트바
литовцы (복수) (**~ец** (남), **~ка** (여)) 리트바사람(들)
литография (여) ① 석판인쇄(石版印刷), 석판술(石版術) ② 석판인쇄소
литой (형) 주조된; ~ая сталь 주강; ~ые изделия 주조품
литр (남) 리터 (용액의 양 단위)
лить (미완) ① 붓다, 쏟다, 따르다 ② (계속) 흘러내리다 ③ 주조하다 ④ 쏟아지다; дождь льёт как из ведра 비가 억수로 퍼붓는다.; ~ слёзы 눈물을 흘리다
литьё (중) 주조, 주물; чугунное ~ 주철(주)물
литься (미완) (줄줄)흐르다, 쏟아지다
лифт (남) 승강기(昇降機)

лифтёр (남) 승강기 안내원
лихва(여):с ~ой 여분으로, 남음이 있다
лихо (부) 신이 나게, 대담하게, 날쌔게
лихой (형) 대담한, 용감한, 날쌘
лихорадить (미완) 오한(懊恨)이 나다, 열이 나다
лихорадка (여) (의학) 열병(熱病), 오한(懊恨); болотная ~ 학질, 말라리아
лихорадочный(형) ① 오한이 나는, 열병을 앓는 ② 발광적인, 미친 듯한, 조급한
Лихтенштейн (남) 리히텐슈타인
лицевой (형) ① 얼굴의, 안면의 ② 표면(表面), 외면(外面), 전면; ~ая сторона 겉면, 표면, 전면
лицемер (남) 위선자(僞善者), 안팎이 다른 사람, 야살군
лицемерие (중) 위선, 표리부동, 가장
лицемерить (미완) 위선을 부리다, 야살을 떨다 (부리다)
лицемерный (형) 위선적인, 야살궂은, 표리부동한
лицензия (여) ① 수입허가증, 수출허가증 ② 면허장, 특허(特許)
лицо (중) ① 얼굴, 낯; выражение ~а 표정 ② 인물(人物), 사람 ③ (언어) 인칭(人稱); действующее ~о 등장인물; ~ом к ~у 얼굴을 맞대고; от ~а ...의 이름으로; не взирая на лица 누구나를 막론하고; стереть(смести) с ~а земли 소멸하다, 박멸하다
личина (여) 낯, 가면(假面);под ~ой 가면을 쓰고
личинка (여) (동물) 새끼벌레 (유충), 번데기
лично (부) ① 몸소, 손수, 친히, 스스로 ② 직접(直接)
личность (여) 인격(人格), 인물(人物), 개성(個性); важная ~ь 주요한 인물;

удостоверение ~и 신분증
личный (형) ① 자신, 개인, 일신상; ~ая собственность 개인소유;~ая жизнь 사생활; ~ым примером 이신작칙의 모범으로 ② 직접(적인), 개인적인; ~ое участие 직접참가 ③ (언어) 인칭; ~ое местоимение 인칭대명사;~ый состав 인원

лишай(남): стригущий ~ (의학) 버짐
лишайник (남) (식물) 돌옷, 지의류
лишать (미완) 빼앗다, 박탈하다; ~ права (법률)권리(權利)를 박탈(剝奪)하다; ~ слова 언권을 주지 않다, 발언을 금지하다; ~ жизни 죽이다, 목숨을 빼앗다

лишаться (미완) 잃다, 상실하다, 빼앗기다; ~ чувств 기절하다, 정신을 잃다; ~ жизни 생명을 잃다

лишение (중) ① 박탈(剝奪), 상실(喪失) ②: ~я (복수) 고생(苦生), 빈곤(貧困), 곤궁(困窮); ~е свободы 구금, 자유박탈

лишиться (완) см. лишаться
лишний (형) ① 나머지, 여분, 남는; ~ие деньги 여분의 돈 ② 필요 없는, 쓸데없는; ~ий разговор 쓸데없는 이야기; ~ий раз 한 번 더; позволять себе ~ее 지나치게 행동하다

лишь (조) см. только
Лк(Евангелия от Луки, 24장, 61쪽) 누가복음(루가의 복음서 Gospel According to Luke — 福音書)
лоб (남) 이마 в ~ 정면으로
лобзик (남) 실톱, 줄톱
лобогрейка(여) (농업) 간단한 수확기
лоботряс (남) 건달군, 게으름뱅이
лов (남) см. ловля
ловить (미완) ① 잡다, 붙잡다;~ рыбу (물)고기를 잡다 ② 포착하다
ловкий (형) ① 재빠른, 날쌘, 솜씨 있는, 재치 있는 ② 약삭빠른, 교묘한

ловко (부) ① 솜씨(재치)있게, 재빠르게 ② 교묘하게
ловкость (여) 날랜솜씨, 민첩성
ловля (남) 잡이, 수렵(狩獵); рыбная ~ (물)고기잡이
ловушка (여) 덫, 함정, 올가미, 간계; попасть в ~y 1) 함정에 빠지다 2) 올가미에 걸리다

ловчить (미완) 꾀를 부리다, 빠질 구멍을 찾다
логарифм (남) (수학) 로그(log), 대수(代數); таблица ~ов 로그수표, 대수표
логарифмический(형):~ая линейка 로그자
логика (여) 논리(論理), 논리법(論理法); вопреки ~е 이치에 맞지 않게, 논리에 맞지 않게

логический, логичный (형) 논리적(論理的)인, 이치(理致)에 맞는
логовище, логово (중) ① 짐승의 굴 ② 소굴(巢窟)
лодка (여) 배, 쪽배, 보트; подводная ~a 잠수함; спасательная ~a 구명보트; парусная ~a 돛배; кататься на ~е 배를 타다

лодочник (남) 뱃사공, 배군.
лодыжка (여) 회목(檜木)
лодырничать (미완) 놀고먹다, 허송세월을 보내다, 손톱하나 까딱하지 않는다.
лодырь(남) 게으름뱅이, 건달꾼; гонять ~я 빈들거리다, 건달부리다
ложа (여) (극장 등의) 특별석, 상등석
ложбина (여) 분지, 골짜기
ложиться (미완) ① 눕다; ~ спать 자려고 눕다 ②: ~ в больницу 입원하다 ③ (책임 등을) 걸머지게 되다, 부과되다; ~ на совесть 양심에 꺼리끼다
ложка (여) 숟가락; чайная ~ 차 숟가락; час по чайной ~е 아주 느리게, 마지못해

ложный (형) 허위적인, 가짜, 위조한; ~ слух 헛소문

ложь (여) 거짓(말), 허위(虛僞)

лоза (여) 덩굴; виноградная~ 포도덩굴

лозунг (남) 구호(口號), 표어(標語)

локализовать (미완, 완) (한 장소에) 국한하다, 국부 화하다

локальный (형) 국부적인, 지방적인; ~ая война 국부전쟁

локатор (남) 위치람지기

локаут (남) 노동자해고, 공장폐쇄

локомотив (남) 기관차(機關車)

локон (남) (내리 드리운) 머리타래, 고수머리

локоть (남) 팔꿈치

лом I (남) 지레대, 쇠몽둥이

лом II (남): железный~ 헌쇠(붙이), 파철

ломанный (형) 깨여진, 부러진, 꺾인; ~ая линия (굴)절선; говорить на ~ом языке 서투른 말로 말하다

ломать (미완) ① 부러뜨리다, 마스다, 깨뜨리다, 못쓰게 만들다, 허물어뜨리다 ② 파괴하다 마스다, 깨뜨리다; ~ характер 성격을 변화시키다; ~ голову над чем 머리를 짜다

ломаться I (미완) ① 깨지다, 부서지다, 꺾어지다, 못쓰게 되다 ② (버릇 등이) 없어지다

ломаться II (미완) 변덕부리다, 비쌔다, 고집 쓰다

ломбард (남) 전당포, 편의금고

Ломе (남) 로메

ломить (미완) 쑤시다, 자리자리하다, 시근거리다; ломит поясницу 허리가 쑤신다.

ломиться (미완) ① см. гнуться ② 왁 밀려들다, 덤벼들다

ломка (여) 파괴, 분쇄, 청산

ломкий (형) 부서지기 (꺾어지기) 쉬운

ломота (여) (뼈, 관절이) 쑤시는 것

ломоть (남) 조각(爪角), 토막(土幕); ~ хлеба 빵 조각

ломтик (남) 작은 (얇은 조각); ~ хлеба 빵의 작은 조각

Лондон (남) 2. 런던

лоно (중): на ~е природы 자연의 품속에서

лопасть (여) ① (공학) 날개 ② 삽날

лопата (여) 삽, 가래, 넉가래

лопатка (여) ① 작은 삽, 꽃삽 ② (해부) 어깨뼈, 견갑골; положить на обе ~и (레스링 경기에서) 완전승리하다

лопаться (미완), **лопнуть** (완) ① 깨어지다, 쪼개지다, 터지다, 끊어지다 ② (일이) 파탄되다, 틀어지다

лопух (남) (식물) 우엉, 우엉잎사귀

лорд (남) 경 (영국귀족의 칭호); палата ~ов (영국의) 귀족원, 상원

лоск (남) 광택(光澤), 윤(기), 기름기; внешний ~ 허식

лоскут (남) (천, 종이 등의) 조각, 헝겊; ~ки (복수) 보무라지, 헌천조각, 나부랭이

лосниться (미완) 윤이 나다, 기름기 (윤기)가 돌다, 번질거리다, 반들거리다

лососина (여) 연어고기

лосось (남) 연어

лось (남) (동물) 큰 사슴

лот (남) (해양) 깊이재개, 측심기

лотерейный (형); ~ билет 추첨표

летерея (여) 추첨, 제비 (뽑기); участвовать в ~е 추첨을 하다, 추첨에 참가하다

лото (중) (불변) 로또 (도박의 일종)

лоток (남) 노천 매대

лотос (남) 연꽃; белый ~ 백련

лоточник (남) 노천상인, 행상인(行商人)

лоханка, лохань (여) 함지
лохматый (형) ① 털이 많은 (더부룩한) ② 머리가 헝클어진; ~ая голова 쑥대강이, 쑥대머리
лохмотья(복수) 누더기, 넝마; ходить в ~х 누더기를 입고 다니다
лоцман (남) 수로안내자
лошадиный (형) 말; ~ая сила (공학) 마력(馬力)
лошадь (여) 말; садиться на ~ 말을 타다
лощина (여) 낮은 땅, 요지, 상사목; горная ~ 산고랑
лояльный (형) 충직한, 충실한, 관대성 있는
Луанда (여) g. 루안다
лубок (남) ① (의학) 부목(副木); накладывать ~ 부목을 대다 ② 목판화(木版畵)
луг (남) 초원(草原), 풀밭, (복수) 들판, 목초지(木草地)
лудильщик (남) 주석도 금공
лудить (미완) 주식도금을 하다
лужа (여) 물웅덩이, 물탕; сесть в ~у 창피당하다
лужайка (여) (산기슭, 숲 속에 있는) 풀밭
лужение (중) 주석도금
лужёный (형) 주석도금을 한
лук I (남) (식물) 파, 양파; крупный ~ 왕파
лук II (남) 활
лукавить (미완) 꾀를 쓰다, 교활하게 굴다, 잔꾀를 부리다
лукавый (형) ① 간사한, 능청스러운, 교활한; ~человек 가살군, 능청스러운 사람 ② 생글거리는; ~ взгляд 생글생글 웃는 눈
луковица (여) ① (식물) 알뿌리, 인경, 구경 ② 파대가리
луна(여) 달; полная ~ 보름달, 만월
лунник (남) 달 로케트
лунный(형) 달; ~ый свет 달빛; ~ое затмение 월식; ~ый календарь 음력
луноход (남) 자동차, <루노호드>
лупа (여) 확대경(擴大鏡)
лупить (미완) ① 껍질을 벗기다 ② 몹시 때리다 (패다)
лупиться (미완) 벗겨지다
Лусака (여) g. 루사카
луч (남) ① 빛, 광선(光線); ~и солнца 햇볕, 햇빛; ~ надежды 희망의 서광
лучевой (형): ~ая болезнь 방사능증, 방사선병
лучезарный (형) 빛나는, 빛을 뿌리는, 찬란한; ~ое солнце 찬란한 태양
лучина (여) 나무개비
лучистый ① (물리) 방사, 복사(複寫): ② 빛을 뿌리는, 번쩍이는
лучше ① (хороший 의 비교급) 더 좋다; ~ всех 가장 좋다 ② (хорошо 의 비교급) 더욱 (더) 잘, 다 훌륭히; ~ всего(всех) 가장 잘 (훌륭하게); как можно ~ 될 수 있는 대로 훌륭하게 ③ (술어로) 더 좋다; чем быстрее, тем ~ 빠르면 빠를수록 더 좋다;больному сегодня ~ 환자의 병세가 오늘 좀 나아졌다; тем ~ 그럴수록 (더) 좋다
лучший ① 더 좋은, 제일 좋은 (훌륭한), 우수한 ② (명사로) 보다 좋은 것, 가장 좋은 것; перенимать ~ее 가장 우수한 것을 본받다; в ~ем случае 최상의 경우에, 기껏해야; всего ~его! 안녕히 (작별인사)
лущить (미완) ① 껍질을 벗기다, 바르다, 까다 ② 골길 이하다, 수확 후에 갈다
лыжи (복수) (단수 лыжа (여)) 스키; кататься (ходить) на ~ах 스키를 타다
лыжник (남) 스키선수
лыжный (형) 스키; ~ый спорт 스키운동 (경기); ~ые гонки 스키경기

лыжня (여) 스키길, 스키자국
лысеть (미완) 대머리가 되다, 머리가 벗어지다
лысина (여) 대머리, 번대진 곳
лысый (형) ① 머리가 벗어진, 대머리가 된 ② 벌거벗은, 민둥민둥한; ~ая гора 민둥한 산
львёнок (남) 사자새끼
львиный (형) 사자의; ~ая доля (가장) 큰 몫, 엄청난 몫
львица (여) 암사자
льгота (여) 특전, 특권, 특혜(特惠)
льготный (형) 특권 있는, 특전이 있는, 면제 받은;~ый проезд 무임승차; ~ые условия 특혜조건
льдина (여) 얼음덩이, 얼음장
льноводство (중) 아마재배(亞麻栽培)
льноволокно (중) 아마섬유(亞麻纖維)
льнопрядильный (형):~ая фабрика 아마 방적공장
льнуть (미완) 들어붙다;~ к матери 어머니에게 매달려 있다
льняной (형) 아마의; ~ое масло 아마기름; ~ое полотно 아마천
льстец (남) 아첨쟁이, 아첨꾼
льстивый (형) 알랑거리는, 아첨하는, 아부하는;~ тон 아첨조
льстить (미완) ① 알랑거리다, 아첨하다, 아부하다; ② 비위를 맞추다; ~ себя надеждой 기대를 걸다
любезность (여) 친절, 상냥한 것, 호의; откажите в ~и 호의를 저버리지 마십시오; сделайте ~ь 수고해 주십시오
любезный (형) 친절한, 상양한, 정다운, 곰상곰상한; будьте любезны 수고해 주십시오.
любимец (남) 귀염둥이
любимый (여) 사랑하는, 그리운, 마음에 드는; ~ое занятие 제일 좋아하는 일; ~ая вещь 소중히 여기는 것
любитель (남) ① 애호가, 좋아하는 자; ~ музыки 음악 애호가; ② 비전문가, 아마추어; фотограф- ~ 아마추어 사진사; актёр-~ 소인극 배우, 아마추어 배우, 비전문배우
любительский (형): ~ спектакль 비전문 연극, 소인극
любить(미완) ① 사랑하다, 애호하다, 좋아하다, 그리다; ~ спорт 체육을 애호하다; ② 요구하다; цветы любят солнце 꽃은 햇빛을 요구한다.
любо (술어)(+미정형) ~ посмотреть 보기가 좋다
любоваться (미완) 즐겨보다, 황홀하여 바라보다, 탄성을 지르다
любовник (남),**~ца** (여) 정부
любовно (여) 다정하게, 정답게, 사랑스럽게
любовный (부) 연애(戀愛)의, 애정(愛情)의, 정겨운; ~ое письмо 연애편지; ~ое отношение к чему ...에 대한 극진한 태도
любовь (여) ① 사랑, 애정(愛情), 연애(戀愛); ~ к родине 조국에 대한 사랑; первая ~ 첫사랑, 첫애인; с ~ю 다정하게; ② 애착(愛着), 애착심(愛着心), 취미(趣味); ~ к музыке 음악에 대한 취미, 음악에 대한 사랑; ~ к чтению 독서열
любознательность (여) 지식욕(知識慾), 향학열(向學熱), 배우려는 열의(熱意)
любознательный (형) 지식욕이 많은, 향학열이 있는, 탐구심이 강한
любой (형) ① 온갖, 임의(任意)의, 매개(媒介)의 어떤, ...든지; ~ой человек 누구든지 다; ~ое дело 매사, 어떤 일이든; ② 임의(任意)의; в ~ое время 어느 때라도; в ~ой момент 임의의 시각에; ~ой ценой 어떤 희생을 무릅쓰고라도, 어떤 대가를 치르더라도
любопытный (형) ① 호기심에 찬,

호기심이 많은; ② 재미있는, 흥미 있는; ~ случай 재미있는 일

любопытство (중) ① 호기심(好奇心), 탐구심(探究心); ② 흥미(興味)

люди (복수) 사람들; ~ доброй воли 선량한 사람들

людный (형) 사람이 많은, 인구가 조밀한; ~ая улица 사람이 많이 다니는 거리

людоед (남) 식인종, 야만(野蠻)

людской (형) 인간의, 사람의, 인적(人的), 인성(人性)의; ~ой род 인류; ~ие ресурсы 인적자원(人的資源)

люк (남) 선박 화물칸 문, 뱃짐칸 입구, 선창구, 승강구(昇降口)

люкс (남) 호화로운 것, 사치스러운 것; каюта ~ 특별선실

Люксембург (남) ① гос-во 룩셈부르크 ② г. 룩셈부르크

люлька (여) 요람(搖籃)

люминал (남) (약학) 루미날(luminol)

люминесценция (여) 발광현상

люстра (여) 샹들리에(chandelier)

лютик (남) (식물) 미나리아재비, 물바구지, 자구(自灸), 모근(毛菫)

лютый (형) 흉악한, 맹악한, 잔인한, 모진(冒進), 혹심한; ~ый мороз 혹한; ~ая ненависть 천인공노, 치솟는 증오

люцерна (여) (식물) 개자리

лягать,~ся (미완)(뒷발로) 차다, 제기다

лягушка (여) 개구리

ляжка (여) 넙적다리

лязгать (미완) 쨍그렁 소리를 내다, 절커덩(절그럭) 소리를 내다, 쟁강거리다; ~ цепями 쇠사슬을 절그럭거리다; ~ зуб-ами 이빨이 떡떡 마주치다

лямка (여) ① 멜빵, 질빵, 걸빨, 박따위; ② 배끌이 줄; тянуть ~у 싫증나는 일을 하다

ляпис (남) (화학) 초산은, 질산은.

ляпсус (남) 큰 실수, 망신, 잘못

лясы: точить ~ 시시덕거리다, 실없는 말(소리)을 하다

М

мавзолей (남) 묘(墓), 능묘(陵墓); ~ Ленина 레닌묘
Маврикий (남) 모리셔스(Mauritius)
Мавритания (여) 모리따니
магазин (남) ① 상점(商店), 가게, 점포(店鋪); универсальный ~ 백화점; книжный~책방, 서점; промтоварный ~ 공업상점; продуктовый(продовольственный) ~ 식료품상점; ② (무기의) 탄창(彈倉)
магазинный (형) ① 상점(商店)의; ② ~ая коробка 탄창(彈倉)
магистраль(여) (철도, 전기 등의) 간선(幹線), 본선(本線); железнодорожная ~ 철도간선
магистральный (형) 간선(幹線); канал 간선, 운하; ~ путь 간선길(도로)
магический (형) 마술같은, 기적적인
магия (여) 요술(妖術), 술법(術法)
магнат (여) 대자본가; финансовые ~ы 금융대자본가들
магнезит (남) (광물) 마그네사이트
магнезия (여) (화학) 마그네시아
магнетизм (남) 자기(磁氣), 자력(磁力), 자성(磁性), ; земной ~자구자기
магнето (중)(불변) (물리) 마그네트론(magnetron); 자석발전기(磁石發電機)
магний(남)(화학)마그네슘(magnesium)
магнит (남) 자석(磁石), 자철, 자성체
магнитный(형) 자기(磁氣), 자성(磁性), 자력을 띤; ~ый железяк 자철광; ~ый полюс 자극; ~ое поле 자기마당; ~ая лента 녹음테이프
магнитофон (남) 녹음기(錄音器)
магнолия (여) 목련화, 목련꽃, 목련
магометанин (남)см. мусульманин
магометанство см. мусульманство
Мадагаскар (남) 마다가스까르
Мадрид (남) 마드리드
мажор (남) (음악) 대조(식)
мазать(미완)① 바르다, 칠하다; ~ хлеб маслом 빵에 버터를 바르다 ② 더럽히다, 어지럽다
мазаться (미완) ① (자기 몸에) ...를 바르다, 더러워지다 ② 묻어지다
мазня(여) ① 서툴게(되는대로)그린 그림(칠한 것) ②함부로 어지럽게 쓴 글씨
мазут (남) 중유(重油)
мазь (여) 연고, 고약; цинковая ~ь 안연 고약; сапожная ~ь 구두약; дело на ~и 일이 원활하게 진행되다(잘 되어 간다)
майонез (남) 마요네즈(mayonnaise)
маис (남) см. кукуруза
май (남) 5(오)월; Первое мая 5.1(오일)절; в конце мая 5 월말에
майка (여) 러닝셔츠
майор (남) 소좌(少佐)
майский (형) 5(오)월; ~ жук(곤충)국동풍뎅이, 딱정벌레
мак (남) ① 양귀비(꽃) ② 양귀비씨
Макао (남) (불변) 마카오
макаронный (형) 마카로니(macaroni); ~ые изделия 마카로니류(-類)의 식료품(食料品)
макароны (복수) 마카로니(macaroni: 국수의 한 가지)
макать (미완) 담그다, 잠그다, 적시다; ~ перо в чернила 펜에 잉크를 찍다

- 254 -

макет (남) 모형(模型), 모델(model); ~ местности 사관

макрель (여) 고등어; корейская ~ 평삼치

максимально (부) 최대한으로

максимальный(형) 최대, 최대한; 최고

максимум (남) ① 최대한도, 최대량 ② (부사로) 최대한으로; прилагать ~ усилий 최선의 노력을 다하다

макулатура (여) ① (인쇄) 불량인쇄물 ② 헌종이, 못쓸 종이(책)

макушка (여) ① 꼭대기, 천정 ② 머리꼭대기 ; ○ держать ушки на ~е 귀를 도사리고 듣다

Мал (Книга Пророка Малахии, 4장, 923 쪽) 말라기서(The Book of Malachi 書)

Малави (중)(불변) 말라위

Малагасийская Республика (여) 말가슈 (공화국)

Малайзия (여) 말레이시아

малахит (남) (광물) 공작석(孔雀石)

малейший (형) 아주(가장) 작은(자그마한); не иметь ни ~его представления 아무 개념도 못가지다, 전혀 알지 못하다

малёк (남) 새끼고기

маленький(형) ① 작은, 자그마한; че-ловек ~ого роста 키 작은 사람 ② 적은; ~ая порция 적은 정량 ② 사소한, 얼마 안 되는, 보잘것없는; ~ ая непри-ятность 사소한 불쾌한 일 ④ 나 어린 ⑤ (명사로)어린이, 아이; моё дело ~ое 나는 상관이 없다

Мали (중)(불변) 말리

малина (여) ① 멍덕딸기, 산딸기 ② 멍덕딸기나무

малиновый (형) 멍덕딸기, 산딸기; 멍덕딸기나무; ~ое варенье 멍덕 딸기 잼; ~ый цвет 딸기 빛

мало ① (부) 조금, 적게; сделал ~조금 하였다 ② (술어로) 적다, 부족하다, 모자라다; ~ народу 사람이 적다; этого ~ 이것으로는 부족하다; ③ (кто, что, где, когда) 와 함께:~ кто знает 알고 있는 사람이 적다(별로 없다); ~где бывал 가본 곳이 적다; ~ ли что может слу-читься 어떤 사변이 일어날지 누가 알아겠는가?; ~ того (삽입어) 그 뿐만 아니라, 더 군다나

мало ...합성의 첫 부분으로서 (적은)의 뜻을 부여한다.; **малообразованный** 교양(敎養)이 적은

маловажный (형) 그리 중요하지 않은, 사소한, 하찮은; ~ое дело 하찮은 일

маловато (부) (술어로) 좀 부족하다 (적다, 모자라다)

маловероятный (형) 가능성(확실성)이 적은, 믿기 어려운, 의심스러운

маловодный(형) 물(물량,수량)이 적은

малогабаритный (형) 소형(小形), 꼬마, 크기가 적은

малограмотный (형) ① 불충분하게 읽고 쓰는 자식이 부족한 ② 서투르게 한(만든) ; ~ текст 서투른 글 ③ (명사로) 자식이 부족한 사람

малодоступный (형) 다다르기 (도달하기)어려운; 알기(이해하기)어려운

малодушие (중)소심성(小心性), 비겁성

малодушный (형) 소심한, 비겁한

малое(중) 적은 것, 사소한 것; довольс-твоваться ~ым 적은 것에 만족하다; без ~ого 거의, 근, 약; самое ~ое 적어도, 최소하다

малозаметный (형) 겨우 눈에 띄는, 잘 보이지 않은, 잘 나타나지 않은

малоземельный (형) 경지(耕地)가 부족한, 부치는 땅이 적은 토지가 적은;

~ое крестьянство 토지적은 농민들
малозначащий, малозначительный (형) 큰 의의가 없는, 대수롭지 않는
малоизвестный; (형) 적게 알려진, 잘 알려지지 않은~ писатель 잘 알려지지 않은 작가, 무명작가(無名作家)
малоизученный (형) 잘 연구 (탐구) 되지 못 한, 불충분하게 연구된
малоимущий (형) 재산이 적은, 가난한; ~ие слои населения 빈민층
малокалиберный см. мелкокалиберный
малоквалифицированный (형) 자격이 낮은, 기능이 낮은, 자질이 부족한
малокровие (중) 빈혈증(貧血症)
малокровный 빈혈증에 걸린
малолетний (형) ① 나이어린, 소년(少年) ② (명사로) 어린이, 소년, 소녀
малолеток(남),**~ка** (남, 여) 어린이, 어린애, 소년(少年), 아동(兒童)
малолетство (중) 어린시절, 소년기(少年期), 유년(幼年)
малолитражный (형) 용적이 적은, 소형의; ~ автомобиль 소형자동차
малолюдный(형) 사람이 적게 사는, 인적이 드문; ~ая улица 사람이 적은 사람
мало-мальски (부) 조금이라도
маломальский (형) 아주 적은
маломощный (형) ① 체력이 약한, 힘이 약한; ② 능력(출력, 마력)이 적은; ~ый двигатель 마력이 작은 원동기; ~ое хозяйство 영세화된 경리, 수출이 적은 경리
малонаселённый (형) 인구밀도가 낮은, 주민이 적은; ~ая квартира 사람이 적게 사는 주택
малоопытный(형) 경험이 적은, 미숙한
малоподвижный (형) 잘 움직이는 생활양식; ~ образ жизни 적게 움직이는 생활양식
мало-помалу (부) 조금씩, 점점, 점차
малопонятный (형) 이해하기 힘든
малопродуктивный (형) ① 소출(所出)이 적은, 생산성(生産性)이 낮은; ② 효과(效果)가 적은
малопроизводительный(형) 생산력(生産力)이 적은, 생산성이 낮은
малоразвитый (형) ① 덜 발전한, 발전수준이 높지 못한 ② 교양이 부족한, 시야(視野)가 좁은
малорослый (형) 키가 작은,, 꼬마
малосемейный(형) 가족(식솔)이 적은
малосильный(형)- см. маломощный
малосодержательный(형) 내용이 빈약한, 속이 빈약한
малосольный (형) 약간 절인, 얼간한; ~ огурец 약간 절인 오이
малость (여) 적은 량, 소량(小量)
малотиражный (형) 간행부수가 적은, 발행 부수가 적은
малоупотребительный (형) 드물게(적게)쓰이는 (사용되는); ~ое выражение 드물게 쓰이는 표현
малоурожайный(형) 수확(소출)이 적은
малоценный (형) ① 가치(價値)가 적은; ② 큰 의의(意義)가 없는
малочисленный (형) (수적으로) 적은, 소수(小數)
малый I (형) -см. маленький ① ② ③; эти ботинки мне ~ы 이 구두는 내게 작다;бесконечно ~ая величина (수학) 무한소(無限小); с ~ых лет 어렸을 때; все от ~а до велика 남녀노소를 막론하고; самое ~ое 아무리 적어도, 최소한; ~ая механизация 소 공구, 소 기계
малый II (남)(말투) 젊은이, 청년, 소년

малыш (남) 어린이, 아기, 꼬마둥이
Мальдивская Республика (여) 말디브(공화국)
Мальта (여) 말따
мальчик (남) 소년(少年), 사내아이
мальчишеский(형)아이다운, 소년다운
мальчишество (중) 아이다운 행위, 어린애 같은 짓
мальчишка (남) ① 소년(少年), 사내아이, ② 새내기, 신출내기
мальчуган (남) 소년(少年), 사내아이
малюсенький (형) 몹시 작은, 아주 자그마한
малютка(남,여) 애기, 꼬마둥이, 갓난이
маляр (남) 도장공(塗裝工), 페인트공
малярийный (형) 말라리아, 학질; ~ комар 말라리아모기
малярия (여) 말라리아, 학질
мама (여) 엄마, 어머니
маменькин (형); ~ сын; ~а дочь 응석받이
мамонт(남) (고생물) 털코끼리, 맘모스
Манагуа (남) (불변) г. 마나과
мандарин (남) 귤; (만다린) 귤나무
мандариновый (형) 귤; 귤나무
мандат (남) 위임장, 신임장, 대표증
мандатный (형): ~ая комиссия 자격심사위원회
мандолина(여) 만돌린(mandolin)
манёвр (남) ① (군사) 기동작전(機動作戰); обходный 우회기동(전) ② 술책(術策), 책동(策動); ③ ~ы (복수) (군사) 군사연습
манёвренность (여) 기동성(機動性), 기동력(機動力)
манёвренный (형) ① (군사) 기동하는, 기동전; ~ая оборона 기동방어 ② 기동성 있는
маневрировать (미완) ① 기동하다 ② 술책을 쓰다, 꾀를 부리다
маневровый (형): ~ паровоз 차 교환용 기관차(機關車), 환차기
манеж(남) ① 승마훈련장 ② 곡예무대
манекен (남) (상점, 양복점 등에서 쓰는) 마네킹, 인체모형
манера(여) 버릇, 습성(習性), 습관(習慣); ~а говорить 말버릇, 말씨; ~а одева-ться 몸차림; ~а держаться 몸가짐, 몸놀림, 행세; хорошие ~ы 훌륭한 몸가짐
манжета (여) ① 소매부리; ② (공학) 패킹(packing), 접시형 패킹
маникюр(남) 미조술(美爪術; 손톱을 아름답게 하는 기술), 매니큐어 (manicure)
маникюрша (여) 미조사(美爪師)
Манила (여) г. 마닐라(Manila)
манипулировать (미완) ① 술책을 쓰다, 내 돌리다 ② 손으로 조작하다, 손놀림하다
манипуляция (여) ① 술책(術策) ② 손에 의한 조각(법), 손놀림
манить (미완) ① 손짓(눈짓)으로 부르다; ~ к себе 자기에게 오라고 (손짓(눈짓)하다 ② 유인하다, 호리다
манифест(남) 포고문(布告問), 선언서 (宣言書); Манифест Коммунистической партии 공산당선언
манифестация (여) 시위행진(示威行進), 가두시위(街頭示威)
мания (여) (의학) 조병(凋兵), 망상(妄想); ~ величия 과대망상
макировать(미완, 완) 태만(怠慢)하다, 나태하다, 태공하다, 태홀하다; ~ своими обязанностями 직무에 태만하다, 의무에 태만하다
манный(형): ~ая крупа 밀싸래기~ая

каша 밀싸래기암죽
манометр (남) 압력계(壓力計), 기압계(氣壓計), 고압계(高壓計)
мансарда (여) 고미다락, 다락방
манто (중) (불변) 겉옷, 덧옷
маньяк (남) 미치광이
маразм (남) ① 수척(瘦瘠), 쇠약(衰弱); старческий ~ 노쇠 ② 퇴폐(頹廢)
марал (남) (동물) 누렁이
марать см.(미완) пачкать(ся)
марафон (남) (체육) 마라톤
марафонский: ~ бег см. марафон
марганец (남) (화학) 망간(Mangan)
марганцевый(형): ~ая руда 망간관
марганцовка (여) ① 과망간산칼륨 (過 Mangan酸 Kalium) ② 망간용액
маргарин (남) 마르가린, 인조버터
марево (중) ① 아지랑이 ② 신기루
маринад (남) ① 초침지액; ② ~ы 초절임(식료)품
маринованный (형) 향료를 섞어 초에 담근; ~ые грибы 초에 담근 버섯
мариновать (미완) ① 향료를 섞어 초에 담그다 ② 오래 끌다, 지연시키다
марионетка (여) ① 인형(人形); ② 괴뢰(乖離), 꼭두각시
марионеточный (형) 괴뢰, 맹종맹동하는; ~ое правительство 괴뢰정부
марка I (여) ① 우표(郵票); 수입인지(收入印紙) ② 상표(商標), 마크(mark); ~ стали 강철의 마르까, 강종
марка II (여) 마르크(화폐단위)
маркий (형) 더러워지기 쉬운
маркировать (미완, 완) 표를 붙이다 (새기다, 찍다)
маркировка (여) ① (상품에)표를 붙이는 것 ② 상표(商標)
марксизм(남)마르크스주의(Marx主義)
марксизм-ленинизм (남) 마르크스-레닌주의(Marxism-Leninism)

марксист (남) 마르크주의자
марксистский (형) 마르크스주의, 마르크스주의적인
марксистско-ленинский (형) 마르크스-레닌주의 ; ~ая идеология 마르크스-레닌주의사상
марля (여) 약천(藥泉), 가제, 붕대
мармелад (남) 마르멜라드, 젤리
мародёр (남) 약탈자(掠奪者), 약탈병
мародёрство (중) 약탈행위
Марс (남) (천문) 화성(火星)
март (남) 3(삼)월 ; в ~е 3(삼)월에
мартен (남) ① см. мартеновск(ая) печь см. ② мартеновск(ая) сталь
мартеновский(형): ~ печь 평로; ~ая сталь 평로강
мартовский (형) 3(삼)월(-月)
мартышка (여) 긴꼬리원숭이
марш I (남) ① 행진(行進), 행군(行軍), 진군(進軍); форсированный ~강행군; церемониальный ~ 분열행진 ② 행진곡; траурный(похоронный) ~장송곡
марш II (감) (구령); шагом ~ 앞으로 갓! бегом ~ 급보로 갓! на месте шагом ~ 제자리걸음으로 갓!
маршал (남) 원수(怨讐)
маршировать (미완) 행진하다
маршировка (여) 행진(行進), 행진훈령(行進訓令)
маршрут (남) 행진로, 행군길, 경로
маршрутный: ~ое такси 정로택시
маска(여) ① (형), 탈, 가면(假面), 마스크(mask), 탈바가지; под ~ой чего 의 가면을 쓰고 ; сбросить ~у 가면(탈)을 벗다; сорвать ~у с кого 의 가면을 벗기다, ...의 정체를 폭로하다 ② 면상(面像)
маскарад (남) 가장무도회(假裝舞蹈會), 가면무도회(假面舞蹈會)
маскарадный(형):~костюм 가장무도

복

маскировать (미완) ① 위장하다, 변장하다 ② 가장시키다, 가면을 씌우다

маскироваться (미완) ① 위장하다 ② 가장하다, 가면을 쓰다

маскировка (여) ① 위장(僞裝) ② 가장(假葬), 거짓꾸밈, 거짓

маскировочный (형) 위장용(僞裝用);~ халат 위장옷, 위장용 겉옷

маслёнка (여) ① 버터접시 ② 주유기

маслина (여) ① 올리브나무 ② 올리브

масличный (형): ~ые культуры 기름작물, 유지작물

масло (중) ① 기름; сливочное ~о 버터; растительное ~о 식물성기름; оливковое ~о 올리브기름;смазочное ~о 윤활유; писать ~ом 유화구로 그리다; подливать ~а в огонь (속담) 불붙는데 키질하기; (идти) как по ~y 거침없이 (매우 순조롭게) 되어가다

маслобойный (형):~ завод 기름공장
маслобойня см. маслобойный(завод)
маслоделие (중) 버터(기름)제조
маслодельный (형): ~ое производство 버터(기름)제조업(製造業), 기름공업; ~ый завод 기름공장
маслозавод см. маслобойный завод
маслянистость (여) 기름기, 윤활성
маслянистый 기름기 있는, 기름진
масляный (형) ① 기름, 버터, 기름 섞인; ~ое пятно ② 유화; ~ые краски 유화구

масса (여)(물리) 질량(質量); единица ~ы 질량의 단위 ②; ~ы (복수) 대중; народные ~ы 인민대중;③ чего 대량, 다수. 많은 것; ~а народу(людей) 사람들의 무리; ~ впечатлений 대단히 많은 인상들; ~ дел 산더미 같다 ; ~ вопросов 문제는 아주 많다 ④ 물질,(원료로 되는)혼합물; бумажная ~제지원료

массаж (남) 안마(按摩), 문지르기, 마사지(massage), 두드리기; делать ~(몸을) 문지르다(두드리다)

массажист(남),**~ка** (여) 안마전문가

массив (남) (지질) 단층괴; горный ~ 산괴; лесной ~ 살림지대

массивный (형) 육중한, 거창한, 중량이 무거운; ~ая фигура 집중사격

массированный (형) 집중적인, 집결한; ~ огонь 집중사격

массировать (미완, 완)см. (делать)массаж

массовик (남) 대중오락 사회자
массовка (여) ① 비밀소집회 ② 야유회(野遊會) ③(연극에서) 군중장면
массов-политический(형):~ая работа 대중정치사업
массовость (여) 대중성(大衆性), 군중성(群衆性), 대중화(大衆化)
массовый (형) ① 대중(大衆), 군중(群衆), 대중적(大衆的)인, 군중적인; ~ый митинг 군중집회; ~ый героизм 대중적영웅주의; ~ое производство 대량생산;оружие ~ого уничтожения 대량살상무기

мастер (남) ① оружейный ~ 병기공; часовой ~ 시계수리공 ② 기능공(技能工), 숙련공(熟練工), 명수(名手);~ спорта 체육명수; ~а высоких урожаев 다수확의 명수들; быть ~ом своего дела 자기 맡은 일에 능수가 되다; ~ на все руки 아무 일에나 능한 사람

мастерить (미완) (손재주로) 만들다
мастерица (여) 숙련된 여성기능공, 솜씨 있는
мастерская (여) ① 제작소(製作所), 수리소, 공장(工場); часовая ~ая 시계

방, 시계수리소; сапожная ~ая 구두방; железнодорожные ~ие 철도수리공장 ② 분공장(分工場)

мастерски (부) 솜씨 있게. 능숙하게, 재치 있게

мастерской (형) 솜씨 있는, 능숙한, 재치 있는; ~ое произведение 솜씨 있게 쓴 작품

мастерство (중) ① 기능(技能), 기교(技巧), 솜씨, 수완; художественное ~ 예술적 기량 ② 수공업(手工業), 업(業), сапожное ~ 구두 만들기, 제화업

маститый (형) 존경받는, 공적 받는, 고령; ~ учёный 노학자, 과학의 대가

масть (여) ① (동물의) 털빛, 털색; всех ~ей 각양각색, 형형색색 ② (트럼프의) 같은 꽃의 패; бубновая ~ь 다이야 패

масштаб (남) ① 축척(縮尺), 척도(尺度); ~ 25 километров в сантиметре 1:2500000의 축척 ② 규모(規模), 범위(範圍); в широком ~е 대규모적으로; в мировом ~е 세계적 범위에서, 세계적으로

масштабный (형) ① 축척(縮尺), 척도(尺度), 비례척(比例尺) ② 대규모(大規模); ~ая линейка 비례자

мат I (남)(장기에서) 통장; объявить ~ 통장을 부르다; шах и ~ 통장

мат II (남) ① 돗자리, 거저자리 ② (채육용) 깔개

математик (여) 수학자, 수학교원

математика (여) 수학(數學); высшая (прикладная) ~ 고등(응용)수학

материал (남) ① 재료(材料), 원료(原料), 자재(資材), 제재; строительный ~ 건재; учебные ~ы 교재; ~ для исследования 연구자료

материализм (남) 유물론(唯物論); диалектический ~ 변증법적 유물론; исторический ~ 역사적 유물론적인

материалист (남) ① 유물론자(唯物論者) ② 실무주의자(實務主義者)

материалистический(형) 유물론, 유물론적인; ~ая философия 유물론철학

материально (부) 물질적으로

материально-технический (형) 물질(物質)기술적(技術的)인; ~ая база 물질기술적 토대

материальный(형)① 물질적(物質的)인, 물적(物的); ~ое благосостояние 물질적 복리; ~ые ресурсы 물질적복자원; ② ~ая часть (공학) 기술설비(技術設備), 기재(機才); ~ый склад 기재장고

материк (남) 대륙(大陸), 뭍, 육지(陸地), 지상(地上), 땅

материковый(형) 대륙(大陸), 뭍;~ый ветер 뭍바람; ~ые острова 뭍섬;~ый шельф (지질) 대륙붕(大陸棚)

материнский (형) 어머니, 어머니다운, 모성; ~ая любовь 모성애; с ~ ой стороны 외편으로; орден "Материнская слава" 모성명예훈장

материнство (중) 모성(母性); чувство ~а 어머니의 심정(마음); охрана ~а и младенчества 모성과 어린의 보호

материя (여) ① (철학) 물질; 실체 ② 천, 직물; шёлковая ~비단천, 견직물; шерстяная ~모직(천), 모직물

матёрый (형) (동물에 대하여) 다 큰, 힘이 왕성한; ~ волк 다 큰 승냥이 ② (사람에 대하여) 노련한, 경함이 많은; 판박은, 고칠수 없는~ враг 악질적인 원수

матка (여) ① (해부) 자궁(子宮) ② (동물의) 어미, 암컷; пчелиная ~ 어미벌

матовый (형) 젖빛, 뿌연; ~ое стекло 젖빛유리

матрас, матрац (남) 침대깔개

матриархат (남) 모권제

матрица (여)(인쇄) 활자모형, 지형

- 260 -

матрос (남) 해병, 선원(船員), 배사람
матч (남) 시합(試合), 경기(競起), 게임; футбольный ~ 축구경기
мать (여) 어머니(모친), 모성(母性); ро-дная ~ 친어머니; приёмная ~ 양어머니; ~-героиня 모성영웅
маузер (남) 모젤(권총)
мах (남): одним ~ом 단번에; дать ~у 실수하다
махать (미완) 흔들다, 내젓다, 휘두르다; ~ рукой 손을 내젓다, 팔짓하다; ~ платком 손수건을 흔들다 ле драки кулаками не машут(속담) 소 잃고 외양간 고친다.; махнуть рукой 그만 (되는대로) 버려두다
махинация(여) 술책(術策), 간계(奸計), 책략(策略), 술수(術數), 방술
махнуть (완)см. махать
маховик (남)см. махов(ое колесо)
маховой (형): ~ое колесо (공학) 관성바퀴, 플라이휠(flywheel)
махорка (여) 마라초(-ㅺ)
махровый (형) ① 화판(꽃잎)이 많은; ~ый цветок 화판이 많은 꽃 ② (천에 대하여) 타월(towel); ~ая ткань 타월천; ~ое полотенце 타월수건; ③ (부정적 측면이) 노골적인, 극단한, 판박은; ~ый реакционер 극반동
мачеха (여) 의붓어머니, 후(後)어머니, 계모(繼母)
мачта (여) ① 돛대, 마스트(mast); ② (텔레비전 등의) 탑, 방송탑
машина (여) ① 기계(機械), 기구(機具); швейная ~ 재봉기; паровая ~증기기간; печатная ~ 인쇄기 ② 자동차(自動車) ③ 기관(機關), 기구(機具); военная ~ 군사기구(軍事機構); ~ голосования 거수기(계)
машинально (부) 기계적(機械的)으로, 무의식적(無意識的)인
машинальный (형) 기계적인(機械的-), 무의식적(無意識的)인
машинизация (여) 기계화(機械化)
машинист (남) 기계운전공(운전사); 기관사(機關士)
машинистка (여) 타자수(打字手)
машинка (여): пишущая ~ 타이프라이터, 타자기; ~ для стрижки волос 이발기
машинно-тракторный (형); ~ая станция, МТС 농기계트랙터임대, 농기계제작소(農機械製作所)
машинный (형) 기계(器械), 기기(器機); ~ое отделение 기계실, 기계간; ~ое масло 기계기름; ~ая обработка 기계의 의한 가공; ~ая дойка 기계착유
машиноведение(중) 기계학, 기계공학
машинописный(형):~ текст 타자글
машинопись (여) 타자치는 법, 타자치기
машинопрокатный(형):~ая станция 농기계제작소(農機械製作所)
машиностроение (중) 기계제작
машиностроительный (형) 기계제작(機械製作); ~ый завод 기계(제작)공장; ~ая промышленность 기계제작 공업
маяк 남 ① 등대(燈臺), 등불대; 등간(燈竿) ② (희망의) 등대, 서광(曙光)
маятник (남) (물리, 공학) 흔들이, 진동추, 떨개
маяться (미완) 괴로워하다, 고민하다, 고생하다
маячить (미완) 아득히 보이다, 멀리서 아물거리다, 얼씬거리다
мгла (여) ① (구름, 연기 등에 의한) 안개; пыльная ~먼지안개 ② 어둠, 암흑; ночная ~ 밤 어둠
мгновение (중) см. миг; в ~ ока 눈 깜짝할 사이에
мгновенно (부) 순식간에, 일순간에
мгновенный (형) 순간적인, 삽시간;

~ая смерть 급사
мебель (여) 가구(家具), 집 세간(洗肝); кухонная ~ 부엌세간
мебельный (형) 가구(家具), 세간살이; ~ магазин 가구상점
меблированный (형) 가구(집세간)가 설치된(갖추어진)
меблировать (미완, 완) 가구를 갖추다, 집 세간을 갖추어놓다(비치하다)
меблировка (여) ① см. мебель ② 가구의 설치(배치)
мегаватт (남) (전기) 메가와트
мегагерц (남) (물리) 메가헤르츠
мегафон (남) 메가폰, 확성기(擴聲器)
мёд (남) 꿀
медалист (남),**~ка** (여) 메달을 받은 최우등생
медаль (여) 메달(medal); золотая (серебряная, бронзовая) ~ь 금(은, 동)메달; ~ь "Золотая звезда" 금별메달; ~ь "За боевые услуги" 군공메달; оборотная сторона ~и 사건의 이면 (부정적 측면)
медальон (남) 목걸이
медведица (여) 암곰; Большая Медведица (천문) 큰곰자리; Малая Медведица (천문) 작은곰자리
медведь (남) 곰; белый ~ 흰곰; бурый ~ 갈색 곰
медвежий (형) 곰; ~ья шкура 곰 가죽; ~ий угол 두메구석, 시골구석, 궁벽한 곳; ~ья услуга 도리어 해로운 방조
медвежонок (남) 곰의 새끼
медеплавильный (형): ~ завод 동 제련공장(製鍊工場)
медиана (여) (수학) 가운데선, 중앙선
медик (남) 의사(醫師), 의학자(醫學者), 의대학생
медикаменты (복수) 의약, 약품, 약제
медицина (여) 의학; клиническая ~임상의학; судебная ~ 법의학
медицинский (형) 의학(醫學), 의료(醫療); ~ий институт 의학대학; бесплатная ~ая помощь 무상치료제; ~ая сестра см. медсестра; ~ий осмотр см. медосмотр; ~ий работник 의료일군; ~ая карта; ~ий пункт см. мед-пункт 건강관리부
медленно (부) 천천히, 서서히, 완만하게
медленный (형) 완만한, 느린, 천천한; идти ~ым шагом 느린 걸음으로 가다
медлительность (여) 굼뜬 것, 완만성, 늦장
медлительный (형) 굼뜬, 느릿느릿한, 늘쩡늘쩡한, 청처짐한; ~ человек 굼뜬 사람
медлить (미완) 우물쭈물하다, 움질거리다, 늦잡다; ~ с ответом 대답하기를 주저하다
медный (형) 구리, 동(銅); 구리로 만든; и~ая руда 동광석; ~ые деньги 구리돈(동화)
медовый (형) 꿀, 꿀을 넣은; ~ый пряник 꿀을 넣은 과자; ~ый месяц 결혼직후의 단꿈 같은 시절
медоносный (형): ~ые травы 꿀이 있는 풀; ~ая пчела 꿀벌
медосмотр (남) 신체검사(身體檢査)
медпункт (남) 위호소, 진료소(診療所)
медсестра (여) 간호원(看護員)
медуза (여) 해파리
медь (여) 구리, 동(銅); листовая ~동판 (銅版)
меж см. между
межа (여) 밭두렁길, 논두렁길; 분계(선), 경제(선)
междометие (중)(언어) 감동사(感動詞)
междоусобица (여) 내란(內亂)
междоусобный (형): ~ая война 국내전쟁, (동쪽상쟁의) 내란(內亂)

между(전) (+조, 생)...사이에,...가운데,..간에; ~ деревьями 나무사이에; договариваться ~ собой 상호간에 약속하다; ~ двумя и тремя часами 두시와 세시 사이에; ~ тем그러는 사이에, 동시에; ~ прочим 1) (부) 그저, 대수롭지 않게 2) (삽입어) 그런데 , 말이 났으니 말이지; ~ тем как ...그런데 한편; ~ делом 일이 짬날 때

междугородный (형) 도시들 사이의;

междугородный (형) 국제적(國際的)인; ~ое положение 국제정세; ~ая обста-новка 국제적 환경; ~ое право 국제법(國際法); ~ая солидарность 국제적연대성; ~ое коммунистическое движение 국제공산주의운동

междурядный (형): ~ая обработка 중경제초, 김매는 일.

межконтинентальный (형) 대륙간(大陸間); ~ая баллистическая ракета 대륙간유도탄(大陸間誘導彈)

межпланетный (형) 행성간의; ~ая автоматическая станция 행성간 자동정류소

Мексика (여) 멕시코(Mexico)

мексиканский(형)(여)멕시코(Mexico)

мексиканцы (복수) (~ец(남), ~ка (여)) 멕시코 사람(Mexico)

мел (남) 분필, 백묵(白墨)

меланжевый (형); ~ый комбинат 혼방직종합공장; ~ая пряжа 멜란지실, 혼방적실

меланхолик (남) 성격이 우울한 사람

меланхолический,~ный (형) 우울한 짓, 우울한

меланхолия (여) 우울한 것, 울적한 것, 우울증(憂鬱症)

мелеть (미완) 얕아지다; река ~ет 강물이 얕아진다

мелиоратор (남) 토지개량 기술자((土地改良技術者), 토지개량자(土地改良者)

мелиорация (여) 토지개량(土地改量), 토지 개량학; ~ земель 토지개량

мелкий (형) ① 얕은, 해바라진; ~ая река 얕은 강; ~ая тарелка 해바라진 접시 ② 작은, 잔, 자잘한; ~ий дождь 가랑비; ~ий почерк 잔글씨; ~ая соль 가루속음; ~ий торговец 소매상인; ~ ое предприятие 소규모의기업소; ~ие деньги 사슬돈, 잔돈; ~ая буржуазия 소부르죠아지; ~ая сошка 존재가 미미한 인간

мелко (부) ① 작게, 잘게; писать ~ 글을 잘게 쓰다; пахать ~얕게 갈다 ③ (술어로) 얕다; здесь ~여기는 얕다 (얕은 곳이다)

мелкобуржуазный (형) 소부르죠아지, 소자산계급적인, 소부르죠아(적인); ~ый взгляд 소부르죠아적견해; ~ая идео-логия 소부르죠아사상

мелковидный (형) 물이 얕은, 수위가 낮은

мелкокалиберный (형) 구경이 작은; ~ая винтовка 소구경소총

мелкособственнический (형) 소소유자적; ~ие интересы 소소유자적인 이해관계

мелкотоварный (형): ~ое произво-дство 소상품생산

мелодичный (형) 곡조(曲調)가 좋은, 듣기 좋은

мелодия (여) 곡조(曲調), 음조(音調), 가락; грустная ~ 슬픈 곡조

мелочной (형) ① 잡화(雜花), 잡화품(雜貨品); ~ торговец 잡화상(雜貨商); ~ая лавка 잡화점; ② см. мелочный

мелочность (여) 쬐쬐한것, 너절한것 , 좀스러운

мелочный (형) ① 쬐쬐한, 너절한, 좀스러운; ~ый характер 되바라진 성미; ~ый человек 쬐쬐한 사람 ② 사소한,

대수롭지 않은
мелочь (여) ① (집합) 잔돈; ② 시시한 것, 사소한 것; говорить о ~ах 시시한 이야기를 하다; ③ 자질구레한 물건(物件)
мель (여) 여울; сесть на ~여울에 걸리다
мелькать (미완), **мелькнуть** (완) 보였다 사라졌다가, 얼른거리다, 사물거리다;~ вдали 멀리에서 검실거리다(거물거리다)
мельком (부) 퍼뜩, 언뜩, 얼핏, 슬쩍; ~ взглянуть 얼핏(슬쩍) 보라보다; я ви- дел его ~나는 그를 잠간 만났다
мельник (남) 방아군, 방앗간 근로자 (勤勞者), 방앗간 주인(主人)
мельница (여) 방앗간, 제분소(製粉所); водяная ~ 물방앗간
мельхиор(남) 양은(동과 니켈의 합금)
мельчайший (형) 미세한, 아주 작은; до ~их подробностей 아주 자세히
мельчать (미완) (강 등이) 얕아지다
мельчить (미완) 썰다, 부스러뜨리다, 잘게 만들다
мембрана (여) (공학) 진동관, 공명관
меморандум(남) 비망록(備忘錄); 각서
мемориал (남) 기념관(記念館)
мемориальный(형): ~ая доска 기념관; ~ая комната 기념실
мемуары(복수) 회상기, 회상록(回想錄)
менее (부) ① (мало의 비교급) 더 (보다)적게, 이하.; знать ~ других 다른 사람보다 적게 알다; ~ двух месяцев 두 달 못 되게; ~ 50 рублей 50 루블이하; ~ интересный (보다)덜 재미있는; не ~ важно 못지않게 중요하다; тем не ~ 그렇지만, 그럼에도 불구하다
мензурка (여) 메스시린더, 눈금통
менингит (남) (의학) 뇌막염(腦膜炎)

меновой(형): ~ая стоимость 교환가치
менструация (여) 월경(月經), 달거리
ментол (남) (화학) 멘톨(menthone)
меньше ① (маленький의 비교급) (보다) 작은(어린) ② (мало의 비교급) 더 (보다) 작게(적게); не ~ чем за час 적어도 한 시간 전에 ③(술어로)더 (보다) 작다(어리다) ; он ~ всех 그는 누구보다도 키가 작다; ~ всего 가장 (전혀, 아주)...하지 못하다
меньшевик (남) (역사) 멘쉐비크
меньший (형) ① (маленький의 최상급)보다 (가장) 작은(약한, 어린) ; ~ая часть 가장 작은 부분 ② 막내인, 제일 아래인; ~ая дочь 막내딸; по ~ ей мере , самое ~ее 적어도 ,최소한
меньшинство (중) 소수(小數), 소수파 (少數派); оставаться в ~е 소수를 차지하다;национальное ~о 소수민족
меню (중) (불변) 메뉴, 요리차림표
меня см. я (생, 대)
менять (미완) ① 바꾸다, 교환하다 ② 갈다, 교체(교대)하다; ~ бельё 속옷을 갈아입다;~ старое оборудование 낡은 설비를 갈아대다 ③ 변경시키다, 변화시키다; ~ решение 결정을 변경하다; ~ мнение 의견을 달리하다
меняться (미완) ① чем...을 바꾸다, 교환하다; ~ ролями 서로 역을 바꾸다; ② 교대(교체)되다, 바뀌다 ③ 달리지다, 변하다~ в лице 안색이 변하다; ~ к луч-шему 호전되다
мера (여) ① 단위(單位), 척도(尺度); та-блица мер и весов 도량형표; ~а веса 중량의 단위; ~ длины 길이의 단위(척도); ② 한도(限度); сверх ~ы 과도하게; в ~у 알맞게, 적당하게, 웬만큼 ③ 정도(程度); в некоторой ~е 어느 정도까지; в значительной ~е 현저히, 상당히; ④ 방책(方策), 대책(對策), 조치(措置), 수단(手段); ~ы взыскания 책벌;

~ы предосторожности 예방수단, 방비책; принимать ~ы 조치를 취하다; по ~е возможности 될 수 있는 대로; по ~е того, как ...함(됨)에 따라;по меньшей(крайней) ~е 적어도; знать ~у 절도 있게 행동하다

мерещиться (미완) 환각(幻覺), 눈앞에 떠오르다(아물거리다) 상상되다

мерзавец (남) 더러운 놈(자식), 몹쓸놈, 망물(亡物)

мерзкий (형) 가증스러운, 얄미운, 추악한; ~ поступок 비열한 행동

мерзлота (여) 동토(상태); район вечной ~ы 연구동토대

мёрзнуть (미완) ① 얼다, 동결되다 ② (손발이) 곱아들다; ноги мёрзнут 발이 곱아든다

мерзость (여) 가증스러운 것, 추잡성(醜雜性), 추악성(醜惡性); говорить ~и 추잡한 말을 하다

меридиан (남) (지리) 자오선, 경선

мерило (중) 표준, 기준(基準), 척도

меринос (남) 메리노양, 메리노양털

мерить (미완) ① 재다, 측정(측량)하다; ~ температуру 온도(체온)를 재다 ②입어보다, 신어보다; ~ на свой аршин 자기생각대로 판단하다

мерка (여) ① 치수; снимать ~у 치수를 재다, 재어보다; по ~е 치수에 따라 ② 척도(尺度); подходить ко всему с одной ~ой 동일한 척도로 모든 것에 대하다

меркнуть (미완) ① 점차 빛을 잃다, 흐려지다; звёзды ~ут 별빛이 희미해지다 ② 사라지다, 떨어지다; слава ~ет 영예가 떨어진다.

Меркурий (남) (천문) 수성(水星)

мероприятие (중) 행사, 시책, 대책

мертветь (미완) ① 감각이 없어지다 ② 마비되다, 생기를 잃다

мертвец (남) 죽은 사람, 송장(送葬)

мёртвый (형) ① 죽은, 생면을 잃은 ; ~ое тело 주검, 송장 ② 생기 없는, 활기를 잃은 ③ (명사로) (남) 죽은 사람, 송장; ~ое пространство (군사) 사격할 수 없는 지구; ~ая тишина 쥐죽은 듯한 정숙; ~ый капитал 사장된 자본; спать ~ым сном 깊은 잠이 들다

мерцание (중) 거물거리는 것, 반짝거리는 것

мерцать (미완) 가물거리다, 반작거리다, 깜박이다, 까막거리다; звёзды ~ют 별들이 반짝거린다.

месиво (중) ① 질척질척한 것, 죽탕 ② 혼합사료

месить (미완) ① 이기다, 고수레하다; ~ глину 진흙을 이기다 ②; ~ тесто 반죽을 하다

местами (부) 군데군데, 여기저기에

местечко (중) ① 부락 *см.* место

мести (미완) ① 쓸다, 소제하다 ② 쓸어가다, 휘몰아치다; метель метёт 눈보라가 휘몰아친다.

местком (남) (местный комитет профсоюзов) (직장, 지방 등의) 직장노동위원회

местничество (중) 부서본위주의, 지방주의(地方主義)

местность (여) ① 지대(地帶), 지역(地域), 지형(地形); болотистая ~ь 진펄지대; гористая ~ь 산악지대; открытая ~ь 개활지대; рельеф ~и 지형 ② 장소(場所), 지역, 고장, 지방 ; в нашей ~и 우리 고장에; сельская ~ь 농촌지역

местный (형) ① 지방(地方), 지방적(地方的)인; ~ые обычаи 지방풍습; ~ая продукция 특산물품; ~ое время 지방시; ~ые органы власти 지방주권기관 ② 국부적인(局部的), 부분적인(部分的), 일부(一部); ~ое повреждение (기계 등의) 일부의 고장; ~ое явление 국

부현상

место (중) ① 자리; положить на ~о 제 자리에 두다; рабочее ~о 일자리; ~о жительства 거주지, 주소 ② 곳, 군데, 장소; ~о происшествия (사건)현장; любом ~е 어디든지 ③ 자리, 좌석(坐席), 관람석(觀覽席); переднее ~о 앞자리; занять ~о 자리에 앉다; свободное ~о 빈자리 ④ 일자리, 작위(作爲), 지위(地位); хорошее ~о 좋은 일자리; ⑤ (짐의 등의)개 ⑥ (원문에서) 개소, 대목, 구절(句節) ⑦ 지방(地方); самое интерес-ное ~о 가장 재미있는 대목; власти на местах 지방주관기관, 지방당국; живоп-исные ~а 경치 좋은 지역; достоприм-ечательные ~а 명승지(名勝地); ~а общего пользования 변소; на своём ~е 제자리에 있다, 적재적소하다; не к ~у 쓸데없이, 알맞지 않게; к ~у 적당하다, 알맞다; больное(слабое) ~о 약점; узкое ~о 애로; не находить себе ~а 안절부절을 못하다.

местожительство (중) 거주지(居住地), 주소(住所), 살림터

местоимение(중)(언어)대명사(代名詞)

местонахождение(중) 소재지(所在地)

местоположение (중) 위치; 소재지

местопребывание (중) 체류지(滯留地), 거류지(居留地), 거처(居處)

месторождение (중) (지질) 산지(山地), 매장지(埋葬地); ~ золота 금산지

месть(여)복수(復讐); жажда ~и 복수심

месяц(남) ① 달, 월(月); три ~а 석달, 3개월; этот(текущий) ~ 이달; буду-щий ~다음달; прошлый ~지난달; каждый ~매달, 달마다; из ~а в ~다달이 ②; молодой ~초생달

месячник (남) 월간(月刊);~ дружбы 친선월간

месячный (남) 월간, 한달; ~ заработок 한달 노임; ~ доход 월수입; ~ срок 1개월단

металл (남) 금속; благородные ~ы 귀금속; цветные(чёрные) ~ы 유색(흑색)금속; редкие ~ы 화유금속

металлист(남)금속노동자(金屬勞動者)

металлический (형) 쇠, 금속(金屬), 금속제(金屬製); ~ие изделия 금속제품; ~ая посуда 쇠그릇

металлолом (남) 헌쇠, 고철(古鐵), 금속 부스러기; собирать ~고철을 수집하다

металлообрабатывающий(형): ~ая промышленность 금속노동자절

металлургия (여) 야금(冶金), 야금공업(冶金工業), 야금학;цветная(чёрная) ~유색(흑색)야금공업(금속공업)

метаморфоза (여) 근본적 변화, 큰 변화(變化)

метан (남) (화학) 메탄(가스), 소기

метание(중) 던지기;~ гранаты(диска) 수류탄(원반)던지기

метастаз (남) (의학) (암, 육종 등의)전이(轉移)

метать I (미완) ① 던지다, 팽개치다; ~ гранату 수류탄을 던지다 ②; ~ икру 알을 낳다(쓸다)

метать II (미완) 시치다; ~ петли 단추구멍을 감치다

метаться (미완) ① 이리저리 몸을 뒤치다, 몸부림(을) 치다, 허둥거리다 ② 싸다니다, 갈팡질팡하다; ~ в бреду 자반뒤집기(를) 하다

метафизика (여) 형이상학(形而上學)

метафора (여) (문학) 은유(隱喩)

метёлка (여) ①см. метла ②(식물) 고깔꽃차례, 원추화서

метель (여) 눈보라

метеор (남)(천문) 별찌, 유성(流星)

метеорит (남) (천문) 별 찌돌, 운석

метеоритный(형): ~ дождь 별 찌비

метеоролог (남) 기상학자(氣象學者)
метеорологический (형) 기상(氣象), 기상학적인; ~ая станция 기상관측소, 기상대; ~ая сводка 기상통보
метеорология (여) 기상학(氣象學)
метил (남) (화학) 메틸(methyl)
метиловый (형) (화학); ~ спирт 메틸알코올(methyl alcohol)
метис (남) ① 잡종(雜種) ② 혼혈아
метить I (미완) 표를 찍다, 표를 하다, 표적하다
метить II (미완) в кого-что 겨누다; ~ в цель 겨냥(을)하다; ~ в началь-ники 잠자리를 노리다
метиться (미완) в кого-что 겨누다, 조준하다, ~ в цель 목표물을 겨누다
метка (여) ① 표(標), 표적(標的), 표식(標式) ② 기호(記號)
меткий (형) ① 조준이 정확한, 백발백중(百發百中); ~ий стрелок 명사수; ~ий огонь 명중사격 ② 딱(바로) 들어맞게, 정확(正確)한, 적중(的中)한; ~ое сра-внение 적중한 비교
метко (부) 백발백중으로, 적중하게, 딱(바로) 들어맞게; ~ сказано 딱 들어맞게 말하였다
метла (여) (자루가 긴)비, 마당비
метод(남) 방법(方法), 방식(方式); пото-чный ~ производства 흐름식 생산방법; ~ обучения 교수방법
методика (여) 방법(方法), 방법론(方法論); ~ преподавания 교수법
методический (형) ① 교수법(敎授法), 방법(方法), 방법적(方法的)인; ~ ое пос-обие 교수법참고서(敎授法參考書) ② см. **методичный**
методичный (형) 규칙적(規則的)인, 체계적(體系的)인; ~ые исследования 체계적인 인구
методологический (형) 방법론적인
методология (여) 방법론(方法論)

метр (남) ① 미터; квадратный ~ 평방미터; кубический ~ 입방미터 ② 미터자; складной 합척
метраж (남) ① 미터로 표시하는 길이; ~ ткани 천의 미터 길이 ② 평방미터로 표시하는 면적; ~ комнаты 방의 평방미터
метрика (여) 출생증(出生證)
метрический I (형); ~ая система мер 미터법; ~ая единица 미터단위
метрический II (형): ~ое свидетельство 출생증
метро (중) (불변), **метрополитен** (남) 지하철도
метрополия (여) 본토(本土), 종주국
мех I(남), 털가죽;лисий ~여우털가죽
мех II (남) (공학) 풀무; кузнечный ~ 대장간 풀무
механизатор (남) ① (농업) 기계운전공 ② 기계(화)전문가, 기계화 기술자
механизация (여) 기계화(機械化); комплексная ~ 종합적(綜合的)기계화 (機械化); ~ сельского хозяйства 농촌경지의 기계화(機械化)
механизированный (형) 기계화된
механизировать (미완, 완) 기계화하다; ~ трудоёмкие работы 품이 많이 드는 작업을 기계화하다
механизм (남) ① (기계의) 내부장치, 구조(構造), 기구(機具); часовой ~ 시계의 내부장치;; передаточный ~ 전동기구; ② 기관(機關), 기구(機具), 체계(體系); государственный ~ 국가기구
механик (남) ① 기계공(機械工), 기계기술자; инженер-~기계기사
механика (남) 역학(力學); теорети-ческая ~ 이론역학; прикладная ~응용역학; квантовая ~ 양자역학; хитрая ~ 술책, 이면
механический (형) ① 역학(力學), 역

학적인(力學的); ~ие законы 역학적 법칙 ② 기계(機械), 기계적(機械的); ~ая рука 기계손; ~ий цех 기계직장; ~ая энер-гия 기계적 에너지; ③ 기계적인(機械的), 피상적인(皮相的); ~ое запоминание 기계적 암송

механосборочный (형): ~ цех 기계조립직장

Мехико (남) (불변) a. 메히꼬

меховой (형) 털가죽, 모피(毛皮), 털가죽으로 만든; ~ая шапка 털모자; ~ое пальто 털외투, 슈바

меч (남) 검(劍), 긴 칼, 장검(長劍)

меченый (형) 표식이 있는, 표가 찍혀있는; ~ые атомы (화학) 표식원자

мечеть (여) (회교)사원(寺院)

мечта (여) ① 숙망(宿望), 염원(念願) ② 환상(幻想), 공상(空想);несбыточная ~ 몽상

мечтатель (남) 공상가(空想家), 환상가(幻想家); 몽상자(夢想者)

мечтательный (형) 공상적(空想的)인, 환상적(幻想的)인, 공상을 즐기다

мечтать (미완) 꿈꾸다, 공상하다, 몽상하다, 염원하다

мешать I (미완)방해하다, 방해를 끼치다, 저지하다, 방해가 되다; не ~ет (미정형)해야한다, 필요하다 не ~ло бы почитать 읽어보았으면 좋겠다.

мешать II (미완) ① 섞다, 혼동하다 ② 젓다; ~ кашу 죽을 젓다

мешкать (미완) 우물쭈물 거리다, 늑장부리다, 움찔거리다; ~ с отъездом 출발을 서둘지 않다

мешковатый (형) 할랑할랑한, 품이 너무 넓은; ~ костюм 품이 넓은 양복

мешковина (여) 마대, 천

мешок (남) 자루, 포대(布袋), 주머니, 섬; вещевой ~ 배낭; спальный ~침낭; ~ цемента 세멘트 포대

мещанин (남) ① 소시민 ② 속물

мещанский (형) 소시민적인; 속물적인; ~ие взгляды 소민적인 사상

мещанство (중) ①소시민근성(小市民根性) ②소시민층(小市民層)

миазмы (복수) 독기(毒氣), 악취(惡臭)

миг (남) 순간, 찰나, 일조일석; в (один) ~순시간, 눈깜빡할 사이에

мигать (미완), **мигнуть** (완) ① 깜박거리다, 삼박거리다; 눈짓하다 ②반작거리다, 가물거리다

мигом (부) 경각에, 살시간에, 재빨리

миграция (여) 이동(移動), 이주(移住)

мигрень(여)(의학) 쪽머리아픔, 편두통

мизерный (형) 극히 작은, 미세한, 보잘 것 없는; ~срок 아주 짧은 기간

мизинец (남) 새끼손가락, 새끼발가락

микроб (남) 미생물(微生物)

микробиология (여) 미생물학

микродоза (여) 미량(微量), 적은 분량

микроклимат (남) 미기호, 미세기호

микролитражный(형):~ автомобиль 꼬마자동차

микрометр (남) (공학) 마이크로미터 (micrometer), 측미계(測微計)

микрон (남) 미크론(micron: 미터의 100만분의 1)

микроорганизм (남) (생물) 미생물(微生物), 세균(細菌)

микроскоп (남) 현미경;электронный ~ 전자현미경

микроскопический (형) ① 현미경(顯微鏡)의 ;~ анализ 현미경분석 ② 현미경적(顯微鏡的)인, 미세한

микрофон (남) 마이크, 송화기(送話機)

микроэлементы (복수) 미량원소

миксер (남) 혼합기(混合機)

микстура (여) 물약, 섞음 물약

милитаризация (여) 군사화, 군국주

милитаризация (여) 군국주의화, 군사 의화(軍國主義化); ~ космоса 우주공간의 군사화, 우주 군국화

милитаризм (남) 군국주의, 군벌주의

милитаризовать (미완, 완) 군사화하다, 군국(주의)화하다

милитарист (남) 군국주의자(軍國主義者), 군벌주의자

милитаристский (형) 군국주의자적인, 군국주의적인; ~ое государство 군국; ~ая политика 군벌정치

милицейский (형) 사회 안전원(社會安全員), 내무서원; ~ая форма 사회 안전원의(내무서원의) 제복(制服)

милиционер (남) 사회안전원, 내무서원

милиция (여) 파출소(派出所), 사회안전부(社會安全部), 내무서

миллиард (남) 10(십)억

миллиардер (남) 억만장자(億萬長者)

миллиграмм (남) 미리그람

миллиметр (남) 미리 미터

миллиметровка (여) 모눈종이, 방안지

миллион (남) 100만

миллионер (남) 백만장자(百萬長者)

мило (부) 상긋이, 상냥스레, 빙그레; ~ улыбаться 빙그레 웃다, 미소하다, 생글거리다

миловидный (형) 귀엽게 생긴, 빤빤하다; ~ое лицо 귀엽게 (빤빤하다) 생긴 얼굴

милосердие (형) 자비심(慈悲心), 연민(憐憫); проявлять ~е 자비심을 베풀다; ◇ сестра ~я 간호원(看護員)

милосердный (형) 자비심이 있는, 인자한; ~ человек 인자한 사람

милостивый (형) 너그러운, 인자스러운, 관대하다

милостыня (여) 동냥; собирать ~ю 동냥질하다, 걸식하다; просить ~ю 빌어먹다

милость (여) ① 은혜(恩惠), 선심(善心), 자비심(慈悲心) ; оказать ~ь 선심을 베풀다 ② 덕택(德澤), 혜택(惠澤); ~и про-сим! 어서 오십시오!

милый (형) ① 귀여운, 어여쁜, 곱살하다; ~ый ребёнок 귀여운 어린애; ~ая улыбка 정다운 미소 ② 사랑하는, 친근하다; ~ый друг 친근한 벗

миля (여) 마일; морская ~ 해리(1852미터)

мимика (여) (안면) 표정(表情)

мимо ① (부) 1) 지나서; пройти ~ 지나가다 2) 빗나가게; стрелять ~ 빗나가다, 빗맞다; проехать ~ станции 정거장 옆을 지나가다; сесть ~ стула 의자에 빗앉다; бить ~ цели 허탕을 치다; пропускать ~ ушей 귀를 기울이지 않다, 주의를 돌리지 않다; пройти ~ 간과하다

мимоза (여) (식물) 함수초(含羞草)

мимолётный (형) 순간적인, 일순간, 꿈결 같은, 덧없는; ~ый взгляд 피뜩 바라보는 것; ~ая встреча 잠시 동안의 상봉

мимоходом (부) ① 지나가는 길에, 도중에 ② 겸사겸사, 슬쩍, 지나가는 김에; ~ упомянуть 지나가는 김에 언급하다

мина I (여) 지뢰, 수뢰; противотанковая ~а 대전차지뢰; наскочить на ~у 지뢰(기뢰, 수뢰)에 부딪치다; ставить ~ы 지뢰,(수뢰, 기뢰)를 부설하다 ② 박격포탄

мина II (여)(얼굴) 표정; недовольная (кислая) ~불만족한(쓴) 얼굴표정

миндалина (여) (해부) 편도(선)

миндаль (남) (식물): горький ~ 고편도(高扁桃)

минёр (남) (군사) 지뢰를 부설(해제)하는 공병, 기뢰 부설병, 수뢰병

минерал (남) 광물(鑛物), 광석(鑛石)

минералогия (여) 광물학(鑛物學)
минеральный(형) 광물질(鑛物質);
~ая вода 광물수, 광천수, 약수(약물);
~ый источник 광천(鑛泉), 온천(溫泉);
~ые удобрения 광물질비료
миниатюра (여) 축소화, 축도(縮圖), 작은 그림; в ~e 작은 규모로
миниатюрный (형) ① 축소의(縮小), 몹시작은; ~ое издание 축소판 ② 앙증한; ~ая девушка 아릿다운 처녀
минимально (부) 최소한도로, 최하로
минимальный(형) 최소(最小), 최소한(最小限), 최하(最下), 최저(最低); зар-аботок 최저임금(最低賃金)
минимум (남) ① 최소(최저)한도, 최소량, 최저량; программа-~ 최저 강령; прожиточный ~최저생활비 ② 적어도,, 최소한(最小限)
минировать (미완) 지뢰(地雷)를 부설하다, 기뢰를 부설하다
министерство (중) 부(剖), 성(省); ~ иностранных дел 외무성 , 외교부; ~ просвещения 교육성, 교육부
министр (남) 상, 부장(副長), 장관(長官); ~ иностранный дел 외무상, 외교부장, 외무부장관; премьер- ~ 총리; замес- титель ~а 부상, 차관(差官); кабинет ~ов 내각
минный(형): ~ое поле 지뢰부설구역
миновать(완) ① (옆을) 지나가다, 지나쳐가다, 통과하여 지나가다; ~ть дерев-ню 농촌을 지나서 가다 ② 피하다, 면하다 ; того не ~ть 그것은 피치 못 한다 ③ 지나다, 끝나다; опас- ность ~ла 위험을 사라졌다
минога (여) 동물칠성장어
миноискатель (남) 지뢰탐지기
миномёт (남) 박격포; реактивный ~ 방사포
миномётчик (남) 박격포수, 방사포병

миноносец (남) 어뢰정(魚雷艇), 수뢰정(水雷艇); эскадренный ~구축함
минор (남) (음악) 소조
минувший (형) 지난, 지나간; ~год 지난해
минус (남) ① (수학) 마이너스(minus), 덜기; 부수; знак ~a 덜기표; десять ~ пять=пять 10(열) 덜기 5(다섯) 은 5(다섯)이다 ② (불변) 영하(零下) ; сегодня ~ десять 영하 10도(십도)이다 ③ 결함(缺陷), 부족점(不足點)
минута (여) ① 분(分); без двадцати ~ пять (이십)분전 5(다섯)시; пять ~ первого (열두)시 5(오)분 ② 한순간; до последней ~ы 최후까지; в эту (настоящую) ~у 이 순간에; каждую ~у 매분; в любую ~у 호시탐탐; в свободную ~у 한가할 때에, 짬을 내여 одну ~у!잠간만 좀 기다리십시오! сию ~у 곧, 즉시; с ~ы на ~у 곧, 멀지 않아
минутный (형): ~ая стрелка (시계의) 분침 ② 일순간; ~ый успех 순간적인 성과; ~ое дело 간단한 일
минуть см. (완) ① миновать① ② ③; ему ~ло сорок лет 그는 마흔 살이 되었다(마흔이 넘었다)
миокард (남) (해부) 심근; инфаркт ~а 심근경색
мир I (남) ① 우주, 세계 ② 지구(地球), 세계(世界), 세상(世上); весь ~ 온 세계, 온 세상 ③ 계(界), 세계(世界); животный ~ 동물계; растительный ~식물계; научный ~ 과학계
мир II (남) ① 평화(平和); прочный ~ 공고한 평화; движение в защиту ~а 평화옹호운동; сохранять ~ 평화를 유지하다; жить в ~e 화목하게 살다 ③ 강화조약(講和條約); заключить ~ 강화조약을 체결하다, 강화조약을 맺다 справе-дливый ~ 공정한 강화; сепаратный ~ 단독강화

мираж (남) ① 신기루(蜃氣樓), 공중누각(空中樓閣) ② 환상(幻像), 공상(空想)

мирить (미완) 화해시키다, 중재하다; ~ враждующих 적대쌍방을 중재하다

мириться (미완) ① с кем 화해하다, 화목해지다; ② с чем 관대히 대하다, 양해하다; ~ с недостатками 결점을 양해하다

мирно(부) 평화롭게, 화목하게, 사이좋게

мирный(형) ① 평화(적인) 평화로운; ~ый договор 평화(강화)조약; ~ое сосуществование 평화적 공존 ② 평온(태평)한, 평안한; ~ое настроение 평온한 기분(상태); ~ое время 태평세월, 평상시

мировая(여): пойти на ~ю 화해하다

мировоззрение (중) 세계관(世界觀)

мировой(형) 세계, 세계적인; ~ая война 세계대전; ~ое господство 세계제패; в ~ом масштабе 세계적 규모에서

миролюбивый(형) 평화애호적인, 평화를 사랑하는; ~ая политика 평화애호정책

миролюбие (중) 평화애호(平和愛護), 평화를 사랑하는 것

миропонимание (중) 세계관(世界觀), 현실에 대한 이해

миросозерцание (중) 세계관(世界觀)

миска (여) 사발, 바리, 밥통, 대접

миссионер (남) 선교사(宣敎師)

миссия (여) ① 임무(任務), 사명(使命); возлагать ~ю на кого 에게 임무를 맡기다; освободительная ~я 해방적인 사명 ② 공사관(公事官), 외교대표부 ③ 사절단(使節團); военная ~я 군사사절단

мистика (여) 신비주의, 신비로운 것

мистификация (여) 기만(欺瞞), 속여 넘기기

мистицизм (남) 신비주의, 신비론

мистический (형) 신비적인, 신비주의

митинг (남) 군중대회, 집회, 결기모임

митинговать (미완) 모임을 가지다; 군중집회에 참가하다

митрополит (남) 대주교(大主敎)

миф (남) ① 신화 ② 꾸며낸 이야기

мифический(형) 신화(神話), 신화적인

мифологический(형) 신화, 신화학적인

мифология (여) 신화학(神話學), 신화(神話); греческая ~ 희랍신화

Мих (Книга Пророка Михея, 7장, 899쪽) 미가서(Book of Micah 書)

мичман (남) 해군준위

мишень (여) ① 과녁(관), 목표(目標); подвижная ~ 움직이는 과녁, 이동목표 ② (조소, 공격 등의) 대상, 과녁받이; ~ для насмешек 웃음거리

мишура (여) ① 금실과 은실 ② 허식(虛飾), 겉치레

Мк (Евангелия от Марка, 16장, 38쪽) 마가복음(마르코의 복음서(— 福音書, Gospel According to Mark)

младенец (남) 갓난아이, 어린애; груд-ной~젖먹이, 유아

младенчество (중) 유년기(幼年期)

младший(형) 나이가 보다 어린, 손아래; ~ий брат 동생,(사내)아우; ~ая дочь 막내딸; ② (직급, 지위 등이) 보다 낮은, 하급(下級); ~ сержант 하사; ~ научный сотрудник 급수 낮은 연구사

млекопитающие (복수) (동물) 포유류(哺乳類), 포유동물(哺乳動物)

млечный (형); Млечный Путь (천문) 은하수(銀河水)

мне *см.* я (여, 전)

мнение (중) ① 의견(意見), 견해(見解), 소견(所見), 생각; общественное ~e (사회)여론; по-моему ~ю 내 생각에는; обмен ~ями 의견교환; разделять *чьё* ~e 와 같은 의견을 가지다; обмен-иваться ~ями 의견을 나누다; выска- зывать ~e 의견을 꺼내다; быть о се-бе высокого ~я 자만하다 ② 평가(平價), 논정(論定), 논평(論評).

мнимый (형) ① 가상적인, 허구적인 ② 거짓, 가짜의; ~ая болезнь 꾀평; ~ый больной 꾀병쟁이; ~ые числа (수학) 허수(虛數)

мнительность (여) 의심증, 의혹심

мнительный (형) 의심(증)이 많은

мнить (미완) : много ~ о себе 자고자대하다, 자만하다

многие ① (형) (복수) 많은, 다수(多數), 여러; ~ люди 많은 사람들을 ② (명사로) 많은(여러) 사람들; ~ так думают 많은 사람들이 그렇게 생각한다

много ① (부) 많이, 많게, 다량으로; он ~ знает; 그는 많이 알고 있다 ② (수사로) 많은, 다수의 ~ книг 많은 책; ~ лет прошло 여러 해가 지나갔다 ③ (술어로) 많다, 숱하다, 충분하다; у него друзей ~그에게는 친구가 많다 ④ (+형용사 비교급) 훨씬 더; ~ меньше 훨씬 적다; ни ~, ни мало 훨씬 적다

многоборец (남) (체육) 다종경기선수

многоборье (중) (체육) 묶음경기, 다종경기

многовековой (형) 수세기, 옛날부터 내려온;~ая история 장구한 역사

многоводный (형) 수량(물)이 많은. 물이 넉넉한;~ая река 물이 많은 강

многогранник (남) (수학) 다면체(多面體), 곡면체(曲面體)

многогранный (형) 다방면적인, 다양한; ~ая помощь 다방면적인 원조

многодетный (형) 아이가 많은, 자식이 많은; ~ая мать 다산모

многое (중) 많은 것 во ~м 많은 점에 있어서

многожёнство (중) 일부다처제

многозначительно (부) 뜻 깊이, 의의 깊게, 의미심장한(意味深長限)

многозначительный (형) ① 큰 의의가 있는, 중대한 ② 뜻깊은, 의미심장한

многозначный (형) 1) (언어): ~ое слово 다의어 ②(수학); ~ая функция 다가함수

многоквартирный (형): ~ дом 세대가 많은 살림집(주택)

многоклеточный (형) (생물) 여러 세포, 다세포(多細胞)

многократный (형) 여러 번(여러 차례)에 걸친, 수차

многолетний (형) ① 다년간, 여러 해에 걸친 ② (식물) 여러해살이; 다년생(多年生); ~ие растения 여러해살이 식물, 다년생 식물

многолюдный (형) 사람이 많은; ~ое собрание 사람이 많이 모인 회의; ~ая улица 많은 사람들로 붐비는 (복잡거리는) 거리

многоместный (형) 자리가 많은, 좌석이 많은

многомиллионный (형) 수백만(數百萬), 수 천수 백만; ~ые массы 수천수 백만의 군중(群衆)

многонациональный (형) 다민족(多民族); ~ое государство 다민족국가

многообещающий (형) (장래) 유망하다; ~ий ученик 장래 유망한 학생 ; ~ее начало 유망한 시초

многообразие (중) 다양성(多樣性), 다종다양한것(多種多樣--); 각양각색

многообразный (형) 여러 가지, 다양한, 다종다양한, 각양각색

многоотраслевой (형) 부문이 많은, 다각적인; ~ое хозяйство 다각적경리

многосемейный (형) 식솔이 많은, 가족이 많은

многословие (중) 말수가 많은 것, 수다스러운 것

многословный 수다스러운, 말수가 많은, 말 많은

многостаночник (남) 여러 기대 공, 다기대공(多機臺工)

многоствольный(형): ~ миномёт 방사포(放射砲)

многостепенный (형) 여러 단을 걸치는, 다단삭(多段式); ~ые выборы 다단식선거제

многосторонний (형) ① 다면(多面); ~яя призма 다면프리즘 ② 다방면적(多方面的)인; ~ий учёный 다방면적인 학자 ③ 다자주의(多者主義); ~ое согла- шение 다자주의협정

многострадальный (형) 많은 고통을 겪는, 천신만고(千辛萬苦) 괴로움 받는; ~ая жизнь 곤경을 많이 치른 생활

многоступенчатый (형) 다단식(多段式); ~ая ракета 다계단(식) 로케트

многотиражный(형) 부수가 많은; ~ое издание 인쇄부수가 많은 출판물

многотомный(형) 권수가 많은, 여러 권으로 된

многоточие (중) 줄임표, 점선(點線)

многоуважаемый (형) 마음속으로부터 존경하는, 경모하는

многоугольник (남) 다각형(多角形)

многочисленный (형) ① 수많은, 허다한, 무수한; ~ые факты 수많은 사실들; ~ые слухи 숱한 소문 ② 이원이 많은, 사람이 숱한; ~ый отряд 대부대

многочлен (남) (수학) 여러 마디식, 다항식(多項式)

многоэтажный (형) 여러 층, 다층(多層), 고층(高層);~ое здание 고층건물

множественный (형): ~ое число (언어) 복수(復水)

множество (중) 다수(多數), 많은 수, 다량(多量); бесчисленное ~ 부지기수

множимое (중) (수학) 곱 하이는 수, 피승수(被乘數)

множитель (남) (수학) 곱하는 수, 승수(乘數)

множить (미완)см. умножать

мной, мною см. я (조)

мобилизационный (형) 동원(動員), 동원적인; ~ая готовность 동원준비; ~ый план 동원적 계획

мобилизация (여) 동원; всеобщая ~ 총동원(總動員)

мобилизованный ① (형) 동원된 ② (명사로) (남) 동원병력

мобилизовать (미완, 완) 동원하다, 일떠세우다; 전시체제로 개편하다

мобилизующий (형) 동원적인

мобильность (여) 기동성(機動性), 기동력(機動力); большая ~ 강한 기동력

мобильный (형) 기동적(機動的)인, 기동성(機動性)이 있는; ~ые части (군사) 기동부대(機動部隊)

Могадишо (남) (불변) 모가디슈

могила (여) 무덤, 묘; братская ~а 합장묘, 공동묘지; сойти в ~у 세상을 떠나다; свести в ~у 죽음에로 이끌다, 죽이다

могильный (형) 무덤, 묘(墓)의; ~ая плита 묘석, 상들; ~ый холм 분묘, 분상; ~ая тишина 아주 괴괴한 정적

могильщик (남) ① 굿을 파는 사람 ② 매장자(埋葬者)

могучий (형) ① 거세찬, 위력한, 강력한, 강대한; ~ий поток 거세찬 흐름; ② ~ее телосложение 튼튼한 몸(체격)

могущественный (형) 위력(威力)있는,

강대한, 강유력한
могущество (중) 위력(威力), 강력, 강대
мода (여) 유행(流行); входить в ~у 유행하게 되다; выходить из ~ы 유행에서 떨어지다; по (последней) ~е (최신) 유행에 따라
модальный (형) (언어): ~ые слова 양태어; ~ые глаголы 양태동사
модель (여) ① 모델(model), 본보기, 견본(見本) ② 모형(模型), 모형도(模型圖); ~ь корабля 배의 모형(模型) ③; автомобиль новой ~и 신 모델의 자동차, 신형자동차
модельер (남) 견복(甄復) 제작인, 모델 제작인, 본(本) 만든 사람
модельный (형) (신발, 옷이) 최신형 모델(견본)에 맞은
модерн(남) 최신식(最新式), 현대식.
модернизация (여) 현대화(現代化), 근대화; ~ экономики 경제의 현대화
модернизировать (미완, 완) 현대화(근대화)하다;~ технику 기술을 현대화하다
модернизм (남) (문학) 근대사조, 현대사상(現代史上), 모더니즘(modernism)
модник (남), **~ца** (여) 유행을 따르는 사람
модничать (미완, 완) 멋을 부르다
модный(형) ① 유행에 따르는(맞은), 신식;~ое платье 유행복; ②~ое слово 유행어
модуляция (여) ① (음악) 전조(轉調) ② (물리) 변조(變調)
моё ① см. мой ② (명사로) (중) 나의 것; это ~이것은 나의 것이다
можжевельник(남) (식물) 노가주나무
может быть (삽입어) 아마
можно (술어로) ①...할 수 있다; это ~ выполнить за два дня 이틀 동안에 해낼 수 있다 ②...해도 좋다(되다); ~ войти? 들어가도 좋습니까? 들어 갈 만합니까? ~ сказать 말하자면, 이른바; как ~ скорее 될 수 있는 대로 더 빨리
мозаика (여) 쪽무늬 그림, 모자이크
Мозамбик (남) 모잠비크
мозг (남) 뇌(腦), 뇌수(腦髓), 두골(頭骨); головной ~ 머리 골, 뇌수; спинной ~ 등골, 척수; костный ~ 뼈속, 골수; до ~а костей 뼈(속)에 사무친, 철천의
мозжечок (남) (해부) 소뇌(小腦), 작은 골
мозжить (미완) 쿡쿡 쑤시다; колено ~ 무릎이 지끈지끈 쑤시다
мозолистый (형) 물집(못)이 많은 잡힌; ~ые руки 못이 박힌 손
мозолить (미완) 굳은살이 박히게 하다, 물집이 생기게 하다; ~ глаза 성가시게 눈앞에 나타나서 싫증나게 하다
мозоль (여) 못, 물집; 티눈; 군살; натереть ~и 물집이 생기게 하다, 못이 박히다; наступить на любимую ~ь *кому* 아픈데를 찌르다
мой ① см. ② (명사로) (복수) мой (домашние) 친척들, 가족들; *что-л.* 나의 것들
мой (소유 대) (моя (여), моё(중), мой (복수)) 나의; ~ дом 나의 집; (명사로) (남) 나의 것; моя книга 나의 책; моё зеркало 나의 거울; мои книги 나의 책들
мойка(여) ① 씻기 ② 씻개, 씻는 기계
мокнуть (미완) ① 젖다, 축축해지다; ~ под дождём 비에 젖다 ② (물 등에) 잠겨있다
мокрота (여) 가래, 담; отхаркивать ~у 가래를 뱉다
мокрый(형) 젖은, 축축한, 물에 적신; ~ый снег 축축한 눈;~ое полотенце 젖

은 수건;~ые волосы 눅눅한 머리카락
мол (남) 해벽, 물결막이뚝, 방파제
молва (여) 풍문(風聞), 평판(評判)
молдаване (복수) **(-ин** (남),**~ка** (여)) 몰다비아 사람(들)
Молдавия (여) 몰다비아; Молдавская Советская Социалистическая Республика 몰다비아소비에트사회주의공화국
молдавский (형) 몰다비아의
молекула (여) (화학, 물리) 분자(分子)
молекулярный (형): ~ый вес 분자량
молибден (남) (화학) 몰리브덴
молитва (여) ① 기도, 예배 ② 기도문
молить (미완) см. умолять
молиться (미완) ① 기도하다 ② 숭배(숭상)하다
моллюск (남) (동물) 연체동물, 조개
молниеносно (부) 순간적으로, 삽시간에; 인차
молниеносный (형) 번개같이 빠른; ~ая война 전격전, 속전
молния (여) ① 번개, 벼락 ② 쟈크; телеграмма ~ 지급전보
молодёжный (형) 청년, 젊은 사람들이 쓰는(입는); ~ клуб 청년회관; ~ая бригада 청년작업반
молодёжь (여) (집합) 청년(靑年) (남녀); учащаяся ~ 청년학생들
молодеть (미완) 젊어지다
молодец (남) ! 장하오! 잘했소!
молодиться (미완) 젊어 보이려고 애쓰다
молодняк (남) ① (집합) 어린동물 ② 어린 나무숲
молодожён (남) ① 새서방, 신랑(新郎) ②: ~ы (복수) 신혼부부(新婚夫婦)
молодой (형) ① 젊은, 청소한; ~ое поколение 젊은 세대; ~ой человек 젊은이, 총각; ~ой месяц 초생 달; ~ ой картофель 어린 감자 ③ 경험이 적은 (어린), 어린; ~ой врач 경험이 어린 의사 ④ (명사로) (남) 신랑(新郎); ~ая (여) 신부(新婦); ~ые (복수) 신혼부부
молодость (여) 청년시절, 청년기(靑年期), 젊은 시절; 청춘(靑春)
молодчина (남) см. молодец
моложавый (형) 젊어 보이는, 애티가 나는
моложе (молодой의 비교급) 더 젊은 (젊게); он ~ меня на три года 그는 나보다 세살 더 젊다; выглядеть ~ своих лет 나이보다 젊어 보이다
молоко 젖, 우유(牛乳); коровье ~ 소젖; козье ~ 염소젖; сгущённое ~ 졸임젖; порошковое(сухое) ~ 가루젖
молот (남) ① 망치, 마치; серп и ~ 낫과 마치; паровой ~ 증기마치 ② (체육) 쇠몽치, 철추
молотилка (여) 낟알터는 기계, 탈곡기
молотить (미완) 마당질하다, 낟알 털기하다
молоть (미완) 찧다, 제분하다; ~ языком 입방아를 찧다, 떠벌이다
молотьба (여) 낟알털기, 마당질, 탈곡
молочная (여) 우유상점
молочник (남) 우유넣는 그릇
молочница (여) 우유판매원
молочно-товарный (형): ~ая ферма 우유제품을 생산하는 목장(牧場)
молочный (형) ① 젖, 우유(牛乳); ~ая корова 젖소; ~ые продукты 젖(우유)제품 ② 젖을 넣은, 우유로 만든; ~ые блюда 우유요리,; ~ая каша 젖넣은 죽; ~ый брат 젖동생; ~ая кислота(화학) 젖산; ~ый цвет 젖빛, 젖색
молча, молчаливо (부) 잠자코, 묵묵히; ~ соглашаться 묵인하다
молчаливый (형) ① 말이 적은, 묵중

한, 과묵한(寡默-), ② 말 없는 ; ~ое одобрение 말없는 찬성, 묵인
молчание (중) 침묵(沈默); хранить (нарушать) ~침묵을 지키다(깨뜨리다); обходить ~м 묵과하다
молчать (미완) 잠자코(묵묵히) 잇다, 침묵하다; 말 말어!
моль (여) 좀 벌래
мольба(여) 애원(哀願), 애걸(哀乞); 간청(懇請)
мольберт (남) 그림버티개, 화가(畫家)
момент (남) ①*см.* миг ② 모멘트, 때, 시기; в настоящий ~현재, 현시기에; в тот ~그때; в любой ~임의의 시각에 ③ 기회(幾回), 계기(計器); удобный ~ 좋은 기회; упустить ~기회를 놓치다 ④ 요소, 측면(側面); положительный ~ 긍정적 요소(측면);в один ~순식간에
моментально (부) 일순간에, 순식간에, 곧, 찰나(刹那).
моментальный (형) 순간적인, 순식간의, 즉시적인; ~ый снимок 순간사진; ~ое действие (약 등의) 즉효
Монако (중) (불변) ① *гос-во* 모나코
монарх (남) 군주(君主), 황제(皇帝)
монархизм (남) 군주정체(君主政體), 군주제도(君主制度), 군주정치(君主政治)
монархист(남) 군주제도지지자, 군주제도 옹호자
монархический (형) 군주정체(君主政體)의, 군주제도(君主制度)의
монархия (여) ① 군주정체(君主政體)., 군주제도; конституционная ~ 입헌군주정치 ② 군주국(君主國)
монастырь(남) 절; 수도승, 승려(僧侶)
монах (남) 중, 승려(僧侶), 수도승(修道僧); постричься в ~и 중(승려)이 되다
монахиня (여) 수녀(修女), 여자중
Монголия (여) 몽골(Mongol)

монголы (복수)(~(남),~ка(여)) 몽골사람(들)
монгольский 몽골(Mongol)의
монета(여) ① 쇠돈, 주화(鑄貨); медная ~а 구리 돈, 동전; чеканить ~у 화폐를 주조하다; разменять ~у (큰돈을)잔돈으로 바꾸다; мелкая ~а 잔돈 ② 돈, 화폐(貨幣); принимать за чистую ~у 참말인줄 알다, 진실로 받아드리다, 곧이듣다
монетный (형): ~ двор 조폐국
монография (여) 전공논문
монолитность (여) 결속, 단결(斷結)
монолитный (형) 반석(철석)같은; ~ое единство 철석같은 통일
монолог (남) 혼자 말, 독백(獨白); рои- зносить ~ 독배를 하다
монополизировать (미완, 완) 독점하다
монополистический (형) 독점적인, 독점(獨占); 전매(轉買); ~ капитализм 독점자본주의
монополия (여) ① 독점, 전매; 독점권, 전매권, ② 독판치기
монопольный (형) 독점의, 전매의; ~ое положение 독점적 지위
монотонный(형) 단조로운, 따분한, 천편일률적인
Монровия *г.* 몬로비아
монтаж (남) ① (공학) 조립(組立), 맞춤 ② (예술, 문학) 편성(編成);музыкальный ~ 편곡(編曲)
монтажник (남) 조립공, 기계조립공
Монтевидео (남)(불변) *г.* 몬떼비데오
монтёр (남) 전공(專攻)
монтировать(미완) ① (공학) 조립(組立)하다 ② (예술, 문학) 편성하다; ~ кино- фильм 영화필름을 편성하다
монумент (남) 기념비(紀念碑), 기념탑
монументальный (형) ① 기념비적인,

웅장한; ~ое здание 기념비적인 건물 ② 심오한; ~ое исследование 심오한 건물

мораль(여) ① 도덕(道德), 도의심(道義心); коммунистическая ~ 공산주의 도덕 ② 훈계(訓戒); читать кому ~ ...에게 훈계하다

моральный(형) ① 도덕적인, 도의적인; ~ый облик 도덕적 풍모; ~ые принципы 도덕적인 원칙; ~ый долг 도덕적의무감 ② 정신적인(精神的); ~ое состояние 정신상태; ~ые качества 성품; ~ая поддержка 정신적인 지지

мораторий (남) 중지; ~ на ядерные взрывы 핵폭발의 중지

морг (남) 사체실(死體室)

моргать (미완),**~нуть** (완) ① (눈을) 깜박거리다(깜박이다) ② 눈짓하다; не ~нув глазом 주저함이 없다

морда (여) (동물의) 낯바닥, 상관

море (중) 바다,...해(海); выйти в ~е 바다로 나가다; в открытом ~е 먼 바다 (원해, 공해)에; за ~ем 바다를 건너; ~е огня 불바다;~е крови 피바다; ждать у ~я погоды 막연하게 기다리다

мореплавание (중) 항해(航海), 항해술(航海術)

моеплаватель (남) 항해자(航海者), 항행자(航行者)

морж (남) (동물) 바다코끼리

Морзе: 모르스; азбука ~ 모르스 전신부호; аппарат ~ 모르스 전신기

морить (미완) ① 소멸하다, 박멸하다, 죽여버리다; ~ тараканов 바퀴를 죽여버리다 ② 고생시키다, 맥이 빠지게 하다; ~ голодом 굶겨 고생시키다, 굶어죽이다

морковь (여) 홍당무(-우), 당근

мороженое (중) 아이스크림

мороженый(형) 냉동한(冷凍-); 언; ~ая рыба 냉동 물고기

мороз (남) 추위; трескучий ~ 혹한; крепкий ~ 사나운 추위; пять градусов ~а 영하 5도

морозить (미완) ① 얼구다, 냉동하다; ② ~ит(미인칭) 날씨가 추워진다(춥다)

морозный (형) 몹시, 추운, 추위가 심한; ~ая погода 강강한 일기;~ый воздух 찬 공기

морозостойкий,морозоустойчивый (형) 내한성이 있는 (강한), 추위를 잘 이겨는; ~ые культуры 내한성작물

моросить (무인칭): дождь ~т 비가 보슬보슬 온다, 보슬비가 내리고 있다

моросящий (형): ~ дождь 보슬비

морочить (미완): ~ голову 속이다, 우통하다

морс (남) 과일즙으로 만든 청량음료

морской(형) ① 바다(海); ~ое течение 바다흐름, 해류; ~ой ветер 바닷바람, 해풍; ~ой климат 해양성기후 ② 해상 (海上), 해양(海洋); ~ой трнаспорт 해상운수 ③ 해군(海軍); ~ое училище 해군학교; ~ ая пехота 해병대; ~ая болезнь 배멀미

морфема (여) (언어) 형식형태소

морфий (남) (의학) 모르핀(morphine); впрыскивать ~ 모르핀 주사를 놓다

морфология (여) (언어) 형태론(形態論), 형태변화체계

морщина (여) ① 주름살; глубокие ~ы 깊이 패인 주름살 ② (천, 종이 등의) 구김살

морщинистый (형) 주름살이 많은(진, 잡힌) 오글쪼글한; ~ая кожа 쭈그럭살

морщить 찡그리다, 찌푸리다, 주름살을 짓다

моряк (남) 바다사람, 선원(船員); 해병(海兵), 배사람

Москва (여) 모스크바(Moskva)

москвич (남) 모스크바 사람(Moskva); ~и (복수) 모스크바 시민(Moskva)

москит (남) (열대지방의) 모기
московский (형) 모스크바의(Moskva)
мост(남) 다리, 교량(橋梁), 가교(架橋); железнодорожный ~ 철(길)다리, 철교; подвесной ~구름다리; разводить ~다리를 떼다; наводить(перебросить) ~...와...사이에 다리를 놓다
мостик (남) ① см. мост ②; капитанский ~ 선교
мостить (미완) 깔다, 포장하다
мостки (복수) ① 널다리 ② (배를 대는) 부두다리 ③ 빨래널 ④ 널걸음길
мостовая (여) 포장도로
мостовой (형): ~ кран (공학) 다리기중기, 교량식기중기
мот (남) 낭비자
мотальный (형): ~ая машина 실감는 기계, 권선기
мотать I (미완) ① 감다; ~ нитки 살을 감다 ② 젓다, 흔들다;~ головой 머리를 젓다; ~ на ус 머리에 새겨두다, 염두에 두다
мотать II (미완) 낭비하다, 허비하다, (헛되이) 막써 버리다; ~ деньги 돈을 허투로 막쓰다(막써버리다)
мотаться (미완) ① 흔들거리다, 너덜거리다 ② 싸대다, 바삐 돌아가다(잤다왔다하다)
мотив I (남) 곡조(曲調), 가락.
мотив II (남) ① 동기(動機), 이유(理由); по личным ~ам 개인적인 동기로서; ②논거(論據); приводить ~ы в пользу чего ...에 이롭게 논거를 내놓다
мотивировать (미완, 완) 동기(원인)를 선령하다, 이유를 대다
мотивировка (여) ① 동기(이유)의 설명② 논거
мотовство (중) 낭비, 돈을 허루루 막 쓰는것
мотогонки (복수) (체육)오토바이경기

моток (남) 꾸리, 몽당이; ~ ниток 실꾸리; ~ проволоки 쇠줄묶음
мотокросс (남) (체육) 오토바이산야횡단경기
мотор (남) 발동기(發動機), 전동기(電動機), 모터, 기관(機關); запускать(оста- навливать) ~발동을 걸다(끄다)
моторист (남) 운전공, 모터공
моторный (형): ~ый вагон 전동차; ~ая лодка 모터배, 발동(기)선, 통통배
моторостроение(중) 발동기제작공업
мотоцикл, мотоциклет (남) 오토바이, 모터서클
мотоциклист (남) 오토바이 타는 사람; 모터찌클병
мотыга (여) 괭이, 호미
мотылёк(남) 부나비, 하루살이, 밤나비
мох (남) 이끼
мохнатый (형) ① 털이 북슬북슬한 ②; ~ое полотенце 타올, 수건
моча (여) 오줌, 소변(小便)
мочалка (여) 수세미
мочевой (형): ~ пузырь 오줌깨, 오줌통, 방광(膀胱)
мочегонный (형): ~ое средство 오줌(내기)약, 이뇨제(利尿劑)
мочеиспускание (중) 오줌내기, 이뇨
мочёный (형) 물에 담근, 침을 담근
мочеполовой (형) 비뇨생식기
мочить (미완) ① 적시다, 축이다 ② 담그다, 불구다, 우리다; ~ яблоки 사과를 담그다
мочиться(미완)오줌을 누다, 소변을 보다
мочка (여) 귀불, 귀방을
мочь I ...할 수 있다; я могу пойти 나는 갈 수 있다; не могу больше 더는 할 수 없다; спасибо, я могу и постоять 고맙습니다, 저는 서있어도 괜찮

습니다.; вы можете меня не застать (на месте, дома) 당신은 나를 만나지 못할 수 있습니다; может быть 아마...할지도 모른다; не может быть 그럴수가 없다

мочь II (여); во всю ~ь, изо всей ~и ; что есть ~и 있는 힘(전력)을 다하여, 힘껏; ~и нет 맥이 없다, 못견디겠다

мошенник (남) 사기군, 협잡꾼

мошенничать (미완) 사기질하다, 협잡질하다, 속임질하다

мошеннический (형) 사기적인, 협잡하는, 사기군 같은

мошенничество (중) 사기(詐欺), 협잡(挾雜), 속임수

мошка(여) (곤충) 갈파리, 필라리아모기

мошкара(여) (집합) 필라리아모기들이

мощёный (형) 포장한; ~ая дорога 포장도로

мощность (형) ① 위력(威力), 강대성, 힘 ② 능력(能力), 능률(能率); 출력(出力); 용량(用量); на полную ~ь 만부하를 걸어; ② ~и (복수): энергетические ~и 동력장치; производственные ~и 생산설비

мощный(형) ① 강력한, 위력 있는, 세찬, 힘이 대단하다; ~ый поток 세찬 흐름; ~ая промышленность 강(유)력한 공업 ② 출력(능력, 마력)이 높은; ~ый двигатель 용량이 큰 발동기; ~ый трактор 마력이 높은 트랙터

мощь (여) ① 위력(威力), 강대성, 힘, 세력(勢力);~ страны 나라의 위력; боевая ~ 전투력 ② 능력(能力), 능률(能率)

мрак (남) 어둠, 암흑(闇惑)

мракобесие (중) 몽매주의(蒙昧主義)

мрамор (남) 대리석(大理石)

мраморный (형) 대리석(大理石), 대리석으로 만든

мрачнеть(미완) ① 음침해지다, 스산해지다, 쓸쓸해지다 ② 어두워지다, 흐려지다

мрачный (형) ① 침울한, 쓸쓸한, 스산한; ~ое настроение 우울한(수산한) 기분(마음) ② 캄캄한, 암담한, 암흑; ~ые времена 암흑시대, 암담한 세월

мститель (남) 복수자; народные ~и 인민유격대(원들)

мстительный (형) 복수심이 강한, 앙갚음하는

мстить (미완) 복수하다, 앙갚음하다

мудрено (부): ~ решать 해결하기 힘들다; не ~, что 응당하다, 충분히 이해할 만 하다; на тебя ~ угодить 너의 비위를 맞추기는 거의 불가능하다

мудрёный (형) ① 이상한, 기묘한 ② 복잡한, 까다로운; ~ёная задача 풀기 힘든 문제; утро вечера ~енее 하루 밤 자고나면 더 좋은 수가 생각나다

мудрец (남) 지혜로운 사람

мудрить (미완) 까다롭게 굴다, 꾸며내다, 꾀를 부리다

мудрость (여) 현명성(賢明性), 지혜(智慧); житейская ~ь 처세술; зуб ~и 사랑이

мудрый (형) 현명한, 영명한, 명철한

муж (남) 남편(男便)

мужать (미완) ① 어른 되다 ② 장성하다, 강화되다

мужаться (미완) 기운(용기)을 내다, 정신을 차리다

мужественный (형) 용감한, 강의한; ~ вид 호걸품; ~ характер 강의한 성격; ~ый поступок 용감한 행위

мужество (중) 강의성, 용감성

мужик (남) 사나이, 남정(男丁)

мужской (형) ① 남자(男子), 사나이 같은; ~ая одежда 남자 옷 ② 남성(男性); ~ой пол 남성; ~ой род (언어) 남성

мужчина (남) 남자(男子), 사나이
муза (여) 창작적 영감(靈感)
музей (남) 박물관(博物館), 기념관(記念館); исторический ~ 역사박물관
музыка (여) 음악(音樂); камерная ~а 실내악; симфоническая ~а 교향악; лёгкая ~а 경음악; инструментальная ~а 기악; писать(сочинять) ~y 작곡하다
музыкальный (형) ① 음악(音樂)의; ~ый инструмен 악기; ~ая школа 음악학교 ② 음악적(音樂的)인; ~ый голос 음악적인 목소리
музыкант (남) 음악가, 악사(樂師)
мука (여) 고통(苦痛), 괴로움, 고민
мука (여) 가루, 분말(粉末), 낟알(곡식) 가루; пшеничная ~ 밀가루; картофе-льная ~농말(가루)
мукомольный(형):~ завод 제분공장(製粉工場)
мул (남) 노새
мультипликационный (형):~ фильм 만화영화(漫畵映畵)
мультипликация (여) (영화) 만화영화 촬영, 만화영화(漫畵映畵)
мумия (여) 미라(mirra), 미이라
мундир(남) 정복(正服), 제복, 군복(軍服)
мундштук (남) 물부리
муниципалитет (남) 지방자치기관
муравей (남) 개미
муравейник (남) 개미집
муравьиный (형) 개미; ~ая куча 개미집; ~ая кислота 개미산
мурашки (복수): по телу (спине) бегают ~소름이 끼친다
мурлыканье (중) (고양이 따위) 가르릉 거리는 것(소리)
мурлыкать(미완)(고양이) 가르릉 거리다
мускул (남) 힘살, 근육(筋肉)
мускулатура (여) 힘살, 힘살(근육) 계통(조직)
мускулистый (형) 근육이 잘 발달된 (불끈불끈한)
мускульный(형) 힘살, 근육(筋肉); ~ая сила 근력(筋力)
мусор (남) 쓰레기, 검불
мусорный (형): ~ ящик 쓰레기통, 휴지통(休紙桶)
мусоропровод(남) 쓰레기를 버리는 구멍
муссон (남) 철바람, 계절풍(季節風)
мусульманин (남) 회교도(回敎徒), 마호메트교도, 이슬람교
мусульманский (형) 회교(回敎)
мусульманство (중) ① 회교(回敎) ② (집합) 회교도(回敎徒)
мутация (여) (생리) 돌연변이
мутить (미완) ① (물 등을) 흐리다 ② (정신을) 흐리게 (몽롱케)하다 ③ (무인칭); меня ~т 구역질나다, 메스껍다; ~ ть воду 일부러 혼란시키다(불안케 하다)
мутнеть (미완) 흐려지다; сознание ~ет 정신이 몽롱해진다
мутный (형) ① 흐린, 우중충한, 혼탁한; ~ая вода 흙탕물; ~ое стекло 뿌연요리 ② 몽롱한; ~ое сознание 몽롱한 의식
муторный (형) 흐리터분한; ~о на душе 정신이 흐리터분하다
муть (여) 흐린 것, 앙금, 물때
муфта (여) ① (옷의) 토시; меховая ~ 털토시 ② (공학) 끼움토시, 축잇개, 카프링
муха(여) 파리; делать из ~и слона 침소봉대하다(작은 것을 크게 과장하다)
мухомор (남) 붉은 파리버섯
мучение (중) 고통, 고민, 괴로움
мученик(남),**~ца** (여) (늘) 고통(고생) 받는 사람; 목숨을 바치는 사람; 수난자

мучитель (남) 학대자, 박해자
мучительный (형) 괴로움, 고통스러운, 견딜수 없는
мучить (미완) 괴롭히다, 학대하다, 고통을 주다; совесть ~ 양심이 가책된다.
мучиться (미완) ① 괴로워하다, 고통을 받다; ~ от боли 아파서 괴로워하다; ~ на решением задачи 문제를 풀기에 몹시 애쓰다
мучнистый (형) 가루를 포함한, 가루같은, 전분을 포함한
мучной (형) 가루로 만든;~ые изделия 가루붙이
мушка (여) (군사) 겨눔못, 조성; взять на ~у (총을)겨누다
муштра (여) ① 강제훈련(强制訓練) ②(군사) 교련(敎鍊)
муштровать (미완) 강제훈련하다, 엄격하게 교양하다; 교련하다
Мф (Евангелия от Матвея, 28장, 1쪽) 마태복음(마태오의 복음서(— 福音書, Gospel According to Matthew)
мчать(ся) (미완) 내닫다, 달음박질하다, 힘차게 달리다(질주하다); поезд мчится 기차가 달리고 있다
мщение (중)см. месть
мы (인칭 대) (복수)(нас (생, 대), нам(여), нами(조), о нас(전))우리, мы до-вольны 우리는 만족하다; нам это интересно 우리에게는 이것이 재미있다; ~ с тобой 나와 너
мылить (미완) 비누칠하다; ~ руки 손에 비누칠하다
мылиться (미완) ① 자기 몸에 비누칠을 하다 ② 거품이 일다, 풀리다
мыло (중) 비누; туалетное ~ 세수비누; хозяйственное ~ 빨래비누
мыловаренный:(형)~ завод 비누공장
мыльница (여) 비누갑, 비누통
мыльный (형) ① 비누; ~ая пена; 비누거품 ~ый пузырь 비누기포; ~ые руки 비누칠한 손; лопаться как ~ый пузырь 수포로 돌아가다
мыс (남) ① 곶, 갑 ② 삐죽이 내민곳, 삐죽히 내민부분
мысленно (부) 속으로, 마음으로, 상상(想像)하여
мыслимый (형) 될 수 있는, 있을 수 있는; ~ое ли это дело? 그럴 수가 있겠는지?
мыслитель (남) 사상가(思想家)
мыслить (미완) ① 사고하다, 사유하다, 사색하다; логически ~ 논리적으로 사고하다; способность ~사고력 ② 생각하다 ③ 상상(想像)하다
мысль (여) ① 사유(思惟), 사색(思索), 상념(想念), ② 의도(意圖), 생각(生角), 사상(思想); задняя ~ 숨은 생각, 딴 의도; возникла ~ь 생각이 났다(떠올랐다); при одной ~и о... 생각만 해도
мыслящий (형) 사고력(思考力)이 있는, 사려 깊은
мытарство (중) 고생(苦生), 고통(苦痛), 괴로움; пройти через все ~а 고생을 다 겪다
мыть (미완) 씻다, 세척하다, 빨다
мыться (미완) 몸을 씻다, 목욕하다
мычание (중)_ 음매울음, 영각
мычать (미완) (소가) 음매하고 울다, 영각하다
мышеловка (여) 쥐창
мышечный (형) 힘살, 근육(筋肉); ~ая работа 심근;
мышиный 쥐, 쥐 같은; ~ цвет 쥐색
мышка (여) ; нести под ~ой 겨드랑이에 끼고 가져가다
мышление (중) 사유(思惟), 사고, 사색
мышонок (남) 쥐새끼
мышца (여) (해부) 힘살 근육(筋肉); сердечная ~ 심근

- 281 -

мышь (여) 쥐, 서생원; полевая ~ 들쥐; летучая ~ 박쥐

мышьяк (남) (화학) 비소(砒素)

мягкий (형) ① 부드러운, 폭신폭신하다, 나스르르한; ~ий стул 폭신폭신한 의자 ② 만문한, 연한; ~ий хлеб 만문한 빵; ③ 차분한, 문문한, 여낙낙한, 사분사분한; ~ий человек 문문한 사람;~ий голос 부드러운 목소리; ~ий климат 온화한 기후; ~ая зима 따뜻한 겨울; ~ий ва-гон 연석차; ~ий знак (언어) 연음부

мягко (부) ① 무르게, 연하게, 부드럽게 ② 상냥하게, 사분사분하게, 차분하게; ~ выражаясь (삽입어) 점잖게 말해서

мягкотелый (형) 의지가 약한, 성격이 연약한

мякина (여) 지푸라기; на мякине не проведёшь 노장은 속을 수 없다

мякоть (여) (과일의)살; ~ яблока 사과의 살

мямлить (미완) 머뭇하다, 우물쭈물 말하다

мясистый (형) ① 살기가 많은 ② 살진, 뚱뚱한

мясник (남) 고기파는 사람, 고기장수

мясное (중) 고기요리

мясной(형) 고기, 육류(肉類); ~ой суп 고기국; ~ые продукты 고기붙이;~ой скот 육용가축

мясо(중) 고기, 육류; говяжье ~소고기; варёное ~삶은 고기; пушечное ~ 대포밥, 총알받이

мясокомбинат (남) 육류꼼비나트

мясорубка (여) ① 고기를 가는 기계 ② 살륙전

мята (여) 박하

мятеж (남) 폭동(暴動), 반란(叛亂)

мятежник (남) 폭동자(暴動者), 반란자

мятный (형): ~ые конфеты 박하사탕; ~ые капли 박하수

мятый (형) 구겨진, 쪼글쪼글한; ~ое платье 구겨진 옷

мять (미완) ① 구기다, 우글쭈글하게 하다 ② 눌려서(비벼서) 연하게 하다, 잘크러뜨리다

мяться (미완) ① 구겨지다, 쪼그라지다 ② 머뭇하다, 여짓여짓하다

мяуканье (중) (고양이의) 야옹야옹 울다

мяукать(미완) (고양이) 야옹야옹 울다

мяч (남) 공, 볼; футбольный ~ 축구공, 축구 볼; играть в ~공을 치다, 공치기하다

Н

на I (전) ① (+대 및 전) ...위에, ...위에서; на столе 상위에; класть на стол 상위에 놓다; ② (위치를 표시).....에; 남쪽에; ③ (+전) (동작의 장소를 표시)...에서; работать на заводе 공장에서 일하다; ④ (+대) (방향을 표시)...로, ..쪽으로; ехать на юг 남쪽으로 가다; ⑤ (+대) (기간을 표시) ...동안, ...간; отпуск на месяц 1(일)개월간의 휴가; отложить на буду-щий год 다음해(내년)로 마루다; ⑥ (대 및 전) (때를 표시)...에; на прошлой неделе 지난 주일에; на этих днях 요사이에; на другое утро 다음날 아침; ⑦ (+전) (행동의 수단, 도구로 표시) ...를 타고,...를; ехать на трамвае 전차를 타고가다; играть на рояле 피아노를 치다(타다); ⑧ (+생)...에, ..에게; надевать пальто на ребёнка 아이에게 외투를 입히다; сваливать вину на кого ...(에게) ...에 죄를 들씌우다; ⑨ (+생 및 전) (근거, 조건 등을 표시) ...에 기초하여,..로; основываться на фактах 사실에 기초하다; на условиях ...의 (...라는) 조건으로); (10) (목적을 표시); учиться на инженера 기사가 되려고 공부하다; (11) ....으로 만든,...을 넣어 만든; пальто на вате 솜을 놓은 외투(솜외투); мазь на вазелине 바셰린 연고; ◇ говорить на корейском языке 한국어로 말하다;   переводить с русского языка на ко- рейский 러시아말을 한국어로 번역하다; на бегу 분주히 돌아다녀서; работа-ть на свежую голову 맑은 정신에 (정신이 맑을 때에) 일을 하다

на II (술어로) 받아라; на возьми! 자, 가져라

набавить (완) см. набавлять

набавка (여) ① 인상(引上), 추가(追加); ~ цены 물가인상 ② 추가금액(追加金額), 증가액(增加額)

набавлять (미완) 더 올리다(높이다), 증가하다; ~ цену 값을 더 올리다

набат (남) 경종; бить (ударарять) в ~ 경종을 치다(울리다)

набег (남) 습격(襲擊), 침입(侵入); сове-ршать ~ 습격하다

набегать (미완) см. набежать

набегаться (완) 실컷 뛰어다니다, 너무 뛰어다녀 피곤하다

набежать (완) ① 마주치다, 부딪치다; волна ~ла на берег 파도가 바닷가에 밀려들었다(흘러들었다) ② 몰려들다, 군집(群集)하다

набекрень (부): одевать шапку ~모자를 비스듬히 (비뚜로)쓰다

набело (부): переписпть ~정서하다

набережная (여) 해변도로, 강안도로

набивать (미완) 가득 채우다, 다져넣다, 들어넣다, 처넣다 ~ портфель книгами 가방에 책을 채워 넣다; ◇ ~ цену 값를 올리다; ~ руку на чём ...에 숙련되다

набиваться (미완) 빼곡히 들어서다, 많이 모여들다

набирать (미완) ① см. собирать ② 모집(募集)하다, 징집(徵集)하다; ③ (인쇄) 식자하다; ~ номер телефона 전화번호판을 돌리다

набираться (미완) ① (용기, 힘 등을)

가다듬다; ~ храбрости 용감성을 내다; ~ сил 힘을 얻다 ② 많이 모여 들다

набитый (형) 가득 채운, 가득 찬; ◇ ~ дурак 일자 바보, 천치, 백치

набить(ся) (완) см. набивать(ся)

наблюдатель (남) 관찰자(觀察者), 감시자(군사) 감시병

наблюдательность (여) 관찰력(觀察力), 혜안(慧眼)

наблюдательный (형): ~ пункт 관측소(觀測所) ② (사람에 대하여) 눈이 예민한(예리한), 관찰력이 있는

наблюдать (미완) ① 관찰(觀察)하다, 관측(觀測)하다 ② 살피다, 바라보다, 주시(注視)하다 ; ~ ③ за кем-чем ...를 감시하다, ...를 감독하다

наблюдение (중) 관찰(觀察), 관측(觀測), 감시(瞰視), 감독(監督)

набойка (여) 구두뒤창

набок (부) 옆으로, 한쪽으로; 비뚜로, 비딱하게

наболевший (형): ~ вопрос 절실한(초미의) 문제

набор (남) ① 일식, 한조, 한 벌; ~ инструментов 공구 항조;~ кухонной мебели 부엌 세간일식 ② 모집(募集), 징집(徵集); ③ (인쇄) 식자(識字), 활자추기, 문선; ~ слов 군소리

наборный(형): ~ая касса 활자함; ~ая машина 식자기

наборщик (남) (인쇄) 식자공; 문선공

набрасывать(미완) ① см. набросать ② см. набросить

набрасываться см. наброситься

набрать(ся) см. набирать(ся)

набрести (완) на кого-что ...와 마주치다; ~ на след 발자국을 찾다

набросать (완) ① 많이 던져놓다, 던져서 채우다 ② 얼추 그리다, 얼른 쓰다; ~ несколько слов 몇 마디를 얼른 적다

набросить (완) 덮다, 씌우다, 걸치다; ~ на себя плащ 비옷을 몸에 걸치다

наброситься (완) ① на кого ...에 성급하게 달라붙다; на что; ~ на еду 음식물에 (굶은 사람처럼) 달라붙다

набросок (남) ① 속사화, 초벌그림 ② 초안(草案), 초고(草稿)

набухание (중) 부풀음, 부푸는 것, 부풀어 오르는 것

набухать,(미완) **набухнуть** (완) ① 부풀다, 부풀어 오르다, 붓다; почки набу-хли 싹이 부풀어 올랐다 ② 젖어서 부풀다

Нав(Книга Иисуса Навина 24장, 230쪽) 여호수아(Book of Joshua: Josue라고도 씀. 〈구약성서〉 가운데 6번째 책

навага (여) (어류) 이치

наваливать (미완) ① 치쌓다, 더 쌓다, 처답다, 쌓아놓다, 뒤덮다; ② (무인칭) навалило много снегу 눈이 많이 내려쌓였다

наваливаться (미완) ① 덮치다, 기대여 누르다(밀다);~ грудью на стол 가슴을 책상에 대고 기대다 ② (무인칭); навалилось много дел 일이 많이 들씌워졌다

навалить(ся) см. наваливать(ся)

навалом (부): грузить ~ 산적으로 적재하다

навар(남) (끓인 음식 위에 뜬) 기름기

наваристый (형) 기름기 많은, 기름이 진하게 뜬

наварить (완) (얼마만큼) ① 삶다, 끓이다 ②(공학) 용해하여 내다, 녹여내다

навевать (미완) см. навеять

наведаться(완), **наведываться**(미완) 놀려오다, 찾아오다

навезти (완)*см.* привозить

навеки (부) 영원히, 영구히, 천추에

наверное (삽입어) 아마, 보건대; ~ так и будет 아마 그렇게 될 것이다

навернуть(ся)(완)*см.* навёртывать(ся)

наверняка (부) ① 틀림(억임) 없이, 반드시 ② 실수 없이; действовать ~실수 없이 행동하다

наверстать(완), **навёрстывать** (미완) 보충하다, 메우다; ~ потерянное время 잃은 시간을 보충하다

навёртываться (미완); слёзы ~ются на глаза 눈에 눈물이 글썽 거린다

наверх (부) 위로, 위층으로, 상층(上層)으로; подниматься ~ 위로 올라가다; складывать ~ 올려쌓다

наверху (부) 위에(서), 위층에(서)

навес (남) 처마, 채양 ② 차일, 헛간

навеселе (부) 약간 취하여

навесить (완)*см.* навешивать

навести (완)*см.* наводить

навестить (완)*см.* навещать

навечно (부) 영원히, 영구히, 천추에

навешивать (미완) 걸다; ~ дверь 문을 걸다

навещать (미완) 방문하다, 찾아오다, 들리다

навзничь (부): упасть ~나자빠지다

навзрыд (부): плакать ~ 목 놓아 울다, 대성통곡(大聲痛哭)하다

навигационный (형): ~ая карта 항해도; ~ый период 항해기

навигация (여) ① 항해(航海); 항해기; открывать ~ю 항해를 개시하다 ② 항해술(航海術), 항해학(航海學)

нависать (미완), **нависнуть** (완) ① 드리워있다, 불숙나오다; ② 다가오다, 닥쳐오다 ;~ла опасность 위험이 닥쳐왔다

навлекать (미완), **навлечь** (완) 자아내다, 야기하다, 초래하다 ; ~ на себя по-дозрение 의심을 받다

наводить (미완) ① 향하게 하다; ~ орудие 포를 조준하다; ② 가리켜주다, 인도하다, 데려다주다; ③ (다리 따위를) 놓다, 부설(가설)하다, 건너지르다; ~ поря-док 질서를 세우다; ~ справки 조회하다; ~ страх 두려움을 품게 하다; ~ грусть 슬픔을 자아내다; ~ на мысль 생각을 불러일으키다

наводка(여) 조준(照準), 겨눔; стрелять прямой ~ой 직접조준으로 사격하다; ~а моста 가교, 다리놓기

наводнение (중) 큰물, 홍수(洪水)

наводнить(완), **наводнять**(미완) 범람하게 하다, 넘치게 하다;~ рынок товарами 상품으로 시장을 뒤덮다

наводчик (남) (군사) 사수(射手)

наводящий (형): ~ вопрос 유도질문

навоз (남) 거름, 두엄

навозить (미완) 거름을 주다

навозный (형): ~ жук 말똥구리; ~ая куча 거름더미, 두엄더미

наволочка (여) 베개잇

навострить (완): ~ уши 귀를 기울이다(세우다, 쫑그리다)

наврать (완) *см.* врать

навредить (완) *см.* вредить

навряд ли (조) (의심과 부정의 뜻을 표시한다) 아마...않을 것이다

навсегда (부) 영원히, 영구히, 천추에 두고; раз и ~ 영영, 최종적으로

навстречу (부) 마주, 마주 향하여; выйти ~ на *кому* ...를 마중나가다; ехать ~ друг другу 서로 마주 오다(가다); идти ~ *чему* ...에 호의적으로 대하다(응하다)

навык (남) 숙련, 솜씨; приобретать ~ 숙련을 쌓다

навыкат(е)(부): глаза ~ 퉁방울눈

навылет (부): пуля прошла ~총알이 꿰

뚫어서 나갔다; быть раненым ~총알에 맞아 관통상을 입다

навытяжку (부): стоять ~ 차렷 자세로 서다

навьючивать (미완), **навьючить** (완) 바리(짐을) 지우다(메우다)

навязнуть (완) 끼어서 붙다; на-вязло в зубах 싫증났다

навязчивый (형) 부전부전한, 초근초근한; ~ая идея 집요한 생각

навязывать (미완) 강요하다, 우기다; ~ своё мнение 자기 의견을 강요하다; ~ вопрос 문제를 들이밀다

нагадить (완) см. гадить

нагайка (여) 가죽채찍

наган (남) 나강 권총

нагар (남) 불똥, 초농; снять ~со свечи 초에서 불똥(초농)을 떼내다

нагибать(ся) см. наклонять(ся)

наглеть (미완) 뻔뻔스러워지다, 파렴치해지다, 넉살스러워지다

наглец (미완) 철면피(한), 뻔뻔스러운 (파렴치한)사람

нагло (부) 뻔뻔스럽게, 파렴치하게, 넉살스럽게, 어렵성 없이 ; вести себя ~ 뻔뻔스럽게 (넉살스럽게)굴다

наглость (여) 철면피, 뻔뻔스러운 것,

наглотаться (완) 많이 삼키다(들이켜다); ~пыли 먼지를 많이 먹다

наглухо (부) 빈틈없이, 짬이 없다. 꽉; ~ закрыть дверь 문을 꽉 닫다; ~ застегнуться 단추를 다 채우다

наглый (형) 뻔뻔스러운, 파렴치한, 철면피한;~ое поведение 파렴치한 행동

наглядеться (완) 마음껏(실컷)보다; не могу ~ на ....를 암만 보아도 싫증이 안난다

наглядно (부) 명료하게, 직관적으로, 뚜렷하게; ~ показывать 열심히 보여주다

наглядность (여) 직관성 있게, 명료성; для ~и 뚜렷하게 하도록, 직관성 있게 하기 위해서

наглядный (형) 여실한, 명료한, 직관(적인); ~ пример 뚜렷한 모범(실례); ~ая агитация 직관선전; ~ое свидетельство 뚜렷한(여실한) 증명; ~ое пособие 직관물, 교수용 표본; дать ~ый урок 본때를 보이다

нагнать (완)см. нагонять

нагнетать (미완) ①: ~ воздух 공기를 넣다(넣어 압축하다) ②; ~ напряжённость 긴장상태를 격화시키다

нагноение (중) ① 곪기, 화농(化膿) ② 부스럼, 종기(腫氣)

нагноиться (완) 고름이 생기다, 화농하다; рана ~лась 상처가 곪았다

нагнуть(ся) (완)см. наклонять(ся)

наговаривать (미완), **наговорить** (완); ① на кого ...에게 억울한 죄를 들쑤우다(입히다),...를 중상하다 ② 말을 많이하다; наговорить с три короба 매우 많이 말하여주다; наговорить разной чепухи 여러 가지 부질없는 말을 많이 하다; ③~пластинку 녹음하다

наговориться (완)마음껏 이야기하다

нагой (형) 벌거벗은, 벌거숭이; ~ ие деревья 벌거숭이나무; ~ое тело 맨몸

наголо : стричь ~막깎다, 막머리 (중머리)로 깎다

наголову : разбить ~(적을) 완전히 격멸시키다, 전멸시키다

нагоняй (남) 질책(叱責), 책망(責望); получить ~ 질책을 받다, 경을 치다; дать~кому ...을 닦아대다, 물아세우다

нагонять (미완) ① 따라잡다 ② 따르다, 따라가다 ③ 물아들이다, 물아붙이다,(한곳에) 많이 모이다 ④ (어떤 감정, 기분 등을) 자아내다, 일으키다; ~ страху 공포를 자아내다

нагореть (완) (무인칭): мне ~ло 나는

질책을 받았다(경을 쳤다)

нагородить (완) 많이 먹다, 많이 쌓다; ~ вздора (чепухи) 쓸 데 없는 말을 많이 하다

нагота (여) 알몸, 벌거숭이, 나체

наготове (부): быть ~ 준비되어있다, 준비를 갖추다

наготовить (완) 저장(준비)하다; ~ дров на зиму 겨울에 땔 나무를 (많이) 장만하다; ~ еды 음식을 많이 만들다

награбить (완) (많이) 훔쳐 모으다,

награда (여) 상(賞), 표창(表彰); боевая ~전투표창; правительственная ~국가표창; представлять к ~e 표창의 수여대상자를 추천하다, 표창을 내신하다

наградить (미완), **награждать** (미완) кого чем ...에게...을 수여하다, 표창하다; ~ орденом 훈장을 수여하다

награждение (중) 표창수여, 상수여, 수여식, 수상식(授賞式)

награждённый (남) 수훈자, 수상자

нагрев (남), **нагревание** (중) 가열, 데우는 것, 덥히는 것

нагревательный (형):~ые приборы 가열기(加熱器)

нагревать (미완) 데우다, 덥히다, 가열하다; ~ воду 물을 데우다; ~ комнату 방을 덥히다

нагреваться (미완) 더워지다, 따스해지다, 가열되다

нагреть(ся)(완) см. нагревать(ся)

нагромождать (미완) 치쌓다, 쌓아놓다, 쌓아올리다

нагромождение (중) 덧게비, 무지, 퇴적; ~ камней 돌무지

нагромоздить см. нагромождать

нагрубить (완) см. грубить

нагрудник (남) ① (가슴에 대는) 턱받기 ② 흉관(胸管)

нагрудный (형): ~ знак 가슴에 붙이는 표; ~ карман 가슴에 단 주머니

нагружать (미완), **нагрузить** (완) ① 싣다, 적재하다; ~ доверху 처싣다 ② (어떤 일을) 메다, 책임지우다; 부담하다

нагрузка (여) ① 적재, 싣기 ② (공학) 부다; ставить под полную ~у 만부하를 걸다 ③ (전기) 전하; ④ 부담, 분공

нагрянуть (완) 뜻밖에 오다, 들이닥치다, 별안간에 일어나다; ~ули гости 손님들이 들이닥쳤다; ~ула беда 불행이 닥쳤다

нагуляться (완) 마음껏 놀다

над (전) (+조) ① 위에, 위에서; ~ столом 책상 위에; ~ городом 도시 상공에 ② ...에 대한; победа ~ врагом 적에 대한 승리 ③ (동작과 대상의 관계를 표시함); сидеть ~ задачей 문제를 푸는데 달라붙다

надавить (완), **надавливать** (미완) 누르다, 내리누르다

надбавить (완)см. набавлять

надбавка (여)см. набавка

надбавлять (미완)см. набавлять

надвигать (미완)см. надвинуть

надвигаться (미완) 닥쳐오다, 다가오다, 박두다, 밀려오다

надвинуть (완): ~ шапку 모자를 눌러 쓰다

надвинуться (완)см. надвигаться

надвое (부) 두 쪽으로, 절반으로; бабу-шка ~ сказала (속담) 그렇게도 되는지 안 되는지 확실치 않다

надгробный (형): ~ая надпись 비문, 묘문; ~ый памятник 묘비, 묘갈

надевать (미완) ① 입히다, 신기다, 씌우다 ② 입다, 신다, 쓰다; ~ перчатки 장갑을 끼다; ~ очки 안경을 끼다

надежда (여) 희망(希望), 기대(期待); питать ~희망을 품다у; подавать ~y 앞

길 (전도)이 유망하다
надёжный (형) ① 믿음직한, 미더운, 믿을만한, 확실하다 ② 굳건한, 단단한, 튼튼한
наделать (완) ① 많이 만들다 ② 저지르다; что ты наделал! 너 무슨 일을 저질렀느냐!~ ошибок 많이 오유를 범하다; ~ хлопот кому ...에게 염려(폐)를 끼치다
наделить(완), **наделять**(미완) ① 나누어지다, 주다, 분배하다; ~ землёй 토지를 분배하여주다 ② 부여하다, 가지게 하다; ~ свойствами 특성을 부여하다
надеть (완) см. надевать
надеяться (미완) ① 희망을 걸다, 바라다, 기대하다; ~ на успех 성공을 기대하다 ② 의탁하다, 믿다; на него можно ~ 그를 믿을 수 있다
надзиратель (남) 감독관, 감독자, 감시인; тюремный ~ 간수, 옥리
надзирать (미완) за кем-чем ...를 감시(감독) 하다
надзор (남) 감시(監視), 감독(監督), 감찰; находиться под ~ом 감시하에 있다
надкостница (여) (해부) 뼈막, 풀막
надламывать(미완)① 꺾다; ~ ветку 나무까지를 꺾다 ② 떨어뜨리다, 좌절시키다, 꺾다; ~ силы 기세를 떨어드리다, 힘을 꺾다
надламываться(미완) ① 꺾어지다. 꺾이우다 ② 좌절되다; здоровье~омилось 몸이 약해졌다
надлежать (미완) (무인칭) (+미정형) ~ит выполнить 실행하여야 된다;~ит явиться 출두하지 않으면 안 된다
надлежащий (형) 해당하다, 응당하다, 적절한, 적합한; принимать ~ие меры 적절한 대책을 취하다;дать ~ий ответ 적합한 답변을 주다

надлом (남) 꺾인 자리; 좌절, 낙심
надломить(ся)см. надламывать(ся)
надломленный (형) 꺾어진; 좌절된. 꺾어진
надменный (형) 살똥스러운, 코가 높은, 건방진; ~ вид 교만한 태도
надо I см. нужно; ~ полагат ...아마; так ему и ~ 잘코사니
надо II см. над
надобность (여) 필요(必要);по мере ~и 필요에 따라; в случае ~и 필요한 경우에는
надоедать (미완) ① 싫증나다, 귀찮아지다, 물리다; ~ело играть 놀기에 싫증이 났다; ② 시끄럽게 하다, 직접(작신)거리다; 볶아대다
надоедливый (형) 시끄러운, 지꿎은, 깐작깐작한;~ человек 귀찮은 사람
надоесть (완) см. надоедать
надой (남) : ~ молока 젖(짜는)량, 착유량(搾油量)
надолго (부) 오래(동안), 장기간, 길이; он уехал ~ 그는 오래 동안 떠났다
надомный (형): ~ая работа 가내부업(家內副業), 가내공업(家內工業)
надорвать(ся) см. надрывать(ся)
надоумить (완) 알게 하다, 조언(助言)하다, 충고(忠告)하다
надписать (완), **надписывать** (미완) ① 덧쓰다 ② 겹쳐 쓰다, 위에다 쓰다 ~ адрес на конверте 봉투에 주소를 쓰다
надпись (여) 덧씀, 덧쓰기, 겉에 쓰는 것; надгробная ~ 비문, 묘문
надрать (완): ~ уши кому (처벌로) (귀를) 잡아채다(잡아당기다)
надрез (남) 약간 베어놓다
надрезать(완),**надрезать,надрезывать** (미완) 약간 베어놓다
надругательство (중) 호된 모욕(-侮辱), 거친 조롱(嘲弄), 모독(冒瀆)

надругаться (완) 모욕(侮辱)하다, 모독(冒瀆)하다, 망신(亡身)시키다

надрывать (미완) ① 약간 찢다, 약간뜯다; ~ конверт 봉투(윗 모서리)를 약간 뜯다 ② (지나치게 힘을 넣거나 과도한 노동으로) 꺾다, 해치다, 상하게 하다; ~ здоровье 몸(건강)을 해치다; ~ голос 목소리를 상하게 하다

надрываться (미완) ① (과로로 또는 무거운 것을 들어) 자기 몸을 상하게 하다, 꼬꾸라지다 ② 몹시 피곤해지다, 기진맥진해지다; ~ от смеха 배를 그러안고 웃다

надсмотрщик (남) 감독자, 감시인

надставить (완), **надставлять** (미완) 잇대다, 이어서 길게 하다, 덧대다, 덧놓다; ~ рукава 소매를 잇대어 길게 하다

надстраивать (미완), **надстроить** (완) 덧짓다, 위로 증축하다(높이다)

надстройка (여) ① 덧지은(증축된) 부분 ② (철학) 상부구조; базис и ~도 태와 상부구조

надувательство (중) 야박위속, 사기(詐欺); 기만(欺瞞)

надувать (미완) ① 부풀다, 팽팽해지다; ~ мяч 공에 바람을 넣다 ② 속여먹다, 야바위를 치다; ~ губы 부루퉁하다

надуваться(미완) ① 부풀다, 팽팽해지다 ② 부루퉁해지다, 새무룩해지다, 부풀다

надувной(형): ~ая лодка 공기 배; ~ой матрац 공기마다라스

надуманный (형) 꾸며낸, 지어낸; 인공적인(人工的-)

надумать (완) 결심하다, 마음먹다

надутый (형) ① 공기를 넣은 ② 부로통한, 새무룩한

надуть (완) см. надувать

надуться (완) см. надуваться

надушить(ся) (완) (자기 몸에) 향수를 뿌리다

надымить (완) см. дымить

наедаться (미완) 잘(많이, 실컷)먹다; ~ досыта 배불리 먹다;~ до отвала 짓 먹다

наедине (부) 단 둘이서; 맞서서; ~ с собой 혼자서, 홀로

наездить (완) (얼마만큼의 시간, 거리를) 달리다, 주행하다

наездник (남) 기수(騎手), 말 탄사람

наездом (부): бывать ~잠시 들리다

наезжать (미완) ① на кого-что (타고 가면서)...에 부딪치다...과 마주치다; ~ на столб 기둥에 부딪치다 ② (많이) 모여들다

наём (남) ① 고용(雇傭); ~ рабочих 노동자(들의); работа по найму 삯벌이, 품팔이(집, 방의) ② 세내기; сда- вать в ~세놓다

наёмник (남) 고용병(雇傭兵) 앞잡이

наёмный (형) ① 고용(雇用), 고용된; ~ый рабочий 고용 노동자; 삯(벌이)군 ② 세낸; ~ый дом 세집

наесться (완)см. наедаться

наехать (완)см. наезжать

нажать I (완); см. нажимать

нажать II (완); жать II

наждак (남) 금강사(金剛砂)

наждачный (형): ~ая бумага 갈이종이, 연마지(研磨紙)

нажива (여) 덧두리, 이윤; лёгкая ~힘 안 드는 이윤

наживать (미완) ① 모으다, 이익을 얻다, 벌이하다; ~ состояние 재산을 긁어모으다 ② (병, 불행 등을) 얻다, 가져오다, 걸리다; ~ неприятность 자기에게 불행을 가져오다

наживаться(형) (미완) 덧두리다 쳐먹다, 많은 이윤을 얻다, 부자가 되다, 치부하다

наживка (여) (낚시) 미끼, 낚시 밥
наживной (형): ~ое дело (쉽사리)얻을 수 있는 일
нажим (남) ① 누르는 것 ② 압력(壓力), 강박, 강요; согласиться под ~ом кого ...의 압력밑에 동의하다
нажимать (미완) ①누르다, 짓누르다 ② 압력을 가하다, 내리누르다, 독촉하다
нажить (완) см. наживать
назавтра (부) 이튿날로, 다음날에, 내일로, 익일(翌日)로
назад (부) ① 뒤로; сделать шаг ~한 발자국 뒤로 물러서다; оглядываться ~ 돌아보다; отступать ~ 후퇴를 ② 도로, 본래의 자리에; брать ~도로 찾다; получить ~되받다 ③ 이전에; два года тому ~ 2년 전에; взять свои слова ~ 먼저 말한 말을 취소하다
название (중) 이름, 명칭(名稱), 칭호(稱號); ~е улицы 거리의 이름; давать ~е см. называть
назвать(ся) (완) см. называть(ся)
наземь (부) 땅바닥에, 마루 바닥에
назидание(중) 훈시(訓示), 교훈(敎訓); в ~ 교훈으로
назидательный (형) 훈시적인, 교훈적인; ~ пример 교훈적인 실례
назло (부): делать ~...에게 약이 받치게 하다
назначать (미완) ① 정(지정)하다, 규정하다; ~ цену 값을 부르다(정하다) ② 임명하다 ③ (약을) 처방하다, 처방전을 주다
назначение (중) ① (기한, 장소 등을) 지정(指定); ~е даты 날자의 결정 ② 임명(任命) ③ 처방; делать ~я (약을) 처방하다; место ~я 목적지; станция ~я 도착역
назначить (완)см. назначать
назойливый (형) 지긋은, 치근거리는, 깐작깐작한
назревать (미완), **назреть** (완) ①여물다, 익다, 성숙되다 ② 절박(간절)하게 되다, 성숙되다; события ~ли 사건은 성숙되었다
назубок (부): знать ~ 통달하다; выучить ~ 암기하다, 잘 외우다
называть (미완) 이름을 주다(들다), (...하고)부르다, 명명하다;~ себя кем ...라고 자칭하다;~ вещи своими именами 숨김없이, 솔직하게 말하다
называться (미완) 명명되다, (...라고) 불리우다; как ~ется это дерево? 이 나무는 무엇이라고 합니까?
наиболее (부) 가장, 제일(第一), 특히; ~ удобный (다른 것 보다) 가장 편리하다
наибольший (형) 제일 큰, 최대(最大); с ~им эффектом 최대의 효과를 내여
наивность (여) 소박성, 천진난만한 것
наивный (형) 수진한, 천진난만한; ребёнок 천진한(순진한) 어린이
наивысший (형) 가장(제일) 높은, 최고; в ~ей степени 최고도로
наигранный (완) 가면적인, 거짓
наиграться (완) 마음껏(실컷, 만판) 놀다(놀이하다)
наизнанку (부) 뒤집어(서); вывернуть ~뒤집다; надеть ~뒤집어 입다
наизусть (부): (вы)учить ~외우다; знать ~암기하다;통달하다; читать ~ 암송하다, 내리외우다
наилучший (형) 가장(제일) 좋은, 최상(最上); ~ий результат 제일 좋은 결과; ~им образом 가장 좋은 방법으로; всего ~его 안녕히 계십시오(가십시오)
наименее(부) 가장 적게; ~ трудный 가장 쉬운; ~ интересно 보다 더 (가장) 재미없다
наименование (중) см. название

наименовать (완) *см.* называть
наименьший (형) 가장(제일) 작은, 최소(最小); идти по линии ~ его сопротивления 가장 쉬운 길을 택하다, 가장 편한 방법을 택했다
наискосок, наискось (부) 비스듬히, 기웃이 ; положить ~비껴(어긋나게)놓다; ~ от дома 집에서 엇비슷이
наитие (중) : по ~ю 영감에 의하여, 본능적으로
наихудший (형) 가장(제일) 나쁜, 최악; в ~ем случае 최악의 경우에는
наймит (남)*см.* наёмник
Найроби (남)*г.* 나이로비
найти (완)*см.* находить I, II
найтись (완) ① 나타나다, 발견되다; пропажа нашлась 잃었던 물건이 나졌다 ② 있다; не нашлось денег 돈이 없었다 ③당황하지 않다; я не нашёлся, что ответить 나는 어떻게 대답해야 할지 생각이 나지 않았다(대답해야 한지 몰랐다)
наказ (남) 분부, 당부, 훈수(訓手)
наказание (중) 벌(罰), 체벌(體罰), 처벌(處罰), 제재(制裁); телесное ~е 채벌, 체형; высшая мера ~я 최고형; подве-ргнуть ~ю *кого* ...에게 벌을 주다, 처형하다; отбывать ~е 벌을 서다
наказать (완), **наказывать** (미완) 처벌하다; строго ~엄벌하다
накал (남) ① (공학) 작열(灼熱) ② 극도(極度), 극도의 긴장
накалённый ① накалять의 피동과거 ② (형) 극도로 긴장된
накаливание (중) 작열(灼熱), 가열(假熱); лампочка ~я 백열전등
накаливать (미완) ① 달구다, 작열시키다; ~ докрасна 새빨갛게 달구다 ② 극도로 긴장시키다(격화시키다)
накаливаться (미완) ① 달다, 작열되다 ②극도로 긴장(격화)되다

накалить(ся) *см.* накаливать(ся)
накалывать(ся) *см.* наколоть(ся)
накалять(ся) *см.* накаливать(ся)
накануне① (부) 그 전날에; приехал ~그전 날에 왔다 ② (전) (+생) 전야에, 직전에, 앞두고; ~ праздника 명절 전야에
накапать (완) (약을 등을) 방울방울 떨구다(떨어드리다), 한 방울 한 방울을 부어 채우다
накапливать (미완)*см.* копить
накапливаться (미완) 쌓이다, 축적되다, 모이다
накачать (완), **накачивать** (미완); ~ воды (펌프로) 물을 퍼 올리다; ~ шину 타이어에 바람(공기)을 넣다
накашивать (미완)*см.* косить
накидать (완) *см.* набросать I
накидка (여) ① 걸치개 옷 날개옷 ②베개보
накинуть(ся) *см.* набросить(ся)
накипь (여) 속더껑이, 속디께, 물때
наклад(남): быть (остаться) в ~е 손실을 보다, 밑지다
накладная (여) 화물목록(貨物目錄), 화물인도증(貨物引渡證), 짐 보냄 표, 송장(送狀); железнодорожная ~ 철도화물운송장
накладной (형): ~ые волосы 덧머리; ~ые расходы 잡비
накладывать (미완) ① 위에 놓다, 위로 매다(대다), 쌓아올리다, 처담다; ~ повя-зку 붕대를 감다; ② *см.* налагать; ~ резолюцию 결의를 쓰다
наклеивать (미완) (풀로) 붙이다, 덧붙이다; ~ марку на конверт 봉투에 우표를 붙이다
налеиваться (미완) 붙다, 덧붙다
наклеить(ся) *см.* наклеивать(ся)
наклейка (여) 붙이는 것; 딱지, 상표
наклон (남) 경사(면); 경도

наклонение (중)(언어); повелительное ~ 명령법(命令法); изъявительное ~ 직설법; сослагательное (условное) ~ 가정법

наклонить(ся) см. наклонять(ся)

наклонно (부) 삐딱, 비슷이, 기웃이

наклонность (여) ① 경향(傾向), 취미(趣味); иметь ~ь к рисованию 그림 그리기에 취미를 가지다; ② 소질(素質), 버릇; дурные ~и 좋지 못한 버릇

наклонный (형) 기울어진, 경사진; ~ая плоскость 경사면, 비탈면

наклонять (미완) 숙이다, 기울이다, 굽히다, 구부리다

наклоняться (미완) 기울어지다, 쓸리다, 비딱거리다; 몸을 굽히다

наковальня (여) 모루

накожный (형): ~ые болезни 피부병; ~ая сыпь 발진, 종기

наколоть (완) ① 꽂아서 붙이다, 핀으로 붙이다(달다) ② 찌르다, 찔려 상처를 내다 ③ (일정한 량을) 쪼개다; ~ дров 나무를 패다

наколоться (완) 찔리다, 찔리워 상하다~ на иголку 바늘에 찔리다

наконец ① (부) 마침내, 드디어, 끝끝내; ② (삽입어) 마지막으로, 끝으로; ~-то! 됐다! 끝내! 이제야 됐군!

наконечник (남) ① 씌우개; ~ для карандаша 연필꽂개; ② 촉(觸), 끝; ~ стрелы 화살촉

накопительство (중) 재물을 탐내는 것, 축재자의 탐욕

накопить(ся) см. накапливать(ся)

накопление (중) ① 축적(蓄積), 집적(集積) ② 축적액

накормить (완) см. кормить

накосить (완) см. накашивать

накрапывать (미완) (비방울에 대하여); дождь ~ет 비가 듣기 시작 한다

накрасить (완)см. красить

накрахмалить (완)см. крахмалить

накренить(ся) (완)см. кренить(ся)

накрепко (부)см. крепко

накричать (완)на кого ...를 큰 소리로 꾸짖다(욕하다)

накрошить (완) см. крошить

накрутить (완), **накручивать** (미완) что на что ...를...에; 감다, (해해) 휘감하다, 감아띠다, 감아두다

накрывать (미완) 덮다, 씌우다; ~ (на) стол 밥상(식탁)을 차리다

накрываться (미완) ① чем ...로 덮이다 ② (자기 몸에)...를 쓰다(걸쳐입다),...로 덮다

накрыть(ся) см. накрывать(ся)

накупать (미완), **накупить** (완)(얼마만큼) (많이) 사다, 사들이다 ~ книг 책을 많이 사다

накурить (완) здесь накурено 여기는 담배연기가 자욱하다

налагать (미완) 지우다 штраф 벌금을 부과하다~ взыскание 질책을 가하다~ запрет 금지시키다

наладить(ся) см. налаживать(ся)

наладчик (남) 조절수, 조절자, 정비공(整備工); ~ станков 기대공

налаживать (미완) ① 정비(조정)하다, 고치다, 수리하다~ станок 기대를 정비하다(고치다); ② 조직하다, 꾸리다, 만들다, ~ сотрудничество 협조를 이룩하다(조직하다); ~ работу 사업을 조직하다; ~ жизнь 생화를 꾸리다

налаживаться (미완) 정돈되다, 잘,(제대로)되다, 이루어지다, 정상화되다

налгать (완)см. лгать

налево (부) 왼쪽으로, 왼편에, 좌측(左側)으로; свернуть ~ 왼편으로 덜다; (구령) 좌로 돌앗!

налегать (미완) ① 기대여 밀다(누르다); ~ на вёсла 힘껏 노를 젓기 시작

하다 ② 전력을 다하다, 열심히 하다, 전력으로 달라붙다; ~ на учёбу 공부에 힘껏 달라붙다, 학습을 애써하다

налегке (부) ① 가벼운 짐을 들고, 짐 없이 ② 가볍게 차려입고, 옷을 간단히 입고

налезать (미완), **налезть** (완) ① (신발이나 옷이)맞다, 들어가다; ② (많이) 기어들다; ③ (밀려와) 덧놓이다

налёт (남) ① 습격(襲擊), 내습(來襲), 기습(奇襲); воздушный ~ 공습(攻襲); совершать ~ на что...를 기습(내습)하다; ② (쇠의) 녹; ③ 엷은 층; ~ пыли 먼지가 앉은 층;~ на языке (의학) 혀 이끼; с ~a(y) 지체 없이, 준비 없이

налетать(미완),**~еть** (완) ① (많은 량이) 날아들다, 날아오다; ~тели комары 많은 모기가 날아들어 왔다; ②(군사) 습격(기습, 내습); 공격하다; ③(바람, 폭풍이) 갑자기 불어오다(나타나다); ④ см. наб- роситься; ⑤ см. наскочить

налету см. лёт

налётчик (남) 강도배, 강탈자(强奪-)

налечь (완)см. налегать

наливать (미완) 부어넣다, 부어드리다, 쏟아붓다~ стакан до краёв 잔이 찰찰 남게 붓다

наливаться (미완) ① (액체에 대하여) 흘러들다, 새어들다 ② 무르익다, 여물다; ~ кровью 피발이 서다

наливка (여) 과일술, 과실주(果實酒); вишнёвая ~ 양벗술

налипать (미완), **налипнуть** (완) на что ...에 붙다, 달라붙다, 들어붙다; ~ла грязь на сапоги 진흙이 장화에 들어붙었다

налить(ся) (완)см. наливать(ся)

налицо (부):(быть) ~ 있다, 출석하고 있다

наличие (중) ① 존재(存在), 실재(實在), 유무(有無); ② 출석(出席), 참석(參席)

наличность (여) ① см. наличие ② 현금(現金); ③ 재고(再考); ~ товаров 상품재고

наличный (형) 있는, 현존하는, 실재(實在); ~ый состав (군대 등의) 현존인원;~ые деньги 현금, 맞돈; за ~ый расчёт 현금으로

наловить (완)см. ловить

наловчиться (완) 익숙해지다,...하는 솜씨(재치)를 보이다, 솜씨 있게 (재빠르게)되다

налог (남) 세금(稅金), 세(稅), 조세(租稅); подоходный 소득세;~ платить세금을 물다; ~ облагать ~ом 세금을 물리다, 과세하다

налоговый(형);~ая система 세금제도(稅金制度)

налогообложение(중)(재정) 과제(課題)

налогоплательщик (남) 납세자(納稅者), 세금납부자

наложение(중) ① ~ ареста на что ...를 차압하는 것;~ штрафа 벌금의 부과; ② (의학): ~ швов 봉합(縫合); ~ повязки 붕대를 감는 것

наложить (완) см. ① накладывать ② см. налагать

налюбоваться (완) 마음껏 즐겨보다, 실컷 감상(구경)하다; не могу ~ на картину 그림을 아무리 보아도 싫증이 나지 않는다.

нам см. мы.

намазать(ся)(완),**~ывать(ся)**(미완) см. мазать(ся)

наматывать(미완) 감다, 감아두다(홰홰) 휘감다; ~ нитки 실을 감다; ~ (себе) на ус (어떤 목적 밑에) 보아두다, 염두에 두다

намаяться (완) см. маяться

намёк (남) 암시(暗示), 시사(時事), 귀

띔; говорить ~ами 빗대어 말하다; 에둘러 말하다 тонкий ~표현된 암시

намекать (미완), **намекнуть** (완) 암시하다, 귀띔을 해주다

намереваться (미완) ...려고 하다, 기도(시도)하다, 마음을 내다; я ~юсь пой-ти 나는 가려고 하다

намерен (술어도) (+미정형)...하려 한다,...을 할 각정이다; ~ поехать 갈 각정이다

намерение (중) 기도(企圖), 시도(試圖); без всякого ~я 아무런 생각도 없이, 우연히; с ~ем 일정한 의도 하에, 일부러

намеренно (부) 고의로, 일부러, 우정

намеренный (형) 고의적인, 우정하는

намести (완) 쓸어 모으다, 휘몰아 오다; ветром ~ло много снегу 바람에 눈이 많이 쓸어 모였다

намётанный (형): у него глаз ~ 그는 재치있는 사람이다

наметать I (완) см. намётывать

наметать II (완):~ руку(глаз) 익숙케 되다, 솜씨 잇게 되다

наметать III см. намести

наметить(ся) см. намечать(ся)

намётка I (여) 시침질

намётка II (여) (말체) 예정안, 속셈

намётывать (미완) 시침질하다, 시치다;~ рукав 소매를 시침질하다

намечать (미완) ① 표식하다, 표식으로 정하다 ② (날자, 장소 등을) 지정(예정, 예상)하다;~ дату отъезда 출발날자를 예정하다;~ кандидатуру 후보자를 지명하다;~ план 계획을 세우다

намечаться (미완) ① 예정(예견)되다 ② 약간(보일락 말락) 나타나다, 정쟁하다; ~ется улучшение 좋아질 것 같다

намеченный (형) 예정된, 지정된; ~ срок 예정된 기한

нами см. мы

Намибия (여) 나미비아

намного (부) 훨씬 더, 대단히 많이; он ~ старше меня 그는 나보다 나이가 훨씬 많다

намокать (미완), **намокнуть** (완) 젖다, 축축해지다, 후줄근해지다

намолачивать (미완), **намолотить** (완)(일정한량을) 탈곡하다, 마당질하다

намолоть (완) ① (일정한 량을) 붓다, 찧다, 갈다;~ муки 부어서 밀가루를 내다 ② 헛소리를 늘어놓다;~ чепухи 부질없는 말을 많이 하다

намордник (남) (개 또는 일부 동물의 아가리에 씌우는) 아가리씌우개, 부리망

наморщить(ся) (완)см. морщить(ся)

намотать (완)см. наматывать

намочить (완) 적시다, 추기다; ~бельё 빨래를 물에 담그다

намучиться (완) 많은 고통을 겪다

намывать (완) ① (흐름으로) 밀어가져오다, 충적시키다 ② 물에 일어(서) 얻다;~ золотого песку 사금을 일다

намывной(형) ① 충적된;~ое золото 사금; ~ая плотина 충적식동뚝

намыливать(미완), **намылить**(완)см. мылить; ~ голову кому ...를 몹시 책망하다(꾸짖다), 몰아세우다

намыть (완)см. намывать

намять (완)см. мять; ~ бока кому ...를 (마구)두들겨 패다

нанести (완) см. наносить

нанизать (완), **нанизывать** (미완) (일정한 량을) 꿰다, 꿰어놓다;~ грибы 버섯을 꿰다

нанимать (미완) ① кого ~ ...을 고용하다; рабочих 노동자들을 고용하다; ② (집 등을) 세내다

наниматься (미완) 고용되다, 채용되

다, 품을 팔다

наново (부) 새로이, 다시

нанос (남) ① (지질) 충적(衝積), 퇴적(堆積); ②~ы (복수) 퇴적물(堆積物), 충적층; песчаные ~ы 사주

наносить (미완) ① 많이 가져오다; 휩쓸어오다; 밀어가져 오다; ветер нанёс сугроб 바람에 눈더미가 생겼다(쓸어 모았다); ② 끼치다, 주다, 안기다; ~ удар 타격을 주다(가하다);~ ущерб 손해를 끼치다;~ оскорбление 모욕을 주다;~ поражение 참패를 안기다, 패배시키다 ③ 표식(標式)하다, 표기(標旗)하다;~ на карту 지도에 표식하다; ~ визит 방문하다

наносный (형):~ая почва 충적토

нанять(ся) (완)см. нанимать(ся)

наобещать (완)см. обещать

наоборот ① (부) 거꾸로, 뒤바꾸어; прочитать слово ~단어를 거꾸로 읽다 ② (부) (그와) 반대로; понять ~반대로의 뜻으로 이해하다 ③ (삽입어) 도리어

наобум (부) 생각 없이, 어림잡아, 대충; отвечать ~ 생각나는 대로 대답하다

наотмашь (부): бить ~ 힘껏 손을 휘둘러서 때리다

наотрез (부): отказывать ~ 단연코(딱) 거절하다

наощупь см. ощупь

нападать (미완) ① 덤벼들다, 달려들다; 습격(공격, 침공)하다;~ врасплох 불시에 덤벼들다, 기습하다 ② 마주치다, 찾다; ~ на след 발자국(자취)을 찾아내다; ~ на мысль 생각이 문득 떠오르다

нападающий(남) (체육) 공격수(攻擊手); центральный ~ 중앙공격수; правый (левый) крайний~ 우익(좌익) 공격수

нападение (중) ① 습격(襲擊), 공격(攻擊), 침공(侵攻); вооружённое ~e 무력침공; ② (체육) 공격; игрок ~я 공격수; центр ~я 중앙공격수

нападки (복수) 비난(非難), 공격(攻擊); подвергаться ~ам 비난을 당하다

напалм (남) 나팜

напарник (남) 일을 같이 하는 사람, 짝패의 한사람

напасть I (완) см. нападать

напасть II (여) 불행, 불운, 재난

напев (남) 노래가락, 선율(旋律)

напевать (미완) 조용히 노래 부르다

наперебой (부) 앞을 다투어, 말을 꺾어서; говорить ~앞을 다투어가며 말하다

наперевес (부): с винтовкой ~총을 비껴들고

наперегонки (부) 앞을 다투어, 서로 앞서려고; бегать ~서로 앞을 다투어 달리다

наперекор (부) ① 반대로, 어긋나게 ②(전) (+여) ...에 거슬려(지역하다), ... 반대하여; ~ велению. времени 시대의 요구(흐름)에 거역하여

наперерез (부) 가로 건너, 앞을 가로질러; бежать ~가로질러 뛰어가다

наперечёт(부) ① 모조리, 낱낱이; знать всех ~모든 사람을 모조리 알다; ② (술어로)많지 않다, 드물다;такие люди ~이런 사람들이 많지 않다

напёрсток (남) 골무

напечатать (완)см. печатать

напечь (완)см. печь II

напиваться (미완) см. напиться

напилить (완) см. пилить I

напильник(남) 줄, 줄칼;трёхгранный ~ 세모줄, 삼각 줄칼

написание (중) 쓰기; 맞춤법, 철자법(綴字法); правильное ~ 정확한 쓰기; раздельное ~ 띄어쓰기; слитное ~ 붙

여 쓰기

написать (완)*см.* писать

напиток(남) 음료; прохладительный ~ок 청량음료; спиртные ~ки 주류, 술

напиться (완) ① 흠뻑(실컷, 잘)마시다 ② 폭취하다

напихать(완), **напихивать** (미완) 마구 밀어넣다(틀어놓다), 쳐넣다, 처박다;~ в портфель книг 가방에 책을 많이 (가득) 채워넣다

наплевать (완) *см.* плевать; ему ~ на всё(это) 그는 이 모든 것을 거들떠보려고도 하지 않는다(보지도 않는다)

наплыв (남) (방문객 등이) 많이 들어오는것(밀려드는 것), 인산인해; ~ заказов 주문의 쇄도

наповал (부) 죽도록, 일기에; убить ~ 단방에 죽이다

наподобие (전) (+생) ...와 비슷한, ...과 유사한; скала ~ стены 벽과 비슷한 바위

напоить (완) *см.* поить

напоказ (부): выставлять ~자랑삼아 보이다

наполнить(ся) *см.* наполнять(ся)

наполнять (미완) 가득(히) 채우다(붓다), 충만시키다;~ портфель книгами 책으로 가방을 채우다

наполняться (미완) 가득차다, 충만되다; комната наполнилась дымом 방에 연기에 기득 찼다

наполовину (부) 절반으로, 절반쯤; 얼간; 불완전하게; дом ~ пуст 집이 반은 비었다

напоминание (중) ① 상기(회상)시키는 것 ② 예고(豫告), 경고(警告)

напоминать (미완), **напомнить** (완) ① 상기(회상)시키다; 예고하다; ② 비슷하게 보이다, 방불케 하다

напор (남) 중압(重壓), 압력(壓力);~ воды 수압(水壓)

напористый (형) 끈기있는, 억척스러운, 꾸준한;~ человек 무척 꾸준한 사람

напортить (완) ① 못쓰게 만들다, 망치하다 ② 해를 끼치다(주다)

напоследок (부) 맨 나중에, 끝으로, 마지막으로

направить(ся) *см.* направлять(ся)

направление (중) ① 방향(方向), 방면(方面), 방침(方枕); по ~ю к морю 바다로 향하여; противоположное ~е 반대방향; во всех ~ях 각 방면서 ② 경향(傾向), 조류(潮流), 방향(方向); 유파(流波); идейное ~е 사조; литературное ~е 문학조류 ③ 파견(派遣);~е на ра- боту 임명 ④ 파견장

направленность (여) 지향성(指向性), 경향성(傾向性); идейная ~ 사상적지향성

направлять (미완) ① 돌리다, 향하게 하다;~ средства 자금을 들이밀다; ~ по ложному пути 오도하다 ② 보내다, 파견하다;~ больного к врачу 의사에게 환자를 보내다

направляться (미완) 향하다, 가다, 걸어가다, 돌려지다; ~ к лесу 숲으로 (향하여)가다

направо (부) 오른쪽으로, 오른편에, 바른쪽에;~ от дороги 길 오른편에; (구령)우로 돌앗!; ~ равняйсь! (구령) 우로 나란히!

напрактиковаться (완) в *чём* ...에 실용하게 되다, 익숙해지다

напрасно (부) 헛되이, 쓸데없이, 공연히;~ стараться 공연히 애를 쓰다, 헛애를 쓰다

напрасный(형) ① 헛된, 쓸데없는, 공연한; ~ый труд 헛수고; ~ые старания 헛애 ② 근거 없는, 이유 없는; ~ая тре-вога 별걱정

напрашиваться(미완):~етяс мысль 생

각이 난다;~ется вывод 결론이 저절로 나온다.

например (삽입어) 예를 들면, 예컨대, 예를 들면

напроказить,~ничать (완) *см.* проказить, ~ничать

напрокат (부) 세내어, брать ~ 세를 내다, 빌려 쓰다; давать ~세주다

напролёт (부): всю ночь ~ 밤새도록, 밤새껏; весь день ~ 온종일, 해종일

напролом (부) 만난(萬難)을 무릅쓰고, 앞뒤를 가리지 않고, 온갖 어려움을 무릅쓰고

напропалую (부) 뒷일을 생각하자 않고, 조금도 개의치 않고, 좋아질 가망이 없이

напротив ① (부) 건너편에; 맞은편에;~ дома 집 맞은편에; ② (부) 반대로); он всё делает ~그는 모든 것을 반대로 한다 ③ (삽입어) 도리어, 오히려, 그와 반대로

напрягать (미완) ① 긴장시키다 ②: ~ слух 귀를 도사리다;~ зрение 눈초리를 도사리다; ~ внимание 주의를 집중시키다; ~ все силы 전력을 다하다

напрягаться(미완)① 긴장되다, 팽팽해지다; ② (있는) 힘을 다 모으다; все силы напряглись 모든 힘이 집중되었다

напряжение (중) ① 긴장(緊張), 팽팽함, 장력(壯力); ② (전기) 전압(電壓); ток высокого ~я 고압전류

напряжённо (부) 긴장하게

напряжённость (여) 긴장성, 긴장상태; ослабление ~и 긴장상태 완화

напряжённый (형) ① 긴장된, 정력적인; ~ые отношения 긴장된 관계 ② 무리한, 벅찬; ~ая борьба 번찬 투쟁

напрямик (부) ① 곧(똑)바로, 곧장, 곧추 ② 솔직히, 숨김없이; сказать ~ 솔직히 말하다

напрячь(ся)(완) *см.* напрягать(ся)

напуганный (형) 겁먹은, 놀란;~вид 놀란 기색

напугать(ся) (완)*см.* пугать(ся)

напускать (미완) ① (많이) 들어가게 하다, 들여보내다, (많이)넣다; ~ воды в бак 탱크에 물을 넣다 ② 달려들도록 (쫓도록)부추기다(사축하다);~ страху 공포를 일으키게 하다;~ на себя строгость 엄격한체 하다;~ на себя важность 점잔을 빼다(부리다, 피우다)

напускаться (미완) на *кого* ...에게 욕을 퍼붓다, 달려들어 꾸짖다

напускной (형) 가장한, 거짓, 부자연스러운;~ая важность 거짓점잔

напустить(ся) *см.* напускать(ся)

напутать (완)*см.* путать

напутственный (형) ~ая речь ~ое слово *см.* напутствие

напутствие (중) 작별인사, 환송사, 떠나보내면서 하는 당부(조언)

напутствовать (미완, 완) 배웅할 때 당부하다, 환송사를 하다

напухать(미완), **напухнуть** (완) 부풀어오르다, 붓다

напылить (완) *см.* пылить

напыщенный (형) ① 거만한, 뽐내는; ~ вид 거만한 태도 ② (문체, 글이) 과장한, 분칠한, 분식한

напяливать (미완), **напялить** (완) 힘써 씌우다, 억지로 입다, 억지로 신다;~ сапоги 겨우 장화를 쓰다

наработаться (완) 많이(힘껏)일하다, 일을 해서 지치하다

наравне (부) ① с *кем* ...와 같이, 동등하다 ② 나란히, 가지런히

нарадоваться (완) 마음껏 기뻐하다 (즐기다); не могу ~나의 기쁨은 끝이 없다

нараспашку (부) 단추를 안 채우고, 앞섶을 헤치고; у него душа ~그는 소

탈한 사람이다

нарастание (중) 누진, 증대, (점차적) 장성;~ революционного движения 혁명운동의 장성

нарастать (미완), **нарасти** (완) ① 누진(증대)되다, 강화되다,(점차적으로)장성하다, 늘어가다, 쌓이다 ② на *чём* (덧) 자라나다

нарастить (완)*см.* наращивать

нарасхват (부): покупать ~ 앞을 다투어 사다; продаваться ~ 날개 돋힌 듯이 잘 팔리다

наращивать (미완) ① 잇대어 길게 하다, 덧대다 ② 덧자라 나게 하다; ③ 증강하다, 증대시키다, 늘이다;~ вооружения 무력을 증강하다; ~ темпы 속도를 높이다

нарвать I (완)*см.* рвать
нарвать II (완)*см.* нарывать
нарваться (완)*см.* нарываться
нарезать(완),**нарезать**(미완) *см.* резать
нарезка (여) ① (나사못의) ② (무기의) 강선(鋼線)

нарекание (중) 나무람, 꾸지람; 비난; вызывать ~я 비난을 일으키다

наречие I (중) (언어)부사(副詞)
наречие II (중) 사투리, 방언(放言)
нарзан (남) 나르잔 약수(탄산수)
нарисовать (완)*см.* рисовать

нарицательный (형) ①: ~ая стоимость 액면가격, 명목가격 ②:~ое имя (언어) 보통명사(普通名詞)

наркоз (남) ① 마취(痲醉), 마취상태; местный(общий) ~국부(전신)마취 ② 마취제(痲醉劑)

наркоман (남) 마취제사용자, 마약중독자(痲藥中毒者)

наркотик (남) 마취약(痲醉藥)

наркотический (형) ~ое средство 마취제(痲醉劑)

народ (남) ① 인민(人民); советский ~ 소련국민 ② 민족(民族) ③ 인민대중, 사람들, 군중; здесь много ~у 여기는 사람아 많다

народиться (완)*см.* нарождаться

народно-демократический (형) 인민민주주의;~ая республика 민주주의인민공화국; ~ая революция 인민민주주의혁명

народно-освободительный (형) 인민해방; ~ая армия 인민해방군; ~ое движение 인민해방운동

народно-революционный (형) 인민혁명(人民革命); ~ое правительство 인민혁명정부; ~ая партия인민혁명당

народность I (여) 준민족(-民族)
народность II (여) 인민성(人民性)

народнохозяйственный (형) 국민경제(國民經濟); 인민경제적인;~ый план 인민경제계획;~ые грузы 인민경제에 쓰이는 화물

народный (형) ① 인민(人民), ~ое хозяйство 인민경제; ~ые массы 인민대중; ~ая песня 민요; ② 민족(民族); ③ (인민) 대중(對中) ④ 인민적인; ~ая демократия 인민적민주주의; ~ая ин- теллигенция 인민적인 인테리

народовластие (중) 인민정권(제)
народонаселение (중) 인구(人口)

нарождаться(미완) ① 태어나다, 출생(탄생)하다 ②나타나다, 산생되다, 출현하다

нарост (남) ① 더데 ② 혹, 옹두리
нарочитый (형) 일부러 한, 고의적인

нарочно (부) ① 일부러, 고의로, 짐짓 ② 모처럼

нарсуд (남) (народный суд) 인민재판소(人民裁判所)

наружное (중) (의학) 연고제. 외용약

наружность (여) 겉모양, 외모(外侮), 외관(外觀), 몰골; человек приятной ~и 풍채좋은 사람

наружный (형) ① 외면(外面), 외적(外的), 바깥쪽;~ая дверь 바깥문; ~ая стена 바깥벽; ② (의약) 외용(外用); ~ое лекарство 연고제, 외용약

наружу (부) 밖으로, 겉으로, 외면으로

нарукавник (남) 덧소매

наручники (복수) 수갑(手匣), 쇠고랑; надевать ~ 수갑을 채우다

наручный (형):~ые часы 손(목)시계

нарушать (미완) ① 위반하다, 어기다;~ обещание 약속을 어기다; ~ закон 법을 위반하다; ~ границу 국경을 침범하다 ② 문란케하다, 파괴하다; ~ мир 평화를 파괴하다;~ тишину 정적을 깨뜨리다

нарушение (중) ① 위반(違反), 침해(侵害); 침범; ~ трудовой дисциплины 노동규율위반; ~ границы 국경침범; ~ воздушного пространства 대기공간의 침공; ~ правил (체육) 반칙(反則) ② 파괴(破壞);~ обмена веществ 물질대사의 파괴

нарушитель (남) 위반자(違反者), 침범자, 교란자(攪亂者);~ гарницы 불법월경자; ~ порядка 질서교란자

нарушить (완)см. нарушать

нарцисс (남) (식물) 수선화(水仙花)

нары (복수) 침상, 판자로 만든 잠자리

нарыв (남) 부스럼, 종창(腫脹), 종처

нарывать (미완) 곪다, 부스럼이 나다

нарываться (미완)....와 마주치다, 우연히 조우하다;~ ан мину 지뢰(水雷)에 (우연히) 걸리다; ~ на неприятность 우연히 불쾌한 이를 당하다

нарыть (완)см. рыть

наряд I (남) 옷차람, 복장, 몸차람

наряд II (남) ① 작업지시 ② 지령서, 영수증(領收證) ③ (군사) 임무(任務); быть в ~e 임무수행 중에 있다

нарядить(ся) (완)см. наряжать(ся)

нарядный (형) 화려한, 몸단장을 잘한, 멋진; ~ое платье 화려한 옷; ~ый вид 맵시있게 차린 겉모양

наряду (부)с кем-чем ...와 더불어,...와 동시에; ~ с этим 이와 아울러; ~ со всеми 모든 사람들과 같이

нарядчик (남) 작업지시를 주는 사람, (지난날에)십장

наряжать (미완) ① 고운 옷을 차려 입히다, 치상시키다 ② 변장시키다, 가장하다

наряжаться (미완) ① 차려입다, 치장하다, 몸단장하다;② 변장하다, 가장하다

нас см. мы (생, 대, 전)

насадить (완) ① см. сажать ② см. насаживать ③ см. насаждать

насадка (여) ① 낚시밥, 미끼; ② (공학) 주둥이, 덮개

насаждать (미완) ① см. сажать ② 받아들이다, 도입하다, 보급하다; ~ дух 기풍을 세우다

насаждение (중) ① 나무심기, 재배(栽培); лесные 조림, 인공 조성림; ~я зе-лёные ~я 원림, 가로수 ② 도입(導入), 보급(普及)

насаживать (미완) 꽂아놓다, 꿰다, 씌우다, 달다;~ червя на крючок 지렁이를 낚시에 꿰다; ~ топор на топорище 도끼를 도끼자루에 맞추다

насвистывать (미완) (노래를) 휘파람으로 불다, 휘파람불다

наседать (미완) ① (먼지 따위가) 끼얹다, 쌓이다; ② 들이닥치다, 지르밟다, 들이닥치다, 육박하다

наседка (여) 어미닭, 알을 안는 닭

насекомое (중) 곤충(昆蟲), 벌레(蟲); вредное ~ 해충(害蟲)

население (중) 인구(人口); 거주민(居

住民); городское ~е 시민;сельское ~е 농촌주민; коренное ~е 원주민, 토착민; плотность ~я 인구밀도

населённый (형):~ пункт 부락, 주민 지점

населить(완),~**ять** (미완) ① 거주시키다; ② 살다, 거주하다

насест (완) (닭장의) 홰;садиться на ~ 홰에 오르다

насесть (완)*см.* наседать

насечка(여) ① 잘게 새기는 것 ② 새긴 자리, 눈; ~ на напильнике 줄칼 눈

насиженный (형):~ое место 오래 살던 곳, 오래 근무하여 마음이 붙은 곳

насилие (중) 폭력(暴力), 폭행(暴行), 강박(强迫); совершать (применять) ~ 폭력을 쓰다, 폭행을 (가)하다

насиловать (미완) ① 강제(강압)하다, 우격다짐하다 ② 강간(하다, 겁탈)하다

насилу(부) 겨우, 간신히;~ вырвался 겨우 빠져나왔다

насильно ① 강제로, 강다짐으로, 우격다짐으로; ~ мил не будешь (속담) 억지사랑은 못한다.

насильственный(형) 폭력적인, 강압적인;~ая смерть 횡사(뜻밖에 사고로 죽는다)

наскакивать (미완)*см.* наскочить

насквозь (부) 꿰뚫어서, 관통하여; ~ пробить (проколоть) 꿰뚫다, 관통하다; ~ промокнуть 흠뻑 젖다; ~ видеть *кого* ...마음을 꿰뚫어보다

насколько (부) ① (의문을 표시) 얼마만큼, 얼마쯤, 어느 정도까지; ~ мне известно 내가 아는 한에는; ~ возможно 할 수 있는 대로; ② (관계를 표시)...에 있어서는; настолько, ~ возможно 가능한데까지, 가능한 만큼

наскоро (부)*см.* наспех

наскочить (완) ① на *что* ...에 부딪치다,...와 마주치다, 충돌하다; ~ на мель 여울(여울살)에 들어붙다 ② *см.* набро- ситься

наскучить (완) 싫어지게 하다; 싫증하다; ~ло ждать 기다리기가 갑갑해졌다

насладиться (완), **наслаждаться** (미완) *чем...* 를 즐기다; ~ музыкой 음악 즐기다; ~ отдыхом 휴가를 누리다(즐기다)

наслаждение (중) 향락(享樂), 쾌락(快樂), 즐거움; слушать с ~м 흐뭇해서 듣다

наслаиваться (미완) 층(層)을 이루다, 쌓이다

наследие (중) 유산(遺産), 유물(遺物), 잔재(殘在); литературное ~ 문학유산; ~ прошлого 과거의 유산

наследить (완) 짓밟다, 자국투성이로 만들다

наследник (남) 상속자(相續者), 후계자(後繼者), 계승자(繼承者); законный ~ 법적상속자

наследование (중) ① 상속(相續), 계승(繼承); право ~я 상속권 ② (생리) 유전(遺傳)

наследовать (미완, 완) ① 상속하다, 계승하다, 물려받다; ~ имущество 재산을 상속하다 ②(생리)유전하다

наследственность (여) 유전(성)

наследственный (형) ① 상속(相續); ~ое имущество 상속재산 ②(생리) 유전(遺傳);~ая болезнь 유전병

наследство ①유산(遺産), 유산물, 물려받는 재산;получать ~о 유산을 받다; получать по ~у 상속하다; ② *см.* наследие

наслоиться (완)*см.* наслаиваться

наслушаться (완) 많이 (마음껏)듣다;~ разных рассказов 여러 가지 이야기를 많이 듣다

наслышка(여) по ~e 소문대로, 남의 말에 의하여; знать по ~e 소문으로 알다

насмарку (부): идти ~수포로 돌아가다

насмерть (부) ① 치명적으로, 죽도록; биться ~ 한사코(결사적으로) 싸우다 ② 몹시, 대단히; перепугаться ~ 몹시 간을 먹다, 간이 덜렁하다(콩알만 해지다)

на смех см. смех

насмехаться (미완) над кем-чем ...를 조롱(조소, 희롱)하다. 비웃다

насмешить (완) 웃기다, 웃게 하다

насмешка (여) 조소(嘲笑), 조롱(嘲弄), 희롱(戱弄), 남우세; осыпать ~ами 조소를 퍼붓다, 희롱하다; говорить в ~у 조롱, 조소를 목적으로 이야기 하다

насмешливый (형) 조롱하는, 비웃는, 농지거리하는; ~ая улыбка 조소, 비웃음

насмешник(남),**~ца** (여) 비웃기 좋아하는 사람, 조롱하는 사람

насмеяться (완) ① 마음껏(실컷)웃다 ② над чем ...를 조롱하다, 놀려대(주)다

насморк (남) 감기, 고뿔; получить ~ 감기에 걸리다; хронический ~만성고뿔, 만성감기

насмотреться (완) 실컷(많아) 보다 (구경하다)

насолить (완) ① 소금을 넣다(치다) ② 불쾌하게 하다, 해를 끼치다

насорить (완)см. сорить

насос (남) 펌프; пожарный ~ 소방(소화)펌프; воздушный ~공기펌프

насосный (형) ①:~ая станция 양수장 ②~ый поршень 피스톤식 펌프

наспех (부) 수박 겉핥기식으로, 바삐; делать ~ что ...를 후닥닥하다

наст (남) (눈의 표면에 생기는) 어름층, 언 눈의 표면(表面)

наставать (미완)см. наступать

наставить I (완) ① 많이 놓다(놓아두다, 세워놓다) ; ~ стульев 의자를 많이 놓다; ② 겨누다, 조준하다; ~ револьвер на кого ...를 향하여 권총을 겨누다

наставить II (완) 가르쳐주다, 훈시하다;; ~ан путь истинный 옳은 길을 제시하다

наставление(중) 교훈(教訓), 훈시(訓示); читать ~я 훈계(교훈)하다

наставлять I, II см наставить I, II

наставник (남) 훈시자(訓示者), 스승

настаивать I (미완) 주장하다, 우기다, 고집하다; 강청하다; ~ на своём 자기의견을 고집하다

настаивать II (미완) 담그다, 우리다

настаиваться (미완)см. настояться

настать (완)см. наступать I

настежь (부) раскрыть ~활짝 열다

настигать (미완) ① кого...를 따라잡다, 따라가다 ② 맞다들이, 갑자기 만나다

настил (남) 깔개, 깔린 널판자

настилать (미완) 깔다, 펴다, 포장하다; ~ доски 판자를 깔다; ~ паркет 쪽무이마루(바리케트)를 깔다

настичь (완)см. настигать

настлать (완)см. настилать

настой (남) 액기스, 우린물, 침출액; ~ чая 차물

настойка(여) ① 우림약, 엑기스제; ~ йода 옥도정기 ② 과실주(果實酒), 담근 술, 감홍주

настойчиво (부) 완강하게, 이악하게, 집요하게, 꾸준히; ~ спрашивать 다짐식으로 묻다; ~ работать над чем ...을 억척스럽게(꾸준히) 일하다

настойчивый (형)완강한, 이악한, 끈기 있는, 꾸준한

настолько (부) 그만큼, 그 정도로; ~,

что 얼마나(어쩐지) ....한지; ~ жарко, что 어찌나 더운지; он~ слаб, что не может стоять 그는 설 수 없으리만큼 쇠약하다, 그가 어찌나, 쇠약한지 서지도 못한다; это не ~ важно 이것은 그다지 중요하지 않다

настольный(형) ~ая лампа 탁상(전)등; ~ый календарь 탁상달력; ~ая книга 상용도서

настораживать см. насторожить

настороже (부) 경제(조심)하여, 정신을 바싹 차리고; быть всегда ~항상 경각성을 늦추지 않고 있다

насторожить (완) 조심하게 하다, 경제하게 하다; это меня ~ло 이것은 나를 경제하게 하였다;~ть уши(слух) 귀를 쫑긋 세우다(솟구다, 기우리다)

насторожиться (완) (사람이) 귀가 솔깃해서 엿듣다, 귀를 도사리다

настояние (중) 강한 요구, 주장(主張); по ~ю кого ...의 요구에 따라

настоятельно (부) ① 절실히, 긴요하게, 간절히,~ требовать 절실히 요구하다 ② 완고히, 완강하게

настоятельный (형) ① 절실(절박)한, 긴요한; ~ая просьба 간청 ② 완고한, 완강한;~ая необходимость 절박한 필요성

настоять I, II см. настаивать I, II

настояться (완) 우려지다, 침출되다; чай хорошо ~лся 차가 잘 우려졌다(울어났다)

настоящее (중) 현재(現在)

настоящий (형) ① 현재(現在), 지금; в ~ее время 지금, 현재 ② 참된, 참다운, 진정한; 진짜; ~ий друг 진정한(참다운)벗; ③ в ~ей книге 이 책에서; в ~ее время (언어) 현재

настрадаться (완) 고생을 많이 하다, 몹시 괴로워하다

настраивать (미완) ① (악기의) 음(音)을 맞추다, 조율(調律) 하다 ② (기계를) 조절(調節)하다, 조정(調停)하다, 맞추다; ~ приёмник на длинную волну 수신기를 장파에 맞추다 ③ 추기다, 부추기다, 사촉하다; ~ кого против кого-чего ...로 하여금...에 대하여 반감을 갖게 하다,.....로 하여금...를 반대하도록 추기다; ~ себя см. настраиваться

настраиваться (미완) на ...할 생각을 가지다(감정을 품다) ...할 각오가 있다

настриг (남)~шерсти 깎은 양털의 량

настригать (미완), **настричь** (완)(일정한 량을) 깎다, 자르다

настрого (부) 매우 엄격하게, ~ запретить 엄금하다; строго ~극히 엄격하다

настроение (중) ① 기분, 정신상태; праздничное ~ 명절맛; е быть в хорошем (плохом) ~ 기분이 좋다(나쁘다) ② 욕망(慾望), 마음; и иметь (не иметь) ~я делать что 할 욕망(마음)이 있다(없다) ③ (복수)-я 지향

настроенный (형) быть ~ным против... 에 대한 반감을 갖다(품다); я не ~ делать что ...할 마음이 없다

настроить I (완)см. настраивать

настроить II (완)см. строить

настроиться(완)см. настраиваться

настрой (남)см. настроение

настройка (여) ① (악기의) 음을 맞추는 것, 조를 ② (기구, 기계 등의) 조절, 조정, 파장을 맞추는 것

настройщик (남) (음악) 조율사(調律師)

настряпать (완)см. стряпать

наступательный (형) 공격(적인), 진공(進攻), 진격(進擊);~ый бой 공격전, 전격전; ~ ое оружие 공격무기, 타격무기

наступать I (미완) 되다, 도래하다,

- 302 -

닥쳐오다; ~ило лето 여름이 왔다(되었다); ~ила тишина 조용(잠잠)해졋다; ~ило утро 날이 밝았다;~ило молчание 침묵이 깃들었다

наступать II(미완) на кого-что 밟다; ~ на ногу кому „의발을 밟다

наступать III(미완)(군사) 공격, 진공

наступить (완)см. наступать I, II

наступление I (중) (군사) 공격(攻擊), 진공(進攻); перейти в ~공격으로 넘어가다 ② 공세(攻勢)

наступление II (중) (닥쳐)오는 것, 도래(到來); с ~м ночи 밤이 되자; с ~м весны 봄이 오자

настырный (형) 부전부전한, 끈끈한

насупить(완);~ брови 눈썹을 찡그리다

насухо (부) 바싹 마르게(깨끗이), 물기가 전혀 없게;вытереть ~물기가 없도록 깨끗이 닦다

насушить (완)см. сушить

насущный (형) 절실한, 긴요한, 당면한;~ая проблема 긴요한(당면한) 문제 ~ые интересы 절실한 이해관계

насчёт (전) (+생)кого-чего ...에 관하여 (대하여); говорить ~ работы 사업에 대하여 말하다

насчитать(완), **насчитывать** (미완) ① 세다, 헤아리다, 계산하다; ~ать лишних пять рублей 5(오)루블 더 많게 세다 ② (미완) (일정한 수량을)포함하다, 있다, 가지다; город ~ывает свыше мил- лиона жителей 도시인구는 백만 이상이다.

насчитываться (미완) 있다,...에 달하다; в городе ~ваются сотни школ 시내에는 수백 개의 학교가 있다

насыпать (미완), **насыпать** (완) ① на что ...에 뿌리다; ~ песку на дорожку 오솔길에 모래를 뿌리다 ② 붓다, 쏟아 붓다, 넣다, 채우다;~ дополна мешок рисом 자루에 살을 가들 채우다 ③ 쌓다, 쌓아 우뚝하게 만들다; ~ холм 둔덕을 쌓다

насыпь (여) 둑, 축대(築臺); железно-дорожная ~ 철길 둑; делать ~ 둑을 쌓다

насытить (완) ① 배부르게 먹이다 ② 충족(充足)시키다 ③ 가득 차게 만들다; воздух насыщен парами 공기 속에 수증기가 가득 차있다

насытиться (완) ① 배부르게 (잔뜩) 먹다, 게걸을 떼다 ② 포함되다, 머금다

насыщаться (완)см. насытить(ся)

насыщение (중) ① 배부르게 먹는 것 ②(화학) 포화(飽和)

насыщенность (여) ① (화학) 포화도, 포화량(飽和量); ② 충만성

насыщенный (형) ① (화학) 포화된;~ раствор 포화용액 ② 되알진, 충만된, 내용이 풍부한;~ый событиями год 사변이 많은(풍부한)해

наталкивать см. натолкнуть(ся)

натаскать(완), **натаскивать** (미완)

натащить (완) (일정한 량을)(많이) 가져오다, 끌어오다;~ мешков в подвал 자루를 지하실로 끌어들이다

натворить (완) (좋지 않은 일을)저지르다, 하다;что ты ~л! 아이구! 너 무슨 일을 저질렀나!

нате см. на

натекать (미완)см. натечь

нательный;~ое бельё 속옷, 내의

натереть(ся) (완)см. натирать(ся)

натерпеться (완) 많이 겪다(당하다). 고통을 많이 하다, 몹시 괴로워하다; ~горя 많은 슬픔을 겪어내다

натечь(완)흘러들다, 스며들다, 고이다

натирать (미완) ① (고약 등으로)문지르다.(문질러)바르다, 비비다; ② 발

라(서) 윤이나게 하다. 닦다 ③~ мозоль 물집이 생기게 하다.
натираться (미완) (고약 등으로) 몸에 문질러 바르다
натиск(남)맹공격(猛攻擊), 진격(進擊); 압력(壓力);под ~ом наших войск 우리 군대의 진격을 만아(당하여)
наткнуться (완)*см.* натолкнуться
натолкнуть (완) ① 밀어 부딪치게 하다, 맞닥뜨리게 하다 ② 암시하다, 유도하다;~ на мысль 생각이 떠오르게 하다
натолкнуться (완) ① на что ...에 부딪치다; на кого 와 맞추다,...를 우연히 만나다; ② 우연히 얻어내다(찾아내다)
натолочь (완)*см.* толочь
натопить (완)*см.* топить
натоптать (완)*см.* топтать
наточить (완)*см.* точить
натощак (부) 빈속에, 맨입으로, 식전에;принимать лекарство ~ 빈속에 약을 먹다
натр (남) (화학) :едкий ~ 가성소다
натравить(완), **натравливать**(미완) 추기다, 부추기다, 시촉하다
натренированый (형) 잘 훈련된
натрий (남) (화학) 나트륨(natrium)
натура (여) ① 천성(天性), 소질(素質), 본성(本性) ② 자연(自然) ③ (미술) 실물(實物), 실경(實景); рисовать с ~ы 실물을 보고 그대로 그리다 ④: платить ~ ой 현물로 물다
натурализация (여) (외국인 또는 국적없는 사람들의) 귀한
натурализм(남)(문학, 예술) 자연주의
натуралист (남) ① 자연과학자(自然科學者) ② 자연주의자(自然主義者)
натуралистический(형) 자연주의적인
натуральный (형) ① 자연(自然)(적인), 자연스러운 ② 현물(現物)에 의한; ~ое хозяйство 현물경리; ~ый налог 현물세 ③ 본래(本來); ~ый цвет 본색, 본래의 빛 갈; ~ый шёлк 본견; в ~ую величину 실물대로 ④ 천연(天然); ~ мёд 자연산꿀; ~ые смолы 천연수치; ~ый продукт 천연산(물)
натуроплата (여) 현물보수
натурщик (남),~ца (여) 모델을 서는 사람, 모델
натыкаться (미완)*см.* натолкнуться
натюрморт (남) 정물화, 정물사진
натягивать (미완) ① 잡아당기다, 죄다; ~ верёвку 밧줄을 팽팽히 당기다 ② 잡아당겨 입다(쓰다, 신다)
натяжение (중) (공학) 장력(張力)
натяжка (여):допускать с большой ~ой 많을 구실을 붙여서 받아들이다
натянутый ① (형) 긴장된;~ые отношения 긴장된 관계 ② (형) 부자연스러운, 위선적인;~ая улыбка 부자연스러운 미소
натянуть (완)*см.* натягивать
наугад (부) 되는대로, 생각나는대로, 무턱대고
Наум (Книга Пророка Наумы, 3장, 904쪽) 나훔서(Book of Nahum- 書)
наудачу (부) 요행을 바라고, 운명에 맡기어, 되는대로
наука (여) 과학; ~а и техника 과학과 기술; естественные ~ 자연과학; и общественные ~и; это тебе ~а! 네게 있어서 좋은 교훈이 될 것이다
наускать(완), **наускивать** (미완)
наутёк (부):пуститься ~달아나다, 내뛰다, 도주하다
наутро (부) 아침이면, 다음날 아침에
научить (완) ①*чему* 또는 (+미정형) 배워주다, (가르치다); ~ читать 읽기를 배워주다(가르치다) ②...하가로 대주다(조언하다) ~ сказать неправду

научиться (미완) 배워알다,..할 줄 알게 되다, 습득하다;~ управлять автомобилем 자동차를 운전할 줄 알게 되다; ~ иностранному языку 외국어를 배워알다

научно (부) 과학적으로

научно-исследовательский (형) 과학연구; ~ий институт 과학연구소

научно-популярный(형): ~ая литература 과학기술통속도서; 과학지식보급서적

научно-технический(형) 과학기술; ~ая информация 과학기술통보; ~ий прогресс 과학기술적진보

научный(형) ① 과학;~ые круги 과학계; ② 과학적인; ~ый коммунизм 과학적공산주의; ~ый сотрудник 연구사;~ое учреждение 과학기관

наушники (복수) ① 수화가 ②귀걸이

наушничать(미완) 고자질하다, 꽂아넣다

наущение (중): по ~ю кого ...의 사촉하에, ...의 부추김에 따라

нафталин (남) 나프탈린

нахал (남) 낯도깨비, 철면피한 자식

нахальный (형) 염치없는, 뻔뻔스러운

нахальство(중) 파렴치한(철면피한) 행위

нахватать (완) ① (많이) 잡아(쥐다) ②:~ знаний см. нахвататься

нахвататься (완):~ знаний (сведений) 피상적인 지식을 얻다

нахимовец (남) 나히모브(명칭) 해군유년학교 학생, 해군사관생도.

нахимовский (형):~ое училище 나히모브(명칭) 해군유년학교

нахлебник (남) 식충이, 밥벌레

нахлобучивать (미완), **нахлобучить** (완) (모자를)내려쓰다, 눌러쓰다, 들쓰다

нахлобучка (여):получить ~у 경을 치다, 질책을 받다

нахлынуть (완) ① 밀려들다, 쓸어들다, 치밀다; ~ла волна 파도가 밀려왔다 ②떠오르다, 내리밀다, 수많이 생기다; ~ли воспоминания 추억이 구름피듯 머리에 떠올랐다

нахмуривать (미완), **нахмурить** (완):~ брови 눈썹을 찌푸리다;~ лоб 이마살을 찡그리다

нахмуриться (완) ① 얼굴을 찡그리다 ② (날씨가) 흐려지다

находить I (미완) ① 찾아내다, 앝어내다, 발견하다; ~ гриб 버섯을 발견하다;~ выход из положения 출로를 찾다 ② 생각하다, 인정하다 нахожу нужным сказать 말할 필요가 있다는 것을 인정하다 ③ 받다, 얻다; ~ утешение в книгах 독서에서 위안을 받다; ~ удовольствие в чём ...를 즐기다;~ в себе могилу 죽다, 사망하다

находить II ① (가면서)마주치다, 부딪치다; нашла коса на камень (속담) 낯이 돌과 맞서다 ② (가면서) 가리우다, 덮다; туча нашла на солнце 구름이 해를 가렸다 ③ (많이) 모여들다 нашло дыму 연기가 몰려나왔다; нашло много народу 사람들이 많이 모여왔다

находиться I (미완) ① см. найтись ② (일정한 장고, 상태에)있다; институт ~ся недалеко от дома 대학은 집에서 멀지 않은 곳에 잇다 ③ 머물러있다, 체류하다; ~ься под следствием 심리를 받는 중이다;~ься в командировке 출장중이다; ~ься под надзором 감시하에 있다

находиться II (완) 많이(실컷) 걸어다니다; 걸어서 지치다(피로해지다)

находка (여) 찾은(얻는, 주은)물건(物

件); бюро ~ок 습득물취급소
находчивость (여) 기지, 기민성(機敏性)
находчивый (형) 기지(가) 있는; 역빠른;~ ответ 역빠른 대답
нацеливать (미완) ① 겨누다, 조준하다 ② на что ...하려고 하다, ...할 목적(목표)을 가리키다
нацеливаться (미완) ① в кого-что 겨누다, 조준하다; ② на что...하려고 하다, ...할 목적(목표)을 가지다
нацелить(ся) см. нацеливать(ся)
наценка (여) 가격인상; с ~ой 가격을 인상하여
нацепить (완), **нацеплять** (미완) ① (옷, 모자에) 꽂아놓다, 붙이다, 달다; ~ бант 리본을 달다 ② 걸치다, 매달다
нацизм (남) 나치즘, 독일파시즘
национализация (여) 국유화(國有化)
национализировать(미완,완) 국유화하다
национализм (남) 민족주의(民族主義)
националист (남) 민족주의자
националистический(형) 민족주의(적인);~ая политика 민족주의정책
национально-освободительный(형) 만족해방;~ое движение 만족해방운동
национальность (여) ① 준민족 ② 민족(民族); какой вы ~и? 당신이 어느 민족입니까? 당신이 어느 나라 사람입니까? ③ 민족성(民族性)
национальный (형) ① 민족(民族), 민족적인(民族的);~ая культура 민족문화; ~ый вопрос 민족문제; ~ое меньшинство 소수민족; ~ый характер 민족성; ~ый язык 민족어; ~ое равноп- равие 민족평등 ② 국가(國家), 인민(人民); ~ый гимн 국가; ~ый флаг 국기; ~ доход 국민소득(國民所得); ~ая независимость 민족적 독립

нацист (남) 나치스트, 독일파시스트
нацистский (형) 나치스트, 독일파시즘
нация (여) ① 민족(民族), 국민(國民); 겨레; малая ~약소민족; ② 나라, 국가(國家); Организация Объединённых Наций, ООН 유엔(UN), 국제연합기구
нацменьшинство см. национальн (оеменьшинство
начало (중) ① 처음, 시작, 개시(開始),;시초(始初), 초기(初期); ~ нового учеб-ного года 새 학년도의 시작; в самом ~е 맨 처음에; с самого ~а 애초부터, 맨 처음부터, 벽두부터; в ~е этого ме-сяца 이달 초에; в ~е 90-х годов 90년대의 초기에; ~о зимы 첫겨울; в ~е пятого 네(4)시 조금 지나서; ② 기원(起源), 본원(本源); положить ~о чему ...의 기원이 되다,...을 시작하다; брать ~о 발원하다 ③출발점, 지점; ~ улицы 거리의 시작; ④ 기초(基礎), 요인(要因), 원칙(原則); на добровольных ~ах 자원원칙에 의하여; организующее ~о 조직적요인
начальник (남) 장(長), 장관(長官), 책임자(責任者); ~ станции 역장(驛長); ~ штаба 참모장(參謀長)
начальный (형) ① 처음, 시초(始初);~ая точка (수학) 시(작)점, 원점(原點) ②초보(初步), 초보적인(初步的-), 초급, 초등(初等); ~ое образование 초등교육; ~ый курс 입문서, 초보 ③ 초기(初期); в ~ой стадии 첫 단계에
начальственный(형) 상관다운, 위엄한
начальство (중) ① (집합) 상관들, 간부들 ② 상관의 권력(권한); быть под чьим ~м ...의 지도하여(밑에)잇다
начать(ся) (완)см. начинать(ся)
начеку (부): быть ~준비(태세)를 갖추고 있다, 주의 깊게 하다

начерно(부):написать ~초벌로 쓰다
начертание (중) 모양(模樣), 도형(圖形); ~ иероглифа 획, 도식(圖式)
начертательный (형):~ая геометрия (수학) 도학(圖學), 화법기하학(畫法幾何學), 입체도학
начертить (완) см. чертить
начётничество (중) 독경주의, 독경주의적 지식
начётчик (남) 독경주의자, 독경쟁이
начинание (중) 개시된 사업, 시작하는 것; 발기
начинать (미완) 시작하다, 개시하다; ~ разговор 이야기를 시작하다; начало накрапывать 비방울이 듣기 시작하다
начинаться (미완) 시작되다, 개시되다, 일어나다; начался новый год 새해가 시작되었다; **началась** война 전쟁이 일어났다
начинающий ① (형) 시작하는, 갓 착수한(들어선) ~ писатель 신진작가 ② (명사로) 시인, 초대(招待), 초학자(初學者)
начиная(전):~ с , от...를 비롯하여
начинить(완), **начинять**(미완) 채우다, 소를 박다(넣다); ~ пирог мясом 고기를 만두에 넣다
начисление (중) ① 가산(加算), 계산(計算) ② 가산금(加算金)
начислить (완), **начислять** (미완) 가산하다, 계산(計算)하다;~ проценты 이자를 가산하다
начистить (완)см. чистить
начисто (부) ①: переписать ~ 정서하다 ② 손금 보듯이. 전혀, 전적으로; ~отказался платить 지불할 것을 단연 거절하였다; ~ забыл 전혀 잊어버렸다
начистоту (부) 털어놓고, 솔직히; гово-рить ~까놓게 말하다
начитанность(여) 많이 읽기, 다독(多讀)
начитанный(형) 책을 많이 읽는, 박식한; ~ человек 다독가
начитаться(완) 많이 읽다, 실컷 읽다
начищать (미완) см. начистить
наш (소유 대) (남), **наша** (여), **наше** (중), **наши** (복수) 우리, 우리들의; ~ дом 우리 집; наша школа 우리들의 학교; наше знамя 우리의 기발; в наше время 현재, 우리 시대에
нашатырный(형):~ спирт 암모니아수
нашатырь (남) ① (화학) 염화암모니아; ② (의학) 암모니수
наше см. наш ② (명사로) (중) 우리의 것
нашептать(완), **нашёптывать**(미완) 소근소근 알려주다(이야기하다), 소곤거리다; 꽂아 넣다.
нашествие (중) 침입(侵入), 침략, 침습
наши ① см. наш; ② (명사로) (복수) 우리 편, 우리 사람(동지, 찬척, 동포)들;~ выиграли 우리 편이 이겼다
нашивать (미완) на что 박음질하여...에 꿰매어달다(대다, 붙이다), 덧붙이다; ~ карман 호주모니를 달다; ~ заплату 헝겊을 대고 깁다
нашивка (여) (군사) 완장, 금장
нашить (완) ① см. нашивать; ② ~ много одежды 옷을 많이 짓다
нашумевший (형) 떠벌리던, 화제거리로 되였던
нашуметь (완) ① см. шуметь ② 물의를 일으키다, 화제거리로 되다
нащупать(완), **нащупывать** (미완) ① 더듬어 찾아내다; ~ пульс 맥을 짚어보다 ② 찾아내다; ~ почву 탐지해내다
наэлектризоватьсм.электризовать
наяву (부) 실제상, 현실적으로; как ~ 생시처럼

Нджамена (여) z. 느쟈메나
не (조) (뒤에 오는 단어의 뜻을 부정함): не пришёл 오지 않았다; не видел 보지 못하였다;не холодно 춥지 않다; не (у)ходи 가지 말라; я не врач 나는 의사가 아니다; не могу не согласиться 동의하지 않을 수 없다; не без интереса (어느 정도) 흥미 있게; не за что 일없습니다, 천만에, 천만의 말씀입니다
неаккуратность (여) ① 차근차근하지 못한 것, 게저분한 것 ② 부주의(不注意), 부정확한 것
неаккуратный (형) ① 차근차근하지 못한, 꺼벙한, 게저분한 ② 부정확한, 부주의하는
неактуальный(형) 현실적가치가 없는
неантагонистический (형) ~ие противоречия 비적대적모순
неаппетитный (형) 맛없는, 입맛을 돋우지 못 한
небезопасный (형) (어느 정도로) 안정하지 못한
небезызвестный (형) 잘 알려져 있는; 악명 높은
небезынтересный (형) 흥미없는
небережливый (형) 아끼지 않은, 절약하자 않은, 헙헙한
небесный(형) 하늘, 천장(天障);~ свод 하늘, 천장
неблаговидный(형) 비난(꾸지람)을 받아야 할, 쑥스러운, 좋지 못한; ~ посту-пок 비난 받을 짓(행동)
неблагодарность (여) 은혜를 모르는 것, 망은; чёрная ~배은망덕
неблагодарный (형) ① 은혜를 모르는, 배은망덕한; ~ труд 보상을 받지 못한 노력
неблагожелательный (형) 호의 없는, 악의가 있는;~ отзыв 악평

неблагонадёжный (형) ① 믿음성 없는, 믿을 수 없는 ② 불온한
неблагополучно (부) ① 순조롭지 못하게, 불쾌하게 ② (술어로) 순조롭지 못하다, 좋지 못하다, 일이 잘 안 된다
неблагополучный (형) 순조롭지 못한, 무사하지 않은, 불행한; ~ исход дела 순조롭지 못한 사업의 결말; ~результат 성과가 없는 결과
неблагоприятный (형) 불리한, 부정적인, 좋지 않은; ~ое впечатление 나쁜 인상; ~ая обстановка 역경
неблагоразумный (형) 무분별한, 분별없는, 무모한, 머리없는;~ поступок 경솔(무모)한 행위
неблагоустроенный (형) 잘(문화적으로) 꾸려져있기 않은, 잘 정리되지 못한
небо (중) 하늘 ; под открытым ~ом 한지에; быть на седьмом ~е 더 없는 행복을 느끼다;난데없이 나타나다(벌어지다)
нёбо (중) (해부) 입청장, 구개(口蓋); твёрдое(мягкое) ~경(연)구개
небогатый (형) ① 부유하지 않은, 유족지 못한; ~ человек 유족지 못한 사람 ② 풍부하지 않은, 제한된; ~ ассорти- мент 제한된 품종
небоеспособный (형) 전투력이 없는
небольшой (형) ①(량이) 많지 않은, 적은;(크기가)크지 않은 ,작은; (기간이) 오래지 않은 ② 제한된 ③중요하지 않은, 보잘 것 없이; ~ая услуга 대단치 않은 방조;... с ~им;...여„ сто рублей 100(백) 여 루블; с ~им 나이가 40(사십) 남짓하다
небосвод (남) 하늘, 창공(蒼空)
небосклон (남) 하늘가, 지평선
небоскрёб (남) 마천루, 고층건물
небрежно (부) 되는대로, 범범하게,

꺼벙하게, 소홀하게

небрежность (여) 꺼벙한 것, 범범한 것, 소홀, 무관심

небрежный (형) 꺼벙한, 께자자한, 범범한; 소홀한

небритый (형) 면도하지 않은

небывалый(형) 지금까지 있어본 적이 없는, 이제껏 없었던, 미증유의; ~ урожай 전례 없는 큰 풍년

небылица (여) 꾸며낸(거짓)말(이야기), 허황한 말; рассказывать ~ы 꾸며낸 이야기를 하다

небьющийся (형) 쪼개지지 않는, 깨지지 않는;~ееся стекло 깨지지 않는 유리

неважно (부) ① 변변치 못 하게, 그다지 좋지 않게; чувствовать себя ~몸이 편찮다; дела идут ~ 일이 잘 되어가지 않는다. ② (술어도) 중요하지 않다; это ~ 일없다, 괜찮다

неважный(형) ① 중요하지 않는; 하찮은, 대수롭지 않은 ② 좋지 못 한, 나쁜

невдалеке (부) 멀지 않는 곳에, 근처에, 부근에; жить ~근처에 살다

неведение (중) 모르는 것, 무식(無識); находиться в ~и 모르다

неведомый (형) 알지 못한, 알려지지 않은;~ая сила 신비로운 힘

невежа (남, 여) 막된 사람, 까막눈이; 교양없는

невежда (남, 여) ① 무식쟁이, ② в чём ...를 모르는 사람; ~ в искусстве 기술을 모르는 사람

невежественный (형) ① 몽매한, 우매한, 무식한; ② в чём ...를 모르는; ~ в технике человек 기술을 모르는 사람

невежество (중) ① 무식(無識), 몽매(夢寐), 맹목(盲目); ② см. невежливость

невежливо (부) 무례하게, 예절없이

невежливость (여) 예절 없는 것, 버릇없는 것(짓).

невежливый (형) 예절 없는, 버릇없는 ,무례한, 거치른

невезение (중) 비운, 재수 없는 것

неверие (중) 불신(不信), 불신념, 신심이 없는 것, 의혹(疑惑)

неверно (부) ① 틀리게, 잘못, 부정확하게; ~ понимать 잘못 이해를 하다, 오해하다; ~ сосчитать 잘못 세다 ② (술어로) 틀리다, 옳지 않다, 부정확하다

неверный (형) ① 틀린, 잘못된, 부정확한; ~ вывод 부정확한 결론; ② 믿지 못할, 불충실한, 배식적인

невероятно (부) ① 믿기 어려울 정도로, 엄청나게 ② 아주 비상하게, 극도로; ③ (술어도) 믿기 어렵다, 아주 비상하다

невероятный (형) ① 믿기 어려운 ② 상상외의, 비상한, 놀랄만한; ~ успех 놀랄만한 성과

неверующий (형) ① 종교를 믿지 않은, 신앙이 없는; ② (명사로) (남) 무신론자, 종교를 믿지 않은 사람

невесёлый (형) 불쾌한, 명랑하지 못한, 쓸쓸한

невесомость (여) 무중력(無重力); сост-ояние ~и 무중력상태

невесомый (형) ① 무게가 없는, 아주 거벼운;~ аргумент 불철저한 논증

невеста (여) 약혼한 차녀, 약혼녀(約婚女), 색시, 색시감

невестка (여) 형수(兄嫂), 제수(弟嫂) 一 며느리, 올케

невзгода (여) 풍랑(風浪), 풍파(風波), 가난신고, 고생(苦生)

невзирая (전) на что ...를 가리지 않고(무릅쓰고),...을 본문하고,...에도 불구하고; ~ на лица 안면에 관계없이

невзлюбить (완) 싫어하게 되다, 원망하게 되다

невзначай(부) 뜻밖에, 불의에, 우연히

невзрачный (형) 볼품없는, 보잘것없는, 아름답지 못 한;~вид кого 주제꼴

невзыскательный (형) ① 요구성이 강하지 않는, 까다롭지 않은 ② 평범한, 소박한

невиданный (형) 이제껏 없었던, 일찍이 있어보지 못 한, 전례 없는, 미증유의; 희한한

невидимый (형) 눈에 보이지 않는(띄지 않는); ~ая цель 은폐된 목표

невинно (부) ① 죄 없이 ② 순진하게

невинный (형) ① 죄 없는, 무죄한, 무고한 ② 순진한; с ~ым видом 모르는체하고 ③ 순결한, 숫된

невиновность(여) 죄 없는 것, 무죄(無罪)

невиновный (형) 죄 없는, 무죄한; признать ~ым 무죄로 인정하다

невкусный (형) 맛없는; ~ суп 맛없는 국

невменяемость (여) (법률) 책임능력(責任能力); быть в состоянии ~и 형사책임을 추궁할 수 없는 정신 상태에 있다

невменяемый (형) ① (법률) 책임능력이 없는 ② 흥분하여 자제력을 잃은, 미친 듯한.

невмешательство (중) 불간섭(不干涉); ~ во внутренние дела 내정불간섭, политика ~а 불간섭정책

невмоготу (부) (술어로) 참을 수 없다,...할 힘이 없다

невнимание(중),**невнимательность** (여) ① 부주의(不注意), 산만성(散漫性), 소홀(疎忽) ② 불친절, 불손(不遜)

невнимательный (형) ① 부주의한, 범범한; ② 불친절한, 불손한

невнятно (부): говорить ~알아듣지 못하게 말 하다

невнятный(형) 똑똑하지 못한, 불명료한, 알아듣지 못 할;~ая речь 알아듣지 못할 말, 혀 꼬부라진 소리

невод (남) 고기잡이 그물, 어망(漁網); забрасывать ~ 그물을 치다(던지다)

невозделанный (형) 경작하지 않은, 일구지 않은; 황폐한

невоздержанный (형) ① 과도하게, 지나치게 하는, 넘쳐나는; ~ в пище 음식을 알맞게 먹지 않는, 과식하는 ② см. несдержанный

невозможно (부) (술어로) 불가능하다, ...할 수 없다; ~ выяснить 알아낼 수 없다; ~ сделать 할 수 없다

невозможность (여) 불가능성, 실현될 수 없는 것

невозможный(형) 불가능한;~ое дело, 실현불가능한 일 ② 참지 못 할; 견딜 수없는; ~ая боль 견딜 수 없는 아픔

невозмутимость (여) 침착성, 태연자약한성; сохранять ~침착성을 가지다

невозмутимый (형) ① 침착한, 태연자약한; ~ое выражение лица 태연자약한 (얼굴의) 표현 ② 깨뜨릴 수 없는;~ая тишина 괴괴한 정적

неволить(미완) 억지로 시키다, 강요하다

невольник (남),~ца (여) ① 노예(奴隷), 종 ② 죄수(罪囚)

невольно (부) 무의식적으로, 본의 아니게, 부지중

невольный (형) ① 뜻밖에, 우연(偶然)한; 부지중의; 본능적(本能的)인; ~ая ошибка 뜻하지 않은 실수; ② 부득이한, ~ свидетель 우연한 목격자

неволя (여) 자유롭지 못한 것, 속박(束縛); 감금(監禁)

невообразимый (형) 상상외의, 생각

초자 할 수 없는; ~ая радость 비할 데 없는 기쁨;, ~ шум 대단히 떠드는 소리

невооружённый (형) 무장하지 않은, 무기를 가지지 않은; ~ым глазом 육안으로

невоспитанный(형) 교양 없는, 예절 없는, 버릇(이) 없는

невосприимчивый (형) ① 감수성이 약한 ② (의학) 면역성 있는

невпопад (부) 맞지 않게, 적절치 않게; отвечать ~엉뚱한 대답을 하다

невразумительный 깨닫지 못할, 이해하기 어려운(힘든); ~ ответ 이해가 힘든 대답

невралгический (형) (의학) 신경통(神經痛); ~ие боли 신경통

невралгия(형) (의학) 신경통(神經痛)

неврастеник (남) 신경(쇠약) 환자

неврастения(여) (의학) 신경(쇠약)증

невредимый (형) 손상(해)을 입지 않은, 상하지 않은; цел и ~무사하다

невроз (남) (의학) 신경증(神經症); ~ сердца 심장신경증

неврология (여) (의학) 신경(병)학

невропатолог (남) 신경병의사, 신경병리학자

невыгодный (형) ① 이득(利得)이 없는, 무익(無益)한, 이롭지 못한; 불리한; ~ая позиция, 불리한 진지 ② 불편한, 나쁜; ~ое впечатление 나쁜 인상

невыдержанный (형) 자제력이 없는. 성미가 급한, 침착하지 못한

невыносимый (형) 참을 수(견딜 수) 없는, 참기 어려운;~ая боль 참을 수 없는(참지 못할)아픔

невыполнение (중) 미달(未達); ~ плана 계획미달; ~ обязательств 의무를 이행하지 않는 것;, ~ приказа 명령의 배반

невыполнимый (형) 실행(수행, 이행, 완수)할 수 없는, 해내기 어려운

невыразимый (형) 말로 표현 할 수 없는, 표현하기 어려운, 이루 헤아릴 수 없는; ~ая красота 형언할 수 없는 아름다움

невыразительный (형) 표현성이 없는(풍부하지 못한), 무표정한;~ое лицо 무표정한 얼굴

невысокий (형) ① 높지 않은, 낮은 ②좋지 않은(못한);~ая оценка 좋지 못한 평가

невыход (남): ~ на работу 결근; ~ книги 책이 발행되지 않은 것

невыясненный (형) 밝혀지지 못한, 해명되지 못한, 알아내지 못한

негатив (남) (사진) 원판, 종판, 음화

негативный (형) 부정적(否定的)인, 부정(否定); ~ая позиция 부정적 입장; ~ое отношение 부정적 태도

негде (부) (+미정형) ...할 곳(자리) 없다; ~ сесть 앉을 자리가 없다; ~ достать 구할 데가 없다

негибкий (형) 신축성(융통성)이 없는; ~ ум 신축성이 없는 지혜

негигиеничный (형) 비위생적인

негласный (형) 비밀리에 진행하는, 비공개; ~ надзор 비밀리에 하는 감시

неглубокий (형) ① 깊지 않은, 얕은, 옅은; ~ая тарелка 해바라진 접시 ② 해발딱한, 심오하지 못 한, 피상적인; ~ие знания 얕은 지식

него см. он, оно

негодность (여) 쓸모(소용)없는 것, 무용지물; приходить в ~쓸모없게 되다; приводить в ~쓸모없게 만들다, 망치다

негодный (형) ① 쓸모없는, 못쓸, 적합지 않은 ② 나쁜, 저급한, 천한; вода, ~ ая для питья 먹지 못하는 물; ~ые грибы 먹을 수 없는 버섯

негодование (중) 격분(激忿), 분개(慎

慨), 분노(憤怒), 비분; приходить в ~ см. негодовать, с ~м 분개 하여, 격분에 차서;, сдерживать ~ 비분을 참다

негодовать (미완) 격분(분노, 분개)하다, 통분하다

негодующий (형) 분개하는, 격분에 넘친; ~ протест 격분에 넘친 항의, ~ взгляд 격분에 찬 눈초리

негодяй (남) 망종(亡終), 몹쓸 놈

негостеприимный (형) 손님을 좋아하지 않는, 잘 대접하지 않는, 냉대하는, 반겨 맞아주지 않는

негр (남),**~итянка** (여) 흑인(黑人)

неграмотность (여) 문맹(文盲), 무지(無智), 무식(無識); ликвидация ~и 무맹퇴치;, политическая ~ь 정치적 암둔성

неграмотный (형) ① 문맹(文盲), 무지한 ② 정통하지 못한, 서투른 ③ (명사로) (남) 문맹자, 무식자

негритянский (형) 흑인(黑人)

негромкий (형) 요란하지 않은, 소리가 낮은;~им голосом 낮은 목소리로

недавний (형) 얼마 전에 있는, 오래지 않은, 최근; с ~их пор 요즈음부터, 최근부터, до ~его времени 얼마 전까지

недавно (부) 얼마 전에, 요즈음, 최근에; это случилось ~이일은 일어 난지 오래지 않다

недалёкий (형) ① 멀지 않은, 불원한, 가까운; в ~ом будущем 가까운 앞날에, 불원한 장래에, ② 시야가 좁은, 편협한

недалеко (부) ① 멀지 않은 곳에, 가까이에; ② (술어로) (얼마) 멀지 않다, 가깝다

недальновидный (형) 근시안적인, 예견성(선견지명)이 없는;~ая позиция 근시안적태도

недаром (부) ① 무근거하지 않게, 연고가 있어서;~ он это сделал 그가 그것을 한데는 이유가 있다, 무턱대고 한 것이 아니다; ~ говорится 연고가 있어서 하는 말이다; ② 헛되지 않게

недвижимость (여) 고정재산

недвидимый (형) 눈에 보이지 않는 (뜨이지 않는); ~ая сторона луны 달의 보이지 않는 쪽(후면)

недвусмысленный (형) 애매하지 않은, 명료한, 명확한

недееспособный (형) 무능력한, 행동력이 없는

недействительный (형)효력(효과)이 없는; признать ~ым 무효로 인정하다; билеты ~ы 표는 무효이다

неделикатный (형) 불손한, 점잖지 않은, 야비한

неделимый (형) ① 나눌 수 없는, 불가분의;~ фонд 불분할폰드 ② (수학) 완제되지 않은

недельный(형) 주(週), 1(일)주일간, 주간(週間);~ отпуск 1(일) 주일간의 휴가; в ~ срок 1(일)주일동안

неделя (여) 주, 주일(週日), 1(일)주일간, 주간;~я советских фильмов 소련영화 상영주간; в течении ~и 1주일간에; на будущей ~e 다음주(내주)(일)에; каждую ~ю 매주일, 주일마다; без году ~я 불과 며칠밖에 안 된다

недисциплинированность (여) 규률이 없는 것, 무규률성

недисциплинированный (형) 규률이 없는(느즈러진); 무규률적인;~ый человек 해이한 사람

недоброжелательность (여) 악의(惡意), 악감(惡感), 적의(敵意)

недоброжелательный (형) 악의(악감)를 품은;~ое отношение 악의 품은 태도

недоброкачественный (형) (품)질이

나쁜 (낮은);~ый товар (품)질이 나쁜 상품, 불량품;~ая вещь 불량한 물건

недобросовестность (여) ① 비양심적인 것, 불성실성 ② 소홀, 등한

недобросовестный (형) 비양심적인, 성실치 못한;~ человек 비양심적인 사람; ② 소홀한, 건성건성한; ~ое отношение к делу 사업에 대한 소홀한 태도

недобрый (형) ① 선량하지 못한, 적의(악의)를 품은, 좋지 못한; питать ~ые чувства 나쁜 마음(악심)을 먹다 ② 불길한, 나쁜; ~ый час 불길한 시간(때); ~ая весть 불쾌한 소식

недоваривать (미완), **недоварить** (완) 설삶다, 설끓이다

недоверие (중) 불신임(不信任), 의심(疑心); питать ~ к кому ...에게 대하여 의심을 품다; с ~м 믿지 못하는 태대로

недоверчиво (부) 반신반의하게, 의심스럽게

недоверчивость (여) 반신반의(半信半疑), 회의심(懷疑心), 회의감(懷疑感)

недоверчивый (형) 반신반의하는, 회의감을 품은; ~ое отношение к кому-чему ...에 대한 회의적인 태도

недовесить (완), **недовешивать** (미완); 모자라게 달다, 달아서 속이다; ~ сто граммов 100그람이 모자라게 달다

недовольный ① (형) 불만족한, 서운케 하는; 시들한, 시무룩한; ~ взгляд 불만의 시선 ② (명사로) (남) 불평(不平), 불만을 부리는 사람

недовольство (중) 불만, 불평, 울분

недовыполнение (중) 미달, 채 끝나지 못하는 것

недовыполнить (완) 채 완수하지 못하다, 완료하지 못하다.

недогадливый (형) 눈치가 무딘, 총기가 빠르지 못한

недоглядеть (완)см. недосмотреть

недоговорённость (여) ① 완전한 보지 못한 것, 합의가 없는 것 ② 미처 말하지 못한 것

недогрузка(여) 적재부족, 적재부족량

недоделать (완)см. доделывать

недоделки (복수) ① 미완성부분, 다 해내지 못한 것 ② 흠점

недоделывать (미완) 다(끝까지) 마쳐 하지 않다, 채 완성하지 못하다

недоедание (중) 굶주림, 굶기, 식사부족

недоедать (미완) ① 배를 곯다, 절반 굶어 살다 ② 다 먹지 않다, 덜 먹다

недозволенный (형) 금지된, 용납 못할, 허용되지 않는; ~ приём 용납 못할 수단

недозревать(미완), **недозреть** (완) 설익다, 데익다, 채 익지 않다

недоимка (여) 미납세, 미납금, 채납세

недоконченный (형) 채 끝까지 않은, 미완성한

недолго(부) 잠시, 단기간에;~ думая 곧, 잠시 생각하여

недолговечный (형) 오래 가지 못하는, 오래 쓰지 못하는; 수명이 짧은, 오래 살지 못하는

недолюбливать (미완) 좋아하지 않다, 달가워하지 않다, 마음에 들지 않다

недомогание (중) 불편한 것, 몸탈; чувствовать ~ 몸이 불편하다(편치 않다)

недомолвка (여) 빼놓은(빠진) 말, 채 하지 않은 말

недооценивать(미완),**недооценить** (완) 과소평가하다; 낮잡다

недооценка (여) 과소평가(過小評價), 불충분한 평가(平價)

недоплата (여) ① 채 물지 않은 것 (미불금) ② 지불잔액

недоплатить(완), **недоплачивать** (미완) 모지가게 물다, 다물지 않다

недополучить (완) 덜 받다, 채 다 받지 못할, 참을 수 없는

недопустимый (형) 허용할 수 없는, 용납 못할, 참을 없는

недопущение(중) 불허(不許), 금지(禁止)

недоразвитый (형) ① 발육이 불완전한, 발육부족의 ② 지능이 떨어진, 잔잔한

недоразумение (중) 오해(誤解), 곡해(曲解); рассеять ~е 오해를 풀다; по ~ю 오해로 인하여

недорогой (형) 비싸지 않은, 녹은; по ~ цене 헐(한)값으로

недород (남) 흉작(凶作)

недоросль (남) 둔한 젊은이

недосмотр (남) 불찰, 부주의(不注意); по ~у 불찰로 해서

недосмотреть (완) ① 잘 살피지(감시하지) 않다, 간과하다 ② 채 다 보지 못하다

недоспать (완)*см.* недосыпать

недоставать (미완) 모자라다 ,부족하다; ~ёт опыта 경험이 부족하다; этого ещё ~вало! 야단났구나!

недостаток (남) ① 부족(不足), 결핍(缺乏); за ~ком чего ,,,의 부족 때문에 ② 결점(缺點), 결함(缺陷), 부족점(不足點), 흠점(欠點); физический ~ок 육체(적)결함; устранять ~ки 결함을 고치다

недостаточно ① (부) 불충분하게, 모자라게;~ знать 잘 알지 못하다 ② (술어로): этого ~이것으로는 불충분하다(모자라다)

недостаточность(여) ① 불충분(不充分), 부족(不足), 궁핍(窮乏); за ~ю улик 증거불충분으로; ② (의학) 기능부족(技能不足)

недостаточный (형) 부족한, 불충분한, 모자라는, 불완전한

недостача (여) ① 부족(不足) ② (검열시에 발로된) 현금 (금액, 재산) 부족; ~ денег в кассе 금고의 현금부족

недостижимый (형) 달성할 수 없는, 다닫지 못할, 도달할 수 없는;~ая цель 달성할수 없는 목적

недостоверный (형) 믿을만한 것이 못되는, 믿기 어려운, 확실치 못한, 의심스러운

недостойный (형) ① 떳떳하지 않는,...할 가치가 없는;~ин внимания 주의를 끌만한 가치가 없는;~ин какого звания ...의 칭호를 지닐 자격아 없다 ② 도덕이 없는, 해갈 궂은, 수치스러운; ~йное поведение 비도덕적행위, 개 같은 행실

недоступный (형) ① *см.* неприступный ② 이해하기 어려운, 납득할 수 없는 ③ (값에 대하여) 너무 비싼

недосуг (남) ① 다망한 것, 시간이 없는 것 ② (술어로) (+미정형)...할 틈(짬시간)이 없다;мне~ этим заниматься 나는 이것을 할 틈이 없다(겨를조차 없다)

недосчитаться(완), **недосчиты-ваться** (미완) ① 계산해서 부족을 발견하다 ② 모자라다; ~ трёх книг 책 세 권이 모자라다

недосыпать (완) 덜 쏟아넣다(쏟다), 모자라게 뿌려넣다

недосыпать (미완) 채(실컷) 자지 못하다, 선잠자다

недосягаемый(형) *см.* недостижимый

недотрога (남, 여) 자기를 건드릴 수 없게 하는 사람, 신경질적인 사람

недоумевать (미완) 이상하게 생각하다, 어쩔 줄 모르게 하다, 잘 깨닫지 못하다

недоумение (중) 몰라서 벙벙하는 것, 당황해하는 것; быть в ~и 어이가 없어서, 어쩔줄 몰라서

недоумённый (형) 몰라서 벙벙해하는, 당황케하는, 영문모를

недоучка (남, 여) 반쪽지식밖에 없는 사람, 학식이 깊지 못한 사람

недочёт (남) ① 결함(缺陷), 부족점(不足點); исправлять ~ы в работе 사업상의 결함들을 시정하다 ② 실수(失手), 잘못

недра (복수) ① 땅속, 지하 매장물(埋藏物); ②: в ~х души 마음속 깊이

недруг (남) 적, 원수(怨讐)

недружелюбие (중) 적의, 불친절

недружелюбный 적의를 품은, 불친절한, 친절하지 못한

недружественный (형) 비우호적인, 우정없는

недружный (형) ① 화목하지 못한, 사이가 좋지 못한, ~ая семья 사이가 좋지 못한 가정 ② 손발이 안 맞는; ~ая раб-ота 손이 맞지 않은 일

недуг (남) 병(病); тяжкий ~ 중병

недурно (부) ① 괜찮게, 나쁘지 않게, 쏠쏠하게 ② (술어로) 괜찮다, 나쁘지 않다, 쏠쏠하다

недурной (형) 그리 나쁘지 않은, 괜찮은, 쏠쏠한; она ~а (собой) 그 여자는 괜찮게 생겼다(어여쁘다)

недюжинный (형) 비범한, 비상한; ~ талант 탁월한 재능

неё см. она

Неем (Книга Неемии, 13장, 512쪽) 느헤미야(Nehemiah書)

неестественный (형) ① 부자연스러운, 꾸며낸, 지어낸 ② 괴이쩍은, 억질 된, 보통이 아닌, 이상한

нежданно (부): ~-негаданно 뜻밖에, 우연히

нежданный (형) 기다리지 않았던, 뜻밖의; ~ая встреча 우연한 상봉; ~ый гость 뜻밖의 손님

нежелание (중) 원하지 않는 것, 딱해하는 기색

нежелательный (형) 원하지 않는, 마음이 내키지 않은, 싫은

неженатый (형) ① 미혼(未婚), 장가하지 않은 ② (명시로) 독신(獨身), 총각, 강가가지 않은 사람

нежизненный (형) 비현실적(非現實的)인; 공상적(空想的)인

нежилой (형) 비현실적(非現實的)인; 공상적(空想的)인; ~ дом 빈 집 ② 거주(居住)(거처) 할 수없는

нежиться (미완) (포근히 안겨) 즐거움을 누리다, 안온함을 즐기다

нежность (여) 정다움, 애정, 애무

нежный (형) ① 애정에 넘친, 정다운, 흔흔한;~ взгляд 상냥한 시선; ② 말랑말랑한, 연한, 부드러운;~ый цвет 연한 빛 ③ (연) 약한;~ое растение 연약한 식물

незабвенный (형) 망각할 수 없는, 잊지 못할;~ друг 잊지 못할 벗

незабудка (여) (식물) 외지치(꽃), 물망초(勿忘草)

незабываемый (형) 잊을수 없는,, 잊지 못할; ~ое впечатление 잊을 수 없는 인상

незавершённый (형) 미진된, 미완성, 완수되지 못한

незавидный (형) 부럽지 않은, 보잘 것없는, 좋지 못한

независимо (부) ① ~ от чего ...에(...과는)관계없이,...을 막론하고; ~от этого 이것과는 관계없이 ② 독립(獨立)하여, 자립적(自立的)으로

независимость (여) 독립(獨立), 자주(自主), 자주성(自主性), 자주독립(自主獨立); национальная ~ 민족적 독립; эконо-мическая ~ 경제적 자립

независимый (형) 독립적인, 자주적인, 독자적인; ~ые страны 독립국가들

независящий (형): по ~им от *кого* обстоятельствам 부득이한 사정으로, 어쩔 수 없는 사정으로

незадача (여)*см.* неудача

незадачливый (형) 불운한, 운이 나쁜, 재수가 없는

незадолго (부): ~ до ...하기하기 얼마 전에 (조금 전에)

незаинтересованный (형) 이해관계(利害關係)없는, 관심(關心)없는, 무관심(無關心)한

незаконно (부) 비법적(非法的)으로

незаконнорожденный(형)~(ребёнок) 사생아(私生兒)

незаконность (여) 비법(非法), 의법, 비법행위

незаконный (형) 비법(非法), 비법적(非法的)인, 법에 어긋나는;~ брак 비법적인 결혼;~ сын 사생아

незаконченный (형) 끝나지 않은, 미진된, 완성되지 못한

незамедлительно (부) 지체 없이, 즉시, 곧

незаменимый (형) 바꿀 수 없는, 대치할 수 없는, 없어서는 안 될;~ работник 누구와도 바꿀 수 없는 일군

незамерзающий (형): ~ий порт 부동항(不凍港); ~ая жидкость 얼지 않는 액체, 부동액(不凍液)

незаметно (중) 눈에 뜨이지 않게, 슬쩍슬쩍, 슬그머니, 남모르게, 어느덧, 어느새;~ прошла ночь 어느덧 밤이 지났다; ~ уйти 슬그머니 가버리다

незаметный (형) ① 눈에 띠지 않는, 잘 보이지 않는 ② 잘 아려지지 않는, 사소한;~ человек 평범한 사람

незамужняя (여) 시집가지 않는 여자, 미혼녀(未婚女), 처녀(處女)

незамысловатый (형) 단순한, 까다롭지 않은; 소박한;~ узор 소박한 무늬

незанятый (형) 일이 없는, 한가한, 빈; ~ое место 차지하지 않은 자리; ~ый дом 빈 집; я сегодня ~ 나는 오늘 바쁘지 않다

незапамятный (형): с ~ых времён 아득히 먼 옛날부터

незапертый (형) 자물쇠를 채우지 않은, 자물쇠를 걸지 않은

незапятнанный (형) 오점이 없는, 깨끗한, 더럽히지 않은; ~ая репутация 오점이 없는 명예

незаразный (형) 전염되지 않는, 비전염성;~ая болезнь 옮지 않는 병

незаслуженно (부) 부당하게, 당치 않게; 무고하게; ~ подвергаться нападкам 얼토당토아니한 비난을 받다

незаслуженный (형) 부당한, 당치 않은; 과분한;~ая награда 분에 넘치는 표창;~ое наказание 부당한 처벌

незастрахованный (형) 보험이 들지 않은; ~ое имущество 보험이 들지 않은 재산

незастроенный (형) 집(건물)을 짓지 많은, 비어있는;~ участок 빈땅, 공지

незатейливый*см.* незамысловатый

незаурядный (형) 비범한, 결출한, 특출한; ~ые способности 특출한 재능

незачем (부) 필요(이유)가 없다; ~ ходить туда 그리로 다닐 필요는 조금도 없다; ~ и говорить 말할 필요가 없다, 두말할 것도 없다

незащищённый (형) 보호(保護)받지 못한, 무방비한, 보호시설이 없는; ~ от ветра 바람막이하지 못한, 방풍장치를 하지 못한

незваный (형) 청하지 않은;~ гость 불청객(不請客)

нездешний (형) 이 지방의 것이 아닌; 타지방;~ человек 타곳사람

нездоровиться (미완): ему ~ся 그는 몸이 편치 않다

нездоровый (형) ① 건강하지 못한, 병색이 있는, 앓은; ~ вид 앓은 기색; ~ цвет лица (얼굴의)병색 ② 건강에 해로운; ~ климат 유해한 기후 ③ 불건전한, 좋지 못한; ~ая обстановка 좋지 못한 환경

незлопамятный (형) 원망하지 않는, 원한(앙심)을 품지 않는

незнакомец(남), **~ка**(여) 낯선 사람, 초면객

незнакомый(형) ① 알지 못 하는, 미지의, 모르는; ~ая дорога 초행길; ~ые места 초면강산 ② (명사로) (남) 낯선 (안면이 없는) 사람, 초면객

незнание (중) 무지(無智), 무식(無識); по ~ю чего ...를 몰라서(모르기 때문에); ~е дела 맹문

незначительный (형) ① 중요하지 않은, 대수롭지 않은, 보잘것없는, 시시한 ② 얼마 안 되는, 많지 않은, 적은; ~ыс потери 많지 않은 손해; ~ое большин-ство 얼마 안 되는 차이를 가진 다수

незрелый (형) ① 익지 않은, 여물지 못한; ~ое яблоко 익지 않은 사과 ② 미숙한; ~ый возраст 미성년

незыблимый (형) 확고부동한, 끄떡없는, 견고한

неизбежно (부) 불가피하게.

неизбежность (여) 불가피성, 필연성

неизбежный (형) 불가피한, 면치 못한, 필연적인

неизведанный (형) ① 탐구해내지 않은, 알려지지 않은 ② 겪어보지 못한, 체험하지 못한

неизвестно (부) ① 알지 못하게, 불명하게; пришёл ~ кто 누군지 모를 사람이 왔다; ② (술어로) 알지 못하다, 모르다; живёт ~ где 어디선지 모를 데서 산다.

неизвестность (여) 불명, 부정, 무소식; жить в ~и 남들이 모르게 산다.

неизвестный (형) ① 알려지지 않은, 불명한, 남모르는; ~ое число 수학 미지수; ~ая песня 난데없는 노래 ② 이름 없는, 불명; могила Неизвестного солдата 무명전사묘; ~ый художник 이름 없는 화가

неизгладимый (형) 기억에서 사라지지 않은, 지을 수 없는, 이즐 수 없는; ~ое впечатление 잊을 수 없는 인상

неизлечимый (형) 고칠 수 없는, 불치의; ~ая болезнь 불치의 병

неизменно (부) 변함없이, 여전히, 확고부동하게

неизменный (형) ① 변하지 않는, 불변한, 굳어진; ~ые привычки 굳어진 급관 ② 충실한, 변함이 없는; ~ый друг 충실한 벗

неизмеримый (형) ① 헤아릴 수 없는, 한량없는 ② 무한한

неизученный(형) (아직) 연구하지 않은

неимение (중) за ~м чего ...이 없어서 (없기 때문에); за ~м лучшего 더 좋은 것이 없어서

неимоверный (형) 믿기 이려운, 이루 헤아릴 수 없는, 비상한, 대단한; ~ые трудности 상상할 수 없는 난관

неимущий (형) 재산이 없는, 무산; ~ класс 무산계급

неинтересно (부) ① 재미(흥미)없게 ② (술어로) 재미(흥미)없다

неинтересный (형) 재미(흥미)없는, 맛(멋)적은; ~ая вещь 지질할 물건

неискренний (형) 불성실(不誠實)한, 진실하지 못한

неискренность 불성실성(不誠實性); 무성의(無誠意); 위선(僞善)

неискусный (형) 솜씨(재지)없는, 서

투른, 능숙하지 못한
неискушённый(형) 경험이 없는(적은) 노련치 못한, 서틈한; ~ в политике 정치를 잘 모르는
неисполнимый (형) 실행(집행)할 수 없는, 실현될 수없는; ~ое желание 실현될 수 없는 소원
неисполнительный (형) (임무를) 잘 집행(수행)하지 않는; ~ работник 하려는 노력이 없는 일군
неиспользованный (형) 쓰지 않은, 사용하지 않은, 공돈; резервы 쓰지 않은 예비
неиспорченный (형) ① 썩지 않은 ② 고장이 없는, 성한
неисправимый (형) 고칠 수 없는; 시정 못할; 고질이 된
неисправность (여) ① 고장(故障); ~ машины 기계의 고장
неисправный (형) ① 고장난(故障-); ~ механизм 고장난 기계; □ 근면치 못한, 게으른, 둔한
неисследованный (형) 탐구(탐사)되지 않은, 연구(조사)되지 않은
неиссякаемый (형) 무진장한, 무궁무진한, 다함없는;~ источник 무진장한 원천
неистовство (중) 미처 날뛰는 것, 광란(狂亂), 광포(狂暴)
неистовствовать (미완) 미처 날뛰다, 광란을 부리다, 광포하게 굴다.
неистовый (형) 미친 듯, 날뛰는, 광란적인, 광포한
неистощимый(형) см. неиссякаемый
неисчерпаемый (형) 무진장한 ,무궁무진한, 다함없는; ~ые запасы 무진장한 예비
неисчислимый (형) 무수한, 헤아릴 수 없는
ней см. она
нейлон (남) 나이론(nylon)

нейрохирургия(여)(의학) 신경외과학
нейтрализация (여) ① 중립화 ② (화학) 중화
нейтрализовать (미완, 완) ① 중립화 하다 ② (화학) 중화시키다
нейтралитет (남) 중립; соблюдать ~ 중립을 지키다
нейтральный (형) ① 중립(中立), 중립적인(中立的-);~ое государство 중립국(가);~ое отношение 중립적 태도; ~ая зона 중립지대 ② (화학) 중성(中性); ~ый раствор 중성용액
нейтрон (남) (물리) 중성자(中性子)
нейтронный (형) (물리) 중성자(中性子);~ая бомба 중성자탄
неказистый (형) 꾀죄죄한, 불품이 없는, 보잘 것 없는;~ наряд 초라한 옷차림
некапиталистический(형): ~ путь развития 바자본주의적 발전노정
неквалифицированный (형) 비숙련공, 숙련되지 못한, 무자격; ~ рабочий 미숙련공;~ труд 미숙련노동
некий (미정 대) 어떤
некогда I (부) (술어로) 시간이 없다; мне ~ читать 나는 독서할 시간이 없다; мне очень ~나는 대단히 바쁘다
некогда II (부) 한 때, 언젠가, 어느 때; ~ здесь было озеро 여기는 한때 못이었다.
некого (부정 대) (+미정형) некому, некем, не о ком ...할 사람이 없다; ~ послать 보낼 사람이 없다; некем заменить 교대할 사람이 없다; не у кого спросить 물어볼 사람이 없다; мне некому передать книгу 내가 책을 전할 사람이 없다
неколебимый (형) 확고부동한, 굳은
некомпетентный (형) ① 충분한 자식을 못가진, 충분하게 통달하지 못한 ② 권한(자격)이 없는;в этом деле

он ~ен 이일은 그의 직권밖에 있다
некорректный (형) 예절 없는, 단정치 못한, 버릇없는
некоторый (미정대) ① 그 어떤, 어느, 얼마간의, 다소간의, 약간의; через ~ое время 얼마후; с ~ых пор 어느 때부터; в ~ой степени 어느 정도까지;на ~ое время 얼마동안; в ~ых странах 일부 나라들에서; ② (명사로)~ые(복수) 일부(어떤)사람들; ~ые из них 그들 중의 몇 사람
некрасивый (형) ① 곱지 않은, 아름답지 못한, 보기싫은 ② 좋지 못한, 나쁜;~ поступок 좋지 못한(비열한)행위
некролог (남) 추도문, 애도사(哀悼辭)
некстати (부) ① 때 아닌 때에, 때맞지 않게; пришёл때 아닌 때에 왔다 ②알맞지 않게, ~ сказал ~알맞지 않게 말하였다
нектар (남) ① 감로(甘露) ② (식물) 꽃꿀 ③ 꿀원천
некто (미정대) 어떤 사람, 그 누가; ~ Иванов 어떤 이바노브라는 사람
некуда (부) (+미정형) ...할 곳이 없다; ~ поставить 들 자리가 없다; мне ~ пойти 나는 갈 것이 없다
некультурность (여) 비문화성, 교양이 없는 것
некультурный(형) ① 비문화적인, 문화수준이 낮은, 교양 없는; ~ый человек 미개한 사람 ② (식물) 야생(野生); ~ые растения 야생식물
некурящий (남) 담배 안 피우는 사람; вагон для ~их 금연차
неладно (부) ① 순조롭지 못하게, 좋지 않게 ② (술어로) 순조롭지 않다, 좋지 않다; здесь что-то ~여기는 무엇인가 좀 순조롭지 못 하다(이상하다)
нелады (복수) 불화(不和), 옥신각신; быть в ~ах 옥신각신하다, 화목하지 못하다
нелегально(부) 비합법적으로, 비밀리에.
нелегальный (형) 비합법적(非合法的)인, 비밀(秘密); 지하(地下) ~ приезд 비밀리에 도착; переходить на ~ое положение 지하로 들어가다
нелёгкий (형) ① 가볍지 않은; ② 쉽지 않은, 어려운, 힘든
нелепость (여) 엉터리, 허황한것; гово-рить ~и 황당무계한 소리를 치다
нелепый (형) ① 부질이 없는, 엉터리없는, 허황한; ~ ответ 엉터리없는 대답; ② 모양새(맵시)가 없는, 볼품 없는, 가소로운
нелестный (형) 찬동치 못한, 부정적인, 좋지 않은; ~ отзыв 좋지 않은 평판
нелётный (형): ~ая погода 비행가기에 좋지 않은 날씨
нелишне (부) (술어로) (+미정형) 헛된 일이 아니다, 나쁘지 않다, 좋다; ~ на- помнить 상기하는 것이 좋다
неловкий (형) ① 여들없는, 서투른, 재치 없는,~ое движение 둔한 동작; ② 불편한, 거북한; ~ое молчание 거북한 침묵; попасть в ~ое положение 난처(거북)해지다
неловко (부) ① 재치 없이, 서투르게 ② (술어로) 난처하다, 거북하다; ③ (술어로) (+미정형) 불편하다, 거북하다; ~ спрашивать 묻기가 거북하다
неловкость (여) 거북한 것, 불편한 것; испытывать ~ 거북한 감을 느끼다
нелогичный (형) 논리(사리)에 맞지 않은, 비논리적인, 조리 없는
нелояльность (여) 불충실(不忠實)하다, 충성(忠誠)하지, 못 하다
нельзя (부) (술어로) (= 미정형) ① 불가능하다,...할 수 없다; ~ не согласиться 동의하지 않을 수 없다

②...하여서는 안된다; так делать ~이렇게 해서는 안 된다; ~ терять ни минуты 일분이라도 허비하여서는 안 된다; как ~ лучше 더할 나위 없이 훌륭하다; ~ли ?...할 수 없을까? ~ сказать, чтобы ...하라고는 말 할 수 없다

нелюбезный(형) 불친절한, 상냥하지 못한

нелюбимый (형) 싫은, 좋아하지 않은, 미워하는

нелюдим (남) 꽁생원, 교제를 싫어하는 사람,

нелюдимый(형) 교제를 싫어하는; 홀로 지내기 좋아하는;~ характер 꽁한 성미

нём *см.* он, оно

немало (부) ① 적지 않게, 많이, 상당히, 꽤; прочитать ~ книг 적지 않은 책을 읽다 ② (술어로) 적지 않다; у меня ~ друзей 나에게는 친구가 적지 않다

немаловажный(형) 꽤 중요한, 중대한

немалый (형) 적지 않은, 상당한;

немарксистский(형) 비 마르크주의적인

нематериальный (형) (철학) 비물질적인(非物質的-)

немедленно (부) 곧, 즉시, 인차

немедленный (형) 즉시, 지체 없는, 신속한

немеркнущий (형) 영원히 빛을 뿌리는; 영생불멸의, 불멸의; ~ая слава 불멸의 영광

неметалл (남) (화학) 비금속(非金屬)

неметь (미완) ① 벙어리가 되다, 말 못하게 되다 ② 저리다, 마비되다, 감각을 잃다

немецкий (형) 독일;~ язык 독일어

немилосердный (형) 자비심(慈悲心) 없는, 사막한, 혹독한

немилость (여) 미움; впасть в ~ к кому ...의 미움을 받다, ...의 노여움을 사다

неминуемо (부) 불가피하여

неминуемый (형) 피할 수 없는, 불가피한

немногие (복수) 소수의 사람들, 일부 사람들

немногий (형) ① 많지 않은, 몇 개의, 일부; в ~х странах 몇 개의 나라들에서; в ~х словах 간단히 ② (명사로) 일부사람들, 소수의 사람들; ~е вернулись 돌아온 사람들이 많지 않다

немного (부) ① 적게, 조금; времени осталось ~시간이 조금 나맜다 ② 약간, 좀, 가볍게;, ~ старше 나이가 좀 더 많다; потребовалось ~им более полу- часа 30(삼십) 분이 나마 걸렸다; ~ по- годя 좀 있다가

немногое(중) 많지 않은 것, 소수의 것

немногословный (형) 말이 작은, 몇 마디의, 수다스럽지 않은

немногочисленный (형) 소수의, 많지 않은, 굴지의

немножко (부)*см.* немного

немодный (형) 유행에 맞지 않은(떨어진), 멋 적은

немой ① (형) 말 못하는 ② (명사로) (남), (여) 벙어리; ~ое кино 무성영화

немолодой (형) 젊지 않은, 나이가 듬직한, 중년의

немота (여) 벙어리의 상태

немотивированный (형) 실증(實證) 못하는; ~ое преступление 실증 못하는 범죄

немощный (형) 허약(虛弱)한, 노쇠(老衰)한, 미약한, 힘이 빠진

немощь (여) 허약(虛弱), 무능력

нему *см.* он, оно

немудрено ~ что он опоздал

немудрёный (부) (술어로) 무리가 아니다, 당연한일이다; это ~ое дело 그가 늦게 온 것은 당연한 일

немцы (복수) (**~ец** (남)**, ~ка** (여)) 독일 사람(들)

немыслимый (형) 상상할 수도 없는, 생각조차 할 수 없는; ~ое дело! 기기괴괴한 일이다!

ненавидеть (미완) 증오하다, 미워하다

ненавистный (형) 증오스러운, 가증스러운, 괘씸한; ~ враг 가증스러운 원수; ~ взгляд 증오(미움)에 찬 눈초리

ненависть (여) 증오(심), 미움, 혐오감 вызывать ~ 미움을 사다

ненаглядный (형) 어여쁜, 깊이 사랑하는, 볼수록 귀여운

ненадёжный (형) ① 튼튼지 못한, 공고하지 못한 ② 못미더운, 믿음성 없는

ненадобность (여) за ~ю 쓸데없이

ненадолго (부) 잠시(동안); 오래지 않아; он ушёл ~ 그는 잠간 나갔다

ненападение (중); договор о ~и 불가침 조약

ненароком (부) 뜻하지 않게, 우연히 어떻게 돼서, 본의 아니게; упомянуть ~ 본의 아니게 언급하다; зайти ~ 우연히 찾아오다

ненастный (형) 흐린, 구질구질한, 궂은; ~ая погода 궂은 날씨;~ый день 흐린 날

ненастье (중) 음산한(궂은) 날씨

ненасытный (형) ① 게걸스러운 ② 탐욕한, 만족을 모르는

ненаучный (형) 비과학적(非科學的)인

ненормальный (형) ① 불규칙적인, 비정상적인, 이상한 ② 미친

ненужный (형) 쓸데(쓸모), 소용없는, 불필요한; разговор 불긴한 소리

необдуманно (부) 신중한 고려 없이, 더뻑, 소락소락하게; поступать ~ 뒤까 불다.

необдуманный (형) 신중히 생각지 않은, 호들갑스러운, 소락소락한

необеспеченный (형) ① 생활이 보장되지 않은, 구차한 ② (재정) 보증(담보)이 없는

необитаемый (형) 인적 없는, 사람이 살지 않는; ~ остров 무인도

необозначенный (형) 표식되지 않은, 표식이 없는

необозримый (형) 무연한,(호호) 망망한; ~ океан 망망한 대양

необоснованный (형) 근거 없는, 무근거한, 터무니없는; ~ слух 터무니없는 소문

необработанный (형) ① 갈지 않은, 가공하지 않은 ② 처리(연구) 하지 못한

необразованный (형) 교육을 받지 못한, 교양 없는

необратимый (형): ~ая реакция (화학) 비가역반응; ~ые процессы (물리) 비가역과정

необременительный (형) 큰 부담으로 되지 않은, 힘들지 않은

необузданный (형) ① 억제되지 않는, 절재가 없는, 방종 하는 ② 광란적인

необученный (형) 훈련(교육)을 받지 못한

необходимо (부) (술어로) (+미정형) 필요하다, 반드시 ,꼭,...해야 한다; это ~ сделать 이곳은 꼭 하여야 된다.

необходимость (여) 필요(必要)(성), 불가피성, 요구; по ~и 필요가 있어서; предметы первой ~и 일용필수품

необходимый (형) 필요한, 필수(必需)

необщительный (형) 사교성(교제성)

이 없는, 교제를 좋아하지 않는, 둔한
необъяснимый (형) 설명(해석, 이해)할 수 없는; ~ое желание 어쩔 수 없는 갈망
необъятный (형) ① 망망한, 광활한, 무연한, 막막한 ② 무궁무진한
необыкновенный (형) 보기 드문, 여간이 아닌, 비상한, 뛰어난
необычайный (형) 비상한, 놀랄만큼, 엉뚱한; ~ое волнение 비상하게 고조된 흥분(감동)
необычный (형) 보통이 아닌, 예외, 별쭝맞은, 유난한; ~ый вид 기형; ~ое выражение 특별한 표현
необязательный (형) ① 의무적(義務的)이 아닌, 필수적(必需的)이 아닌, 그렇게 안해도 되는; ~ предмет 선택과목 ②: ~ человек 책임성이 없는 사람
неограниченный (형) 무한한, 무기한, 무제한; ~ая власть 전권, 전제권; ~ый срок 무기(한)
неодинаковый (형) 같지 않은, 오롱조롱한, 닮지 않은
неоднократно (부) 누차(累差), 재삼(再三), 여러 번, 여러 차례의; ~ просил 재삼 부탁하였다
неоднократный (형) 누차, 재삼, 여러 번, 몇 번이나, 여러 차례의
неодобрение (중) 불찬성, 비난
неодобрительно (부) 찬성(찬동)하지 않는; 비난하듯이
неодобрительный (형) 찬성(찬동)하지 않는, 비난하는;~ая оценка 부정적 평가
неодолимый (형) 극복할 수(이겨낼 수) 없는, 필승불패의; ~ое желание 억제할 수 없는 소원(염원)
неодушевлённый(형) ①: ~ый предмет (언어) 비활동체; ~ое имя существительное (언어) 비활동체명사; ②

~ая материя 무생물
неожиданно (부) 뜻밖에, 불의에, 돌연히, 갑자기; 언뜻, 문득문득
неожиданность (여) ① *чего* 돌연한 것, 의외적인것 뜻밖, 의외;~ встречи 뜻밖의 상봉; ② 불의의 사변, 의외의 사건, 별일; это для меня полная ~이것은 나에게 있어서 전혀 뜻하지 않은 일이다(뜻밖의 일이다)
неожиданный (형) 뜻밖의, 불의의, 의외의, 난데없는;~ гость 뜻밖의 손님; принять ~ оборот 뜻하지 않은 방향을 취하다
неоколониализм (남) 신식민주의
неоконченный (형) 끝까지 않은, 미완성, 불완전한
неологизм (남) (언어) 새말
неон (남) (화학) 네온
неопасный (형) ① 위험하지 않은, 안전한 ② 무해한
неописуемый (형) 말할래야 말할수 없는, 말로 표현할 수 없는, 형언할 수 없는
неоплатный (형): я у вас в ~ом долгу 나는 당신에게 깊기 어려운 신세를 졌다
неоплаченный (형) 값을 물지 않은, 갚지 못한; 보수가 없는; ~ труд 무보수노동
неоплачиваемый (형): ~ отпуск 무보수휴가(無報酬休暇)
неопознанный (형) 신분이 불명한, 알아내지 못한
неопределённо (여) ① 막연히, 분명치 않게, 애매하게 ② 회피적으로, 솔직하게 못 하게
неопределённость (여) 확정하지 않은 것, 막연한 것, 불명확성
неопределённый (형) ① 확정치 않은, 드리없는, 막연한, 애매한 ② 회피적으로, 솔직하지 못한; ~ая форма

глагола (언어) 동사의 미정형; ~ое местоимение (언어) 미정대명사

неопровержимый (형) 반박(논박)할 수 없는;~ое доказательство 논박 할 수 없는 증거; ~ый факт 부정할 수 없는 사실

неопрятность (여) 꺼벙한 것, 꾀죄죄한 것

неопрятный 꺼벙한, 단정하지 못한, 꾀죄죄한;~ая одежда 꾀죄죄한 옷차림

неопытность (여) 경험이 없는 것, 미숙한 것

неопытный (형) 경험이 없는(적은), 서투른, 서투른; 미숙한

неорганизованность (여) 비조직성(非組織性), 무규률성

неорганизованный (형) 비조직적인 (非組織的), 조직에 망라되지 않은

неорганический (형) 무기(질); ~ое удобрение 무기질비료; ~ий мир 무기계; ~ая химия 무기화학

неосведомлённый (형) 정통(통달)하지 못한, 정보를 못 가진

неосвоенный (형): ~ые земли 미개지, 미개척지

неослабно (부) 늦추지 않고, 부단히, 시종일관하게; ~ следить за чем ...을 부단히 주시하다

неослабный (형) 늦추지 않고 하는, 끊임없는; ~ надзор 부단한 감시

неосмотрительныйсм.неосторожный

неосновательный (형) ① 무근거한, 근거가 없는(적은); 부당한; ~ые обвинения 무근거한 비난 ②~ый человек 경골한 사람

неосторожность (여) 조심스럽지 못한 것, 서투른 짓, 부주의

неосторожный (형) 조심스럽지 못한, 서투른, 엄벙한

неосуществимый (형) 실현할 수 없는, 수행할 수없는

неосязаемый (형) ① 감촉(감각)할 수 없는, 느낄 수 없는; ② 극히 미세한;~ые результаты 극히 적은 결과

неотвратимость (여) 불가피성(不可避性), 피할 수 없는 것

неотвратимый (형) см. неизбежный

неотделимый (형) 떼놓을 수 없는, 불가분리의, 분리할 수 없는

неоткуда (부): мне ~ взять денег 나는 돈을 얻을 곳이 없다; ~ получать письма 편지가 올 곳이 없다

неотложный (형) 미룰 수 없는, 불가분리의 분리할 수 없는; ~ая задача 초미의 문제; ~ая помощь 구급치료; ~ые меры 응급대책, 구급책

неотлучно (부) 한시도 떨어지지 않고(떠나지 않고), 항상 같이

неотразимый (형) ① 논박(반박)하기 힘든, 격퇴하기 힘든 ② 강한, 큰; ~ое впечатление 잊지 못 할 강한 인상

неотступно (부) 한시도 떨어지지 않고, 뒤로 물러서지 않고 집요하게;~ думать о чём ...에 대하여 집요하게 생각하다

неотчётливый (형) 똑똑치 못한, 뚜렷하지 않은, 애매한, 분명하지 못한; ~ое произношение 명확하지 못한 발음

неотъемлемый (형) 떼려낼 수 없는, 불가분리의;~ое право 부탁할 수 없는 권리

неофициально (부) 비공식적으로

неофициальный (형) 비공식(적인); ~ источник 비공식적출; ~ представитель 비공식대표

неохота (여) ①: говорить с ~ой 마지 못하게 말 하다 ②(술어로) (+미정형) ...할 마음이 안나다,...할 마음이 내키지 않다,...하고 싶지 않다, 싫다; ~а идти 갈 마음이 없다, 가고 싶지 않다

неохотно (부) 마지못해, 싫어하면서
неоценимый (형) 대단히 귀중한, 고상한; ~ая помощь 매우 귀중한 원조
неощутимый (형) 느낄수(감촉할 수) 없는; 미세한, 극히 사소한; ~ая потеря 극히 사소한 손실
Непал (남) 네팔(Nepal)
непарный (형) 외짝이 된, 쌍이 아닌; ~ая обувь 짝신
непартийный (형) 당원이 아닌; 비당적인
непереводимый (형) 번역할 수 없는, 번역하기 어려운; ~ое выражение 번역하기 힘든 표현
непереходный (형):~ глагол (언어) 자동사(自動詞)
неписаный(형):~ закон 관습사의 법칙
неплатёж (남) 지불(支拂), 지불하지 않은 것; 체납(滯納)
неплатёжеспособность (여) (재정) 지불무능
неплатёжеспособный (형) (재정) 지불능력이 없는, 지불무능한
неплательщик (남) 체납자, 미납자
неплодородный (형) 메마른, 비옥하지 않은
неплотный (형) 빈틈없는, 헤싱헤싱한; ~ая ткань 설핀 천
неплохо (부) 괜찮게, 나쁘지 않게, 웬만하게
неплохой (형) 나쁘지 않은, 괜찮은, 웬만한
непобедимость (여) 불패성
непобедимый (형) 불패의, 필수불패의, 백전백승의; ~ая армия 상승군, 불패의 군대
неповиновение (중) 복종(군종) 하지 않은 것, 불복(不服), 반항(反抗)
неповоротливость (여) (행동이) 굼뜬 것(느린 것), 완만성

неповоротливый (형) 굼뜬, 느린, 데통맞은, 완만한
непогода (여) 나쁜 날씨, 사나운 날씨, 궂은 날씨
непогрешимый (형) ① о ком 오류(誤謬)가 없는, 착오(錯誤)가 없는, 올바른 ② о чём 결함이(흠잡을 데가) 없다 정당한;~ вывод 아주 정당한 결론
неподалёку(부) 멀지 않은 곳에, 근처에
неподатливый (형) ① 고집이 센, 완고한 ② 다루기(가공, 처리하다) 힘든
неподвижно (부) 까딱 않고, (조금도) 움직이지 않고
неподвижность (여) 부동상태, 부동자세
неподвижный (형) ① 움직이지 않는, 부동(不動), 불변(不變); ② (시선, 표정 등의) 까딱하지 않는; ③ 움직이기를 싫어하는, 굼뜬
неподготовленный (형) 준비가 없는, 준비(정비)되지 못한; 자격이 없는
неподдельный (형) ① 진짜, 가짜가 아닌; ~ые документы 진짜문건 ② 진심(眞心), 긴장한; ~ая радость 진심에서 우러나오는 기쁨
неподкупный (형) 매수되지 않는, 청렴한' 청백한
неподобающий (형) 온당치 못한, 어울리지 않는, 당치 않는; вести себя ~им образом 적당하지 않게 행동하다
неподражаемо (부) 모방할 수 없게, 으뜸가게; 훌륭하게
неподражаемый (형) 흉내낼 수(모방할 수) 없는, 무비의, 유일무이한, 으뜸가는
неподсудный (형) 재판의 관할에 속하지 않는
неподходящий (형) 적당(타당)하지 않는, 당찮은, 마땅찮은
неподчинение (중) 복종(순종)하지 않

는 것, 불복(不服); ~ закону 위법

непозволительно (부) 허용할 수 없게, 용납 할 수 없게, 막되게;вести себя ~용인치 못하게 행동하다

непозволительный (형) 허용할 수 없는, 용납할 수 없는; 막된

непознаваемость (여) (철학) 불가인식성

непокладистый (형) 딱딱한, 빡빡한; 얄망궂은

непоколебимый (형) 흔들리지 않는, 확고부동한, 불요불굴의, 댕댕한; ~ая уверенность 확고한 신심

непокорность (여) 불복종(不服從), 순종하지 않는 것, 불순종(不順從).

непокорный (형) 복종(정복, 순종)하지 않는, 굴복시킬 수 없는

непокрытый (형) ① 뚜껑을 덮지 않은, 뚜껑이 없는; ② 지붕이 없는; ③ 모자(머리수건)를 쓰지 않은; с ~ой головой 맨 머리로

неполадки (복수) ① 결함(缺陷), 곤란(困難); ② 불비(不備), 고장(故障); ~ в работе машины 기계작용의 불비(고장)

неполноправный (형) 완전한 권리를 못 가진

неполноценный (형) 가치가 모자라는, 열등한, 질이 낮은; ~ое питание 영양가치가 적은 음식

неполный (형) ① 채 차지 않은, 골막한; ~ый вес 부족한 중량; ② 불완전한 불충분한; ~ый рабочий день 불완전 취업(노동); ~ая средняя школа 초급중학교; ~ое предложение (언어) 불완전문장

непомерно (부) 지나치게, 과도하게, 한량없는; 엄청난; 겨운

непомерный (형) 지나친, 과도한, 한량없는; 엄청난; 겨운

непонимание (중) 몰이해(沒理解), 이해(理解)하지 못하는 것

непонятливый (형) 이해력이 약한, 우둔한, 눈치가 없는

непонятно ① (부) 이해할 수 없게, 불명하게; говорить ~ 알 수 없게 말하다 ② (술어로) 이해할 수(알 수) 없다, 이상하다

непонятный (형) ① 이해할 수(알 수) 없는; ② 이상한, 괴이한; ~ случай 이상한 사건

непоправимый (형) 고칠 수 (가실 수) 없는;, 시정(회복)할 수 없는, 돌이킬 수 없는; ~ая беда 가실 구 없는 피해; ~ ая ошибка 시정할 수 없는 오유(잘못)

непорядок (남) 무질서(無秩序), 질서문란, 난잡(亂雜); ~ в работе 사업에서의 무질서

непорядочный (형) 불명예스러운. 해찰궂은, 야비한;~ человек 방정치 않은 사람

непосвящённый (형) 잘 모르는, 조예가 없는 (깊지 못한)

непосещаемость (여) 결석, 결석률

непосильный (형) 힘에 겨운(벅찬, 넘친), 고된;~ труд 힘에 겨운 노동

непоследовательность (여) 논리가 일관되지 않은 것, 불철저성

непоследовательный (형) 논리성이 없는, 조리 없는, 불철저성; ~ человек 조리 없는 사람

непослушание (중) 불순종, 불복종

непослушный (형) ① 말을 (잘)듣지 않는, 순종치 않는; ~ ребёнок 장난꾸러기 ② 다루기 힘든

непосредственно (부) 직접(적으로)

непосредственность (여) 자연성, 천진스러운 것, детская ~ 어린이의 천진난만한 마음

непосредственный (형) ① 직접(적인); ~ый начальник 직계상관; ② 자연스

러운, 구속받지 않는, 천진난만한

непостижимый (형) 이해(납득, 파악)할 수 없는, 이해하기(알아내기)어려운; уму ~о 전혀 이해할 수 없다

непостоянный (형) 변덕스러운, 변하기 쉬운, 가변적인; ~ человек 변덕쟁이; ~ая погода 변덕스러운 날씨

непостоянство (중) ① 변덕(變德), 변심(變心) ② 가변성(可變性), 불안정성

непохожий(형) 닮지 않은, 비슷하지 않은

непочтительный (형) 불경스러운, 불손한, 얄망스러운; ~ое отношение 불손한 태도

неправда(여) 거짓말, 허위(虛位), 가식(假飾); говорить ~у 거짓말 하다

неправдивый (형) 거짓, 진실이 아닌, 정직(솔직)치 못한, 허위적인

неправдоподобный (형) 믿기 어려운, 진실답지 않은, 사식과 어긋나는; ~ слух 사실같이 않은 소문

неправильно (부) 옳지 못하게, 들리게, 그릇되게

неправильный (형) ① 옳지 못한, 들린, 그릇된 ② 부정한, 부당한, 사실과 맞지 않는 ③ 규칙(규범)에 맞지 않는, 비정상적인; ~ глагол (언어) 불규칙동사(不規則動詞)

неправомочный (형) (법률) 권한(權限)없는, 권능(權能)없는

неправый (형):я был ~ 나는 틀렸다 (잘 못했다, 옳지 않았다); вы ~ы 당신은 옳지 않습니다.

непрактичный (형) ① 실용적이 못된, 실무가 없는, 실무에 밝지 못한; ~ человек 실무가 없는 사람 ② 실용성이 없는, 불리한

непревзойдённый (형) ① 통가 할 수 없는, 가장 완성된(훌륭한) ② 극도의, 극단한

непредвиденный (형) 생각 밖의, 예상외의, 예견치 않던; ~ые расходы 예상외의 지출; ~ый случай 의외의 사건

непредусмотренный (형) 예견(예상)하지 못한

непредусморительный (형) 앞을 내다 보지 못하는, 예측 불가한

непреклонный (형) 불굴의, 불요불굴의, 굳센; ~ая воля 불굴의 의지

непреложный (형) ① 불변의, 확고부동한; ~ый закон исторического развития 움직일 수 없는 역사적 발전법칙 ② 자명한, 반박할 수 없는; ~ая истина 자명한 진리

непременно(부) 꼭, 반드시, 틀림없이

непреодолимый (형) 극복할 수 없는, 이겨낼 수 없는;~ая преграда 허물 수 없는 장애물

непрерывно (부) 끊임없이 부단히, 쉴새없이, 연속으로, 연거퍼

непрерывный (형) 끓임 없는, 부단한, 쉴 새 없는, 연속(連屬), 연속적인; ~ый стаж работы 근속 노동 년한; ~ое производство 연속생산; ~ая дробь (수학) 연분수(連分數)

непрестанный (형) 끓임 없는, 그칠 줄 모르는, 쉴 새 없는

неприветливый (형) ① 인사성이 없는, 예절이 없는, 불친절한, 무뚝뚝한;~ человек 무뚝뚝한 사람 ② 침울한, 우울한

непривлекательный (형) 매력 없는, 곱치 않은, 멋 적은

непривычный (형) 버릇되지(습관 되지, 익숙 되지)못한, 보통이 아닌

неприглядный (형) 보기 싫은, 뇌꼴스러운, 볼품이 없는, 주제가 사나운; ~ая картина 추태

непригодный (형) 쓸데(쓸모, 소용)없는, 알맞지 않는

неприемлемый (형) 받아들일 수 없는, 접수 될 수 없는; ~ые условия 받

아들일 수 없는 조건들; ② 용납할 수 없는; ~ый поступок 허용할 수 없는 행동

непризнанный (형) 공인되지 않은, 인정받지 못한

неприкосновенность; ~ личности 인권불가침; дипломатическая ~ 외교관의 불가침

неприкосновенный (형) 불가침, 건드릴 수 없는; ~ запас 비상예비, 비상용식량

неприкрашенный (형) 장식되지 않은, 허식이 없는, 적나라(赤裸裸)한

неприкрытый (형) 적나라(赤裸裸)한, 허식(虛飾)이 없는

неприличный (형) 버릇없는, 예절 없는, 상스러운; ~ое поведение 버릇없는 행동; ~ые слова 상말

неприменение (중) 쓰지 않은 것, 사용(이용)하지 않은 것

непримиримость (여) 융화(融和)되지 않은 것, 비타협버릇 없는 성; 상극(相剋)

непримиримый (형) ① 화해(융화)할 수 없는. 비타협적인; ~ая классовая борьба 비타협적인 계급투쟁; ~ые про-тиворечия 불상용적모순

непринуждённо (부) 구속받지 않고, 자연스럽게, 가분가분; вести себя ~ 태도를 자연스럽게 가지다, 구속받지 않고 행동하다

непринуждённость (여) 자연스러운 것, 구속받지 않는 것

непринуждённый (형) 자연스러운, 구속받지 않는; ~ разговор 담소, 자연스러운 이야기

неприсоединение (중) 불가담(不加擔); политика ~я 불가담 정책

неприспособленный (형) 적용될 줄 모르는, 적응될 줄 모르는; ~ человек 순응치 못하는 사람

непристойный (형) 잡스러운, 상스러운, 추접지근한; ~ые слова 상말, 잡소리; ~ое поведение 추한 행동

неприступный (형) ① 점령할 수 없는, 난공불락의; ~ая крепость 난공불락의 요새 ② 접근하기 힘든, 엄엄한

непритворный (형) 자연스러운, 거짓(가장) 없는, 진심스러운

непритязательный (형) ① 욕심이 적은, 덥절덥절한, 까다롭지 않은 ② 담박한

неприхотливый (형) ① *см.* непритязательный ② 소박한, 수수한

непричастность (여) 상관없는 것, 관계없는 것

непричастный (형) к *чему* ...에 상관(관계)없는

неприязненный (형) 반감을 품은, 반목하는; ~ тон 반감이 어린 어조

неприязнь (여) 반감, 반목, 악감

неприятель (남) ① 적(敵), 원수(怨讐) ② 적군(敵軍)

неприятельский (형) 적의 적군의

неприятно (술어로) 싫다, 불쾌하다; мне ~ это слышать 나는 이것을 듣기가 싫다(불쾌하다)

неприятность (여) 시끄러운(불쾌한) 일; 좋지 않은 일; случилась ~ 불유쾌한 일이 생겼다

неприятный (형) 마음에 들지 않는, 싫은, 꺼림칙한; ~ый случай 불유쾌한 사건; ~ый голос 씨그둥한 목소리; ~ое чувство 불쾌감

непроверенный (형): ~ые данные 검열되지 않은 자료

непроводник (남) (물리) 부도체(不導體), 절연체(絶緣體)

непроглядный (형): ~ый мрак ~ая тьма 지척을 분간할 수 없는 어둠, 암흑; ~ая ночь 캄캄한 밤

непродолжительный (형) 오래 계속

되지 않은

непродуктивный (형) 비생산적(非生産的)인, 효과(效果)가적은

непродуманно (부) 충분한 고려가 없이, 소홀하게, 경솔하게; действовать ~ 소홀하게(경솔하게) 행동하다

непроезжий (형) 통행(通行)할 수 없는, 지나다니지 않는

непрозрачный (형) 투명하지 못한

непроизводительный (형) 비생산(적인); 쓸데없는; ~ый труд 비생산노동

непроизвольно (부) 무의식적(無意識的)으로, 뜻하지 않게

непроизвольный (형) 무의식적인, 본의(本意)아닌

непромокаемый (형) 방수(防水), 물기가 tm며들지 않는; ~ый плащ 비옷

непромокаемость (여) 비침투성, 불투과성

непроницаемый (형) (물, 빛, 소리 등을)통과(침투)시키지 않는, 속으로 새어 들어가지 않게 하는, 불투과성 있는

непропорциональный (형) 불균형, 불균형적인, 균등하지 못한

непросвещённый (형) 교육을 받지 못한, 몽매한

непростительный (형) 용서 못할, 용서할 수 없는

непроточный (형): ~ое озеро 담수호(淡水湖), 담긴 호수, 비방수호

непроходимый (형) ① 통과(通過)할 수 없는, 통행할 수 없는 ② 완전한

непрочность (여) ① 불확고성, 불견고성, 튼튼(든든)하지 않은 것 ② 불안정성, 동요성

непрочный (형) ① 튼튼치 못한, 무른, 견고(공고)하지 못한 ② 불안정한, 동요 없는, 믿음성이 없는

не прочь (부)*см*. прочь

непрошенный (형)*см*. незваный

неработоспособный (형) 노동능력을 상실한, 노동할 수 없는, 일을 못하는

нерабочий (형): ~ий день 휴일, 쉬는 날; ~ее время 일하지 않는 사긴; ~ее настроение 일하기 싫은 기분

неравенство (중) ① 불평등(不平等) ② (수학) 부등식(不等式); знак ~а 부등호(不等號)

неравнодушный (형) ① 무심하지 않은, 등한하지 않은; ② 마음에 들어하는; быть ~ным 동감하다; он ~ен к сладкому 그는 단 것을 좋아한다.

неравномерность (여) 불균형성(不均衡性), 불균등성, 파동성

неравномерный (형) 고르지 못한, 불균형적인, 불균등적인; ~ое движение 불균등한 운동

неравноправие (중) 불평등(권)

неравноправный (형) 고르지 못한, 불균형적(不均衡的)인, 불균등적인; ~ до- говор 불평등조약(不平等條約)

неравноценный (형) 부등가성(不等價性), 가치가 같지 않은

неравный (형) ① 같지 않은, 동등하지 않은, 불평등한; ~ые силы 동등하지 않은 힘(세력) ② 상대가 되지 않는, 짝이 기우는(돌리는); ~ый брак 짝이 기우는 혼인

нерадивый (형) 불성실한, 게으른

неразбериха (여) 난잡, 난국, 혼란(混亂)

неразборчивый (형) ① 분간하기(알아보기) 어려운 ② 가리지 않는, 까다롭지 않은; ~ в еде 음식을 가리지 않는

неразвитой(형) ① 발달(발전)되지 않은, 발육이 불완전한 ② 몽매한, 무식한

неразговорчивый (형) 말(말수)이 적은, 입이 무거운

неразделённый (형): ~ая любовь 짝사

랑

неразлучный (형) (항상) 떨어지지 않는, 항상 같이 있는; ~ые друзья 단짝 친구들

неразорвавшийся (형);~ снаряд 불발탄(不發彈)

неразрешённый (형) 해결되지(풀리지) 않은 ;~ый вопрос 미(해)결문제

неразрешимый (형) 해결할 수 없는 풀수 없는, 풀기(해결하기) 어려운; ~ая проблема 해결 할 수 없는 문제

неразрывно (부) 끊임없이, 끊을 래야 끊을 수 없는, 불가분리적으로

неразрывный (형) 불가분리의, 끊을 래야 끊을 수 없는, 깨뜨릴 수 없는; ~ая дружба 깨뜨릴 수 없는 친선 ; ~ая связь 끊을 수 없는 관계

неразумный (형) ① 어리석은 ② 분별(分別)없는, 무모한, 불합리한

нераспорядительность (여) 관리능력이 없는 것, 통재능력이 없는 것(약한 것)

нерассудительный (형) 세심하지 못한, 서려 깊지 못한, 무분별한

нерастворимый (형) 용해되지 않은, 풀리지 않은, 녹지 않은

нерасторопный (형) 날래지 못한, 굼뜬, 느릿느릿한

нерасчётливый (형) 차신이 없는, 아낄 줄 모르는, 절약하지 않은

нерациональный (형) 불합리한

нерв(남) ① (해부) 신경; зрительный ~ 시신경 ②: ~ы (복수) 신경(神經); крепкие ~ы 굵은 (튼튼한) 신경; действовать на ~ы 신경을 거슬리다

нервировать (미완) 신경을 거슬리게 하다, 짜증나게 하다, 자증을 내다

нервничать (미완) 신경질을 부리다, 긴경을 쓰다

нервный (형) ① 신경(神經)의; ~ая система 신경계통; ~ая ткань 신경조직 ② 신경성, 신경질; ~ый человек 신경이 과민한(가는) 사람, 신경질적인 사람 ③ 흥분(興奮)된, 발작적(發作的)인; ~ая походка 흥분된 걸음걸이

нервозность (여) 신경질, 신경과민

нервозный (형) 신경이 날카로운, 신경을 날카롭게 만드는; ~ая обстановка 긴장된 분위기

нереальный (형) 비현실적인, 실현될 수 없는; 공상적인

нерегулярный (형) 불규칙적인, 정상적이 아닌

нередко (부) 드물지 않게, 흔히, 자주, 이따금

нерентабельность (여) 수익성이 없는 것, 수지가 맞지 않는 것

нерентабельный (형) 수익성(이익)이 없는, 수지가 맞지 않는

нерест (남) (물고기의) 알쓸이, 산란(産卵); период ~а 알쓸이철, 산란기

нерешительность (여) 비결단성, 주저; быть в ~и 주저하다, 서슴거리다

нерешительный (형) 결단성 없는, 더덜못한, 어줍은, 설미지근하다

нержавеющий (형) 녹슬지 않는; ~ая сталь 녹슬지 않는 강, 불수강(不銹鋼), 스테인리스강(stainless鋼)

неровный (형) ① 고르지 않는, 평탄치 않은, 울퉁불퉁한, 거칠은; ~ая линия 굴곡선; ~ые зубы 가지런하지 못한 이 ② 변덕스러운; ~ый характер 변덕스러운 성격

нерпа (여) (동물) 넝에

нерусский (형) 러시아사람 아닌

нерушимый (형) 확고부동한, 깨뜨릴 수 없는, 견고한; ~ая дружба 깨뜨릴 수 없는 친선

неряха (남, 여) 게저리, 펼꾼

неряшливость (여) ① 꾀죄죄한 것, 꺼벙한 것 ② 너저분한 것, 소홀한 것

неряшливый (형) ① 거렁맞은, 꺼벙한, 꾀죄죄한; ~ая одежда 불결한 옷;~ый человек 펄꾼 ② 협협한, 조합한; ~ый почерк 조잡한 필치

несамостоятельный (형) 자립성이 없는, 자주성(自主性)이 없는, 독자성(獨自性)이 없는

несбыточный (형) 실현될 수 없는, 불가능한

несварение:~ желудка 소화불량

несведущий (형) в чём ...을 잘 모르는, 조예 (자식)가 없는

несвежий (형) ① 신선(생생)하지 못한 ② 어지러운

несвоевременный (형) 적당한 때가 아닌, 때 아닌, 적절치 못한

несвойственный (형) 본성에 맞지 않는, 고유하지 않은, 어울리지 않는

несвязный (형) 연계가 없는, 조리 없는, 토막으로 이루어진

несгибаемый (형) 굽힐 수 없는, (불요)불굴의, 빳빳한; ~ая воля 기개

несговорчивый (형) 설복하기 어려운, 빠득빠득한, 완고한

несгораемый (형): ~ шкаф 내화금고

несдержанный (형) 자제력이 없는, 참착하지 못한, 벌떡증이 나는, 성급한; ~ человек 격하기 쉬운 사람

несерьёзный (형) ① 경솔한, 협협한 ②사소한, 시들한, 껄렁한; ~ разговор 실없는 말

несистематический (형) 불규칙적인

несказанно (부) 말 할 수 없이, 비상히;~ обрадовался 몹시 기뻐했다

нескладный (형) ① 여들없는, 모양새 없는 ② 조리가 없는

несклоняемый (형):~ое существительное (언어) 불변명사

несколько I (부) 좀, 조금, 얼마간, 다소; ~ больше 좀더 많이; ~ успокоился 저금 안심하였다

несколько II (수) 몇몇의, 약간의, 수개의; ~o раз 몇 번; ~o месяцев 수개월; ~o миллионов 수백만; в ~их словах 몇마디로

нескончаемый (형) 끝없는, 한이 없는, 쉴 새 없는

нескромность (여) 불손한태도, 겸손치 못한 것

нескромный (형) ① 불손한, 겸손치 못한 ② 무례한, 건방진

несложный (형) 복잡하지 않은, 간단한, 단수한

неслыханный (형) 지금까지 있어본 적이 없는; 미증유의, 전대미문의

неслышно (부) 소리 없이, 들리지 않게;подойти ~ 가만 사푼 다가서다, 살금살금 다가오다

неслышный (형) 들리지 않은, 조용한;идти~ыми шагами 살금살금 걸어가다

несметный (형) 무수한, 헤아릴 수 없이 많은; 무진장한; ~ые богатства 풍요한 부원

несмолкаемый (형) 끊임 없이 올리는 그칠 줄 모르는;~ые аплодисменты 그칠 줄 모르는 박수

несмотря (전) на кого-что ...에도 불구하고;~ на это 그럼에도 불구하고; ~ни на что 어떠한 일이 있더라도, 만난을 무릅쓰고, 아무래도

несносный (형) 참을 수 없는, 견딜 수 없는, 시끄러운

несоблюдение (중) 준수하지 않는 것, 위반(違反);~ правил 규칙위반

несовершеннолетний (형) ① 미성년(未成年) ② (명사로) (남) 미성년자

несовершенный (형) ① 완전하지 못한, 완성하지 못한; ②:~ вид глагола 동사의 미완료태

несовершенство (주) 완전하지 못한 것. 미완성(未完成)

несовместимость (여) 양립할 수 없는 것, 상극(相剋); психологическая ~ 심리적 상극, 심리적인 불가양립성
несовместимый (형) 양립(병립)될 수 없는; ~ые понятия 양립될 수 없는 개념
несовпадение (중) 부합되지 않는 것, 불일치; ~ взглядов 견해(의견)의 불일치
несогласие (중) ① 의견충돌, 의견불일치 ② 불찬성, 거절 ③ 불화(不和)
несогласный (형) ① с кем-чем ...와 동의 (찬성)하지 않는 ② 조화되지 않는, 맞지 않는 ③ 화목하지 않는, 불화한
несогласованность (여) 불일치(不一致), 조화되지 않는 것, 합의 없는 것
несогласованный(형) 불일치한, 조화되지 않는 ② 합의를 못 본, 합의되지 못한
несознательность (여) 무의식(無意識), 자각성(自覺性)이 부족한 것
несознательный (형) 무의식적인, 자각성이 없는(부족한)
несоизмеримый (형) 비교할 수 없는, 공통성이 없는
несокрушимый (형) 불패의, 깨뜨릴 수 없는, 확고한, 공고한
несомненно (부) 모름지기, 미상불(과연), 아닌게 아니라, 틀림없이, 물론
несомненный (형) 의심할 바(나위, 여지)없는, 여부가 없는, 확실한
несообразительный (형) 눈치(이해)가 빠르지 못한, 해망적인
несообразный (형) 무리한, 사리에 맞지 않는, 황당한, 엉뚱한; ~ вопрос 엉뚱한 문제
несоответствие (중) 부적당, 불상용
несоразмерный (형) 불균형적인, 균형이 맞지 않는, 상응되지 못한
несостоятельность (여) 근거가 없는 것; ~ доводов 논거의 근거가 희박한 것
несостоятельный (형) ① 지불능력이 없는, 물질적으로 보장하지 못한 ② 논거가 희박한, 타당성이 없는
неспелый (형) 익지(여물지) 않은, 미숙한; ~ые фрукты 풋과일
неспокойный (형) ① 불안한, 시끄러운, 뒤숭숭한; у меня ~о на душе 나는 마음이 조인다(들뜨다) ② 뒤설레이는, 동요하는; ~ое море 뒤설레이는 바다
неспособность (여) 무능(력)
неспособный (형) ① к чему 또는, на что (+미정형) ...할 힘(수)이 없는, 능력(소질)이 없는; ~ный к музыке 음악에 소질이 없는; ~ен на ложь(лгать) 거짓말을 힐줄 모르는 ② 무능(無能)(력)한; ое ~ен это выполнить 그는 이것을 해낼 수가 없다
несправедливость (여) 부정의, 불공평(不公平), 부당성(不當性)
несправедливый (형) 부정의, 불공평한, 불공정한, 부당한
неспроста (부) 일정한 연고(까닭)가 있어서; он это сказал ~ 그가 그 말을 하는데는 이유가 있다
неспрягаемый (언어): ~ глагол 인칭불변화 동사
несравненный (형) 비할바없이 훌륭한(아름다운), 무비의, 유례없는; ~ талант 비상한 재능
несравнимый(형) ① 비교할 수 없을 만큼 다른; ② 대단히 훌륭한(좋은), 무비의
нестерпимый (형) 참지 못할, 참을 수(견딜 수) 없는; ~ая обида 참을 수 없는 모욕
нести (미완) ① 나루다, 쥐고(이고, 메고, 지고, 안고)가다, 가지고(가져)가다; ~ чемодан 트렁크를 들고 가

다;~ребёнка 아이를 안고 가다; ~ на спине мешок 자루를 지고가다 ② 당하다, 겪다, 입다; ~ убытки 손살을 입다; ~ наказние 형벌을 당하다(받다) ③ 가져오다, 끼치다, 초대하다; ~ гибель 멸망을 가져오다 ④ 몰아가다, 몰아치다; ветер несёт тучи 바람이 구름을 몰아 간다; ⑤ (알을)낳다; ~ ответст-венность 책임을 지다; ~ вздор 허튼소리를 하다

нестись (미완) ① 치닫다, 나는 듯이 달리다, 질주하다; 빨리 날다; ② (소리, 노래, 등이) 들려오다 ③ 알을 낳다

нестроевой I(형): ~ лес 비건축용재

нестроевой II (형) (군사) 비전투의, 직접 권투에 참가하지 않는

несуразный (형) ① 무의미한, 조리(터무니)가 없는 ② 어울리지 않는, 볼품없는; ~ наряд 볼품없는 옷차림

несусветный (형): ~ая чепуха 엉터리말, 허튼 소리

несущественный (형) 하찮은, 대수롭지 않은, 중요하지 않은; ~ вопрос 비본질적문제; это ~о 이것은 본질적이 아니다, 이것이 중요하지 않다

несуществующий (형) 존재하지(있지)도않는, 실지로 없는

несчастливый (형) 불행한, 불운(불우)한; ~ день 운수 나쁜 날

несчастный (형) ① 불행한, 불운한, 불쌍한; ~ случай 참사, 불상사, ② 가련한, 청승 궂은

несчастье (중) 불행(不幸), 불상사(不祥事); к ~ю 불행하게도

несчётный (형) 무수한, 헤아릴 수 없는, 한량없는

несъедобный (형) ① 먹을 수 없는, 식용으로 되지 않는 못한); ~ые грибы 먹을 수 없는 버섯 ② 맛없는, 싫은

нет ① (부정 조)아니다;~ не пойду аниo, 안가겠소; ~ ещё 마직 못되었다; не знаю, придёт он или ~ 나는 그가 오겠는지 안 오겠는지 모르겠습니다.; ещё ~ двух часов 아직 두시가 못되었다 ② (술어로) *кого-чего* 없다, 존재하지 않는다; ничего ~아무것도 없다; его ~ дома 그는 집에 없다;сводить на ~ 완전히 없애다, 유명무실하게 만들다, 효력을 잃게 하다; сходить на ~ 없어지다, 사라지다, 유명무실하게 되다; на ~ и суда ~ (속담) 없으면 할 수 없다

нетактичный (형) 무뚝뚝한, 데면스러운, 버릇없는

нетерпеливый (형) 참지 못하는, 성급한, 갈급해하는

нетерпение (중) 참지 못하는 것, 성급해하는 것, 갈급증; ждать с ~м 손꼽아기다리다(고대하다)

нетерпимость (여) ① 용납할 수 없는, 융화하자 않는 것, 불상용 ② 참지 못 하는 것, 견딜 수 없는 것

нетерпимый (형) ① 허용(용납) 하지 못할, 묵과할 수 없는 ② 참지 못하는, 참을성(관대성)없는

нетоварищеский (형) 동지답디 못한, 비동지적인

неторопливый (형) 조급해하지 않는, 완완한, 느러느러한, 유유한

неточность (여) 부정확성, 불확실성, 틀린 것

неточный (형) 부정확한, 정밀하지 못한; 확실치 못한

нетребовательный (형) ① 요구성이 강하지 않는, 까다롭지 않은 ② 관대한

нетрезвый (형) 취한; в ~ом виде 취해서

нетронутый (형) 다치지(건드리지)않은, 고스란한, 그대로 있는: обед остался ~ым 식사는 다치지 않은 채

(그대로) 남았다

нетрудовой (형): ~ые доходы 불로소득 (不勞所得)

нетрудоспособность (여) 노동 불능, 노동능력상실; пенсия по ~и 노동능력상실연금(보조금)

нетрудоспособный (형) 노동능력을 잃은, (명사로) 노동능력상실자

нетто (불변0 (형) (상품의 무게에 대하여) 정미중량; десять килограмм ~ 정미 (10 kg)십 킬로그램

неубедительный (형) 설득력이 없는, 설복시킬 수 없는, 논거(이치)가 박약한

неуважение (중) 존경하지 않는 것: ~ к родителям 불효; ~ к старшим손위 사람들에 대한 존경심부족

неуважительный (형) ① 존경심이 없는(부족한) ② 대수롭지 않은; по ~ой причине 부당한 이유로

неуверенно (부) 자신심(확신성)이 없이, 확고하지 못하게

неуверенность (여) 신심(확신)이 없는 것, 동요성; ~ в себе 자신심이 없는 것

неуверенный (형) 자신심(확신성)없는: быть ~нным в чём...에 대하여 확신을 못가지다; он ~н в себе 그는 자신이 없다

неувядаемый (형): покрыть себя ~ой славой 불멸의 영광을 지니게 되다

неувязка 어긋나는 것, 불일치(不一致)

неугомонный (형) 멈출 줄 모르는, 분주살 스러운, 피로를 모르는

неудавшийся (형) 이루지 못한, 실패한

неудача (여) 실패(失敗), 실수(失手), 불운(不運); терпеть ~у 실패하다, 일이 꿰여지다; кончиться ~ей 실패로 돌아가다

неудачник (남) 실패자, 불운한 사람

неудачно (부) 성과 없이; 잘못

неудачный (형) ① 실패로 끝난, 성공하지 못한, 순조롭지 못한 ② 제구실을 못하는, 서투른

неудержимый (형) 막을 수 없는, 억제할 수 없는

неудивительно (부) (술어로): ~, что... 할 것은 놀랄만(이상, 기이)한 일이 아니다; это и ~놀릴 것도 없다, 이상할 것이 없다

неудобно (부) ① 불편하게 ②(술어로) 불편(거북)하다

неудобный(형) ① 불편한;~ое кресло 불편한 안락의자 ② 거북한, 적절치 못한;попасть в ~ое положение 곤란한 처지에 빠지다

неудобство (중) ① 불편 ② 난처한 처지, 곤경; мириться с ~ами 불편한 점은 참다

неудовлетворённость (여) 불만족한 것, 불만(不滿)

неудовлетворённый (형) 마음이 차지 않은, 시쁜, 시들한, 불만족한

неудовлетворительно ① (부) 좋지 않게(못하게), 불충분하게 ② (명사로)(불변)(중)락 제점수

неудовлетворительный (형) 좋지 못한, 불충분한;~ая оценка 낙제점수

неудовольствие (중) 불유쾌감, 불평; выразить своё ~자기 불평을 표현하다

неужели (의문 조) 아니 그래요? 정말인가? ~ это правда? 과연 이것이 참말인가?

неузнаваемо (부) 몰라보게, 남모르게; ~ изменился 몰라보게 달라졌다

неузнаваемый (형) 알아보기 어려운, 몰라보게 변한

неуклонно (부) 어김없이, 이악하게, 부단히

неуклонный (형) 어김없는, 이악한,

부단한

неуклюжий (형) 거북살스러운, 데퉁맞은, 여들없는, 굼뜬;~ий диван 투박한 소파; ~ие движения 둔한 동작

неукротимый (형) 억제(진정)할 수 없는, 막을 수 없는

неуловимый (형) ① 붙잡을 수(만날 수) 없는 ② 감각할 수(느낄수)없는, 겨우 알아볼 수 있는; ~ая разница 분간하기 어려운 차이

неумело (부): ~ обращаться с чем ...을 설다루다

неумелый (형) 솜씨 없는, 졸렬한, 서투른, 손에선; ~ работник 솜씨가 서투른 일군

неумеренность (여) 과도한 것, 절도가 없는 것; ~ в еде 폭식(暴食)

неумеренный (형) 과도한, 지나친, 절도가 없는

неуместно (부) 맞지 않게, 적절치 않게; здесь это ~이것이 여기에서는 알맞지 않다

неуместный (형) 적절(온당)치 못한, 앙뚱한; ~ вопрос 어울리지(온당치)않은 문제

неумный (형) 지혜 없는, 어리석은

неумолимый (형) 완고한, 무자비한, 사정없는; ~ закон 불변의 법칙

неумолкаемый (형) 끊임 없이 올리는, 그칠 줄 모르는

неумышленно(부) 뜻하지 않고, 불의에

неумышленный (형) 고의적이 아닌, 본의 아닌, 뜻하지 않은, 불의의;~ обман 본의 아닌 기만

неуплата (여) 미납(未納), 체납(滯納), 납부(지불)하지 않는 것; в случае ~ы 지불하지 않는 경우에

неупотребительный (형) 쓰이지 않는, 사용(통용)되지 않는

неуравновешенный (형) 성질이 급한, 마음(성품)이 고르지 못한

неурожай (남) 흉작, 낮은 수확(소출)

неурожайный (형):~ год 흉년

неурочный (형): ~ое время 규정외 시간; ~ая работа 시간외 노동, 연장근로; в ~ый час 때 아닌 때에

неурядица (여) ① 불화(不和), 알력(軋轢); семейные ~ы 가정불화 ② 무질서(無秩序), 혼란(混亂)

неусовершенствованный (형) 완성(개량, 새선)되지 않은

неуспеваемость (여) 낙제(落第), 낙후란 성적

неустанно (부) 꾸준히, 줄기차게, 부단히

неустанный(형) 꾸준한, 줄기찬, 부단한

неустойка(여) (재정) 위약금(違約金)

неустойчивость (여) 동요성, 불안정성, 견실성; моральная ~ 도덕적불견실성

неустойчивый (형) ① 흔들리는, 불안정한, 견실치 못한 ② 변하기 쉬운; ~ая погода 변덕스러운 날씨 ③ 동요하는, 굳지 못한; ~ые элементы 동요분자

неустрашимый (형) 두려움(겁)을 모르는, 대담한

неуступчивый (형) 양보하지 않는, 꼬장꼬장한

неусыпный (형) 물샐틈없는, 주의 깊은, 경각성 있는; ~ое наблюдение 물샐틈없는 감시

неутешительный (형) 위안이 되지 않은, 반갑지 않은, 비참한, 좋지 못한; ~ые известия 마음을 놓을 수 없는 소식

неутешный (형) 위로할 수 없는; ~ ое горе 가실 수 없는 슬픔

неутомимо (부) 꾸준히, 줄기차게, 굴함없이

неутомимый 꾸준한, 줄기찬, 지칠줄 모르는

неуч (남) 무식쟁이

неучтивый (형) 존경심이 없는, 버릇없는, 인사성이 없는

неуютный (형) 아늑(아담)하지 않은, 쓸쓸한, 스산한

неуязвимый (형) ① 공격(습격)받지 않는 ② 나무랄데 없는, 흠잡을 수 없는; ~ое доказательство 비난할 여지 없는 증거

нефрит I (남) (의학) 신장염(腎臟炎)

нефрит II (남) (광석) 연옥(軟玉)

нефтедобывающий (형): ~ая промышленность 유전(채유)공업

нефтеналивной (형): ~ое судно 유조선(油槽船), 원유수송선

нефтеперегонный (형) 원유증류, 원유가공; ~ завод 원유가공 공장

нефтеперерабатывающий (형) 원유가공, 제유(製油);~ий завод 원유가공 공장; ~ая промышленность 원유가공 공업

нефтехранилище (중) 석유(石油)저장고, 원유저장고

нефть (여) 석유(石油); 원유(原油)

нефтяник (남) 원유공업노동자

нефтяной (형) 석유(원유); ~ая промышленность 석유(원유)공업, 원유채굴공업(原油採掘工業);~ая вышка 채유탑; ~ое месторождение 유전;~ая скважина 유정, 석유갱; ~ая бочка 석유통(石油桶)

нехватка (여) 부족(不足), 결핍(缺乏)

неходовой (형): ~ товар 잘 팔리지 않는 상품

нехороший(형) 좋지 못한, 나쁜, 불리한

нехорошо ① (부) 좋지 못하게, 나쁘게 ②(술어로) 좋지 못하다, 나쁘다

нехотя (부) 마지못해, 싫어하면서; дел-ать ~ 마지못해 하다

нецелесообразный (형) 불합리한, 목적에 어긋나는, 적절치 않는

нецензурный(형) 상스러운, 잡상스러운; ~ые выражения(слова) 잡상스러운 말

нечаянно (부) 뜻하지 않고, 불의에. 우연히

нечаянный (형) 뜻하지 않은, 불의의, 우연한

нечего I (부정 대)(нечему (여), нечем (조)) (+미정형)...할 것이 없다; нечему удивляться 놀랄 것이 없다

нечего II (술어로) (+미정형)...할 필요가 없다; об этом и думать ~ 이것에 대하여서는 생각할 필요조차 없다; ~ и говорить, что 하는 것은 말할 것도 없다

нечеловеческий (형) 비인간적인, 참혹한; ~ие условия 사람 못살 조건; ~ие усилия 초인간적 노력

нечем см. ничего I

нечему см. нечего I

нечестность (여) 정직하지 못한 것, 불성실성(不誠實性)

нечестный (형) 정직하지 못한, 불성실성

нечёткий (형) 똑똑치 않은, 아리송한, 막연한, 불명료한

нечётный (형): ~ое число 홀수, 기수(騎手);~ый день 기일, 기수의 날

нечистокровный (형) 잡종(雜種), 혼혈(混血)

нечистоплотность (여) ① 불결(不潔), 깨끔 찮은 것, 비위생적인 것; ② 누추한 것, 비루한 것

нечистоплотный (형) ① 단정치 못한, 깨끔찮은, 꾀죄죄한 ② 누추한, 비루한, 해찰궂은

нечистоты(복수) 오물(汚物), 오수(汚水)

нечистый (형) ① 더러운, 불결한, 불순한 ② 거친, 조잡한; ③ 부정직한; 불성실한; у него совесть ~а 그는 양심이 깨끗지 못하다; быть ~ым на рук 손버릇이 나쁘다; у ~ая сила 귀신(鬼神), 악마(惡魔)

нечто (미정 대) (생, 여, 조, 전 없음) 그 무엇, 그 어떤, 무엇인가;~ вроде... 와 비슷한 것,... 따위의 그 무엇; ~ странное 그 어떤 기이한 것; ~ новое 새로운 그 무엇

нечувствительный (형) ① 감각이 없는(둔한), 무감각한(無感覺-); ② 냉담한(冷淡-), 사정없는, 쌀쌀한

нешуточный (형) 농담이 아닌, 신중한

нею см. она

неявка (여) 결석, 출두하지 않는다

неясность (여) 불명확성, 애매한 것, 애매모호한 것

неясный (형) ① 불명확한, 똑똑치 못한, 희미한 ② 아리송한, 흐린, 흐리터분한; ~ое предчувствие 어렴풋한 예감

ни ① (조, 접) (강조 조) (부정문장에서)...도 нет ни одного человека 한 사람도 없다, ни слова не сказал 한마디도 말하지 않았다, на небе ни облачка 하늘에는 구름이 한점도 없다 ② (강조 조) (종속문에서, кто, что, куда, как 등과 함께)...이라도,...라 할지라도,; сколько ни говори 암만 말하여도;, куда ни пойди 어디로 가든지 ③ (접) 종속문에서 동종성분을 나열할 때 사용)...도...도, нет ни газеты, ни журнала 신문도 잡지도 없다, ни то ни другое 이것도 아니고 저것도 아니다; ни за что, ни в коем случае 결코, 암만해도; ни за что, ни про что 거저, 아무 터무니없이, ни с того ни с сего 웬일인지, 괜히 갑자기, ни причём 아무 관계도 없다, ни с чем 허탕을 치다

Ниамей (남)z. 니아메(Niamey)

нива (여) ① (곡식) 밭(田), 전야(田野) ② 활동무대(活動舞臺)

нивелир (남) (측지) 수준기(水準器)

нивелирование (중), **нивелировка** (여) ① 수준측량, 고저측량(高低測量) ② 균일화(均一化), 균등화(均等化)

нигде (부) 아무데도, 어느 곳에도, 어디에서도; его ~ нет 그는 아무데도 없다

Нигер (남) 니제르

Нигерия (여) 나이제리아

нигилизм (남) 허무주의(虛無主義)

нигилист (남) 허무주의자(虛無主義者)

Нидерланды (복수) 화란(和蘭) 네덜란드

ниже ① (низкий의 비교급) 더 낮다; она ~ меня ростом 그 여자는 나보다 키가 더 작다; ② (низко의 비교급) 이하, 아래에; ... он зивёт этажом ~그는 1(한) 층 아래에서 살고 있다, от двадца-ти лет и ~ 20살 및 그 아래로; ③ (부) 후에 가서, 아래에, 다음에;, как будет сказано ~ 아래에 서술하는 바와 같이 ④(전) (+생)이하, 밑으로, 낮게, пять гра-дусов ~ нуля 영하 59(오십 구)도, ~ уровня земли 지면보다 더 낮다

нижеизложенный (형) 아래에 서술된

нижеподписавшийся (형) 아래에(밑에) 서명한

нижесказанный, нижеследующий (형) 다음과(아래와)같은, 아래에 지적한

нижестоящий (형) (행정기구에 대하여) 아래, 하급;~ие работники 아래 일군들; ~ая организация 아래조직; ~ая инс-танция 아래기관

нижний (형) ① 아래에 있는, 아래; ~ий этаж 아래층 ② 속이 잇는; ~ее

бельё 속옷, 내의
низ (남) 밑, 아래, 하부(下俯)
низвергать(미완), **низвергнуть** (완) ① 내려뜨리다, 넘어뜨리다, 투하하다 ② 전복하다
низвержение (중) 전복(全鰒)
низина (여) 낮은 땅
низкий (형) ① 낮은, 작은; ~ забор 낮은 울타리; человек ~ого роста 키 작은 사람; ~ое давление 저기압; ~ая температура 저온; ~ая цена 눅은 값 ② 저급한, 나쁜, 낮은; ~ий уровень знаний 자식의 낮은 수준; ~ое качество 늦은 질 ③ 천한, 비열한; ~ поступок 비열한 행동
низко (부) ① 나직이, 나지막하게, 낮게;~ лететь 나지막하게 날아가다; ~ кланяться 허리를 굽혀 절하다 ② 천하여, 비열하게 ③ (술어로) 낮다
низкопоклонник (남) 사대주의자(事大主義者), 아첨쟁이
низкопоклонство (중) 아부(阿附), 아첨(阿諂), 맹종; 사대주의(事大主義)
низкопробный (형) ① 하등(下等), 품질(이) 낮은 ② 저렬한
низкорослый (형) 키가 작은(낮은, 작달막한)
низкосортный (형) 등급(품위)이 낮은, 품질이 나쁜
низлагать(미완), **низложить**(완) 전복하다
низменность (여) (지리) 낮은 땅
низменный (형) ① 지대가 낮은, 평야가 많은 ② 저렬한, 지더린
низовой (형):~ой работник 하부(아래) 일군; ~ая организация 하부말단조직
низовье (중) 하류(下流)(지방)
низость (여)비열(저열, 야비)한 것
низший (형) ① (низкий 의 최상급) 가장 낮은, 최저(最低) ② 하등(下等); ~ ий тип животных 하등동물 ③ 초등(初等); ~ее образование 초등교육 ④ 말단(末端); ~ий орган 말단기관
никак (부) 결코, 도저히, 전혀; нельзя ~ 도저히 불가능하다; не ожидал 전혀 예상하지 않았다
никакой (부정 대) ① 아무런, 여하한, 하등의; нет ~ надежды 아무 희망도 없다 ② (не와 결합하여) 절대로 ...아니다; ~ он не артист 그가 무슨 배우이겠소.
Никарагуа (여) 니까라과
никелированный (형) 니켈로 도금한; ~ая кровать 니켈도금침대
никель (남) 니켈(nickel)
никем см. никто (조)
никогда (부) 그 어느 때도, 아무 때에도, 한시도; 절대로; учиться ~ не поздно 배우는 것은 언제라도 결코 늦지 않다; как ~ раньше 그 어느 때보다도
никого см. никто (생, 대)
никоим образом (부) см. никак
никому см. никто (여)
Никосия (여) г. 니코시아(Nicosia)
никотин (남) 니코틴(nicotine)
никто (부정 대) (никого (생, 대), никому (여), никем (조), ни о ком(전), 아무도, 한 사람도; ~ не пришёл 아무 사람도 오지 않았다; никого нет 아무도 없다; никому не говори 아무에게도 말하지 말라
никуда (부) 아무데도, 아무데나; ~ не поеду 아무데도 가지 않겠다; это ~ не годится 이것은 아무데도 소용없다;~не годный 아무 쓸모도 없는
никудышный (형) 아무 소용도 없는, 껄렁한;~ работник 나쁜 일군; ~ое поведение 껄렁한 행동
ним см. он, они
нимало (부)см. нисколько
ними см. они

ни о ком см. никто
ниоткуда (부) 아무데로부터, 어디서부터로, 어디서나; ~ нет известий 아무데서도 소식이 없다
ни о чём см. ничто
нипочём ①(술어로) кому ...에게는 아무것도 아니다; ему всё ~ 그에게는 모든 것이 다 식은 죽 먹기다; ② (부) 절대로;~ не прощу 절대로 용서 못하겠다 ③ (부) 아주 싸게, 헐값으로
нисколько (부) 조금도; ~ не холодно 조금도 춥지 않다
ниспровергать(미완),**ниспровергнуть**(완) ① 뒤집어엎다, 엎어뜨리다, 전복하다; ~ самодержавие 전제제도를 전복하다 ② 전락시키다, 떨구다; ~ авторитет 위신을 저락시키다
ниспровержение (중) 전복(顛覆)
нитка (여) ① 실; вдевать ~у в иголку 바늘에 실을 꿰다; ② 줄기, 선; ~а рельсового пути 철도선; ~а реки 강줄기;~а нефтепровода 송유관; промокнуть до ~и 흠뻑 젖다; белыми ~ами шито 빤히 드려다 보인다.
нитроглицерин(남)(의학)니트로글리세린
(nitroglycerin)C*3*H*5*(ONO*2*)*3*.
нить (여) ① 실; ② 실마리, 줄거리; ~ разговора 이야기의 줄거리; проходить красной ~ю 기본 줄거리로 되다
них см. они
ничего ① (부정 대) см. ничто (생, 대) ② (부) 괜찮게; ③ (술어로) 일없다, 괜찮다; ④ (술어로) 꽤 좋다, 나쁘지 않다, 괜찮다
ничей(부정 대) (남)(ничья (여), ничьё (중), ничьи(복수)) 누구의 것도 아닌; ничья земля 소유자가 없는 땅(토지); ничьи вещи 임자 없는 물건

ничейный (형) ① 누구의 것도 아닌; ~ая земля 완충시대 ②(체육) 비긴, 승부 없는; ~ый результат 무승부
ничем см. ничто
ничему см. ничто
ничком (부):падать ~ 거꾸러지다, 엎드리다; лежать ~ 엎드려 누워있다
ничто (부정 대)(ничего(생, 대) 아무 것도, 어느 것도, 어느 하나도,, ничему (여), ничем (조), ни о чём (전)) ~ не поможет 도움이 될 것은 아무것도 없다; ничего не вижу 아무것도 보지 못하다; ничего не остаётся, как ...할 수 박에 없다; ничего не поделаешь 어쩔 도리가 없다; ничего подобного 전혀 그렇지 않다
ничтожество (중) ① 앤생이, 너절한 사람 ② 너부랭이, 너절한 것
ничтожный (형) ① 극히 작은(적은); ~ заработок 극히 낮은 노임; ② 미세한, 보잘것없는, 껄렁한; ~ человек 쬐쬐한 사람
ничуть (부) 조금도, 전혀
ничья ① см. ничей ②(명사로) (여) (체육) 무승부, 비기는 것
ниша (여) 벽홈, 우묵벽
нищать (미완) 빈궁해지다, 가난해지다
нищая, нищенка (여) 거지, 비렁뱅이
нищенский (형) ① 거지의 ,거지같은; ~ая сума 동냥주머니; ~ий вид 거지꼴; ② 극히 작은; ~ая зарплата 극히 낮은 노임, 기아임금
нищенствовать (미완) ① 소매동냥하다, 빌어먹다 ② 걸식하다, 몹시 가난하게 살다;
нищета (여) 빈궁(貧窮), 가난(家難); крайняя ~ 토단
нищий (형) ① 구차한, 극빈한; ② (명사로) 거지, 비렁뱅이
но (접) 그러나, 그런데, ,,,나

новатор(남) 혁신자(革新者);~ произво-дства 생상 혁신자
новаторский (형) 혁신적인
новаторство (중) 혁신, 혁신운동
Новая Зеландия (여) 뉴질랜드
Новая Каледония 누벨 까레도니아
новейший (형) (новый의 최상급) 최신(最新), 최신식(最新式); 근대(近代); автомобиль ~ей марки 최신형자동차
новелла(여)(짧은) 단편소설(短篇小說)
новизна (여) 생신한 것, 새로운 맛, 참신성
новинка (여) 신품, 새것; 새로 산 것; книжные ~и 새로 나온 책들
новичок (남) 햇내기, 신내기, 생둥이, 새사람, 신인; 초대; 신입생
новобранец (남) 신입대원, 신입병사
новобрачные(복수)신혼부부(新婚夫婦)
нововведение (중) 혁신(革新), 개혁(改革), 새 규정(규칙), 새로 도입된
новогодний (형) 새해, 신년(新年), 설맞이;~ подарок 새해선물
новокаин (남) (약학) 노보카인
новолуние (중) 초승달
новообразование (중) ① 새로 생긴 것, 새 형태, 새 요소 ② (의학) 조직의 병적증식
новорожденный(남) 갓난아이, 갓난이
новосёл (남) 새로 이사 온 사람, 신내기, 집들이한 사람
новоселье (중) 집들이; справлять ~ 집들이 턱을 내다
новостройка (여) ① 새 건물(建物), 새 건축, 새 건설장 ② 새 건물, 새 집; шко-ла-~ 신설학교
новость (여) ① (새)소식(-消息) ② 생생한 것, 새로 산 것; 새로운 발명(발견); ~и науки и техники 과학과 기술상의 새 발명
новшество (중) 새것, 새로 도입된 것,

혁신(안)
новый(형) ① 새, 새로운; ② 근대(近代), 근세(近世); ~ая история 근세사; ③ 신형(新型);автомобиль ~ой марки 신형의 자동차(신형자동차); Новый год 새해, 신년(新年)
новь (여) (농업) 처녀지(處女地), 개간지; поднимать ~처녀지를 개간하다
нога (여) ① 발(足), 다리; ② (가구, 기계 등의)다리; идти в ~у 발맞추어 가다, 발을 맞추다; вверх ~ами 거꾸로; бе- жать со всех ног 치닫다; целый день на ~ах 종일토록 바쁘다; стать на ~и 일어서다, 추서다; поднять на ~и 1) 완쾌(회복)시키다 2) 법석구니를 놓다 3) 일어나게 하다; протянуть ~и 죽다
ноготь (남) 손톱, 쇠톱
ножик (남) 칼, 칼날; острый ~ 대단히 불쾌하다; быть на ~ах с кем 원수지간이다
ножка (여) ① 발, 다리; прыгать на одной ~е 한 다리로 껑충껑충 뛰다, 앙감질하다 ② (책상, 기구 등의)다리
ножницы (복수) 가위; садовые ~가지가위
ножны (복수) 칼집
ножовка (여) (작은) 손톱, 쇠톱
ноздря (여) 코 구멍
нокаут (남) (권투에서) 완전 넘어지다
нокдаун(남) (권투에서)맞아 넘어지다
номенклатура (여) ① 학술(學術)용어집, 전문용어집, 학명(學名), 술어(述語); ② 물품목록(物品目錄), 회계목록
номер (남) ① 번호, 번; ~ дома 주택번호; ② (잡지 등의) 호수(號數), 호(號): сп-ециальный ~ 특간호 ③ (의복 같은 것의) 호수, 문수 ④ (여관에서) 방, 호실(號室); 호실번호 ⑤ (음악회 등의) 곡목 종목
номерок (남) 번호표(番號票)

номинал (남)(재정) 액면가격(額面價格)

номинальный (형) ① 공칭(公稱); ~ая высота 기준고도(높이), 표준고도(높이) ② 명의상, 명목(名目)상; ~ая зарплата 명목임금 ③ (재정) 액면(額面); ~ая цена 액면가격(額面價格)

нора (여) (짐승의) 굴(堀)

Норвегия (여) 노르웨이(Norway)

норвежцы (복수)(**~ец** (남), **~ка**(여)노르웨이(Norway)사람

норвежский (형) 노르웨이(Norway)의

норка (여) (동물) 구라파(미국)족제비, 밍크(mink)

норма (여) ① 기준(基準)량, 책임량, 비율(比率); дневная ~а 하루작업량(책임량); перевыполнять ~у 기준량을 넘쳐 완수하다; ② 규준(規準), 규범(規範); правовые ~ы 법률; всё вошло в ~у 모든 것이 정상적인 것으로 되였다

нормалицация(여) 정상화; 규범화(規範化), 기준화(基準化), 표준화(標準化)

нормализовать (미완, 완) ① 정상화 하다, 정돈하다 ② 규범화하다, 규준을 세우다

нормальный (형) ① 정상적인, 보통; ~ая температура 평온 ② (심리적으로) 건전한, 정상적인

норматив (남) 표준량, 기준량, 규범

нормативный (형) ① 기준(基準), 표준기준; ② 규범적인(規範的), 규범(規範); ~ая грамматика 규범문법

нормирование (형) 기준설정, 표준화

нормированный (형) 기준화된, 표준화된, 제정된; ~ рабочий день 제정된 노동시간

нормировать (미완, 완) 기준(량)을 제정하다, 규범화하다; 한정하다; ~ работу 노동기준량을 정하다

нормировка (여)*см.* нормирование

нормировщик (남) 기준설정전문가, 평가원

нос (남) ① 코; ~ заложило 코가 막혔다; ② 부리; ③ 배 머리; ④ (비행기 등의) 기수; водить за ~ 속이다, повесить ~ 낙심하다; совать ~ 덥적이다; зади-рать ~ 억죽거리다, 코가 우뚝하다; ост-аться с ~ом 한지에 방아를 걸다(놓다); под ~ом 코앞에서, 면전에서; говорить в ~ 코 소리로 말 하다

носилки (복수) 들것, 담가(擔架)

носильщик (남) 짐꾼, 운반공

носитель (남) ① 소유자(所有者), 소지자(所持者); рабочий класс- ~ передовых идей 노동계급은 진보적사상의 소유자이다; ② ~ гриппа 감기의 보균자(保菌者); ③ самолёт- ~ ядерного оружия 핵무기를 적재하는 비행기

носить (미완) ① *см.* нести; ② 입다, 입고 다니다; 신다, 신고 다니다; 쓰다, 쓰고 다니다; 끼다, 끼고 다니다; такого платья сейчас не носят 그런 옷은 지금 유행이 아니다; ③ (이름, 직위 등을) 가지고 있다; ~ фамилию мужа 남편의 성을 가지고 있다; ④ 품고 있다, 가지고 있다, 띠고 있다: работа носила иссле-довательский характер 사업은 연구적인 성격을 띠고 있었다.

носиться (미완) ① (이리저리, 여러 방향으로) 떠들다, 날치다, 싸다니다, 뒤까불다; ② 입고 다니다, 쓰고 있다; эта обувь долго ~ся 이 신발은 오래 신는다.

носки (복수) (목이 짧은) 양말

носовой (형) ① 코, 부리의; ~ая полость 코 안; ② 코에서 나오는; ~ ой звук 코 소리; ③ 배 머리 (비행기 따위의)앞부분, 기수;~ая часть судна 배 머리의; ~ой платок 손수건

носоглотка (여) (해부) 비인두

носорог (동물) 서우(犀牛), 코뿔소
нота I (여) (음악) ① 음부(音符); ② 음(音), 음성(音聲); фальшивая ~ 틀린 곡조(-曲調) ③ (복수)~ы 악보(樂譜); иг- рать по ~ам 악보를 보고 연주하다
нота II (여) (외교) 각서;~ протеста 항의문; 항의각서;обмен ~ми 각서교환
нотариальный (형) 공증(公證); ~ая контора 공증소,, 대서소(代書所)
нотариус (남) 공증인(公證人), 대서인
нотация (여) 훈시(訓示), 설교(說教); 견책(譴責); читать ~и 훈시하다; 경고하다, 닦아주다
нотный (형):~ая бумага 오선지, 악보용지; ~ые знаки 음부, 소리표
ночевать (미완) 묵다, 숙박하다; ~уйте у нас 우리 집에서 주무십시오.
ночёвка (여) 숙박(宿泊)
ночлег (남) 잠자리, 숙박소, 숙박
ночной(형) 밤, 야간(夜間); ~ое время 밤 시간, 밤사이; ~ая смена 야간교대; ~ая сорочка(рубашка) 잠옷
ночь (여) 밤, 밤사이; спокойной(доброй) ~и 안녕히 주무십시오.
ночью(부) 밤에; глубокой ~ 밤중(에)
ноша (여) ①(들고(지고, 메고)가는)짐, 하물, 등짐 ② 부담, 걱정거리
ноябрь (남) 11(십일) 월;седьмое ~я 11(십일)월 7(칠)일
ноябрьский (형) 11(십일)월
нрав (남) ① 마음씨, 성격, 성미, 기질 ②(복수) ~ы 풍습, 풍속; ~ы и обычаи 관습
нравиться (미완) 마음에 들다(마땅하다), 좋아하다; это мне ~ся 이것은 나의 마음에 든다.
нравоучение (중) 훈계, 설교(說教)
нравственность (여) 도덕(성), 덕성
нравственный (형) ① 도덕적인, 덕이 있는;~ облик 도덕적 풍모 ② 정신적인

ну ① (감) (권유, 부추김을 표현하다) 자, 어서, 하여라; ну, рассказывай 자, 이야기하게 ② (의문 조) (흔히 와 결합하여): да ну ? 그래? 정말? ③ (조) (해당 단어의 의미를 강조한다) 그래, 그래서, 그런데; ну так что же! 그래서 어쨌단 말인가! ну что же он сказал? 그래 그가 무어라고 말하더냐?; ну а вы? 그런데 당신은? ④(조) (흔히 ~ и (уж)와 결합하여 놀램, 감탄, 불만, 분개를 표현한다): ну и жара! 이런 더위라구야; а ну тебя! 닥쳐! 그만둬! 물러가라! ну и ну! 이런! 뭐뭐
нудный(형) 따분한, 싫증나는, 지긋지긋
нужда (여) ① 필요(必要), 요구(要求), 수요(需要); испытывать ~у в чём ...필요로 하다,...이 요구되다; ② 가난, 빈곤(貧困); крайняя ~ 도탄; ~ы нет, что за ~а 아무래도 일없다, 괜찮다, 문제로 되지 않는다
нуждаемость (여) 필요(정도), 수요량
нуждаться (미완) ① в ком-чём 필요로 하다 ,요하다, 요구되다 ② 가난한 살림을 하다, 반궁 속에서 살다, 곤경에 빠져있다
нужно (술어로) кому-чему ① (+미정형)...하여야 한다(된다),...하는 것이 필요하다;мне ~ отдохнуть 나는 휴식할 필요기 있다;~ идти 가야 된다. ~не забы-вать 잊어서는 안 된다 ② 있어야 한다, 필요하다; мне это ~나에게는 이것이 필요하다
нужный (형) ① 필요한, 요구되는; ② 꼭 있어야 하는,, 알맞은; ~ человек 없어서는 안 될 사람
нуль (남) ① 영(0), 무(無); ноль часов 영시; пять градусов ниже ~я 영하 5도 ② (수) 0;~ целых, две десятых 영점이(0,2) ③ 가치 없는 사람; своди- ть к ~ю 무로 만들다

нумерация (여) 번호를 매기는 것, 번호 달기; 번호;нечётная ~ домов 집의 기수번호

нумеровать (미완) 번호를 때기다(달다, 불이다)

нутро (중) ① 내장, 내부 ② 속심

нынешний (형) 현재(現在), 지금의, 오늘의, 오늘과 같은;~ий год 올해, 금년; в ~их условиях 현조건하에서

нынче (부) 오늘

нырнуть (완), **нырять** (미완) (무) 자맥질하다, 물속에 (뛰어)들어가다

нытик (남) 늘(투덜투덜)불평하는 사람, 불평쟁이

ныть (미완) ① 쑤시다, 시근거리다, 쏘다; зуб ноет 이가 아프다; ② 애처로운 소리로 말하다, 투덜거리다; душа ноет 마음이 아프다

нытьё (중) ① 쑤시는 것, 아픔 ② 늘 불평하는 말; (아이의) 흐느껴 우는 소리

нюанс (남) 색채(色彩)

нюх (남) ① 후각(嗅覺); ② 민감(敏感), 직감(直感), 육감(肉感)

нюхательный (형):~ табак 코담배

нюхать (미완) 냄새(맡다); ~ цветы 꽃을 냄새 맡다

няньчить (미완) 어린애를 돌보다

няньчиться (미완) ①см. няньчить ② 달래다; 안절부절하고 돌아다니다

няня (여) ① 보모(保姆) ② (탁아소에서) 보육원(保育院) ③(병원에서)간병원

О

о I (об, обо) (전) ① (+전) ~에 대하여 (관하여), ~에 대한(관한); рассказывать о Корее 한국에 대하여 이야기하다; думать о детях 아이들을 생각하다; весть о победе 승리에 대한 소식; ② (대) (충돌, 접촉, 마찰을 표시함) ~에 ..에 대고; опереться о стол 상에 몸을 기대다; удариться о камень 돌에 부딪히다

о II (감) ① 오!, 아!, 아이고!; о, я очень рад 아 정말 반갑습니다.; о, да! 그렇고 말구요!;о, нет! 원 천만에; о, больно! 아이고 아파!

оазис (남) 오아시스

оба (수)(남, 중)(**обе**) (여)(집합) 둘 쌍, 양쪽; ~ глаза 두 눈; ~ ноги 두 다리; оба сына 두 아들; ~государства 두 나라; обе стороны 쌍방; лица обоего пола 남녀양성; они ~заболели 그들은 둘다 병들었다; смотреть в ~ 주의 깊게 살피다, 조심하다

обанкротиться (완) ① 파산되다 ② 실패(파탄)되다

обаяние (중) 매력(魅力), 매혹, 예교

обаятельный (형) 매력(魅力)있는, 매혹적인(魅惑的-), 귀여운

обвал (남) 허물어지는 것, 붕괴(崩壊), (산)사태(沙汰), снежный ~ 눈사태

обваливаться (미완), **обвалиться** (완) 무너지다, 붕괴되다

Обваривать(미완), **обварить**(완) ① 데치다, 끓는 물을 붓다(끼얹다); ~овощи 남새(나물)를 끓는 물에 데쳐내다 ② 끓는 물이나 더운 김에 데다

обвернуть (완), **обвёртывать** (미완) 싸다, 감싸다, 치감다, 휘감다; ~книгу бу-магой 책을 종이에 싸다

обвесить (완) см. обвешивать

обвести (완) см. обводить

обветриться (완) 손, 얼굴 등이 바람에 거칠어지다

обветшать (완) 헐어지다, 낡아빠지다

обвешивать (미완) 저울눈을 속이다, 중량(무게)을 속이다, 모자라게 달다

обвивать (미완) 둘러싸다(감다); ~шею руками 두 팔로 목을 껴안다

обвиваться(미완) 감기다, 휘감기다

обвинение (중) ① 고소, 기소(起訴); ② (법학) 유죄판결(有罪判決)

обвинитель (남) 기소자, 고소자

обвинительный(형) 고소의, 기소의; ~ый акт; ~ое заключение 기소장(起訴狀); ~ый приговор 유죄판결

обвинить (완) см. обвинять

обвиняемый (형) 피고(인), 피소자

обвинять (미완) ① 비난하다, 꾸지람하다 ② 기소하다

обвисать(미완), **обвиснуть** (완) 처지다, 휘주근해지다, 늘어지다

обви´´ть(ся) (완)см. обвивать(ся)

обводить (미완) ① 데리고 돌다; ~кого вокруг дома....를 데리고 집주위를 돌다 ② 선을 두르다, 줄을 치다, 동그라미를 그리다; ~рисунок тушью 그림에 먹테를 두르다 ③ 둘러막다 (치다, 파다); ~взглядом 주위를 둘러보다; ~вокруг пальца 속여 넘기다

обводнение (중) 물을 대는것, 관개

обводнить, обводнять 물을 대다

обволакивать (미완), **обволочь** (완)

구름 등이 뒤덮다, 가리우다, 둘러싸다
обворовать (완), **обворовывать** (미완) 훔쳐가다, 털어가다, 도적하다
обворожительный (형) 황홀케 하는, 매혹적인, 매력적인
обвязать (완), **обвязывать** (미완) 둘러매다, 둘러동이다, 감아매다, 처매다
обглодать (완) 둘러가면서 갉아먹다, 쏟아서 먹다, 물어뜯다; ~мясо с костей 뼈에 붙은 살을 물어뜯다
обгонять (미완) ① 따라 앞서다 ② 통과하다
обгор□ать (미완), **~еть** (완) 불에 타다, 그슬리다; волосы~ели 머리칼이 그슬렸다
обдавать (미완), **обдать** (완) ① 퍼붓다, 끼얹다; обдать холодной водой 찬물을 퍼붓다 ② 휩싸다; меня обдало холодом 나는 갑자기 추워졌다; обдать презрением *кого*....를 몹시 경멸하다
обдирать (미완) 벗기다
обдирка (여): ~риса 매갈이, 매조미
обдумать (완), обдумывать (미완) 깊이(신중히) 생각(궁리)하다, 파고들다; ~со всех сторон 앞뒤를 재다, 두루 생각하다
обе (여) *см.* оба
обед (남) ① 점심(식사), 점심밥; ~из трех блюд 세 가지 요리의 점심; торжественый ~ 축하연; дать~ в честь кого.....를 위하여 오찬회를 베풀다(차리다, 마련하다) ② 점심시간, 점심때; перерыв на ~ 점심, 참
обедать (미완) 점심을 먹다, 식사하다
обеденный(형) 점심, 점심식사, 식사용; ~стол 밥상, 식탁; ~ перерыв 점심참, 점심휴식시간
обеднеть (완) *см.* беднеть
обезболивание (중) 마취(麻醉), 진통

обезболивать (미완) 진통시키다, 마취시키다
обезвоживание (중) 물빼기, 탈수(脫水)
обезвоживать (미완) 물을 없애다(말리다), 탈수하다
обезвредить (완), обезвреживать (미완) 무해하게 하다, 해롭지 않게 하다; ~мину 지뢰를 해제하다
обезглавить (완), **обезглавливать**(미완) ① 머리를 베다, 목을 잘라죽이다 ② 우두머리를 없애치우다
обездоленный (형) 운명이 쓰라린, 궁한, 헐벗고 굶주린
обезжиренный (형) 기름 (을) 뺀
обеззараживание (중) 소독, 살균(殺菌)
обеззараживать (미완), **обеззаразить** (완) 소독하다, 살균하다
обезличивать (미완), **обезличить** (완) ① 책임진 사람이 없게 하다(만들다); ~ работу 일을 책임진 사람이 없게 만들다 ② 개성을 빼앗다
обезличка (여) 개인책임회피
обезлюдеть (완) 인적 (사람, 주민)이 없어지다, 무인지경이 되다
обезображивать(미완),**обезобразить** 보기 싫게(밉게) 만들다, 불구로 만들다
обезопасить (완) 안전케 하다, 위험(성)을 제거하다
обезоруживать (미완), **обезоружить** (완) 무기를 빼앗다, 무장해제하다
обезуметь (완) 미치다, 얼빠지다, 정신을 잃다; ~от испуга 놀라서 어리벙벙해지다
обезьяна (여) 원숭이
обелиск (남) 기념탑, 기념비(紀念碑)
оберегать (미완) 지키다, 보호하다, 보위하다
обернуть (완) ① *см.* обернуть ② 다른 방향으로 돌리다; ~дело в свою пользу 일을 자기에게 유리한 방향으로 돌리다

обёртка (여) 포장종이, 포장(용)지
обёрточн ‖ ый (형):~ая бумага 포장지
обёртывать (미완) *см.* обвёртывать
обескровить (완) ① 피를 없애다(뽑아버리다) ② 무력하게 하다; ~ врага 적을 약화시키다
обескуражи ‖ вать (미완), **~ть** (완) 자신심을 잃게 하다, 어리벙벙케 하다
обеспечение (중) ① 보장(保障), 보증(保證), 바라지, 공급(供給); материальное~ 자재공급(보장); ~ мира 평화의 보장 ② 생활보장(수단); денежное ~ 생활보장금
обеспеченность (여) ① 보장정도, 공급정도 ② 풍족 (유족, 부유) 한 것
обеспеченн ‖ ый (형) ① 보장(제공)된 ② 풍족(유족)한; материально ~ая жизнь 물질적으로 보장된 생활
обеспечивать (미완), **обеспечить** (완) ① 보장(제공, 공급)하다 ② 바라지하다, 확보하다
обеспокоить (완) 불안(걱정, 초조)하게 하다, 폐(괴로움)를 끼치다
обессилеть (완) 힘이 빠지다, 기진하다, 쇠약해지다; ~от усталости 허전해지다
обессиливать (미완), **обессилить** (완) 무력하게 하다, 힘이 빠지게 하다
обесцветить (완), **обесцвечивать** (미완) 퇴색시키다, 색깔이 날다, 탈색하다, 색감을 빼다
обесценение (중) 가치가 줄어지는 것, 값이 떨어지는 것
обесценивать (미완), **обесценить** (완) 값을 떨어뜨리다, 가치가 없는(적은) 것으로 만들다
обесчестить (완) 명예를 더럽히다(손상하다, 낯을 깎다
обет (남): дать~ 맹세하다
обещани ‖ е (중) 약속, 다짐; дать торжественное~е 맹세하다, сдержать~ 약속을 지키다(이행하다), нарушать~е 약속을 어기다; кормить ~ями 빈 약속을 하다
обеща ‖ ть (미완) ① 약속하다, 다짐하다; ② 기대(희망)를 가지게 하다; день ~ет быть ясным 날이 개일 가망이 있다
обжалование(중) (법률) 상소(上訴), 공소
обжаловать (완) 상소(공소)하다
обжечь[ся] (완) *см.* обжигать[ся]
обжиг(남), **обжигание** (중) (공학) 소성, 배소
обжигать (미완) ① 주위를 태우다; ~ конец палки 막대기 끝을 태우다 ② 데다, 화상을 입히다; ~ руку 손을 데다
обжигаться (미완) 데다, 화상을 입다
обжора(남,여)대식가, 식충이, 게걸쟁이
обжорство (중) 과식(過食), 지내먹기
обзав ‖ естись (완); **~одиться** (미완) 장만하다; ~естись всем необходимым 필요한 것을 갖추어놓다(얻다); ~одиться семьёй 가족을 이루다, 가정을 가지다
обзор (남) 개관(概觀), 일람(一覽), 통론(通論); международный~ 국제정세개관
обзывать (미완) ...라고 부르다; ~ дураком 바보라고 부르다
обивать (미완) ① чем ...를 대다, 붙여덮다; ~досками 널판자를 대다; ~кресло кожей 안락의자에 가죽을 씌우다(싸개질하다 ② 쳐서 떨구다; ~ яблоки 사과를 떨구다; ~пороги 문턱이 닳도록 드나들다
обид ‖ а (여) 노염, 모욕, 모욕감; быть в ~е 노염을 품다; наносить ~у 모욕하다; не дать в ~у 비호하다
обидеть[ся] (완) *см.* обижать[ся]

обидно ① (부) 모욕적으로; ② (술어로) 분하다

обидн‖ый (형) 모욕적인, 분한, 고까운, 노여운; ~ый упрек 모욕적인 비난; ~ые слова 노여워하는 말

обидчивый (형) 노여워하기 쉬운, 모욕을 느끼기 잘하는

обижать (미완) 모욕하다, 노엽히다

обижаться (미완) 노여워하다, 노여움을 타다, 노여움이 나다

обилие ① 다수, 많은 량 ② 풍족, 풍만

обильно (부) 풍부히, 넉넉히, 담뿍, 건하게; ~ накормить 넉넉히(건하게)먹이다

обильный (형) 풍부한, 유족한, 푸짐한; ~урожай 대풍작;~ ужин 푸짐한 저녁

обиняк (남) без ~ов 털어놓고; говорить ~ами 빙빙 돌려 말하다, 암시하여 말하다

обитатель (남) 거주자, 주민, 사는 사람

обитать (미완) 살다, 거주하다; 서식하다

обить (완) см. обивать

обиход (남) 관례(慣例), 습관(習慣), 일상생활(日常生活); войти в ~ 일상생활화 되다, 상용되게 되다; предметы домаш-него~а 가정용품, 세간

обиходн‖ый (형) 늘 쓰이는, 일상적인, 평범한; ~ые предметы 일용품; ~ ые слова 늘쓰는 말

обкапывать (미완) 주위를 파다

обкатка (여) (공학) 시운전(試運轉); прохо дить ~ у 시운전하다, 시운전중에 있다

обкладывать ① 둘러 덮다, 둘러싸다, 주위에 놓다 ② 포장하다 ③ 포위하다

обклеивать (미완), **обклеить** (완) см. оклеивать

обком (областной комитет) 주위원회

обкрадывать (미완) см. обокрасть

облава (여) ① 몰이사냥; ~на медведя 곰몰이 사냥; ② 검거망, 포위수색; устраи-вать ~у 검거망을 펴다

облагать (미완) : ~ налогом 세금을 부과하다 (매기다), 과세하다

облагор‖аживать (미완), **~одить** (완) ① 고상 (고결)하게 하다 ② (품질, 품종일) 개량 (개선)하다

обладание (중) 소유(所有), 점유(占有)

обладатель (남) 소유자, 점유자, 소지자

обладать (미완) 가지고 있다, 소유하고 있다; 띠다, 지니다; ~ талантом 재능(재간)을 가지고 있다

облак‖о (중) 구름; кучевые ~а 더미구름, 뭉게구름

обламывать (미완) ① 끝(주위)을 꺾다 (부스러뜨리다); ~ сухие сучья 마른 가지들을 꺾어치우다 ② 타이르다, 달래다, 순해지게 하다

областной (형)주;~комитет см. обком

област‖ь (여) ① 주 ② 부문(部門), 분야(分野); в ~и чего.... (분야)에 있어서

облачность (여) 구름층, 구름량, 구름이 낀 정도

облачный (형) 구름이 많은(낀), 흐린; ~ день 흐린 날

облегать (미완) (옷이) 착 붙다, 꽉 들어앉다

облегчать (미완) см. облегчить

облегчение (중) 경감, 완화(緩和), 안도감

облегчённо (부) 한시름 놓아, 마음을 놓고; ~ вздохнуть 한시름 놓다, 마음을 놓다

облегчить (완) ① 가볍게 하다, 쉽게 하다, 헐하게 하다, ~ ношу 짐을 덜다; ~ на-казание 형을 경감시키다, ~ ус

- 346 -

ловия труда 노동조건을 헐하게 하다 ② 단순(간단)하게 하다
обледенелый (형) 얼음으로 덮인, 얼음이 얼어붙은
обледенение (중) 붙어얼기, 착빙(-氷)
обледенеть (완) 얼음으로 덮이다
облезать (미완), **облезть** (완) ① 털(머리카락)이 빠지다 ② 탈색하다
облекать (미완) ① 둘러싸다, 뒤덮다 ② 부여하다, 주다; ~ властью 권력을 부여하다; ~ доверием 위임하다
облениться (완) 게을러지다, 게으른 버릇이 붙다
облеп ‖ ить (완), **облеплять** (미완) ① 사방에 (온통, 가득) 들어붙다: грязь ~ила колеса 바퀴에 온통 진탕이 들어붙였다 ② 주위에 (가득) 바르다(붙이다), 발라붙이다; ~иль стены объявлениями 벽에 광고를 가득 붙이다
облет ‖ ать (미완), **облететь** (완) ① 주위를 날아가다; 날아 돌아다니다 ② (소문 등에 대하여) 쫙(널리) 퍼지다: ~ела радос-тная весть 기쁜 소식이 쫙 퍼졌다 ③ (잎, 꽃잎이) 떨어지다, 지다
облеченный (형): ~доверием 신임을 얻은; ~ властью 권력을 가진
облечь (완) см. облекать
обливани ‖ е (중) ① 퍼붓는 것, 끼얹는 것 ② 관수욕(灌水浴), 관수요법(灌水療法); ~холодные ~я 냉수욕(冷水浴)
обливать (미완) ① 퍼붓다, 끼얹다; ② 쏟뜨려 더럽히다; ~ скатерть чернилами 상보에 잉크를 쏟다; ~ грязью кого. 더러운 누명을 뒤집어쓰우다
обливаться (미완) 자기 몸에 퍼붓다(끼얹다); ~ слезами 눈물을 흘리다; ~ потом 땀을 흘리다
облигация (여) 채권(債券), 공채(公債)
облизать´[ся], **облизнуть[ся]** (완) см. облизывать[ся]
обли ‖ зывать (미완) 핥다, 핥아서 깨끗이 하다; пальчики ~жешь 몹시 맛있다
облизываться (미완) ① 제 입술을 핥다 ② [동물이] 자기 몸을 핥다
облик (남) ① 용모, 모습, 본새, 모양새 ② 풍모, 품성; человеческий ~ 인두겁
облисполком (남)(областной исполнительный комитет) 주집행위원회
облить[ся] (완) см. обливать[ся]
облицевать (완) см. облицовывать
облицовка (여) ① 겉씌우기, 겉바르기, 겉붙이기; мраморная ~ 대러석붙이기 ② 포장용 재료, 겉씌우는, 겉바르는데 쓰는 재료.
облицовывать (미완) 겉을 씌우다(바르다, 붙이다)
обличать (미완) 적발(폭로)하다, 공박하다, 치다; ~несправедливость 부당성을 치다
обличение (중) 적발(摘發), 폭로(暴露)
обличитель (남) 적발자, 폭로자
обличительн ‖ ый (형) 적발(폭로, 공박)하는; ~ая речь 폭로하는 연설
обличить (완) см. обличать
обложение (중): ~ налогом 과세
обложитьсм.обкладывать см. облагать
обложка (여) 책뚜껑, 책표지; 책가위
облокачиваться (미완), **облокотиться** (완) 팔꿈치를 고이고 기대다
обломать, обломить (완) см. обламывать
обломок (남) 파편(破片), 조각(組閣)
облучать (미완) 햇빛(광선)을 쐬다, 투시하다; ~рентгеном 렌트겐으로 투시하다
облучени ‖ е (중) 투시(透視), 조사; 방사선치료; доза ~я 조사량
облучить (완) см. облучать

облысеть (완) см. лысеть
облюбовать(마음에 드는것을)골라잡다
обмазать(완), **обмазывать**(미완) ① 발라 붙이다, 사방 바르다(칠하다); ~ стену глиной 매흙질하다 ② 더럽히다; ~ лицо сажей 얼굴에 검댕칠을 하다
обмакивать (미완), **обмакнуть** (완) 잠간 잠그다(적시다); ~ палец в воду 손가락을 물에 적시다; ~ перо в чернила 잉크를 찍다
обман(남) 속임, 기만(欺瞞), 협잡(挾雜); заниматься ~ом 속임질하다;~ зрения 눈의 착각
обмануть[ся] (완) см. обманываться
обманчив‖ый (형) 기만적인, 오해케 하기 쉬운, 기만하기(속여 넘기기) 쉬운: ~ые надежды 믿을 수 없는 희망
обманщик (남),**~ца** (여) 사기꾼(詐欺-), 거짓말쟁이, 기만자(欺瞞-)
обманывать (미완) 속이다, 속여넘기다, 석여먹다, 기만하다
обманываться (미완) 속다, 속아 넘어가다, 기만당하다; ~ в своих ожиданиях 자기 기대에 어긋나 실망하다
обматывать (미완) 휘감다, 두르다, 처매다; ~ шею шарфом 목에 목도리를 두르다
обмахивать (미완) (부채같은 것으로)부치다, 쓸다
обмахиваться(미완) 부채질하다
обмахнуть[ся] (완) см. обмахивать
обмеление (중) 얕아지는 것
обмелеть (완) см. мелеть
обмен (남) 교환(交換), 교체(交替), 교류(交流), 상환(相換), 교역(交易); ~ опытом 경험교환; ~ мнениями 의견교환; куль- турный ~ 문화교류; торговый ~

교역; ~ веществ (생리) 신진대사
обменивать[ся](미완), **обменять[ся]** (완) см. менять[ся]
обмеривать (미완), **обмерить** (완), **обмерять**(미완) ① 재다, 측정(측량)하다 ② 자를 속여 팔다, 모자라게 속여 팔다
обмести (완), **обметать** (미완) I 쓸다; ~пыль 먼지를 쓸어내다
обметать (완), **обмётывать** (미완) см. метать II губы ~ло 입술이 헐었다
обмолвиться (완) ① 잘못 (틀리게) 말하다 ② 한마디 비치다, 말하다
обмолвка (여) 틀리게 한 말, 실언
обмолот (남) 낟알털기, 마당질, 탈곡
обмолотить (완) см. молотить
обмораживание (중) 동상
обмораживать[ся] см. обморозить[ся]
обморозить (완) 동상을 입히다; ~ уши 귀를 얼리다
обморозиться (완) 동상을 입다, 얼어서 상하다
обморок (남) 실신(失身), 기절(氣節), 졸도(卒倒), 혼절(昏絶), 실혼(失魂); падать в ~ 기절(실신, 졸도)하다,
обмотать (완) см. обматывать
обмотк‖а (여) ① 감긴 물건; 감음줄 ② (전기) 코일, 권선 ③ ~и [복수]각반
обмундирование(중) 제복, 군복[차림]
обмывать (미완), **обмыть** (완) ...을 끼얹어 씻다; ~ рану 상처를 깨끗이 씻어내다
обнаглеть (완) см. наглеть
обнадёживать (미완), **обнадёжить** (완) 희망을 안기다 (북돋아주다)
обнажать (미완) ① 벌거벗다; ~ голову 모자를 벗다 ② 노출하다, 드러내놓다, 발가벗겨놓다
обнажаться (미완) ① 벌거벗다 ② 드러나다, 노출되다, 노골화되다

обнажённ ‖ ый (형);~ое тело 맨몸; ~ые деревья 벌거숭이나무들; с ~ой головой 맨머리바람으로, 모자를 쓰지 않고
обнажить[ся] (완) см. обнажать[ся]
обнародование (중) 공포, 발포(發布)
обнародовать(완) 공포(광고, 발포)하다
обнаружение (중) 발견, 폭로, 적발
обнаруживать (미완) ① 발견하다, 찾아내다; ~ ошибку 오류를 발견하다 ② 폭로(적발)하다 ③ 드러내다, 드러내 보이다, 나타내다; ~ большие способности 대단한 재능을 나타내다
обнаруживаться (미완) ① 드러나다, 적발(발견)되다 ② 나타나다, 나타나 보이다, 들키다; 폭로되다
обнаружить[ся] см. обнаруживать[ся]
обнести (완) см. обносить
обнимать (미완) 부둥켜안다, 껴안다, 포옹하다
обниматься (미완) 서로 껴안다, 부둥켜안다, 포옹하다.
обнищание(중) 빈궁화, 빈곤화(貧困-)
обнищать (완) см. нищать
обновить[ся] (완) см. обновлять[ся]
обновление (중) 새로워지는 것, 갱신(更新), 일신(一身); 재생(再生)
обновлять (미완) 갱신(일신)하다, 새롭게 만들다(바꾸다); ~ платье 새 옷을 처음으로 입다
обновляться (미완) 새로워지다, 갱신(일신)되다
обносить (미완) 둘러막다, 둘러싸다; ~ сад изгородью 울타리로 정원을 둘러막다
обноситься (완) 해어지다, 헐어지다
обноски (복수) [입어서] 헌(해어진) 옷, 해진 신발
обнюх ‖ ать (완), **~ивать** (미완) 둘레둘레 (주위에) 냄새를 맡다
обнять[ся] (완) см. обнимать[ся]

обо (전) см. о I
обобщать (미완) 개괄(概括)(총괄, 총화) 하다; 일반화하다
обобщение (중) 총괄(總括), 개괄, 일반화
обобществить см. обобществлять
обобществление (중) 사회화, 집단화
обобществлять (미완) 사회화하다, 집단화하다
обобщить (완) см. обобщать
обогатительн ‖ ый (형) : ~ая фабрика 선광장, 광석다듬기공장
обогатить[ся] (완) см. обогащать[ся]
обогащать (미완) ① 풍부히 하다, 부유(유족)하게 하다 ② (광업) 선광하다
обогащаться (미완) ① 부유해지다, 부자가 되다; 풍부하게 되다 ② (광업) 선광되다
обогащение (중) ① 풍부히 (부유케) 하는 것 ② (광업) 광석다듬기, 선광
обогнать (완) см. обгонять
обогнуть (완)см. огибать
обогревать (미완), **обогреть** (완) 따끈하게(덥게)하다: ~ руки 손을 녹이다; ~ комнату 방을 덥게 하다(덥히다)
обогреваться (미완), **обогреться** (완) 몸을 녹이다
обод (남) 바퀴둘레
ободок (남) 둘레, 변두리
ободрать (완) см. обдирать
ободрить[ся] (완) см. ободря[ся]
ободрять (미완) 기운을 돋우어주다, 북돋아주다, 격려하다, 힘을 주다
ободряться (미완) 기운(원기)이 나다, 팔팔해주다
обожать (미완) ① 몹시 사랑하다(좋아하다) ② 경모(숭모)하다, 흠모하다
обождать (완) см. ждать

обожествлять (미완) 신(神)으로 모시다, 우상화(偶像化)하다
обоз (남) 짐마차의 행렬(行列), 수송대(輸送隊), 치중대(輜重隊)
обозвать (완) см. обзывать
обозлить[ся] (완) см. злить[ся]
обознаться(완)잘못보다, 헛보다; 속다
обозначать (미완) ① 표식(표시)하다, 가리키다 ② 뜻하다, 의미하다, 의미를 가지다
обозначение (중) ① 표시(表示), 표식(標式)[하는 것] ② 기호(記號), 부호(符號); условное ~ 부호
обозначить I (완) см. обозначать
обозначить II (완) 보이게 되다, 눈에 뜨이다, 나타나다
обозреватель (남) (신문, 잡지 등의) 논평위원(論評委員), 평론가(評論家), 논설위원
обозревать (미완) ① 바라보다, 돌아보다 ② 개관(평론)하다
обозрение (중) ① 전망[조건] ② 개관(改棺), 평론(評論); международное ~ 국제정세개관
обои (복수) 도배종이(도배지), 벽종이; ок-леить ~ями 도배종이를 바르다
обойма (여) (군사) 탄알집
обойти[сь] (완) см. обходить[ся]
обокра ‖ сть (완) 훔쳐가다, 털어가다, 도적하다; меня ~ли 나는 도적맞았다
оболочка (여) ① 껍질, 외피 ② 막
оболь ‖ стить (완) ,~щать (미완) 유혹하다; 흘리다
обольщаться (미완) 유혹당하다, 홀리다; ~ успехами 성과에 현혹되다
обольщение(중) 유혹(誘惑), 현혹(眩惑)
обомлеть (완) 마음이 선듯하다, 아연해지다; ~ от испуга 놀라서 어리둥절해지다
обоняни ‖ е (중) 후각(嗅覺); орган ~я 후각기관

обонять (미완) 냄새를 맡다
оборванец (남) 헐벗은 사람
оборванный(형) 끊어진; 해어진, 헌
оборвать[ся] (완) см. обрывать[ся]
оборона (여) ① 방어(防禦), 방위(防圍), 수세; ② 국방력(國防力), 보위력
оборонительн ‖ ый (형) 방어(防禦), 방위; ~ые бои 방어전; ~ая линия 방어선
оборонн ‖ ый (형) : ~ая промышленность 국방공업; ~ая мощь 국방력
обороноспособность (여) 국방력(國防力)
оборонять[ся] (미완) 방어하다, 방위(보위)하다
оборот (남) ① 회전[운동], 선회(旋回); по вернуть ключ на два~ 열쇠를 두번(두 바퀴) 돌리다 ② (경제) 유통(流通), 유동(流動); ~ капитала 자본유통; пустить ден-ьги в ~ 자금을 투자하다(유통시키다) ③ 뒤면, 이면(裏面·裡面); писать на ~е 뒷면에 쓰다 ④ 말투, 표현(表現); 구; причастный (деепри частный) ~ (언어) 형용동사(부동사)구; брать (взять) кого в ~ 되게 꾸짖다, 혼내다; дело принимает плохой ~ 일이 망쳐간다
оборотн ‖ ый (형) ① (경제) 자금(資金): ~ые средства 유동자금; ~ капитал 유동자본 ②: ~ая сторона 뒷면, 이면(裏面·裡面)
оборудование (중) ① 시설(施設), 설치(설비)하는 것 ② 설비(設備), 시설품, 장치[물], 비품(備品); лабораторное ~ 실험실의 설비
оборудованный (형) 설비를 갖춘
оборудовать (미완, 완) 설비를 갖추다, 장비하다, 설치하다, 꾸리다
обоснование(중)① 근거(논거)대는 것, 입증(立證); ② 논거(論據), 증거(證據), 논증(論證)

обоснованн‖ый (형) 근거(증거)가 있는(충분한); ~ое заключение 확실한 증거가 있는 결론

обосновать[ся] *см.* обосновывать[ся]

обосновывать (미완) 입증하다, 근거(논거)를 대다, 증거로 삼다

обосновываться (미완) 자리 잡다, 붙박이다, 머물러 살다, 안접하다

обособить[ся] *см.* обособлять[ся]

обособление (중) ① 고립[화], 분리(分離) ② (언어) 고립화; ~ второстепенных членов предложения 문장선분들의 고립화

обособленно (부) 고립되어, 따로

обособленный (형) ① 고립적인, 개별적인, 떨어진; ② ~оборот (언어) 고립화된

обособлять (미완) ① 고립(분리)되다 ② 따로 떨어지게 하다

обособляться (미완) ① 고립(분리)되다 ② 따로 떨어지다

обострение (중) 첨예화(尖銳化), 격화(激化), 악화(惡化); ~ болезни 병세의 악화; ~ международной напряжённости 국제긴장상태의 격화

обострённ‖ый (형) ① 첨예화된, 격화된, 긴장된 ② 더욱더(보다 더) 예민해진(날카로와 진); ~ый слух 예민해진 청각; ~ое внимание 날카로운 주목

обострить[ся] (완) *см.* обострять[ся]

обострять (미완) ① 첨예화(격화)시키다; ~ обстановку 정세를 격화시키다 ② 날카롭게 하다, 돋우다; ~ боль 아픔을 심하게 하다

обостр‖яться (미완) ① 첨예화(격화, 긴장) 되다, 예민해지다, 날카로와지다; боле-знь ~илась 병세가 더쳤다 ② (얼굴이) 앙상해지다

обочина (여) 길가, 길섶

обоюдн‖ый (형) 서로의, 호상간의; по ~ому согласию 서로의 합의에 의하여

обрабатывать (미완) ① 가공(정련, 정세)하다; ~ кожу 가죽을 가공하다 ② (땅을) 가다루다; 경작하다 ③ 다듬다, 손질하다; ~ овощи 남새(나물, 푸성귀)를 다듬다 ④ 정리하다, 처리하다

обрабатывающ‖ий (형): ~ая промышленность 가공공업

обработать (완) *см.* обрабатывать

обработка (여) ① 가공(加功), 정련(精練), 정제, 처리(處理); ~ металла 금속의 가공 ② 경작(耕作), 논밭갈이, 가다루기 ③ 손질, 정리; ~ рукописи 추고

обрадовать[ся] (완) *см.* радоваться

образ (남) ① 모양, 본새, 모습 ② 영상, 형상(形象) ③ 양식, 방법; ~ жизни 생활양식; каким ~ом 어떻게, 어떤 방법으로; следующим ~ом 다음과 같이; таким ~ом [삽입어] 이렇듯, 그리하여; главным ~ом 주로; никоим ~ом 도저히; решительным ~ом 결정적으로

образец (남) ① 견본(見本), 본보기, ~цы товаров 상품견본 ② 식(飾), 형(型), 모형(模型); автомобиль нового ~ца 신형자동차 ③ 모범(模範), 구감; ~ец мужества 용감성의 모범; брать за ~ ...을 모범으로 삼다; служить ~ом 모범으로 되다

образность (여) 형상성, 형상(形象)

образный (형) 형상적인, 비유적인; ~ая речь 형상적인 말

образование I (중) 형성, 조성, 성립, 창립; ~ государства 국가의 형성

образование II (중) 교육(敎育); высшее (среднее)~ 고등(중등)교육

образованность (여) 교육정도, 학식이 있는 것

образованный (형) 교육(교양)

받은(있는); 유식한, 문명한; ~ человек 지식이 있는 사람

образовать[ся] *см.* образовывать[ся]

образовывать (미완) ① 이루다, 형성(조성)하다 ② 창설(창립), 창건(하다, 수립(결성)하다; ~ комиссию 위원회를 구성하다

образовываться (미완) ① 이루어지다, 발생하다, 생기다 ② 조성(형성)되다, 창설(창립)되다

образумить (완) 깨닫게 하다, 잘못을 타이르다, 정신 차리게 하다

образумиться (완) 마음을 잡다, 분별 있게 되다, 깨닫다

образцовый (형) 모범적인, 시범적인, 본보기(모범)로 될만한; ~ая школа 본보기학교, 시범학교(示範學校)

образчик (남) 견본(見本), 본보기; 표본

обрамлять (미완) 테두리를 두르다

обрастать (미완),**~ти** (완) (수염, 머리칼, 털이)덥수룩하게 나다(덮이다)

обратимый (형) : ~ая реакция (화학) 가역반응(可逆反應)

обратить[ся] (완) *см.* обращать[ся]

обратно (부) 뒤로, 반대쪽으로, 되돌아, 도로 받다; отправить ~ 돌려보내다; полу-чить ~ 도로 받다, 되받다

обратный (형) ① 돌아오는, 되돌아가는; на ~ом пути 돌아가는 길에, 귀로에; ~ый ход 역행 ② 반대되는; ~ый смысл 반대의 뜻 ③ (수학) : ~ая величина 역수; ~ая пропорциональность 반비례; ~ый билет 왕복표; ~ый адрес 발송인의 주소

обращать (미완) ① 돌리다, 향하게 하다; ~ внимание 주위를 돌리다; ~ во ду в пар 물을 증기로 변화시키다; ~ в бегство 도망치게 하다

обращаться (미완) ① 돌다, 돌아서다, 향하다; ~лицом к окну 얼굴을 창문 쪽으로 돌리다; ~ к врачу 의사에게 보이다 ③ : ~ с призывом 호소하다; ~с просьбой 부탁하다, ...에게 청을 들다; ~ за советом ...에게 조언을 빌다; ④ 변하다, 달라지다, 전변되다; вода ~ась в пар 물이 증기로 변하였다; ⑤ *с чем* 취급하다, 다루다 ⑥ *с кем* 대하다, 대우하다; ~ в бегство 허둥지둥 도망치다

обращение (중) ① 호소[문], 요청문, 격문(檄文); ② 대우, 취급(取扱); ③ 유통(流通), 순환(順換), 회전; денежное ~ 화폐순환; ④ (언어) 부름말, 호칭어(呼稱語)

обрез (남) : времени в ~ 시간이 촉박하다; денег в ~ 돈은 딱 자란다(조금도 여유가 없다)

обрезать (미완), **обрезать** (완) ① 자르다, 무지르다, 동치다 ② 부상시키다, 다치다; ~ руку 손을 베다 ③ 짧게 하다, 줄이다; ~ ногти 손톱을 깎다

обрезаться (완) 베여 상하다(상처를 입다), 베다; ~ осколком стекла 유리조각에 상하다(베다)

обрезки (복수) 잘라버린 부스러기, 조각, 찌꺼기; материи 자투리, 가위밥

обрекать (미완) на *что*...할 운명을 지니게 하다, 운명 짓다, ...에 빠뜨리다; ~ на сме-рть 죽음의 운명을 지니게 하다; ~ на ги-бель 멸망할 운명에 빠뜨리다(처하게 하다)

обременительный(형) 부담 되는, 힘든

обременить(완),**обременять**(미완) 부담을 주다, 부담시키다, 시끄럽게 하다

обрести (완), **обретать** (미완) 얻어내다, 가지게 되다, 찾아내다

обреченный (형) на ... ..할 운명지워진(운명을 지닌); ~ на гибель 멸망할 운명에 처하여있는

обречь (완) *см.* обретать

обрисовать(완), **обрисовывать**(미완) 묘사하다, 그리다; 서술하다; 형상하다

обронить (완) *см.* ронять

обрубать (미완), **обрубить** (완) 잘라버리다, 자르다, 잘라내다; ~ ветки 나뭇가지를 자르다;

обрубок (남) 잘라낸(베어낸) 토막(자리); ~ дерева 나무쪽

обругать (완) 상스럽게 욕설하다, 욕지거리하다

обруч (남) (통의) 테; (놀이감)굴렁쇠

обручальный(형)~ое кольцо 약혼반지

обручение (중) 예배당에서 약혼반지를 끼는 약혼식

обрушиваться(미완) ① *см.* рушиться, ② (불행, 재난 등이) 닥쳐오다; ~лась беда 뜻밖에 불행이 닥쳐왔다, ③ на *кого*...에게 덤벼(달려) 들다, 들이덤비다; ~ на врага 원수에게 달려들다

обрушить (완) *см.* рушить

обрушиться(완) ① *см.* рушиться. ② *см.* обрушиваться ②, ③

обрыв (남) ① 낭떠러지, 절벽(絶壁), 벼랑 ② 끊어진 곳, 절단된 곳; 끊어지는 것, 절단

обрывать (미완) ① 끊다, 잡아떼다, 잡아 찢다 ② (과일, 잎 등을) 뜯다, 따내다, 따다 ③ 중단하다, 멈추다, 그만두다; ~речь 말을 꺾어버리다(끊다); ~ разговор 이야기를 갑자기 그만두다

обрываться (미완) ① 끊어지다 ② 떨어지다 ③ 중단(절단)되다, 끝나다

обрывистый (형) 험한, 깎아 자른듯한, 가파른; ~ берег 벼루 ② 험준한

обрывок (남) 끊어진 것, 조각; 단편(斷編); ~ки воспоминаний 단편적인 추억

обрызгать (완), **обрызгивать** (미완) 끼얹다, 뿌리다; ~ водой 물을 뿌리다

обрюзглый, ~ший (형) 살져 늘어진, 피부가 처진

обряд (남) 식(式), 의식(儀式), 예식(禮式); свадебный ~ 혼사(婚事), 혼례(婚禮)

обсадить (완), **обсаживать** (미완) 주위에 심다'; ~ дороги деревьями 가로수를 심다

обсерватория (여) 천문대; метериологическая ~ 기상대

обследование (중) ① 조사, 시찰, 검사; медицинское ~ 의학감정 ② 탐구(探究)

обследовать (미완, 완) ① 조사(검사, 시찰)하다 ② 탐구하다

обслуживание (중) 봉사, 뒤시중; 접대; предприятие бытового ~я 편의봉사시설; медицинское ~е 의료봉사

обслуживать (미완) ① 봉사(뒤시중)하다; 접대하다 ② 맡아다루다, 맡아보다; ~ много станков 많은 기대를 맡아 다루다

обслуживающий (형) : ~ персонал 직원, 종업원(從業員)

обсохнуть (완) *см.* обсыхать

обставить (완), **обставлять** (미완) ① 주위에 놓다, 둘러막다, 둘러싸다 ② 꾸리다, 차리다; ~ комнату мебелью 방에 가구를 가득히 갖추다

обстановка (여) ① 가구(家具), 집세간, 방세간 ② 정세, 환경(環境), 분위기, 형세; международная ~а 국제정세: в дружест венной ~е 친선적인 분위기속에서

обстоятельно (부) ① 자세히, 정밀히 ② 점잖게, 신중하게

обстоятельный (형) ① 자세한,

세밀한 ② 점잖은, 신중한; ~ человек 빈틈없는 사람

обстоятельство (중) ① 일, 영문, 경우; ~a [복수] 환경; семейные ~a 가정환경; чрезвычайные ~a 유사시; смотря по ~ам 사정(환경)에 따라 ② (언어) 상황어

обстоять (미완) : как ~ят дела? 일이 어떠합니까? ; всё ~ит благополучно 모든 일이 잘 되어간다

обстрел (남) 사격(射擊), 포격(砲擊), 포사격; попасть под ~ 사격을 당하다

обстреливать(미완), **обстрелять** (완) 쏘아갈기다, 쏘아지르다, 사격(포격)을 가하다; ~высоту 고지를 사격(포격)하다

обстригать[ся] (미완), **обстричь [ся]** (완) см. стричь[ся]

обступать (미완), **~ить** (완) 에워싸다, 둘러서다

обсудить (완), **~ждать** (미완) 토의(론의, 의논)하다; 고찰(검토)하다

обсуждаться (미완) 토의(론의, 의논)되다; 심의(고찰)되다

обсуждение (중) 토의(討議), 논의(論議); 심의(審議); ставить на ~ 토론에 붙이다

обсчитать (완), **обсчитывать** (미완) 셈을 속이다, 잘못 세여 적게 주다

обсыпать (완), **обсыпать** (미완) (가루 따위를) 사방에 뿌리다, 끼얹다; ~ пече-нье сахаром 과자에 사탕가루를 뿌리다

обсыпаться (완), **обсыпаться** (미완) см. осыпать

обсыхать (미완) 깨끗이(바싹) 마르다

обтачивать (미완) [주위에] 깎다, 다듬질하다; ~ на станке 선반에 깎다; ~ ка- мень 돌을 반반하게 다듬다, 돌을 깎아 다듬다

обтекаемый ~ая форма (공학) 유선형

обтереть[ся] (완) см. обтирать[ся]

обтесать (완), **обтёсывать** (미완) 매끈하다(반반하게) 깎아다듬다; ~ бревно 통나무를 깎아 다듬다

обтирание (중) :~ холодной водой 냉수마찰

обтирать (미완) 씻다, 훔치다, 닦다; ~ пот 땀을 씻다; ~ лоб платком 손수건으로 이마를 훔치다

обтираться (미완) 몸을 닦다(훔치다); ~ холодной водой 냉수마찰하다 ② (옷 등이) 해지다, 닳다; рукава об тёрлись 소매가 닳아 헤졌다

обточить (완) см. обтачивать

обточка (여) [외면] 선삭, 다듬질

обтрепать (완) 헤뜨리다, 닳아 뜨리다

обтрепаться (완) 헤어지다, 너덜너덜해지다

обтягивать (미완), **обтянуть** (완) ① что, чем ...에 ...을 씌우다, 싸개질하다 ② (옷이 몸에) 착 들어붙다, 꽉 들어맞다

обувать (미완) что ...을 신다; кого ...에게 신기다

обуваться (미완) 신을 신다

обувной (형) 신, 신발, 구두; ~ой магазин 신발상점; ~ая фабрика 신발공장

обувщик (남) 제화공, 신발공장의 근로자

обувь (여) 신, 신발, 구두; летняя ~ 여름신[발]

обуза (여) 부담, 중하; 걱정거리; быть ~ой для кого ...에게 부담(걱정거리)으로 되다

обуздать (완), **обуздывать** (미완) 제지(제어, 억제)하다, 얽어매다;~ гнев 분노를 억누르다

обусловить (완) см. обусловливать

обусловленность (여) ① 제약성, 조건부 ② (원인에 대한) 의존성(依存性)

обусловливать (미완) ① 조건을 붙이다, 조건부를 내걸다, 제약하다 ② 원인으로 되다, 의존하다, 야기되다

обуть[ся] (완) *см.* обувать[ся]

обух (남) 도끼머리

обучать (미완) ① 배워주다, 가르치다, 교수하다; ~ детей мызыке 어린이들에게 음악을 배워주다 ② 연하다, 훈련시키다

обучаться (미완) 배우다, 연습되다; ~ чтению 읽기를 배우다

обучение (중) 교육(敎育), 교수(敎授); 훈련(訓練), 수학(受學); техническое ~ 기슬전습; совместное ~ 남녀공학; ~ чтению 읽기수업

обучить[ся] (완) *см.* обучать[ся]

обуять (완) (어떤 감정 등) 사로잡다, 휩싸다; его ~л страх 그는 공포에 사로잡혔다

обхват (남) 아름, 둘레의 길이: более чем в [один] ~ 아름드리; в два ~а 두 아름되는

обхватить (완), **обхватывать** (미완) 껴안다, 부둥켜안다

обход (남) ① 순회(巡廻), 순찰; ~ врача 회진 ② 두름 길, 우회로; идти в ~ 에돌아가다, 에워가다

обходительный (형) 예절 밝은, 정중한

обходить (미완) ① 주위를 돌다, ...에돌다, ...에돌아가다, 우회하다; ② 순찰하다; 회진하다; ③ (여러 곳을) 돌아다니다; ~ молчанием 언급하지 않고 지나가다

обходиться (미완) ① 값이 가다, 경비가(돈이) 들다; дорого ~ 1) 많은 경비가 들다; костюм ~ся недорого 양복을 비싸지 않게(눅게) 샀다 2) 비싼 대가를 치르다 ② *с чем*....를 취급하다, 다루다 ③ *с кем*.....를 대우하다, 대하다 ④ без *чего*....이 없어도 된다; без него труд но ~ 그가 없이는 곤란하다; .всё ~сь благополучно 만사가 무사하게 되었다

обходной, обходный (형) : ~ путь 둘러가는 길, ...에돌아가는 길, 우회로; ~ манёвр (군사) 우회작전; обходной лист 수속카드, 평정서(評定書)

обхождение (중) 대우, [사람을 대하는]태도; вежливое ~ 정중한 태도

обшаривать(미완), **обшарить**(완) 사방으로 뒤지다(찾아보다); ~ все углы 구석구석 다 뒤지다

обшивать (미완) ① 끝(테두리)에 돌아가며 꿰매다, 휘갑을 치다(하다) ② *чем* (널판, 철판 등을) 대다

обшивка (여) ① 끝(테두리)에 돌아가며 꿰맨 것, 휘갑 ② 덧판, 외판; ~ судна 배쌈

обширный(형) 휘넓은, 광활한, 광범위한

обшить (완) *см.* обшивать

обшлаг (남) 소매부리, 소매동

общаться (미완) 교제하다, 사귀다; 접촉하다; ~ с людьми 사람들과 교제하다

общегосударственный (형) 전국적인; в ~ом масштабе 전국적 범위에서

общедоступный (형) ① 통속적인, 받아들일 수 있는, 평이한; ~ая лекция 통속강연 ② : ~ая цена 아무나 살 수 있는 싼 값

общежитие (중) ① 기숙사(寄宿舍), 합숙(合宿); за водское ~ 공장합숙 ② 공동생활

общеизвестный (형) 일반이 다 아는, ~ факт 다 아는 사실

общенародный (형) 전 국민적인; ~ое достояние 전체 국민의 재산(재부)

общение (중) 교제, 사교, 연예; 접촉

общеобразовательный (형) 보통교육, 일반교육; ~ая школа 보통교육학교

общепризнанный (형) 공인된; ~ та лант 일반이 인정하는 재능

общепринятый (형) 일반에 통용(인정)되는; ~ое мнение 일반에 인정된 의견

общереспубликанский (형) 전공화국[적인], 공화국 전반의

общесоюзный (형) 전연맹, 전 소련

общественник (남) 사회활동가

общественно-полезный (형) : ~ труд 사회적으로 유익한 노동, 사회활동

общественность (여) ① 사회계, 사회여론; научная ~ 과학계 ② [집합]사회단체들; ~ завода 공장의 사회단체들

общественно-экономический (형) 사회경제 [적인]; ~ая формация 사회경제구성태

общественный (형) ① 사회(社會), 사회적인(社會的-); ~ый строй 사회제도; ~ые отноше ния 사회관계; ~ая работа 사회사업; ② 공유(公有), 공동; ~ое здание 공공건물; ~ая собственность 공유재산, 공동소유; ~ый скот 공유가축; ~ые средст ва 공유자금

общество (중) ① 사회(社會); социалис-тическое ~ 사회주의사회 ② 협회(協會), 단체(團體), ..회(-會); научное ~ 학회(學會); Общество советско-корейской дружбы 러시아-대한민국 친선협회

общеупотребительный (형) 일반통용

общий(형) ① 전반[적인]; ~ее собрание 총회 ② 공통[적인], 공동; ~ие ин тересы 공통적이해관계; ~ее требова ние 공통한 요구; не иметь ничего ~ его 아무 공통성도 가지지 않다 ③ 일반[적인]; ~ее языкознание 일반언어학; ~ий итог 총화; ~ее количество 총수; в ~ем 대체로, 대개

община (여) (역사) 공동체; родовая ~на 씨족공동체

общительный (형) 사교를 잘하는(즐기는), 붙임성이 좋은, 성격이 좋은

общность (여) 공통성(共通性), 일치(一致); ~ инте ресов 이해관계의 공통성

объедаться (미완) 너무 많이 먹다 과식하다; 지내 먹다, 처먹다; ~ яблока ми 사과를 지내 먹다(처먹다)

объединение (중) ① 통일, 합동, 결합, 단합 ② 연합체, 통합체, 동맹; про изво- дственное ~ 생산량합동기업소

объединённый (형) 통일, 연합, 합동

объединить[ся] (완) *см.* объединять[ся]

объединять (미완) ① 통일(연합, 통합, 합동) 하다 ② 단결(결속)시키다, 묶어세우다

объединяться (미완) ① 통일(연합, 합동)되다 ② 단결(결속)되다, 뭉쳐지다

объедки (복수) 먹다 남은 찌꺼기

объезд (남) ① 순회; 순찰 ② 우회로

объездить (완) *см.* объезжать

объезжать (미완) ① 타고 에돌아가다(휘돌아), 우회하다 ② 타고 돌아다니다(다니다)

объект (남) ① 대상[물], 목표[물]; ~ исследования 연구대상 ② 건설장, 기업소; военный ~ 군사시설 ③ (철학) 객채

объектив (남) 대물렌즈, 대물경(對物鏡); ~ микроскопа 현미경의 대물렌즈

объективизм(남) 객관주의; 객관성

объективность(여) 객관성, 객관적실재

объективный (형) ① 객관적인; ~ая причина 객관적인 원인;~ая реаль ность 객관적실재;~ая оценка 공정한 평가

объём (남) ① 체적(滯積), 용적(容積);

② 범위(範圍), 크기, 량: ~производства 생산량, ~ груди 가슴의 둘레

объёмистый (형) 체적(용량)이 큰; ~ая книга 부피가 큰 책

объесться (완) см. объедаться

объехать (완) см. объезжать

объявить (완) см. объявлять

объявление (중) ① 포고, 공포 ② (신문, 벽 등에서) 알림, 광고, 게시; ~ по радио 라디오광고

объявлять (미완) ① 공포(포고, 선포)하다; ~ войну 선전포고하다 ② 선언(선고)하다; ~ собрание открытым 개회를 선언하다 ③ 표명(말) 하다; ~ благодарность 감사의 뜻을 표하다; ~ приказ 명령을 내리다

объяснение (중) 설명(說明), 해설(解說), 해석(解釋); ~ в любви 사랑의 고백

объяснительный:~ая записка 설명서

объяснить[ся] (완) см. сбъяснять[ся]

объяснять (미완) 설명하다, 해설하다, 해명하다

объясняться (미완) ① 자기 처지, 의사를 설명(변명)하다 ② чем 설명(해명)되다, 원인으로 되다; этим ~яется его поведение 이것이 그의 행동의 동기이다 ③ : ~яться по-корейски 조선말로 이야기하다, 조선말이 통하다; ~яться в любви 사랑을 고백하다

объятия (복수) 포옹; заключить в ~ 부등켜안다, 끌어안다

объятный(형) 휩싸인; ~ пламенем 불에 휩싸인; ~ страхом 공포에 사로잡힌

обыватель (남) 속물(俗物)

обывательский (형) 속물적인; ~ие настроения 속물근성

обыграть (완), **обыгрывать** (미완) 이기다, 따다; ~ в футбол 축구[경기]에서 이기다

обыденный (형) 일상적인, 보통날, 보통; ~ая жизнь 일상생활

обыкновение (중) 상례, 상습, 풍습(風習)

обыкновенно (부) см. обычно

обыкновенный (형) см. обычный

обыск(남) 수색; домашний ~ 가택수색

обыскать (완), **обыскивать** (미완) 수색하다, 수사하다, 들추다, кого. 몸을뒤지다.

обычай (남) 풍습(風習), 관례(慣例); народный ~ 민속; хороший ~ 미풍; старый ~ 옛풍습

обычно (부) 보통, 통례로; как ~ 언제나(어느 때와) 같이; приходить раньше чем ~ 어느 때 보다 일찍 오다

обычный (형) ① 보통, 통례, 일상적인; ~год 예년; ~ уровень 보통수준; ~ человек 평범한 사람

обязанность (여) 임무(任務), 의무(義務), 책임(責任); служебные ~и 직무상임무; воинская ~ь 병역의무; исполняющий ~и 대리; это не входит в мои ~и 이것은 내가 맡아하는 것이 아니다, 이것은 나의 의무가 아니다

обязанный (형) ① [+미정형]...할 의무가 있는, 책임이 있는; я обязан ему помочь 나는 그를 도와주어야 한다 ② кому чем 신세를 진, 은혜를 입은; я ему обязан жизнью 내가 살아난 것은 그의 덕분이다; я вам очень обязан 당신에게 많은 신세졌습니다.

обязательно(부) 꼭, 반드시, 모름지기

обязательный (형) ① 의무적인, 필수적인 ② 필연적인; всеобщее ~ое обучение 전반적의무교육

обязательство (중) 결의과제, 결의목표, 약속, 공약; социалистические ~а 사회주의경쟁결의조항(결의목표); брать (взять) на себя ~о 의무를 지니다;

давать ~о 결의를 다지다
обязать[ся] (완) *см.* обязывать[ся]
обязывать (미완) ① 의무를 부과하다(지우다); его ~али уплатить 10 руб лей 그가 10 루블을 지불하도록 하였다; это меня ни к чему не ~ывает 이것은 나에게 아무러한 책임도 요구하지 않는다
обязываться (미완) 의무를 지다, 결의를 다지다, 서약하다; ~ хранить тай ну 비밀을 지킬 것을 서약하다
овал (남) 타원형(楕圓形), 계란형(鷄卵形), 난원형(卵圓形); ~ лица 얼굴 윤곽
овальный (형) 타원형(楕圓形), 계란형(鷄卵形), 난원형(卵圓形), 동그란.
овация (여) 박수갈채; бурная ~ 우레와 같은 박수갈채
овдоветь (완) 홀아비(홀어미)로 되다
овёс (남) 귀밀
овечий(형) 양(羊), 암양; ~ья шерсть 양털
овладевать (미완), **овладеть** (완) ① 점령(점유)하다, 탈취하다; ~ крепос тью 요새를 점령하다 ② (감정, 마음 등을) 바로잡다, 수습하다; 사로잡다; мной~л страх 나는 공포에 사로잡혔다; овладеть собой 마음을 바로잡다, 자세하다 ③ 습득(소유)하다; ~ техникой 기술을 습득하다; ~ знаниями 지식을 소유하다
овод (남) 등에
овощеводство(중) 남새(채소)재배, 야채학
овощехранилище (중) 야채저장고
овощи (복수) 남새, 야채, 채소
овощной (형) : ~ магазин 야채(남새)상점; ~ суп 야채국, 남새국
овраг (남) 골, 골짜기
овсянка (여) *см.* овсян[ая крупа]

овсяный (형) : ~ая крупа 귀밀쌀; ~ая каша 귀밀죽
овца (여) [암]양, 면양
овцеводство (중) 양잠업(養蠶業)
овчарка (여) 집짐승 떼를 지키는 개
овчарня (여) 양우리, 양사
овчина (여) 양털가죽, 양모피(羊毛皮)
огарок (남) 담배꽁초, 타다 남은 것
огибать (미완) ① 에돌다, 휘돌다, 우회하다 ② 구부려서 두르다 (돌려 매다, 씌우다)
оглавление (중) 차례, 목록(目錄)
огласить (완) *см.* оглашать
огласка (여) : предавать ~е 누설하다, 공개하다; получить ~у 알려지다
оглашать (미완) 선고(공시)하다, 알리다, 발표하다; ~ проект резолюции 결의안을 발표하다
оглашение (중) 선고, 공개(公開), 발표(發表); ~ю не подлежит 비공개
оглобля (여) (수레의)끌채
оглохнуть (완) *см.* глохнуть
оглушать (미완) *см.* оглушить
оглушительный (형) (소리에 대하여) 귀청이 째질듯한, 귀를 멍멍하게 하는
оглушить (완) ① (큰 소리로) 귀를 멍멍 하게 하다 ② 기절하게 하다, 정신이 멍하게 만들다
оглядеть (완) *см.* оглядывать
оглядеться (완) *см.* оглядываться ②
оглядка (여) : без ~и ① 뒤도 안돌아보고; бежать без ~и 뒤도 안돌아보고 내뛰다 ② 부랴부랴; с ~ой 조심스럽게
оглядывать (미완) 훑어보다, 돌아보다, 살펴보다; ~ с ног до головы 발끝부터 머리끝까지 훑어보다
оглядываться (미완) ① 뒤를 돌아보다(돌이켜보다); ~ на прошлое 지난날을 돌이켜보다, 과거를 회고하다

② 자기 주위를 돌아보다(살펴보다), 둘러보다; ~ по сторонам 사방을 둘러보다
оглянуться (완) *см.* оглядываться
огневой (형) ① (군사) 화력(火力), 사격(射擊); ~ая точка 화점; ~ая завеса 탄막; ~ые средства 화력기재 ② 불타는, 불같은
огнемёт (남) 화염방사기
огнеопасный (형) 불붙기 쉬운, 인화성; ~ые вещества 인화성물질
огнестрельный (형) : ~ое оружие 화력무기 총포
огнетушитель (남) 소화기
огнеупорный (형) 내화(耐火), 내화성(耐火性); ~ кирпич 내화벽돌
ого (감) 야! 아이구!
оговаривать (미완) ① 중상하다, 걸고 나자빠지다 ② 미리 약속하다(정하다), 조건을 붙여두다; ~срок работы 작업기간을 미리 정하다
оговариваться (미완) 잘못말하다, 실언하다, 말실수하다
оговориь[ся] *см.* оговаривать[ся]
оговорка (여) ① 미리 일러두는 조건, 보류조건; без ~ок 무조건 ② 실언, 말실수
оголить[ся] (완), **оголять[ся]** (미완) *см.* обнажать[ся]
оголтелый (형) 분별없이 날뛰는, 미쳐 날뛰는, 포악한
огонёк (남) ① *см.* огонь ② 열정(熱情), 혈기(血氣); работать с огоньком 정열적으로 일하다
огонь (남) ① 불, 불길; зажигать ~ 불을 켜다(달아놓다) ② 불빛, 등불 ③ (군사) 사격, 포화, 화력; открывать ~ 사격을 개시(가)하다 ④ 열정, 정열, 혈기 ⑤ (군사):~! (구령)쏫!; игра с огнём 불장난[소동]; между двух огней 진퇴양난

огораживать (미완) 둘러치다, 둘러막다; ~двор забором 뜰을 울타리로 둘러막다
огород (남) 남새밭, 텃밭
огородить (완) *см.* огораживать
огородничество (중) 남새재배
огородный (형) 남새밭, 텃밭; ~ые культуры 남새작물
огорчать (미완) 슬프게(애타게)하다, 상심하게 하다
огорчаться (미완) 슬퍼하다, 안타까워하다, 상심하다, 마음아파하다
огорчение (중) 슬픔, 상심; 유감, 번민; причинять ~ 슬프게(상심하게)하다
огорчённый (형) 슬픈, 기분이 상한, 서운한
огорчить[ся] (완) *см.* огорчать[ся]
ограбить(완)약탈(강탈)하다, 탈취하다
ограбление (중) 약탈, 강탈
ограда (여) 울타리, 담; каменная ~ [벽] 돌담
оградить (완), **ограждать** (미완) 막다, 지키다; ~ от волнений 흥분하지 않도록 하다
ограничение (중) 제한, 국한, 한정; ~ вооружений 군비제한
ограниченность (여) ① 국한성, 제한성 ② 편협성, 협애성
ограниченный (형) ① 제한(한정)된, 적은 ② 시야가 좁은, 편협한, 옹색한; ~ человек 옹생원
ограничивать (미완) ① 제한(한정)하다, 구속하다; ~ в правах *кого* ...의 권리를 박탈하다 ② 한계를 이루다, 협애하게 하다
ограничиваться (미완) ① *чем...*하는데 국한되다, 한하다, 그치다 ② 만족하다; нель-зя ~ достигнутыми успехами 달성된 성과에 만족하여서는 안된다
ограничить[ся] *см* ограничивать[ся]

огромный(형) ① 커다란, 크나큰, 웅장한; ~ый дом 웅대한 집;~ая сумма 거액; ~ые волны 집채와 같은 물결; ~ое значение 거대한 의의; ~ые резервы 막대한 예비; ~ая помощь 엄청난 원조

огрубеть (완) *см*. грубеть

огрызаться (미완), **огрызнуться** (완) ① (사람에 대하여) 거칠게(무뚝무뚝하게) 대답하다, 되받다 ② /개가/ 물려고 짖다

огрызок (남) 깨물어 먹힌 토막, 찌기; ~ карандаша 연필동강

огульно (부) ① 통털어, 털어놓고 ② 모두 같이(함께) ③ 덮어놓고; обвинять ~ 덮어놓고 비난하다

огульный (형) 덮어놓고 하는, 근거가 불충분한; ~ая критика 피상적인 비판

огурец (남) 오이; свежий ~ 생생한 오이, 애오이; солёный ~ (소금에) 절인 오이

ода (여) 송시, 송가

одалживать (미완) 빌려주다, 대여주다

одарённый (형) 재능있는, 천재적인, 그릇이 큰

одаривать (미완), **одарить** (완), **одарять** (미완) ① 선사하다, 선물을 드리다 ② (재능, 특징을) 부여하다

одевать(미완) ① *что*...을 입다(쓰다, 신다) ② *кого*..에게 옷을 입히다(입혀주다)

одеваться (미완) 옷을 입다, 옷차림하다; нарядно ~ 매무시를 잘하다

одежда (여) 옷, 의복; 옷차림; верхняя ~ 겉옷; шить ~у 옷을 짓다(하다)

одеколон (남) 살결 물, 미안수

оделить(완),**оделять**(미완)(선물 등을)나누어주다, 나눔질 하다; 분배하여주다

одёргивать (미완) ① *что*...을 아래로 잡아당겨서 반듯이 하다, 당겨 내리다 ② *кого*..을 못하게 하다(막다, 제어하다).

одержать (완), **одерживать** (미완) : верх над *кем*..을 이기다, 타승하다; ~ победу 승리하다, 승리를 쟁취하다

одёрнуть (완) *см*. одёргивать

одеть[ся] (완) *см*. одевать[ся]

одеяло (중) 이불, 담요; ватное ~ 솜이불; детское ~ 포대기

один ① (수) (남) (одна (여), одно (중), одни (복수)) 하나, 1(일), 한개;~ человек 한사람; одна книга 책 한권; одно яблоко 사과 한 알; одни часы 시계 한개 ② (형) 1) 오직 하나의, 하나의; выйти на улицу в одном платье 달린 옷만 입고 밖으로 나가다 2) 혼자, 홀로; он живёт ~ 그는 혼자 살고 있다 3) 같은, 동일한; жить в одном доме 한집에서 산다 ③ [대] 1) 하나, 한사람; из студентов 대학생들중의 한사람 2) [미정대] 한, 어떤; ~ человек сказал 어떤 사람이 말하였다;~ и тот же 꼭같은, 동일한; все как~ 모두다 한사람같이; одним словом 한마디로 말하면; ~ на ~ 일대일로; ~ за другим 잇달아, 연달아; 계속하여; это одно и то же 한가지다, 마찬가지이다, в ~ миг 순식간에

одинаково (부) 꼭같이, 똑같이, 골고루, 동일하게

одинаковый (형) 똑같은, 동일한; 가지런한, 동등한

одиннадцатый (수) 열한번째, 11(십일)번째, 제 11(십일)

одиннадцать (수) 11(십일), 열하나

одинокий (형) ① 외로운, 고독한, 외딴, 동떨어진, 호젓한; ~ий дом 외딴집; ② 동떨어진, 고립된;~ое дерево 독립수; ~ая жизнь 독살림 ③ (명사로) (남) 독신자, 홀몸

одиночество (중) 독신생활, 홀앗이, 고독; жить в ~e 외롭게 살다, 독신생활을 하다; чувство ~a 고독감

одиночка (남, 여) ① 독신자, 무의무탁자, 홀몸; жить в ~y 독신생활을 하다 ② 독방(獨房); в ~y 단독으로, 혼자서; по ~e 한사람씩, 따로따로

одиночный (형) ① 단독(單獨); ~ая камера 독방 ② 따로따로, 개별적인; ~ые выстрелы 단발사격, 개별적인 사격

одиозный (형) 혐오스러운, 깨씸한; ~ая личность 깨씸한 사람

одичать (완) 야생화되다, 야만적으로 되다; 거칠어지다

одна (여) см. один

однажды (부) 어느 날, 한때, 한번은; ~ утром 어느 날 아침에

однако (접) 그러나, 그렇지만, 그런데

одни см. один

одно см. один

однобокий (형) 일면적인, 편파적인

одновременно (부) 동시(同時)에, 일시(一時)에; 한꺼번에

одновременный (형) 동시적(童詩的)인, 같은 때의; два ~ых события 동시에 일어난 두 가지 사건

одногодки (복수) 동갑

однодневный(형)1(일) 일간, 하루[동안]

однозначный (형) ① 뜻(의미)이 같은, 동의 ② : ~ое слово 단의어; ~ое число 한자리수

одноимённый (형) 이름이 같은

одноклассник(남),**~ца**(여) 동기생

одноклеточный (형) 단세포; ~ организм 단세포생물

одноколейный (형) 단선; ~ая железная дорога 단선철도

однокомнатный (형) 단간짜리, 단간방; ~ая квартира 단간짜리주택

однокурсник (남),**~ца** (여) (전문학교나 대학에서) 동기생(同期生), 동급생(同級生)

однолетний (형) ① 1(일) 년간 ② 1(년)생; ~ее растение 1 (일) 년생식물

одноместный (형) 단좌석, 한 자리; ~ самолет 단좌석비행기; ~ая каюта 일인전용선실

однообразие (중) 단조로움, 천편일률

однообразный (형) 단조로운, 천편일률적인, 모양이 같은; ~ая работа 단조로운 사업

однородный (형) 동종, 같은 종류(성질)의, 유사한; ~ые члены предложения (언어) 문장의 동종성분

односложный (형) ① (언어) 단음절; ~ое слово 단음절단어 ② 외마디; ~ ответ 외마디 대답

одностворчатый: ~ая дверь 외짝문

односторонний (형) ① 일면적인, 편파적인; ~ee обязательство 일면적공약; ~ee воспитание 일면적인 교양 ② 단면(單面)의, 일면의, 한쪽만; 한 면만; ~ee движе-ние[транспорта](철도) 일방통행

однотипный(형) 동류, 같은 종류(유형)

однотомник (남) 한권자리 책

однофамилец (남),**~ица** (여) 성이 같은 사람

одноцветный (형) 단색, 같은 색; ~ая ткань 단색천

одночлен (남) (수학) 단항식, 일항식

одноэтажный (형) 단층; ~ое здание 단층 건물

одобрение (중) ① 찬성(贊成), 찬동(贊同); 칭찬(稱讚); выражать~ 찬성을 표시하다 ② 승인, 긍정, 시인

одобрительный (형) 찬성(찬동)하는, 승인하는

одобрить (완), **одобрять** (미완) ① 찬성(찬동, 칭찬)하다 ② 승인(긍정,

시인)하다

одолевать (미완), **одолеть** (완) ① 이겨내다, 극복하다, 해내다 ② 이기다, 타승하다 ③ 사로잡다; меня ~л сон 나는 잠에 못 견디었다; ~л страх 공포에 사로잡혔다 ④ 깨치다, 습득하다; не могу ~ть эту книгу 이 책의 내용을 습득할 수 없다

одолжение (중) 은혜, 친절; [с]делать ~ 은혜를 베풀어주다; сделайте ~е 그렇게 해 주십시오

одолжить (완) см. одалживать

одряхлеть (완) см. дряхлеть

одуванчик (남) 민들레

одуматься (완) см. опомниться

одурачивать (미완), **одурачить** (완) см. дурачить

одутловатый (형) 부은, 부석부석한, 좀 부은; ~ое лицо 부석부석한 얼굴

одухотворённый (형) 숭고한, 감정에 충만된, 영감을 받은

одушевленный (형): ~ предмет (언어) 활동체

одышка (여) 숨이 차는 것(차하는 것), 숨 가쁨; страдать ~ой 숨이 차하다(가쁘다)

ожерелье (중) 목걸이; жемчужное ~ 진주목걸이

ожесточать (미완) ① 사나워지게 하다, 무정해지게 하다, 냉혹해지게 하다 ② 격분케 하다, 악에 받치게 하다

ожесточаться (미완) ① 사나워지다, 냉혹해지다, 무정하게 되다 ② 격분하다, 악에 받치다

ожесточение (중) ① 사나운 마음, 냉혹 ② 격분, 악의 ③ : с ~м 완강하게

ожесточённый (형) 가열한, 치열한, 맹열한; ~ая борьба 치열한 투쟁; ~ая бом-бардировка 맹폭격

ожесточить[ся](완)см.ожесточать[ся]

оживать (미완) ① 되살아나다, 소생하다, 숨이 돌다; ② 다시 활기(원기)를 띠다 ③ 번화해지다

оживить[ся] (완) см. оживлять[ся]

оживление (중) ① 소생(疏生); 재생(再生); ② 활기, 부활(復活); ③ 번화가(繁華街); ~ на улице 거리가 번화하다

оживлённо (부) 활기(생기)있게; ~ разговаривать 활기를 띠고 이야기하다

оживлённый (형) 활기(생기)있는, 활발한; 흥성거리는, 번화한; ~ая улица 번화한 거리

оживлять (미완) ① 살리다, 소생시키다, 되살아나다 ② 부활시키다, 원기(활기)를 띠게 하다, 추세우다; ~ работу 일에 신바람이 나게 하다

оживляться (미완) 활기(원기)를 띠다, 활발해지다, 추서하다

ожидание (중) ① 기다리는 것, 대기; зал ~я 대기실 ② 예상, 예정, 기대; обма-нуть чьи ~я ...의 기대에 어긋나다; это сверх~я 이것은 예상밖의 일이다

ожидать (미완) ① 기다리다, 기대하다 ② 예상하다; как и следовало ~ 예상하던바와 같이

ожирение (중) 비대, 살지는 것

ожиреть (완) см. жиреть

ожить (완) см. оживать

ожог(남) 화상;получить~ 화상을 입다

озаботить(완) 수고를 끼치다, 걱정시키다

озаботиться(완) 배려하다, 걱정(수고)하다

озабоченность (여) 근심, 걱정, 염려

озабоченный (형) 근심스러운, 염려하는; ~ вид 근심어린 기색

озаглавить (완),**~ливать** (미완) 제목을 달다(붙이다); ~ статью 논문에 제목을

달다

озадаченный (형) 어쩔 줄 모르는, 어리둥절한; 난처해하는

озадачить (완),**~вать** (미완) 난처하게 하다, 어리둥절하게 하다; ~ть вопросом 물음으로 당황케 하다

озарить[ся] (완) *см.* озарять[ся]

озарять (미완) 비추어 밝히다, 밝혀주다, 비추다; меня ~ила мысль 나에게는 문득 생각이 떠올랐다

озаряться (완) 비추이다, 환해지다; ~ светом 빛에 의하여 환해졌다

озверелый (형) 야수같이 사나운, 미쳐서 날뛰는; 야만적인; ~ враг 포악무도한 원수

озвереть (완) *см.* звереть

озвучивать (미완),**~ть** (완) 발성화하다; ~вать фильм 영화를 발성화하다

оздоровительный (형) : ~ая гимнастика 보건체조;~ые мероприятия 보건시책, 건강증진 대책

оздоровить (완) ①위생문화를 (위생상으로) 개선하다 ② 건전하게 만들다; ~ обстановку 분위기를 건전케 하다

оздоровление (중) ① 보건시설(위생물화)의 개선

озеленение (중) 특화(特化), 특구화; ~ городов 도시특화

озеро (중) 못, 호수(湖水); солёное ~ 짠물호수, 담수호

озимые (복수) 가을작물

озимый (형) 가을에 +파종하는; ~ый сев 가을 붙임, ~ая пшеница 가을밀

озираться (미완) (휘) 돌아보다, 두루 살펴보다; ~ по сторонам 사방을 돌아보다(바라보다)

озлобить[ся] (완) *см.* озлоблять[ся]

озлобление (중) 악의, 앙심(快心); 격분(激忿); говорить с ~м 악에 받쳐 말하다

озлобленый (형) 악에 받친, 악의를 품은, 극악한

озлоблять (미완) 악에 받치게 하다, 그악하게 하다, 사나워지게 하다

озлобляться (완) 악에 받치다, 악이 오르다, 악의를 품다

ознакомить[ся](완)*см.* знакомить[ся]

ознакомление (중) *кого* 알려주는 것; *с чем* 알아보는 것;~ с планом работы 사업계획의 요해

ознаменование (중) : в ~ *чего* ...을 기념(으로) 하여

ознаменовать(완) 기념하다, 경축하다

ознаменоваться (완) 특기되다, 수놓아지다; истёкший год ~лся большими успехами 지난해는 커다란 성과로 빛났다

означать (미완) 뜻하다, 의미하다, 뜻이 있다; 나타내다

озноб (남) 오한; чувствовать ~ 오한이 나다

озон (화하) 오존

озорик(남),**~ца** (여) 장난꾸러기

озорничать (미완) 장난질하다

озорной (형) 장난이 심한, 장난치는

озорство (중) 장난질

озябнуть (완) *см.* зябнуть

ой (감) (놀라움, 고통, 기쁨, 유감 등을 표시) 아!, 아이구!, 어이!

оказание (중) ...주는 것, ...하는 것, ~ помощи 원조(도움)를 주는 것; ~ поддержки 지지하는 것

оказать[ся] (완) *см.* оказывать[ся]

оказывать (완) (일부 명사와 함께) ...하다, ...을 주다 (끼치다); ~ внимание 주의를 돌리다; ~ влияние 영향을 주다; ~ поддержку 지지하다;~ помощь 도와주다; ~ услугу 친절을 다하다; ~ сопротивление 반항하다; ~ доверие 믿다, 신뢰하다; ~ давление на *кого*....에게 압력을 가하다

оказываться (미완) ① 있다, 존재하다; этой книги не оказалось 이 책은 있지 않았다 ② (어떤 곳에) 나타나다, 나지다, ...에 빠지다, 있게 되다, 나서다;~ в незнакомом месте 낯선 곳에 와있다 ③ (어떤 상태에) 처하다, 직면하다, 빠지다; 당하다, ...하게 되다; ~ в затруднении 곤란한 처지에 빠지다; ~ в опаснос ти 위험에 처하다 ④ (무인칭) 명백해지다, 판명되다, оказалось, что мы ста рые знакомые 우리는 옛 친구라는 것이 판명되었다

окаменеть (완) ① 석화되다, 화석으로 되다, 땅땅해지다, 굳어지다 ② 뻥해지다, 굳어지다, 냉정해지다

окантовка (여)(옷이나 그림 등에) 두른 선, 테두리선

оканчивать[ся](미완)*см.* кончать[ся]

окапывать (미완) *см.* 주위에 파다, 둘러파다

окапываться (미완) 전호 (참호)를 파고 자리잡다

окатить (완) 끼얹어 씻다;~ хо лодной водой 격한 것을 진정시키다

океан(남) 대양, 해양; Тихий ~ 태평양

океанский (형) 대양; 해양; ~ паро ход 대양선

окидывать (미완), **окинуть** (완) : ~ взглядом 훑어보다, 둘러보다, 시선을 던지다

окисление (중) (화학) 산화(酸化)

окислитель (남) (화학) 산화제(酸化劑)

окислять (미완) (화학) 산화시키다

окисляться(미완) (화학) 산화하다

окись (여) (화학) 산화물(酸化物); ~ углеро да 일산화탄소

оккупант (남) 강점자(强占者), 점령자

оккупационный (형) 점령(占領), 강점(强占); ~ые войска 점령군

оккупация (여) 강점, 점령

оккупированный (형) 강점된, 점령된

оккупировать(미완,완) 강점(점령)하다

оклад (남) 노임 일정액, 노임액; месяч ный ~ 월 근로 일정액; повышать ~ 노임 일정액을 높이다

оклеветать (완) *см.* клеветать

оклеивать (미완), **оклеить** (완) 발라 붙이다, 바르다; ~ обоями 도배하다

оклик (남) 부르는 (불러 세우는) 소리

окно (중) ① 창문, 창; круглое ~о 둥근 창; ② 창문턱;на ~е лежит книга 창문턱에 책이 놓여있다 ③ 구멍 ④ (일할 때에) 짬

оковы (복수) ① 쇠사슬, 철쇄, 수갑; ② 질곡, 구속; ~ рабства 노예의 쇠사슬

околачиваться (미완) 빈들거리다, 건달부리며 돌아다니다; ~ без дела 하는 일없이 거닐다 (빈둥빈둥하다)

околдовать (완) ① 마술에 걸리게 하다, 마취시키다 ② 매혹되게 하다

околевать, околеть(완) *см.* дохнуть

около (전, 부) [+생] ① 곁에, 가까이에; 부근에, 근처에; сядь ~ меня 내 곁에 앉아; ~ города 도시부근에; собираться ~ учителя 교원의 주위에 모이다; ② 약(約), 대략(大略);~ трёх часов 약 세 시간

окольный (형) (에) 돌아가는, 우회하는; ~путь 돌음길, 우회로

оконный (형) 창문(窓門); ~ая рама 창틀; ~ое стекло 창유리

окончание (중) ① 종결, 완료, 수료, 졸업; ~ срока 기한 말; ② 끝, 마감 ③ (언어) 어미(語尾); падежное ~ 격어미

окончательно (부) 최종적 (종국적)으로, 완전히; решить ~ 최종적으로 결정하다

окончательный (형) 최종적인, 종국적인; ~ая победа 종국적승리;

прийти к ~ому решению 결판을 내다
окончить[ся] (완) *см.* кончать[ся]
окоп (남) (군사) 전호, 참호
окопать[ся] (완) *см.* окапывать[ся]
окорок (남) ① 함 ②(돼지의) 넓적다리고기
окоченеть (완) *см.* коченеть
окош[еч]ко (중) *см.* окно
окраина (여) ① 끝 변두리; ~дерев ни 마을 끝 ② 변방, 변강(지대)
окрасить (완) *см.* красить
окраска (여) ① 물들이기, 염색, 색칠하기 ② 빛깔, 색깔; 채색
окрашенный (형) 물들인; осторож но, ~о! 칠 주의!, 페인트 주의!
окрашивать (미완) *см.* красить
окрепнуть (완) *см.* крепнуть
окрестность (여) 부근, 주변, 근처; ~и города 도시주변, 도시근처
окрестный (형) 부근, 주변(周邊)
окрик (남) ① 부르는 소리, 외침소리; ~ часового 보초의 외침소리 ② 호령, 호통; грубый ~ 꾸짖는 소리
окрикнуть (완) 불러 세우다, 큰 소리로 부르다
окровавленный (형) 피투성이의; ~ бинт 피투성이가 된 붕대
окрошка (여) 오크로쓰카 (냉국의 일종; 크와스와 잘게 썬 남새와 고기로 만든 요리)
округ (남) ① 지구(地區), 구역(區域), 구(區); ② : из бирательный ~ 선거구; военный ~ 군관구
округлить (완), **округлять** (미완) ① 둥글게 하다 둥글리다 ② (수를) 반올림하다, 정수로 계산하다(표시하다
окружать (미완) ① 에워싸다, 둘러싸다, 둘러막다; 포위하다 ② : ~ внима нием 잘 보살펴주다
окружающий (형) 주위의, 주위에 있는, 부근; ~ая местность 주위에 있는 지대; ② ~ие (복수) 주위의 사람들, 같이 있는 사람들; ③ : ~ее (중) 주위의 사물, 환경
окружение (중) ① 포위하는 것, 둘러싸는 것 ② 환경, 주위의 사람들 ③ (군사) 포위, 포위망; попасть в~ 포위망에 들다
окружить (완) *см.* окружать
окружной (형) ① : ~ая железная дорога 순환선철도 ② :~ая избиратель ная комиссия 선거구위원회
окружность (여) (수학) 원둘레, 원주(圓周)(기호 p)
окрылить (완), **окрылять** (미완) 활기띠게 하다, 용기를 북돋아주다, 고취하다; ~ надеждой 희망을 북돋아주다(불어넣다)
октава (여) (음악) 옥타브, 제 8음
октябрь(남) 10월(시월); в ~е 10월에
октябрьский (형) 10월(시월); Вели кая Октябрьская социалистическая револ-юция 위대한 사회주의 10월 혁명
окулист (남) 안과의사(眼科醫師)
окуляр (남) 대안렌즈
окунать (미완) (잠간동안) 잠그다, 담그다, 수장시키다
окунаться (미완) ① (잠간동안) 몸을 잠그다, 잠기다; ② 몰두하다, 붙박이다; ~ в работу 사업에 몰두하다, 일에 붙박이다
окунуть[ся] (완) *см.* окунать[ся]
окунь (남) 강농어, 농어
окупать (미완) 보상하다, 갚[아주]다; ~расходы на поездку 여비를 보상하다
окупаться (미완) ① 보상하다, 갚아지다; расходы ~ились 비용이 보상되었다 ② 보답하다
окупить (완) *см.* окупать
окурок (완) 담배꽁다리(꼬투리), 꽁초
окутать (완), **окутывать** (미완) ①

둘러싸다, 감싸다; ~ть шею шарфом 목에 목도리를 두르다 ② 뒤덮다, 휩싸다; туман ~л рощу 안개가 숲을 뒤덮었다
окучивание (중) 북주기
окучивать (미완), **окучить** (완) 북을 주다 (돋우다); ~ картофель 감자에 북을 주다
оладья (여) [흔히 복수] ~и 기름떡(번철에 지진 기름빵의 일종)
олеандр (남) (식물) 협죽도
оледенение (중) 얼음으로 덮이는 것, 어느 것, 동결(凍結)
оледенеть (완) см. леденеть
оленевод (남) 사슴(을) 기르는 사람, 사슴 사양공
оленеводство (중) 사슴 기르기
олень (남) 사슴; северный ~ 북극사슴, 순록
олива (여) (식물) 올리브(나무); 올리브(열매)
оливковый (형) ① : ~ое масло 올리브(감람) 기름 ② : ~ый цвет 암록색
олигархия (여) 과두정치; финансовая ~ 금융 과두정치
олимпиада (여) 올림픽(경기) 대회
олимпийский (형) 올림픽(대회); ~ие игры 올림픽경기대회
олифа (여) 보일유
олицетворение (중) ① 인격화(人格化) ② 체현, 화신
олицетворить (완), **олицетворять** (미완) 체현(인격화)하다
олово (중) ① 주석, 석 ② 땜납
оловянный(형)주석(석)으로 만든, 주석
олух (남) 멍텅구리, 머저리
ольха (여) 오리나무
ом (남) 옴(전기저항의 단위)
Оман (남) 오만

омар (남) 바다가재, 대하(大蝦), 큰새우
омерзение (중) 혐오감, 얄미움; испытывать~е 혐오감을 느끼다, 얄미워하다; до ~я 역겨울 지경으로
омерзительный (형) ① 혐오스러운, 징그러운; ~ый поступок 추잡한 행동(짓); ② ~ое настроение 몹시 불쾌한 기분
омертвление (중) 감각(지각) 상실; ~ нерва 신경마비
омертветь (완) см. мертветь
омлет (남) 오믈렛 (닭알지짐의 한가지)
омолаживание, омоложение (중) 젊어지게 하는 것, 젊게 하는 법
омоним (남) (언어) 소리 같은 말, 동음이의어(同音異議語)
омрачать (미완) 침울하게 (우울하게) 하다; ~настроение 기분을 흐리게 하다
омрачаться (미완) 침을(우울) 해지다, 흐려지다
омрачить[ся] (완) см. омрачать[ся]
омут (남) ① (강이나 호수의) 심연(深淵) ② 소용돌이
омывать (미완) (지리) 둘러싸다; море ~ет остров 바다가 섬을 둘러싸고 있다
омываться (미완) (바다, 대양으로) 둘러싸이다
омыть (완) см. обмывать
он (인칭대) (남) ① [н] его (생, 대), [н] ему (여), [н] им (조), о нём (전); 그, 그이, 그분, 그 사람; ~пришёл 그는 왔다; расскажите мне о нём 그 사람에 대하여 이야기해주세요 ② 그것
она (인칭대) (여) ① ([н]её (생, 대), [н]ей (여), [н]ею 또는 [н]ей (조), о [н]ей (전)); 그 여자, 그, 그이, 그분; ~ ушла 그 여자는 갔다 ② 그것
ондатра (여) (동물) 사향 쥐
онеметь (완) см. неметь
они (인칭대) (복수) ① ([н]их (생, 대),

[н]им (여), [н]ими (조), о них (전)); 그 사람들, 그들, 이네; ~ победили 그들은 승리하였다; о них вестей нет 그 사람에 대한 소식이 없다 ② 그것들

онкология (여) 종양학(腫瘍學)

оно (인칭대) (중) ([н]его (생, 대), [н]ему (여), [н]им (조), о нём (전)); блюдце упало. Оно разбилось 작은 접시가 떨어졌다, 그것은 깨졌다

ООН (Организация Объединённых Наций) (여) 유엔(UN: United Nations) 국제연합(國際聯合).

опадать (미완) 떨어지다; листья опали 나뭇잎이 떨어졌다

опаздывать (미완) ① 늦다, 늦게 오다, 지각하다; ~ на поезд 기차를 놓치다, 기차시간에 늦다 ② 지연되다

опаливать (미완), **опалить** (완) 약간 태우다, 그슬다; ~ курицу 닭을 불에 태우다

опасаться (미완) ① 두려워하다, 위구하다, 겁나하다; ~ морозов 추위를 두려워하다 ② 우려하다, 불안을 느끼다; ~ за чью жизнь ...의 목숨을 우려하다

опасение (중) 두려움, 위구; питать ~я 두려운 마음을 가지다;~я подтвердились 우려되는바가 확증되었다

опасно (부) ① 위험하게 ② [술어로]위험하다, 위태롭다

опасность (여) 위험, 위태로움; под вергаться ~и 위험에 처하다; пренебрегать ~ью 위험을 무릅쓰다; вне ~и 위험을 벗어나

опасный (형) ① 위험한, 위태로운: ~ая обстановка 위험한 정세 ②: ~ая болезнь 위중 (위독)한 병

опасть (완) см. опадать

опека (여) 후견(後見), 보호(保護); брать под ~у 후견 하에 두다

опекать (미완) ① 후견하다 ② 보호하다, 보살펴주다; ~ младших 손아래사람들을 돌보다

опекун (남) 후견인(後見人)

опекунство (중) 후견; 후견인의 의무

опера(여)① 가극, 오페라 ② 가극극장

оперативность (여) ① 기동성(機動性), 행동력 ② 실무성

оперативный (형) ① 작전의(作戰-); ~ый план 작전계획 ② 기동적인, 능란한, 영활한; ~ое руководство 능란한 지도; ~ая работа 실무사업 ③ ~ое вмешательство 수술

оператор (남) ① 기계(운전) 공, 기계취급전문가 ② (영화의) 촬영기사

операционная (여) 수술실, 수술장

операционный (형) 수술(手術), 수술용; ~ стол 수술대

операция (여) ① 수술(手術); делать ~ю 수술하다 ② (군사) 작전; десантная ~ 상륙작전 ③ /배매, 무역 등의/ 업무(業務), 거래 ④ (공학) 조작(造作). 공작(公爵)

опередить (완), **опережать** (미완) (따라) 앞서다, 능가하다

оперение (중) ① 깃; пёстрое ~ 아롱아롱한 깃 ② (항공) : хвойное ~ 꼬리날개

оперетта (여) 경기극

опереться (완) см. опираться

оперировать (미완) ① 수술하다 ② 써먹다, 이용하다; ~ фактами 사실을 이용하다

опериться (완) ① 깃이 나다, 깃으로 덮이다 ② 성숙해지다, 자립적인 사람으로 되다

оперный (형) 가극; ~ театр 가극극장

оперяться (미완) см. опериться

опечалить (완) 슬프게(서럽게)하다

опечалиться (완) 슬프게(서럽게) 되다,

슬퍼하다, 서러워하다
опечатать (완) *см.* опечатывать
опечатка (여) (인쇄) 오식; список замеченных ~ок 고침표, 정오표
опечатывать (미완) 봉인하다, 차압하다; ~комнату 방을 봉인하다
опешить (완) 어리둥절해지다, 흥미해지다, 깜짝 놀라다
опий (남) 아편
опилки (복수) 톱밥, 쇠밥; древесные ~ 톱밥, 나무밥
опираться (미완) ① 기대하다, 의지하다; ~ на трость 지팡이에 몸을 의지하다 ② 의거(입각) 하다; ~ на массы 대중에게 의거하다; ~ на факты 사실에 입각하다
описание (중) 묘사, 서술, 진술서
описательный (형) 서사적인, 서술적인
описать (완) *см.* описывать
описка (여) 잘못 쓴 것, 오기
описывать (미완) ① 묘사(서술, 진술)하다 ② 기록하다; 목록을 만들다 ③ : ~ имущество (법률) 재산을 차압하다 ④ (수학) 외접시키다
опись (완) 명세서, 목록; инвентарная ~ 비품 명세서(목록)
опиум (남) ① 아편; курильщик ~а 아편쟁이; курить ~ 아편을 피우다 ② 중독, 아편
оплакивать (미완) 곡하다, 애도(탄식)하다
оплата (여) ① 보수; ~ труда 노력보수 ② 지불; сдельная ~ 도급지불
оплатить (완) *см.* оплачивать
оплаченный (형) : телеграмма с ~ым ответом 답신료를 전불한 전보
оплачивать (미완) ① 내주다, 지불하다; 물다; ~ расходы по командировке 출장비를 내주다(지불하다); ~ счёт 계산서대로

지불하다; ~ труд 노력보수를 지불하다
оплодотворение (중) (식물, 생리) 수정, 정자받이, 태 앉기; искусственное ~ 인공수정
оплодотворить (완), **оплодотворять** (미완) 수정(수태) 시키다
оплот (남) 성새, 요새(要塞)
оплошность (여) 잘못, 실수(失手), 불찰; допустить ~ 실수하다, 잘못을 저지르다; исправить свою ~ 자기의 잘못을 바로잡다, 과오를 시정하다
оповестить (완), **оповещать** (미완) 알리다, 알려주다, 통지(통보)하다
оповещение (중) 통지, 통보(通報), 공시
опоздание (중) 지각(遲刻), 지연(遲延), приходить с ~м 늦어오다
опоздать (완) *см.* опаздывать
опознавательный (형) : ~ые знаки 표식(標式), 부호(符號)
опознавать (미완), **~нать** (완) 보고알다, 식별하다; ~нать убитого 죽은 사람을 보고 [누구인가를] 알아내다
опозорить[ся] (완) *см.* позорить[ся]
ополаскивать (미완) 물을 끼얹어 씻다, 물로 가시다, 대강대강 씻다
оползень (남) 사태
ополоснуть (완) *см.* ополаскивать
ополчаться (미완) ① 비난해(반대해)나서다, 덤벼들다 ② 무장하여 전쟁에 일떠서다
ополчение (중) 의용군(義勇軍), 의용대(義勇隊); народное ~ 민병(民兵)
ополчиться (완) *см.* ополчаться
опомниться (완) ① 제정신이 들다, 정신을 차리다 ② 마음을 잡다, 생각을 고치다; ~сь пока не поздно! 늦지 않으니까 이제라도 고쳐 생각하게!
опор (남) : во весь ~ 전속력으로, 몹시 빨리; (말의) 네굽을 놓다
опора (여) ① 기둥, 지주(支柱); точка

~ы 지점, 지냉점; ~ы моста 다리기둥 ② 발판; ③ 지지, 의존, 기둥; ~a семьи 가족의 기둥

опорный (형) ① : ~ый пункт 거점 ② : ~ая балка (건설) 받침보

опорожнить (완), **~ять** (미완) [텅] 비게 하다, 바닥을 드러내다

опорочить (완) см. порочить

опостылеть (완) 미워나다, 싫증나다, 역해지다

опошлить (완), **опошлять** (미완) 비속화(저속화) 시키다, 저열하게 하다

опоясать (완), **~ывать** (미완) ① 매여주다, 띠다 ② 둘러싸다; река ~ала город 강은 도시를 둘러쌌다

оппозиционный (형):~ая партия 야당

оппозиция (여) ① 반대, 반항 ② 반대파, 야당(파)

оппонент (남) 반대토론자, 반론자, 반대자; официальный ~ [학위논문] 공식심사위원

оппортунизм (남) 기회주의(機會主義)

оппортунист (남) 기회주의자; 타협주의자

оправа(여)테, 틀;~ для очков 안경테

оправдание (중) ① 무죄판결(無罪判決) ② 변명(變名), 정당화(正當化); находить ~ 병명을 하다

оправдательный (형) :~ документ 증빙문건; ~приговор 무죄판결

оправдать[ся] см. оправдывать[ся]

оправдывать (미완) ① 무죄로 인정(선고)하다 ② 정당화하다, 변명하다 ③ 보답하다; ~доверие 신임에 보답하다; не ~ надежд 기대를 어그러뜨리다

оправдываться (미완) ①(자기의 무죄를) 변명(증명)하다 ②(희망, 기대, 예언 등이) 실현되다

оправить[ся] (완) см. оправлять[ся]

оправлять(미완) 단정히 (반듯이) 하다, 정돈하다;~платье 옷을 단정히 하다

оправляться (미완) ① оправлять ② 회복(완쾌)되다, 정상화되다; ~от болезни 병이 완쾌되다

опрашивать (미완) ① (많은 사람들에게) 물어보다 ② 심문(신문)하다; ~ свиде- телей 증인을 심문하다

определение (중) ① 판정(判定), 결정(決定), 규정(規定); ~ цен 가격의 결정; ~ расстоя ния 거리의 판정 ② 정의, 정식화; дать научное ~ чего..... 의 과학적인 정의를 내리다 ③ (언어) 규정어

определённо (부) 확정적으로, 명확하게, 똑똑히

определённость (여) 정확성, 명확성

определённый (형) ① 일정한, 확정한; в ~ый час 일정한 시간 (시각)에 ② 명확한;~ый ответ 명확한 답변을 하다 ③ 일정한; в ~ых случаях 어떤 경우에는

определить[ся] см. определять[ся]

определять (미완) ① 판정(감정) 하다, 재다; ~расстояние 거리를 판정하다; ② 밝히다, 해명하다; ~ болезнь 진단을 내리다 ③ 확정(규정)하다; ~ день встречи 만날(상봉) 시간을 정하다 ④ 정의를 내리다

определяться (미완) ① 정해지다, 결정(확정, 규정)되다; 명백히 되다 ② 자기의 위치(방위)를 판정(규정)하다

опробование (중) 시험, 시운전(試運轉)

опровергать (미완), **опровергнуть** (완) 반박(논박)하다; ~ ложное сообщение 허위보도를 논박하다

опровержение (중) ① 반박, 논박 ②

반박문; выступить с ~м 논박연설하다; официальное ~ 공식반박

опрокидывать (미완),~нуть (완) 넘어뜨리다, 거꾸러뜨리다, 뒤집어엎다, 엎지르다; ~дывать навзничь 자빠뜨리다; волной ~нуло лодку 파도가 쳐서 보트가 뒤집혔다

опрокидываться(미완),~нуться (완) 뒤넘다, 뒤번지다, 엎치다, 자빠지다

опрометчиво (부) 덤벙덤벙, 다빡다빡, 서투르게; поступить ~ 경거망동하다

опрометчивый (형) 덤벙이는, 서투른, 호들갑스러운

опрометью (부) 부리나케, 다급하게; выбежать~ 부리나케 뛰어나가다

опрос (남) 심문(審問), 취조(取調), 문초(問招); ~ свидетелей 증인의 심문

опросить (완) см. опрашивать

опросный(형) ~ лист 질문서, 조사서

опротестовать (완), ~овывать (미완) 항의하다, 공소하다

опротиветь (완) 넌더리가 나다, 역증나다, 싫어지다

опрыскать (완) см. опрыскивать

опрыскивание (중) (물 등을) 뿌리는 것, 분무, 분사; (농업) 벌레 약의 분무

опрыскиватель (남) 분무기

опрыскивать (미완), ~нуть (완) /물 등을/ 뿌리다, 치다; ~кивать деревья 나무에 벌레 약을 뿌리다

опрятный (형) 단정한, 산뜻한, 꼼꼼한

оптика (여) ① (물리) 광학 ② (집합) 광학기구; магазин <Оптика> 안경방

оптимальный (형) 가장 알맞은 (적합한); в ~ые сроки 최적기에

оптимизм (남) 낙관주의, 낙천성

оптимистический (형) 낙천적인, 낙관주의적인

оптический (형) ① 광학[적인]; ~ при-бор 광학기구 ② 시각, 눈의; ~ об ман 눈의 착각

оптовый(형) 도매(都賣); ~ая торговля 도매상업, 도거리흥정; ~ая цена 도매가격, 도매 값

оптом (부) ① 도매로, 도거리로 ② 통째로, 한데 묶어서

опубликование (중) 발표, 공포

опубликовать (완), опубликовы вать (미완) 발포(公布)하다, 싣다; ~ закон 법령을 공포(발포)하다

опускать (미완) ① 내리우다, 내려놓다, 처뜨리다; ~занавес 막을 내리우다 ② 넣다, 놓다; ~письмо в почтовый ящик 편지를 우편함에 넣다 ③ 늦추다, 헤치다; ~ воротник 옷깃을 열어 헤치다. ④ 빼놓다, 줄이다, 생략하다; ~ часть текста 원문의 일부를 빼놓다; ~ го лову 1) 머리를 숙이다 2) 낙심하다; ~ руки 1) 손을 내리다 2) 낙심하다

опускаться (미완) ① 내리다, 내려오다(가다), 가라앉다; 내려앉다, 주저앉다; 눕다; ~ на стул 걸상에 주저앉다; ~ на колени 무릎을 꿇다 ② 타락하다, 곯아빠지다

опустеть (완) см. пустеть

опустить[ся] (완) см. опумкать[ся]

опустошать (미완) 황폐하게 하다, 폐허로 만들다, 없애버리다

опустошение (중) 황폐화, 공허하게 만드는것

опустошённость (여) 공허감; духов ная ~ 정신공허

опустошительный (형) 황폐화하는, 파멸적인

опустошить (완) см. опустошать

опутать (완), опутывать (미완) ① 얽어매다, 둘러 감다, 둘러매다 ② 사로잡다, 얽어매다, 끌어들이다

опухать (미완), опухнуть (완) 붓다,

부어오르다; лицо ~ло 얼굴이 부었다

опухоль (여) 붓기, 부종(浮腫), 종양(腫瘍); злокачественная ~ 악성종양; ра-ковая ~ 암종

опушка(여):~[леса] 수풀언저리, 산림가

опыление(중)(식물) 가루받이, 수분; 수정

опылить (완)**, опылять** (미완) ① 수분시키다 ② [벌레] 약을 뿌리다; ~ виноградник 포도밭에 약을 뿌리다

опыт (남) ① 경험, 경력; собственный ~ 체험; обмениваться ~ом с кем... 와 경험을 나누다 ② 실험, 시험; химические ~ы 화학실험

опытность (여) 경험(經驗), 숙달

опытный (형) ① 경험 있는, 노련한; 본데가 많은 ② 시험[적인], 실험; ~ участок 시험포전

опьянение (중) ① 취기, 술에 취하는 것 ② 도취(徒取), 황홀(恍惚)

опьянеть (완) см. пьянеть

опьянить (완), **~ять** (미완) (술에) 취하게 하다; 도취시키다, 황홀케 만들다; успех его ~ил 그는 성과에 도취하였다

опять (부) 다시, 다시 한번

орангутан, орангутанг(남) (동물) 성성이

оранжевый(형):~ цвет 오렌지색, 등색

оранжерея (여) 온실(溫室)

оратор (남) 웅변가, 연설자, 토론자

ораторский(형) 웅변(雄辯); ~ое искусство 웅변술

орать (미완) ① 고래고래 소리지르다 (외치다), 들이지르다, 게목을 지르다 ② 호통치다, 꾸짖다

орбита (여) ① 궤도; земная ~а 지구궤도; выводить на ~y 궤도에 들어서게 하다(진입시키다) ② 범위; ~а влияния 세력범위

орбитальный (완) 궤도; ~ая научная станция 궤도과학정류소

орган (남) ① (해부) 기관; ~ы зрения 시각 기관 ② (행정의) 기관; государственные ~ы 국가기관 ③ 기관지(機關誌); партийный ~ 당기관지 ④ 도구, 수단

орган (남) (음악) 풍금(風琴)

организатор (남) 조직자, 주최자(主催者)

организаторский (형) 조직자적인; ~ талант 조직자적재능

организационный (형) 조직[적인]; ~ое собрание 창립회의; ~ый вопрос 조직문제

организация (여) ① 조직(하는 것), 창립 ② 단체, 조직; партийная ~ 정당조직; Организация Объединённых Наций, ООН 유엔, 국제연합기구

организм (남) 유기체, 생물; крепкий ~ 튼튼한 체질

организованно (부) 조직적으로, 집단적으로; 질서정연하게

организованность (여) 조직성

организованный (형) ① 조직적인, 조직된, 단합된; ~ым путём 조직적으로 ② 규를 있는

организовать[ся] (완) см. организовывать[ся]

организовывать (미완) 조직하다, 꾸리다, 뭇다, 편성(마련)하다; ~ кружок 소조를 조직하다; ~ социалистическое соревнование 사회주의경쟁을 뭇다; ~ учебную группу(класс)학급을 편성하다

организовываться (미완) ① 조직되다 ② 창설(창립)되다

органический (형) ① 유기체(有機體), 유기물(有機物); ~ие вещества 유기물질; ~ая химия 유기화학; ~ое удобрение 유기질비료 ② 유기적인, 본질적인;~ая связь 유기적결합

оргбюро (중) (불변)(организационное

бюро) 조직위원회
оргия (여) 떠들썩한 술판
орда (여) (역사) 악당, 무리, 오합지중
орден (남) 훈장; награждать ~ом 훈장을 수여하다
орденоносец (남) 수훈자, 훈장소유자
орденоносный (형) 수훈, 훈장을 받은(가지고 있는); ~ завод 훈장을 받은 공장
орденский(형)~ая книжка 훈장증명서
ордер (남) 명령서, 지령서, 영장; ~ на арест 체포명령서; ~ на жилпло щадь 입사증, 주택사용허가증
ордината(여)(수학)세로자리표, 종좌표
орёл (남) ① (조류) 독수리, 수리 ② 호걸, 용사
ореол (남) ① (발광체 주위에 생기는) 원광, 광휘(光輝) ② 영광, 명성(名聲)
орех (남) ① 호두, 가래, 잣; 개암; зем- ляной ~ 땅콩 ② 호두 (가래, 잣) 나무
ореховый (형) ① 가래, 호두, 잣; ~ое дерево 가래나무, 잣나무, 호두나무 ② 가래나무로 만든
орешник (남) 개암나무숲
оригинал (남) 원문, 원본, 원고; 원작품; ~книги 원서; ~ картины 원도
оригинальный (형) ① 독창적인, 독특한, 기이한 ② 원본(原本), 원서(原書), 원고(原稿); ~ текст 원문
ориентация (여) ① 방위판정 ② в чём 판단력(判斷力), 분석력, 통찰력 ③ 사업(활동) 방향
ориентир (남) 방향표적물, 방위목표물
ориентировать (미완, 완) ① 방향을 정하다, 방위를 판정하게 하여주다 ② в чём 정통하게 하다, 식별(판별)하도록 도와주다 ③ на что 어떤 목표에 향하게 하다; ~ на использование местных ресурсов 지방원천을 이용하는 방향을 취하게 하다
ориентироваться (미완, 완) ① 방향을 정하다, 방위를 판정하다 ② на кого-что...를 목표로(대상으로) 삼다 ③ в чём ...을 식별하다, 정통하다
ориентировка (여) см. ориентация
ориентировочно (부) 대체로, 대략적으로, 예비적으로
оркестр (남) 관현악단, 악대, 오케스트라; симфонический ~ 교향악(단); духовой ~ 취주악(단); военный ~ 군악대
орлёнок (남) 새끼독수리
орлиный (형) 독수리; ~ое племя 용감한 세대; ~ый взгляд 날카로운 눈초리
орнамент (남) 무늬, 문양, 장식
оробеть (완) см. робеть
оросительный (형) 관개(용); ~ый канал 관개수로
оросить(완), **орошать**(미완) ① 물을 대다; 관개하다 ② 추기다, 젖게 하다; дож-дь ~л землю 비가 땅을 추겼다
орошение (중) 관개(灌漑), 관수(灌水)
орудие (중) ① 도구(道具), 기구(器具), 공구(工具); ~я производства 생산도구 ② 수단, 무기 ③ (군사) 포(包), 대포(大砲); дальнобойное ~е 먼거리표; стрелять из ~я 포를 쓰다, 대포를 놓다
орудийный (형) : ~ый огонь 포화;~ая стрельба 포격, 포사격
орудовать (미완) ① чем: 다루다, 쓰다; ловко ~ пилой 톱을 솜씨있게 다루다 ② 행동(준동)하다, 행하다 (부정의미)
оружейный (형) 무기, 병기, ~ завод 병기공장
оружие (중) ① 무기(武器), 병기(兵器), 총포; ог нестрельное ~ 화력무기, 총포; ядер ное ~ 핵무기;

холодное ~ 칼; ~ массового уничтожения 대량살육무기 ② 수단(手段), 무기; сложить ~ 항복하다

орфографический (형) (언어) 맞춤법, 철자법; ~ словарь 맞춤법사전, 철자법사전

орфография (여) 맞춤법 (철자법)

орфоэпический (형) 표준발음법; ~ словарь 표준발음법사전

орфоэпия (여) 표준발음법

Ос (Книга Пророка Осии, 14장, 878 쪽) 호세아서(Book of Hosea: 아시리아어로는 Ausi, Hoshea, Osee라고도 씀)

оса (여) (곤충) 땅벌, 말벌

осада (여) 봉쇄, 포위(공격); снять ~у 포위를 풀다, 포위공격을 중지하다

осадить (완) ① см. осаждать ② см. осаживать

осадка (여) ① (건축물 등의) 내려앉기, 침하(沈下) ② (선박의) 흘수(吃水)

осадки (복수) (기상) 강수량(降水量)

осадный(형) : ~ое положение 계엄령

осадок (남) ① 침전물, 앙금, 찌끼; ~ в воде 물때; выпасть в ~ 앙금을 앉히다 ② 어지러운 인상, 여한

осаждать (미완) ① 포위공격하다; ~ крепость 요새를 포위하다 ② 시끄럽게 굴다, 귀찮게 조르다; ~ просьбами о....해 달라고 귀찮게 조르다

осаживать (미완) ① 멈추게 하다; ~ лошадь 말을 급히 세우다 ② 제지하다, 콧대를 꺾다; ~ нахала 무뢰한을 제지하다

осанка (여) 몸맵시, 자태(姿態); гордая ~ 떳떳한 자태

осваивать (미완) ① 개발(개간)하다; ~ новые земли 새 땅을 개간하다 ② 깨치다, 습득하다

осваиваться (미완) (새 환경 등에) 익숙해지다, 버릇되다, 습관되다; ~ в новой среде 새 환경에

осведомитель (남) 통보자(通報者), 밀고자(密告者)

осведомить[ся] см. осведомлять[ся]

осведомлённость (여) 견문(見聞), 박식(博識), 견식(見識); 정통(正統)

осведомлять (미완) 알리다, 일러주다, 일러바치다

осведомляться (미완) 물어보다, 알아보다; ~ о здоровье 건강을 물어보다

освежать (미완) ① 시원(상쾌)하게 하다, 신선하게 하다 ② 새로이 하다, 갱신하다; ~ в памяти 추억을 새로이하다

освежаться (미완) ① 신선(선선)해지다, 맑아지다; воздух ~ился 공기가 신선해졌다 ② 새로워지다, 갱신되다, 생생해지다; воспоминания ~ились 추억이 새로와졌다

освежить[ся] (완) см. освежать[ся]

осветитель(남): ~[сцены] 무대조명사

осветительный (형) 조명용, 조명; ~ая ракета 조명탄; ~ая аппаратура 조명기구, 조명장치

осветить[ся] (완) см. освещать[ся]

освещать (미완) ① 비추다, 조명하다 ② 밝혀주다, 해명하다;~ общее положение 일반사태를 해명하다

освещаться (미완) ① 비쳐지다, 조명되다 ② 해명되다

освещение (중) ① 비치기, 조명(照明), 빛 ② 조명장치; электрическое ~ 전등 ③ 해명(解明)

освидетельствование(중) 심사(審査), 검정(檢定); медицинское ~ 신체검사, 검진

освидетельствовать (완) 검증(검정)하다; 검진하다

освистать (완), **освистывать** (미완) 휘파람으로 놀려대다 (조소하다)
освободитель (남) 해방자(解放者)
освободительный (형) 해방(解放); ~ая армия 해방군; национально- ~ое дви-жение 민족해방운동
освободить[ся] см. освобождать[ся]
освобождать (미완) ① 해방하다, 석방하다, 놓다 ② 면제하다, 제외하다, 벗어나게 하다; ~ от дежурства 수직근무에서 제외하다 ③ 비우다, 비워주다; ~ комнату 방을 내다(비우다) ④ 해임하다, 면직시키다; ~ от обязанностей(занимаемой должности)해임하다, 면직시키다
освобождаться (미완) ① 해방되다, 자유롭게 되다 ② 벗어나다; ~ждаться от предрассудков 편견에서 벗어나다; ③ 비다; место ~дилось 자리가 비었다(났다); дом ~ждается 집이 빈다
освобождение (중) ① 해방(解放), 석방(釋放); ② 면제(免除); ~ от налога 세금면제 ③ : ~ от занимаемой должности 해임
освоение (중) ① 개간, 개발 ② 습득, 체득;~ новой техники 새 기술의 습득
освоить[ся] (완) см. осваивать[ся]
оседание (중) ① 가라앉기, 침전 ② 내려앉기, 침하; ~ фундамента здания 건물기초의 내려앉기
оседать (미완) ① 가라앉다, 침전하다 ② (건물 등이) 내려앉다, 침하하다; грунт осел 땅이 내려앉았다 ③ 정착하다
оседлать (완) см. седлать
оседлый (형) 머물러 사는: ~ое население 원주민
осёл(남)① 당나귀 ② 멍텅구리, 머저리
осенить (완) : ~ла мысль(идея) 생각이 문득 떠올랐다

осенний (형) 가을(철); ~ дождь 가을비; ~ сезон 가을철
осень (여) 가을, 가을철, 추절(秋節); всю ~ь 가을 내; на чало ~и 첫 가을
осенью (부) 가을에, 가을철, 추절(秋節)
осенять (미완) см. осенить
осесть (완) см. оседать
осётр (남) 철갑상어
осетрина (여) 철갑상어의 고기
осечка (여) 불발(탄); давать ~у ① 불발이 되고 말다 ② 효과를 내지 못하다, 성공 못하다
осилить (완) см. одолевать
осина (여) 사시나무
осиновый (형) 사시나무; дрожать как ~ лист (속담) 사시나무 떨듯
осиный (형) 말벌; ~ое гнездо 소굴(부정적 의미에서)
осиротеть (완) ① 고아가 되다, 외로워지다 ② 텅비다; дом ~л без хозяи на 주인이 없어서 집이 텅 비었다
оскалить[ся] (완) см. скалить[ся]
осквернить (완), **~ять** (미완) 더럽히다, 모욕(모독)하다; 망신시키다
осколок (남) 조각, 파편, ~ снаряда 포탄파편
осколочный (형) : ~ый снаряд 파편탄; ~ое ранение 파편상
оскомина (여) : набить ~у ① 입안이 떫다 ② 싫증난
оскорбительный (형) 모욕적인, 굴욕적인, 모독하는; ~ тон 모욕적인 말투
оскорбить[ся] см. оскорблять[ся]
оскорбление (중) 모욕, 모독; 악설; под-вегаться ~ям 모욕을 당하다(주다)
оскорблять (미완) 모욕(모독)하다, 굴욕하다; 악설하다
оскорбляться (미완) 모욕을 느끼다,

몹시 노여워하다

оскудевать (미완), **оскудеть** (완) ① 가난해지다, 부족해지다 ② 빈약해지다, 쇠퇴하다

ослабевать(미완),**~еть,** *см*.слабеть

ослабеть (완) *см.* ослаблять

ослабление (중) 약화, 쇠약, 완화; 경감; ~ дисциплины 규율의 약화;~ между- народной напряжённости 국제긴장상태의 완화

ослаблять(미완) ① 늦추다, 누그러뜨리다, 덜다; ~ ремень 허리띠를 늦추다 ② 약화시키다, 완화시키다; ~ напряжённость 긴장상태를 완화하다, 긴장성을 풀다

ослабнуть (완) *см.* слабеть

ослепительный (형) ① 눈부신, 어린; ~ый свет солнца 눈부신 got빛 ② 놀랄만한, 찬란한; ~ая красота 놀랄만한 아름다움

ослепить (완) *см.* ослеплять

ослепление (중) ① 눈을 멀게 하는 것, 눈부시게 하는 것 ② 이성(분별)없는 행동, 맹목적인것; действовать в ~и 맹목적으로 행동하다 ③ 현혹

ослеплять (미완) ① 눈을 멀게 하다, 눈부시게 하다 ② 이성을 잃게 하다 ③ 현혹케 하다

ослепнуть (완) *см.* слепнуть

Осло (중) (불변) *г.* 오슬로

осложнение (중) ① 복잡하게 되는 것, 복잡화 ② (의학) 합병증(合併症); вызы-вать(дать) ~ 합병증을 일으키다

осложнить[ся] *см.* осложнять [ся]

осложнять (미완) 복잡하게 하다(만들다); 혼란시키다; ~ положение 사태를 복잡하게 하다

осложняться (미완) ① 복잡해지다, 착잡해지다; вопрос ~ился 문제가 복잡해졌다 ② (의학) 합병증이 생기다; грипп ~ился воспалением лёгких 감기에 폐렴이 겹쳤다

ослушаться (완) 말을 듣지 않다, 순종하지 않다; ~ приказа 명령에 복종하지 않다(배반하다)

ослышаться (완) 잘못듣다, 헛듣다

осматривать (미완) ① 눈여겨보다, 훑어보다, 구경(관람, 참관)하다, 답사하다 ② 시찰(조사)하다 ③ 진찰(검진)하다; ~ бо-льного 환자를 진찰하다

осматриваться (미완) ① 자기주위를 살펴보다, 사방을 바라보다 ② 형편을 알아보다; ~ в новом городе 새 도시에 낮이 설다

осмеивать (미완) 비웃다, 조롱(조소)하다

осмеливаться (미완),**~ться** (완) (+미정형) 감히 ...하다, ...할 용기를 내다; ~ спросить 감히 물어보다

осмеяние (중) 비웃음, 조소, 조롱

осмеять (완) *см.* осмеивать

осмотр (남) ① 구경, 견학, 참관, 관람 ② 시찰, 검사, 조사; ~ багажа 수하물의 검사 ③ (의학) 진찰, 검진; медицинс кий ~ 신체검사

осмотреть[ся] (완) *см.* осматривать[ся]

осмотрительно (부) 조심스럽게, 신중하게; действовать ~ 조심스럽게 행동하다

осмотрительность (여) 조심성, 신중성; проявлять ~ 자중하다

осмотрительный (형) 조심스러운, 신중한, 차근차근한

осмотрщик (남) : ~ вагонов 검차원

осмысленный (형) 이지적인, 사려깊은, 이성적인; ~взгляд 이지적인 눈초리;~ ответ 사려깊은 대답

осмысливать (미완), **осмыслить** (완) 의미(뜻, 내용)를 깨닫다, 파악(이해)하다, 납득하다

оснастить (완) *см.* оснащать
оснастка (여) ① (배에) 밧줄설비, 삭구 ② *см.* оснащение
оснащать (미완) ① (배에) 밧줄설비를 갖추다 ② 기술기자재(무장)를 갖추다(장비하다)
оснащение (여) ① (기술기자재를)갖추는 것, 장비 ② 기술 장비(설비, 장치); бое- вое ~ 작전장비
основа (여) ① 기초(基礎), 기본(基本), 토대(土臺); ~ экономическая ~а 경제적 기초; закладывать ~у 토대를 닦다; ② ~ы (복수) 기본(基本), 원리(原理); ~ы марксизмалени низма 막스-레닌주의 기본; ~ы химии 화학의 기본 ③ (언어) 어간(語幹); на ~е *чего* ...의 기초위에서, ...에 근거하여 (토대하여); лежать(быть) в ~е *чего*....의 기본(태도)으로 되다; брать в ~у 기본으로 삼다
основание (여) ① 창립, 창건 ② (건축물의) 토대, 기초, 지반 ③ 근거, 이유; без ~я 근거도 없이; на каком ~и? 무슨 근거로? ④ (수학) 밑변, 밑수, 기본수 ⑤ (화학) 염기; до ~я 깡그리, 여지없이, 완전히; на ~и ...에 의하여
основатель (남) 창건자, 창립자(創立者)
основательно (부) 철저하게, 견실하게, 본격적으로; ~ изучить 철저하게 연구하다
основательный (형) ① 튼튼한, 견고한 ② 근거 있는, 정당한; ~ый довод 정당한 논거 ③ 철저한, 심오한;~ое изу чение 심오한 연구; ~ый человек 견실한 인간
основать[ся] (완) *см.* основывать[ся]
основаное (중) 주요한 것, 주되는 것
основной (형) 기본적인, 주되는, 근본적인; ~ой вопрос 기본적 문제; ~ой за- кон 기본법, 기본법칙; ~ой текст 본문; ~ая цель 취지; в ~ом 대체로, 기본적으로
основоположник (남) 창시자, 창건자
основывать (미완) ① 세우다, 창립(창건)하다; ~ больницу 병원을 세우다 ② на *чём*...기초(근거)하다, 근거를 두다
основываться (미완) ① на *чём*....에 입각하다, 기초(근거)로 하다 ② *где*...에 정착(정주)하다
особа (여) 사람, 인물; известная ~ 이름있는 인물; подозрительная ~ 수상한 인물
особенно (부) 특히, 특별히, 유달리
особенность (여) 특성, 특수성, 특질; в ~и 특히, 특별히
особенный (형) ① 특별한, 특이한, 특수한; ~ый характер 특수한 성질 ② 별다른, 색다른, 유난스러운; ~ый вкус 색다른 맛; что же тут ~ого? 거기에 무슨 별다른 (새삼스러운)것이 있는가?; нет ничего ~ого 특별한 것은 아무것도 없다
особняк (남) 독립가옥
особняком (부) 외따로, 동떨어져서, 홀로; держаться ~ 동떨어져있다
особо (부) ① 따로따로, 남달리, 독특하게, 유다르게; рассматривать вопрос ~ 문제를 독특하게 보다 ② 특히, 별로; ~ не за-нят 별로 바쁘지 않다; ~ важный 특히 중요하다
особый (형) ① 특별한, 남다른, 독특한; ~ое мнение 남다른 의견 ② 개별적인, 특수한, 별개, 별난; ~ый вопрос 별문제; ~ое место 딴자리; ~ое блюдо 별식; без ~ых происшествий 별일없이; обращать ~ое внимание 각별한 주의를 돌리다 ③ 전문적인, 특수한, 독립; ~ый батальон 독립대대 ④ 큰, 유다른; без ~ых затру- днений 큰

난관이 없이

осознавать (미완),**~ать** (완) 각오(자각)하다, 인식하다;~ свою ответственность 자기책임을 인식하다

осока (여) (식물) 사초, 도깨비사초

осот (남) (식물) 사데풀

оспа (여) ① 천연두(天然痘), мама(媽媽); ветряная ~ 수두, 풍진; привить ~ 종두하다 ② 마마자리, 종두자리

оспаривать (미완) ① 논박(논쟁)하다, 다투다 ② : ~ первенство 선수권쟁탈전을 벌리다, 앞을 다투다

осрамить[ся] (완) см. срамить[ся]

оставаться (미완) ① 남다, 머물다; ~ваться на второй год 본학년에 눌러앉다; ~ваться на прежнем месте 눌러앉다 ② /어떤 상태로/ 남아있다; ~ваться верным своему долгу 시종 자기임무에 충실하다 ③ 있게 되다, 보존되어있다, 남아있다; осталось два билета 입장권 두장이 남아있다 ④ (어떤상태에) 빠지다, 처하다; ~ваться в долгу 빚에 빠지다; ~ваться без обеда 결식하다;~вать ся при своём мнении 자기의 의견을 고수(고집)하다; ~ваться в силе 그냥 효력이 있다 ⑤ (+미정형) …할 수밖에 없다; ничего не ~ётся, как согла ситься 동의할 수밖에 없다; ~вать ся ни при чём 아무것도 얻지 못하다; ~вать ся с носом 기대에 어긋나다; остаться в живых 살아남다; остаться в одной рубашке 영락되다, 거지가 되다; счаст ливо ~ваться! 안녕히 계십시오!

оставить (완), **оставлять** (미완) ① 남기다, 남겨놓다, 남겨두다; 두다; ~ книгу дома 집에 책을 두다(두고 오다, 두고 가져가지 않다) ② 그만두다, 둬두다, 중단하다; ~ работу 일을 그만두다 ③ 떠나다, 뜨다, 버리고 가다; ~ город 도시를 떠나다(뜨다) ④ 내버려두다, 버리다; ~ семью 가족을 저버리다; ~ без внимания 내버려두다, 방임하다; ~ вопрос открытым 문제를 미결로 남기다; ~ всё так, как есть 그냥 그대로 두어두다;~ в покое 방해하지 않다

остальное (중) ① 다른 것, 나머지, 기타 ② ~ые 1) (복수) 다른 사람들 2) 다른 것들

остальной (형) 나머지, 다른, 남은

останавливать (미완) ① 멈추어 세우다, 중지(정지)시키다; 멈칫하다, 밀막다; ~ машину 자동차를 멈추다; ~ станок 기대를 세우다 ② 억제(제지)하다; 진정시키다; ~ кровь 피를 멈추다 ③ 멈추다, 그치게 하다, 그만두게 하다;~ игру 놀음을 그만두게 하다 ④ : на ком-чём ~ внимание….에 주의를 집중시키다; ~ выбор….를 선발하다

останавливаться (미완) ① 멈춰서나, 걸음을 멈추다, 멈칫 서다, 멎다, 서다; часы ~овились 시계가 섰다(멎었다) ② 정지(중지)하다, 그치다; работа ~ови лась 일이 중지되었다 ③ 머무르다, 들어묵다, 유숙하다; ~авливаться в гости нице 여관에 들다 ④ на чём…..에 집중되다, 머무르다; ~авливаться на основ ных моментах 중요한 요소에 집중되다; ни перед чем не ~авливаться …할 것까지도 주저하지(서슴지) 않다, 그 어떤 난관도 뚫고나가다

остатки (복수) 뼈, 유골(遺骨), 유해

остановить[ся] см останавливать[ся]

остановка (여) ① 멈추는 것, 정지, 중지; ~ поезда 정지, 정차 ② 정류장, 정류소, 정거장; конечная ~ 종점 ③ 잠시 머무르는 것(체류)

остаток (남) ① 나머지, 여분; 나머지

돈; ~ материи 남은 천; ~ок жизни 여생 ② (수학) 나머지 ③ (복수) 유물, 유적, 잔재; ~ки старого быта 옛 풍습의 잔재 ④ (복수) 폐물, 찌꺼기

остаться (완) см. оставаться

остерегаться (미완) 꺼리다, 조심(경계)하다; ~ простуды 감기에 조심하다

остов (남) ① 골각(骨角), 골조(骨彫); ② 골격(骨格): ③ 골자(骨子)

остолбенеть (완) (놀라움, 충격 등으로)장승처럼 서다, 마비되다, 얼먹다

осторожно (부) 조심히, 신중히, 살랑살랑; ~ ступать(идти) 살살 걷다(걸어가다); ~! 주의!

осторожность (여) 조심성, 신중성

осторожный (형) 조심스러운, 신중한, 소중한, 주의깊은

остриё (중) ① 뾰족한 끝, 촉, 초리; ~ стрелы 활촉; ~ иглы 바늘끝; ~ карандаша 연필끝 ② 날; ~ бритвы 면도날 ③ 예봉, 창끝; ~ критики 비판의 예봉

острить I (미완) 갈다, 날카롭게 하다, 뾰족하게 하다

острить II (미완) 편잔을 주다, 익살스러운 말을 하다

остричь[ся] (완) см. стричь[ся]

остров (남) 섬: ~а (복수) 열도

остроконечный (형) 끝이 뾰족한, 날카로운

острота (여) ① 예리성, 예민성; ~ слуха 청각의 예민성 ② 첨예성, 긴장성; ~ по- ложения 정세가 긴박한 것

острота (여) 재치 있는 표현(말마디), 말재간, 날카로운 말

остроумие (중) 기지, 재변

остроумный (형) 기지 있는, 영민(영리)한; ~ человек 기지 있는 사람

острый (형) ① 예리한, 날카로운, 뾰족한; ~ый нож 잘 드는 칼; ② 민감한, 예민한; ~ый ум 예민한 두뇌 ③ 매운 짠, 얼얼한; ~ый запах 코를 찌르는 냄새 ④ 극심한, 심한; ~ая боль 심한 아픔 ⑤ 긴장한, 날카로운; ~ая борьба 날카로운 투쟁 ⑥ 신랄한; ~ая критика 신랄한 비판 ⑦ 급성; ~ое воспаление 급성염증; ~ угол (수학) 예각; ~ый на язык 말이 쏘아붙이는듯하다

остряк (남) 말재간을 잘 부리는 사람, 재담쟁이

остудить (완), **остужать** (미완) 차게(식게) 하다, 냉각하다

оступаться (미완), **оступиться** (완) ① 헛디디다, 빗디디다, 발을 헛디디다 ② 잘못하다, 과오를 범하다

остывать (미완), **остыть** (완) ① 식다, 차지다; молоко ~ло 우유가 식어버렸다 ② 열이 식다, 냉정해지다, 썰렁해지다

осудить (완), **осуждать** (미완) ① 유죄판결을 내리다, 유죄로 선고하다 ② 규탄(비난)하다; 단죄하다 ③ на что, (+미정형): ~ён на гибель 멸망할 운명을 지니고 있다

осуждение (중) ① 유죄선고(판결) ② 규탄, 비난; 단죄

осуждённый (남) 유죄선고(판결)를 받은 사람

осунуться (완) (낯이) 파리해지다, 여위다

осушать (미완) ① 말리다, 물(을) 빼다; 배수하다; ~ болото 습지를 배수하다 ② 다 마셔버리다; ~ стакан 잔을 내다

осушение (중) 물빼기, 배수

осушить (완) см. осушать

осуществимый (형) 실행(실현)할 수 있는;~ая мечта 실현할 수 있는 염원;~ый план 실행할 수 있는 계획

осуществить[ся] (완) см. осуществлять[ся]

осуществление (중) 실현, 실행, 수행, 성취

осуществлять (미완) 실현(실행, 실시)하다; 성취하다; ~ на практике 실천적으로 실행(실현)하다

осуществляться (미완) 실현(실행, 실시)되다; 수행되다; 성취되다; мечта ~илась 염원이 실현되었다

осчастливить (완) 행복하게 하다(만들다), 행복을 주다

осыпать (미완), осыпать (완) ① 뿌리다, 끼얹다, 살포하다; ~ мукой 가루로 뿌려서 덮다 ② 퍼붓다; ~ похвала ми 찬사를 퍼붓다; ~оскорблениями 욕을 퍼붓다

осыпаться (미완), осыпаться (완) 떨어지다, 무너지다, 뿌려지다; цветы ~лись 꽃이 졌다

ось (여) ① 굴대, 차축 ② 축, 축선

осьминог (남) 문어, 꼴뚜기

осязаемый (형) ① 감촉할수 있는, 느낄수 있는 ② 뜻있는

осязание (중) ① 촉각(觸覺), 촉감(觸感); органы ~я 촉관

осязать (미완) 감촉(촉감)하다, 느끼다

от, ото (전)(+생) ① (출발, 시발을 표시) ...에서, ...로 부터; отчалить от берега 기슭을 떠나다; от Москвы до Пхеньяна 모스크바에서 평양까지 ② (출처, 원천을 표시) ...에게서, ...한테서; получил письмо от матери 어머니에게서 편지를 받았다 ③ (시간, 날자를 표시) ...부터,..부; от трёх до пяти часов 3(세) 시부터 5(다섯) 시까지; письмо от пятого августа 8(팔)월 5(오)일부 서한 ④ (원인, 근거를 표시) ... 때문에, ..인하여; от переутомления 피로 때문에; петь от радости 기뻐서 노래 부르다; умереть от воспаления лёгких 폐렴으로 죽다 ⑤ (소속을 표시) ...의; пуговица от брюк 바지의 단추 ⑥ (제거, 방지를 표시) : средство от кашля 기침약 ⑦ (제거되는 것, 벗어나는 것을 표시) ...에서, ...를; очистить от грязи 때(진탕물)를 씻다; день ото дня 날에 날마다, 나날이; время от времени 시시각각으로; от всей души 충심으로부터; писать от руки 필기하다; уйти от ответственности 책임을 면하다; от имени кого.... 의 이름으로(명의로).

отапливать (미완) 덥히다, 따뜻하게 하다; ~ дом 집을 따뜻하게 하다

отапливаться (미완) 덥혀지다, 따뜻하게 되다

отара (여) 양떼

отбавить (완), отбавлять (완) (일부분을)덜다, 떠내다, 부어내다, 감하다

отбегать(미완),отбежать(완) 뛰어 물러나다, 뛰어 달아나다, 달려 물러서다

отбивать (미완) ① 물리치다, 격퇴하다; ~ атаку 공격을 물리치다 ② 치다, 처내다, ~ мяч 공을 맞받아치다 ③ 빼앗아내다, 탈환하다; город у врага 적에게서 도시를 탈환하다 ④ 가로채다, 호려내다 ⑤ 때내다, 죽지다; ~ горлышко бу тылки 병목을 깨다 ⑥ 없애다; ~ за пах 냄새를 없애다 ⑦ 다쳐서 상하게 하다; ~ руку 손을 다치다

отбиваться (미완) ① 물리치다, 격퇴하다, 방위하다 ② 떨어지다, 빠져나오다 ③ 떼여지다; ~ от рук 말을 듣지 않게 되다

отбирать (미완) ① см. отнимать 1 ② см. выбирать 1

отбить[ся] (완) см. отбивать[ся]

отблагодарить (완) см благодарить

отблеск (남) 반사광, 반사그림자
отбой (남) ① 격퇴(擊退), 처물리치기; ② 해제; ~й воздушной тревоги 공습경보해제; ~ ко сну 취침; ~ю нет 너무 많아서 어찌할 도리가 없다, 귀찮을 만큼 많다
отбойный (형) : ~ молоток (광산) 채탄용 괭이
отбор (남) 선발(選拔), 선정(選定), 선출(選出); естест венный ~ 자연도태
отборный (형) 우수한, 우량한; ~ые яблоки (골라낸) 일등품 사과; ~ые войска 정예부대
отборочный (형) 선발(선출)하기 위한; ~ые соревнования 예선경기, 선발경기
отбрасывать (미완), **отбросить** (완) ① 내버리다, 집어던지다; ~ не нужную вещь 불필요한 물건을 팽개치다 ② 물리치다, 격퇴하여 내몰다, 물리쳐서 축출하다; ~ противника за реку 적을 강건너쪽으로 내몰다(물리치다) ③ (생각 등을) 버리다; ~ сомнение 의혹을 버리다
отбросы (복수) 쓰레기, 폐물(廢物); ~ об щества 사회의 쓰레기
отбывать (미완), **отбыть** (완) ① 떠나다, 출발하다 ② : ~ срок службы 임기가 차다, 현역(복무)를 수행하다; 복무기간을 끝마치다 ~ срок наказания 복역하다, 징역을 치르다; 형기를 마치다
отвага (여) 과감성, 대담성, 용기
отваживаться (미완),**-ться** (완) (что сделать) 감히 ...을 하다, 감행하다; не ~лся спросить 감히 갈 용기를 내지 못하였다
отважный (형) 과감한, 용감한, 호담한
отвал I (남) 볏밥, 버럭더미
отвал II (남) : наесться до ~а 짓먹다, 실컷 먹고 물러나다

отваливаться (미완), **отвалиться** (완) 떼여지다, 떨어지다; штукатурка ~илась 벽토가 떨어졌다
отвар (남) (무엇을 끓여낸 것) 국물; рисовый ~ 입쌀미음; мясной ~ 고기국물; лекарственный ~ 탕약
отваривать (미완), **отварить** (완) 삶다, 데치다(백숙하다); ~ грибы 버섯을 데쳐내다 (고기); ~ая курица 삶은 닭
отварной (형) 삶은, 끓인; ~ое мясо 삶은 고기
отведать (완) ① 맛보다, 잡수다 ② 겪어보다, 체험하다
отвезти (완) см. отвозить
отвергать (미완), **отвергнуть** (완) 딱거절(거부, 사절)하다; 기각하다; 마다하다; ~ требования 요구를 물리치다
отвердевать (미완),**~еть** (완) 굳어지다, 경화하다, 응결되다
отверженный (형) 버림받은, 배척당한; 외로운
отвернуть[ся] (완) см. отвёртывать[ся], отворачивать[ся]
отверстие (중) 구멍, 아가리, 틈, 짬
отвёртка (여) 나사돌리개
отвёртывать (미완) ① 돌려(비틀어)빼다, 돌려열다, 돌려뽑다; ~ гайку 암나사를 돌려빼다; ~ кран 코크를 비틀어열다 ② 옆으로 돌리다; ~ лицо 얼굴을 옆으로 돌리다, 외면하다
отвёртываться (미완) ① 얼굴을 돌리다, 외면하다, 돌아치다, 등지다 ② (나사못, 코크 등이) 풀리다, 열리다 ③ 교제를 끊다
отвес (남) ① 비탈진곳, 낭떠러지 ② 추, 연추
отвесно (부) 곧추, 수직으로, 가파르게
отвесный (형) 수직, 가파른; ~ая скала 깎아 자른 듯한 바위

отвести (완) см. отводить

ответ (남) ① 대답(對答), 회답(回答); 답변(答辯); 응답 давать ~ 대답(해답, 회답)하다 ② (수학문제풀이 등에서) 해답(解答), 답 ③ : приз вать к ~у 책임을 추궁하다; быть в ~е, держать ~ за что 책임지고 있다, 책임을 지다; в ~ на что ...에 대한 대답으로

ответвление (중) ① 곁가지 ② 갈래, 갈래길, 지선, 지류, 지맥, 분지; ~ же лезной дороги 철도지선

ответить (완) см. отвечать ①, ②

ответный (형) 회답, 대답, 대응(對應); ~ое письмо 회답편지(서한); ~ые меры 대응조치; ~ый визит 답례방문; ~ый удар 보복공격

ответственность (여) 책임(責任), 책임성; брать на себя ~ь 책임을 지다; прив лечь к ~и 책임을 추궁하다

ответственный (형) ① 책임지고 있는, 책임이 있는, 책임적인;~ работник 책임일군; ~ый редактор 책임주필 ② 중대한, 극히 중요한; ~ый момент 극히 중요한 시기

ответчик (남) (법률) 피고(인)

отвечать (미완) ① 대답(회답, 답변)하다; ~ на вопрос 질문에 대답하다; ~ урок (교원이 내준) 과제를 외워 바치다 ② 응답(호응)하다; ~ на призыв(об ращение) 호응하다; ~ отказом 거절하다 ③ за что...에 대한 책임을 지다(맡아하다); за кого.....대신에 책임을 지다; ~ за свой поступок 자기 행동에 대한 책임을 지다 ④ 벌을 받다 ⑤ чему....에 맞다, 부합하다; ~ духу времени 시대의 흐름에 맞다 ⑥ : ~ чем на что....에 ....으로 보답하다..

отвиливать (미완), **отвильнуть** (완) 빠져나가다, 배슥배슥하다;~ от пору чения 위임에서 빠져나가다

отвинтить (완), **отвинчивать** (미완) 돌려(비틀어) 빼다; 돌려뽑다; ~ гайку 암나사를 돌려빼다.

отвисать (미완), **отвиснуть** (완) 늘어지다, 처지다, 휘주근해지다; щёки ~ли 볼이 처졌다

отвлекать (미완) 다른 곳으로 이끌다(쏠리게 하다); ~ внимание 주의를 다른 곳으로 돌리게 하다

отвлекаться (미완) ① (하던 일, 생각을) 잠시 그만두다(중단하다) ② (이야기 등을 할 때에) 멀어지다, 벗어나다;~ от темы 화제에서 벗어나다

отвлечённый (형) ① 추상적인; ~ое понятие 추상적개념 ② 비현실적인; ~ый разговор 비현실적인 이야기(담화)

отвлечь[ся] (완) см. отвлекать[ся]

отвод (남) ① 떼려가는것; ~ воды 물을 갈라대는것; ~ войск 철병, 철거 ② 항의, 반대; дать ~ кандидату 입후보자를 반대하다 ③ (법학) 배제(配劑); для ~а глаз 주의를 다른데 돌리게 하기 위하여, 눈가림하기 위하여

отводить(미완) ① 데려가다; ~ре бёнка в детский сад 어린애를 유치원에 데려가다; ~ воду 물을 갈아대다; ~ войска 철병(철거)하다 ② 거부(부인, 기각)하다; ~ кандидатуру 후보자를 반대하다 ③ 돌리다, 방향을 바꾸다; ~ гла за от ..... 에서 시선을 다른 곳으로 돌리다; ~ воду 물을 갈아대다 ④ 내주다, 배당하다; ~ гостю комнату 손님에게 방을 내주다(가다); кого ....을 데리고 가다

отвозить (미완) что....을 실어가다, 운반해

отворачиваться (미완) ① 얼굴(낯, 고개)을 돌리다, 외면하다; 돌아서다, 등지다 ② 배슥배슥하다, 피하다

отворить (완) см. отворять

отвратительный (형) 징그러운,

역겨운, 얄미운, 패씸한; ~ запах 역한 냄새; ~ поступок 추잡한 행동

отвращение (중) 넌더리, 혐기, 혐오(嫌惡); питать ~ к кому-чему 진저리나다, 혐오감을 느끼다; вызывать ~ 혐오감을 일으키다

отвыкать (미완), **отвыкнуть** (완) 버릇이 없어지다(떨어지다); ~ курить 담배피우는 습관이 없어지다; ~ от дома 집생각을 잊어먹다

отвязать[ся] (완) см. отвязывать[ся]

отвязывать (미완) 풀어놓다, 풀다, 고르다; ~ верёвку 끈을 풀다

отвязываться (미완) ① 풀어지다 ② 빠져나오다, 떨어져나가다; ~жись! 상관하지 말라!

отгадать (완), **отгадывать** (완) см. разгадывать

отгибать (미완) 펴다; ~ страницу (접은) 책장을 펴다

отглагольный (형) (언어) 동사에서 파생한 ~ое существительное 동명사

отговаривать (미완) что делать...하지 않도록 달래다 (설복하다, 말리다), 만류하다; ~от поездки 여행을 단념시키다

отговариваться (미완) ① 변명하여(구실을 붙여서) 거절하다 ② 빙자(핑개)하다, 말막음하다

отговорить[ся] см. отговаривать[ся]

отговорка (여) 핑계, 빙자, 구실

отголосок (남) ① 메아리, 산울림, 반향 ② 여파, 후과

отгонять (미완) (어떤 거리에) 몰아내다, 쫓아버리다; ~ мух 파리를 몰다

отгораживать (미완), **отгородить** (완) 막다, 둘러막다, 울타리를 세우다, 담을 두르다

отгородиться (완) ① 울타리(담)로 막히다, 둘러막히다, 격리되다 ② 교제를 그만두다 (끊다)

отгружать (미완), **отгрузить** (완) 실어내보내다, 출하하다; ~ уголь 탄을 실어 보내다

отгул (남) 중간휴식, 말미

отдавать (미완) ① 돌려주다, 도로주다, 반환하다, 게우다 ② 바치다; ~ все силы 모든 힘을 바치다 ③ (총, 포가) 뒤구르다 ④ 맡기다, 양도하다; ~ ребёнка в ясли 아이를 탁아소에 넣다; ~ приказ 명령을 내리다; ~ замуж 시집보내다; ~ должное 정당하게 평가하다

отдаваться (미완) ① чему...에 전심하다, 자기를 내맡기다, 몰두하다 ② (소리에 대하여) 울리다, 돌아오다

отдаление (중) ① 멀어지는 것 ② 먼곳, 지방

отдалённый (형) ① 멀리 떨어진, 먼, 외진; ~ое прошлое 먼 과거; ~ый рай-он 멀리 떨어진 지역 ② 인연이 먼, 어렴풋한; ~ый намёк 간접적인 암시; ~ое сходство 미미한 유사성

отдалить[ся] (완) см. отдалять[ся]

отдалять (미완) ① 멀리(떨어지게) 하다, 떼여놓다 ② 뒤로 미루다, 물리다; ~ срок 기한을 미루다

отдаляться (미완) ① 멀어지다, 멀리가다 ② 사이가 떠지다(멀리지다), 엇갈리다

отдать[ся] (완) см. отдавать[ся]

отдача (여) ① (총, 포의) 반층, 뒤걸음 ② 효를; давать ~у 은을 내다 ③ 반환

отдел (남) 부(部), 부서(部署), 국(局); ~ кадров 간부부

отделать[ся] (완) см. отделывать[ся]

отделение (중) ① 분리, 구분 ② 지부, 지국, 지점, 과; районное ~е 반 카 구역은행지점; ~е милиции 내무서 ③ (군사) 분대; командир ~я 분대장

отделить[ся] (완) см. отделять[ся]
отделка (여) ① 완성, 끝손질, 겉칠 ② 장식; кружевная ~ 레이스장식 ③ (옷, 모자등에 붙은) 장식품
отделочный (형) 완성: ~ые работы 완성작업
отделывать (미완) ① 완성하다, 겉칠하다 ② 장식하다
отделываться (미완) ① от *чего*.....에서 벗어나다, 빠져나오다, 배송배숭하다 ② *чем* ...로 그치다; ~ царапиной 할퀸 자리만 나고 말다; ~ испугом 겁만 먹고 말다
отдельно (부) 따로, 개별적으로
отдельность (여) : каждый в ~и 각각, 저마다; в ~и 개별적으로, 따로따로
отдельный (형) ① 따로 떨어진, 개별적인; 분리된, 별개; ~ая квартира 독립가옥; ~ый батальон 독립대대; в каждом ~ом случае 매 개별적인 경우에 ② 어떤, 일부
отделять (미완) ① 뜨다, 때내다, 분리하다 ② 갈라놓다, 격리시키다 ③ 세간내다
отделяться (미완) ① 분리되다 ② 떨어지다 ③ 세간나다
отдёргивать (미완), **~нуть** (완) 잡아떼다, 잡아채다, 뿌리치다; ~ руку 손을 뿌리치다; ~ занавеску 창가림을 잡아당기다. 커텐을 잡아당기다
отдирать (미완) 잡아 뜯다, 잡아떼다, 뜯어내다; 떼집다; ~ доску 널빤지를 뜯어내다
отдохнуть (완) см. отдыхать
отдушина (여) ① 바람구멍, 환기구멍, 통기구멍 ② 방출구, 통풍구
отдых (남) 휴식(休息), 쉴 참, 몸살풀이; пра во на ~ 휴식의 권리'; дом ~а 휴양소; день ~а 휴식일
отдыхать (미완) 쉬다, 휴식하다; ~ на юге 남쪽에서 휴식하다

отдыхающий (남) 휴양객, 휴양새
отдышаться (완) 숨을 돌리다, 돌리다
отёк(남) 부종, 수종; ~ лёгких 폐수종
отёкать (미완) (신체의 부분이) 붓다, 보삭거리다; ноги ~ли 발이 부었다
отель (남) 호텔, 여관(흔히 국제여관)
отеплить (완), **~ять** (미완) 덥히다, 난방장치를 하다
отец (남) 아버지(부친), 어버이
отечественный (형) 국산; ~ые товаы 국산품; ~ая война 조국전쟁
отечество (중) 조국(祖國)
отечь (완) см. отекать
отжать (완) см. выжимать
отживать (미완) : ~ свой век (사람에 대하여)자기 시대(명)를 다 살다, 여명을 보내다; (습관 등에 대하여)사라지다, 없어지다; 낡아빠지다, 낡아져버리다
отживший (형) 낡아빠진, 시대(유행)에 뒤떨어진
отжимать (완) см. выжимать
отжить (완) см. отживать
отзвук (남) ① 메아리, 산울림 ② 반응, 반향
отзвучать (완) 소리가 멎다(그치다)
отзыв (남) ① 평, 평판; 평정서; положительный ~ 호평; критический ~ 비평; книга ~ов 감상록 ② 호응, 응답
отзыв (남) см. отозвание
отзывать (미완) ① 소환하다 ② 부르다; ~ в сторону 옆으로 불러내다
отзываться (미완) ① 호응(응, 대답)하다; ~ на просьбу 요구에 수응하다; ~ на призыв 호응하다, 호소에 응하다 ② о *ком-чём* 평가하다, 평하다 ③ на *ком-чём*....에 미치다, 영향을 주다; ~ на здоровье 건강에 영향을 주다
отзывчивость (여) 동정심, 인심
отзывчивый (형) 동정심있는, 인간성이 있는, 인정이 깊은(많은); ~

товарищ 동정심많은 동무

ОТК (남)(отдел технического контро ля) 기술검사부

Откр (Откровение Иоанна Богослова, 22장, 275쪽) 요한계시록(요한의 묵시록(— 默示錄, Revelation to John); Book of Revelation, Apocalypse of John이라고도 함. 신약성서의 마지막 책)

отказ (남) ① 거절(拒絕), 거부(拒否); ~ от наследства 유산의 포기 ② 부인, 포기 по лучить ~ 거절(거부, 사절) 당하다; да вать ~ 거부(거절, 사절, 부인)하다; до ~a 가득, 잔뜩; дейсовать без ~a 고장없이 (멎지 않고) 돌아가다(작용하다)

отказать[ся] (완) *см.* отказывать[ся]

отказывать (미완) ① 거절(거부, 사절)하다, 물리치다, 불허하다; решительно ~ 뿌리치다; ~ в просьбе 청원을 거절하다 ② (고장으로) 멎다; мотор ~ ал 모터가 멎었다

отказываться (미완) ① от чего...을 거절하다, 마다하다, 물리치다; ~от поездки 여행을 거절하다 ② 포기하다;~ от мысли 단념하다; не откажусь (+미정형)...하는데 반대없다

откалывать I (미완) 패서(짜개서) 떼다 (때내다), 족치다; ~ кусок сахару 사탕조각을 깨여내다

откалывать II (미완) (꽂았던, 찔렀던 것을) 때내다, 뽑다; ~ булавку 빈침을 뽑다

откалываться I (미완) ① 짜개져 떨어지다, 깨져나가다, 족쳐부서지다 ② 떨어져나가다

откалываться II (미완) /꽂았던, 찔렀던 것이/ 뽑아지다, 빠지다

откапывать (미완) ① 파내다, 발굴하다 ② 얻어내다, 찾아내다; ~ редкую книгу 희귀한 책을 발견하다

откармливать (미완) 살찌우다, 비육시키다; 기르다, 사육하다

откатить[ся] (완) *см* откатывать[ся]

откатывать (미완) 굴려옮기다, 굴려치우다; ~ в сторону 옆으로 굴려옮기다

откатываться (미완) ① 굴려가다 ② (군사) 퇴각하다, 후퇴하여 물러나다

откашливаться (미완),**~яться** (완) 기침을 하다, 가래를 뱉다; 기침하여 목청을 가다듬다

откидывать (미완), **~нуть** (완) *см.* отбрасывать

откинуться (완) 몸을 뒤로 젖히다; ~на спинку дивана 소파, 등받이에 기대다

откладывать (미완) ① 옆에 놓다, 따로 놓다 ② 미루다, 물리다, 연기하다;~ дела 제치다; то и дело ~ 미기적미기적하다 ③ 저장(저축)하다, 보류하다 ④ (생물) 알을 낳다(쓸다); ~в дол гий ящик 질질 끌다, 내버려두다

отклеивать (미완) (붙인 것을) 떼다, 때내다; ~ марку 우표를 떼다

отклеиваться (미완) (붙인것이)떨어지다, 들썩하다; марка ~илась 우표가 떨어졌다

отклеить[ся] (완) *см.* отклеивать[ся]

отклик (남) ① 호응, 대응, 응답 ② 반향 ③ 평판; 평정서 ④ 감응

откликаться (미완), **откликнуться** (완) ① 맞소리를 지르다(내다), 부름에 응답하다 ② 호응하다; ~ на просьбу 요구에 수응하다

отклонение (중) ① (옆으로)기울어지는 것, 탈선, 편차 ② 부결, 거부

отклонить[ся] *см.* отклонять[ся]

отклонять (미완) ① 옆으로 기울이다 ② 거부(거절)하다; 부결하다

отклоняться (미완) ① 한쪽으로

기울어지다, 치우치다 ② 빗나가다; ~ от темы 제목(화제)에서 벗어나다

отключать (미완), **отключить** (완) *см.* выключить

отколотить (완) ① 쳐서 때다, 두드려열다; ~ крышку ящика 궤짝뚜껑을 두드려열다 ② 때리다, 구타하다, 두드려패다

отколоть[ся] I, II (완) *см.* откалы вать[ся] I ,II

откомандировать *см.* командировать

откопать (완) *см.* откапывать

откорм (남) (잘 먹여) 살찌우기, 비육

откормить (완) *см.* откармливать

откормленный (형) 살진

откос (남) 비탈, 경사(면); пустить поезд под ~ 기차를 전복하다

открепить[ся](완)*см.* откреплять[ся]

откреплять (미완) ① (붙인 것을) 떼다; (맨 것을) 풀다; ~ значок 휘장을 떼다 ② 제적하다

открепляться (미완) ① (붙인 것이)떨어지다; (맨 것이)풀어지다 ② 제명(제적)되다

откровенно (부) 털어놓고, 솔직하게, 공공연하게; говорить ~ 털어놓고 말하다

откровенность(여)솔직성, 노골적인것

откровенный (형) ① 솔직한, 숨김없는; ~ое признание 솔직한 고백 ② 공공연한, 설설한, 노골적인; ~ый грабёж 노골적인 약탈

открутить (완), **откручивать** (미완) 돌려(비틀어) 빼다; ~ гайку 암나사를 틀어빼다

открывать (미완) ① 열다, 펼치다; ~ окно 창문을 열다; ~ дверь 문을 열다 ② 펴다; ~ зонтик 우산을 펴다; ~ глаза 눈을 뜨다 ③ 밝히다, 발견하다; ~ залежи руды 광층을 발견하다 ④ 개시(개설)하다, 개최하다; ~ собрание 개회하다;~ школу 개교하다 ⑤ 시작(개시)하다; ~ огонь (군사) 사격을 시작하다 ⑥ 개통하다, 보내다; ~ воду 물을 보내다; ~ душу 심정을 토로하다; ~ глаза *кому* на *что* 일깨워주다; ~ счёт 1) (은행에서) 예금하다; 2) (체육) 첫 한점을 획득하다(받다, 타다)

открываться (미완) ① 열리다, 펼쳐지다; 퍼지다; ~взору 한눈에 안겨오다 ② 개시(개설, 시작)되다, 조업되다 ③ 털어놓다, 자백(고백)하다 ④ 폭로(발각)되다, 드러나다, 들켜나다 ⑤ (상처가)덧나다, 도지다

открытие (중) ① 개시, 개설, 여는것; ~ собрания 개최, 개막;~ движения 개통; ~ выставки 개관 ② 발견, 발명, 발각; делать ~ 발견(발명)하다

открытка (여) : [почтовая] ~ 엽서

открыто (부) ① 숨김없이, 거리낌없이, 털어놓고; ~ признать свою ошибку 자기 잘못을 숨김없이 인정하다 ② 공개적으로, 노골적으로, 공공연히; заявлять ~ 공개적으로 언명하다

открытый (형) ① 열린, 펼쳐진; ~ая дверь 열린 문 ② 드러난, 가리우지 않은; ~ое платье 가슴이 드러나보이는 의복; с ~ой головой 맨머리로 ③ 광활한; ~ое поле деятельности 광활한 활동무대 ④ 노골적인, 노출된, 공공연한; ~ый грабёж 노골적인 약탈; ~ый протест 공공연한 항의 ⑤ 솔직한; ~ый характер 설설한 성미; с ~ой душой 심장을 털어놓고, 진정으로 ⑥ 공개;~ое партийное собрание 공개당회의 ⑦ (광산) 노천; ~ые горные работы 노천광산채굴 ⑧ (언어) : ~ый слог 열린 마디, 개음절; ~ый вопрос 미해결문제; ~ое море 공해; ~ая рана 아물지 않은 상처; под ~ым небом 한지에

открыть[ся] (완) *см.* открывать[ся]
откуда (부) ① (의문) 어디로부터, 어디서, 누구한테서; ~ ты идёшь? 너는 어디서 오니? ② (관계대) 그곳으로부터 ...하는, 어디로부터 ...하는지; не знаю, ~он пришёл 그가 어디로부터 왔는지 모르겠다; ~ ни возьмись 난데없이
откуда-либо, откуда-нибудь (부) 어디서든지, 어디선가
откуда-то (부) 어디서인지
откупоривать (미완), **откупорить** (완) (병)마개를 뽑다(열다)
откусить (완), **откусывать** (미완) ① 물어뜯다(끊다), 잘라먹다; ~ кусок хлеба 빵 조각을 잘라먹다 ② (집게 등으로)끊다, 끊어내다
отлагательство (중) : это не терпит ~а 지연시킬 수 없는 일이다; без всяких ~ 지체 없이
отламывать (미완) 쪼개서(꺾어서) 떼다, 쪼개다, 부러뜨리다
отлёт (남) (새들의)날아가는 것; (비행기 등의) 출발, 이륙; жить на ~e 떨어져 살다
отлетать (미완), **отлететь** (완) ① 날아가다, 출발하다 ② 떨어지다; пуговица ~ела 단추가 떨어졌다 ③ (충격, 타격 등으로) 튀다, 튀어나가; мяч ~ел от стены 공이 벽에 튀어났다
отлив (남) 썰물
отливать I (미완) ① 쏟아 덜다, 따르다; ~ воду из стакана 잔에서 물을 좀 따르다
отливать II (미완) (공학) 주조하다
отливка (여) ① 주조 ② 주물, 주물품; стальная ~ 강주물
отлипать (미완), **отлипнуть** (완) (붙인 것이) 떨어지다
отлить I II (완) *см.* отливать I, II
отличать (미완) 구별(분별)하다, 식별하다
отличаться (미완) ① 다르다, 차이가 있다; 식별되다; ~ как небо от земли 천양지차이다 ② 뛰어나다, 특출하다, 공훈을 세우다; ~ храбростью 용감성으로 뛰어나다 ③ : ~ в бою 전투에서 뛰어난 공적을 세우다
отличие (중) ① 차이, 다름, 차별; в ~е от....... 와 달리 ② 공적, 공로; за боевое ~ 전투공로; диплом с ~ем 최우등졸업장
отличительный (형) ① 식별용; ~ые знаки 식별표식 ② 특이한, 특유한, 특징적인, 특수한; ~ое свойство 특질
отличиться (완) *см.* отличаться
отличник (남), **~ца** (여) ① 최우등생 ② 모범일군, 모범노동자; круглый ~к 전 과목 최우등생
отлично (부) ① 참 좋게(훌륭하게) ② (술어로) 참 좋다, 훌륭하다; всё будет ~ 모든 것이 참 좋게 될 것이다 ③ (명사로) (불변) (중) 5(오)점/5(오)계단채점법에서/, 최우등, 만점; учиться на ~ 최우등성적으로 공부하다
отличный (형) ① 다른, 차이있는 특수한 ② 훌륭한, 특출한, 뛰어난
отлогий (형) 약간 경사진, 비탈진
отложение (중) (지질) 침전지층, 퇴적(堆積); ледниковые ~я 빙하지층; жировые ~я 지방비대
отложить (완) *см.* откладывать
отломать (완). **отломить** (완) *см.* отламывать
отлучаться (미완). **~иться** (완) 외출하다, 자리를 떠나다; ~иться на час 한 시간 동안 외출하다
отмалчиваться (미완) 침묵을 지키다, 답변을 피하다
отмахиваться (미완), **отмахнуться** (완) ① (어떤 것을 쫓으려고)흔들다; ~ веткой от комаров 가지를 흔들어

모기를 쫓다 ② 무관심하게 대하다; 손을 젓다; ~ от ре- шения вопроса 문제해결에 무관심하게 대하다

отмежеваться (완), **отмежёвываться** (미완) 인연을 끊다, 분리되다, 배척하다

отмель (여) (기슭의)여울; песчаная ~ 사탄, 사주

отмена (여) 폐지, 폐기, 철폐, 해제; ~ наказания 책벌해제

отменить (완), **отменять** (미완) 폐지(폐기)하다, 철폐(해제)하다, 취소하다; ~ за-кон 법령을 폐지하다; ~ спек такль 연극을 중지하다

отмереть (완) *см.* отмирать

отмеривать(미완), **~ить**(완),**~ять**(미완) 재다; 재어 끊다(끊어내다); ~ить три метра ткани 천을 3(삼) 미터 끊어내다

отмести (완), **отметать** (미완) ① (옆으로) 쓸어버리다, 쓸어내다; ~ сор в угол 쓰레기를 구석에 쓸어버리다 ② (거짓말, 남의 논거 등을) 뿌리치다, 물리치다, 배척하다

отметить[ся] (완) *см* отмечать[ся]

отметка (여) ① 표(標), 표식(標式), 표적(標的); ② 점(點), 점수(點數), 평점(平點); получить хорошую ~у 좋은 점수를 받다(얻다)

отмечать (미완) ① 표식을 두다, 표식하다 ② 기입(기록, 등록)하다; ~ вы ход на работу 출근을 등록하다 ③ 언급하다, 가리키다, 지적하다; чьи достиже ния....의 성과를 지적하다 ④ 경축(기념)하다

отмечаться (미완) ① 등록하다; ~ в списке избирателей 선거자명부에 등록하다 ② 발로되다, 나타나다; отмечаются ошибки 결함이 발견되곤 한다

отмирание (중) ① (생리) 죽어버리는 것, 탈락(脫落); ② 조락(凋落); 소멸(消滅); ~ государст ва 국가의 조락

отмирать (미완) ① 죽어버리다, 시들어버리다 ② 조락(탈락)하다, 사라지다

отмолчаться (완) *см.* отмалчиваться

отмораживать (미완), **~озить** (완) 동상을 입히다, 얼리다; ~озить палец 손가락은 얼리다

отмщение (중) 앙갚음, 복수, 보복

отмывать (미완), **отмыть** (완) 말끔히 씻다(가시다);~ руки 손을 씻다; ~ грязь 흙을 씻어버리다

отмываться (미완), **отмыться** (완) 씻기워 없어지다, 씻어서 깨끗해지다

отмычка(여) 곁쇠, 곁쇠질하는 쇠갈구리

отнести[сь] (완) *см.* относить[ся]

отнимать (미완) ① 빼앗다, 약탈(강탈)하다 ② (시간을)요구하다, 소비하다, 소모케 하다; работа отняла много времени 일에 많은 시간이 들었다 ③ (수술할 때)절단하다, 떼버리다 ④ 치우다, 떼다; ~ лестницу от стены 사다리를 벽에서 치우다(떼다) ⑤ (수학) 덜다, 감하다;~ от груди 젖을 떼다

отниматься (미완) 마비되다; язык отн-ялся 혀가 놀지 않았다

относительно (부) ① 비교적(으로), 어느 정도, 상대적으로; ~ спокойно 비교적(으로) 고요하다 ② (전)(+생) ...에 관하여(대하여), ...에 관한(대한); сообщение ~ каких-л. событий 사태에 관한 통보

относительность (여) : теория ~и (물리) 상대성원리(相對性原理)

относительный (형) ① 상대적인, 상관적인 ② (언어) : ~ое местоимение 관계대명사

относить (미완) ① *куда, кому*: 가져가다, 날라다주다; ~ письмо на

почту 우편국에 편지를 가져가다 ② 옮겨놓다, 대어놓다; ~ забор к дороге 울타리를 길 쪽으로 내옮기다 ③ (바람이나 흐름으로)밀려가다, 몰아가다; лодку отнесло течением 배가 물결에 밀려 내려갔다 ④ 소속(포함) 시키다, 간주하다

относиться (미완) ① к кому-че му…..를 대하여, 태도를 취하다; как вы к этому [вопросу] ~есь? 이 문제에 대한 당신의 태도는 어떻습니까?; ~ься вни мательно 주의 깊게 대하다 ② 관련되다, 관계(관련)를 가지다; это к делу не ~ся 그것은 이 문제와 관계가 없다 ③ 속하다

отношение (중) ① к кому-чему 태도, 입장; 견해(見解); коммунистическое ~ к труду 노동에 대한 공산주의적 태도 ② 연계, 관계, 상관; не иметь никакого ~я 얼토당토않다, 아무런 상관이 없다 ③ 비율(比率), 비례(比例); ④ (복수) : ~я 관계, 사이, 인연; дипломатические ~я 외교관계; в ~и кого-чего, по ~ю к кому-чему….에 관하여(관한), …에 대하여; во всех ~ях 모든 점에서

отныне (부) 지금부터, 앞으로

отнюдь (부) 결코, 전혀, 조금도; ~ нет 전혀 아니다

отнять[ся] (완) см. отнимать[ся]

ото (완) см. от

отображать(미완)반영(체현, 묘사)하다

отображаться (미완) 반영(체현, 구현)되다, 나타나다

отображение (중) 반영, 체현, 묘사

отобразить[ся] см. отображать[ся]

отобрать (완) см. отбирать

отовсюду (부) 여러 곳으로부터, 이르는 곳마다에서, 방방곡곡에서, 사방에서

отогнать (완) см. отгонять

отогнуть (완) см. отгибать

отогревать (미완) 덥히다, 녹이다; ~озя-бшие руки 언 손을 녹이다

отогреваться (미완), **отогреться** (완) 언몸을 녹이다, 자기 몸을 녹이다

отодвигать (미완) ① (약간) 밀어내놓다, 물리다; ~стул 걸상을 밀어놓다 ② 연기하다, 미루다; ~ срок 기한을 연기하다; ~ на задний план 뒤로 미루다

отодвигаться (미완) ① 드리다, 물러나다, 물러서다, 물러앉다 ② 연기되다

отодвинуть[ся] см. отодвигать[ся]

отодрать (완) ① см. отдирать ② 치다, 패다, 갈리다; ~розгами 채찍으로 호되게 때리다

отож[д]ествить см. отож[д]ествлять

отож[д]ествление (중) 동일시

отож[д]ествлять (미완) 동일시하다; ~ два понятия 두개의 개념을 동일시하다

отозвание 소환;~ посла 대사의 소환

отозвать[ся] (완) см. отзывать[ся]

отойти (완) см. отходить

отомстить (완)см. мстить

отопить (완) см. отаплвать

отопление (중) 난방, 난방장치; паро вое ~ 증기난방

оторвать (완) см. отрывать II

оторваться (완) см. отрываться

оторопеть (완) 어리둥절해지다, 당황해지다, 얼먹다

отослать (완) см. посылать

отпадать (미완), **отпасть** (완) ① 떨어지다; ручка опять ~a 손잡이가 또 떨어졌다 ② (의욕, 소원, 의의 등이)없어지다, 사라지다; необходимость ~ла делать что…. 할 필요가 없어졌다; желание ехать ~ло 떠날 생각이 없어졌다

отпереть[ся] (완) см отпирать[ся]

отпечатать (완) см. отпечатывать

отпечаток (남) 자국, 자취, 흔적; ~ пальца 지문; наложить свой ~ 흔적을 남겨놓다; ~ времени 시대적 특징

отпечатывать (미완) ① 인쇄(프린트)하다, 타자하다, 타자를 치다; (사진)인화하다 ② 흔적을 남기다

отпивать (미완) (조금, 약간)마시다; ~ глоток 한 모금을 마시다

отпиливать (미완), **отпилить** (완) (톱으로)켜버리다, 잘라서 떼다, 자르다

отпирать (미완) 열다; ~ комнату 방(쇠)를 열다; ~ замок 자물쇠를 열다

отпираться (미완) ① (쇠가) 열리다 ② 물리치다, 거절하다, 자기 죄과를 부인하다

отпить (완) см. отпивать

отпихивать (미완), **отпихнуть** (완) см. отталкивать

отплата (여)갚음, 대거리, 앙갚음, 보복

отплатить (완), **отплачивать** (미완) 갚다, 갚아 들이다, 대거리하다, 복수하다

отплывать (미완), **отплыть** (완) 헤엄쳐 물러나다, 헤엄쳐나가다; 출항하다; паро-ход ~л 배가 떠났다

отповедь (여) 항변, 반박, 꾸짖음; дать ~ 꾸짖다, 배격하다

отползать (미완), **~ти** (완) 기어 물러나다, 기어나가다

отпор (남) 반격, 배격, 배척 давать ~ 물리치다, 반격(배격, 배척)하다; вст речать ~ 반격(배격, 배척)을 하다

отправитель (남) 보내는 사람, 발신자, 발송인

отправить[ся](완)см отправлять[ся]

отправка (여) ① 보내는 것, 발송, 파견 ② 출발; ~ поезда 기차의 출발, 발차

отправление (중) ① 보내는 것, 발송 ② 출발; ~е поезда 발차 ③ : заказ ные ~я 등기우편물

отправлять (미완) ① 보내다, 떠나보내다; ~ письмо 편지를 보내다 ② 발송(송달)하다 ③ 출발시키다, 파견하다; ~ поезд 기차를 출발시키다

отправляться (미완) 떠나다, 출발하다, 가다; (기차가)발차하다; ~ться на про-гулку 산보하러 떠나다; поезд ~ется 기차는 출발한다.

отправной (형) : ~ пункт 출발점

отпраздновать (완) см. праздновать

отпрашиваться (미완), **отпросить ся** (완) 외출허가를 받다; ~ с работы 조퇴승인을 받다

отпрыгивать (미완), **отпрыгнуть** (완) 뛰어 물러서다, 뛰어 물러나다

отпрыск (남) ① 후손, 자손 ② 어린싹

отпрянуть (완) 펄쩍 물러나다, 후다닥 뛰어 물러서다

отпугивать (미완). **отпугнуть** (완) ① 놀라서 물러나게 하다(쫓아버리다) ② 두려워하게 하다

отпуск (남) ① 판매(販賣), 팔아넘기기; ~ товаров 상품의 판매 ② 휴가(休嘉); очеред ной ~ 정기휴가; декретный ~ 산전휴가; брать ~ 휴가를 받다; нахо-диться в ~е 휴가중이다

отпускать (미완) ① 내보내다, 나가게 하다; ~детей гулять 아이들을 산보내다 ② 놓아주다, 놓아보내다; ~ на волю 석방하다, 놓아주다 ③ 내어주다, 팔다; ~ товар 상품을 팔다(팔아넘기다) ④ 지출하다; ~ средства 자금을 지출하다 ⑤ 늦추다; ~ ремень 띠를 늦추다; ~ бороду(волосы) 턱수염(머리칼)을 기르다

отпускник (남) 휴가받은 사람

отпускной (형) ① 휴가; ~ое время

휴가 기간 ② : ~ая цена 인도가격 ③ (복수) : ~ые 휴가비
отпустить (완) *см.* отпускать
отрабатывать (미완) *см.* отработать
отработанный (형) : ~ пар 쓰고난 증기; ~ газ 버릴가스, 폐가스
отработать (완) ① 일을 끝마치다 ② (일정한 시간)일하다; ~ восемь часов (여덟) 시간을 일(노동)하다 ③ 일로 갚다; ~ долг 자기 빚을 일로 갚다 ④ 숙련(체득)하다; ~ ружейные приёмы 총 다루는 법을 배우다(체득하다)
отрава (여)독약, 독;~ для мышей 쥐약
отравить[ся] (완) *см* отравлять[ся]
отравление (중) ① 독해, 중독; ~ газом 가스중독 ② 독살
отравлять (미완) ① 중독시키다; 독살하다 ② 독약을 치다(뿌리다, 썩다) ③ 해독을 끼치다
отравляться (미완) 중독되다, 중독되어 죽다; 음독자살하다, 독약을 마시다
отравляющий (형) 독있는, 유독한; ~ие вещества 독물, 유독물질; ~ий газ 유독가스, 중독가스
отрада (여) 즐거움, 기쁨, 위안, 만족
отрадный (형) 즐거운, 기쁜, 위안을 주는; ~ый факт 유쾌한 사실; ~ое известие 기쁜 소식
отражатель (남) (공학) 반사체, 반사기, 반사경
отражать (미완) ① (물리) 반사하다 ② 반영(표현)하다 ③ 물리치다, 격퇴하다; 맞받아치다 ~ нападение 공격을 격퇴하다
отражаться (미완) ① 비치다, 반사되다 ② на ком-чём.....에 영향을 미치다(주다); ~ на здоровье 건강에 영향을 주다 ③ 나타나다, 반영(표현)되다; на лице отразилась радость 얼굴에 기쁨이 떠돌다

отражение (중) ① (물리) 반사, 그림자; угол ~я 반사각 ② 반영; 표현 ③ 영상 ④ 격퇴; ~е атаки 공격의 격퇴
отразить[ся] (완) *см* отражать[ся]
отрасль (여) 부문, 부분, 분야, 분과; ~и народного хозяйства 인민경제의 여러 부문들
отрастать (미완), **~ти** (완) 자라다, 나다; борода отрасла 턱수염이 자랐다
отрастить (완), **отращивать** (미완) 자래우다, 기르다; ~ усы 수염을 기르다
отрегулировать *см.* регулиро вать
отредактировать *см.* редактировать
отрез (남) : ~ на платье 옷감, 옷천; ~ на костюм 양복감
отрезать (완), **отрезать** (미완) ① (종이 등을)잘라내다, 자르다; (빵 등을) 베내다, 베다; ② (신체의 부분을)절단하다 ③ 막다, 차단하다;· ~ путь к отступлению 퇴로를 잘라대답하다
отрезвить (완) *см.* отрезвлять
отрезвлять (미완) ① 술에서 깨우다, 깨게하다 ② 제정신이 들게 하다
отрезок (남) ① 조각; 토막 ② 부분; ~ времени 토막시간
отрекаться (미완) ① 단념하다, 거부(포기)하다; ~ от своего мнения 자기의 의견을 단념하다 ② ~ от престола 퇴위하다
отрекомендовать[ся] (완) *см* реко мендовать[ся]
отремонтировать *см* ремонтировать
отрепья (복수) 누더기, 헌옷
отречение (중) 단념, 포기; ~ от престола 퇴직
отречься (완) *см.* отрекаться
отрицание (중) ① 부인, 부정, 거절 ② (언어) 부정사
отрицательный (형) ① 부정적인,

- 390 -

부정(반대)하는; ~ый ответ 부정적대답; (수학): ~ое число 부수; ~ый заряд (물리)음전하 ② 좋지 않은; ~ посту пок 나쁜 행동; ~ый отзыв 악평

отрицать (미완) 부인(부정)하다, 거부하다

отрог (남) (산줄기의)지맥, 모롱이

отросток (남) ① 새싹, 곁순, (작은) 곁가지 ② 분기, 돌기

отрочество (중) 소년시절

отрубать (미완) ① 잘라내다; ~ ветку 나뭇가지를 자르다 ② 잘라말하다

отруби (복수) 겨, 벼겨, 밀기울

отрубить (완) см. отрубать

отругать (완) см. ругать

отрыв (남) 분할, 분리; в ~е от чего....과 동떨어져서, ...를 떠나서; учиться без ~а от производства 일을 (계속)하면서 공부하다; с ~ом от произ водства 일을 중단하여, 일을 임시로 그만두고

отрывать I (미완) см. откапывать

отрывать II (미완) ① 때내다, 떼다, 잡아떼다, 잡아뜯다;~ пуговицу 단추를 잡아떼다 ② : ~ глаза от книги 책에서 눈을 떼다; ~от работы 일을 중단시키다

отрываться (미완) ① 떨어지다; пуго-вица оторвалась 단추가 떨어졌다 ② (잠간) 그만두다, 중단하다; ~ от действи- тельности 현실을 떠나다 ③ ~ от книги 책에서 눈을 떼다

отрывисто (부) 띄엄띄엄, 딱딱 끊어서; говорить ~ 띄엄띄엄 말하다

отрывистый (형) : ~ая речь 띄엄띄엄하는 말씨; ~ый смех 딱딱 멎는 웃음(소리)

отрывной (형) : ~ календарь (한 장씩 뜯는) 일력, 달력

отрывок (남) 토막, 일부분;~ из ро мана 소설의 한토막;~ текста 단편

отрывочный (형) ① 단편적인, 토막으로 이루어진; ~ые сведения 토막소식 ② 딱딱 멎는(끊어지는)

отрыжка (여) 트림, 게트림

отрыть (완) см. откапывать

отряд (남) ① 부대, 대, 분단; передо вой ~ 전위대; партизанский ~ 유격대 ② : пионерский ~ 삐오네르단

отрядить (완) кого-что.....을 보내다, 파견하다

отрядный (형) 부대, 부대용, 분단

отряхивать (미완), **~нуть** (완) 털다; хнуть снег 눈을 털다

отряхиваться (미완),~нуться (완) (자기 몸에서 먼지, 눈 등을) 털다

отсвечивать (미완) 비치다, 반사광을 내다

отсев (남) ① 채질풀무질 ② 제명, 제거; 퇴학

отсеивать (미완) ① 채질하다, 풀무질하다, 채로 치다 ② 고라뽑아치우다; 퇴학(제거)시키다; ~ неуспевающих сту дентов 성적이 떨어진 학생(낙제생)을 퇴학시키다

отсекать (미완), **отсечь** (완) ① 잘라떼내다, 잘라내다; ~ сухую ветку 마른 나뭇가지를 잘라내다 ② 절단하다

отсеять (완) см. отсеивать

отсидеть (완) ①:~ ногу 다리가 저리다 ②: ~ срок 감금되어(일정한 시간을)보내다, 형기를 끝마치다 ③ 일정한 시간 앉아있다; ~ концерт 음악회시간을 다 보내다

отскакивать (미완), **отскочить** (완) ① 껑충 뛰어 물러나다, 튀여 돌아오다; ~ очить назад 뒤로 뛰어 물러나다; мяч ~ очил 공이 튀어났다 ② 떨어지다; пу го- вица ~ла 단추가 떨어졌다

отслужить (완) ① 근무를 마치다, 퇴직하다; (일정한 기간)일하다, 복무하다; ~ три года 3(삼)년간 복무하다 ② (도구, 역축 등이 오래 써서)못쓰게 되다

отсоветовать (완) 타이르다, 말리다, ...하지 말라고 충고하다; ~ уезжать 떠나가지 말라고 충고하다(타이르다)

отсрочивать (미완), **отсрочить** (완) ① 연장하다; ~ паспорт 여권의 기한을 연장하다 ② 연기하다, 미루다; ~ платежи 지불을 연기하다

отсрочка (여) 연기, 유예; 기한연장; да- вать ~у 연기하다; получать ~у 연기받다

отставание (중) 뒤떨어지는 것, 낙후

отставать (미완) ① 뒤떨어지다, 뒤지다, 낙후하다 ② 들썩하다, 떨어지다; обои ~али 도배지가 떨어졌다 ③ (시계가)늦다, 뜨다; мои часы ~ют на пять минут 내 시계는 5(오)분 늦다

отставить (완) ① см. отставлять ② : ~! (구령) 그만! 다시!

отставка (여) 퇴역; 퇴직, 사직, 면직; уходить в ~у 퇴직(사직)하다; подать в ~у 사표를 제출하다; полковник в ~е 퇴역대좌; ~а правительства 정부의 사직

отставлять (미완) (옆에) 옮겨놓다, 밀어내놓다; ~ стул от стены 의자를 벽에서 치워놓다

отстаивать (미완) ① 지키다, 방위하다; ~ Родину 조국을 지켜내다(방위하다) ② 고수(수호, 옹호)하다, 지켜 싸우다; ~ мир 평화를 고수하다; ~ свои пра ва 자기 권리를 지켜 싸우다

отсталость (여) 낙후성, 뒤떨어진 것

отсталый (형) 뒤떨어진, 낙후한; ~ые взгляды 낙후한 견해; ~ая страна 뒤떨어진 나라, 후진국

отстать (완) см. отставить

отстающий (형) ① 뒤떨어진, 낙후한; ~ ученик 뒤떨어진 학생 ② (명사로) (남) 낙후생, 낙오자(落伍者)

отстёгивать (미완), **отстегнуть** (완) ① (단추 등을) 벗기다; ~ крючок 걸단추를 벗기다 ② (호크, 단추 등으로 채운것을)헤치다; ~ воротник 깃을 헤치다

отстой (남) см. осадок ①

отстоять I (완) : ~ (на расстоянии) 떨어져있다

отстоять II (완) см. отстаивать

отстраивать (미완) 다 짓다, 준공하다, 건설을 끝내다 ② 다시 짓다, 개축하다

отстранение (중) 해임, 면직

отстранить[ся] см. отстранять[ся]

отстранять (미완) ① 물리치다, 제치다; 멀리하다; ~ руку 손을 제치다 ② 해임하다, 면직시키다

отстраняться (미완) ① 비키다, 비켜서다, 자빠지다; ~ от машины 자동차를 비키다 ② 피하다, 벗어나다; ~ от от вет- ственности 책임을 피하다(면하다)

отстреливаться (미완) 맞쏘아대다, 맞총질하다

отстроить (완) см. отстраивать

отступать (미완), **отступить** (완) ① 물러서다, 물러나다; ~ на шаг 한걸음 물러서다 ② (군사) 퇴각(후퇴)하다 ③ 버리다, 위반하다, 포기(취소)하다; ~ от закона 법령을 위반하다; ~ от своих взглядов 자기의 의견을 버리다(포기하다) ④ перед кем-чем: 주저앉다, 뒤걸음질치다; ~ пе- ред трудностями 난관앞에서 물러서다

отступление (중) ① (군사) 후퇴(後退), 퇴각(退却) ② 위반(違反), 파격(破格), 탈선(脫線); ~ от правил 규칙위반

отсутствие (중) ① 없는 것, 결여 ② 결석; в его ~ 그가 없을 때에; за ~м кого-чего....이 없어서

отсутствовать(미완) ① 결석하다; ~ на

собрании 회의에 결석하다 ② 없다
отсутствующий (형) ① (отсутствовать의 능동현재) ② 무관심한, 냉담한; ~ий взгляд 멍청한(무표정한) 얼굴 ③ (명사로) (남) 결석자; ~ие (복수) 결석자들
отсчитать (완), **отсчитывать** (미완) 세어내다, 계산하여 떼여내다, 계산하다; ~ от дома пять шагов 집으로부터 5(오)보를 재다
отсылать (미완) *см.* посылать
отсыпать (완), **отсыпать** (미완) (일부분을) 쏟다, 쏟아내다
отсыреть (완) *см.* сыреть
отсюда (부) ① 이곳으로부터, 여기로부터 ② 따라서, 이로부터; ~ следует 그렇기 때문에
Оттава (여) *г.* 오타와
оттаивать (미완) *см.* таять
отталкивать (미완) ① 밀치다 ② 반감을 일으키다
отталкивающий (형) 아니꼬운, 역한, 싫은; ~ запах 역한 냄새; ~ий вид 아니꼬운 모습
оттаскивать (미완) (옆으로) 끌어내다, 끌어가다
оттачивать (완) *см.* точить
оттащить (완) *см.* оттаскивать
оттаять (완) *см.* таять
оттенить (완) *см.* оттенять
оттенок (남) ① 색채, 색조 ② 뉘앙스
оттенять (미완) ① 음영(흑백)을 뚜렷하게 하다 ② 더욱(보다) 뚜렷이 나타내다, 명백히 하다, 강조하다
оттепель (여) 눈 녹이는 날씨
оттереть (완) *см.* оттирать
оттеснить (완), **~ять** (미완) (한쪽으로) 밀어내다, 밀쳐서 물리다, 구축하다; (군사) 퇴각시키다, 물리쳐서 몰아내다(물러나게 하다)
оттирать (미완) ① 비벼서 없애다, 닦아내다, 곱게 닦다; ~ грязь 흙을 비벼서 떨어뜨리다 ② 비벼서 감각을 회복시키다; ~ снегом обмороженное ухо 언 귀를 눈으로 비비다
оттиск (남) ① *см.* отпечаток ② (인쇄) 인쇄지, 인쇄한(찍어낸) 종이, 동판화; кор- ректурный ~ 교정지
оттого (부) *см.* поэтому
оттолкнуть (완) *см.* отталкивать
оттопыриваться (미완) 비죽 나오다, 불룩해지다
отточить (완) *см.* точить
оттуда (부) 그곳으로부터, 거기로부터
оттягивать (미완) ① 잡아당기다, 끌어내다 ② 지연시키다, 연기하다
оттяжка (여) 지연, 연체
оттянуть (완) *см.* оттягивать
отупение (중) (머리가) 둔해지는 것, 멍청한것
отупеть (완) *см.* тупеть ②
отучать (미완) от *чего*.....의 버릇을 그만두게 하다(버리게 하다); ~ от курения 담배를 끊게 하다
отучать (미완) 버릇을 그만두다(버리다)
отучить[ся] (완) *см.* отучать[ся]
отхлынуть (완) 뒤로 밀려나가다, 흘러(쏟아져) 나가다; 물러나다; толпа ~нула 군중이 밀려나갔다
отход (남) ① 물러서는 것, 출발; до ~а поезда 열차 발차 전에 ② (군사) 후퇴, 퇴직 ③ 이탈, 탈선
отходить (미완) ① 물러서다, 물러가다, 갈라지다 ② 떠나다, 출발하다, 발차하다 ③ 떨어지다 ④ (군사) 후퇴(퇴각, 퇴진)하다 ⑤ : пятно отошло 얼룩이 없어졌다; замёрзшие руки отошли 얼었던 손이 녹았다
отходы (복수) 폐물(廢物), 찌끼; ~ производства 폐설물

отхожий (형) : ~ий промысел 계절적품팔이; ~ее место 뒷간, 변소
отцвести (완), **отцветать** (미완) 꽃이 지다, 시들다
отцепить (완), **~лять** (미완) (연결한 것과 달라붙은 것과 걸린 것을)떼다, 풀다, 벗기다; ~ паровоз 기관차를 떼다
отцепиться (완),**~ляться** (미완) (연결된 것, 붙었던 것이)떨어지다, 풀리다, 벗겨지다
отцовский (형) 아버지, 어버이, 어버이다운;~ий дом 아버지의 집;~ая любовь 어버이사랑
отцовство (중) 부자관계
отчаиваться (미완) 절망에 빠지다, 절망하다, 자포자기하다
отчаливать (미완),**~ить** (완) 떠나다, 출항하다; лодка ~ила от берега 보트는 기슭을 떠났다
отчасти (부) 어느 정도, 얼마쯤, 부분적으로; ~ он прав 얼마쯤 그는 옳다
отчаяние (중) 절망, 자포(자기), 실망; приходить в ~ 절망에 빠지다
отчаянно (부) 맹렬히, 필사적으로; ~ защищаться 필사적으로 방어하다
отчаянный (형) ① 절망적인, 절망에 빠진; ~ый шаг 절망한 조치 ② 필사적인, 맹렬한; ~ое усилие 필사적노력 ③ 가망없는; ~ое положение 가망없는 상태 ④ 용맹한, 무모하리만치 용감한
отчаяться (완) см. отчаиваться
отчего(부) 왜, 어째서; ~ он не пришёл 어째서 그가 오지 않았니?
отчество (중) 부칭
отчёт (남) 사업보고(총화, 총결), 보고; политический~ 정치보고; финансовый ~ 재정지출보고; делать ~ 보고하다; [от] давать себе ~ в чём.....을 인식하다, 똑똑히 알다.

отчётливо (부) 똑똑히, 뚜렷이
отчётливый (형) 똑똑한, 뚜렷한, 선명한, 명료한
отчётно-выборный (형): ~ое собрание 결산선거회의
отчётность (여) ① (부기) 결산, 결산문건 ② 보조제, 보고절차
отчётный (형) ① : ~ год 총결년간 ② : ~ период 총결기간;~ доклад 총결보고
отчизна (여) 고국, 고향, 조국; любовь к ~е 조국에 대한 사랑, 조국애
отчим (남) 이붓 아버지, 계부
отчисление (중) ① 공제; ~я 공제액; ~я от прибыли 이익공제금 ② 면직, 제명, 퇴학
отчислить (완), **отчислять** (미완) ① 공제하다, 제하다 ② 면직시키다, 제명하다; 퇴각하다
отчистить (완) см. отчищать
отчитать (완) 책망(질책)하다, 닦아내다, 꾸지람하다
отчитаться (완), **отчитываться** (미완) в чём 사업(결산)보고를 하다
отчуждать (미완) ① (법학) 몰수하다, 징발하다 ② (사이에 대하여) 멀게 하다, 소원케 하다
отчуждение (중) ① (법률) 몰수, 징발 ② 사이가 뜬 것, 냉담한 것, 간격
отшатнуться (완) 물러나다, 물러서다, 비껴서다
отшвырнуть (완) см. отбрасывать
отшельник (남) 은둔자, 은거자; жить ~ом 은거(은둔) 생활을 하다
отшиб(남): на ~е 외따로, 떨어져, 홀로
отшлифовать (완),**~овывать** (미완) ① 번들번들하게 갈다, 연마하다 ② (재능 등을) 닦다, 탁마하다
отшутиться (완), **отшучиваться** (미완) 농담삼아 대답하다, 슬쩍 농담으로 피하다
отщепенец(남) 탈퇴자, 전향자;

변절자

отщипнуть (완), **отщипывать** (미완) 집어뜯다, 집어뜯어내다

отъезд (남) (차, 배 등을 타고) 출발(出發); день ~a 떠나는 날; быть в ~e 일시 어디로 떠나서 없다

отъезжать (미완), **отъехать** (완) ① (일정한 거리를 타고) 떠나다, 출발하다 ② 벌어지다, 벌어져 틈이 생기다

отъявленный (형) 이골이 난, 악명높은, 판박은; ~ вор 날도적놈; ~ него дяй 악명높은 악한

отымённый (형) (언어) 명사에서 파생한

отыскать (완), **отыскивать** (미완) 찾아내다, 얻어내다

отяготить, **~щать** см. обременять

офицер (남) 군관(軍官), 장교(將校)

официально (부) ① 공식적으로; заявлять ~ 공식적으로 성명하다 ② 격식에 따라, 형식적으로

официальный (형) ① 공식(적인); ~ый документ 공문서; ~ый визит 공식방문 ② 공인, 격식(형식)을 차리는, 공식적인; ~ый рекорд 공인기록; ~ое приг- лашение 공식적인 초청 ③ 형식적인, 격식(형식)을 차리는; ~ тон 공식적어조

официант (남), **~ка** (여) 접대원

оформитель (남) 장식하는 사람, 무대장치가

оформить (완) см. оформлять

оформление (중) ① 수속, 격식의 부여; ~ документов 서류의 작성수속 ② 꾸밈새, 장식

оформлять (미완) ① 형태(격식)를 부여하다, 장식하다, 꾸미다 ② 수속하다, 격식대로 작성하다; ~ документы 문건을 작성(수속)하다; ~ на работу 취직수속하다

оформляться (미완) ① 형성(완성)되다 ② 격식대로 작성되다, 수속되다; ~ на работу 취직(일자리)수속을 하다(끝내다)

офсетный (형):~ая печать 옵셋 인쇄

ox (감) 오!, 오이!, 아!, 아이구!

охапка (여) 한 아름; ~ дров 장작 한아름

охарактеризовать (완) см. характеризовать

охать (미완) 어이구(오)하고 소리치다, 끙끙하다; 탄식하다

охват (남) 망라, 끌어넣는 것, 인입; (군사)익 측우회, 포위

охватить (완), **охватывать** (미완) ① 껴안다, 안다 ② 휩싸다, 휩쓸다, 사로잡다; его ~ла радость 그는 기쁨에 휩싸였다; пламя ~ло весь дом 집은 불길에 휩싸였다 ③ 망라(인입)하다, 포함시키다, 폭발하다 ④ (군사) 익측을 우회하다

охладевать (미완), **~еть** (완) к кому чему 냉담해지다, 엇갈리다, 흥미가 없어지다, 마음이 내키지 않다; ~ к работе 사업열의가 식다

охладить (완), **~ждать** (미완) ① 차게 하다, 식히다, 냉각하다 ② 진정시키다, 식히다; ~дить пыл 열의를 식히다

охлаждение (중) ① 식히기, 냉각 ② 냉담, 간격

охмелеть (완) ① (술에) 취하다 ② 도취하다, 취하다

охнуть (완) см. охать

охота I (여) 사냥, 수렵; ~а на зай ца 산토끼사냥; ходить на ~y 사냥가다

охота II (여) 의욕, 욕망; 취미; от бить ~у к чему.... ..에 대한 의욕(마음)을 없애다; нет ~ы идти 나갈 마음이 없다

охотиться (미완) ① 사냥하다, 잡이를 하다 ② : ~ за редкой книгой 회귀한 책을 찾아다니다

охотник (남) 사냥군, 포수
охотничий (형) 사냥용, 사냥; ~ий сезон 사냥철; ~ьё ружьё 사냥총; ~ья собака 사냥개
охотно (부) 즐거이, 기꺼이, 자진해서
охра (여) : красная ~ 대자석
охрана (여) ① 경비(警備), 보위, 지킴; ~а здоровья 보건; ~а труда 노동보호; ② 경비대(警備隊), 수비대; пограничная ~а 국경경비대; выставлять ~у 경비를 세우다, 경비대를 배치하다
охранение (중) (군사) 경비대(警備隊), 위병대(衛兵隊); боевое ~ 전투경계; сторо-жевое ~ 전초
охранить (완) см. охранять
охранник (남) 호위원, 보위원, 수비대원
охранный (형) : ~ отряд 위병대, 수비대; ~ая грамота 특별보호증
охранять (미완) 지키다, 보호(보위, 수호)하다; (군사) 경비하다
охрипнуть (완) 목이 쉬다, 목소리가 쉬다
оцарапать (완) 할퀴다, 긁다
оцарапаться (완) (자기 몸에) 할퀴인(긁힌) 자리를 내다, 허비우다
оценивать (미완), оценить (완) ① 값을 매기다(부르다), 가격을 정하다 ② 평가(평정)하다, 판단을 내리다
оценка (여) ① 가격사정 ② 평정, 평가 ③ 평점, 점수; ставить ~у 점수를 매기다
оценщик (남) 평가자, 가격평정자 (사정자)
оцепенеть (완) см. цепенеть
оцепить (완) см. оцеплять
оцепление (중) 둘러싼(포위한) 사람들(부대)
оцеплять (미완) 둘러싸다, 포위하다
оцинкованный (형) 아연을 칠한, 아연 도금을 한; ~ое железо 함석, 아연철
оцинковать (완) 아연칠하다, 아연도금을 하다
очаг (남) ① 난로, 아궁이 ② 발원지; ~войны 전쟁발원지; домашний ~ 자기집, 자기 가정
очарование (중) 매혹(魅惑) 매력(魅力); подда ваться ~ю чего 매혹되다, 황홀케 되다
очаровательный (형) 매혹적인, 매력적인, 탐스러운, 아릿다운; ~ голос 매력있는 목소리; ~ пейзаж 아기자기한 풍경
очаровать (완), очаровывать (미완) 호리다, 황홀케 하다, 매혹하게 하다
очевидец (남) 목격자, 입회자; быть ~цем 목격하다, 입회하다
очевидно (부) ① (삽입어) 아마, 보건대, 틀림없이 ② (술어로) 명백하다, 완연하다
очевидность (여) 자명한것; со всей ~ю 극히 명백하게, 의심할바 없이
очевидный (형) 자명한; 완연한, 극히 명백한, 두 말할 것도 없는; ~ факт 자명한 사실
очень (부) 매우, 참, 썩, 대단히, 몹시; ~ рад 대단히 기쁘다; ~ хорошо 참 좋다; не ~ хорошо 그다지 좋지 않다
очередной (형) ① 당면한, 선차적인; ~ые задачи 당면한 과업 ② 다음, 순번; ~ ой номер газеты 신문의 다음 호 ③ 정기;~ой отпуск 정기휴가
очередь (여) ① 순서, 차례; по ~и 순서에 따라, 돌림식으로; стоять в ~и 줄에 서다 ② (군사) 연발사격; в первую ~ь 우선, 무엇보다 먼저
очерк (남) ① 오체르크, 수필(隨筆); путе вой ~ 기행문 ② 개요(概要)
очернить(완)더럽히다, 악평(비방)하다
очерстветь (완) см. черстветь
очертания (복수) 윤곽, 외형; 언저리

- 396 -

очечник (남) 안경집
очинить (완) *см.* чинить II
очистка (여) ① 청소, 소제, 세척; ② 정화(淨化); для ~и сове-сти 후회하지 않기 위하여
очистки (복수) (깎은) 껍질, 찌끼
очищать (미완) ① 깨끗이 하다, 청결(청소)하다, 소제하다 ② (껍질을) 벗기다, 깎다; ~ яблоко 사과껍질을 벗기다 ③ (화학, 금속) 정화(정제, 정류, 정선)하다
очки (복수) 안경; надевать(носить) ~ 안경을 쓰다(걸다)
очко (중) 점, 득점(得點), 점수(點數); набирать ~и 득점하다, 점수를 따다
очковтирательство (중) 사기, 속임
очнуться (완) ① (제)정신이 들다, 정신을 차리다 ② 깨다, 눈뜨다
очный (형) :~ая ставка 대면심문; ~ое обучение 주간교육
очутиться (완) *где...*에 빠지다, 처하게 되다, 있게 되다; ~ в трудном положении 곤경에 빠지다, 난처하게 되다
ошейник (남) (동물의) 목소리
ошеломить (완), **ошеломлять** (미완) 아연케 하다, 휘두르다, 얼떨떨하게 만들다
ошеломляющий (형) 아연케 하는, 휘두르는. (심히) 놀라운; ~ успех 놀라운 성과

ошибаться (미완), **ошибиться** (완) ① 잘못하다, 오류를 범하다, 틀리다 ② 오해하다, 잘못 생각하다, 오발하다
ошибка (여) 잘못, 틀림, 오류, 실수, 과오; допускать ~у 과오를 범하다, 오류를 범하다, 잘못하다; вскрывать ~у 잘못을 밝히다; исп-равлять ~у 잘못을 고치다
ошибочный (형) 그릇된, 틀린, 잘못된; ~ое мнение 그릇된 견해
оштрафовать (완) *см.* штрафовать
оштукатурить (완) *см.* штукатурить
ощипать (완), **ощипывать** (미완) (닭, 새의) 털을 뜯다
ощупать (완), **ощупывать** (미완) 어루만지다, 만져보다, 더듬다
ощупь (여) : на ~ 홈착홈착, 더듬어서; искать на ~ 홈착홈착거리다, 더듬어 보면서 찾다
вщупью (부) *см.* ощупь
ощутимый, ощутительный (형) ① 감촉할수 있는, 느낄수 있는 ② 눈에 띄우는, 현저한, 대단한; ~ ущерб 대단한 손해
ощутить (완), **ощащать** (미완) 느끼다, 감촉하다, 감각하다; ~ радость 기쁨을 느끼다
ощущение (중) ① 감촉, 감각; ② 느낌, 감정; ~ счастья 행복감; ~ обиды 모욕감(侮辱感)

П

павильон (남) ① 진열관, 관; выставочный ~ 전람관, 진열관; корейский ~ 한국관; ② (공원 등의) 정자, 벤치; ③ (영화, 사진의) 촬영자, 촬영실(撮影室)

павлин (남) 공작새

паводок (남) 시위, 물이 붇는 것, 큰물

павший ① пасть의 능동과거 ② (명사로): ~ие (복수) 전사자

пагода (여) (불교의) 탑(塔)

пагубно (부) 몹시 해롭게, 파멸적으로; ~ отражаться 악영향을 주다, 매우 해롭다

пагубность (여) 극히 해로운 것, 파멸

пагубный (형) 극히 해로운, 죽음(파멸)을 가져오는; ~ое влияние 치명적인 악영향;~ые последствия 파멸적인 결과

падаль (여) 죽은 짐승

падать (미완) ① 떨어지다; ~ть сверху 위에서 떨어지다; листья ~ют 나뭇잎이 떨어진다. ② 넘어지다, 자빠지다; 꺼꾸러지다; 쓰러지다; ~ть на землю 땅에 넘어지다 ③ (눈, 비가) 내리다, 오다 ④ (머리칼, 이빨 따위가) 빠지다; ⑤ (수위, 온도, 가격 따위가) 낮아지다, 저하되다; уровень воды ~ет 수위가 낮아진다.; температура ~ет 온도(체온)가 내린다.; ⑥ 몫으로 되다, 부담으로 지워지다; подозрение ~ет на него 그가 의심을 받는다, 혐의가 그에게 걸린다.; жребий пал на меня 내가 추첨에 당선되었다, 추첨이 나에게 맞았다; ⑦ (안개, 이슬이) 내리다; ~ет туман на долину 골짜기에 안개가 내린다.; ~ть духом 사기가 떨어지다, 낙심하다, 기가 죽다; ~ть с ног 맥이 나다(빠지다), 기진맥진하다

падеж(남)(언어) 격(格); именительный ~ 주격; родительный ~ 생격; косвенные ~и 사격; склонять по ~ам 격변화시키다.

падёж (남) 집짐승의 죽음

падежный(형) (언어) 격식(格式); ~ое окончание 격어미; ~ые формы 격형태

падение (중) ① 낙하(落下), 추락(墜落) ② 저하(低下), 감소; ③ 쇠퇴, 저락 ④ 붕괴, 멸망(滅亡), 몰락, 함락(陷落)

падкий (형) 몹시 좋아하는, 탐내는; ~кий на деньги 돈을 탐내는; он ~ок до сладкого 그는 단것을 몹시 좋아한다

падчерица (여) 이붓 딸

падь (여) 깊은 산골짜기, 계곡(溪谷)

паевой (형) : ~ взнос 출자금, 배당금

паёк (남) ① 배급식량(配給食糧); выдавать(получать) ~ (식량)배급을 주다(받다) ② 배급물자, 공급물자; быть на голодном пайке 공급물자를 불충분하게 받다

пазуха (여) ① 품(裏); из-за ~и 품속에서; положить за ~у 품속에 넣다; держать за ~ой 품속에 가지고 있다 ② (해부)안, 강; лобняя ~а 전두 강; носовая ~а 코안, 비강; дерать камень за ~ой на (против) кого-л. ...에 대하여 앙심을 품다

пай (남) 출자금(出資金), 몫; (이익)배당금; вступительный ~ 가입금(加入金); кооперативный ~ 협동조합출자금; на паях 한몫씩 들어, 추렴하여

пайка(여)(공학) 납땜, 납접; 땜(한)자리

пайщик(남),**~ца**(여) 주주, 출자한 사람

пакет (남) ① (종이)꾸러미; 곽; 소포; ~молока 한통의 우유 ② 봉지, 봉투 ③ 공문봉투; вскрыть ~ 공문이 들어있는 봉투를 떼다 ④ (전문) 묶음, 속; индивидуаль- ный [перевязочный] ~ 개인붕대, 붕대꾸러미

Пакистан (남) 파키스탄

пакистанский (형) 파키스탄

пакля (여) 아마(삼)부스러기

паковать (미완) 짐을 꾸리다, 짐을 포장하다, 짐을 싸다

пакостить (미완) ① 어지럽히다, 더럽히다 ② 못쓰게 하다, 망치다 ③ 해를 끼치다, 못된 짓을 하다; ~ соседу 이웃사람에게 해를 끼치다

пакостник (남),**~ца** (여) 더러운(해로운) 짓을 하는 사람; 음란한 사람

пакостный (형) ① 더러운, 너절한, 비열한; ~ поступок 비열한 행위 ② 해를 끼치는; ~ человек 해를 끼치는 사람

пакость (여) ① 더러운 것, 추잡한 것 ② 비열한 짓

пакт(남) 조약(條約);~ о ненападении 불가침조약; заключить ~ 조약을 체결하다

паланкин (남) 가마(家馬)

палас (남) (표면에 털이 없는) 양탄자

палата (여) ① 의원(議員), 의회(議會); нижняя ~ 하원; верхняя ~ 상원; ② 관리소(管理-); тор говая ~ 무역(상업)회의소; ~ мер и весов 도량형검사국; книжная ~ 도서 관리소

палатка (여) ① 천막; лагерная ~а 야영천막; ставить(натягивать) ~у 천막을 치다; снимать(складывать) ~у 천막을 걷다 ② 가게(加計)

палаточный (형) 천막(天幕), 장막(帳幕); ~ городок(лагерь) 야영천막

палач (남) ① 교형리(絞刑吏), 사형집행인 ② 억압자, 잔인무도한자

палевый (형) 연한 황색, 미색, 베지색

палёное (중) 겉이 탄것; пахнет ~ым 타는 냄새가 난다

палёный (형) 그슬린, 겉이 탄

палеолит (남) 구석기시대

палеонтология (여) 고생물학

Палестина (여) 팔레스티나

палец (남) ① 손(발)가락; большой ~ руки 엄지손가락; указательный ~ 집게손가락, 둘째손가락; средний ~ 가운데손가락; безымянный ~ 약지손가락; счи- тать по ~м 손가락셈을 하다;주먹구구식으로 하다; показывать ~м 손가락질하다 ② (공학) 못, 고정 못; смотреть сквозь ~ы 못 본체 하다, 묵과하다; знать как свои пять ~в 자세히 알다, 훤하게 꿰뚫고 있다; ~м на шевель нуть 또는 па- лец о палец не ударить 손가락하나 까딱도 안하다, 아무것도 안하다, 조금도 노력하지 않다

палисадник (남) (울타리에 둘러쌓인 집 앞의) 작은 정원

палитра (여) ① 팔레트, 물감판 ② 색그림법, 채색법 ③ (예술가의)표현수법

палить I (미완) ① 그슬리다, 불에 튀하다; ~ить гуся 거위를 불에 그슬리다(튀하다) ② (해별이)쪼이다; солнце ~ит 해별이 내려쪼인다

палить II (미완) (일제)사격하다; ~ из пушек 포사격을 하다

палка (여) 막대기, 몽둥이; 지팡이; хо- дить, опираясь на ~у 지팡이에 의지하여 걷다; из-под ~и 강제적으로, 억지로, 마지못해;~а о двух концах

애매하고 의심스러운 것, 좋게도 나쁘게도 될 수 있는 것; ставить(вставлять)~и в колеса 방해를 놓다

паломник (남), **~ца** (여) 순례자(巡禮者)

паломничество (중) ① 순례(巡禮); ② 명승고적에 로의 유람(여행)

палочка (여) ① 작은 막대기; барабанные ~и 북채, 장구채; дирижёрская ~а 지휘봉 ② ~и (복수) 젓가락; ~и для еды 젓가락; есть ~ами 젓가락질하다, 젓가락으로 먹다 ③ туберкулёз ная ~а 결핵균; кишечная ~а 대장균

палтус (남) 넙치

палуба (여) 갑판; верхняя ~ 윗 갑판; нижняя ~ 아래갑판

пальба (여) 발사, 잦은(일제)사격

пальма (여) (식물)종려나무; кокосо вая ~ 야자수; финиковая ~ 대추야자나무; ~первенства 승리의 영예

пальмовый (형) 종려나무; ~ая ветвь 종려나무가지(평화의 상징)

пальпация (여) (의학) 촉진(促進)

пальто (중) 외투; надеть ~ 외투를 입다; носить(ходить в)~ 외투를 입다(입고 다니다)

пальчик (남) (палец의 지소-애칭) 작은 손(발)가락; мальчик с ~ 꼬마동이; ~и оближешь 1) 대단히 맛있다 2) 구미가 돈다, 매력이 있다, 매혹적이다

палящий (형) ① палить의 능동현재 ② (형)몹시 더운, 찌는 듯한; ~ие лучи солнца 뙤약볕, 찌는 듯이 내려 쪼이는 햇볕

памфлет (남) 풍자정론소품

памятка (여) 주의서; 해야 할 일거리를 적은 목록(지도서)

памятник(남) ① 기념비(記念碑), 동상; ~ Пушкину 푸쉬낀 동상; надгробный ~ 묘비 ② 기념물(記念物), 고적(古蹟); ~и старины 유물, 유적; исторический ~ 역사유적; ~и культуры 문화유적 ③ 옛 문헌(- 文獻), 고서적(古書籍), 옛 작품(作品); ~и письменности 서사문화의 (옛)문헌

памятный (형) ① 잊지 못할, 잊을 수 없는; ~ый день 잊지 못할 날 ② 잊지 않기 위한, 기억하기 위한; ~ая книжка 기록장 ③ 기념; ~ая медаль 기념메달

памятовать (미완) 기억하다; ~уя о чём-л....을 잊지 않고, ...을 기억하면서

память (여) ① 기억, 기억력; хранить в ~и 기억하다, 기억해두다; прийти на ~ь 기억에 떠오리다; запечатлеться в ~и, врезаться в ~ь 기억에 아로새겨지다; на ~ь, по ~и 외워서, 암기하여; по старой ~и (옛) 버릇(습관)대로, 옛정을 생각하여; если мне не изменяет ~ь 만일 나의 기억이 틀리지 않는다면; свежо в ~и 기억에 새롭다(생생하다) ② 기념(記念), 추억(追憶); подарить на ~ 기념으로 선사하다; хра-нить ~ь о ком-чём....에 대한 추억을 간직하다; оставить по себе добрую ~ь 좋은 추억을 남기다; вечная ~ь кому-л.... ....을 영원히 추억하여 잊지 못하리라; на ~ь (в ~ь) о встрече 만난 기념으로, 상봉의 기념으로; без ~и 정신없이

пан (남) (폴스까나 제정시기 우크라이나의) 지주(地主), 귀족(貴族), 신사; ~ илипропал (либо~, либо пропал) 성공 하느냐 실패하느냐, 될 대로 되라

панама (여) (파나마)모자

панамка (여)(панама의 축소)(채양이 달린 아동용) 여름모자

панацея (여) 만병통치약, 만능 약

панбархат (남) 엷은 비로도

пандемия (여) 전염병(傳染病)

панель (여) ① 걸음 길 ② (건축) (판넬) 벽판 ③ (공학)판, 조종판, 배전판

панельный (형) 판넬; ~ дом (판넬)

벽판으로 지은 집

панибратский (형) 흉허물 없는, 스스럼없는, 친밀한

панибранство(중)허물없는 사이, 친교

паника (여) 당황망조, 혼비백산, 공포, 혼란; поднимать (наводить, сеять) ~у 혼란을 일으키다; впасть в ~у, под даться ~e 혼비백산하다; в ~e 혼비백산하여

паникёр (남) 겁쟁이, 비겁분자, 유언비언을 퍼뜨리는 자

паникёрствовать см. паниковать

паниковать (미완) 당황망조하다, 겁을 먹다, 공포에 사로잡히다

панихида (여) (종교) 공약(公約), 추도(追悼); гражданская ~ 추도식

панический (형) ① 공포, 당황망조한; ~ страх(ужас) 크나큰 공포, 혼비백산 ② 겁이 많은, 겁에 질린

панкреатит(남) (의학) 췌장염(膵臟炎)

панно (불변) (중) ① (벽, 천정의) 장식판; мозаичное ~ 쪽모이벽화 ② (건축) 벽장화

панорама (여) ① 전경 ② 전경화 ③ (군사)포의 포대경, 조준경

пансион (남) ① (제정리시야 및 일부 자본주의국가들의)기숙학교 ② 기숙사, 하숙집, 여관

пансионат (남) (휴양하기 위한) 여관, 휴양소(의 일종)

пантеон(남)
위임묘;(고대로마의)만신묘

пантера (여) 표범

пантокрин (남) (의학) 녹용 조합제, 강장제(强壯劑), 보혈제(補血劑)

пантомима (여) 몸짓(손짓)극, 무언극

панты (복수) 녹용(鹿茸), 대각

панцирный (형) : ~ корабль 거북선

панцирь (남) ① 갑옷 ② (동물, 갑추의)등갑, 갑각; черепаший ~ 거북의 등껍데기 ③ (공학)철갑, 장갑, 보호판

папа I (남) 아빠, 아버지

папа II(남) 법왕; ~ римский 로마법왕

папайя (여) 파파야나무

папаха (여) (높은) 털모자; генеральская ~ 장군모자

папаша (남) 아버지

папирус (남) ① (열대산)갈 ② 파피루스종이 ③ 파피루스종이에 쓴 옛문헌

папка (여) ① 종이끼우개, 서류철;~ для дел 문서철 ② 판종이 뚜껑, 마분지표지, 두터운 표지

папоротник (남) 고사리

Папуа-Новая Гвинея 파푸아뉴기니아

Пар 1 (Первая книга Паралипоменон, 29장, 428 쪽) 역대상(歷代記上, books of the Chronicles)

Пар 2 (Вторая книга Паралипоменон, 36장, 461 쪽) 역대하(歷代記 下, books of the Chronicles)

пар I (남) ① 김, 증기; водяной ~ 수증기 ② 입김; ~ идёт 입김이 난다 ③ 안개 ④ (증기목욕탕의) ((목욕용)증기; поддать ~y (목욕탕에서)온도를 높이다, 증기를 올리다; с лёгким ~ом! 목욕을 잘 하였습니까! (목욕하고 나오는 사람에게 하는 인사); ~ костей не ломит (속담) 아무리 더운들 뼈까지 익을까? (더운 때에 웃으며 하는 말) ◇ на всех ~ах 빨리, 쏜살같이; 전속력으로

пар II (남) 묵이는 밭, 휴경지(休耕地); земля под ~ом 묵이는 밭; чистый ~ (여름철에 묵인) 손질을 한 묵인밭; чёрный ~ (여름철에 묵인) 아주 많은 손질을 한 밭; вспышка ~ов 묵인밭의 밭갈이

пара (여) ① (한) 컬레; ~a обуви (ботинок, сапог, чулок, перчаток) 신발(구두, 장화, 양말, 장갑) 한 컬레; ② (둘씩 짝으로 된 것)두 개, 한 쌍; ~a вёсел 노한조 ③ 두개; ~a яблок 사과 두알; ~a ко-нвертов 봉투 두장 ④ (두개의 같은 부분으로 되어있는 물건)한 개, 한 짝; ~а ножниц 가위 한개; ~а щипцов 집게 한개;~а брюк 바지 한 벌 ⑤ 한 쌍; супружес кая ~а 부부; влюблённая ~а 서로 사랑하는 남녀(한쌍) ⑥ (술어로) 짝(쌍이) 맞다; он те-бе не ~а 그는 너와 짝이 맞지 않는다. на ~y 둘이서, 함께; ~а пустяков 식은 죽먹기, 대수롭지 않은 일, 큰 힘이 들지 않은 일; позвольте мне сказать ~y слов 내 한 마디 이야기 합시다; в ~е с кем-л..... 와 함께

парабола (여) ① (수학)포물선 ② 탄도
параграф (남) 절(節), 항(項), 단락; 부호(§); разбить на ~ы 절로 가르다
парад (남) 열병식(閱兵式); 시위행렬, 행진(行進); военный ~ 열병식; физкультурный ~ 체육선수들의 행진; принимать ~ 열병식을 사열하다; при полном(при всём) ~е 잘 차려입고
парадное (중) 정문(출입구), 현관
парадность (여) 웅장하고 화려한 것
парадный(형) ① 열병식(閱兵式); 예식(禮式); ~ое шествие 행렬, 행진; ~ая форма, ~ый костюм, ~ое платье 예복 ② 정문(正門); ~ ый подъезд 정문(출입구), 현관(現官)
парадокс (남) ① 역설(逆說), 궤변(詭辯); ② 기이한 현상
парадоксальность(여) 궤변, 자가당착
парадоксальный (형) ① 역설적인; ~ый вывод 역설적인 결론 ② 믿기 어려운, 기이한, 기괴 망칙한; ~ое явление 기이한 현상
паразит (남) ① (생물) 기생충(寄生蟲); 기생식물 ② 도식자, 기생충 ③ 몹쓸놈, 빌어먹을놈 (욕할 때 쓰는 말)
паразитизм (남) ① 붙어살이, 기생 ② 기생적 생활(근성)
паразитировать (미완) ①

(생물)붙어살다, 기생하다 ② 기식하다, 기생적 생활을 하다
паразитический (형) 기생적인; ~ образ жизни 기생생활양식
парализованный ① (парализовать의 피동과거) ②(형) 마비된; 못쓰게 된
парализовать (완, 미완) 마비시키다, 무력하게 하다
паралич (남) 마비(痲痺), 중풍(中風); его разбил ~, он разбит ~ом 그는 중풍에 걸렸다
параллелепипед(남)(수학) 평행육면체
параллелизм (남) ① 평행 ② 일치, 유사, 상응 ③ 이중, 반복; ~ в работе 사업에서의 이중(반복) ④ (문학) 대구(법)
параллелограмм(남)(수학) 평행사변형
параллель (여) ① (수학) 평행선; провести ~ь 평행선을 긋다 ② (지리)위선; 위도; 38-ая ~ь 삼팔선 ③ 비교, 대비; про- вести ~ь между чем-л......과 ...을 대비하다.
параллельно (부) ① 평행(平行)으로, 병렬(並列)로 ② ...와 동시에;~ с этим 이와 동시에
параллельный (형) (수학) 평행(平行); ~ая линия 평행선; ~ые брусья (체육)평행봉(平行棒); ~ое соединение (전기) 병렬접속
параметр (남) ① (수학) 파라메트론(parametron), 매개 변수, 보조변수 ②(물리, 공학)곁수, 정수
паранджа (여) (민속) (회교도 여자가 남들 앞에서 얼굴을 가리는) 면사포(面紗布), 차도르, 빠란자
параноик (남) (의학) 편집광환자
паранойя (여) (의학) 편집광(偏執狂), 망상증(妄想症), 파라노이아
парапет (남) 난간
паратиф (남) (의학) 파라티브스
парафин (남) 파라핀(paraffin)

парафирование (중) (외교)가조인(하는 것); ~ договора 조약의 가조인

парафировать (완, 미완) (외교관계)가 조인되다

парашют (남) 낙하산; прыгать с ~ом, спускаться на ~е 낙하산으로 내리다; раскрывать ~ 낙하산을 펴다; прыжок с ~ом 낙하산 낙하

парашютизм (남) ① 낙하산 하강술, 하강(下降) ② 낙하산경기

парашютист (남), **~ка** (여) 낙하산병.

парашютный (형) 낙하산(落下傘); ~ десант 낙하산부대

парение (중) ① 찌는 것 ② 증기목욕을 하는 것 「비행(飛行)

парение (중) (날개를 펴고) 떠있는것

пареный (형) 찐, 데친; дешевле ~ ой репы 헐값이다, 눅거리이다; проще ~ой репы 식은죽 먹기다

парень (남) ① 젊은이, 청년; парни и девушки 청년남녀 ② 사람, 사내, 남자; он хороший ~ 그는 좋은 사람(사내)이다; весёлый ~ 유쾌한 사내; рубаха-~ (숨김없고 소박하고 사심없는)솔직한 사람

пари (불변) (중) 내기; держать ~ 내기를 하다, 내기를 걸다; выиграть ~ 내기에 이기다

Париж (남) ㉮. 파리

парижский (형) 파리; Парижская коммуна (1871년) 파리꼼뮨

парик (남) 덧머리, 가발

парикмахер (남) 이발사

парикмахерская (여) 이발소, 이발관

парилка, ~ьня (여) ① 증기욕실, 증기탕 ②(공장의) 증기실

парировать (완, 미완) ① 마주치다, 물리치다, 격퇴(반격)하다 ② 되받아 말하다, 항변(논박)하다

паритет (남) ① 평등(平等), 균등, 대등 ② (경제) 등가, (가격) 평형(平衡)

паритетный (형) 동등한, 균등한, 동격; на ~ых началах 같은 (동등한) 원칙(표준)에서, 동등한 자격으로, 동등하게

парить (미완) ① 찌다, (증기로) 익히다, 데치다; ~ овощи 남새를 데치다 ② 증기찜을 하다, 증기소독을 하다; ~ бельё 속옷을 증기소독하다 ③ (증기목욕탕에서)땀내다, 한증하다, 사우나; ④ (무인칭)무덥다; парит перед грозой 소나기직전에는 무덥다

парить (미완) ① 날개를 편채 하늘높이 날다(떠있다); орёл ~т в небе 독수리가 날개를 편채 공중에 떠돈다 ② 공상에 잠기다; ~ть в облаках 공상에 잠겨 있다

париться (미완) ① (парить ①의 피동) (증기로) 익혀지다 ② 증기목욕을 하다 ③ 햇빛을 쬐다, 일광욕을 하다, 과도한 일광욕으로 인하여 녹초가 되다 ④ 진땀을 빼다 ⑤ 열심히 수행하다

парк I (남) 공원(公園), 유원지(遊園地); ~ культуры и отдыха 문화휴식공원; разбить ~ 공원을 만들다

парк II (남) ① (전차, 버스, 자동차, 비행기 따위의) 차고(車庫); автобусный (таксомоторный) ~ 버스(택시) 사업소 ② 총수, 총체(總體), 대수;автомобильный(тракторный) ~ 자동차(트랙터)총수(대수) ③ (군사) 탄약(기술기자재) 이동창고

паркет (남) (바닥에 까는)쪽패널; 쪽모이관, 쪽매널마루; настилать ~ 쪽매널을 깔다

паркетный (형) 쪽매널의; ~ пол 쪽모이판, 쪽매널마루

парламент (남) 국회(國會), 의회(議會); член ~a 국회의원(國會議員)

парламентарий(남)국회의원(國會議員)

парламентарный (형) 의회제(議會制); ~ый строй 의회제도; ~ая республика 의회제공화국(議會制共和國)

парламентёр (남) (교전쌍방으로부터 회담에 파견되는) 군사대표

парламентский (형) 국회(國會); ~ие выборы 국회(의회)선거; ~ая система 의회제도

парная (여) 증기욕실

парник (남) 온상(溫床), 온실(溫室)

парниковый (형) 온상; ~ые огурцы 온상오이

парнишка (남) 소년(少年), 총각아이

парной (형) (우유, 고기 등에 대하여)신선한, 신선하고 따뜻한; ~ое молоко 방금 짠 우유, 신선하고 따뜻한 우유;~ое мясо 신선한 고기

парный (형) ① 짝(쌍)을 이루는, 두짝으로 된, 두개로 된 ② 복식(複式), 2 인조;~ое катание 복식 피겨

паровоз (남) (증기) 기관차(機關車)

паровозный (형) (증기) 기관차

паровой (형) ① 증기, 증기로 움직이는; ~ая машина 증기기관; ~ой котёл 보이라, 증기가마; ~ое отопление 증기난방; ~ая турбина 증기터빈 ② 증기로 찐;~ая котлета 증기가쯔레쯔

пародийный (형) 광시(狂詩), 풍자적(諷刺的); ~ стиль 광시(풍자)문체

пародировать (미완, 완) 풍자적으로, 피상적으로 모작하다, 모사하다, 조롱하여 모사하다

пародист (남) 광시(풍자)작가

пародия (여) ① (문학) 광시(어떤 작품에서의 결함을 풍자적으로 모사한 작품) ② 외곡된 모방

пароль (남) 군호, 암호(暗號)

паром (남) 나룻배

паромный (형) 나룻배; ~ая перепра ва 나루터; 나룻배

паромщик (남) 나룻배 사공

парообразный (형) 김모양, 증기상

парообразование (중) (공학) 기화(氣化), 증발(增發), 증기형성

паропровод (남) (공학) 증기(도)관

пароход (남) 기선, 배; пассажирский ~ 손님 배, 여객선; океанский ~ 대양기선; буксирный ~ 견인선;~рефри жератор 냉동선; ехать ~ом(на ~е) 기선을 타고 가다

пароходный (완) 여객선(旅客船); ~ое сообщение 항로 교통, 여객편; ~ый гу-док 기선의 고동

парт..... (합성어의 첫 부분으로서) 당; парт-стаж 당년한, 단경력

парта (여) (의자가 달린) 학생책상

партактив (남) ① 핵심당원, 당열성자 ② 당열성자회의

партбилет (남) 당원증(黨員證)

партбюро (불변) (중) 당위원회(黨委員會); секретарь ~ 당비서

партвзносы (복수) 당비(黨費)

партвзыскание (중) 당책벌

партгруппа (여) 당분조

партер (남) (극장아래층)대중석, 일반석

партиец (남) 당원(黨員)

партизан (남) 유격대원, 빨찌산

партизанить(미완)유격투쟁을 하다

партизанка (여) 여성유격대원,

партизанский (형) 유격, 빨찌산; ~ий отряд 유격대;~ая война, ~ие бои 유격전

партизанщина (여) 무계획적사업, 주먹구구식사업; 무규율적인 행동

партийно-государственный (형) 당 및 국가

партийность (여) 당성; 당별, 당소속

партийный (형) ① 당, 당적인; ~ая организация 당단체, 당조직; ~ая дисциплина 당 규율; ~ый билет 당원증;~ ый стаж 당년한, 당경력 ② 당에 속하는, 당원인 ③ (명사) (남) 당원(黨員)

партитура (여) (음악) 총보, 총악보

партия (여) ① 당(黨), 정당(政黨): Коммунисти ческая ~я Советского Сою-за 소련공산당; вступить в ~ю 입당하다; исключать из ~и 출당시키다; состоять в ~и 당원으로 있다; член ~и 당원; политическая ~я 정당 ② 조(組), 부대(部隊), 일행(一行), 그룹(group), 무리; геоло- гическая ~я 지질탐사대 ③ 파(派), 당파, 파벌 ④ (물품의) 한조, 일정한 량, 뭉테기; большая ~я товаров 많은 량의 상품; получать ~ями 몇 개의 몫으로 갈라서 받다 ⑤ (음악) 성부, 음부(音符); (가극에서 독창의)역 ⑥ (놀음)한판, 패(敗); сыграть ~ю в шахматы 장기를 한판 놀다; соста-вить ~ю(в карты и т.д.) (트럼프 따위를) 같이 놀 패를 뭇다

парткабинет (남) 당 자료실, 당연구실

партком (남) 당위원회(黨委員會); бюро ~а 당집행위원회

прт нёр (남),**~ша** (여) ① 상대방, 상대자; 같이 일하는(노는) 사람 ② (놀음의) 참가자; 성원

парторг (남) 당비서, 당책임자

парторганизация (여) 당단체, 당조직; первичная ~я 초급당단체.

партпросвещение (중) 당교양(사업)

партсобрание (중) 당회의

партстаж (남) 당년한, 당경력

партучёба (여) 당학습

партячейка (여) 당세포

парус (남) 돛, 돛천; поднять ~а 돛을 달다; убрать ~а 돛을 걷다; идти под ~ами 돛을 달고 가다; на всех ~ах 급히, 전속력으로

парусина (여) 삼베, 돛천

парусиновый (형) 삼베, 돛베; ~ые туфли 삼베신

парусник (남) 돛배, 범선(帆船)

парусный(형) 돛; 돛이 달린; ~ая лодка 돛배, 소범선; ~ое судно 돛배, 범선; ~ый спорт, ~ые соревнования 돛배(요트)경기

прафюмерия (여) (집합) ① 향료품, 향수, 화장품 ② 향료품(화장품)제조

парфюмерный (형) 향료(香料), 화장품(化粧品); ~ магазин 화장품(향료)상점

парча (여) 금란, 금(은)실로 수놓은 비단

паршиветь (미완) ① 옴에 걸리다, 비루먹다; 헌데가 나다 ② 너절해지다, 더러워지다

паршивый (완) ① 옴이 옮은, 비루먹은 ② 헌데가 난, 부스럼이 난; 더러운, 너절한 ~ая овца всё стадо портит, ~ую овцу из стада вон (속담) 미꾸라지 한마리가 온 웅덩이 물을 흐린다.

пас (남) (체육) (공의) 패스(pass), 연락; точный ~ 정확한 연락

пасека (여) 꿀벌치기 터, 양봉장

пасечник (남) 꿀벌치기 공, 양봉장주인

пасквиль (남) 비방하는 글, 중상하는 글 (작품), 훼방문

пасмурный (형) ① 흐린, 음산한;: ~ый день 흐린날 ② 우울한, 침울한;~ое лицо 우울한 얼굴

пасовать I(미완) (체육) 공을 패스하다

пасовать II (미완) 물러서다, 굴복하다; ~ перед трудностями 난관 앞에 굴복하다

паспорт (남) ① 신분증; заграничный ~ (외국에 가는)여권; дипломатический ~ 외교여권; служебный ~ 공무여권 ② [технический] ~ [автомобиля] 자동차등록증 ③ (구조, 설비의)설명서(說明書); ~ станка 기계설명서

паспортный (형) : ~ый стол(отдел) 신분증(여권) 발급부; ~ый режим,~ая система 신분증(여권)제도

пассаж (남) ① 통로식 장마당,

골목시장 ②(음악) 작품의 일부
пассажир (남),**-ка** (여) 손님, 여객
пассажирский (형) 손님(용), 여객; ~ поезд 여객차, 여객열차;~ ва гон 객차
пассат (남) 무역풍(貿易風)
пассив (남) ① (부기) 빚, 부채(負債), 채무 ② (언어) 피동사 ③ 결점, 결함(結銜)
пассивность(여) 소극성, 소극적인 태도
пассивный (형) ① 소극적인; 무관심한;~ый человек 소극적인 사람; ~ое отно- шение к ....에 대한 소극적인 태도; ~ая оборона (군사) 수세방어 ② (언어) 피동; ~ая форма 피동형 ③ (경제) 부채; ~ый баланс внешней торговли (무역에서의) 수입초과
паста (여) (화장, 요리 등에서 쓰는) 연제, 연고, 분마고; зубная ~ 치약
пастбище (중) 목장(牧場), 방목지(放牧)地), 풀판; гор ное ~ 산간목장
пастель (여) ① 그림에서 쓰는 묽은 색연필 ② 파스텔화, 크레파스화
пастеризация (여) 살균법, 멸균법
пастеризованный(형) ① (пастеризовать의 피동과거) ② (형) 균을 죽인, 살균법을 실시한
патеризовать (미완, 완) 살균하다, 균을 죽이다, 살균법을 쓰다; ~ молоко 우유를 살균하다
пасти (미완) 놓아먹이다, 방목하다;~ скот 집짐승을 방목하다
пастила (여) 과일 엿, 재리
пастись (미완) (풀밭에서)풀을 뜯어먹다
пастор (남) 목사(牧師)
пастух (남) 목동(牧童), 방목공
пастуший (형) 목동의, 방목공의; ~ ья сумка (식물) 냉이
пастушка (여) 방목공(여자)

пасть I (완) ① см. падать ② 죽다, 전사하다; ~ на поле боя 전사하다 ③ 전복(함락)되다 ④ (도덕적으로)타락되다; ~ духом 낙심하다, 기가 죽다, 사기가 떨어지다
пасть II (여) (짐승의) 아가리
пастьба (여) 놓아먹이기, 방목
пасха (여) (종교) 부활제(復活祭)
пасынок(남) ① 이붓아들 ② (농업) 곁순
патент (남) ① 특허(장); ~ на изобретение 발명특허(권) ② 신임장, 허가증
патентованный (형) 특허, 특허있는; ~ ое средство 특허약
патентовать (미완) 특허를 주다(받다); 특허권을 주다(받다); ~ изобретение 발명에 특허를 주다(받다)
патетика (여) 감동력, 감동적인; 격동적인 어조, 격정
патетический (형) 감동적인, 열정적인, 흥분된;~ тон 감동적인 어조
патефон (남) 전축, 축음기; заводить ~ 축음기의 태엽을 감다
патиссон (남) (식물) 구루파산
патока (여) 진한 단물, 당밀, 엿당
патологический (형) ① (의학) 병리학; ~ая анатомия 병리해부학 ② 병적인, 기형적인;~ое явление 병적현상
патология (여) ① 병리학; общая 일반병리학 ② 병적성격, 기형성
патологоанатом (남) 병리해부학자
патриарх (남) ① (종교) 총주교 ② 원로, 웃사람, 웃어른, 노장
патриархальный (형) ① 가부장, ~ый строй 가부장제도 ② 낡은, 인습적인;~ый обычай 인습; ~ые нравы 인습적인(소박한) 풍속
патриот (남) ① 애국자(愛國者), 애국주의(愛國主義)자 ② 열렬히 사랑하는 사람

- 406 -

патриотизм (남) 애국주의(愛國主義), 애국심(愛國心), 국가를 사랑하는 마음
патриотический (형) 애국, 애국주의적, 애국자; ~ий долг 애국주의적 의무;~ ие чувства 애국심
патрон I (남) ① 탄알, 총탄; 탄피, 약통; боевой ~ 실탄; холостой ~ 공탄 ② (전등의) 소케트 ③ (공학) 고정원통, 자끼, 기대물리개
патрон II (남) ① 상관(上官); 주인(主人) ② 보호자(保護者), 비호자
патронажный (형) : ~ая сестра (가정의료 복무의) 간호원(看護員)
патронташ (남) 탄띠, 탄갑
патрубок (남) (공학) 분출관; 접촉관, 접합관, 연결관
патрулирование (중) 순찰, 순시(巡視)
патрулировать (미완) 순찰(순시)하다
патруль (남) 순찰대; 순찰선; 순찰병
патрульный (형) ① 순찰(巡察), 척후; ~ая служба 순찰근무; ~ое судно 순찰선; ~ый катер 경비정;~ый сомолёт 순찰기 ②(명사로) (남) 순찰병, 순찰원
пауза (여) ① 끊기; 잠간 멈추는 것, 중단; 침묵, 휴지 ②(음악) 쉼표
паук (남) 거미
паутина (여) ① 거미줄; плести ~y 거미줄을 치다 ② 올가미, 구속; опутать кого-л....ой лжи ...를 허위의 올가미로 얽어매다
пафос (남) ① 감격(感激), 열정(熱情), 격정(激情); гово рить с ~ом 감격(열정)적으로 말하다 ② 기백
пах (남) 자개미
паханый (형) 일군의, 경작한, 경작하는; ~ое поле 일군 땅
пахарь(남) 밭갈이하는 사람, 농군, 농부
пахать (미완) (논, 밭을) 갈다, 경작(기경)하다
пахнуть (미완) ① 냄새나다, 냄새를 풍기다 ② 느껴지다; ~ет ссорой 다툼(싸움)질할 것 같다; ~ет порохом 전쟁의 위기가 닥쳐왔다, 화약 냄새가 풍긴다
пахота (여) ① 논(밭)갈이, 경작(耕作), 개간 ② 부침땅, 갈이땅
пахотный (형) ① 경작; ~ая земля 부침땅, 경지, 농경지; ~ая площадь 갈이땅, 경지면적 ② 밭갈이하는데 쓰는;~ый инвентарь 농기구, 농쟁기
пахта(여) 버터를 제조한 후 남은 찌꺼기
пахучесть (여) 향기, 향기를 뿜는것
пахучий (형) 향기로운, 향내풍기는, 냄새나는;~ая трава 향긋한 풀
пациент (남),~ка (여) (치료 담당의사의 입장에서) 환자(患者), 병사(病者)
пацифизм (남) (부르죠아적인) 평화주의
паче (부) :~ чаяния 기대와 달리; 뜻밖에, 뜻하지 않게, 예견치 않게; тем ~ 더운기, 하물며
пачка (여) ① (동일한 물품의) 묶음, (한)봉지, 뭉치; ~ бумаги 종이 한 묶음; ~ писем 편지 한 묶음; ~ денег 돈 한 뭉치; ~сигарет 담배 한갑 ② (연극) (여자의) 발레무용복; ~ми 한패 한패씩, 한조 한조씩
пачкать (미완) ① 더럽히다; ~ платье 옷을 더럽히다 ② 손상(훼손)시키다; ~ имя(репутацию) 명예를 손상시키다 ③ 어지럽게 그리다, 더럽게 쓰다; ~ руки 손을 더럽히다(좋지 못한 일에 참여하여 명예를 손상시키다)
пачкаться (미완) ① 더러워지다 ② 얼굴에 흙칠하다, 명예를 손상시키다
пашня(여)갈이땅, 부침땅, 경작지(耕作地)
паштет (남) 들새고기나 돼지고기(간) 등을 탕쳐서 만든 서양요리
паяльник (남) 납땜인두, 납땜도구
паяльный (형) : ~ая лампа 납땜용 등

паяние (중) 납땜
паяный (형) 납땜질한
паясничать (미완) 우습게 놀다, 어리광대 노릇하다
паять (미완) 납땜(질)하다, 납으로 때다
паяц (남) ① (연극) 광대 ② 우습게 노는(구는) 사람
ПВО (противовоздушная оборона) 대공방어(對空防禦)
певец (남),~ца (여) 가수(歌手)
певун (남),~ья (여) 노래를 좋아하는 (잘 부르는) 사람, 노래애호가
певучесть (여) 노래와 같이 음률적인 것, 듣기좋게 울리는것
певучий (형) ① 노래를 즐기는 ② (노래와 같이) 음률적인; ~ голос 우아한 목소리
певчий (형) : ~ие птицы 명금
пегий (형) (동물에 대하여) 반점이 있는, 얼룩이 진
педагог (남) 교육자, 교육가, 교원(敎員)
педагогика (여) 교육학(敎育學)
педагогический (형) 교육(敎育); ~ий институт 사범대학;~ая практика 교육실습(敎育實習)
педаль (여) 발판, 디디개, 발걸이; ~ь велосипеда 자전거발걸이; нажать на все ~и 전력을 (모든 수단을) 다하다
педант (남) 깐깐한 (틀에 박힌) 사람
педантизм (남),~ичность (여) 현학, 깐깐한 것, 틀에 박힌 것
педантичный (형) 현학적(衒學的)인, 깐깐한, 틀에 박힌
педиатр (남) 소아과의사(小兒科醫師)
педиатрия (여) 소아과(학)
пединститут (남) 사범대학(師範大學)
педсовет (남) 교원협의회, 교원평의회
педучилище (중) 사범전문학교
пейзаж (남) ① 풍경(風景), 경치(景致) ② 풍경화(風景畵) ③ (문학) 자연묘사
пейзажист (남),~ка (여) 풍경화가

пейзажный (형) 풍경; ~ая живопись 풍경화(風景畵), 산수화
пекарня (여) 빵(굽는)집, 빵공장
пекарь (남) 빵굽는 사람
пекло (중) ① 무더위 ② (백열전, 논쟁, 소동 등이) 한창 벌어지는 곳; попасть в самое ~한창 벌어지고 있는데 뛰어들다
пелена (여) ① 보 , 휘장, 씌우개 ② 막, 장막; ~ тумана 안개의 장막; (слов но (точно)): ~ (с глаз) упала (спала) 드디어 잘못을 깨닫게 되었다
пеленать (미완): ~ ребёнка 어린애를 싸개에 싸다, 어린애한테 기저귀를 채우다
пеленгатор (남) 방위측정기(方位測程器), 전파방향탐지기(電波方向探知機)
пеленговать (미완) 방위를 측정하다
пелёнка (여) 기저귀, 애기싸개; с ~нок 어릴 때부터, 어려서부터
пеликан (남) 사다새, 펠리컨(pelican).
пельмени (복수) 고기만두
пельменная (여) 고기만두식당
пемза (여) 속돌, 부석
пена (여) (물)거품 (수포); с ~ой у рта 입에 거품을 물고, 몹시 성이 나서
пенал (남) 연필통, 연필갑
пенальти (중) (축구에서) 페널티킥
пение (중) ① 노래하는것; (새가) 우짖는 것 ② 노래소리; 우짖는 소리; хоровое ~ 합창(合唱)
пенистый (형) 거품이 많은, 거품이 부그르르한
пениться (미완) 거품이 지다(일다)
пенициллин (남) 페니실린(penicillin)
пенка (여) (우유, 진단물 등의) 웃꺼풀, 더껑이; снимать ~и 남의 등골을 쳐먹다
пенопласт (남) 기포가소물
пеночка (여) (조류) 솔새
пенсионер (남),~ка (여) 사회보장자
пенсионный (형) : ~ое обеспечение

사회보장제; ~ая книжка 연금증; достичь ~ого возраста 사회보장 연한이 되다

пенсия (여) 연금(年金), 사회보장금(社會保障金), 보조금(補助金); 사회보장, 노후보장; получать ~ю, быть на ~и 사회보장을 받다; уйти(выйти) на ~ю 사회보장으로 넘어가다; персональная ~я 공로자보장

пенсне (불편) (중) 코안경, 무테안경

Пентагон (남) 미국방성, 펜타곤

пень(남) (나무) 그루, 그루터기; корчевать пни 나무그루를 뽑다; стоит как ~ 멍하니 서있다; делать через ~ колоду 굼뜨게 (이럭저럭, 서투르게) 하다

пенька (여) 삼, 대마 (섬유)

пеньковый (형) 삼; ~ канат 삼바

пеня (여) (연체) 벌금(罰金)

пенять (미완) : ~ть на кого-что....을 탓하다, 꾸짖다, 나무라다; ~й на себя(пу-сть ~ет на себя) 남을 탓할 것이 없다

пепел (남) 재; обратить в ~ел 잿더미로 만들다; подняться из ~ла 잿더미 속에서 일떠서다, 복구되다

пепелище (중) 잿더미, 불탄 곳

пепельница (여) 재털이

пепельный (형) ① 재 ② 재빛, 회색

пепсин (남) 패프신

первейший (형) 첫째가는; ~ая задача 일차적(선차적) 과업, 첫째가는 과업

первенец (남) ① 첫아이, 맏아들 ② 첫 성과, 첫 열매

первенство (중) ① 첫 자리, 제1위; заво-евать ~ 첫 자리를 차지하다 ② 선수권(쟁탈시합); ~ мира 세계선수권대회; ~мира по футболу 세계축구선수권대회

первенствовать (미완) 첫 자리를 차지하다, 제1위를 하다

первичность (여) 일차성, 선차성

первичный (형) ① 최초, 첫단계; ~ая медицинская помощь 일차의료봉사 ② 초급; ~ая организация 초급단체

первобытнообщинный (형) : ~ строй 원시공동체(原始共同體)

первобытный (형) ① 원시적인; ~ый человек 원시인; ~ое общество 원시사회 ② 낙후한; 미개한; ~ая техника 낙후한 기술; ~ые нравы 미개한 풍습

первое (중) 국(점심의 첫 번째 음식)

первоисточник (남) ① 근원(根源), 기원(起源) ② 원서, 원작(原作)

первоклассник (남),~ца (여) (초등학교) 1학년생

первоклассный (형) 일등급, 일류(一流); ~ая техника 일등급의 기술

первокурсник (남),~ца (여) (전문, 대학) 1학년생

Первомай (남) 5.1(오일)절

первомайский (형) 5.1.(오일)절; ~ая демонстрация 5.1(오일)절 시위

первоначально (부) 최초에, 원래

первоначальный (형) ① 최초, 본래; ~ый план(проект) 초안, 원안; ~ая причина 기본원인, 근원 ② 초보적인; ~ые сведения 초보적(기초적) 지식

первооснова (여) 본원, 기본

первооткрыватель (남) 개척자, 선구자

первоочередной (형) 일차적인, 선차적인, 긴급한

первопричина (여) 기본(근본) 원인

первопроходец (남) 개척자, 선구자

первопуток (남) 첫 썰매길; ехать по ~ку (썰매로) 첫 눈길을 가다

перворазрядник (남),~ца (여) (체육) 1(일)급 선수(先手)

перворазрядный (형) 일급, 일류(一流)

первосортный (형) ① 일등(급); 최우량종; ~ый товар,~ая продукция 일등품 ② 우수한, 일류

первостепенный (형) 가장 중요한,

첫째가는, 일차적인
первый (형) ① 제일(第一), 첫째; ~ый но мер 제 1 번, 제1호; ~ый том 제1권, 상권; ~ый этаж 일층; ~ое число 초하루; ~ого числа 초하루(날)에; в ~ых числах марта 삼월초에; ~ая мировая война 제1차세계대전 ② 최초, 첫, 처음; ~ый этап 첫단계; ~ая встреча 첫 상봉, 초면; ~ое впечатление 첫 인상; ~ый космонавт 첫 우주비행사; в ~ый раз 처음에, 처음으로; с первого раза 처음(첫 번)부터; ~ая половина 전반, 상반; ~ое полугодие 상반년, 상반학기 ③ 가장 좋은 (훌륭한), 일등(급);~ый уче ник 최우등생; ~ый сорт 일등품; ~ ым делом, ~ое дело 우선, 처음에, 무엇보다 먼저, ~ая ласточка 첫 징조; ~ая помощь 응급처치, 구급처치; ~ая скрипка 핵심인물, 기둥 인물, 주역; ~ый блин[всегда] комом (속담) 첫술에 배부를까?; на ~ый взгляд 얼핏 보기에는; с ~ого взгляда 보자마자; при ~ой возможности 기회만 있으면; ~ое время, на ~ых порах 처음에, 최초에, 첫 시기에; ~ый встречный 처음에 맞다든 사람; в ~ую голову 우선, 제일 먼저; ~ ым делом(долгом) 우선, 무엇보다도 먼저; в ~ую очередь 제일먼저, 무엇보다도 먼저

пергамент (남) 유산종이
пере- (접두) ① "건너", "넘어"의 뜻 ("예: перепрыгнуть 뛰어넘다, 뛰어 건너다) ② "고쳐", "다시", "달리"의 뜻(례: переделать 고쳐 만들다, перекрасить 다시(달리) 칠하다) ③ "너무", "지나치게"의 뜻(예: пересолить 소금을 너무 많이 치다) ④ "많이", "많은 것을", "모두", "전부", "모조리"의 뜻(예: перечитать 많이(전부) 읽다; пере- мыть 모두(많이) 씻다; перетрогать 많은 것을 다치다, 만지다 ⑤ "둘로", "조각으로"의 뜻 (예: переру бить 쪼개다; перело-мить 꺾다) ⑥ (조사-ся와 함께) "서로" 또는 "많은 사람과"의 뜻(예: перессориться (많은 사람과 또는 서로) 다루게 (싸우게)되다, перезнакомиться (많은 사람과 또는 그들 서로상호간에) 사귀다; переругаться (많은 사람과 또는 서로) 싸우다, 다투다

переадресовать (완),**~овывать** (미완) 새(다른) 주소에 보내다(돌리다)
переаттестация (여) 재심의, 재 평정
перебазировать (미완, 완) 이동시키다
перебазироваться (미완, 완) 이동하다, 배치를 변경하다, 재배치되다
перебарщивать *см.* переборщить
перебегать (미완), **~жать** (완) ① 뛰어 건너다, 뛰어 건너가다(오다), 뛰어 옮아가다(오다);~(через) дорогу 길을 뛰어 건너다.; ~ с места на место 한자리에서 다른 자리에 뛰어가다 ② (적의 편에)넘어가다, 도망하다, 도주하다; ~ кому-л. до рогу (남의 바라는 것을) 가로채다, 선손을 쓰다, 발등걸이하다
перебежка (여) ① (군사) 약진(躍進); ② (체육) 재경주
перебежчик (남),**~ца** (여) 적의 편에 넘어간자, 월경자, 투항자, 월북자
перебинтовать (완),**~овывать** (미완) 붕대를 (다시)감다
перебирать (미완) ① 갈라(골라)내다; ~ ягоды 딸기를 고르다 ② (차례로) 다치다, 만지다; (악기의 줄을) 타다 ③ 지나치게 많이 가지다④ (인쇄) 다시 식자하다
перебираться(미완) ① 넘어가다, 건너다;~ на другой берег 저쪽기슭으로 건너가다; ~ через ручей 개울을 건너가다 ② 이사(이동)하다, 주소를

바꾸다; ~ на новую квартиру 새집으로 이사하다

перебить (완) ① (많이, 모두) 죽이다; ~ врагов 적을 많이(모조리) 죽이다 ② (많은 것을) 부시다, 깨다, 분쇄하다; ~ всю по- суду 그릇을 모조리 깨뜨리다 ③ (팔, 다리를) 꺾다; ~ руку 손(팔)을 꺾다 ④ 말을 꺾다(중단시키다); ~ оратора 연설자의 말을 중단시키다; не перебивай меня 내 말을 막지 말아!

перебиться (완) ① (많이) 깨지다; вся посуда перебилась 그릇이 모두 깨졌다 ② 겨우 살아나가다, 간신히 입에 풀칠하여 살아오다; перебиваться со дня на день(= с хлеба на квас) 하루살이를 하다, 근근히 살아가다

перебой (남) ① 중단, 파동성; ~и в снабжении 공급의 파동성, 중단; работа с ~ями 자주 중단되는 일(작업) ② : пульс с ~ями 비정상적인 맥박

переболеть (완) ① (병을) 앓다, 겪다, 병 치례하다 ② (많은 병을) 앓다

переборка (여) 칸막이, 격벽; водонепро-ницаемая ~ 방수벽

перебороть (완) ① (많은 사람을) 물리치다, 이기다; ~ всех соперников 모든 적수(경쟁자)를 이기다 ② 이겨내다, 억제(극복)하다; ~ страх 무서움을 이겨내다; ~ себя 자제하다

переборщить (완) (말, 행동에서) 지나치다, 도를 넘다

перебранка (여) 욕지거리, 말다툼, 말싸움, 아귀다툼

перебрасывать (미완) ① 넘겨 던지다; ~ мяч через забор 공을 담 너머로 던지다 ② 걸치다, 걸머지다; ~ мешок через плечо 자루를 어깨에 걸머지다; ~ через руку 팔에 걸치다 ③ (다리를) 놓다; ~ мост через реку 강에 다리를 놓다 ④ (필요이상 멀리) 지나치게 멀리 던지다 ⑤ 속히

이동(이송, 수송)하다; ~ войска 군대를 (속히) 이송하다 ⑥ (다른 일에) 넘기다, 조동시키다; ~ на другую работу 다른 직무(직책)에 조동시키다

перебрасываться (미완) ① 뛰어넘다 ② 재빨리 옮겨가다; 이동(이송, 수송)되다 ③ 퍼지다; огонь ~ется на соседний дом 불이 이웃집에 퍼진다. ④ 서로 던지다, 주고받다, ~ться мячом 공을 주고받다, 패스하다

переброситься (완) ① см. перебрасываться ② : ~ несколькими словами 몇 마디 말을 주고받다

переброска (여) 이동(移動), 이송(移送), 수송(輸送); ~ войск 군대의 이송

перевал (남) ① 고개, 산마루, 령; 고개길 ② 령을 넘는 것, 재를 넘는 것

переваливать (미완) ① (쌀가마니 따위를) 옮기다, 옮겨싣다, 넘기다 ② (고개를) 넘어(지나, 건너)가다

переваливаться (미완) 비틀거리다, 기우뚱거리다, 휘청거리다; ~ с боку на бок 뒤뚱거리다, 비틀거리다

перевалить (완) ① см. переваливать ② (시간, 나이, 량 등이)넘다, 지나다; ~ило за полночь (무인칭) 자정이 지났다; ему ~ило за сорок그는 마흔이 넘었다

переваливаться см. переваливать ся

перевалочный (형) 옮겨 싣는, 싣기 위한; ~ пункт 옮겨 싣는 곳

переваривать (미완) ① 다시 삶다 ② 지나치게 삶다 ③ 소화하다; не ~ кого-что-л. ...을 싫어하다, 참지 못하다

перевариваться (미완) ① 다시 삶아지다 ② 너무(지나치게) 삶아지다 ③ 소화되다; пища хорошо ~ется 소화가 잘 된다

перевариться(완) ① см. перевариваться ② : пища ~лась 소화가 잘 되었다

перевернуть (완) ① 뒤집다, 돌리다; ~ наизнанку (옷을) 뒤집다; ~ страницу

책장을 넘기다 ② 뒤집어엎다;~ бочку вверх дном 통을 뒤집어엎다;~ всё вверх дном 뒤죽박죽으로 만들다

перевернуться (완) ① 뒤집히다, 몸을 돌리다; лодка ~лась 보트가 뒤집혔다; ~ с боку на бок, ~ на другой бок 돌아눕다 ② 몹시 변해지다, 달라지다

перевёртывать[ся] см. перевернуться

перевес (남) ① 우세(優勢), 우월한 것; численный ~ 수적우세; добиться ~а 우세를 차지하다 ② 초과량, 여분; доплатить за ~초과량에 대하여 더 지불하다

перевешивать I (미완) 옮겨 걸다

перевешивать II (미완) ① 다시 달다 (저울질하다) ② 무게가 더 나가다; он ~ет меня 그는 나보다 무게가 더 나간다

перевидать,~идеть (완) ① (많은 것, 많은 사람을) 보다 ② (많은 것을) 겪다, 보고 체험하다; много ~ на своём веку 한평생 살면서 많은 것을 보고 체험하다

перевирать (미완) см. переврать

перевод (남) ① 이동(移動), 조동; ② 번역(飜譯), 통역(通譯); ③ 번역문; ④ 송금(送金); телеграфный ~ 전신송금

переводить (미완) ① 옮기다, 이동(조동)시키다; ~ учреждение в другое здание 기관을 다른 건물로 옮기다; ~ на другую работу 다른 직장으로 조동시키다; ~ детей через улицу 아이들을 길을 건너 주다;` ② 돌리다; ~ стрелку часов 시계바늘을 돌리다 ③ 진급시키다; ~ студента на третий курс 대학생을 3학년에 진급시키다 ④ 번역(통역)하다; ~ с русского языка на корей-ский 러시아어를 한국말로 번역하다 ⑤ (우편, 은행을 통하여) 송금(送金)하다; ~ деньги по почте(по телеграфу) 돈을 우편으로(전신송금으로) 부치다; ~ дух(또는 ~ дыхание) 숨을 돌리다, 잠시 휴식하다; не переводя ды- хания 숨도 돌리지 않고, 조금도 쉬지 않고, 지체 없이

переводиться (미완) ① 옮겨가다, 이동(이사)하다; ~ на работу в другой город 다른 도시로 조동되다 ② 번역되다 ③ 없어지다, 사라지다, 박멸되다

переводной (형) ① 송금용; ~ бланк 송금용지 ② 번역(飜譯);~ая литература 번역문학; ~ой словарь 대역사전 ③ : ~ые картинки 전사화

переводческий (형) 통역(通譯), 번역원(飜譯-); ~ ое дело, ~ая работа 번역(통역) 사업(事業)

переводчик (남),~ца (여) 통역(원)

перевоз (남) см. перевозка

перевозить (미완) ① 나르다, 운반(수송)하다; ~ по железной дороге 철도로 수송하다; ~ детей на дачу 아이들을 별장으로 보내다 ② 건너 주다, 도하시키다; ~ через реку 강을 건너게 하다

перевозиться (미완) ① 운반(수송)되다 ② 옮겨가다, 이동(이전)하다

перевозка (여) 운반(運搬), 수송(輸送), 도하(渡河); ~а пассажиров(грузов) 여객수송(旅客輸送), 화물수송(貨物輸送); плата за ~у, стоимость ~и 운임, 운반비, 수송비

перевозчик (남) 뱃사공, 나룻배사공

переволновать (완) 몹시 불안케 하다, 흥분시키다

переволноваться (완) 몹시 흥분(근심)하다, 몹시 불안해하다

перевооружать (미완) ① (군사) 재무장하다, 무장을 갱신하다 ② 재장비하다

перевооружаться (미완) ① (군사) 재무장되다, 무장을 갱신하다 ②

재장비되다

перевооружение (중) 재무장(再武裝), 재장비, 무장의 갱신

перевооружить[ся] (완) *см.* перевооружать[ся]

переворот (남) ① 정변(政變), 혁명(革命); государственный ~ 정변 ② 급변, 대변동, 변혁, 전환; ~ в науке 과학에서의 변혁(혁신)

переворошить (완) ① (모두, 많이) 뒤집어엎다, 들추어 놓다; ~ сено 말린 풀을 뒤적여 놓다 ② : ~ в памяти 기억을 더듬다

перевоспитание (중) 재교양, 재교육; 사상을 개조하는 것

перевоспитать (완) 재교양하다, 재교육하다, 사상을 개조하다

перевоспитаться (완) 재교양 받다, 사상이 개조되다

перевоспитывать[ся] (미완) *см.* перевоспитать[ся]

переврать (완) 잘못 전하다, 왜곡하다; ~ содержание *чего....*의 내용을 왜곡하여 진하다

перевыборный (형) 재선거, 재선; ~ая кампания 재선거운동, 임기선거

перевыборы (복수) ① 재선, 재선거(再選擧) ② (조직의) 회기선거

перевыполнение (중) 초과수행, 초과수수; ~ плана 계획의 초과완수, 계획을 넘쳐 수행하는 것

перевыполнить (완),**~ыполнять** (미완) 초과완수하다, 넘쳐 수행하다

перевыполняться (미완) 초과완수되다

перевязать (완) *см.* перевязывать

перевязка (여) 붕대를 감는 것; ~а раненых 부상자들에게 붕대를 감아주는 것; сделать ~у 붕대를 감아주다

перевязочная (여) 치료실

перевязочный (형) 붕대; ~ый пункт 치료실; ~ые материалы 붕대

перевязывать (미완) ① 붕대를 감아주다; ~ рану 상처에 붕대를 감다 ② 얽어매다, 묶다; ~ пакет верёвок 꾸러미를 끈으로 묶다

перегиб (남) ① 꺾는 것, 접는 것, 구부림 ② 꺾은(접은)자리 ③ 편향, 탈선; не допу-скать ~ов 편향을 범하지 않다

перегибать (미완) ① 꺾어 접다, 구부리다, 굽히다; ~ лист бумаги пополам 종이를 절반으로 접다 ② 지나치다, 편향을 범하다, 탈선하다; он перегнул в своих требова-ниях 그는 지나친 요구를 하였다;~ палку 지나친 극단에 빠지다

перегибаться (미완) 꺾어 접히다, 구부러지다

переглядываться (미완), **~януться** (완) 서로 눈짓하다, 사로 마주보다, 눈길이 마주치다

перегнать (완) *см.* перегонять

перегнивать (미완), **~ить** (완) ① (완전히) 썩다; навоз ~ил 거름이 잘 썩었다 ② 썩어 끊어지다

перегнуть[ся] *см.* перегибать [ся]

переговариваться (미완) (간단한) 말을 주고받다; ~ с соседом 옆 사람과 말을 주고받다

переговорить (완) 말을 주고받다, 상담(협의)하다, 간단히 말하다; ~ по телефону 전화로 말하다; нам нужно ~ о деле 잠간 의논할 일이 있다

переговорный (형) : ~ый пункт 전화통화소; ~ая кабина 전화통화실

переговоры (복수) ① 회담(會談); 담판(談判);~ о перемирии 정전담판; вести ~ 회담하다 ② 의견교환; 대화(對話), 담화(談話); ~ по телефону 전화통화

перегон (남) (철도) (역과 역간의) 구간

перегонка(여) ① (화학) 증류(蒸溜);

сухая ~ 건류; ~ нефти 원유증류 ② 몰아 옮기는 것

перегонять (미완) ① 앞서다, 능가하다; ~я друг друга 앞을 다투며; ② 몰아가다, 몰아 옮기다 ③ 증류하다; ~ть нефть 원유를 증류하다; ~ть сухим способом 건류하다

перегораживать (미완) ① 칸을 막다, 칸막이로 막다; ~ комнату 방에 간을 막다 ② 막다, 방해하다; ~ дорогу 길을 가로막다

перегорать (미완),**~еть** (완) 타서 못쓰게 되다, 타서 끊어지다; лампочка пе perо- рела 전구 필라멘트가 끊어졌다

перегородить см. перегораживать

перегородка (여) 칸막이, 격벽, 사이벽

перегрев (남) (물리) 과열(過熱)

перегревать (미완) 지나치게 데우다

перегреваться (미완) 너무(지나치게)데워지다, 지내 덥혀지다

перегреть (완) см. перегревать

перегреться (완) ① см. перегреваться ②: ~на солнце 햇볕을 너무 오래 쪼여 탈을 만나다, 일사병에 걸리다

перегружать (미완),**~зить** (완) ① 옮겨 싣다 ② 지나치게 많이 싣는 것, 지나치게 부하(부담)를 주다; ~ работой 너무 부담을 주다, 과중한 부담을 안기다

перегрузка (여) ① 옮겨 싣는 것 ② 지나치게 많이 싣는 것, 지나친 부담 ③ : ~и (복수) 과부하; переносить ~и 과부하를 감당하다

перегруппировать (완) 다시 분류(편성, 배열)하다; ~ войска 군대를 재편성하다

перегруппироваться (완) 재배열(재편성)되다

перегруппировка (여) 재배열, 재편성, 재분류; ~ сил 역량의 재편성

перегруппировывать[ся] (미완) см. пер- егруппировать[ся]

перегрызать (미완),**~ызть** (완) 물어(갉아서) 끊다; ~ нитку зубами 이빨로 실을 물어 끊다

перегрызться (완) 개싸움하다, 서로 물어뜯다

перед (передо, перед, предо) (전) (+조) ① (장소, 공간을 표시) ...앞에; ~ окнами клумба 창문 앞에 꽃밭이 있다; дети играют ~ домом 아이들이 집 앞에서 놀고 있다; он стоит~ нами 그는 우리들 앞에 서 있다 ② (대상을 표시) ...앞에; ...에 대한; ~ нами стоят большие за дачи 우리들 앞에는 중대한 임무가 나서고 있다; ~ нашей молодёжью открыта дорога 우리 청년들 앞에는 길이 열려져 있다; не отступим ~ трудностями 난관 앞에서 물러서지 않겠다.; я чувствую ответст- венность ~ коллективом 나는 집단 앞에 책임을 느낀다.; он признал свою ви-ну ~ товарищами 그는 친구들에 대한 자기의 잘못을 인정하였다; мне стыдно ~ вами 당신을 볼낯(면목)이 없소 ③ (시간을 표시) 전에, 앞서; ~ пос туплением в институт 대학에 입학하기 전에;он очень волновался ~ выступлением 그는 출연하기 전에 매우 흥분하였다;~ обедом 점심 전에;~ сном 잠자기 전에 ④ (비교할 때) ...에 비하여; что я ~ ним? 그에 비하여 나는 아무것도 아니지; ~ лицом......을 직면하고;~ носом 코앞에서, 면전에서; ~ тем как ....하기 전에

перёд (남) 앞(쪽), 앞부분, 전면; ~ дома 집의 앞쪽(앞부분)

передавать (미완) ① 넘겨주다, 전하다, 양도하다 ② 알리다, 전달하다, 전하다; ~ привет 안부를 전하다 ③ 방송(방영)하다; ~ лекцию по радио 방송강의를 하다 ④ 내맡기다,

양도하다; ~ по наследству 물려주다
передаваться (미완) ① 전해지다, 옮다; 유전되다; грипп легко ~ётся ок ружающим돌림감기는 주위사람들에게 쉽게 전염된다.; ~ваться из поколения в поколе-ние 대대로 전해지다; ~ваться из уст в уста 이 사람 저 사람의 입을 거쳐 전해지다 ② 넘어가다

передаточный (형) : ~ый механизм 전동(연동)장치

передатчик (남) 라디오송신기

передать[ся] (완) *см.* передавать[ся]

передача (여) ① 넘겨주는 것, 전하는 것 ② 알리는 것, 전달 ③ 방송, 방영; 송신 ④ 내맡기는 것, 양도 ⑤ (체육) 연락 ⑥ (공학) 전동장치; коробка передач 변속기(함) ⑦ 차입물, 전달품

передвигать (미완) ① 옮기다, 이동시키다; ~ стол 책상을 옮겨놓다; ~ стрелку часов 시계바늘을 돌리다 ② 다른 날로 옮기다, 미루다; ~ сроки 기한을 연기다

передвигаться (미완) ① 옮다, 이동하다, 움직이다 ② 걸어(타고)돌아다니다; едва ~ 겨우 걷다 ③ 운행하다 ④ (기한이) 연기되다

передвижение (중) ① 옮기는 것, 이동 왕래; ~ войск 군대의 이동; средства ~я 교통수단 ② 운행, 전진

передвижка (여) 옮기는 것, 이동

передвижной (형) 이동(식); ~ая выставка 이동 전람회

передвинуть[ся] (완) *см.* передвигать[ся]

передел (남) ① 재분할(再分割) ② (공학) 재처리, 재용해

переделать[ся] *см.* переделывать[ся]

переделить (완) 다시 나누다, 재분배하다, 재분할하다

переделка (여) ① 개작(改作), 개조(改造), 변경(變更); отдать в ~у 고쳐달라고 맡기다 ② 개작된 물건, 개작된 작품 попасть в ~у, побывать в ~е 혼나다, 욕보다, 많은 시련을 겪다

переделывать (미완) 고쳐 만들다; 개작(개조)하다; ~ платье 달린 옷을 고쳐 만들다 ② (많은 일을) 하다, 완수하다; пе ределать много дел 많은 일을 해치우다

переделываться (미완) ① 고쳐지다, 개작(개조)되다 ② 달라지다, 변하다

передёргивать (미완) ① 끌어당기다 ② (트럼프 등에서) 속임수를 쓰다 ③ 사실을 외곡하다; ~ факты 사실을 외곡하다 ④ (무인칭) (고통, 공포 등으로 해서) 경련이 일어나다, 얼굴을 찡그리다; его передёр-нуло от боли 그는 아파서 얼굴을 찡그렸다, 오만상을 지었다

передержать (완),**~ерживать** (미완) ① 지나치게 오래 두어(놓아)두다; ~ яйцо в кипятке 계란을 끓는 물에 너무 오래 넣어두다 ② 너무 오래 머무르게 하다

передержка (여) ① 너무 오래 두어 (놓아)두는 것 ② (사진의) 노출(현상)과도 ③ 외곡; (트럼프 등에서) 속임수

передёрнуть[ся] *см.* передёргивать[ся]

передислокация (여) 배치변경

передний (형) 앞, 선두, 앞부분; ~ план 전경, 전면;~ край 제1선, 전방, 전연

передник (남) 앞치마, 행주치마

передняя (여) 현관, 앞방

передо (전) *см.* перед

передовая (여) ① 전선, 전방, 제일선(진지) ② 사설, 머리글

передоверить(완),**~ерять** (미완) ① 위임된 것을 다시 맡기다 ② 전권을 위임하다

передоверяться(미완) 전권을 위임하다

передовик (남) 모범노동자, 모범농장원, 모범일군, 혁신자

передовица (여) 사설, 머리글
передовой (형) ① 앞선, 선진적인; 진보적인; ~ая техника 앞선(선진)기술 ② 모범, ~ое предприятие 모범기업소 ③ 전방; ~ой отряд 전위대; ~ая линия 전방, 제일선(진지); ~ая статья(см. передовица) 사설, 머리글
передохнуть(완)숨을 돌리다, 잠간 쉬다
передразнивать (미완),~азнить (완) 흉내내다, 놀려주다, 골려주다
передраться (완) (많은 사람과 또는 서로 간에) 싸우다, 개싸움하다
передумать (완),~ывать (미완) ① 고쳐 생각하다 ② 많이(꼼꼼히) 생각하다
передышка (여) 숨쉴짬, 숨돌릴사이(틈), 소휴식; без ~и 쉴새없이; не давая ~и 쉴(숨돌릴)짬을 주지 않고; получить ~у 쉴짬을 얻다
переедание (중) 지내먹기, 과식
переедать (미완) 지내(지나치게) 먹다, 너무 많이 먹다
переезд (남) ① 이동, 이사 ② 건너길
переезжать (미완) ① 옮겨가다, 이주(이사)하다; ~ в новый дом 새집으로 이사하다 ② 건너가다, 지나가다; ~ через реку 강을 건너가다
переесть (완) см. переедать
пережаривать (지나치게) 볶다, 지지다
пережариваться (미완) (지나치게) 볶아지다, 익다
пережарить[ся] см. пережаривать[ся]
переждать (완) (기회가 올 때까지, ...이 그칠 때까지) 기다리다; ~ дождь(грозу) 비(소낙비)를 긋다
переживание (중) 고민; 속을 썩이는것
переживать (미완) ① 겪다, 맛보다, 체험하다; ~ радость 기쁨을 맛보다; ~ тяжёлое время 어려운 시기를 겪다;~ подъём 양양기에 있다; ~ кризис 공황을 겪다 ② (불안, 흥분 등으로) 고민하다, 애타하다, 속을 썩이다

пережитое,~итое 겪은(체험한) 일
пережиток (남) 잔재; 유습, 옛(날)풍습; ~ки в сознании людей 인간의 의식 속에 있는 잔재; пережитки старой идеологии 낡은 사상잔재
пережить (완) ① ...보다 더 오래 살다; ~ кого-л. на два года ...보다 두해 더 살다; ~ своего мужа 남편보다 오래 살다 ② см. переживать ③ 참아내다; не могу пережить оскорбления 모욕을 참을 수 없다
перезабыть (완) 다 잊어버리다
перезванивать (미완) ① 전화를 다시 걸다 ② (많은 사람들에게 여러 곳에) 전화를 걸다
перезвонить (완) см. перезванивать
перезимовать (완), ~овывать (미완) 겨울을 나다
перезнакомить (많은 사람을 서로 또는 많은 사람에게) 소개하다, 인사시키다
перезнакомиться (완) (많은 사람과 또는 그들 상호간에) 사귀다, 인사를 하다
перезревать (미완) см. перезреть
перезрелый (형) 지나치게 익은
перезреть (완) ① 지나치게 익다 ② 제나이가 지나다
переиграть (완) ① 다시 놀다(연주하다); ~ партию в шахматы 장기를 한판 다시 두다 ② (다른 사람보다) 잘 놀다, (노름에서) 이기다
переигрывать (미완) см. переиграть
переизбирать (미완),~рать (완) 다시 선거하다, 재선하다
переизбираться (미완) 재선되다
переизбрание (중) 재선(再選)
переиздавать 재판하다, 개정판을 내다
переиздание (중) ① 재판, 개정판을 내는 것 ② 재판, 개정판
переиздать (완) см. переиздавать

переименование (중) 개칭, 개명(改名)
переименовать (완),**~овывать** (미완) 이름을 고치다, 개칭하다
переиначивать (미완), **~ить** (완) 변경하다, 고치다, 다르게 만들다; ~ить фразу 문구를 바꾸다(고치다)
перейти (완) *см.* переходить
перекаливать (미완), **~алить** (완) 너무(지나치게) 달구다; 너무 달구어 못쓰게 하다
перекапывать (미완) ① 다시 파다 ② 죄다 파다 ③ (홈, 도랑 등을) 가로질러 파다
перекармливать (미완) 지나치게 먹이다, 과식시키다
перекатываться (미완) 굴러 옮아가다
перекачать (완),**~ачивать** (미완) (펌프로) 뽑아 옮기다, 퍼옮기다
переквалификация (여) 새 자격의 부여, 새 기능의 부여
переквалифицироваться (미완, 완) 전문직업을 바꾸다, 새 자격(새 기능)을 소류하다, 새로운 전문지식을 배우다
перекидать (완) *см.* перекидывать ②
перекидной (형) : ~ мост 구름다리; ~ календарь 탁상일력
перекидывать (미완) ① 던져 넘기다; 걸치다; ~ мост через реку 강에 다리를 놓다 ② (차례로 모두) 던지다, 던져 옮기다
перекинуть (완) *см.* перекидывать ①
перекись (여) 과산화물; ~ водорода 과산화수소
перекладина (여) 가름대, (체육) 철봉
перекладывать (미완) ① 옮겨놓다 ② 떠밀다, 전가하다; ~ ответственность на другого 다른 사람에게 책임을 떠밀다 ③ 끼우다, 삽입하다; ~ посуду соломой 식기사이에 짚을 넣다 ④ 너무 많이 넣다; переложить соли в суп 국에 소금을 너무 많이 치다 ⑤ 다시 쌓다, 고쳐 쌓다

переклеивать (미완),**~ть** (완) ① 옮겨 붙이다 ② 고쳐(다시)붙이다
перекликаться (미완), **~икнуться** (완) ① 서로 부르며 호응하다 ② 서로 비슷한 점이 있다
перекличка (여) ① 서로 부르며 대답하는 것(소리) ② 점명, 점검; делать ~y 점검하다
переключатель(남)여닫게,개폐기,스위치
переключать (미완) ① 스위치를 돌리다, 흐름을 바꾸다 ② 돌리다, 전환시키다; ~ завод на производство тракторов 공장을 트랙터 생산에 돌리다
переключение (중) ① 스위치를 돌리는 것 ② 흐름 바꿈 ③ : ~ на *что-л.*...에로 돌리는 것
переключить[ся] *см.* переключать[ся]
перекопать *см.* перекапывать
перекормить *см.* перекармливать
перекос(남) 우그러진 것, 찌그러진것
перекоситься (완) ① 우그러지다, 휘어들다, 구부러지다, 비뚤어지다; дверь ~лась 문이 휘어들었다 ② (얼굴이) 이그러지다, 찡그러지다; лицо ~лось от боли 얼굴이 찡그러졌다
перекочевать (완), **~ёвывать** (미완) ① 유목하면서 자리를 옮기다, 유목지를 옮기다 ② 주소(일자리)를 옮기다
перекошенный (형) 찌그러진, 비뚤어진
перекраивать (미완) ① 고쳐 마르다, 다시 재단하다; ~ брюки 바지를 고쳐 자르다 ② 변경시키다, 근본적으로 개조하다(뜯어 고치다)
перекрасить (완) ① 고쳐(다시)물들이다(칠하다); ~ забор 울타리를 다시 칠하다; ~ в жёлтый цвет 노란색을 들이다 ② (많이, 모두)

물들이다, 칠하다; ~ все двери 모든 문에 색칠을 하다

перекраситься (완) ① 다른 색을 들이다; ~ в жёлтый цвет 노란색을 들이다 ② 가장하다

перекрашивать[ся] (미완) см. перекраситься[ся]

перекреститься (완) 십자를 긋다

перекрёстный (형) 교차(交叉)한; ~ый огонь 교차사격; ~ое опыление (생물) 이화수분;~ый допрос 집중심문

перекрёсток (남) 네거리, 교차점

перекрещиваться (미완) ① 사귀다, 교차하다 ② см. перекреститься

перекричать (완) (남의 목소리를) 소리쳐 억누르다

перекроить (완) см. перекраивать

перекрывать (미완) ① 다시 (고쳐)덮다; ~ крышу 지붕을 고쳐 잇다 ② 능가(초과)하다; ~ рекорд 기록을 깨뜨리다 ③ 막다, 가로막다; 차단하다; ~ реку 강을 막다

перекрытие (중) ① 다시(고쳐)덮는 것(씌우는 것) ② (건축) 층막, 지붕

перекрыть (완) см. перекрывать

перекувырнуться (완) 거꾸러지다, 엎어지다, 곤두박질하다, 재주넘다

перекупать (미완),**~ить** (완) ① (팔기 위하여) 사들이다 ② 매점하다, 판 것을 도로사다; 가로채서 사다

перекупщик (남), **~ца** (여) 거리장사군, 중간상인, 매점자, 전매자

перекур(남)(담배한대 피우기 위한) 휴식

перекурить (완) 잠간 휴식하면서 담배를 피우다

перекусить (완) ① 물어 끊다;~ нитку 실을 물어 끊다 ② 요기하다, 시장기를 끄다; ~ перед дорогой 길 떠나기 전에 간단한 식사를 하다

переламывать[ся] см. переломить[ся]

перелезать (미완), **~езть** (완) ① 기어 넘다; ~ через забор 담을 기어 넘다 ② (애써)옮겨가다

перелёт (남) ① 날아 옮아가는 것; 날아 넘는 것 ② (항공) 먼 거리 비행 ③ (탄알, 포탄이) 목표보다 멀리 떨어지는 것

перелетать (미완),**~еть** (완) ① 날아옮아가다(오다) ② 날아넘다; мяч ~ел через забор 공이 담을 넘어갔다 ③ (목표, 목적물을 지나가서)떨어지다, 착륙하다

перелётный (형) : ~ые птицы 철새

переливание (중) 옮겨 붓는 것; ~ крови 피 넣기, 수혈(輸血)

переливать (미완) ① 옮겨 붓다; ~кровь больному 환자에게 수혈하다 ② 넘어나게 붓다 ③ 다시 (고쳐)주조하다 ④ см. переливаться ② ~ из пусто го в порожнее 빈말공부만 늘어놓다; 쓸데없는 짓을 하다

переливаться (미완) ① 흘러 옮아가다, 흘러넘치다; ~ через край 넘쳐흐르다 ② 갖가지 빛을 뿌리다, 아롱지다, 갖가지 음조로 울리다; ~ всеми цветами радуги 7색 무지개 빛으로 빛나다

перелистать(완),**~истывать**(미완) (책장 등을) 뒤지다, 대충 뒤적이다; 대략 훑어보다

перелить[ся] (완) см. переливать[ся]

перелицевать (완) (옷을) 뒤집어 고쳐만들다; 뜯어고치다, 새것처럼 만들다

перелицованный (형) (옷 등을) 뒤집어 고쳐만든다

перелицовка (여) (옷의) 뒤집어짓기

переловить (완) (많이, 모두) 잡다, 체포하다

переложение (중) ① 자기말로 옮겨쓰기; 번역 ② 개작 ③ (음악) 변조, 이조

переложить (완) *см.* перекладывать

перелом (남) ① 꺾는 것, 굴절(屈節) ② 꺾어진곳, 굽인돌이 ③ 고비, 전환(轉換), 급변(急變) ④ (의학): ~ (кости) 뼈부러지기, 골절(骨節)

переломить (완) ① 꺾다, 부러뜨리다 ② (의지, 관습 등을) 급변시키다, 극복(억제)하다; ~ себя 자신을 억제하다; 자기생각(행동)을 변경하다

переломиться (완) ① 꺾어지다, 부러지다 ② 급변하다; 굽어들다

переломный (형) 전환(轉換), 급변(急變); ~ момент 전환기(轉換期)

перемазаться (완) 몹시 더러워지다: ~ в краске 물감에 더러워지다

перемалывать (미완) ① 제분하다 ② 되갈다 ③ 부시다, 분쇄하다

переманивать (미완),**~анить** (완) (자기편에) 끌어넣다(낚아가다)

перематывать (미완) 되감다, 다시(고쳐)감다, 옮겨감다

перемежать (미완) 엇바꾸다, 교체하다; ~ работу с отдыхом 사업과 휴식을 적당히 배합하다

перемежаться (미완) 엇바뀌다, 교체되다; снег ~лся с градом 눈과 우박이 엇바뀌며 내렸다

перемена (여) ① 변화(變化), 변경(變更), 변동(變動); ~ декораций 무대장치의 변경, 무대도구의 교체 ② (학교에서) 휴식시간; большая ~ 긴 휴식

переменить (완) 바꾸다, 갈아대다, 변경하다; ~ квартиру 주택을 바꾸다;~ мнение 의견을 변경하다

перемениться (완) 변하다, 달라지다, 바뀌다; ветер ~лся 바람이 바뀌었다; погода ~лась 날씨가 변하였다; ~ться в лице 얼굴색이 달라지다, 안색이 변하다

переменный (형) 가변적인, 변하기 쉬운, 변동되는, 교류; ~ый ток (전기)교류

переменчивый (형) 변하기 쉬운, 변덕스러운

переместить (완) *см.* перемешивать

переместить[ся] *см.* перемещать[ся]

переметнуться (완) (변절하여) ...의 편에 넘어가다, 전향하다

перемешать (완) 섞다, 혼합하다, 뒤범벅을 만들다; ~ свои и чужие книги 자기 책과 남의 책을 뒤섞다

перемешаться (완) ① 뒤섞이다, 혼합되다, 뒤범벅이 되다; все книги ~лись 책들이 모두 뒤섞이었다 ② 착잡해지다, 혼돈되다

перемешение (중) 혼합(混合)

перемешивать (미완) 버무리다; (잘) 이기다; 혼합하다, 섞다; ~ глину 진흙을 잘 이기다

перемешивать[ся] *см.* перемешать[ся]

перемещать (미완) 옮기다, 이동시키다

перемещаться (미완) 옮아가나, 자리를 옮기다, 이동하다

перемещение(중)자리를 옮기는 것, 이동

перемещённый: ~ые лица 해외이주민

перемигиваться (미완),**~игнуться** (완) (서로) 눈짓하다

перемирие (중) 정전, 휴전; заключить соглашение о ~и 정전협정을 체결하다

перемножать(미완),**~ожить**(완) 곱하다

перемолоть (완) *см.* перемалывать

перемолоться (완) 가루가 되다; переме-летсямука будет (속담) 찧노라면 가루가 된다.

перемотать (완) *см.* перематывать

перемывать (미완),**~ыть** (완) ① 다시 씻다 ② (모조리, 많이) 씻다; ~ косточки *кому-л*.....의 흉을 보다, 악다구니를 퍼붓다, 소문을 돌리다

перемычка (여) ① 가름대, 연결재 ②

물막기, 뚝; морская ~ 해안제방 ③ (공학) 가로날
перенаселение (중), **перенаселённость** (여) 인구과잉, 사람이 지나치게 많은 것
перенести[сь] *см.* переносить [ся]
перенимать (미완) 본받다, 모방하여 받아들이다, 본 따다; ~ полезный опыт 유익한 경험을 본받다; ~ привычки (다른 사람의) 습관을 본 따다
перенос (남) ① 옮겨놓는 것 ② 미루는 것, 연기 ③ 단어의 일부를 다른 줄로 옮기는 것; 옮길 때 쓰는 부호(-)
переносить I(미완)① 옮겨놓다, 옮기다 ② (많은 것을, 모두, 여러 번에) 날라 옮기다, 운반하여 옮기다 ③ 미루다, 연기하다; ④ 단어의 일부를 다른 줄에 옮겨쓰다
переносить II (미완) 참다, 견디다 ◇ не ~ кого-чего.... 이 싫다(역즁나다)
переноситься (미완) ① (급속히) 옮아가다, 이동하다 ② (생각이 딴 곳, 다른 데로) 옮아가다, 넘어가다
переносица (여) 코허리, 콧대, 미간
переносный (형) ① 이동식, 이동할 수 있는, 휴대용 ② (언어) 전의; ~ое значение 전의; в ~ом смысле 전의로
переносчик (남) (병균) 전파자; ~ малярии 학질의 매개자
переночевать (완) 밤을 보내다(새우다), 숙박하다
перенумеровать (완),**~овывать** (미완) (일련) 번호를 고쳐 매기다
перенять (완) *см.* перенимать
переоборудование(중)재장비, 설비갱신
переоборудовать (미완, 완) 재장비하다, 설비를 갱신하다
переобувать (미완) ① 갈아 신기다; ~ ребёнка 아이에게 신(양말)을 갈아신기다 ② 갈아신다, 벗었다가 다시 신다;~ сапоги 장화를 다시 신다

переобуваться(미완) 갈아신다, 다시신다
переобуть[ся] *см.* переобувать[ся]
переодевать (미완) ① 갈아입히다; ~ ребёнка 어린애에게 옷을 갈아입히다 ② 갈아입다 ③ 변장(가장)시키다
переодеваться (미완) ① 갈아입다; ~ в новое платье 새 옷으로 갈아입다 ② 변장(가장)하다
переодетый (형) 변장한
переодеть[ся] *см.* переодевать[ся]
переориентация (여) 방향전환, 목표(방향)를 바꾸는 것
переориентироваться (미완, 완) 목표(방향)를 바꾸다 (고쳐 취하다), 방향을 전환하다
переосвидетельствование (중) 재검사(再檢査), 재진찰(再診察)
переосвидетельствовать (미완, 완) 재검사(재진찰)하다
переосмысливать (미완),**~ть** (완) 재인식(재평가)하다, 고쳐 해석하다, 다른 의의를 부여하다
переоснастить (완),**~щать** (미완) 재장비하다; ~стить судно 선박의 장구를 새로 갖추다
переохладить[ся] *см.* переохлаждаться
переохлаждать (미완) 지나치게 냉각하다(식히다)
переохлаждаться (미완) 너무 차지다; 지나치게 냉각되다(식다)
переохлаждение (중) ① (물리) 급냉 과냉 ② 지나치게 식히는 것(식는 것)
переоценивать (미완),**~ить** (완) ① 재평가(재사정)하다 ② 과대평가하다; ~ить свои силы 자기 힘을 과대평가하다
переоценка (여) ① 재평가(再評價), 재사정 ② 과대평가(過大評價)
перепад (남) (공학) 낙차(落差)
перепадать (미완) ① 때때로 내리다

② (흔히 무인칭) 차례지다, 몫으로 되다; ему немного ~ет 그는 약간 이득을 보고 있다

перепалка (여) ① 다툼질, 말다툼 ② 총질, 맞불질

перепасть (완) *см.* перепадать

перепахать (완),**~ахивать** (미완) ① 되갈다, 다시 갈다 ② (많은 것을) 다 갈다 ③ (밭을 갈다가 길 등을) 못쓰게 하다; ~ дорогу 길을 갈아 못쓰게 하다

перепачкать (완) 몹시 더럽히다; ~ руки чернилами 잉크에 손을 더럽히다

перепачкаться (완) 몹시 더러워지다

перепел (남) 메추리

перепеленать (완) (젖먹이를) 애기싸개로 고쳐싸다, 기저귀를 갈아 채우다

перепёлка (여) 메추리(암컷)

перепечатать (완),**~ывать** (미완) ① 재인쇄하다, 재판하다, 전재하다 ② 찍다, 타자하다; ~ать рукопись 원고를 (타자기로) 옮겨 찍다

перепиливать (미완),**~илить** (완) 톱으로 켜서 자르다

переписать (완) *см.* переписывать

переписка (여) ① 복사; 베껴(고쳐) 쓰기; ~а на машине 타자기로 옮겨 찍는 것 ② 편지거래; вести ~у с кем... 와 편지거래를 하다 ③ 왕복서한 ④ 서한집

переписчик (남),**~ца** (여) 필사원

переписывать (남) ① 베껴쓰다, 고쳐쓰다 ② : ~ (набело) 정서하다 ③ : ~ (на машинке) (타자기로) 찍다, 타자하다 ④ 목록(명단)을 작성하다

переписываться (미완) 편지거래하다

перепись (여) 목록작성, 명단작성, 전반적조사; ~ населения 인구조사

переплавить I (완) ① 다시 녹이다, 용해하다; ② (많이, 모두) 용해(가공)하다

переплавить II (완) 떼몰이하다, 벌목하다; ~ лес 목재를 벌목하다

переплавлять I II *см.* переплавить I

перепланировать (미완, 완) 계획을 고쳐세우다, 계획을 변경시키다; 설계를 고치다

переплатить (완),**~ачивать** (미완) ① 너무 많이 물다, 비싸게 물다; ~ за книгу 책값을 비싸게 물다 ② 지불에 돈을 허비하다

переплести[сь] *см.* переплетать[ся]

переплёт (남) ① 제본, 제책 ② 표지, 장정; кожаный ~ 가죽표지 ③ 창틀, 살창, 틀 ④ 곤경(困境), 궁지; попасть в ~ 곤경에 빠지다

переплетать (미완) ① 제본(장정)하다 ② 엮다, 땋다 ③ 다시 짜다(엮다)

переплетаться (미완) 엉키다, 얽히다

переплётный: ~ цех 제책(제본)직장

переплётчик(남), **~ца** (여) 제책공, 제본공

переплывать (미완),**~ыть** (완) 헤엄쳐서(타고)건너다

переподготовка (여) 재교육, 재양성, 재훈련

переползать (미완),**~ти** (완) ① 기여서 넘다(건너다); ~ти через дорогу 길을 기어건너다 ② 기여서 옮겨가다

переполненный (형) 가득찬, 초만원을 이룬; ~ автобус 초만원을 이룬 버스

переполнить (완) ① 차고 넘치게 하다 ② 초만원을 이루다; ~ чашу (терпения) 더는 참지 못하게 하다

переполниться (완) 차고 넘치다; сердце ~лось радостью 가슴은 기쁨에 차서 넘쳤다

переполнять[ся] *см.* переполнить[ся]

переполох (남) 야단, 소동(騷動), 소란, 난동; произвес ти(поднять) ~ 야단법석하게 하다, 소동을 일으키다, 야단을 치다; поднялся ~ 야단이

- 421 -

났다
переполошить (완) 소동을 일으키다
переполошиться (완) 놀라다, 당황해하다, 야단법석하다
перепонка (여) (해부) 막; барабанная ~ 귀청, 고막; плавательная ~ (오리발 등의) 발가락 사이막
перепортить (완) (많은, 모든 것을) 못쓰게 만들다, 망치다; ~ много крови 많은 걱정을 끼치다, 몹시 불쾌하게 하다
переправа (여) ① 건너는 것, 도하 ② 나루터, 도하장소; бой за ~у 도하전 ③ 도하시설 (떼, 배, 다리 등)
переправить I (완) ① 건너다, 건너보내다; ~ на другой берег 저쪽 기슭으로 건너보내다 ② 보내다, 부치다; ~ письмо 편지를 보내다
переправить II (완) ① 고치다; ~ слово 잘못 쓴 단어를 고치다 ② (많이, 모두) 고치다
переправиться (완) 건너다, 도하하다, 넘어가다; ~ через реку 강을 건너다; ~ через горы 산을 넘다
переправить I, II см. переправить I
переправляться см. переправиться
перепродавать (미완), **-ать** (완) (샀던 것을) 되넘기다, 되거리하다
перепроизводство (중) 과잉생산(過剩生産); кризис ~а 과잉생산공황
перепрыгивать(미완),**-нуть** (완) ① 뛰어넘다, 건너뛰다; ~нуть через канаву 도랑을 건너뛰다; ~нуть через забор 담을 뛰어넘다 ② 뛰어서 자리를 옮기다
перепуг (남) с ~у 몹시 놀라서, 질겁하여
перепуганный (형) 몹시 놀란, 질겁한
перепугать (완) 몹시 놀라게 하다.
перепугаться (완) 몹시 놀라다

перепутать (완) ① (모두, 많이) 헝클다; ~ нитки 실을 헝클다 ② 뒤섞다, 혼란시키다; ~ книги 책들을 뒤섞어놓다 ③ 헷갈리다, 혼돈하다; ~ адреса 주소를 헷갈리다
перепутаться (완) ① 뒤엉키다, 헝클어지다; нитки ~лись 실이 뒤엉켰다(헝클어졌다) ② 혼돈되다; мысли ~лись 생각이 혼돈되었다
перепутывать[ся] см. перепутать[ся]
перепутье (중) 갈림길(기로); на ~ 갈림길에 서서, 어느 것을 택할지 몰라서
перерабатывать (미완) ① 가공하다 ② 소화하다 ③ (다시) 고치다; 개작하다 ④ 시간외노동을 하다; ~ два часа 두 시간 과외노동을 하다 ⑤ 과로하다
перерабатываться (미완) ① 가공되다 ② 소화되다 ③ 고쳐지다; 개작되다
переработка (여) ① 가공(加工) ② 개작(改作); 윤색 ③ 과외노동
перераспределение (중) 다시(달리) 나누는 것, 재분배(再分配)
перераспределить (완),**-ять** (미완) 다시(달리) 나누다, 재분배하다
перераспределяться (미완) 다시(달리)나누어지다, 재분배되다
перерастание (중) ① 장족의 발전 ② 전환(轉換) ③ 능가(凌駕)
перерастать (미완),**-и** (완) ① ...보다 더 커지다; сын перерос отца 아들이 아버지보다 키가 더 커졌다 ② 장성발전하다 ③ 능가하다; ~и своего учителя 자기의 선생을 능가하다 ④ ...으로 변하다(전환하다) ⑤ 나이가 지나다
перерасход (남) ① 초과지출, 초과소비 ② 지출초과액; сумма ~а 지출초과액
перерасходовать (완, 미완) 초과소비(초과지출)하다; ~ электроэнергию 전기를 초과소비하다

перерасчёт (남) 재계산, 재회계; произве-сти ~ 계산을 고쳐하다
перервать(완) 끊다, 절단하다;~ верёвку 끈을 끊다
перерваться (완) 끊어지다
перерегистрация (여) 재등록, 재기록
перерегистрировать (미완, 완) 재등록하다, 재기록 하다
перерезать (완), **перерезать** (미완) ① 자르다, 절단하다; ~ верёвку 노끈을 끊다 ② (길을) 막다, 차단하다; ~ путь неприя- телю 적의 앞길을 막다
перерезаться (완),**~езаться** (미완) 잘라지다, 끊어지다; ~проволока легко перере-залась 쇠줄은 쉽게 끊어졌다
перерисовать (완),**~овывать** (미완) ① 복사하다, 베껴 그리다, 전사하다 ② (그림을) 다시 그리다
переродиться (완),**~ждаться** (미완) ① 완전히 달라지다, 변모되다, 근본적으로 변화되다 ② 본래의 성질을 잃어버리다, 퇴화하다, 변질(변생)하다
перерождение (중) ① 근본적 변화(變化), 변모(變貌); ② 퇴화(退化), 변질(變質); 이데적인 ~ 사상적 변질
перерубать, ~ить(완) 자르다, 쪼개다
переругаться (완) (많은 사람과 또는 서로) 싸우다, 다투다
перерыв (남) 중단, 휴식(休息), 휴식기간; обеденный ~ 점심시간; без ~a 쉬지 않고; сделать ~ в работе 1) 작업 중에 휴식을 하다 2) 일을 중단하다; ~ на 10 ми-нут 10(십)분간휴식
перерывать[ся] см. перервать[ся]
перерыть (완) ① 온통 파헤치다 ② 가로질러 파다; ~ дорогу 길을 가로질러 파다 ③ (찾느라고)죄다 뒤지다; ~ все вещи в чемодане 트렁크에 있는 물건을 온통 다 뒤지다
пересадить (완) ① 옮겨 앉히다, 옮겨놓다; 갈아 태우다 ② 옮겨 심다, 떠옮기다;~ рисовую рассаду 벼모를 내다 ③ 이식하다; ~ кожу 피부이식수술을 하다
пересадка (여) ① 옮겨놓는 것 ② 갈아타기, 갈아타는 것; ехать без ~и 직행하다, 갈아타지 않고 가다 ③ 옮겨심기 ④ (의학) (뼈, 살등의) 옮겨붙이기, 이식수술;~a кожи 피부이식
пересаживать (미완) см. пересадить
пересаживаться (미완) см. пересесть
пересаливать (미완) см. пересолить
пересдавать (미완),**~ать** (완) : ~ экза-мен 시험을 다시 치다
пересдача (여) : ~ экзамена 재시험
пересекать (미완) ① 가로질러 건너가다 ② 가로막다, 차단하다 ③ 끊다, 통과하다; ~ линию финиша 결승선을 끊다
пересекаться (미완) ① 사귀다, 교차하다 ② (서로) 엇걸리다
переселенец (남) 이주민, 이주자, 이민
переселение (중) 이주, 이사, 이민
переселить (완) 이주(이사)시키다
переселиться (완) 옮겨가다; 이주(이사)하다; ~ в город 도시로 이사하다
переселять[ся] см. переселить[ся]
пересесть (완) ① 옮겨 앉다 ② 갈아타다; ~ на поезд 기차에 옮겨 타다
пересечение (중) ① 사귐 ② 교차점; точка ~я (линий) (선들의) 교차점; на ~и дорог 길의 교차점에서, 갈림길에서
пересечённый (형) : ~ая местность 기복지대, 고르지 못한 지대
пересечь[ся] (완) см. пересекать[ся]
пересиливать (미완),**~ить** (완) 이겨내다, 극복하다; ~ить страх 무서움을 극복하다
пересказ (남) ① (읽은 것의 내용을 자기 말로 하는) 진술, 서술 ② 이야기
пересказать (완),**~азывать** (미완) ①

(들은 것, 읽은 것을 자기 말로) 이야기하다 ② (차례로, 자세히) 이야기하다

перескакивать *см.* перепрыгивать
переслать (완) *см.* пересылать
пересматривать (미완) ① 다시 보다 ② 재검토(재심의)하다 ③ 수정(개정)하다
пересмотр (남) ① 재검토, 재심의 ② 수정, 개정(改定)
пересмотреть *см.* пересматривать
пересолить (완) ① 소금을 너무 치다; ~ суп 국에 소금을 너무 치다 ② 도를 넘다, 지나치다; ~ в шутках 농담이 지나치다
пересохнуть (완) 너무(바싹) 마르다; в горле ~ло 나는 목이 말랐다
пересохший (형) 바싹 마른
переспелый (형) 지내(너무) 익은, 무르익은, 물씬하게 익은
переспеть (완) 지내 익다, 너무(물씬하게) 익다
переспорить (완) 논쟁에서 이기다, 논쟁을 통해 납득시키다; ~ всех 모든 사람과 논쟁하여 이기다
переспрашивать (미완), **~осить** (완) 다시 묻다(물어보다), 되짚어 묻다
перессорить (완) (많은 사람을) 서로 다투게 하다, 싸움붙이다
перессориться (완) (많은 사람과 또는 서로) 다투게 되다, 싸우게 되다
переставать (미완) *см.* перестать
переставить (완),**~авлять** (미완) ① 옮겨놓다; ~ стулья 의자를 옮겨놓다 ② 바꾸어놓다; ~ слова в предложении 문장에서 단어들을 바꾸어놓다
перестановка (여) ① 옮겨(바꾸어)놓는 것 ② (수학) 순열
перестараться (완) 너무 (지나치게) 애쓰다, 공연히 노력하다
перестать (완) ① 그만두다; ~петь 노래를(노래하기를) 그만두다 ② (비, 눈 등이) 멎다, 그치다; дождь перестал 비가 멎었다(그쳤다)
перестилать,~лать (완) 다시 깔다
перестраивать (미완) ① 고쳐짓다, 재건하다; ~дом 집을 고쳐짓다 ② 고치다, 개작(개편)하다; ~ план 계획을 고치다 ③ 고쳐 세우다, 정렬하다; ~ ряды 대열을 고쳐 세우다
перестраиваться (미완) ① 조직(편성)이 고쳐지다, 개편되다 ② (자기의 사업질서, 활동방향, 견해 등을) 변경하다 ③ 파장을 바꾸다; ~ на короткие волны 라디오를 단파에 맞추다
перестраховаться(완)책임을 회피하다
перестраховка(여) 책임회피, 책임전가
перестраховщик (남) 책임회피자, 책임전가자
перестрелка(여)교전, 교차사격, 사격전
перестроить[ся][*см* перестраиваться]
перестройка (여) ① 고쳐짓는 것, 재건 ② 재조직, 재편성, 개편 ③ (사업질서, 활동방향, 견해 등의) 변경 ④ 파장변경, 파장을 새로(달리) 맞추는 것
переступать (미완),**~ить** (완) ① 넘다, 건너서다; ~ить (через) порог 문턱을 넘어서다 ② 걸음을 옮기다; ~ать с ноги на ногу (한자리에서) 두발을 차례로 들었다 놓았다 하다 ③ 어기다, 위반하다;~ить закон 법을 위반하다
пересуды (복수) 뒷공론, 시비, 뒷말
пересчёт (남) 환산; в ~е на *что-л*.....으로 환산하여
пересчитать (완),**~итывать** (미완) ① (많은 것을, 모두) 세다, 계산하다 ② 다시 세다(계산하다) ③ 환산하다
пересылать (미완) ① 보내다, (우편으로) 부치다; ~ деньги 돈을 부치다 ② 배달하다
пересылка (여) ① 보내는 것,

(우편으로) 부치는 것, 발송; ~ денег 송금 ② 배달

пересыпать (완),**~ыпать** (미완) ① 옮겨 넣다, 쏟다; ~ыпать зерно в мешок 낟알을 자루에 쏟아 넣다 ② 너무 많이 넣다 ③ (사이에) 뿌리다; ~ыпать вещи нафта- лином 물건에 좀약을 뿌리다

пересыхать (미완) *см.* пересохнуть

перетаскивать (미완),**~ащить** (완) 옮기다, 옮겨놓다, 끌어 옮기다; ~ книги в друую комнату 책들을 다른 방에 옮겨놓다; ~ лодку к берегу 쪽배를 기슭으로 끌어오다

перетащиться (완) (힘겹게) 옮겨가다, 자리를 옮기다

перетереть (완) ① 비벼서 끊다 ② (모조리, 다) 닦다; ~ все окна 창문을 모두 닦다

перетереться (완) 쓸리어 끊어지다; ~ верёвка перетёрлась 밧줄이 쓸리어 끊어졌다

перетерпеть (완) ① (많은 난관을) 이겨내다; ~ и голод, и холод 굶주림도 추위도 이겨내다 ② 참아내다; ~ боль 아픔을 참아내다

перетирать[ся] *см.* перетереть[ся]

перетрусить(완) 몹시 겁내다, 질겁하다

перетряхивать (미완), **~яхнуть** (완) 흔들어 털다

перетягивать (미완),**~януть** (완) ① 끌어 옮기다 ② 끌어당기다, 유인하다; ~ на свою сторону 자기편으로 끌어당기다 ③ 다시 조이다(잡아당기다) ④ 꽉 매다, (다시) 잡아당겨 매다; ~ ремни 가죽띠를 다시 잡아죄다

переубедить (완),**~ждать** (미완) 의견을 변경시키다, 견해를 바꾸다, 신념을 변경시키다, 설복하다, 설득시키다

переулок (남) 골목, 옆 골목

переутомить (완) 몹시 피곤케 하다

переутомиться (완) 몹시 피곤해 하다, 기진맥진해지다

переутомление (중) (극도의) 피로(疲勞), 기진맥진, 과로(過勞)

переутомлять[ся] *см.* переуто миться

переучёт (남) (상품) 실사(實事)

переучивать (미완) 재교육하다, 다시(달리) 가르치다

переучиваться (미완) 재학습하다, 다시(달리) 배우다

переучить[ся] *см* переучивать [ся]

переформировать (완),**~овывать** (미완) 개편하다, 재조직(재편성)하다

перехваливать (미완),**~алить** (완) 지나치게 칭찬(찬양, 찬미)하다

перехватить (완),**~атывать** (미완) ① (따라가) 붙잡다, 가로채다 ② 졸라매다, 죄다 ③ 잠시 꾸다(빌리다) ④ 요기하다, 간단히 먹다

перехитрить (완) 꾀가 …보다 더하다; ~ врага 적의 꾀를 넘겨짚다

переход (남) ① 넘어(건너)가는 것, 이행, 이동; ~ от социализма к комму низму 사회주의로부터 공산주의에로의 이행 ② 조동; в связи с ~ом на другую работу 다른 직무에 조동되는 것과 관련하여 ③ 통로(通路), 복도; подземный ~ 지하통로 ④ 변화(變化), 전환(轉換)

переходить (미완) ① 건너가다(오다), 넘어가다(오다) ② (장소, 일자리를) 옮기다, 이동하다, 옮겨가다(오다); ~ в со седнюю комнату 옆방으로 옮기다 ③ 진급하다; ~ на третий курс 3학년에 진급하다 ④ …의 관하에 들어가다, 넘어가다; власть пере-шла в руки трудящих ся 주권은 근로자들의 수중에 넘어왔다 ⑤ 이행하다; ~ в наступление 공격에로 넘어가다 ⑥ 변하다; шторм перешёл в ураган 폭풍은 태풍으로 넘어갔다

переходный (형) 통로; ~люк 통로문

переходный (형) : ~ период 과도기; ~ мостик (건너다니는) 다리
перец (남) ① 고추, 후추; красный(стручковый) ~ 고추; чёрный ~ 후추 ② 고추(후추)가루, 고추양념
перечень (남) 목록; ~ книг 도서목록; ~ вопросов 문제의 열거
перечёркивать(미완), **~еркнуть** (완) (쓴, 그린 것을) (모두) 지워버리다, 그어버리다
перечесть (완) см. пересчитать; по пальцам можно ~ 얼마 안 된다, 많지 않다, 손가락으로 곱을(셀)수 있다; всех не ~ 매우(상당히) 많다
перечёт (남) знать на ~ 모조리 (죄다) 알다
перечисление (중) ① 열거(列擧) ② (부기) 계산액(計算-)
перечислить (완),**~ислять** (미완) ① 세다, 열거하다; ~ присутствующих 참가자들을 호명하다; ~ по пальцам 손가락으로 꼽으며 세다 ② (부기) 다른 계산에 넣다 ③ ...에 돌리다, (다른 부류에) 소속시키다
перечитать,~итывать (미완)다시 읽다
перечить (미완) 엇서다, 반항하다
перечница (여) 고추(후추)가루단지
перешагивать (미완),**~агнуть** (완) ① (걸어서) 넘다, 넘어서다, 넘어가다 ② 위반하다 ③ (감정을) 극복하다
перешеек (남) (지리) 끼인땅(지협)
перешёптываться (미완) 속삭이다, 쏘곤쏘곤하다, 귀속 말로 말하다
перешивать (미완),**~ить** (완) 고쳐 만들다, 다시(달리) 깁다; ~ пальто 외투를 고쳐 만들다
переэкзаменовка (여) 재시험
перигей (남) (천문) 근지점(近地點)
перила (복수) 난간(欄干)
периметр (남) (수학) (다각형의) 주위
перина (여) (침대 깔개위에 까는) 깃요 (속에 깃을 넣은) 요
период (남) 시기, 기간(期間), 시대(時代); послевоенный~ 전후시기; переходный ~ 과도기; ~ расцвета 번영기, 개화기
периодизация (여) 시대(시기)구분
периодика (여) (집합) 정기간행물
периодически (부) 정기적으로
периодический (형) 주기적인, 정기적인; ~ая печать 정기간행물; ~ая система (элементов) 원소주기계; ~ая дробь (수학) 순환소수(循環小數)
периодичность (여) 주기성(週期性)
перипетия (여) ① (작품에서 주인공의 운명의) 급격한 변화 ② 파란곡절; жизнен- ные ~и 생활의 파란곡절
перископ (남) 잠망경, 정찰경
перистальтика (여) (생리) 연동(蠕動)
перистый (형) : ~ые облака 솜털 같은 구름, 비단구름
перитонит (남) (의학) 복막염(腹膜炎)
периферический (형) ① 말초(末梢); ~ий нерв 말초신경;~ая нервная система 말초신경 계통 ② (수학) 원주, 주변(周邊)
периферия (여) 지방; жить на ~и 지방에서 살다; работать на ~и 지방기관에서 일하다
перл (남) ① 걸작 ② 엉터리
перламутр (남) 진주 패, 자개
перламутровый (형) 자개
перловка (여) 보리쌀
перловый (형) : ~ая крупа (진주모양으로 쪃은) 보리쌀; ~ая каша 보리밥, 보리죽
перманент 파마; сделать ~ 파마하다
перманентный (형) 부단한, 영구적인, 항구적인; ~ое развитие 부단한 발전
пернатые (복수) 새들, 날짐승, 조류
перо I (중) ① 깃, 깃털 ② (물고기의) 지느러미 ③ (파, 마늘의) 잎사귀
перо II (중) ① 펜촉 ② 붓,

필봉(筆鋒);взяться за ~ 붓을 들다 ③ 문체, 필치; вла деть ~м 글을 잘 쓰다 ④ (공구의) 촉 проба пера 습작, 처녀작

перочинный: ~ нож 접칼, 주머니칼
перпендикуляр (남) 수직선; опустить ~ 수직선을 긋다
перпендикулярный (형) 수직(垂直)
перрон (남) 역개찰구, 플래트홈
перс (남) см. персы
персидский (형) 페르시아(현재의 이란)
персик (남) ① 복숭아나무 ② 복숭아
персиковый (형) 복숭아
персиянка (여) см. персы
персона (여) ① 인물, 인사; важная ~а 권위자 ② 사람, 손님; обед на 10 ~ 10명분의 점심(오찬); (своей) собст венной ~ой (야유) 스스로, 몸소; ~а грата 환영하는 인물; объявить ~ой нон грата 환영할 수 없는 인물로 선포하다
персонаж (남) 등장인물(登場人物)
персонал (남) 인원, 직원; обслуживающий ~ 종업원, 봉사일군; технический ~ 기술일군
персонально (부)개별적으로, 개인적으로
персональный (형) ① 개별적인, 개인적인; ~ое приглашение 개인적 초청; ~ая пенсия 특별(공로자)보조금; ~ый пенс- ионер 특별(공로자)보조금을 받는 사람 ② 인원, 직원; ~ый состав 총인원
перспектива (여) ① 전망(前望); ② 원경(遠景); ③ 원근화법, 투시화; в ~е 앞으로, 전망적으로, 장래에
перспективный (형) ① 전망(前望); ~ план 전망계획 ② 전망성 있는, 유망한; ~ ра ботник 유망한 일군 ③ 원근화법, 투시화법
перстень (남) 보석반지(寶石-)
пертурбация (여) 급격한 변동, 동란
Перу (중) (불변) 페루

перфоратор (남) 구멍뚫이기계, 천공기
перфорация (여) ① 구멍뚫이, 천공(穿孔); ② (필림, 카드 등의) 구멍
перхоть (여) 비듬
перчатка (여) 장갑; надеть(снять) ~и 장갑을 끼다(벗다)
перчить (미완) 고추(후추)가루를 치다; ~ суп 국에 고추(후추)를 치다
пёрышко (중) перо I 의 축소 - 애칭
Песни(Книга Песни Песней Соломона, 8장, 675쪽) 아가서(雅歌書, Song of Solomon Canticle of Canticles, Song of Songs라고도 함)
пёс (남) ① 개, 수캐 ② 개같은 자식, 놈
песенка (여) (песня의 지소-애칭) 짤막한 노래; 동요; его(моя, твоя, их) ~ спета 그의 세상(생활, 득세하던 때, 행복)이 끝장났다, 제 볼장을 다 보았다
песеник (남) ① 노래집, 가요집(歌謠-), 가사집 ② 작사자, 작곡가(作曲家)
песец (남) 북극여우
пескарь (남) (어류) 모래무치
песня (여) 노래, 가요; народная ~ 민요; колыбельная ~ 자장가; револю цион- ная ~ 혁명가요; петь песню 노래를 부르다; долгая ~ 지루하게 오래 끄는 일; старая ~ 늘 듣던 이야기; ~ спета 득세하던 때는 끝장이 났다; лебе диная ~ 마지막(최후의) 걸작
песок (남) ① 모래; мелкий ~ 잔모래 ② 모래땅, 모래판 ③ : (сахарный) ~ 사탕가루; строить на песке 튼튼치 못한 기초위에 세우다, 사상누각을 세우다
песочница (여) ① (아이들이 노는) 모래터 ② (기관차의) 모래통
песочный (형) ① 모래; ~ые часы 모래시계 ② 모래빛; ~ый цвет 모래빛 ③ ~ое пирожное (푸슬푸슬하게 반죽한 것으로 만든) 과자

пессимизм (남) ① 비관주의, 비관론(悲觀論) ② 비관(悲觀), 염세(厭世)

пессимист (남) ① 비관론자(悲觀論-), 염세주의자(厭世主義者) ② 우울한 사람

пессимистически (부) 비관적으로; ~ смотреть 비관하다

пессимистический (형) 비관(염세)주의적인; 우울한; ~ взгляд 염세적견해

пессимистичный (형) 염세적(厭世的); ~ взгляд 염세적견해

пест (남) 공이, 절구공이

пестик (남) (식물) 암꽃술

пестицид (남) (화학) 살충제(殺蟲劑)

пестовать(미완) 교양(육성)하다, 기르다

пестреть (미완) ① 알락달락해지다, 여러 가지 색깔을 띠다 ② 알락달락하게 보이다

пестрить (미완)(무인칭) 얼른거리다

пестрота (여) 여러 가지 색, 형형색색; ~ окраски 여러 가지 색깔

пёстрый (형) ① 알락달락한; ~ая материя(ткань) 알락달락한 천 ② 각양각색, 잡다한

песчаник (남) (광물) 모래바위, 사암

песчаный (형) 모래가 많은; ~ берег 백사장, 모래로 덮인 기슭

песчинка (여) 모래알

1 Петр (Первое послание Петра, 5장, 173쪽) 베드로전서(베드로의 편지(—便紙, letters of Peter);

2 Петр (Второе послание Петра, 3장, 177쪽) 베드로후서(베드로의 둘째 편지)

петит (남) (인쇄) (8포인트의) 작은 활자

петиция (여) 청원서(請願書), 탄원서

петлица (여) ① 영장 ② 단추구멍

петля(여) ① 코, 매듭; завязать ~ю 실코를 맺다 ② 올가미, 덫; влезть(попасть) в ~ю, оказаться(очутиться) в ~е 올가미 속으로 기어들어가다; 곤경에 빠지다 ③ 단추구멍; обметать ~ю 단추구멍을 감치다 ④ 문설주 ⑤ : (мёртвая) ~я 공중회전 хоть в ~ю лезь(полезай) 골탕을 먹었다, 궁지에 빠졌다

петлять (미완) 빙글빙글 돌아가다

петрушка (여) 미나리(의 한 가지)

петух (남) 수탉; вставить до ~ов 이른 새벽에 일어나다

петь (미완) ① 노래부르다, 노래하다; ~ пеню 노래를 부르다; ~ хором 합창하다 ② (새가) 울다, 지저귀다; ~ с чужого голоса (자기주견이 없이) 남의 의견대로 말하다

пехота (여) 보병(步兵): морская ~ 해병대(海兵隊), 해군특전대

пехотинец (남) 보병(步兵); морской ~ 해병대원(海兵隊員)

пехотный (형) 보병(步兵)

печалить (미완) 슬프게 하다, 서글프게 하다

печалиться (미완) 슬퍼하다, 서글퍼하다, 쓸쓸해하다

печаль (여) ① 슬픔, 설음, 비애(悲哀) ② 시름, 근심

печально (부) ① 슬프게, 구슬프게, 서글프게 ② (술어로) 슬프다; ~, но это так 슬프지만(유감스럽지만) 할 수 없는 일이다

печальный (형) ① 슬픈, 서러운, 서글픈 ② 비참한, 유감스러운

печатание (중) 인쇄(印刷)

печатать (미완) ① 인쇄(출판)하다 ② (출판물에) 싣다 ③ (타자기로) 찍다

печататься (미완) ① 인쇄(출판)되다 ② (출판물에) 실리다

печатник(남),**~ца** (여) 인쇄공(印刷工)

печатный (형) ① 인쇄, 인쇄용; ~ая

машина 인쇄기계; ~ый цех 인쇄직장 ② 인쇄된, 출판된; ~ые материалы 출판된 자료
печать (여) ① 인쇄(印刷); офсетная ~ 옵세트인쇄; плоская ~ 평판인쇄 ② 출판물 ③ 도장, 인장; поставить ~ 도장을 찍다 ④ 흔적; оставить свою ~ на чём-л.... 에 흔적을 남기다 ◇ выйти из печати 발행되다, 나오다; появиться в печати 출판되다, 출판물에 실리다(나오다)
печёнка (여) 간, 간장(肝腸)
печёный (형) 구운, 군; ~ картофель 군감자
печень (여) 간, 간장
печенье (중) (구운) 과자
печка (여) 뻬치까, 난로(煖爐)
печник (남) 뻬치까공, 뻬치까수리공
печной (형) 뻬치까; ~ое отопление 뻬치까난방; ~ая труба 뻬치까굴뚝
печь I (미완) ① 굽다; ~ хлеб 빵을 굽다 ② 무덥게 쪼이다; солнце печёт голову 해별이 머리를 따갑게 내려지진다
печь II (여) ① 난로, 곤로, 뻬치까 ② (공업용) 로; (доменная) ~ 용광로; электрическая ~ 전기로
пешеход (남) 걷는 사람, 보행자(步行者), 걸어다니는 사람
пешеходный (형) 보행; ~ый мост 인도교, 보행다리; ~ое движение 보행
пеший (형) 걸어가는, 보행(步行)
пешка (여) ① (장기의) 졸, 졸병(卒兵) ② 시시한 사람, 졸자, 무용지물
пешком (부) 걸어서; идти ~ 걸어가다
пещера (여) 굴, 동굴(洞窟)
пианино (불변) (중) 피아노; играть на ~ 피아노를 치다
пианист (남), **~ка** (여) 피아노연주가
пивная (여) 맥주집
пивной (형) ① 맥주; ~ая бочка 맥주통; ~ой бар 맥주집 ② (명사로) : ~ая (여) 맥주집
пиво (중) 맥주
пивоваренный (형): ~ завод 맥주공장
пигмей (남) ① 난쟁이 ② 인간쓰레기, 보잘것없는 사람
пигмент (남) (생리) 색소(色素)
пигментация (여) (생리) 색소침착, 색소형성
пиджак (남) (남자용) 양복저고리
пижама (여) ① 잠옷, 자리옷 ② 환자복
пик (남) ① (산)봉우리, 산마루 ② (발전에서의) 최고 절정, (일시적인 급격한) 상승, 증대, 격증 ③ (불변) (형) : час ~, часы ~ (출퇴근 시간의) 혼잡한 (복잡한) 때
пика (여) 창
пикантный (형) ① (맛이) 자극적인, 매운, 찌르는 ② 흥분시키는, 미묘한, 유혹적인
пикап (남) (여객화물겸용) 소형자동차
пикет (남) ① (군사) 보초 ② (파업시의) 규찰대; забастовочный ~ 파업규찰대; выставить ~ 규찰대를 세우다
пикирование (중) (항공) 급강하, 수직강하
пикировать (완, 미완) (항공) 급강하하다
пикироваться (미완) с кем-л. 서로 비꼬아 말하다, 서로 핀잔을 주다, 서로 흉보다
пикирующий (형): ~ бомбардировщик 급강하폭격기
пикник (남) 들놀이, 야유회(野遊會)
пила (여) 톱; пилить ~ой 톱으로 켜다
пилёный (형) (톱으로) 켜낸; ~ сахар 각사탕
пилить (미완) ① (톱으로) 켜다, 톱질하다; ~ дрова 나무를 톱으로 켜다 ② 잔소리로 못살게 굴다

пилка (여) ① 톱질 ② 작은 톱; 줄칼
пиломатериалы (복수)(켜낸) 목재
пилот (남) 비행사, 조종사(操縱士)
пилотаж (남) 비행술(飛行術), 조종술
пилотирование (중) 비행조종
пилотировать (미완) (비행기를) 몰다, 조종하다
пилотка (여) 비행모, 군모(軍帽)
пилюля (여) 알약; горькая ~ я 불쾌한 일; [по]золотить ~ю 불쾌한 일을 분칠하다, 쓴 약에 사탕발림을 하다; проглотить ~ю 모욕을 꾹 참다, 쓴맛을 보다
пинать (미완) (발로) 차다
пингвин (남) (조류) 펭긴(새)
пинг-понг (남) 탁구(卓球)
пинетки(복수) (어린이용) 만만한 가죽신
пинок (남) 발로 차는 것
пинцет (남) 핀센트, 동집게
пион (남) 함박꽃
пионер (남) ① 삐오네르 ② 선구자(先驅者), 개척자(開拓者)
пионервожатая (여),**~ый** (남) 삐오네르 지도원(-指導員)
пионерия (여) (집합) 삐오네르들
пионерлагерь (남) 삐오네르야영소
пионерский (형) 삐오네르; **~галстук** 삐오네르 넥타이
пипетка (여) 피페트
пир (남) 술잔치, 주연(酒筵); устроить ~ 주연을 베풀다
пирамида (여) ① (수학) 각추(角錐) ② 피라미드(pyramid)
пират (남) 해적(海賊), 날강도
пиратский (형) 해적; **~ие** действия 해적행위
пирит (남) 황철광, 누렁철광
пировать (미완) ① 술잔치를 차리다, 주연을 베풀다 ② 경축하다
пирог (남) 삐로그 (만두의 한 가지)

пирогравюра (여) 인두그림; 목판화
пирожное (중) 생과자
пирожок (남) ① 만두(의 한 가지); ~ с мясом 고기만두; ~ с капустой 양배추만두; ~ с вареньем 전만두 ② пирог의 축소(애칭)
пирометр (남) 고온계
пиротехник (남) 연화사
пиротехника (여) 연화술
пирс (남) 잔교, 계선장,(돌출부) 부두
пирушка (여) 소연회
пиршество (중) 큰잔치, 호화로운 주연
писарь (남) 필사원; 서기(書記)
писатель (남),**~ница** (여) 작가(作家)
писать (미완) ① 쓰다; ~ карандашом 연필로 쓰다 ② 집필하다 ③ 편지하다; он часто пишет нам 그는 우리에게 자주 편지를 한다 ④ 그림그리다
писаться (미완) ① 쓰이다; как пишется это слово? 이 단어는 어떻게 쓰입니까? ② 써지다; сегодня легко пишется 오늘은 글이 잘된다, 오늘은 붓이 잘 나간다
писк (남) 삑삑거리는 소리
пискливый (형) 삑삑거리는, 새되고 날카로운
пистолет (남) 권총(拳銃); **~-пулемёт** 기관단총(機關短銃)
пистон (남) ① 뇌관 ② (공학) 피스톤
писчебумажный (형) : ~ магазин 문방구상점
писчий (형) : **~ая** бумага 필기종이
письмена (복수) 문자(文字)
письменно (부) 글로, 서면으로
письменность(여) 글자, 문자; 문헌
письменный(형) ① 글로 쓰는, 서면; ~ экзамен 필답시험 ② 필기용, 쓰기 위한; ~ стол 책상; ~ прибор 필기도구
письмо (중) ① 편지, 서한; открытое ~о 공개서한 ② 문자 ③ 쓰기, 필체; учиться ~у 쓰기(서법)를 배우다

письмоносец (남) 우편통신원
питание (중) ① 보육, 양육, 먹이는 것; недостаточное ~ 영양부족 ② 식사, 음식물; диетическое ~ 의료식사; усиленное ~ 영양분이 많은 식사 ③ 식생활; общест-венное ~ 사회급양 ④ 공급, 급양
питательность (여) 영양가치, 영양소
питательный (형) 영양가 있는; ~ые вещества 영양물질
питать(미완) ① 먹이다, 먹여 기르다 ② 공급하다; ~ город электроэнергией 도시에 전력을 공급하다 ③ 느끼다, 품다; ~ надежду 희망을 품다; ~ иллюзии 환상을 가지다
питаться (미완) ① 먹다, 먹고 살다; ~ рисом 쌀을 먹고 살다 ② 식사하다; ~ в столовой 식당에서 식사하다
питомец(남) 육성된(양육받은) 사람, 제자
питомник(남) ① 모판, 양묘장 ② 종축장
питон (남) (동물) 금사, 바위 왕 구렁이
пить (미완) ① 마시다; ~ чай 차를 마시다 ② 술을 마시다 ③ 잔을 들다, 축배를 들다; ~ за здоровье *кого-л.*...의 건강을 위하여 잔을 (축배를) 들다
питьё (중) ① 마시는 것; годный для ~я 마실 수 있는 ② 음료
питьевой (형) 마실 수 있는, 식수(食水); ~ая вода 음료수(飮料水)
пихать (미완), **пихнуть** (완) ① 꽉 떠밀치다 ② 막 밀어 (쑤셔)넣다
пихта (여) 전나무, 분비나무
пичкать (미완) 억지로(무리하게 많이) 먹이다; ~ ребёнка сластями 어린애에게 단 것을 너무 많이 먹이다
пишущий (형) :~ая машинка 타자기
пища (여) ① 음식, 먹을것; горячая ~ 더운 음식 ③ 양식, 자료; духовная ~, ~ для ума 정신의 양식; давать пищу чему, для чего....을 촉진하다, 조장시키다
пищать (미완) ① 삑삑소리를 내다 ② 삑삑거리는 목소리로 이야기하다
пищеварение (중) 소화; расстройство ~я 소화불량; органы ~я 소화기관
пищеварительный (형) 소화(消化); ~ые органы 소화기관
пищевод (남) 식도(食道)
пищевой (형) 음식, 식료품(食料品); ~ые продукты 식료품; ~ая промышленность 식료품공업
пиявка (여) ① 거머리 ② 흡혈귀
Плач(Книга Плач Иеремии, 5장, 798쪽) 예레미야 애가(哀歌, The Lamentations of Jeremiah)
плавание (중) ① 헤엄, 수영; ② 항해; дальнее ~ 원거리항행; кабо тажное ~ 가까운 바다(근해)항행; кру госветное ~ 세계일주 항행; отправляться в ~ 출항하다
плавательный(형): ~ бассейн 수영장
плавать (미완) ① 헤엄치다; ~ на спине 누운 헤엄을 치다 ② 뜨다, 떠있다, 떠다니다; дерево ~ет 나무는 물에 뜬다; лодка ~ет 쪽배(보트)가 떠다니다 ③ (배를) 타고 다니다; 항행하다; ~ть на лодке(на ко- рабле) 배(선박, 기선)를 타고 다니다; ~ть на плоту 뗏목을 타고 떠다니다
плавильный(형) 용해(鎔解); ~ая печь 용해로; ~ый цех 용해직장
плавить (미완) 녹이다, 용해하다
плавиться(미완) 녹다, 용해되다
плавка (여) ① 용해 ② 용해량, 용해물
плавки (복수) (체육) ① (남자용) 수영복, 수영펜티; ② (체육펜티속에 입는) 속펜티
плавкий (형) 용해되기 쉬운; ~ металл 풀림성(가용성) 금속(金屬)
плавкость (여) 풀림성, 가용성

- 431 -

плавление (중) 녹임, 용해; точка ~я 용해점; температура ~я 용해온도
плавленый (형) : ~ сыр 연한 치즈
плавник (남) 지느러미
плавно (부) 유유히, 천천히, 유창하게; ~ течь 유유히 흐르다
плавный (형) ① 유유한, 빠르지 않은; ~ое течение 유유한 흐름 ② 유창한; ~ая речь 유창한(고르고 부드러운) 말 ③ 가볍고 부드러운; ~ые движения(~ая походка) 가볍고 부드러운 동작(걸음걸이)
плавучесть (여) 부력성
плавучий (형) 물에 떠있는; ~ий док 뜬 도크; ~ий мост 배다리; ~ий кран 기중기배
плагиат (남) ① 본따쓰기, 표절(剽竊); совершать ~ 남의 글(작품)에서 본따 쓰다, 표절하다 ② 표절행위
плагиатор (남) 표절자(剽竊-), 남의 작품을 본따 쓴 사람
плазма (여) (물리) 플라즈마
плакат (남) ① 선전화, 포스터 ② 광고, 프랑카드
плакать (미완) 울다, 눈물을 흘리다; хоть плачь 울어도 시원치 않다, 아무리 애를 써도 ...할 수 없다
плакаться (미완) 한탄(불평)하다, 애석해하다, 하소연하다
плакса (남, 여) 울보
плаксивый (형) ① 잘(자주) 우는; ~ый ребёнок 울보, 울남, 울녀 ② 울먹울먹한, 울음섞인; ~ голос 울먹울먹한 목소리
плакучий (형) : ~ая ива 수양버들, 수양버드나무
пламенный (형) 열렬한, 정열적인, 불타는; ~ привет 열렬한 인사
пламя (중) ① 불길, 화염(火焰); вспыхнуть пламенем 불길이 확 타오르다, 이글이글 타오르다 ② 정열(情熱), 열정(熱情)
план (남) ① 계획; пятилетний ~ 5개년계획; генеральный ~ 총계획 ② 안, 방안; учебный ~ 과정안 ③ 설계도, 평면도, 도안; ~ здания 건물설계도; ~города 도시평면도 ④ 요지, 요강, 개요; ~ статьи 논문요지; ~ доклада 보고요강 ⑤ 계획서; ~ сотрудничества 협조계획서 ⑥ 관점, 견지; в теоретическом ~е 이론적견지에서
планёр (남) 활공기
планеризм (남) 활공술, 활공기조종술
планерист (남), **~ка** (여) 활공기조종사, 활공기비행사
планёрка (여) 생산협의회
планета (여) 행성(行星)
планетарий (남) 천상의
планиметрия (여) 평면기하학
планирование I (중) 계획화, 계획작성
планирование II (중) (항공) 공중활주
планировать I (미완) ① 계획을 작성하다, 계획화하다 ② 설계(계획)하다 ③ 계획대로 하다 ④ 계획에 포함시키다
планировать II (미완) 공중활주하다
планировка (여) ① 계획화, 계획작성 ② 계획(計劃), 설계(設計)
планка (여) ① 판, 널판, 판대기; 금속판 ② (орденская) ~, ~ (орденских лен- точек) 약장
планктон (남) (생물) 떠살이생물
плановость (여) 계획성(計劃性)
плановый (형) 계획. 계획적인; ~ое хозяйство 계획적인 경제; ~ая работа 계획대로 하는 사업; ~ый отдел 계획부
планомерно (부) 계획적으로, 계획성있게; ~ работать 계획적으로 일하다
планомерный (형) 계획적인, 계획성있는
плантатор (남) 농장주(農場主)

плантация (여) (특수작물을 재배하는) 대농장; табачная ~ 담배농장, 담배재배장; чайная ~ 차농장

планшет (남) ① 지도가방, 지도끼우개 ② 지도게시판, 평면측량기의 평판

пласт (남) 층, 지층, 광층; ~ почвы 토양층; лежать ~ом(또는 как ~) 꼼짝안하고 반듯이 누워 있다

пластик (남) 소성재료

пластилин (남) 기름흙, 석고

пластина (여) 판(板), 금속판

пластинка (여) 축음기소리판, 축음기판

пластический (형) ① (의학) 정형; ~ая операция 정형수술 ② 소성; ~ая масса 합성수지, 플라스마스

пластмасса (여) 합성수지, 플라스마스; изделие из ~ы 수지제품

пластмассовый (형) 플라스마스; ~ые изделия 수지제품

пластырь (남) (의학) 굳은 고약, 고약; 반창고

плата (여) ① 지불 ② 노임, 임금, 보수; 사용료; заработная ~ 노임; входная ~ 입장료; ~ за электричество 전기사용료; ~ за обучение 학비

платан (남) (식물) 방울나무, 플라타나스

платёж (남) ① 지불 ② 지불액

платёжеспособность (여) 지불능력(支拂能力), 구매력(購買力)

платёжеспособный (형) 지불능력(구매력) 있는; ~ спрос (населения) (경제) 지불능력있는 수요

платёжный (형) 지불, 지불금; ~ баланс 수지실적, 수지발란스(수지비김)

плательщик (남) 지불인(支拂人)

платина (여) 백금(白金)

платить (미완) ① 물다, 지불하다; ~ за квартиру 주택사용료를 물다; ~ наличными 현금으로 지불하다 ② чем за что 갚다, 앙갚음하다; 보답하다; ~ услугой за услугу 신세갚음을 하다; ~ взаимностью 신세에 보답하다, 호상도와주다; ~ дань 1) 응당한 보상을 해주다 2) 불가피한 양보를 하다; ~ той жемонетой 동일한 행동으로(태도로) 대답하다

платный (형) ① 돈을 무는, 유가(有價); ~ вход 유료입장 ② 노임을 받는, 유급

плато (중) 고원(高遠), 대지(大地)

платок (남) 수건; головной ~ 머리수건; носовой ~ 손수건

платонический (형) 순정신적인, 추상적인; ~ие мечты 실현불가능한 공상

платформа (여) ① 역홈, 홈, 플래트홈 ② 단, 대 ③ (철도) 무개화차 ④ 정강, 강령

платье (중) ① (여자들의) 달린옷, 원피스; вечернее ~ 야회복 ② (집합) 옷, 의복, 복장; готовое ~ 지은옷

платяной (형) 옷; ~ой шкаф 옷장; ~ая щётка 옷솔

плафон (남) 등갓

плац (남) (군사) 연병장(練兵場); учебный ~ 연병장(練兵場)

плацдарм (남) 작전근거지, 교두보, 거점

плацкарта (여) 좌석권, 침대권

плацкартный (형): ~ вагон 좌석지정차

плач (남) ① 울음; детский ~ 어린애의 울음 ② 울음소리

плачевный (형) ① 서러운, 애처로운 ② 불행한, 가련한; ~ое положение 가련한 처지 ③ 한심한, 보잘것없는; ~ый результат 비참한 결과

плашмя (부) 넙적하게; упасть ~ 벌렁 나가넘어지다, 펄썩 엎어지다; класть кирпич ~ 벽돌을 눕혀쌓다

плащ (남) 비옷

плащ-палатка (여) 우비겸용천막

плебисцит (남) 일반투표, 인민투표

плевать (미완) ① (침, 가래를) 뱉다 ②

на *кого-что* 무시하다; ~ на всё 무엇이든 꿈만하게 여기다; ~ в потолок 아무것도 안하다, 빈둥빈둥 놀다

плеваться (미완) 자주 침(가래)을 뱉다, 사방(망탕) 침(가래)을 뱉다

плевра (여) (해부) 육막, 흉막, 늑막

плеврит (남) 육막염, 늑막염(肋膜炎)

плексиглас (남) 투명한 소성재

племенной (형) ① 종족(種族) ② (가축에 대하여) 순종(純種), 우량종(優良種); ~ой бык 종자소, 씨소; ~ой скот 종축; ~ая ферма 종축장

племя (중) ① 종축(種畜) ② 세대(世代) на ~ (농업) 번식(종자)용으로 씨를 받으려고; без роду и племени (без роду, без племени) 출신을 알 수 없는

племянник (남) 조카

племянница (여) 조카딸

плен (남) 포로; взять в ~ 포로하다; попасть в ~, быть (оказаться) в ~у 포로되다

пленарный (형) 전원이 참석하는; ~ое заседание 전원회의, 총회(總會)

пленительный (형) 매혹적인, 황홀한

пленить (완) ① 포로하다 ② 마음을 끌다, 황홀케 하다

плениться (완) 매혹되다, 황홀해지다; ~ красотой 아름다움에 매혹되다

плёнка (여) ① 껍질, 외피 ② 엷은 막, 박막 ③ (사진에서) 필림, 영화필림

пленник (남),**~ца** (여) 포로(捕虜)

пленный (형) 포로(捕虜)

пленум (남) 전원회의(全員會議)

пленять[ся] (미완) *см.* пленить[ся]

плесень (여) 곰팡이; покрыться ~ю 곰팡이가 쓸다

плеск (남) 철썩거리는 파도(물)소리

плескать(미완) ① 철썩거리다 ② на *кого-что-л.* 튀기다, 뿌리다, 끼얹다 ③ 붓다, 쏟다

плескаться (미완) ① 철썩거리다 ② 서로 물을 끼얹다, 물장난하다; дети плещутся в воде 아이들이 물장구를 친다

плесневеть (미완) 곰팡이가 쓸다

плеснуть (완) *см.* плескать

плести (미완) ① 엮다, 뜨다, rue다; 땋다; ~ корзину 광주리를 엮다 ② 술책(음모)을 꾸미다

плестись (미완) 천천히 가다;~ в хвосте(또는 в обозе) 뒤꼬리를 따르다

плетёный (형) 뜬, 엮은, 땋은, 결은; ~ая корзина 바구니, 광주리

плеть (여) ① (식물의) 넌출, 덩굴 ② (꼬아서 만든) 채찍

плечевой (형) : ~ сустав 어깨관절

плечики (복수) 옷걸이

плечистый (형) 어깨가 넓은(벌어진)

плечо (중) ① 어깨; ~ом к ~у 어깨겯고, 어깨를 나란히 하고; нести на ~е 어깨에 메고 가다 ② (공학) 팔; по~у *кому*: (힘, 능력에 대하여) 알맞다; не по ~у *кому*....의 힘에 겨웁다; с ~ долой (이 이상) 더 생각할 것 없다

плешивый ① (형) 대머리진, 머리가 벗어진 ② (명사로) (남) 대머리, 민머리, 번대머리, 머리가 벗어진 사람

плешь (여) 머리가 벗어진곳, 대머리

плеяда (여) (한시대의) 거인(위인)과 그의 일파

плиссированный (형) : ~ая юбка 주름치마

плита (여) ① 판(板); 금속판(金屬板), 철판(鐵板); мраморная ~ 대리석판 ② 곤로; газовая ~ 가스곤로

плитка (여) ① (네모난) 작은 판(판대기); ~ шоколада (판) 쵸콜레트 한판대기(개) ② 곤로 ③ : (керамическая) ~ 타일

плов (남) 비빔밥, 볶음밥

пловец (남),**~чиха** (여) 수영선수, 헤엄치는 사람, 수영가

плод (남) ① 열매, 과일 ② 태아 ③ 결과, 결실, 산물
плодить (미완) (많이) 낳다, 번식시키다
плодиться (미완) (많이) 나타나다, 번식(증식)하다
плодовитость (여) ① 다산성, 열매를 많이 맺는 것, 번식력이 강한 것 ② (문학) 왕성한 창작력
плодовитый (형) ① 열매를 많이 맺는, 번식력이 강한 ② 창작력이 있는
плодоводство (중) 과수재배업
плодовый (형) ① 과일, 열매; ~ый сад 과수원 ② 과일로 만든; ~ые кон сервы 과일통졸임
плодоносить 열매를 맺다, 결실하다
плодоовощной (형) 과일남새
плодородие (중) 비옥도, (땅이) 걸고 기름진것
плодородный (형) 비옥한, 기름진; ~ая земля 기름진(비옥한) 땅
плодотворно (부) 보람(효과)있게
плодотворный (형) 보람있는, 효과적인, 성과가 많은
пломба (여) ① (이발을 때우는) 채움감, 충전물 ② 연봉, 연표
пломбир (남) 얼음보숭이, 아이스크림
пломбировать (미완) ① (이를) 때다; ~ зуб 이를 땜하다 ② 연봉하다; ~ вагон 차량을 연봉하다
плоский (형) 평평한, 평탄한, 넙직한; ~ая поверхность 평면; ~ая крыша 평평한 지붕; ~ая печать 평판인쇄
плоскогорье (중) 고원지대
плоскогубцы (복수) 평집게
плоскостопие (중) (의학) 마당발, 평발
плоскость (여) ① 평면, 면; наклон ная ~ь 경사면 ② 견지, 관점; в дру гой ~и 다른 측면에서
плот (남) 떼목, 떼; вязять ~ 떼를 뭇다
плотва (여) (어류) 잉어과의 민물고기
плотина (여) 뚝, 제방; сооружать ~у 제방을 쌓다
плотник (남) 목수(木手), 목공(木工)
плотничать (미완) 목수일을 하다
плотно (부) 빽빽이, 꽉, 딱붙게, 밀접히; ~ закрыть дверь 문을 꽉 닫다
плотность (여) 밀도, 농도; ~ населения 인구밀도
плотный (형) ① 빽빽한, 조밀한, 촘촘한; ~ая ткань 배계 짠 천 ② ~ый завтрак(обед, ужин) 푸짐한 식사
плотогон (남) 떼몰이군, 유벌공
плотоядный (형) 육신(肉身), 고기를 먹는; ~ое животное 육신동물
плоть (여) 육체(肉體), 살; войти в ~и кровь 피와 살이 되다
плохо (부) ① 나쁘게, 서투르게; ~ себя чувствовать 몸이 편치 않다; ~ жить 겨우 살아가다; ~ понимать 잘 모르다; ~ обращаться с кем.....를 박대하다 ② (사태, 형편이) 나쁘다, 좋지 않다(못하다); дело ~ 일은 시시하게 되었다; ему ~ 그는 몸이 편치 않다; больному ~ 환자의 병세는 위독하다; из рук вон ~ 매우 나쁘다
плохой (형) ① 나쁜, 좋지 않은 ② 너절한, 고약한, 더러운, 비도덕인
площадка (여) (크지 않은) 평지, 광장, 작업장; спортивная ~ 운동장; детская ~ 아동유희장; строительная ~ 건설장
площадь(여) ① 면적; ~ треугольника 삼각형의 면적; обрабатываемая ~ 경작자, 경작면적; ~ дома 건평; ② 광장(廣場); центральная ~ 중앙광장;③ жилая ~ 살림집면적
плуг (남) 보습, 쟁기
плут(남)① 협잡군, 사기군 ② 교활한 자
плутать (미완) (길을 잃고) 헤매다, 방황하다
плутократия (여) 재벌(금권)정치
Плутон (남) (천문) 명왕성(冥王星)

плывун (남) (지리) 앙금층, 침전층
плыть (미완) ① 헤엄치다, 떠가다, 흐르다 ② (배를) 타고가다, 항해하다; ~ на пароходе 기선을 타고가다 ③ 떠오르다, 떠가다; луна плывёт по небу 달이 중천에 떠간다.; ~ в руки 손에 굴러들어오다, 얻기(훔치기)쉽다; ~ по течению 추세에 따라 행동하다; ~ против течения 추세를 역행하다, 흐름을 거슬러나가다
плюнуть (완) см. плевать
плюс (남) ① (수학) 더하기부호, 플러스, (부호); два ~ три (будет) пять 2(이)더하기 3(삼)은 5(오)다 ② 우점, 긍정점
плюш (남) 긴틸비로도
плюшка (여) 호떡; 계란빵
плющ (남) (식물) 담장나무
пляж (남) 모래톱이 있는 강변(해변); мор-ской ~ 해수욕장
плясать (미완) 춤추다; ~ под чужую дудку 남의 장단에 춤추다, 남의 풍에 놀다
пляска (여) 춤, 무용(舞踊)
пневматический (형) 압착공기에 의한; ~ молот 공기마치
пневмония (여) (의학) 폐렴(肺炎)
Пномпень (남) 프놈펜
пнуть (완) см. пинать
по I (전) (+ 여) ① 장소, 방향을 표시) ...으로, ...을, ...따라; идти по дороге 길을 가다; идти по берегу реки 강기슭을 따라 가다; стрелять по врагу 적을 쏘다 ② (분야, 범위를 표시) ...에 대한, ...에 있어서; учебник по химии 화학교과서; лекция по истории 역사강의; знания по лите-ратуре 문학(에 대한)지식; по численно-сти населения 주민수효에 있어서 ③ (근거를 표시) ...에 의하여, ...에 따라, ...대로; работать по плану 계획에 의하여(계획대로) 일하다; по расписанию 시간표대로; по словам этого человека 이 사람의 말에 의하면; судить по внешнему виду 겉모양을 보고 판단하다; от каждого по способностям, каждому по его тр- уду 각자로부터는 그의 능력에 따라, 각자에게는 그의 노력에 따라; ④ (원인을 표시) ...대문에, ...로 인하여; по болезни 병으로 인하여; по ошибке 잘못하여, 잘못으로 말미암아; совер шил ошибку по молодос-ти лет 젊은 탓으로(해서) 과오를 범하였다; ⑤ (수단을 표시) ...으로; послать по почте 우편으로 보내다; передать по те-лефону 전화로 전하다 ⑥ (시간을 표시) ...마다; по воскресеньям 일요일마다; по утрам 아침마다 ⑦ (분량, 값을 표시) ...씩; дать по одному яблоку 사과 한알씩 주다; по рублю штука 한개에 한루블씩:
по II (+ 대) ① (시간을 표시) ...까지; с мая по август 5월부터 8월까지; получить от пуск по пятое марта 3월 5일까지 휴가를 받았다 ② (분량, 값을 표시) ...씩; мы получили по два рубля 우리는 2루블씩 받았다; по десять человек 열사람씩; по пять рублей штука 한 개에 5루블씩
по III (+전) ① (시간을 표시) ...후, ...이후; по окончании средней школы я пос- тупил в институт 중학교를 졸업한 후 나는 대학에 입학했다; по приезде в де ревню 농촌에 도착하자; по окончании дежурства 당직을 끝내고 ② (대상을 표시) ...을; скучать по дому (고향)집을 그리워하다
побагроветь (완) 검붉게 되다, 진홍색으로 물들다
побаиваться (미완) 좀 두려워하다,

겁내다, 우려하다

побаливать (미완) 조금(가끔) 아프다

побег I (남) 도주(逃走), 도망(逃亡), 탈출(脫出); ~ из тюрьмы 탈옥(脫獄)

побег II (남) (식물) 싹, 순; 덕잎; давать ~и 싹이 나오다

побегушки (복수) : быть на ~ах 잔심부름을 하다

победа (여) ① 승리(勝利); одержать ~у, добиться ~ы 승리하다; одержать ~у над врагом 원수를 쳐부수다; ② 성과(成果)

победитель (남),**~ница** (여) ① 승리자 ② (체육) 우승자(優勝者) ③ 당선자

победить (완) ① 승리하다, 이기다; ~ врага 적을 타승하다 ② 이겨내다, 극복하다; ~ засуху 가물을 이겨내다

победный (형) 승리, 개선; до ~ого конца 완전히 승리할 때까지

победоносный (형) ① 백전백승의, 승리적인 ② 자신만만한, 확신성 있는; с ~ым видом 자신만만하게

побежать (완) ① 뛰다, 달리다; 뛰기(달리기) 시작하다; ~ть вперёд 앞으로 뛰다 ② 패주하다, 도망치다

побеждать (미완) *см.* победить

побеждённый (형) ① победить의 피동과거 ② (명사로) (남) 패전자, 패배자

побелеть (완) 희어지다, 희게 되다

побелить(완) 흰칠을 하다, 희게 칠하다

побелка(여) 희게 칠하는 것; 표백(表白)

побережье (중) 바다가, 연안(沿岸); черно морское ~ 흑해연안

поберечь (완) ① 거두어두다, 건사(보관, 보존)하다 ② 돌보다, 잘 보살피다; ~ больного 환자를 돌보다; ~ здоровье 건강을 돌보다

поберечься (완) 주의(조심)하다, 제몸을 돌보다; не поберёгся и простудил ся 주의하지 않았더니 감기에 걸렸다

побеспокоить (완) 근심시키다, 불안케 하다, 걱정을 끼치다

побеспокоиться (완) ① 근심(걱정)하다 ② 미리 생각하다

побираться (미완) 빌어먹다, 동냥하다

побить (완) ① 때리다, 치다 ② 죽이다 ③ 이기다, 승리하다 ④ 깨다, 마스다; ~ по- суду 그릇을 깨다 ~ рекорд 기록을 깨뜨리다

побиться (완) 깨지다, 마사지다

поблагодарить (완) 감사를 드리다, 감사하다

поблажка (여) 묵과, 지나친 관대; давать ~у 지나치게 관대히 대하다, 융화하다

побледнеть (완) *см.* бледнеть

поблёкнуть (완) *см.* блёкнуть

поближе(близко의 비교급)좀 더 가까이

поблизости (부) 가까이, 근처에, 부근에; ~ от города 도시가까이

побольше ① (много의 비교급) 좀 더 많이 ② (большой의 비교급) 좀 더 큰

поборник (남) 지지자, 수호자, 옹호자

побороть (완) ① 이기다, 승리하다; ~ врага(противника) 원수를 때려 부수다 ② 극복(억제)하다; ~ страх 무서움을 극복하다; ~ себя 자제하다

поборы (복수) 과중한 세금, 가렴잡세

побочный (형) 부차적인(副次的-); ~ый продукт 부산물; (화학) ~ая реакция 부반응

побояться (완) 두려워하다, 무서워하다, 겁이 나서 망설이다

побранить (완) 좀 꾸짖다, 나무라다

побратим (남) ① 이형제 ② 가까운 벗

по-братски (부) 형제적으로

побрезговать (완) *см.* брезговать

побрести (완) 천천히 걸어가다, 겨우 걸어가다, 허둥지둥 걸어가다

побрить (완) 면도하다

побриться (완) (자기 수염을) 면도하다
побросать (완) ① 막 내던지다 ② 내버려두다
побрызгать (완) 조금 뿌리다, 끼얹다
побрякушка (여) 딸랑이
побудительный (형): ~ый залог,~ая форма(глагола) (언어) (동사의) 지시형
подудить (완) ...하게 하다, 시키다, 추동하다; ~ уехать 떠나도록 추동하다
побудка (여) (군사) 기상(신호)
побуждать (미완) *см.* побудить
побуждение (중) 의도, 충동, 동기, 자극; честные ~я 정직한 의도; по собственному ~ю 자발적으로
побывать (완) ① (많은 곳을) 방문하다, 갔다 오다, 나녀오다, 머무르다 ② 참가하다; ~ на войне 전쟁에 참가하다 ③ (어떤 상태에 얼마동안) 있다
побывка (여) (주로 근무자에 대하여): приехать домой на ~y 단기휴가로 집으로 오다
побыть (완) 잠간 들리다 (머무르다)
повадиться (완) ① ...하는 버릇이 붙다, 습관되다 ② 자주 다니는 버릇이 붙다; ~лся к нам каждый день ходить 매일 우리에게 들리곤 하다
повадка (여) (나쁜) 버릇, 습성, 습관
повадно (부): чтобы не было ~ 되풀이하지 않도록, 두 번 다시 안하도록
повалить I (완) *см.* валить.
повалить II (완) 밀려들다, 쏟아지다; снег ~л 눈이 평평 쏟아진다.; дым ~л из трубы 굴뚝에서 연기가 뭉게뭉게 피어오른다.; народ ~л на площадь 사람들이 광장으로 밀려들기 시작하였다
повалиться (완) 나가쓰러지다, 나자빠지다
повально (부) 모두, 모조리, 전반적으로

повальный (형) 전반적인
поваляться (완) ① (조금) 딩굴다 ② (한동안) 누워있다
повар (남) 요리사(料理師), 취사원
поваренный (형) 요리; ~ая книга 요리책; ~ая соль (깨끗한) 소금
поварёшка (여) 국자(麴子)
повариха (여) 요리사, 취사원(여자)
по-вашему (부) 당신의 소원(의견)대로; как ~? 당신의 의견은 어떻습니까?; пусть будет ~, будь ~ 당신마음대로 합시다
поведать (완) 알려주다, 이야기하다, 아뢰다
поведение (중) 몸가짐, 품행(品行), 행동(行動), 행실(行實)
повезти I (완) ① 나르다, 가지고(데리고) ② 수송(운반)하다
повезти II (완) 운이 트다, 운수가 좋다, ему ~ло 그는 운수가 좋았다; не ~ло 운수가 나빴다; вот не ~ло! 참 재수 없군!; если ~ёт 재수가 좋으면, 기회가 좋으면
повелевать (미완) ① 다스리다, 지배(지휘)하다 ② 분부(명령)하다
повеление (중) 분부(分付), 명령(命令)
повелеть (완) 분부(명령)하다
повелитель (남),**~ница** (여) ① 군주(君主), 통치자(統治者), 지배자(支配者) ② 권세(權勢)가, 세력가(勢力家)
повелительный (형): ~ая форма,~ ое наклонение (언어) 명령법
поверенный (남): (временный) ~ в делах 대리대사
поверить (완) ① 믿다 ② *что-кому* 믿고 말하다, 고백하다; ~ свою тайну 자기의 비밀을 고백하다; поверь(те)! (확신시킬 때) 정말입니다, 그렇지요!
поверка (여) (인원)점검; вечерняя ~ 저녁점검

повернуть (완) ① 돌리다, 회전시키다; ~ кран 수도꼭지를 돌리다 ② (방향을) 바꾸다, 돌리다; ~ разговор 이야기(화제)를 돌리다; ~ за угол 모퉁이를 돌다

повернуться (완) ① 돌다, 돌아서다 ② 향하다, 전환되다; дело ~лось к лучшему 사태는 호전되었다

поверх (전) 우에; смотреть ~ очков 안경너머로 보다

поверхностно (부) 피상적으로, 경솔하게

поверхностный (형) ① 표면(表面) ② 피상적인, 경솔한, 천박한

поверхность (여) ① 표면(表面); ~ воды 수면; ~ шара 구면; ~ земли 땅의 표면, 지표 ② 겉면, 바깥면, 외부; сколь зить по поверхности (문제의 본질은 보지 않고) 피상적으로 보다, 수박 겉핥는 식으로 하다

поверху (부) 위에, 위에서

поверье (중) 미신(迷信)

поверять (미완) см. поверить

повеселеть (완) 유쾌(명랑)해지다

повеселить (완) (한동안) 유쾌하게 하다

повеселиться (완) (한동안) 유쾌히 시간을 보내다

по-весеннему (부) 봄날처럼

повесить (완) ① 걸다, 매달다 ② 교수형에 처하다; ~ нос 낙심하다, 시름에 잠기다

повеситься (완) 목을 매고 자살하다

повествование (중) ① 서술(敍述), 기술(技術) ② (문학) 설화; 소설, 이야기

повествовательный (형) : ~ое предложение (언어) 광고문, 알림문, 서술문

повести (완) ① 데리고 가다, 인도하다 ② : ~ разговор 말(이야기)하다, 이야기하기 시작하다; ~дело 일을 하다 ③ *чем-л.* 움직이다, 흔들다; ~ бровями 눈썹을 찡그리다; (и) глазом не ~ (누구의 의견, 말에) 아무런 관심도 돌리지 않다

повестись (완) ① 사귀다 ② 습관으로 되다; исстари так повелось 예로부터 관습이 이러하다; с кем поведёшься, от того и наберёшься 벗따라 강남간다(사람은 사귀는 벗에 따라 변한다는 뜻)

повестка (여) ① 의정, 토의일정; ~а дня 의정, 토의일정; включить в ~у (дня) 의정에 포함시키다; снять с ~и (дня) 의정에서 빼다 ② 통지서(通知書), 소환장, 호출장(呼出狀)

повесть (여) 중편소설

поветрие (중) ① 전염병 ② 큰 유행

повешение (중) 교살(絞殺), 교수형

повеять (완) ① 불다, 불기 시작하다 ② 느껴지다, 일어나다; ~яло прохладой 선선해졌다

повздорить (완) 싸우게(다투게)되다, 말다툼(언쟁)하다

повзрослеть(완) 어른이 되다, 성숙하다

повидать (완) ① (많은 것을) 보다, 겪다, 체험하다 ② 만나다

повидаться (완) с *кем*..만나다

по-видимому (삽입어로) 아마(도), 보건대; весна, ~, будет ранняя 아마 봄이 일찍 올 것 같다

повидло (중) 쨈, 과일쨈

повинность (여) 의무(義務); трудовая ~ 노동의무, 부역(負役)

повинный (남) 죄있는(죄진) 사람

повиноваться (미완) 복종(순종)하다; ~ приказу 명령에 복종하다

повиновение (중) 복종(僕從), 순종(純宗); беспре кословное ~е 절대적 신봉; сле-пое ~е 맹종; быть в ~и *кого-л*...에게 복종하다; держать в ~и 복종케 하다; выйти из ~я 복종치 않게 되다

повисать (미완), **повиснуть** (완) ①

П

걸리다, 매달리다; ~ на руках 손에 매달리다 ② (날아가는 것이 공중에) 떠있다; ~ в воздухе (사업이) 미해결로(미정으로) 남아 있다
повлечь (완) 후과를 가져오다, 결과를 빚어내다
повлиять (완) ① 영향을 주다 ② 설득(확신)시키다
повод I (남) ① 구실(口實), 기회(期會); дать ~ 구실을 주다 ② 동기(動機), 원인(原人); по какому ~у 무엇 때문에; по ~у чего ...와 관련하여
повод II (남) 고삐, 말고삐; быть на ~у у кого....에 얽매여있다, 하라는 대로 하다
поводок(남)(개를 끌고 나니는)개끈(사슬)
по-военному (부) 군대식으로
повозиться (완) над чем-л: 골몰하다; часа два ~лся над задачей 숙제를 푸는데 약 두 시간이나 골몰하였다
повозка (여) 달구지, 수레
поворачивать[ся] см. повернуть[ся]
поворот (남) ① 회전(回轉), 방향전환(方向轉換) ② 굽이, 굽이돌이; на ~е (дороги) 커브길, 길 굽이돌이에서 ③ 급변(急變), 전환(轉換); (неожиданный) ~ дела 사태의 급변
поворотливый(형) 재빠른, 민활한, 기민한
поворотный (형) : ~ момент 전환기
повредить (완) ① 해하다 ② 상하게 하다, 못쓰게 만들다; ~ ногу 다리를 상하다, 한쪽 다리를 다치다
повредиться(완) 못쓰게 되다, 고장나다
повреждать[ся] см. повредить [ся]
повреждение (중) ① 고장(故障), 손해(損害), 손상(損傷) ② 고장난 곳, 상처(傷處); исправить ~ 고장난 곳을 고치다
повременить (완) 얼마동안 기다리다; ~ несколько дней 며칠동안 기다리다
повременный (형) : ~ая оплата 시간당 임금지불
повседневно (부) 날마다, 매일, 일상적으로
повседневный (형) 매일매일, 일상적인, 늘 볼 수 있는; ~ая жизнь 일상생활; ~ый костюм 막벌, 마구 입는 옷
повсеместно (부) 가는 곳마다에서, 방방곡곡에서
повсеместный (형) 어디서나 볼 수 있는, 각처
повстанец (남) 폭동자, 반란자
повстанческий (형) 폭동자, 반란자
повстречать (완) (우연히) 만나다
повстречаться (완) 만나다, 마주치다
повсюду (부) 가는 곳마다에서, 방방곡곡에서
повтор (남) 되풀이, 반복(反復)
повторение (중) ① 되풀이, 반복 ② 복습; ~ пройденного 배운내용의 복습
повторить[ся] (완) см. повторять[ся]
повторно (부) 재차, 다시한번 더, 반복하여
повторный (형) 거듭(되는), 다시한번 되풀이하는
повторять (미완) ① 되풀이(반복)하다, 되뇌다 ② 복습하다; ~ пройденное 배운 내용을 복습하다
повторяться (미완) 되풀이(반복)되다
повысить[ся] (완) см. повышать[ся]
повышать (미완) ① 높이다, 증가시키다; ~ качество 질을 높이다 ② 올리다; ~ зарплату 노임을 올리다 ③ 등용(승급)시키다; ~ по службе 승급시키다; ~ голос(또는 тон) 목소리를 높이다, 화를 내여 말하다
повышаться (미완) ① 높아지다, 제고되다 ② 올라가다; температура ~ется 온도가 올라간다. ③ 등용(승급)되다

повышение (중) ① 높이는 것, 제고, 향상, 증가, 인상; ~ качества 질제고; ~ квалификации 자질향상; ~ цен 물가등귀; ~ зарплаты 임금인상 ② 등용, 승급

повышенный (형) ① повысить의 피동과거 ② (형) 보다 높은, 더 많은; ~ый интерес 더 큰 관심; ~ые обязательства 더 많은 과제; ~ая температура 고열; ~ое давление 고혈압 ③ 향상된, 개선된; ~ое качество 개선된 질

повязать (완) (양끝을 매서) 씌우다, 입히다; 매여주다; ~ платок 수건을 쓰다; ~ голову платком 머리에 수건을 씌우다; ~ галстук 넥타이를 매다; ~ передник 앞치마를 두르다

повязаться (완) (끝을 매여) 쓰다, 두르다, 입다; ~ платком 수건을 쓰다

повязка (여) ① 팔미, 완장 ② 붕대; наложить(снять) ~у 붕대를 감다(풀다)

повязывать[ся] см. повязать [ся]

поганка (여) (식물) 독버섯

погасить (완) ① 끄다 ② (부채 등을) 상환하다

погаснуть (완) 꺼지다

погашать (미완) см. погасить ②

погашение (중) 상환; ~ займа 부채의 상환

погибать (미완), **погибнуть** (완) 죽다, 전사하다, 멸망하다, 사라지다

погладить (완) ① 다리다 ② 쓰다듬다, 어루만지다

погдаживать (미완) см. погладить ②

поглотить (완),**~щать** (미완) ① 삼키다, 흡수하다, 빨아들이다; ~щать влагу 물기를 빨아들이다 ② 마음을 끌다, 사로잡다 ③ (시간, 노력을) 요구하다

поглощение (중) 삼키는 것, 흡수, 빨아들이는 것

поглядеть (완) см. глядеть

поглядеться (완) (자기모습을) 보다; ~ в зеркало 거울을 들여다보다

поглядывать (미완) ① 때때로 바라보다 ② 돌보다, 감시하다

погнать (완) 쫓기 시작하다, 추격하다

погнаться (완) ① 따라(쫓아)가다, 추격하다 ② 탐내다, 추구하다

погнуть (완) 휘다, 구부러뜨리다

погнуться (완) 구부러지다, 휘다

поговаривать (미완) ① (가끔) 이야기하다 ② 소문을 놓다, 논의하다

поговорить (완) ① (잠시) 이야기하다 ② 의논(상담, 담화)하다

поговорка (여) 격언(格言), 속담(俗談)

погода (여) 날씨, 일기; хорошая(плохая) ~а 좋은(나쁜) 날씨; стоит тёплая ~а 따뜻한 날씨가 계속되고 있다

погодный (형) 일기, 날씨;~ые условия 일기조건

погожий (형) 날씨가 좋은, 맑은; ~ день 좋은(맑은) 날씨

поголовно (부) 모두, 모조리, 남김없이

поголовный (형) 하나도 남김없는

поголовье (중) (집짐승의) (총)마리수

погон (남) (군사) 견장(肩牆)

погоня (여) ① 뒤따라가는 것, 추격(追撃) ② 추격대, 추격하는 사람

погонять (미완) ① 몰다, 내몰다, 몰아대다 ② 재촉(독촉)하다

погорелец (남) 화재당한 사람, 화재이재민

погореть (완) ① (한동안) 타다, 불붙다 ② 가물로 타다 ③ 화재를 당하다

погорячиться (완) 분격하다, 격하다

погранзастава(여) 국경초소; 국경지대

пограничник (남) 국경경비대원

пограничный (형) ① 국경, 국경지대; ~ый район 국경지대; ~ая палоса 경계지역 ② 국경경비; ~ая застава 국경초소; 국경경비대; ~ый отряд 국경경비대

погреб (남) 움

погребение (중) 매장(埋葬), 장례
погремушка (완) 딸랑이
погреть[ся] (완) *см.* греть[ся]
погрешность (여) ① 잘못, 오유, 과오; допустить ~ 잘못(실수)하다 ② (기계 등의) 오차(誤差), 편차(偏差)
погром (남) 대대적인 학살(약탈)
погромщик (남) 대학살의 조직자(참가자); 반동배외주의자
погружать (미완) ① *см.* грузить ② ...에 잠그다(빠뜨리다, 묻다); ~ тело в воду 몸을 물에 잠그다
погружаться (완) ① *см.* грузиться ② ...에 잠기다(빠지다, 묻히다); ~ в воду 물에 잠기다 ③ (어떤 상태에) 빠지다; ~ в чтении 독서에 열중하다
погрузить[ся] (완) *см.* погружать[ся]
погрузка (여) 짐싣기(상차); 적재
погрузочный (형) 짐을 싣는, 적재; ~ые работы 짐싣는 작업; ~ая машина 적재기
погрязнуть (완) ① (흙탕에) 빠지다 ② 곤란에 빠지다, 난처하게 되다;~ в долгах 빚에 얽매이다 ③ (나쁜 습관에) 빠지다; ~ в разврате 방탕한 생활에 빠지다
погубить (완) 죽이다, 해치다, 망치다
погулять (완) (한동안) 놀다, 산보하다
под(подо) (전) **I** (+대, 조) ① (방향, 장소를 표시) ...밑에; поставить под стол 책상밑에 놓다; находиться под столом 책상밑에 있다 ② ...가까이에, 부근에; под окном 창문앞에, 창문가에, 창문밑에; под Москвой 모스크바부근(근방)에 ③ (지도, 영향) ...밑에, ...하에; под руководством партии 당의 지도 밑에서; под знаменем Великого Октября 위대한 10(시)월(혁명)의 기치밑에; находиться под влиянием 영양하에 있다 ④ (쓰기 위하여) ...용; место под постройку 건설부지; этот сарай под сено 이 헛간은 마른 풀을 두는 헛간이다

под II (+대) ① (나이, 시간을 표시) 가까이, 직전에; ему уже под шестьдесят лет 그는 벌써 예순이 가깝다; под утро 동틀 무렵에, 이른 아침에; под вечер 저녁에, 저녁 무렵에 ② (...소리에 맞추어, ...소리를 들으면서) : танцевать под музыку 음악에 맞추어(음악을 들으면서) 춤을 추다; петь под аккомпанемент пианино 피아노반주에 맞추어 노래부르다; под стук колёс 차바퀴소리를 들으면서; он закон- чил свою речь под аплодисменты 그는 박수를 받으면서 자기연설을 끝마쳤다 ③ (...과 꼭 같이) : отделать под мрамор 대리석과 꼭 같이 만들다 ④ (담보로) взять деньги под расписку 영수증을 쓰고 돈을 받다; давать взаймы под залог 저당을 잡고 돈을 꿔주다

под III (+조) ① (단어, 표현의 뜻을 해명할 때): что вы имеете в виду под этим словом? 이 단어를 당신은 어떻게 이해합니까? что понимается(что вы поним- аете) под этим термином? 이 술어를 어떻게 이해해야 합니까? что надо понима-ть под ощущением? 감각이란 것을 어떻게 이해해야 합니까? ② (이름, 제목, 명칭을 표시할 때) ...이라는, ...이라고; роман под названием <Родина> <고향>이라는 장편소설; он опубликовал свои статьи под псевдонимом 그는 필명으로 자기 논문들을 발표하였다; находиться под рукой (일하는 사람의) 옆에 있다; под боком 바로 옆에(가까이에) 있다; это ещё под вопросом 이것은 아직 의문이다; под гор-ячую руку 화를 내고 있을 때; не гово- ри мне под руку

일하는데 나에게 말을 걸지 말아; это мне не под силу 이것은 나의 힘에 겹다, 나는 이것을 감당하지 못하겠다

подавать (미완) ① 가져다주다(드리다); ~ пальто 외투를 가져다드리다 ② (음식물을) 내놓다; ~ обед 점심식사를; ~ лес на стройку 건설장에 재목을 대다 ④ 제출하다; надежды 희망이 보이다, 가망이 있다, 유망하다

подаваться (미완) ① 움직이다, 물러서다, 비켜서다 ② 떠나가다, 출발하다 ③ 공급되다 ④ 제출되다; податься некуда 몸 둘 곳이 없다, 진퇴양난이다

подавить (완) ① 진압(탄압, 억압)하다 ② 억누르다, 압도하다

подавиться (완) 목이 메다, 목에 걸리다

подавление (중) 진압(鎭壓), 탄압, 억압

подавленный (형) ① подавить I 의 피동과거 ② 우울한; ~ое настроение 침울한 기분, 의기소침

подавлять (미완) см. подавить

подавляющий (형) : ~ее большинство 압도적 다수(多數)

подавно(부) : а я и ~ 나야 물론이지

подальше (부) 좀 더 멀리; от греха ~ 화를 입지 않도록

подарить (완) 선사하다, 선물로 드리다

подарок (남) 선물; получить в ~ 선물로 받다; сделать ~ кому....에게 선물하다(선물을 드리다)

податливый (형) 만만한, 문문한, 유순한; ~ человек 유순한 사람

подать (여) 인두세, 조세

подать[ся] (완) см. подавать[ся]

подача (여) ① 내주는 것, 제공 ② 제출 ③ (체육) 처넣기

подачка (여) ① 먹이, 사료 ② 동냥; вы-прашивать ~и 동냥을 구하다

подаяние (중) 동냥

подбавить (완), **подбавлять** (미완) 더 넣다(붓다), 첨가(부가)하다

подбадривать (미완) 기운을 돋구어주다, 힘을 내게 하다, 격려하다

подбегать (미완),~жать (완) 뛰어가다(오다), 달려가다(오다)

подберёзовик (남) (식물) (자작나무숲에 자라는) 돌버섯(의 일종), 차가버섯

подбивать (미완) ① 밑에 박아붙이다; ~ каблуки 구두뒤창을 대다 ② 격추(격과)하다 ③ 타박상을 입히다 ④ 추기다

подбирать (미완) ① 줏다, 수집하다 ② 골라내다, 선발하다 ③ 단정히하다; ~волосы 머리를 빗다

подбираться (미완) ① (선발되어) 구성(형성)되다 ② 몰래 다가가다(오다), 기어들다

подбить см. подбивать

подбодрить см. подбадривать

подбор (남) ① 선발, 선택, 분류; ~кадров 간부선발 ② 선택한 것, 수집(물) (как) на ~ (형태, 품질이) 꼭 같은

подбородок (남) 아래턱

подбрасывать (미완),~осить (완) ① 위로(밑으로) 던지다; высоко ~осить мяч 공을 높이 던지다 ② 남몰래 던지다(놓다); ~осить письмо 편지를 몰래놓다 ③ 더 던지다(넣다), ~осить дров в печку 뻬치까에 장작을 더 넣다 ④ 추가공급하다, 투하하다

подвал (남) ① 지하실 ② (신문의) 아랫단 기사

подвальный (형) ① 지하(실); ~ое помещение 지하실 ② (신문의) 아래단

подведение (중):~ итогов 총화짓는것

подведомственный (형) 관하, 소속, 권한에 속하는

подвезти (완) ① (차에 태워) 바래다(데려다주다); ~ попутчика

동행자를 바래다주다; ~ до деревни 마을까지 태워다주다 ② 실어가다(오다), 운반하다
подвергать (미완) 받게(당하게) 하다, 입히다; ~ обсуждению 심의에 붙이다; ~ сомнению ...에 의심을 품다; ~ кого опасности ...를 위험에 빠지게 하다
подвергаться (미완) 당하다, 받다; ~ критике 비판을 받다
подвергнуть[ся] *см.* подвергать[ся]
подвернуть ① 걷어 올리다, 걷다; ~ рукава 소매를 걷어 올리다; ~ брюки 바지를 걷다 ② 집어(밀어)넣다 ③ 더 조이다(돌리다); ~ гайку 너트를 더 조이다; ~ ногу 다리를 접질리다(상하다)
подвернуться (완) ① 접히다, 밀려들어가다 ② 곱지르다; 꼬이다; нога ~ лась 다리를 접질렸다 ③ 우연히 만나다, 눈에 띄다; ~лась интересная книга 흥미 있는 책이 눈에 띄었다
подвёртывать[ся] *см.* подвернуться
подвесить *см.* подвешивать
подвесной (형) : ~ая дорога (공중) 삭도; ~ой мост 구름다리
подвести *см.* подводить
подвешивать (미완) 걸다, 매달다
подвиг (남) 공훈, 위훈, 위업
подвигать[ся] *см.* подвинуть[ся]
подвижной *см.* подвижный
подвижность (여) 기동성, 기민성
подвижный (형) 날랜, 민첩한, 기민한
подвизаться (미완) (일정한 부문에서) 종사(활약, 활동)하다
подвинтить (완) 좀 더 조이다
подвинуть (완) ① (좀) 옮겨놓다, 움직이다, 끌어가다(오다); ~ стул 의자를 좀 옮기다 ② 추진(진척)시키다; ~ дело 일을 추진시키다
подвинуться (완) ① (조금) 옮아가다(오다), 다가가다(오다); ~ться вперёд 앞으로 조금 움직이다(나가다); ~ться ближе 더 가까이 다가서다 ② 추진(진척)되다; дело ~лось 일이 진척되었다
подвинчивать *см.* подвинтить
подвластный (형) 예속된, 부속된, 관하
подвода (여) 말달구지, 수레, 짐마차
подводить (미완) ① 끌고가다(오다), 데리고 가다(오다), 접근시키다; ~ ребёнка к окну 어린애를 창문있는 데로 데려가다 ② (밑에) 설치하다; ~ фунда-мент под здание 건물의 기초를 쌓다 ③ 곤경에 빠지게 하다, 속이다; ~ то-варища 동무를 곤경에 빠뜨리다, 동무를 속이다; ~ итоги 총화(총결)짓다
подводник (남) ① 잠수함승무원 ② 잠수부, 잠수원
подводный (형) ① 물밑에(수중에) 있는; ~ые растения 물밑식물, 수저식물; ~ый камень 암초 ② 물밑으로 가는, 잠수; ~ая лодка 잠수함; ~ый кабель 해저전선
по-двое (부) 둘씩, 두 사람씩
подвозить *см.* подвезти
подвой (남)(농업) 대목, 접밑그루, 그루목
подвох (남) 간책(奸策), 모략(謀略)
подвязать (완), **подвязывать** (미완) ① (밑에) 달아(잡아)매다 ② 싸(동여)매다 ③ 더 뜨다
подгадать (완) 제시간에 해내다
подгибать (미완) 구부리다, 접다, 껴다; ~ ноги под себя 꿇어앉다; ~ край листа 책장을 (껴어)접다
подглядеть (완), **~ядывать** (미완) 엿보다, 몰래 들여다보다
подговаривать (미완), **~орить** (완) 부추기다, 사촉하다, 꾀다
подголосок (남) ① 뒤따라 곡조를 되풀이하는 목소리 ② 졸개
подгонять (미완) ① 몰아가다(오다); (밑으로) 몰아넣다 ② 재촉하다,

서두르게 하다; ~ отстающих 뒤떨어진 사람들을 재촉하다 ③ 맞추다, 맞게 하다;~ стекло к раме 틀에 유리를 맞추다

подгорать (미완),**~еть** (완) (밑이, 밑으로부터) 타지다, 타다; 눋다, 탄내가 나다; мо-локо ~ело 우유는 탄내가 났다

подготавливать[ся] см. подготовиться

подготовительный (형) 예비(豫備); ~ый факультет 예비학부; ~ое отделе- ние 예비과

подготовить (완) ① 준비하다, (미리) 마련하다; ~ почву для сева 씨뿌리기를 할 수 있게 땅을 손질하다 ② 준비시키다 ③ 양성하다, 훈련시키다;~ специа-листов 전문가를 양성하다

подготовиться (완) 준비하다, 자신을 준비시키다

подготовка (여) ① 준비, 마련 ② 양성, 훈련; ~ кадров 간부양성 ③ 지식, 경험; у него хорошая ~ 그는 좋은 지식(경험)을 가지고 있다

полготовленность (여) 준비(정도)

подготовленный ① подготовить의 피동과거 ② (형) 준비된, 잘 훈련된, 미리 준비한

подгребать (미완),**~сти** (완) ① 긁어모으다 ② (노를)저어가다(오다); ~ к берегу 노를 저어 기슭으로 가다(오다)

подгруппа (여) ① 소조(小組), 조(組), 소그룹 ② 아류(蛾類), 아족(亞族)

поддаваться см. поддаться

поддакивать (예, 예)하다, 동의하다

подданная (여),**~ый** (남) 공민, 국민; иностранный ~ый 외국국민

подданство (중) 국적(國籍); принять ~ 국적에 들다, 국적을 받다

поддать (완) ~ жару 더욱 열성을 내다, 더욱 마력을 가하다

поддаться (완) ① *чему* (어떠한 상태, 처지에) 빠지다; 영향을 받다, 굴하다; обману 속아넘어가다 ② *на что* 양보(동의)하다, 믿다;~ на уговоры 권고에 동의하다 ③ 저항하지 않다, 잡히다 ④ (어떠한 작용하에) 변하다, 말을 듣다; дверь с трудом под-далась 문이 겨우 열렸다

подделать(완) 위조(模造)하다;~ подпись 수표를 위조하다

подделаться см. подделываться

подделка (여) ① 위조(僞造), 모조(模造) ② 위조물, 모조품(模造品)

подделывать см. подделать

подделываться (미완) ① под *кого- что* 흉내 내다; 가장하다 ② к *кому* 발라맞추다, 아부하다

поддельный (형) 가짜, 위조, 모조한; ~ документ 위조문건

поддержать (완), **поддерживать** (미완) ① 붙들다, 부축하다; ~ под руку 팔을 부축하다 ② 지지(동의, 찬동)하다;~ мнение 의견을 지지하다 ③ 원조(지원, 고무)하다 ④ 유지하다; ~ порядок 질서를 유지하다

поддержка (여) ① 부축하는 것, 받치는 것 ② 지지, 찬성, 지원(支援); 원조, 고무 ③ 유지(有志), 보존(保存)

подействовать (완) ① 작용하다 ② 영향을 주다

поделать (완): что ~ешь? 어떻게 하겠는가; 어쩔 도리가 없다; ничего не ~ешь 1) 어쩔 도리가 없다 2) 그렇게 할 수밖에 없다

поделить[ся] см. делить[ся]

подённый 날품; ~ая работа 날품팔이

подержанный (형) 낡은, 헌

подешеветь (완) 싸지다, 눅어지다, 값이 내리다

поджаривать (미완) 볶다, 지지다, 굽다

поджариться (미완) 볶아지다, 구워지다

поджаристый (형) 잘 볶아진, 잘 구워진

поджарить[ся] *см.* поджаривать[ся]

поджарка (여) 볶은음식

поджарый (형) 여위고 홀쭉한

поджать (완) : ~ под себя ноги 꿇어앉다; ~ губы 입을 딱 다문다; ~ хвост (자기 행동에서) 자신심을 잃다, 위축되다

поджелудочный (형) : ~ая железа (해부) 취장

поджечь (완) ① 불을 붙이다 ② 불을 놓다, 방화하다

поджигатель (남) 방화자; ~ войны 전쟁 도발자

поджигательский (형) 도발적인

поджигать *см.* поджечь

поджидать (미완) 기다리다, 대기하다

поджимать *см.* поджать; сроки ~ ют 기한이 끝나고 있다

поджог (남) 방화(放火)

подзаголовок (남) 소제목, 보충제목

подзадоривать (미완),**~ить** (완) 추기다, 선동하다

подзаработать (완) 돈벌이하다, 보충적으로 벌다

подзатыльник (남): давать(получать) ~и 뒤통수를 치다(얻어맞다)

подзащитная (여),**~ый** 남 변호의뢰인, 변호를 받는 사람

подземелье (중) 땅속굴, 지하실

подземный (형) 지하; 땅속; ~ые работы 지하노동; ~ый переход 지하통로

подзорный (형) :~ая труба 망원경

подзывать 불러오다 (손짓으로) 부르다

подкапывать (미완) 밑을 파다

подкапываться (미완) под кого-что ① 파고(뚫고)들어가다 ② 해치다; 오유(약점)를 들추어내다

подкарауливать (미완),**~ить** (완) (은밀히) 감시하다, 매복하여 기다리다

подкармливать (미완) ① 잘 먹이다, 영양가(영양부)있는 음식을 더 먹이다 ② 덧거름을 주다

подкатить (완) ① 가까이 굴려가다(오다); ~ бревно 통나무를 굴려가다(오다) ② (타고 빨리) 도착하다; ~ к самому дому 바로 집 앞에 도착하다

подкатывать *см.* подкатить

подкачать (완) ① (물, 공기 등을) 펌프로 더 넣다(붓다) ② (기대에) 어긋나다

подкачивать *см.* подкачать ①

подкашиваться (미완) : ноги ~ются(от усталости) 지칠대로 지치다, 몹시 피로하다

подкидывать *см.* подбрасывать

подкидыш (남) 개구멍받이, 내 버린 아이

подкинуть *см.* подбросить

подкладка(여) 안, 안감; ~пальто 외투안

подкладывать (미완) ① 밑에 놓다 (받치다) ② 더 넣다, 보태다 ③ 몰래 놓다

подклеивать (미완),**~ть** (완) (풀로) 밑에(뒷면을) 붙이다, 덧붙이다

подключать[ся] *см.* подключить[ся]

подключить (완) ① 이어놓다, 연결하다 ② 가담(포함)시키다

подключиться (완) ① 이어지다, 연결되다 ② 가담하다, 합류되다

подкова (여) 말굽쇠, 징, 편자

подковать (완), **подковывать** (미완) ① 정을 박다, 편자를 신기다 ② 필요한 예비지식을 주다

подкожный (형) 가죽밑; 피부밑; ~ое впрыскивание 피하주사

подкомиссия (여) 분과위원회

подкомитет (남) 소(분과)위원회

подкоп (남) ① 밑(아래)을 파는 것 ② 갱도, 지하도; вести(устроить) ~ 갱도를

파다 ③ 음모, 간책, 암해
подкопать[ся] см. подкапывать[ся]
подкормить см. подкармливать
подкормка (여) ① 덧먹이 ② 덧거름; производить~у 덧거름을 주다
подкоситься (완) 오금을 못추다; у него ноги~лись 그는 다리가 떨렸다
подкрадываться (미완) (남몰래) 다가들다, 접근(잠입)하다
подкрасить (완) ① 약간 칠하다, 색칠하다; ~ стены 벽에 색칠을 하다; ~ губы 입술에 연지를 바르다 ② 물을 들이다, 염색하다
подкраситься (완) (입술, 불 등에) 약간 칠하다(바르다)
подкрасться см. подкрадываться
подкрашивать[ся] см. подкрасить[ся]
подкрепить (완) ① 더욱 튼튼히 하다, 보강하다 ② 안받침하다, 확증하여주다
подкрепиться (완) (먹거나 마셔서) 힘을 내다; ~ перед дорогой 길 떠나기 전에 잘 먹다
подкрепление (중) ① 보강(補强), 강화(强化) ② 먹어서 기운을 내는 것 ③ (군사) 증원부대, 지원부대
подкреплять[ся] см. подкрепить[ся]
подкуп (남) 매수
подкупать (미완) ① 매수하다; 뇌물을 주다; (돈을 써서) 자기편으로 만들다 ② 호감(동정)을 사다; ~ всех своей искренно-стью 자기의 진정으로 모든 사람들의 호감을 사다
подкупить см. подкупать
подладиться (완),**~живаться** (미완) к кому-чему ① ...에 맞추다; ~живаться к шагу 걸음을 맞추다 ② 아첨하다, 발라맞추다
подле (전) 곁에, 옆에, 가까이에
подлежать (미완) чему,~ит рассмотре-нию 심의에 붙이게 되어있다; не ~ит сомнению 의심할 바 없다
подлежащее (중) (언어) 주어(主語)

подлезать (미완), **подлезть** (완) 밑으로 기어들어가다
подлетать (미완),**~еть** (완) ① (가까이) 날아오다, 접근하다 ② 뛰어(달려)오다 ③ 날아들다, 날아오르다; мяч ~ел до потолка 공이 천정까지 튀어올랐다
подлец (남) 비열한 놈, 더러운 놈
подливать (미완) 더 붓다
подливка (여) 소스(양념장의 한가지) мясо с ~ой 소스를 친 고기
подлиза (남, 여) 아첨쟁이, 아첨군
подлизаться (완), **подлизываться** (미완) к кому 발라맞추다, 아첨하다
подлинник (남) 원본, 원문, 원작, 원화; ~ документа 문서의 원본; читать в ~е 원문을 읽다
подлинно (부) 진정으로, 참말로
подлинный (형) ① 진정한, 진실한, 참된, ~ый учёный 참된 학자 ② 진짜, 원작; ~ый документ 원본; с ~ым верно (공식문건에서) 원문과 같음
подлить см. подливать; ~ масла в огонь 붙는 불에 키질하기
подло (부) 비굴(비열, 너절)하게
подлог (남) 위조(僞造)
подложить см. подкладывать
подложный (형) 위조, 가짜;~ документ 위조문건
подлость (여) ① 비열성 ② 비열한 행동, 너절한 행동; сделать ~ 비열한 짓을 하다
подлый (형) 비열한, 너절한, 더러운
подмазать (완) ① (좀) 바르다, 칠하다; 밑에 바르다 ② 매수하다
подмазаться (완) 아첨(아부)하다
подмастерье (남) 견습공, 조수
подмена (여) ① 슬쩍 바꾸는 것 ② 교대, 임시대리 하는 것
подменить (완),**~ять** (미완) ① 슬쩍 바꾸다(갈아놓다) ② 대신(대리)하다
подмерзать (미완), **подмёрзнуть** (완) ①

(약간) 얼다; лужи за ночь подмёрзли 밤사이에 물웅덩이에 살얼음이 졌다 ② 얼어서 약간 못쓰게 되다; овощи подмёрзли 남새가 얼어서 좀 상하였다 ③ (무인칭) 얼음이 얼다; на дворе подмёрзло 밖에는 얼음이 얼어붙었다

подмести (완), **~тать** (미완) ① 쓸다, 청소하다 ② 밑으로 쓸어 넣다

подметить (완) 알아내다, 발견하다; ~ недостатки 결함을 알아내다

подмётка (여) 신창, 구두창; в ~и не годиться кому...의 발밑에도 못간다

подмечать см. подметить

подмигивать (미완), **подмигнуть** (완) 눈짓하다, 눈을 끔적이다(끔벅이다)

подмога (여) 도움, 방조; идти на ~у кому.... 를 도우러 가다, 도와 나서다

подмокать (미완), **подмокнуть** (완) (밑으로부터) 젖다, 약간 젖다, 젖어서 상하다

подмораживать (미완), **~озить** (완) (무인칭) 더 추워지다; к вечеру ~озило 저녁녘에 더 추워졌다

подмостки (복수) ① 널마루, 대 ② 무대; театральные ~ 극장무대

подмоченный: ~ая репутация 나쁜(깨끗하지 못한) 평판

подмывать (미완) ① (몸의 아랫도리를) 씻어주다 ② (약간) 씻다

подмываться (미완) (자기의 엉덩이, 살 등을) 씻다

подмышка (여) 겨드랑이 (격변화 할 때 띄어씀): под мышку, под мышкой, под мышки, под мышками); взять под мышку 겨드랑이에 끼다; нести книгу под мышкой 책을 겨드랑이에 끼고 가다; болит под мышкой(под мышками) 겨드랑이가 아프다; платье порвалось под мышкой 옷의 겨드랑이가 터졌다

подневольный (형) ① 예속된 ② 강제; ~ труд 강제노동

поднести см. подносить

поднимать (미완) ① 들다, 올리다, 쳐들다; ~ тяжести 무거운 것을 들어 올리다; ~ занавес 막을 올리다; ~ голову(руку, ногу) 머리(손, 발)을 쳐들다 ② (일으켜) 세우다; ~ упавшего 넘어진 사람을 일으켜 세우다 ③ 떠나게(가게)하다, 출동시키다 ④ 궐기시키다, 고무하다 ⑤ 높이다, 올리다 ⑥ 일으키다; ~ восстание 폭동을 일으키다 ⑦ 개간하다; ~ целину 처녀지를 개간하다 ⑧ 돋구다, 적극화하다; ~ дух 사기를 돋구다; ~ шум 소동을 일으키다; ~ голову 되살아나다, 용기를 내다, 대두하다; ~ на смех 웃음거리로 만들다, 조롱하다

подниматься (미완) ① 오르다, 올라가다(오다); ~ на гору 산에 오르다 ② 일어나다, 일어서다; ~ с постели 잠자리에서 일어나다 ③ 궐기하다, 떨쳐나서다 ④ 높아지다

подноготная (여) 숨은 진실, 음폐된 진상

подножие (중) 밑부분, 아래쪽; у ~я горы 산기슭에서

подножка (여) (자동차, 전차, 객차 등의) 발디딤대, 발판

подножный (형) : ~ корм ① 방목지의 목초 ② 공짜음식

поднос (남) 쟁반

подносить ① (손으로) 가져가다(오다), 나르다, 운반하다; ~ ребёнка к окну 어린애를 창문가로 안아가다 ② 갖다드리다, 대접하다; ~ цветы 꽃다발을 드리다

поднырнуть (완) 밑으로 자맥질하여 들어가다

поднятие (중) ① 올리기, 올리는 것, 높이는것; ~ флага 기발을 올리는 것 ② 제고, 향상

поднять[ся] *см.* поднимать[ся]
подобать (미완) 타당(적당)하다; как ~ет 적당하게; так поступать не ~ет 그런 행동은 적당지 않다; ему не ~ет так говорить 그가 이렇게 말하는 것은 타당지 않다
подобающий (형) 적당한; ~им образом 적당하게
подобие (중) 닮음, 유사(有事), 같은 모양 по образу и ~ю 꼭같이
подобный (형) ① 비슷한, 같은 ② 그러한, 이런; ~ое поведение 그러한 행동 и тому ~ое (약재료 и т.п.) 기타 등등; ни-чего ~ого 전혀(결코) 그렇지 않다
подобострастный (형) 비굴한, 아부하는, 맹종맹동하는
подобать[ся] *см.* подбирать[ся]
подобреть(완) 더 선량해지다, 착해지다
подобру (부) : убирайся(уходи) ~-поздорову 혼나기 전에 썩 물러가라, 좋게 말할 때 가거라!
подогнать *см.* подгонять
подогнуть *см.* подгибать
подогревать (미완) 데우다, 덥히다, 가열하다
подогреваться (미완) 데워지다, 가열되다
подогреть[ся] *см.* подогревать[ся]
пододвигать (미완) (움직여, 밀어) 접근시키다, 옮기다
пододвигаться (미완) 가까이 앉다, 바로 가서다(다가앉다), 접근하다
пододвинуть[ся] *см.* пододвигать[ся]
пододеяльник (남) 이불거죽
подождать (완) ① (잠시) 기다리다, 좀 대기하다 ② 좀 미루다, 연기하다 ③ (명령형) подожди(те) 잠간만
подозвать *см.* подзывать
подозреваемый (남) 의심받는 사람, 혐의대상
подозревать (미완) ① 의심하다, 수상히 여기다 ② 혹시 ...지나 않는가 생각하다; я ~ю что он заболел 나는 그가 병이 나지나 않았는가 생각한다.
подозреваться (미완) 의심을 받다
подозрение (중) 의심(疑心), 의혹(疑惑); 혐의(俠義); быть под ~ем, быть на ~и 의심을 받다; рассеять ~я 의혹을 풀다
подозрительно(부) 의심쩍게, 수상하게
подозрительный (형) ① 의심스러운, 의심이 가는, 수상한; ~ человек 수상한 사람 ② 의심많은; ~ характер 의심많은 성격
подойти *см.* подходить
подоконник (남) 창문턱, 창문가
подол (남) 옷자락; ~ юбки 치마자락
подолгу (부) 오래동안
по-домашнему(부)집에서처럼, 제집처럼
подонок (남) 찌꺼기, 인간쓰레기
подопечная (여),**~ый** (남) 피후견인
подоплёка (여) 이먼, 내면, 숨은 비밀; ~a событий 사건의 이면; знать ~y 숨은 비밀을 알다
подопытный (형) 실험용; ~ые животные 실험용동물
подорвать (완) ① (밑으로부터) 뜯어(찢어)내다 ② 폭파하다, 터뜨리다 ③ 해치다, 훼손하다; здоровье 건강을 해치다; ~ ав- торитет 위신을 훼손하다
подорваться (완) ① 폭파되다, 폭팔로 죽다; ~ на мине 지뢰에 걸려 파괴되다(죽다) ② : здоровье подорвалось 건강이 나빠졌다
подорожать (완) 비싸지다, 값이 오르다
подорожник (남) (식물) 길짱구
подосиновик (남) (식물) 돌버섯(의 한가지)
подослать (완) ① 몰래보내다, 은밀히 파견하다 ② 더 보내다, 보충파견하다
подоспевать (미완),**~еть** (완) ①

닥쳐오다 ② 제때에 (때마침) 오다
подостлать *см.* подстилать
подотчётный (형) ① 전도(가불)하는; ~ая сумма,~ые деньги 전도금, 가불금 ② 보고할 의무(책임)가 있는
подохнуть (완) (동물이) 죽다
подоходный (형): ~налог 소득세
подошва (여) ① 발바닥; 신바닥, 신창; кожаная ~ 가죽창 ② 밑바닥, 바닥; ~ горы 산기슭
подпадать *см.* подпасть
подпасть (완): ~ под влияние *кого*.....의 영향을 받다, 영향하여 들어가다
подпевать (미완) ① (뒤따라)받아부르다; ~ басом 저음으로 받아부르다 ② 맞장구를 치다, 장단을 맞추다, 엉너리치다
подпиливать (미완), **подпилить** (완) ① 톱으로 밑을 베다 ② 톱으로 짧게 자르다 ③ 덧톱질하다
подпираться *см.* подпереть[ся]
подписание (중) 서명(書名), 조인
подписать (완) ① 서명하다, 조인하다 ② (밑에)써넣다, 기입하다 ③ 예약자에 포함시키다, 신청자수에 포함시키다;~ на журнал 잡지 예약자속에 포함시키다
подписаться (완) ① 수표를 하다, 서명하다 ② 예약(신청, 주문)하다; ~ на газету 신문을 예약하다
подписка (여) ① 예약(豫約), 신청(新晴), 주문(注文) ② 서약서(誓約書);давать ~у 서약서를 쓰다
подписной (형) 예약(豫約); ~ая цена 예약가격; ~ое издание 예약출판물
подписчик (남),~ца (여) 구독자(購讀者), 예약자, 신청자, 주문자; постоянный ~к 고정구독자(신청자)
подписывать[ся] *см.* подписать[ся]
подпись (여) 수표(手標), 서명(書名); поставить(свою) ~ 수표를 발급하다
подплывать (미완), **~ыть** (완)

헤엄쳐(배로) 다가가다(오다)
подпол (남) 움, 지하실(地下室)
подползать (미완),**~ти** (완) ① 기어서 다가가다(오다) ② 밑으로 기어들다
подполковник (남) 중좌
подполье (중) ① 지하운동, 지하공작; работать в ~ 지하에서 일(공작)하다; уйти в ~ 지하공작으로 넘어가다, 지하로 들어가다 ② 지하실(地下室)
подпольный (형) 지하(地下), 비밀(秘密); ~ая работа 지하공작(地下孔雀); ~ая организация 지하조직(地下組織), 비밀단체
подпольщик (남),~ца (여) 지하공작원
подпорка (여) 받치개, 기둥, 섶
подпоясать (완) 허리에 띠를 띠워주다
подпоясаться (완) 허리에 띠를 띠다, 허리에 띠를 두르다
подпоясывать[ся]*см.* подпоясать(ся)
подправить (완),**~авлять** (미완) 약간 고치다, 좀 보수(수리)하다
подпрыгивать ,**~нуть** 깡충깡충(껑충껑충) 뛰다; **~нуть** от радости 기뻐서 껑충껑충 뛰다; **~ивая** на одной ноге 한발로 깡충깡충 뛰어, 앙감질하여
подпускать (미완),**~тить** (완) 가까이 오게 하다, 접근시키다
подрабатывать (미완),**~отать** (완) ① 더 벌다, 보충적 수입을 얻다 ② 더 잘 연구하다; 손질하여 완성하다; ~ вопрос 문제를 더 잘 연구하다
подражание (중) ① 본 따는 것; 모방(模倣), 모조(模造); ② 모조물(模造物)
подражатель (남) 모방자(模倣者)
подражать (미완) *кому-чему* ① 본따다, 흉내내다 ② 모방하다; не стоит(не следует) ему ~ 그를 모방할 필요가 없다 ③ 모범을 따르다, 뒤를 따라하다; ~ его

- 450 -

примеру 그의 모범을 따르다
подразделение (중) ① (군사) 구분대 ② 구분, 세분
подразделить[ся]см.подрзделять(ся)
подразделять (미완) (작게) 나누다, 구분하다, 세분하다
подразделяться (미완) (다시, 작게) 나뉘어지다, 구분(세분)되다
подразумевать (미완) 생각(이해)하다, 염두에 두다; что вы под этим ~ете? 이것으로써 당신은 무엇을 말하려 하십니까?
подразумеваться (미완) ① (말하지 않아도) 짐작(이해)되다, 의미가 있다; это само собой ~ется 이것은 스스로 명백하다, 이것은 자명한 일이다
подрастать (미완) 자라나다, 성장하다
подрастающий: ~ее поколение 청소년, 자라나는 세대, 하이틴(high teen)
подрасти см. подрастать
подраться (완) 싸우다, 서로 때리다
подрезать (완), подрезать (미완) ① 자르다, 잘라서 짧게 하다; ~ деревья в саду 정원의 나무를 잘라서 고르게 하다 ② 짧게 베다(깎다); ~ волосы 머리를 짧게 깎다
подремать (완) (잠시 동안) 졸다, 눈을 붙이다
подробно (부) 자세히, 상세하게
подробность (여) ① 세밀성 ② 세부, 사소한 것; вдаваться в ~и 세밀한데까지 언급하다; во всех ~ях 아주 상세하게
подробный (형) 상세한, 자세한
подросток (남) 소년, 소녀, 미성년
подрубать (미완),~ить (완) ① 밑을 자르다(찍다) ② (찍어, 잘라) 짧게 하다
подруга (여) 여자동무, 벗
по-другому (부) 다르게, 달리
по-дружески (부) 친구답게, 동지적으로

подружиться 친해지다, 우정을 맺다
подружка (여) подруга의 애칭; 벗; ~ невесты 신부의 들러리
подруливать,подрулить(항공) (지상으로 활주하여) 접근하다, 가까이 몰고 가다.
подручный① (형) : ~ инструмент 상비용 도구 ② (명사로) (남) 조수, 방조자
подрыв (남) ① 폭파(爆破), 폭발(爆發) ② 파괴(破壞), 훼손(毁損)
подрывать[ся] см. подорвать[ся]
подрывник (남) 발파공, 폭파수
подрывной (형) : ~ая деятельность 파괴행위, 파괴활동
подряд I (남) 청부(請負), 청부계약(請負契約); работать по ~у 청부계약에 따라 일하다
подряд II (부) ① 연거푸, 줄곧, 연속적으로 ② (всё, все와 함께) 모조리, 남김없이
подрядиться (완),~жаться (미완) 청부를 맡다, 고용되다
подрядчик (남) 청부업자, 청부인
подсадить, подсаживать ① (도와서) 태우다, 앉히다; ~ старуш-ку в вагон 노인을 차안으로 모셔 올리다 ② 함께(같이) 넣다 ③ (식물을) 더(보태여) 심다
подсаживаться см. подсесть
подсвечник (남) 초대(招待)
подсека (여) 부대밭
подселить (완),~ять (미완) 함께 살게 하다, 동거(同居)시키다
подсесть (완) 옆에(가까이) 앉다; ~ к столу 책상(식탁)가까이 앉다
подсечный (형) : ~ое земледелие 부대밭농사, 화전농사(火田農事)
подсидеть (완), подсиживать (미완) 해하다, 흉계를 꾸미다, 모함하다
подсказать см. подсказывать
подсказка (여) 귀뜸(질), 암시

подсказывать (미완) ① 대주다, 귀띔해주다 ② 암시해주다
подскакивать (미완),~очить (완) ① 깡충 뛰어오르다 ② 갑자기 높아지다 ③ 빨리 뛰어 다가가다. 빨리 뛰어오다.
подслеповатый (형) 시력이 약한, 근시가 심한
подслушать см. подслушивать
подслушивание (중) 도청, 몰래듣는 것
подслушивать (미완) 몰래 듣다, 엿듣다, 도청(盜聽)하다
подсматривать 엿보다, 들여다보다
подсмеиваться (미완),~яться (완) 놀려주다, 조소하다, 조롱하다.
подсмотреть см. подсматривать
подснежник (남) (식물) 눈꽃, 갈란투스
подсобный (형) 부차적인; ~ое хозяйство 부업경리; ~ый рабочий 노무자(勞務者); ~ый промысел 부업
подсовывать см. подсунуть
подсознательный (형) 본능적(本能的)인, 무의식적(無意識的)인
подсолнечник (남) 해바라기
подсолнечный (형): ~ое масло 해바라기 기름
подсолнух (남) ① 해바라기 ② : семечки (~а) 해바라기 씨
подсохнуть (완) ① (서서히) 마르다, 조금 마르다; грязь во дворе ~ла 뜨락의 진창이 약간 말랐다 ② (상처가) 좀 낫다, 아물다
подспорье (중) 도움, 방조, 원조, 조력
подставить (완) ① 밑에 놓다(받치다) ② 가까이 옮겨놓다, 권하다, 내놓다; ~ ногу(ножку) кому (방해하여) 곤경에 빠뜨리다
подставка (여) 고임목, 받침목
подставлять см. подставить
подставной (형) : ~ой свидетель 가짜증인; ~ое лицо 괴뢰, 허수아비
подстаканник (남) 찻잔

подстанция (여) 변전소(變電所)
подстёгивать (미완),~егнуть (완) ① 때려몰다 ② 재촉하다, 서두르게 하다
подстерегать (미완),~ечь (완) 잠복하여 기다리다, 숨어서 살피다
подстилать (미완) 밑에 펴놓다(깔다)
подстилка (여) ① 깔개 ②: соломенная ~ 깔개짚
подстраивать см. подстроить
подстраиваться (미완) к кому.....의 장단에 맞추어 행동하다
подстрекатель (남) 선동자, 사촉자
подстрекательство (중) 선동(煽動), 사촉(唆囑), 부추김
подстрекать (미완) 부추기다, 꼬드기다, 선동하다, 도발하다; ~ к ссоре 싸움하게 부추기다
подстрелить (완) (총으로 쏘아) 부상을 입히다
подстричь (완) (조금) 깎다; ~ волосы 머리를 치다(다스리다)
подстричься (완) 머리를 치다(깎다)
подстроить (완) 몰래 꾸미다; ~ неприятность 불쾌한 일을 몰래 꾸미다
подстроиться см. подстраиваться
подстрочный (형) : ~ перевод 직역(直譯), 축자역
подступать (미완),~ить (완) ① 접근하다, 바싹 가까이 가다(오다) ② 치밀다, 북받치다; слёзы ~или к горлу 울음이 북받쳐 올라왔다
подступиться (완) : к нему не ~ 그에게 접근할 수 없다
подступы (복수) 근처(近處), 접근하는 길; на ~ах к городу 도시의 근처에서, 도시로 접근하는 길에
подсудимая (여),~ый (남) 피소자(被訴)
подсудный (형) 재판관할
подсунуть (완) ① (밑에) 넣다, 밀어 넣다 ② 모래(가만히) 넣다(놓다) ③ (상대방을 가만하여 나쁜 물건을) 주다,

- 452 -

안겨주다

подсчёт (남) ① 계산 ② (흔히 복수) 총화, 결산 ◇ по приблизительным ~ам 대략적 계산으로 보아

подсчитать,~итывать 계산(결산)하다

подсылать *см.* подослать

подсыхать *см.* подсохнуть

подталкивать *см.* подтолкнуть

подтасовать,~овывать (미완) ① (트럼프 등을) 속임수를 쓰며 치다 ② 외곡하다; ~овывать факты 사실을 외곡하다

подтащить (완) 끌어다놓다

подтвердить (완) 확인(확증, 실증)하다

подвердиться 확인(확증, 실증)되다

подтверждать[ся] *см.* подтвердить(ся)

подтверждение (중) 확인(確認), 확증(確證), 증거(證據);в~ *чего*...의 증거로써

подтёк (남) 멍; 멍든 곳

подтекст (남) (말, 글의) 숨은 뜻, 속대사

подтереть (완), **подтирать** (미완) 물기없게) 닦다, 씻다

подтолкнуть ① 가볍게 밀다(밀치다) ② 재촉(추동)하다, 서두르게 하다, 내물다

подтрунивать (미완) над *кем* ...을 비웃다, 조롱(야유)하다

подтягивать (미완) ① 꼭죄다, 졸라매다, 팽팽하게 하다; ~ пояс 허리띠를 꽉 조이다 ② 끌어가다(오다), 끌어당기다 ③ (군사) 모으다, 집결시키다 ④ (규률을) 죄다, 강화하다 ⑤ (노래를) 따라(받아) 부르다

подтягиваться (미완) ① 띠로 꽉 죄다; ~ ремнём 혁띠를 꽉 죄다 ② 현수하다, 매달려 몸을 올리다 ③ (군사) 집결(집중)되다 ④ (사업이) 더 훌륭히 수행되다, 더욱 규율적으로 되다

подтяжки (복수) 멜빵

подтянуть[ся] *см.* подтягивать[ся]

подумать (완) ① 생각하다 ② 잠시(좀) 생각하다 ③ (2 인칭 단수) подумаешь (감) (조롱, 야유, 훌시를 나타냄); подумаешь, какой умник 원, 두 번만 똑똑했다간 큰일 나겠다

подумывать (미완) ① (때때로) 생각하다 ② ...하려고 하다, ...할 작정이다

подурнеть (완) 좀 보기 흉하게 되다, 미워지다

подушка (여) ① 베개 ② (공학) 받치개, 고이개, 베개, 침목; кислородная ~ 의료용 산소 흡입기

подхалим (남) 아첨쟁이

подхалимаж (남) 아첨(阿諂), 아부

подхватить (완),**~атывать** (미완) ① 잡다, 받다, 붙들다, 들다; ~ брошенный мяч 던진 볼을 받다 ② (병에) 걸리다; ~ насморк 감기에 걸리다 ③ (남의 생각, 말 등을) 이용하다, 가져다 쓰다 ④ (노래를) 따라(받아) 부르다 ⑤ 지지하다, 받아 물다.; ~ инициативу 발기를 지지하다

подход (남) ① 접근(지); 가까이 가는 길 ② 취급방법; 태도, 입장; классовый ~ 계급적 입장

подходить (미완) ① 가까이 가다(오다), 다가서다, 접근하다; ~ к окну 창문에 다가서다 ② 착수하다 ③ 대하다, 취급하다; уметь ~ к людям 사람들을 대할 줄 알다 ④ 알맞다, 적합하다; ~ к концу 끝나다, 끝나가다.

подходящий ① подходить의 능동현재 ② (형) 알맞은, 적당한; ~ee дело 알맞은 일; ~ий момент 적당한 순간(시기)

подчас (부) 때때로, 이따금

подчёркивать *см.* подчеркнуть

подчёркнутый ① подчеркнуть의 피동과거 ② (형) 특별한; ~ое внимание

남다른(유달리 다른) 관심
подчеркнуть (완) ① 밑줄을 긋다; ② 강조하다, 힘주어 말하다
подчинение (중) ① 종속(從屬), 예속(隸屬), 복종(僕從); быть в ~и 복종되어있다 ② (언어) 종속(從屬)
подчинённый ① подчинить의 피동과거 ② (형) 얽매인, 종속적인 ③ (명사로) (남) 부하, 하부
подчинительный(형) (언어) 종속(從屬); ~ый союз 종속접속사; ~ая связь 종속적 연계
подчинить (완) ① 종속시키다, 복종시키다 ② 소속시키다; 관할 하에 두다
подчиниться ① 복종되다; ~ приказу 명령에 복종하다 ② 배속되다
подчинить[ся] см. подчинить[ся]
подчистую (부) 모조리, 다, 깨끗이, 남김없이
подчищать см. подчистить
подшефный(형)지원을 받는, 후원을 받는
подшивать (미완) ① 꿰매다, 대다; 박음질하다 ② (함께) 철하다; ~документы 문서를 철하다
подшивка (여) ① 꿰매는 것, 철하는 것 ② 철한 것; ~ газет 신문철
подшипник (남) 축 받치개, 베어링; ша-риковый ~ 볼베어링
подшить см. подшивать
подшутить (완), **подшучивать** (미완) над кем-чем 조롱하다, 비웃다, 놀려주다
подъезд (남) ① 접근(接近) ② 통로(通路); ~ к реке 강으로 뻗은 통로 ③ 출입구(出入口); 현관; парадный ~ 정문
подъездной (형) : ~ путь 인입선
подъезжать (미완) ① 도착하다, 다가가다(오다), 접근하다 ② (좋은

기회를 노려) 간교하게 요청(제의)하다
подъём (남) ① 올라가는 것; 올리는 것, 높이는 것 ② 오르막, 올림받이; крутой ~ 가파른 오르막 ③ 일어나는 것, 기상(氣像) ④ 앙양(昂揚), 향상(向上), 발전(發展) ⑤ 흥분(興奮), 격동(激動), 감격(感激); говорить с ~ом 흥분하여 말하다 ⑥ 발등, 신등; лёгок(тяжёл) на ~ 엉치가 가볍다(무겁다)
подъёмник (남) 승강기, 리프트
подъёмный (형): ~ый кран 기중기(起重機); ~ая машина 승강기(昇降機)
подъехать см. подъезжать
подыскать (완), **подыскивать** (미완) (적당한 것을) 찾다, 구하다, 탐구하다
подытоживать (미완),**~ть** (완) 결산하다, 총화를 짓다
подыхать см. подохнуть
подышать (완) чем (잠시) 숨쉬다, 호흡하다; ~ свежим воздухом 신선한 공기를 잠시마시다
поедать (미완) 먹다
поединок (남) 결투(決鬪), (두 사람의) 시합, 격투(激鬪), 싸움; ~ боксёров 권투시합
поёживаться (미완) (몸을) 옹그리다; ~ от холода 추워서 몸을 옹송그리다
поезд (남) 기차(汽車), 열차(列車); ехать ~ом 기차로 가다; скорый ~ 급행열차; товарный ~ 화물차
поездить (완) 돌아다니다; ~ по стране 국내를 여행하다
поездка (여) 여행(旅行), 유람(遊覽), 견학(見學); совер- шить ~у 여행을 하다
поесть (완) ① 식사를 하다; (좀) 먹다, 요기하다 ② (모조리, 죄다) 먹다; мыши поели всю крупу 쥐들은 낟알을 다 먹어버렸다 ③ 쏠다, (쏠아서) 못쓰게 하다; моль поела мех 좀이 털을 먹었다

поехать (완) (타고) 떠나다, 가다
пожалеть см. жалеть
пожаловать ① см. жаловать ② 찾아오다, 방문하다; прошу ~ (놀러) 오십시요; пожалуйте сюда 어서 이리로 오십시요 добро ~ 환영합니다, 어서 오십시요
пожаловаться см. жаловаться
пожалуй (삽입어) 아마도, ...지도 모른다, ...일 수도 있다; я, ~, приду 내가 오기로 하지; он, ~, уехал 그는 떠났을 것이다
пожалуйста (조) ① 제발, 어서; дайте, ~, воды 물을 좀 주십시오; ② 예, 좋습니다, 어서 그러십시오; скажи[те] ~! (놀람, 불만을 표시하는 말) 아니 무어라고요; 도대체 어떻게 된거요!
пожар (남) ① 화재(火災), (붙는)불; лесной ~ 산불; тушить ~ 불을 끄다 ② 불길; ~ войны 전쟁의 불길
пожарник (남) 소방대원(消防隊員)
пожарный (형) ① 화재, 화재를 끄기 위한; ~ая команда 소방대; ~ая машина 소방차; ~ый кран 소화전 ② (명사로) (남) 소방대원; в ~ом порядке 막 서둘러, 부랴부랴; на всякий ~ый слу-чай 만일의 경우를 생각하여
пожатие (중): ~ руки 악수
пожать см. пожимать
пожелание (중) ① 희망(希望), 축원(祝願); шлю вам наилучшие ~я 만복이 있기를 축원한다. ② 요구(要求), 제의
пожелать см. желать
пожелтевший (형) 누런, 노래진
пожелтеть (완) 노래지다, 노래지다
пожертвование (중) 희사금, 기부금
пожертвовать см. жертвовать
поживать (미완) 살아가다, 지내다; как[вы] ~ете? 어떻게 지내십니까?; жить ~ть (오래 동안) 살다, 살아가다

поживиться (남을 희생시켜) 이득을 보다; ~ чужим добром 남의 덕을 입다
пожизненный (형) 종신; ~ое заключение 종신금고형
пожилой (형) 나이가 지긋한; ~ человек 나이가 지숙한(지긋한), 중년의 사람
пожимать (미완) 쥐다, 움켜쥐다, 잡다, 악수하다; ~ друг другу руки 서로 손을 잡다, 악수하다. ~ плечами 어깨를 으쓱하다
пожинать (미완) 거두다; ~ плодысвоих трудов 자기 노력의 열매를 거두다; ~ славу 영광을 지니다; что посеешь, то и пожнёшь (속담) 콩 심은데 콩 나고 팥 심은데 팥 난다
пожирать 게걸스럽게 먹다, 처먹다 ~ глазами(взглядом) 뚫어지게 보다
пожитки (복수) 가장집물, 자질구레한 세간
пожрать см. пожирать
поза (여) ① 몸가짐, 자세; в разных ~х 여러 가시 자세로 ② 거드름, 허세
позаботиться см. заботиться
позавидовать см. завидовать
позавтракать (완) 아침을 먹다, 밥을 먹다, 아침식사를 하다
позавчера (부) 그저께
позади ① (전) (+생) 뒤에; сидел ~ меня 내 뒤에 앉았다 ② (부) 뒤에, 뒤쪽에서; он сидел ~ 그는 뒤에 앉았다
позапрошлый (형) : ~ год 재작년
позвать (완) 부르다, 청하다
позволение (중) 허가(許可), 허락(許諾) с ва- шего ~я 죄송합니다만, 미안하지만, 실례지만
позволить (완), **позволять** (미완) ① 허락하다, 허가하다, 허용하다; ② ...하게 하다; обстоятельства не позволили уехать 사정이 떠나지 못하게 하였다
позвонить см. звонить

позвонок (남) 등뼈, 추골
позвоночник (남) 등뼈대, 척추(脊椎)
позвоночные (복수) 척추동물
позвоночный (형) : ~ые животные 척추동물; ~ый столб см. позвоночник
поздний (형) 때늦은; ~яя осень 늦은 가을; до ~ей ночи 밤늦게까지; ~им вечером 저녁 늦게
поздно (부) ① 때늦게; ~ осенью 늦은 가을에; ~ вечером 저녁 늦게 ② 늦게; ~ встать 늦게 일어나다; яблоки созрели ~ 사과는 늦게 익었다
поздороваться (완) 인사하다
поздоровиться (완) : ему не ~ся 그는 불쾌한 일이 생갈 것 같다, 난처한 지경에 빠질 것이다
поздравительный (형) 축하(祝賀); ~ая телеграмма 축전(祝典);~ый адрес 축문(祝文), 축하문
поздравить см. поздравлять
поздравление (중) 축하(祝賀)
поздравлять (미완) 축하하다; ~ с праздником 명절을 축하하다; ~ с Новым годом 새해를 축하하다
позеленеть см. зеленеть
позёмка(여) 낮추 땅위를 휩쓰는 눈보라
позировать (미완) ① 자세를 취하다 ② 거드름을 피우다
позитивный (형) 긍정적인(肯定的-); ~ые результаты 긍정적인 결과
позитрон (남) (물리) 양전자(陽電子)
позиционный (형) 위치, 진지; ~ая оборона 진지방어(전)
позиция (여) ① 위치 ② (흔히 복수) ~и 진지, 전투지역 ③ 입장, 견해
познаваемость (여) 가인식성, 인식가능성
познавательный (형) 인식(認識)
познавать (미완) ① 인식하다 ② 잘 알다, 이해하다 ③ 느끼다, 맛보다

познаваться (미완) 알게 되다, 판명되다 друзья ~ются в беде (속담) 참된 벗은 어려운 때에 안다
познакомить[ся] см. знакомить[ся]
познание (중) ① 인식(認識) ② : ~я (복수) 지식(知識), 조예(造詣), 식견(識見); глубокие ~я в медицине 의학에 대한 깊은 조예
познать см. познавать
позолота (여) 도금(鍍金), 도금칠
позолотить (완) 도금하다, 도금칠하다
позор (남) 수치, 창피; 불명예(不名譽); выставить на ~ 웃음거리로 되게 하다, 수치를 당하게 하다
позорить (미완) 모욕하다, 수치를 당하게 하다; ~ доброе имя ...의 명예를 더럽히다
позориться (미완) 수치(창피)를 당하다, 웃음거리가 되다
позорный (형) 수치스러운, 망신스러운, 창피한; ~ поступок 창피한 짓
позыв (남) (생리적) 욕망, 충동(衝動)
позывные (복수) (방송에서) 호출신호
поимённо (부) 이름별로, 명부에 따라; вызывать ~ 점명하다
поимённый (형): ~ список 명부, 명단
поимка (여) 붙잡는 것, 체포(逮捕)
по-иному (부) 달리, 다르게, 다른 방법으로
поинтересоваться (완) ① 알아보다 ② 관심을 가지다, 흥미를 가지다
поиск (남) ① 찾아내는 것, 탐색(探索), 수색(搜索), 탐지(探知) ② 탐사사업, 조사사업 ③ (군사) 정찰(偵察), 정탐(偵探)
поискать (완) (한동안) 찾다, 탐색하다
поисковый (형) 탐색; ~оспасательная служба 탐색구출근무
поистине (부) 실로, 참말로, 그야말로
поить (미완) (물 등을) 먹이다, 먹여주다 ~-кормить 부양하다,

양육하다

пойма (여) 강가의 낮은 지대, 범람지역, 침수지대

поймать (완) 붙잡다, 붙들다

пойти (완) ① 가다, 찾아가다, 떠나다 ② (눈, 비가) 내리다, 오기 시작하다; дождь пошёл 비가 오기 시작했다 ③ 나오다; 흐르다; кровь пошла 피가 나왔다; дым пошёл 연기가 났다; пошёл вон! 가라! если уж на то пошло 만일 그렇게 필요하다면

пока ① (부) 아직도, 당분간; ~ не знаю 아직 모른다 ② (접) ...는 한, ...는 동안, ...할 때까지; ~ он учится, надо ему помагать 그가 공부하는 동안 그를 도와주어야 한다. ③ (조) 안녕히; ну, ~ 그럼, 안녕히, 그럼 또 보세!; ~ что 아직은; ~ ещё 아직도, 아직은 좀처럼

показ (남) 보이는 것;~ нового фильма 새 영화 상영; ~ достижений 성과의 공개

показание (중) ① 증언(證言), 진술(陳述); давать ~я 증언하다 ② 증명(證明), 증거(證據) ③ (계량기의) 눈금표시

показатель (남) ① 지표(指標) ② (수학) 보임수, 지수(指數)

показательный (형) ① 특징적인, 전형적인; это ~о 이것은 의미심장하다(특징적이다) ② 모범적인; ~ый урок 모범교수(수업)

показать (완) ① 보이다, 보여주다; 나타내다 ② 가리키다, 지적하다 ③ 증언(진술)하다 ④ 본때를 보이다;: я ему пока-жу! 어디두고보자

показаться ① см. казаться ② 나타나다, 보이다; луна ~лась 달이 떠올랐다 ③ 출석하다 ④ (피, 눈물 등이) 나오다 ⑤ (자기자신을) 보이다; ~ться врa-чу 의사한테 보이다

показной (형) ① 본보기로 되는, 견본(見本); ~ой товар 시제품, 견본 ② 겉모양뿐인; ~ая роскошь 겉치레, 허식(虛飾); ~ая бодрость 허세, 허장성세; ~ые слёзы 거짓 눈물

показывать[ся] см. показать[ся]

покарать см. карать

покатать[ся] см. катать[ся]

покатость (여) 비탈, 경사(면)

покатый (형) 비탈진, 경사진

покачать[ся] см качаться[ся]

покачиваться 약간 흔들리다, 비칠거리다; идти, ~ясь 비칠거리며 가다

покачнуть (완) (약간) 흔들다, 흔들어 기울어뜨리다

покачнуться (완) ① (약간) 흔들리다, 기울어지다 ② 악화되다, 나빠지다

покашливать (미완),**~ять** (완) (드문드문, 조금씩) 기침하다

покаяние (중) 후회(後悔), 참회(懺悔); отпустить душу на ~ 방임하여두다, 내버려두다

покаяться см. каяться

покидать см. покинуть

покинутый (형) 외로운, 버림받은, 사람이 떠난, 내버린

покинуть (완) ① 버리다, 내버려두다 ② 떠나다, 떠나가다; ~ зал заседаний 회의장에서 퇴장하다 ③ 그만두다; ~ на произвол судьбы 운명에 내맡기다, 내버려두다

покладая : работать не ~ рук 부지런히(쉬지 않고) 일하다

покладистый (형) 온순한; ~ характер 유순한 성격

поклажа (여) 짐, 화물(貨物)

поклон (남) ① 절; 인사 ② 인사, 축하

поклонение (중) 숭배, 예찬(禮讚)

поклониться см. кланяться

поклонник (남),**~ца** (여) ① 숭배자

поклоняться (미완) кому-чему 신으로 모시다, 숭배(崇拜)하다

поклясться см. клясться

поковка (여) 단조품
покоиться (미완) ① 묻혀있다, 안치되어있다 ② 기초하다, 근거하다
покой (남) ① 안정(安定) ② (물리) 정지(停止), 부동상태; не давать ~я кому 불안케 하다, 괴롭히다; оставить в ~е 내버려두다, 방임하여 두다
покойник(남),**~ца**(여) 죽은 사람, 고인
покойный ① (형) 돌아간, 죽은 ② (명사로)**~ый** (남),**~ая** (여) 고인(故人)
поколебать[ся] *см.* колебать[ся]
поколение (중) 세대(世代); молодое ~е 청년, 젊은 세대; нынешнее ~е 현대의 사람들, 현세대(現世代); будущие ~я 후대 из ~я в 대대손손(代代孫孫), 자자손손(子子孫孫), 대를 이어
поколотить *см.* колоться
по-коммунистически (부) 공산주의적(共産主義的)으로
покончить (완) ① с чем 끝장내다 ② 그치다, 그만두다; ~ с войной 전쟁을 그치다(그만두다) ③ с кем 소멸하다, 죽이다 ~ с собой(또는 с жизнью), ~ жизнь самоубийством 자살하다
по- корейски (부) 한국말로, 한국어로
покорение (중) 정복(征服)
покоритель (남) 정복자
покорить (완) ① 정복하다 ② 복종시키다 ③ 마음을 끌다, 홀리게 하다
покориться (완) ① 정복되다 ② 복종하다, 굴복하다; не ~ися врагу 적에게 굴복할 수 없다 ③ 순종하다, 타협하다; ~ться своей участи 자기 운명에 순종하다
покорно (부) 공손히, 겸손하게
покорность (여) 공손한 것, 순종(順從)
покорный (형) 공손한, 순종(복종)하는
покоробить[ся] *см* коробить[ся]
покорять[ся] *см.* покорить[ся]
покос (남) ①풀베기; 풀 베는 때 ② 풀 베는 곳

покоситься (완) ① 휘다, 구부리다, 기울어지다 ② 곁눈질하다
покрасить *см.* красить
покраска (여) 칠하는 것, 염색(染色) 색칠하는것
покраснеть (완) 붉어지다
покрасоваться (완) 뽐내다, 우쭐대다
покривить *см.* кривить
покрикивать (미완) (이따금) 소리치다, 고함치다
покров (남) 겉껍질, 표면층; кожный ~ (해부) 살갗, 피부(皮膚), 외피(外皮); под ~ом ночи 밤중에
покровитель (남),**~ница** (여) 보호자(保護者), 비호자(庇護者)
покровительство (중) ① 비호(庇護), 보호(保護), 후원; пользоваться ~м ...의 보호를 받다 ② 장려(獎勵), 후원(後援)
покровительствовать (미완) *кому-чему* 비호(보호, 후원)하다
покрой (남) (옷의) 본, 형; 재단법; модный ~ 유행식
покрывало (중) 덮개, 씌우개; ~ для постели 침대보
покрывать ① 덮다, 씌우다; ~ стол скатертью 상에 상보를 씌우다 ② (머리에) 쓰다, 씌우다; ~ голову плат-ком 머리에 수건을 쓰다 ③ 칠하다, 바르다
покрываться (미완) ① 덮이다; земля ~ется снегом 땅이 눈으로 덮인다. ② 덮다, 쓰다; ~ одеялом 이불을 덮다; ~ плат- ком 수건을 쓰다 ③ (표면에) 뒤덮이다; ~ морщинами 주름살이 덮이다
покрыть[ся] *см.* покрывать[ся]
покрышка (여) ① 씌우개, 뚜껑 ② 고무다이야; (뿔의) 가죽외피
покупатель (남),**~ница** (여) 구매자(購買者), 사는 사람
покупательный (형): ~ая способность

구매력(購買力), 살힘

покупательский (형): ~ спрос 구매자들의 수요(요구)

покупать (미완) 사다, 사들이다

покупка (여) ① 사는 것, 구입; идти за ~ами 물건을 사러가다 ② 사온 물건

покушать (완) ① 식사하다 ② (좀) 먹다, 맛보다

покушаться(미완) ① на кого 살해하려 하다, 살인을 기도하다. 암살을 기도하다 ② на что ...을 빼앗을 흉계를 꾸미다

покушение (중) : ~ [на жизнь] 살인기도, 암살기도

пол I (남) 마루, 방바닥; деревянный ~ 널빤지를 깐 바닥; настилать на ~ 마루를 깔다; на ~у не валяется 그렇게 흔한 것이 아니다

пол II (남) 성(性); мужкой ~ 남성(男性); женский ~ 여성(女性); лица обоего пола 남여(들), 남자들과 여자들

пол....(합성어의 첫 부분으로서)<반>, <절반>의 뜻; полгода 반년;на полпути 중도에

пола (여) (옷의)자락; из-под ~ы 비밀리에, 몰래

полагать (미완) 생각(간주)하다

полагаться ① см. положиться ② ...하여야 되다, ...하게 되어있다; здесь полагае-тся снимать обувь 여기서는 신발을 벗어야 된다; здесь курить не по-лагается 여기서는 담배를 피워서는 안된다; как по-лагается по уставу 규약에 제정된 대로

поладить (완) 사이가 좋아지다; не ~ли между собой 서로 사이가 틀렸다

полгода 반년(半年), 반년동안; через ~ 반년 후에

полдень (남) 한낮, 정오; до полудня 오전에; после полудня 오후에

полдник (남)(점심과 저녁사이에) 간식

поле (중) ① 들, 벌판 ② 밭, 전야; рисовое ~ 논; суходольное ~ 밭 ③ 마당, 공간; магнитное ~ 자기마당 ④ 넓은 지역, 마당; лётное ~ (비행장의) 이륙장; футбольное ~ 축구장 ⑤ 분야, 범위; ~ деятельности 활동분야; ~ боя(또는 битвы, сражения, брани) 전투마당

полеводство (중) 농산업, 농작물재배

полеводческий (형) :~ая бригада 농산작업반

полевой (형) ① 들, 밭, 전야; ~ые цветы 들꽃; ~ые работы 전야작업, 밭일, 논일 ② 야전; ~ая почта 야전우편

полезащитный (형): ~ые насаждения 바람막이숲, 방풍림, 경지보호림

полезный (형) ① 유익한, 유용한; ~ые ископаемые 유용광물 ② 유효한; ~ая площадь 유효면적

полемика (여) 논쟁(論爭); вступать в ~у 논쟁을 시작하다

полено (중) 장작개비, 장작(長斫)

полёт (남) 나는 것, 비행(飛行)

полететь (완) ① 날아가다; ворона ~ла в лес 까마귀가 숲으로 날아갔다 ② (비행기를 타고) 길을 떠나다 ③ 빨리 뛰어가다 ④ 떨어지다 ⑤ 빨리 지나가다

полечь (완) ① (곡식의 대가) 땅으로 구부러지다, 넘어지다, 눕다 ② (많은 사람들이) 죽다, 전사하다, 목숨을 바치다

полжизни 반생, 반평생(半平生)

ползать (미완) ① 기다, 기어 다니다. ② 굽실거리다

ползком (부) 기어서

ползти ① 기다, 기어가다(오다) ② (천천히) 가다, 움직이다 ③ (식물이) 뻗다, 뻗어 올라가다 ④ (천이) 낡아서 처지다

поливать (미완) ① (물을) 주다, 치다, 뿌리다; ~ цветы 꽃에 물을 주다 ②

물을 대다, 적시다, 관수하다
поливитамины (복수) 폴리비타민
поливной (형) 물을 주는, 관수용
поливочный (형) : ~ая машина 물자동차, 관수기
полигон (남) (군사) 사격장, 포사격장
полиграфист (남) 인쇄공, 인쇄전문가
полиграфический (형) 인쇄(印刷); ~ая промышленность 인쇄공업
полиграфия (여) 인쇄술(印刷術)
поликлиника (여) 종합 진료수
полимер (남) 합성수지, 중합체(重合體)
полимеризация (여) 합성수지화, 중합
полимерный (형) 합성수지(合成樹脂)
Полинезия (여) 폴리네시아군도
полиомиелит (남) (의학) 척수백질염
полип (남) 폴리프
полировальный (형):~ станок 갈이반
полированный (형) 닦은, 연마한, 매끈매끈한
полировать (미완) 닦다, 연마하다
полировка (여) 연마(硏磨), 갈이, 윤내기; 광택(光澤)
полисмен (남) 경관(警官), 경찰관
полит ...(합성어의 첫 부분으로서) <정치>의 뜻; 례; политработник 정치일군
политбюро (중) 정치국
политдень (남) 정치 학습날
политехнический (형) : ~ институт 공업대학;~ музей 공업박물관
политзаключённый (남) 정치범(政治犯)
политзанятие (중) (흔히 복수) 정치학습(政治學習)
политизация (여) 정치화(政治化)
политик (남) 정치인, 정치가(政治家)
политика (여) ① 정치(政治) ② 정책(政策); ~ партии 당정책; внешняя ~ 대외정책(對外政策); экономическая ~ 경제정책(經濟政策);~ невме-шатель-ства 불간섭정책; ~ с позиции силы <힘의 입장>의 정책; ~"боль- шой дубинки" <큰 몽둥이 정책>
политико-воспитательный (형) 정치교양(政治敎養)
политинформатор (남) 정치보도원
политический (형) 정치(政治), 정치적인
политотдел (남) 정치부(政治部)
политработник (남) 정치일군
политучёба (여) 정치학습
полить см. поливать
политэкономия (여) 정치경제학
политэмигрант (남) 정치망명가
полифонический (형) : ~ая музыка 다성음악(多聲音樂)
полицейский (형) ① 경찰(警察), 경관(警官); ~ участок 경찰서 ② (명사로) (남) 경관(警官), 순사, 경찰관(警察官)
полиция (여) ① 경찰(警察), 경관; 경찰대(警察隊) ② 경찰서(警察署)
поличное (중) : пойман с ~ым 현행범으로 체포되었다; поймать с ~ым 현장에서 붙잡다(체포하다)
полиэтилен (남) 폴리에틸렌
полк (남) 연대(聯隊)
полка (여) ① 시렁; книжная ~ 책꽂이 ② (열차안의) 침대(寢臺)
полковник (남) 대좌
полководец (남) 영장, 사령관, 장군
полковой (형) 연대(聯隊)
полководческий (형) : ~ое искусство 영군술
полнеть (미완) 살지다, 뚱뚱해지다
полно (술어로) (+미정형) 그만해; ~ плакать 그만 울어; ~ спать 그만 자라
полно (부) 매우 많다; там было~ народа 저기에는 사람이 많았다
полновластный (형) 전권을 가진, 완전한 권력을 가진
полноводный (형) 물이 가득찬, 물이

- 460 -

많은

полнокровный (형) ① 혈기왕성한 ② 보람찬, 활기띤; ~ая жизнь 보람찬 생활

полнолуние (중) 보름달, 둥근달

полнометражный (형) : ~ фильм 표준길이의 영화

полномочие (중) 전권, 권한; 대표권; превышать ~я 권한의 범위를 넘어서다, 월권행위를 하다

полномочный (형) 전권을 가진; ~ представитель 전권대표

полноправный (형) 완전한 권리를 가진, 완전한 자격을 가진; 당당한

полностью (부) 완전히, 모조리 целиком и ~ 전적으로

полнота (여) ① 완전(完全), 완전성, 완비(完備); ~ власти 완전한 권력 ② 최고도(最高度), 절정(絶頂) ③ 살진 것, 비대한 것; нездоровая ~ 병적인 비대증

полноценный (형) ① 충분히 가치 있는, 완전한, 존중할만한 ② 규격대로의

полночь (여) 야밤, 한밤중; далеко за полночь 한밤중이 훨씬 지나서

полный (형) ① 찬, 가득 찬 ② 완전한, 충분한 ③ 극도, 한창 ④ 살진, 뚱뚱한 ~ ым-полно 꽉차있다, 가득 차있다; в ~ой мере 충분히; ~ым ходом 전속력으로

поло (중): водное ~ (체육) 수구(水球)

половина (여) ① 반(半), 절반(折半); более ~ы 절반이상; в два с~ой раза 2배반이나; первая(вторая) ~а игры 전(후)반전; ~а третьего 2 시반; ② 한짝, 한쪽; ~а яблока 사과반쪽

половинчатый (형) 불철저한, 애매한

половица (여) 마룻널

половник (남) 국자

половодье (중) 범람, 큰물, 홍수(洪水)

половой I (형) 성(性), 성적인(性的-); ~ой орган 생식기; ~ая жизнь 성생활; ~ая зрелость 성적인 성숙

половой II (형) 마루; ~ая щётка 마루(닦는)솔; ~ая тряпка 마루걸레

полог (남) ① 휘장, 장막 ② 연막, 막

пологий (형) 가파르지(가파롭지) 않은, 경사가 심하지 않은

положение (중) ① 위치(位置), 장소(場所) ② 지위(地位); социальное ~e 사회적 지위 ③ 자세(姿勢), 태도(態度) ④ 정세(政勢), 상태(常態); 환경(環境), 분위기; междуна- родное ~e 국제정세 ⑤ 처지(處地), 입장(立場) ⑥ 규정(規定), 규칙(規則), 법규(法規); ~e о выборах 선거규정; общее ~e 총칙 ⑦ 명제(命題), 원리(原理); хозяин ~я 주도권을 쥔 사람; быть(оказаться) на высоте ~я 요구에 충분히 응하다; быть в(интересном) ~и 임신 중이다

положенный (형) 규정된

положительно (부) 긍정적으로

положительный (형) ① 긍정적(肯定的)인 ② 좋은, 적극적(積極的)인 ③ (물리) 양 ④ (수학) 정수(定數)

положить ① см. класть; сказать, положа руку на сердце 솔직히 말하다, 손을 가슴에 대고 말하다; как бог на душу положит 생각나는대로, 제멋대로

положиться (완) 굳게 믿다, 신뢰하다

полоз (남) 썰매, 발구의 채, 발; 미끄럼대

поломка (여) 고장, 파손, 파괴

полоса (여) ① 줄, 선, 줄무늬 ② 길쭉한쪼각, 띠철 ③ 지대, 지역; чернозёмная ~ 흑토지대 ④ (시간의 한 토막) 시간, 시기 ⑤ (인쇄) (인쇄한) 한 페지

полосатый (형) 줄이 난, 줄무늬가 있는; ~ая ткань 줄이 간 천

полоска (여) полоса의 축소; ткань в ~у 줄이 간 천

полоскание (중) ① 헹구는 것 ② 양치(養齒); 양치물
полоскать (미완) ① 헹구다; ~ бельё 빨래를 헹구다 ② 양치하다; ~ рот после еды 식사 후에 양치하다
полоскаться (미완) ① 물장구치다 ② (바람에) 흔들리다, 휘날리다; полощутся паруса 돛이 펄럭인다.
полость (여) 강, 실; ~ рта 입안, 구강
полотенце (중) 수건, 세수수건; посудное ~ 행주
полотёр (남) 바닥청소부, 마루소제부
полотнище (중) (웅근 폭의) 큰 천 조각
полотно (중) ① 베천, 평직천; ② (길, 철도의) 노반, 둑 ③ 화폭(畵幅), 그림
полотняный (형) 베천
полоть (미완) 김매다, 제초하다
полпорции 절반 몫, 반 사람분
полпути (불변) 도중, 중도; на ~ 도중(중도)에서
полсотни 오십(五十)
полтинник (남) 50(오십) 꼬뻬이까
полтора 한 개반; ~ часа 한 시간 30(삼십)분; ни два, ни ~ 밥도 아니고 죽도 아니다
полтораста (수) 백오십
полторы см. полтора
полуавтоматический (형) 반자동화
полуботинки (복수) 단화
полугодие(중) 반년(半年); первое(второе) ~ 상(하) 반년(半年)
полугодичный,~овой (형) 반년간
полуголодный (형) 굶다싶이 하는; ~ ое существование 반기아생활
полуграмотный (형) 교양정도가 낮은, 문맹에 가까운, 겨우 읽고 쓰기나 하는
полуденный(형):~ зной 대낮의 무더위
полузащита (여) (체육) 중앙방어
полузащитник (남) (체육) 중앙수비수
полукруг(남) 반원(半圓), 반원형(半圓形)
полумера (여) 불철저한 대책, 일시적인 모면책
полумёртвый (형) 거의 죽은, 생기없는
полумесяц (남) 반달, 반월(半月)
полумрак (남) 어스름, 어두컴컴한 어둠
полуостров (남) 반도
полупроводник (남) 반도체(半導體)
полустанок (남) 작은 정거장
полутёмный (형) 어스레한, 어둑어둑한
полуфабрикат (남) 반제품(半製品)
полуфинал (남) 준결승(準決勝)전
получасовой (형) 반시간(半時間)
получатель (남) 인수자(引受者)
получать (미완) ① 받다, 접수하다, 인수하다 ② 얻다, 생산하다, 제조하다
получаться (미완) ① 되다 ② (결과가) 나오다, 얻어지다; 생기다, 차려지다
получить[ся] см. получать[ся]
полушарие (중) 반구(半球)
полушерстяной (형) 반모직
полушубок (남) 짧은 털외투
полцены : за ~ 헐(절반)값으로
полчаса 반시간(半時間)
полчища (복수) (적에 대하여) 대군
полый (남) 속이 빈
полынь (여) 쑥
полыхать (미완) 활활 불타다
польза (여) 이익(利益), 유익, 소득
пользование (중) 이용(利用), 사용(社用); личное ~ (개인) 전용(全用)
пользоваться (미완) ① 쓰다, 이용(利用)하다, 사용(社用)하다 ② 받다, 얻다; ~ уважением 존경을 받다
полька (여) ① 뽈스까여자 ② 뽈까춤, 뽈까무도곡
польский (형) 뽈까 춤의
польстить см. льстить
Польша (여) 뽈수까
полюбить (완) ① 사랑하다 ② 즐기다, 좋아하다

- 462 -

полюбиться (완) 마음에 들다, 사랑받다

полюбоваться см. любоваться

полюбопытствовать см. любопытствовать

полюс(남)① 극(極); Северный(Южный) ~ 북극(北極)(남)극 ② 극단(極端), 상극

поляк (남), **~и** (복수) 뽈스까사람(들)

поляна (여) (숲속의) 작은 초원(공지)

поляризация (여) (물리) 편극(偏極), 분극(分極), 극성화

полярник (남) 북극탐사대원

полярность (여) ① (물리) 국성도 ② 대립(對立), 상극(相剋), 정반대(正反對)

полярный (형) ① 극(極); ~ый круг 극권(極圈) ② 상반되는

помада (여) 포마드; губная ~ 루즈(rouge), 립스틱(lip-stick) 입술연지

помазать см. мазать

помалкивать (미완) 침묵을 지키다, 입을 다물다

поманить см. манить

помахать (완), **помахивать** (미완) (한동안, 여러 번) 흔들다

поменять[ся] см. менять[ся]

помёрзнуть (완) 얼어 죽다, 얼어서 상하다, 얼다

померить см. мерить

померкнуть см. меркнуть

поместить (완) ① 놓다, 넣다; ~ в гостинице 여관에 들게 하다 ② (신문 등에) 싣다, 게재하다

поместиться 자리 잡다, 앉다, 들어가다; все книги ~лись 모든 책이 들어갔다

поместье (중) 영지(領地), 장원(莊園)

помесь (여) ① 잡종(雜種) ② 혼합(물)

помёт (남) ① (짐승의) 똥, 배설물(排泄物); птичий ~ 새똥 ② 한배에서 낳은 새끼, 같은 엄지의 새끼

помета (여) 주해(註解), 부호(符號), 표기(標記), 기호(記號)

пометить см. помечать

пометка (여) 표식(標式)

помеха (여) 방해(妨害), 지장; 장애물(障碍物); служить ~ой 방해되다, 방해를 놀다

помечать (미완) 표식을 하다, 기호를 달다, 부호를 달다

помешательство (중) 정신이상, 광증(狂症), 발광(發狂)

помешать см. мешать

помешаться (완) ① 미치다, 정신이상이 생기다 ② ...에 열중하다; ~ на музыке 음악에 열중하다

помещать[ся] см. поместить[ся]

помещение (중) ① 넣는 것 ② 싣는 것 ③ 건물(建物), 집, 방(房); жилое ~ 주택

помещик (남) 지주(地主)

помидор (남) 토마토, 일년감

помилование(중) 면죄(免罪), 대사, 용서

помиловать (완) 용서하다, 죄를 삭감하다, 특사를 베풀다

помимо (전) (+생) ...밖에, ...이외에

поминать см. помянуть

поминки (복수) 제사(祭祀)

поминутно(부) 끊임없이, 자꾸, 쉴새없이

помирить[ся] см. мирить[ся]

помнить (미완) 기억하다, 잊지 않고 있다; не помню 생각나지 않는다; не ~ себя 제정신을 잃다, 어찌할바를 모르다

помниться 기억나다, 잊혀지지 않다;
помнится (삽입어로) 아마, 기억하건대

помногу (부) 많이, 대량적으로

помножать (미완), **помножить** (완) 곱하다, 승하다, 배로하다

помогать (미완) ① 도와주다, 방조하다 ② 효과를 내다, 효력을 내다

по-моему (부) 내 생각에는

помои (복수) 구정물

помойка (여) 구정물구덩이, 구정물통, 오물통(汚物桶)
помойный (형) : ~ая яма 구정물 구덩이; ~ое ведро 구정물통
помолвка (여) 약혼(約婚)
помолиться см. молиться
помолодеть см. молодеть
поморщиться см. морщиться
помост (남) 대, 단
помочь см. помогать
помощник (남) ① 조수(助手), 방조자 ② 보좌관(輔佐官) ③ 부책임자
помощь (여) 도움, 방조(傍助), 원조(援助); оказывать ~ 도와주다, 방조를 주다; ~ на дому 왕진; первая ~ 응급치료; ско- рая ~ 구급차(救急車)
помпа (여) 펌프(pump)
помутнеть см. мутнеть
помчаться (완) 빨리 내달리다, 내뛰다, 질주하다
помыкать (미완) 못살게 굴다, 자기 마음대로 막 다루다, 학대하다
помысел (남) 생각, 의도, 상념(想念)
помышлять 생각(염려)하다, 마음먹다
помянуть (완) ① 회상(回想)하다, 추억하다 ② 추도(追悼)하다, 추모(追慕)하다
помятый (형) 꾸겨진, 우글쭈글한
помять (완) 꾸기다, 쭈그러뜨리다
помяться (완) ① 구겨지다 ② 우물쭈물하다, 머뭇거리다, 동요하다
понадеяться см. надеяться
понадобиться (완) 요구되다; если ~ся 만일 요구된다면
понапрасну(부) 공연히, 부질없이, 쓸데없이
понаслышке (부) 얻어들어서, 들은풍월로; знать ~ 얼빤히 알다
по-настоящему (부) 본격적(本格的)으로, 정식으로, 실제(實題)로
поневоле(부) 부득이, 하는 수 없이, 억지로

понедельник (남) 월요일(月曜日)
понемногу(부) ① 조금씩, 조금 ② 점차
понести[сь] см. нести[сь]
понижать[ся] см. понизить[ся]
понижение (중) 낮아지는 것, 낮추는 것, 저하
понизить (완) 낮추다, 인하하다
понизиться (완) 낮아지다, 내려가다, 저하되다
понизу (부) 아래에, 밑에; 땅에 가깝게
поникнуть (완) 숙이다, 굽어들다
понимание(중)① 이해(력) ② 견해(見解)
понимать (미완) ① 알다, 이해하다 ② 인정(평가)하다
по-новому (부) 새로운 식으로, 새롭게
понос (남) 설사
поносить I (완) (한동안) 입다, 쓰다, 신다; 들고 다니다, 휴대하다
поносить II (미완) 비방하다, 욕설하다, 욕설을 퍼붓다
поношение (중) 비방(誹謗), 욕설(辱說)
поношенный (형) 해진, 헌
понравиться (완) 마음에 들다
понтон (남) ① 너벅선 ② 배다리
понтонный (형) : ~ мост 배다리
понукать (미완) 부추기다, 재촉하다
понурить : ~ голову 머리를 숙이다
понурый (형): ~ вид 상심한 모습, 우울한 모습
поныне(부) 지금까지, 오늘에 이르기까지
понюхать см. нюхать
понятие (중) ① 개념(概念) ② 이해(理解); иметь ~е 이해하다 ③ 견해(見解); ~я не имею 전혀 모른다.
понятливый (형) 이해가 빠른, 똑똑한, 영리한
понятно (부) ① 명백히 ② (삽입어로) 물론, 틀림없이; ~, он недоволен 물론

그는 불만족해 한다. ③ (술어로) 알만하다, 명백하다

понятный (형) ① 명백한, 이해가 되는, 이해할만한 ② 정당한, 근거 있는; ~ое дело (삽입어로) 물론

понятой (남) 입회자, 증인(證人)

понять см. понимать; дать ~ 알아차리게 하다, 깨우쳐주다

пообедать (완) 점심을 먹다

пообещать (완) 약속하다

поодаль (부) 약간 떨어져서, 좀 멀리

поодиночке (부) 하나씩, 한사람씩; 따로따로; разбить ~ 각개격파하다

поочерёдно (부) 차례로, 순서로

поощрение (중) ① 장려, 격려(激勵) ② 표창; получить ~ 표창을 받다

поощрительный (형) 장려하는; 표창

поощрить (완),**-ять** (미완) ① 장려(격려)하다 ② 표창하다

поощряться (미완) ① 장려되다, 격려를 받다 ② 표창되다

поп (남) 신부(神父), 승려(僧侶)

попадание (중) (군사) 명중; прямое ~ 명중탄, 직탄(直彈)

попадать[ся] см. попасть[ся]

попарно (부) 짝(쌍)을 지어, 쌍쌍이

попасть (완) ① 맞다, 명중하다 ② 가다, 가게(있게)되다; как ~ на вокзал? 역으로 가려면 어떻게 가야 합니까? ③ : ~ под дождь 비를 맞다 ④ (징벌, 처벌을) 받다, 당하다 ⑤ : как попало 되는대로; кто (что) попало 누구(무엇이)든지간에 상관없이; где попало 아무데서나; куда попало 어방대고, 아무데나; какой попало 어떤 것이나 상관없이; ~ в (самую) точку 정확히 알아맞히다, 정통을 찌르다; ~ на глаза (우연히) 눈에 띄다; ~ пальцем в небо 왕청같은 말(행동)을 하다

попасться (완) ① ...에 걸리다; ~ в кап-кан 함정에 빠지다 ② 들키다, 폭로되다, 탄로나다 ③ 맞다들다, 맞부닥치다; ~ навс- тречу кому-л....와 맞다들다 ④ 손에 들어오다

поперёк (전) (+생) 가로(질러); дерево упало ~ дороги 나무가 길을 가로질러 넘어졌다 ② (부) 옆으로, 가로; 거슬러, 반대로; резать ~ 옆으로 베다

попеременно (부) 번갈아, 서로서로 교대하여; дежурить ~ 교대하여 수직을 서다

поперечный (형) 가로지른, 가로놓여있는; ~ое сечение 횡단면, 가로지른면; ~ая пила 동가리톱

поперхнуться (마시다가) 사레들리다

поперчить 고추(후추)가루를 약간 치다

попеть (완) (한동안) 노래 부르다

попечение (중) быть на ~и 보호를 받다

попирать (미완) 짓밟다, 유린하다

пописать (완) (한동안) 쓰다; ничего не попишешь 어찌할 도리가 없다

попить (완) (조금) 마시다

поплавок (남) 낚시찌, 띄움표

поплакать (완) (한동안) 울다

поплатиться (완) 벌을 받다, 갚음을 당하다; ~ жизнью 생명을 잃다

поплестись (완) 겨우 걸어가다

поплин (남) 포프린

поплыть (완) 헤엄치다

попозже (부) ① 좀 있다가 ② 좀 늦게

попойка (여) 술판, 주연(酒宴)

пополам (부) 절반씩, 동등하게; делить ~ 절반씩 나누다, 이등분하다

поползень (남) (조류) 동고비

поползновение (중) 숨은 의도(기도)

поползти (완) 기어가다

пополнение (중) ① 보충(補充), 보강(補強) ② 보충인원, 보충부대, 증원대

пополнеть см. полнеть

пополнить (완) 보태다, 늘이다, 보충하다, 보강하다
пополниться (완) 보충되다, 보태어지다
пополнять[ся] см. пополнить[ся]
пополудни (부) 오후에
поправимый (형) 고칠 수 있는, 만회할 수 있는, 수습할 수 있는
поправить (완) ① 고치다 ② (...의 잘못을) 고쳐주다 ③ 바로잡다, 정돈(수습)하다 ④ 회복하다
поправиться ① (자기) 잘못을 고치다 ② (건강이) 회복(개선)되다; хорошо ~ за лето 여름동안에 몸이 잘 회복되다
поправка (여) ① 수정안; внести ~у 수정을 가하다 ② (병의) 회복; дела идут на ~у 일이 잘 되어간다
поправлять[ся] см. поправить[ся]
попрактиковаться (완) (한동안) 실습(實習)하다, 연습(練習)하다
попрать см. попирать
по-прежнему (부) 여전히, 이전과 같이
попрёк (남) 잔소리, 꾸짖음
попрекать (미완),**~нуть** (완) 꾸짖다, 잔소리하다, 책망(責望)하다
поприще (중) (활동)분야(分野), 활동무대; на научном ~ 과학 분야에서
попробовать см. пробовать
попросить[ся] см. просить[ся]
попросту (부) : ~ говоря 바로(솔직히) 말하면
попрошайка (여) ① 거지 ② 달라고 졸라대는자, 구걸 하는 자
попрошайничать (미완) ① 빌어먹다, 걸식하다 ② 간청하다, 구걸하다, 조르다
попрощаться (완) 작별인사를 나누다, 작별하다
попугай (남) 앵무새
популяризация (여) 보급(普及), 대중화(大衆化), 군중화, 통속화

популярность (여) ① 인기(人氣), 호평(好評), 선호도; пользоваться ~ю 인기가 있다, 인기를 끌다 ② 통속성
популярный (형) ① 인기 있는, 유명한 ② 대중적인, 통속적인; ~ журнал 대중(통속)잡지
попурри (중) 혼성곡
попустительство(중) 묵과, 방임, 융화
попустительствовать (미완) 묵과(방임, 융화)하다
попусту (부) 쓸데없이, 공연히; ~тратить время 공연히 시간을 허비하다
попутно (부) 동시에, 겸사겸사;~спросить 겸하여 묻다
попутный (형) ① : ~ый ветер 순풍 ② 도중에 있는 ③ 부수적인, 참고적인; ~ое замечание 참고삼아 주는 의견
попутчик (남),**~ца** (여) ① 길동무, 동행자 ② 동반자
попытать (완) : ~ счастья 요행을 바라고 해보다
попытаться(완) 해보다
попытка(여) ① 해보는 것, 시도; сделать(предпринять) ~у 해보다, 시도하다 ② : ~и (복수) 책동; отчаянные ~и 발악적 책동(策動)
попятиться см. пятиться
попятный (형) 뒤로 향한; ~ое движение 후진운동; идти на ~ую (이미 한 약속, 결정 등에서) 물러서다, 잘라먹다
пора (여) ① (살가죽의) 땀구멍, (잎의) 기공 ② 미세한 짬(틈)
пора (여) ① 때, 시절, 시기; дождливая ~ 장마철; в ту пору 그때에, 그 시기에 ② (술어로) ...갈 때가 왔다; ~ идти 갈 때가 되었다; ~ домой 집으로 갈 때가 되었다; на первых ~х 처음에, 첫시기에; до каких пор 언제까지; до сих пор ① 지금까지 ② 연기까지; с тех пор 그때부터; до тех пор 그때까지; до поры

до времени 일정한 시기까지, 당분간; с каких пор 언제부터; с давних пор 오래전부터

поработать (완) (한동안) 일하다
поработитель (남) 압제자, 독제자
поработить (완),**~щать** (미완) 노예화하다, 예속시키다
порабощение (중) 노예화, 예속(隷屬)
поравняться (완) ...와 나란히 되다
порадовать (완) 기쁘게 하다
порадоваться (완) 기뻐하다
поражать[ся] см. поразить[ся]
поражение (중) ① 패배(敗北), 실패(失敗); потерпеть ~ 패배하다 ② 상처(傷處), 손상(損傷), 기능장애(機能障礙)
поразительный (형) 놀랄만한, 비상한, 특이한, 경이적인
поразить (완) ① 타격을 가하다, 찌르다; 격파(타승)하다; ~ врага 적을 격파하다 ② (병이) 침범하다 ③ 놀라게 하다, 강한인상을 주다
поразиться (완) (심히) 놀라다, 경탄하다; ~ красотой 아름다움에 경탄하다
по-разному (부) 서로 다르게, 각이하게
поранить (완) 다치다, 부상을 입히다
пораньше (부) 좀 더 일찍
порасти ① (한동안) 자라다 ② 우거지다, 무성하다; ~ травой 풀이 무성하다
порвать (완) ① 찢다 ② 끊다
порваться ① 찢어지다 ② 끊어지다
поредеть см. редеть
порез (남) 베어진 자리, 상처(傷處)
порезать (완) ① 베다, 자르다, 썰다 ② 베여 상처를 내다; ~ руку 손을 좀 베다
порезаться (완) 다치다, 부상당하다; ~ стеклом 유리에 다치다
порезвиться (완) (한동안) 까불거리다, 떠들며 장난하다

порекомендовать см. рекомендовать
поржаветь (완) 녹이 쓸다
порисовать (완) (잠시) 그림을 그리다
порисоваться см. рисоваться
пористый (형) 잔구멍이 많은, 숭숭한
порицание (중) 비난, 질책, 욕설(辱說)
порнографический (형) 색정(色情)
порнография (여) ① 음란한 것 ② 색정문학
поровну (부) 꼭 같이
порог (남) ① 문턱, 문지방 ② 한계, 계선 ③ 여울목
порода (여) ① (동식물의) 종(種), 종류(種類); лошадь хорошей ~ы 우량종의 말 ② 바위(돌), 광물(鑛物); пустая ~а 버럭; осадоч-ная ~а 수성암
породистый (형) 순수혈통, 우량종
породить (완), **порождать** (미완) ① 낳다 ② 일으키다, 야기하다; ~ много толков 많은 논의를 일으키다
порождение (중) 산물, 결과
порожний (형) (속이) 빈; ~ий вагон 빈차; переливать из пустого в ~ее 쓸데없는 짓을 하다, 공담을 하다
порожняк (남) 빈차
порожняком (부) 빈차로, 아무것도 싣지 않고
порознь (부) 따로따로; жить ~ 따로 살다
порозоветь 붉어지다, 장미색을 띠다
порой (부) 때때로, 이따금
порок (남) ① 흠집, 결함(缺陷) ② 불구(不具), 기형(奇形);~ сердца 심장판막증
поросёнок (남) 새끼돼지, 어린돼지
поросль (여) ① 싹 ② 어린 나무(숲) ③ 젊은 세대
пороть I (미완) 재봉선을 뜯다;~ старую юбку 낡은 치마의 재봉선을 뜯다; ~ чушь(вздор, ерунду, глупости) 허튼 소리를 하다; ~ горячку 덤비다

пороть II (미완) 때리다, 매질하다
порох (남) 화약(火藥); держать ~ сухим 방위태세를 갖추다
пороховой (형) 화약(火藥) склад(погреб) 화약고(火藥庫)
порочить (미완) ① 명예를 훼손시키다, 모독하다 ② 비방하다, 훼방하다
порочный (형) ① 비도덕적인 ② 그릇된~ круг 1) (논리) 순환논법 2) 궁지, 곤경
порошок (남) ① 가루; зубной ~ 치분 ② 가루약; стереть в ~ 호되게 족치다
порт(남) 항구(港口), 항만(港灣), 포구(浦口), 부두; военный ~ 군항; речной ~ 강항구, 강항; рыбный ~ 어항
портал (남) 정문(正門), 대현관, 앞현관
портальный (형) : ~ кран 문형기중기
портативный (형) 간편한, 휴대용; ~ая пишущая машинка 휴대용타자기
портвейн (남) 포트와인(독한 포도주)
портить (미완) 못쓰게 하다(만들다), 해치다, 망치다, 그르치다; ~ настроение 기분을 나쁘게 하다
портиться (미완) 나빠지다, 못쓰게 되다, 상하다
портниха (여) 여재봉사
портной (남) 재봉사(裁縫師), 양복사
портовый (형) 항구, 항만; ~ый город 항구도시; ~ые сооружения 항만구조물; ~ый сбор 항만사용세, 입항세
портрет (남) 초상화, 초상(肖像)
портретист (남) 초상화(肖像畵)가
портсигар (남) 담배갑
Португалия (여) 포르투갈(Portugal)
португальцы (복수)(**~ец** (남), **~ка** (여)) 포르투갈(Portugal)사람(들)
портфель (남) ① 손가방, 책가방 ② 접수한 원고 ③ (자본주의 나라들에서의) 상(대신)의 직위; министр без ~я 무임소장관(無任所長官)
портьера (여) 휘장, 창가림

портянка (여) 발싸개
поругание (중) 모독(冒瀆), 모욕(侮辱)
поруганный (형) 모독(모욕)당한
поругать (완) (한동안, 조금) 나무라다, 욕하다, 망신을 주다
поругаться (완) 다투다, 싸우다; 관계를 끊다
порука (여) 보증(保證);: взять на ~и 보증서다; круговая ~а 연대보증(連帶保證)
по-русски (부) ① 러시아어로; ② 러시아식으로
поручать см. поручить
поручение (중) ① 분공; партийное ~е 당적분공 ② 위임(委任), 위탁(委託); по ~ю ...의 위임에 의하여, ...의 위탁을 받아 ③ 부탁(付託), 당부(當付)
поручитель (남) 보증인(保證人)
поручительство (중) 보증(保證)
поручить ① 맡기다, 위임하다, 위탁하다 ② 부탁하다, 당부하다
поручиться (완) 보증서다
(가)поручни (복수) 난간, 손잡이
порхать (미완) 나풀나풀 날아다니다
порция (여) ① 규정량, 정량(定量) ② 상(한사람분의 음식, 요리); дайте две ~и риса и куриного супа 밥과 닭고기 국을 두상 주십시오.
порча (여) ① 손상 ② 변질(變質), 부패
порченый (형) 썩은, 못쓰게 된
поршень (남) 피스톤(piston)
поршневой (형) : ~ой двигатель 피스톤기관; ~ое кольцо 피스톤 링크
порыв (남) ① 돌발; ~ ветра 갑작바람 ② 충동; в ~е гнева 분이 치밀어서
порываться (미완) ...하려고 하다, ...하려고 애쓰다.
порывистый (형) ① 급작스러운; ~ый ветер 돌풍 ②: ~ые движения 돌발적인 동작 ③: ~ый характер 격하기 쉬운

성격

порядковый(형): ~ое числительное 순서수사; ~ый номер 순번

порядок (남) ① 질서(秩序); привести в ~ок 정리하다, 정돈하다; привести себя в ~ок 자기 몸가짐을 단정히 하다; быть в полном ~ке 질서정연하다 ② 순서(順序), 순차; по ~ку 차례로 ③ 절차; ~ок голосования 투표절차 ④ (군사) 대열(隊列) ⑤ 성질(性質);явления одного ~ка 동일한 (성질의) 현상 ⑥ (술어로) 옳다, 좋다; в ~ке вещей 예사롭다, 정상이다, 당연하다

порядочно (부) 상당히, 퍽이나, 꽤많이

порядочный (형) ① 정직한, 예절바른, 점잖은; ~ че-ловек 예절바른 사람 ② 상당한, 대단한

посадить см. сажать

посадка (여) ① 심기 ②: ~и (복수) 심어놓은 나무 ③ (기차, 배, 비행기 등을) 타는 것 ④ 착륙(着陸); совершить ~у 착륙하다 ⑤ (공학) 맞춤, 감합 ⑥ (체육) 몸가짐, 몸체의 위치

посадочный (형) ①: ~ый материал 묘목 ② (항공): ~ая площадка 착륙장; ~ый талон 자리표

посвежеть см. свежеть

посветить (완) (잠시) 비치다, 비쳐주다

посветлеть (완) 밝아지다, 환해지다

посвистывать (미완) 휘파람을 불다, 휘휘 소리를 내다

по-своему (부) ① 자기 멋(마음)대로 ② 자기로서는, 자기 딴에는; 자기식으로, 자나름으로

посвятить (완),~щать (미완) ① ...에 바치다 ② (내막을) 알려주다

посвящение(중) 올리는 글월, 헌시(獻詩)

посев (남) ① 씨뿌리기, 파종(播種) ② 씨 뿌린 밭; 뿌린 씨

посевная (여) 씨뿌리기(철), 파종시기

посевной (형) 파종(播種); ~ая площадь 파종면적; ~ое зерно 씨앗, 종곡

поседеть(완) 머리가 세다, 백발이 되다

поселение (중) ① 이주(移住) ② 주민지대 ③ 부락(部落), 촌락(村落)

поселить (완) 이주(이사)시키다

поселиться (완) 자리잡다, 이주하다, 이사하다

посёлок (남) 부락, 촌락; 동네; рыбачий ~ 어촌; рабочий ~ 노동자구(부락)

поселять[ся] см. поселить[ся]

посередине (부) ① (부) 복판에, 한가운데, 중간에 ② (전) (+생) 한가운데

посетитель (남) 손님, 관람자, 방문객

посетить 찾아가다(오다), 방문하다; 참관하다, 견학하다

посетовать см. сетовать

посещаемость (여) 출석률, 관람자수

посещать см. посетить

посещение (중) 방문, 출석, 관람, 참관; ~ больного 병문안, 문병

посеять см. сеять

посигналить (완) 신호하다

посидеть (완) (잠간) 앉아있다

посильный (형) 힘에 맞는; ~ый труд 힘에 맞는 노동; ~ая задача 할 수 있는 과업

посинеть (완) 푸르러지다, 새파래지다

поскакать ① 내달리다 ② (말이) 뛰어가다, 달리다

поскоблить (완) (약간) 깎아내다

поскользнуться(완) (발이) 미끄러지다

поскольку (접) ...하는 만큼(이상), ...하기 때문에; ~ ты согласен, я не возражаю 자네가 동의하는 이상 나는 반대하지 않네.

послабление (중) 융화(融和), 묵과(默過); сделать ~ 융화(묵과)하다

посланец (남) 사절, 파견한 사람

послание (중) ① 서한(書翰) ② 헌시
посланник (남) 공사(公社)
послать (완) ① 보내다, 파견하다, 파송하다; ~ за доктором 의사를 데리러 보내다; ~ обратно 되돌려 보내다 ② 보내다, 부치다; ~ по почте 우편으로 보내다
после ① (부) 후에; ~ расскажу 후에 이야기 하겠다 ② (전) (+생) 후에; ~ обеда 점심 후에; ~ того как .....한 다음(후에)
послевоенный (형) 전후(前後)
последить (완) 살피다, 감시하다, 주시하다
последний (형) ① 마지막, 마감, 최후; ~ий день от-пуска 휴가의 마지막 날; бежать ~ий круг 마감구간을 달리다; в ~ий раз 마지막으로, 최후로 ② 최근, 최신; в ~ее время 요즘에, 최근에; в (за) ~ие годы 근년에, 최근년간에;~ее слово(достижение) науки 최신과학성과; ~ие известия (방송에서의) 보도; провожать в ~ий путь 영결하다; отдать ~ий долг 조의를 표시하다
последователь (남) 계승자, 후계자
последовательно (부) 철저히, 일관하게, 철두철미
последовательность (여) ① 순차성 ② 일관성, 철저성
последовательный (형) ① 철저한, 시종일관한 ② 사리에 맞는, 논리 정연한
последовать (완) 따르다, 따라가다
последствие (중) 후과; приводить к серьёзным~ям 엄중한 후과를 초래하다
последующий (형) 뒤에(그다음에) 오는
послезавтра (부) 모레
послелог (남)(언어) 후치사(後置詞)
послеоперационный (형) 수술후, 수술한 다음의
послеполётный (형) : ~ые обследова-ния 비행후의 검사
послеродовой (형) 산후(産後)
послесловие (중) 뒷글; 맺는말
пословица (여) 속담(俗談); 격언, 이언
послужить см. служить
послужной (형) : ~ список 경력서
послушание (중) 순종, 복종(服從)
послушать[ся] см. слушать[ся]
послушно (부) 순순히, 온순하게
послушный (형) 말을 잘 듣는, 온순한
послышаться см. слышаться
посматривать (미완) ① (이따금) 보다(바라보다) ②: ~ по сторонам 사방을 힐끔힐끔 살펴보다 ③:~ за кем-чем....(들) 보아주다
посмеиваться (미완) (약간, 몰래) 웃다, 비웃다
посменно (부) 교대로, 번갈아, 엇바꾸어
посменный (형) 교대로(번갈아, 엇바꾸어)하는; ~ое дежурство 교대당번제
посмертный(형) : ~ое издание 유고출판
посметь (완) (+미정형) 감히 ...하다
посмешить (완) 약간 웃기다
посмешище (중) 웃음거리; выставить на ~ 조롱하다, 놀려주다, 웃음거리가 되게 하다
посмеяться (완) ① (한동안) 웃다 ② : ~ над кем- чем 비웃다, 조롱하다
посмотреть[ся] см. смотреть
пособие (중) ① 참고서; учебное ~ 교재; наглядное ~ 직관물 ② 보조금
(на)**пособить** (완) 도와주다
пособник (남) 공범자, 공모자(共謀者)
пособничество (중) (법학) 방조범(幇助犯), 공범(共犯), 공모(共謀)
посоветовать (완) 권고하다
посоветоваться (완) 의논하다
посовещаться (완) 협의(의논)하다
посодействовать 도와주다, 협력하다,

- 470 -

이바지하다
посол (남) 대사(大使); чрезвычайный и полномочный~ 특명전권대사(特命全權大使)
посолить (완) ① 소금을 치다 ① 소금에 절이다
посольство (중) 대사관(大使館)
посохнуть (완) 시들어버리다
посочувствовать (완) 동정(동감)하다
поспать (완) (한잠) 자다
поспевать I, II см. поспеть I, II
поспеть I (완) ① 익다, 여물다 ② (음식이) 다 되다, 익다, 다 끓다
поспеть II (완) 때맞게 가다(오다); ~ на поезд 가치시간에 맞게 가다(오다)
поспешить(완) 바삐 행동하다, 서두르다
поспешно (부) 바삐, 급히, 서둘러
поспешный (형) 급한, 조급한, 덤비는
поспорить (완) ① (한동안) 말다툼하다, 논쟁하다 ② 내기를 걸다, 내기하다
посрамить (완) 망신시키다, 모욕하다
посрамиться (완) 망신(亡身)하다, 수치(修治)를 당하다
посреди ① (부) 가운데, 복판에, 중간에 ② (전)(+생) 한가운데, 복판에
посредине см. посерелине
посредник (남) 중개인, 중매자, 거간군
посредничество(중) 중개, 중재, 거간질
посредственно (부) 평범하게, 보통으로, 쓸쓸하게
посредственный (형) 평범한, 보통
посредством (전) (+생) ...을 통하여, ...에 의하여
поссорить (완) 다투게(싸우게) 하다
поссориться (완) 다투다, 싸우다
пост (남) ① 초소(哨所), 보초(堡礁); 초병(哨兵) ② 직위, 직책(職責), 지위(地位)
поставить I (완) 세우다
поставить II (완) 공급(납입)하다

поставка (여, 흔히 복수) 공급, 납입
поставлять см. поставить II
поставщик (남) 공급자, 납입자; 조달자
постамент (남) 받침대
постановить (완) 결정(결의)하다
постановка (여) ① 연출(演出), 상연 ② 설정(設定), 제기(提起) ③ 조직(組織)(방법) ④ 연극(演劇)
постановление (중) 결정(서); 지령
постановлять см. постановить
постановщик (남) 연출가(演出家)
постараться (완) 애쓰다, 노력하다
постареть (완) 늙다, 늙어가다
по-старому (부) 종전(원래)대로, 구식으로, 옛날처럼, 그전식으로
постелить (완) 펴다, 깔다
постель (여) 이부자리; 잠자리; 침대; постелить ~ь 이부자리를 깔다; встать с ~и 잠자리에서 일어나다
постельный (형) : ~ые принадлежности 이부자리, 침구; ~ое бельё (침대보나 베갯잇 등) 침구용 백포
постепенно (부) 점차, 점점, 차차로
постепенность (여) 점차성
постепенный (형) 점차적
постесняться (완) (흔히 + 미정형) 어려워하다, 꺼려하다, 수줍어하다
постигать (미완), **постигнуть** (완) ① 알아내다, 포착(파악)하다 ② 닥쳐오다, 생기다; его постигло нес- частье 그에게는 불행이 닥쳐왔다
постирать (완) 빨래하다, 씻다
постичь см. постигнуть
постлать см. стлать
постный (형) ① 기름기가 없는; ~ое мясо 기름기 없는 고기 ② 침울한, 갑갑한; ~ая физиономия 찌뿌등한 얼굴
постовой (형) 보초(병)
постольку (접) (부문장의 поскольку와 대응함) ...만큼, ...는 한; поскольку

решение принято, ~ и необ-ходимо его выполнять 결정이 채택되었으니만큼 그것을 집행해야 한다; ~ постольку 어물어물, 되는대로

посторониться(완) 물러서다, 비켜서다

посторонний (형) ① 인연(관계) 없는; ~ий человек 남; без ~ей помощи 남의 방조없이 ② 부차적인; ~ий вопрос 부차적 문제 ③ (명사로) (남) 외래자; ~им вход воспрещён 성원 외에 드나들지 마시오.

постоянно (부) 끊임없이, 부단히, 항상(恒常), 언제나

постоянный (형) ① 끊임없는, 부단한, 항시적인, 변함없는 ② 고정(상설)적인; ~ое место 고정좌석; ~ая выставка 상설전람회; ~ый комитет 상설위원회; ~ый член 정회원, 고정회원 ③ 한결같은; ~ый характер 한결같은 성격; ~ый ток 직류; ~ая величина (수학) 상수; ~ый капи-тал 불변자본

постоянство (중) ① 한결같은 것, 확고부동성 ② 불변성(不變性), 항구성(恒久性)

постоять (완) ① (한동안) 서있다; 주둔하다 ② (명령형) : постой[те] 잠깐만 기다려(주시오); (삽입어로) 가만, 가만있자 за *кого-что-л*: 지키다; ~ за себя 자기의 신념(의견)을 주장하다

пострадавший ① пострадать의 능동과거 ② (명사로) ~ий (남), ~ая (여) 피해(被害)자, 이재민(罹災民)

пострадать *см.* страдать

постричь (완) (머리, 손톱 등을) 깎다; 깎아주다; ~ волосы 머리를 깎다

постричься (완) 머리를 깎다, 이발하다

построение (중) ① 건설 ② 구조, 구성 ③ 이론, 학설 ④ (군사) 대형(편성)

построить[ся] *см.* строить[ся]

постройка(여) ① 건설 ② 건축물, 건물

постскриптум (남) 추신, 덧씀

постукивать (미완) 가끔 두드리다

постулат (남) 가정, 공리

поступательность (여) 점진성, 전진(진보)적인것

поступательный(형) : ~ое движение 전진운동

поступать[ся] *см.* поступить[ся]

поступить (완) ① 입학하다, 들어가다, 취직하다; ~ в институт 대학에 입학하다; ~ на работу 취직하다 ② 들어오다, 입수하다; поступило заявление 청원서가 들어왔다 ③ 행동하다; как ~? 어떻게 하면 좋을까?

поступиться (완) 양도하다, 양보하다; ~ своими инте- ресами 자기의 이익을 희생시키다

поступление (중) ① 입학, 취직, 들어가는 것 ② 들어오는 것, 입수 ③ 수입, 입금

поступок (남) 행위, 행동, 소행

поступь (여) 걸음걸이, 발걸음, 보조

постучать[ся] *см.* стучать[ся]

постфактум (부) 일이 끝난 후에

постыдить[ся] *см.* стыдить[ся]

постыдный (형) 수치스러운, 망신스러운, 창피한

постылый (형) 싫증난, 미워난

посуда(여) (집합) 그릇, 식기(食器), 용기(容器); кухонная ~ 취사도구; чайная ~ 차그릇; фарфоровая ~ 사기그릇

посудить (완): ~е сами 생각해보시오

посудный (형) : ~ое полотенце 행주

посулить (완) 약속하다

посушить (완) (한동안) 말리다

посушиться (완) (한동안) 마르다

посчастливиться (완) (무인칭) 운수가 좋다, 잘되다; мне ~лось попасть на премьеру 나는 요행히 첫 공연을 볼 수 있었다; не ~лось 운이 나빴다

посчитать[ся] *см.* считать[ся]

посылать *см.* послать

посылка (여) ① 보내는 것, 파견 ② 소포, 보내온 물건; быть на ~x 심부름하다

посыльный (남) 연락병; 심부름꾼

посыпать(완), посыпать(미완) 치다, 뿌리다; ~хлеб сахаром 빵에 사탕을 치다; ~ дорожку песком 길에 모래를 깔다

посыпать *см.* сыпать

посягательство (중) 침해(侵害), 훼손(毁損); ~ на жизнь 암살기도

посягать (미완),~нуть (완) на *кого-что* 침해(살해, 훼손)하려했다; ~ на чужую жизнь 살해를 기도하다; ~на чью-л. свободу ...의 신변을 구속하다

пот (남) 땀; весь в поту 온통 땀투성이다; ~ льёт градом 구슬땀을 흘린다. в ~e лица 땀을 흘리며, 열성껏; ~ом и кровью 피땀으로; до седьмого ~a 기진맥진하도록, 땀을 뻘뻘 흘리며

потайной (형) 비밀(秘密), 숨은; ~ ход 비밀통로

потакать (미완) 눈감아주다, 모르는체 하다, 묵인하다; ~ ребёнку в шалостях 아이의 장난을 모르는체하다

потанцевать(완) (한동안, 잠간) 춤추다

потаскать *см.* таскать

потасовка (여) ① 싸움질, 드잡이 ② 때리기, 매질, 구타

поташ (남) 탄산칼륨(炭酸 Kalium)

потащить (완) 끌다, 끌고 가다.

по-твоему (부) ① 너의 의견대로 ② 너 하고 싶은대로

потворство (중) 융화, 묵과, 묵인, 추동

потворствовать (미완) *кому-чему* 융화(묵과)하다, 눈감아주다, 추동하다

потёк (남) (액체가 흐른) 흔적

потёмки (복수) 어둠, 암흑; чужая душа- ~ (속담) 열길 물속은 알아도 한길 사람 속은 모른다.

потемнеть (완) 어두워지다

потенциал (남) ① 잠재력, 숨은 힘 ② (전기) 전위, 전기자리량 ③ 포텐샬

потенциальный (형) ① 잠재적 ② 가능한, 예상되는 ③ 포텐샬

потенция (여) 잠재능력, 잠재력

потепление (중) 따뜻해지는 것, 더워지는 것

потеплеть (완) 따뜻해지다, 더워지다

потереть (완) 문지르다, 문질러바르다

потери (복수) ① 손실, 손해; понести большие ~и 큰 손해를 입다; убрать урожай без ~ь 허실없이 거두어들이다 ② (군사) 손실, 사상자수

потерпевший ① потерпеть의 능동과거 ② (명사로) ~ий (남), ~ая (여) 피해자, 이재민(罹災民), 재난민(災難民)

потерпеть ① 참다, 견디다 ② 당하다; ~ пора-жение 피해하다; ~ аварию 고장(사고)나다, 파손되다, 조난당하다; ~ неудачу 실패하다; ~ убыток 손해를 입다

потеря (여) ① 상실(喪失), 분실(紛失), 손실(損失) ② 분실물(紛失物)

потерянный ① потерять의 피동과거 ② (형) 가망 없는, 전망을 잃은

потерять (완) 잃다

потеряться (완) 없어지다

потеснить[ся] *см.* теснить[ся]

потеть (미완) ① 땀이 나다, 땀을 흘리다 ② над *чем* 몹시 애쓰다;~ над задачей 문제를 풀기에 애를 쓰다 ③ (김이 서리여) 흐려지다

потеха (여) ① 심심풀이, 오락, 놀이, 장난; ② 우스운(재미나는) 일 ③ (술어로) 우습다, 재미있다;вот ~! 아이 우습구나!

потечь (완) 흐르다

потешать(미완)웃기다, 심심하지 않게하다

потешаться(미완)① 즐기다, 심심풀이하다② над кем-чем 놀려주다, 희롱하다
потешный (형) 우스꽝스러운, 우스운
потихоньку(부)① 조용히 ② 몰래, 슬그머니 ③ 천천히
потный (형) 땀이 밴
потогонный (형) ① 땀을 배는 ② 피땀(고혈)을 짜내는
поток (남) ① 물살이 빠른 강(시내, 개울) ② 흐름 ③ 흐름식 생산법.
потолок (남) ① 천정 ② (항공) 상승한도 ③ 최대한, 극상; с ~ка взять 아무 근거없다
потолстеть (완) 뚱뚱해지다
потом (부) 그다음에, 그후에
потомок (남) ① 자손(子孫), 후손(後孫) ② ~ки (복수) 후대들
потомственный (형) 세습적인, 대대로 내려오는, 대대로 물려받은
потомство (중) ① 자손들, 자식들 ② (집합) 후대들
потому ① (부) 그러므로, 그렇기 때문에 ② (접) ~ что 왜냐 하면 ... 때문이다; неем, ~ что не хочу 먹고 싶지 않아 안 먹는다.
потонуть (완) 물에 빠지다, 침몰하다
потоп (남) 큰물, 대홍수(大洪水)
потопить см. топить
потопление (중) 격침, 침몰(沈沒)
поторапливать (미완) 서두르게 하다, 재촉하다
поторапливаться (미완) 서두르다
поторговаться (완) 값을 흥정하다
поторопить[ся] см. торопить[ся]
поточить (완) 살짝 갈다, 약간 갈다
поточный (형) : ~ метод 흐름식방법
потратить (완) 써버리다, 소비(消費)하다, 지출(支出)하다
потратиться (완) 다 소비되다(나가다)
потребитель (남) 소비자(消費者)

потребительский (형) ① соби소비자(消費者) ②: ~ая коопера-ция 소비협동조합
потребление(중) 소비(消費); товары широкого ~я 일용품, 대중소비품
потреблять (미완) 소비하다, 쓰다
потребляться (미완) 소비(消費)되다
потребность (여) ① 수요(需要), 요구(要求) ② 욕망(慾望), 열망(熱望)
потрёпанный (형) ① 헤어진, 너덜너덜한 ② 초췌한, 후즐근한; ~ вид 초췌한 모습
потрепать (완) ① 헤뜨리다, 헐어뜨리다 ② (약간) 헝클다, 흔들어 잡아당기다, 쥐어뜯다
потрескаться (완) 틈이 나다
потрескивать (미완) 탁탁 소리를 내다, 우지끈거리다
потрогать (완) 만지다, 다치다
потроха (복수) 내포(內包), 내장
потрошить (미완) ① 배를 타고 내장을 꺼내다 ② 속에 든 것을 빼내다
потрудиться (완) 일하다, 노력하다
потрясающий (형) 놀라운, 격동적인
потрясение (중) ① 심각한 충격, 격동 ② 파란, 파국, 근본적 변화
потрясти (완) ① (몇 번) 흔들다, 털다 ② 뒤흔들다, 진동시키다 ③ 격동시키다, 강한 인상을 주다
потуги (복수) ① : родовые ~ 진통 ② 긴장된 노력
потупить (완) : ~ взор 눈을 내리깔다; ~ голову 머리를 숙이다
потупиться (완) 고개를 숙이다
потускнеть см. тускнеть
потусторонний (형) : ~ мир 저승
потухнуть (완) (불이) 꺼지다
потухший (형) : ~ вулкан 휴화산(休火山), 사화산(死火山)
(다)потушить I, II см. тушить I, II
потягиваться 지친 몸(팔다리)을 쭉

- 474 -

펴다, 기지개하다
потянуть[ся] *см.* тянуть[ся]
поужинать (완) 저녁을 먹다
поучать (미완) ① 가르치다 ② 타이르다, 훈시하다
поучение (중) ① 가르치는 것 ② 훈계
поучительный (형) 교훈적인, 배울 점이 많은, 유익한
поучить (완) (얼마동안) 배우다; 배워주다, 가르치다
поучиться (완) (한동안) 배우다, 공부(학습)하다
похабный (형) 상스러운, 조잡한, 천한; ~ые слова 상소리
похвала (여) 칭찬, 찬사(讚辭)
похвалить[ся] *см.* хвалить[ся]
похвальный (형) ① : ~ая грамота 표창장 ② 훌륭한, 찬양할만한
похвастать[ся] *см.* хвастать[ся]
похититель (남) 도적, 납치자, 약탈자
похитить (완), **похищать** (미완) 훔치다, 납치(약탈, 탈취)하다
похищение (중) 납치, 절도, 탈취
похлёбка (여) 걸죽한(걸쭉한) 국
похлопотать *см.* хлопотать
похмелье (중) : в чужом пиру ~ 다른 사람의 잘못으로 생기는 불쾌한 일
поход (남) ① 행군; туристический ~ 관광행군 ② 원정; крестовый ~ 십자군원정 ③ 관람, 방문; коллективный ~ 집체관람 ④ 운동, 투쟁
походить (미완) : на кого что 닮다, 비슷하다
походка (여) 걸음새, 걸음걸이
походный (형) 행군(行軍)
походя (부) ① 걸으면서, 급히 ② 겸해서, 지나는 결에
похождения (복수) 모험, 엽기적인 사건
похоже (삽입어) 아마 ...는 것 같다; ~, он не придёт 그는 아마 오지 않을 것 같다
похожий (형) ① 닮은; ребёнок, ~ на мать 어머니를 닮은 아이; ребёнок похож на мать 아이는 어머니를 닮았다 ② 비슷한; они похожи друг на друга 그들은 서로 비슷하다 ни на что не похоже 아무데도 못쓰겠다, 아무데도 쓸모가 없다; на что это похоже? 이게 무슨 일이야?
по-хозяйски (부) 주인답게, 실속있게
похолодание (중) 추워지는 것; завтра ожидается ~ 내일은 날씨가 추워질 것이 예견 된다
похолодать (완) 추워지다
похоронить *см.* хоронить
похоронный (형) ① 장례(葬禮), 장의(葬儀); ~ый марш 장송곡 ② (명사로) **~ая** (여) 사망통지
похороны (복수) 장례식(葬禮式)
по-хорошему (부) 호의적으로, 좋도록
похорошеть *см.* хорошеть
похудеть (완) 여위다
поцарапать (완) 할퀴다; 허비다
поцеловаь[ся] *см.* целовать[ся]
поцелуй (남) 키스(kiss), 입맞추기
почасовой (형) : ~ая оплата 시간에 의한 지불
початок (남): ~ кукурузы 강냉이이삭
почаще 좀더 자주
почва (여) ① 토양(土壤), 토지(土地), 땅; глинистая ~а 점토질토양 ② 지반(地盤), 근거(根據) на ~е чего-л. ...때문에; зондировать ~у (...할 가망이 있는가를) 미리 알아보다, 타진하다; терять ~у под но-гами 자신심을 잃다, 의거할 토대를 잃다
почвенный (형) 토양(土壤)
почвоведение (중) 토양학(土壤學)
по-человечески (부) 인간답게
почём (부) (값이) 얼마인가? ~ яблоки? 이 사과는 얼마인가?

почему (부) 왜, 어째서; вот ~(바로) 그렇기 때문에

почему-либо(부)그 어떤 까닭이 있어서

почему-нибудь (부) (어쨌든) 까닭이 있어서

почему-то(부) 웬일인지, 무슨 까닭인지

почерк(남) ① 글씨, 필적; разборчивый ~ 읽기 쉬운 필치 ② 수법(手法), 솜씨

почернеть см. чернеть

почерпнуть (완) ① 푸다, 뜨다 ② 얻다

почесать[ся] см. чесать[ся]

почести (복수) 경의의 표시; отдавать ~ 경의를 표하다

почёсываться (미완) 긁적거리다

почёт(남)명예(名譽), 존경(尊敬), 존중(尊重); пользоваться ~ом и уважением 존대와 존경을 받다;орден <Знак Почё-та> 명예훈장

почётный (형) 명예; ~ый член 명예회원; ~ая обя-занность 영예로운 의무; ~ый караул 명예위병대; ~ый президиум 명예주석단; ~ый гость 귀빈; ~ое место 윗자리, 영예로운 자리, 상좌; ~ое звание 명예칭호

почечнокаменный(형) : ~ая болезнь 신장결석증

почин (남) ① 발기, 발단, 주동 ② 마수걸이, 첫시작

починить (완) 고치다, 수리하다

починка (여) 고치는 것, 수리, 수선

починять см. починить

почистить[ся] см. чистить[ся]

почитание (중) 존경, 존중; 숭배, 숭상

почитатель (남), **~ница** (여) 숭배자

почитать I (완) (잠시) 읽다

почитать II ① 존경(尊敬)하다, 존중(尊重)하다② 숭배(崇拜)하다, 숭상(崇尙)하다

почитывать (미완) (때때로) 읽다

почка I (여) 눈, 싹; ~и распускаются 눈(싹)이 튼다.

почка II (여) 콩팥, 신장(腎臟); воспале-ние ~ек 신장염

почта (여) ① 우편국, 우체국(郵遞局) ② 우편(郵便); послать ~ой(по ~е) 우편으로 보내다 ③ (도착한) 우편물(郵便物)

почтальон (남) 우편통신원

почтамт (남) 중앙우체국

почтение (중) 경의, 존경(尊敬)

почтенный (형) ① 존경할만한, 훌륭한; ② : ~ возраст 고령

почти (부) 거의(擧擬)

почтительный (형) ① 공손한 ② : на ~ом расстоя-нии 상당히 멀리

почтить (완) ① 경의를 표하다;~ память кого-л.......를 추모하다 ② : ~ своим присутствием 몸소 참석해주시다

почтовый (형) 우편; ~ая марка 우표; ~ый ящик 우편함, 우편통(郵便洞)

почувствовать (완) 느끼다

почувствоваться (완) 느껴지다

почудиться см. чудиться

почуять см. чуять

пошатнуться (완) ① 흔들리다, 기울어지다, 약해지다 ② : здоровье ~лось 건강이 나빠졌다

пошевелить(완) 움직이게 하다

пошевелиться (완) (약간) 움직이다

пошивка (여) 재봉(裁縫), (옷)짓는 것

пошлина(여) ① 세금(稅金); таможенная ~ 관세(關稅) ② 수속료, 수수료(手數料), 거래세(去來稅)

пошлость (여) ① 비속성, 속물근성 ② 비속한 말

пошлый (형) 저속한, 비속한, 야비한, 상스러운

пошутить (완) 농담하다, 우스운 말을 하다, 익살부리다

пощада (여) 용서(容恕); просить ~ы 용서를 빌다; не да- вать ~ы кому-л. ..를

용서하지 않다
пощадить (완) 용서하다
пощёчина (여) : дать ~у 빰을 때리다, 귀싸대기를 치다
пощупать *см.* щупать
поэзия (여) 시(詩), 시문학, 시작품
поэма (여) (장편) 서사시(敍事詩)
поэт (남) 시인(詩人)
поэтесса (여) 여류시인(女流詩人)
поэтика (여) ① 시학, 시론 ② 작시법
поэтический (형) 시, 시적; ~ое произведение 시작품; ~ий дар 시창작 재능
поэтому (부) 그러므로, 그렇기 때문에
появиться (완) ① 나타나다, 보이다 ② 생기다, 발생하다; ~ на свет 태어나다, 출생하다
появление (중) 나타내는 것, 출현
появляться *см.* появиться
пояс (남) ① 띠, 허리띠 ② 허리; по ~ 허리까지 ③ 지대; тропический ~ 열대; растительный ~ 식물대; спасательный ~ 구명대; заткнуть за ~ 훨씬 앞서다, 능가하다
пояснение (중) 설명, 해석(解釋), 주석
пояснительный (형) 해설(解說); ~ая записка 설명서(說明書)
пояснить,~ять (미완) 설명하다, 해석하다, 주석을 달다
прабабушка (여) 증조할머니, 외증조할머니
права (복수) : [водительские] ~ 운전면허(運轉免許)증
правда (여) ① 진리(眞理), 진실(眞實) ② 정의, 공정, 정당한 행동(行動); стоять за ~у 정의를 고수하다 ③ (부) 사실(事實), 정말로 ④ (술어로) 그렇다, 정말이다; по ~е говоря 사실대로 말하면; смотреть ~е в глаза 현실을 냉정하게 평가하다, 현실을 정확히 평가하다
правдиво (부) 사실그대로, 진실하게

прадивость (여) 진실성(眞實性), 성실성(誠實性), 정직성(正直性)
правдивый (형) 진실한, 성실한, 정직한
правдоподобно (부) 진실하게, 그럴듯하게
правдопободный(형)진실다운, 그럴듯한
правило (중) ① 규칙(規則), 법칙(法則) ② (흔히 복수) 규정, 원칙 ③ 행동규범, 관습 как ~о 보통, 통례로; по всем ~ам 규정대로
правильно (부) ① 옳게, 정확히 ② (술어로) 옳다, 그렇다; ~ли это? 이것이 옳은가? ~! 옳다
правильность(여)정확성,정당성(正當性)
правильный (형) ① 옳은, 정확한, 규칙적인 ② 규정대로의, 원칙적인 ③ 정당한 ④ (수학) 변과 각이 서로 같은; ~ треугольник 정삼각형
правитель (남) ① 통치자(統治者), 집권자(執權者) ② (복수) 지배층(支配層)
правительственный (형) 정부(政府)
правительство (중) ① 정부(政府) ② (집합) 정부성원들
править (미완) *кем-чем* ① 다스리다, 통치(지배)하다 ② 운전하다; ~ машиной 차를 몰다 ③ 고치다, 교정(교열)하다
правка (여) ① 시정, 수정, 교열 ② (인쇄) 교정, 돌려꽂기 ③ 갈기
правление (중) ① 통치(統治), 지배(支配), 관리(管理) ② 관리위원회, 관리부(管理部), 이사회(理事會)
правнук (남) 증손자, 외증손자
правнучка(여) 증손녀(曾孫女), 외증손녀
право I (중) ① 법(法), 법률(法律); госу- дарственное ~ 국가법(國家法); между-народное ~ 국제법;гражданское ~ 민법(民法); уголовное ~ 형법(刑法) ②

권리(權利), 권한(權限); ~ на труд(отдых) 노동(휴식)에 대한 권리; ~ на образование 교육을 받을 권리(權利); иметь ~ 권리를 가지다; лишить ~ 권리를 박탈하다.
право II (삽입어) 정말, 참말; я, ~, не знаю, что делать 어떻게 해야 할지 나는 정말 모르겠다.
правовой (형) : ~ые нормы 법규범
правомерный (형) 정당한, 합법적(合法的)인, 합리적(合理的)인
правомочный (형) 권한이 있는
правонарушение (중) 법률위반, 위법
правонарушитель (남) 법률위반자, 범죄자(犯罪者)
правописание (중) 맞춤법, 표기법
православие (중) 희랍정교
православный (형) 희랍정교
правосудие (중) 사법(기관)
правота (여) 정당성, 정의
правый I (형) ① 오른, 오른쪽, 우측(右側) ② (정치) 우익, 우경 ③ (명사로) : ~ые (복수) 우익분자들; ~ая рука 가장 충직한 방조자, 오른 팔
правый II (형) ① 옳은, 정당한; (흔히 간단형) она была права 그 여자는 옳았다; вы совершенно ~ 당신이 전적으로 옳습니다. ② 죄없는, 무고한; признать кого~м ...를 무죄를 인정하다
правящий (형) 지배(支配), 집권(執權); ~ие круги 지배층; ~ая партия 여당(與黨), 집권당(執權黨)
Прага (여) 프라하(Praha)
прадед (남) ① 증조할아버지, 외증조할아버지 ② (복수) : наши ~ы 우리선조(조상)들
празднество (중) 축전, 경축행사
праздник (남) ① 명절, 기념일; новогодний ~ 설명절; первомайский ~ 5. 1 (오일)절 ② 쉬는날, 휴일 ③ 명절놀이, 명절잔치 ④ 기쁜(뜻깊은)날 ⑤ 명절기분
праздничный (형) ① 명절 ② 화려한, 즐거운; ~ое платье 화려한 옷; ~ое настроение 명절 기분
празднование (중) 경축; 경축행사, 기념행사; ~ Пер-вого Мая 5. 1(오일) 절 기념(행사); ~ 40-й годовщины 40(마흔)돌 경축(기념) (행사)
праздновать 경축(기념)하다;~ Новый год 설을 쇠다
праздность (여) 허송세월, 무위도식
праздный (형) ① 먹고노는, 무위도식(無爲徒食)하는 ② 무익(無益)한, 실없는; ~ разговор 공담
практика (여) ① 실천; 실지, 현실; на ~е 실제로 ② 실습; производственная ~а 생산실습 ③ 연습(演習) ④ 경험(經驗)
практикант(남),**~ка** (여) 실습생(實習生), 견습생, 견습공(見習工)
практиковать (미완) 실천하다, 실천에 적용하다
практический (형) ① 실천(實踐), 실무(實務); ~ая деятель-ность 실천활동; ~ая работа 실무사업;~ий работник 실무일군; ~ое значение 실천적의의; ~ие зан-ятия 실습; ~ое примемение 실천적적용, 실지응용; ~ие меры 실천적대책 ② 응용(應用)
практичный (형) ① 실무에 밝은, 이해타산에 밝은 ② 편리한
прах(남) ① 먼지, 티끌 ② 유골, (고인의 영구를 태운) 재; всё пошло прахом 다 수포로 돌아갔다
прачечная (여) 빨래집, 세탁소
прачка (여) ① 세탁공 ② 삯빨래하는 여자
преамбула (여) (문건의) 서문
пребывание (중) 체류(滯留); во время ~я 머무르는 동안, 체류기간에; страна ~я 주재국(駐在國)

пребывать (미완) ① 체류하다 ② (어떤 상태에) 처해있다; ~ в унынии 우울해 있다
превалировать (미완) над кем-чем 우세(優勢)하다, 압도(壓倒)하다
превентивный (형) 예방(豫防)
превзойти (완) ① 능가하다, 우세하다 ② 넘다, 초과하다; ~ [самого] себя 기대이상으로 수완을 나타내다
превозмогать (미완),**~очь** (완) 이겨(견디어)내다, 극복하다; ~очь боль 아픔을 이겨내다
превознести (완),**~осить** (미완) 매우 높이 평가하다, 지나치게 찬양하다
превосходить см. превзойти
превосходно (부) 훌륭히, 우수하게
превосходный (형) 아주 좋은, 훌륭한, 우수한; ~ая степень (언어) 최상급
превосходство (중) 우월성, 우위, 우세; военное ~о 군사적우위; чувство ~а 우월감(優越感)
превосходящий (형) : ~ие силы 우세한 역량(役糧)
превратить (완) ...으로 만들다, 변화시키다, 전환시키다
превратиться(완) ...으로되다, 변화되다
превратно 그릇되게, 옳지 않게; ~ пони-мать 오해하다; ~ толковать 외곡하다, 그릇되게 해석하다
превратный (형) 그릇된, 외곡된
превращать[ся] см. превратить[ся]
превращение (중) 변화, 전환
превысить, превышать (미완) ① 넘다, 초과하다 ② 통과(돌파)하다; ~ свои пол-номочия 월권행위를 하다
превыше (부) : ~ всего 무엇보다 중요하다, 가장 귀중하다
превышение (중) 초과(超過), 능가(凌駕); ~ власти 월권행위
преграда (여) 장애(물), 난관
преградить(완),**~ждать** (미완) 가로막다, 차단하다; 방해하다, 난관을 조성하다
предавать[ся] см. предать[ся]
предание (중) 전설, 구비전설, 옛말
преданно (부) 충실히, 충성스레
преданность (여) 충실성, 충성(심)
преданный (형) 충실한
предатель (남) 배반자, 변절자, 반역자
предательский(형) 배신적인, 반역적인
предательство(중)배신행위, 변절, 배반
предать(완) ① 배반(변절)하다 ② чему 당하게(처하게) 하다; ~ суду 재판에 걸다; ~ огню и мечу 무자비하게(가혹하게) 소탕하다; ~ земле 매장하다
предаться (완) чему 잠기다, 몰두하다
предварительно (부) 미리, 사전에
предварительный(형) 예비적인, 선결적인;~ое ус-ловие 선결조건; ~ая продажа 예매;~ое следствие 예심
предвестник (남) ① 예언자(豫言者) ② 전조, 징조(徵兆)
предвещать (미완) ① 예언(예고)하다 ② 예감을 주다, 징조로 되다
предзятый (형) 선입감에서 나오는; ~ое мнение 선입견(先入見), 편견(偏見)
предвидение (중) 예견성, 예견(豫見); в ~и чего ...을 예견하고
предвидеть (미완) 예견하다, 예측하다, 예상하다
предвкушать (미완) 미리부터 느끼다, 예감하다
предводитель (남) 지도자(指導者), 대장(隊長), 우두머리
предвосхитить (완), **~ищать** (미완) 미리(앞서)하다, 먼저 알아차리다, 추측(예견)하다
предвыборный (형) 선거전; ~ая кам-пания 선거운동
предгорье (중) 산기슭, 저산지대
предел (남) ① 경계(經界), 한계(限界), 범위(範圍), 영역(領域); за ~ы города

시외로; в ~ах года 한 해 동안에; в ~ах во-зможного 할 수 있는 한에 있어서 ② 최대한도, 극도, 극한; доходить до ~а 극도에 달하다 ③ (수학) 극한(極寒), 극한치(極限値); до ~а 극도로; выйти за ~ы 한계를 넘어서다; положить ~ 그치다, 제한하다

предельно (부) 극도(極度)로, 완전(完全)히, 극단적(極端的)으로
предельный (형) 극도(劇盜), 최대(最大), 최고(最古); ~ый срок 최대기한; ~ая скорость 최고속도
предзнаменование(중)전조, 징조(徵兆)
предикат (남) ① (논리) 빈사 ② 술어
предикативный (형) 술어적
предисловие (중) 머리말, 서문(序文)
предлагать ① 제의(提案)하다 ② 권하다, 권고하다 ③ 위임하다, 맡기다; ~ тост 축배를 들것을 제의하다
предлог I (남) 구실, 핑계; под ~ом чего...을 구실로 삼아; под тем или иным ~ом 이러저러한 구실을 붙여
предлог II (남) (언어) 전치사(前置詞)
предложение I (중) ① 제의(提議), 제안(提案); по ~ию кого.....의 제의에 의하여; внести ~е 제의하다; 제안을 내놓다; рационализаторское ~е 창의고안 ② (경제) 공급(供給)
предложение II (중) (언어) 문장(文章); повествователь- ное ~ 알림문, 서술문; вопросительное ~ 물음문, 의문문; главное ~ 주문; придаточное ~е 부문
предложить см. предлогать
предложный(형):~ый падеж 전치격; ~ое управ-ление 전치사를 가진 격지배
предмайский (형) 5.1절을 앞둔
предместье (중) 교외촌
предмет (남) ① 사물(事物), 물건(物件), 물체(物體);~ы первой необ-ходимости 생활필수품; ~ы домашнего обихода 가정용품 ② 대상(對象), 문제(問題), 제목(題目); ~ разговора 화제; ~ насмешек 웃음거리 ③ 과목(科目), 학과목(學科目); на этот ~ 이에 대하여서는; на какой ~? 왜? 무엇 때문에?
предметный (형) ① 사물(事物), 물체(物體); ② 대상(對象); ③ 제목(題目), 실물(實物);~ указатель 색인, 찾아보기; ~ урок 실물교수
предназначать (미완) 마련해놓다, 지정하다
предназначаться (미완) 마련되어있다, 지정되다
предназначение (중) 사명(使命), 임무
предназначенный ① предназначить의 피동과거 ② (형) : ~ для .....을 위한, ...용;~ для обучения 교수용
предназначить см. предназначать
преднамеренный (형) 고의적인
предначертание (중) 계획(計劃), 의도
предначертать (완) 규정(規定)하다, 지적(指摘)하다, 지시(指示)하다
предок (남) 조상(祖上), 선조(先祖)
предопределить (완),**~ять** (미완) 미리 결정짓다; ~ить успех 성공을 미리 담보하다
предоставить см. предоставлять
предоставление(중)주는 것, 제공, 부여
предоставлять (미완) ① 주다, 제공하다, 부여하다, ~ слово 언권(言權)을 주다; ~ возможность 가능성을 주다; ~ право 권리를 주다 ② 맡기다, 허가하다, 위임하다, ~ самому(самим) себе 내버려두다
предостерегать (미완) 경고하다, 미리 주의를 주다; ~ от опасности 위험성을 경고하다
предостережение (중) 경고(警告), 경계(警戒), 주의(主意); получить ~ 경고(警告)를 받다
предостеречь см. предостерегать

- 480 -

предосторожность (여) ① 경계(警戒), 예방(豫防), 조심; ② 예방책(豫防策), 방비책; меры ~и 예방책

предосудительный (형) 그릇된, 비난받을만한

предотвратить (완),**~щать** (미완) 방지하다, 예방하다, 미리막다, 피하다.

предотвращение (중) 방지(防止), 예방

предохранение(중)예방, 미리막기, 방지

предохранитель (남) 안전장치(安全裝置), 보호(保護) 장치, 안전기(安全器)

предохранительный (형) 예방(豫防), 안전(安全); ~ое средство 예방약; ~ый клапан 안전판

предохранить,~ять 예방하다, 방지하다, 미리 보호하다

предписание (중) ① 지령(指令), 명령(命令); 지시문, 지령서; ② 지시(指示), 처방(處方); по ~ю врача 의사의 처방에 의하여, 의사의 지시에 의하여

предписать (완), **предписывать** (미완) ① 지시(명령)하다 ② 처방을 내리다

предплечье (중) 팔뚝

предполагаемый (형) 예정(예상)되는

предполагать (미완) ① 예상하다, 추측하다, 예정하다 ② ...하려고 생각하다; что вы ~ете делать? 당신은 무엇을 하실 생각입니까?

предполагаться (미완) 예상하다, 추측되다, 예기되다

предположение (중) ① 예상(豫想), 추측(推測), 짐작(斟酌); строить ~я 이런저런 추측들을 하다; вопреки ~ям 추측과는 다리 ② 안(案), 구상(構想)

предположительный (형) 예상되는

предположить ① см. предпологать ② : предполо-жим, что....이라고 하자

предпослать (완) 앞서(미리) 말하다

предпоследний (형) 끝에서부터 두 번째; ~ номер журнала 지난 잡지

предпосылка(여) 전제(前提), 조건(條件)

предпочесть (완),**~итать** (미완) 더 좋아하다; что вы ~итаете? 당신은 무엇을 더 좋아하니까?;я ~ итаю остаться дома 나는 집에 있는 편이 더 좋다; предпочёл промолчать 침묵하기로 했다

предпочтение (중) : отдавать ~ кому-чему ...을 더 좋아하다

предпраздничный (형) 명절전날

предприимчивость(여)진취성, 사업의욕

предприимчивый (형) 정력적인, 진취성(내밀성) 있는

предприниматель (남) 실업가, 기업가

предпринимательство (중) 기업활동(企業活動); частное ~ 개인기업

предпринимать (미완) 실행(수행)하다; ~ меры 대책을 취하다(세우다);~ действия 행동을 취하다

предприниматься (미완) 실행(實行)되나, 수행되다, 취해지다

предпринять см. предпринимать

предприятие (중) ① 기업(企業), 공장(工場);~ бытового обслуживания 편의봉사시설 ② 사업(事業), 일;рискованное ~ 모험적인 일 ③ 계획(計劃), 기도

предпусковой (형) 조업전의

предрасполагать (미완) 욕망을 품게 하다, 기분을 가지게 하다

предрасположение (중) 소질(素質), 경향(傾向), 취미(趣味); ~ к музыке 음악에 대한 소질; ~ к туберкулёзу 결핵에 걸리기 쉬운 체질(體質)

предрассветный (형) 첫새벽

предрассудок (남) 편견(偏見), 벽견

предрешать (미완), **~ить** (완) 미리 결정하다, 미리해결하다

предродовой (형) 해산전의

председатель (남) ① 위원장(委員長),

의장(議長); 회장(會長) ②: ~ правления 관리위원장

председательство (중) : под ~м ......의 사회아래

председательствовать (미완) 위원장(의장)의 직책을 수행하다

председательствующий (남) 사회(자)

предсердие (중) (해부) 심방, 염통방

предсказание(중)예언(豫言), 예고(豫告)

предсказать, предсказывать (미완) 예언하다, 예고하다

предсмертный (형) 죽기직전, 임종(臨終)

представать см. предстать

представитель (남) ① 대표(代表), 대표자(代表者), 대리자(代理者) ② 대변인(代辯人) ③ 표본(標本)

представительный (형) ① 대의제(도) ② 위풍(威風)있는, 위엄(威嚴)있는

представительство (중) ① 대표하는 것 ② 대표부; право ~a 대표권

представить (완) ① 내놓다, 제출하다 ② 소개하다 ③ 추천하다, 내신(內申)하다; ~ к награде 표창을 내신하다 ④ 주다, 일으키다; ~ интерес 흥미가 있다 ⑤ : ~ себе 상상하다; нельзя себе ~ 상상도 할 수 없다 ⑥ 묘사(描寫)하다, 제시하다, 보여주다

представиться (완) ① 자기소개를 하다 ② кем-чем ...체하다; ~ больным 앓는체하다 ③ 생각(상상)되다; ~ возможным 가능하다고 생각되다 ④ 생기다, 나타나다

представление (중) ① 제출(提出) ② 소개(紹介), 추천(推薦); ③ 상연(上演), 연극(演劇); давать ~е 상연하다 ④ 표상(表象), 관념(觀念); 이해(理解), 지식(知識); давать ~е о чём......을 이해시키다; не иметь никакого ~я 아무런 표상도 없다;в моём ~и 내 보기에는, 나의 생각에는 ⑤ 묘사(描寫)

представлять ① см. представить ②

대표하다③: ~ть [собой 또는 из себя] ......이다, 되다; это ~ет собой редкое явление 이것은 드믄 현상이다

представляться см. представиться

предстать (완) (앞에) 나타나다, 나서다; ~ перед судом 법정에 나서다

предстоять (미완) (미래에) 있다, 예견(豫見)되다

предстоящий (형) 앞으로 있을, 앞에 나서고 있는, 당면한

предсъездовский (형) 대회전

предубеждение (중) 편견(偏見), 선입감(先入感); относиться с ~м 편견(선입감)을 가지고 대하다

предугадать, ~адывать (미완) 예측하다, 짐작하다, 미리 알아내다

предупредительность (여) 친절(親切), 눈치 빠른 것.

предупредительный (형) ① 예방(豫防) 경고(警告); ② 친절한, 눈치 빠른

предупредить (완),**~ждать** (미완) 예고하다, 경고하다 ② 예방하다, 미리 막다 ③ 미리하다, 먼저하다, 앞지르다; ~ дить со-бытия 사건을 앞질러 처리하다

предупреждение (중) ① 예고(豫告), 경고(警告), 미리 알림; без ~я 예고없이; вы- говор с ~ем 견책 ② 예방, 방지

предусматривать (미완),**~отреть** (완) 예견하다, 미리 타산(도려)하다

предусмотрительно (부) 예견하는

предусмотрительность (여) 예견

предусмотрительный (형) 예견 있는

предчувствие (중) 예감(豫感)

предчувствовать (미완) 예감(豫感)하다, 미리 느끼다

предшественник (남) ① 선행자(先行者); ② 선배(先輩) ③ (농업) 앞그루

предшествовать (미완) 선행하다, 앞서다; этому ~л ряд событий 이에 앞서

일련의 사건들이 있었다.

предшествующий (형) 앞의, 이전(以前)

предъявитель (남) 제출자(提出者), 제시자(提示者), 제기자(提起者)

предъявить ① 제출하다, 제시하다, 보여주다 ② 제기하다

предъявление (중) ① 제출(提出), 제시(提示); ② 제기(提起)

предъявлять *см.* предъявить

предыдущий (형) ① 앞선, 앞의, 지난; ~ий год 지난해, 전해; ~ий месяц 지난달, 전(번)달; ~ая страница 앞 페이지; ~ий электропоезд 앞서간 전동차 ② 위에서 말한, 상술한

преемник (남) 계승자(繼承者)

преемственность (여) 계승(階乘)

преемственный (형): ~ая связь 계승적 연계

прежде ① (부) 이전에; как и ~ 종전과 같이 ② (부) 우선; ~ подумай, а потом говори 우선 생각하고 다음에 말해라 ③ (전)(+생) ...보다 먼저, 앞서;пришёл ~ всех 제일 먼저 왔다; ~ срока 기한전에; ~ всего 무엇보다도 먼저, 우선; ~ чем....하기 전에

преждевременный (형) 시기상조(時機尚早); 때 이른; ~ые роды 조산(早産)

прежний (형) 이전(以前), 종전(從前); в ~е времена 이전에, 옛 날에

президент (남) ① 주석(主席), 대통령(大統領) ② 총재(總裁), 사장(社長); ~Академии наук 과학원 원장

президиум (남) ① 상임위원회(常任委員會), 상무위원회 ② 주석단 ③ 집행부

презирать (미완) 멸시하다, 업신여기다, 넘보다, 깔보다

презрение (중) ① 멸시(蔑視), 경멸(輕蔑), 경시(輕視); ② 홀시, 무관심(無關心)

презрительный (형) 업신여기는, 멸시(蔑視)하는, 경멸(輕蔑)하는

преимущественно (부) 주로, 특히, 기본적으로

преимущественный (형) : ~ое право 특권(特權)

преимущество (중) ① 우월성(優越性), 우수; иметь ~ 우월하다, 우점을 가지다 ② 우선권(優先權), 특권(特權)

прейскурант (남) 정가표, 가격일람표

преклонение (중) 숭배(崇拜), 숭상(崇尙), 예찬(禮讚)

преклонный (형): ~ возраст 고령

преклоняться ① 숭배(崇拜)하다, 예찬(禮讚)하다 ② 고개를 숙이다

прекословить (미완) 말대답하다, 엇서다, 반박하다

прекрасно ① (부) (매우) 훌륭하게 ② (술어로) 퍽 좋다, 훌륭하다, 아름답다

прекрасный (형) 아름다운, 훌륭한, 매우 좋은, 아주 예쁜; в один ~ день 어느 날, 한번은

прекратить (완) 그만두다, 중지시키다

прекратиться (완) 그치다, 멎다

прекращать[ся] (완) *см.* прекратить[ся]

прекращение (중) 중지, 중단, 폐지

прелестный (형) 아름다운, 매혹적인, 탐스러운; ~ уголок 경치가 아름다운 고장

прелесть (여) ① 아름다움; 매력(魅力) ② (복수): ~и 좋은점, 우수점

преломить[ся] *см.* преломлять[ся]

преломление (중) 굴절(屈折); угол ~я 굴절각

преломлять (미완) 꺾다, 굴절시키다

преломляться (미완) 꺾이다, 굴절되다

прелый (형) 썩은, 뜬

прельстить(완),**~щать** (미완) 꾀이다, 유혹하다, 마음을 끌다; 흐리다, 홀리다

прелюдия (여) 전주곡(前奏曲), 서곡

премиальный (형) ① 표창; ② (명사로로): ~ые (복수) 상금(賞金)
премировать 표창하다, 상금을 주다, 상을 주다, 상품을 주다
премия (여) 상(賞), 상금(賞金), 상품
премьер (남) ① 총리 ② 주역배우
премьера (여) 첫공연, 시연회
премьер-министр (남) 내각수상
пренебрегать (미완) ① 넘보다, 경시(경멸)하다 ② 주의를 돌리지 않다, 등한시하다, 흘시하다; ~ опасностью 위험을 두려워하지 않다
пренебрежение (중) ① 경시(輕視), 경멸(輕蔑); ② 무관심(無關心)
пренебрежительно (부) 경멸하여; ~ относиться 멸시적으로 대하다
пренебрежительный (형) 멸시하는
пренебречь см. пренебрегать
прения (복수) 토론; выступить в ~х 토론하다, 토론에 참가하다
преобладание (중) 우세, 압도(壓度)
преобладать (미완) 우세하다, 압도하다
преобладающий (형) 우세한, 압도적; ~ее влияние 주되는 영향; ~ий тип 흔히 있는 형
преображать[ся] см. преобразить[ся]
преобразить (완) 변화하다, 변형하다, 면모를 일신하다, 개조하다
преобразиться (완) 변화하다, 변형하다, 면모가 일신되다, 개조되다
преобразование (중) ① 개혁(改革), 변혁(變革); ② 개조(改造), 전환 ③ 개편
преобразователь (남) ① 개조자 ② (전기) 전환기(轉換期), 변류기
преобразовать (완), **~овывать** (미완) ① 개혁(개조, 전환)하다 ② 개편하다 ③ 전환시키다; ~ уравнение 방정식을 변환시키다
преодолевать см. преодолеть
преодоление (중) 극복(克復), 타승

преодолеть (완) 이겨내다, 극복하다
препарат (남) ① 표본 ② 약제, 약품
препинание (중): знаки ~я 구두점
препирательство (중) 쓸데없는 논쟁, 지루한 논쟁
препираться (미완) (시시한 일로) 논쟁하다
преподавание (중) 교수(敎授), 수업
преподаватель (남), **~ница** (여) 교원(敎員), 선생(先生)
преподавательский (형) 교원(敎員); ~ коллектив 교원집단(敎員集團)
преподавать (미완) ① 가르치다, 교수하다 ② 교원으로 일하다, 교편을 잡다
преподаваться (미완) 교수가 진행되다
преподать (완): ~ урок(совет) 교훈을 주다, 충고을 주다
преподнести, ~осить ① 삼가드리다, 증정하다 ② (뜻하지 않은 일을) 꾸미다, 알리다 ③ 내놓다, 서술하다
препятствие(중) ① 장애(障碍), 방해(妨害); служить ~м 장애로 되다 ② 장애물
препятствовать (미완) 방해(妨害)하다
прервать (완) ① 중지하다, 끊다 ② 중단시키다, 멈추다, 되채다
прерваться (완) 끊어지다, 중지(中止)되다, 중단(中斷)되다
пререкание (중) 대꾸질, 말다툼, 논쟁
пререкаться (미완) 대꾸질하다, 다투다, 논쟁(論爭)하다
прерывать[ся] см. прервать[ся]
прерывистый (형) 중단되고 하는, 연관성이 없는
пресекать см. пресечь
пресечение (중) 저지, 중지, 차단
пресечь 저지시키다, 중지시키다, 중단시키다, 가로막다, 차단하다
преследование (중) ① 뒤쫓는 것, 추격(追擊) ② 박해(迫害); подвергаться

- 484 -

~ям 박해를 당하다

преследователь (남) ① 추격자(追擊者) ② 박해자(迫害者)

преследовать (미완) ① 뒤를 쫓다, 추격하다 ② 박해하다 ③ 괴롭히다, 뒤따르다 ④ 추구하다; ~ цель 목적을 추구하다

пресловутый (형) 악명(惡名)높은

пресмыкаться (미완) 아첨하다, 굴복하다, 굽실거리다

пресмыкающиеся (복수) 파충류(爬蟲類)

пресноводный (형) : ~ые рыбы 민물고기, 담수어(淡水魚)

пресный (형) ① 짠맛이 없는 ② 싱거운

пресс (남) 프레스, 압착기(壓搾機)

пресса (여) ① 정기간행물(定期刊行物) ② 기자들, 출판보도일군들

прессинг (남) (체육) 대인방어

пресс-конференция (여) 기자회견

прессовать (미완) 압착(압축)하다

прессовка (여) 프레스화, 압착(壓着)

престарелый (형) ① 나이 많은, 매우 늙은 ② (명사로): ~ый (남) 상늙은이; дом для ~ых 양로원(養老院)

престиж (남) 위신(威信); подрывать ~ 위신을 떨어뜨리다

престол (남) 왕좌, 왕위; вступить на ~ 즉위하다

преступать, **~ить** : ~ закон 법을 위반하다

преступление (중) ① 위법행위, 범죄(犯罪); совершить ~е 죄를 짓다 ② 해로운 짓 на месте ~я 범죄현장에서

преступник (남), **~ца** (여) 범인(犯人), 죄인(罪人), 범죄자(犯罪者)

преступность (여) 범죄행위, 범죄들, 범죄건수

преступный (형) 범죄(犯罪), 범죄적인; ~ое действие 범죄행위(犯罪行爲)

претворение (중) : ~ в жизнь 구현(具現), 실현(實現)

претворить, **~ять**:~ в жизнь 구현하다, 실현하다, 관철하다.

претендент (남) 희망자(希望者)

претендовать (미완) 요구하다, 청구하다, 탐내다

претензия (여) ① 요구(要求), 청구(請求); ② 불평(不平), 불만(不滿) ③ человек с ~ями 야심가; быть в ~и на кого...... 에 대하여 불만을 가지다

претерпевать, **~еть** (완): ~ изменения 변경되다

претить (미완) 싫어지다

преткновение(중): камень ~я 장애물

Претория (여) 프레토리아

преть (미완) 썩다, 뜨다

преувеличение (중) 과장, 과대

преувеличенный (형) 과장된

преувеличивать (미완), **~ть** (완) 과장하다

преуменьшать, **~еньшить** 과소평가하다, 경시하다

преуспевать (미완), **~еть** (완) ① 크게 성공하다, 성과를 거두다 ② 견기가 좋다, 잘 살다

префектура (여) 현

префикс (남) (언어) 앞붙이, 접두사

преходящий (형) 일시적인

прецедент (남) 전례(前例)

при (전) (+전) ① 부근에, 곁에, 가까이; ~ станции 정거장부근에; ② 소속(所屬), 부속(附屬), 주재(主材); ясли ~ заводе 공장탁아소; представительство ~ секретари-ате ООН 유엔사무국주재대표부; ③ ...때에, ...하에; ~ жизни 살아 있을 때에, 생전에; ④ ...있는데서; ~ мне 내 앞에서; ~ всех 모든 사람들 앞에서 ⑤ ...환경에서; ~ при сильном ветре 세찬 바람이 부는데서 ⑥ ...불구하고; ~ при всём том 그럼에도 불구하고; ~ при случае 기회가 있으면; быть при смерти 사경에 처하다

прибавить (완) ① 첨가하다, 추가하다, 증가하다; ~ шагу 발걸음을 재촉하다; ② 보태어 말하다, 더 쓰다 ③ 더하다; к семи ~ пять 7에 5를 더하다; ~ в весе 몸무게가 늘다

прибавиться (완) 첨가되다, 가해지다, 붇다, 많아지다; день ~лся 낮이 길어졌다; воды в реке ~лось 강물이 불었다

прибавка (여) 첨가(添加), 부가(附加); ~ к зарплате 가급금(加給金)

прибавление (중) 증가, 첨가(添加)

прибавлять[ся] см. прибавить[ся]

прибавочный (형) : ~ая стоимость 잉여가치(剩餘價値)

прибегать I см. прибежать

прибегать II см. прибегнуть

прибегнуть (완) 의거하다, 매달리다; ~ к силе 폭력을 쓰다; ~ к помощи 원조에 매달리다

прибежать (완) 뛰어오다, 뛰어가다, 달려오다, 달려가다

приберегать (미완), **~ечь** (완) 모아두다, 저장하다, 저축하다, 장만해두다

прибирать см. прибрать

приближать[ся] см. приблизить[ся]

приближение (중) ① 접근(接近); 앞당기는 것 ② (수학) 근사치계산

приближённый (형) ① 근사한, 대략적인; ~ое значе-ние 근사치 ② (명사로) : ~ый (남) 측근자

приблизительно (부) 대략, 약

приблизительный(형) 대략적인, 근사한

приблизить (완) ① 접근시키다 ② 앞당기다

приблизиться (완) ① 가까워지다, 가까이가다, 가까이 오다. ② 닥쳐오다, 다가오다, 가까워 오다

прибой (남) 바닷가에 부딪치는 파도; шум ~я 부딪치는 파도소리

прибор (남) ① 기구(機構), 도구(道具), 장치(裝置) ② 한조의 도구

приборостроение (중) 기구제작

прибрать (완) ① 정돈(정리)하다; ~ комнату(в комнате) 방안을 정돈하다 ② 거두다, 치우다, 집어넣다, 치워놓다;~ к рукам 자기손에 넣다, 횡령하다

прибрежный (형) 연안; ~ая полоса 연안지대; ~ое плавание 연안항법

прибыль (여) ① 이윤(利潤), 이익(利益); извлекать ~ 이윤을 얻다 ② 첨가(添加), 증가(增加)

прибыльность (여) 수익성(收益性)

прибыльный (형) 이익이 있는, 이윤이 있는, 유리한, 벌이가 좋은, 수지가 맞는

прибытие (중) 도착(到着)

прибыть (완) ① 도착하다 ② 증가되다, 붇다; вода прибыла 물이 불었다

привал (남) (행군도중의) 휴식; 휴식터; устроить ~ 휴식하다

приваривать (미완), **приварить** (완) 용접하다, 때 붙이다

привезти см. привозить

привередливый (형) 까다로운, 타발(타박)이 많은, 가리는 것이 많은

привередничать (미완) 까다롭게 굴다

приверженец (남) 신봉자, 지지자

приверженность (여) 신봉; 애착(愛着)

привернуть (완), **привёртывать** (미완) 틀어맞추다; (나사로) 고정시키다

привес (남) 무게의 증가량

привести см. приводить

привет (남) ① 인사(人事); 축하(祝賀); 환영(歡迎) ② (불변):~! 안녕하시오!

приветливо (부) 친절하게, 반가이, 호의적(好意的)으로

приветливый (형) 친절한, 호의적인, 인사성있는

приветственный (형) 환영하는; ~ое слово, ~ая речь 환영사(歡迎辭)
приветствие (중) 인사, 인사의 말; 환영사; обменяться ~ями 인사를 나누다
приветствовать (미완) ① 인사(환영)하다 ② (제의 등을) 환영(찬동)하다
прививать (미완) ① (나무를) 접하다, 접목(접지)하다 ② (식물을) 풍토에 맞게 순화(순응)시키다 ③ 접종하다 ④ 키우다, 기르다, 습득시키다;~ любовь к чтению 독서열을 키우다
прививаться (미완) ① 접목(유착)되다 ② 풍토에 순화(순응)되다 ③ 접종되다 ④ 습관(일반화)되다
прививка (여) ① 접목(接木), 접지; ② 접종(接種); ~а оспы 종두; делать ~у против чего....의 예방접종을 하다
привидение (중) 유령(幽靈)
привилегированный (형) ① 특권있는; ~ класс 특권계급 ② 우선적인, 특허
привилегия (여) ① 특권(特權); 우점(優點) ② 특허권(特許權)
привинтить (완), **привинчивать** (미완) (나사못 등으로) 고정시키다
привить[ся] см. прививать[ся]
привкус (남) ① 가미된 맛, 덧맛, 뒤맛 ② 특징적인 맛(경향)
привлекательный (형) 매력있는, 매혹적인, 마음을 끄는
привлекать (미완) ① 끌어들이다, 끌어당기다 ② (관심, 주의 등을) 끌다; ~ внимание 주의를 끌다; ~ к себе внимание 관심을 모으다 ③ (책임 등을) 지우다, 추궁하다; ~ к ответственности 책임을 추궁하다 ④ 쓰다, 이용하다
привлечение (중) 인입, 끌어들이는 것
привлечь см. привлекать
привнести (완), **привносить** (미완) 부가(부여, 첨가, 첨부)하다
привод I (남) (공학) 전동(원동) 장치

привод II (남) (법률) 구류(拘留)
приводить ① 데리고오다 ② 이끌다, 유도하다; ~ к победе 승리에로 이끌다 ③ (어떤 정신적 및 육체적 상태에) 빠지게 하다, 이르게 하다; ~ в смущение(замешате- льство) 당황케 하다; ~ в ярость(беше- нство) 분노케 하다; ~ в отчаяние 실망(절망)케 하다 ④ 인용(인증)하다; ~ при- мер 예를 들다; ~ в чувство(в себя) 제정신이 들게 하다; ~в порядок 전동하다; это к добру (ни к чему хорошему) не приведёт 이것은 좋지 못하게 끝장 날 것이다
приводной (형) : ~ ремень 전달대
привоз (남) ① 반입(搬入), 수입(輸入); ② 반입품(搬入品), 수입품(輸入品)
привозить 가져오다, 날라오다, 실어오다, 반입하다, 수입하다
привозной (형) 반입(搬入)한, 수입(輸入)한; ~ товар 수입품
привой (남) 접붙이기, 접지되는 가지
привокзальный (형) : ~ая площадь 역전광장
приволье (중) ① 광야(廣野); степное ~ 광활한 초원 ② 자유로운(안락한) 생활
привольный (형) ① 넓은, 광활한 ② 자유로운, 안락한; ~ая жизнь 안락한 생활
привстать (완) (약간, 반쯤) 일어서다, 일어나다
привыкать (미완), **привыкнуть** (완) ① 버릇(습관)되다; ~ рано вставать 일찍 일어나는데 버릇되다 ② 익숙해지다; ~ к товарищам 동무들과 낯익어지다
привычка (여) ① 버릇, 습관(習慣), 습성(習性); войти в ~у 버릇되다; по ~е 버릇으로 ② 숙련(熟練), 기능(技能)
привычный (형) ① 습관적인, 버릇된 ② 보통, 잘 알려진; ~ое явление 보통현상 ③ 익숙한, 낯익은; ~ая работа 익숙한 일

привязанность (여) ① 애착(愛着), 애착심(愛着心); ② 애착의 대상
привязать (완) ① 매다, 묶다; 얽어매다 ② 애착을 느끼게 하다
привязаться (완) ① 매어지다; 얽어매이다 ② 애착을 느끼다 ③ 시끄럽게 달라붙다, 싫증나게 굴다
привязывать[ся] *см.* привязать[ся]
привязь (여) 띠, 사슬, 줄; собака на ~и 매어놓은 개
пригибать (미완) 휘어 뜨리다.
пригибаться (미완) 휘다, 굽혀지다
пригладить (완), **~живать** (미완) 딱 붙게 하다;~ волосы 머리칼을 쓰다듬어 붙이다
пригласительный (형) : ~ билет 초대장(招待狀), 초대권(招待券)
пригласить (완),**~шать** (미완) ① 초대(초청)하다; ~сить в гости 손님으로 초대하다 ② 참가하게 하다, 권하다 ③ 불려오다, 초빙하다
приглашение (중) ① 초대(招待), 초청(招請) ② 권고(勸告), 요청(要請); 초빙(招聘); ③ 초대장(招待狀), 초대권(招待券)
приглядеться *см.* приглядываться
приглядывать (미완) 돌보다; 감시하다; ~ за деть-ми 아이들을 돌보다
приглядываться (미완) ① 주의깊이 보다, 주시하다 ② 눈에 익다, 버릇되다; ~ к ра-боте 일에 버릇되다, 일이 눈에 익다
приглянуться(완) 마음에 들다; он нам ~лся 보기에 그는 우리 마음에 들었다
пригнать *см.* пригонять
пригнуть[ся] *см.* пригибать[ся]
приговариваться *см.* приговорить
приговор (남) ① 판결(判決), 선고(宣告); оправдательный(обвинительный) ~ 무죄(유죄)선고; смертный ~ 사형선고; вынести ~ 판결(선고)을 내리다 ② 결정(決定), 결의(決意)
приговорить (완) 선고(판결, 언도)하다; ~ к смерт-ной казни 사형을 언도하다
пригодиться (완) 쓸모 있다, 쓸만하다, 필요(유용)하다
пригодность (여) 쓸모있는 것, 유용성
пригодный(형) 쓸모있는, 쓸만한, 유용한
пригонять (미완) ① 몰아오다(가다) ② 맞추다, 들어맞게 하다; ~ крышку 뚜껑을 맞추다
пригорать, ~еть (완) ① 눋다, 타다, 탄내가 나다 ② 눌어붙다; рис ~ел к котлу 밥이 가마에 눌어붙었다
пригород (남) 교외(郊外), 시외(市外); в ~ах Москвы 모스크바교외에서
пригородный (형) 교외(郊外);~ поезд 교외열차
пригорок (남)(산 밑의) 언덕
пригоршня (여) 한줌, 한움큼;[полными] ~ми 듬뿍, 잔뜩
пригорюниться (완) 슬퍼하다, 비애에 잠기다
приготавливать[ся] *см.*приготовиться
приготовить (완) ① 준비하다, 마련하다; ② (음식) 끓이다; (밥을) 짓다; ~ обед 점심식사를 준비하다 ③ 장만하다; ~ дров к зиме 겨울나이 장작을 장만하다 ④ 만들다
приготовиться (완) 준비하다, 모든 준비를 갖추다; ~ к празднику 명절준비를 하다
приготовление (중) ① 준비, 마련하는 것 ② (흔히 복수) 준비작업, 차비; ~я к от- ъезду 떠날 차비, 출발준비
приготовлять[ся] *см.*приготовить[ся]
пригрозить (완) 위협하다, 으르릉대다
придавать ① 첨가하다, 덧붙이다 ② (어떤 특징, 특성 등을) 가지게 하다, 부여하다; ~ значение 의의를 부여하다; ~ острый вкус блюду 요리를 맵게

하다
придавить (완) 내리누르다, 짓누르다
приданое (중) (신부의) 지참품(持參品)
придаток (남) ① 부가물, 부속물(附屬物); ② (의학) 부속기관, 하수체 быть(стать) ~ком 부속물(예속물)로 되다
придаточный (형) : ~ое предложение (언어) 부문(部門)
придать см. придавать
придача (여) : в ~у 그밖에, 게다가, 그 외에.
придвигать (미완) ① 가까이 끌어오다(가다), 가까이 옮기다, 접근시키다; ~ к себе стул 의자를 자기한테로 끌어당기다 ② (시간, 기일을) 앞당기다; ~ сроки 기한을 단축하다
придвигаться (미완) ① 가까이 오다(가다), 가까워지다, 접근하다 ② (시일이) 가까워오다.
придвинуть[ся] см. придвигать[ся]
приделать (완), **~ывать** (미완) ① 붙이다, 덧붙이다, 덧대다; ~ ручку к корзине 바구니에 손잡이를 붙이다 ② 증축하다, 덧붙어 짓다
придержать (완), **придерживать** (미완) ① 움직이지(떨어지지) 않게 붙들어(잡아)주다 ② (당분간) 사용하지 않고 두다, 간수하여 두다
придерживаться ① (좀, 약간) 쥐다, 잡다, 기대다; ~ за перила 난간에 기대다 ② (방향을 잡고) 가다; ~ правой стороны 오른쪽을 가다 ③ 견지(의거)하다, 지키다; ~ твёрдых принципов 확고한 원칙을 지키다
придираться (미완) ① 트집하다, 흠잡다; ~ к каж- дому слову 말마다마다 트집을 걸다 ② 구실로 잡다
придирка (여) 트집; пустые ~и 공연한 트집

придирчивый (형) 트집을 잡기 좋아하는, 흠을 잘 잡는
придраться см. придираться
придумать, ~ывать (미완) 생각해내다, 꾸며내다, 고안하다; ~ать отговорку 거절할 구실을 생각해내다
придыхание (중) (언어) 기음, 대기음
придыхательный (형) : ~ звук(согласный) (언어) 기음, 거센소리
приедаться (미완) 싫증나다
приезд (남) 도착(到着)
приезжать (미완) (타고) 오다, 도착하다
приезжий (남) 다른 곳 손님, 다른 곳에서 온 사람
приём (남) ① 접수(接受), 받는 것; ~ за-явлений 신청서의 접수 ② 접견(接見); ③ 연회(延會); устроить ~ 연회를 베풀다 ④ 섭취(攝取), 복용(服用) ⑤ (один, два, нес-колько 등과 함께) 번, 회; в один ~ 한번에, 단번에
приемлемый (형) 시인(허용)할만 한, 타당한, 접수될 수 있는
приёмная (여) 응접실(應接室), 접수실
приёмник (남) ① (무선)수신기, 수상기, 수화기 ② 임시수용소, 맡아보는 곳
приёмный (형) ① 접수하는, 받아들이는; ~ый день 면회날; ~ые часы 면회시간; ~ое отделение: ~ый покой 입원실 ② : ~ая радиостанция 수신국, 수신소 ③ ~ый отец 양아버지; ~ый сын 양아들; ~ая дочь 양딸; ~ые экзамены 입학시험; ~ая комиссия 신입생모집위원회
приёмщик(남),**~ца** (여) 접수자, 검수인
приёмыш (남) 양아들, 양딸
приёсться (완) 싫증이 나다; мне это ~лось 나는 이것에 싫증이 났다
приехать см. приезжать
прижать[ся] см. прижимать[ся]
прижечь см. прижигать

прижигание (중) (의학) 지지기
прижигать (미완) (자극성이 강한 약품 따위로) 바르다, 지지다; ~ рану йодом 상처에 옥도정기를 바르다
прижимать ① 누르다, 대다; 끌어안다 ② 박해하다
прижиматься (미완) 꽉 안기다, 바싹 붙다, 밀착되다
приз (남) 상(賞), 상품(賞品), 상금(賞金); соревнования по гимнастике на газеты <Московские новости> <모스크바 새 소식> 신문배쟁탈 체조경기대회
призадуматься (완), **~ываться** (미완) 깊이 생각하다, 생각에 잠기다
призвание (중) ① 사명(使命), 임무(任務); найти своё ~ 자기의 보람찬 활동분야를 찾아내다; ② 취미(趣味), 소질(素質), 경향(傾向); ~ к музыке 음악에 대한 취미
призвать см. призывать
приземистый (형) ① 다부진, 옹골찬, 오달진 ② 작은, 낮은
приземление (중) 내리기, 착륙(着陸)
приземлиться (완), **~яться** (미완) 내리다, 착륙하다
призёр (남) 수상자, 상을 탄 사람; ~ соревнований 경기대회수상자
призма (여) ① (물리) 프리즘 ② (수학) 각기둥, 3각기둥
признавать ① 알다, 알아보다 ② 동의(인정, 승인)하다; ~ полезным 유익하다고 인정하다 ③ 결론을 내리다
признаваться (미완) ① 고백하다, 자백하다, 자인하다 ② (삽입어로): признаваться(또는:признаюсь) 솔직히 말해서
признак (남) ① 표식(標式), 특징(特徵), 징표(徵標); служить ~ом 표식으로 되다 ② 징조(徵兆), 전조; ~и болезни 병증상; не по-давать ~ов жизни 살아있는 기색이 보이지 않다
признание (중) ① 인정(認定), 승인(承認), 공인(公認); получить ~ 승인을 얻다 ② 고백(告白), 자백(自白), 자인(自認); ③ 인기(人氣), 호평(好評), пользоваться ~м 호평을 받다
признанный (형) 알려진, 공인된, 이름난; ~ факт 주지의 사실
признательность (여) 사의, 감사
признательный (형) 감사의 정을 담은, 호의를 품은; я вам очень ~ен 대단히 고맙습니다.
признать[ся] см. признавать[ся]
призовой (형) 상; ~ые места 입상등수, 상을 받은 등수; первое ~ое место 제1위
призрак (남) ① 환영(幻影), 유령(幽靈); ② 환상(幻想), 망상(妄想)
призрачный (형) ① 환상적인, 가상적인 ② 희미한, 아리송아리송한
призыв (남) ① 부름, 호소(呼訴), 하소연; откликнуться на ~ 호소에 호응하다 ② 구호(口毫)
призывать (미완) ① 부르다, 호소하다; ~ к защите родины 조국을 보위할 것을 호소하다; ~ на помощь 도와달라고 부르다 ② 요구하다; ~ к порядку 질서를 지킬 것을 요구하다
призывник (남) 징집(입대)대상자, 징집(초모)된 사람
призывной (형) 징집(徵集), 초모(招募); ~ возраст 초모나이
прииск (남) 채광장(採鑛場), 광산(鑛山); золотые ~и 금광(金鑛), 금점판
приёти см. приходить
прийтись см. приходиться; как придётся 형편을 보아서, 이럭저럭; ~ кстати 알맞다, 적절하다, 때맞춤이다; ~ ко двору 알맞다, 어울리다
приказ (남) ① 명령(命令), 지령(指令); ② 명령서(命令書), 지령서(指令書)
приказание (중) 지령(指令), 명령, 지시

приказать (완), **приказывать** (미완) ① 명령(분부, 지시)하다; ~ остановить машину 차를 세우라고 명령하다 ② 맡기다, 위임하다; как прикажете 당신의 마음대로; приказал долго жить 죽었다

прикалывать (미완) 핀으로 붙이다(달다); ~бант 리본을 핀으로 달다

прикармливать (미완) 보태어 먹이다; ~ младенца кашей 젖먹이에게 암죽을 보태어 먹이다

прикасаться (미완) 손대다, 다치다, 건드리다, 대다

прикатить (완) ① 굴려오다 ② (타고) 오다, 도착하다

прикидывать (미완) (대략적인 것을) 계산하다; ~ на счётах 산판을 대략 튀겨보다; ~ в уме 속궁리(타산)해보다

прикидываться (미완) ...는체 하다; 가장하다; ~ больным 앓는체하다; ~ незна-ющим 모르는체하다

прикинуть[ся] см. прикидывать[ся]

приклад (남) ① 개머리판; ② 심지감 (옷을 지을때 드는 안감, 단추 등)

прикладной (형) 응용(應用), 실용적인; ~ые науки 응용과학; ~ая математика 응용수학; ~ая лингвистика 응용언어학 ~ое искусство 공예미술

прикладывать[ся] см. приложить[ся]

①**приклеивать** (미완) (풀로) 붙이다

приклеиваться (미완) 붙다, 달라붙다

приклеить[ся] см. приклеивать[ся]

приключаться см. приключиться

приключение (중) ① 사건(事件), 사고, 일 ② 기이한 사건, 모험(冒險)

приключенческий (형) 모험적인

приключиться (완) 생기다, 일어나다, 발생하다; ~лась неприятность 불쾌한 일이 생겼다

приковать (완), **приковывать** (미완) ① 단접하다 ② 쇠사슬로 매다 ③ 꼼짝 못하게 만들다; ~ внимание 관심을 끌다

приколачивать (미완), **~отить** (완) 못박아 붙이다

приколоть см. прикалывать

прикомандировать (완), **~овывать** (미완) 임시로 파견하다, 임시로 배치하다, 임시로 배속시키다

прикончить (완) 끝장을 내다; 죽이다

прикосновение (중) 손대는것; 접촉

прикоснуться см. прикасаться

прикрепить (완) ① 붙이다, 달다, 고정시키다 ② 붙어놓다, 소속(배속)시키다

прикрепиться (완) ① 붙다, 고정되다 ② 등록되다

прикрепление (중) ① 붙이는 것, 고정시키는 것 ② 소속시키는 것 배속시키는 것 ③ 등록(登錄)

прикреплять[ся] см. прикрепить[ся]

прикрывать (미완) ① 덮다, 씌우다, 가리다, 숨기다 ② 감추다 ③ 비스듬히 닫다; ~ дверь 문을 비스듬히 해두다(꽉 닫지 않다) ④ 막다, 엄호하다; ~ наступление 공격을 엄호하다

прикрываться (미완) ① 덮다, 몸을 가리다 ② 숨기다

прикрыть[ся] см. прикрыть[ся]

прикуривать (미완), **прикурить** 담뱃불을 붙이다

прилавок (남) 매대

прилагательное (중): [имя] ~ 형용사

прилагать см. приложить

приладить (완), **~живать** (미완) 맞추다, 달다

приласкать (완) 귀여워하다

прилегать (미완) ① 딱 (달라)붙다 ② 잇닿아 있다, 인접해 있다

прилежание (중) 열심(熱心), 노력, 근면

прилежный (형) 부지런한, 꾸준한, 근면한

прилепить (완) ① 붙이다; ② 달다, 매달다

прилепиться (완) 붙다

прилеплять[ся] *см.* прилепить[ся]

прилёт (남) 날아오는 것, 착륙(着陸)

прилетать (미완), **~еть** (완) ① 날아오다 ② 급히 오다, 바삐 달려오다

прилечь (완) ① (잠시) 눕다 ② 누워(엎드려) 숨다

прилив (남) ① 밀물 ② 흘르드는 것, 충만; ~ крови 충혈

приливать *см.* прилить

приливный (형) : ~ое течение 밀물흐름; ~ая вол-на 미세기물결, 조석파; ~ая электростанция 조수력발전소

прилипать (미완), **прилипнуть** (완) ① 들어붙다, 달라붙다 ② 졸졸 따라다니다, 시끄럽게 굴다

прилить (완) ① 흘러들다 ② 피발이 서다

приличие (중) 예의(禮意), 예절(禮節), 예법(禮法); для (ради) ~я 예의상

приличный (형) ① 예절바른 ② 알맞은, 어울리는 ③ 상당한, 꽤 많은, 꽤 좋은; ~ая сумма денег 상당한 금액

приложение (중) ① 부록(附錄) ② 경주, 집중 ③ 응용 ④ (언어) 동격어

приложить (완) ① 가져다대다; ~ руку ко лбу 이마에 손을 대다 ② 덧붙이다, 첨가(첨부)하다 ③ 경주(집중)하다; ~ все силы 모든 힘을 바치다(기울이다) ④ 적용(응용)하다

приложиться (완) : остальное приложится 나머지는 제대로 되리라

прильнуть *см.* льнуть

примазаться (완), **~ываться** (미완) 끼어들다, 가담(가입, 참가)하다

приманка (여) 미끼, 고기밥

применение (중) ① 사용, 이용 ② 적용

применительно (부) : ~ к местным условиям 지방조건에 맞추어

применить (완), **~ять** (미완) ① 쓰다, 사용(이용)하다 ② 적용하다

применяться (미완) 사용(이용)되다

пример (남) ① 예, 실례; привести ~ 예를 들다 ② 모범, 본보기; брать ~ 모범을 받다; личным ~ом 이신작척의 모범으로 ③ (수학에서) 실례(實例)

примерить *см.* примерять

примерка (여) ① 입어(신어)보는 것 ② 시침(바느)질, 가봉

примерно (부) ① 모범적으로 ② 대략, 약; ~ 100 человек 약 100명; ~ в это время в прошлом году 지난해 이맘때에

примерный (형) ① 모범적인, 훌륭한; ~ ученик 모범학생 ② 대략적인, 근사한

примерять (미완) 입어(신어)보다

примесь (여) ① 섞인 것, 혼합물 ② 보태는 것, 덧붙이

примета (여) ① 표식(標式), 특징(特徵), 징표(徵標); ② 징조(徵兆), 전조 быть на ~е 관심의 대상이 되다, 감시대상이 되다

примечание (중) 주, 주해(註解), 주석(註釋); снабдить ~ями 주석을 달다

примечательный (형) 주목할만한, 뛰어난, 비상한

примешать (완), **примешивать** (미완) 타다, 섞다, 혼합하다

примирение (중) 화해(和解)

примирить (완) 화해시키다

примириться ① 화해하다 ② 참다, 복종하다, 순종하다

примирять[ся] *см.* примирить[ся]

примитивный (형) ① 단순한, 간단한 ② 유치한, 조잡한, 문화성이 없는

примкнуть (완) 가담하다; ~ к большинству 다수의 편에 들다

приморский (형) 연해(沿海), 해변(海邊); ~ курорт 해안정양소

Приморский край 연해변강
приморье (중) 연해지방, 해안지대
Приморье (중) 연해주
примочка (여) ① 물약찜질 ② 찜질용 물약
примчаться (완) 바삐(빨리) 달려오다
примыкать ① *см.* примкнуть ② 잇닿아 있다, 인접해 있다
принадлежать (미완) ① 속하다, 속해 있다 ② 소속되다, 성원으로 되다
принадлежность (여) ① 부속물(附屬物), 부속품, 용구 ② 소속 ③ 속성, 특질
принести *см.* приносить
принижать (미완), **принизить** (완) 낮추보다, 저하시키다, 과소평가하다; ~ значение 의의를 저하시키다
принимать (미완) ① 받다, 접수(인수)하다 ② 담당하다, 책임지다 ③ 받아들이다; ~ в партию 당에 받아들이다 ④ 맞다, 만나다; 접견하다; ~ посетителя 손님을 맞다(만나다) ⑤ 동의(접수)하다 ⑥ 채택하다;~ резолюцию(решение) 결정서를 채택하다 ⑦ за *кого-что* (옳게 혹은 잘못) 보다, 생각(간주)하다; ~ за знакомо-го 아는 사람인줄로 알다; ~ в штыки 적시하다; ~ на себя ответственность 책임을 지다
приниматься ① 착수(시작)하다; ~ за работу 일에 착수하다; ~ читать 읽기 시작하다 ② за *кого* 교양(훈계)하기 시작하다; 타이르다 ③ 뿌리박다, 싹트다
приноравливать (미완) 맞추다, 상응시키다, 맞게 하다
приноравливаться (미완) 적용(순응)하다, 버릇(습관)되다
приноровить[ся] *см.* приноравливаться
приносить (미완) ① 가져가다(오다) ② 새끼치다; ~ плоды 열매를 맺다 ③ (결과를) 가져오다, 끼치다; ~ пользу 이익을 주다; ~ вред 해를 끼치다; ~ доход 수입을 가져오다 ④ (일부 명사와 함께) ...하다; ~ благодарность 감사를 드리다; ~ изви- нения 사과하다
принудительный (형) 강요(强要), 강제적인(强制的-); ~ые работы 강제노동
принудить (완), **принуждать** (미완) 강요하다, 억지로 ...하게 하다; ~ прийти 오게 하다
принуждение (중) 강요(强要), 강제(强制); без ~я 자발적으로
принц (남) 친왕, 왕자(王子)
принцип (남) ① 원칙(原則), 원리(原理), 기본명제 ② 주의, 주견; в ~е 대체로, 원칙상, 기본적으로
принципиальность (여) 원칙성(原則性)
принципиальный (형) ① 원칙적인; ~ вопрос 원칙적문제 ② 시종일관한, 철저한; ~ человек 철저한 사람 ③ 기본적(基本的)인
принятие (중) ① 접수(接受), 인수 ② 채용 ③ 채택(採擇) ④ 승인, 수락(受諾)
принять[ся] *см.* принимать[ся]
приободрить (완) 고무해주다, 원기를 북돋아주다
приободриться 힘이 나다, 원기를 내다, 기운을 내다
приободрять[ся] *см.* приободрить[ся]
приобрести (완), **~тать** (미완) 가지다, 얻다, 획득하다; ~сти опыт 경험을 얻다; ~сти хорошую репута-цию 좋은 평(가)을 받다
приобретение (중) ① 얻는 것, 획득, 구입 ② 획득물, 구입품(購入品)
приобщать ① 접촉(참가)시키다, 인입하다 ② 첨부하다
приобщаться (미완) 접촉(참가)하다, 인입되다;~ к науке 과학에 종사하다
приобщение (중) 접촉, 참가; 인입; 종사
приобщить[ся] *см.* приобщать[ся]

приоритет (남) ① (발명, 연구 등에서) 앞선 것, 제1위 ② 우선권, 우위; ~ за нами 우리에게 우선권이 있다 ③ (흔히 복수) 중점; ~ы в экономическом развитии 경제발전의 중점

приостанавливать(미완), **~овить**(완) 멈추다, 중지시키다, 정지시키다, 지체시키다; ~ овить наступление противника 적의 공격을 좌절시키다

приостановиться (완) 멎다, 중지(정지, 지체)되다; работа ~лась 작업은 중단되었다

приостановка(여), **приостановление** (중) 정지(停止), 중지(中止), 중단(中斷)

приоткрывать (미완) 조금 열다

приоткрываться (미완) 조금 열리다

приоткрыть[ся] см. приоткрывать[ся]

припадок (남) 발작; в ~ке гнева 노기등등하여

припасать (미완), **~ти** (완) 장만(저축, 준비)해두다

припасы (복수) 예비품(豫備品), 예비물자; съестные ~ 식량, 식료품

припаять (완) 땜하여 붙이다.

припев (남) 후렴(後斂)

припеваючи (부) : жить ~ 근심 걱정 없이 (호강하게) 살아가다

припекать (미완) (햇볕이) 내려 쪼이다

приписать см. приписывать

приписка (여) ① 덧쓰기 ② 등록, 편입

приписывать (미완) ① 덧써넣다 ② 등록하고 편입시키다 ③ ...에 귀착시키다, ...탓으로 보다; ~ незнанию 무식한 탓이라고 보다

приплатить, приплачивать 더 (추가) 지불하다

приплод (남) (짐승의) 새끼; давать большой ~ 새끼를 많이 낳다

приплывать (미완), **~ыть** (완) (헤엄쳐) 오다, (배로) 오다, 와닿다, 떠오다

приподнимать (미완) 약간 쳐들다; 약간 일으키다

приподниматься 약간 일어나다, 몸을 약간 일으키다

приподнятый (형) ① 흥분된(興奮-); ~ ое настроение 흥겨운 기분 ② 고상한, 격조높은; ~ый стиль 고상한 문체

приподнять[ся] см. приподнимать[ся]

приползать, ~ти (완) 기어오다(가다), 기어들다

припоминать (미완), **припомнить** (완) ① 회상하다, 생각나다 ② 앙심을 먹다

приправа (여) 양념, 조미료; 고명, 꾸미

приправить (완), **~авлять** (미완) 양념치다.

припрятать (완), **~ывать** (미완) 거두어두다; (만일을 위하여) 감추다, 숨기다

припугивать (미완), **припугнуть** (완) 조금 놀래다, 위협하다

приработок (남) 부수입(副收入)

приравнивать (미완), **приравнять** (완) 같이보다, 동일시하다; 나란히 놓다

природа (여) ① 자연(自然), 자연계(自然界) ② 본질, 본성(本性), 천성(天性) от ~ы 본래, 날 때부터

природный (형) 자연; ~ые богадства (ресурсы) 자연부원

прирост (남) 증대(增大), 증가; 증가량

приручать(미완), **~ить** (완) 길들이다

присаживаться (미완) (잠시) 앉다

присваивать см. присвоить

присвоение (중) ① 수여(授與); ~ почётного звания 명예칭호수여 ② 횡령(橫領), 약취(略取)

присвоить(완) ① 수여하다; ~ звание 칭호를 수여하다 ② 떼어막다, 횡령(약취)하다

приседание (중) 무릎을 굽히는 것.

приседать (미완) 무릎을

굽히다(굽혔다폈다하다)
присесть ① *см.* присаживаться ② 무릎을 굽히고 앉다
прискакать (완) ① 깡충깡충 뛰어오다 ② (말을 타고) 달려오다
прискорбие (중) : с ~ем 통탄하여, 슬픈 마음으로; к ~ю 유감스럽게도, 슬프게도
прислать (완) 보내오다
прислонить (완) 기대다, 기대어놓다
прислониться (완) 기대다, 기대어서다(앉다)
прислонять[ся] *см.* прислонить[ся]
прислуга (여) ① 하녀(下女), 하인(下人), 심부름꾼 ② (군사) (집합) 사격조원, 포수(砲手)
прислуживать (미완) ① 시중을 들다, 심부름하다, 봉사하다 ② 비위를 맞추다
прислужник (남) 앞잡이
прислушаться (완),**~иваться** (미완) ① 귀담아듣다 ② 고려하다; ~иваться к голосу ...의 목소리에 귀를 기울이다 ③ 귀에 익다; ~иваться к уличному шуму 거리의 소음에 습관되다
присматривать (미완) ① 찾다, 얻어내다; ~ себеработу 일자리를 얻다 ② 돌보다, 보살피다; ~ за детьми 아이들을 돌보다 ③ 감시하다, 감독하다
присматриваться (미완) ① 눈여겨보다, 살피다, 주시하다 ② 눈에 익다, 버릇(습관)되다; ~ к работе 일에 익숙해지다, 일이 손에 익다
присмиреть (완) 조용(온순)해지다
присмотр (남) 감시(監視), 감독(監督)
присмотреть[ся]*см.*присматривать[ся]
присниться *см.* сниться
присоединение(중) ① 연결(連結), 결합(結合) ② 통합(統合), 병합 ③ 가담, 합류
присоединить (완) ① 잇다, 연결하다 ② 통합하다, 병합하다 ③ 포함시키다, 소속시키다, 가담시키다
присоединиться (완) ① 합치다, 연계를 맺다 ② 편들다, 동의(가담)하다; ~ к общему мнению 전체의 의견에 동의하다
присоединить[ся]*см.*присоединять[ся]
присосаться (완) 달라붙다
приспешник (남) 앞잡이, 주구
приспосабливать (미완) 적응시키다, 적용(이용)할 수 있게 하다
приспосабливаться (미완) 적응하다, 버릇(습관)되다, 익숙해지다
приспособление (중) ① 설비(設備), 장치(裝置);② 적응(適應)
приспособленность(여)적응성(適應性)
приспособленчество (중) 보신주의
приспособляемость (여) 적응력
приспускать (미완), **~тить** (완) 내리우다, 낮추다; ~тить флаг 기발을 조금 내리우다
приставать (미완) ① 달라붙다, 묻다 ② 치근거리다, 성가시게 굴다
приставить (완) ① 대어(기대어)놓다, 기대어 우다; ~ стол к стене 책상을 벽에 바싹 붙여놓다 ② 덧붙이다, 잇다 ③ (살피기 위해) 사람을 붙이다
приставка (여) (언어) 앞붙이, 접두사
приставлять *см.* приставить
пристально (부) 유심히, 뚫어지게, 눈여겨
пристальный (형) : ~ый взгляд 뚫어지게 바라보는 눈초리; ~ое внимание 긴장된 주의
пристанище(중) 피난처, 안식처(安息處)
пристань (여) 부두(埠頭), 정박장
пристать *см.* приставать
пристёгивать, ~егнуть (완) (단추를 채워) 달다
пристраивать (미완) 증축하다, 잇달아 짓다
пристрастие (중) ① 열중 ② 편견

пристраститься (완) 열중하다
пристрелить (완) 쏴죽이다
пристроить *см.* пристраивать
пристроиться (완) ① 자리잡다 ② 붙다, 끼이다; 한목들다 ③ 취직하다 ④ 나란히 대열을 짓다
пристройка (여) ① 증축 ② 옆채, 딴채
приступ (남) ① 발작 ② 돌격; взять ~ом 돌격으로(일격으로) 점령하다
приступать, ~ить (완) 시작(착수)하다, 달라붙다
пристыдить *см.* стыдить
присудить (완), **~ждать** (미완) ① 언도(처분)하다 ② 수여하다; ~дить учёную степень 학위를 수여하다
присуждение (중) ① 언도 ② 수여
присутствие (중) 참석, 출석; в ~и всех 모든 사람이 있는데서; в ~и кого.... 가 입회한 가운데; не те- ряя ~я духа 침착하게
присутствовать (미완) 참석하다, 출석하다, 참가하다
присутствующий (남) 참가자, 출석자
присущий (형) 고유한, 독특한
присылать *см.* прислать
присяга (여) 선서; военная ~a 군인선서; принять ~y 선서하다
присягать (미완), **~нуть** (완) 선서(선약)하다
притаиться (완) 숨다
притащить (완) 끌고오다, 끌어오다
притвориться (완), **~ятся** (미완) ...는체 하다; ~иться спящим 자는체하다
притеснение (중) 박해(迫害), 억압
притеснять (미완) 박해(억압)하다
притихнуть (완) 잠잠(조용)해지다
приток (남) ① 흘러들어오는 것 ② 지류
притом (접) 그밖에, 또한, 뿐만아니라
притон (남) 소굴(巢窟)

приторный (형) ① 알알한, 역한, 너무 단 ② 치근거리는, 지나치게 친절한
притрагиваться,~онуться (완) 살짝 만지다, 다치다
притупить[ся] (완), **~лять[ся]** (미완) ① 무디다 ② 둔해지다; зрение ~илось 시력이 약해졌다
притяжение (중) 인력; закон земного ~я 지구인력의 법칙(法則)
притязание (중) ① 요구(要求), 주장(主張) ② 야망(野望)
приукрасить (완), **~шивать** (미완) ① 약간 장식하다 ② (미화)분식하다, 분칠(과장)하다
приуменьшать,~еньшить 줄이다, 덜다, 감소시키다
приумножать,~ожить 증가시키다
приуныть (완) 좀 악심하다, 기가 죽다
приурочивать (미완),**~ть** (완) (시간, 기일을; 시간, 기간에) 일치(적응)시키다, 정하다; ~отъезд к весне 봄에 떠나기로 정(작정)하다
приусадебный (형) 집 부근, 집 근방; ~ый участок 개인터밭;~ое хозяйство 개인터밭, 개인경리
приучать (미완) (습관을) 길러주다, 버릇을 붙어주다; ~ к чтению 독소하는 버릇을 길러주다
приучаться (미완) 버릇(습관)되다
приучить[ся] *см.* приучить[ся]
прифронтовой(형) 전선부근; ~ая полоса 전선지대
прихвостень (남) 앞잡이, 주구
приход (남) ① 도착(到着), 도래(到來) ② 수입(收入); 입금(入金)
приходить (미완) ① 오다, 도착하다 ② 찾다, 찾아오다 ③ 닥쳐오다, 돌아오다 ④ 이르다, 도달하다; ~ к выво-ду 결론에 이르다 ⑤ 휩싸이다; ~ в восторг 환희에 휩싸이다; ~ в голову 생각나다, 머리에 떠오르다; ~ в себя 제 정신이

들다
приходиться (미완) ① 맞다, 알맞다; ~ по вкусу 취미에 맞다 ② 해당되다; он мне приходится дядей 그는 나에게 아저씨벌이 된다. ③ (+미정형) ...하지 않으면 안 된다, 해야 하다; ему приходится уе- зжать 그는 떠나가지 않으면 안된다. ④ ...게 되다; им приходилось туго 그들은난처하게 되었다; на каждого приходится по рублю 매인당 1루블씩 차례지게 된다
прихожая (여) 전실(專室)
прихоть (여) 변덕, 괴벽, 엉터리없는 요구
прихрамывать (미완) (다리를) 약간 절다
прицел (남) ① 겨누는 것, 조준(照準); ② 조준기(照準器), 조척(照尺); брать(взять) на ~ 1) 겨누다 2) 주의를 집중하다
прицеливаться,~ться (완) 겨누다, 조준하다; 노리다
прицельный (형) : ~ огонь 조준사격
прицениваться, прицениться 금을 보다, 값을 묻다
прицеп (남) 연결차 трактор с ~ом 연결차를 단 트랙터
прицепить (완) 달다
прицепиться (완) ① 매달리다, 달라붙다 ② 트집잡다
прицеплять[ся] см. прицепить[ся]
причал (남) 부두(符頭), 정박장
причаливать (미완), **~ть** (완) 닿다, 정박하다
причастие (중) (언어) 형동사
причастность (여) 관여, 참여, 관련
причастный (형) ① ...에 관여하는(관계되는) ② (언어) 형동사; ~ оборот 형동사구
причём ① (접) 그리고, 게다가, 또한 ② (부) 왜, 무슨 까닭에; ~ здесь я?

내가 무슨 상관이 있는가?
причесать (완) 빗다; 빗겨주다
причесаться (완) 머리를 빗다
причёска (여) 머리의 꾸밈새
причёсывать[ся] см. причесать[ся]
причина (여) 원인(原因), 이유(理由), 동기(動機); уважительная ~ 정당한 이유
причинить (완), **~ять** (미완) 일으키다, 끼치다; ~ить убытки 손실을 끼치다; ~ить боль 고통을 주다, 아프게 하다; ~ять беспокойство 근심을 끼치다, 불안케 하다
причислить (완), **причислять** (미완) 포함시키다; 가산하다, 인정해주다
причитаться (미완) : ему ~ется сто рублей 그에게 백루블을 물어야(주어야) 한다
причуда (여) 변덕(變德), 괴벽(怪癖)
причудливый (형) ① 기묘한 ② 변덕스러운, 괴벽한
пришвартоваться (완) 와닿다, 정박하다
пришивать (미완), **~ить** (완) ① (꿰매어) 달다 ② 못박다, 못박아붙이다
пришпиливать (미완), **~ть** (핀 따위로) 달다, 꽂다
прищемить (완), **~лять** (미완) 끼우다, 누르다; ~ить палец дверью 문틈에 손가락을 끼우다
прищуривать (미완), **~ть** (완) : ~ть глаза 눈을 가늘게 뜨다, 실눈을 짓다
прищуриться (완) 눈을 가늘게 뜨다, 실눈을 짓다
приют (남) 피난처(避難處), 안식처
приютить (완) 피난처를 제공하다, 안식처를 제공하다
приютиться (완) 피난(避難)하다, 의지(依支)하다; 휴식처를 얻다
приятель (남), **~ница** (여) 벗, 친구, 친우
приятельский (형) 친한, 친구다운
приятно (부): ~ слышать 듣기 좋다

приятный (형) ① 유쾌한, 반가운; ~ая новость 반가운 소식 ② 구수한, 맛좋은; ~ый на вкус 맛이 좋은 ③ 마음에 드는; ~ый человек 마음에 드는 사람; ~ая музыка 마음에 드는 음악

про (전) (+대) ① ...에 대하여(대한); рассказывать про войну 전쟁에 대한 이야기하다; рассказ про вой-ну 전쟁에 대한 이야기 ② ...을 위하여(위한); это не про вас 이것은 당신을 위한 것이 아니다

проба (여) ① 시험(試驗), 실험(實驗), 검사(檢查); ~ пищи 검식 ② 분석자료, 시료(試料) ③ 품위(品位)

пробег (남) ① 달리기, 주행(走行) ② 주행거리

пробегать, ~жать ① 뛰어지나가다; (일정한 거리를)뛰다, 달리다 ② 지나가다; дрожь ~жала по спине 등골이 오싹했다 ③ 대충 읽다, 쭉 훑어보다, 스쳐보다

пробел (남) ① 빈자리, 여백(餘白), 공백(空白), (글줄사이의)간격 ② 결함, 빠짐

пробивать[ся] см. пробить[ся]
пробираться см. пробраться
пробирка (여) 시험관(試驗管)

пробить (완) ① (쳐서), 때려 뚫다; ~ стену 벽을 뚫다 ②치다; пробило два часа 시계는 두시를 쳤다; ~ себе дорогу(путь) 자기의 길을 개척하다

пробиться (완) ① 뚫고나가다, 돌파하다; ~ сквозь толпу 군중 속을 뚫고나가다 ② 돋아나다 ③ (한동안) 골머리를 앓다, 힘들이다 ④ 근근히 살아가다

пробка (여) ① 마개 ② 코르크, 나무껍질 ③ 혼잡, 몰킨 장애물; образовалась ~ 교통장애가 났다, 혼잡이 일어났다 ④ (전기) 휴즈(의 일종)

проблема (여) 문제(問題)

пробный (형) ① 시험용 ② 시범(示範); ~ полёт 시험비행; ~ камень 시금석

пробовать (미완) ① 맛보다 ② 해보다; ~ читать 읽어보다 ③ 시험(시도)하다; ~ свои силы 자기 힘을 시험해보다

пробоина (여) (터진) 구멍, 파열구

проболтать(완) (한동안) 입방아를 찧다

проболтаться(완)누설하다, 입밖에 내다

пробор (남) 가리마; сделать ~ 가리마를 타다

пробраться (완) ① 겨우 나가다 ② 몰(슬그머니) 들어가다(오다)

пробудить (완) ① 깨우다 ② 불러일으키다

пробудиться (완) ① 잠을 깨다 ② 소생하다; природа ~лась 만물이 소생했다 ③ 나타나다; ~лся интерес 흥미가 생겼다

пробуждать см. пробудить
пробуждение (중) ① 깨어나는 것 ② 각성(覺性), 소생(蘇生)

пробыть (완) (한동안) 묵다, 머무르다, 체류하다

провал(남) ① 구덩이 ② 낭패; потерпеть ~ 낭패를 보다 ③: ~ памяти 기억력상실

проваливать (미완) : (명령형) ~й! 물러가!

провалиться см. провалиться
провалить ① 망치다, 실패(失敗)하게 하다 ② 낙제(落第)시키다

провалиться(완) ① 떨어지다, 빠지다 ② 무너지다, 허물어지다 ③ 실패하다; ~ на экзамене 시험에서 낙제하다 ④ 없어지다, 사라지다; куда ты провалился? 도대체 어디 갔는가?; как сквозь землю ~ 온데간데없이 사라지다

проведать (완) ① 찾아가다, 방문하다 ② 알아내다, (소문을 듣고) 알다

проведение (중) ① 관철(觀徹), 수행; ~ в жизнь 실현, 실시 ② 부설, 가설
проведывать см. проведать
провезти см. провозить
проверить (완) 검열(검사)하다
проверка (여) 검열(檢閱), 검사(檢査)
проверять см. проверить
провести см. проводить
проветривать (미완), **~ть** (완) : ~ть комнату(помещение) 방안의 공기를 갈아들이다, 환기시키다
провиант (남) 식량(食量), 군량(軍糧)
провизия (여) 식료품(食料品), 식량(食量)
провиниться (완) 잘못하다, 실수(失手)하다, 죄를 짓다
провинность (여) 잘못, 죄(罪)
провинция (여) ① 지방(地方), 시골, 벽지(僻地) ② (행정구역단위) 도, 성
провисать, провиснуть (완) 휘다, 처지다, 늘어지다
провод (남) 전선(電線), 도선(導線)
проводимость (여) 전도성(傳導性)
проводить I (미완) ① 관철(진행, 수행, 실시)하다; ~ в жизнь 실현하다 ② 부설(가설)하다 ③ 안내(인솔)하다 ④ (시간을) 보내다; ~ каникулы 방학을 보내다 ⑤ 속이다; его не проведёшь 그는 속이지 못할 것이다 ⑥ 쓰다듬다; ~ рукой по столу 손으로 책상을 쓸다 ⑦ 긋다; ~ линию 선을 긋다
проводить II см. провожать
проводка (여) ① (전선을) 늘이는 것, 배선(配線); ② 전선(戰線)
проводник I (남) ① 안내원, 안내자(案內者) ② 열차원(列車員)
проводник II (남) ① (공학)전도체 ② 보급자(補給者)
проводы (복수) 전송(傳送), 송별(送別)
провожатый (남) 안내자, 동행자; 호송하는 사람

провожать ① 바래다, 바래주다, 전송하다 ② 보내다 ③ 안내하다; ~ глазами(взглядом) 눈으로 바래다
провоз (남) 수송(輸送), 운수(運輸)
провозгласить (완), **~шать** (미완) 선포(선언)하다; 고창하다, 부르다
провозглашение (중) 선포, 선언; 고창
провозить ① 나르다, 운반(수송)하다 ② 가지고가다; ~ книги в чемодане 책을 트렁크에 넣어 가지고가다
провокатор (남) 밀정(密偵), 도발자
провокационный (형) 도발적인
провокация (여) 도발, 도발행위
проволока (여) 쇠줄; колючая ~ 가시줄
проворный (형) 재빠른, 날랜, 민첩한
проворонить (완)(멍청해 있다가) 놓치다
провоцировать (미완) 도발(挑發)하다, 선동(煽動)하다, 부추기다
прогадать (완) (잘못 타산해서) 불리하게 되다; 오산하다; 손해보다
прогибать[ся] см. прогнуть[ся]
проглатывать(미완), **~отить** (완) ① 삼키다 ② 꾹 참다, 누르다 ③ 빨리 읽다
проглядеть (완) ① 훑어보다 ② 못보고 놓치다 ③ (한동안) 살펴보다; все глаза ~눈이 빠지게 기다리다, 몹시찾다
проглядывать(미완), **проглянуть**(완) 보이다, 나타나다; солнце проглянуло 해가 나타났다
прогнать см. прогонять
прогнить (완) 다 썩다, 썩어빠지다
прогноз (남) 예측(豫測), 예언(豫言); ~ погоды 일기예보; крат-косрочный(долгосрочный) ~ 단기(장기)예보
прогнозировать (미완, 완) 예측(豫測)하다, 예언(豫言)하다
прогнуть (완) 구부리다, 구부러뜨리다
прогнуться (완) 휘다, 굽어들다

проговорить (완) ① 말(발음, 발언)하다 ② (한동안) 말(이야기)하다
проговориться (완) 안할 말을 하다, 누설(漏泄)하다
проголодаться (완) 배고파하다, 허기지다
проголосовать см. голосовать
прогонять (미완) ① 내쫓다 ② 내몰다
прогорать,~еть ① 다 타다 ② 타서 못쓰게 되다 ③ (한동안) 타다, 불붙다 ④ 파탄되다, (일이) 틀어지다
прогорклый (형) 쓴맛이 도는, 아린
программа (여) ① 강령(綱領); 정강(政綱) ② 계획(計劃) ③ 일정(日政); ~ пребыва-ния 방문일정 ④ 방송순서;~телепередач 텔레비전방송순서 ⑤ 상연순서;~концерта 공연프로 ⑥ учебная ~ 교수요강 ⑦ (공학) 프로그램
программный (형) ① 강령적인 ② (공학): ~ое управление 프로그람조종
прогреметь см. греметь
прогресс (남) 전진(前進), 진보(進步)
прогрессивный (형) ① 선진적인, 진보적인 ② 누진; ~ налог 누진세
прогрессировать (미완) ① 더해지다; бол-езнь ~ует 병이 더해가고 있다 ② 전진하다, 발전하다
прогрессия (여) (수학) 급수; арифмети-ческая ~ 산수(같은차)급수; геометриче-ская ~ 기하급수
прогрызать (미완),**~ызть** (완) 쓸어서 구멍을 내다
прогул (남) 무단결근, 결석(缺席)
прогуливать (미완) 결근(결석)하다
прогуливаться (미완) 천천히 거닐다, 산보하다, 나돌아다니다.
прогулка (여) 산보(散步), 산책(散策)
прогулочный (형) 유람; ~ теплоход 유람선(遊覽船)
прогульщик (남),**~ца** (여) 무단결근자

прогулять ① (한동안) 산보하다 ② 결근(缺勤)하다, 결석(缺席)하다
прогуляться см. прогуливаться
продавать (미완) ① 팔다, 판매하다 ② 배반(변절)하다
продаваться (미완) ① 팔리다, 판매되다 ② 매수되다, 넘어가다
продавец (남), **~щица** (여) ① 판매원 ② 파는 사람, 장수군
продажа (여) 판매(販賣), 팔기; розничная (оптовая) ~ 소매(도매)
продажность (여) 매수되기 쉬운것
продажный (형) ① 판매; ~ая цена 판매가격 ② 매수할 수 있는, 퇴물로 드는
продать[ся] см. продавать[ся]
продвигать (미완) ① 밀어놓다, 옮겨놓다 ② 전진(촉진, 발전)시키다 ③ 승급시키다
продвигаться (미완) ① 전진하다, 향하다 ② 진척되다 ③ 승급하다
продвинуть[ся] см. продвигать[ся]
продевать см. продеть
проделать (완) ① 수행(완수)하다 ② 뚫다, 구멍내다; ~ дверь в стене 벽을 뚫고 문을 내다
проделка (여) (흔히 복수) 장난; 간계
проделывать см. проделать
продёргивать см. продёрнуть
продержать (완) ① (한동안) 잡고 있다 ② (어떤 상태에) 두어두다 ③ (한동안) 잡아두다, 있게 하다.
продержаться (한동안) 지탱하다, 견디다, 견지하다
продёрнуть (완) 꿰다
продеть 꿰다; ~ нитку в иголку 바늘에 실을 꿰다
продиктовать см. диктовать
продлевать см. продлить
продление (중) 연장(延長), 연기(延期); ~ срока 기한연기
продлить (완) 연장하다, 지연시키다

продлиться см. длиться
продовольственный (형) 식량(食量); ~ые товары 식료품; ~ый магазин 식료품상점
продовольствие (중) 식량, 식료품
продолговатый (형) 길쭉한, 갸름한
продолжатель (남) 계승자, 후계자
продолжать (미완) 계속하다; 늘이다, 연장하다
продолжаться 계속(지속)되다; 연장되다, 늘여지다
продолжение (중) 계속, 지속; 연장; ~ следует 다음호에 이음(계속)
продолжительность (여) (계속되는) 시간(기간), 지속성; средняя ~ жизни 평균수명; ~ холодов 추위의 지속성
продолжительный (형) 오래 계속되는, 장기적인, 지속적인; ~ая болезнь 오랜 기간의 병
продолжить[ся] см. продолжать[ся]
продольный (형) 세로, 세로 놓인; ~ый разрез 세로단면; ~ая волна 세로고파
продрогнуть(완) 몹시 얼다, 오한이 나다
продукт (남) ① 산물, 생산품, 제품 ② 결과, 산물 ③: ~ы (복수) 식료품
продуктивно (부) 효과적으로, 능률높이
продуктивность (여) 생산성, 생산능률
продуктивный (형) 생산적인, 생산성 높은
продуктовый(형): ~ магазин 식료품 상점
продукция (여) ① 제품(製品), 생산물(生産物) ② 생산(生産)량, 생산고(生産高)
продумать (완), **~ывать** (미완) ① 깊이 생각하다, 신중히 고려하다 ② (한동안) 생각하다
продырявить (완) 구멍을 뚫다
проедать см. проесть

проезд (남) ① 통행(通行), 통과(通過); ~ воспрещён 통행금지 ② 통로, 골목길
проездить ① 여비로 쓰다 ② (한동안) 타고다니다
проездной(형): ~ билет 차표(車票), 승차권(乘車券)
проездом (부) 지나가는(오는) 길에, 도중에; побывать ~ в Москве 지나가는 길에 모스크바에 들리다
проезжать см. проехать
проезжий (형) ① 통행용; ~ая дорога 차길 ② (명사로) (남) 통행인, 여행자
проект (남) ① 설계도; 계획, 구상 ② 안, 초안; ~ резолюции 결정서초안
проектировать (완) 설계(계획)하다
проектный (형) 설계(設計)
проекция (여) 투영, 사영, 영사
проесть (완) ① 먹는데 소비하다 ② 쏠아(과먹어)구멍을 내다
проехать (완) (타고) 지나가다, 통과하다; ~ оста- новку 정류소를 통과해버리다
прожевать, прожёвывать (미완) 잘(충분히) 씹다
прожектор (남) 조명등, 탐조등
прожечь (완) 태워서 뚫다 (구멍을 내다)
проживать см. прожить
прожиточный(형): ~ минимум 최저생활비(最低生活費)
прожить (완) ① 살다, 생활하다 ② 써없애다; ~ много денег 많은 돈을 소비하다
прожорливый(형) 많이 먹는, 게걸스러운
прожужжать(완): ~ [все] уши 듣기 시끄럽게 굴다
проза (여) 산문(散文)
прозаик (남) 산문작가
прозаический (형) ① 산문 ② 평범한
произвенеть см. звенеть

прозвище (중) 별명; давать ~ 별명을 붙이다

прозвучать (완) 울리다, 들리다; ~л выстрел 총소리가 울렸다

прозевать (완) (기회를) 놓치다; ~ удобный случай 좋은 기회를 놓치다

прозорливость (여) 통찰력

прозорливый (형) 예견성(통찰력) 있는

прозрачность (여) 맑음도, 투명성

прозрачный (형) 맑은, 투명한

прозябать (미완) 겨우 살아가다, 허송세월하다

проиграть (완), **проигрывать** (미완) ① 지다, 패하다, 실패하다 ② 손해보다, 잃다 ③ (한동안) 놀다

проигрыш (남) 실패(失敗); 손실(損失), 손해(損害); оказаться в ~е 지다, 손해보다

произведение(중) ① 작품 ② (수학) 적

произвести см. производить

производитель (남) ① 생산자(生産者) ② (농업) 종축(種畜), 종자말

производительность (여) 생산능률, 생산성; ~ труда 노동생산능률

производительный (형) 생산적인; ~ые силы 생산력(生産力)

производить (미완) ① 만들다, 생산하다, 제작하다 ② 하다; ~ опыт 실험하다 ③ 일으키다, 애기시키다; ~ действие 효력을 나타내다; ~ на свет 낳다

производная (여) (수학) 도함수

производный(형) 파생적인;~ое слово (언어) 파생어(派生語)

производственник (남), **~ца** (여) 생산자(生産者)

производственный(형) 생산(生産); ~ые отношения 생산관계; ~ая практика 생산실습; ~ый стаж 사업년한; ~ая гимна-стика 보건체조

производство(중) ① 생산; орудия ~а 생산도구; средства ~а 생산수단; способ ~а 생산방식 ② 실시(實施), 수행

произвол (남) ① 제멋, 자의;по[своему] ~y 제멋대로 ② 전횡, 만행; творить ~ 행패를 하다; оставить(бросить) на ~ судьбы 될대로 되라고 내버려두다

произвольно (부) 자유로이, 제멋대로, 마음대로, 자의적으로

произвольный (형) ① 자유로운 ② 자의적인; ~ вывод 자의적인 결론

произнести, ~осить (미완) ① 발음하다 ② 말하다

произношение (중) 발음(發音); 발음법

произойти см. происходить

происки (복수) 책동(策動), 음모(陰謀)

происходить (미완) ① 일어나다, 생기다, 발생하다 ② 태어나다 ③ 퍼지다

происхождение (중) ① 발생(發生), 유래(由來), 기원(起源) ② 출신(出身)(성분); социальное ~ 사회성분

происшествие (중) 일, 사건(事件), 사고

пройти см. проходить

пройтись (완) ① (몇 걸음) 걷다, 거닐다, 산보하다 ② 다듬다, 손질하다

прок (남) 이익(利益); проку нет 무익하다; идти в ~ 쓸모가 있다; знать ~ в чём... 잘 알다

прокажённый (남) 문둥이

проказа (여) 문둥병

проказы (복수) 장난질

проказник (남), **~ца** (여) 장난꾸러기

проказничать (미완) 장난질하다

прокалывать см. проколоть

прокат I (남) 세주기, 임대; 세내기, 임차; брать(взять) на ~ 세를 내고 쓰다

пркат II (남) ① 압연(壓延) ② 압연품

прокатить (완) ① 태우고 돌아다니다 ②: ~ мимо (타고) 빨리 지나가다 ③

굴리다
прокатиться (완) ① 타고 돌아다니다 ② 울리다, 울려 퍼지다 ③ 굴러가다
прокатка (여) 압연(壓延)
прокатный (형) 압연(壓延); ~ый стан 압연기; ~ая сталь 압연강재; ~ый цех 압연직장
прокатчик (남) 압연공(壓延工)
прокатывать (미완) 압연하다
прокипятить (완) 잘(충분히) 끓이다
прокисать, прокиснуть (완) 시어져 상하다, 쉬다
прокладка (여) ① 부설, 해도작업 ② (공학) 패킹(packing)
прокладывать (미완) 부설(시설)하다; ~ путь к...에로의 길을 개척하다
прокламация (여) 선전(선동)삐라, 격문
проклинать, ~ясть ① 저주하다 ② (호되게) 욕하다
проклятие (중) ① 저주 ② 욕설(辱說)
проклятый (형) 저주로운, 가증스러운, 그 망할놈의
прокол (남) ① 찔러뚫는 것 ② 맞구멍
проколоть (완) 꿰찌르다, 찔러구멍을 뚫다
прокормить см. кормить
прокормиться (완) 살아가다, 먹고실다
прокрадываться, ~сться (완) 기어들다, 잠입하다
прокуратура (여) 검찰소, 검사국
прокурор (남) 검사; генеральный ~ 검사총장
пролегать (미완) (길 따위가) 놓이다, 통하다, 지나가다; дорога ~ет через лес 길이 숲속을 통하여있다
пролезать (미완), **пролезть** (완) 기어들다, 잠입하다
пролёт(남)① 사이(거리) ② (철도) 구간
пролетариат (남) 프롤레타리아트 (Prole- tariat), 무산계급(無産階級)

пролетарий (남) 프롤레타리아, 무산자
пролетарский (형) 프롤레타리아
пролетать (미완), **~еть** (완) ① 날아지나가다 ② 빨리 지나가다, 스쳐지나가다
пролив (남) 해협(海峽)
проливать[ся] см. пролить[ся]
проливной (형) : ~ дождь 큰비, 소나기, 소낙비
пролить (완) 흘리다, 쏟다
пролиться (완) 쏟아지다, 흐르다
пролог (남) ① 머리말, 머리시, 머리막 ② 시작, 발단(發端)
проложить см. прокладывать
проломить (완) (깨어, 마사) 뚫다
проломиться (완) 무너앉다, 꺼지다, 뚫어지다
пролонгировать (미완, 완) 연기하다
промах (남) ① 헛맞는 것; дать ~ 빗쏘다, 빗맞히다 ② 잘못, 실수; допустить ~ 실수하다
промахиваться(미완), **промахнуться** (완) ① 헛(빗)맞히다 ② 잘못(실수)하다
промедление (중) 지연, 지체; без ~я 지체없이
промежуток (남) 사이, 간격(間隔), 중간(中間); большой ~ времени 오랜기간
промежуточный (형) 중간(中間)
промелькнуть (완) ① 피뜩 나타났다 사라지다 ② 간신히 나타나다(보이다)
променять (완) 바꾸다; ни на кого тебя не ~ю 누구보다도 네가 그중 낫다
промерзать, промёрзнуть (완) 깊이(속까지) 얼다
промокательный (형) : ~ая бумага 압지(押紙)
промокать, промокнуть(완) 온통(흠뻑) 젖다; ~ до нитки(또는 до костей) 속속드리 젖다, 물참봉이 되다
промолвить (완) 말하다, 되뇌이다

- 503 -

промолчать (완) 말없이 있다, 대답하지 않다, (한동안) 침묵하다
промотать (완) 낭비(허비, 탕진)하다
промочить (완) 흠뻑 적시다(축이다)
промтовары (복수) 공업품(工業品)
промтоварный (형) : ~ магазин 공업품상점
промчаться (완) ① 나는 듯 달려가다 ② 빨리 지나가다, 질주하다
промывание (중) 씻기, 세척
промывать (미완) ① 씻다, 씻어내다 ② (화학) 소금기를 뽑다
промысел (남) ① 영업(營業), 업; морской ~ел 수산업 ② (흔히 복수) 채취(채굴) 부문기업소; горные ~лы 광산, 채광장
промысловый (형) : ~ое судно 고기잡이배
промыть *см.* промывать
промышленность (여) 공업(工業); тяжё-лая(лёгкая) ~ 중(경)공업; добывающая (обрабатывающая) ~ 채취(가공)공업
промышленный (형) 공업의; ~ый робот 공업용 로보트; ~ые товары 공업품
пронести (완) ① 나르다, 운반해가다 ② 가지고 가다, 들고 지나가다
пронестись (완) ① 나는 듯 달려가다 ② 빨리 지나가다 ③ 빨리 퍼지다
пронзать *см.* пронзить
пронзительный (형) ① 귀청을 쨰는 듯 한, 새된; ~ визг 새된 소리 ② 날카로운, 쏘아보는; ~ взгляд 날카로운 눈길
пронзить (완) 찌르다, 꿰뚫다
пронизать (완), **пронизывать** (미완) ① 꿰다, 꿰여서 달다 ② 스며들어가다
пронизывающий (형) 속까지 스며드는, 날카로운; ~ ветер 칼바람; ~ холод 살을 에이는 듯한 추위
проникать[ся] *см.* проникнуть[ся]

проникновение(중) ① 스며드는 것, 침투(浸透); 침입(侵入) ② 통찰(通察), 이해, 체득
проникновенный (형) 신심에 찬, 진지한, 다정한
проникнуть (완) ① (새어) 들어가다, 침투하다, 스며들다 ② 퍼지다, 보급되다, 침투되다 ③ 통찰하다, 간파하다
проникнуться (완) 일관(충만)되다; ~ чувством долга 의무감에 넘치다
проницательность (여) 통찰력(通察力)
проницательный (형) : ~ взгляд 날카로운 눈길; ~ ум 명석한 두뇌
проносить[ся] *см.* пронести[сь]
пронюхать (완), **~ивать** (미완) 알아내다, 탐지하다
прообраз (남) 원형, 원상; 미래의 모범
пропаганда (여) 선전(宣傳), 광고(廣告)
ропагандировать (미완) 선전하다
пропагандист (남) 선전원
пропангандистский (형) 선전(宣傳); ~ая работа 선전사업
пропадать *см.* пропасть
пропажа (여) ① 없어(잃어)지는 것, 상실, 분실 ② 분실물(紛失物)
пропалывать 김을 매다; ~ огурцы 오이 밭을 김매다
пропасть (여) ① 낭떠러지, 심연 ② 큰차이 ③ (술어로) 무수히 많다; там народу ~ 거기는 군중들이 무수히 많다 ④ (감) тьфу, ~! 제기랄, 에의 분하군!
пропасть (완) ① 없어지다, 사라지다, 없어지다, 자취를 감추다; ~ без вести 행방불명되다 ② 망하다, 죽다, 시들다 ③ 헛되이 지나가다, 보람없이 끝나다; 못쓰게 되다; весь день пропал 온 하루가 헛되이 지나갔다
пропащий (형) ① 다 틀린진, 가망없는 ② 바로잡을 수 없는, 타락한
пропеллер (남) 프로펠러(propeller)

пропеть (완) 노래 부르다.
пропивать см. пропить
прописать (완) ① (거주 등을) 등록하다 ② 처방을 내다; ~ лекарство 약을 처방해주다, 약처방을 쓰다
прописаться (완) 거주를 등록하다, 거주등록이 되다
прописка (여) 거주등록
прописной (형) ~ая буква 대문자; ~ая истина 자명한 리치
прописью(부) : написать число ~ 수를(수자로써가 아니라) 글자로 쓰다(적다)
прописывать[ся] см. прописать[ся]
пропитание (중) 음식물; зарабатывать на ~ 밥벌이하다
пропитать 먹이다; 담그다; ~ маслом 기름을 먹이다
пропитаться (완) 젖다, 스며들다; 충만되다; ~ запа-хом 냄새가 배다
пропить ① 술마시는데 다 써버리다 ② 술로 망치다
проплывать (미완), **~ыть** (완) 헤엄치다; 헤엄쳐서(떠서) 지나가다
проповедник (남) ① 전도사(傳道師) 선교사(宣敎師) ② 보급자(補給者), 선전자
проповедовать ① 전도(설교)하다 ② 선전(보급)하다
проповедь (여) ① 설교; 훈계 ② 선전
прополаскивать (미완) ① 헹구다 ② 양치질하다
проползать (미완), **~ти** (완) ① 기어가다, 기어지나가다 ② 기어들다
прополка (여) 김매기
прополоскать см. прополаскивать
прополоть см. пропалывать
пропорционально (부) 균형있게, 비례하여, 균형적으로
пропорциональный (형) ① 균형적인, 균형이 잡힌, 조화된 ② 비례하는; прямо(об-ратно) ~ые величины (수학) 정(반)비례수
пропорция (여) ① 균형(均衡) ② (수학) 비례(比例), 비률; 비례식;арифметическая ~ 산수비례
пропуск (남) ① 통과시키는 것 ② 통행증(通行證) ③ 결석(缺席) ④ 생략한(빼놓은, 줄인) 개소, 공백(空白)
пропускать (미완) ① 통과시키다 ② 길을 내주다; ~ детей вперёд 아이들에게 길을 내주다; ~ на выстав-ку 전람회에 입장시키다 ③ 허가(승인)하다 ④ 누락하다, 빼놓다; ~ строчку 한줄을 빼(넘겨)놓다 ⑤ 놓치다, 잃다 ⑥ 결석하다; ~ урок 수업에 결석하다 ⑦ 새다; клапан пропускает 변이 샌다; ~ мимо ушей 귀담아듣지 않다, 귀등으로 듣다
пропускной (형) : ~ая способность 통과능력; ~ой пункт 통과지점
пропустить см. пропускать
прораб (남) 시공(현장)지도원
прорабатывать, **~отать** ① (한동안) 일하다 ② 세밀히 검토(조사, 심의)하다 ③ 호되게 비판하다, 혹평하다
проработка (여) ① 검토(檢討), 조사(助事), 심의(審議) ② 호된비판
прорастание (중) 싹트기
прорастать (미완), **~и** (완) 싹트다, 뚫고 돋아나오다
прорвать (완) ① (찢어) 구멍을 내다; ~ чулок 양말에 구멍을 내다 ② (물이) 허물어뜨리다; ~ плотину 둑을 무너뜨리다 ③ 돌파하다; ~ линию обороны 방어선을 돌파하다
прорваться (완) ① (찢어져서) 구멍이 나다 ② 무너지다, 터지다; плотина прорвалась 둑이 터졌다 ③ 타개하다, 돌파 해나오다(나가다)
прорезать (완), **~езать** (미완) ① 베어서 구멍을 내다, 도려내다 ②

횡단(판통)하다

прорезаться(완), **~езаться, ~езываться** (미완) (이가) 돋아나다

проректор (남) 부총장, 부학장(副學長)

прореха (여) ① 구멍, 터진(찢진) 곳 ② 잘못, 결함

проржаветь (완) 녹이쓸어 구멍이 나다

пророк (남) 예언자(豫言者)

пророческий (형) 예언적(豫言的)

пророчить (미완) 예언하다

прорубать (미완),**~ить** (완) ① 찍어해치다, 찍어서 구멍을 내다; ~ить стену 벽에 구멍을 내다 ② 나무를 찍어 통로를 내다

прорубь (여) 얼음구멍

прорыв (남) ① 터지는 것 ② 타개, 돌파 ③ 터진곳, 돌파구(突破口)

прорывать I *см.* прорвать

прорывать II *см.* прорыть

прорываться *см.* прорваться

прорыть (완) 파다, 굴절(굴착)하다

просачиваться *см.* просочиться

просверлить *см.* сверлить

просвет (남) ① 어슴프레한 빛 ② 희망, 광명(光名) ③ 사이, 간격(間隔)

просветитель (남) 계몽가, 계몽주의자

просветительный (형) 계몽(啓蒙)

просветить I (완) 비추어보다, 투시하다

прсветить II (완) 계몽(계발)하다

просвечивание (중) 투시(透視)

просвечивать *см.* просветить I

просвещать *см.* просветить II

просвещение (중) 교육, 교양; 계몽, 계발; министерст-во ~я 교육부, 교육성

просвещённый (형) 문화수준이 높은, 개명한, 교양 있는

проседь(여)(군데군데 섞인) 센 머리카락

просеивать *см.* просеять

просека (여) (나무를 찍어낸) 숲속 길

просёлок (남) 촌길

просёлочный (형) : ~ая дорога 촌길

просеять (완) 채로 치다, 채질하다

просидеть, просиживать (일정한 시간) 앉아있다

проситель (남) 신청자(申請者), 청원자

просить (미완) ① 부탁하다, 청하다 ② 초청(초대)하다

проскакивать *см.* проскочить

проскальзывать (미완), **~ользнуть** (완) ① (스쳐) 지나가다, 기어(숨어)들다 ② 얼핏 엿보이다

проскочить ① 빨리(뛰어)지나가다 ② (뚫고) 들어가다

прославить (완) 명성을 떨치게 하다, 찬미하다

прославиться (완) 이름을 떨치다(날리다), 유명해지다

прославленный (형) 이름난, 저명한

прославлять[ся] *см.* прославить[ся]

проследить (완) ① 뒤따르다, 미행하다 ② 연구(고찰, 조사)하다

проследовать (미완) 가다, 향하다, 지나가다

прослезиться (완) 눈물짓다, 눈물을 흘리다

прослойка (여) ① 층, 사이층, 얇은 층 ② 사회계층(社會階層)

прослужить (완) (일정한 기간) (내처) 복무(근무)하다; 사용되다, 쓰이다

прослушать (완), **~ивать** (미완) ① 듣다, (처음부터 마지막까지) 다 듣다 ② (의학) 청진하다, 들어보다 ③ 듣지 못하다, 듣지 못하고 놓치다

прослыть (완) 알려지다, 이름나다

просматривать *см.* просмотреть

просмотр (남) 살펴보는 것, 검열, 검사, 감상; ~ фильма 영화감상회

просмотреть (완) ① 살펴보다, 검열(검사)하다; 감상하다;~ новый фильм 새 영화를 보다, 새 영화를 감상하다; ② 훑어보다; ~ рукопись 원고를 훑어보다 ③ 못보고

빠뜨리다(놓치다), 간과하다

проснуться (완) ① 잠을 깨다, 눈을 뜨다 ② 깨어나다, 활기를 띠다; город ~лся 거리가 활기를 띠었다

просо (중) 기장

просовывать (미완) 들이밀다, 밀어넣다

просохнуть (완) 마르다

просочиться (완) ① 스미다, 스며 나오다, 새다 ② 뚫고 (새어) 들어가다 ③ 퍼지다, 전파되다

проспать (완) ① (한동안) 자다 ② 지내자다, 늦잠을 자다 ③ 잠을 자서 놓치다

проспект I(남)(크고 넓은) 거리, 대통로

проспект II (남) ① 초안(草案), 개요(槪要) ② 안내서(案內書) ③ 목록(目錄)

проспрягать см. спрягать

просроченный (형) 기한이 넘은

просрочить (완) 기한을 넘기다

проставить (완), **~лять** (미완) 적다, 써넣다; ~ить дату 날자를 매기다

простаивать см. простоять

простираться (미완) ① 펼쳐져있다, 전개되어있다 ② 뻗치다, 향하다

проститутка (여) 갈보, 매음부, 매춘부

проституция (여) 매음(賣淫), 매춘(賣春)

простить (완) ① 용서하다 ② (명령형) прости[те] 미안합니다, 실례합니다; (항의, 반대의 뜻) 천만에

проститься (완) ① 작별하다, 작별인사를 나누다 ② 단념(포기)하다; ~ с мечтой 공상을 버리다

просто (부) ① 간단히, 단순하게 ② (술어로) 간단하다; это очень ~ 이것은 매우 간단하다 ③ (조) 참, 정말, 전혀; ~ чудо! 참 굉장하구나! ④ (조) 단지, 그저; он это сделал ~ по привычке 그건 그저 습관으로 했을 따름이다

простодушие (중) 소박성, 순박, 순진

простодушный (형) 소박(素朴)한, 순진(順進)한, 순박(淳朴)한

простой I (형) ① 단일한, 단순한; ~ое воспроиз-водство 단순재생산 ② 간단한 ③ 소박한 ④ 보통, 평범한; ~ое предло- жение (언어) 단순문; ~ое число (수학) 소수; ~ым глазом 육안으로

простой II (남) ① 머무름 시간(기간) ② (기계 등의) 작업정지

простокваша (여) 쉰(엉긴) 우유

простор (남) ① (무연한) 공간; ~ы все-ленной 우주공간; степные ~ 무연한 초원 ② 자유(自由), 자유로움

просторечие (중) 속된말, 속어

просторный (형) 넓은, 널찍한, 휑뎅그렁한; ~ый дом 널찍한 집; ~ое платье 헐렁헐렁한 옷

простота (여) ① 단일성, 단순성 ② 편이성 ③ 소박성 ◇ святая ~ 천진난만한 사람

простоять (완) ① (일정한 시간) (내처) 서있다, 멎어있다 ② 지속(유지)되다

пространный (형) 장황한, 상세한, 긴

пространство (중) ① 공간(空間), 공계(空界); ~ и время 공간과 시간; безвозду- шное ~ 진공; космическое ~ 우주공간 ② (두 물체사이의) 빈자리 ③ 지역, 지대

прострелить (완) 쏘아서 뚫다

простуда (여) 감기

простудиться (완), **~жаться** (미완) 감기에 걸리다

простудный (형) : ~ые заболевания 감기, 감모성질환

проступок (남) 잘못, 실책, 위반행위

простыня (여) 하불, 홑이불

просунуть см. просовывать

просушивать (미완), **просушить** (완) 잘(충분히, 바싹) 말리다

просушиться (완) 바싹 마르다

просчёт (남) 오산; 실패, 간과

просчитать (완) 계산(검산)하다, 집계를 놓다

просчитаться (완) 오산(실패)하다

просчитывать *см.* просчитать

просыпать (완), **просыпать** I (미완) (가루 따위를) 쏟뜨리다, 헤뜨리다

просыпать II *см.* проспать

просыпаться I (미완), **просыпаться** (완) 쏟아지다, 헤뜨려지다

просыпаться II *см.* проснуться.

просыхать *см.* просохнуть

просьба (여) 요청(要請), 청원(請願), 부탁(付託), 요구(要求); по его ~е 본인의 요청에 의하여

проталкивать (미완) 밀어 넣다, 들이밀다

проталкиваться (미완) 밀어 헤치며 지나가다

протаскивать (미완), **протащить** (완) ① 끌고 지나가다, 끌어들이다 ② (좋지 못한 방법으로) 끌어들이다

протез (남) 교정기구(의족, 의수, 의치, 의안 등); 정형기구; зубные ~ы 의치

протекать (미완) ① 흐르다, 흘러지나가다 ② 스며들다, 새다, 새어들다 ③ (시간이) 지나가다, (사건, 상태가) 경과하다

протекция (여) 보호(保護), 비호, 소개(紹介); оказать ~ю *кому*.....를 비호해주다

протереть (완) ① 닦다, 씻다, (물질러서) 깨끗이 하다 ② 비벼서 페뜨리다 (창을 내다)

протест (남) ① 반항(反抗), 항의(抗議), 반대 ② 항의서(抗議書), 공소(公所)

протестанство (중) 신교(新敎)

протестовать (미완) 반항하다, 항의하다, 반대하다

протечь *см.* протекать

против(전) (+생) ① 맞은편에; ~ дома 집 맞은 편에 ② 거슬러, 맞받아; ~ течения 흐름에 거슬러 ③ 반대하여, 맞서; ~ врага 적을 반대하여, 적과 맞서; ~ совести 양심에 거슬리게 ④ 없애는; средство ~ насе-комых 살충제 ⑤ (술어로) 반대다, 반대한다; я ~ 나는 반대다

противень (남) 번철, 후라이팬

противиться 엇서다, 버티다, 저항(반항, 반대)하다

противник(남)① 적, 원수; 적수 ② 적군

противный (형) ① 맞은편의; противная сторона 상대방 ② 싫은, 미운, 추한, 역한; ~ запах 역한 냄새

противоборство (중) 대결, 대적, 반항

противовес (남) : в ~........에 대립되게, ...와는 반대로, ...와 달리

противовоздушный (형) : ~ая оборона 대공(對空), 대공방어(對空防禦)

противогаз (남) 방독면(防毒面)

противодействие (중) 반작용(反作用), 역반응(逆反應), 저항(抵抗), 대립(對立)

противодействовать (미완) 반작용하다, 방해(저항, 대립)하다, 맞서다

противоестественный (형) 부자연스러운, 자연스럽지 못한, 어색한

противозаконный (형) 비법적인(非法的); ~ые действия 위법(불법) 행위

противолодочный (형) : ~ корабль 구축함(驅逐艦), 구잠함

противопожарный (형) 불을 끄기 위한; ~ое обору-дование, ~ая установка 불끄는 설비

противоположность (여) 반대(反對), 대립; 대립물; в ~........와는 반대로(달리)

противоположный (형) ① 맞은편, 건너편 ② 반대되는, 대립되는, 상반되는; ~ое мнение 반대의견

противопоставить (완) ① 대립(대치)시키다 ② 대비(대조)하다.

противопоставление (중) ① 대립(對立), 대치(對峙); ② 대비(對比), 대조(對照)

противоракетный(형) : ~ая оборона 대(對)로케트방어

противоречивый (형) 모순(矛盾)되는, 모순(矛盾)이 있는

противоречие(중) ① 모순; классовые ~я 계급적모순 ② 반항(反抗); дух ~я 반항심, 반항정신 ③ 대립(對立), 충돌

противоречить (미완) ① 반대(반박, 항의)하다 ② 모순되다, ...와 어긋나다

противоспутниковый (형) 위성요격(衛星邀擊); ~ое оружие 위성요격무기; ~ая система 위성요격체계

противостояние (중) 양립, 대립(對立)

противостоять (미완) ① 맞서다, 대항하다 ② 양립(대적)하다, 대립(적대)되다

противотанковый (형) 대전차(對戰車), 반전차; ~ое орудие 반전차포

противохимический (형) 반화학

противоядие (여) 해독제, 항독소(抗毒素)

протирать см. протереть

протираться (미완) 닳아서 께지다, 창이 나다

проткнуть (완) 께찌르다

протокол (남) ① 기록(記錄), 회의록, 조서; составить ~ 조서를 꾸미다; ② 논죄장; ③ 의정서(議定書); подписать ~ 의정서를 조인하다

протокольный (형) ① 기록(記錄); ② 의례(儀禮); ~ отдел 의례국, 의례부; ~ визит 의례방문

протолкнуть см. проталкивать

протон (남) 양성자(陽性子), 프로톤

протоплазма (여) 원형질(原形質)

проторённый (형) : ~ая дорога 밟아다져진 길; идти по ~ой дорожке 늘 하던대로하다, 관례대로 하다

прототип (남) 원형(圓形)

проточный (형) 흐르는; ~ая вода 흐르는 물

протухнуть (완) 썩다, 썩은 냄새를 풍기다

протыкать см. проткнуть

протягивать[ся] см. протянуть[ся]

протяжение (중) : на ~и ....에 걸쳐; ...동안에; на ~ пяти километров 5키로에 걸쳐; на всём ~и 전 구간에서; на ~и трёх дней 3일간에

протяжённость (여) 거리(距離), 연장선

протяжный (형) 긴, 느린, 느리고 오랜

протянуть ① (줄, 전기줄 등을) 늘이다, 가설하다, 부설하다 ② 내밀다, 뻗다; ~ руку 손을 내밀다(내들다)

протянуться (완) ① 뻗다 ② 손을 내밀다 ③ 오래 걸리다(계속되다)

проучить (완) 혼내다, 벌주다

профан (남) 문외한(어떤 부문에서), 무식한 사람

профессионал (남) ① (높은 수준의) 전문가, 직업적 일군 ② 직업선수

профессиональный (형) ① 직업, 직업상; ~ые болез-ни 직업병; ~ый союз 직업동맹, 노동조합 ② 직업적인

профессия (여) 직업(職業), 업(業)

профессор (남) 교수(敎授)

профилактика (여) ① 방역사업(防疫事業), 예방(豫防) ② 예비점검

профилактический (형) ① 예방(豫防); ~ие меры 예방(방역)대책; ~ая работа 방역사업 ② (공학) : ~ий ос- мотр 예비점검

профилирующий(형) ~ие дисциплины(предметы) 기본전문학과목들

профиль (남) ① 옆모습; 측면(윤곽) ② (공학) 단면(도); 테두리, 형강, 프로필 ③ 직종; специалисты различного ~я

П

여러 직종의 전문가들
профильтровать см. фильтровать
профком (남) (профсоюзный комитет) 직업연맹위원회; председатель ~а 직업연맹위원장
профорг (남) (профсоюзный организатор) 직업연맹반장, 직업연맹조합
профорганизация (여) (профсоюзная организация) 직업연맹단체, 노조단체
профсоюз(남) (профессиональный союз) 직업연맹; 노동조합(勞動組合)
профсоюзный (형) 노동조합(勞動組合)
профтехучилище (중) 직업기술학교
прохаживаться (미완) 나돌아 다니다
прохлада (여) 서늘한 기운, 선선한 기운; утренняя ~ 아침 서늘한 기운
прохладительный (형): ~ые напитки 청량음료
прохладный (형) ① 서늘한, 선선한, 시원한; ~ день 서늘한 날씨 ② 냉담한, 무관심한
проход (남) ① 통과(通過), 통행(通行); ② 통로(通路), 출입구(出入口); задний ~ (해부) 밑구멍, 항문(肛門)
проходимец (남) 협잡꾼, 사기꾼
проходимость (여) 통과능력
проходить (미완) ① 가다, 지나가다; ~ мимо дома 집 옆을 지나가다 ② (소문 따위가) 퍼지다; прошёлслух 소문이 퍼졌다 ③ (머리에) 떠오르다 ④ 멎다; дождь прошёл 비가 멎었다 ⑤ 배워서 떼다, 마치다
проходка (여) (광업) 굴진(掘進)
проходная (여) 접수실
проходчик (남) 굴진공, 굴착기공
прохожий (남) 통행인, 길손; спросить у ~его 길가는 사람에게 물어보다
процветание (중) 개화, 융성, 번영
процветать(미완) 번영(융성, 개화)하다
процедить (완) 거르다, 여과시키다; ~ через сито 체로 치다; ~ сквозь зубы 입속말로 중얼거리다, 내뱉듯 말하다
процедура (여) ① 수속, 절차(節次); ② (흔히 복수) 치료법(治療法), 처치, 조작
процент (남) ① 퍼센트 ② 이자, 이율
процесс (남) ① 과정(過程), 행정, 경과 ② 공정; производст-веный ~ 생산공정 ③ 병세(病勢), 경과(經過), 염증(炎症); ~ в лёгких 폐렴 ④ 소송; судебный ~ 재판소송
процессия (여) 행렬(行列), 행진(行進)
прочесть см. читать
прочий (형) ① 기타, 나머지, 다른 ② (명사로): ~ее (중) 기타의 것, 나머지 것; ~ие (복수) 나머지 사람들; и ~ее 기타 등등; между ~им ...하는 김에, 겸사겸사, 하여간
прочистить (완) (속, 틈 등을) 씻어내다, 소제하다
прочитать см. читать
прочищать см. прочистить
прочность (여) 질긴 것, 견고성, 세기
прочный (형) ① 질긴, 든든한, 튼튼한, 견고한; ~ая ткань 질긴 천 ② 공고한, 확고한, 믿을만한;~ый мир 공고한 평화
прочувствовать (완) 감득(感得)하다, 체험(體驗)하다, 느끼다
прочь ① (부) 한옆으로, 저리로; пошёл ~ отсюда! 여기서 썩 물러가라! ② (술어로) 비켜라, 물러가라; руки ~! 손을 떼라; не ~ отдохнуть 휴식하는데 동감이다, 휴식할 의향이 있다
прошедший (형) 지난; ~ее время (언어) 과거(過擧)
прошение (중) ① 요청, 청원 ② 청원서
прошептать (완) 소곤거리다, 귀속말로 말하다
прошлогодний (형) 지난해, 작년
прошлый(형)① 지난, 전번; в ~ом году 지난해에; на ~ой неделе 자닌 주에 ② (명사로): ~ое (중) 과거(생활), 지난 날;

в ~ом 과거에, 지난날에, 옛날에; далёкое ~ое 먼 옛날; дело ~ое (삽입어) 이미 지나가 버린 일이지만

прощальный (형) 작별(作別), 고별(告別), 이별(離別); ~ визит 작별방문

прощание (중) 작별(作別), 이별(離別); 작별인사; на ~ 이별하면서, 작별에 앞서

прощать (미완) ① *см*. простить ② (명령형) ~й! 안녕히; 잘 있으라; 잘 가라; ~йте! 안녕히 계십시오;안녕히 가십시오

прощаться *см*. проститься

прощение (중) 용서; просить ~я 용서를 빌다; прошу ~я 실례합니다.

проявитель (남) (사진) 현상약, 현상액

проявить (완) ① 나타내다, 발휘하다; ~ героизм 영웅주의를 발휘하다; ~ интерес 흥미를 나타내다 ② : ~ плёнку 필림을 빼다(현상하다)

проявиться (완) ① 나타나다, 보이다, 표시되다 ② 현상되다

проявление (중) ① 발현, 표현(表現), 표시(標示), 발휘(發揮) ②현상(現像)

проявлять[ся] *см*. проявить[ся]

проясниться (완), **~яться** (미완) ① 밝아지다, 해명되다; положение ~илось 사태가 판명되었다 ② (날씨가) 개이다; небо ~илось 하늘이 개였다

пруд (남) 늪, 못

пружина (여) ① 용수철, 태엽, 스프링 ② 동력, 원동력; главная ~ 주동력

прут (남) ① 나무초리, 채, 회초리 ② 쇠줄조각

прыгать (미완), **~нуть** (완) ① 뛰다, 뜀뛰다; ~ че-рез барьер 장애물을 뛰어넘다 ② 튀다; мяч хорошо ~ает 공이 잘 튄다.

прыгун (남), **~ья** (여) 뜀뛰기선수

прыжок (남) 뜀뛰기, 도약; ~ в длину 멀리뛰기; ~ в высоту 높이뛰기; ~ с шестом 장대 뛰기; тройной ~ 삼단도; соревнования по прыжкам 도약경기

прыскать (미완) 뿌리다, 끼얹다, 치다

прыснуть ① *см*. прыскать; ② 흘러(쏟아져)나오다; ③ 웃음보를 터뜨리다, 폭소하다

прыткий (형) 날랜, 날쌘, 약삭빠른

прыть (여) : мчаться(бежать) во всю ~ 전속력으로 달리다

прыщ (남) 부스럼, 뽀루지, 여드름

прядение (중) 실낳이, 방적(紡績)

прядильный (형) 방적; ~ый станок 방적기; ~ая фабрика 방적공장

прядильщик (남), **~ца** (여) 방적공

пряжа (여) 실, 방사

пряжка (여) (혁) 띠고리

прялка (여) 물레, 방차

прямо (부) ① 직선으로, 곧게, 곧바로; идти ~ 곧바로 가다; ② 직접; пойду ~ к нему 그한테 직접 가겠다 ③ 솔직히, 털어놓고, 숨김없이; скажу ~ 털어놓고 말하겠다 ④ (조)과연, 정말, 참말; он ~ герой 그는 과연 영웅이다; ~ удивительно 정말 놀랍다

прямой (형) ① 곧은; ~ая линия 직선 ② 직접; ~ые выборы 직접선거; поезд ~ого сообщения 직통열차 ③ 솔직한; ~ой человек 솔직한 사람 ④ 노골적인; ~ой вызов 노골적인 도전; ~ой угол 직각; ~ая киш-ка 곧은 밸, 직장; пере-дача(~ая трансляция, ~ой репортаж) 실황중계(하는 것); ~ой путь 곧은길, 지름길; ~ое дополнение (언어) 직접보어

прямолинейный (형) ① 직선 ② 성미가 곧은, 솔직한, 고지식한; ~ человек 고지식한 사람

прямота (여) 솔직성, 정직, 곧은 성미

прямоугольник (남) 직사각형

прямоугольный (형) 직각(直角); ~ треугольник 직각삼각형

пряник (남) 쁘랴니크(향료를 둔 과자)
пряность (여) 양념감
пряный (형) : ~ запах 얼얼하고 향기로운 냄새
прясть (미완) 실을 뽑다
прятать ① 감추다, 숨기다 ② 간수하다, 거두어두다
прятаться (미완) 숨다, 자취를 감추다
прятки (복수) 숨박꼭질; играть в ~ 숨박꼭질하다, 음밀히 행동하다
Пс (Псалтирь, 151편, 569쪽) 시편(Psalms 詩篇)
псевдо...(합성어의 첫 부분으로서 (가짜), (사이비)라는 뜻) 예: псевдонаучный 사이비과학적인
псевдоним (남) 필명, 가명, 가짜이름
психиатр (남) 정신병의사(精神病醫師)
психиатрический (형) : ~ая лечебница(больница) 정신병원(精神病院)
психиатрия(여) 정신병학; 정신병치료법
психика (여) 심리, 정신(상태); детская ~ 아동심리; здоровая ~ 건전한 정신상태
психический (형) ① 심리(心理), 정신(精神); ~ие болезни 정신병(精神病) ②: ~ая атака 심리전(心理戰)
психоз (남) 정신병, 정신착란, 정신이상
психолог (남) ① 심리학자 ② 인간심리에 밝은 사람
психологический(형) 심리; 심리학적인
психология (여) ① 심리학(心理學) ② 심리(心理), 심리상태(心理狀態)
птенец (남) 새 새끼
птица (여) 새; домашняя ~ 가금(嘉禽); важная ~ 대단한 인물
птицеводство (중) 가금업(家禽業)
птицефабрика (여) 닭공장, 가금공장
птицеферма (여) 가금목장
птичий (형) 새, 새의; ~ий двор 가금우리; ~ье гнездо 새둥지; на ~ьих правах 불안정한 처지에서; только ~ьего молока нет 없는 것이 없다
птичник(남) ① 가금우리 ② 가금사양공
птичница (여) 가금사양공(여자)
публика (여) (집합) ① 관중(觀衆), 청중 ② 사람들, 군중; читающая ~ 독자층
публикация (여) ① 발표(發表), 공포(公布), 공시(公試) ② 광고(廣告)
публиковать (미완) 발포하다, 공포하다, 공시하다
публицист (남) 정치평론가
публицистика (여) 정치평론(문학)
публицистический (형) 정치평론
публичный (형) 공개적인; ~ая лекция 대중강연
пугало (중) 허수아비
пугать(미완) 놀래다, 위협하다, 으르대다
пугаться (미완) 놀라다, 겁내다, 혼나다
пугливый (형) 소심한, 겁 많은, 무서움을 잘타는
пуговица (여) 단추
пуд (남) 푸드(pud; 러시아의 중량단위; = 16.3키로)
пудель (남) 삽사리, 삽살개
пудра (여) 분, 분가루; сахарная ~ 보드라운 사탕가루
пудреница (여) 분갑(粉匣), 분곽
пудрить (미완) 분칠하다; ~ лицо 얼굴에 분을 바르다
пудриться (미완) (자기얼굴에) 분을 바르다
пузырёк (남) ① (작은)유리병, 장식병 ② (작은) 거품, 기포
пузырь (남) ① 거품(기포) ② 물집 ③ 막낭; мочевой ~ 방광; жёлчный ~ 담낭 ④ (공기, 물, 얼음 등을 넣는)주머니; пла- вательный ~ 부레; ~ со льдом 얼음주머니
пук(남) 묶음, 단, 아름, 뭉치; ~ соломы

짚단

пулевой(형)총탄;~ая стрельба 총사격

пулемёт (남) 기관총(機關銃);станковый ~ 중기관총

пулемётный (형) 기관총(機關銃); ~ огонь 기관총사격

пулемётчик(남) 기관총수

пульверизатор (남) 분무기, 살포기

пульс (남) ① 맥, 맥박; щупать ~ 맥을 짚어보다 ② 속도, 움직임, 약동; ~ общественной жизни 사회생활의 움직임

пульсация (여) 맥박, 고동, 파동

пульсировать (미완) 맥동하다, 맥박치다, 고동치다

пульт (남) ① 조종대; 배전판 ② (음악)보면대

пуля (여) 총알

пункт (남) ① 점, 지점; опорный ~ 거점; исходный ~ 출발점; населённый ~ 주민지점 ② 조항, 조목, 조

пунктир (남) 점선

пунктуальность (여) 정확성, 치밀성

пунктуальный(형) 매우 정확한, 깐깐한

пунктуация (여) 구두법, 구두점

пунцовый (형) 진홍색(眞紅色)

пупок (남) 배꼽

пурга (여) 눈보라

пуризм (남) 외래어배척

пурпурный (형) 진홍빛

пуск(남) 조업개시; 시동, 발동; 발사

пускать[ся] см. пустить[ся]

пусковой (형) : ~ объект 조업개시대상; ~меха- низм 시동장치

пустеть (미완) 비게되다, 비어지다, 인적이 끊어지다

пустить (완) ① 놓다, 놓아주다 ② 들여놓다, 통행(출입)을 허가하다 ③ 움직이게 하다, 시동(발동)시키다; ~ завод 공장을 돌리다 ④ 던지다; ~ камень(또는 кам-нём) 돌을 던지다 ⑤ 돋아나다, 뻗다; ~ ростки 싹트다; ~ в ход 작용(가동, 발동, 조업)시키다; ~ в дело(в оборот) 사용(통용)하다; ~в обращение 유통(통용)시키다; ~ в продажу 판매하다

пуститься (완) ① 향하다, 떠나다; ~ в путь 길을 떠나다 ② 시작하다; ~ бежать 달리기 시작하다; ~ в пляс 춤추기 시작하다

пустовать (미완) 비어있다

пустой (형) ① 빈; ~ой чемодан 빈 트렁크; ~ая порода (광업)버력 ② 헛된, 실속(내용)없는; ~ое дело 헛된(시시한) 일; ~ые разговоры 쓸데없는 말, 빈말; ~ая трата 낭비 ③ (명사로): ~ое (중) 쓸데없는 일(말)

пустословие (중) 허튼말, 빈말

пустота (여) ① 빈 것 ② 실속(내용)없는 것 ③ 빈곳, 공허; 진공

пустотелый (형) 속이 빈, 속이 궁근

пустоцвет (남) 헛꽃, 수꽃

пустошь (여) 황무지(荒蕪地), 황야(荒野)

пустынный (형) ① 황무지(荒蕪地), 황야(荒野) ② 인적기 없는

пустыня (여) ① 사막 ② 황야, 무인지경

пустырь(남) 빈터, 공지, 황야

пусть ① (조) (동사 1, 3인칭 단수, 복수와 함께) ...하게 하라(해두라), ...해도 좋다; ~ войдёт 들어오게 하라; ~ будет так 그렇게 해두라, 그렇다고 하자; ~ он придёт завтра 그로 하여금 내일 오게 하라; ~ делает, что хочет 하고 싶은대로 하게 하라; ② (접) ..라고 하자; 비록 ...더라도; ~он ошибся, но ошибку можно исправить 그가 잘못했다고 하자, 그러나 잘못은 고칠 수 있다; задача ~ трудная, но выпо- лнимая 비록

어렵기는 하나 해낼 수 있는 과제다 ③ (조) 좋다, 그래라; ну ~, я сог-ласен 그럼 좋아, 나는 찬성이야

пустяк (남) ① 하찮은(사소한, 보잘 것 없는)일 ② 하찮은 물건 ③ (흔히 복수) (술어로)괜찮다, 일없다; ~и, всё уладится 괜찮아(염려 말라), 다 해결돼

пустяковый (형) 하찮은, 사소한, 보잘것없는

путаница (여) 혼란(混亂), 뒤엉킴

путаный (형) 이치에 맞지 않는, 갈피를 잡을 수 없는, 조리 없는, 앞뒤가 맞지 않는

путать (미완) ① 헝클어뜨리다, 뒤섞어놓다 ② 갈피를 못잡게 말하다 ③ 헛갈리다; ~ имена 이름을 헛갈리다

путаться (미완) ① 헝클어지다, 뒤섞이다, 엉키다 ② 헛갈리다, 혼란되다

путёвка (여) ① 파견장; по комсомоль-ской ~е 공천파견장을 받고 ②: ~а в санаторий(дом отдыха) 요양권, 휴양권 ③ 운행증

путеводитель (남) 안내서(案內書)

путевой (형) ① 여행(旅行), 유람(遊覽); ~ые записки(заметки) 기행문, 여행기 ② 선로(線路); ~ой обходчик 선로원 ◊: ~ ой лист 운행증

путём (전) (+생) ...함으로써, ...하는 방법으로;~ сок-ращения 축소하는 방법으로

путепровод (남) 구름다리, 입체교, 육교

путеукладчик (남) 선로 부설차

путешественник (남) 여행가, 여행자

путешествие (중) 여행; отправляться в ~ 여행을 떠나다

путешествовать (미완) 여행하다

путина (여) 성어기, 고기가 많이 잡히는 시기

путч (남) 폭동(暴動), 정변(政變), 반란

путы (복수) 멍에, 질곡(桎梏)

путь (남) ① 길, 도로(道路), 통로(通路); ~и сообщения 교통로; водные ~и 물길, 항해수로 ② 철길, 선로; двухколейный ~ь 복선; запасный ~ь 예비선 ③ 길, 여행(旅行); отп-равиться в ~ь 길을 떠나다 ④ 길, 노정(路程), 진로; слав-ный ~ь 영광스러운 길 ⑤ 방도(方道), 방법; идти новыми ~ями 새로운 방도를 택하다; таким ~ём 이러한 방법으로; по ~и 1) 가는 길에, 도중에 2) 같은 길로, 같은 방향으로

пух (남) 솜털; 보푸라기; в ~ и прах 여지없이, 산산이; ни пуха ни пера 성공을 바라오, 아무쪼록 잘하시오

пухнуть (미완) 붓다, 부어오르다, 부풀다

пуховой (형) 솜털

пучина (여) ① 소용돌이; 심연(深淵), 심해(深海) ② 도탄(塗炭), 곤궁(困窮), 구렁텅이; ~ бедствий 불행의 구렁텅이

пучок (남) ① 묶음, 단, 아름 (물리)묶음, 속; ~ лу-чей 광속, 광선묶음

пушинка (여) 한오리의 솜털; 보푸라기

пушистый (형) ① 털이 복슬복슬한 ② 아주 부드러운; ~ые волосы 부드러운 머리카락

пушка (여) 포, 대포(大砲); стрелять из ~и 포를 쏘다, 포사격하다

пушнина (여) 털가죽; 모피류(毛皮類)

пушной (형) : ~ зверь 털짐승; ~ товар 털가죽제품

пушок (남) 부풀, 보풀

Пхеньян (남) 평양(平壤)

пчела (여) 꿀벌, 벌

пчелиный (형) 꿀벌; ~ый улей 벌통, 꿀벌집; ~ая матка 왕벌; ~ый мёд 꿀

пчеловод (남) 양봉공, 양봉업자

пчеловодство (중) 양봉(養蜂), 양봉업

пшеница (여) 밀

пшеничный (형) 밀

пшённый (형): ~ая каша 기장쌀죽,

기장밥

пшено (중) 기장쌀

пыл (남) ① 열기(熱氣), 고열(高熱); ② 열성(熱性), 격정(激情); юный ~ 젊은 혈기; в ~у сражения 전투가 한창일 때에

пылать (미완) ① 활활 타오르다 ② 달아오르다, 붉어지다, 화끈해지다 ③ 불타다; ~ гневом 분노에 타다

пылесос (남) 흡진기, 진공청소기

пылить ① 먼지를 일구다 ② 먼지투성이로 만들다

пылиться (미완) 먼지가 쌓이다, 먼지가 끼다, 먼지가 일다

пылкий (형) 열정적(熱情的)인, 열렬(熱烈)한, 격하기 쉬운

пыль (여) 먼지; смести ~ 먼지를 쓸다 ~ в гла-за пустить 속여 넘기다, 업어 넘기다

пыльный (형) 먼지 낀, 먼지투성이

пыльца (여) 꽃가루

пытать (미완) ① 고문하다, 고통을 주다 ② 캐어묻다

пытаться (미완) 해보다, 애쓰다, 시도하다; ~ оправ-даться 변명하려고 애쓰다

пытка (여) ① 고문 ② 고통, 괴로움

пытливый (형) 탐구심이 강한, 파고드는

пыхтеть (미완) 씨근거리다, 헐떡거리다, 숨가빠하다

пышный (형) ① 화려한, 호화로운; ~ наряд 화려한 옷차림 ② 북실북실한, 보드라운; ~ снег 보드라운 눈

пьедестал (남) (조각상 등의) 대

пьеса (여) ① 회곡(작품), 각본(刻本) ② (음악) 소품, 소곡

пьянеть (미완) ① 취하다 ② 도취하다

пьяница (남, 여) 술군, 주정뱅이

пьянство (중) 술타령, 주정질; 폭음

пьянствовать (미완) 몹시 술을 마시다, 주정을 부리다, 술타령하다

пьяный (형) ① 술취한, 만취한 ② (명사로) (남) 술취한 사람, 술군

пюпитр (남) 악보대, 보면대

пюре (중) 퓌레(puree; 남새, 과일 등을 숙수쳐서 만든 요리)

пядь (여) : не отдать ни пяди 한치도 (털끝만치도) 내주지(양보하지) 않다

пята (여) : по ~ам 바싹 뒤 쫓아서; под ~ой 악압 밑에; с головы до ~ 머리에서 발끝까지

пятёрка(여)① 5, 다섯 개 ② (5계단채점법에서) 5(오)점 ③ 다섯으로 이루어진 대상물(5인조, 5루블, 5번선의 전차, 버스 등)

пятеро (수) (집합) 5(다섯), 다섯명, 다섯개; ~ учени-ков 다섯명의 학생; ~ саней 썰매 다섯개

пятиборец (남) 5(오) 종경기선수

пятиборе (중) 5(오)종경기

пятидесятилетие(중) ① 50년 ② 쉰돌

пятидесятилетний (형) ① 50년간 ② 쉰 돌; 쉰살 된

пятидесятый (형) 50번째, 제50

пятиконечный(형) : ~ая звезда 오각

пятилетка (여) 5(오) 개년계획

пятилетний(형) ① 5(오)년간; ~ план 5개년계획 ② 다섯 돌; ~ ребёнок 다섯 살 난 아이

пятисотый (형) 500번째, 제500

пятиться(미완) 뒤 걸음 치다, 물러서다

пятиугольник (남) 오각형(五角形)

пятка (여) 발뒤축; показать ~и 달아나다, 도주하다; наступать на ~и 따라잡다

пятнадцатый (수) 15번째, 제15

пятнадцать (수) 열다섯, 15

пятнистый (형) 얼룩짐이 진, 반점이 섞인, 점이 박힌

пятница (여) 금요일(金曜日)

пятно (중) 얼룩점, 반점(斑點); белое ~ 미개척지; солнечные пятна 태양의 흑점
пятый (수) 다섯째, 제5
пять (수) 다섯, 5(오)
пятьдесят (수) 쉰, 50(오십)
пятьсот (수) 500(오백)

Р

раб (남) ① 노예(奴隸) ② 노복, 종
рабат (남) 2. 리바트
рабовладелец (남) 노예소유자
рабовладельческий (형) : ~ строй 노예제도(奴隸制度)
раболепный (형) 비굴한
раболепствовать (미완) 아부굴종하다, 비굴하게 굴다, 추종하다
работа (여) ① 일, 사업(事業), 작업(作業), 노동(勞動), 활동(活動); физическая (умственная) ~а 육체(정신)노동; ~а с людьми 사람과의 사업 ② 일터, 일자리; идти на ~у 일터로 가다; поступить на ~у 취직하다, 입직하다, 일자리를 얻다 ③ 일감; раздать всем ~у 모든 사람들에게 일감을 나누어주다 ④ ~ы (복수) 공사(工事), 작업; оросительные ~ы 관개공사 ⑤ 작품(作品), 제작품(製作品) ⑥ 일솜씨, 손질; тонкая ~а 세공
работать (미완) ① 일하다, 사업하다; ~ в две смены 2교대로 일하다; ~ над романом 소설을 쓰다 ② 움직이다, 놀리다, 조종하다 ③ 동작(作用), 가동)하다
работник (남), **~ца** (여) ① 일군, 노력자(努力者); партийный ~к 당직자; ② 머슴, 고농(雇農)
работоспособность (여) 노동능력
работоспособный (형) 일할 수 있는, 노동능력이 있는
рабочая (여) 노동자(여자), 근로자
рабоче-крестьянский (형) 노동(勞動)
рабочий I (남) 노동자(勞動者)
рабочий II (형) ①: ~ий класс 노동계급 ② 일하는; ~ий день 노동일; ~ий человек 근로하는(제힘으로 살아가는) 사람 ③ (동물에 대하여) 부리는, 유익한 일을 하는; ~ий скот 억측 ④ (공학) 유익한 작용을 하는; ~ее колесо 작업바퀴 ⑤ 작업용(作業用), 사무용(事務用), ~ее место 작업장; ~ий инструмент 작업도구; ~ий костюм, ~ая одежда 작업복; восьмича-совой ~ий день 8시간 노동제; пяти-дневная ~ая неделя 주(당) 5일 노동제; ~ие руки 노력, 인손, 노동자들; ~ая сила 노동력
рабский (형) ① 노예(奴隸) ② 비굴한; ~ая покорность 맹종맹동; ~ое подчинение 노예적 굴종
рабство (중) ① 노예살이; 노예상태 ② 노예제도
рабыня (여) 노예(奴隸)(여자)
равенство (중) ① 평등(平等), 균등(均等); ② (수학) 등식(equality); знак ~а 등식(=)
равнение (중) ① (군사) 정렬; ~ направо(налево)! 우로(좌로) 나란히! ② 따라서는 것, ~ на передовиков 혁신자들을 따라서는 것
равнина (여) 평야(平野), 평원(平遠), 평지(平地), 산지(山地), 고지(高地).
равно ① (술어로) 같다, 동일하다; три плюс семь ~ десяти 3 + 7 = 10 ② (접) ...와 마찬가지로; всё ~ 어쨌든; 이러나저러나 마찬가지이다
равнобедренный(형): ~ треугольник 이등변삼각형(二等邊三角形)
равновесие(중) 균형(均衡), 평형(平衡); во-енное ~ 군사적 균형; ~ сил 힘의 균형; потерять ~ 균형을 잃다

равнодействующий (형): ~ая сила (물리) 합성력(合成力), 합력(合力)

равноденствие (중) 낮과 밤의 길이가 같은 때, 춘분(春分) 이십사절기의 넷째. 경칩(驚蟄)과 청명(淸明)의 사이로 양력 3월 21일경《밤낮의 길이가 같음》; весеннее ~ 춘분(3월 21일); осеннее ~ 추분(9월 23일)

равнодушие (중) 무관심(성), 냉정(冷情), 냉담(冷淡)

равнодушный (형) 무관심한(無關心-), 냉정한(冷情-), 냉담한(冷淡-)

равнозначный (형) 동등한; 동일한, 같은 뜻을 가진

раномерно (부) 균등하게, 고르게

равномерность (여) 균일성(均一性), 균등성(均等性)

равномерный (형) 균등한(均等-), 고른; ~ая скорость 등속도

равноправие (중) 평등권, 동등권(同等權)

равноправный (형) 평등한, 동등한

равносильный (형) 동등한, 동일한

равноценный (형) (값, 질, 가치, 중요성이) 같은, 동등한

равный (형) 같은, 동등한, 동일한

равнять (미완) ① 동등(균등, 동일)하게 하다 ② с кем-чем..., 동등하게 취급(평가)하다

равняться (미완) ① 나란히 서다, 평행; равняйсь! 나란히! ② 모범을 따르다, 본받다;~ на передовиков 혁신자들을 본받다 ③ ...이다; дважды три раняется шести 이삼은육 (2×3=6)

рад (술어로) ① 기쁘다, 반갑다; ~ вас видеть 당신을 만나게 되어 기쁩니다 ② (+미정형) ...했으면 하다, ...하고 싶어하다; ~ отдохнуть, да некогда 좀 쉬었으면 하나 시간이 없다;~ стараться! 즐겨하렵니다; [и] сам не ~ (제가 한 노릇이나) 후회막심하다, 유감천만이다

радар (남) 레이더, 전파탐지기(電波探知機)

ради (전) (+생) ① ...을 위하여; ~ общего дела 공동사업을 위하여 ② ... 때문에; чего? 무엇 때문에?; ~ бога 제발

радиатор (남) ① 방열기(放熱器), 라디에이트; ② 냉각기(冷却器), 냉동응축기(冷凍 凝縮機)

радиация(여) ① 방사(放射), 복사; солне-чная ~ 태양복사 ② 방사선(放射線), 방사열(放射熱)

радий (남) (화학) 라듐(radium)

радикал I (남) ① (수학) 뿌리식, 근식(根式); 뿌리표; 근호(根號); знак ~a 뿌리표 (v) ② (화학) 기, 원자단(原子團)

радикал II (남) 과격파(過激派), 급진당원

радикальный (형) ① 급진(急進), 급진파(急進派) ② 결정적인, 근본적인; ~ые меры 철저한(결정적인) 대책

радикулит (남) (의학) 척수신경근염

радио (불변) (중) ① 라디오, 무선전신, 무선전화 ② 라디오방송; слушать ~ 라디오(방송)를 듣다; выступить по ~ 방송연설(연주)하다 ③ 라디오(수신기)

радиоактивность (여) 방사능(放射能), 방사성(放射性)

радиоактивный (형) 방사성(放射性); ~ое загрязнение 방사성오염

радиовещание (중) 라디오방송

радиоволна (여) (물리) 무선전파

радиограмма (여) 무선전보(無線電報); 라디오(를 통한) 전달

радиозонд (남) 라디오 존드, 무선고공기상관측기

радиокомитет (남) 방송위원회, 방송국

радиола (여) 전축라디오

радиолокатор (남) 전파탐지기

радиолокация (여) 전파탐지

радиолюбитель (남) 라디오애호가

радиомачта (여) 라디오안테나, 방송탑

радиомаяк (남) 무선등대
радиомонтаж (남) 라디오몬따쥬
радионавигационный(형) : ~ прибор 무선항해기구
радионавигация (여) 무선항해
радиопеленгатор (남) 방향탐지기(方向探知機)
радиопередатчик (남) 무선송신기(無線送信機)
радиопередача (여) 라디오방송(-放送); программа радиопе-редач 방송순서
радиоприёмник (남) 라디오(수신기)
радиорелейный (형) : ~ая связь 중계무선통신
радиосвязь (여) 무선통신; 무선연락
радиосеть (여) 방송망, 무선전신망
радиосигнал (남) 라디오(무선)신호
радиослушатель (남) 라디오청취자
радиостанция (여) 무선전신국(無線電信局); 무선 라디오 방송국
радиостудия (여) (라디오)방송실
радиотелескоп (남) 라디오망원경
радиотерапия (여) (의학) 방사요법
радиотехник (남) 라디오기술자(-技術者), 무선공학전문가(無線工學專門家)
радиотехника (여) ① 라디오공학(-工學) ② 라디오기술(-技術)
радиоузел (남) ① (중계) 방송실(放送室) ② 라디오관리국(-管理局)
радиофикация (여) 라디오 보급(普及), 라디오설비의 설치(設置)
радиофицировать (미완, 완) 라디오설비를 설치하다
радист(남),**~ка**(여) 무전수, 무선전신수
раднус (남) ① (수학) 반경(半徑) ② 범위(範圍), 구역(區域); ~ дейст- вия 작용범위, 행동권(行動勸)
радовать (미완) 기쁘게(즐겁게)하다
радоваться (미완) 기뻐하다, 반가워하다; ~ успехам 성과를 기뻐하다; душа рад- уется 마음이 기쁘다
радон (남) (화학) 라돈(radon)
радоновый (형) : ~ источник 라돈천
радостно (부) ① 기쁘게, 반가이, 즐겁게 ② (술어로) 기쁘다, 반갑다, 즐겁다
радостный (형) 기쁜, 반가운, 즐거운
радость (여) ① 기쁨 ② 기쁜 일; 기쁨의 대상
радуга (여) 무지개(rainbow)
радужные(형):~ые надежды 즐거운희망
радушие (중) 친절
радушно (부) 친절하게, 다정하게
радушный (형) 친절한
раз I (남) ① 한 번; три раза 세번(이나); каждый ~ 매번; в первый ~ 처음으로; на этот ~ 이번에는; ни разу 한번도; не ~ 여러 번; несколько ~ 몇 번(이나); не ~ и не два 한두 번이 아니다 ② (불변) 하나; ~, два, три 하나, 둘, 셋; в самый ~ 1) 때마침, 2) 딱 맞는다; как ~ 1) 바로, 마침 2) 딱 맞는다; ~, два и готово 제꺽(곧) 다 된다; ~ и навсегда 단호하게, 결정적으로
раз II (부) 어느 날, 하루는, 한 번은; ~ поздно вечером 어느 날 저녁 늦게
раз III (접) (= если) ...면, 일단 ...한 이상; ~ обещалсделай 일단 약속한 이상은 해야 해
разбавить (완), **~авлять** (미완) 묽게 하다, 연하게 하다, 타다, 섞다
разбазаривать (미완), **~ть** (완) ① 팔다, 팔아버리다 ② 낭비(허비, 탕진)하다
разбег (남) 뛰어넘기(오르기) 위하여 달리는 것; 속력을 내는 것, 달리던 기운; пере-прыгнуть канаву с ~а 내닫던 기운으로 도랑을 건너뛰다
разбегаться (미완), **~жаться** (완) ① 뛰어넘기(오르기) 위하여 달리다; 속력을 내다 ② (많은 사람들이)

사방으로 뛰어가다, 뿔뿔이 흩어지다 ③ (눈길, 생각이) 산만해지다, 집중되지 않다; глаза ~жались 무엇을 봐야(골라야) 할지 몰랐다

разбивать[ся] *см.* разбить[ся]

разбинтовать (완), **~овывать** (미완) 붕대를 풀다

разбирать (미완) ① 분해하다 ② 다 사다(가지다) ③ 정리(정돈)하다; 유별(구분)하다 ④ 심의(검토)하다 ⑤ 판별하다

разбираться (미완) ① 자기 물건을 정리하다 ② 이해(해명, 요해)하다, 분석하다, 음미하다; ~ в деле 사건을 요해하다

разбитый (형) ① 깨어진, 금이 간, 이가 빠진; ~ое стекло 깨어진 유리 ② 못쓰게 된, 파손된 ③ 기진맥진한, 기운이 진한; чу-вствовать себя ~ым 맥이 빠지다, 심한 피곤을 느끼다

разбить ① 깨뜨리다, 마스다, 깨다; ~ посуду 그릇을 깨다 ② 상하게(다치게)하다 ③ 못쓰게 만들다 ④ 격파(분쇄)하다; ~ врага 적을 격파하다 ⑤ (부분으로) 쪼개다, 나누다 ⑥ 포치하다, 치다; ~ палатку 천막을 치다

разбиться (완) ① 깨지다, 부서지다, 쪼개지다 ② 갈라지다, 구분되다 ③ (자기 몸을) 다치다, 상하다 ④ 못쓰게 되다, 헐다 망그러지다

разбогатеть (완) 부자가 되다

разбой (남) 강탈(強奪), 약탈(掠奪), 약취, 탈취; морской 해적행위

разбойник (남) ① 강탈자(強奪者), 강도(強盗); ② 장난꾸러기

разбойничать (미완) 강도(강탈)질하다

разбойничий (형) 강도(強盗), 갱; ~ья шайка 강도단

разболеться (완) ① 심하게 앓다 ② (몸의 한부분이) 아프다, 아파하다

разболтать I (완) 누설(漏泄)하다, 입 밖에 내다

разболтать II (완) (흔들어) 뒤섞다, 헐겁게 하다

разбомбить (완) 폭격하다, 폭탄 던지다

разбор (남) ① 분해(分解), 분석(分析) ② 선택(選擇), 분류(分類) ③ 심사(審査), 심의(審議) ◇ без ~а 닥치는 대로

разборка (여) ① 분해(分解), 해체(解體) ② 분류선별 ③ 정리, 정돈(整頓)

разборчивый (형) ① (선택함에 있어서) 몹시 까다로운, 요구성이 강한 ② 똑똑한, 알기 쉬운; ~ почерк 알기 쉬운 글씨

разбрасывать (미완) ① (사방에) 뿌리다 ② (사방에) 헤쳐(널어)놓다

разбрасываться (미완) 많은 일을 벌려놓다, 많은 일에 손을 대다, 동시에 많은 것을 하다

разбредаться (미완), **~стись** (완) 뿔뿔이(산산이) 흩어져가다

разброд (남) 불화(不和), 불일치(不一致); идейный ~ 사상적불일치

разбросанный (형) ① 분산된(分散-), 흩어진, 사방에 널려있는 ② 산만한(散漫-) ③ 혼란된(混亂-), 무질서한(無秩序-)

разбросать[ся] *см.* разбрасывать[ся]

разбрызгивать (미완) (액체를) 뿌리다, 분무하다

разбудить (완) 깨우다

разбухать (미완), **разбухнуть** (완) ① 부풀다, 팽창되다 ② (비상히) 늘어나다, 커지다

разбушеваться (완) ① 사나와지다, 기승을 부리다 ② 야단치다, 지랄부리다

развал (남) 붕괴(崩壞), 와해, 혼란

разваливать[ся] *см.* развалить[ся]

развалина (여) ① (흔히 복수); ~ы

폐허(廢墟) ② 쓸모없는 인간(人間), 폐인(廢人); старая ~a 늙다리

развалить (완) ① 파괴(破壞)하다, 허물다, 깨뜨리다 ② 망치다, 파탄(破綻)시키다; ~ работу 일을 망쳐버리다

развалиться (완) ① 허물어지다, 헤쳐지다, 와해(붕괴, 파괴)되다 ② 망쳐지다; дело ~лось 일이 망쳐졌다 ③ 되는대로 앉다(눕다); ~ться на стуле 의자위에 퍼더버리고 앉다

разваривать (미완) 푹 삶다, 끊이다, 고다, 만들다

развариваться(미완)푹 삶아(고아)지다

разварить[ся] см. разваривать[ся]

разве ① (조) 과연(果然), 정말; ~ он приехал? 참말 그가 왔어요? ② (조) ...ㄹ가? ~ сходить мне к врачу? 의사에게 가볼까? ③ (조) 다만, 오직(汚職); схожи они ~ только ростом 그들은 키만 서로 비슷하다 ④ (접) ...지만 않으면 (если не의 뜻); непременно приду, ~ заболею 앓지만 않으면 꼭 오겠소.

развевать (미완) 펄럭이게 하다

развеваться (미완) 휘날리다, 나붓기다, 펄럭이다

разведать (완) ① 알아내다, 탐색(探知)하다 ② 정찰하다 ③ 탐사(시굴)하다

разведение (중) ① 번식(繁殖) 양식(養殖), 재배(栽培) ② (불을) 피우는 것, 때는 것

разведка (여) ① (군사) 정찰(偵察) ② 정찰대 ③ 정보(첩보)기관 ④ (지질) 탐사(探査), 시굴(試掘); (현지) 답사(踏査)

разведочный(형)① 정찰 ② 탐사(探査)

разведчик (남) ① (군사) 정찰병(偵察兵) ② 첩보원, 정보원(情報員) ③ 정찰기(偵察機) ④ 탐사자, 탐사대원

разведывательный (형) ① 정찰 ② 정보(첩보);~ые органы, ~ая служба 정보기관, 첩보기관; ~ые данные 기밀자료

разведывать см. разведать

развести см. развозить

развеивать см. развеять

развенчать (완), **развенчивать** (미완) 위신을 떨어뜨리다, 명예를 훼손시키다

развёрнутый (형) ① 전면적인, 대규모적인 ② 전개된, 상세한

развернуть (완) ① 펴다, 펼치다, 풀다; 벗기다, 열다 ② 전개(발휘)하다, 발전시키다 ③ 돌리다, 회전시키다; ~ танк 탱크를 돌리다 ④ 열다, 설치하다

развернуться (완) ① 펴지다, 펼쳐지다; 벗겨지다, 열리다 ② 전개(발휘, 발전)되다 ③ 돌다, 방향을 바꾸다

развёрстка (여) 배당(配當), 배분(配分), 분배(分配) (노력의) 배치(配置)

развёртывание (중) ① 전개(展開), 발휘(發揮) ② 설치(設置)

развёртывать[ся]см.развернуть[ся

развеселить см. веселить

развеселиться (완) 유쾌해지다

развесистый (형) 가지가 무성한

развесить I,II см. развешивать I, II

развесной (형) (저울에) 달아서 파는

развести I,II,IIIсм. разводить I,II,III

развестись I (완) 이혼(離婚)하다

развестись II (완) 많아지다, 번식되다

разветвиться см. разветвляться

разветвление (중) 분기(점), 갈림목

разветвлённый (형) 갈래가 많은, (여러 곳으로) 갈라진

разветвляться (미완) ① 가지가 뻗다, 무성해지다 ② 갈라지다

развешать (완), **~ивать** (미완) (사방에) 걸다

развеять (완) ① 흩날려버리다; ветер ~ял тучи 바람이 구름을 날려버렸다 ② 가시다, 없애버리다;~ять сомнения

의혹을 가시다
развивать (미완) ① 발전시키다 ② 발달(성숙)시키다, 키우다, 기르다; ~ память 기억력을 기르다 ③ 전개(확대, 심화)하다; ~ успех 성과를 확대하다 ④ (꼰, 땋은, 뜬 것을) 풀다; ~ верёвку 노끈을 풀다

развиваться (미완) ① 발전되다 ② 발달하다, 성숙되다 ③ (꼰(땋은, 뜬)것이) 풀리다

развивающийся (형) : ~еся страны 발전도상국의 나라들

развилка (여) на ~е дорог 갈림길에서

развинтить(완) (나사못을 뽑고) 분해하다

развинтиться (완) ① (나사못이) 풀리다, 헐거워지다 ② 자제력을 잃다, 혼란되다

развинчивать см. развинтить

развитие (중) 발전, 발달, 전진, 성숙

развитой (형) ① 발전된, 발달한; ~ая промышленность 발전된 공업 ② 발전된, 성숙한, 유식한; ~ой юноша 똑똑한 아이

развить[ся] см. развивать[ся]

развлекать (미완) 즐기게 하다; 위안하다, 시름을 잊게 하다

развлекаться (미완) 놀다, 즐기다; 시름을 잊다

развлечение(중) 오락, 유희, 심심풀이

развлечь[ся] см. развлекать[ся]

развод (남) 이혼(離婚)

разводить I (미완) ① 각기 제자리로 보내다 ② (군사) (초소에) 세우다; ~ часовых 보초병들을 세우다 ③ 이혼시키다 ~ пилу 톱날을 세우다; ~ руками 어깨를 으쓱하며 두 손을 벌리다

разводить II 녹이다, 용해시키다, 섞다, 타다, 희박하게 하다; ~ краску олифой 뺑끼에 보일유를 타다

разводить III ① (동식물을) 기르다, 키우다; 번식시키다; ~ свиней 돼지를 기르다 ② (불을) 피우다, 때다; ~ пустые разговоры 빈소리들을 늘어놓다

разводиться I,II см. развестись I,II

разводной (형) : ~ мост 여닫음(개폐)식다리; ~ ключ 만능나사틀개

разводящий (남) 보초장

развозить (미완) 여러 곳에(각기 제자리에) 수송(운반, 배달)하다;~ по домам 집집에 배달하다

разволноваться 몹시 흥분하다, 불안해하다, 설레다

разворачиваться см. развернуть, развороти́ть

разворачиваться см.развернуться

разворовать (완), **~овывать** (미완) 몽땅 도적질해가다, 훔치다

разворот (남) ① 방향전환(方向轉換) ② (표지등의) 안, 안쪽

развороти́ть (완) ① 산산이 해뜨려놓다 ② 깨뜨려 허물다; ~ мостовую 포장도로를 까내다

разворошить см. ворошить

разврат (남) 방탕(放蕩), 부화, 타락

развратить[ся]см. развращать[ся]

развратник (남), **~ца** (여) 방탕아(放蕩兒), 타락분자

развратный(형) 음탕한, 타락한, 방탕한

развращать (미완) ① 타락시키다, 방탕케 하다 ② 버릇을 잘못 가르치다, 응석을 받아주다

развращаться (미완) 타락하다, 방탕(부화)해지다

развращение (중) 타락시키는 것; 방탕(放蕩), 부화

развращённый (형) 방탕한, 타락한, 부화한

развязать (완) 풀다, 열다, 끄르다; ~

войну 전쟁을 일으키다; ~ руки 행동의 자유를 주다, 마음대로 행동하게 하다

развязаться(완) 풀리다 ~ться с делом 일을 다 해버리다; язык ~ лся 말문이 열렸다

развязка (여) 결말(結末)

развязно (부) 어렴성(체면)없이, 주제넘게; вести (держать) себя ~ 건방지게 굴다

развязность (여) 어렴성(체면)없는것

развязный (형) 체면없는, 뻔뻔스러운, 비위좋은

развязывать[ся] см. развязать[ся]

разгадать ① 풀다, 알아맞히다 ② 알아차리다, 알다

разгадка (여) ① 풀기, 해답(解答) ② 알아맞히기, 알아차리기

разгадывать см. разгадать

разгар (남) 한창, 정점(頂點); уборка в самом ~е 가을걷이가 한창이다

разгибать (미완) 펴다, 똑바르게 하다

разгибаться 펴지다, 허리를 펴다, 똑바르게 되다

разгильдяй (남), **~ка** (여) 머저리, 게으름뱅이

разгильдяйство (중) 태만성

разглагольствовать (미완) 지껄이다, 빈소리치다, 떠벌리다

разгладить(완), **~живать**(미완) (구겨진 것을) 펴다, 다리다, 바로잡다; ~ утюгом 다림질하다

разглаживаться (미완) 바로잡히다, 고르게 되다

разгласить, **~шать** (미완) 투설하다, 입밖에 내다

разглашение (중) 투설, 말을 돌리는것

разглядеть(완), **~ядывать** (미완) ① 꼼꼼히 보다, 살펴보다, 주시하다 ② 알아내다, 발견하다, 찾아내다

разгневанный (형) 격노한, 노발대발한

разгневать (완) 몹시 성내게 하다, 노발대발케 하다

разгневаться (완) 격노(노발대발)하다

разговаривать(미완) 말(이야기, 담화)하다

разговор (남) ① 이야기, 회화(會話), 대화(對話); вести ~ 이야기(담화)하다 ②: ~ы (복수) 소문, 풍문; пойдут ~ов 소문일 것이다 никаких ~ов! 변명하지 말고 시키는 대로 하라!; без всяких (лишних) ~ов 지루하게 오래 말하지 않고(말고)

разговориться (완) ① 이야기하기 시작하다 ② 이야기에 열중하다, 신이 나서 이야기하다

разговорник (남) 회화집

разговорный (형) 회화; 일상용어; ~ый язык, ~ая речь 입말, 회화어; ~ый стиль 입말체, 회화체

разговорчивый (형) 말을 좋아하는, 수다스러운

разгон (남) ① 해산(시키는 것) ② 내닫던 기운, 속력, 가속 ③ 주행거리

разгонять[ся] см. разгонять[ся]

разгораживать см. разгородить

разгораться, ~еться ① 타번지다, 확확 타오르다 ② 빨개지다, 화끈달다; щёки ~елись 뺨이 빨개졌다

разгородить(완) 칸을 막다; ~ комнату 방에 칸을 막다

разгорячиться 신이 나다, 격하다, 화끈 달아오르다.

разграбить (완) 약탈(강탈)하다

разграничение (중) ① 경계의 확정 ② 경계선(境界線), 경계 ③ 구획(區劃), 구분(區分); ~ понятий 개념의 구분

разграничивать (미완), **~ть** (완) ① 경계선을 긋다, 경계를 정하다 ② (사업, 개념 등의) 한계를 규정하다, 구획(구분)하다

разграфить *см.* графить
разгребать (미완), **~сти** (완) (갈퀴 따위로) 긁어 헤치다, 파헤치다, 헤집다; ~ землю 땅을 파헤치다
разгром (남) ① 파멸(破滅), 격멸(擊滅), 괴멸(壞滅); полный ~ 전멸 ② 파괴
разгромить (완) 격멸하다, 부시다, 분쇄하다
разгружать (미완) ① 짐을 부리다; ~ вагон 짐차에서 짐을 부리다 ② (부과된 일, 과중한 부담 등을) 덜어(벗겨)주다
разгружаться (미완) ① 짐을 풀다 ② 잡다한 일에서 (벗어나다
разгрузить[ся] *см.* разгружать[ся]
разгрузка (여) 짐을 부리는 것, 덜어주는 것
разгрызать (미완), **~ызть** (완) 이빨로 까다(깨다), 빠작빠작 씹어 먹다
разгул (남) 광분(狂奔), 횡행(橫行)
разгуляться (완) ① 마음껏 활동하다(놀다) ② (날씨가) 개이다
раздавать (미완) 나누어주다, 분배하다, 배포하다, 부여하다
раздаваться *см.* раздаться
раздавить (완) ① 짓눌러(짓밟아) 죽이다, 뭉개다; ~ паука 거미를 밟아죽이다 ② 짓부시다, 억누르다
раздать *см.* раздавать
раздаться (완) 울리다; ~лся выстрел 총소리가 울렸다
раздача (여) 분배, 부여, 배급
раздваиваться (미완), **раздвоиться** (완) 둘로 나뉘다(갈라지다)
раздевалка (여) 옷보관실, 탈의실
раздевать (미완) 옷을 벗기다
раздеваться (미완) 옷을 벗다
раздел (남) ① 분할, 분배 ② 편, 부
разделаться (완) ① 결산(청산)하다; ~ с долгами 빚을 청산하다 ② 끝장을 내다, 결판을 내다, 복수하다

разделение (중) : ~ труда 분업
разделить (완) ① 나누다, 분할(분배)하다 ② ...을 같이하다 ③ (수학) 나누다, 제하다
разделиться (완) 나뉘다, 갈라지다, 분할(分割)되다
разделываться *см.* разделаться
раздельно (부) ① 따로따로; 별개로; ~ жить 따로따로 살다, 별거하다 ~갈라서, 떠어서; ~ писать 떠어 쓰다.
раздельный (형) 별개, 갈라진
разделять[ся] *см.* разделить[ся]
раздеть[ся] *см.* раздевать[ся]
раздирать (미완) ① (잡아) 찢다, 째다, 뜯다 ② 아프게 하다, 괴롭히다; ~ душу 마음을 괴롭히다 ③ 분열(이간)시키다
раздобыть (완) 구하다, 얻다
раздолье (중) ① 넓다, 넓은 곳, 광야 ② 안락, 자유
раздор (남) 불화, 반목, 알력; сеять ~ 불화의 씨를 뿌리다
раздосадовать (완) 분(奔)하게 하다, 격분(激憤)시키다
раздражать (미완) ① 격분(激憤)시키다, 초조하게 하다 ② 자극(磁極)하다
раздражаться (미완) ① 격분하다, 초조해지다 ② 자극받다, 염증이 생기다
раздражение (중) ① 초조, 흥분, 격분; с ~м 초조하여, 흥분하여 ② 자극
раздражённо (부) 화가 나서, 성이 나서, 결이 나서
раздражённый (형) 흥분된, 격분한
раздражительность (여) 신경질
раздразнить (완) 놀려주어 성나게 하다, 골려주다, 약을 올려주다; ~ собаку 개를 성내우다
раздробить *см.* дробить
раздробленность (여) 세분성, 분산성
раздробленный (형) ① 분쇄된,

부스러진 ② 소규모적인, 분산적인
раздувать (미완) ① (불을) 불다, 불어일으키다 ② 부풀어 오르게 하다 ③ 선동하다, 키질하다, 과장하다, 허풍치다. ④ (불어) 날리다, 휘날리다
раздуваться (미완) ① 부풀다, 팽팽해지다 ② 붓다, 부어오르다
раздумать (완) 생각을 바꾸다, 그만두다, 단념하다
раздумывать (미완) (깊이) 생각하다, 심사숙고하다, 골돌히 생각하다
раздумье (중) 심사숙고(深思熟考)(하는 것); глубокое ~ 심사숙고
раздутый (형) ① 부어오른, 불룩한 ② 지나치게 큰(많은), 팽창한; 과장된
раздуть[ся] *см.* раздувать[ся]
разевать *см.* разинуть
разжалобить (완) 측은한 감을 불러일으키다, 동정심을 자아내다
разжаловать (완) 강직시키다
разжать (완) (틀어쥐었던, 물었던 것을) 벌리다, 펴다, 놓다; ~ руки 손을 펴다; ~ рот 입을 벌리다
разжаться (완) (조였던, 줄었던, 눌렸던 것이) 벌려지다, 열리다, 펴지다; кулак ~ лся 주먹이 펴졌다
разжевать(완), **~ёвывать** (미완) ① 씹다, 깨물다 ② 되씹어 말하다(설명하다)
разжечь (완), **~игать** (미완) ① 피우다, 타오르게 하다; ~ огонь 불을 피우다 ② 도발하다; ~ войну 전쟁을 도발하다 ③ 키질하다, 격화시키다
разжимать[ся] *см.* разжать[ся]
раззвонить (완) 입 밖에 내다, 소문을 퍼뜨리다
разинуть (완) (입, 아가리를) 쩍 벌리다, 열다; ~ рот ① 주둥아리를 놀리다 ② 멍청하니 바라보다, 멍하니 서있다, 정신이 팔리다 ③ (놀라서, 의아해서) 입을 쩍 벌리다

разиня (남, 여) 멍청이, 얼뜨기, 얼떨떨한 사람
разительный(형) 놀랄만한, 경탄할만한
разить (미완) 치다, 격파하다
разлагать[ся] *см.* разложить[ся] ②
разлад (남) ① 불일치, 무질서, 보조가 맞지 않는 것 ② 불화, 반목, 알력
разламывать[ся] *см.* разломать[ся], разломить[ся]
разлезаться (미완), **разлезться** (완) 혼솔이 터지다; 처지다, 해지다
разлетаться, ~еться (완) ① 날아헤쳐지다, 날아흩어지다; птицы ~елись 새들은 사방으로 날아가버렸다 ② 산산조각이 나다 ③ (희망 등이) 사라지다, 없어지다 ④ 내닫다 ⑤ (소식, 소문이) 빨리 퍼지다
разлив (남) ① 범람, 큰물(홍수) ② (여러 그릇에) (갈라) 붓는 것
разливать (미완) ① (여러 그릇에) 나누어 붓다, 따르다 ② 흘리다, 쏟뜨리다 ③ 퍼뜨리다
разливаться (미완) ① 쏟아지다, 흘러넘다 ② 넘치다, 범람하다 ③ 쫙 퍼지다, 번져가다
разлиновать(완),**~овывать**(미완) 줄(칸)을 치다(긋다); ~овать лист 종이장에 줄(칸)을 치다
разлить[ся] *см.* разливать[ся]
различать (미완) 구별(분간, 식별)하다
различаться 차이나다, 구별되다; ~ длиной 길이가 다르다; ~ по возрасту 나이에서 차이가 있다
различие (중) 차이(差異), 차별(差別), 구별(區別); ~e во взглядах 의견상이 знаки ~я 식별표식
различить *см.* различать
различно (부) 여러 가지로, 각이하게, 구별되게
различный(형) ① 여러 가지, 각이한;

~ые отрасли 각이한 부문; ~ыми способами 여러 가지 방법으로 ② 서로다른, 같지 않은; ~ые мнения 서로다른 의견

разложение (중) ① 분해(分解), 분할(分割) ② 와해(蛙醢), 부패(腐敗) 타락

разложившийся (형) ① 썩은, 썩어빠진 ② 부패한, 타락한, 와해된

разложить (완) ① (사방에) 갈라놓다, 진열하다, 배열해놓다; ~ вещи 물건을 벌려놓다 ② 펴놓다; ~ ковёр 털담요를 펴놓다 ③ 할당하다, 분담시키다 ④ 분해(분할)하다 ⑤ 와해(붕괴)시키다, 타락(부패)시키다

разложиться ① 가지물품을 벌려놓다, 배열해놓다 ② 분해(분할)되다 ③ 썩다, 부패하다 ④ 와해(타락)하다

разлом (남) ① 파열(破裂) ② 꺾인(부서진) 자리

разломать (완) ① 꺾다, 까부시다 ② 허물다, 무너뜨리다, 파괴하다

разломаться (완) 부서지다, 파괴(破壞)되다, 깨뜨려지다

разломить (완) 쪼개다, 꺾다

разломиться (완) 쪼개지다, 꺾어지다, 깨뜨려지다

разлука (여) 이별(생활); жить в ~е 갈라져(떨어져) 살다

разлучать (미완) 이별시키다, 갈라지게 하다

разлучаться(미완) 이별하다, 헤어지다

разлучить[ся] см. разлучать[ся]

разлюбить (완) ① 사랑하지 않게 되다, 싫어지다 ...에 대한 사랑을 끊다 ② 싫증을 느끼다

размагнитить (완) 자성을 없애다

размагнититься(완) 자성이 없어지다

размагничивать[ся] см. размагнитить[ся]

размазать (겉면에) 온통 바르다(칠하다, 더럽히다)

размазаться (겉면에) 온통 발라지다(칠해. 더럽히다)

размазывать[ся] см. размазать[ся]

размалываться см. размолоть

разматывать(미완)(감은, 끈 것을) 풀다

разматываться(감은, 끈 것이) 풀리다, 풀어지다

размах (남) ① 규모(規模), 범위(範圍); ~ строительства 건설의 규모 ② 전개력; революционный ~ 혁명적전개력 ③ 진폭(震幅), 진동범위

размахивать (미완) 휘두르다, 휘젓다; ~ руками 손을 휘두르다

размахиваться (미완) ① 번쩍 쳐들다, 힘껏 휘두르다 ② 크게 계획을 세우다, 판을 크게 벌리다

размахнуть[ся] см размахивать[ся]

размачивать см. размочить

размежевание (중) 경계를 정하는 것, 한계를 정하는 것, 범위를 정하는 것

размежевать (완) 분계선(分界線)을 긋다, 범위(範圍)를 정하다

размежеваться (완) ① (토지의) 경계를 정하다 ② 상호간에 범위(한계)를 가르다 ③ 견해(태도)를 밝히고 갈라지다

размельчать, ~ить (완) 잘게 바스러(부스러)뜨리다

размен (남) (잔돈으로) 바꾸는것; 교환; ~ денег 잔돈으로 바꾸는것; ~ квартиры(жилплощади) 주택교환

разменивать см. разменять

размениваться см. разменяться; ~ на мелочи 사소한 일에 머리(정력)를 쓰다

разменный (형) : ~ая монета 잔돈, 각전

разменять (완) ① (잔돈으로) 바꾸다 ② (주택을) 교환(交換)하다

разменяться (완) 교환(交換)하다, 서로 바꾸다; 주택을 교환하다
размер (남) ① 크기, 치수(—數), 문수(文數); ~ комнаты 방의 크기;~ костюма 양복의 치수; ~обуви 신발의 문수 ② 규모(規模), 범위(範圍), 정도; в больших ~ах 대규모적으로 ③ 금액(金額), 액수(額數); ~ зарплаты 노임액수 ④ (문학) 운율(韻律); (음악) 박자
размеренный(형) 유창한, 유유한, 율동적인; ~ая походка 유유한 걸음걸이
размерить(완), **~ерять**(미완) ① 측정하다;~ерять место для постройки 건축기지를 측정하다 ② 크기(정도)를 정하다
размесить(완)뒤섞다, 이기다, 반죽하다
разместить (완) ① 배치하다, 배열하다.; ② 분배하다, 할당하다; ~ капитал 자본을 여러 곳에 투자하다
разместиться 배치되다, 자리 잡다, 자리를 차지하다; удобно ~ в вагоне 차칸에 편안히 자리잡다 앉다
разметить, ~ечать (미완) 표를 하다, 표식을 하다
размешать(완),**~ешивать**(완) (섞느라고) 젓다, 뒤섞다, 저어녹이다; ~ сахар в чае 차에 탄 사탕을 저어녹이다
размещать[ся] см. разместить[ся]
размещение (중) 배치
разминировать 지뢰(기뢰, 수뢰)를 해제(제거)하다
разминка (여) (체육) 준비운동
разминуться ① 어긋나다, 엇갈리다; ~ с товари-щем 동무와 길이 어긋나다 ② 서로 스치다, 어기다
размножать (미완) ① 새끼치다, 번식(증식)시키다 ② 증가시키다 ③ 등사(프린트)하다
размножаться (미완) ① 새끼치다, 번식되다 ② 늘다, 증가되다; 많아지다 ③ 등사(프린트)되다
размножение (중) ① 번식(繁殖), 생식(生殖); половое ~ 양성생식 ② 증가(增加), 증식(增殖)③ 등사(謄寫), 프린트
размножить[ся]см. размножать[ся]
размокать, ~окнуть 습기차서 부풀다, 눅눅해지다
размолвка (여) 말다툼, 사소한 언쟁
размолоть (완) 가루로 붙다, 찧다
размотать[ся] см. разматывать[ся]
размочить (완) (액체에) 담그어 부풀게(무르게)하다
размывать, ~ыть (물결이) 씻다, 씻어 무너뜨리다
размышление (중) 명상, 생각(사색)에잠기는 것; дать время на ~ 생각할 시간(틈)을 주다
размышлять 궁리(생각)하나, 사색(심사숙고)하다
размягчать, ~ить 연하게(무르게)하다
размякнуть (완) ① 연해(부드러워, 물렁해)지다 ② 녹초가 되다 ③ (마음이) 너그러워지다
размять см. мять
разнести см. разносить
разнестись (완) (급속히) 퍼지다, 전파되다, 울리다; ~лись слухи 소문이 퍼졌다
разнимать (미완) ① 말리다, 때놓다; ~ дерущихся 붙어 싸우는 사람들을 때놓다, 싸움을 말리다 ② 분해(해체)하다, 분리시키다
разниться (미완) 차이나다
разница (여) ① 차이(差異) ② 차액(差額), 차(差); какая ~? 무엇이 다른가? 마찬가지가 아닌가?
разнобой (남) 불일치(不一致),

의견상이; устранять ~ 불일치를 없애다

разногласие (중) ① 의견상이 ② 모순(矛盾), 불일치; ~я в показаниях свиде- телей 증언의 불일치

разноголосица (여) 불일치(不一致), 의견상이(意見相異)

разное (중) 잡일

разнообразие (중) 다양성(多樣性)

разнообразить (완) 다양하게 하다

разнообразный (형) 다양한, 여러 가지, 각양한

разноречивый (형) 서로 모순되는, 반대되는; ~ые слухи 모순되는 소문

разнородный (형) 여러 가지, 각종

разносить (미완) ① 배달(배포)하다; ~ письма 편지를 배달하다 ② 퍼뜨리다, 전파하다; ~ слухи 소문을 퍼뜨리다 ③ 여러곳에 기입하다 ④ 파괴(분쇄)하다 ⑤ 비난(책망, 욕질)하다 ⑥ (무인칭) 부풀다, 붓다; щёку разнесло 뺨이 부었다

разноситься см. разнестись

разносторонний (형) ① 다방면인, 다양한; ~ее образование 다방면인 교육 ② (수학)~ий треу-гольник 부등변삼각형

разность (여) (수학) 차(差), 계차(階差)

разносчик (남), ~ца (여) ① 배달원, 통신원; ~ газет 신문통신원 ② 도부장사, 행상인 ③ 전파자, 유포자

разноцветный (형) 알락달락한, 잡색

разношёрстный (형) 혼합(混合)된; ~ая публика 오합지졸, 오합지중

разнузданный (형) 횡포무도한, 방종한 제멋대로 노는

разный (형) ① 여러 가지, 다양한(多樣-); букет из ~ых цветов 여러 가지 꽃으로 만든 꽃다발 ② 다른, 상이한; ~ые взгляды 각이한 견해

разнять см. разнимать

разоблачать (미완) 폭로(적발)하다, 까밝히다

разоблачение (중) 폭로(暴露), 적발

разоблачить см. разоблачать

разобрать[ся] см. разирать[ся]

разобщать(미완) 분리하다, 이간시키다

разобщённый (형) 연계가 없는, 분리된

разобщить см. разобщать

разовый (형) 1회 유효; ~ билет 1 회권, 1회 유효표

разогнать (완) ① 쫓아버리다, 해산시키다 ② 내쫓다, 해고하다 ③ 전속력으로 달리게 하다, 재촉하다; ~ машину 자동차를 전속으로 몰다

разогнуть[ся] см. разгибать[ся]

разогревать[ся] см. разогреть[ся]

разогреть (완) 데우다, 가열하다; ~ обед 점심을 데우다

разогреться (완) 더워지다, 가열되다, 뜨거워지다

разодетый (형) 곱게 차려입은

разодеть (완) 곱게 차려 입히다

разодеться (완) 곱게 차려입다

разодрать см. раздирать

разодраться (완) ① 찢어지다, 째지다, 께지다 ② 몹시 싸우다

разозлить[ся] см. злить[ся]

разойтись см. расходиться

разом (부) ① 단번에, 단숨에 ② 곧, 즉시에

разомкнуть (완) ① (연결된 것을) 떼어내다 ② (전류를) 끊다, 절연시키다 ③: ~ ряды (군사) 산개시키다

разомкнуться (완) (연결된 것이) 떼어지다

разорвать (완) ① 찢다, 째다; ~ письмо 편지를 찢다 ② 파열(폭발)시키다 ③ 끊다, 단절하다

разорваться (완) ① 찢어지다, 께지다 ② 폭발하다, 터지다; снаряд ~лся

포탄이 터졌다; не ~ться же мне!(хоть разо-рвись) 단번에 그렇게 여러 가지 일을 할 수 있는가!

разорение (중) ① 파산(破散), 영락 ② 파괴(破壞), 몰락(沒落), 황폐(荒幣)

разорённый (형) ① 파산된, 영락된 ② 파괴된

разорительный (형) 파산(영락)시키는, 황폐화시키는

разорить (완) ① 파산(영락)시키다 ② 파괴하다, 황폐하게하다

разориться (완) 파산(몰락)하다, 빈궁에 빠지다

разоружить[ся] *см.* разоружить[ся]

разоружение (중) ① 무장해제(武裝解除) ② 군비축소(軍備縮小)

разоружить (완) ① 무장해제시키다, 군비를 축소(철폐)시키다 ② 투쟁의욕을 마비시키다

разоружиться (완) ① (자신의) 무장을 해제하다, 군비를 축소(철폐)하다 ② 투쟁의욕을 잃다

разорять[ся] *см.* разорить[ся]

разослать (완) ① (여러 곳에) 보내다; ~ письма (여러 곳에) 편지를 보내다 ② 모조리 파견하다

разостлать (완) (표면전체에) 깔다, 펴다; ~ ковёр 양탄자를 깔다

разочарование (중) 실망(失望), 환멸

разочарованный (형) 실망한(失望-), 낙심한(落心-), 환멸(幻滅)을 느끼는

разочаровать 실망케 하다, ...에 환멸을 느끼게 하다

разочароваться(완),**~овывать[ся]** (미완) 실망하다, 환멸을 느끼다

разрабатывать (미완) ① 개발하다; ~ новые виды оружия 새로운 종류의 무기를 개발하다 ② 작성하다; ~ план 계획을 작성하다 ③ 채굴(채광)하다 ④ 갈다, 경작하다 ⑤ 연마하다

разрабатываться (미완) ① 개발되다 ② 작성되다 ③ 채굴(채광)되다 ④ 개간(경작)되다

разработать *см.* разрабатывать

разработка (여) ① 개발(開發); ② 작성(作成); ③ 캐기, 채굴(採掘); 광석채굴, 채광(採鑛); открытая ~ 노천채굴 ④ 개간(開墾), 경작(耕作)

разравнивать 평평하게 하다, 고르게 하다, 반반하게 하다

разразиться (완) 돌발하다; ~лась гроза 심한 소나기가 쏟아졌다; ~ться смехом 폭소하다, 웃음통을 터치다

разрастаться (미완), **~ись** (완) ① 무성하다 ② 늘다, 확장(확대, 증식)되다

разрез (남) ① 절단, 절개 ② 절단면, 단면(도) ③ (수학) 절단선 ④ (광업) 노천채굴장(露天採掘張)

разрезать (미완), **разрезать** (완) ① 베다, 자르다, 썰다; ~ хлеб 빵을 썰다 ② (의학) 째다, 절개하다; ~ опухоль 종기를 째다

разрешать[ся] *см.* разрешить[ся]

разрешение (중) ① 허가(許可); давать ~е 허가하다; получать ~е 허가를 받다; без ~я 허가 없이 ② 허가증(許可證) ③ 해결(解決)

разрешить (완) ① 허가하다, 허락하다 ② 해결하다; ~ проблему(вопрос) 문제를 해결하다 ③ 풀다, 해소하다;~ сомнения 의심을 풀다

разрешиться (완) 풀리다, 해소되다; сом-нения ~лись 의심이 풀렸다

разрисовать (완) 그림으로 장식(裝飾)하다; 채색(彩色)하다

разроснять *см.* разравнивать

разрозненный (형) 흩어진, 분산적인, 불일치한

разрубать, ~ить(완) (여러 토막으로) 찍다, 베다, 자르다, 토막치다; ~ дерево

나무를 토막토막 자르다
разруха (여) (주로 경제생활에서) 파괴(破壞), 파탄(破綻), 혼란(混亂)
разрушать (미완) ① 파괴하다 ② 붕괴시키다, 와해하다 ③ 못쓰게 만들다; ~ здо- ровье 건강을 해치다
разрушаться (미완) ① 파괴되다, 허물어지다 ② 깨지다, 파탄되다, 붕괴(와해)되다 ③ 못쓰게 되다
разрушение(중) 파괴, 붕괴, 와해(蛙醢)
разрушенный (형) 파괴된
разрушительный (형) 파멸적인, 파괴적인; ~ая сила 파괴력
разрушить[ся] *см.* разрушать[ся]
разрыв (남) ① 단절(斷切), 결렬(決裂), 절교(絕交); ~ дипломатических отношений 외교관계의 단절 ② 폭발(爆發), 파열(破裂); ~ снаряда 포탄의 폭발 ③ 절단된(터진)곳; ~ серд-ца 심장파열
разрывать *см.* разрыть
разрывать[ся] *см.* разорвать[ся]
разрывной (형) : ~ой снаряд 폭발탄; ~ая пуля 파열탄
разрыдаться (완) 울음을 터뜨리다, 목놓아 울다
разрыть (완) 파다, 파헤치다
разрыхлить, ~ять (흙 따위를) 부드럽게 하다
разряд I (남) ① 범주(範疇), 종류(種類), 부류(部類); ② 등급(等級); токарь седьмого ~а 구급선반공 ③ (체육) 급수(級數) ④ (수학) 자리; цифра первого ~а 첫 자리 수
разряд II(남): электрический ~방전
разрядить (완) ① 퇴탄하다, 탄환을 꺼내다 ② (전기) 방전시키다; ~ батарею(ак-кумулятор) 전지(축전지)를 방전하다 ③ (긴장을) 풀다, (긴장성을) 늦추다; ~ атмосферу(обстановку) 분위기(긴장상태)를 완화시키다
разрядка (여) ① 완화(緩和)

완충(緩衝); ~ международной напряжённости 국제긴장상태의 완화 ② 방전(妨電)
разрядник (남), **~ца** (여) (체육) 급수소유자
разряжать[ся] *см.* разрядить[ся]
разубедить (완) 신념(의도)을 바꾸게 하다, 마음을 돌려세우다
разубедиться (완) 신념(의도)을 바꾸다, 마음을 다시먹다, 생각을 달리하다
разубеждать[ся]*см.*разубедить[ся]
разувать (미완) 신발을 벗기다; ~ ребёнка 어린애의 신발을 벗기다
разуваться(미완) 신발을 벗다
разуверить (완) 신심(확신)을 버리게 하다, 믿지 않게 하다
разувериться (완) 믿음(신심), 확신을 잃다, 믿지 않게 되다
разузнавать, ~ать (자세히) 알아내다, 탐지하다
разукрасить (완), **~шивать** (미완) 장식하다
разукрупнение (중) 세분화(細分化)
разукрупнить (완), **~ять** (미완) 세분하다, 보다 작은 단위로 나누다
разум (남) 이성(理性); 이지(理智), 지혜(智慧); ум за ~ зашёл 분별이 없어졌다, 자제력(판단력)을 잃었다
разуметься (미완) ① ...의 의미로 이해되다; под этим выражением ~ется следующее 이 표현에는 다음과 같은 것이 암시되어있다 ② ~ется (삽입어로) 물론, 말할 것도 없이; ~ется, он придёт 물론 그는 올 것이다
разумный (형) ① 이성적(理性的)인, 이지적(理智的)인 ② 합리적인, 분별있는
разутый (형) (신발 따위를) 벗은
разуть[ся] *см.* разувать[ся]
разучивать (미완), **разучить** (완)

(연습하여 점차) 외우다, 암기하다
разучиться (완) (기능, 관습을) 잊어버리다; ~ играть на рояле 피아노연주법을 잊어버리다
разъедать (미완) 좀먹다, 녹쓸다
разъединение (중) 분리(分利), 분열
разъединить (완) ① 떼다, 분리(분열)시키다, 절단하다; ~ провода 전선을 절단하다 ② 헤어지게(갈라지게) 하다
разъединиться (완) 떼어(끊어, 떨어)지다
разъезд (남) ① 헤어져가는 것 ② (철도)대피역, 대피지점 ③ (군사) 기병정찰대
разъезжать (미완) 타고 돌아다니다, 여행하다
разъезжаться *см.* разъехаться
разъесть *см.* разъедать
разъехаться (완) ① (여러 방향으로) 떠나다, 출발하다 ② 헤어지다, 이별하다 ③ 서로 스쳐지나가다, (길을) 어기다, 어긋나다; машинам трудно ~ на узкой дороге 좁은 길에서 자동차들은 서로 어기기 힘들다
разъярённый (형) 분노한, 격분한
разъярить (완), **~ять** (미완) 분노케(격분케)하다
разъяснение(중)해명(解明), 설명(說明), 해설(解說)
разъяснить (완), **~ять** (미완) 설명(해설, 천명)하다
разыграть (완) ① 제비를 뽑아 정하다 ② 놀리다, 골려주다 ③ (놀음에서) 결판을 내다
разыграться (완) ① 사나워지다, 세차지다 ② 놀음에 몰두하다
разыгрывать[ся]*см.* разыграть[ся]
разыскать (완) 찾아내다, 수색(搜索)하다, 탐색(探索)하다
разыскаться (완) 나지다, 찾게 되다,

발견되다
разыскивать[ся]*см.* разыскать[ся]
рай (남) 악원
райисполком (남) (районный исполнительный комитет) 구역집행위원회
райком (남) (районный комитет) 구역위원회; ~ партии 구역당위원회
район (남) ① 구역 ② 지방, 지구, 지대; ~ военных действий 군사행동지역
районирование(중)구역으로 나누는 것
районный (형) 구역(區域)
рак I (남) 가재; показать, где ~и зимуют 본때를 보이다, 혼내다
рак II (남) (의학) 암(癌), 종양(腫瘍); ~ желудка 위암(胃癌)
ракета (여) ① 유도탄(誘導彈), 마사일(missile); крылатые 순항미사일; многоступенчатая ~a 다계단 유도탄; межконтинентальная ~a 대륙간 미사일; ~ы средней дальности 중거리핵미사일;~a <земля-земля> (지상대 지상) 유도로케트; ~a-носитель 운반로케트 ② 신호탄(信號彈), 예광탄(曳光彈); сигнальная ~a 신호탄
ракетка (여) (체육) 정구채, 탁구채
ракетный (형) 로케트, 미사일; ~ые войска 미사일(로케트)부대
ракетоносец (남) 미사일정(로케트를 장비한 군함, 잠수함(潛水艦), 비행기
раковина (여) 조가비; ушная ~ (해부) 귀 바퀴
ракурс (남) ① 축소도, 축도(縮圖), 줄인그림 ② 배경축소(법)
ракушка (여) 조가비
рама(여) ① 틀; оконная ~ 창틀; ② 가대, 대;ле-сопильная ~ 톱질하는대
рамка (여) ① 작은 틀, 작은 태두리 ② : ~и (복수) 범위, 한계, 테두리;

P

выйти за ~и... ...의 범위를 벗어나다; в ~ах ... ...의 테두리 안에서
рампа (여) 각광(脚光)
рана (여) 상처(傷處), 부상(負傷), 생채기; лёгкая(тяжёлая) ~ 경(중)상
ранг (남) 급, 등급, 지위
Рангун (남) г. 랑군
ранее см. раньше
ранение (중) 상처, 부상
раненый (남) 부상자, 부상병
ранец (남) 멜가방, 배낭
ранить (미완, 완) 부상시키다, 상처를 입히다
ранний (형) ① 이른, 초기(初期), 조기(早期); ~ее утро 이른 아침; ~ий сев 조기 씨뿌리기 ② 올, 일찍 익는; ~ий картофель 올감자
рано (부) ① 일찍이, 이르게 ② (술어로) 이르다; ещё ~ обедать 아직 점심 먹기엔 이르다; ~ или поздно 조만간에
раньше (부) ① (рано의 비교급) 더 일찌기; как можно ~ 될 수 있는 대로 일찍이(빨리) ② 이전에, 그전에; ~ здесь был пустырь 그전에 여기는 황무지였다; не так, как ~ 이전과 같지 않다 ③ 전에; ~ вечера не вернусь 저녁전에는 돌아오지 않겠다; приходите не ~ трёх часов 세시 후에 오시오 ④ 먼저, 우선; ~ выслушай, а потом говори .... 먼저 듣고 나서 그 다음에 말해라
рапорт (남) 보고, 보고서(報告書), 통지(通知); подать ~ 보고하다
рапортовать (미완, 완) 보고하다
рапсодия (여)(음악) 광상곡(rhapsody)
раса (여) 인종; жёлтая(белая, чёрная) ~ 황(백, 흑)인종(-人種)
расизм (남) 인종주의(人種主義)
расист (남) 인종주의자
расистский (형) 인종주의적인

раскаиваться (미완) 뉘우치다, 후회하다; ~ в сво-их поступках 자기의 행실을 뉘우치다
раскалённый (형) 작열한, 시뻘겋게 단
раскалить (완) (시뻘겋게) 달구다, 작열시키다
раскалиться (완) 시뻘겋게 달다, 작열되다
раскалывать[ся] см. расколоть[ся]
раскалять[ся] см. раскалить[ся]
раскапывать см. раскопать
раскат (남) : ~ грома 우르릉거리는 우뢰소리
раскачать (완) ① 흔들다, 흔들어놓다; ~ качели 그네를 흔들다 ② 흔들리게(놀게)하다
раскачаться (완) ① 흔들리다 ② 흔들거리다, 놀다, 움직이다
раскачивать[ся] см. раскачать[ся]
раскаяние (중) 뉘우치는 것, 후회, 참회
раскаяться см. раскаиваться
расквартировать, ~овывать (숙소에) 배치하다
расквитаться (완) ① 회계를 마치다, 청산하다 ② 복수(보복)하다, 결판을 짓다
раскидать см. раскидывать I
раскидывать I (미완) ① 뿌려던지다 ② 늘어(헤뜨려)놓다, 되는대로 놓다 ③ 사방에 벌려놓다
раскидывать II (미완) ① 쪽 펴다, 쩍 벌리다; ~ руки 팔을 쭉 펴다 ② 치다, 펼치다; ~ палатку 천막을 치다
раскидываться (미완) ① 활개를 쩍 벌리고 눕다, 팔다리를 쭉 펴고 눕다 ② 펼쳐지다
раскинуть ① см. раскидывать I, II ② (던져서)펴놓다, 펼치다; ~ сеть 그물을 던지다;~ ковёр 털담요를 펴다;~ умом(또는 мозгами) 생각해보다.

- 532 -

раскинуться (완) ① 널려져있다, 흩어져있다, 산재하다 ② см. раскидываться

раскладной (형) 접었다 펼쳤다 할 수 있는; ~ой стол 펼칠 수 있는(개폐식으로 되어있는) 상(식탁); ~ая кровать 접침대

раскладушка (여) (가벼운) 접침대

раскладывать ① см. разложить ② 접었다 펼쳤다하다

раскладываться ① см. разложиться ② 접었다 펼쳤다 할 수 있다

раскланиваться, ~яться (완) 인사하다, 절하다

расклеивать (미완) ① 떼다, 뜯다 ② 사방에 붙이다

расклеиваться (미완) ① (붙인 것이) 떨어지다; кон-верт расклеился 봉투가 떨어졌다 ② 잘못되다, 파탄되다 ③ 앓다, 기운을 잃다, 나른해지다

расклеить[ся] см. расклеивать[ся]

расковырять (완) ① 긁어 뜯다; ~ бол-ячку 부스럼을 긁어뜯다 우비어(호비어, 쑤셔) 넓히다; ~ дырочку 구멍을 후비어 넓히다

раскол (남) 분열(分列); вносить ~ 분열시키다

расколачивать (미완), **~отить** (완) ① 때려(두드려) 뜯다; ~ ящик 상자를 쳐서 열다 ② 깨뜨리다, 까부시다

расколоть (완) ① 패서 짜개다, 까부시다, 부스러뜨리다; ~ дрова 장작을 패다 ② 분열시키다

расколоться (완) ① 쪼개지다, 짜개지다, 부스러지다 ② 분열되다

раскольник (남) 분열주의자

раскольнический (형) 분열을 일으키는, 분열적인

раскопать (완) ① 파헤치다, 파내다, 발굴하다; ~ курган 고분을 발굴하다 ② 찾아내다

раскопка (여) ① 파내는 것; ② ~и (복수) 발굴(發掘), 발굴 작업(發掘作業); прои-зводить ~и 발굴하다

раскошеливаться (미완), **~ться** (완) 돈을 쓰다(아까지 않게 되다), 비용을 지출하다

раскрасить см. раскрашивать

раскраска (여) ① 채색(彩色), 색칠(色漆) ② 색무늬

раскраснеться 새빨개지다, 붉어지다, 홍조(紅潮)를 띠다

раскрашивание (중) 색칠(色漆), 채색(彩色), 채색하여 그리는 것

раскрашивать (미완) 여러 가지 색으로 색칠하다, 채색하여 그리다

раскрепостить (완), **~щать** (미완) ① (농노의 신분으로부터) 해방하다 ② (구속, 멍에에서) 해방하다; ~ женщин 여성들을 해방하다

раскрепощение (중) (예속상태로부터의) 해방(解放)

раскритиковать (완) (날카롭게) 비판하다, 혹평하다

раскричаться (완) 고함치다, 고래고래소리를 지르다

раскрошить (완) 부스러뜨리다

раскрошиться (완) 부스러지다

раскрутить (완) ① (끈, 묶은 것을) 풀다 ② 급회전을 시키다

раскрутиться (완) ① (끈, 묶은 것이) 풀리다 ② 급회전하다

раскручивать см. раскрутить

раскрывать[ся] см. раскрыть[ся]

раскрытие (중) ① 여는 것, 펴는 것; ~ парашюта 낙하산을 펴는 것 ② 폭로(暴露), 적발

раскрыть (완) ① 열다, 펴다, 풀어헤치다; ~ глаза 눈을 뜨다; ~ ворота 대문을 열다; ~ зонт 우산(양산)을 펴다 ② 밝혀내다, 드러내다, 폭로(적발)하다,

노출시키다

раскрыться(완)① 열리다, 드러나다, 나타나다, 노출되다 ② 발각(적발, 폭로)되다

раскупать, ~ить (완) (많은 사람이) 다 사들이다

раскупоривать, раскупорить (미완) (마개, 뚜껑 등을) 열다, 뽑다, 빼다;~ бутылку 병마개를 뽑다

раскусить, раскусывать ① 깨물어 부스러뜨리다; ~ орех 개암(잣)을 까먹다 ② 잘 알아내다, 요해하다; ~ в чём дело 어떻게 된 일인가를 요해하다

расовый (형) 인종(人種); ~ая дискриминация 인종차별

распад (남) ① 붕괴(崩壞), 파탄(破綻), 몰락(沒落); ② 분열(分列), 해체(解體)

распадаться см. распасться

распадение(중)① 붕괴 ② 분열, 해체

распаковать(완) (짐, 포장 등을) 풀다

распаковаться (완) ① (자기의) 짐을 풀다 ② 풀어지다; пакет ~лся 꾸러미가 풀어지다

распаковывать[ся]см. распаковыть

распарывать[ся]см. распороть[ся]

распасться (완) ① 분해(분리, 붕괴)되다; молекулы ~лись на атомы 분자는 원자로 분해되었다. ② 분산(해체, 파괴)되다; кружок ~лся 소조는 해체되었다

распахать(완), **распахивать** (미완) 갈다, 일구다, 개간하다, 경작하다

распахивать, распахнуть(완) 활짝 열어놓다, 젖히다, 개방하다; ~ ворота(дверь, окно)대문(문, 창문)을 활짝 열어놓다; ~ пальто 외투앞섶을 젖히다

распахнуться (완) ① 활짝 열리다, 개방되다; дверь ~лась 문이 활짝 열렸다 ② 옷자락을 열어젖히다

распашка (여) (농업) 개간, 경작(耕作)

распашонка (여) 갓저고리, 젖먹이의 셔츠

распаять (완) 납땜한곳을 녹여 때다(뜯다)

распаяться(완) 납땜이(녹아) 떨어지다

распевать (미완) ① 노래를 부르다, 소리높이 유쾌히 노래하다 ② 노래연습을 하다

распеленать (완) 기저귀를 풀다, 애기싸개를 풀다; ~ ребёнка 어린애 기저귀를 풀다(끄르다)

распеленаться (완) 기저귀를 벗다, 애기싸개에서 풀려나오다

рапечатать (완), **~ывать** (미완) ① 개봉하다, 봉인을 떼다; ~ письмо 편지를 뜯다(개봉하다) ② 타자기로 찍다, 등사(프린트)하다

распиливать(미완), **распилить** (완) 톱으로 켜서 쪼개다(짜개다)

расписание (중) 시간표(時間表)

расписаться (완) ① 수표(서명)하다 ② 자인(인정)하다; ~ в своей беспомощности 자신의 무능력을 자인하다

расписка (여) 영수증(領收證); выдать ~у 영수증을 내주다

расписной(형) 색칠한, 그림으로 장식한

расписываться см. расписаться

расплавить (완) 녹이다, 용해하다

расплавиться (완) 녹다, 용해되다

расплавлять[ся]см.расплавить[ся]

расплакаться (완) 눈물을 흘리다, 울기 시작하다, 몹시 울다

распланировать см. планировать

распластаться (완) 넙적눕다(엎드리다), 늘어지다; ~ по земле 땅바닥에 몸을 넙적대고 드러눕다

расплата (여) ① 지급(至急), 지불(支拂), 지출(持出); ② 징벌(懲罰),

복수

расплатиться (완),~ачиваться (미완) ① 지불하다, 갚다; ~ с долгами 빚을 청산하다 ② 복수하다

расплескать (완) 액체(液體)를 사방에 튀게 하다, 엎지르다, 쏟뜨리다

расплескаться (완) (사방에) 튀다, 쏟아지다

расплёскивать см. расплескать

расплести (완) (엮은, 꼰 것을) 풀다

расплестись (완) (엮은, 꼰 것이) 풀리다

расплетать[ся] см. расплести[сь]

расплодить (완) ① (동식물을) 새끼치다, 번식(증식)시키다 ② (불필요한 것이 많이) 늘어나게 하다

расплодиться (완) ① 새끼치다, (증식)하다 ② (불필요한 것이 많이) 늘다, 퍼지다

расплываться см. расплыться

расплывчатый(형) 애매한, 똑똑치 않은

расплыться (완) ① (잉크 등이) 피다, 번지다, 배다; чернила расплылись 잉크가 번졌다 ② 뚱뚱해지다, 부풀다; ~ к старости 늘그막에 뚱뚱해지다 ③ 웃음이 떠돌다, 히죽해지다

распознавать, ~ать (완) ① 분간(인식, 식별)하다; ~ болезнь 병을 진단하다 ② 알아내다, 탐지해내다

располагать I см. расположить

располагать II (미완) кем-чем.....을 소유하다, ...이 있다; 관리하다; ~ време- нем 시간이 있다

располагаться (미완) ① 있다, 자리잡고 있다 ② 자리를 차지하다, 배치되다

расползаться (미완), **~тись** (완) ① 사방으로 기어가다, (기여서) 흩어지다 ② 낡아서 떨어지다, 찢어지다

расположение (중) ① 배치(配置), 배열(配列); ~ рисунков в тексте 본문안의 삽화배열 ② 진지(陣地), 위치(位置) ③ 배치순서 ④ 동정(同情), 호의(好意), 호감(好感); чувствовать(питать) ~е к кому ...에게 호감을 가지다, 호의를 품다; ⑤ к чему 경향(京鄉); 기호(記號), 취미(趣味); ~е духа 기분, 기분상태

расположенный ① расположить의 피동과거 ② (형) 호의를 품는, 동정하는; он к вам очень ~ 그는 당신에게 호의를 품고 있다 ③ к чему 경향이 있는, 지향하는 하려고 하는

расположить (완) ① 배치(배열)하다 ② 마음을 쏠리게(돌리게) 하다, 호의를 가지게 하다

расположиться см. располагаться

распорка (여) (건축) 버팀대, 가름대, 조임대

распороть (완) ① (혼솔, 꿰맨 것을) 뜯다, 풀다 ② 베다, 가르나, 뜯어내다; ~ брюхо 배를 가르다

распороться (완) (혼솔이) 터지다, 뜯어지다; рукав ~лся 소매가 뜯어졌다

распорядитель (남) 관리자(管理者), 처리자, 지휘자(指揮者)

распорядительность (여) 지휘수완, 지휘(관리, 처리)하는 능력(能力)

распорядительный (형) : ~ человек 지휘에 능한 사람

распорядиться см. распоряжаться

распорядок (남) 제정된 질서; правила внутренне-го ~ка 내부규정, 내부규칙; ~ок дня 일과

распоряжаться(미완) ① 지시(명령)하다 ② 처리(처분, 관할)하다, 가지고 있다

распоряжение (중) 지시(指示), 지령(指令), 명령; иметь что-л., в своём ~и ...을 가지고 있다, 관할하고 있다

распоясаться, ~ываться (미완) ① (자신의) 띠를 풀다 ② 불손(무례)해지다, 뻔뻔스럽게(제멋대로) 굴다

расправа (여) 세재, 처벌(處罰), 진압(鎭壓); кровавая ~ 학살(虐殺)

расправить ① 곧게 하다, 주름(살)을 펴다; ~ проволоку 쇠줄을 곧게 하다 ② (팔, 다리를) 펴다; ~ крылья 행동을 개시하다, 자기의 능력을 발휘하다

расправиться I(완) 펴지다, 곧게 되다

расправиться II (완) с кем-чем.... ① 처단(제재)하다 ② 처리하다, 해제끼다; ~ с делами 일을 다 해제끼다

распределение (중) ① 분배(分配), 배급(配給), 배정(配定) ② 배치(配置)

распределитель (남) ① 배급소(配給所) ② (공학) (가스, 증기의) 분배기(分配機), 분포기(分包機); 배전기

распределительный(형) : ~ пункт 배급소(配給所);~ щит (전기) 배전반

распределить (완) ① 분배(배당)하다 ② 분공(분담)하다; ~ часы занятий 수업시간을 분담하다 ③ (졸업후에) 배치(파견)하다

распределиться (완) ① 분배(배당)되다, 나뉘어지다 ② 분공(분담)되다 ③ (졸업후에) 배치(파견)되다

распределять см. распределить
распродавать см. распродать
распродажа (여) 팔아넘기기
распродать (완) (많은 물품을 여러 사람들에게) 죄다 팔아버리다, 다 팔다
распроститься см. распрощаться

распространение (중) 보급, 전파, 유포; получить широкое ~ 널리 보급되다

распространённый ① распространить의 피동과거 ② (형) 보편적인; ~ое мне-ние 보편적인 견해; ~ое предложение (언어) 전개문

распространитель (남) 보급자(補給者), 전파자; ~ печати 출판물보급원

распостранить см. распостранять

распространять (미완) ① 보급(전파, 유포)하다 ② 확대(확장)하다; ~ своё влияние 자기의 세력을 확대하다

распространяться (미완) ① 퍼지다, 보급(전파, 유포)되다 ② 넓어지다, 확대(확장)되다

распрощаться (완) ① 작별하다, 헤어지다 ② 버리다, 결별하다; ~ с мечтой 공상을 버리다

распря (여) 분쟁(分爭), 불화, 알력

распрягать (미완) 마구를 벗기다, 수레에서 (말, 소를) 풀어놓다

распрямить (완) 곧게 하다, 펴다; ~ проволоку 쇠줄을 곧게 펴다

распрямиться (완) 곧게 되다, 펴지다; лист ~лся 종이장이 반반해졌다

распрячь см. распрягать

распускать[ся]см. распустить[ся]

распустить (완) ① 해산(해체)시키다, 놓아주다, 흩어지게 하다; ~ парламент 국회를 해산하다 ② 풀다, 늦추다; 풀어헤치다, 펼치다 ③ 버릇을 굳히다, 풀어놓다; ~ ребёнка (너무 귀여워하여) 어린애의 버릇을 굳히다 ④ (액체에) 풀다, 녹이다 ⑤ (유언비어, 소문 등을) 퍼뜨리다, 전파시키다

распуститься (완) ① 싹 (움, 눈) 트다 ② 규율 없이 되다, 방종해지다, 자제력을 잃다

распутать (완) ① 풀다; ~ узел 매듭을 풀다 ② 풀어(놓아)주다

распутаться(완) 풀어지다

распутица (여) 길이 나빠지는 계절 (봄의 눈이, 가을에 비가 오는 시기)

распутник (남), **~ца** (여) 방탕한자

распутный (형) 방탕한, 음탕한

распутство (중) 방탕한 생활양식; 음탕한짓

распутывать[ся] *см.* распутать[ся]

распутье (중) : быть на ~ 갈림길에서 헤매다, 망설이다, 주저하다

распухать (미완), **распухнуть** (완) ① 붓다, 부풀어 오르다; щека распухла 뺨이 부었다 ② (지나치게) 늘어나다, 증가되다

распущенность (여) ① 안일해이, 방종(放縱) ② 방탕(放蕩), 음탕(淫蕩)

распущенный (형) 버릇없는, 규률이 해이한 ② 방탕한, 음탕한

распыление (중) ① 뿌리는 것, 분무(噴霧), 분산(分散) ② 낭비(浪費)

распылитель(남)(공학)분무기, 분무장치

распылить (완), **~ять** (미완) ① (공학) 뿜다, 뿌리다; ~ нефть 석유를 뿌리다 ② 부스러뜨리다 ③ 분산시키다

распыляться (미완) ① 뿜어지다, 세분되다 ② 분산되다; силы ~лись 역량이 분산되었다

рассада (여) 모, 모종(某種); рисовая ~а 모, 벼모; капуст- ная ~а 양배추모; высаживать(рассаживать) ~у 모를 내다, 모내기하다; высадка ~ы 모내기; выращи-вать ~у 모를 키우다

рассадить (완) ① 자리에 앉히다; ~ гостей 손님들을 자리에 앉히다 ② 따로따로 앉히다 ③ 옮겨 심다, 모를 내다, 이식하다

рассадник (남) ① (농업) 모판, 온상 ② 발생지, 발원지

рассаживать *см.* рассадтить

рассаживаться (미완) 제자리에 앉다, 자리잡다; ~ по местам 각각 제자리에 앉다

рассасываться (미완) ① (부스럼, 종기 등이) 가라앉다, 없어지다 ② 점차 흩어(줄어, 없어)지다; очередь рассосалась 줄이 점차 줄어들었다.

рассвести *см.* рассветать

рассвет(남)① 새벽, 통틀 무렵;встать на ~е 새벽에 일어나다 ② 초기(初期), 첫 시기, 여명기

рассветать(미완)날이 밝다, 동이 트다

рассвирепеть *см.* свирепеть

рассеивать (미완) ① (씨를) 뿌리다 ② 분산시키다; ~ свет 빛을 분산시키다 ③ 해산시키다 ④ (감정, 생각을) 지워버리다, 해소시키다, 풀어버리다; ~ подозрения 의심을 풀어버리다

рассеиваться (미완) ① 사방에 분산되다 ② 분산되다 ③ 흩어져가다, 해산하다, 분산패주하다 ④ (감정, 생각이) 풀리다, 해소되다

рассекать *см.* рассечь

расселение (중) ① 여기저기 이주(거주)시키는 것 ② 따로따로 거주시키는 것, 별거

расселина (여) (좁고 깊은) 골짜기

расселить (완) ① (여리 곳에) 이주(거주)시키다, 자리 잡게 하다 ② 따로따로 거주시키다, 별거시키다

расселиться (완) ① (여러 곳에) 이주(거주)하다, 자리 잡고 살다 ② 따로따로 거주하다, 자리 잡고 살다

расселять[ся] *см.* расселить[ся]

рассердить (완) 성나게 하다

рассердиться (완) 성나다, 노하다, 화내다

рассерженный (형) 성난, 격분한, 화난

рассесться ① *см.* рассаживаться ② 허물없이 (자리를 넓찍이 잡고) 앉다

рассечь (완) ① 짜개다, 자르다, 베다; ~ свиную тушу 돼지의 각을 뜨다 ② 심한 상처를 입히다

рассеянно (부) 멍하니, 정신없이, 멍청해서; ~ смотреть 멍하니 바라보다; ~ отвечать 생각없이 대답하다

рассеянность (여) 부주의, 산만성,

멍청한 것; по ~и 건망증이 있어서, 산만한 탓으로
рассеянный ① рассеять의 피동과거 ② (형) 멍청한, 산만한; ~ взгляд 멍청한 눈길; ~ человек 건망증이 심한 사람
рассеять[ся] *см.* рассеивать[ся]
рассказ (남) ① 이야기 ② 단편소설
рассказать *см.* рассказывать
рассказчик (남), **~ца** (여) 이야기하는 사람, 설화자; 이야기군
рассказывать (미완) 이야기하다; ~ска-зку 옛말을 하다, 옛이야기를 하다
расслабить[ся] *см.* расслаблять[ся]
расслаблять (미완) 약하게 하다, 몹시 쇠약케 하다
расслабляться (미완) 마음을 늦추다, 마음을 놓다
расследование (중) 조사(調査), 탐색(探索), 수사(搜査); ~ дела 사건의 조사
расследовать (미완, 완) (전면적으로) 조사하다, 탐색하다
расслоиться *см.* расслаиваться
расслышать (완) 알아듣다, 분간하여 듣다
рассматривать (미완) ① 들여다보다, 살펴보다 ② 간주하다, ...으로 생각하다 ③ 심의(연구, 고찰, 검토)하다;~ вопрос 문제를 심의하다
рассмешить (완) 웃기다, 웃음을 자아내다
рассмеяться (몹시) 웃기 시작하다, 웃음을 터뜨리다
рассмотрение (중) 심의(審議), 연구(研究), 고찰(考察), 검토(檢討), 주시
рассмотреть *см.* рассматривать
рассол (남) 소금물, 염류의 용액
рассорить (완) 절교시키다, 다투고 헤어지게 하다
рассориться (완) 절교하다, 다투고 헤어지다
рассортировать 분류(선별)하다, 종류별로 가르다
рассосаться *см.* рассасываться
рассохнуться(완) 말라서 터지다(금이 가다), 쪼개지다; мебель рассохлась 가구가 말라서 금이 갔다
расспрашивать (미완), **~осить** (완) 캐묻다, 자세히 물어보다
расспросы (복수) (캐묻는) 물음; надое-дать ~ами 캐물어서 싫증이 나다
рассредоточение (중) 분산(分散), 분산배치(分散配置), 산개(散開)
рассредоточивать(미완), **~ть** (완) 분산(배치)하다, 산개(분산)시키다
рассрочивать (미완), **~ть** (완) (지불 등의) 기한을 몇 단계로 나누다
рассрочка (여) 분할지불, 할부(割賦), 월부; продовать в ~у 월부(할부)로 팔다
расставание(중) 작별(作別), 이별(離別)
расставаться *см.* расстаться
расставить (완), **~авлять** (미완) ① 놓다, 배치(배렬)하다; ~ часовых 보초병을 배치하다 ② 벌리다; ~ ноги 다리를 벌리다
расстановка (여) ① 배치(配置), 배열(配列), 정열; ~а сил 역량배치 ② 배열순서 ③ 중단, 단절; читать с ~ой 사이를 두면서 낭독하다
расстаться (완) ① 헤어지다, 작별(이별)하다 ② 버리다, 포기(단념)하다; ~ с при- вычкой 나쁜 버릇을 버리다(없애다)
расстёгивать *см.* расстегнуть[ся]
расстегнуть (완) 단추를 벗기다; 열어제치다; ~ пальто 외투의 단추를 벗기다
расстегнуться (완) ① (자기 옷의)

단추를 벗기다; 열어 제치다 ② 벗겨지다; пуго- вица ~лась 단추가 벗겨졌다

расстелить (완) (표면전체에) 깔다, 펴다; ~ ковёр 양탄자를 깔다

расстелиться (완) 펴지다, 깔리다; туман ~лся по земле 안개가 땅에 내렸다(깔렸다)

расстилать[ся] см. расстелить[ся]

расстояние (중) ① 거리(距離), 간격(間隔); кратчайшее ~e 최단거리; на одина- ковом ~и 동일한 간격을 두고 ② 동안(同案), 사이

расстраивать см. расстроить[ся]

расстрел (남) 총살(銃殺)

расстреливать(미완), **~елять** (완) ① 총살하다 ② 맹렬한 사격으로 소멸하다 ③ 탄약을 다 쏴버리다

расстроенный ① расстроить의 피동과거 ② (형) 마음이 상한, 불쾌해하는 ③ 파괴된, 쇠약해진

расстроить (완) ① 마음(기분)을 상하게 하다, 괴롭히다 ② 파산시키다, 해치다, 큰 손해를 끼치다; ~ здоровье 건강을 해치다 ③ 파탄시키다, 방해하다, 깨뜨리다 ④ 혼란(混亂)시키다; ~ ряды противника 적의 대오를 혼란시키다

расстроиться (완) ① 마음(기분)이 상하다 ② 파산되다, 상하다; здоровье ~лось 건강이 나빠졌다 ③ 틀려지다, 파탄되다 ④ 혼란되다

расстройство (중) ① 혼란(混亂), 무질서(無秩序) ② 파탄(破綻), 파산(破散), 실패(失敗) ③ (건강상태의) 손상, 장애; нервное ~ 신경쇠약; ~ желудка 설사 ④ 낙심(落心), 번민(煩悶), 불쾌(不快)

расступаться (미완), **~иться** (완) ① 길을 내주다, 옆으로 비키다 ② (땅, 물 등이) 쪼개지다, 갈라지다

рассудительность (여) 판단력(判斷力), 신중성(愼重性), 세심(細心)

рассудительный (형) 세심한, 신중한, 사려깊은

рассудить ① см. рассуждать ② 시비를 가리다, 판결하다, 결론짓다

рассудок (남) 이성(理性), 분별(分別); ~ку вопреки 상식에 어긋나게

рассуждать ① 판단하다, 생각하다; ② 담화하다, 논의하다

рассуждение (중) ① 판단(判斷), 생각(生角), 고찰 ② (복수) 의논, 토론(討論)

рассчитать (완) ① 계산하다 ② 타산(고려)하다 ③ 해고하다, 면직시키다

рассчитаться (완) ① 셈을 치르다, 청산하다 ② 복수 (보복)하다 ③ (군사) 번호를 부르다; по порядку номеров ~йсь! 번호!

рассчитывать ① см. рассчитать ② 바라다, 기대하다, 타산하다; ~ на успех 성공을 바라다; ~ на по-мощь 원조를 기대하다 ③ 희망하다, 믿다; рассчиты- ваю, что вы будете дома 나는 당신이 집에 계시리라고 믿습니다

рассылать см. разослать

рассылка (여) 발송, 배달, 파견

рассыльный (남) 배달원

рассыпать (미완), **рассыпать** (완) ① (여기저기) 뿌리다, 흘리다 ② (가루 등을) 나누어넣다

рассыпаться (미완), **рассыпаться**(완) ① (여기저기) 쏟아지다, 흩어지다 ② 분산(산개)되다 ③ 파탄되다 ④ 찬사 (등을) 퍼붓다; ~ в похвалах 찬사를 퍼붓다

рассыпчатый (형) 퍼석퍼석한, 부서지기 쉬운

рассыхаться см. рассохнуть

расталкивать см. растолкать
растапливать[ся] см. растопить[ся]
растаптывать см. растоптать
растаскать, растаскивать ① 가져(끌어)가다; ~ всю мебель 가구를 모조리 가져가다 ② 훔쳐가다
растачивать см. расточить
растащить (완) ① 모조리 가져(끌어)가다 ② 모조리 훔쳐가다 ③ 갈라놓다
растаять (완) (눈, 얼음이) 녹다
раствор (남) ① (화학) 푼액, 용액(溶液); ~ насыщенный ~ 포화용액 ② 혼합물(混合物)
растворимость (여) 가용성
растворимый (형) 가용성, 녹는, 용해되는; ~ кофе 가용성커피
растворитель (남) (화학) 용매, 용제
растворить I (완) ① 녹이다, 용해하다 ② 혼합하여 이기다(개다)
растворить II (창문 등을) 활짝 열어제끼다, 벌리다
раствориться I (완) ① 녹다, 용해되다 ② 혼합되다 ③ 사라지다, 자취를 감추다
раствориться II (문 등이) 활짝 열리다, 개방되다
растворять[ся] см. растворить[ся]
растекаться см. растечься
растение (중) 식물(植物)
растениеводство (중) ① 식물재배(업) ② 농예학, 식물재배학
растереть[ся] см. растирать[ся]
растерзать (완) 갈래갈래 찢어버리다; 찢어죽이다
растерянно (부) 병병해서, 당황해서; 멍청하니
растерянность (여) 당황(唐慌), 어쩔 줄 모르는 것
растерянный ① растерять의 피동과거 ② (형) 당황해하는; ~ взгляд 당황해하는 눈길(눈치)

растерять (완) (점차적으로) 잃다, 잃어버리다
растеряться (완) 당황해하다, 어쩔 줄 모르다; ~ от радости 기뻐서 어쩔 줄 모르다(어쩔 바를 모르다) ② (점차적으로) 잃어지다, 없어지다, 분실되다
растечься (완) ① 사방으로 흘러나다 ② (잉크가) 피다; чернила растеклись 잉크가 피었다 ③ 퍼지다, 나타나다
расти (미완) ① 자라다, 크다, 성장하다 ② 증가(증대)되다, 커지다 ③ 강화(제고)되다, 높아지다 ④ 발전하다; 완성되어가다
растирание (중) 문지르기, 마찰(摩擦)
растирать (미완) ① 비비다, 문지르다, 마찰하다 ② 갈아서(비벼서) 가루로 만들다; ~ в порошок 비벼서 가루로 만들다
растираться ① (자기 몸을) 마찰하다; ~ по-лотенцем 수건으로 마찰하다 ② 비벼서 가루가 되다
растительность (여) ① 식물(植物), 초목(草木); 식물계; тропи-ческая ~ 열대식물 ② 식물성(植物性), 식물질
растительный (형) ① 식물(植物); ~ый мир 식물계 ② 식물성(植物性); ~ое масло 식물성기름
растить (미완) ① 기르다, 양육(재배)하다; ~ детей 아이들을 양육하다 ② 육성하다; ~ кадры 간부들을 육성하다 ③ 발전(완성)시키다; ~ талант 재능을 발전시키다
растленный (형) 썩어빠진, 부패한, 타락한; ~ая бур-жуазная идеология 썩어빠진 부르죠아 사상
растолкать (완) ① 밀어 헤치다;~ толпу 군중을 밀어헤치다 ② 흔들어 깨우다
растолковать (완), **~овывать** (미완)

(상세히)해설(설명, 해석)하다, 잘 일깨워주다

растолочь (완) 찧다, 부스러뜨리다

растолстеть (완) 몹시 살지다(뚱뚱해지다, 몸이 나다)

растопить I (완) 불을 지피다(피우다, 때다)

растопить II (완) 녹이다, 용해하다

растопиться I (완) 불이 지펴지다(피워지다)

растопиться II (완) 녹다, 용해되다

растоптать (완) 짓밟다, 꾸겨놓다

расторгать (미완), **расторгнуть** (완) ① (조약 등을) 폐기(파기)하다 ② : ~ брак 파혼하다

расторжение (중) 폐기(廢棄), 파기(破棄); ~ брака 파혼

расторопный (형) 재빠른, 민첩한, 민활한

расточать (미완) ① 낭비(탕진)하다; ~ время 시간을 낭비하다 ② (찬사 등을) 아끼지 않다

расточитель (남) 낭비자(浪費者), 탕진하는 사람

расточительность (여) 낭비, 탕진(蕩盡)

расточительный (형) 낭비(탕진)하는, 헤프게 쓰는

расточный (형) : ~ станок 보링반

растравить (완), **~авливать, ~авлять** (미완) ① (상처 등을) 자극하다 ② 아픈데를 찌르다; ~ старое горе 지난날의 슬픔을 회상시켜 괴롭게 하다 ③ 약이 오르게 하다

растранжирить(완) 낭비하다, 모두 쓰다

растрата (여) ① 낭비, 헛되게 쓰다 ② 국가재산의 탐오, 부정지출 ③ 탐욕 돈(재물); возместить ~y 탐닉 낭비한 금액을 변상하다

растратить ① 낭비하다, 몽땅 쓰다; ~ чужие день-ги 남의 돈을 모두 쓰다 ② 탐욕하다, 부정 지출하다

растратчик (남) ① (공급 (공동재산)) 탐욕자(貪慾者) ② 낭비자(浪費者)

растрачиваться см. растратить

растревожить (완) ① 몹시 불안하게 하다 ② (상처를) 자극하여 아프게(도지게) 하다

растревожиться (완) 몹시 불안해하다(걱정하다)

растрёпанный (형) 헝클어진, 너덜너덜한

растрепать (완) ① (머리칼 등을) 헝클어뜨리다 ② (책, 학습장 등을) 너덜너덜하게 만들다, 못쓰게 만들다

растрепаться (완) ① 헝클어지다, 무질서해지다 ② 너덜너덜해지다, 못쓰게 되다

растрескаться(완), **~иваться** (미완) (여러군데) 터지다(금이 가다, 트다)

растроганный (형) 감동된

растрогать (안) 김동시키다, 감격케 하다

растрогаться (완) 감동(감격)되다

растягивать[ся] см. растянуть[ся]

растяжение (중) ① 잡아 늘이는 것 ② (공학) 당김, 장력 ③ 늘어나는 것

растянутый (형) 장황한, 지나치게 늘어진, 연장된

растянуть (완) ① 잡아당기다, 잡아 펴다; ~ сырую кожу 생가죽을 늘이다 ② 탄성을 약하게 하다, 켕기게 하다 ③ 길게 산개(전개)시키다

растянуться (완) ① 몸을 펴고 눕다. ② 벌떡 나가 넘어지다; ③ 늘어나다, 길어지다 ④ 확대되다, 늘어지다

расфасовать, ~овывать 나누어넣다, 포장하다

расформирование (중) 해산(解散), 해체(解體), 폐지(廢止)

расформировать, ~овывать 해산(해체,

폐지)하다
расхаживать(미완) 천천히 왔다갔다 하다.
расхваливать (미완), **~алить** (완) 극구 찬양하다, 매우 칭찬하다
расхватать (완), **~атывать** (미완) 재빨리 붙잡다, 몽땅 쥐다(가지다, 사다)
расхвораться 앓다, 앓기 시작하다, 병이 심해지다
расхититель (남) 횡취자, 절취자
расхитить, расхищать 다 훔쳐내다, 횡령(절취)하다
расхищение(중)훔쳐내는 것, 횡령, 절취
расхлебать (완), **~ёбывать** (미완) (뒤엉킨 사건 등을) 해결(해명)하다, 풀다, 처리하다
расхлябанность (여) 절도 없는 것, 무규률성
расхлябанный (형) 절도(주책)없는
расход (남) ① 지출(支出), 경비(經費), 비용(費用); доходы и ~ы 수입과 지출; ~ы на жизнь 생활비; путевые ~ы 여비; военные ~ы 군사비; нести ~ы 비용을 내다 ② 소비(消費), 소비량(消費量), 사용량(使用量); ~ топлива 연료소비량 ③ (부기장부의) 지출란; приход и ~ 수입란과 지출란; ввес-ти в ~ 손해를 끼치다, 돈을 쓰게 하다
расходиться I (미완) ① 헤어지다, 흩어지다; 퍼지다; публика разошлась 군중은 헤어졌다; слухи разош-лись 소문이 퍼졌다 ② 팔리다, 없어지다 ③ 녹다, 용해되다 ④ (길이) 어긋나다 ⑤ 이혼(이별)하다 ⑥ 떨어지다, 갈라지다 ⑦ (의견이) 다르다, 상이하다, 일치하지 않다; ~ во взглядах 견해를 달리하다
расходиться II (완) ① 걷는데 버릇(습관)되다 ② 왔다갔다하기 시작하다

расходование (중) ① 지출(支出), 지불(支拂) ② 소비(消費)
расходовать (미완) ① 지출(支出)하다, 쓰다 ② 소비(消費)하다
расхождение (중) ① 갈라지는 것, 분기 ② (광선 등의) 분산(噴散), 방사(放射) ③ 퍼지는 것 ④ 어기는 것, 어긋나는 것 ⑤ 불일치(不一致), (의견 등의) 상이, 모순; ~ во взглядах 견해의 상이
расхолаживать(미완), **~одить** (완) 열(성)을 식히다, 냉정해지게 하다, 실망케 하다
расхотеть (완) 싫어지다, 싫증나다
расхотеться (완) 싫어지다, 싫증나다
расхохотаться (완) 웃음보를 터뜨리다, 껄걸 웃어대기 시작하다
расхрабриться (완) 용기를 내다, 결심하다
расцарапать (완) 할퀴다, 째다
расцвести (완) ① 꽃이 피다 ② 번영(융성, 개화)하다 ③ 피다, 명랑해지다
расцвет (남) ① 개화(開化), 만발(滿發) ② 융성(기), 번영(기), 개화(기)
расцветать см. расцвести
расцветка (여) 색(色), 색의 배합
расценивать(미완), **расценить** (완) ① 값을 정하다 ② 평가(평정)하다
расценка (여) ① 값을 정하는 것, 가격사정; ② 공정가격, 평가가격; 규정된 품값(임금)
расцепить (완) (연결된 것을) 때어(풀어, 벗겨) 놓다, 분리시키다; ~ вагоны 차량을 떼어놓다
расцепиться (완) (연결된 것이) 분리되다, 떨어지다, 풀어지다
расцеплять[ся] см. расцепить[ся]
расчесать (완) ① (빗으로) 빗다 ② 긁다, 긁어서 상처를 내다
расчёска (여) (머리) 빗

расчёсывать *см.* расчесать
расчёт (남) ① 계산(計算), 셈 ② 지불(支拂), 청산(淸算), 결산(決算); 해고(퇴직)할 때 임금청산 ③ 타산(打算), 예정(豫定), 생각 ④ 이득(利得), 이익(利益); ⑤ 절약(節約); ⑥ (군사) (포병분대) 성원 (기관총) 사수(射手); принять в ~ 고려(타산, 예상)하다
расчётливость(여) 타산(성), 주도 세밀성
расчётливый (형) ① 아껴 쓰는, 절약하는 ② 신중한, 세심한, 타산적인
расчётный(형) ① 계산(용) ② 노임 지불
расчистить (완) 깨끗이 하다, 소제(청소)하다
расчистка (여) 소제(掃除), 청소, 제거
расчищать *см.* расчистить
расчленение (중) 분열, 해체, 분해
расчленить (완), **~ять** (미완) 분리(해체, 분해)하다; ~ на составные части 구성부분으로 나누다
расшатать (완) ① 흔들어놓다 ② 동요하게 하다, 손상(파괴)하다; ~ здоровье 건강을 파괴하다
расшататься (완) ① 흔들리다 ② 문란해지다, 뒤흔들리다, 파괴되다; здоровье ~ лось 건강이 나빠졌다
расшатывать[ся]*см.* расшатать[ся]
расшевелить (완) ① 흔들어놓다 ② 자극하여 활동하게 만들다
расшибать[ся] *см.* расшибить[ся]
расшибить (완) 타박상을 입히다; ~ногу об камень 돌에 부딪쳐서 발을 다치다
расшибиться (완) 타박상을 입다, 상하다, 다치다
расшивать *см.* расшить
расширение (중) ① 확대(擴大), 확장(擴張), 증대(增大) ② 팽창(膨脹)

расширенный (형) 확대; ~ое воспроизводство 확대재생산
расширить[ся] *см.* расширять[ся]
расширять (미완) 넓히다, 확장(확대, 증대, 팽창)하다; ~ кругозор 시야를 넓히다
расширяться 넓어지다, 확장(확대, 증대, 팽창)되다
расшить ① (꿰맨 것을) 뜯다;~ книгу 책을 뜯다 ② 수놓아 장식하다; ~шёл- ком 비단실로 수놓다
расшифровать(완), **~овывать**(미완) ① (암호를) 풀다, 해독하다; ~ текст 본문을 풀어 읽다 ② (알아보기 힘든 것을) 알아 맞치다, 해명하다
расшифровываться (미완) 풀리다, 해독되다
расшнуровать (완) 끈을 풀다(늦추다); ~ ботинки 구두의 끈을 풀다(늦추다)
расшнуроваться (완) 끈이 풀리다; ботинки ~лись 구두끈이 풀렸다
расщедриться (완) 후하게 대하다, 후해지다, 손이 크게 행동하다
расщелина (여) ① 좁은 골짜기(협곡) ② 넓은 틈(금, 구럴)
расщепить ① 짜개다; ~ доску 널판자를 쪼개다 ② 잘게 쪼각(토막)을 내다 ③ 분해하다, 분열시키다
расщепиться (완) ① 짜개지다, 갈라지다; доска ~лась 널빤지는 쪼개졌다 ② 잘게 조각(토막)이 나다 ③ 분해(분열)되다
расщепление (중) 분열; ~ атомного ядра 원자핵분열
расщеплять[ся] *см.* расщепить[ся]
ратификационный(형):~ая грамота 비준서(批准書)
ратификация (여) 비준(比準)
ратифицировать (미완, 완) 비준하다
ратный (형) 군사(軍事), 전투(戰鬪); ~

подвиг 전투위훈
ратовать (미완) 주장하다, 싸우다
раунд (남) (체육) (권투에서의) 한 회전(回轉); первый(вто-рой) ~ 1(2) 회전
рафинад (남) 모사탕, 덩어리사탕
рафинирование (중) 정제, 정련
рафинированный (형) 정제한; ~ое масло 정제한 기름
рафинировать (미완, 완) 정제(정련, 제련)하다; ~ медь 동을 제련하다
рахит (남) (의학) 구루병
рацион (남) ① (이정한 기간부의) 음식(식량); 먹임량 ② (말, 소 등의) 하루분 먹이정량
рационализатор (남) 창의고안작성자
рационализаторский (형) ~ое предложение 창의고안, 합리화안; ~ое движение 생산합리화운동
рационализация (여) 합리화(운동)
рационализировать(미완, 완) 합리화하다
рационально (부) 합리적으로
рациональный(형) ① 합리적인 ② (수학)유리; ~ое целое число 유리완수
рация (여) 라디오송수신기, (이동식)라디오 방송국
рвануться (완) 갑자기 다리다, 내빼다
рваный (형) 헤어진, (갈기갈기) 찢어진, 형체없이 뚫어진; ~ая одежда 누더기옷
рвать I ① 뜯다, 따다; ~ цветы 꽃을 꺾다 ② 찢다, 째다 ③ 잡아채다, 가로채다 ④ 끊다 ⑤ 폭파하다
рвать II (미완) (무인칭) 게우다, 토하다; его рвало 그는 토했다
рваться (미완) ① 찢어지다, 째지다 ② 못쓰게 되다, 꿰지다, 끊어지다; обувь рвё- тся 신발이 꿰진다 ③ 지향하다, 열망하다; ...에로 돌진하다
рвач (남) 욕심쟁이, 탐욕주의자
рвачество (중) 탐욕, 탐욕주의적행동
рвение(중) 열심(熱心), 열중, 열성(熱性)
рвота (여) ① 게우기 구토, 토하기 ② 게운 것, 토한 것
рвотное (중) (의학) 구토제
реабилитация (여) ① 명예회복 권리회복(복권)
реабилитировать (미완, 완) ① 명예를 회복시키다; ② 권리를 회복시키다, 복권시키다
реагировать (미완) ① 반응(반작용)하다 ② 대하다, 태도를 취하다, 응대하다
реактив (남) (화학) 시약(試藥)
реактивный (형) 분사식(噴射式); ~ самолёт 제트기, 분사식비행기; ~ двигатель 분사식발동기
реактор (남) ① (물리) 원자로, 원자가마, 원자반응기; атомный ~ 원자로; ~ на быстрых нейтронах 빠른중성자 원자로; ~ на тяжёлой воде 중수로 ② (공학) 반응기
реакционер (남) 반동분자, 반동파
реакционный (형) 반동적인
реакция I (여) 반동(파)
реакция II (여) ① 반응(反應), 반작용(反作用) ② 방향(方向), 반영(反影)
реализация(여) ① 실현(實現), 실행(實行), 현실화(現實化)② 팔아넘기기, 판매
реализм (남) ① 현실적 태도; 현실주의; 타산 ② (문예) 사실주의(寫實主義); социа-листический ~ 사회주의적 사실주의(寫實主義)
реализовать ① 실현(실행, 실시)하다 ② (경제) 팔아넘기다, 실현하다; ~ товар 상품을 실현하다
реалист (남) ① 현실주의자(現實主義者); ② (문예) 사실주의자(寫實主義者)
реалистический (형) ① 현실주의적인,

현실적인 ② 사실주의적인
реалистичность (여) ① 현실성(現實性) ② 사실성(事實性)
реальность (여) ① 현실(現實), 실재(實在) ② 현실성, 실재성; ~ политики 정책의 현실성
реальный (형) 실지(實智), 현실적인(現實的); ~ый социализм 현실적인 사회주의; ~ая действительность 현실; ~ая заработная плата 실질임금
реанимация (여) 소생(蘇生), 회생(回生); отделение ~и 소생과
ребёнок (남) 아이, 어린이; грудной ~ 젖먹이(아이)
ребро (중) ① 갈비(뼈) (늑골) ② 모서리, 가장자리; поставить вопрос ~м 대담하게 문제를 세우다
ребус (남) (수수께끼의 일종) 글자풀이, 그림 맞추기
ребята (복수) ① 아이들, 어린이들 ② 젊은이들, 동무들, 동료들
ребяческий (형) ① 아이다운, 어린이다운 ② 어린애 같은, 유치한, 철없는; ~ пос- тупок 유치한 행동
ребячество (중) 유치한(철없는 어린애 같은) 행동
рёв (남) ① 울부짖는 소리 ② 울음, 통곡하는 소리
реванш (남) (전쟁, 경기에서) 복수(전)
реваншизм (남) 복수주의, 복수주의자의 정책(정신)
реваншист (남) 복수주의자
реваншистский (형) 복수주의적
ревень (남) (식물) 장군풀
реветь (미완) ① 울부짖다, 노호하다 ② 엉엉 울다.
ревизионизм (남) 수정주의(修正主義)
ревизионист (남) 수정주의자
ревизионистский (형) 수정주의적
ревизионный (형) : ~ая комиссия 검사(검열)위원회
ревизия (여) ① 검사, 검열, 조사 ② 재검토, 수정; ~ решений 결정의 재검토
ревизовать (미완, 완) ① 검사(검열조사)하다 ② 재검토(수정)하다
ревизор (남) 검사원, 검열관, 검찰관
ревматизм (남) 관절염, 류마치스
ревматик (남) 관절염환자, 류마치스환자
ревматический (형) 관절염, 류마치스
ревмокардит (남) 류마치스성 심장염
ревнивец (남) 새암바리, 질투쟁이
ревниво (부) 샘하여, 계염스럽게, 질투하여
ревнивый (형) ① 계염스러운, 질투심이 센, 시새움 많은 ② 열성스러운, 열중한
ревновать (미완) 질투(시기)하다
ревностно (부) 열심히, 열중하여
ревностный (형) 열성적인, 열중하는
ревность (여) ① 질투(嫉妬), 시기(猜忌), 시새움 ② 열심, 열성(熱誠), 열중
револьвер (남) (구식연발) 권총
революционер (남), **~ка** (여) 혁명가
революционизирование (중) 혁명화
революционизировать (미완, 완) 혁명화하다
революционизироваться (미완, 완) 혁명화되다
революционность (여) 혁명성(革命性)
революционный (형) 혁명적인, 혁명(革命); ~ое движе- ние 혁명운동; ~ые традиции 혁명전통
революция (여) 혁명(革命)
ревю (불편) (중) (연극) 래뷰
регби (불변) (중) (체육) 투구(投球), 럭비
регенерация (여) ① (공학) 재생, 축열 ② (생물) 재생

регион (남) (일정한) 지역
региональный (형) 지역적인; 몇 개 인접국가에 관계되는
регистратор(남) 등록원, 기록원, 서기
регистратура (여) 등록소, 등기소(登記所), 기록소
регистрация (여) 등록(登錄), 등기(登記), 기입(記入); ~ брака 결혼등록
регистрировать (미완) 등록(등기, 기입)하다; ~ брак 결혼등록을 하다
регистрироваться (미완) ① 등록(등기, 기입)되다 ② 결혼등록을 하다
регламент (남) ① 회순, 회의진행절차; установить ~ 회순을 정하다 ② 규정(規定), 규칙(規則), 법규(法規)
регламентировать (미완, 완) 규정(규칙, 법규)을 제정하다
регламентироваться (미완, 완) 규정되다
регламентный (형) 규정에 의한, 규칙적인
реглан (남) 레글랑식 외투 (어깨와 소매가 통으로 된 것)
регресс (남) 퇴보(退步), 퇴화, 후진
регрессивный (형) 퇴화(退化)하는, 퇴보(退步)하는, 역행(逆行)하는
регрессировать (미완) 퇴보(퇴화, 역행)하다
регулирование (중) ① 정리(整理): ~ уличного движе-ния 교통정리 ② см. регулировка
регулировать (미완) ① 정리하다 ② 조절(調節)하다, 조정하다; ~ взаимные отношения 호상관계를 조정하다; ~мотор 발동기를 조절하다
регулировка (여) ① 조절(調節), 조정(調停) ② 정리(整理)
регулировщик (남), **~ца** (여) ① 교통안전원, 교통정리원 ② 조절자; 조절기

регулярно (부) 규칙(정상, 정기)적으로
регулярный (형) ① 규칙(정상, 정기)적인; ~ое ле-чение 정상적인 치료; ~ые трассы 정기항로 ② 정규, 상비; ~ые войска 정규군, 상비군
регулятор (남) 조절기
редактирование(중) ① 편집 ② 교열
редактировать (미완) ① 교열하다 ② 편집하다
редактор (남) ① 교열원 ② 편집원(編輯員); главный ~ 주필; ответствен- ный ~ 책임주필
редакционный (형) 편집(編輯); ~ая коллегия 편집국, 편집위원회; ~ая статья 편집국, 논설
редакция (여) ① 교열, 편집(編輯) ② 편집부(編輯部), 편집국; глав-ная ~ 총편집국 ③ 편집부청사 ④ (고친) 본문(本文); но-вая ~ 새본문; 신개정관
редеть (미완) 희박해지다, 적어지다
редис(남), **~ка**(여) 쥐무우, 붉은봄무우
редкий (형) ① 드문, 희박한 ② 보기 드문, 희귀한; ~ое явление 보기 드문 현상; ~ая книга 희귀한 책
редко (부) 성기게; (보기) 드물게; это ~ бывает (встречается) 이것은 보기드문 일이다
редкоземельный (형) : ~ элемент 희토류원소(稀土類元素)
редколлегия (여) 편집위원회, 편집국
редкостный (형) (보기) 드문, 희귀한
редкость (여) ① (보기) 드문 현상, 진기한 것 ② 희귀한 물품; музейная ~ 골동품, 진품; на ~ 매우, 대단히, 극히; не ~ 혼한 것이다, 보통이다
редуктор (남) ① (공학) 감속기, 감압기 ② (화학) 환원장치; 환원제
редукция (여) ① 단순화, 간소화, 감소, 약화 ② (생물) 퇴화 ③ (공학) 감속, 감압 ④ (언어) 약화(현상)
редька(여) 무 надоел хуже горькой ~и

신물이 난다, 진절머리가 난다

реестр (남) ① 목록; ~ имущества 재산목록 ② 등록부, 장부(帳簿)

режим (남) ① (국가)통치제도; царский ~ 차리제도; демократический ~ 민주주의제도 ② 질서(秩序), 규정(規定), 규칙, 법; ~ дня 일과; школьный ~ 교내규칙, 학교내 규정; ~ питания 식사법; ~ хранения овощей 남새보관법 ③ (활동, 작업, 존재) 조건(條件), 상태(狀態); рабочий ~ машины 기계의 작업조건, 작업상태; ~ экономики 절약제도, 긴축정책

режиссёр (남) (무대, 영화) 연출가(演出家), 감독(監督)

режессура (여) 연출(演出)

режущий(형) ~ инструмент 절삭공구

резаный (형) : ~ удар (체육) 깎아치기; ~ мяч 깎아친 뽈

резать (미완) ① 베다 ② 수술하다 ③ 들다; ножницы не режут 가위가 들지 않는다 ④ 죽이다; 잡다, 도살하다 ⑤ 파다, 새기다 ⑥ 몹시 아프다; режет в живо-те 배가 쓰리고 아프다

резаться (미완) 이가 나오다; у ребёнка режутся зубы 어린애의 이가 나온다

резвиться (미완) 뛰놀다, 장난하다

резво (부) 기세 좋게 내달리다: лошадь ~ бежит

резвый (형) ① 쾌활한, 장난 궂은; ~ ребёнок 장난꾸러기 ② 빠른, 주력이 강한; ~ конь 주력이 강한 말

резеда (여) (식물) 목서초

резерв (남) ① 예비(豫備), 예비력(豫備力), 예비품(豫備品); производствен-ные ~ы 생산예비; мобилизовать(изыскивать) внутренние ~ы 내부에 비를 동원(탐구)하다 ② (군사) 예비대, 예비군(豫備軍), 예비병; трудовые ~ы 노력후비

резервный (형) 예비(豫備), 후비(後備); ~ые части 예비부대

резервуар (남) 저장기(貯藏器), 탱크; ~ нефти 석유탱크

резец (남) ① 쇠칼, 바이트 ② 조각칼 ③ 앞이

резидент (남) ① 망책, 간첩두목 ② 거류민 ③ 통감

резиденция (여) 숙소, 관저, 저택

резина (여) 고무; тянуть ~у 일을 질질 끌다.

резинка (여) 고무지우개, 고무줄

резиновый (형) 고무; ~ые изделия 고무제품

резкий (형) ① 날카로운, 세찬; ~ий ветер 세찬 바람 ② 급격한, 비약적인; ~ое падение температу-ры 온도의 급격한 저하 ③ 지독한, 너무 센, 강렬한; ~ий запах 지독한 냄새 ④ 신랄한, 맵짠, 날카로운, 난폭(亂暴)한; ~ая критика 신랄한 비판

резко (부) ① 급격히, 비약적으로 ② 심히 현저히; ~ отличаться 현저히 차이 나다. ③ 신랄하게, 날카롭게

резной (형) : ~ые украшения 새겨서 만든 장식

резня (여) 살육, 학살; кровавая ~ 피비린내 나는 학살

резолюция (여) ① 결정, 결의; принять ~ю 결정을 채택하다 ② 결재

резонанс (남) ① (물리) 껴떨기, 공진; 껴울림, 공면, 반향; ~ токов 전류공진 ② 반향, 반영

резонатор (남) 공명기, 공진기

резонёр (남) 설교쟁이, 장황하게 훈시하기를 즐기는 사람

резонёрствовать (미완) 지루한 훈시를 늘어놓다, 지루하게 논의하다

резонный (형) 사리에 맞는, 까닭있는

результат (남) ① 결과(結果), 결말(結末); ② 성과, 성적; добиться

высоких ~ов 우수한 성적을 쟁취하다
результативный (형) 결과(성과)를 가져오는, 결판 짓는
резь(여) 쿡쿡 쏘는 아픔;~ в животе 복통
резьба (여) ① 새김, 조각(彫刻); 조각물; ~ по дереву 나뭇새김, 목각
резюме (불편) (중) 요지, 요약; 결론; делать ~ 요약하다; 결론을 짓다
резюмировать (미완, 완) 요약하다, 요지를 말하다; 결론을 짓다
рейд I(남) ① (군사) 습격(襲擊), 기습; воздушный ~ 공습 ② 불의의 검열
рейд II (남) (해양) 배터; 선창가, 정박장; стоять на ~е 정박하다
рейка (여) ① 올림대, 좁은 널빤지 ② 표척; 수준척 ③ (공학) 라크
Рейкьявик (남) z. 레이캬비크
рейс (남) ① 항로(航路); 주행(走行); 항행(航行); делать ~ы 항행(운행)하다 ② 비행기길, 항로(航路), 항공로
рейсовый (형) 정기; ~ автобус 정기버스, 시내버스
рейсфедер (남) 제도펜
рейсшина (여) (제도용) T 형자
рейтузы (복수) ① (여자와 어린애의) 뜨개말바지 ② 흘래바지, 승마바지
река (여) 강; ~ Волга 볼가강
реквием (남) (음악) 추도곡, 추도가
реквизировать (미완, 완) 징발(몰수, 징집)하다
реквизит (남) 무대도구, 소도구
реклама (여) ① 광고, 선전 ② 공연프로; театраль-ная ~ 극장광고
рекламировать (미완, 완) ① 광고(선전)하다 ② 지나치게 칭찬하다
рекламный (형) 광고(廣告), 선전
рекогносцировка (여) ① (군사) 정찰 ② 예비탐사
рекомендательный(형): ~ое письмо 추천서(推薦書), 소개장(紹介狀), 소개서
рекомендация (여) ① 소개(紹介), 추천(追薦) ② 추천서(推薦書), 소개장(紹介狀), 평정서(評定書); дать ~ю 평정하다, 평정서를 쓰다; дать ~ в партию 입당보증을 서다 ② 권고(勸告), 제의(提議); ~я врача 의사의 권고
рекомендовать (미완, 완) ① 평정하다, 추천하다; ~ для вступления в пар- тию 입당보증을 서다 ② 권고(제의)하다; врачи ~уют отдохнуть 의사들은 쉴 것을 권고한다 ③ 소개하다
рекомендоваться(미완, 완) 통성하다
реконструировать (미완, 완) ① 개건(개조)하다 ② (원상으로) 회복(복구)하다
реконструкция (여) ① 개량(改良) 개조(改造) ② 원상복구
рекорд (남) 기록(記錄); установить ~ 기록을 세우다; установить новый мировой ~ 새로운 세계기록을 세우다; побить ~ 기록을 깨뜨리다
рекордный (형) 기록적인, 최고(最高) ~ результат 기록적인 성적
рекордсмен(남), **~ка** (여) (체육) 기록보유자; мировой ~ 세계기록보유자
ректор (남) (종합대학) 총장(總長); (대학) 학장(學長)
ректорат (남) (대학, 종합대학) 교무(校務)행정부(行政府)
реле (불편) (중) (전기) 계전기(繼電器)
релейный (형) (전기) 계전기(繼電器)
религиозный (형) ① 종교(宗敎), 종교적인; ~ые пред рассудки 종교적인 편견 ② 신을 깊이 믿는
религия (여) 종교(宗敎); христианская ~ 기독교; му-сульманская ~ 회교

реликвия(여) 귀중한 유물; семейные ~и 가정유물, 가보(家寶)
реликт (남) (고대의 유물로서 남아있는) 유기체(有機體), 잔존물
реликтовый (형) 보다 오랜 시대의 유물로서 남아있는
рельеф(남) ① (지절) 기복(起伏), 높낮이; ~ морского дна 바다밑 기복 ② 부각
рельефно (부) 두드러지게, 명료하게
рельефный (형) ① 부각된, 두드러진 ② 명료한, 인상 깊은
рельс (남) 레루
рельсы (복수) 레루, 선로, 궤도(軌道)
ремень(남) ① 가죽띠; подпоясаться ~нём 가죽띠를 허리에 띠다 ② 가죽멜띠 ③ (공학) 피대, 벨트
ремесленник (남) ① 수공업자(手工業者) ② 틀에 박힌 사람
ремесленный(형) ① 수공업(手工業), 수공업적인 ②틀에 박힌, 창의성이 없는
ремесло (중) 수공업, 직업; сапожное ~ 제화업
ремилитаризация (여) 재무장
ремонт(남) 수리; капитальный ~ 대보수, 대수리; текущий ~ 소수리; ~ обуви 신발수리; ~ одежды 옷수리
ремонтировать (미완) 수리하다
ремонтник (남) 수리공
ремонтный (형) 수리하는; ~ые мастерские 수리공장, 수리소
ренегат(남) 변절자, 반역자, 배신자
рента (여) (경제) 지대, 임대료, 임차료; земельная ~ 지대
рентабельность (여) 수익성
рентабельный (형) 수익성이 있는, 이익이 나는; 채산이 맞는
рентген (남) ① 렌트겐 광선, 엑스광선 ② 렌트겐 투시; сделать ~ 렌트겐 투시를 하다 ③ 렌트겐 (방사선량의 측정단위)
рентгеновский (형) 렌트겐; ~ кабинет 렌트겐실; ~ снимок 렌트겐사진
рентгенограмма (여) 렌트겐사진
рентгенографический (형) : ~ анализ 렌트겐 촬영에 의한 분석
рентгенография (여) 렌트겐 촬영
рентгенолог(남) 렌트겐 의사(전문가)
рентгеноскопия (여) 렌트겐투시
рентгенотерапия (여) 렌트겐료법
реорганизация (여) 개편(改編), 재조직(再組織), 재편성(再編成)
реорганизовать 개편(改編)하다, 재조직하다, 재편성하다
реостат (남) (전기) 가감저항기
репа (여) (식물) 순무우; проще пареной ~ы 식은죽 먹기; дешевле пареной ~ы 헐값, 대단히 싸다
репарация (여) 배상(금), 변상(辨償)
репатриант(남), ~ка (여) 귀국동포
репатриация (여) (포로, 이주민, 망명자등의) 본국소환, 귀국
репатриировать (미완, 완) (포로, 이주민 등을) 송환하다, 귀국시키다
репатриироваться(미완,완)(포로, 이주민 등이) 본국에 송환되다, 귀국하다
репейник (남) (식물) 우엉, 가시털
репертуар (남) ① 상연(연주) 목록 ② (한 사람의) 배역목록
репетировать (미완) ① 시연(연습)하다 ② 학습을 도와주다; ~ ученика 학생의 공부를 지도하다
репетитор (남) (학습을 도와주는) 가정교사(家庭敎師)
репетиционный(형) : ~ зал 연습실
репетиция (여) 시연(試演), 연습(練習); генеральная ~ 시연회, 총연습
реплика (여) 답변(答辯), 대꾸,

지적의 말; подавать ~у 대꾸하다
репортаж (남) ① 현지보도, 보도기사 ② 실황방송; вести ~ 실황방송하다
репортёр (남) (현지) 보도기자
репрессивный (형) 탄압(彈壓), 억압(抑壓); ~ые меры 탄압조치, 억압수단
репрессировать 탄압하다, 억압하다; 징벌하다
репрессия (여) 탄압(彈壓), 징벌(懲罰); подвергать ~ям 탄압(징벌)하다; под-вергаться ~ям 탄압(징벌)을 당하다
репродуктор (남) 확성기(擴聲器), 고성기(高聲器)
репродукция (여) ① 복사(複寫), 복제(複製), 모사(模寫) ② 복사물, 복세물, 모사물
рептилии (복수) (생물) 파충류
репутация (여) 평, 평판(評判), 명성(名聲); пользоваться хо-рошей ~ей 좋은 평을 받다, 평이 좋다; порочить ~ю 명예를 훼손하다; плохая ~я 악평
репчатый (형) : ~ лук 둥글파, 옥파
ресница (여) 속눈섭
ресбублика (여) ① 공화국; союзная ~ 가맹공화국; автономная ~ 자치공화국 ② 공화제, 공화정체(共和政體)
республиканец (남) 공화당원, 공화주의자(共和主義者)
республиканский (형) ① 공화국(共和國); (소련에서) (가맹) 공화국 ② 공화제;~ая партия 공화당
рессора (여) 판용수철, 스프링
реставратор(남) (예술작품의) 수복가
реставрация (여) ① (예술) 수복, 수리; ~ картины 그림의 수복 ② (전복된 제도의) 복고(부흥)
репставрировать (미완, 완) ① 수복(수리)하다 ② (전복된 제도를) 복고(부흥)시키다

ресторан (남) 식당(食堂); 요리점(料理店), 요리집; вагон- ~ 식당차, 열차식당
ресурсы (복수) 자원(資源); 부원(富源); природные ~ 자연부원; людские ~ 인적자원
ретивый (형) 씩씩한, 원기있는
ретироваться 퇴각하다, 후퇴하다; 사라지다, 가버리다
реторта (여) (화학) 레또르트
ретранслировать(미완, 완) 중계하다
ретранслироваться (미완, 완) 중계되다
ретрансляционный (형) : ~ая радиостанция 중계방송국
ретрансляция (여) (중계점에서 증폭하는) 중계
ретроград (남) 보수주의자, 복고주의자, 반동분자
ретроспективный (형) 회고적인, 지난날(과거)의 것을 서술하는; бросать ~ взгляд 지난날을 돌이켜보다
ретушировать (미완, 완) 수정하다, 완성하다
ретушь (여) (사진) (원판, 인화의) 수정, 완성
реферат (남) (작품, 논문 등 내용의) 개괄적 서술(보고)
реферативный (형) (서적, 논문 등 내용을) 개괄하는, 함축하는 요약하는; ~ жу-рнал 학술통보
референдум (남) 인민(국민) 투표, 일반투표
референт (남) 참사, 심사원(審査員)
рефери (불편) (남) (체육) 심판원
реферирование (중) 개괄적으로 서술하는 것
реферировать 개괄적으로 서술(보고)하다
рефлекс (남) (생리) 반사(反射),

반사작용(反射作用); условный ~(безуслов- ный) ~ 조건(부조건) 반사

рефлектор (남) (천문, 물리) ① 반사기, 반사경(反射鏡) ② 반사망원경

реформа (여) ① 개혁; земельная ~ 토지개혁 ② 개정; ~ правописания 맞춤법개정

реформатор (남) 개혁자(改革者), 개조자

реформизм (남) 개량주의(改良主義)

реформировать (미완, 완) 개혁(개조, 개정)하다

реформист(남)개량주의자(改良主義者)

реформистский (형) 개량주의적(改良主義的)인, 개량주의자(改良主義者)

рефрактор (남) 굴절망원경

рефракция (여) 굴절(屈折)

рефрижератор (남) ① 냉동기(冷凍機), 냉동장치, 냉각기(冷却機): ② 냉동차, 냉동선, 냉동회차

рефрижераторный (형) 냉동(冷凍); ~ое судно 냉동선, 내동운반선

рецензент (남) (과학, 음악, 문학작품에 대한) 비평가(批評家), 논평가

рецензировать (미완) 비평하다, 논평(평론)하다

рецензия (여) 평, 비평, 논평, 서평

рецепт (남) ① 약처방, 처방전; выписать ~ 처방전을 쓰다 ② 처방, 만드는 법, 방법서; 해설서

рецидив (남) ① (의학) 재발(再發) ② 반복(反覆), 재현(再現), 재생(再生)

рецидивист (남), **~ка** (여) 전과자(前科者), 재범자(再犯者)

речевой (형) 말, 언어(言語), 발음(發音); ~ аппарат 발음장치

речитатив (남) (음악) 레시타티브

речка (여) 내, 시내, 개울

речник (남) 하천운수일군

речной (형) 강, 하천; ~ой порт 강항구, 강항, 하천항; ~ое судоходство 하천항행; ~ая рыба 강물고기

речь (여) ① 언어행위 ② 말, 언어(言語); устная ~ 입말; письменная ~ 글말 ③ 연설(演說); приветственная ~ 축사, 축하연설; выступить с ~ю, произне- сти ~ 연설하다 ④ 이야기, 담화(談話); завести ~ 이야기하다; части речи (언어) 품사; прямая ~ 직접화법; косвен-ная ~ 간접화법; и речи быть не мо- жет 말조차할 수 없다, 엄두도 낼 수 없다

решать[ся] см. решить[ся]

решающий (형) 결정적인(決定的-), 가장 중요한; ~ая победа 결정적 승리; право ~его голоса 결의권; ~ий момент 결정적인 순간

решение (중) ① 결심(決心), 결의(決意); принять ~ 결심을 채택하다 ② 결정(決定), 판결; судебное ~ 판결 ③ 해결(解決), 해답; искать(найти) ~ 해답을 구하다

решётка (여) ① 창살, 문살 ② 불판 ③ 바자, 울타리; посадить за ~у 투옥하다, 감금하다; сидеть за ~ой 투옥되다, 감금되다

решето (중) 채; просеивать через(сквозь) ~ 채질하다; ~м воду носить 시루에 물 퍼붓기; голова как ~ 건망증이 심하다; чудеса в решете 해가 서쪽에서 뜨겠다.

решимость (여) 결심(決心), 결의(決意), 각오(覺寤); полный ~и 결의에 충만된

решительно (부) 서슴없이, 결정적으로, 단호히; ~ принять меры 서슴없이 대책을 취하다;~ заявлять ~ 단호히 성명하다; ~ действовать

단호한 행동을 취하다
решительность (여) 결단성(決斷性), 과감성, 확고부동
решительный (형) ① 단호한, 과감한 ② 결정적인(決定的-)
решить (완) ① 결심(決心)하다; ~л ос-таться дома 집에 남아있기로 결심했다 ② 결정(決定)하다 ③ 풀다, 해결(解決)하다; ~ть задачу 문제를 풀다;~ судьбу(участь) 장래를 결정하다, 운명(運命)을 결정하다
решиться (완) ① 결심(決心)하다; ~лся ехать 떠나기로 (떠날 것을) 결심했다 ② 풀리다, 해결되다; спор ~лся 논쟁은 풀렸다
рея (여) (해양) 활대
реять (미완) ① 나부끼다, 펄럭이다; реют знамена 기발이 나부끼고 있다 ② 유유히 떠돌다(날다)
ржаветь (미완) 녹슬다(綠-); железо ржавеет 쇠가 녹이 슬었다
ржавчина (여) 녹(綠); покрываться ~ой 녹슬었다
ржавый (형) 녹슨
ржаной (형) 호밀, 호밀로 만든; ~хлеб 호밀빵
ржать (미완) ① (말이) 울다 ② 크게 껄껄 웃다
рикошет (남) ① 반발, 무엇에 맞고(부딪쳐서) 튀어나는 것 ② : ~ом (복사로) 맞고, 튀어나서, 간접적으로
рикша (여) 인력거(人力車), 인력거군
Рим (남) 로마(Roma)
Рим(Послание к Римлянам, 16장, 188쪽) 로마서(로마인들에게 보낸 편지(-人 -便紙, Letter of Paul to the Romans)
римский (형) 로마(Roma); ~ие цифры 로마수자; папа ~ий 로마법왕
ринг(남)(체육) 링, 권투장, 권투경기장

ринуться (완) 돌진하다, 돌입하다
рис (남) ① 벼 ② 입쌀; очищенный ~ 흰쌀, 백미; неочищенный ~ 현미; суходольный ~ 밭벼 ③ 밥; варить ~ 밥을 짓다
риск (남) 모험(冒險), 위험(危險): 위급(危急); идти(пойти) на ~ 모험하다; с ~ом для жизни 목숨을 걸고; на свой страх и ~ 위험을 무릅쓰고, 손해는 자기가 볼 셈치고.
риска (여) 금자리, 새긴 자리, 표기선
рискнуть (완) (+미정형) (되건 안되건) ...해보다; ~л спросить (되건 안되건) 물어보았다
рискованный (형) 모험적인, 위태로운, 위험한 ~ый шаг 모험적인 행동; ~ое предприятие 위태로운 기도
рисковать (미완) ① 모험하다 ② 돌보지 않다, 무릅쓰다; ~ жизнью 목숨을 내걸다
рисование(중) 그림그리기, 도화(圖畵)
рисовать (미완) ① (그림을) 그리다 ~ с натуры 사생하다 ② (글로) 묘사하다, 그리다
рисоваться (미완) ① 보이다, 나타나다 ② 멋을 피우다, 태를 부리다, 환심을 사려고 꾸미다
рисовод (남) 벼재배자, 벼농사전문가, 벼농사군, 벼농사하는 사람
рисоводство (중) 벼재배, 벼농사(-農事); заниматься ~м 벼농사하다
рисоводческий (형) 벼농사를 짓는
рисовый (형) 벼; 입쌀; ~ое поле 논; ~ая каша 쌀밥, 이밥, 입쌀죽
рисунок (남) ① 그림; акварельный ~ 수채화; ка-рандашный ~ 연필화 ② 무늬, 문양 ③ 모습, 윤곽, 외형
ритмический (형) 율동(律動), 율동적인; ~ая гимнастика 율동체조
ритмично (부) ① 규칙적(規則的)으로 ②

- 552 -

율동적(律動的)으로
ритмичность (여) ① 규칙성(規則性) ② 율동성(律動性)
ритмичный (형) ① 규칙적인(規則的-) ② 율동적인(律動的-)
ритуал (남) 예식(禮式), 식전(式典)
риф(남)암초; коралловые ~ы 산호초
рифовый (형) : ~ое отложение 초상쌓임물
рифма (여) 운(運), 운자
рифмованный (형) 운을 단, 운을 맞춘
рифмовать (미완) 운을 달다(맞추다)
робеть (미완) 겁내다, 떨다
робкий (형) 겁많은, 소심한
робко (부) 소심하게, 겁나하면서
робость (여) 소심성, 겁
робот (남) 로보트
роботизация (여) 로보트화
робототехника (여) 로보트기술
ров(남) 도랑, 참호; противотанковый ~ 반땡크호
ровесник (남)**, -ца** (여) 동갑(同甲), 동년생(同年生), 동년배(同年輩)
ровно ① (부) 평평(반반)하게; 고르게, 가지런히 ② (조) 바로, 꼭, 정확히; ~ в десять часов 정각 10시에; ③ (조) 전혀; ~ ничего не понял 전혀 아무것도 몰랐다
ровный (형) ① 평탄한, 평평한, 반반한; 매끈한; ~ая местность 평지; ~ая пр-яжа 매끈한 실 ② 고르게, 조용한; ~ый пульс 고르게 맥박
ровня (남, 여) 동등한 사람; он вам не ~ 그는 당신과 비교되지 않습니다.
ровнять (미완) 평탄하게, 평평하게 하다; 고르게 하다.
рог (남) ① 뿔 ② 뿔피리
рогатка (여) ① 고무총 ② 장애물
рогатый (형) 뿔이 있는; ~ скот 뿔이 있는 집짐승

роговица (여) (해부) 각막(角膜), 안막(眼膜); ~ глаза 각막(角膜)
рогожа (여) 거적, 멍석
род (남) ① 씨족 ② 가문(家門), 일가; 세대(世代), 대; из ~а в ~ 대대손손 ③ 출신 ④ 종류, 형, 류; ~ войск 병종 ⑤ (생물) 속 ⑥ (언어) 성; мужской ~ 남성; женс-кий 여성; ~ средний 중성; всякого ~а 각종; в некотором ~е 어느 정도, 얼마간; в своём ~е своего ~а 어떤 면에서 보면, 일정하게
родильный (형) : ~ дом 산원
родимый (형) : ~ое пятно 타고난 기미, 잔재, 유물
родина (여) ① 조국(祖國) ② 고향(故鄉)
родинка (여) (타고난) 기미.
родители (복수) 부모(父母)
родительный : ~ падеж (언어) 생격
родительский (형) 부모(父母); ~ий комитет 학부형위원회;~ое собрание 학부형회의
родить (미완, 완) ① 낳다 ② 일으키다 ③ 수확을 내다; в чём мать родила 벌거숭이로, 발가벗고
родиться (미완, 완) ① 태어나다, 출생하다, 탄생하다 ② 나타나다, 생기다; роди-лась мысль 생각이 떠올랐다 ③ (곡식이) 자라다, 익다, 열매를 맺다
родник (남) ① 샘 ② 원천, 출발점
родниковый(형) 샘; ~ая вода 샘물
родной (형) ① 친(親), 육친(肉親); ~ отец 친아버지; ~ брат 친형, 친동생 ② 고향, 자기가 태어난; ~ край 고향; ~ город 고향도시 ③ 조국(祖國), 모국; ~ язык 모국어 ④ 친근한, 정든
родные (복수) 친척들, 한혈육
родня (여) 친척(들)
родовой(형)① 씨족(氏族); ~ой строй 씨족 제도 ② 가문(家門) ③ 류(類);

- 553 -

~ое понятие 유개념
рододендрон (남) 진달래
родоначальник (남) ① 선조(先祖), 조상(祖上) ② 창시자, 창건자(創建者)
родословная (여) 계보, 족보(族譜)
родственник(남) 친척(親戚); дальный(близкий) ~ 먼(가까운) 친척; ~ по отцу 아버지 편, 친척
родственный (형) ① 친족(親族), 종족(種族), 동족(同族); ~ые языки 친족어; ~ые связи(отношения) 혈족관계 ② 유사한 연계가 가까운
родство (중) ① 친족관계 ② 동족성, 친족성, 친근성
роды (복수) 해산; трудные(лёгкие) ~ 난(순) 산; преждевременные ~ 조산
рожа (여) ① 낯바닥, 상관대기 ② (의학) 단독(單獨)
рожать см. родить
рождаемость (여) 출생률(出生率)
рождать[ся] см. родить[ся]
рождение(중) ① 출생(出生), 탄생(誕生); день ~я 생일; год ~я 난해; место ~я 출생지, 난곳; от ~я 나서부터 ② 발생(發生), 산생(産生)
рождество (중) 크리스마스, 성탄제; праздновать ~ 크리스마스를 맞다
роженица (여) 산모(産母)
рожок (남) ① 작은 뿔 ② 뿔피리 ③ (젖꼭지가 달린) 젖병 ④ 구두술
рожь (여) 호밀
роза (여) 장미(꽃)
розарий (남) 장미꽃밭
розги (복수) 매질, 채찍질
розетка (여) (전기) 로제트, 접속구
розница (여) 소매(小賣), 산매(散賣) 소매상품(小賣商品); продавать в ~у 소매하다
розничный (형) 소매(小賣), 산매(散賣); ~ая продажа 소매; ~ая торговля 소매상; ~ые товары 소매품;

~ая цена 소매가격
рознь (여) ① 반목, 불화(不和), 적의 ② (술어로) 다르다, 차이나다, 구별되다; человек человеку ~ 각인각색
розовый (형) ① 장미꽃 ② 장미색, 분홍빛; ~ые мечты 낙천적인 공상; смо-треть сквозь ~ые очки 또는 видеть всё в ~ом свете(цвете) 모든 것을 낙천적으로 보다(생각하다), 이상화하다
розыгрыш (남) ① 경기(競技), 시합; ~ личного(командного) первенства 개인(단체)선수권, 쟁탈전 ② 추첨(抽籤), 제비(祭費)
розыск (남) 수사(搜査), 탐색(探索) 수색(搜索); уголовный ~ 범죄수사부
роиться (미완) ① (벌 따위가) 떼를 짓다, 떼를 지어 날다 ② 많은 것이 연속 몰키다
рой (남) ① (벌, 모기 등의) 떼, 무리; ② ~ воспо-минаний 구름 피듯 떠오르는 회상
рок (남) 운명(運命), 숙명(宿命) (주로 불행한); злой ~ 비운
роковой (형) ① 숙명적인, 불운한, 피할수 없는 ② 운명을 결정하는 ③ 파멸적인, 치명적인
ролик (남) ① 로라, 소원통형의 기계부분품 ② (가구의 발에 다는) 도르래, 굴개 ③ (전기) 애자
роликовый(형) ~ые коньки 로라 스케이트; ~ый подшипник 로라 베어링
роль (여) ① 역할; играть большую (важную) ~ 중요한 역할을 놀다; ② 구실, 임무; выполнять(играть) ~ кого-чего 구실을 하다, 임무를 수행하다 ③ 역, 배역(背逆); играть ~ 역을 놀다, 배역을 하다 ④ (한 등장인물이 맡은) 대사; выучить свою ~ 자기가 맡은

- 554 -

역의 대사를 외우다; войти в ~ 제구실을 잘하다, 익숙해지다

ром (남) 람주 (술의 종류)

роман (남) ① 장편소설(長篇小說) ② 사랑관계, 로맨스(romance), 연가(戀歌)

романист (남) 장편소설가

романс (남) (음악) 로맨스(romance)

романский (형) ① 고대 로마문화를 기초로 하는 ② 로마(문화); ~ие языки 로마어군; ~ая филоло- гия 로마어문학

романтизм (남) 낭만주의(浪漫主義)

романтик (남) ① 공상가(空想家), 낭만적인 사람 ② 낭만주의자(浪漫主義者)

романтика (여) 낭만(주의)

романтический (형) 낭만(浪漫), 낭만적인(浪漫的-) ③ 낭만주의(浪漫主義)

романтичность (여) 낭만성(浪漫性)

романтичный (형) 낭만적인(浪漫的-)

ромашка (여) ① (식물) 사슴국화 ② 사슴국화 (꽃을 말린) 가루 (약으로 씀)

ромб (남) 능형, 마름형

ронять (미완) ① 떨어뜨리다 ② (잎, 머리칼을) 떨구다, 잃다

ропот (남) 불평(不評), 투덜거림

роптать (미완) 불평을 말하다, 투덜거리다

роса (여) 이슬; косить по ~е 이슬이 마르기전에 베다

росинка (여) 이슬방울; маковой ~и во рту не было аще аому иего мот 먹었다

росистый (형) 이슬진, 이슬 맞은; 이슬이 많이 내리는

роскошно (부) ① 호화롭게, 사치스럽게, 화려하게 ② 아주 훌륭하게

роскошный (형) ① 호화로운, 사치스러운, 화려한 ② 아주 훌륭한, 굉장한

роскошь (여) ① 호화(豪華), 사치(奢侈), 화려(華麗) ② 사치품(奢侈品)

рослый (형) 키가 큰, 장대한, 성장한

роспись (여) ① 채색(彩色), 색칠(色漆) ② 벽화(壁畵)

роспуск (남) 해산(解散), 해체(解體)

российский (형) 러시아(Russia)의

Россия (여) 러시아(Russia); Российская Советская Феде-ративная Социали- стическая Республика,РСФСР 러시아 소비에트사회주의연방공화국, 소련(蘇聯)

россказни (복수) 거짓말, 헛소리, 날조

россыпь (여) ① 흩어져(널려)있는 것 ② (흔히 복수) (지질) 모래 광석(鑛石)밭; золотые ~и 사금층(砂金層)

рост (남) ① 성장(成長); 발육(發育) ② 장성(長成), 발전(發展); 증가(增加), 증대(增大); ~ тяжёлой индустрии 중공업의 장성 ③ 키, 신장(身長); высокий ~ 큰 키 ④ 이자(利子); во весь ~ ① 키 자라는 것, 허리를 쭉 펴고 ② 전폭적으로, 전적으로, 긴절하게

ростовщик (남) 고리대금업자

ростовщический (형) 고리대금(高利貸金), 고리대금업자(高利貸金業者)

ростовщичество (중) 고리대금업(高利貸金業), 변놀이

росток (남) ① 쌀 눈, 맹아; давать(пускать) ~ки 싹이 나오다 ② 접목(接木), 접지(椄枝)

рот (남) ① 입 ② (동물의) 주둥이, 아가리, 부리 ③ 식수(食數); не брать в ~ чего...을 먹지 않다, 마시지 않다;

не сметь рта раскрыть 무서워서 말을 못하다; заткнуть ~ 입을 틀어막다, 말을 못하게 하다; хло-пот полон ~ 걱정거리가 많다, 눈 코 뜰 새 없다

рота(여) 중대; командир ~ы 중대장
ротапринт (남) 소형 옵셋 인쇄기
ротатор (남) 회전식등사기
ротационный (형) : ~ая машина 윤전기(輪轉機)
ротный (형) 중대(中隊)
ротозей (남) ① 멍청이 ② 한가한 구경군
ротозейничать (미완) 산만하게 굴다, 멍청해 있다
ротозейство(중) 산만한 것, 멍청한 것
ротор (남) 돌개; 회전기(回轉機), 원통
рохля (남, 여) 둔한(맥빠진) 사람, 멍청이
роща (여) 숲, 수림(樹林)
рояль (남) 그랜드 피아노
РСФСР *см.* Россия
ртутный (형) 수은(水銀)의
ртуть (여) 수은(水銀)
Руанда (여) 르완다(Rwanda)
рубанок (남) 대패
рубаха, рубашка (여) 적삼, 셔츠, 루바슈까; родиться в ~е 복을 타고나다
рубеж (남) ① 경계(境界), 국경(國境); за ~ом 외국에서; ехать за ~ 외국으로 가다 ② 경계선(境界線); 출발진지; оборони- тельный ~ 방어선
рубероид (남) (건축) 루베로이드 (방습, 내화건재의 일종)
рубец (남) ① 상처자리, 허물, 흠집; ② 솔기
рубильник (남) (전기) 칼날개폐기, 스위치; вклю- чить(выключить) ~ 스위치를 넣다(끄다)

рубин (남) 홍보석, 홍옥(紅玉)
рубиновый (형) ① 홍보석 ② 선홍색
рубить (미완) ① 베다, 찍다, 패다; ~ лес 나무를 찍다 ② 썰다; ~ капусту 양배추를 썰다 ③ (나무집을) 짓다, 세우다
рубище (중) 누데기옷, 헌옷
рубка I (여) (해양) 갑판실(甲板室), 조종실(操縱室), 사령실
рубка II (여) ① 베는 것, 찍는 것, 패는 것; ~ леса 벌목 ② 써는 것
рублёвый (형) 한 루블짜리
рубленый (형) ① 잘게 다진(썬); ~ ое мясо 잘게 다진 고기 ② 통나무로 지은; ~ый дом 통나무로 지은 집, 귀틀집
рубль (남) 루블 (소련화폐단위)
рубрика (여) ① (신문, 잡지 등에서의) 표제, 제목 ② 단락, 란, 항, 절(節)
ругань (여) 욕설, 욕, 꾸중
ругательство (중) 상말
ругать (미완) 꾸짖다, 나무라다, 책망하다
ругаться (미완) ① 욕설(욕지거리)하다, 욕설을 퍼붓다 ② 서로 욕질하다
руда (여) 쇠돌, 광석(鑛石); железная ~ 철광석(鐵鑛石)
рудник (남) 광산(鑛山)
рудничный (형) 광산(鑛山)의
рудный (형) 광석(鑛石); ~ый слой 광층; ~ая жила 광맥, 광석줄기
рудовоз (남) 광석운반선
рудокоп (남) 광부(鑛夫), 광산노동자
рудоподъёмник (남) 광석승강기
ружейный (형) 보총; ~ выстрел 총소리, 보총사격
ружьё (중) 총(銃), 보총(步銃); охотни-чье ~ё 사냥총; стрелять из ~я 총을 쏘다; зар- яжать ~ё 장탄하다; в ~ё!

- 556 -

잡아총! быть(находиться) под ~ём ① 전투태세를 갖추다 ② 군대에 복무하다

руины (복수) 폐허(廢墟)

рука (여) 손, 팔; левая(правая) ~а 왼(오른) 손; механическая ~а 기계손; идти ~а об ~у с кем....와 손에, 손을 맞잡고 나아가다; быть(нахо-диться) в ~ах у кого ....의 손아귀에 있다, 장악되어있다; взять (брать, захватить) в [свои] руки 자기 손에 틀어쥐다, 장악하다; взять себя в руки 자제하다; пере-дать из рук в руки 직접 전하다; уз- нать(получить сведения) из первых рук (다른 손을 거치지 않고) 직접 알아내다(정보를 받다); как ~ой сняло 완전히 사라졌다, 느끼지 않게 되다; на все руки мастер 모든 일에 능수이다, 만사에 능하다; на ~у не чист 손버릇이 나쁘다, 정직하지 못하다; идти под ~у с кем...와 팔을 끼고 가다; ~ой подать 엎어지면 코닿을데; руки прочь! 손을 떼라!; руки вверх! 손들 엇! сидеть, сложа руки 수수방관하다, 팔짱을 끼고 앉아 있다; не покладая рук 꾸준히, 힘을 다하여; на скорую руку 급하게; прибрать к ~ам 앗아가지다, 가로채다, 횡령하다; полу- чить на ~и (직접) 받다; сбыть с рук 벗어나다, 손을 떼다, 부담을 덜다

рукав (남) ① (옷) 소매 ② 지류 ③ 호스, 분출관, 바람관; спустя ~а 되는대로

рукавица (여) 벙어리장갑

руководитель (남) ① 지도자(指導者), 영도자(領導者) ② 책임자(責任者); кла-ссный ~ 학급담임; научный ~ 지도교원, 지도교수

руководить ① 지도(영도하다) ② 지휘하다, 관리(管理)하다

руководство (중) ① 지도(指導), 영도(領導); под ~м 지도(령도)밑에(서) ② 지휘, 관리, ③ 지도서, 안내서, 참고서 ④ (집합) 지도자들, 간부들, 책임자들; 지도부

руководствоваться (미완) чем....을 지침으로 삼다 ...에 의거하여 행동하다 ...를 따르다

руководящий (형) ① 지도(영도)적인; ~ая роль 지도적 역할 ② 가르쳐주는; ~ие указания 교시

рукоделие (중) ① 손일 (주로 여성들의 바느질, 뜨개질 등), 수예(手藝) ② 수예품(手藝品), 수공품(手工品)

рукодельница (여) 수예가, 수공예, 수공예의 명수

рукодельничать (미완) 수공예를 하다, 수작업을 하다

рукокрылые (복수) (동물) 박쥐목

рукомойник (남) 세면기, 세면대

рукопашная (여) 육박전, 싸움질

рукопашный (형); ~ бой 육박전

рукописный (형) ① 손으로 쓴, 베낀 ② 초고, 사본(寫本); ~ фонд 원고

рукопись (여) ① 원본(原本), 수사본, 수고 ② 원고(原告), 초고

рукопожатие (중) 악수; крепкое ~е 굳은 악수; обменяться ~ями 악수를 나누다

рукотворный (형) 사람이 만든, 인공

рукоятка (여) 손잡이, 자루

рулевой (형) ① 키; ~ое колесо 키돌리개, 타륜 ② (명사로) 키잡이, 조타수

рулетка (여) 줄자, 띠자, 타래자

рулить (미완) ① 키를 잡다(다루다, 돌리다) ② (항공) (지상에서) 활주하다

рулон (남) 덩어리, 둥구리, 두루마리; ~ бумаги 종이두루마리

руль (남) (배, 비행기, 자동차의) 키, 타, 핸들, 조종간(操縱桿), 손잡이; без руля и без ветрил 명확한 방향 없이, 키도 없고 닻도 없이

румб (남) ① (천문) 나침판방위 ② (측량) 상한각

Румыния (여) 루마니아(Rumania)

румынский (형) 루마니아(Rumania)의

румыны (복수) (румын (남), ~ка (여)) 루마니아(Rumania)사람(들)

румяна (복수) 연지(臙脂)

румянец (남) 홍조(紅潮), 홍안(紅顔), 붉은 빛; покрываться(за-ливаться) ~ цем 홍조를 띠다, 붉어지다

румяниться (미완) ① 연지를 찍다 ② 홍조가 떠오르다 ③ 노르무레하게 익다

румяный (형) 홍조를 띤, 붉은

руно (중) 양털

рупор (남) ① 송화관, 전성관, 고깔나팔관 ② 전자파, 대변인

русак (남) 회색토끼

русалка (여) 인어(人魚)

русло (중) ① 강바닥, 하상(河上), 물길, 강줄기 ② 방향, 방침, 노선

русоволосый (형) 아마빛 머리칼

русская (여) ① 러시아사람 (여자) ② 러시아춤; плясать ~ую 러시아춤을 추다

русские (복수) (~ий (남), ~ая (여)) 러시아사람(들)

русский ① (형) 러시아; ~ язык 노어, 러시아말 ② (명사로) 러시아사람

русый (형) 아마 빛, 연한 갈색, 누르스름한

рутина (여) 낡은 풍습, 케케묵은 틀, 침체, 보수

рутинёр (남) 고루한 사람, 보수적인 사람

Руфь (Книга Руфь 5장, 258 쪽) 룻기(記, Book of Ruth 케투빔, 혹은 성문서로 알려진

рухлядь (여) (집합) (낡아서 못쓰게 된) 헌세간, 넝마

рухнуть (완) ① 허물어지다, 와르르 무너지다 ② 붕괴(파탄, 와해)되다

ручательство (중) 보증, 담보(擔保)

ручаться (미완) 보증(담보)하다, 책임지다; ~ за првильность сведений 정보의 정확성을 담보하다

ручей (남) ① 내, 개천, 개울 ② 흐름; плакать в три ручья 또는 слёзы текут ручьём 눈물이 비오듯 흐르다

ручка (여) ① 펜대, 철필대 ② 손잡이, 자루

ручной (형) ① 손, 팔; ~ые часы 손시계 ② 손으로 하는(움직이는), 수동; ~ ой труд 손노동; ~ой тормоз 수동제동기 ③ 손으로 만든(지은), 수공; ~ая работа 수공품 ④ 손에 드는 휴대용; ~ ой багаж 손짐

рушить ① 무너뜨리다, 허물다 ② 빻다, 바수다

рушиться ① 허물어지다 ② 파탄(좌절, 소멸)되다

рыба (여) ① 물고기; морская ~ 바다물고기; прес-новодная ~ 민물고기 ② 생선(고기); 물고기요리; свежая ~ 물(이) 좋은 생선; жареная ~ 구운 물고기; ни ~ ни мясо 밥도 아니고 죽도 아니다; [чувствовать себя] как ~ в воде 물속에 있는 고기처럼 자유롭게(느끼다); в мутной воде рыбу ловить 북새판에 한몫 보다, 어부지리를 얻다; биться как ~ облёд 잘 살아보려고 헛되이 애쓰다

рыбак (남) 어부(漁夫), 고기잡이

рыбалка (여) ① 고기잡이, 어로; уехал на ~у 고기잡이에로 떠났다 ② 고기잡이터

рыбацкий (형) 어로잡이, 고기잡이군; ~ посёлок 어촌(漁村)

рыбачий (형) 고기잡이군 어부; ~ья лодка 고기배, 고기잡이배
рыбачить (미완) 고기잡이하다, 어업에 종사하다
рыбачка (여) ① 고기잡이군, 어부(여자) ② 어부의 처
рыбёшка (여) 잔물고기, 고기새끼
рыбий (형) 물고기; ~ий жир 간유, 물고기기름; ~ья чешуя 물고기비늘; ~ья кость 물고기뼈(가시)
рыбка (여); золотая ~ 금붕어
рыбник (남) 어업전문가, 어로일꾼
рыбный (형) ① 물고기; ~ая ловля 고기잡이, 어로; ~ая промышленность 수산업 ② 물고기로 만든; ~ые консервы 물고기통조림; ~ый суп 생선국; ~ое блюдо 생선요리, 생선음식
рыбовод (남) 양어전문가, 양어사
рыбоводство (중) 양어(養魚)
рыбоводческий (형) 양어업
рыбокомбинат (남) 물고기가공공장
рыбоконсервный (형) 물고기통조림
рыболов (남) 낚시질군, 고기잡이군
рыболовецкий (형) 고기잡이를 업으로 하는;~ое предприятие(хозяйство) 수산사업소; ~ое судно 고기 배; ~ая флотилия 어선단
рыболовный (형) 고기잡이, 어업(漁業); ~ое судно 고기배
рыболовство (중) 고기잡이, 어로(漁撈), 어업(漁業)
рыбоохрана (여) 어류보호(魚類保護)
рыбопитомник (남) 양어장
рыбоподъёмник (남) (인공으로 설치한) 물고기의 통로
рыбоприёмный (형) 잡은 물고기를 넘겨받는
рыбопродукты (복수) 수산물(水産物), 물고기 제품, 식료품(食料品)
рыбопромысловый (형) 수산(水産), 어업(漁業); ~ая артель 수산협동조합; ~ый поиск 어군탐색; ~ый флот 어선대
рыбопромышленый (형) 수산, 어업; ~ая база 수산기지; ~ый район 수산업지대; ~ые ресурсы 수산자원
рыбоход (남) 물고기의 통로
рыбпромхоз (남) 수산사업소
рывок (남) ① 급격한(발작적인) 동작 ② (체육) 끌어올리기
рыдание (중) 통곡(慟哭), 흐느껴우는것
рыдать (미완) 흐느껴 울다, 목메어 울다, 통곡하다
рыжий (형) 주홍색, 주홍색머리칼(털)
рыло (중) ① (짐승의) 주둥이; свиное ~ 돼지주둥이 ②(사람의) 상판, 낯바닥
рынок (남) 시장, 장마당; внутренний (международ-ный) ~ 국내(국제)시장; ~ сбыта 판매시장
рыночный (형) 시장(市場), 저자, 장시(場市); ~ые цены 시장가격
рысак (남) 잘 달리는 말, 준마
рыскать (무엇을 찾으려고) 뛰어 돌아다니다, 헤매다, 싸다니다;~ по полям 벌판을 헤매고 돌아다니다
рысь I (여) 스라소니
рысь II (여) 속보(速步), 구보(驅步)
рысью(부) ① 속보로, 구보로; пустить лошадь ~ 말을 속보로 달리게 하다 ② 빨리, 줄달음쳐서; пустился ~ 빨리 달렸다
рытвина (여) (길바닥의) 수레바퀴에 패인 자리, 비에 씻긴 움푹한 곳
рыть (미완) 파다, 파헤치다, 파내다
рыться (미완) в чём....을 파헤치다, (샅샅이)뒤지다, 뒤져내다;куры роются в навозе 닭이 두엄을 파헤친다.
рыхлитель (남) 중경기
рыхлить (미완) (흙을) 보드랍게 하다

рыхлый (형) ① 부드러운, 푸른, 푸실푸실한; ~ая земля 푸실푸실한 흙 ② 시들부들한, 물렁물렁한, 무기력한

рыцарь (남) ① 중세기의 기산, 무사 ② 헌신적인(무사다운) 사람

рычаг (남) 지렛대, 공간(空間)

рычание (중) 으르렁거리는 소리, 울부짖음

рычать (미완) ① (짐승이) 으르렁거리다, 울부짖다 ② 으르다, 두덜거리다

рьяно (부) 열심히, 열중하여, 맹렬히

рьяный (형) 열중하는, 매우 열성적인, 열렬한

рюкзак (남) 배낭(背囊)

рюмка, рюмочка (여) (발이 달린) 유리술잔

рябина (여) ① 마가목 ② 마가목열매

рябить (미완) (무인칭) (눈앞이) 아물(얼른, 가물)거리다; в глазах рябит 눈이 아물거리다

рябой (형) ① 얽은; ~ое лицо 얽은 얼굴 ② 얼룩진, 얼룩얼룩한; ~ой телёнок 얼룩송아지

рябчик (남) 들꿩

рябь (여) ① 잔물결 ② 아물(가물) 거리는 것

ряд (남) ① 줄, 행렬, 대열; первый ~ 첫줄, 앞줄; задний ~ 뒷줄; стройный ~ 정연한 줄, 곧바른 줄 ② (복수) 대렬, 대오; в ~ ах партии 당대열에서 ③ 계열, 일련(一連); в ~е случаев 일련의 경우에는; ~ видных учёных 일련의 저명한 학자들; в первых ~ах 선두에

рядиться ① 단정하다, 차려입다 ② 변장하다, 가장하다

рядовой (형) ① 평범한, 보통; 지휘간부가 아닌; ~ член партии 평당원; ~ боец 전사 ② (명사로) (남) ① 평범한 사람, 보통사람, 보통일군 ② 병사(兵士), 전사(戰士)

рядом (부) ① 나란히, 옆에; сесть ~ 나란히 앉다; стоять ~ с кем.....와 나란히 서다 ② 근처에, 이웃에; 아주 가까이; жить ~ с театром 극장 가까이에 살다

ряса (여) (승려가 입는) 가사, 법의

ряска (여) (식물) 개구리밥

С

с(со) (전) I (+생) ① ~에서, ~부터,~로: вставать со стула 의자(걸상)에서 일어서다; с утра 아침부터 ② ~ 때문에, ~로 인하여; с радости 기뻐서

с(со) II (+ 대) 약, 거의; с неделю 약 한주일간; яиолоко с кулак 주먹만한 사과

с(со) III (+조) ① ~와, ~와 함께; говорить с друзьями 동무들과 이야기하다; идти с братом 동생과 함께가다; идти с партфелем 가방을 들고 가다; книга с картинками 그림이 있는 책; чай с сахаром 사탕을 넣은 차 ② ~으로, ~로써; уехать с первым поездом 첫차로 떠나가다 ③ ~러,~려고; пришёл с просьбой 부탁하러 왔다

сабля (여) 군도, 장검;~рыба 갈치

саботаж (남) 태만, 태업 태공(太空); заниматься ~ем 태만(태업)하다

саботажник (남) 태만자, 태공분자

саботировать(미완, 완) 태업(태공)하다

саванна (여) 사반나, 열대지방의 대초원

сад (남) ① 과수원 ② 정원, 뜰 ③ 공원, 꽃동산; детский ~ 유치원; ботанический ~ 식물원

садизм (남) 잔인한 짓을 즐기는 것

садист (남), **~ка** (여) 잔인 무모한 짓을 즐기는 사람

садить (미완) *см.* сажать

садиться (미완) ① 앉다, 걸터앉다; ~ на стул 의자에 앉다: садитесь! 앉으시오! ② 타다; ~ на поезд (в автобус) 기차(버스)에 타다 ③ 시작하다; ~ за работу 일을 시작하다 ④ (해가, 달이) 지다 ⑤ 내려앉다, 착륙하다

садовник (남) 원예사(園藝師)

садовод (남) 원예가, 원학자

садоводство (중) ① 원예 ② 원예학

садовый (형) ① 정원의, 정원용의 ② 정원에서 자라는 ③ 원예의; ~ участок 과수밭 뙈기

садок (남) ① 채그물 ② 양어 못 ③ 우리

сажа (여) 검댕, 철매, 그을음

сажать (미완) ① 심다 ② 앉히다. 앉게 하다, 자리를 권하다 ③ 태우다 ④ 착륙시키다

саженец (남) 나무모, 묘목(苗木)

сазан (남) 잉어   **сайра** (여) 꽁치

саквояж (남) 여행용 손가방(들가방)

саксофон (남) 색소폰(saxophone)

салазки (복수) 썰매, 미끄럼대

саламандра (여) 도롱룡

салат (남) ① (식물) 상추, 부루 ② 샐러드(요리), 생채

сало (중) ① 비게기름, 지방 ② 비게 (소금에 절인 돼지비게)

салон (남) ① 객실(客室), 응접실(應接室), 사교실(社交室); ② (버스, 전차 등의) 객석 ③ 이발실, 이발관 ④ 미술전람회관

салфетка (여) ① 상수건 ② 작은 상보

сальдо (중) 남은 돈(액), 차액, 잔고

сальный (형) ① 기름이 묻어서 더러워진 ② 음탕한

сальто (중) (불변) 공중회전(空中回轉)

салют (남) ① 예포, 축포; произвести ~ 예포 (축포)를 쏘다 ② (군사) 경례 (예포, 축포, 기발게양 등으로 표시하는) ③: ~! 인사를 받으라!

салютовать (미완, 완) ① 예포(禮砲)를

쏘다, 축포(祝砲)를 쏘다 ② 경례하다
сам (남) (~а (여), ~и (복수)) (규정대) ① 자기, 자신, 자체, 친히 ② 자기자신이, 저절로, 스스로, 자기 혼자 ③ (명사로) (남) 주인, 마님; само собой разумеется 자명하다, 두말할 것 없다, 의심할 바 없다
самец (남) 수컷, 숫놈
самка (여) 암컷, 암놈
самобытный (형) 독창적인, 독특한; ~ талант 독특한 재능
самовар (남) 사모와르; поставить ~ 싸모와르에 불을 피우다; сидеть за ~ ом 차를 마시다
самовлюблённый (형) 자고대하는, 자기 만족하는
самовнушение (중) 스스로 자기를 부추기는 것
самовольничать (미완) 제멋대로 놀다, 방종하다, 전횡하다
самовольный (형) ① 제멋대로 구는, 방종한, 전횡하는 ② 자의적인, 승낙이 없이 하는
самовоспитание (중) 자체수양
самовоспламенение (중) 자연발화, 자연연소(自然燃燒)
самовосхваление (중) 자찬
самогон (남) 집에서 술, 곡주
самогоноварение (중) 밀주하는 것; зани-маться ~м 밀주하다
самогонщик (남), **~ца** (여) 밀주하는 사람, 밀주장사
самодвижущийся (형) 자동의
самоделка (여) 개인이로 만든 물건, 수공품(手工品)
самодельный (형) 자기 집에서 만든
самодержавие (중) 전제제도, 전제정치
самодеятельность (여) ① 창의(創意), 발기(勃起) ② 예술소조(藝術小組)
самодисциплина (여) 자를, 자제
самодовольно (부) 자만자족하여,
자만하여, 스스로 만족하여
самодовольный (형) 자만자족하는, 자기만족하는
самодовольство (중) 자기만족, 자만심
самодур (남) 무지막지한 폭군(暴君), 전횡자(專橫者), 독재자(獨裁者)
самодурство (중) 무지막지한 폭군행세, 전횡(專橫), 방종(放縱)
самозащита (여) 자기방위, 자위(自衛)
самозванец (남) 자침자
самокат (남) 롤러자전거
самокритика (여) 자기비판
самокритично (부) 자기비판적으로
самокритичный (형) 자기비판적인
самолёт (남) 비행기(飛行機)
самолюбивый (형) 자부심이 강한, 자존심이센
самолюбие (중) 자부심, 자존심(自尊心)
самомнение (중) 자고자대, 자만, 자부
самонадеянность (여) 자기파신; 자만
самонадеянный (형) 자신을 지나치게 믿는 자기를 파신하는, 자만하는
самообеспечение (중) 자급(資級)
самообладание (중) 자제력, 침착성, 냉담성;не терять ~я 자제력을 잃지 않다
самообман (남) 자기기만
самообольщение (중) 자기망상, 환상, 과대망상; пустое ~ 헛된 망상
самооборона (여) 자기방위, 자위(自爲)
самообразование(중) 자습(自習), 독학
самообслуживание (중) 자기시중, 자체봉사, 자기 일을 자기가 하는 것
самообучение (중) 자습, 독학(獨學)
самоопределение (중) 자결(自決); право наций на ~ 민족자결권
самоотверженно (부) 헌신적으로, 자기희생적으로
самоотверженность (여) 헌신성, (자기) 희생성, 희생정신
самоотверженный (형) 헌신적인, 자기희생적인

самоотвод (남) 자신에 대한 입후보추천의 사퇴 (거부)

самоподготовка (여) 자체학습, 자체훈련

самопожертвование (중) (자기)희생(성)

самопроизвольный (형) ① 자연발생적인, 저절로 일어나는 ② 자의적인, 자발적

самородок (남) ① 천연광(天然鑛), 자연광(自然鑛) ② 천재(天災)

самосвал (남) (자동하차식) 화물자동차

самосознание (중) 자각, 각성(覺醒), 자의식; классовое ~ 계급적 자각

самосохранение (중) 자기보존; инстинкт ~я 자기보존의 본능

самостоятельно (부) 자립(自立)적으로, 독립적(獨立的)으로, 자주적(自主的)으로

самостоятельность (여) ① 독립, 자립, 자립성, 자주, 자주성; независимость и ~ 독립과 자주; политическая ~ государства 국가의 정치적자주성; экономическая ~ страны 나라의 경제적 자립성 ② 독자성; хозяйственная ~ 경영상독자성

самостоятельный (형) ① 자립 (독립, 자주) 적인, ~ая национальная экономика 자립적 민족경제; ~ая линия, ~ый курс 자주로선 ② 독자적인(獨自的-); ~ая работа 독자적 사업

самосуд (남) 사형(死刑)

самотёк (남) 방임상태, 방임; пустить [дело] на ~ (일을) 되는대로 방임하다, 될대로 되라고 방임하다

самотёком (부) 자연발생적으로, 저절로, 무계획적으로; работа идёт ~ 일이 전절로 (자연방임상태에서) 진행된다.

самоубийство (중) 자살(自殺)

самоубийца (남, 여) 자살자(自殺者)

самоуважение (중) 자존심(自尊心)

самоуверенно (부) ① 자신 있게, 자신만만하게 ② 자기를 피신하여

самоуверенность (여) ① 자신감, 자신만만한 것 ② 자기과신

самоуверенный (형) ① 자신있는, 자신만만한 ② 자기를 과신하는

самоуправление (중) 자치제(自治制), 자치권(自治權); местное ~ 지방자치제

самоуправство (중) 전횡(專橫), 제멋대로 구는 것, 독단(獨斷)

самоутверждение (중) 자기긍정

самоутешение (중) 자기위안

самоучитель (남) 자습서, 자습지도서

самоучка (남, 여) 독학자, 자습자; художник ~ 독학한 화가

самоходный (형) 자행*

самоцвет (남) 천연보석

самоцель (여) 목적 그 자체, 최후목적

самочинный (형); ~ые действия 독단적인(자의적인) 행동

самочувствие (중) 건강상태; 기분; как ваше ~?건강 (기분)이 어떻습니까?

самурай (남) 사무라이

самый (규정 대) ① (형용사 최상급을 형성함) 가장, 제일; ~ хороший 가장 좋은; ~ лучший 가장 훌륭한; ~ большой 제일 큰 ② 바로, 맨 эта самая книга 바로 그 책; с самого начала 맨 처음부터; в самом деле 참말로, 실로;на самом деле 사실에 있어서; в ~ раз ① 딱 맞다 ② 제때에

Сана (여) г. 사나

санаторий (남) 요양소); путёвка в ~ 요양권

санаторный (형) 요양의;~ое лечение 요양치료

сандалеты (복수) 샌들들

сандалии (복수) 샌들(sandal)

сандаловый (형);~ое дерево 백단나무

сани (복수) 썰매, 발구; ехать на ~ях 썰매를 타고 가다

санинструктор (남) 위생지도원

санитар (남), **~ка** (여) 간병인; (군사 위생병)

санитарный (형) 위생의

санки (복수) 썰매; кататься на ~ах 썰매를 타다

санкционировать (미완, 완) 비준하다, 승인하다, 찬성하다

санкция (여) ① 인가, 비준(比準), 결재; получить ~ю 결재를 받다 ② (법률) 제재; применить ~и 제재를 가하다

Сан-Марино (중) *гос-во,г.* 싼마리노

санный (형); ~ путь 썰매길

саночник(남),**~ца**(여) (체육) 족구선수

санпропускник (남) 위생방역소

Сан-сальвадор (남) *г.* 산살바도르

санскрипт(남)(언어) 범어, 산스크리트어

сантехник (남) 위생시설 수리공

сантехника (여) 위생설비

сантиметр (남) 센치미터

санузел (남) 위생실, 위생편의시설, 화장실(化粧室)(목욕탕, 변소)

санчасть (여) (санитарная часть) 의무실(醫務室), 군의대, 위생대

санэпидемстанция (여) 위생방역소

сап (남) (의학) 비염(鼻炎)

сапа (여); тихой ~ой 몰래, 가만히

сапёр (남) (군사) 공병(工兵)

сапёрный (형) (군사) 공병(工兵)의;~ый батальон 공병대대;~ая лопата 공병삽

сапог (남) *см.* сапоги

сапоги (복수) 장화;в ~ax 장화를 신고

сапожки (복수) 작은 (부드러운) 장화

сапожник (남) 구두쟁이, 구두수리공, 제화공(製靴工)

сапсан (남) 푸른 매

сапфир (남) 청옥(靑玉)

сарай (남) 허간, 고간(庫間), 창고(倉庫)

саранча (여) 메뚜기, 누리; (집합) 메뚜기떼, 누리Ep

сарафан(남) 사라판(소매없이 만든 여자 옷의 한 가지)

сардина (여) 정어리

сардинелла (여) 정어리속

саржа (여) 주단 (천), 비단천, 공단

сарказм (남) 살기에 찬 조소, 살기에 찬 조롱, 날카로운 풍자

саркастический(형)조소하는, 풍자적인

саркома (여) (의학) 육종

сателлит (남) 앞잡이, 추종자

сатин (남) (천의 한 가지) 인조공단

сатира (여) ① 풍자(諷刺), 야유(揶揄), 조소 ② 풍자작품, 풍자문학

сатирик (남) 풍자작가

сатирический (형) 풍자의, 풍자적인; ~ая комедия 풍자희극

сатуратор (남) 포화기

Сатурн (남) (천문) 토성(土星)

сауна (여) 증기탕

сахар (남) 사탕

сахарин (남) 사카린

сахарница (여) 사탕그릇

сахарный(형)   사탕의;~ая   свёкла 사탕무우, ~ый песок (모래같이 알이 굵은) 사탕가루; ~ый тросник 사탕수수; ~ая пудра 사탕가루; ~ая болезнь 당뇨병

сахароза (여) 사카린제

сачок (남) 후리그물

сбавить (완), **сбавлять** (미완) ① (값, 수량을) 떼내다, 덜다; ~ цену 값을 깎다 ② 줄다, 감소되다; ~ в весе 무게가 줄다 ③ 단축하다, 낮추다; ~ срок 기한을 단축하다; ~ тон 어조를 낮추다

сбалансировать (완) 균형을 잡다

сбегать (완) 급히 갔다 오다;~ за хлебом 빵을 사러 갔다 오다

сбегать[ся] (미완) *см.* сбежать[ся]

сбежать (완) ① 뛰어내려가다(오다); ~ с горы 산에서 뛰어내려오다; ~ по лестнице 층층대로 달려내려오다. ② (물이) 흘러내리다, 흘러떨어지다; (눈 등이) 녹아내리다 ③ 도망치다, 탈주하다 ④ (액체가 끓을 때) 흘러넘다; молоко сбежало 우유가 끓어 넘었다.

сбежаться (완) 몰려들다, 달려 모이다
сберегательный (형); ~ая касса 예금취급소, 은행; ~ая книжка 저금통장
сберегать (미완) см. сберечь
сбережение(중)(복수)저금(貯金), 저축금
сберечь (완) ① 보존 (보관, 전장)하다;~ силы 힘을 축적하다 ② 저축(저금)하다; ~ деньги 돈을 저축하다 ③ 기억해두다, 마음에 새겨두다
сберкасса (여) 저금취급소
сберкнижка (여) 저금통장
сбивать[ся] (미완) см. сбить[ся]
сбивчивый (형) 앞뒤가 맞지 않는
сбить (완) ① (쳐서, 때려서) 떨구다, 떼내다, 넘어뜨리다, 물리치다; ~ яблоко с де-рева 나무에서 사과를 떨구다;~ человека с ног 사람을 쳐서 (밀어서) 넘어서 넘어뜨리다;~ самолёт 적기를 떨구다; ~ спесь(또는 гонор) 코대를 꺾다; ~ с толку 혼란에 빠뜨리다; ② 없애다, 낮추다; ~ темпе-ратуру 열을 없애다 (낮추다): ~ цену 값을 낮추다 ③ 헷갈리게 하다; ~ с дороги (со счёта) 길(계산)을 헷갈리게 하다
сбиться (완) ① 떨어지다, 벗겨지다; пов- язка ~лась 붕대가 벗겨졌다 ② 헷갈리다; ~ с дороги (со счёта) 길 (계산)을 햇갈리다 ③ 생각이 딴데로 돌다, 화제를 헷갈리다 ④ 혼란 (모순)에 빠지다, 앞뒤가 맞지 않다 ~ с ног 기진맥진하다, 파김치가 되다; ка-блуки ~лись 뒤축이 (닳아서) 비뚤어졌다
сближать[ся] (미완) см. сблизить[ся]
сближение (중) ① 접근(接近) ② 친하게 되는 (하는) 것, 친교(親交) (둘을 맺는 것) ③ 유사성(類似性), 공통성(共通性)
сблизить (완) ① 접근시키다, 가깝게 하다 ② 친하게 하다, 친근케 하다
сблизиться(완)① 접근하다, 가까워지다② 가깝게 사귀다, 친근해지다, 합심하다
сбой (남) 실수(失手), 중단(中斷)
сбоку (부) 옆에 (서), 곁에 (서)
сболтнуть (완) 잘못 말하다, 실언하다; ~ лишнее 쓸데없는 말을 하다
сбор (남) ① 모으기, 수집(收集), 채집(採集); ~ металлолома 헌쇠 모으기, 파철수집; ② 따기, 수확(收穫); ~ урожая 수확, 가을걷이; ~ яблок (грибов) 사과(버섯) 따기 ③ 집합, 모임, 집회; место ~а 집합장소; пионерский 삐오네르 모임 ④ 소집(召集), 집합; ~ по тревоге 비상소집; бить ~ 집합나팔을 불다 ⑤ 요금(料金), 징수금(徵收金); ⑥ (복수) 준비(準備), 차비(差備); ~ы в догогу 길 떠날 차비, 여행준비 ⑦ лагерный ~ 야영훈련
сборище (중) ① 오합지중, 난장판, 군질 ② 모임, 집회(集會)
сборка (여) ① 여 조립; ~а машины 기계소립 ② (의복의) 주름; юбка в ~у 주름잡은 치마
сборник (남) ① 선집; ~ статей 논문집; ~ стихов 시집;~ рассказов 단편소설집 ② (물 기타 액체를 담아두는) 그릇, 용기, 탱크
сборный (형) ① 집회의, 모이는; ~ый пункт 집합장소 ② 조립의, 조립식의; ~ый дом 조립식건물; ~ая модель 조립식모형 ③ 종합(綜合)의, 혼합(混合)의; ~ая команда 종합선수단, 종합팀;~ая команда страны 국가종합채육선수단 ④ (명사로); ~ая (여) 종합팀
сборочный (형): ~ цех 조립직장
сборщик (남) ① 수집자, 채집자, 징수자 ② 조립공
сбрасывать (미완) ① 내려던지다, 투하하다; ~ бомбы 폭탄을 투하하다 ② (날쌔게) 벗어던지다; ~ одежду 옷을

벗다 (벗어던지다)
сбрасываться (미완) (뛰어) 내리다
сбривать (미완), **сбрить** (완) 면도하다, 면도칼로 밀다
сброд (남) (집합) ① 우연히 모인 사람 (잡물), 어중이떠중이 ② 인간쓰레기들; вся- кий ~ 온갖 쓰레기들
сбросить[ся] (완) см. сбрасывать[ся]
сброшюровать (완) см. брошюровать
сбруя (여) 마구
сбывать[ся] (여) см. сбыть[ся]
сбыт (남) 판매(販賣); иметь хороший ~ 잘 팔리다
сбыть (완) ① 팔아치우다, 판매하다; ~ партию товара 한조의 사품을 팔아치우다 ② (시끄러워서) 처리하다; ~ ненужные вещи 불필요한 물건을 처리하다
сбыться (완) (예언, 희망, 기대 등이) 맞아떨어지다, 실현되다, 현실화되다; мечта сбылась 숙망이 이루어졌다
свадебный (형): ~ обряд 결혼식
свадьба (여) ① 결혼(結婚) ② 결혼식(結婚式); справлять ~у 결혼식을 거행하다; ③혼인잔치; быть на ~е 혼인잔치에 참가하다
Свазиленд (남) 스위스(Suisse)
сваливать[ся] (미완) см. свалить[ся]
свалить (완) ① 넘어(자빠)뜨리다; ~ть дерево 나무를 넘어뜨리다; болезнь ~ла его 그는 앓아누웠다 ② (한곳에) 수셔박다, 뒤섞어놓다, 되는대로 막 쌓다; ~ть вещи в ящик 물건을 궤속에 구겨박다; ③ 넘겨씌우다, 들씌우다, 전가하다; ~ть вину на другого 죄과를 남에게 뒤집어씌우다 ④ (무거운짐 등을) 벗어던지다; ~ть ношу с плеч 졌던 짐을 벗어던지다; ~ть с себя хлопоты 시름놓다
свалиться (완) ① 떨어지다, 추락하다; ~ с крыши 지붕에서 떨어지다 ② 넘어지다, 쓰러지다; ③ ~ с ног нагрузиться; де- рево свалилось 나무가 넘어졌다; ④ 병에 걸려 눕다; он свалился 그는 앓아누웠다 ⑤ 불의에 닥쳐오다; на меня свалилась трудное дело 뜻하지 않던 난사가 나에게 부닥쳤다; с неба ~ 갑자기 나타나다, 아닌 밤중에 홍두깨 내밀듯; ~ как снег на голову 불의에 나타나다, 돌연히 생기다
свалка (여) ① 오물장(汚物場), 쓰레기터 ② 싸움질, 난투(亂鬪)
сваривать (미완) 용접하다
свариться (미완) 용접되다
сварить (완) ① 끓이다, 삶다; ~ суп 국을 끓이다; ~ мясо (курицу) 고기 (닭)를 삶다; ~ рис 밥을 짓다 ② (공학) 용접하다
свариться (완) 끓다, 삶아지다, 껴지다; мясо ~лось 고기가 삶아졌다; каша ~лась 밥이 되었다
сварка (여) 용접(鎔接)
сварливый (형) 깽알거리는, 말썽부리는
сварочный (형): ~ые работы 용접작업
сварщик (남), **~ца** (여) 용접공
свастика (여) 파시즘의 상징표식
сват (남) ① 사돈 ② 중매군, 중매자
сватать (미완) 중매하다, 중매를 서다
свататься (미완) (남자 측에서) 청혼(請婚)하다, 구혼(求婚)하다
сватовство (중) 중매(中媒)
сватья (여) 안사돈, 사돈댁
сваха (여) 중매군, 중매자 (여자)
свая(여)말뚝;забивать ~и 말뚝을 박다
сведение (중) ① 보도(報道), 정보(情報), 통지, 소식; получить важные ~я 중요한 정보를 받다; собирать ~я 수집하다 ② 공포(公布), 통지; доводить до ~я 알리다, 통지하다; по моим ~ям 내가 아는바에 의하면 ③ 지식(知識), 조예

сведущий (형) 조예가 깊은, 통달한

свежесть (여) ① 신선한 것 ② 서늘한 공기;пахнуло ~ю 서늘한 바람이 불었다

свежий (형) ① 신선한, 생생한, 방금 만든; ~ие овощи (фрукты) 신선한 남새 (과일); ~ая рыба 생신한 물고기; ~ий хлеб 갓 구어낸 빵 ② 시원한; ~ий воздух 시원한 공기 ③ 선선한, 서늘한; ~ий ветер 서늘한 바람 ④ 깨끗한; ~ее бельё 깨끗한 내의 ⑤ 새로운, 새롭다; ~ие новости 새소식

свезти (완) ① 실어 모으다 ② 실어 (데려)가다 ③ 실어내리다 ④ 실어내가다, 운반해가다

свёкла (여) 뿌리근대; сахарная ~ 사탕무

свёкор (남) 시아버지

свекровь (여) 시어머니

свергать (미완), **свергнуть** (완) 타도(전복)하다, 뒤집어엎다

свержение (중) 타도(他道), 전복(顚覆)

сверить (완) 맞추어보다, 대조하다 ~ копию с поднинником 사본을 원본과 맞추어 보다

сверкать(미완), **~нуть**(완) 번쩍(반짝)이다, 번뜩거리다, 빛나다; ~ает молния 번개가 번쩍인다.

сверлильный (형); ~ станок 불반

сверлить (미완) ① 구멍을 뚫다, 드릴강공하다 ② 파먹다 ③ 쿡쿡 아프게 하다

сверло (중) (공학) 구멍뚫이, 기계송곳

свернуть (완) ① 들들 말다, 돌돌 감다; 접다 ② 줄이다, 축소하다 ③ 들다; ~ налево 왼쪽으로 돌다, 왼쪽으로 꺾어 들어가다 ④ 벗어나다; ~ с дороги 길에서 벗어나다

свернуться (완) ① 돌돌 (들들) 말리다 (감기다), 저하다 ② 오그라지다, 옹그라지다; лепестки ~лись 꽃잎이 오그라졌다 ③ 응송(應訟)

сверстник (남),**~ца** (여) 동년배, 등갑

свёрток (남) 봉지, 꾸러미; 보짐, 몽치

свёртывание (중) ① 줄이는 것, 단축 ② 응결, 엉기는 것; ~ крови 피 엉기기

свёртывать[ся](미완)см. свернуть[ся]

сверх(전)(+생) ① 위에; он ~ ватника надел палото 그는 솜저고리위에 외투를 입었다 ② ...외에, 초과(超過)하여; ~ плана 계획을 초과하여 ③ ···와 반대로; ~ ожи-дания 기대와는 달리 (반대로), 기대에 어긋나게

сверхвысокий (형) 최고(最高)의; ~ое давление 초고압; ~ое напряжение (전기) 초고압(超高壓)

сверхдальний (형) 초원거리의

сверхзвуковой (형) 초음속(超音速)의; ~ая скороть 초음속

сверхмощный (형) 최강력(强力)의; ~ый двигатель 최강력발동기; ~ая электростанция 초고출력발전소

сверхнизкий (형); физика ~их темпе-ратур 극저온 물리학

сверхплановый (형) 계획외의, 계획을 초과하는; ~ые накопления 계획외의 축적; ~ая работа 계획외 작업

сверхприбыль (여) 초과이윤

сверхскоростной (형) 초고속도의

свеохсрочный (형) ① 기한초과의; ~ая служба (군사) 초기근무 ② 매우 긴급한; ~ое задание 급선무, 초긴급과제

сверху ① (부) ....위에(서), 표면(表面)에; положить ~ книгу ...위에 책을 놓다 ②(부)위로부터, 위에서;~ слышится голос 위로부터 (위에서) 목소리가 들려온다.; ③ (부) 상부(上部)로부터, 우로부터; решить вопрос приказом ~ 위 (상부) 로부터의 명령에 의하여 문제를 해결하다 ④ (전) (+생) 위에; ~ дома 집의에; ~ донизу 위에서 아래까지

сверхурочно (부) 시간외에; работать ~

시간외노동을 하다

сверхурочный (형) 시간(時間)외의; ~ая работа 시간외작업

сверхъестественный (형) 초자연적인; ~ые силы 초자연적인 힘 ② 기적적인, 놀라운

сверчок (남) 귀뚜라미

свершать[ся] (미완) см. свершить[ся]

свершение (중) ① 실행(實行), 실현(實現), 거행(擧行) ② 쟁취(爭取), 성과(成果)

свершиться (완) 이룩되다, 실현되다

сверять (미완) см. сверить

свесить (완) 드리우다;, сидеть, свесив ноги 다리를 드리우고 앉다

свеситься (완) ① 드리워지다, 매달리다 ② 축 늘어지다; ветви ~лись до земли 가지들이 땅에 축 내려드리웠다

свести (완) ① 데려가다; ~ ребёнка в школу 아이를 학교에 데려가다 ② 데리고 (부축하여) 내리다; ~ старика с лестни-цы 노인을 부축하여 계단을 내리다 ③ 벗기다, 제거하다; ~ пятно 얼굴을 지우다 ④ (무인칭) 비뚤어지다, 쥐가 나다, 경련이 일어나다, свело ногу 다리에 쥐가 났다; [едва] ~ (또는 сводить) концы с кон-цами 겨우 생계를 유지하다, 근근히 살아가다; ~ с ума кого ① 미치게 하다 ② 매혹(魅惑)시키다, 황홀케 하다; ~ счёты с кем 보복하다; ~ в могилу 애태워죽이다

свестись (완) к чему...에 귀착되다, ...로되다; ~ на нет (또는 к нулю) 없어지다, 영이 되다;~ к минимуму 최소한도로 국한되다; всё свелось к пустякам 모든 것이 시시한일로 되어버렸다

свет I (남) ① 빛, 광선; солнечный ~ 햇빛: лунный ~달빛 ② 불, 등불:зажечь (погасить) ~ 불을 켜다(끄다); чуть ~ 동이 트자; ни ~ ни заря 동트기 전에: в ~е чего... 에 비추어

свет II (남) 세계, 세상: весь ~ 온 세상: по всему ~у 온 세계에 (걸쳐서): всему ~у известно 온 세상 사람들에게 알려져 있다; выпустить в ~ 출판하다; появи- ться (또는 явиться) на ~ ① 출생(出生)하다 ② 발생(發生)하다: на чём ~ стоит 지독하게, 사정없이; отправиться на тот ~ 저승으로 가다, 죽다: на краю ~а 벽지에서, 세상 끝에서

светать (미완) 먼동이 트다, 날이 밝다

светло (중) ① 천재 ② 명인, 거장

светильник (남) ① 남포등, 등잔(燈盞) ② 가로등(街路燈)

светить (미완) ① 빛나다, 비치다, 번쩍이다, 반짝이다: солнце светит 해가 비친다. ② 비쳐주다

светиться (미완) ① 훤하게 비치다, 빛을 뿌리다: в окнах ~лись огоньки 창문에 불빛이 훤하게 비쳤다 ② 반짝이다, 빛나다: в гдазах ~лась радость 두 눈은 기쁨에 빛났다

светлеть (미완) 밝아지다, 개이다, 훤해지다: небо ~ет 하늘이 훤해진다

светло (부) ① 밝게, 환하게, 훤하다, ② (술어로) 밝다, 환하다: на дворе ~ 밖이 환하다

светлый (형) ① 밝은, 환한, 훤하다: ~ая комната 밝은 방 ② 맑은, 투명한; ③ 빛깔이 연한(맑은), 산뜻한: ~ые волосы 금발머리 ④ 명랑한, 즐거운, 유쾌한: ~ая улы-бка 명랑한 웃음 ⑤ 명철한, 통찰력이 센: ~ый ум 총명한 지혜

светляк, -ячок (남) 개똥벌레, 반디불

светобоязнь (여) (의학) 수명증(羞明症), 눈부심증(-症)

световой (형) 빛의, 광선의: ~ой луч 광선: ~ой сигнал 광선신호: ~ая реклама 네온사인

светомаскировка(여) 불가림, 등화관제
светомузыка (여) 광선음악
светофильтр (남) 빛 가리개, 여광기, 색가리개
светофор (남) (교통정리용 광선) 신호등(信號燈), 색등신호기
светоч (남) ① 해불 ② 향도자, 향도성
светочувствительный (형) 감광*: ~ая бумага 감광지, 빛느낌 종이
светящийся (형) 빛을 내는, 발광의
свеча (여) ① 초, 양초: зажечь ~у 초불을 켜다 ② (공학) 점화전, 발화전 ③ (광도의 단위) 촉
свешать[ся] (완) см. вешать[ся]
свивать (미완) см. свить
свидание (중) ① 면회(面會), 상봉(相逢) ② (애인끼리의) 상봉(相逢), 서로 만나는 것: идти на ~е (애인과) 만나러 가다; до ~я 안녕히 계십시오.(가십시오); до скорого ~я (속한 시일 내에) 다시 만납시다.
свидетель (남), **~ница** (여) 증인(證人), 목격자(目擊者), 입회자
свидетельский (형): ~ие показания 증인의 진술(陳述)
свидетельство (중) ① 증언(證言), 입증(立證), 증명(證明) ② 증거(證據)(물): ис- торическое ~ 역사적 증거 ③ 증명서(證明書): ~ о рождении 출생증: о смерти 사망진단서: медицинское ~ (건강) 진단서
свидетельствовать (미완) ① 증명 (증언, 입증)하다; ② 확인 (공중)하다: ~ подпись 서명을 확인하다
свинарка (여) 돼지사육자 (여자)
свинарник (남) 돼지우리
свинец (남) 연, 납
свинина (여) 돼지고기
свинка I (여) (의학) 이하선염, 귀밑샘염
свинка II (여): морская ~ 얼룩 쥐, 모르모트

свиноводство (중) 돼지치기
свиной (형) ① 돼지*: ~ое сало 돼지비계 ② 돼지고기로 만든
свиноматка (여) 어미돼지
свиноферма (여) 돼지목장
свинский(형):~ поступок 추잡한 행동
свинство (중) 비열한 짓, 야비한 행동
свинцовый (형) 연*, 연으로 만든: ~ая руда 연광: ~ые белила 연백
свинья (여) ① 돼지 ② 돼지같은 (더러운)놈; подложить ~ю кому... 에게 불쾌한 (비열한) 짓을 하다
свирель (여) 피리, 퉁소
свирепо (부) 사납게, 표독스럽게, 횡포하게
свирепствовать (미완) ① 미쳐 날뛰다, 발광 (발악)하다 ② (자연현상이) 사납게 굴다, 날치다: мороз (буря) ~ет 추위 (폭풍우)가 사납다
свирепый (형) ① 사나운, 횡포한, 난폭한: ~ взгляд 사나운 눈초리 ② 몹시 성난, 격노한 ③ 맹렬한: ~ мороз 심한 추위
свиристель (여) 황여새
свисать (미완), **свиснуть** (완) 드리우다, 축 늘어지다, 처지다: ветки свисают 가지들이 드리웠다
свист (남) ① 휘파람 ② (휘파람을 방불케하는) 새소리 ③ 휘휘하는 소리: ~ ветра 바람이 휘휘부는 소리
свистеть (미완), **свиснуть** (완) ① 휘파람불다 ② (호각, 기적 등으로) 소리를 내다: паровоз свистит 기판차가 기적을 울린다 ③ 휘휘소리를 내다
свисток (남) 호각, 고동
свита (여) 수원, 수행원(隨行員)
свитер (남) 세타
свить (완) ① 꼬다, 역다, 들다: ~ гнездо 둥지를 틀다 ② 둘둘 말다(감다):~ бумагу в трубку 종이를

둘둘 말다

свихнуться (완) ① 미치다, 머리가 돌다: ~ с ума 미치다, 정신이 나가다 ② 그릇된 길로 떨어지다

свищ (남) (의학) 상한구멍, 누공

свобода(여) 자유(自由): ~а слова(печати, совести) 언론 (출판, 신앙)의 자유(自由) выпускать на ~у 석방하다

свободно (부) ① 자유롭게 ② 유창하게

свободный (형) ① 자유로운 ② 구속(제한)되지 않는: ~ый проезд 자유통과 ③ 빈, 쓰지 않는: ~ое место 빈자리 ④ 널찍한, 헐렁헐렁한 ⑤ 짬이 있는, 한가한: в ~ое время 한가한 때에

свободолюбивый (형) 자유를 사랑하는, 자유애호적인

свод I (남) 전서(典書): ~ законов 법전

свод II (남) (건축) 둥근천장, 궁륭

сводить[ся] (미완) см. свести[сь]

сводка (여) 종합보고, 종합보도: операти-вная ~ 전투정황보고: ~ погоды 일기예보

свободный (형) ① 종합적인, 총괄한; 혼성*: ~ые данные 종합자료 ② 배다른: ~ые братья 배다른 형제

сводчатый (형) 아침형*, 무지개모양으로 된: ~ потолок 궁륭천장

своё (중) 자기의 것

своеволие (중) 제멋대로 하는 것, 독단(獨斷), 전횡(專橫)

своевольничать (미완) 제멋대로 행동하다, 전횡을 부리다

своевольный (형) 제멋대로 하는, 전횡을 부리는

своевременно(부) 제때에, 시기적절하게

своевременность (여) 제때, 시기적절한 것

своевременный(형) 제때의, 시기적절한

своекорыстие (중) 사리사욕,
이기심(利己心), 탐욕(貪慾)

своенравный (형) 변덕(變德)스러운, 자기배짱만 부리는, 제멋대로 행동하는: ~ че- ловек 고집통이, 완고한 사람

своеобразие (중) 독특한 것, 고유한 특성(특색, 특질)

своеобразный (형) 독특한(獨特-), 특이한, 고유한(固有-)

свозить (미완) см. свести

свой (소유대) ① 자기(自己)의, 자체의: любить ~ю Родину 자기 조국을 사랑하다: делать ~ими силами 자기 힘으로 하다: сделать ~ими руками 손수 (자기손으로) 만들다 ② 고유한, 독특한, 도장적인: у каждого ~й вкус 사람마다 고유한 취미가 있다 ③ 적절한, 알맞은: всему ~ё время 만물에는 제철이 있다 ④ 친근한, 친척에, 집안의: ~й человек 우리 (자기) 사람 ⑤ (명사로): ~й (남) 집안사람, 우리 (자기) 사람: собака на ~их не лает 개는 집안사람에게는 짖지 않는다. ⑥ (명사로) ~ё (중) 자기의 것: добиться ~его 자기 희망을 실현하다, 소원을 성취하다: настаи-вать на ~ём 고집을 부리다, 자기주장을 고집하다; по ~ему 제맘음대로, 제멋대로: ~его рода 일종의: в ~ём роде 일정한 관점에서 볼 때: в ~ё время ① 한때 ② 제때에: знать ~ё место 자기의 위치를 인식하고 주제넘은 행동을 안하다: называть вещи ~ими именами 있는 그대로 솔직히 말하다, 단적으로 말하다: быть не в ~ём уме 정신이 나가다, 제정신이 아니다: сам не ~й 또는 сама не ~я 마음을 걷잡지 못한다.

свойственный (형) 고유한, 특유한, 보래 가지고 있는

свойство (중) 특성, 속성, 특질

свора (여) ① (개, 승냥이 등의) 무리, 때 ② 악당(惡黨)

сворачивать (미완), **~отить** (완) ①

방향을 돌리다 ② 굴려 옮기다; горы ~отить 큰 (힘들) 일을 해제끼다.

свыкнуться (완) 익숙해지다, 버릇 (습관) 되다

свысока (부) 거만하게: смотреть ~ 나지리 보다, 깔보다

свыше ① (전) (+생) 이상(理想): ~ пяти часов 다섯시간 이상:~ ста человек 백명이상: это ~ моих сил 이것은 내 힘에 겨움다 ② (부) 위(상부) 로부터: по распоряжению (предписанию) ~ 위(상급)의 지시에 따라

связать(완) ① 매다, 잇다, 묶다: ~концы 두 끝을 매다: ~ вещи в узелок 물건을 한데 묶어 싸다 ② 결합시키다, 연결시키다: ~ учёбу с трудом 학습과 노동을 결합시키다 ③ 관계 (연계)를 가지게 하다; ④ 속박 (구속)하다, 부담을 지우다 ⑤ 뜨다: ~ парчатки 장갑을 뜨다; не мочь(не уме-ть) ~ двух слов 말을 제대로 하지 못하다

связаться (완) ① 매이다, 이어지다, 묶이다 ② 연락하다, 연계를 가지다, 결합되다: ~ по телефону 전화로 연락하다 (연계를 가지다) ③ 사귀다, 교제 (관계)하다 ④ (좋지 않은이에) 달라붙다

связист (남), **~ка** (여) ① 통신병(通信兵) ② 체신부분 일군

связка (여) ① 묶음, 뭉치, 꾸러미, 단: ~ ключей 열쇠묶음: ~ дров 나무단 ② (해부) 이음줄, 인대: голосовые связки 성대 ③ (언어) 계사

связник (남) 첩자(諜者)

связно (부) 조리있게

связной (남) 연락병(聯絡兵)

связный (형) 조리있는, 논리 정연한, 앞뒤가 맞는

связуюший:~ее звено 연결하는 고리

связывать[ся] (미완) *см.* связать[ся]

связь (여) ① 연락, 연결(連結), 결합(結合): ~ь теории с практикой 이론과 실천의 결합 ② 관계, 연계: дружеские ~и 우호관계 ③ 교제, 친교; 애정관계 ④ (복수) 연줄, 배경: иметь хорошие ~и 좋은 배경을 가지고 있다 ⑤ 통신, 연락: телефонная ~ь 전화통신: средство ~и 통신 (연락)수단; в ~и с чем... 과 관련하여

свято (부) 숭고 (거룩)하게, 신성하게

святой (형) ① 신성한, 성스러운, 숭고한: ~ долг 신성한 의무 ② 깨끗한, 순결한, 고결한

святыня (여) ① 성물(聖物), 성지(聖地) ② 보배, 소중하고 신성한 것:беречь как ~ю 장중보옥처럼 소중히 하다

священник (남) 목사(牧師), 주승(主僧)

священнослужитель (남) 승려(僧侶)

священный (형) ① 신적인, 신성한: ~ые книги 성서, 성전 ② 신성한, 거룩한, 성스러운: ~ая обязанность 신성한, 임무: ~ая война 성전

сгиб (남) ① 굴곡(屈曲); 구부리는 것, 구부림 ② 굽히는 (굽은, 접은) 곳: на ~е 굽은 데에서, 접은데 에서

сгибать[ся] (미완) *см.* согнуть[ся]

сгинуть (완) 사라지다, 없어지다; 죽다: ~ бесследно 자취도 없이 사라지다

сгладить (완) ① 펴다, 반반하게 하다: ~ морщины 구김살을 펴다 ② 완화하다, 없애다: ~ противоречия 모순을 완화하다 (없애다)

сгладиться (완) ① 펴지다, 반반해지다 ② 완화되다, 없어지다: первое впечатление ~лось 첫인상이 사라졌다

сглаживать[ся] *см.* сгладить[ся]

сгнить (완) 썩다, 부패하다

сгноить (완) 썩이다, 부패시키다

сговариваться *см.* сговориться

сговор (남) 공모(共謀), 결탁: вступить в ~ с кем ...와 결탁(結託)하다: в ~е с кем...와 짜고 (결탁하여)

сговориться (완) ① 공모하다, 결탁하다 ② 합의에 이르다, 합의를 보다

сговорчивый (형) 말이 잘 통하는, 고집을 쓰지 않는

сгонять (미완) см. согнать

сгорание (중) ① (불) 타기, 연소 ② 화학적 분해

сгорать (미완) ①см. сгореть ② 화학적 분해를 하다, 분해되다.

сгорбиться (완) 등이 굽다, 구부정해지다

сгореть (완) ① 타없어지다, 다 타다 ② (가물에) 타마르다 (got빛에) 데다: трава ~ла 풀이 바싹 말라버렸다 ③ 뜨다, (쌓아두어) 썩다 ④ 지나친 노력, 급병 등으로 (쇠진하다, 녹다, 죽다); ~ть от (또는 со) сты-да 부끄러워서 (창피해서) 어쩔줄 모르다

сгоряча (부) 결김에, 흥분해서, 격해서

сгребать (미완), **~сти** (완) ① 긁어모으다 ② 긁어내리다: ~бать снег с крыши 지붕에서 서 눈을 긁어내리다 ③ (와락 또는 서투르게) 움켜쥐다, 얼싸안다: ~бать в охапку 두 팔로 부둥켜안다..

сгружать (미완), **~зить** (완) 짐을 부리다 (내리다)

сгруппировать (완) ① 그룹을 만들다, 집단을 형성하다; 그룹을 나누다 ② 한데 모으다

сгруппироваться (완) 그룹을 모으다

сгустить (완): ~ краски 과장하다

сгуститься 진해(걸어)지다, 엉기다

сгусток (남) 응결물, 멍울, 엉긴 덩어리: ~ крови 엉긴 피멍이

сгущать[ся] (미완) см. сгустить[ся]

сгущенный (형): ~ое молоко 졸인것

сдавать[ся] (미완) см. сдать[ся]

сдавить (완), **сдавливать** (미완) ① 누르다, 조이다: ~ горло 목을 누르다 ② (마음, 가슴을) 짓누르다, 아프게 하다

сдать (완) ① 맡기다, 넘기다: ~ ключ 열쇠를 맡기다: ~ вещи на хранение 짐을 맡기다 (보관시키다): ~ дела 사업을 인게하다 ② 세주다, 빌려주다: ~ комнату 방을 세주다: ~ в аренду 세주다 ③ 시험에: 통과 하다, 시험에 합격하다~ экзамен 시험에 통과하다 ④ 거슬려주다: ~ рубль мелочью 1 루블의 거스름을 잔돈으로 주다 ⑤ 수매시키다: ~ макулатуру (посуду) 못쓸 인쇄물 (빈병)을 수매시키다 ⑥ 쇠약해지다, 늙다: он очень сдал после болез-ни 그는 앓고나서 몹시 쇠약해졌다 ⑦ (기계 등의) 못쓰게 되다, 멎다

сдаться (완) 항복(투항) 하다, 굴복하다: ~ в плен 투항하여 포로가 되다

сдача (여) ① 인도(人道), 넘기는 것; 납부(納付), 납입(納入): ~ хлеба 곡물납부 ② 거스름돈 ③ 항복(降伏)

сдваивать (미완) см. сдвоить

сдвиг (남) ① 이동(移動), ② 전진(前進), 진척 ③ 변동, 변혁 ④ (지질) (평이) 단층

сдвигать[ся] (미완) см. сдвинуть[ся]

сдвинуть (완) ① 옮겨놓다, 밀어 움직이다: ~ ящик с места 궤짝을 옮겨놓다 ② 붙여 놓다, 가까이 놓다 (움직여) 접근시키다: ~ два стола 두 상을 붙여놓다; ~ места 추진 (진척)시키다

сдвинуться (완) ① 자리에서 움직이다, 옮겨가다 ② 가까이 옮겨가다, 접근되다;~ с места 추진 (진척)되다

сдвоить (완) 이중으로 (겹으로) 되게 하다: ~ ряды 이열대형을 짓다

сделать[ся] (완) см. делать[ся]

сделка (여) ① 거래(去來), 계약(契約), 협정(協定): торговая ~а 팔고사기계약: зак-лючить ~у 계약을 채결하다 ②

공모(共謀): вступить в ~у 고모하다; ~a c co- вестью 양심을 훙정하는 것, 비양심적인 행동

сдельно (부) 도급제로: ~ работать 도급제로 일하다

сдельный (형) 도급제(都給制): ~ая работа 도급제 노동:~ая оплата 도급제임금

сдельщина (여) 도급제(都給制), 도급임금제; 도급노동(都給勞動)

сдёргивать (미완) см. сдёрнуть

сдержанно (부) 침착하게, 신중하게, 절도 있게

сдержанность(여) 침착성, 자제력, 절도

сдержанный (형) ① 침착한, 신중한 ② 평온한, 날카롭지 않은

сдержать(완)① 견디어내다: ~ натиск 공세를 견디어내다 ② 제지하다, 억제하다, 참다: ~ смех (слёзы) 웃음(눈물)을 참다 ~ слово (또는 обещание) 약속을 지키다:~ клятву 맹세를 지키다

сдержаться (완) 자제하다, 제지하다

сдерживать[ся] см. сдержать[ся]

сдёрнуть (완) (잡아당겨) 벗기다, 벗겨버리다, 집어치우다

сдирать (미완) см. содрать

сдоба (여) см. сдобная булка

сдобный (형) ~ый хлеб, ~ая булка (우유, 버터, 계란을 섞어 반죽하여 만든) 회빵, 케이크

сдохнуть (완)(동물이) 죽다; 뒈지다

сдружиться (완) 친하다, 친숙해지다

сдувать (미완), сдуть (완) 불어서 날리다, 날려버리다

сдыхать (미완) см. сдохнуть

сеанс (남) 상영

себе см. себя

себестоимомть (여) 원가(原價), 본전(本錢): снижение ~и 원가저하

себоррея (여) (의학) 피지(皮脂)

себя (재귀 대) 자기(自己), 자신(自身), 자체(自體): не думать о ~е 자신을 생각하지 않다: поставить ~e цель 자기의 목적을 세우다: каждый отвечает за ~я 각자는 자기에 대하여 책임을 진다: нельзя ~e представить 상상할 수 없다; владеть собой 자제하다: выйти из ~я 자제력을 잃다, 성내다: прийти в ~я 제정신이 들다: про ~я 속으로, 마음속으로: сам(сама, само) по ~е 자체로, 그 자체로, 다른 것과 관계없이: сам (сама, само) собой 저절로, 스스로: ~е на уме 속심이 있다

себялюбие (중) 이기주의, 자기본위

сев (남) 씨뿌리기, 파종

север (남) ① 북, 북쪽(北-), 북방(北方) ② 북부지방(北部地方): на ~е 북부지방에서 Крайний Север 북극지방

северный (형) 북*, 북쪽*, 북방*: ~ый ветер 하늬바람, 북풍: Северный полюс 북극: ~ая часть [страны] 북반부: ~ ое сияние 북극광:Северный Ледовитый океан 북빙양: Северный морской путь 북빙항로

северо-восток (남) 동북(東北)

северо-запад (남) 서북(西北)

севооборот (남) 그루돌림, 그루바꿈, 윤작(輪作)

сегодня (부) ① 오늘: ~ вечером 오늘 저녁에 ② 현재(懸在), 지금; не ~~завтра 곧, 오늘 내일 일간에

сегодняшний (형) 오늘*, 현시기*:~ий день 오늘: ~яя газета 오늘신문

сегрегация(여) 유색인종차별, 격리주의

седеть (미완) 머리가 세다, 백발이 되다

седина (여) ① 흰 머리칼, 백발, 흰털 ② (복수) 노년, 노령; дожить да седин 오래 살다, 백발이 될 때까지 살다

седлать (미완) 안장을 얹다: ~ коня

말에 안장을 얹다

седло (중) ① (말, 자전거 등의) 안장: садиться в ~ 안장에 올라왔다 ② (공학) 자리쇠

седой (형) 머리가 센, 백발(白髮)의: ~ые волосы 흰 머리카락, 센 머리; ~ой старик 백발노인; ~ая старина 태고, 아득한 옛날

седок (남) ① 마차의 승객 ② 말탄 사람

седьмой (수) 일곱째*,제 7: ~ое число 7일; быть (чувствовать себя) на ~ом небе 더 없는 행복 (만족)을 느끼다

сезон (남) 철, 계절(季節), 시절(時節): до-ждливый ~ 장마철: курортный ~ 정양계절: охотничий ~ 사냥철

сезонный (형) ① 계절에 따르는, 계절적인, 철에 맞는: ~ товар 철에 맞는 상품 ② 정기*: ~ билет 정기차표

сей (지시 대) 이: на ~ раз 이번에는: до сего времени 또는 до сих пор 이때까지, 지금까지: по сей день 오늘까지; сию минуту 지금 곧, 이제 곧, 당장: ни то нисё 죽도 아니고 밥도 아니다: ни с того ни с сего 아무런 까닭도 없이, 무턱대고, 괜히

сейнер (남) 저인망선, 건착선

сейсмический (형) ① 지진(地震)의: ~ая волна 지진파도 ② 지진이 잦은: ~ая зона 지진이 잦은 지대

сейсмограф (남) 지진계(地震計)

сейф (남) ① (내화) 금고 ② 금고실

Сейшельские острова (복수) 세이셸

сейчас (부) ① 지금, 이제: я ~ занят 나는 지금 바쁘다 ② 곧, 이제 곧: ~ приду 곧 돌아오겠다. ③ 방금, 바로 이제: он ~ здесь был 그는 방금 여기에 있었다.

секанс (남) (수학) 시컨트(secant)

секатор (남) 가지가위

секрет (남) ① 비밀(秘密), 비결(秘訣): де-ржать в ~e 비밀로 하다, 비밀에 붙이다: выдать ~ 비밀을 누설하다: ~ успеха (성공의 비결) ② 비밀장치

секретариат (남) ① (기관, 단체의) 서기국, 사무국 ② (회의의) 서기부

секретарша (여) (여자)서기(書記)

секретарь (남) ① 비서(秘書): райкома(горкома) партии 구역 (시) 당비서: ге- неральный ~ 총비서 ② 서기(書記): ли-чный ~ 개인서기 ③ 서기관: первый ~ посольства 대사관 1등서기관 ④ 사무장(事務長): ответственный ~ 서기장

секретно (부) 몰래, 가만히, 비밀리에; (совершенно ~) 극비

секретный (형) 비밀(秘密)의, 기밀(機密)의: ~ документ 기밀문건

секреция (여) (새리) 분비: внутенняя ~ 내분비

сексуальный (형) 성적인, 색정적인

секта (여) ① 교파 ② 종파, 분파, 파벌

сектант (남) ① (어떤) 교파의 신도 ② 종파분자

сектор (남) ① 부분(部分), 부문(部門): со-циалистический ~ 사회주의적 (경제)부문 ② 구역(區域), 지역(地域) ③ 부(剖), 국(局) ④ (수학) 부채형

секунда (여) 초

секундный (형): ~ая стрелка 초침

секундомер (남) 초시계

секция (여) ① 분과, 부; 분과회의 ② 부분, 부문 ③ 매대: ~ детской одежды 어린이 옷매대 ④ (체육) 소조, 써클 ⑤ (공학) 부분

селёдка (여) 청어(靑魚)

селезёнка (여) (해부) 지리, 비장

селезень (남) 수오리

селектор (남) 선택기, 설별기

селекционер (남) 선종학자, 종축개량전문가

селекционный (형): ~ая работа 선종

- 574 -

(종축개량) 사업

селекция (여) ① 선택(選擇); ② 도태(淘汰) ③ 재종 (학), 종축개량 (학)

селение (중) 마을

селитра (여) 초석, 질산칼륨

селить (미완) 이사 (거주, 이주) 시키다

селиться (미완) 이사 (거주, 이주) 하다

село (중) 농촌(農村), 큰 마을; ник ~у ни к городу 왕철같다

сельдерей (남) (식물) 셀러리

селедь (여) 청어(青魚) как ~и в бочке 콩나물 들어서듯, 발 드려노을 여지없이

сельский (형) 농촌의, 마을의: ~ий учитель 마을선생; ~ое хозяйство 농업, 농촌경리

сельскохозяйственный(형) 농업의: ~ая страна 농업국가: ~ые орудия(машины) 농기구 (농기계): ~ые работы 농사일: ~ый кооператив 협동농장

сельсовет (남) 농촌소비에트(소련의 행정말단단위)

семантика (여) (언어) ① 뜻, 의미(意味), ② 의미론(意味論)

семафор (남) 신호기(信號機), 신호장치, 신호기둥

сёгма (여) 연어

семейный (형) ① 가정의, 가족의: ~ая жизнь 가정생활: ~ые обстоятельства 가정사정: ~ое положение 가족유무: в ~рм кругу 가족(집안)끼리: по~ым делам 가정일로 ② 가정을 가진, 결혼한: ~ый человек 가정을 가진 사람

семейственность (여) 가족주의

семейство (중) ① 가정(家庭), 가족(家族): прибавление ~а 생남, 생녀 ② (새물) 과: ~о кошек (또는 кошачьчьих) 고양이과

семена (복수) 씨앗, 종자(種子)

семенить (미완): ~ ногами 발을 재게 놀리다, 잰 걸음으로 가다

семенной (형) ① 씨앗의, 종자의: ~ой картофель 종자감자 ②: ~ая жидкость 정액

семеноводство (중) ① 채종업, 육종업, 종자(種子) 개량업 ② 채종학

семёрка (여) ① 수자 7, 일곱 ② 7점 ③ 제 7호 전차 (버스)

семеро (수) 일곱명, 일곱개: ~ ребят 일곱명의 아이들

семестр (남) (대학, 전문교에서의) 학기(學期): первый ~ 1 (일) 학기

семечко (여) ① 씨, 씨앗 ② (복수) 해바라기 씨

семидесятилетие (중) ① 70 (칠십) 년 ② 70 (일흔) 돌

семидесятилетний (형) 70년 (돌, 살)의: ~ старик 70 (일흔) 살난 노인: ~ дуб 70 (칠십)년 묶은 참나무

семидесятый (수) 제 70 (칠십)의, 이른번째의

семилетка (여) ① 7 (칠) 년째 학교 ② 7(칠)개년계획

семилетний (형) ① 7 (칠) 년간의: ~ план 7 (칠)개 년계획 ② 일곱살의: ~ ребёнок 일곱 살된 아이

семимильный (형): идти вперёд ~ыми шагами 급속도로 전진 (발전)하다

семинар (남) ① 학과토론 ② 강습 (회)

семинария (여) 신학교(神學校)

семнадцатый (수) 제 17 (십칠)의, 열일곱째

семнадцать (수) 17 (십 칠), 열일곱

семь (수) 7 (칠), 일곱

семьдесят (수) 70 (칠십), 일곱

семьсот (수) 700 (칠 백)

семья (여) 가정, 가족; 세대: глава ~и 세대주: член ~и 식솔, 집안사람

семьянин (남) 살림군

семя 중 씨, 씨앗, 종자(種子)

сенат (남) (일부 국가의) 상원

сенатор (남) 상원의원

Сенегал (남) 세네갈
сени (복수) (러시아 농가의) 현관
сено (중) 말린 풀, 건초(乾草): косить ~о (말린 풀로 쑬) 풀을 베다: охапка ~а 말린 풀 한아름: стог ~а 말린 풀더미
сеновал (남) 말린 풀 저장고
сенокопнитель (남) 말린풀 퇴적기
сенокос (남) ① (말린 풀을 장만하기 위한) 풀베기: начался ~ 풀베기가 시작되였다 ② 풀베기철 ③ 풀베기터, 풀밭
сенокосилка (여) 풀베는 기계
сенсационный (형) 큰 파문을 일키는: ~ая новость 큰 파문을 일으킬만한 새소식
сенсация (여) ① 큰 파문: вызвать ~ю 큰파문을 일으키다 ② 일대사건, 큰 파문을 일으키는 사건
Сент-Винсент и Гренадины 쎈트빈쎈트그레너딘즈
сентиментализм(남)감상주의(感傷主義)
сентиментальный (형) ① 감상적인 ② 간상주의적인
Сент-Кристофер и Невис 쎄인트크리스토피 네비스
Сент- Люссия (여) 쎈인트 러시아
сентябрь (남) 구월(九月)
сентябрьский (형) 구월(九月)의
сепаратизм (남) 분리 (분립) 주의
сепаратист (남) 분리 (분립) 주의자
сепаратный (형) 단독적인(單獨的-): ~ые выборы 단독선거:~ый мир 단독강화
сепаратор (남) (공학) 분리기, 선별기
сепсис (남) (의학) 페혈증, 부페증
сера (여) (화학) 유황(硫黃)
сервант (남) (낮은) 찬장
сервиз (남) 한조: столовый ~ 식기 한조: чайный ~ 차그릇 한조
сервировать (미완, 완) (상, 음식을) 차리다:~ стол 밥상을 차리다
сервировка (남) ①봉사 ② 봉사기관

сервис (남) ① 봉사 ② 봉사기관
сердечно (부) 충심으로, 전심으로
сердечно-сосудистый (형) : ~ая сис- тема 심장혈관 계통
сердечный (형) ① 심장(心腸)의: ~ая недостаточность 심장기능부전 ② 친절한, 따뜻하고 정다운
сердито (부) 성이 나서, 화가 나서, 표독스럽게
сердитый (형) ① 성난, 격분(激忿)한: ~ взгляд 성난 눈초리, 화가 어린 눈초리 ② 역정을 잘 내는
сердить (미완) 노하게 (성나게)하다
сердиться (미완) 노하다, 성나다
сердце (중) ① 심장:~ бьётся 심장이 고동친다. ② 마음, 가슴: ~ радуется 마음이 기쁘다 ③ 심장부(心臟部), 중심지; брать (взять, хватать) за ~ 감동 (흥분) 시키다, 마음을 움직이다: ~не лежит к *кому-чему* 마음이 끌리지 않다: ~ кровью обливается 가슴이 쓰리고 아프다, 가슴이 저리고 아리다: в сердцах 화김에, 격분해서: от сердца отлегло 마음이 가라앉았다 (가뿐해졌다)
сердцебиение (중) 심장의 고동, 심계항진
сердцевина (여) ① 고갱이, 속, 심; ② 핵심(核心)
серебристый (형) 은빛의, 은빛 같은
серебро (중) ① 은 ② 은그릇, 은세공품
серебрянный (형) 은의, 은으로 만든
середина (여) 복관, 중앙(中央), 중간(中間): ~ сентября (9월중순)
серёжка (여) *см.* серьга
сержант (남) 중사: старший (младший) ~ 상(하)사
сержантский (형): ~состав 하사관
серийный (형): ~ое производство 계열생산

серия (여) ① 계열(系列), 조(組); ② (영화의) 부(剖): первая ~ 1 (일) 부, 전편 ③ 총서(總書), 연속출판물: ~ научно-попу-лярных книг (통속과학총서)

сернистый (형) 아황산의, 유황을 함유한: **~ая кислота** 아황산

серный(형) 유산의, 유황의: ~ая кислота 유산: ~ый колчедан 황철광

сероводород (남) 유화수소

серость (여) ① 무미한 것, 내용이 빈약한 것 ② 비문화성

серп (남) 낫: ~ и молот 낫과 마치

сертификат (남) 증명서, 증서

серый (형) ① 회색*, 재빛*, 뽀얀, 부윳한 ② 무미건조한 ③ 문화성이 낮은

серьга (여) 귀걸이

серьёзно (부) 진지 (신중)하게

серьёзный (형) 신중한, 진지한

сессия (여) ① 회의(會議), 정기회의 ②: [экзаменнационная] ~ 시험기

сестра (여) ① 누이, 언니, 누나, 누님, 매씨(妹氏), (어)동생: младшая ~ 누이동생: старшая ~ 누나 ③ 간호원(看護員)

сесть (완) ① 앉다, 걸터앉다 ②: ~ на поезд (в такси) 기차 (택시)를 타다 ③ 시작하다: ~ за работу 일을 시작하다 ④ (해달이) 지다 ⑤ 내려앉다, 착륙하다

сетка (여) ①그물 ② 구럭, 망태기

сетование (중) 원망, 불평, 한탄

сетовать (미완) 원망 (불평, 한탄) 하다

сетчатка (여) (해부) 그물막, 망막

сеть (여) ① 그물: плести ~ 구물을 뜨다: рыболовная ~ 고기그물 ② 망(網); железнодорожная ~ 철도망: электриче-ская ~ 전력망, 회로망 ③ 함정(陷穽), 덫, 그물: попасть в ~ 그물 (덫)에 걸리다

сечение(중)① 단면: поперечное ~ 횡단면: коническое ~ 원추단면 ②(의학) 절개: кесарево ~ 자궁절개(해산) 술

сечь (미완) ① 베다, 자르다 ② 갈기다, 후려치다: ~ розгами 회초리로 갈기다

сечься (미완) ① (털이) 바스러지다 ② (천의) 실이 풀리다, 찢어지다

сеялка (여) 파종기, 씨뿌리는 기계

сеять (미완) ① (씨앗을), 뿌리다, 씨뿌리다, 파종하다: ~ пшеницу 밀을 심다 (파종하다) ② 전파하다, 퍼뜨리다: ~ страх 공포심을 불러일으키다:~ вражду(раздоры) 이간질하다 ③ 채로 치다: ~ муку 가루를 채로 치다 что посеешь, то и пожнёшь (속담) 콩심은데 콩나고 팥심은데 팥난다

сжалиться (완) над кем...을 동정하다 (가엾이 여기다)

сжатие (중) 압축(壓縮), 압착(壓着)

сжатый I (형) ① 압축된:~ый воздух 압축공기 ②:~ый кулак 꽉 틀어쥔 주먹: ~ые губы 꽉 다문 입술 ③ 함축된: ~ое изложение 함축된 서술 ④ 단축된: в ~ые сроки 단축된 기한내에

сжатый II (형) 가을한, 추수한: ~ая рожь 추수한 쌀보리

сжать I (완) ① 압축하다 ② 꽉 틀어쥐다 (다물다): ~ кулаки 주먹을 꽉 틀어쥐다: ~ губы 입술을 다물다; ③ 함축 (축소) 하다 ④ 단축하다: ~ сроки 기한을 단축하다

сжать II (완) (곡식을) 베다, 가을하다, 추수하다

сжаться (완) ① 압축되다 ② 꽉 쥐어지다 (다물어지다) ③ 움츠러지다: ~ от холода 추위에 몸이 움츠러지다

сжечь (완), **сжигать** (미완) 불살라버리다, 태우다

сжижение(중) 액화(液化), 액체화(液體化)

сжиматься (미완) см. сжаться

сжиться (완) ① 어울리다, 친숙해지다: ~ с товарищами 동무들과 어울리다:~

друг с другом 서로 친숙해지다 ② 손에 익다, 익숙해지다: ~ с работой 일에 익숙해지다

сзади ① (부) 뒤에서 (부터): толкать ~ 뒤에서 밀치다: подкрасться ~ 뒤로부터 살그머니 다가가다 ② (전) (+생) …의 뒤에 (서): он сел ~ меня 그는 내 뒤에 앉았다

сибирский (형) 시베리아의
Сибирь (여) 시베리아
сибирский (복수) (**~як** (남), **~ячка** (여)) 시베리아사람 (들)
сигара (여) 엽궐연, 여송연
сигареты (복수) 담배, 궐연, 상사초
сигнал (남) ① 신호(信號); 경보(警報), 부호(符號): дать ~ 신호하다: по ~у 신호에 따라: ~ бедствия 조난신호 구호신호: ~ воздушной тревоги 공습경보: пожар- ный ~ 화재경보 ② 경고(警告): послу- жить ~ом 신호, 경고 단서가 되다
сигнализация (여) ① 신호, 경보 ② 신호장치, 신호기 ③ 신호체계, 신호망
сигнализировать (미완, 완) ① 신호하다 ② 신호를 주다, 경고하다
сигнальный (형) 신호(信號)의: ~ый флажок 신호기: ~ая лампа 신호등: ~ое устройство 신호장치
сиденье (중) (앉는) 자리
сидеть (미완) ① 앉아있다 ② 붙어있다: целый день сидит дома 온종일 집안에 들어 박혀있다: ③ 머무르다, 감금되어있다: ~ в деревне 농촌에 머물러있다: ~ в тюрьме 옥중에 있다 ④ за чем (앉아서) …을 하고있다: за работой (앉아서) 일하고 있다 ⑤ (옷이 몸에) 맞다: этот костюм на нём хорошо сидит 이 양복은 그에게 꼭 맞는다
сидеться (미완) (무인칭): не сидится дома 집안에 앉아 있을 수 없다, 밖으로 나가고만 싶다

сидячий (형) ① 앉은, 앉아있는: в ~ей позе 앉은 자세로 ② 한 자리에 오래 앉아서 하는: ~ая работа 앉은 일, 앉아 하는 일 ③ 앉는, 앉기 위한: ~ие места 앉는 자리, 좌석

сила (여) ① 힘: олбладать большой ~ой 큰 힘을 가지다: собраться с ~ами 힘을 가다듬다: выбиться из ~ 기진맥진하다: что есть ~ы (또는 изо всех ~) 힘껏, 있는 힘을 다하여: пробовать ~ы 힘을 시험해보다: полный ~ 힘이 왕성한 ②: ~а тяжести 중력: ~а инерции 관성력: ~а трения 쏠림힘, 마찰력: ~а тока 전력: ~а света 광도: движущая ~а 추동력, жизненная ~а 생활력: лошадинная ~а 마력 ③: ~ы (복수) 역량(力量), 세력(勢力): производительные ~ы 생산력: демок- ратические ~ы 민주력량: миролюбивые ~ы 평화애호역량: соотношение сил 역량관계 ④: ~ы (복수) 병력(兵力), 군대(軍隊), 무력(武力): вооружённые ~ы 무력(武力): военно-воздушные ~ы 공군 ⑤ 효력(效力), 효능(效能):решение вступило в ~у 결정이 효력을 나타냈다: потерять ~у 효력을 잃다 ⑥ 강제, 주먹다짐: при- менять ~у 주먹다짐하다; в ~у чего ... 로 말미암아, …때문에: от ~ы 기껏해야: [быть] под ~у 힘 (능력)에 알맞다, 감당할 수 있다

силач (남) 힘장사, 장골(長骨)
силикат (남) 규산염
силиться (미완) (+미정형) 애쓰다, 애써… 하려 하다
силовой (형) 힘의; 동력(動力)의: ~ая установка 동력장치
силой (부) 강제로, 억지로
силок (남) 올가미
силос (남) 풀김치
силосование (중) 풀김치로 만드는 것
силосовать (미완, 완) 풀김치로 만들다

силуэт (남) ① 검은 반면 영상, 측면영상 ② 윤곽(輪廓), 음영(陰影)
сильно (부) ① 몹시, 아주, 대단히 ② 세게 ③ 훌륭 하게, 재간 있게
сильный (형) ① 힘이 센, 강한, 억센: ~ый человек 힘장사: ~ая армия 강한 군대 ② 유력한, 심한, 큰: ~ая боль 심한 아픔: ~ое впечатление 깊은 인상 ③ 굳센: ~ая воля 굳센 의지: ~ая натура, ~ый харктер 굳센 기질 ④ 세찬, 심한: ~ый ветер 세찬 (모진) 바람: ~ый дождь 소낙비: ~ый холод (мороз) 심한 추위 ⑤ 우수한, 재능 있는:~ студент 우수한 학생
симбиоз (남) (새물) 함께살이
символ (남) ① 상징 ② 기호, 부호
символизировать (미완, 완) 상징하다, 상징으로 되다
символизм (남) 상징주의(象徵主義)
символика (여) ① 상징적의의, 상징적표현 ② (집합) 상징(象徵)
символист (남) 상징주의자(象徵主義者)
символический(형) 상징의, 상징주의적
символичный (형) 상징적(象徵的)인
симметрично (부) 대칭적(對稱的)으로
симметричность (여) ① (수학) 대칭(對稱) ② 균형성, 조화(造化), 조화성
симметричный (형) ① (수학) 대칭의 ② 균형이 잡힌, 조화된
симметрия (여) ① (수학) 대칭: ось ~и 대칭축 ② 균형 (이 잡힌 것), 조화 ③ (생물)마주나기, 대생
симпатизировать (미완) 동정 (공감) 하다, 호감을 가지다, 애착을 느끼다
симпатичный (형) 정이 드는, 호감을 주는, 인상이 좋은
симпатия (여) 동정, 호감, 애착(愛着)
симпозиум (남) 토론회(討論會)
симптом (남) ① 징조(徵兆), 징후(徵候) ② (의학) 증상(症狀), 증세(症勢)

симптоматичный (형) 징조(徵兆)의
симулировать (미완, 완) что ... 체하다, ...척하다: ~ болезнь 앓는체하다
симулянт (남), **~ка** (여) 꾀병쟁이, 엄살쟁이
симфонизм (남) (음악) 교향악예술
симфонический (형) 교향악의: ~ий оркестр 교향악단:~ая музыка 교향악
симфония (여) ① 교향곡(交響曲) ② 조화, 화음:~ красок 색채의 조화
Сингапур (남) гос-во, г. 싱가포르
сингармонизм (남) (언어) 모음조화
синдикат (남) (경제) 신디케이트
синдром (남) (의학) 증후군, 종합증상
синева (여) ① 푸른색, 푸른 것 ② 푸른 공간, 푸른 하늘
синекура (여) 한직 (낡은 사회의 판직)
синеть (미완) ①푸른빛을 띠다, 파래지다: руки ~ют от холода 추워서 손이 파래지다② 푸르게 (푸르스름하게) 보이다
синий (형) 푸른, 파란:~ее небо(море) 푸른 하늘 (바다)
синица (여) 박새
синоним (남) 뜻이 같은 말, 동의어
синонимичный (형) 뜻이 같은
синонимия (여) (언어) 뜻이 같은 말
синоптик (남) 기상 예보자, 일기 예보원, 일기예보전문가
синтагма (여) (언어) 통합(統合)
синтаксис (남) 문장론
синтаксический (형) 문장론적인
синтез (남) ① 종합 ② (화학) 합성
синтезировать (미완, 완) ① 종합하다 ② (화학) 합성하다
синтетический (형) ① (화학) 합성의: ~ий каучук 합성고무: ~ое волокно 합성섬유 ② 종합*, 종합적인
синтомицин (남) 신토미찐
синус (남) (수학) 사인(sine), 시누스
синхрония (여) ① 동시성(同時性) ②

(언어) 공시태(共時態)

синхронность (여) ① 동시성(同時性), 동기성, 동조성 ② 동기발생

синхронный (형) 동시의: ~ перевод 동시통역: ~ двигатель 동기전동기

синька (여) ① 푸른 물감 ② 푸른색도면 복사지

синяк (남) 퍼렇게 맺힌 멍

сионизм (남) 유태복고주의

сионист (남) 유태복고주의자

сионистский (형) 유태복고주의적

сиплый (형): ~ голос 목쉰소리

сирена (여) 고동, 기적, 사이렌

сиреневый (형) 연보라빛의

сирень (여) 라일락, 넓은 잎 정향나무

Сирия (여) 수리아

сироп (남) 진단물, 시럽(syrup)

сирота (남, 여) 고아(孤兒): круглый ~ 양부모를 잃은 아이

сиротливый(형) 쓸쓸한, 외로운, 고독한

система (여) ① 체계: привести в ~у 체계화하다:~a управления(снабжения) 관리 (공급) 체계: солнечная ~a (태양계) ② 제도(制度), 체계(體系), 조직(組織): социа- листическая ~a 사회주의제도: избира- тельная ~a 선거제도:карточная ~a 배급제도 ③ 계통(系統), 기관(機關): нарвная ~a 신경계통: все ~ы работают норма- льно 모든 계통들이 정상적으로 일하고 있다 ④ 질서(秩序), 순서(順序), 절차(節次): строгая ~a в работе 엄격한 사업질서: расположить книги по определённой ~е 서적을 일정한 순서로 배열하다 ⑤ 부문, 계통: работать в ~е просвещения 교육부문에서 사업하다 ⑥ 구조(構造), 식, 형: самолёт новой ~ы 신형비행기

систематизация (여) ① 체계화(體系化), 계통화 ② 분류(分類), 계통적 배열

систематизировать (미완, 완) ① 체계 (계통) 화하다 ② 분류하다, 계통적으로 배열하다

систематически (부) ① 체계적으로 계통적으로 ② 늘, 계속

систематический (형) ① 체계적인 계통적인 ② 계속적인, 부단한 ③ (동식물) 분류학*

ситец (남) 꽃천

сито (중) 채

ситуация (여) 정세, 사태

ситцевый (형) 꽃천*, 꽃천으로 지은

сифилис (남) (의학) 매독(梅毒)

сияние (중) 광휘로운 빛, 광채(光彩); сев-ерное ~ 북극광

сиять (미완) ① 비치다, 빛나다, 반짝이다: звёзды ~ют 별들이 반짝인다. ② 기쁨을 금치 못하다

сказание (중) 옛이야기, 전설(傳說)

сказать (완) ① 말하다, 이야기하다 ②: скажем (삽입이) 이를 테면, 말하자면, кс-тати ~ 겸하여 말한다면: можно (삽입어) 말하자면: к слову ~ 덧붙여 말한다면

сказка (여) ① 옛말, 옛날이야기 동화 ③ (복수) 꾸며낸 이야기, 거짓말

сказочный (형) ① 옛말의, 옛말 같은 ② 놀랄만한

сказуемое (중) (언어) 술어(術語)

сказываться (미완) 나타나다, 반영되다: 영향을 주다

скакалка (여) 줄넘기

скакать (미완) ① 띄다, 달음박질하다, 질주하다 ② 뛰놀다

скаковой (형):~ая лошадь 경마용 말

скала (여) 바위, 암석; 벼랑, 낭떠러지

скалистый (형) 바위가 많은: ~ые горы 바위산

скалить (미완): ~ зубы 1.이빨을 드러내다 2. 웃다, 비웃다

скалка (여) (반죽을 미는) 밀대

скалывать (미완) см. сколоть

скальп (남) 머리피부

скальпель (남) (작은) 수술칼, 둥근칼

скамейка (여) 긴 걸상, 공원의자, 긴 의자, 벤치(bench)

скандал (남) ① 누추한 일, 더러운 사건: политический ~ 정치적 추태 ② 추잡한 싸움, 추태: устроить ~ 추태를 부리다

скандалист (남), ~ка (여) 싸움꾼, 추태를 부리는 사람

скандалить (미완) 추잡한 싸움을 벌리다, 추태를 부리다; 싸우다, 다투다

скандальный (형) ① 추잡한, 창피한 ② 추잡하게 싸우기를 즐기는 ③ 비방적인, 중상적인: ~ая хроника 중상적인 기사

скапливать[ся] см. скопить[ся]

скарб (남) 가정집물건, 세간(살이)

скарлатина (여) 성홍열(猩紅熱)

скат I (남) 비탈, 경사면, 내리받이

скат II (남) (어류) 가오리

скат III (남) (공학) 차바퀴, 차륜

скатать (완) ① 말다, 감다: ~ бумагу в трубочку 종이를 돌돌 말다 ② 굴리어 둥글게 빗다 (만들다)

скатерть (여) 상보; ~ю дорога 어서 가십시오, 말리지 않은데니

скатить (완) 굴려 내리우다: ~ камень с горы 산에서 돌을 내려굴리다

скатиться (완) 굴러내리다, 굴러떨어지다, 미끄러내리다: ~ с горы на санках 산에서 썰매를 타고 내려오다

скатывать[ся] (미완) см. скатить[ся]

скафандр (남) 잠수복; 우주 (비행사)복

скачки (복수) 경마(競馬)

скачкообразный (형) 비약적인, 급격한

скачок (남) ① 뜀 ② 비약; 급변

скашивать (미완) (풀을) 베다

скважина (여) 뚫은 구멍: буровая ~ 시추구멍, 발파구멍: нефтяная ~ 유정, 석유정

сквер (남) 소공원(小公園)

скверно (부) 추잡 (너절) 하게

сквернословить (미완) 상스러운 말을 하다

скверный (형) 더러운, 나쁜, 추잡한: ~ая погода 더러운 날씨: ~ые условия 나쁜 조건

сквозить (미완) ① (구멍이나 틈새로) 바람이 새어 들어오다: здесь сквозит 여기는 바람이 새어 들어온다. ② 내비치다 ③ 기색이 엿보이다 (느껴지다)

сквозной (형) ① 관통*, 꿰뚫고 지나가는: ~ая рана 관통상 ② 직통의: ~ой поезд 직통열차

сквозняк (남) 틈새바람: проснуться на ~е 틈새바람을 맞고 감기에 걸리다

сквозь (전) (+대) 뚫고; ~ туман 안개를, 뚫고: пробраться ~ толпу 군중 들속을 뚫고나오다: смотреть ~ щель 틈사이로 엿보다; смотреть ~ пальны 못 본체하다, 용화하다, 묵과하다

скворец (남) 찌르레기

скелет (남) ① 뼈대, 골격(骨格) ② 골조

скептик (남) 윗 사람이 많은 사람

скептически (부) 의심스럽게

скептический (형) 의심스러운

скетч (남) (연극) 짧은극, 묶음극

скидка (여): 에누리; делать ~ку 에누리하다: не делать никаких ~ок 조금도 에누리를 하지 않다.

скидывать (미완), скинуть (완) ① 내려던지다: ~ мешок с плеч 어깨에 멘 포대를 내려던지다 ② 값을 깎다, 에누리하다 ③ 벗다, 벗어던지다

скипидар (남) 테레빈유

скидр (남), ~a (여) 낟가리, 더미, 노적가리: ~[а] риса (벼 낟가리)

скирдовать (미완) 낟가리를 가리다
скисать (미완), **скиснуть** (완) ① 시여지다, 쉬다 ② 풀이 죽다, 원기를 잃다
скиталец (남) 방랑객, 유랑자
скитание (중) 방랑, 유랑(流浪)
скитаться (미완) 방랑하다, 유랑하다, 떠돌아다니다
склад I 남 ① 창고(倉庫), 고간(庫間) ② 저장(貯藏), 한곳에 많이 쌓아둔 물건
склад II (남) 됨됨이, 생김새, 기질(氣質): люди особого ~а 특수한, 기질을 가진 사람들
складка (여) ① 주름, 주름살; 구김살: сделать ~у 주름을 잡다: юбка в ~у 주름을 잡은 치마, 주름치마 ② 땅주름
складной (형) 접었다 폈다하는:~ нож 접칼
складный (형) ① 잘 생긴, 균형이 잡힌 ② 조리 있는: ~ая речь 조리 있는 말
складчина (여): устроить ~у 공동출자하다: купить в ~у 추렴을 해서 사다
складывать[ся] см. сложить[ся]
склеивать (미완) (풀 등으로) 붙이다
склеиваться (미완) 붙다, 들어붙다
склеить[ся] (완) см. склеивать[ся]
склеп (남) 돌방, (지하실로 된) 분묘
склероз 남 경화증(硬化症)
склока (여) 말썽, 옥신각신; 불화, 개싸움
склон (남) 경사(傾瀉), 비탈, 자드락: на ~е горы 산비탈에서; на ~е лет 늘그막에, 노년에
склонение (중) ① (언어) 격변화(格變化) ② (물리) (자기) 편차(偏差)
склонить[ся] (완) см. склонять[ся]
склонность (여) 취미(趣味), 소질(素質)

склонять (미완) ① 기울이다, 수이다 ② 설복하다, 권고하다, …하도록 마음을 돌리다 ③ (언어) 격변화시키다, 격에 따라 변화시키다
склоняться (미완) ① 기울어지다, 수그러지다: ветви ~ются над водой 나뭇가지들이 물위에 드리우고 있다 ② (어떤 의견 등을) 받아들이다, 수긍하다 ③ 격변화되다, 격에 따라 변화되다.
склочник (남), **~ца** (여) 말썽꾼, 말썽쟁이, 싸움꾼
склянка (여) (작은) 유리병, 약병
скоба (여) ① 손잡이쇠, 고리 ② 꺾쇠
скобка (여) 묶음표, 괄호: взять в ~и 묶음표 안에 넣다: открыть (закрыть) ~и 묶음표를 열다 (닫다): круглые (квадратные) ~и 반달 (꺾쇠) 묶음표
скоблить (미완) 밀어깎다, 긁어내다
сковать (완) см. сковывать
сковорода (여) 지짐판, 번철, 후라이팬
сковывать (미완) ① 벼리다, 벼려서 만들다 ② 잇다, 단접하다 ③ 구속하다, 행동을 제어하다 ④ 얼구다: мороз сковал реку 추위에 강물이 얼붙었다.
сковырнуть (완) 긁어뜯다
сколачивать (미완), **~отить** (완) ① 두드려 맞추다 (붙이다), 만들다: ~отить ящик 상자를 만들다 ② 못다, 조직(편성)하다 ③ 모으다, 축적하다
сколоть (완) ① 때려서(때어내다): ~ лёд 얼음장을 때어내다 ② (빈침 등으로) 철하다, 연결하다.
сколь (부) 얼마니: ~ красивы горы! 얼마나 아름다운 산이냐!
скольжение (중) 미끄럼, 지치기
скользить (미완) 미끄러지다; 지치듯 지나가다: ~ по льду 얼음을 지치다; ~ по поверхности 피상적으로 관찰하다, 겉핥다
скользкий (형) ① 미끄러운, 미끈미끈한: ~ая дорога 미끄러운 길 ②

- 582 -

의심스러운, 믿을수 없는: вступить на ~ий путь 위태로운 길에 들어서다 ③ 까다로운, 난처한, 애매한: ~ая тема 까다로운 문제

скользко (술어로) (무인칭): здесь ~ 여기는 미끄럽다: сегодня ~ 오늘은 길이 미끄럽다

скользящий (형): ~ график 고정되지 않은 작업진행표

сколько (대), (부) ① 얼마, 몇: ~ тебе лет? 너는 몇 살이냐?: ~ стоит? (값이) 얼마입니까?: ~ сейчас времени? 지금 몇 시입니까?: ~ человек пришло? 몇 사람이 왔느냐?: ~ штук? 몇 개?: ~ денег нужно? 돈이 얼마나 필요한가? ② 얼마나 많은: ~ народу собралось! 얼마나 많은 사람들이 모였는가!;~ угодно 마음껏, 실컷: ~ лет, ~ зим! 참 오래간만입니다!

сколько-нибудь (부) ① 얼마간, 얼마쯤: дать ~ денег 돈을 엄마쯤 주다 ② 어느정도

скомандовать (완) 구령치다, 호령하다

скомбинировать см. комбинировать

скомканный (형) 꾸겨진

скомкать (완) ① 꾸기다, 꾸겨 뭉치다; ② 되는대로 해치우다, 망치다, 그르치다

сконфуженно (부) 무안해서

сконфуженный (형) 무안해 하는

сконфузить[ся] см. конфузить[ся]

скончаться (완) 서거하다, 사망하다, 돌아가다: скоропостижно ~ 급한 병환으로 서거하다

скопить (완) 모으다, 축적하다

скопиться (완) ① 모이다, 축적되다; ② 모여들다, 집결되다

скопище (중) 군중, 군집, 오합지중

скопление (중) 운집, 무리, 때

скорбеть (미완) 슬퍼하다, 애도하다

скорбный (형) 슬퍼하는, 애도의

скорбь (여) 슬픔, 비애(悲哀)

скорее, скорей ① (скорый 및, скоро의 비교급) (보다) 더 빠른, (보다) 더 빨리: чем~, тем лучше 빠르면 빠를수록 더 좋다: как можно ~ 될 수록 더 빨리 ② 이왕이면, 차라리: ~ умрём, чем сдадимся 차라리 죽을지언정 투항하지는 않을 것이다.

скорлупа (여) 껍질, 껍데기: ~ яйца 닭알껍질

скорняк (남) 털가죽 가공공

скоро(부) ① 오래지 않아, 곧 ② 급속히

скороговорка (여) ① 빠른 말: говорить ~ой 빨리 말하다 ② 빨리 발음하기 힘든 음들의 연속

скоропалительный (형) 너무 조급한: ~ое решение 조급한 (경솔한) 결정

скорописный (형) 흘려 갈겨 쓴

скоропись (여) 흘린 (글씨) 체: писать ~ю 흘려 쓰다

скоропортящийся (형) 썩기 쉬운, 빨리 썩는: ~ груз 변질성 화물

скоропостижно (부) 급성병으로, 불의에, 뜻밖에

скоропостижный (형): ~ая смерть (또는 кончина) 급살, 불의의 서거

скороспелый (형) ① 올되는, 조숙하는: ~ые яблоки 올사과 ② 조급한, 지나치게 성급히 만든: ~ый вывод 섣불리 내린 결론

скоростной (형) ① 속도의: ~ бой 속전의: ~ бег на коньках 빙상속도; ② 고속도의: ~ метод строительства 고속도 건축법: ~ подъёмник (лифт) 고속도기중기 (승강기)

скорость (여) 속도, 속력: развить ~ 속도를 내다: увеличить ~ 속력을 가하다: ~ в час 시속: ~ вращения 회전속도:~ течения 유속

скоросшиватель (남) 서류철(書類綴)

скорпион (남) (동물) 전갈(傳喝)
скорый (형) ① 빠른, 속력이 빠른: ~ый поезд 급행열차, 급행(차) ② 지나치게 서두르는, 성급한 ③ 멀지 않은: в ~ом времени 오래지 않아; ~ая помощь 1. 구급차(救急車) 2. 구급소: на ~ую руку 서둘러, 되는대로, 조잡하게
скосить (완) (풀, 곡식 따위를) 베다
скот(남) (집합) (네발가진) 집짐승, 가축
скотина (여) 집짐승
скотник (남), **~ца** (여) 집짐승 사육공
скотный (형): ~ двор 집짐승우리
сктобойня (여) (집짐승) 도살장(屠殺場)
скотовод(남) 집짐승사육자, 축산노동자
сктоводство (중) 축산업, 목축업(牧畜業)
скотский (형) ① 집짐승의 ② 비열한, 추악한 더러운
скрасить (완), **~шивать** (미완): 아름답게 하다, 미화하다 (부정적인 것이 눈에 뜨이지 않게 하다)~шивать недостатки 결함을 속이다
скрежет (남) 빠드득 소리, 새된 소리
скрежетать (미완) 빠드득 소리를 내다: ~ зубами 이를 뿌드득 갈다
скрепер (남) 평토기, 긁개 (삽)
скрепить (완) *см.* скреплять
скрепка (여) 그르쁘, (종이) 물리개
скреплять (미완) ① 붙이다, 죄어 매다. ② 튼튼히 연결시키다, 고정시키다 ③ 서명하여 확증 (인증)하다: ~ договор 조약에 조인하다; ~ скрепя сердце 싫어하면서, 싫은 것을 참고
скрести (미완) ① 긁다, 허비다, 할퀴다 ② 비벼서 (문질러) 닦다
скрестись (미완) 할퀴어 소리를 내다, 긁는 소리를 내다
скрестить (완) ① 엇걸다, 교차시키다, 십자형으로 놓다: ~ руки на груди 두 팔을 십자형으로 가슴에 놓다 ② (새들을) 교배시키다, 교미시키다, 수분시키다

скрещение (중) 교차 (점)
скрещивание (중) (새물) 교배, 교미(交尾)
скрещивать (미완) *см.* скрестить
скривить (완) *см.* кривить
скрип (남) 삐걱거리는 소리
скрипач(남), **~ка**(여) 바이올린연주가
скрипеть (미완) ① 삐걱거리다 ② 생명을 겨우 유지하다
скрипка (여) 바이올린
скрипнуть (완, 일회) *см.* скрипеть
скроить (완) *см.* кроить
скромничать (미완) 겸손하게 굴다, 사양하다
скромно (부) 겸손 (소박, 수수)하게
скромность (여) 겸손성, 수수한 것
скромный (형) ① 겸손한 ② 얌전한, 수줍어하는 ③ 소박한, 검박한: вести ~ый образ жизни 소박한 생활을 하다 ④ 변변치 못한, 박한: ~ый заработок 박한 로임
скрупулёзно (부) 아주 세밀하게
скрупулёзный(형) 아주 세밀한, 정밀한
скрутить (완), **скручивать** (미완) ① 꼬다, 말다, 비틀다: ~ верёвку 바틀 꼬다 ② 매다, 묶다, 결박하다
скручиваться (미완) 꼬이다, 말리다, 비틀리다
скрывать (미완) 숨기다, 감추다, 은폐하다: ~ свои намерения 자기의 기도를 감추다
скрываться (미완) 숨다, 자취를 감추다, 사라지다: из виду 시야에서 사라지다, 지취를 감추다
скрытно (부) 몰래, 비밀리에, 숨어서
скрытность (여) 속을 주지 않는 것, 털어놓지 않는 것
скрытный (형) 속을 주지 않는, 털어놓지 않는, 묵묵한
скрытый (형) 숨은, 비밀의
скрыть[ся] (완) *см.* скрывать[ся]

скряга (남, 여) 깍쟁이, 구두쇠
скудный (형) ① 빈약(貧弱)한, 부족한: ~ые средства 불충분한 자재; ② 가난한, 구차한
скука (여) ① 갑갑증, 권태: от ~и (또는 со ~и) 심심풀이로, 갑갑해서, 심심해서, 귀태로 말미암아: наводить (또는 нагонять) ~у 권태를 자아내다, 권태를 느끼게 하다: ~а берёт 갑갑증이 난다, 적적하다 ② 우롱
скула (여) 광대뼈
скуластый (형) 광대뼈가 나온
скулить (미완) ① (개가) 가련하게 울다 ② (사람이) 하소연하다, 울상을 하다, 울다
скульптор (남) 조각가(彫刻家)
скульптура (여) ① 조각 (품) ② 조각술
скумбрия (여) 고등어
скупать (미완), **-ить** (완) 죄다 사들이다, 많이 사다 (사들이다)
скупиться (미완) 깍쟁이부리다, 지니게 아끼나
скупка (여) 사는 것 사들이는 것, 수매
супой (형) ① 인색한, 깍쟁이부리는 ② 빈약한
скупость (여) 인색한 것, 깍쟁이근성
скучать (미완) ① 권태를 느끼다, 답답 (심심)해하다 ② 그리워하다: ~ по дому 집생각을 하다
скучко (부) ① 갑갑하게, 진저리나게, 재미없이 ② (술어로) 심심하다, 갑갑하다, 적적하다
скучный (형) ① 재미없는, 따분한 ② 감감(울적) 해하는
скушать (완) *см.* кушать
слабеть (미완) 약해지다, 잠잠해지다: ве- тер ~ет 바람이 잦아진다.
слабительное (중) 설사약: принять ~ 설사약을 먹다
слабо (부) 약하게, 미약하게

слабовольный (형) 의지가 약한, 마음이 약한
слабосильный (형) 동력이 약한, 마력이 적은
слабость (여) ① 약한 것; 나약성 ② (육체적) 힘의 부족, 허야 ③ 약점 ④ (버리기 힘든) 버릇 습관, 경향
слабоумие (중) 정신박약, 지력쇠퇴
слабоумный (형) 머리가 나쁜
слабохарактерный (형) 성격이 무른, 나약한
слабый (형) ① 약한, 힘 (맥) 없는: ~ый удар 약한 타격 ② 허약한, 쇠약한: ~ый ребёнок 허약한 아이 ③ 미미한, 불충분한: ~ая работа 불충분한 일, 질이 낮은 사업 ④ 나약한, 주대가 없는: ~ый характер 나약한 성격 ⑤ 재능이 부족한: ~ый уче-ник (실력이) 약한 학생: ~ый работник 서투른 일군 ⑥ ~ый мотор 마력 (동력)이 약한 전동기 (반동기) ~ое место 약점
слава (여) ① 영광, 명예(名譽), 명성(名聲), 영예(榮譽): пользоваться ~ой 명성을 떨치다: орден Славы 영예훈장 ② 평판, 소문, 명성: дурная ~а (악평, 좋지 않은 소문 (평) ③ (차양할 때 쓰는 말) 영광이 있으라: ~а героям! 영웅들에게 영광이 있으라!: на ~у 멋지게, 훌륭하게
славить (미완) ① 찬양 (차미, 칭찬)하다 ② 나쁜 소문을 퍼뜨리다
славиться (미완) 이름나다, 명성을 떨치다
славный (형) ① 영광스러운, 영예로운 ② 훌륭한, 아주 좋은, 마음에 드는
славословить (미완) 지나치게 차양하다, 찬미하다, 편잔을 주다
славян,е (복수) (~ин (남), ~ка (여)) 슬라브사람 (들)
славянский (형) 슬라브 민족의: ~ие языки 슬라브 제어 (피가수)

слагаемое (중) (수학) 더해질 수
слагать (미완) см. сложить
сладить (완) ① 처리하다: он не мог с этим ~ 그는 이 일을 처리할 수 없었다 ② 잘 다루다: 이기다, 극복; не ~ с детьми 아이들을 다루지 못하다
сладкий (형) 단, 달콤한; 기분이 좋은; ~ сон 달콤한 잠
сладкое (중) 단것; (기본식사 후에 내놓는) 과일이나 당과류
сладость (여) ① 단 것, 단맛 ②: ~и (복수) 당과류, 단음식
слаженность (여) 질서정연한, 행동의 일치
слаженный (형) 손발이 맞는, 행동일치가 보장된, 통일된, 질서가 정연한: ~ая работа 손발이 맞는 작업
слайд (남) 환등필림
слалом (남) 장애물스키(타기)
сламист (남) 장애물 스키선수
сланец (남) 짜개바위, 편암
сланцевый (형) 편암의
сластёна (남, 여) 단 것을 좋아하는 사람
сласть (미완) 보내다, 발송하다
слащавый (형) 달코무레한, 달착지근한; 알랑거리는
слева (부) ① 왼쪽에 ② 왼쪽에서부터
слегка (부) 좀, 약간, 가볍게; 살짝
след (남) ① 발자국 ② 자취, 흔적: ~ы колёс 바퀴자리 ③ 신바닥, 구두바닥
следить (미완) за кем-чем ① (움직이는 것을 시선으로) 뒤따라보다, 살피다: ~ за полётом птиц 새가 나는 것을 지켜보다 ② 주시하다: ~ за успехами науки 과학의 성과를 주시하다 ③ 돌보다, 보살피다: ~ за детьми 어린애들을 돌보다 ④ 뒤따르다, 추적하다: ~ за шпионом 간첩의 뒤를 따르다
следователь (남) 예심원

следовалельно (접) 그리하여, 따라서, 그러기에: ~, я прав? 그러나 나는 옳지?
следовать (미완) ① за кем-чем 뒤를 따라가다, 좇다 ② 가다 ③ : кому-чему 지침으로 삼다, 모범을 따르다 ④ 나오다: отс- юда ~ует вывод 여기로부터 결론이 나온다.; как ~ует 빈틈없이, 충분히, 훌륭하게, 응당하게
следом (부) 바싹 뒤따라서
следствие I (중) 결과, 결말
следствие II (중) 취조(取調), 조사(調査), 예심: вести ~ 취조하다
следующий (형) ① 다음*, 뒤에 오는: в ~ раз 다음번에: на ~ день 다음날에: ~ автобус 뒤에 오는 버스 ② (규정 대) 다음과 같은, 다음-*
слежка (여) 감시, 미행; 밀정노릇
слеза (여) 눈물: со ~ми на глазах 두 눈에 눈물이 글썽해서: заливаться ~ми 눈물을 흘리다: доводить до слёз 울리다, 울게 하다; слёзы подступили к горлу 울음이 북받쳤다
слезать (미완) см. слезть
слезиться (미완): глаза ~ятся от дыма 연기 때문에 눈물이 난다
слёзно (부): ~ просить 애걸복걸하다
слёзный (형):~ая просьба (애원, 애걸)
слезоточивый (형): ~ая бомба 최루탄: ~ый газ 최루성가스
слезть (완) ① 기어내리다; 내려오다: ~ с дерева 나무에서 내려오다; ~ с крыши 지붕에서 내려오다 ② (차에서) 내리다 ③ 벗겨지다, 빠지다:кожа слезла 가죽이 벗겨졌다
слепень (남) (곤충) 등에
слепец (남) 눈먼사람, 소경
слепить I (미완) 눈비시게 하다, 눈을 못보게 하다, 눈을 못뜨게 하다: солнце ~т глаза 햇빛에 눈이 부시다
слепить II (완) ① (석고 등으로) 빚어 만들다 ② (풀로) 붙이다

слепнуть(미완) 눈이 멀다, 소경이 되다
слепо (부) 맹목적으로
слепой (형) ① 눈이 먼, 보지 못하는: ~ой старик 눈먼 로인 ② 맹목적인, 분별없는
слепота (여) ① 눈이 먼 것, 앞 못 보는 것 ② 암둔, 무지: политическая ~ 정치적 암둔 ③ куриная ~ 밤눈 (어둠)증. 야맹증
слесарь (남) 철공 : ~-сборщик (금속제품의) 조립공, 완성공
слёт (남) 대회, 회의
слетать[ся] (미완) см. слетать[ся]
слететь (완) ① 날아 내리다; 벗겨져 떨어지다: ~ла шапка 모자가 벗겨져 날아났다 ② 날아나다: бабочка ~ла с цве-тка 나비가 꽃에서 날아났다
слететься (완) 날아 (모여)들다
слечь (완) 앓아눕다
слива (여) ① 오얏 ② 오얏나무
сливать (미완) ① 옮겨붓다, 한데 쏟아 모으다 ② 합치다, 통합하다
сливаться (미완) ① (한 흐름으로) 합치다, 합류하다: два ручья ~ются в речку 두 줄기의 시내물이 합쳐서 강을 이룬다. ② 하나가 되다, 합쳐지다 ③ 통합 (융합)되다
сливки (복수) 소젖의 기름, 크림
сливочный (형): ~ое масло 버터
слизистый(형): ~ая оболочка 점막
слизь (여) 점액, 진액
слинять (완) см. линять
слипаться (미완), слипнуться (완) ① (서로) 맞붙다: листы бумаги слип-лись 종이 장이 서로 맞붙었다 : глаза слипаются (몹시 잠이 와서) 눈이 맞붙는다 (감긴다)
слитно (부) 합쳐서, 붙여서: писать ~ 붙여쓰다
слитный (형) 한데 붙인, 결합된: ~ое написание 붙여쓰기
слиток (남) 쇠덩어리, 강피
слить[ся] (완) см. сливать[ся]
сличать (미완), ~ить (완) 대비 (대조)하다
слишком (부) 너무, 지나치게
слияние (중) 합치기, 통합, 합류
словаки (복수) (~к (남), ~чка (여)) 슬로베니아(Slovenia)사람 (들)
Словакия (여) 슬로베니아(Slovenia) (체코슬로베키아의 동부지방)
словарик (남) 어휘집, 소사전(小辭典)
словарный (형): ~ состав [язык] 어휘 (구성)
словарь (남) ① 사전: толковый ~ 주석사전: русско-корейский ~ 로조사전: читат со словарём 사전을 찾으면서 읽다 ② 어휘
словацкий(형)슬로베니아(Slovenia)의
словествовать (여) 문화, 구전 (서사)문학
словник (남) (사전류의) 올림말구성, 올림말표
словно(접) 마치 …처럼 (같은): петь ~ соловей 마치 꾀꼬리처럼 노래하다: ~ мёртвый 마치 죽은듯이
слово (중) ① 단어(單語) ② 말, 언어(言語): дар ~a 말재간 ③ 이야기, 말, 회화(會話): понять друг друга без слов 서로서로 말없는 가운데 이해하다: рассказать в нескольких ~ах 간단히 (몇 마디로) 이야기하다 ④ 연설(演說), 변론(辯論): приветственное ~о 축사: всту-пительное ~о 개회사: заключитель-ное ~о 결론 ⑤ 언론(言論), 발언권(發言權): свобода ~а 언론의 자유: взять ~о 발언권을 얻다 ⑥ 약속(約束): дать ~о 약속하다: сдержать ~о 약속을 지키다: верить на ~о 약속을 믿다 ⑦: ~а (복수)

빈말공부, 빈소리, 공담: это [только] одни ~a 이것은 공담에 불과하다: перейти от слов к делу 말에서 실천으로 넘어가다 ⑧: ~a (복수) гаса(家事): песня на ~a *кого*....의 가사로 된 노래; другими (иными) ~ами 달리 (바꾸어) 말하면: к ~y сказать 겸해서 말하는가하면: [одним] ~м 한 마디로 말해서: слов нет 물론, 두말할 것도 없이: не хватае слов 이루 형언할 수 없다, 말문이 막힌다: новое ~о в чём... (과학, 기술, 문화의) 최신성과: в двух ~ax 간단히: ~о за ~о 말이 오가는 사이에

словоименение (중) 단어변화

словом (삽입어) 한마디로 (말해서)

словообразование (중) 단어 만들기, 단어조성

словопроизводство (중) 파생어조성

словосложение (중) 단어합성

словосочетание (중) 단어결합(單語結合): устойчивое (свободные) ~я 공고한 (자유로운) 단어결합

словоупотребление (중) 단어의 사용, 단어의 사용법

словоформа (여) 단어형태

слог (남) 소리마다, 음절(音節)

слоговой (형) 소리마다의, 음절의: ~ое письмо 음절문자

сложение (중) ① 더하기, 가하기 ② 합성; 구성, 구조 ③ 몸생김, 체격(體格)

сложить (완) ① 쌓다, 모아놓다, 한데 넣다.; ② 접다, 접어개다.: ~ лист по- полам 종이를 절반: ~ платье 옷을 접어개다; ③ 합(合)하다, 더하다: ~ два числа 두 수를 합하다 ④ 짓다, 작성하다: ~ песню 노래를 짓다 ⑤ 내리다, 내려놓다, 제거하다: ~ ношу с плеч 어깨에서 짐을 벗다 (내리다) ⑥ 벗다, 벗기다, 떼 내다.: ~ с себя ответственность 책임을 벗다 ⑦ 쌓아서 만들다: ~ стену 담벽을 쌓다; сидеть сложа руки 팔짱을 끼고 앉아있다, 수수방관하다, 방임(放任)하다: ~ голову 목숨을 바치다, 죽다: ~оружие 항복하다, 투항 하다

сложиться (완) ① 이루어지다, 형성되다 ② 성숙되다, 자리가 잡히다 ③ 추렴하다, 같은 돈을 내다

сложно (부) ① 복잡하게 ② (술어로) 복잡하다, 착잡하다

сложность (여) 복잡성(複雜性); в общей ~и 도합

сложный (도형) ① 합성*, 복합*: ~ое вещество 합성물질: ~ое слово 합칠말, 합성어: ~ое предложение (언어) 복합문 ② 복잡한, 착잡한: ~ая задача 복잡한 (어려운) 과업

слоистый (형): ~ые облока 층구름

слой (남) ① 층(層), (겹겹이) 쌓인 것, 포개진 것:~ чернозёма 흑토층: годовые слои дерева 연륜 ② 계층(階層), 사회층: широкие слои населения 광범한 주민층

сломать[ся] (완) см. ломать[ся]

сломить (완) ① 꺾다, 부려뜨리다 ② 이기다, 좌절시키다: ~ сопротивление врага 적의 저항을 좌절시키다; сломя голову 부리나케, 부랴부랴

слон (남) 코끼리; ~a не приметить (야유) 제일 중요한 것을 못보다

слоновый(형)코끼리*: ~ая кость 상아

слоняться (미완) 빈둥거리다, (일없이) 거닐다: ~по улицам 거리를 빈둥거리다

слуга (남) ① 하인, 심부름꾼 ② 충복(忠僕); 봉사자(奉仕者)

служанка (여) 하인(下人)

служащий (남) 사무원(事務員)

служба (여) ① 복무(服務), 근무(勤務): срок ~ы 복무년: продлить срок ~ы оборудования 설비의 수명을 늘이다 ② 일, 일터, 직무(職務): состоять на ~е 직무를 수행하다: постыпить на ~у 취직하다 ③ 계통(系統), 부서(部署), 기관: ~а пути (철도) 보선계통: ~а связи 연락부, 통신부: ~а снабжения 공급기관: ~а быта 후생시설

служебный(형) ① 근무성*, 직무*: ~ый долг, ~ые обязанности 직무: ~ое время 근무시간: ~ое помещение 근무실 ② (언어) 보조적인: ые слова 보조적단어

служение (중) 복무, 봉사(奉事)

служитель(남):~ культа 종교인, 승려

служить (미완) ① 복무하다, 이바지하다, 봉사하다: ~ революции 혁명에 이바지하다: ~ искусству 예술에 몸 바치다: ~ народу 인민에게 봉사하다: ~ в армии 군대 (육군)에서 복무하다: ~ во флоте (또는 на флоте) 해군에서 복무하다 ② 일하다, 근무하다 ③ чем...의 역할을 하다, …로 되다 (되어있다): ~ доказательством 증거로 되다

слух (남) ① 청각(聽覺) ② 음감(音感) ③ 소문(所聞), 풍문(風聞): пустить ~ 소문을 퍼뜨리다: пошли (ходят) ~и 뒷소문이 돌았다 (있다): по ~ам 소문에 의하면, 듣건대; ни ~у ни духу о ком 아무 소식도 없다

слуховой (형) 청각(聽覺)의:~ аппарат 보청기(補聽器)

случай (남) ① 경우: в таком ~е 그렇다면, 그런 경우에는: в противном ~е 그렇지 않으면: ни в коем ~е 절대로, 결코: во всяком ~е 어쨌든, 이렇든 저렇든: в любом ~е 어떤 경우에나: в ~е, если... 할 때에는 ② 기회(幾回) пользуясь ~ем 이 기회를 이용하여, 이 기회에: предста- вился ~й 기회가 생겼다: упустить ~й 기호를 놓치다 ③ 일, 사건, 사고: счастли-вый ~й 행복한 일, 행운: нсчастный ~й 불행한 일, 사고: дело ~я 우연한 일 от ~я к ~ю 드문드문, 이따금: в ~е чего 무슨 일이 있으면: при ~е 기회가 오면

случайно (부) 우연히; не ~ 우연한 일이 아니다, 우연하지 않다

случайность (여) ① 우연성(偶然性) ② 우연한 일

случайный (형) 우연한의, 우연적인

случать (미완) 교미시키다

случиться (미완) см. случиться

случить (완) см. случать

случиться (완) ① 일어나다, 발생하다, что ~лось? 무슨 일이 생겼는가?: что с ним ~лось? 그에게 무슨 일이 생겼는가? ничего не ~лось 아무 일도 없다, 일없다 ② (무인칭) (+미정형) 기회가 있다 однаж-ды ~лось побывать там 한번 그곳에 가볼 기회가 있었다

слушание 중: ~дела (법학) 사전심의

слушатель (남) ① 듣는 사람, 청취자 ② 청강생

слушать (미완) ① 듣다, 청취하다; ~ му-зыку 음악을 듣다 ② (법학) 심의하다 ③ 강의를 받다;~курс истории партии 당 역사 강의를 받다 ④ 말을 듣다, 복종하다;~отца 아버지의 말을 듣다; слушаю (전화 말할때) 예, 예, 말씀하십시오

слушаться (미완) 말을 듣다, 복종하다; ~ родителей 부모의 말을 듣다; слушаюсь 알았습니다.

слыхать (현재형 없음) ① 듣다; 감촉하다; не ~л выстрела 총소리를 듣지 못하였다 ② (미정형으로, 무인칭): ничего не ~ть 1. 아무것도 들리지 않는다. 2. 아무 소식도 없다

слышать (미완) ① 듣다, 들리다: плохо ~ать 잘 듣지 못하다: он не ~ит 1. 그는 듣지 못한다 2. 그는 귀가 먹었다 ②

(접속사 что와 함께) 소식 (소문)을 듣는다: я ~ал, что он скоро приедит 나는 그가 멀지 않아 온다는 소식을 들었다; и ~ать не хочет 들으려고도 하지 않는다, 말도 못하게 한다.

слышаться (미완) 들리다, 올리다: ~ится музыка 음악소리가 들린다.

слышимость (여) 들리는 것

слышно (술어로, 무인칭) ① 들리다: отс-юда хорошо ~ 여기서는 잘 들린다; вас не ~ 당신의 말의 말이 들리지 않습니다; ничего не ~ 아무것도 들리지 않는다 ② 소식이 있다; что ~[нового]? 무슨 (새) 소식이 없는가?; о нём уже давно ничего не ~ 그에 대해서는 오래전부터 소식이 없다

слышный (형) 들리는. 들을 수 있다

слюда (여) 돌비늘, 운모

слюна (여) ① 침, 타액 ②: слюни (또는 слюнки) текут 군침이 돈다, (매혹적인 대상에 대하여) 침을 질질 흘린다.

слюнить (미완) 침을 바르다

слякоть (여) ① (비나 진눈가비가 온 뒤의) 진창, 진땅 ② 궂은 날씨, 진날

смазать (완) см. смазывать

смазка (여) ① (기름 등을) 바르는 것, 기름치기, 주유 ② 윤활유, 윤활제

смазливый (형) 고운, 예쁜

смазчик (남) 주유공

смазывать (미완) чем 바르다, 칠하다; ~ машину 기계에 기름을 치다

смаковать (미완) ① 맛있게 먹다 (마시다) ② 흡족해하다, 흥겨워하다

сманивать (미완), **сманить** (완) 꾀어내다, 유혹(誘惑)하다

смастерить (완) см. мастерить

сматывать (미완) см. смотать

смахивать (미완), **смахнуть** (완) 털다, 털어버리다

смачивать (미완) см. смочить

смежный (형) 인접한, 근접한; ~ые дисциплины 인접과목; ~ые углы(수학)접각

смекалка (여) 머리가 잘 도는 것, 이해력이 빠른 것, 촉기가 빠른 것

смекать (미완), **~нуть** (완) 알아채다, 눈치 채다, 궁리 (통찰)하다

смело (부) 용감하게, 대담하게

смелость (여) 용감성, 대담성, 용기

смелый (형) 용감한, 대담한, 담이 큰

смельчак (남) 용감한 사나이, 용사

смена (여) ① 바꾸는 것, 교체(交替); ~ впечатлений 인상의 엇바뀜; ② 교대(交代), 교대시간, 대거리; работать в три ~ы 3(삼) 교대로 일하다;девная(ночная) ~а 낮 (밤) 대거리 (교대) ③ 교대반(交代伴); первая (вторая) ~а (학교의) 오전(오후)반 ④ (야영의) 기; первая ~а 첫기야영 ⑤ (갈아입을) 옷 한 벌; две ~ы белья (갈아입을) 두벌의 내의

сменить (완) ① 바꾸다, 교체하다 ② 교대 (대신)하다

смениться (완) ① 교체되다, 갈리다; ~ с дежурства 당번을 인계하다 ② 바뀌어 지다, 엇바뀌다

сменный (형) ① 바뀌는, 갈아대는; ~ое колесо 갈아대는 바퀴 ② 교대의; ~ая ра-бота 교대작업

сменщик (남) 교대운전수, 교대승무원, 교대기능공

сменять[ся] (미완) см. сменить[ся]

смерить (완) см. мерить

смеркаться (미완) 어슬어슬해지다, 날이 저물다, 땅거미지다

смертельно (부) 죽을 지경으로, 극도로;~ ранен 치명상을 입었다;~ устать 아주 지치다

смертельный (형) ① 치명적인, 파멸적인 ② 극도의; ~ая усталость 극도의 피리. ~ый случай 사망사건

смертность (여) 사망률(死亡率)

смертный (형) ①; ~ая казнь 사형; ~ый приговор 사형언도; приговорить кого к ~ой казни ...에게 사형을 언도하다 ② 결사적인; подняться на ~ый бой 결사전에 나서다
смертоносный; ~ое оружие 살인무기
смерть (여) ① 죽음, 사망(死亡) ② 파멸(破滅), 멸망(滅亡); до ~и 극도로, 죽을 지경으로, 아주
смерч (남) ① 돌풍(돌개바람의 한종류) ② 회오리바람
смеситель (남) (공학) 혼합기, 교반기
смести (완) ① 쓸어버리다, 소탕하다 ② 쓸어 모으다; ~ мусор в кучу 쓰레기를 한곳에 쓸어 모으다.
сместить (완) ① 해임시키다 ② 옮기다, 바꾸다, 변경하다
сместиться (완) 비뚤어지다, 자리(위치)가 바꾸어지다
смесь (여) 섞임물질, 혼합물(混合物)
смета (여) 예산(豫算), 채산(採算); ~ расходов 지출예산; составлять ~у 예산을 세우다 (작성하다)
сметана (여) 우유크림
сметать (미완) см. смести
сметливый (형) 눈치(총기) 빠른, 영리한
сметь (미완) (+미정형) 감히...하다; не ~ войти 감히 들어가지 못하다; не смей (+미정형)...할 생각도 말라
смех (남) ① 웃음 (소리); показаться со ~у 허리가 끊어지게 웃다 ② 웃음거리; поднять на ~ 조롱하다
смехотворный (형) 우스운, 가소로운
смешанный (형) 혼성의, 혼합된, 섞여진; ~ лес 혼성림
смешать (완) ① 섞다, 혼합하다 ② 뒤섞다, 혼탁 시키다. ③ 혼동하다, ...을 ...으로 잘못 생각하다
смешаться (완) ① 섞이다, 호합되다 ② 휩쓸려 들어가다, 북새통에 슬그머니 끼어들다; ~ с толпой 군중 속에 휩쓸려 들어가다
смешание (중) 혼합(混合); 혼란, 혼동
смешать[ся] (미완) см. смешать[ся]
смешить (미완) 웃기다
смешно (부) ① 우습게 ② (술어로) 우습다, 웃음이 난다
смешной (형) 우스운, 가소로운
смещать[ся] (미완) см. смечтить[ся]
смещение (중) ① 위치변화, 비뚤어지는 것 ② 해임(解任), 면직(免職)
смеяться (미완) ① 웃다 ② над кем-чем....를 비웃다, 조롱하다
смириться (완) 순종하다
смирно (부) ① 온순 (공손) 하게 ② (구령) 차렷!
смирный (형) 온순한, 공손한, 얌전한
смола (여) (나무의) 진(津), 타르(tar), 수지: сосновая ~ 송진; синтетическая ~ 합성수지
смолкать (미완), **смолкнуть** (완) 잠잠해지다
смолоду (부) 젊었을 때부터
смолчать (완) 말을 안하다, 대답을 하지 않다, 침묵하다
сморкаться (미완) 코를 풀다
смородина (여) ① 까치밥 ② 까치밥나무
сморщить[ся] (완) см. морщить[ся]
смотать (완) 감다; ~ нитки в клубок 실을 꾸리다 감다; ~ удочки 뺑소니치다
смотр (남) ① 사열, 열병(閱兵), 시찰(視察) ② 사회적 심사, 전람, 축전
смотреть (미완) ① 보다; 쳐다보다 ② 구경 (열람)하다 ③ 검열 (사열)하다; 진찰하다 ④ за кем-чем 보살피다; 감시하다
смотреться (미완) 자기를 보다; ~ в зеркало 거울을 들여다보다
смотритель (남) 감독자(監督者),

감시원(監視員); 책임자(責任者)

смотровой (형) ① 보기 원하는; 감시용의, 관찰용의; ~ая площадка 전망대; ~ая щель 감시창 ② 사열의, 열병의

смочить (완) 축이다, 적시다, 녹녹하게 하다

смочь (완) см. мочь

смрад (남) 악취, 고약한 냄새

смуглый (형) 거무스레한

смута (여) 분쟁(忿爭), 알력; сеять ~у 혼란을 조성하다

смутить(완) 무안(난처) 하게 하다

смутиться (완) 무안 (난처, 당황) 해하다, 어쩔 할 바를 모르다

смутный (형) 희미한, 막연한, 어렴풋한; ~ые очертания 희미한 둘레

смущать[ся] (미완) см. смутить[ся]

смущение (중) 무안(난처)해하는 것

смущённый (형) 무안 (난처) 해하는. 어쩔 할바를 모르는

смывать[ся] (미완) см. смыть[ся]

смыкать[ся] (미완) см. сомкнуть[ся]

смысл (남) ① 뜻, 의미, 내용 ② 목적, 의의; в этом нет ~а 이것은 의의가 없다 здравый ~ 건전한 판단력; в полном ~е слова 완전히; 완전한, 참다운

смыслить (미완) в чём...을 알다, 이해하다

смыть (완) ① 씻다, 씻어버리다 ② 쓸어가다, 씻어 내려가다

смыться (완) ① 씻어지다, 씻어 없어지다 ② (슬며시, 갑자기) 사라지다, 없어지다

смычка (여) ① 연계 ② (공학) 연결점

смычный(형)(언어); ~ые согласные 터짐소리;~о-щелевые согласные 파찰음

смычок (남) (악기의) 활

смышлёный (형) 이해가, 빠른, 영리한, 사리에 밝은

смягчать (미완) ① 부드럽게 (연하게) 만들다 ② 완화시키다, 경감하다 ③ 누러지게 하다

смягчаться (미완) ① 부드러워지다, 연하여지다 ② 완화 (경감) 되다, 덜해지다 ③ 누그러지다, 유순해지다

смягчающий (형); ~ее[вину] обстоятельство (법학) 죄과를 경감할 수 있는 사정

смягчение (중) 완화(緩和), 경감(輕減)

смягчить[ся] (완) см. смягчать[ся]

смятение (중) 당황 (망조, 혹란)

смятый (형) 구겨진

смять (완) ① 구기다 ② 짓밟다

смяться (완) 구겨지다, 쭈글쭈글해지다

снабдить(완). **~жать** (미완) кого-что чем ① …에 (게) …을 공급하다, 대주다 ② 달다, 보충하다, 덧붙이다;~дить книгу комментарием 책에 주해를 달다

снабжаться (미완) чем …을 공급받다

снабжение (중) 공급(供給), 보급(普及); ~ населения продовольствием 주민에 대한 식량공급

снайпер (남) 저격수(狙擊手)

снаружи (부) ① 밖으로부터, 외부로부터 ② 밖에서, 바깥에서

снаряд (남) ① 포탄; артиллерийский ~ 포탄, 대포알 ② 기구, 도구; 기계, 설비; гимнастический ~ 체육기구

снарядить (완), **~жать** (미완) 차비를 하여주다; ~дить кого в путь 길 떠날 차비를 하여주다

снаряжаться (미완) 차비하다; ~ в путь 길 차비를 하다

снаряжение (중) ① 차비, 준비, 장비; ~ экспедиции 탐사대를 차비 (장비) 하여주는 것; военное ~ 군사장비 ② 장비품, 장구, 도구; воинское ~ 개인장구; туристи-ческое ~ 관광여행도구

снасть (여) ① (집합) 도구(道具), 기구(機具), 연장; рыболовная ~ 어구 ②

(흔히 복수) (해양) 바즐 (설비)

сначала (부) ① 처음에, 먼저, 우선 ② 다시 (한번), 새로, 처음부터

снег (남) 눈; ~ идёт (выпал) 눈이 내린다(내렸다); как ~ на голову 마른 벼락인양, 청천벽력인 듯, 아닌 밤중에 홍두께 내밀듯

снегирь (남) 피리새

снеговик (남) 눈사람

снеговой (형); ~ая вода 눈석이

снегозадержание (중) 눈두기

снегозащитный (형) 눈을 막기 위한

снегоочиститель (남) 눈치기차

снегопад (남) 눈이 오는 것, 눈이 내리는 것

снегурочка (여) (옛말에 나오는) 눈 (송이) 처녀, 백설공주

снежинка (여) 눈송이

снежки (복수) cм. снежок

снежный(형) ① 눈의; ~ые хлопья 함박눈; ~ая лавина (또는 ~ый обвал) 눈사태 ② 눈이 쌓인; ~ая дорога 눈길; ~ый сугроб 눈더미; ~ые заносы 바람에 불려서 쌓인 눈뭉치; ая зима 눈이 내리는 겨울 ~ая баба 눈사람

снежок (남); играть в ~ки 눈싸움을 하다

снести (완) ① 가져가다, 나르다 ② 가지고 내려가다, (아래로) 나르다; ~ вещи в по-двал 물건들을 지하실로 나르다 ③ (물, 바람 등이) 휩 쓸어 가다 ④ 헐어치우다; ~ дом 집을 헐어치우다 ⑤ 참다, 참아내다; ~ обиду 모욕을 참다

снестись I (완) 연락 (교섭)하다, 연계를 가지다

снестись II (완) cм. нестись II

снижать (미완) 낮추다, 내리우다, 저하시키다, 인하하다; ~ цены 값을 내리다, 가격을 인하하다; ~ себестоимость 원가를

снижаться (미완) ① 내리다, 낮아지다, 저하하다, 줄다 ② 내리다, 착륙하다

снизу (부) 아래로부터, 밑으로부터; прислушиваться к критике ~ 밑으로부터의 비판을 귀담아듣는다

снимать (미완) ① 벗다; ~ пальто 이투를 벗다 ② 집어 내리다, 치우다; ~ картину со стены 그림을 벽에서 떼다 ③ 해임 (제명) 하다 ④ (사진을) 찍다, 촬영하다

сниматься (미완) ① 벗겨지다, 떨어지다 ② 떼어내다 ③ 사진을 찍다, 촬영되다

снимок (남) 사진, 촬영; сделать ~ 사진을 찍다

снискать (완) 얻다, 획득하다; ~ чьё расположение ...의 호의를 얻다

снисходительность (여) 관대성, 너그러움, 호의, 어질다.

снисходительный (형) 관대한, 너그러운, 호의적인

снисхождение (중) 관대성, 관대한 (너그러운)태도; 관대한 처분

сниться (미완) 꿈꾸다, 꿈에 보이다; мне снился сон 나는 꿈꾸었다

снова (부) 다시, 또다시, 재차, 새로

сновать(미완) (분주히) 왔다갔다하다

сновидение (중) 꿈

сногшибательный (형) 놀라운, 경탄할, 아연 실색케 하는

сноп (남) (곡식의) 단, 묶음

сноповязалка (여) 단 묶는 기계

сноровка (여) 솜씨, 수완, 숙련

снос (남); ~ дома 집허물기

сносить I (미완) cм. снести

сносить II (완) 떼뜨리다, 해어뜨리다; ~ обувь 신발을 떼뜨리다

сноситься (미완) cм. снестись I

сноска (여) (난외) 주석(駐錫)

сносный(형) 그리 나쁘지 않은, 괜찮은

снотворное (중) 잠약, 수면제(睡眠劑)
сноха (여) 며느리
сношение (중) 교제, 왕래, 연계, 교섭; отдел внешних ~й 대외부
снятие (중) ① 떼내는 것, 벗기는 것, 내리는 것 ② ; ~ урожая 가을걷이, 수확 ③ ; ~ копии 복사, 모사 ④ 철회, 해소
сняться[ся] *см.* снимать[ся]
со *см.* с
соавтор (남) 공동저자, 공동 집필자
соавторство (중) 공동집필, 공동저술
собака (여) 개; охотничья ~ 사냥개
собачий (소유형); ~ья конура 개집, 개 우리
собеседник (남), **~ца** (여) 대화자(對話者), 말동무
собеседование (중) 담화, 좌담회
собирательный (형) 집합적(集合的)인, 종합적(綜合的)인
собирать (미완) ① 모으다, 수집하다 ② 징수하다, 받다 ③ 거두다, 수확하다; ~ урожай 가을걷이하다 ④ 조립하다 ~ в дорогу 길 떨날 준비를 시키다; ~ на стол 식탁을 차리다
собираться (미완) ① 모이다, 모여들다, 집합하다 ② 소집되다, 열리다 ③ 길 차비를 하다; ~ в дорогу 길 떠날 차비를 하다 ④ (+ 미정형) …을 하려고 하다; ~ уехать 떠나려하다
соблазн (남) 꾀임, 유혹; вводить в ~ 꾀다, 유혹하다; поддаться ~у 꾀임에 빠지다, 유혹되다
соблазнительный (형) 유혹적인, 매혹적인
соблазнить (완) ① 꾀다, 호리다, 유혹하다 ② на что 유혹하다, …할 생각을 내게 하다
соблазниться (완) ① 유혹에 빠지다, 유혹되다, 홀리우다 ② …할 생각이 나다
соблазнять[ся] *см.* соблазнить[ся]
соблюдать (미완) 준수 (엄수) 하다, 지키다 ~правила 규칙을 준수하다; ~ дисциплину 규율을 지키다
соблюдение (중) 준수, 지키는 것
соблюсти (완) *см.* соблюдать
собой *см.* себя
соболезнование (중) 애도, 동정; выра-зить ~ 애도의 뜻을 표하여주다
соболезновать (미완) *кому-чему* 애도의 뜻을 표하다, 동정하다
соболь (남) (동물) 검은돈
собор (남) ① 대사원 ② 종교회의
собою *см.* себя
собрание (중) ① 회의(會議), 모임, 집회; общее ~ 총회; предвыборное ~ 선거전집회 ② 전집전서; ~ сочинений 작품집, 전집 ③ 수집한 것, 수집첩, 표본집 ④ (선거기관으로서의) 회의; национальное ~ 국민의회; законадательное ~ 입법회의; Верховное собрание 최고인민회의
собрать[ся] (완) *см.* собирать[ся]
собственник (남) 소유자(所有者), 임자
собственнический (형) 소유자(所有者)의, 소유자적근성의
собственно ① : ~ говоря (삽입어) 사실어; 사실은, 사실인즉 ② (조) 자체; 바로 - город 도시자체
собственность (여) 소유(所有); 재산(財産); 소유물; государственная, (личная, частная) ~ 국가 (사회, 개인, 사유) 재산
собственный (형) ① 자기소유의; ~ая книга 자기 책 ② 자기의, 자신의, 자기에게 고유한; чувство ~ого достоинства 자존심; ~ыми силами 자기 힘으로 ③ 자기 손으로 만든 ④ 자체의; ~ый вес 자체무게; имя ~ое (언어) 고유명사; ~ый корреспондент

본사기자; жить на ~ый счёт 자비로 살다
событие (중) 일, 사변(事變), 사건(事件)
сова (여) 부엉이
совать (미완) 집어 (밀어) 넣다; (되는대로 또는 슬며시) 쑤셔넣다, 들이밀다; ~ вещи в чемодан 트렁크에 물건을 밀어넣다; всюду ~ свой нос 아무데나 참견하다; ~ нос не в своё дело 남의 일에 쓸데없이 참견하다, 중뿔나게 굴다
соваться (미완) ① 들어가다, 기어들다; ~вперёд 앞으로 나서다 ② 참견하다, 중뿔나게 굴다 ~ в чужие дела 상관없이 일에 참견하다
совершать[ся] см. совершить[ся]
совершение (중) 수행(修行), 집행, 실현
совершенно (부) 아주, 전적으로, 완전히; ~ верно 전적으로 옳다; ~ случайно 완전히 우연적이다; ~ не сознавать 전혀 의식 못하다: секретно 절대비밀
совершеннолетие (중) 성년(成年); достигнуть ~я 성년이 되다
совершеннолетний (형) ① 성년이 된 ② (명사로); **~ий** (남), **~яя** (여) 성인, 어른
совершенный (형) ① 완벽한, 완전무결한 ② 완전한, 절대적인, 알짜*; ~ вид (언어) 완료태
совершенство (중) 완전무결, 완벽
совершенствование (중) 완성, 개선
совершенствовать (미완) 완성하다, 더욱 완전하게 하다
совершенствоваться (미완) 완성 (개선) 되다, 더욱 완전하게 되다
совершить (완) 수행 (실현, 완수) 하다; ~ подвиг 위훈을 세우다; ~ ошибку 실수하다, 과오를 범하다; ~

преступление 죄를 짓다
совершиться (완) 일어나다, 수행되다, 실현되다, 완수되다; ~лось важное событие 중대한 사건이 일어났다
совестливый (형) 양심적인, 양심있는
совестно (술어로, 무인칭) *кому* 양심에 부끄럽다, 수치스럽다; как вам не ~! 부끄럽지도 않습니까!
совесть(여) 양심(良心), 얌치; с чистой ~ью 순결한 마음으로; работать на ~ь 양심적으로 일하다; свовобода ~и 신앙의 자유; для очистки (успокоения) ~и 양심에 거리낌이 없도록, 후에 뉘우치지 않도록; говоря по ~и (삽입어) 솔직하게 말해서; со спокойной ~ью 마음 편안히
совет I (남) 권고(勸告), 조언(助言), 충고(忠告); дать хороший ~ 좋은 충고 (조언)를 주다; последовать ~у 충고를 따르다; по ~у врача 의사의 권고 (지시)대로
совет II (남) ① 소련(蘇聯), 소비에트; Верховный Совет СССР 소련최고소비에트; Совет Союза 연맹소비에트; Совет Национальностей 민족소비에트; Со- веты народных депутатов 인대의원 소비에트; естные Советы 지방소비에트; областной (городской, район- ный, сельский) Совет 주 (시, 구역, 농촌) 소비에트 ② 회의(會議); 평의회(評議會), 이사회(理事會), 위원회(委員會); Совет Безопастности ООН 유엔안보리이사회; Совет Экономической Взаи- мопомощи (СЭВ) 경제상호조이사회; Всемирный Совет Мира 세계평화이사회; специализированный ~ 학위논문발표평의회; научный ~ 과학평의회; учёный ~ 학술평의회;

военный ~ 군사위원회
советник (남) ① 고문 (관) ② 참사; ~ посольства 대사관참사
советовать (미완) 권고 (충고)하다
советоваться(미완) 의는 (협의)하다
советский(형) ① 소련의; Советский Союз 소련;Советское правительство 소련정부; Советская армия 소련군대; ~ие люди (또는~ий народ) 소련사람들, 소련인민 ② 소비에트의; оветская власть 소비에트정권
советчик (남) 충고자(忠告者), 조언자, 의논할 사람
совещание (중) 협의회(俠義會), 회의(會意); производственное ~ 생산협의회
совещательный (형) 의논(議論)의; ~ орган 심의기관
совещаться (미완) 협의 (의논, 상담)하다
совладать (완) с кем-чем 감당해내다, 억제하다; ~ с собой 자제하다
совместимый(형) 양립(병존)할수 있는
совместитель (남) 겸임자(兼任者)
совместительство (중) 겸임(兼任), 겸직(兼職); работать по ~y 겸임하다, 겸임하여 일하다, 일을 겸하다
совместить[ся] см. совмещать[ся]
совместно (부) 함께, 공동으로
совместный (형) 공동의(共動), 함께의; ~ое коммюнике 공동콤뮤니케; ~ый фильм 합작영화
совмещать (미완) 겸하다, 겸임하다, 겸비하다
совмещаться (미완) ① 동시에 진행(집행)되다 ② 결합 (일치)되다, 합쳐지다
совмещение (중) ① 결합(結合), 일치(一致); 겸비(兼備) ② 겸임(兼任)
совок (남) 뜰삽, 꼬마삽, 꽃삽; ~для мусора 쓰레받기

совокупность (여) 총체(總體), 전체
совпадать (미완) ① 때를 같이하여 일어나다 (진행되다) ② 일치하다, 합치되다
совпадение (중) 일치, 합치, 공통성
совпасть (완) см. совпадать
совратить(완) 유혹(誘惑)하다, 타락(墮落)시키다, 길을 잘못들게 하다; ~ с пути истинного 그릇된 길에 빠뜨리다, 타락시키다
соврать (완) 거짓말하다
совращать (미완) см. совратить
современник (남) 현대인, 동시대인
современность (여) ① 현시대, 현실(現實) ② 현대성, 현대적인 것
современный (형) ① 현대*, 현대적인, 현대식* ② *кому-чему* 시대가 같은, 동시대*
совсем (부) 전혀, 완전히, 전적으로, 아주
совхоз (남) 국영농장, 꼴호즈
согласие (중) ① 동의(同意), 승낙, 찬동; дать ~ на что 찬동 (승낙)하다; полу- чить ~ 동의를 얻다 ② 합의(合意), 의견일치 ③ 화목(和睦), 친목(親睦)
согласиться (완) ① 동의 (승낙)하다 ② 합의 (의견일치)를 보다
согласно (전) (+여) …에 따라, …에 의하여, …대로; закону 법에 따라; ра- споряжению 지시대로
согласный I (형) ① на что 찬성 (동의)하는; он на всё ~ен 그는 모든 것에 찬성 (동의)하다 ②; с кем- чем 의견을 같이하는, 견해가 일치하는; я с тобой ~ен 나는 당신과 의결을 같이한다, 나는 당신과 동감이다
согласный II (형) ① 자음*; звук 자음 ② (명사로)자음
согласование (중) ① 합의(合意) ②

일치, 조화 ③ (언어) (성, 수, 격의)일치

согласованно (부) 합의하여, 일치하게, 보조를 맞추어

согласованность (여) 합의, 일치, 조화, 균형성

согласовать (완) ① 합의를 보다 ② 일치 (통일, 조화)시키다 ③ (언어) (성, 수, 격 등을) 일치시키다

согласоваться (미완, 완) ① 일치 (부합) 되다 ② (언어) 일치하다

согласовываться *см.* согласовать

соглашатель(남)타협분자, 절충주의자

соглашательство(중) 타협, 절충주의

соглашаться (미완)*см.* согласиться

соглашение (중) ① 협정(協定), 조약(條約); заключить ~e 협정을 체결하다 ② 합의; прийти к ~ю 합의를 보다, 합의에 도달하다; по взаимному ~ю 쌍방의 합의에 의하여

согнать (완) ① 쫓아버리다, 쫓다, 몰아내다 ② (쫓아서 한곳)

согнуть (완) 구부리다, 꼬부리다

согнутый (형) 구부려진, 휜

согнуться (완) ① 구부려지다, 꼬부리지다, 휘다; проволока лась~ 쇠줄이 휘었다 ② 등이 꼬부리지다

согревать (미완) ① 데우다, 쪼이다 ② 위로하다, 마음을 따뜻이 하여주다

согреваться (미완) 데워지다, 따뜻해지다, 몸이 녹다

согреть[ся] (완) *см.* согревать[ся]

сода (여) 소다; каустическая 가성소다

содествие(중) 협력(協力), 협조(協助)

содействовать (미완, 완) 협력하다, 협조하다, 촉진시키다

содержание (중) ① 내용(內用) ② 함유량; с богатым ~м фосфора 인함유량이 높은 ③ (서전, 잡지 등의) 차례 ④ 부양 (비)

содержательный (형) 내용 깊은, 내용이 풍부한

содержать (미완) ① 먹여 살리다, 부양하다; семью 가족을 부양하다 ② 가두어두다, 구금하다 ③ (어떤 상태에) 있게 하다, 유지하다; ~ вещи в порядке 물건을 정돈하여두다;~ комнату в чистоте 방안을 깨끗이 하여두다 ④ 함유 (포함)하다

содержаться (미완) ① 함유되다, 포유되다, 있다 ② 갇혀있다, 구금되어 있다, 수용되어있다

содержимое (중) 들어있는 것, 내용물

содоклад (남) 보충보고

содрать (완) (껍질 등을) 벗기다

содрогание (중) 몸서리 приводить в ~ 몸서리치게 하다

содрогаться (미완) 몸서리치다

содружество (중) ① 단합, 우의, 호상협조; боевое ~ 전투적우의 ② 동맹, 동지화; социалистическое ~ 사회주의적 협동체

соевый (형) 콩의*;~ый соус 간장; ~ая паста 된장*;~ое масло 콩기름

соединение (중) ① 이음, 결합, 연합 ② 연결 (점), 이음 (목) ③ (군사) 연합부대 ④ (화학) 화합물(化合物)

соединённый (형) 연합의, 연합한

Соединённые Штаты Америки(США) (복수) 미국(美國), 미합중국

соединительный (형) 결합용(結合用) 연결용(連結用); ~ая ткань (해부) 결체조직; ~ый союз (언어) 연결접속사

соединить[ся] *см.* соединять[ся]

соединять (미완) ① 연결 (결합, 접합) 하다 ② 잇다, 매다; концы провода 전선을 잇다 ③ (화학) 화합하다 ④ (전화) 연락을 맺다

соединяться (미완) ① 이어지다, 연결 (결합단결) 되다 ② (화학)

화합되다 ③ (전화로) 연락하다, 연락을 가지다

сожаление (중) 유감, 애석함; с ~ем 유감하게도; без ~я 유감없이, 태연스럽게 к ~ю (삽입어) 유감스럽게도

сожалеть (미완) 유감하게 여기다, 후회하다, 애석하게 생각하다; я очень ~ю, что....나는 …을 매우 유감스럽게 생각한다

сожжение (중) 불태우는 것, 소각, 화장

сожительство (중) 동거 (생활)

созвать (완) ① 소집하다;~ совещание (съед) 회의 (대회)를 소집하다 ② 불러 모으다, 초대하다; ~ гостей 손님들을 초대하다

созвездие (중) (천문) 성좌(星座)

созвониться (완) 전화로 연락하다

созвучный (형) 적응하는; произведение, ~ое эпохе 시대의 요구에 맞는 (적응한) 작품(作品)

создавать (미완) 만들다, 창조 (창작, 창설)하다; 조성하다

создаваться (미완) 이루어지다, 창조 (창작창설)되다; 조성되다

создать[ся] (완) см. создавать[ся]

созерцание (중) 관찰, 명상, 목상

созерцать (미완) 명상에 잠기다, 관찰하다

созидание (중) 창조(創造), 창설(創設)

созидательный (형) 창조적인(創造的-), 전설적인

сознавать(미완) 깨닫다, 자각(自刻)하다, 인식(認識)하다

сознаваться (미완) в чём 고백 (자인, 인정)하다; ~ в своей ошибке 자기의 과오를 인정하다

сознание (중) ① 의식(意識), 자각(自刻);классовое ~ 계급의식;~ долга 의무의 자각 ② 정신(精神); потерять ~ 실신하다; прийти в ~ 정신을 차리다

сознательно (부) ① 의식 (자각)적으로 ② 일부러, 고의적으로

сознательность (여) 각성(覺醒), 자각성(自覺性), 의식성

сознательный (형) ① 의식 (자각) 적인; 각성된 ② 고의적인

сознаться (완) см. сознаваться

созревание (중) 익는 것, 성숙

созревать (미완), **еть** (완) 익다, 여물다, 성숙하다

созыв (남) (회의, 대회 등의) 소집

созывать (미완) см. созвать

соизмеримый (형) ① 대비 할 수 있다 ② (수학) 약분 할 수 있는

соискание (중) 학원 등의 청구(請求)

сойка (여) (조류) 어치

сойти (완) ① 내리다 ② 벗어나다, 엇나가다, 벗나가다; ~ с рельсов 탈선하다 ③ 벗겨지다, 없어지다; краска сошла 페인트가 벗겨졌다; вода сошла 물이 찌였다; снег сошёл с полей 들에 눈이 녹았다 ④ ; за кого-что 비슷하다, 같아; он сошёл за старика 그는 늙은이 같았다; сойдёт! 좋아! 됐다!; сойдёт и так 이렇게 해도 좋다;~ с ума 미치다, 정신이 나가다

сойтись (완) ① 만나다; 모이다, 집합하다 ② 사귀다, 친밀해자다 ③ 일치하다

сок (남) 즙(汁), 액(液) фруктовый ~ 과일물; желудочный ~ 위에

сокол (남) (조류) 매

сократить[ся](완)см сокращать[ся]

сокращать (미완) ① 짧게 하다, 줄이다, 단축 (생략)하다 ② 해고 (해직)시키다

сокращаться (미완) ① 짧게지다, 줄어지다, 단축되다 ② 축소 (삭감)되다 ③ (수학) 약분되다 ④ (생리)

수축되다
сокращение (중) ① 단축, 축소, 삭감; ~ срока 기한단축; ~ штатов 인원(정원) 축소; ~ иероглифов 한자의 간략화 ② 생략표기; условие ~ 괄호, ③ 줄임, 생략(省略); ④ (생리) 수춘 ⑤ (수학) 약분(約分); ~ дроби (약분)
сокращённо (부) 간략하게
сокращённый (형) 줄인, 단축한, 간략한, 생략한 ~ое слово 약어
сокровенный (형) 마음속깊이 품은; ~ое желание 숙망;~ая тайна 소비밀
сокровище (중) (복수) 보물(寶物), 보배, 귀중품(貴重品)
сокровищница (여) 보물고
сокрушать (미완) см. сокрушить
сокрушиться (미완) 슬퍼하다, 상심하다, 속을 태우다
сокрушительный (형) 섬멸적인(殲滅的), 파멸적인(破滅的)
сокрушить (완) 짓부시다, 격멸 (격과, 분쇄)하다
солгать (완) 거짓말하다
солдат (남) 병사(兵士), 전사(戰士)
солдатский (형) 병사의; 병사다운
солённый (형) ① 소금에 절인, 염장한 ②; ~ые огурцы 오이절임, 절인오이 ③ 염분이 있는; ~ое озеро 짠물호수, 함수호
соленья (복수) (집합) 절인 음식
солидарность (여) 단결, 연대성
солидарный (형) ① 단결한, 연대성을 보여주는, 공감하는 ②; ~ая ответстве-нность 연대적인 책임, 연대책임
солидный (형) ① 듬직한, 권위있는; ~ый человек(учёный) 듬직한 사람 (학자); ~ое учреждение 큼직한(권위있는) 기과 ② (크기가) 상당한; ~ая сумма 상당한 금액 ③ 실속 있는, 기초가 든든한

солист (남), **~ка** (여) 독창가수, 독주가, 독무가
солить (미완) ① 소금을 치다 ② 절이다, 염장하다; ~ рыбу 물고기를 소금에 절이다
солнечный (형) ① 대량의;~ый свет 햇빛; ~ые ванны 일광욕 ② 해가 난, 청청한; ~ый день 개인 (맑은) 날; ~ая комната 해가 드는 방
солнце (중) 해, 태양(太陽); восход ~а 해돋이; ~е садиться 해가 진다; на ~е 해볕에
солнцепёк (남) 양지 (쪽)
соло (불변) ① 독창(獨唱), 독창곡 ② 독주(곡); ~ на виолончели 첼로독주
соловей (남) 꾀꼬리
солома (여) 짚; копна ~ы 짚가리
соломенный 형; 짚*, 짚으로 만든 ~ая шляпа 밀짚모자; ~ая крыша 짚을 이온 지붕
соломинка (여) 지푸라기
Соломоновы острова (복수) 솔로몬재도
солонина (여) 소금절인 고기 (주로 소고기)
солонка (여) 소금그릇
солончаки (복수) 간석지, 염성토양
солончаковый (형); ~ые земли 간석지(干潟地)
соль (여) ① 소금 ② (화학) 염(鹽)
сольный (형) 독창의, 독주의, 독무의
солянка (여) ① 매운 고기국 (물고기국) ② 양배추를 쪄서 고기 (물고기, 버섯)를 섞어 만든 요리
соляной (형); ~ые разработки 들소금캐는 곳; ~ой пласт 소금(염)층
соляный (형); ~ая кислота 염산
солярий (남) 일광욕실
сом (남) 매기
Сомали (중) (불변) 소말리아
сомкнутый (형); ~ые ряды 밀집대렬

сомкнуть (완) 빽빽하다, 좁히다;~ряды 대열을 좁히다
сомкнуться (완) 뭉쳐지다, 좁혀지다; ряды ~лись 대열이 밀집되었다
сомневаться (미완) в ком-чём 의심하다, 의혹을 품다
сомнение (중) 의심(疑心), 의혹(疑惑); 위구; рассеять все ~я 모든 의심을 풀다; его взяло ~е 그는 의심에 사로잡혔다; в этом нет никакого ~я 이 일은 의심할바 없다; без (또는 вне) [всякого] ~я 의심할바 없이; брать под ~е 의심에 붙이다; неподлежит ~ю 의심스럽지 않다
сомнительный (형) 의심스러운, 수상한, 애매한
сомнжитель (남) (수학) 곱해질 수 (피승수), 인수(因數)
сон (남) ① 잠, 수면; погрузиться в ~ 푹 잠들다; крепкий ~ 깊은 잠; меня сон одолевает (또는 меня клонит ко сну) 나는 졸린다; говорить во сне 잠꼬대하다 ② 꿈; видеть сон (сны) 꿈을 꾸다; видеть во сне 꿈에서 보다; ~сбылся 꿈이 맞았다
соната (여)(음악) 소나타
сонливость (여) 졸리는 것
сонный (형) 잠자고 있는; 잠에 취한; ~ая артерия (해부) 경동맥
сонорный (형); ~ые согласные 유향자음
соня (남, 여) 잠꾸러기, 잠보
соображать (미완) см. сообразить
соображение (중) ① 이해(理解), 이해력 ② 의견(意見), 생각, 궁리
сообразительность (여) 명석한 이해력 (판단력)
сообразительный (형) 이해력이 빠른, 영민한
сообразить (완) ① 알아차리다, 짐작 (궁리) 하다 ② 판단 (이해) 하다

сообразно (부); ~ с обстоятельствами 정세에 부합되게
сообща (부) 공동으로, 힘을 합쳐서
сообщать (미완) см. сообщить
сообщаться (미완) ① 전해지다, 보도되다, 발표되다 ② 서로 통하다, 연결되어있다
сообщение (중) ① 보도, 통신, 통지; по ~ям газет 신문보도에 의하면 ② 교통, 운수, 연락; министерство путей ~я 교통성; железнодорожное ~е 철도연락; воздушное ~е 항공연락
сообщество (중) 집단(集團), 공동체(共同體), 조합(組合); международное ~ 국제공동체 (유엔을 달리 이르는 말)
сообщить (완) ① 전하다, 알리다, 통지하다 ② 보도하다, 통보하다;~ по радио 라디오로 보도하다
сообщник (남), **~ца** (여) 공모자(共謀者), 공범자(共犯者)
соорудить (완), **~жать** (미완) 짓다, 새우다, 건설하다; ~жать здание 거물을 짓다
сооружение (중) ① 건설, 건축, 축성, 가설; ~е телефонной линии 전화선가설 ② (흔히 복수) 건축물, 구조물, 시설 (물); ирригационные ~я 관개시설
соответственно (부) 해당 (상응)하게, 알맞게 ① (부) 각각 ② (전) (+에) …대로; действовать ~ приказу 명령대로 행동하다
соответственный(형) 해당한, 적당한
соответствие (중) 일치(一致), 적응(適應), 상응(相應); приводить в ~е 일치 (부합) 시키다; в ~и с чем...에 맞게 (적응하게)
соответствовать (미완) 일치 (부합) 하다, 맞다, 알맞다; ~ действительности (фактам) 현실

(사실)과 일치하다
соответствующий (형) 해당한, 알맞는; ~ие органы 관계기관들; ~им образом 적당 (적합) 하게, 알맞은 방법으로
соотечественник(남),**~ца**(여) 동포
соотнести (완), **~осить** (미완) 대조 (대비)하다, 상호 연관시키다
соотноситься (미완) 상관되다, 상호연관 되다
соотношение (중) ① 상관(相關), 상호연관; ~ сил 역량관계 ② 균형(均衡), 비등(比等); установить правильное ~ 균형을 바로잡다
соперник(남),**~ца** (여) 적수, 경쟁자
соперничать (미완) ① 경쟁하다 ② 상대가 되다, 적수가 되다
соперничество (중) 경쟁(競爭)
сопеть (미완) 식식거리다, 코를 골다
сопка (여) 야산(野山), 작은 산; (원동의) 소화산
сопло(중)(공학)주둥이, 분출구(噴出口)
сопли (복수) 코물
сопляк (남)(회화) 코흘리개
сопоставимый (형) 비교 (대비) 할수 있는
сопоставить (완) 비교 (대비, 대조)하다, 견주다
сопоставление (중) 비교, 대비, 대조
сопоставлять см. сопоставить
сопрано (불변) (중) (음악) 소프라노(soprano)여성고음; 여성고음가수
сопредельный (형) 인접(隣接)의; ~ые страны 인접국가들
соприкасаться (미완), **~оснуться** (완) с кем-чем ① 닿다, 맞대다 ② 잇닿다, 잡히다; поля ~асаются 밭들이 잇닿아있다 ③ 접촉하다, 관계를 가지다
сопроводительный(형); ~ое письмо 동봉한 (함께 넣어 보내는) 편지
сопроводить (완), **~ждать** (미완) ① 수반 (동반)하다, 같이 따라가다; 호송하다 ② 첨부 (첨가)하다
сопроваждаться (미완) чем 동반되다; 동시에 일어나다; дождь ~лся грозой 번개치며 비가 왔다
сопровождение (중) ① 동행(同行), 동반(同班), 수반; 호송(護送), ② 반주
сопротивление (중) ① 저항(抵抗), 반항(反抗), 대항(對抗); ② (물리) 저항
сопротивляемость (여) 저항력
сопротивляться (미완) кому-чему 정항 (반항, 대항) 하다
сопутствовать (미완) кому-чему ① 동행 (동반)하다 ② 동시에 일어나다
сор (남) 먼지, 쓰레기
соразмерить (완) см. соразмерять
соразмерно ① (부) 알맞게 ② (전) (+여) …에 알맞게 (사용하게)
соразмерять (미완) 사용 (균등) 하게 하다, 어울리게 하다; 조화시키다
соратник (남) 전우(戰友), 동지
сорванец (남) 심한 장난꾸러기
сорвать (완) см. срывать
сорваться (완) ① 떨어지다 ② 벗어지다, 놓여나다;собака ~лась с цепи 개가 사슬에서 벗어났다 ③ 파탄되다, 실패하다; дело ~лось 일이 파탄되었다
сорго (중) (불변) 수수
соревнование (중) ① 경쟁(競爭); соци-алисти человеческое ~е 사회주의경쟁 ②; ~я (복수) (체육) 경기, 시합
соревноваться (미완) ① 경쟁하다 ② 경기 (시합) 하다
сорить (미완) ① 어지럽히다, 더럽히다 ② 낭비하다, 되는대로

써버리다; ~ деньгами 돈을 낭비하다
сорный (형); ~ая трава 잡풀
сорняк (남) 잡풀
сорок (수) 40 (사십), 마흔
сорока (여) 까치
сороковой (수) 제 40 (사십)*, 마흔*
сорокопут (남) 개구마리
сорочка (여) ① 셔츠 ② 속치마
сорт (남) ① 품질: первый ~ 일등품 ② 품종; ~ яблок 사과품종 ③ 종류
сортировать (미완) 분류 (선별) 하다; 종류별로 가르다
сортировка (여) 분류, 선별, 고르기
сортировочный (형) 분류하는, 가르는; ~ая машина 선별기; ~ая станция (또는 ~ая орка) 차무이역, 조차역
сортировщик (남), **~ца** (여) 선별공, 분류원
сортовой (형); ~ое зерно 우량종자
сосать (미완) 빨다, 빨아내다, 빨아먹다; ~ грудь 젖을 빨다
сосед (남) ① 이웃 (삶) ② 결사람
соседка (여) ① 이웃 여인 ② 결사람
соседний (형) 옆에 있는, 이웃의; 인접한; ~яя комната 옆방; ~ие страны 이웃(주변)나라들, 인접국가들
соседский (형) 이웃의, 이웃사람의
соседство (중) 이웃, 인접; жить по ~у 이웃에 살다
сосиска (여) (복수) 소시지(sausage)
соска (여) 고무젖꼭지
соскабливать (미와) 긁어서 없애다
соскакивать (미완) ① 뛰어내리다 ② 떨어지다, 탈선하다
соскальзывать (미완) 미끄러져 내려가다 (떨어지다)
соскоблить (완) см. соскабливать
соскок (남) (체육) 뛰어내리기
соскользнуть см. соскльзывать
соскочить (완) см. соскакивать
соскучиться (완) 그리다, 그리워하다; ~ по отцу 아버지를 그리다
сослагательный (형);~ое наклонение (언어) 가정법
сослать (완) 유형(유배) 보내다, 추방하다, 귀향을 보내다
сослаться (완) см. ссылаться
сословие (중) 신부
сослуживец (남) (기관의) 동료
сослужить (완); ~ службу 봉사하다, 부탁을 들어주다, 이익을 주다, 유익한 역할을 놀다
сосна (여) 소나무
сосновый (형) 소나무의; ~ый лес 솔밭, 송림; ~ая смола 송진
сосняк (남) 솔밭
сосок (남) 젖꼭지
сосредоточение (중) 집중(集中), 집결(集結); ~ войск 군대의 집결
сосредоточенно (부) 집중적으로, 주의 깊게, 몰두하여
состедоточенный (형) 여념이 없는; ~ огонь 집중사격
сосредоточиваться (미완), **~ться** (완) 마음을 가다듬다, (생각, 주의 등이) 집중 (집결되다)
состав (남) ① 구성, 조성, 성원; 성부; химичекий ~ 화학적 성분 ② 열차; товарный ~ 화물열차, 열차
составитель (남) ① 저자, 편찬자 ② (철도) 열사, 조성원
составить (완) см. составлять
составление (중) 작성, 편찬, 저작
составлять 미완; ① 나란히 놓다, 잇대어 놓다; ~ стулья 의자들을 잇대어 놓다 ② 작성 (편찬, 저작)하다; ~ проект 초안을 작성하다; ~ словарь 사전을 편찬하다 ③ 못다, 조직 (형성, 구성)하다 ④ …에 달하다

составной (형) 조립식의
состариться (완) 늙다
состояние (중) ① 상태, 정세, 형편; ~е здоровья 건강상태 ② 기분, 정신상태 ③ 재산; быть в ~и ((+_미정형) …을 할수 있다)
состоятельный (형) 부유한, 재산이 있는, 돈이 많은; ~ человек 부자, 재산가
состоять (미완) ① из кого-чего …으로 구성되어있다, 이루어지다; квартира ~ит из двух комнат 살림집은 두 칸으로 되어있다; ② в чём ~ят обязанно- сти? 의무는 무엇인가?; в этомто и ~ит вся трудность 바로 여기에 모든 곤란이 있는 것이다 ③ …의 성원으로 있다 ④ …의 상태에 있다
состояться(완) 진행되다, 이루어지다
сострадание (중) 동정 (심)
состригать (미완) см. состричь
сострить (완) 익살을 부리다
состричь (완) 깍아버리다
состряпать (완) см. стряпать
состыковаться (완) 결합하다
состязание (중) 경기, 시합
состязаться (미완) 경기 (시합) 하다; 경쟁하다
сосуд (남) ① 그릇, 용기 ② (해부) 맥관; кровеносные ~ы 핏줄, 혈관
сосулька (여) 고드름
сосуществование (중) 공존(共存)
сосуществовать (미완) 공존하다
сосчитать (완) 세여보다, 계산하다
сотня (여) ① 100 (백) 개 ② 100 루블 (지폐) ③;~и (복수) 다수, 다량
сотрудник (남) ① 직원, 일군, 근무자; ~ посольства 대사관성원 (관원) ② 동료(同僚); научный ~ 연구사
сотрудничать (미완) ① с кем 합작 (협조, 협력)하다 ② (신문, 잡지 등에 정상적으로) 기고하다, 공무원으로 일하다
сотрудничество (중) ① 협조(協助), 협력(協力) ② 기고(寄稿)
сотрясать(미완)뒤흔들다, 진동시키다
сотрясаться (미완) 뒤흔들리다, 진동하다
сотрясение (중) 진동(震動); 강한 충동; ~ мозга 뇌진탕
сотрясти[сь] см. сотрясать[ся]
соты (복수) 벌개, 벌의 집; мёд в ~ах 벌개 안의 꿀
сотый (수) ① 100 (백) 번째* ②; одна ~ая 100 (백) 분의 1 (일)
соус (남) 소스; соевый ~ 간장
соучастие (중) 공모(共謀), 결탁
соучастник (남), **~ца** (여) 공모자, 공범자, 연루자
соученик (남), **~ца** (여) 글동무, 동창생
Соф (Книга Пророка Софонии, 3장, 909 쪽) 스바냐(zephaniah書)
софистика (여) 궤변(詭辯)
София (여) г. 소피아(Sofia)
соха (여) 나무쟁기, 구식쟁기
сохнуть (미완) ① 마르다 ② 시들다, 말라죽다 ③ 여위다, 마르다
сохранение (중) 보존(保存), 보관(保管), 유지(有志); отпуск с ~ем (без ~я) содержания 유급 (무급) 휴가
сохранить (완) ① 보존 (간직, 보관)하다; ~ здоровье 건강을 보존하다 ② 고수하다, 지키다; ~ тайну 비밀을 고수하다 ③ 보유하다
сохраниться (완) ① 보존 (보관, 유지) 되다 ② (건강, 정력 등이) 유지되다 ③ 살아나다
сохранность (여) 보존(保存), 보관(保管), 보호(保護); в ~и 무사히
сохранить[ся] см. сохранить[ся]

соцветие (중) (식물) 송이 꽃
соцдоговор (남) 사회주의경쟁계약
социал-демократ (남) 사회민주당원
социализм (남) 사회주의(社會主義)
социалист (남) 사회당원
социалистический (형) 사회주의(社會主義)의, 사회주의적(社會主義的)(인)
социальный (형) 사회의; ~ое обеспечение 사회보장; ~ое положение 사회성분; ~ое происхождение 출신성분; ~ое страхование 사회보험
социолог (남) 사회학자(社會學者)
социологический (형) 사회학적인
социология (여) 사회학(社會學)
соцсоревнование (중) 사회주의경쟁
соцстрах (남) 사회보험(社會保險)
сочетание (중) 결합(結合), 배합, 조화
сочетать(미완, 완) 결합(배합) 하다, 결부(조화) 시키다; ~ теорию с практикой 이론을 실천과 결부시키다
сочетаться (미완, 완) ① 결합 (배합, 경비) 되다 ② 조화되다
сочинение (중) ① 저서(著書), 작품(作品); собрание ~й 전집, 작품집 ② (학교에서) 글짓기, 작문 ③ (글, 음악 등이) 짓는 것
сочинить (완), **~ять** (미완) ① (글, 음악 등을) 짓다, 창작 (저작)하다 ② 꾸며내다, 날조하다
сочиться (미완) 방울방울 흘러 (스며) 나오다, 새다
сочленение (중) ① 접합(接合) ② 매듭, 관절(貫節)
сочный 형; ① 즙이 많은, 물기 (수분) 가 많은 ② 진한, 짙은 ~е краски 진한색
сочувственно (부) 동정하여; ~ относиться к кому 동정하다
сочувствие (중) 동정(심)

сочувствовать кому-чему 동정하다
союз (남) ① 동맹(同盟), 연맹(聯盟); Союз Советских Социалистических Республик 소비에트 사회주의 공화국연맹; ~ рабочих и крестьян 노농동맹; профессиональный ~ 직업동맹 ② 조합(組合), 결사(結社); свобода ~ов 결사의 자유 ③ (언어) 접속사(接續詞)
союзник (남) 동맹자(同盟者)
союзнический (형) 동맹자의; ~ие отношения 동맹관계
союзный (형) ① 동맹(同盟)의 ② 가맹(加盟)의; ~ая республика 가맹공화국 ③ (언어); ~ое слово 접속어
соя (여) 콩
спад (남) 주는 것, 저하, 약화, 감소
спадать (미완) ① 떨어지다, 벗겨지다 ② 줄다, 낮아지다, 저하(감소) 되다; жара спала 더위가 누그러졌다; вода спала 물이 줄었다; опухоль спала 부은데가 내렸다 ③ 드리우다, 축 처지다
спазм (남) (의학) 경련, 가들기
спаивать I (미완) см. споить
спаивать II (미완) см. спаять
спайка (여) ① 납땜 (질); 납땜한곳 ② 유착(癒着) (된 곳) ③ 연계(連繫)
спалить (완) 태워버리다
спальный (형) ~ый вагон 침대차; ~ое место 잠자리; ~ый мешок 침낭
спальня (여) 침실(寢室)
спартакиада (여) 체육대회, 경기대회
спасательный (형) 구원(救援)의;~ый отряд 구호대; ~ая шлюпка 구명정; ~ый пояс 구명대
спасать (미완) 살려주다, 구원(救援)하다, 구출(救出)하다
спасаться (미완) от кого-чего 구원되다, 모면하다; ~ от опасности

위험을 면하다

спасение (중) 구원, 구조, 구출(救出)

спасибо (조) (술어로) 고맙습니다, 감사합니다.; большое ~ 대단히 감사합니다; ~ вам за помощь 도와주어서 감사합니다

спаситель (남) 구원자, 구제자

спасовать (완) см. пасовать II

спасти[сь] (완) см. спасать[ся]

спасать (완) см. спадать

спать (미완), 있다, 잠자다, 잠자고 있다; крепко ~,~ крепким(мёртвым) сном 세상모르고 자다; укладывать ~ 잠재우다

спаться (미완) кому 잠이 오다; мне не спиться 나는 잠이 오지 않는다.

спаянность (여) 단절, 결속, 통일

спаянный(형);[крепко] ~ коллектив 굳게 단합된 집단

спаять (완) (납땜질하여) 붙이다

спевка (여) 합창연습

спекаться (미완) см. спечься

спектакль (남) 연극(演劇), 공연(公演); дневной ~ 낮 공연; любительский ~ 소인극(전문배우가 아닌 사람들이 하는 연극)

спектр (남) 스펙트르, 분광(分光)

спектральный (형); ~ анализ (물리) - 분광 (스펙트르) 분석

спектрограмма (여) 분광사진(分光寫眞), 스펙트르사진

спектрограф (남) 분광사진기

спектроскоп (남) 분광기(分光器)

спектроскопия (여) 분광법, 분광학

спекулировать (미완) ① 투기하다, 간상행위를 하다 ② 기화로 삼다

спекулянт (남), **ка** (여) 투기군, 투기업자, 간신배

спекуляция (여) 투기, 간상행위

спелость (여) 성숙 (정도)

спелый (형) 익은, 여문, 성숙한

сперва (부) 처음에는, 먼저, 우선

спереди (부) 앞에; 앞으로부터

сперма (여) (생리) 정액

спесивый (형) 거만한, 건방진, 교만한

спесь (여) 교만, 거만; сбить ~ с кого 콧대를 꺾다

спеть I (미완) 익다, 여물다

спеть II (완) (노래) 부르다

спеться(완) ① 황음되다; хор хорошо спелся 합창은 화음이 잘 되였다 ② 합의를 보다, (행동의) 일치를 보다, 합의에 이르다

специализация (여) ① 전문화(專門化) ② 학과(學科); 전공과목

специализированный (형); 전문화(專門化)된, 전문적인; ~ совет 학위논문발표평의회

специализироваться (미완, 완) …을 전공하다; ~ по литературе 문학을 전공하다

специалист (남) 전문가(專門家)

специально (부) 특별히; 전문적으로

специальность (여) 전공(專攻), 전문(專門); 본업(本業), 직업(職業)

специальный (형) ① 전문(專門)의; ~ое образование 전문교육 ② 특별한, 특수한; ~ый корреспондент 특파기자; ~ый выпуск газеты 신문의 호의 (특간)

специи (복수) 양념, 조미료(調味料)

специфика (여) 특성, 특수성, 특징

спецификация (여) 명세서, 설명서

специфический (형) 독특한, 특수한

спецовка (여) 작업복(作業服)

спецодежда (여) 작업복(作業服)

спечься (완) ① 엉기다, 응결하다 ② (공학) 소결하다

спешить (미완) ① 서두르다, 바빠하다; ~с работой 일을 빨리 끝내려고 서두르다; ~ домой 집으로

바삐 가다; часы спешат на пять минут 시계가 5분 빠르다
спешиться (완) 말에서 내리다
спешка (여) 서두르는 것, 빨리 하는 것; в ~е 몹시 서둘러서; к чему ~а? 왜 이렇게 서두릅니까?
спешно (부) 빨리, 급히, 바삐, 서둘러; это надо ~ сделать 이것은 서둘러 해야겠다.
спешный (형) 급한; ~ое дело 급한 일; в ~ом порядке 급히
спидометр (남) 속도계(速度計)
спиливать (미완), **спилить** (완) ① 켜다, 자르다; ~ дерево 나무를 켜다 ② (줄칼로) 쓸다
спина(여) 등; взвалить на ~у 등에 지다; лежать на ~е 반듯이 눕다; стать (повернуться) ~ой к кому-либо 등지고 서다
спинка (여) ① (어린이, 작은 동물, 곤충의) 등 ② (의자의) 등받이 ③ 등
спинной (형) 등*; ~ мозг 등골, 척수; ~ хребет 척주, 등뼈, 척추
спираль (여) ① (수학) 타래선, 라선; 나사선 나선형물체 ② (항공, 공학) 나사 (라선) 강하
спирометр (남) (의학) 폐활량계
спирт (남) 알콜, 주정
спиртной (형) 알콜의; ~ые напитки 주정음료
спиртовка (여) 알콜음잔
списать (완) ① 베껴쓰다 ② 훔쳐쓰다, 따쓰다, 표절하다 ③ 지출된 것으로 기입하다; 폐기물로 등록하다; ~ в расход 지출된 것으로 기입하다
списаться (완) 편지연락하다, 편지로 약속하다
список (남) 명단(名單), 명부(名付), 목록; ~ки избирателей 선거자 명단
списывать[ся] см. списать[ся]

спиться (완) 주정뱅이가 되다
спихивать (미완), **спихнуть** (완) 밀치다, 밀어서 떨어뜨리다 (내려뜨리다), 밀어 넣다.
спица (여) ① (바퀴, 우산의) 살; ② 뜨개바늘; вязать на ~х 뜨개질하다
спичечный (형) 성냥; ~ая коробка 성냥갑
спичка(여)① 성냥개비 ② (복수) 성냥
сплав I (남) 합금(合金)
сплав II (남) 떼몰이, 유벌; ~ леса 목재유벌
сплавить I (완) 합금(合金)하다
сплавить II(완) 유벌하다, 떼몰이하다
сплавлять I II см. сплавить I II
спланировать (완) 계획(計劃)하다
сплачивать (미완) ① 결속(結束)시키다 ② 때를 뭇다
сплачиваться (미완) 뭉치다, 단결 (합심)하다, 결속되다
сплести (완), **~тать** (미완) ① 뜨다, 엮다, rue다 ② 꼬아 (엮어) 연결시키다
сплетни (복수) 뒤말썽, 뜬소문, 중상
сплетник (남), **~ца** (여) 시비군, 말공부쟁이
сплетничать (미완) (남에 대하여 이러쿵 저러쿵) 시비하다, 뜬소문을 퍼뜨리다
сплетня (여) см. сплетни
сплотить[ся] см. сплачивать[ся]
сплочение (중) 단결(團結), 결속
сплочённость (여) 단결, 단합(團合)
сплочённый (형) 단결된, 단합된
сплошной (형) ① 연속적인, 꽉 들어찬; ~ лёд 쭉 깔린 얼음, 얼음판 ② 전적인, 순전한, 완전한; ~ вздор 순전한 허튼소리
сплошь (부) ① 끊임 없이, 틈 없이,

촘촘히 ② 전면적으로, 완전히; ~ и рядом 대단히 자주, 거의 늘

сплюнуть (완) ① 침을 뱉다. ② 뱉아내다.

сплюснутый (형) 납작한, 놀리어 납작해진

сплюснуть (완) (눌러, 두드려) 납작하게 하다

сплющенный (형) 납작하게 된

сплющивать (미완), **~ть** (완) (눌러, 두드려) 납작하게 하다

сподвижник (남) 전우(戰友), 위훈을 함께 세운 사람

спокойно (부) ① 고요히, 조용히, 가만히 ② 편안히 ③ 침착히

спокойный (형) ① 고유한, 조용한, 잔잔한 ② 평안한, 침착한 ③ 순한; ~ой ночи 안녕히 주무십시오.

спокойствие (중) 안심, 안녕, 침착, 고요한 마음

споласкивать (미완) 헹구다; ~ бельё 빨래를 헹구다

сползать (미완), **~ти** (완) ① 기어 (미끄러져) 내리다 ② (굴러) 떨어지다, 전락되다

сполна (부) 전부(全部), 완전히

сполоснуть (완) см. сполоскать

спонтанный (형) 저절로 생기는, 자연발생적인; ~ое изменение 자연적 변화

спор (남) ① 논쟁 ② 말다툼, 분쟁, 싸움 ③ 겨룸, 경쟁; на ~ 내기를 하여

спора (여) (생물) 균알, 포자(胞子)

спорить (미완) ① 논쟁 (논의) 하다 ② 말다툼하다 ③ 경쟁하다 ④ 내기하다, 내기를 걸다

спориться (미완) 잘되어가다, 직척되다; работа ~ся 일이 잘 진척 된다

спорный (형) 논쟁대상이 되는; ~ый вопрос 논쟁문제; ваше мнение ~о 당신의 의견은 논쟁할만하다

спорт (남) 체육(體育); заниматься ~ом 운동하다; виды ~a 경기종목

спортгородок (남) 체육촌(體育村)

спортзал (남) 체육실, 실내운동장, 실내경기장

спортивный (형) 체육의; ~ые соревнования 경기; ~ый костюм 운동복, 체육복; ~ая площадка 운동장

спортинвентарь (남) 체육기구

спортклуб (남) 체육구락부

спортплощадка (여) 운동장(運動場)

спортсмен (남) 선수, 체육인(體育人)

способ (남) 방법, 방식, 수단, 방도; ~ употребления 사용법; ~ производства 생산방식

способность (여) ① (복수) 재능(才能), 재간(才幹), 수완(手腕) ② 능력(能力), 힘; покупальная ~ 구매력

способный (형) 재능 (재간, 재주) 있는, 유능한

способствовать (미완) ① 돕다, 방조 (협조) 하다 ② 촉진시키다

споткнуться (완), **~ыкаться** (미완) ① 걸채다, 걸리다; споткнуться о порог 문턱에 걸채다 ② 애로, 난관 등에 부닥치다, 걸리다 ③ 실수하다

спохватиться (완) 문뜩 생각나다; во-время ~ 제때에 생각나다

справа (부) 오른쪽에, 오른쪽으로부터

справедливо (부) 공정 (정당) 하게

справедливость (여) 정의(正意), 공정성; отдать ~ кому-чему 정당하게 평가해주다

справедливый (형) ① 정당한, 공정한, 공명정대한 ② 정의의; ~ая война 정의의 전쟁

справиться (완) см. справляться

справка (여) ① 증명서(證明書); ~a о состоянии здоровья 건강진단서 ②

문의(問議); обращаться за ~ой 알아보다, 문의하다
справляться (미완) ① с чем 감당(처리)하다, 해제끼다; ~ с работой 일을 해제끼다 ② ; с кем-чем 이겨내다, 타승하다 ③ 알아보다; ~ по телефону 전화로 알아보다
справочник (남) 편람(便覽), 안내서(案內書); телефонный ~ 전화번호책
справочный (형); ~ое бюро 물음칸, 안내소, 문의소; ~ое пособие 참고서
спрашивать (미완) ① 묻다, 질문(문의)하다 ② с кого (책임을) 묻다, 추궁하다
спринтер (남) 단거리선수
спринтерский (형) 단거리*; ~ бег 단거리달리기
спровоцировать (완) 도발(挑發)하다, 부추기다
спрос (남) 수요(需要), 요구(要求); ~ и предложение 수요와 공급; удовлетворять ~ 수요를 충족시키다
спросить (완) см. спрашивать
спросонок, ~ья (부) 잠이 채 깨지 않아서, 잠결에
спрут (남) 문어
спрыгивать (미완), **~нуть** (완) 뛰어내리다, 내리뛰다
спрыскивать(미완), **~нуть** (완) (뿌려서) (뿜어서) 적시다, 축이다; ~нуть бе-льё 빨래를 축이다
спрягать (미완) (언어) (동사를) 변화시키다
спрягаться (미완) (언어) 변화되다
спряжение (중) (동사의) 변화(變化)
спрятать (완) 감추다, 숨기다
спрятаться (완) 숨다
спугивать (미완), **спугнуть** (완) (놀라워) 쫓다, 달아(날아) 나게 하다; ~ птиц 새들을 놀래워 쫓다

спуд (남); ① извлечь из-под ~а 써먹다, 사용하다 ② держать под ~ом 쓰지 않고 보관해두다
спурт (남) (체육):[финишний] ~ 마감달리기
спуск (남) ① 내리는 것, 내리우는 것, 내려놓는 것; ~ корабля на воду 진수, 배띄우기 ② 내리막 (길), 구배 ③ 방아쇠 не давать ~у кому 용서하지 않다
спускаемый(형); ~ аппарат 하강기구
спускать (미완) ① 내리우다, 내려놓다, 내려 보내다; ~ плот 떼를 띄우다 ② 풀어놓다, 놓아 주다; ~ курок 방아쇠를 당기다; спустя рукава 되는대로, 날치기로, 어름어름
спускаться (미완) ① 내리다, 내려가다, 하강하다, 떠내리다; ~ с горы 산에서 내리다; ~ по лестнице 층층대로 내려오다 ② 깃들다, 내리다; спус-тились су-мерки 황혼이 깃들었다; спустился туман 안개가 끼었다
спустить[ся] (완) см. спускать[ся]
спустя (전) (+대) 지나서, 후에; ~ год 일년 지나서; ~ несколько дней 며칠 후에; ~ некоторое время 얼마 후에
спутать[ся] (완) см. путать[ся]
спутник (남) ① 길동무, 동행자; 필연적인 사물 ② (천문) 위성(衛星); искусст-венный ~ 인공위성; запустить ~ 위성을 쏘아 올리다; город-~ 위성도시
спячка (여) (동물들의) 겨울잠, 동면
сработаться (완) (일에서) 보조가 맞다, 손이 맞다
сравнение (중) 비교(比較), 대비(對比); 비유(比喩); по ~ю с кем-чем ...에 비하여
сравнивать I (미완) ① 비교 (대조, 대비) 하다, 비겨보다 ② 비유하다

- 608 -

сравнивать II (미완) 그르게 (반반하게, 가지런하게) 하다; ~ поле 밭을 고르게 하다
сравнительно (부) 비교적 (으로)
сравнительный (형) 비교의; ~ая степень (언어) 비교급
сравнить (완) см. сравнивать I
сражать (미완) см. сразить
сражаться (미완) 싸우다, 투쟁하다
сражение (중) 싸움, 전투(戰鬪)
сразить (완) ① 쳐서 꺼꾸러뜨리다, 쳐서 (쏴서) 죽이다 ② 몹시 놀라게 하다, 아연실색케 하다
сразиться (완) см. сражаться
сразу (부) ① 곧, 즉시에 ② 단번에
срам (남) ① 수치, 치욕 ② (술어로) 수치다, 망신이다; какой ~! 무슨 수치야!
срамить (미완) ① 망신시키다, 창피를 주다; ~ при людях 사람들 앞에서 망신시키다 ② 모욕적으로 욕설하다
срамиться (미완) 망신하다, 창피를 당하다
срастаться (미완), **~ись** (완) 융합(유착) 되다, 합쳐지다
сращение (중) 융합(融合), 유착, 접합
сращиваться (미완) (공학) (용접, 납땜 등으로) 연결되다, 붙다
среда I (여) 수요일(水曜日)
среда II (여) ① 환경; окружающая ~ 주원환경; социальная ~ 사회적 환경 ② 계층(階層) ③ 매질
среди (전) (+_생) ① 복판에 (서), 가운데; ~ площади 광장복판에서; ~ ночи 밤중에; ~ книг 책 가운데는; ② 사이에, 중에, 속에; ~ нас 우리들 중에는; дом ~ сосен 솔밭 속에 있는 집; ~(средь) бела дня 대낮에, 백주에
средиземноморский (형) 지중해(地中海) (연안의)

среднеазиатский (형) 중앙아시아
средневековый (형) 중세기의
средневековье (중) 중세기(中世紀)
среднегодовой (형) 년평균의
среднемесячный (형) 월평균의
средний (형) ① 가운데의, 중부의, 중간의; 보통의; человек ~его роста 키가 보통인 사람, 키가 알성맞춤한 사람; ② 평균(平均)의; ~ий уровень 평균수준; ~ий урожай 평균수학; ~ее образо- вание 중등교육(中等教育); ~яя школа 중학교; ~ий род (언어) 중성; в ~ем 평균 (하여)
средоточие (중) 중심(中心) (점), 집중점
средство (중) ① 수단(手段), 방법(方法), 방책(方策); ~а производства 생산수단; ~а массовий информации 대중보도수단; транспортные ~а 운수수단; ② 약(藥), 약품(藥品), 약재(藥材); ③ (복수) 돈, 자금(資金); оборотные ~а 유동자금; жить по ~ам 수입에 맞는 생활을 하다
средь (전) см. среди
срез (남) 자름면, 절단면(切斷面)
срезать (완), **срезать** (미완) 자르다, 잘라내다, 끊다
срисовать (완), **~овывать** (미완) ① 베껴 그리다, 복사(複寫)하다, 모사(模寫)하다 ② 사생하다
сровнять (완) см. сравнивать II
срок (남) ① 기간(期間), 기한(期限); длительный ~ 장기간; в короткий ~ 단기간 내에; ~ обучения 수업 년한; к ~у, в ~ 기한 내에, 제기한에; ~ом на один год 1 (일) 년 기한으로; до истечения ~а 기한만료 전에; продлить ~ 기한을 연기하다 ② 시일(時日), 기일; назначить ~ отъезда 출발시일을 정하다.

срочно (부) 급히, 긴급히, 손히
срочный (형) ① 급한, 긴급한, 지급*; ~ая телеграмма 지급전보; ② 기한부(期限附)의, 정기(定期)의; ~ый вклад 정기예금(定期預金)
сруб (남) 귀틀(집)
срубать (미완), **~ить** (완) ① 베내다, 잘라내다; 채벌하다; 까내다 ② (통나무로) 쌓다, (집을) 짓다
срыв (남) 파탄(破綻), 결렬(決裂), 좌절(挫折); 실패(失敗), 파국(破局); вести к ~у 파국에로 이끌어가다
срывать I (미완) см. сорвать
срывать II (미완) см. срыть
срываться (미완) см. сорваться
срыть (완) (소북한데를) 파서 반반하게 하다; (파서, 폭파하여) 없애치우다
ссадина (여) (피부, 살 등이) 긁힌 (뜯긴) 자리
ссадить I (완); **ссаживать** (미완) ① 내리워주다, 내려놓다 ② (기차 등에서) 내리우다
ссадить II (완) (피부 등을) 할퀴다; 긁다, 벗기다; ~ ногу до крови 피가 나도록 발을 할퀴다
ссора (여) 다툼, 싸움, 불화(不和); быть в ~е 사이가 나쁘다
ссорить (미완) 다투게 (싸우게) 하다, 불화를 일으키다
ссориться 미완 싸우다, 다투다, 말다툼하다
СССР (불변) (Союз Советских Социалистических Республик) 소련, 소비에트 사회주의 공화국연맹
ссуда (여) 대부(貸付), 대여(貸與), 대부금, 꾸어준 돈; дать(предоставить) ~у 대부 (대여) 하다
ссудить (완) 대부하다, 대여하다; ~ большую сумму 큰 금액을 대부하다
ссудный (형) 대부의; ~ капитал 대부자본; ~ процент 대부리자
ссужать (미완) см. ссудить
ссылать (미완) см. сослать
ссылаться (미완); на кого-что ① 인용하다, 인증하다; ② 구실로 삼다; ~ на болезнь 병을 구실로 삼다
ссылка I (여) ① 유형(流刑), 정배(定配), 추방(追放); ② 유형지, 유배지(流配地): жить в ~е 유형 (정배) 살이하다
ссылка II (여) ① 인용(引用), 인증(引證); ② 인용문(引用文)
ссыльный (남) 추방(追放)된 자, 유배자, 유형수(流刑囚)
ссыпать (완), **ссыпать** (미완) ① 쏟아 (뿌려) 넣다; ~ муку в мешок 밀가루를 자루에 쏟아 넣다; ② 저장하다; 납부하다
ссыхаться (미완) ① (말라서) 줄다, 오그라들다 ② (말라서) 굳어지다, 땅땅해지다
стабилизатор (남) (공학) 안전기(安全器), 안전장치(安全裝置)
стабилизация (여) 안정(安定), 안정화(安定化), 고정(固定), 고착(固着)
стабилизировать (미완, 완) 안정 (고정, 고착) 시키다
стабилизироваться (미완, 완) 안정 (고정, 고착) 되다
стабильность (여) 안정성, 안정도
стабильный (형) 안정된, 고착된; ~ учебник 국가지정교과서
ставить (미완) ① 세우다, 세워놓다, 놓다, 두다; ~ столб 기둥을 세우다; ~ целью 목적을 세우다; ~ вещи на место 물건을 제자리에 놓다; ② 조직 (실시, 상연) 하다; ~ опыты 실험을 하다; ~ спектакль 연극을 상연하다 ③ 찍다; ~ печать 도장을 찍다;~ знак препи-нания 구두점을 찍다;

подпись 서명을 하다; ~ термометр 체온기를 겨드랑이에 끼우다; ~ в затруднительное положение 곤란한 처지에 빠뜨리다; ~ в неловкое положение 어색한 입장에 처하게 하다; ~ в пример 모범으로 내세우다; ~ в вину 잘못으로 (죄로) 인정하다; ~ на голосование 표결에 붙이다; ~ вопрос 문제를 제기하다

ставка I (여) 본부(本府), 최고사령부, 사령부(司令部)

ставка II (여) ① 치른(댄)돈; ② (재정) 임금(賃金), 세금(稅金)을 ③ 기대(期待), 타산(打算); делать ~у на *кого-что*...을 타산하다

ставленник (남) 앞잡이, 괴뢰, 졸개

ставни (복수) 결창, 덧창

стадион (남) 경기장(競技場)

стадия (여) 단계; находиться в ~и изучения 연구 중에 있다

стадо (중) (동물의)무리, 떼; ~ овец 양떼

стаж (남) (활동, 근무 등의) 연한(年限); трудовой ~ 노동연한; партийный ~ 당해연한; иметь большой ~ 오랜 연한을 가지다

стажёр (남) 견습생(見習生), 실습생(實習生), 견습공(見習工)

стажироваться (미완) 실습하다, 생산실습을 하다, 견습공으로 일하다

стажировка (여) 현장실습(現場實習), 생산실습(生産實習), 견습(見習)

стайер (남) (체육) 장거리 선수, 먼거리 (달리기) 선수

стайерский (형) (체육) 장거리(長距離), 먼거리의; ~ берег 먼거리 달리기

стакан (남) 컵, 잔, 고뿌; пить из ~а 잔으로 마시다

сталагмит (남)(광물) 돌순, 석순(石筍)

сталактит (남)(광물) 돌고드름, 종유석

сталевар (남) 용해공, 제강공

сталелитейный (형) 제강(製鋼)의; ~ завод 제강소(製鋼所)

сталеплавильный (형); ~ая печь 제강로, 강철용해로

сталепрокатный (형) 강철압연의; ~ цех 강철압연직장

сталкивать (미완) ① 떠밀다, 밀어 넣다, 밀쳐 버리다; ~ лодку в воду 배를 물에 밀어 넣다 ② 충돌시키다, 마주치게 하다

сталкиваться (미완) ① 충돌하다, 부딪치다 ② с *кем-чем* 만나다, 마주치다

стало быть (삽입어) 그런즉, 따라서

сталь (여) 강철(鋼鐵); нержавеющая ~ 불수강; специальная ~ 특수강

стальной (형) ① 강철의;~ая плита 강판 ② 강철 같은, 억센; ~ая воля 강철같은 의지

стамеска (여) 끌

стан I (남) 몸통, 몸집, 체구: тонкий ~ 호리호리한 몸집

стан II (남) ① 임시거처: полевой ~ (농사철의) 야외숙영지 ② 진영(陣營); вражеский ~, ~ врага 적진

стан III (남) 기대, 받침대;прокатный ~ 압연기

стандарт (남) ① 규격(規格), 기준(基準), 표준(標準); ② (진부한) 틀, 도식

стандартизация (여) 규격화(規格化), 표준화(標準化), 규격통일

стандартный (형) ① 규격에 맞는, 표준적인; ② 진부한, 틀(판)에 박힌; ~ые фразы 틀에 박힌 말

станкостроение (중) 공작기계제작

станкостроительный(형); ~ завод 공작기계공장

становиться (미완) *см.* стать

становление (중) 형성
станок(남) 기대, 공작기계; токарный ~ 선반; ткацкий ~ 직포기; френзерный ~ 밀링 머신 반; сверлильный ~ 불반; печатный ~ 인쇄
статочник (남), **~ца** (여) 기대공
станцевать (완) 춤추다
станционный (형) 역의
станция (여) ① 역(驛), 정거장(停車場); узловая ~ 분기역; конечная ~ 종착역; ~ отправления 떠나는 역, 출발역; ~ назначения 지정역; ② (봉사, 연구기관); телефонная ~ 전화국; опытная ~ 시험장(試驗場), 시험농장; метереологическая ~ 기상대, 관측소 ③ 정류소; орбитальная ~ 궤도정류소
стапель (남) ① (해양) 배무이대, 선대, 선가대 ② 비행기 조립대
стаптывать (미완) см. стоптать
старание (중) 노력(努力), 고심(苦心); 열성(熱性), 열심; приложить все ~я 모든 힘을 다 기울이다
старательно (부) 정성껏, 열심히
старательный (형) 부지런한, 근면한
стараться (미완) ① 노력(努力)하다; ~ изо всех сил 정력을 다하다; ② 하려고 애쓰다; ~ удержать 붙잡아두려고 애쓰다
старейшена (여) 연장자; 추장(酋長)
старение (중) ① 늙는 것, 노쇠; ② 낡은 것
стареть (미완) ① 늙다, 노쇠하다; ② 낡다
старик (남) 늙은이, 노인
старина I (여) ① 옛적, 옛날, 고대(古代): в ~у 옛적에 ② 옛날풍습, 고물(古物), 골동품(骨董品); любитнль ~ы 골동품애호가 ~ тряхнуть ~ой 젊었을 때에 하던 식대로 하다
старина II (남) 영감(令監)

старинка (여) : по ~е 옛날식으로, 낡은 방식대로
старинный (형) ① 옛날의, 오랜, 과거부터 내려오는 ② 구식의; ~ обычай 낡은 풍습
стариться (미완) 늙다, 늙어지다
старожил (남) 한 공장에서 오래산 사람; 본토배기
старомодный (형) 구식의, 시대에 뒤떨어진,
старостта (남) 책임자; 학급장, 반장
старость (여) 늙음, 노년(老年); на ~ идет 늘그막에 가다
старт (남) 출발선(出發線), 출발점(出發點); на ~! (선수에게 출발선을 차지하라는 구령으로) 준비!
стартёр (남) ① 출발신호수 ② (공학) 시동기, 시동전동기
стартовать (미완, 완) 출발하다
старуха (여) 노파(老婆), 할머니
старушка (여) 할머니, 노파(老婆)
старческий (형) 늙은이의, 노인의
старше (형) ① старший의 비교급 ② 나이가 더 위인; 더 오랜
старший (형) ① 손위; ~ий брат 형, 맏형; ~ая сестра 누나; ~ий сын 맏아들 ② (직위, 칭호 등에서) 상급의; ~ий преподаватель 상급교원; ~ий научный сотрудник 상급연구사; ~ий лейтинант 상위; ~ий сержант 상사 ③(명사)(남) 어른; 상급, 책임자
старшина (남) (군사) ① 특무상사, (해군에서) 중사(中土) ② 사관장, 중대장; ~ роты 중대사관장
старшенство (중) ① 나이(연장) 순서; по ~у 연장 순으로 ② 관등급순서
старый (형) ① 늙은; ~ый человек 늙은이, 늙은 사람 ② 오랜; ~ый друг 오랜 친구, 옛 친구; ~ый солдат 노병 ③ 낡은, 헌, 못쓰게 된; ~ый дом 낡은 집; ~ое платье 헌옷 ④ 옛날의,

- 612 -

과거에 있은; ~ый адрес 이전의 주소; ~ое время 지나간 옛 시절; ~ая мода 구식; ⑤ 묵은; ~ый картофель 묵은 감자

старьё (중) (집합) 낡은 (헌) 물품, 고물, 헌옷 가지

старьёвщик (남) 넝마장사, 고물상

стаскать (완), **стаскивать** (미완) (모든 것을 한데) 나르다, 끌어 모으다; ~ всё в кучу 모든 것을 한데 날라 무더기로 쌓아놓다

статика (여) ① (물리) 정역학(靜力學) ② 부동(不動), 불변(不變), 정지

статистик (남) 통계학자, 통계일군

статистика (여) 통계학

статистический (형) 통계(通計)의; ~ие данные 통계자료

статный (형) 체구가 잘 생긴, 날씬한

статуэтка (여) 작은 조각상

статуя (여) 조각상(彫刻像), 전신상(全身像); бронховая ~ 동상(銅像)

стать(완)① 되다; он стал лётчиком 그는 비행사가 되었다; стоило холодно 추워졌다; ему стало весело 그는 즐거워졌다; борьба становится всё более ожесточённой 투쟁은 더욱 치열하여지고 있다 ② …기 시작하다; он стал чи-тать 그는 읽기 시작하였다; ③ 서다; ~ на ноги 일어서다; ④ 멎다; часы стали 시계가 멎었다; ⑤ (일 따위에) 붙다, 착수하다; ~ за станок 기대에 붙다; ~ на путь чего 또는 какой (어떤 활동의) 길에 들어서다; во что бы то ни стало 어떤 일이 있더라도

статься(완) 되다, 생기다; что с ним сталось? 그에게 무슨 일이 생겼나?

статья (여) ① 논설(論說), 기사(記事), 논문(論文); ② 항목(項目), 조항(條項), 조목(條目)

стационар (남) 상설기관(常設機關)

стационарный (형); ~ое лечение 입원치료

стачечный (형) 파업의(罷業-)

стачка (여) 파업(罷業); всеобщая ~ 총파업(總罷業)

стащить (완) ① 끌어가다; 끌어 모아놓다; ② 잡아 벗기다; ~ перчатку с ру- ки 손에서 장갑을 당겨 벗기다; ③ 훔치다, 도적질해가다

стая (여) 무리, 떼

стаять (완)(눈, 얼음이) 녹아없어지다

ствол (남) ① 나무줄기 ② 총신, 포신

створка (여) 문짝 (두 쪽으로 된 문의 한쪽)

стеарин (남) (화학) 스테아린(stearin)

стебель (남) 줄기, 대

стёганный (형) 솜을 두고 누빈; ~ ое одеяло 누비이불

стегать I (미완) 후려치다, 갈기다

стегать II (미완) 누비다

стекать (미완) 흘러내리다, 흘러들다

стекаться (미완) ① 흘러들다 ② 모여오다, 모여들다

стекло (중) ① 유리; оконное ~ 창문유리 ② 유리제품

стеклограф (남) 등사기, 복사기

стеклянный (형) 유리*, 유리로 만든

стекольный(형); ~ завод 유리공장

стекольщик (남) 유리를 넣는 사람, 유리공

стеллаж (남) 책시렁, 책꽂이, 선반

стелька (여) 신깔개

стемнеть (완) 어두워지다

стена (여) ① 벽, 바람벽, 담장, 성벽 ② 장벽(障壁), 장애물(障碍物)

стенгазета (여) 벽보(壁報)

стенд (남) ① 전시대, 전람대, 진열대(陳列臺) ② (공학) 시험대,

조립대
стенка (여) 벽장(壁欌)
стенной (형); ~ые часы 벽시계
стенограмма (여) 속기록(速記錄)
стенографировать (미완) 속기하다
стенографист(남), **~ка** (여) 속기자
стенография (여) 속기 (술), 속기법
степенный (형) ① 점잖은, 침착한, 진중한 ② 나이 지긋한
степень (여) ① 정도(定度), 한도(限度); в высшей ~и 최고도로 ② 급(級), 등급(等級); ③ 학위(學位); учёная ~ь ка-ндидата (доктора) наук 준박사(박사)학위; присудить учёную ~ь 학위를 수여하다; ④ (수학); возведение в ~ь 제곱하기; сравнительная ~ь (언어) 비교급(比較級); превосходная ~ (언어) 최상급(最上級)
степной (형) 초원(草原)의
степь (여) 초원(草原)
стереозвук (남) 입체음향(立體音響)
стереометрия (여) 입체기하학(幾何學)
стереоскопический(형)입체(立體)의
стереотип (남) ① 연판 ② 진부한 것, 판에 박한 것, 상투적인 것
стереотипный (형) ① 연판의; ② 언제나 되풀이되는, 판에 박힌; ~ое выра- жение 판에 박힌 표현
стереофонический (형) 입체발성의
стереть (완) ① 씻다, 훔치다, 닦아치우다, 지워버리다; ~ пыль 먼지를 훔치다; ~ с доски 칠판을 지우다; ② стёр ногу 발 가죽이 벗어졌다; ~ с лица земли 없애버리다, 전멸 (근절) 시키다
стереться (완) ① 지워지다, 벗겨지다 ② 쓸리다, 닳다
стерчь (미완) 지키다, 지켜보다
стержень (남) 대, 자루, 축(軸)

стерилизатор (남) 멸균기, 소독기
стерилизация (여) ① 멸균(滅菌) 멸균법(滅菌法); ② (의학) 불임법(不姙法), 피임법(避妊法)
стерилизовать (미완, 완) ① 멸균 (살균, 소독)하다 ② 임신 못하게 하다
стерильный (형) ① 소독한, 살균한 ② (새물) 생식능력이 없는
стерлядь (여) 작은 철갑상어
стерпеть (완) 참다, 견디다
стеснение (중) 부끄러움; без ~я 허물없이; без всякого ~я 아무런 사양도 없이
стеснительный (형) 불편해 하는, 거북해 하는, 난처해하는
стеснить (완), **~ять** (미완) 배좁게 하다, 배좁게 살게 하다
стесняться (미완) 불편(곤란, 거북)해하다, 꺼리다, 망설이다; не ~йтесь! 사양마십시오!, 어려워 마십시오!
стетоскоп (남) 청진기(聽診器)
стечение (중) 군집(群集), 합류(合流); ~ обстоятельств 조성된 정세
стечь (완) см. стекать
стилистика (여) 문체론(文體論)
стилистический (형) 문체론적
стиль (남) ① 양식(樣式), 형식(形式), 격식(格式); архитеттурный ~ 건축양식; ② 작풍(作風), 방식(方式); ~ в работе 사업작풍 ③ 문체(文體)
стимул (남) 자극, 동기, 충동, 충동력
стимулировать (미완, 완) 자극 (고무)하다, 충격을 주다, 활기를 띠게 하다
стипендиат (남) 장학생(奬學生), 급비생, 장학금을 받는 학생
стипендия (여) 장학금(奬學金)
стиральный (형) 세탁용의, 빨래의; ~ая машина 세탁기, 빨래하는 기계

стирать I (미완) 빨다, 빨래하다, 씻다: ~ бельё 내의를 빨다
стирать II (미완) *см.* стереть
стираться I (미완) ① 때가 지다; 빨래가 잘되다 ② 세탁중에 있다
стираться II (미완) *см.* стереться
стирка (여) 빨래, 세탁
стискивать(미완), **~нуть** (완) 누르다, 꽉 지다; ~нуть зубы 이를 악물다
стих (남) ① 시(詩), 시행(詩行), 시구(詩句); белый ~ 무운시(無韻詩); ② (복수) 시(詩); сборник ~ов 시집
стихать (미완) *см.* стихнуть
стихийно(부) 저절로, 자연발생적으로
стихийный (형) ① 자연(自然)의; ~ое бедствие 자연재해 ② 자연발생적인, 맹목적(盲目的)인
стихия (여) ① 자연현상(自然現象), 자연력(自然力): борьба со ~ей 자연력과의 투쟁; ② 익숙한 환경
стихнуть (완) 잔잔 (고요, 조용) 해지다; ветер стих 바람이 잔잔해졌다
стихосложение (중) 시짓기, 작시법
стихотворение (중) 시; ~ в прозе 산문시(散文詩)
стлать (미완) 깔다, 펴다
стлаться (미완) 퍼지다; 깔리다; 펼쳐지다; туман стелется 안개가 낀다
сто (수) 100, 백(佰)
стог (남) 가리. 낟가리
стоимость (여) ① 가치(價値), 값어치; ② 값, 가격(價格)
стоить (미완) ① 값을 가지다, 값나가다; сколько ~т? 값이 얼마입니까?; дорого ~т 비싸다; книга ~т три воны 책 (값)은 3 (삼)원이다; ② 가치를 가지다, 값이 있다; ~т внимание 주목할 만하다; ③ …을 요구하다; ~т большого труда 많은 노력을 요구한다. ④ (+ 미정형) 할만하다; ~т посмотреть 불만하다: не ~т спешить 덤빌 (서두를) 필요는 없다

стойка I (여) ① 자세: ~ (смирно) 차렷 자세 ② (체육) 거꾸로 서기
стойка II (여) ① 기둥, 받침대 ② 판매대
стойкий (형) ① 견고한, 오래 견디는 ② 강의한, 견실한; ~ характер 강의한 성격
стойко (부) 완강 (강인) 하게
стойкость (여) 견고성, 강의성(剛毅性)
стойло (중) (축사안의 간막은) 칸
сток (남) ① 흘러내림, 유출(流出), 배출(排出); ② 뺄 물길, 배수로(排水路), 수채물구멍; 낙수받이
Стокгольм (남) *г.* 스톡홀름
стол (남) ① 상(床), 책상(冊床), 밥상; письменный ~ 책상; ② 식사(食事), 요리(料理), 음식(飮食); ③ справочный ~ 안내소(案內所)
столб (남) 기둥; пограничный ~ 국경경계표
столбец (남) (페이지의) 란, 줄, 열
столбняк (남) (의학) 파상풍(破傷風)
столетие (중) ① 100 (백) 년, 1 (일)세기: двадцатое ~ 20 (이십) 세기 ② 100(백) 돌
столетний (형) 100 (백)년의, 백살의
столица (여) 수도(首都)
столичный (형) 수도(首都)의
столкновение (중) 충돌(衝突)
столкнуть[ся] *см.* сталкивать[ся]
столовая (여) ① 식당 ② 식당방
столовый (형): ~ая ложка 숟가락; ~ый прибор (한사람분의) 식기
столп (남) ① 탑(塔) ② 저명한 활동가(活動家), 대가(大家)
столпиться (완) 모여들다, 몰리다
столпотворение (중) 혼잡(混雜),

무질서(無秩序), 난장판
столь (부) 그리, 그렇게도, 그토록
столько(부) ① 그만큼 ② 그렇게까지
столяр (남) 목공(木工), 목수(木手)
столярный(형); ~ые работы 목수일
стоматит (남) (의학) 입안염, 구내염
стоматолог (남) 구강의사(口腔醫師), 구강학자(口腔學者)
стоматология (여) 구강학(口腔學)
стон (남) 신음 (소리)
стонать (미완) 앓는 소리를 하다, 앓음소리를 치다, 울부짖다
стоп (감) (구령으로) 섯!, 그만 (두어)!
стопа (여) 발바닥; идти по ~м кого...의 모범을 따르다
стопка (여) ① 차곡차곡 놓은 것, 묶음; ② (작은) 술잔
стоптанный (형) (신발에 대하여) (닳아서) 비뚤어진
стоптать (완) (신발을) 닳게 (비뚤어지게) 하다
сторговаться (완) ① 값을 매기다 (정하다), 흥정이 되다 ② 합의되다
сторож (남) 수위(守衛), 경비(警備), 감시원(監視員)
сторожевой (형) 경비*; ~ой пост 보초소; ~ая вышивка 망루; ~ое судно 경비선, 단속선
сторожить (미완) 지키다, 경비 (감시) 하다
сторожка (여) 초소(哨所), 감시소
сторона (여) ① 쪽, 방향(方向), 편(便); с левой ~ы 왼쪽으로부터; ② 지방(地方), 고장(故障); на чужой ~е 이국땅에서; ③ 면(面); лицевая ~а 앞면; обо- ротная ~а 뒷면; ④ (성질의) 측면(側面); слабая ~а 약점 ⑤ 관점(觀點), 견지(見地); со всех сторон 각 방면으로부터; со всей ~ы 자기로서는; с одной ~ы 한편으로는; с другой ~ы 다른 편으로는; оставить в ~е 앓고 두다; шутки в сторону 농담을 그만두고; смотреть по ~ам 사방을 둘러보다; моё дело ~а 내가 관계할 봐가 아니다
сторониться (미완) ① 비키다, 물러서다 ② 피하다, 멀리하다
сторонник (남) 옹호자(擁護者), 지지자(支持者), 찬성자(贊成者)
сточный (형): ~ые воды 버릴 물, 구정물, 오수(汚水); ~ая канава 배수로
стоянка (여) ① 정지(停止), 정박(碇泊); ② 정차장, 정박소 ③ 유숙지, 거처
стоять (미완) ① 서있다 ② 있다, 위치하다; дом стоит у реки 집은 강가에 있다 ③ 제기되다; ~ять на повестке дня 일정에 오르다 ④ 지키다, 고수하다; ~ ять грудью за Родину 목숨으로 조국을 지키다 ⑤ на чём 주장하다 ⑥ 멎어있다, 정박(정류) 하고있다; поезд долго ~ит 기차는 오래 서있다 ⑦ (동일한 상태가) 계속(지속) 되다; ~ят сильные холода 심한 추위가 계속 되고 있다 ⑧ ...의 편에 서다;~ять за правое дело 정의의 편에 서다
стоячий(형) ① 서있는, 곧추세워진 ② 흐르지 않는, 고인; ~ая вода 고인물
страда (여) 농번기(農繁期); 바쁜 철
страдальчиский (형) 괴로운, 고통스러운, 어려운, 힘든
страдание (중) 괴로운, 고민(苦悶), 고통(苦痛); испытывать ~я 고통을 겪다
страдательный (형); ~ залог (언어) 피동형(被動形), 입음형
страдать (미완) ① 고통을 겪다, 고민하다; ~ от боли 아파서 고통을 겪다 ② чем 앓다 ③ за кого-что

가슴아파하다; ④ 손실 (피해)을 입다 (당하다); ~ от наводнения 큰물의 피해를 입다
стража (여) 무장경비대, 호위병(護衛兵), 초병(哨兵); быть (стоять) на ~е 지키다, 수호하다
страна (여) 나라, 국가(國家)
сираница (여) 폐지(廢止); на ~x газет 신문지상에서
странник (남) 나그네; 방랑자(放浪者)
странно (부) ① 이상 (기이) 하게 ② (술어로)이 상하다
странный (형) 이상한, 괴이한
странствовать (미완) 돌아다니다, 여행하다; 방랑하다, 자꾸 자리를 옮기다
страстный (형) ① 열정적인, 열렬한; ~ая речь 열정적인 열설 ② 애정에 불타는
страсть (여) 열정(熱情), 열망(熱望); ~ к чтению 독서욕, 독서열
стратег (남) 전략가(戰略家)
стратегический (형) 전략적인
стратегия (여) 전략(戰略)
стратосфера (여) 성층권(成層圈)
страус (남) 타조(駝鳥)
страх (남) 공포(恐怖), 무서움, 두려움, 불안함; чувство ~а 공포심, 공포감; дро-жать от ~а 무서워서 떨다; взять на свой ~ [и риск] 자기가 책임지다; не за ~, а за совесть 양심적으로, 대단히 훌륭하게
страхование (중) 보험; ~ жизни 생명보험; ~ имущества [от огня] 화재보험; государственное (социальное) ~ 국가 (사회) 보험
страховать (미완) ① 보험을 체결하다; ~ от пожара 화재보험을 체결하다 ② 예방하다 ③ (체육, 곡예에서) 안전대책을 세우다
страховаться (미완) ① 보험에 들다 ② 자기를 보호하다
страховка (여) ① 보험금(保險金) ② 보험료(保險料) ③ 안전보장(安全保障)
страховой (형) 보험의(保險-); ~ взнос 보험료(保險料)
страшить (미완) 무서워하게 하다, 겁나게 하다
страшиться (미완) чего 무서워하다, 겁내다
страшно (부) ① 무섭게 ② 아주, 몹시, 지독히 ③ (술어로) 무섭다
страшный (형) ① 무서운, 무시무시한 ② 지독한, 대단한; ~ насморк 지독한 감기
стрекоза (여) 잠자리
стрела (여) ① 화살; пустить ~у 활을 쏘다; летать как ~а 화살처럼 (쏜살같이) 날다 ② (기중기의) 팔 ③ (식물) (꽃)줄기
стрелка (여) ① 바늘, 지침(指針); ~а часов 시계바늘; ~а компаса 지남침; перевеси ~у 바늘을 돌리다; ② (철도) 전철기; перевеси ~у 전철기를 돌리다
стрелковый (형) ① 사격의(射擊-); ~ые соревнования 사격경기 ② 보병(步兵)의; ~ый батальон 보병대대
стрелок (남) 사격수(射擊手), 사수(射手)
стрелочник (남) (철도) 전철수
стрельба (여) ① 사격(射擊) ② 사격소리, 총소리
стрельбище (중) 사격장, 사격연습장
стрелять (미완) ① 쏘다;~ть из ружья 총을 ② 쏘아죽이다 ③ 쑤시다; ~ет в правом ухе 오른 귀가 쏟다; ~ть гла-зми 눈총을 주다
стремглав (부) 부리나케
стремительно (부) 급격히, 쏜살같이, 신속히
стремительный (형) 급격한, 신속한, 몹시 빠른

стремиться (미완) ① 지향(指向)하다, 갈망(渴望)하다; ~ к свободе 자유를 지향하다; ② 노력하다, 애쓰다; ~ к рас- ширению сотрудничества 협조를 확대하기 위하여 노력하다; ③ 내달리다

стремление (중) 지향(志向), 갈망(渴望); ~ к учёбе 배움에 대한 지향, 향학열(向學熱)

стремя (중) 등자

стремянка (여) 사닥다리, 줄사닥다리

стрепотомицин (남) 항생제(抗生劑), 마이신(mycin), 스트렙토마이신

стрептоцид (남) 방선균(放線菌)의 하나, 스트렙토마이신(streptomycin)

стресс (남) ① 스트레스(stress), 긴장(緊張) ② 교합력

стреха (여) 처마

стриж (남) 칼새

стриженый (형) (머리를) 짧게 깎은

стрижка (여) ① 머리깎기 ② 머리깎는식; короткая ~ 단발머리 ③ 털깎기; ~ овец 양의 털을 깎는 것

стричь (미완) 깎다; 치다; ~ волосы 머리를 깎다; ~ ногти 손톱을 깎다

стричься(미완)머리를 깎다, 이발하다

строгальный(형): ~ станок 평삭반

строгать (미완) 대패질하다

строгий (형) ① 엄격한(嚴格限);~ий выговор 엄중경고 ② 엄밀(嚴密)한 ③ 단정한; ~ие черты лица 단정한 용모

строго (부) ① 엄격하게, 엄하게; ~ го-ворит 엄한 투로 말한다; ② 엄밀하게, 정밀히 ③ 단정하게; ~ настрого 아주 엄하게, 매우 엄격히

строгость (여) ① 엄격성(嚴格性), 엄밀성(嚴密性); ② (복수) 엄준한: 대책 (조치, 질서); ввести большие ~и 엄격한 질서를 세우다

строевой I (형): ~ лес 건축용 목재

строевой II (형) (군사): ~ая подго-товка 대열훈련; ~ой шаг 정보

сторонние(중) ① 건축물(建築物), 건물(建物); ② 구조(構造), 구성(構成), 조직(組織): ~ атома 원자의 구조

строитель (남) 건설자

строительный (형) 건설의, 건축의; ~ая площадка 건설장: ~ые материалы 건재: ~ые работы 건설공사

стротеьство (중) ① 건설(建設), 건축(建築); ② 건설장(建設場); ③ 건설(建設), 창조(創造): ~ социализма 사회주의 건설

строить I (미완) ① 짓다, 세우다, 건설 (건축, 건조) 하다 ② 창조하다 ③ 세우다: ~ планы 계획을 세우다

строить II (미완) 정렬시키다, 대열을 정돈하다: ~ полк 연대를 정렬시키다

строиться I (미완) ① 건설되다 ② 자기 집을 짓다

строиться II (미완) 정렬하다, 대열을 짓다

строй I(남) ① 제도(制度), 법제(法制), 시스템(system): социалистический ~ 사회주의제도; ② 구성(構成), 체계(體系): грамматический ~ 문법구조

строй II (남) 대렬, 대오(隊伍): стоять в ~ю 대열에 서있다; встать в ~й 대열에 서다; выйти из ~я 대열에서 나오다; перед ~ем 대열 앞에서; выйти из ~я 쓸모없이(못쓸게) 되다; вступи-ть в ~й 조업하다

стройка (여) ① 건설, 건축 ② 건설장

стройматериал (남) 건재(建材)

строительный (형) ① 정연한; ~ые ряды 정연한정연한 대열; ② 날씬한, 균형이 잡힌

строка (여) 줄, 글줄, 행(行)

стропило (중) 서까래, 연목(椽木)

строптивый (형) 고집이 센, 심술궂은
строфа (여) (문화) (시의) 절(節)
строчить (미완) ① 박음질하다, 재봉침으로 박다 ② (글을) 빨리 (서둘러) 쓰다 ③ (자동총으로) 점발사격하다
строчка I (여) 줄, 글줄, 행(行)
строчка II (여) 박음질
строчной (형); ~ая буква 소문자
стружка (여) 대패밥, 절삭밥, 쇠밥
струиться (미완) 흐르다; 풍기다
структура (여) 구조(構造), 구성(構成), 기구(機構), 얼개, 구상
структурализм (남) (엄어) 구조주의
структуралист (남) (언어) 구조주의자
структурный (형) 구조(構造)의; ~ый анализ 구조적 분석
струна (여) (악기의) 줄, 끈, 실
струнный (형) 현악(絃樂)의, 취주악; ~ инструмент 현악기; ~ оркестр 현악단
струп (남) 더뎅이, 부스럼 딱지; покры-ваться ~ьями 더뎅이가 앉다
струсить (완) 무서워하다, 겁나하다
стручковый (형) 꼬투리가 달린; ~ перец 남주 고추
стручок (남) 꼬투리; бобовый ~ 콩꼬투리
струя (여) (물, 공기, 가스의) 흐름; ~ воды 물줄기
стряпать (미완) ① 음식을 만들다 (차리다), 요리하다 ② 짓다, 쓰다; 조작하다
стряпня (여) ① 음식(飮食), 요리(料理) ② 거치른 (서투른, 더러운) 글
стряхивать (미완), **стряхнуть** (완) 털다
студент (남), **~ка** (여) (대)학생
студенческий (형) (대)학생*; ~ое общежитие 대학생기숙사; ~ий билет 학생증(學生證)
студень (남) 식혀서 묵처럼 엉기게 만들 곰 (보쌈, 족편과 비슷함)
студить (미완) 식히다, 차게 하다
студия (여) ① 제작실(製作室); 방송실(放送室); 화실(畵室); 조각실; 스튜디오(studio); ② 예술학교(藝術學校) (미술, 무용, 음악 등)
стужа (여) 혹한, 지독한 추위
стук (남) ① 두드리는 소리 ② ~ в дверь 노크, 손기척 (소리)
стукнуть (완) ① (탕, 뚝뚝) 치다, 때리다, 두드리다; ~ в окно 창문을 두드리다 ② (회화) (나이가) 되다; ему ~ло шес-тьдесят лет 그는 예순 살이 되었다
стукнуться (완) 부딪치다, 마주치다
стул I (남) 의자, 걸상
стул II (남) (의학) 대변(大便); 배설물
ступа (여) 절구(絶句)
ступать (미완) см. ступить
ступень (여) 단계; поднять работу на новую ~ 사업을 새로운 단계에로 끌어올리다
ступенька (여) 단, 계단(階段), 층계(層階); каменная ~ 디딤돌, 디딤단
спупить (완) 걷다, 밟다; ~ через порог 문턱을 넘어 디디다
ступка (여) (작은) 절구
ступня (여) ① 발 ② 발바닥
стучать (미완) ① 두드리다;~ в дверь 문을 두드리다 ② 고동 (맥박) 치다; сер-дце ~ит 가슴이 두근거리다
стучаться (미완) 문을 두드리다
стушеваться (완) 당황해지다, 겁나하다
стыд (남) ① 부끄러움 ② 수치, 창피
стыдить (미완) 수치를 느끼게 하다,

- 619 -

창피를 주다, 무안해하게 하다
стыдиться (미완) 부끄러워하다, 창피해 하다
стыдливость (여) 부끄러움, 수줍음
стыдливый (형) 부끄러워하다, 수줍어하는
стыдно (술어로) 부끄럽다; мне ~ за тебя 나는 너 때문에 부끄럽다
стык (남) ① 접합(接合), 용접(鎔接), 맞댐; ② 인접점(隣接點), 분기점(分岐點), 접합점(接合點), 이음줄
стыковаться см. состыковаться
стыковка (여) 결합(結合)
стынуть, стыть (미완) 식다, 차지다
стычка (여) ① (짧은) 전투(戰鬪) ② 충돌(衝突), 다툼
стюардесса (여) (비행기) 안내원
стягивать (미완) см. стянуть
стягиваться (미완) (많이) 집결하다, 모이다
стяжка (완) …을 얻다, 획득하다
стянуть (완) ① 졸라매다 ② (끝을) 잇다 ③ 모이다, 집결 (집합) 시키다
суббота (여) 토요일(土曜日)
субботник (남) 토요노동
субсидировать (미완, 완) 보조금을 주다
субсидия (여) 보조금(補助金)
субстанция (여) ① 물질(物質) ② 실태약 (물)
субстрат (남) ① 기질(基質), 수매질 ② 하층(下層)
субтитр (남) 자막(字幕)
субтропики (복수) 아열대지방
субтропический (형) 아열대(亞熱帶)의: ~ климат 대기후(大氣候)
субъект (남) ① (철학) 주체(主體), 주관(主觀); ② (어떤 행동, 과정의) 주체(主體), 주인(主人)

субъективизм (남) ① (철학) 주관주의(主觀主義);주관적관념론(主觀的觀念論) ② 주관성(主觀性), 자기본위
субъективность (여) 주관성(主觀性)
субъективный (형) 주관의, 주관적인
сувенир (남) 기념품(紀念品)
суверенитет (남) 자주권(自主權); национальный ~ 민족적자주권
суверенный(형); ~ое государство 주권국가
суглинистый (형); ~ые почвы 모래진흙땅
суглинок (남) 모래진흙
сугроб (남) 눈 무더기, 눈 더미, 눈구덩이
сугубо (부) 대단히, 지극히
Суд(Книга Судей Израилевых 21장, 258쪽) 사사기(士師記, 판관기(判官記, Book of Judges) 〈구약성서〉에 속한 책)
суд (남) 재판(裁判); 재판소(裁判所), 법정(法庭): Верховный ~ 최고재판소
судак (남) (어류) 수다크 (농어과의 한 가지)
Судан (남) 수단
судебный (형) 재판의*; ~ процесс 재판소송
судейский (형) (채육) 심판원*; ~ая коллегия 심판위원회
судейство (중) (채육) 심판(審判)
судимость (여) (법학) 전과
судить (미완) ① 재판하다, 판결하다; ~ преступника 범인을 재판하다; ② 판단 (논단, 단정) 하다; 생각 (추측) 하다 ③ 비난하다 ④ (채육) 심판하다
судиться (미완) ① …와 재판하다 ② 재판받다
судно (중) 선박(船舶), 배, 선척(船隻); пассажирское ~ 여객선;~ на подво-

дных крыльях 수중익선, 수중날개배
судоверфь (여) 조선소(造船所)
судовой (형) 배*, 선박*; ~ые огни 배등불; ~ой журнал 항해일지
судок (남) 찬합
судопроизводство (중) 재판소송
судоремонтный (형) 배수리*
судорога (여) 경련(痙攣), 쥐(살)
судорожный (형) ① 경련적인 ② 발작적인; 안절부절한
судостроение (중) 선박건조(船舶建造), 선박건조업, 배무이
судостроитель (남) 조선기사(造船技士), 조선공(造船工), 선박기사
судостроительный (형); ~ завод 조선소(造船所)
судоустройство (중) 재판제도, 재판소구성법
судоходный (형) 항해(航海)가능한, 항행이 가능한, 항행할 수 있는
судоходство (중) 항행(航行), 항해
судьба (여) 운명, 팔자, 숙명(淑明)
судья (남) ① 판사(判事); ② (체육) 심판원(審判員); главный ~ 주심(主審); ~ на линии 선심(線審), 부심(副審); ~ международной категории 국제심판원
суеверие (중) 미신(迷信)
суеверный (형) 미신*, 미신적인
суета (여) ① 허망한 것, 보람없는 것 ② 무사분주한 것; работать без ~ы 조용히 일하다
суетиться (미완) 덤비다, 부산을 떨다, 부산히 돌아치다, 동분서주하다
суетливо (부) 부산하게, 분주히
суетливый (형) 부산한, 부산하게 돌아치는, 수떨한
суждение (중) 견해, 의견(意見), 판단
сужение (중) ① 좁히는 것 ② 축소(縮小), 제한 감소 ③ 좁아진 곳
суживать (미완) 좁히다

суживаться (미완) 좁아지다
сузить[ся] (완) см. суживать[ся]
сук (남) ① 큰 (굵은) 나뭇가지; ② 옹이; доска без сучьев 옹이가 없는 널판자
сука (여) 암캐
сукно (중) 나사(천); положить под ~ (신청서, 청원서 등을) 깔아버리다
суконный (형) 나사의
сулить (미완) 약속하다
сульфат (남) (화학) 유산업
сульфид (남) (화학) 유화물, 황화물
сульфит (남) (화학) 아황산염(亞黃酸鹽)
сумасброд (남) 미치광이
сумасбродный(형)망령된, 망령스러운
сумасбродство(중)망령, 미치광이 것
сумашедший (형) ① 미친; ~ий дом 정신병원 ② (명사로); ~ий (남), ~ая (여) 미치광이
сумашедствие(중) 정신착란, 미치는 것
суматоха (여) 북새통, 소동(騷動)
сумбур (남) ① 혼란(混亂), 혼동(混同); ② 어수선함, 북새통
сумборный (형) 혼란된, 갈피를 잡을 수 없는
сумерки (복수) 황혼(黃昏), 어스름, 땅거미, 종말(終末)
суметь (완) (+미정형) 할 줄 알다, 할 수 있다; ~ ответить 대답할 줄 알다; не ~ ответить 대답 못하다, 대답할 줄 모르다
сумка (여) 가방, 주머니; дамская ~ (부인용) 손가방; 핸드백
сумма (여) ① 총액(總額), 총계(總計); общая ~a 총액; в ~e 합하여, 합계하여 ② 금액(金額)
суммарный (형) 합계의, 총계의; ~ое количество 총수
суммировать (미완, 완) ① 합하다,

합계를 내다, 총계를 내다 ② 종합하다, 총괄하다; ~ все данные 모든 자료를 종합하다
сумрак (남) 어스름, 어스레한 어둠
сумрачный (형) ① 어스레한, 어둑어둑한; ~ лес 어둑컴컴한 수림 ② 우울한, 침울한, 음침한
сундук (남) 궤, 장롱, 뒤주
сунуть[ся] (완) *см.* совать[ся]
суп (남) 국(soup; broth)
суперобложка (여) 겉표지
суперфосфат (남) 과인산 비료
суппорт (남) (공학) 왕복대; 바이트대받침대
супруг (남) ① 남편(男便) ②; ~и (복수) 부부(夫婦)
супруга (여) 부인(婦人), 처(妻)
супружеский (형) 부부*
супружество (중) 부부생활(夫婦生活) 결혼생활, 부부관계
сургуч (남) 봉랍
сурдинка (여) (음악) 약음기(弱音器); под ~у 슬그머니, 조용히
Суринам (남) 수리남
суровый (형) ① 혹독한, 가혹한, 무자비한; ~ая кара 혹독한 징벌; ~ый при-говор 무자비한 판결; ~ая зима 몹시 추운 겨울, 엄동; ~ый климат 엄혹한 기후 ② 준엄한; ~ые дни 준엄한 나날 ③ 엄한, 무뚝뚝한 사람; ~ый человек 엄한 사람; ~ое воспитание 엄격한 교양
суррогат (남) 대용품(代用品), 가짜제품, 대품, 대물(代物)
сурьма (여) (화학) 안티몬(Antimon: 청백색 광택의 금속 원소. 보통 휘안광(輝安鑛)으로부터 얻음. 납과의 합금으로서 활자나 축(軸)받이 등으로 씀. [51번:Sb:121.75])
сусло (중) 맥아즙(麥芽汁), 엿기름[엿끼―] 보리에 물을 부어 싹이 튼 다음에 말린 것《엿과 식혜를 만드는 데 씀》
суспензия (여) (화학) 현탁액
сустав (남) 뼈마디, 관절(關節), 매듭; воспаление ~ов 관절염, 류마치스
сутки (복수) 하루, 일주야 (24시간); двое суток 2 (이) 주야(晝夜)
сутолока (여) 혼잡, 복새, 뒤범벅판
суточный (형) 하루 동안의; ~ запас продовольствия 하루분의 식량예비
сутулиться (미완) 등을 굽히다
сутулый (형) 등이 굽은
суть (여) 본질(本質), 진수(眞數), 요점(要點); по ~и дела 실지에 있어서는
суфлёр (남) (연극) 대사를 섬겨주는 사람
суффикс (남) (언어) 뒤붙이, 접미사(接尾辭)
суффиксация (여) 접미사법
сухарь (남) 전빵, 가계, 구멍가게
суховей (남) 가물바람
суходольный (형); ~ые поля 밭
сухожилие (중) 힘줄
сухой (형) ① 마른, 건조한(乾燥-); ~ая ветка 마른 나뭇가지; ② 여윈, 파리한; ③ 냉담한, 매몰스러운; выйти ~им из воды 위험한곳을 무사히 벗어나다; ~ое вино (완전히 발효시켜서 만든 포도주); ~ой закон 금주법
сухопутный (형) 육지(陸地)의, 땅, 물; ~ые войска 육군(陸軍)
сухофрукты (복수) 말린 과일, 건과일
сухощавый (형) 여윈 수척한
сучковатый (형) 옹이가 (많이) 있는
сучок(남) ① (작은) 나뭇가지 ② 옹이
суша (여) 육지(陸地), 뭍; на ~е и на море 육지와 바다에서

сушёный (형) 말린, 건조시킨; ~ая рыба 말린 물고기

сушилка (여) ① 건조기(乾燥機), 건조장치 ② 건조실, 말림터, 건조대

сушильный (형) 말리는, 건조용의; ~ шкаф 건조함

сушить (미완) ① 말리다, 건조시키다 ② 여위게 하다

сушиться (미완) ① 마르다; бельё сушится 빨래가 마르고 있다 ② 젖은 옷을 입은 채 말리다

сушка I (여) 말림, 건조(乾燥)

сушка II (여) (작은) 가락지 빵 (건빵의 한 가지)

существенный (형) 본질적(本質的)인, 진수(眞髓)가 되는

существительное (중) 명사(名詞)

существо I (중) ① 생명체(生命體), 인간(人間), 동물(動物): живый ~а 생명체; ② 존재(存在), 인물; странное ~о 괴상한 존재(存在)

существо II (중) 본질(本質), 본바탕, 근본(根本), 본성(本性), : говорить по ~у 화제를 돌리지 않고 말하다; [говоря] по ~у 사실은

существование (중) 존재, 생존(生存)

существовать (미완) ① 있다, 존재(存在)하다, 현존(現存)하다; ② 살아가다, 생활(生活)하다

существующий (형) 현존(現存)의; ~ порядок 현존질서

сущий (형); ~ая правда 참말 옳은 말이다; ~ие пустяки 전혀 쓸 때 없는 말 (일)이다

сущность (여) 본질(本質), 본성

сфабриковать (완) 날조(조작)하다

сфера (여) ① 영역(領域), 범위(範圍); ~ деятельности 활동범위, 활동무대; ~ обслуживания 봉사영역; ~ влияния 영향범위, 세력권 ② 구, 구면

сферический (형) 구면의, 구형의

сформировать *см.* формировать[ся]

сформулировать (완) 정식화하다

сфотогрофировать (완) 사진을 찍다, 촬영하다

сфотографироваться (완) 사진을 찍다, 촬영하다

схватить (완) ① 잡다, 붙잡다, 덥석쥐다 ② 병을 얻다; ~ насморк 감기에 걸리다 ③ 포착 (파악)하다

схватка (여) ① 싸움, 격투(格鬪), 결투(決鬪), 투쟁(鬪爭); жаркая ~ 백열전, 백병전 ②; ~и (복수) (의학) 진통(陣痛)

схватывать (미완) *см.* схватить

схема (여) ① 도표(圖表), 도해(圖解), 도형(圖形); ② 도식(圖式), 틀; ③ 약도(略圖), 요약(要約); 해설도(解說圖), 설계도(設計圖)

схематический (형) 도표로 표시한; 약도(略圖)의, 도형(圖形)의, 도식의

схематичный (형) 개략적(概略的)인, 도식적(圖式的)인

схитрить (완) *см.* хитрить

схлынуть (완) ① (물이) 찌다, 줄다 ② (군중이) 즉시에 흩어져 사라지다

сходить I (미완) ① 내리다, 내려가다: ~ с поезда 기차에서 내리다 ② (얼룩이) 사라지다, (가죽 등이) 벗어지다

сходить II (완) 갔다 오다, 왕복(往復): ~ в магазин 상점에 갔다오다

сходни (복수) 부두다리; 발판, 사다리

сходный (형) ① 유사한, 비슷한 ② (가격 등이) 맞춤한, 적당한; по ~ой цене 맞춤한 값으로

сходство (중) 유사성(類似性), 비슷한 것, 일치(一致)

сцена (여) ① 무대(舞臺), 단(壇), 스테이지(stage); выступать на ~е 무대에서 출연하다 ② (연극) 장(章); ③ 장면(場面), 광경(光景), 씬(scene);

④ 말다툼, 싸움; семейная ~а 가정싸움; немая ~а 말없는 장면; играть на ~е 배우노릇을 하다; сойти со ~ы 활동무대에서 사라지다

сценарий (남) ① 영화문학(映畵文學) ② 연출대본(演出臺本)

сценарист (남) 영화문학 작가

сценический (형) 무대(舞臺)의, 단(壇); ~ое искусство 무대예술

сцепить (완) 연결하다

сцепиться (완) ① 연결되다 ② 맞붙어 싸우다

сцепка (여) 연결(連結), 결련(結連), 연계(連繫), 연락(連絡), 연합(聯合), 견련(牽連.牽聯), 결합(結合), 결부(結付), 접속(接續),소절(紹絕);автоматическая ~ 자동연결

сцепление (중) ① 연결(連結), 결합(結合) ② 연결기, 연결장치

сцеплять[ся] *см*. сцепить[ся]

счастливец (남) 행복한 사람, 행운아

счастливо (부) ① 행복하게 ② 무사히; счастливо [оставаться]! 안녕히 계십시오!

счастливый (형) ① 행복한; ~ая жизнь 행복한 생활 ② 운이 (재수가) 좋은 ③ 성공적인, 훌륭한; ~ого пути! 안녕히 가십시오!

счастье (중) ① 행복; наслаждаться ~ем 행복을 누리다 ② 행운(幸運), 요행(僥倖), 성공(成功); попытать ~я 요행수를 바라고 해보다; к ~ю (삽입어) 다행히

счёт (남) ① 셈, 계산(計算); ② (경기, 시합 등의) 득점(得點); ③ 계산서(計算書); уплатить по ~y 계산대로 지불하다; в конечном ~е 결국; в два ~а 단번에, 쉽게; за ~ *кого-чего*...의 비용 (돈, 부담)으로; ...을 이용함으로써; быть на хорошем (плохом) счету 평판이 좋다 (나쁘다); на этот ~ 이것에 관하여서는

счётный (형) ① 계산(計算)의; ~ая машина 계산기; ~ая линейка 계산자 ② 부기의(簿記-), 회계(會計); ~ый работник 부기원, 회계원

счетовод (남) 부기원, 회계원(會計員)

счетоводство (중) 부기, 회계(會計)

счётчик (남) ① 계산원(計算圓), 통계원(通計圓) ② 계기; электрический ~ 전력계; ~ Гейгера 가이거 계수관

счёты (복수) 수판, 주산(珠算); считать на ~ах 수판 (주산)을 놓다

счистить (완) ① 긁어 (닦아, 씻어, 털어) 버리다; ~ грязь с сапог 장화에 묻은 진흙을 씻어 버리다 ② (껍질 등을) 깎다, 벗기다

считать (미완) ① (셈을) 세다 ② 계산하다, 통계를 내다 ③ 생각 (간주)하다

считаться (미완) ① (돈 관계를) 청산하다, 셈을 치르다 ② 셈 (고려)에 넣다, 존중히 여기다; ~ с мнением других 다른 사람의 의견을 존중하다 ③ 알려져 있다; ~ хорошим специалистом 훌륭한 전문가로 알려져 있다

счищать (미완) *см*. счистить

США (복수) *см*. Соединённые Штаты Америки

сшибать (미완), **~ить** (완) 쳐서 떨어뜨리다, 때려(밀어) 넘어뜨리다

сшивать (미완), **сшить** (완) (바느질하여)잇다, 꿰매다; ~ куски ткани 천 조각들을 잇다

съедать (미완) *см*. съесть

съедобный (형) 먹을 수 있는, 식용*; ~ гриб 먹는 버섯

съёжиться (완) 몸을 웅그리다

съезд (남) 대회(大會)

съездить (완) 타고 갔다 오다; ~ к родным 친척집에 갔다 오다.
съежать[ся] (미완) см. съехать[ся]
съёмка (여) ① 찍다, 촬영(撮影) ② 측량(測量), 측도(測度)
съёмщик (남) ① 빌려 쓴 사람, 차용자(借用者); ~ квартиры 주택차용자 ② 측량기사(測量技士)
съестной (형); ~ые припасы 양식
съесть (완) ① 먹다, 먹어버리다 ② 침식(侵蝕)하다
съехать (완) ① (타고) 내려가다 (오다) ② 떠나가다, 이사하여가다 ③ (미끄러져) 내려앉다, 옆으로 움직이다; шапка ~ла на затылок 모자가 뒤통수에 내려쳐졌다
съехаться (완) ① (각 곳에서) 많이 모여들다 ② 이사하여 같이 살게 되다
сыворотка (여) (의학) 혈청, 피말강이, 혈장(血漿), 플라스마(plasma)
сыграть (완) см. играть
сын (남) 아들, 자식(子息)
сыпать (미완) ① 가루, 모래 따위를 쏟아 넣다, 붓다 ② 연속 보내다, 연속으로 말하다; ~ вопросами 질문을 퍼붓다
сыпаться (미완) ① 가루가 쏟아지다, 가루가 떨어지다, 모래 따위가 쏟아지다, 모래 따위가 떨어지다; ② (말소리가) 들려오다
сыпной (형); ~ тиф 발진 티푸스(發疹 typhus), 장미진(薔薇疹), 장티푸스(腸 typhus), 장질부사(腸窒扶斯)
сыпь (여) (의학) 발진(發疹), 꽃
сыр (남) 치즈(cheese), 건락(乾酪)
сыреть (미완) 습해지다, 추축해지다
сырец (남); шёлк-~ 생명주실(生明紬-); хлопок-~ (씨가 있는) 목화(木花)
сыро (술어로) 물기 (습기)가 있다, 축축하다; здесь ~ 여기는 축축하다
сырой (형) ① 물기 (습기) 있는, 축축한 ② 설익은, 선, 끓이지 않은, 익지 않은; ~ое яйцо 생 닭알, 날계란; ~ое мясо 날고기
сырость (여) 누기(漏氣), 물기, 습기(濕氣)
сырьё (중) 원료(原料)
сырьевой (형) 원료의(原料-), 재료의; ~ая база 원료기지
сыскать (완) 찾아내다
сытно (부) 배부르게, 푼푼하게
сытный (형) 배부르게 하는, 영양분이
сытый (형) ① 배부른 ② 살진 ③ 먹을 것이 많은, 풍부한
сыч (남) (조류) 올빼미
сыщик (남) 형사, 밀정(密偵)
Сьерра-Леоне (여) (불변) 시에라레온
сэкономить (완) 절약하다, 아끼다
сюда (부) 여기로, 이리로
сюжет (남) 얽은새, 줄거리, 슈제트
сюита (여) (음악) 묶음곡, 조곡(弔哭)
сюрприз (남) ① 뜻하지 않은 선물 ② 불의의사건, 뜻밖의 일
сюрреализм (남) (문학예술에서) 초현실주의(超現實主義)

Т

табак (남) 담배
табакерка (여) 담배갑
табаководство (중) 담배재배
табачный (형) 담배의
табель (남) ① 근무표, 출근부; ② ~[успеваемости] 성적증명서
таблетка (여) 알약
таблица (여) 표(表), 일람표(一覽表); ~ умножения 구구표
табло (중) (불변) (체육) 점수판
табор (남) (접시의) 무리
табун (남) (말, 사슴 따위의) 떼
табуретка (여) (등받이가 없는) 걸상
тавро (중) (불변) 낙인(烙印)
тавтология (여) 같은 말 되풀이
таджики (복수) (~к (남), ~чка (여)) 타지크사람(들)
Таджикистан (남) 타지크, 타지키스탄(Tadzhikistan)
таджикский (형) 타지크의 타지키스탄의(Tadzhikistan): Таджикская Советская Социалистическая республика 타지크 소비에트 사회주의 공화국
таёжный (형) 밀림의
таз I (남) 대야, 세면기(洗面器)
таз II (남) (해부) 골반(骨盤)
Таиланд (남) 타이
таинственный (형) ① 신비한, 이상한; 정체모를; ② 숨은, 은폐한, 비밀의 ③ 비밀일 있는 듯한
таить (미완) 감추다, 숨기다, 비밀에 붙이다: ~ злобу 악의를 품다; ~ своё горе 자기의 슬픔을 감추다; нечего (또는 что) греха ~ 고백한다면;~ в себе 포함 (내포) 하다
таиться (미완) ① 숨어있다 ② 내놓지 않다; говорить, не таясь 숨김없이 솔직히 말하라
Тайвань (남) 대만(臺灣)
тайга (여) 밀림(密林), 원시림(原始林)
тайком(부)비밀리에, 남몰래, 감쪽같은
тайм (남) (체육); первый ~ 전반전; второй ~ 후반전
таймень (남) (어류) 자치
таймер (남) (초)시계
тайна (여) 비밀, 기밀; хранить (разглашать) ~y 비밀을 지키다 (누설하다)~ы природы 자연의 신비
тайник (남) 숨겨 (감추어) 두는 곳, 비밀고(-庫), 비밀장소; в ~ах души 마음속 깊이
тайно (부) 남몰래, 비밀리에
тайный (형) 비밀의
тайфун (남) 태풍(颱風)
так(부) ① 그렇게, 이렇게, 이와 같은; сделайте ~ 그렇게 하시오; именно ~ 바로 그렇게 ② (술어로); ~ ли? 그런가?; не ~ ли? 그렇지 않은가?, да, ~ 예, 그렇다; именно ~ 바로 그렇다: это не ~ 그렇지 않다 ③ (부) 그만큼, ...할 정도로; ~ много ходил, что устал 피곤할 정도로 많이 걸었다; он ~ быстро говорил, что я ничего не понял 그는 얼마나 빨리 말했던지 나는 하나도 못 알아들었다 ④ (부) 그리; 그저 그렇게; ~ это не пройдёт 그리 만치 않을 것이다; ⑤ (부) 별생각 없이; я сказал это [просто] ~ 나는 별생각 없이 이 말을 했다; ⑥ (접)

- 626 -

그래, 그런즉, 그러니까; ~ ты не веришь? 그래 믿지 않는단 말이지?; ~ едем? 그래 가잔 말이지?; ⑦ (조) 참; он ~ хорошо говорит! 참 그는 말을 잘 해!; она ~ совсем не изменилась 그 여자는 전혀 변하지 않았습니다.; ⑧ (조) 약; лет ~ десять то- му назат 약 십년 전에; ⑨ (접) 그러나; говорил я ~ ты слушать не хотел 나는 이야기를 했지만 자네는 들으려고 하지 않았습니다.; ~ называемый 이른바 소위; ~ или иначе 어쨌든; если (또는 раз) ~ 그렇다면; ~ и есть 그렇다, 사실이다; ~ что (접) 그래서, 그러므로; ~ себе 그저 그렇다; ~ точно (주로 군대에서) 그렇습니다.

такелаж (남) (해양) 밧줄설비, 삭구

также (부) 역시, 또한; 동시에; 그밖에

таков (규정 대) (술어로) 그러하다, 이러하다; ~ о наше мнение 우리의 견해는 이러하다

таковой (규정 대) 그러한, 이와 같은; 바로 그러한 как ~ 그자채로서

такой (규정 대) ① 그러한, 바로 그런, 이러한 ② (성질의 정도를 강조) 아주 대단한, 그토록; он ~ой силач 그는 굉장한 힘장수야; в ~ом случае 그러면, 그렇다면, 그런 경우에는; ~им образом 이화 같이, 이러하여; 그런즉, 따라서

такой-сякой (규정 대) 그따위; ах, он ~! 야, 그따위 놈 봐라

такой-то(미정대) 아무개, 그 어떤, 모

такса (여) 정가, 공정가격(公定價格)

такси (중) (불변) 택시(taxi)

таксист (남) 택시운전수

таксомоторный (형); ~ парк 택시사업소

так-сяк (술어로) ① 견딜만하다 ② 쑬쑬하다, 보통이다

такт I (남) (음악) ① 박자(拍子), 소절(小節) ② 율동(律動), 리듬(rhythm)

такт II (남) 절도(節度); с [большим] ~ом (아주) 절도 있게

тактик (남) 전술가(戰術家)

тактика (여) 전술(戰術)

тактический (형) 전술(戰術)의, 전술적(戰術的)인

тактичность (여) 절도(節度), 요량

тактичный (형) 절도(節度)있는 요량 있는, 기민한; ~ ответ 요량있는 대답

талант (남) ① 재능(才能), 재간(才幹), 능력(能力) ② 천재, 재간동이

талантливый (형) 재능(才能)있는, 재간(才幹)있는; 천재적(天才的)인

талисман (남) 부적(符籍), 호신부

талия (여) 허리; тонкая ~ 가는 허리, 개미허리

талмудист (남) 독경주의자

талон (남) 표(票), 전표(錢票), 물자구입권; ~ на питание 식권(食券); ~ на бензин 연료표, 휘발유표

талый (형) ① 녹은; ~ый снег 녹은 눈 ②; ~ая вода 눈석이 (물)

тальк (남) 활석(滑石)

там ① (부) 거기에, 저기에, 그곳에, ② (부) 후(後)에, 다음에, 차차(次次); ~ видно будет 차차 알게 될 것이다 ③ (조) (какой, где, когда, куда 등의 뒤에 놓여서 의혹, 멸시감을 표시) какие ~ у него дела 그한테 일은 무슨 일이 있다

тамбур (남) (여객차의) 승강대

таможенник (남) 세관원(稅關員), 세관리(稅官吏)

таможенный (형) 세관(稅關)의: ~ый досмотр (контроль) 세관수속; ~ая декларация 세관증서;~ый сбор 관세

таможня (여) 세관(稅官)

тамошний (형) 그곳*, 저기*

тампон (남) (의학) 지혈면(止血綿)
там-сям (부) 가는 곳마다에, 도처에
тангенс (남) (수학) 탄젠트(tangent)
танго (중) (불변) 탱고 춤(tango-) (사교무도의 일종)
тандем (남) (좌석이 세로로 놓인) 2(이)인용 자전거
танец (남) ① 춤, 무용(舞踊); 무도(舞蹈); вечер ~цев 무도회; бальный ~ец 사교무도 ②; ~цы (복수) 무도회(舞蹈會), 댄스-파티(dance party)
Танзания (여) 탄자니아(Tanzania)
танк (남) 탱크, 전차(戰車)
танкер (남) 기름배, 유조선(油槽船)
танкист (남) 탱크병, 전차병
танковый (형) 탱크의, 전차(戰車)의
танцевальный (형) 춤의, 무용(舞踊)의, 무도(舞蹈)의; ~ый вечер 무도회; ~ая музыка 무도곡;~ый зал 무도장
танцевать(미완) 춤추다; 무도하다; ~ с кем …와 (짝이 되어) 춤을 추다
танцовщик (남), ~ца (여) 무용가
танцор (남) 춤추는 사람, 춤 출줄 아는 사람
тапочки (복수) (뒤축이 없는) 단화(短靴); 운동화(運動靴); домашнии ~ 방안신, 실내화(室內靴)
тара (여) 포장물, 포장용기
таракан (남) 바퀴
таран (남) 육탄돌격, 동체육박 (적의 비행기, 함선 통을 격파하기 위하여 동체로 받는 것); идти на ~ 동체로 받으러 가다, 동체육박을 하다
таранить (미완) 들이받다; 돌파하다, 쳐뚫다.
тараторить (미완) 잘 지껄이다
тарелка (여) 접시; не в своей ~е 기분이 좋지 않다
тариф (남) 세율(稅律), 요금(율)
таскать (미완) ① 끌다, 당기다, 끌어 나르다; (무거운 것을) 들고가다 (오다) ② (머리칼, 귀 등을 아프게 잡아당기다); ~ за уши 귀를 잡아당기다; еле ноги ~ (피로하여, 아파서) 겨우 걷다
тасовать (미완) (트럼프 등을) 치다, 섞다
ТАСС(Телеграфное агенство Советского Союза) 타스통신사(-通信社)
татарский(형) 타타르사람(Tartar man)
татары (복수) (~ин (남), ~ка (여)) 타타르사람들(Tartar man)
татуировка (여) 문신(文身), 먹침(-針); делать ~у 문신을 넣다
тахта (여) 등받이 없는 소파
тачка (여) 밀차, 작은 짐수레 딸따리
тащить (미완) ① 끌다, 끌어가다 (오다, 당기다, 내리다); ~ бревно 통나무를 끌어당기다 ② 가져가다 (오다); ~ покупки домой 산 물건을 집으로 가져가다; ③ 데리고 가다; куда ты меня тащишь? 너는 나를 어디로 데려 가는냐? ④ 뽑다, 뽑아내다
тащиться (미완) ① 느리게(겨우) 걸어가다 (오다)② (가고 싶지 않은, 먼 길을) 가다
таяние (중) 녹는 것:~льда 얼음녹이
таять (미완) ① (눈, 얼음이) 녹다 ② 점차 사라지다, 줄어가다: запасы тают 예비가 줄어들고 있다.
твердеть (미완) 굳어지다, 경화(硬化)되다, 응고(凝固)되다
твердить (미완) 되뇌다, 늘 같은 말을 하다 (되풀이하다)
твёрдо (부) 굳게, 튼튼히
твердолобый (형) 우둔한, 어리석은
твёрдость (여) ① 굳은 것, 견고성(堅固性) ② 견인성(堅忍性); духа 불굴의 정신

твёрдый (형) ① 굳은, 딴딴한, 고체(固體); ~ый грунт 굳은 땅; ~ое тело 고체 ② 굳은, 억센, 확고한, 불굴(不屈)의; ~ое решение 굳은 결심; ~ая воля 불굴의 의자; ~ые знания 공고한 지식; ~ый знак (언어) (문자 (ъ)의 이름) 경음부; ~ый согласный (언어) 경자음

твердыня (여) 요새(要塞), 성새(城塞)

твой(소유 대) ① (남) (твоя 여), твоё (중), твои (복수) 너의, 당신의, 자네의, 그대의; ② (명사로), твоё (중) 너의 것): здесь нет твоего 여기에는 너의 것이 없다; потвоему 너의 의견대로; твоё дело 네가 할 얼이다; не твоё дело 네가 알바가 아니다, 네가 할 일이 아니다

творение (중) 작품(作品), 창작품(創作品), 창조물(創造物)

творец (남) 창조자(創造者)

творительный (형); ~ падеж 조격

творить (미완) ① 창조(창작)하다 ② 하다, 수행하다; ~ чудеса 기적을 창조하다

твориться(미완) ① 일어나다, 발생하다, 수행되다 ② 창조되다, 만들어지다

творог (남) 우유비지, 뜨보로그; соевй ~ 두부

творческий (형) 창조적(創造的)인, 창작적인(創作的); ~ подъём 창작적 열의

творчество (중) 창조(創造), 창작(創作), 창작활동(創作活動); 창조물(創造物); на- родное ~ 국민창작

т.е.(то есть) 즉, 다시 말하면

театр (남) ① 극장(劇場); оперный ~ 가극, 극장 ② 연극(演劇), 연극단

театрал (남) 연극애호가

тебе, тебя см. ты

Тегеран (남) г. 테헤란

тезис (남) ① 명제(命題) ②; ~ы (복수) 강령(綱領), 방침, 규범

тёзка (남, 여) 이름이 같은 사람

текст (남) 본문(本文), 원문(原文); ~ телеграммы 전보문

текстиль (남) (집합) 직물(織物), 천

текстильный (형) 방직(紡織)의; ~ый комбинат, ~ая фабрика 방직공장: ~ые изделия 천류, 직물(류)

текстильщик (남), **~ца** (여) 방직공

текучесть (여) 유동, 유동성(流動性)

текучка (여) 일상적인, 사소한 일

текущий (형) 현재의(現在-), 당면한(當面-); ~ий год 올해, 이(번)해; ~ий месяц 이달; мие задачи 당면과업; ий ремонт 소수리

телевидение (중) 텔레비전 (방송); передовать по ~ю 방영하다; цент- ральное ~ 중앙텔레비전 (방송)

телевизионный (형) 텔레비전의: ~ая передача 델레비선방송; ~ый центр 텔레비전전송국; ~ая камера 텔레비전카메라; ~ая антенна 텔레비전안테나

телевизор (남) 텔레비전, 수상기(受像機); цветной ~ 천연색텔레비전, 칼라텔레비전; чёрно-белый ~ 흑(백) 색 텔레비전

телега (여) 수레, 마차(馬車), 짐달구지, 말 달구지

телеграмма (여) 전보(電報), 전문(電文); дать ~у 전보를 치다

телеграф (남) ① 전신(電信); ② 전신국(電信局)

телеграфировать (미완, 완) 전보로 알리다

телеграфист (남), **~ка** (여) 전신수, 전신기수

телеграфный (형) 전신(電信)의; ~ ая связь 전신연락; ~ый столб 전주,

전보대; ~ое агенство 통신사
тележка (여) ① 손수레, 밀차, 구루마; ② (공학) 가동부, 이동창치
телезритель (남), **~ница** (여) (텔레비전) 시청자
телекс (남) 텔렉스
телемеханика (여) (기계의) 원격조종(법); 원격공학
телёнок (남) 송아지
телеобъектив (남) 망원렌즈
телепередача (여) 텔레비전방송
телескоп (남) 천체망원경(天體望遠鏡)
телетайп (남) 텔레타이프
телефильм (남) 텔레비전영화
телефон (남) ① 전화(電話), 전화기(電話機); ~-автомат 공중전화; междугоро-дный ~ 시외전화; звонить по ~у 전화를 걸다; подойти к ~у 전화를 받다 ② 전화번호(電話番號)
телефонист (남), **~ка** (여) 교환수
телефонный (형) 전화의(電話-); ~ый аппарат 전화기; ~ая будка 공중전화실; ~ая станция 전화국
телефонограмма (여) 전화통지문, 전화 지시문
телецентр (남) 텔레비전방송국
тело (중) ① 몸, 신체(身體); голое ~ 나체; ② 물체(物體): твёрдое(жидкое, газообразное) ~ 고체 (액체, 기체); держать кого в чёрном теле 구박하다, 박해하다
телогрейка (여) 솜옷
телосложение (중) 몸집, 체격(體格)
Тель-Авив (남) г. 텔아비브
тельняшка (여) (줄무늬 있는 해군용-) 속셔츠, 해군셔츠
телятина (여) 송아지고기
телятник (남) 송아지 외양간
телятница (여) 송아지 사육자
телячий (소유형) 송아지의: ~ восторг (야유) 지나친 (무근거한) 환희

тем ① *см.* тот ② (부) (비교급과 함께) 더욱 (더) ③ (접) чем..., тем... 하면 할수록 더; чем ночь темнее, тем ярче звёзды 밤이 어두울수록 별은 밝다; чем скорее, тем лучше 빠르면 빠를수록 좋다; ~ более 하물며, 더구나; ~ более, что (접) (특히는) ...때문에;~ не менее 그럼에도 불구하고
тема (여) 제목(題目); 주제; 문제
тематика (여) 주제의 체계 (총체)
тематический (형) 주제로 나눈, 주제별로 된
тембр (남) 음색(音色), 음질(音質)
темнеть (미완) ① 어두워지다; (색갈이) 거매지다; ② 날이 저물다 (어두워지다); ③ 검게 보이다; вдали ~ет лес 멀리 수탐이 거무스름하게 보인다
темно (부) ① 어둡게, 검게, 어렴풋이 ② (술어로) 어둡다; было ~ 어두웠다; на улице ~ 밖은 어둡다
тёмно- (합성어의 첫 부분으로서 더 진한) 의 뜻); тёмно-зелёный 검푸른; тёмнок- расный 검붉은; тёмноголубой 진한 남색의, 감청색의
темнота (여) ① 어둠 ② 무식(無識), 무지(無智), 무지몽매(無知蒙昧)
тёмный (형) ① 어두운, 캄캄한; ~ая комната 어두운 방; ② 검은; ~ые волосы 검은 머리칼; ③ 음울한; ~ые мысли 음울한 생각; ④ 나쁜, 의심스러운; ~ая личность 수상한 인물; ⑤ 무식한, 몽매한; ~ые люди 몽매한 사람들; ~ое пятно 좋지 못한 것, 오점
темп(남) 속도(速度); быстрыми ~ами 급속도로
темперамент (남) ① 성질(性質), 기질(氣質), 체질(體質); сангвинический ~ 다혈질 ②

정열(情熱), 열정(熱情)
темпераментный (형)
정열적(情熱的)인; ~ый человек 정열적인 사람; ~ая речь 정열적인 연설
температура (여) ① 온도(溫度), 기온(氣溫); ~а кипения 비등점; ② 체온(體溫); небольшая ~а 미열(微熱); измерить ~у 체온을 재다; ③(건강치 못한 때의)열(熱); у меня ~ы нет 나는 열이 없다; ~а спала 열이 내렸다
темя (중) 머리꼭대기, 정수리
тенденциозность(여) 경향성(傾向性)
тенденциозный (형) 경향적(傾向的)인, 선입견(先入見)을 가진
тенденция (여) (사상) 경향(傾向), 동향(動向), 추세(趨勢)
тендр (남) (체도) 연료차(燃料車)
тенистый (형) 그늘이 많은 지는
теннис (남) 정구(庭球); настольный ~ 탁구
теннисист (남), **~ка** (여) 정구선수; 탁구선수(卓球先守)
теннистый (형) 정구(庭球)의; ~ корт 정구장; ~ мяч 정구공
тенор (남) ① 남성고음(男聲高音), 테너(tenor) ② 남성고음가수
тень (여) ① 그늘, 음지(陰地), 음영(陰影); отдохнуть в тени деревьев 나무 그늘에서 쉬다 ② 그림자
теодолит (남) 경위의, 경위기
теология (여) 신학(神學)
теорема (여) 정리; доказать ~у 정리를 증명하다
теоретик (남) 이론가(理論家)
теоретически (부) 이론적으로
теоретический (형) 이론적인(理論的-), 이론상의
теория (여) ① 이론; революционная ~я 혁명적이론 ② 학설;~я познания 인식론; ~я относительности 상대성원리; выдвинуть новую ~ю 새학설을 내세우다
теперь (부) ① 지금, 현재(現在); ② 다음은, 이제부터
теплеть (미완) 따뜻해지다
теплица (여) 온실(溫室)
тепличный(형) 온실의, 온실에서 기른
тепло I (중) ① 온기(溫氣), 영도이상의 온도; 따뜻한 날씨 ② (물리) 열(熱)
тепло II (부) ① 따뜻하게; ~ одеться 옷을 따뜻하게 입다; ② (술어로) 따뜻하다; сегодня ~ 오늘은 날씨가 따뜻하다
тепловоз (남) 내연기관차(內練機關車), 디젤 기관차(機關車)
тепловой (형) 열의;~ое излучение 열복사; ~ая электростанция 화력발전소
теплоёмкость (여) 열용량(熱用量); удельная ~ 비열
теплоизоляция (여) 열절연(熱節煙), 보온(保溫)
теплолюбивый (형); ~ые растения 호온성식물
теплопроводность (여) (물리) 열전도도
теплота (여) ① 열(熱), 열량(熱量); единица ~ы 열량단위 ② 부드러운 (따뜻한) 마음씨
теплотехника (여) 열공학
теплофикация (여) 중앙난방화(中央煖房化), 열공급화
теплоход (남) 내연기관선, 발동선
теплоцентраль (여) 열공급소(熱-), 중앙난방(中央煖房)
теплоэлектростанция (여) 화력발전소(火力發電所)
тёплый (형) ① 따뜻한, 따끈따끈한;

~ая комната 따뜻한 방;~ое молоко 따끈따끈한 우유; ② 방한용의; ~ая шапка 방한모; ③ 따뜻한, 친절한; ~ый приём 친절한 환대; ~ое течение 난류; ~ая компания 서로 친근한 패
теплынь (여) (회화) 온기, 따뜻한 날씨; на улице ~ 밖은 따뜻하다
терапевт (남) 내과의의(內科醫師)
терапевтика (여) 치료학(治療學)
терапевтический (형) 내과 (학)*
терапия (여) 치료(법)
теребить (미완) ① 잡아끌다, 잡아당기다 ② 시끄럽게 굴다;~ кого вопросами 귀찮게 계속 질문하다.
терем (남) 대궐(大闕)
тереть (미완) ① 비비다, 문지르다 ② (채칼로) 채치다. (채판에) 문대다(갈다); ~ на тёрке 채칼(채판)에 갈다
тереться (미완) ① 자기 몸을 비비다 ② …에 대고 비벼대다; ③ 시끄럽게 붙어 (따라) 다니다
терзаться (미완) 괴로워하다
тёрка (여) 채칼
термин (남) (전문) 술어, 학술용어
терминология (여) (총체적인) (전문) 술어, 전문용어; научная ~ 학술용어
термический (형) 열의, 열에 의한;~ая обработка металла 금속의 열처리
термодинамика (여) 열역학(熱力學)
термометр (남) ① 체온기(體溫器), 체온계(體溫計); поставить (вынуть) ~ 체온기를 끼다 (뽑다); ② 온도계(溫度計), 한난계
термос (남) 보온병(保溫瓶)
термостат (남) 온도조절기, 항온기
термоядерный (형) 열핵(熱核)의; ~ая реация 열핵반응; ~ое оружие 열핵무기; ~ая катастрофа 열핵참화
тернистый (형); ~ путь 곤난의 길

терпеливо (부) 참을성 있게
терпеливый (형) 참을성 있는, 인내력(忍耐力) 있는
терпение (중) 참을성, 인내력(忍耐力); запастись ~м 참다, 견디다
терпеть (미완) ① 참다, 견디다; ② 당하다; ~ поражение 패배를 당하다; ~ ущерб 손해를 입다, 피해를 보다; ~ нужду 빈궁을 겪다; ~ не могу кого-чего 보기도 싫다
терпеться (미완); не теприться (+ 미정형) …하고 싶어 못 견디겠다; не тер-пится сказать 말하고 싶어 못 견디겠다
терпимость (여) 참을성 있는 태도
терпимый (형) ① 참을 수 있는; ② 관대한
терракотовый (형); ~ цвет 등갈색
терраса (여) ① (벽이 없는) 마루방 ② (지리) 단구(段丘)
террасированный (형); ~ые поля 다락방
террикон (남) 버력산
территориальный (형) 영토(領土)의; ~ая целостность 영토정복(領土征服); ~ые воды 영해
территория (여) 영토(領土), 국토(國土), 지역(地域); ~ завода 공장구역
террор (남) 테러, 폭행(暴行)
террорист (남), **~ка** (여) 테러분자
террористический (형) 테러의; ~ акт 테러행위
терять (미완) ① 잃다, 상실하다 ② 줄다; ~ в весе 무게가 줄다; ③ 허비하다, 손해보다; ~ время 시간을 허비하다
теряться (미완) ① 없어지다, 사라지다, 상실되다 ② 당황해하다, 어찌할 바를 모르다
тёс (남) 엷은 널판지

тесать (미완) 깎다, 깎아 다듬다
тесёмка (여) 끈, 옷고름
теснить (미완) ① 조이다; ~ друг друга 서로 조이다; ② 밀어내다, 구축하다; ~ противника 적을 내몰다
тесниться (미완) 비좁게 서다 (자리잡다); ~ у входа 들어오는 출입구에 비좁게 서다
тесно (부) ① 좁게, 빽빽하게; ② (술어로) 좁다, 협소하다; здесь ~ 여기는 좁다; ~ в плечах (의복에 대하여) 어깨가 좁다
теснота (여) 좁은 것, 배좁은 것
тесный (형) ① (자리가) 좁은, 비좁은, 협소한; ый проход 좁은 통로; ② (의복, 신발 등이) 좁은, 빽빽한; ③ 빽빽한 촘촘한, 밀집한; ~ые ряды 빽빽한 대열; ④ 긴밀한; ~ая связь 긴밀한 연계
тест (남) 시험검사(試驗檢査), 지능검사(知能檢査), 검정(檢定); проводить ~ 시험하다, 검사 하다
тесто (중) 반죽; месить ~ 반죽하다
тесть (남) 가시아버지, 장인(丈人)
тесьма (여) 끈, 테이프천
тетерев (남) 메닭
тётка (여) ① 고모(姑母), 이모(姨母); ② (일반적으로) 나이먹은 여자
тетрадь (여) 학습장(學習帳), 필기장(筆記帳); общая ~ 잡기장, нотная ~ 악보장(樂譜帳)
тётя (여) ① 고모, 이모 ② 아주머니
техминимум (남) (технический минимум) (최저) 기술지식
техник (남) 기수; 기술자(技術者)
техника (여) ① 기술(技術); ② 수법(手法), 방법(方法); 기교(技巧); ③ (집합) 기술장비, 기재(機才), 설비(設備); боевая ~ 전투기재;~ безопасности 노동안전
техникум (남) 기술전문학교

технический (형) ① 기술의(技術-); ~ое образование 기술교육 ② 기술적 측면에 복무하는; ~ий редактор 기술편성원; ~ие культуры 공예작물; ~ий осмотр 설비점검
технолог (남) 공정기사
технологический (형) 공학(工學)의; 공정(工程)의; ~ий процесс 기술공정, 제작과정;~ий институт 공과대학
технология (여) ① 공학 ② (기술) 공정, 제작법, 제작기술; ~ производства 생산공정
течение (중) ① 흐름; плыть по ~ю (против ~я) реки 강의 흐름을 따라 (흐름을 거슬러) 헤엄치다: верхнее~е 상류; нижнее ~е 하류: морское ~е 해류; тёплое ~е 난류;холодное ~е 한류; ② 사조(思潮); литературное ~е 문학사조(文學思潮); в ~е … …동안에; с ~ем времени 시간이 지나감에 따라, 세월이 흐를수록
течь I (미완) ① 흐르다; ② 새다, 흘러나오다, 새어 나오다: ведро течёт 물통이 샌다; ③ (시간 등이) 지나가다, 흘러가다
течь II (여) ① 새는 것 ② 새는 구멍: заделать ~ 새는 구멍을 막다
тешить (미완) 즐겁게 해주다
тешиться (미완) ① 즐기다, 만족을 얻다 ② над кем-чем 골려주다, 조롱하다
тёща (여) 가시어머니, 장모(丈母)
Тибет(남) 시짱 자치구, 티베트(Tibet)
тигель (남) (공학) 도가니
тигр (남) 범, 호랑이
тигрёнок (남) 범 새끼
тигрица (여) 범(암컷) 암펌
тигролов (남) 범 사냥꾼
тик(남) (의학) (안면, 어깨 등의) 경련
тиканье (중) 째각거리는 소리
тикать (미완) (시계가) 째깍 소리를

- 633 -

내다
тильда (여) 물결표(~)
1 Тим (Первое послание к Тимофею, 6장, 252쪽) 디모데전서(디모데오에게 보낸 편지(Letters of Paul to Timothy); 목회서신(Pastoral Epistles)
2 Тим (Второе послание к Тимофею, 4장, 256 쪽) 디모데후서(디모데오에게 보낸 편지(Letters of Paul to Timothy); 목회서신(Pastoral Epistles)
тина (여) (늪, 논 등의 물밑에 개흙과 섞여 깔려 있는) 가래, 감탕
тип (남) ① 형(形), 유형(有形), 식(式), 양식(樣式); изделие нового ~а 새 형의 제품; ② (동식물 분류에서의) 문, 류(類); ③ (문학, 예술) 전형(全形); ④ (보통 부정적 특성을 가진) 사람, 놈; проти-вный ~ 추한 사람
типичность (여) 전형성
типичный (형) ① 전형적(典型的)인; ② 틀림없는; ③ 흔히 볼 수 있는; ~ая ошибка 흔히 보는 실수
типовой (형) 표준적(標準的)인; 규격(規格)적인; ~ой проект 표준설계; ~ое изделие 규격제품
типография (여) 인쇄소, 인쇄공장
типологический (형) 유형학적(類型學的)인; ~ая классификация языков 유형적언어분류(類型的言語分類)
типология (여) 유형학, 유형별분류
тир (남) 사격장(射擊場), 사격실
тираж I (남) 추첨: очередной ~ 정기추첨 ~ выйти в ~ 낡아빠지다, 쓰이지 않게 되다
тираж II (남) (발행) 부수(部數)
тиран (남) 폭군(暴君); 학대자
Тирана (여) 티라나
тире (중) (불변) 풀이표
тиски (복수) ① 압착기(壓搾機),

바이스; ② 박해(迫害), 억압(抑壓); зажать в ~ 박해하다, 억압 하다
тиснение (중): [узорчатое] ~ 무늬찍기
Тит(Послание к Титу, 3장, 259쪽) 디도서(디도에게 보낸 편지(The Letter of Paul to Titus); 디도서라고도 함
титан (남) ① 거장(巨匠), 대가(大家) ② (공학) 물 끓이는 큰 가마 ③ (화학) 티탄(Titan)
титанический (형) 거대한, 강대한
титр (남) 자막(字幕)
титул (남) ① 작위(作爲), 칭호(稱號); ② 표제(表題), 제목(題目); ③ (인쇄) 속표지(屬標紙)
титульный (형); ~ лист 속표지
тиф (남) (의학) 티푸스(typhus), 발진
тихий (형) ① 고요한, 조용한; ~ая ночь 고요한 밤; говорить ~им голосом 낮은 목소리로 말하다 ② 온순한, 얌전한;~ий ребёнок 온순한(얌전한) 아이 ③ 느린; ~ий ход 느린 속도; идти ~им шагом 천천히 걷다; Тихий океан 태평양; ~ий час 낮잠시간
тихо (형) ① 고요히, 조용히; ② 온순하게, 얌전 하게; ③ 천천히, 느리게; ④ (술어로) 고요 (잠잠) 하다; в комнате ~ 방안은 조용하다
тихонько (부) ① 조용히, (소리) 낮게 ② 슬그머니, 몰래
тихоня (남, 여) 샌님, 온순한 사람
тихоокенский (형) 태평양의
тише ① тихий, тихо의 비교급 ② (명령의 뜻으로): ~! 조용하라!
тишина (여) 고요함, 정숙(情熟), 정막, 정적(定積); соблюдать ~у 침묵을 지키다; нарушать ~у 정막을 깨뜨리다
тишь (여) 정막, 정적; на море ~ 바다는 잔잔하고 고요하다
ткань (여) ① 천, 직물(織物); хлопчатобумажная ~ 면직물; шерстяная ~

모직물 ② (해부) 조직; мышечная ~ 근육조직

ткать (미완) (천을) 짜다
ткацкий (형); ~ станок 직포기
ткач, (남) **~иха** (여) 직포공
ткнуть, (완) **тыкать**의 일회태
тление (중) ① 썩는 것; ② 약하게 타오르는 것
тлетворный (형) 유해한, 부패 타락시키는
тлеть (미완) ① 썩다 ② 약하게 타다
тля (여) (곤충) 진디물
то I *см.* **тот**
то II (접) ① (사물, 현상이 서로 바뀌이는 것을 표시): то...., то.....때로는 .....때로는....; то один, то другой 이 사람 저 사람 번갈아 가면서: дождь усиливался, то ослабевал 비는 퍼부었다 약해졌다 하였다; огь то разгорается, то затухает 불이 타며 말며 한다; не то...., не то... 어느 것인지 분간할 수 없다; не то до-ждь, не то снег 비가 오는지 눈이 오는지 분간할 수 없다; ② (если와 함께 쓰여): если так, то я не согласен 만약 그렇다면 나는 동의할 수 없다; а то 그렇지 않으면; то и дело 계속, 끊임 없이, 부단히
-то (조) (강조해소 지적할 때 쓰임): этогото я и хотел 나는 바로 이것을 원했다: в том-то и дело 바로 그것이 문제이다; знать-то знаю 알기는 안다
тобой, тобою *см.* **ты**
товар (남) 상품(上品), 물품(物品)
товарищ (남) 동무, 동지(同志)
товарищеский (형) ① 동지적인, 우호적인; ~ие отношения 우호적인 관계; ② 친선적인; ~ий матч 친선경기
товарищество (중) ① 우호적 관계(友好的 關係); чувство ~а 우의적 감정, 친근감; ② 조합(組合)

товарный (형) ① 상품(上品)의; ~ый склад 상품창고; ~ое зерно 상품곡물 ② 화물(貨物)의; ~ый поезд 화물열차; ~ый вагон 짐차, 화물차
товаровед (남) 상품취급자
товароведение (중) 상품학(商品學)
товарообмен (남) 상품교환
товарооборот (남) 상품유통(商品流通)
тогда (부) ① 그때에, 당시; ② 그러면, 그런 경우에는; устал?~ отдохни 피곤하니? 그러면 휴식하렴; ~ как 오히려, 반대로
того (중) (불변) 또고
то есть (접) 즉, 다시 말하면
тождественный (형) 꼭 같은, 동일(同一)한, 동등(同等)한
тождество (중) 동일(同一), 동등(同等)
тоже (부) 역시, …도; он ~ уехал 그도 (역시 떠나갔다)
ток I (남) 전류(電流): ~ высокого напряжения 고압 전류: переменный ~ 교류; постоянный ~ 직류
ток II (남) 탈곡장
токарный (형); ~ станок 선반
токарь (남) 선반공(旋盤工)
Токио (남) (불변) *г.* 도쿄
токсикоз (남) (의학) 중독(中毒)
токсин (남) 독소(毒素), 독(毒)
токсичность (여) 독성(毒性), 독력
токсичный (형) 독성*, 유독한
толк (남) ① 뜻, 의미(意味), 요령(要領); не добиться ~у 뜻을 이해하지 못하다, 요령을 알지 못하다; ② 쓸모, 이익(利益); не выйдет никакого ~у (이것은) 아무데도 쓸모가 없을 것이다; без ~у 공연히, 쓸데없이: говорить с ~ом 쓸모있는 말을 하다; знать ~ в чём...을 잘 알다
толкание (중); ~ ядра 포환던지기
толкать (미완) ① 밀다, 밀치다 ② 추동하다, …하게 하다; ~ на

- 635 -

преступление 범죄를 짓게 하다
толкаться (미완) ① (서로) 밀치다, 떼밀다 ②; ~ в дверь 문을 (열려고) 밀다 ③ 일없이 돌아다니다, 빈둥거리다
толки (복수) 소문(所聞), 풍설(風說)
толкнуть[ся] (완) *см.* толкать[ся]
толкование (중) ① 풀이, 해석(解釋), 주석(註釋), 해설(解說), 설명(說明); ② 해설문(解說文)
толковать(미완) ① 풀이(해석, 주석, 해설) 하다 ② 설명하다, 알게 하다; сколько не толкуй ему, он ничего не пони-мает 그에게 아무리 설명하여주어도 전혀 알아듣지 못한다; ③ 말하다, 이야기하다; ~ о делах 사업에 대하여 이야기하다 ④ 운운하다
толковый (형) ① 이해력이 빠른; ② 알기 쉬운; ③ 뜻풀이의, 주석(註釋); ~ словарь 뜻풀이사전, 주석사전
толком (부) 알기 쉽게, 명료하게
толкучка (여) 난장판
толокно (중) 귀밀가루
толочь (미완) 찧다, 부스러뜨리다 ~ воду в ступе 헛수고를 하다
толпа (여) 군중(群衆), 대중(大衆)
толпиться (미완) 군집하다, 떼를 지어 모이다, 무리를 이루다
толстеть (미완) 살이 지다, 몸이 나다, 뚱뚱해지
толстый (형) ① 굵은, 두꺼운, 두터운; ~ая палка 굵은 막대기; ~ая книга 두꺼운 책; ② 살진, 뚱뚱한;~ый человек 뚱뚱한 사람, 뚱뚱보
толстяк (남) 뚱뚱보
толчея (여) 혼잡(混雜), 난장판
толчок (남) ① 쿡, 밀치는 것, 충격(衝擊); ② 진동(震動); подземные ~ки 지진; ③ 자극(刺戟), 충동(衝動)
толщина (여) 굵기, 두께, 두터이

толь (남) 펠트지, 물막이종이, 방수지
только (조) ① 다만, 오직(汚職); он ~ этого желает 그는 (오직) 이것만을 바라고 있다: это ~ начало 이것은 시작에 불과하다; ② (~ бы와 함께 희망을 표시) бы не заболеть 않지만 말았으면 ③ (집); как ~(또는 лишь) …하자마자; как ~ он придёт, мы уедем 그가 오자마자 우리는 떠나겠다 ④ (접); не ~, но и... 뿐만아니라 …도; ~ что 방금; ~ и всего 오직 뿐이다
том (남) 권(券), 분책(分冊), 책(冊); первый ~ 제 1권; книга в четырёх ~ах 4 권으로 된 책
томат (남) 토마도 소스
томатный (형); ~ сок 토마도즙
томительный (형) 괴로운
томить (미완) ① 괴롭히다, 괴롭게 하다 ② 찌다
томиться (미완) 괴로워하다, 애타다, 지치다
тон (남) ① 음(音), 음향(音響); ② 어조: шутливый ~ 농담조; осуждающий ~ 비난조; ③ 색조(色租); светлые ~а 밝은 색조
тональность (여) ① 음조(音調), 음률(音律); ② 색깔(色-), 색채(色彩), 색조(色租)
Тонга (중) (불변) 통가 (왕국)
тонзиллит (남) (의학) 편도염
тонкий (형) ① 가는, 얇은; ~ слой 얇은 층; ② 섬세한, 미묘한 ③ 예민한, 민감한; ~ слух 예민한 청각 ④ (소리가) 높은, 깨지는 듯 한
тонкорунный (형); ~ые овцы 털이 가는 양
тонкость (여) ① 가는 것, 얇은 것 ② 미묘(微妙), 세부(細部), 섬세(纖細)
тонна (여) 톤(ton)
тоннаж (남) ① 톤수, 총톤수 ②

배수톤수 ③ 적재톤수
тоннель (남) *см.* туннель
тонус (남) ① (근육조직의) 긴장(緊張); ② 장력(張力), 생활정력 (기백)
тонуть (미완) ① (물에) 빠지다, 가라앉다, 침몰하다; дерево не тонет в воде 나무는 물에 가라앉지 않는다;~ в снегу 눈에 빠지다; ② …속에 파묻히다, 잠기다, 보이지 않게 되다; дома тонут в зеле-ни 집들이 녹음 속에 잠겨있다
топаз (남) (광물) 황옥(黃玉)
топать (미완) 발을 뚜벅뚜벅 디디다; ~ ногами на *кого* (분노, 흥분 등으로) 발을 구르다
топить I (미완) ① (난로 따위를) 피우다, 불을 때다 ② (불을 때서) 덥히다
топить II (미완) 녹이다
топить III (미완) 침몰시키다, 가라앉히다; 물에 빠뜨려 죽이다
топиться I (미완) 불이 피다; печь топится 난로에 불이 피고 있다.
топиться II (미완) 녹다
топиться III (미완) 물에 빠져 죽다, 투신자살하다
топка (여) ① (난로 등을) 피우는 것 ② 불칸, 화실
топкий (형) 빠지기 쉬운; ~ое место 수렁진 곳, 진창
топлённый (형); ~ое молоко 데운 우유
топливо (중) 연료(燃料); жидкое(твёрдое) ~ 액체 (고체) 연료
топнуть (완) **топать**의 일회태
топограф (남) 지형학자, 지형측량자
топографический (형);~ая съёмка 지형측량
топография (여) ① 지형학(地形學), 지형측량술(地形測量術); ② 지형(地形)
тополь (남) 백양나무;пирамидальный ~ 포프라 나무
топонимика (여) (총체로서의) 지명
топор (남) 도끼
топорище (중) 도끼자루
топорный(형);~ая работа 조잡한 일
топорщиться (미완) ① 곤추서다 ② (동물이) 웅크리고 털 (가시 등)을 곤추 세우다
топот (남) 발걸음 소리, 발굽소리
топтать (미완), 밟다, 짓밟다, 밟아서 더럽히다
топтаться (미완) 밥보하다, 뭉개다; ~ на месте 제자리걸음 하다.
торгаш (남) 장사치, 장사꾼
торгашеский(형);~ дух 소상인 근성
торги (복수) 경매(競賣)
торговать (미완) 장사하다, 매매(賣買)하다, 판매(販賣)하다; ~ хлебом 빵 장사를 하다; ~ в розницу 소매하다; ~ оптом 도매를 하다; ~ с другими странами 외국과 무역하다
торговаться (미완) 흥정하다
торговец (남) 상인(商人), 장사꾼
торговля (여) 상업(商業), 장사, 무역(貿易); частная ~ 개인상업(個人賞業); внешняя ~ 대외무역
торговый (형) 상업(商業)의, 무역(貿易)의, 통상(通商)의; ~ая сеть 상업망; ~ый договор 통상조약; ~ый флот 상선대
торгпред (남) (торговый представитель) 무역대표(貿易代表), 무역대표부, 수석대표
торгпредство (중) (торговое представительство) 무역대표부
торжественно (부) 엄숙히, 성대히, 장엄하게
торжественность (여) 엄숙성(嚴肅性), 성대한 것
торжественный (형) ① 경축의(慶祝-);

- 637 -

~oe заседание 경축회의, 기념보고회; ② 엄숙한(嚴肅限)

торжество (중) ① 승리(勝利), 개선(凱旋); ② (승리의) 기쁨, 환희(歡喜); ③ (복수) 경축행사(慶祝行事), 축전(祝典)

торжествовать (미완) ① 승리하다; ② 기뻐하다

торжествующий (형) 환희에 휩싸인

тормашки (복수) полететь вверх ~ ами 곤두박질하다

торможение (중) ① 제지(製紙), 제동(制動); ② (생리) 억제(抑制)

тормоз (남) 제동기(制動機); ручной ~ 손제동기

тормозить (미완) ① 제동하다, 제동을 걸다; 속도를 죽이다; ② 지연시키다, 방해하다; ~ работу 사업을 지연시키다; ③ (생리) 억제하다

тормозной (형) 브레이크(brake), 제동(制動)의; ~ой кран 제동변, 유압밸브; ~ая жидкость 제동기액체, 브레이크 오일

торопить (미완) ① 재촉하다, 서둘게 하다; ~ с ответом 대답을 재촉하다; ② 촉진하다, 추진하다

торопиться (미완) 바삐 서두르다; ~ на работу 일터에 가려고 서두르다

торопливо (부) 바삐 성급하게

топопливый (형) 바삐 서두르는, 성급한

торос (남) 빙산(氷山), 얼음산

торпеда (여) 어뢰(魚雷)

торрпедировать (미완, 완) ① 어뢰로 공격하다; ~ корабль противника 적함선에 어뢰를 발사하다; ② 파탄(破綻)시키다

торпедный (형); ~ катер 어뢰정(魚雷艇)

торс (남) 사람의 몸통, 체통

торт (남) 토트(과자의 한 가지)

торф (남) (광업) 이탄(泥炭)

торфоразработки (복수) 이탄채굴장

торфяник (남) 이탄지(泥炭地)

торфяной (형) 이탄(泥炭)의, 니탄의; ~ое болото 이탄진펄, 이탄지(泥炭地)

торчать (형) ① 솟다, 위로 뻗치다, 돌출하다, 삐죽 나오다; ② (귀찮게, 계속) 참석하다, 삐치다, 나타나다.

тоска (여) ① 애수(哀愁), 우울(憂鬱); ② 그리는 마음, 동경(憧憬), 그리움; ~ по родине 고향생각, 고향을 그리는 생각

тоскливый (형) 슬픈, 우울한

тосковать (미완); по кому-чему....을 그리워하다

тост (남) 축배(祝杯); 축배를 들다

тот, (지시 대) (남) «та(여) то(중) те(복수)» ① 그, 저; ~ человек 그(저) 사람; та книга 그 책; то окно 그 창문; те люди 그(저) 사람들; в то время 그때에; ② то (중) (복합접속사의 구성 속에 들어감); 예; благодаря тому, что....로 인하여; по мере того как......함에 따라; ввиду того, что....때문에; в то время, как... ...할 때에; для того, чтобы... 하기 위하여; до того, что....할 정도로; до тех пор, пока....할 때 까지; за то, что....때문에; из-за того, что....때문에, ...탓으로; несмотря на то, что...에도 불구하고; с тем, чтобы....하기 위하여, ...하려고, ..하도록; и без того 그렇지 않아도; к тому же 게다가; тем самым 그렇게 함으로써; в тот же день 같은 날; вместе с тем 그와 동시에; кроме того 그밖에

тотальный (형) 전체적인, 전반을 포괄하는; ~ ая война 전면전쟁

тотчас (부) 곧, 즉시에. 금방(今方)

точи́ло (중) 숫돌, 연마기, 갈이반
точи́льный (형); ~ ка́мень 숫돌; ~ стано́к 연마석, 그라인더
точи́льщик (남) 연마공
точи́ть (미완) ① 갈다, 깎다; ~ нож 칼을 갈다; ~ каранда́ш 연필을 깎다; ② 선반으로 깎다;~ дета́ли 부속품을 깎다.
то́чка I (여) ① 점(占), 지점(支店): ~а опо́ры 지행점; ~а кипе́ния 비등점, 끓는점; ~а замерза́ния 빙점, 어는점; исхо́дная ~а 출발점; ② (언어) 종지부(終止符), 점(點); ста́вить ~у 종지부를 찍다; ~а с запято́й 반두점; ③ (군사) 화점(火點); огнева́я ~а 화점; ④ (술어로) 그만이다, 마감이다, 끝장이다; с ~и зре́ния....의 견지에서 ...의 관점에서; ~а в ~у 정확히
то́чка II (여) 가는 것; ~ конько́в 스케이트 날을 가는 것.
то́чно I (부) ① 정확히; ② (тако́й, так, тот 와 함께) 꼭, 바로, 똑; ~ така́я же кни́га 꼭 같은 책
то́чно II (접) 마치 ...듯이(처럼, 같이): он ~ ребёнок 그는 마치 어린애 같다
то́чность (여) 정확성(正確性), 정밀성(精密性); с ~ью до мину́ты 일분도 틀리지 않게; в ~и тако́й 꼭 같다
то́чный (형) ① 정확한, 정밀한; ~ый перево́д 정확한 번역; ~ые прибо́ры 계기 정밀기계; ② 간간한, 차근차근한;~ый челове́к 간간한 사람
точь-в-точь (부) 꼭, 똑 같이, 정확히, 틀림없이
тошни́ть (미완) 구역질이 나다, 메스껍다; меня́ ~т 나는 메스껍다
то́шно (부) (술어로) ① 구역질이 난다; ② 싫다, 밉다, ③ 답답하다
тошнота́ (여) 메스꺼움, 구역질,

욕지거리; испы́тывать ~у 구역질나다
тошнотво́рный (형) ① 구역질이 나게 하는; ② 보기 싫은, 아주 불쾌한
то́щий (형) ① 여윈; ② 척박한, 빈약한
ТПК(Трудова́я па́ртия Коре́и) 조선 노동당(朝鮮 勞動黨)
трава́ (여) 풀, 잡초(雜草); со́рная ~ 잡초, 잡풀; лека́рственная ~ 약초
трави́ть(미완) ① 독살하다; ~ мыше́й 쥐를 독살하다; ② 중독시키다, 병들게 하다; ~ себя́ алкого́лем 알콜 중독으로 몸을 해치다; ③ (짐승이) 짓밟다; скот тра́вит посе́вы 집짐승이 싹이 돋아난 밭을 짓밟고 있다.
тра́вля (여) 박해(迫害), 인신공격
тра́вма (여) (의학) 외상(外傷), 손상(損傷); психи́ческая ~ 정신외상; произ- во́дственная ~ 산업외상
травмати́зм (남) 외상; производ- ственный ~ 산업외상, 생산성 외상; спорти́вный ~ 경기 (스포츠) 외상
травмати́ческий (형) 외상(外相)(성)
травмато́лог (남) 외상전문외과의사
травматологи́ческий(형); ~ пункт 외상 구급소, 응급실
травматоло́гия (여) 외상학
травми́ровать (미완, 완) 외상을 입히다
травопо́льный (형); ~ севооборо́т 목초그루 바꿈
травосея́ние (중) 먹이 풀씨붙임
травоя́дный (형) 풀을 먹는, 초식(草食)의; ~ые живо́тные 초식동물
траге́дия (여) ① 비극; ② 비참한 일
траги́зм (남) ① (문화) 비극성(悲劇性); ② 비참한 것, 궁지(窮地)
тра́гик (남) 비극배우(悲劇俳優)
трагикоме́дия (여) (문화) 희비극
траги́чески (부) 비참하게
траги́ческий (형) ①

비극적(悲劇的)인; ② 비참한(悲慘-)
традиционный (형) 전통적(傳統的)인
традиция (여) 전통(傳統)
траектория (여) ① 궤적, 자리길; 바퀴자국; ② 탄도; крутая ~ 곡사탄도
тракт (남) 큰길, 대도로; желудочнокишечный ~ (해부) 소화기관
трактат (남) 논문(論文), 논설(論說)
трактовать (미완) ① 해석하다, 이해하다; ~ по-новому 새로운 식으로 해석하다; ② 논의하다
трактовка(여) 해석(解析), 해설(解說)
трактор (남) 트랙터(tractor)
тракторист (남), **~ка** (여) 트랙터(tractor)운전수
тракторный (형) 트랙터(tractor)의
тракторостроение (중) 트랙터 제작공업(tractor 製作工業)
трал (남) 트롤(trawl), 저인망(底引網)
тральщик (남) ① 트롤선(trawl 船), 저인망선(底引網船) ② 소해정(掃海艇)
трамбовать (미완) 다지다, 고르게 하다, 튼튼히 하다
трамвай (나) 전차(戰車)
трамплин (남) ① (체육) 발판; 도약대 ② (어떤 행동의) 출발점(出發點), 지점
транжирить (미완) 탕비 (허비) 하다
транзистор (남) 휴대용 반도체 라디오, 반도체 3극 소자
транзит (남) ① (철도, 해양) (제 3국을 경유하는) 통과(通過), 운송(運送); ② 직통수송
транзитный(형) 통과의;~ пассажир 통과여객
транквилизатор (남) (의학) 신경안정제(神經安靜劑), 정신 안정약
транс (남) (의학) 실신(혼수) 상태
транс- (합성어의 첫 부분으로서 (통과), (경유), (초월)의 뜻)

трансатлантическпй полёт 대서양횡단비행; транссибирская магистраль 시베리아 횡단철도
транскрибировать (미완, 완) ① 어음(음운)을 전사하다 ② 전자하다
транскрипция (여) ① (언어) 기호, 어음전사법(語音轉寫法), 음운전사법(音韻轉寫法); ② (음악) 편곡(編曲)
транслировать (미완, 완) 중계방송(中繼放送)하다
транслитерация (여) (언어) 전자법
трансляция (여) 중계(中繼), 중계방송(中繼放送); прямая ~ 실황중계
трансмиссия (여) 전동장치, 전동축
транспарант (남) ① 프랑카드; ② (글줄을 곧게 쓰려고 줄 칸 친) 종이받치개
трансплантация (여) 이식, 이식술
транспорт (남) ① 운수(運輸), 수운; железнодорожный(водный,воздушный) ~ 철도 (수상, 항공) 운수 ② 수송(輸送), 운송수단, 수송차(輸送車); ③ (군용) 수송선(輸送船)
транспортабельный(형)운반할 수 있는
транспортёр (남) ① 콘베아 ② (군용) 장갑자동차(裝甲自動車)
транспортир (남) 분도기(分度器), 측각기(測角器), 각도자
транспортировать (미완, 완) 수송 (운반) 하다
транспортировка (여) 수송(輸送), 운반
транспортный(형) 수송의; ~ое судно 수송선, 운반선; ~ый самолёт 수송기; ~ые средства 수송 (운수) 수단
трансформатор (남) 변압기(變壓器)
трансформаторный (형)(전기); ~ая подстанция 변전소(變電所)
трансформация (여) 변형(變形), 변화

- 640 -

трансформировать (미완, 완) 변형(變形)시키다
трансформироваться (미완, 완) 변형(變形)되다
траншея (여) ① 교통호 ② (군사) 참호(塹壕), 전호
трап (남) (비행기, 배의) 승강대, 사다리
трапеция (여) ① (수학) 제형 ② (곡예 등의) 그네
трасса (여) ① 길, 도로(道路); ② (항공, 항행 등의) 경로(經路), 항로(航路)
трассирующий(형);~ая пуля 예광탄
трата (여) ① 소비(消費), 지출(支出): [пустая] ~ времени 시간낭비; ② (복수) 손해(損害), 손실(損失)
тратить (미완) 쓰다, 소비 (지출)하다; ~ деньги 돈을 쓰다; ~ силы 힘을 빼다; ~ время 시간을 낭비하다
траулер (남) 트롤선(trawl 船), 저인망선; морозильный ~ 냉동선
траур (남) ① 조문(弔問), 조의(弔意), 애도(哀悼); день ~а 애도일; ② 상복(喪服), 상장; носить ~ 상복을 입다, 상장을 띠다
траурный (형) 조상의, 조문(弔問)의; ~ый костюм 상복; ~ая лента 상장; ~ое заседание 추도회; ~ая процессия 장례행렬; ~ый флаг 조기
трафарет (남) ① (글자나 그림을 따낸) 형판; писать (рисовать) по ~ 형판을 써서 글 (그림)을 옮기다, ② 틀, 고정격식
трафаретный (형) 틀에 박힌, 진부한
трахея (여) (해부) 숨통, 호흡기관
трахома (여) 트라코마(trachoma)
требование (중) ① 요구(要求); по ~ю 요구에 따라; ② (흔히 복수) 규정(規程), 기준(基準); ③ 청구서(請求書), 요청서(要請書)

требовательность (여) 요구성, 엄격성
требовательный (형) 요구성이 강한, 엄격한
требовать(미완)① 요구하다 ② 불러내다
требоваться (미완) 요구되다, 필요하다; ~уется много времени 많은 시간이 요구 된다; мне ~уется эта книга 나에게는 이 책이 필요하다
тревога (여) ① 불안(不安); 소동(騷動), 야단법석; его охватила ~а 그는 불안에 휩싸였다; ② 경보(警報); воздушная ~а 공습경보: отбой ~и 경보해제
тревожить (미완) ① 불안케 하다 ② 폐를 끼치다, 방해하다 ③ 건드리다
тревожиться (미완) 불안을 느끼다, 근심하다, 속태우다
тревожно (부) 불안 (조마조마) 하게
тревожный (형) 불안한, 조마조마한: ~ый голос 불안에 찬 목소리; ~ые слухи 불안스러운 소문
треволнение (중) 심한 불안
трезво (부) 사려 깊게, 성실하게
трезвомыслящий (형);~ человек 정상적인 사고력을 가진 사람
трезвон (남) ① 뜬소문 ② 소동(騷動): поднять ~ 소동을 일으키다
трезвость (여) ① 맑은 정신; ② 술을 마시지 않는 것, 금주; общество ~и 금주협회; ③ 사려가 깊은 것
трезвый (형) ① 취하지 않은, 맑음: ~ человек 취하지 않은 사람; ② 술을 마시지 않은, 금주하는 ③ 사려가 깊은, 신중한; ~ взгляд 신중한 견해
трек (남) (체육) (자전거) 경주로
трелёвочный (형) 목재를 나르는
трель (여) (음악) 굴림 (떨림) 소리
тренер (남) (체육) 훈련지도원
трение (중) ① 쏠림, 마찰(摩擦); ②

- 641 -

저항(抵抗); сила ~я 저항력; ③ 알력(軋轢), 충돌(衝突), 불화(不和)

тренированный (형); ~ организм 잘 단련된 육체

тренировать (미완) ① 훈련시키다 ② 단련시키다; ~ тело 몸을 단련하다

тренироваться (미완) ① 연습하다 훈련 하다 ② 훈련을 받다

тренировка (여) ① 연습(演習), 훈련(訓練); ② 단련(鍛鍊); аутогенная ~ 자기 단련

тренога (여) 삼발이, 삼각대

треножник (남) 삼발이

трепанация (여) (의학) 개두술(開頭術), 천두술(穿頭術), 두개골절개술

трепанг (남) 해삼(海蔘)

трепать (미완) ① 잡아뜯다, ② 못쓰게 하다; ~ книги 책들을 (험하게 다루어) 못쓰게 만들다; ~обувь 신을 (험하게 신어) 꿰뜨리다 ③ 가볍게 두드리다; ~ языком 헛튼 소리를 하다; ~ нервы 신경질나게 하다

трепеться (미완) ① 꿰지다 ② 지껄이다, 허튼 소리를 하다

трепач (남) 허풍쟁이

трепет (남) ① 떨림, 진동(震動); ② 전율, 공포(恐怖); привести кого в ~ 전율케 하다

трепать (미완) ① 흔들리다, 떨다; лис-тья трепещут 잎사귀가 떤다; ② 떨리다; ~ от ужаса 공포에 떨리다

треск (남) ① 우지끈 뚝딱하는 소리 ② 요란한 언사, 소동(騷動) с ~ом провалиться 비참하게 실패하다.

треска (여) 대구

трескаться (미완) 트다, 틈(짬)이 나다, 갈라지다; кожа на руках ~ется 손이 튼다.

трескотня (여) 떠들썩한 잡담, 쓸데없는 말 (이야기)

трескучий (형); ~ие фразы 내용 없는 말 ~ий мороз 지독한 추위

треснуть (완) ① **трещать**의 일회태 ② 터지다, 쪼개지다, 금이 가다, 틈이 나다; скатан ~л 컵에 금이 갔다 ③ (표면, 피부가) 트다

трест (남); строиленьный ~ 건설사업소

третейский (형); ~ суд 중재원, 중재재판

третий (수) ① 세 번째*, 셋째*, 제 3 (삼)* ② (명사로); ~ье (중) 식후다과

третировать (미완) 홀시 (경시, 멸시) 하다

треть (여) 3 (삼) 분의 1 (일)

треугольник (남) 삼각형(三角形)

трёхдневный (형) 3 (삼) 일간*

трёхкомнатный (형) 세칸짜리*

трёхлетний (형) ① 3 (삼) 년간* ② 세살 난; ~ ребёнок 세살난 아이

трёхмесячный (형) 3(삼) 개월간*

трёхсотый (수) 300 번째*

трёхфазный (형); ~ ток 삼상교류

трёхэтажный (형) 3 (삼)층의

трещать (미완) ① (터지면서) 우지끈뚝딱소리를 내다 ② 끊임없이 소리를 내다 ③ 쉴세없이 지껄이다 голова ~ит 머리가 몹시 아프다, 머리가 터질 듯 아프다

трещина (여) 틈새, 짬, 균열(均熱)

три (수) 셋, 3 (삼)

трибун (남) 웅변가(雄辯家)

трибуна (여) ① 연단 ② 관람석

трибунал (남) (특수한) 재판기관; воен-ный ~ 군사재판소

тривиальный (형) 범속한, 진부한, 저속한

тригонометрия (여) (수학) 삼각(법)

тридцатый (수) 서른째*, 제 30(삼십)*

тридцать (수) 서른, 30 (삼십)

трижды (부) 세 번, 3(삼) 회, 3(삼) 중
трико (중) (불변) ① (선수, 곡예배우의) 뜨개옷 ② (여자용 메리야스) 아래내의
трикотаж (남) 뜨개천, 메리야스; 뜨개옷 뜨개 (메리야스) 제품; шерстяной ~ 털실 뜨개 옷
трикотажный (형) 뜨개, 뜨개질; ~ые изделия 뜨개 (메리야스) 제품
трилогия (여) 3 (삼) 부작
тринадцатый (수) 열세 째의, 제 13 (십삼)의
тринадцать (수) 열셋, 13 (십삼)
Тринидад и Тобаго 트리니대드 토바고
трио (중) 삼중주(三重奏), 삼중창(三重唱);инструментальное ~ 기악삼중주
Триполи (남) (불변) г. 타라불스
триста (수) 300 (삼백)
тритон (남) 도롱뇽, 도룡이
триумф (남) 개선; 내승리, 대성과
триумфальный (형) 개선의; ~ый марш 개선행진곡; ~ая арка 개선문
трогательно (부) 감동적(感動的)으로, 감명(感銘)깊게
трогательный (형) 감동적(感動的)인, 감격적(感激的)인, 감명(感銘)깊은
трогать (미완) ① 다치다, 만지다; руками не ~! 손을 대지 말 것! ② 건드리다, 시끄럽게 하다; 간섭하다; не тронь его 그를 내버려두어라; ③ 감동 (흥분) 시키다; ~ до слёз 눈물을 흘리도록 감동시키다
трогаться(미완) 떠나다, 움직이다; ~ в путь 길을 떠나다; лёд трогается 얼음이 풀린다.
трое (수) 셋; ~ братьев 세형제; ~ суток 3 (삼) 주야
тройка (여) ① (수자) 3 ② 3 (삼) 점, 보통 (5 계단 채점에서)

тройной (형) ① 3 (삼) 배*, 세배* ② 세겹*
тройня (여) 삼태자
тройственный (형) 3 (삼) 각*; ~ военный союз 3 (삼) 각 군사동맹
троллейбус (남) (무궤도) 전차(電車)
томб (남) (의학) 혈전(血戰)
тромбон (남) (음악) 트롬본 (악기의 한 가지)
тромбофлебит (남) (의학) 혈전성 정맥염(血栓性 靜脈炎)
трон (남) 왕좌(王座), 왕위(王位)
тропа (여) 오솔길, 좁은길; горная ~ 산길
тропик (남) ① 회귀선(回歸線); ~ Рака(Козерога) 북(남) 회귀선; ② ~и (복수) 열대(熱帶), 열대지방(熱帶地方); в ~ах 열대지방에서
тропинка (여) 오솔길, 좁은 길
тропический (형) 열대(지방)의; ~ климат 열대기후; ~ пояс 열대
тропосфера (여) 대류권(對流圈)
трос (남) 쇠밧줄
тросник (남) 갈, 갈대; сахарный ~ 사탕수수
трость (여) 지팽이
тротуар (남) 걸음 길, 보도(步道), 인도(人道)
трофей (남) 노획품; военные ~и 전리품
трофейный (형) 노획의;~ое оружие 노획 무기
труба (여) ① 관, 통; водопроводная ~а 수도관; водосточная ~а 배수관 ② 굴뚝, 연통(煙筒); дымовая ~а 굴뚝; заводская ~а 공장굴뚝; ③ 나팔(喇叭); играть на ~е 나팔을 불다; выле- теть в ~у 파산당하다
трубач (남) 나팔수
трубить (미완) ① во что (나팔 등을)

불다 ② (나팔 등에 대하여) 울리다, 소리나다; трубы ~ят 나팔소리가 울린다; ③ (나팔로) 신호하다; ~ить сбор 소집나팔을 불다; ④ 떠들다, 지껄이다

трубка (여) ① (각종) 관; резиновая ~а 고무관; дренажная ~а 배수관 ② 대통, 골통대; курить ~у 대통으로 담배를 피우다; ③ (전화의) 수화기(受話器);взять(снять) ~у 전화를 받다; 수화기를 들다; положить(повесить) ~у 전화를 끊다, 수화기를 내려놓다

трубопровод (남) 도관(陶管)

трубочист (남) 굴뚝소제부

труд (남) ① 노동(勞動), 노력(努力); физический (умственный) ~ 육체 (정신) 노동; разделение ~а 분업: производственность ~а 노동생산능률; ② (흔히 복수) 일, 사업(事業) 노력(勞力), 수고; положить (затратить) много ~а(~ов) 많은 일을 하다, 많은 수고를 하다: не дать себе ~а подумать 생각해보려고 하지 않다; напрасный ~ 헛수고 ③ 노작, 저서(著書), 작품(作品); ④ (복수) (과학) 논문집(論文集), 저작집, 학보(學報) без ~а 쉽게; с ~ом 겨우, 애써

трудиться (미완) 일하다, 노동(근무)하다 ② над чем 노력하다, 힘쓰다

трудно (부) (술어로) (+미정형) 어렵다, 힘들다, 곤란하다; ~ объяснить 설명하기 어렵다; мне ~ это понять 나는 그것을 이해하기 힘들다

трудность (여) ① 힘든 것, 어려운 것 ② 애로, 난관; преодолеть все ~и 온갖 난관을 극복하다

трудный (형) 어려운, 힘든, 곤란한; ~ая работа 힘든 일

трудовой (형) ① 노동의; ~ая дисциплина 노동규율; ~ое законодательство 노동법; ~ое воспитание 노동교양; ② 근로의; ~ое население 근로자; ~ая интеллигенция 근로인테리;③ 노동하여 얻은; ~ые доходы (деньги) 노동하여 번 수입 (돈); ~ая книжка 노동수첩, 근로수첩, 근무정형 등록장; Трудовая партия Кореи 조선 노동당

трудодень (남) 노력일

трудоёмкий (형) 고된, 많이 드는

трудолюбивый (형) 근면한, 부지런한

трудолюбие (중) 근면, 노동애호

трудоспособность (여) 노동능력

трудоспособный (형) 일할 수 있는. 노동능력 있는

трудоустройство (중) 노동알선, 일자리 알선

трудящийся (형) ① 근로하는; 자기 노력으로 살아가는; ② (명사로) (남) 근로자(勤勞者)

труженик (남), **~ца** (여) 근로자 (勤勞者), 노력자

труп (남) 주검, 송장, 시체(屍體)

труппа (여) 연극 (발레, 곡예) 배우단

трус (남) 겁쟁이, 비겁한자

трусики (복수) см. трусы

трусить (미완) ① 무서워하다, 겁내다 ② перед кем-чем 두려워하다

трусиха (여) 겁쟁이

трусливо (부) 비겁 (소심) 하게

трусливый(형)겁 많은, 비겁한, 소심한

трусость (여) 겁, 비겁성, 소심

трусы (복수) 반바지, 체육(수영) 팬티

трутень (남) ① 수벌; ② 게으름뱅이, 건달꾼

труха (여) 검부러기, 부스러기

трухлявый (형) 썩어 문드러진

трущоба (여) ① 빈민굴(貧民窟) ②

(밀림속) 통행이 곤란한곳
трюк (남) ① 요술(妖術), 묘한 제주 ② 꾀, 술책(術策)
трюм (남) 짐칸, 선창
трюмо (중) (불변) 경대
тряпка (여) ① 헝겊, 천 조각, 누더기 ② 걸레; вытирать ~ой 걸레로 닦다 ③ 칠판 지우게
трясина (여) 진창, 수렁
тряска (여) 흔들리는 것
трясти (미완) ① 흔들다, 쥐여 (잡아) 흔들다 ② 털어내다 ③ *чем* 내젓다; ~ хвостом 꼬리를 젓다
трястись (미완) ① 흔들리다, 떨다, 동요하다; ~ от страха 무서워서 떨다 ② над *кем-чем* 극진히 보살피다; ~над рассадой 모를 극진히 보살피다 ③ над *чем* 아끼다, 아껴쓰다; ~ над каждой копейкой 푼전을 아끼다, 한푼 돈에도 벌벌 떨다
тряхнуть (완) **трясти**의 일회태
ту (대) *см. тот*
туалет (남) ① 위생실, 화장실(化粧室), 변소(便所); ② (주로 여자) 옷; ③ 몸단장 (세수하고 옷 입고 머리 빗는 일); совершать ~ 몸단장하다
туалетный (형); ~ое мыло 세수 비누; ~ая бумага 위생종이, 뒤지
туберкулёз (남) 결핵(結核), 결핵증(結核症); ~ лёгких 폐결핵
туберкулёзный (형) 결핵(結核), 결핵성(結核性); ~ больной 결핵환자
туго (부) ① 꽉, 팽팽 (빽빽) 하게; ~ набить мешок 포대를 꽉 채우다 ② 어렵게, 느리고 힘들게; дела идут ~ 일이 힘들게 진척된다 ③ (술어로) кому 생활이 어렵다, 처지가 곤란하다.
тугой (형) ① 팽팽한, 탄력이 있는, 비싼 쥔; ~ая струна 팽팽한 줄; ~ой канат 단단한 밧줄; ② 꽉 찬; ~ой

мешок 가득찬 포대
туда (부) 거기로, 저기로; ~ билет ~ и обратно 왕복표; ~ и дорога *кому* 그렇게 되는 것이 당연한 일이다
тужить (미완) 슬퍼하다
тужурка (여) 덧저고리
туз (남) ① 트럼프의 끝수가 제일 높은 패; ② 거물(巨物), 권력가; финансовые ~ы 금융계의 거물
туземец (남) 본토배기
туземный (형); ~ое население 토착민(土着民)
туловище (중) 몸통, 동체(同體)
тулуп (남) 자락이 긴 털외투
туляремия (여) (의학) 메토끼병
туман (남) ① 안개; густой ~ 짙은 안개 ② 애매 (모호) 한 것; напустить ~у 불명료하게 하다
туманный (형) ① 안개 낀 ② 불명료한, 몽롱한; ~ взгляд 몽롱한 눈길
тумбочка (여) (침대곁에 놓아두는) 작은 장
тундра (여) 툰드라지대(tundra地帶), 동토대(凍土帶), 동토(凍土), 동원지
тунеядец (남) 건달꾼, 기생충(寄生蟲)
тунеядство (중) 건달, 기생충생활
Тунис (남) ① 튜니지 (나라 이름) ② *г.* 튜니스 (도시 이름)
туннель (남) 굴 (길), 차굴, 터널
тупеть (미완) ① (칼 등이) 무디다 ② (감각, 지력 등이) 두해지다
тупик (남) ① 막다른 골목 (길); ② 궁지; оказаться в ~е 궁지에 빠지다; поставить в ~ 궁지에 빠뜨리다, 당황케 하다 ③ (철도) 막힘선
тупица (남, 여) 둔재
тупой (형) ① 무딘, 뭉툭한; ~ой нож 무딘 칼 ② (감각, 두뇌 등이) 둔한; ~ая боль 둔한 아픔 ③ 무표정한, 무의미한; ~ая улыбка 무의미한 미소

◇ ~ой угол (수학) 무딘각, 둔각(鈍角)
тупость (여) ① 무딘 것 ② 둔한 것 ③ 무표정(無表情), 무감각(無感覺)
тур (남) ① (경연, 경기 등에서 매 참가자가 한번 승부를 다루는 일);первый ~ 제 1 (일) 차 경연 (경기); заключите- льный ~ 최종경연, 결승경기; ② 단계(段階); первый ~ выборов 선거의 제 1 (일) 단계; ③ 한 바퀴 도는 것; 일주 (여행)
турбаза (여) 관광기지
турбина (여) (공학) 터빈(turbine)
турецкий (형) 터키(Turkey) 토이기*
туризм (남) 관광 (여행), 유람(遊覽)
турист (남), **~ка** (여) 관광객(觀光客), 관광단원, 유람객(遊覽客)
туристический (형) 관광(觀光)의; ~ поход 관광 행렬
туристский (형) 관광객(觀光客)의; ~ое снаряжение 관광여행용구
турки (복수) (**~ок** (남), **~чанка** (여)) 터키(토이기) 사람 (들)
Туркменистан(남), **Туркмения** (여) 투르크메니스탄(Turkmenistan); Туркменская Советская Социалистическая республика 투르크메니스탄소비에트 사회주의공화국
туркменский(형) 투르크메니스탄의(Turkmenistan)
туркмены (복수) (**~**(남), **~ка** (여))투르크메니스탄(Turkmenistan) 사람
турник (남) (체육) 철봉대
турнир (남) 시합, 경기(競技), 경쟁(競爭); шахматный ~ 장기경기 (시합)
турпоход (남) 관광행군
Турция (여) 터키(Turkey)
тускло (부) 흐리게, 희미(몽롱) 하게

тусклый (형) ① 흐린, 윤기가 없는; ② 선명하지 못한, 어슴푸레한;~ свет 어슴푸레한(희미한) 빛; ③ 생기 없는; ~ взгляд 생기 없는 시선
тускнеть (미완) 흐려지다, 윤기가 없어지다, 생기없게 되다
тут (부) ① 여기에, 여기서 ② 이때, 그때 이런 경우에; ◇ и всё ё ~ 그뿐이다, 별수 없다; ~ как ~ 때마침 왔다 (나타났다)
тутовый (형); ~ое дерево 뽕나무; ~ая плантация 뽕밭; ~ый шелкопряд 뽕 누에
туф (남) (지질) 석회암(石灰巖)
туфли (복수) 구두, 단화; дамские ~ 여자구두
тухлый (형) 상한, 썩은 냄새나는
тухнуть I (미완) (불이) 꺼지다
тухнуть II (미완) 상하다, 썩다, 썩어서 냄새나다
туча (여) ① 검은 구름; ② 다수(多數), 큰 무리
тучный (형) ① 뚱뚱한, 살진; ② 비옥한(肥沃限), 기름진
туш (남) 환영곡(歡迎曲); сыграть ~ 환영곡을 올리다
тушить I (미완) (불을) 끄다:~ свет (лампу) 등불을 끄다
тушить II (미완) (제김에) 찌다: ~ мясо 고기를 제김에 고다
тушканчик (남) (동물) 날쥐
тушь (여) 먹
туя (여) 누운 측백나무
тщательно (부) 면밀히, 꼼꼼히, 차근차근
тщательный (형) 면밀한, 꼼꼼한, 차근차근한
тщедушный (형) 허약한
тщеславие(중) 공명심(功名心), 허영심
тщеславный (형) 공명 (허영) 심이

강한 허영에 뜬
тщетный (형) 헛된, 쓸데없는, 무익한
ты (인칭 대) (тебя (생, 대), тебе (여), тобой 또는, тобою (조), тебе (전)) 너, 자네, 그대, 당신 ◇ ну тебя! (시끄럽게 굴지 말구) 물러가라!
тыкать (미완) ① 찌르다, 꽂다; ② 들이밀다, 들이 박다; ~ в корыто нос 구유에 코를 들이 박다 ◇ ~ в нос 꾸짖다, 비난 (절책) 하다; ~ пальцем 손가락하다
тыква (여) 호박
тыквенный (형) 호박*; ~ые семена (호박씨)
тыл (남) ① 뒤쪽; ② 후방(後方)
тыловой (형) 후방*; ~ые части 후방부대
тысяча (여) 또는 (수) ① 천(千): десять тысяч 만; сто тысяч 십만; десят-ки тысяч 수만; сотни тысяч 수십만; ② (복수) 다수, 다량; ~и раз 수천 번; ③ (복수) 막대한 돈 (금액); нажить ~и 막대한 돈을 벌다; ◇ в ~у раз 훨씬
тысячелетие (중) ① 천년간 ② (복수) 수천 년간 ③ 천돌
тысячелетний (형) 천년(간)*
тысячный (수) ① 천번째* ②; одна ~ая 천분의 일
тычинка (여) 수꽃술
тьма (여) 어둠, 암흑(暗黑)
ТЭЦ (теплоэлектроцентраль) 중앙난방겸용 화력 발전소
тюбетейка (여) 쮸베 쩨이까 (수놓은 작은 모자)
тюбик (남) (치약, 고약 등을 넣은 금속제의) 튜브(tube)
тюбинг (남) (공학) 류빙
тюк (남) 뭉구리, 묶음, 꾸러미, 덩어리
тюлень (남) (동물) 넝에

тюль (남) 레이스천(lace-)
тюльпан (남) 튤립(tulip), 울금향, 울초(鬱草), 창초(創草)
тюремный (형) 감옥(監獄)의; ~ое заключение 구금
тюремщик (남) 간수(看守)
тюрьма (여) 감옥; посадить в ~у 투옥하다; бежать из ~ы 탈옥하다
тюфяк (남) (짚, 건조 등을 넣은) 포단, 참대, 깔개
тяга (여) ① 견인, 견인력(牽引力); ② (공학) 당김대, 연결대(連結台); ③ 지향(志向), 동경(憧憬)
тягаться (미완) 경쟁하다
тягач (남) (강력한) 견인차, 견인 트랙터
тягостный (형) 보기도 괴로운, 불쾌한; ~ое впечатление 불쾌한 인상
тягость (여); быть в ~ кому 괴롭히다, 부담을 주다
тяготение (중) ① (물리) 인력, 중력; земное ~ 지구인력; ② 애착, 지향; ~ к музыке 음악에 대한 애착
тяготеть (미완) ① к кому-чему 끌리다, 쏠리다; ~ к искусству 예술에 마음이 쏠리다 ② над кем-чем 위압 (억압, 우세) 하다
тяготить (미완) 괴롭히다, 부담 (불편)을 주다
тяготиться (미완) кем-чем 괴로움 (고통)을 느끼다; ~ одиночеством 고독감을 느끼다
тягучий (형) ① 늘어날 수 있는 ② 끈적끈적한 ③ (목소리, 말 등이) 느릿느릿한, 서두르지 않는
тяжба (여) ① 민사소송(民事訴訟) ② 말다툼, 언쟁(言爭)
тяжело (부) ① 무겁게 ② (술어로) 무겁다, 힘들다, 어렵다
тяжелоатлет (남) 역기선수
тяжловатый (형) 묵직하다

тяжеловес (남) (체육) 중량급선수
тяжеловесный (형) ① 중량이 무거운, 육중한 ②; ~ состав 중량화물열차; ③ (문체 등이) 세련되지 못한, 이해하기 어려운
тяжёлый (형) ① 무거운; ~ый груз 무거운짐; ② 어려운, 힘든, 품이 많이 드는; ~ая задача 어려운 과업; ③ 무거운, 경쾌하지 못한, (천 등이) 탁탁한; ~ый шаг 무거운 걸음; ④ (성격, 냄새가) 불쾌한; ⑤ 엄중한; ~ое преступление 엄중한 죄과; ⑥ (병 등이) 중한, 위급한; ◇ ~ая атлетика (체육) 역기; ~ая промышленность 중공업
тяжесть (여) ① 무게, 중량(重量), 무거운 것; ②; сида ~и 인력, 중력 ③ 무거운 짐 (물건)
тянуть (미완) ① 끌다, 잡아당기다; ② 늘이다, 늘어놓다; ~ провод 전선을 늘이다; ③ 내밀다, 뻗치다;~ руку у чему ...에 손을 뻗치다 ④ 유인하다, 마음을 끌다; его тянуло к морю 그는 바다로 가고 싶었다, 그는 바다가 그리웠다; ⑤ 끌어내다, 뽑다; ~ сеть на берег 그물을 기슭으로 끌어내다; ~ жребий 제비를 뽑다; ⑥ 훔치다, 도적질하다; ⑦ 무게가 나가다; ящик тянет пять кило 상자는 5 킬로의 무게가 나간다; ⑧ 질질 끌다; ~ время 꾸물거리다; ~ с ответом 회답을 끌다; ⑨ 길게 끌면서 노래 부르다; ~ песню 노래를 길게 뽑다
тянуться (미완) ① 늘어나다 ② 기지개하다 ③ 펼쳐지다, 뻗다; вдали тянется лес 멀리에 산림이 뻗어있다; ④ 오래 끌다; дело тянется месяц 일은 한 달째나 계속 된다; ⑤ 줄을 지어가다 ⑥ к кому-чему 끌리다, 쏠리다; 향하다
тянучка (여) ① 엿, 엿가락, 엿가래 ② 우유 기름 사랑
тяпка (여) 호미
тяп-ляп: ~ и готово 일을 되는대로 빨리 해치웠다.

У

у (전) (+생) ① (공간을 표시) 곁에, 가까이에: у дома 집결에; кровать стоит у стены 침대는 벽가에 놓여있다; мы жили у моря 우리는 바닷가에게 살았다; ② (대상을 표시)···에게, ···허비하다, ···낭비하다; у них много работы 그들에게는 일이 많다; они учатся у нас 그들은 우리에게서 배운다; я живу у родителей 나는 부모의 집에서 산다.; спросите у преподова- теля 선생님에게 물어보시오 ③ (소유, 소속을 표시) ···에게, ···의; у младшего бра- та есть словарь 동생에게는 사전이 있다; у меня нет времени 나는 시간이 없다; у магазина есть вывеска 상점(가게)에는 간판이 있다; у меня болит голова 나는 머리가 아프다; дети у нас уже взрослые 우리 아이들은 벌써 다 자랐다; скорость у этого саломёта большая 이 비행기의 속도는 빠르다 ④ (기타용법); он работает у станка 그는 기계공으로 일한다.; кто у телефона? (전화를 걸때) 누구십니까?

убавить (완) ① 덜다, 줄이다, 약화(弱化)시키다; ~ скорость 속도를 늦추다; ~ огонь 불을 좀 약하게 하다 ②; в чём 덜어지다, 줄다, 약화되다;~ в весе 무게가 줄다.

убавиться (완) 덜어지다, 줄다, 단축되다; дни ~лись 낮이 짧아졌다

убавлять[ся] (미완) см. убавить[ся]

убаюкать (완), **~ивать** (미완) (자장가를 부르면서) (잠) 재우다

убегать (미완) ① 달려 (뛰어)가다 ② 도망치다, 뺑소니치다 ③ 빨리 멀어지다 (이동하다)

убедительно (부) ① 확신성 있게, 확신하게끔, 믿을만하게; ~ говорить 납득되게끔 말하다 ② 간절하게

убедитньность (여) 설복력; 설득력(說得力); 확신(確信)성; 믿음성

убедительный (형) ① 믿을만한, 확신성 있는, ② 간절한

убедить[ся] (완) см. убеждать[ся]

убежать (완) см. убегать

убеждать (미완) ① 확신시키다, 납득시키다; ~ в правильности чего ···의 정당성을 확신시키다 ② 설복하다, 찬성하게하다, 승낙하게 하다

убеждаться (미완) в чём 확신하다, 납득하다; ~ в необходимости чего ···의 필요성을 확신하다

убеждение (중) ① 설복(說服), 설득(說得); метод ~я 설복방법 ② 확신(確信), 신념(信念) ③ (복수) 견해, 지조, 신조

убежденно (부): говорить ~ 자신 (확신성)있게 말하다

убеждённость (여) 확신(성), 신념(信念)

убежище (중) ① 대피소(待避所), 방공호, 엄폐(掩蔽); ② 은신처, 피난처(避難處)

уберечь (완) 보살피다, 돌보다;~ ребёнка от простуды 어린애가 감기에 걸리지 않게 돌보다

уберечься (완) 자기 몸을 조심하다, ···지 않도록 조심하다; ~ от простуды 감기에 걸리지 않도록 조심 하다

убивать (미완) ① 죽이다, 살해 (학살)하다 ② 실망(낙심)케 하다 ③ 없애다, 말살하다 ④ 허비(낭비)하다; ~ время 시간을 허비하다

убиваться (미완) 몹시 슬퍼하다.

убийственный (형) ① 치명적인 ② 혹독한, 지독한, 무서운
убийство (중) ① 살인(殺人), 살해(殺害), 학살(虐殺); слвершить ~ 살인하다 ② 살인죄(殺人罪)
убийца (남, 여) 살인자, 살해자; 살인범
убирать (미완) ① 거두다, 정돈하다, 치우다; ~ посуду со стола 상에서 그릇을 치우다 ② 수확하다 ③ 장식하다
убираться (미완) ① 거두다, 정돈하다 ② 가버리다, 물러가다, 사라지다 ◇ ~йся! 물러가라!; ~йтесь [прочь]! 물러가시오!
убитый (형) ① 죽은, 학살당한 ② (형) 절망에 찬, 실망한, 낙심한; ~ вид 실망한 모습 ③ (명사로) (남) 피살자, 전사자 ◇ ~ горем 비애에 찬; спит как ~ 깊이 잠들어 있다, 세상모르게 잠들고 있다
убить (완) см. убивать
ублажать (미완) 비위를 맞추어주다, 환심을 사다
убогий (형) ① 빈약한, 보잘것없는 ② 병신이 될 ③ (명사로) (남) 불구자
убожество(중)보잘것없는 것, 빈약(貧弱)
убой (남) 도살(屠殺)
убор (남) 복장(服裝), 옷차림; головной ~ 모자(帽子)
убористый (형) 빽빽한
уборка (여) ① 청소(淸掃), 정돈(整頓) ② 거두는 것, 치우는 것; ~ [урожая] 가을걷이, 수학
уборная (여) ① 변소(便所), 화장실(化粧室) ② 위생실 (극장에서 배우들의): [артисти- ческая] ~ 분장실
уборочный (형) 수학(數學)의
уборщица (여) 청소부(淸掃婦)
убранство (중) 장식; 옷차림, 단장
убрать[ся](완) см. убирать[ся]
убывать (미완) ① 줄다, 작아지다 ② (떨어져나가서) 자리를 비우다, 떠나다

убыль (여) 줄어드는 것, 감소(減少); идти на ~ 줄다, 줄어지다, 감소(減少)되다, 축소(縮小)되다
убыток (남) 손실, 손해; терпель(또는 нести) ~ки 손해 (손실)를 보다; возмещать ~ки 손해를 보상하다
убыточный (형) 손해를 주다
убыть (완) см. убывать
уважаемый (형) 존경하는
уважать (미완) 존경하다
уважение (중) 존경, 존중, 존엄; пользоваться ~м 존경을 받다; питать ~к кому.... 존경하다
уважительный (형) ① 정당한, 타당한; по ~ым причинам 정당한 이유로; без ~ых причин 정당한 이유 없이 ② 존경하는
уважить (완); ~ просьбу 청원을 받아들이다
увалень (남) 게으름뱅이, 느림보
уведомить (완) см. уведомлять
уведомление ① (중) 통지 ② 통지서
уведомлять (미완) 통지 (통보)하다
увезти (완) см. увозить
увековечение (중) ① 후세에 전하는 것 ② 영구화(永久化)
увековечивать(미완); ~ть (완) ① 명성이 오래 전해지게 하다 ② 영구화하다
увеличение (중) ① 늘이는 것, 증가, 확대: ~ производства 증산 ② 증가량
увеличивать (미완) 늘이다, 증가(增加)하다, 확대하다, 강화하다
увеличиваться (미완) 늘다, 증가 (확대, 강화)되다
увеличить[ся](완)см. увеличивать[ся]
увенчаться (완) (성공적으로) 끝나다: ~ победой 승리로 끝나다; ~ успехом 성공하다
уверено (부) 자신있게, 확신성있게
уверенность (여) 자신감, 확신(성); ~ в себе 자신; с ~ю 자신있게

уверенный (형) 자신있게; ~ный ответ 자신있는 대답; мы ~ы в победе 우리는 승리를 확신하고 있다 ◇ будьте ~ы 걱정마십시오

уверить (완) *см.* уверять ◇ смею вас ~ 단언 합니다

увернуться (완) *см.* увёртываться

уверовать (완) *во что* 굳게 믿다, 확신하다

увёртка (여) 꾀, 계교, 속임수, 꼬임수

увёртываться (미완) 피하다, 벗어나다, 회피하다; ~ от удара 타격을 피하다

уветюра (여) (음악) 서곡, 전주곡

уверять (미완) в чём 확신시키다, 믿게 하다, 설독하다; ~ в своей правоте 자기에 정당성을 확신시키다

увеселительный (형) 흥이 나는, 오락*

увесистый (형) 묵직한, 매우 무거운

увести (완) *см.* уводить

увечить (미완) 불구로 만들다, 병신이 되게 하다

увечье (중) 불구

увешать (완), **~ивать** (미완) *чем*...을 가득 걸다 (달다); ~ать грудь орденами 가슴에 훈장을 가득 달다

увиваться (미완) 능글맞게 쫓아다니다, 따라다니면서 알랑거리다

увидеть (완) ① 보다 ② 만나다 ③ 발견(인식)하다

увидеться (완) 만나보다, 만나다

увиливать (미완), **увильнуть** (완) ① 피해 달아나다 ②(교활하게) 벗어나다

увлажнить[ся] (완) *см.* увлажнять[ся]

увлажнять (미완) 축축하게 하다, 습하게 하다

увлажняться (미완) 축축해(습해)지다

увлекательный (형) 매우 흥미있는, 마음을 끄는

увлекать (미완) ① 끌어 (메력이, 이끌려)가다 ② 열중 (몰두)하게 하다; работа ~ла его 그는 사업에 몰두 하였다 ③ 감탄 (황홀)케 하다

увлекаться (미완) ① *чем* 열중 (몰두)하다; ~ музыкой 음악에 열중하다 ② *кем* 반하다, 정들다

увлечение (중) ① 열중, 몰두; с ~м 열중하여, 열심히 ② *кем* 반하는 것, 사랑

увлечь[ся] (완) *см.* увлекать[ся]

уводить (미완) ① 메려가다; 끌어가다; 철퇴시키다 ② (집짐승 따위를) 훔쳐가다

увозить (미완) ① 실어가다, 매리고가다, 가지고가다 ② 훔쳐가다

уволить (완) 해임(解任)하다, 해고(解雇)하다, 퇴직(退職)시키다

уволиться (완) 해고(解詁)되다, 해임(解任)되다, 퇴직(退職)하다

увольнение (중) 해고(解雇), 해임(解任), 퇴직(退職) ◇ получить ~ (군대에서) 외출증(外出證)을 받다

увольнять[ся] (미완) *см.* уволить[ся]

увы (감) (비애, 한탄, 유감의 뜻) 슬프다, 유감스럽다

увядать(미완) 시들다, 마르다; 쇠퇴하다

увязать (완), **увязывать** (완) ① 매다, 묶다, 포장하다 ② 결부(합치)시키다

увянуть (완) *см.* увядать

угадать (완), **угадывать** (미완) 알아맞히다

Уганда (여) 우간다

угар (남) ① 숯내, 탄내, 탄산가스 중독 ② 열중(熱中), 열광(熱狂); в пьяном ~е 술기운에 올라서

угарный (형); ~ газ 일산화탄소

угасать (미완), **угаснуть** (완) 꺼지다, 사라지다, 죽다

углеводы (복수) 합수탄소, 탄수화물

углекислота (여) 탄산가스

углекислый (형); ~ газ 탄산가스

углерод (남) 탄소(炭素)

углеродистый (형); ~ая сталь 탄소강(炭

素鋼)
угловой (형); ~ая комната 구석방, 코너방; ~ой удар (축구에서) 코너킥, 구석차기
углубить[ся] (완) см. углублять[ся]
углубление (중) 웅덩이, 우묵한곳
углубленный (형) 심오한, 심각한
углублять (미완) ① 깊게 하다, 깊이 파다 ② 심화시키다, 넓히다
углубляться (미완) ① 깊어지다, 깊게 되다 ② 심화되다, 심각해지다 ③ *во что* 열중하다, 몰두하다; ~ в работу 일에 몰두하다
угнать (완) ① 몰아가다 ② (자동차, 비행기 등을) 납치(拉致)하다, 훔쳐가다 ③ 보내다, 파견(派遣)하다
угнаться (완) 멀어지지 않고 따라가다, 따라잡다
угнетатель (남) 압박자, 억압자(抑壓者)
угнетать (미완) ① 압박(억압)하다 ② 고통스럽게(상심하게)하다
угнетённый (형) ① 압박받는, ② 우울한, 의기소침한
уговаривать (미완) 설복(설득, 권고)한
уговариваться (미완) 약속(약정)하다
уговорить[ся] см. уговаривать[ся]
угода (여); в ~у кому-чему....에 유리하게, ...의 마음에 들도록
угодить (완) *см.* угождать
угодливый (형) 알랑거리는, 추종적인
угодничество (중) 알랑거리는 것, 아첨(阿諂), 추종(追從)
угодно ① (술어로) 필요하다; что вам ~? 무엇을 필요합니까?; кто ~ 누구든지; что ~ 무엇이든지; какой ~ 어떠한 것이든지; сколько ~ 얼마든지; когда ~ 언제든지; где ~ 어디서든지; куда ~ 어디로든지
угодный (형) 마음에 맞는
угодье (중) (흔히 복수) 유용지(有用地), 이용 장소; земельные ~я 농사짓는 땅,

농경지(農耕地); лесные ~я 산림(山林)
угождать (미완) 비위를 맞추어주다, 마음에 들게 하다
угол (남) ① 각, 각도; под углом в 45 градусов 45(사십오)도 각으로 ② 모, 모서리, 귀; ~ стола 책상모서리; на углу улицы 거리의 한 모퉁이에서 ③ 구석; в углу комнаты 방구석에; ходить из угла в ~이 구석 저 구석으로 왔다 갔다 하다 ◇ иметь свой ~ 자기 집에서 살다; из-за угла 배신적으로; под углом зрения... 의 견지(관점)에서
уголовник (남) 잡범, 형사범(刑事犯)
уголовный (형) 형사(刑事)의, 형법(刑法)의; ~ый кодекс 형법전(刑法典); ~ый преступник 형사범(刑事犯)
уголок (남) угол의 축소 ◇ красный ~ок 선전실; живой ~ок 생물연구소조, 사육장(飼育場); во всех ~ках мира 세계방방곡곡에서, 세계 이르는 곳마다에서
уголь (남) 석탄(石炭); каменный ~ 석탄; древесный ~ 숯
угольник (남) 곱자, 삼각자, 직각자
угольный (형) 석탄*
угольщик (남) 탄부
угомонить(완) 진정시키다,조용하게 하다
угомониться (완) 진정되다, 조용해지다
угонять (미완) *см.* угнать
угорать (미완), **~еть** (완) 탄산가스에 중독되다
угорь I (남) 뱀장어
угорь II (남) 여드름
угостить (완), **~щать** (미완) 대접하다, 권하다
угощаться (미완) 만족하게 먹다(마시다), 대접받다
угощение (중) ① 대접 ② 대접하는 음식; спасибо за ~ 많이(잘) 먹었습니다.
угрожать (미완) *кому-чему* 위험하다; ему ~ет опасность 그는 위험에 처해있

다

угрожающий (형) ① 위험적인 ② 위험한, 위태한

угроза (여) ① 위험(危險), 협박(脅迫), 위협적인 말 ② (있을 수 있는) 위험, 위험성; ~ войны 전쟁의 위험

угрозыск (남) (уголовный розыск) 형사수사국

угрызение (중); испытывать ~я сове- сти 양심의 가책을 받다

угрюмый (형) 우울한, 침울한, 무뚝뚝한; 음침한

удав (남)(동물) 왕사,(열대지방의) 구렁이

удаваться (미완) ① 성과적으로 끝나다, 성공하다; опыты удвлись ② (무인칭) кому (+미정형) 잘 되다, …하는데 성공하다, …할 기회가 생기다; ему всё удаётся 그는 모든 일이 잘 된다; ему удалось сделать это 그는 이것을 하는데 성공하였다

удавить (완) 목을 늘려죽이다

удавиться (완) 목메어죽다

удаление (중) ① 멀어지는 것; по мере ~я 멀리 갈수록, 멀리 떨어질수록 ② 뽑는 것, 없애는 것, 제거; ~е зуба 이를 뽑는 것 ③ 추방, 축출

удалить (완) ① 멀리하다 ② 쫓다, 추방하다 ③ 뽑다, 제거하다; ~ зуб 이를 뽑다

удалиться (완) ① 멀어지다, 떨어지다 ② 물러가다, 떠나다

удалой (형) 대담한, 용감한; мал, да удал (속담) 작아 고추가 맵다

удаль (여), **~ство** (중) 대담성, 용감성

удалять[ся] (미완) см. удалить[ся]

удар (남) ① 타격(打擊); нанести ~ 타격을 주다 ② 치는 (때리는)소리 ③ 공격(攻擊), 습격(襲擊); массированный ~ 집중공격 ④ 뜻밖의 불행, 재난, 정신적 타격; ~ судьбы 비운 ⑤ (채육) 숫;치기; кручён-ный ~ 깎아치기 ◇ быть в ~е 신바람이 나다

ударение (중) 역점

ударить (완) ① 때리다, 치다;~ по лицу 얼굴을 때리다 ② 습격(공격)하다 ◇ ~ли морозы 추위가 갑자기 닥쳐왔다

удариться (완) ① 부딪치다 ② 마주치다, 맞다 ③ 열중하다, 빠지다

ударник I (남) 돌격대원

ударник II (남) ① (군사) 격침 ② (음악) 타악기연주자

ударный (형) ① 돌격적인(突擊-); ~ая бригада 돌격대; ② 타격(打擊)*; ~ле космическое оружие 타격우주무기 ③; ~ые музыкальные инструменты 타악기

ударять[ся] (미완) см. ударить[ся]

удаться (완) см. удаваться

удача (여) 성공(成功), 행운; желаю ~и 성공을 바랍니다.

удачный (형) 잘된, 성공적인; 알맞는

удваивать (미완), **~оить** (완) 배로하다, 베가하다

удел (남) 운명(運命), 숙명(淑明)

уделить (완) см. уделять

удельный (형); ~ый вес 비중(比重); ~ая теплоёмкость 비열용량, 비열(比熱); ~ый объём 비용적

уделять (미완) 나누어주다; ~ внимание 주의를 들리다; ~ особое внимание чему ... 에 치중하다; ~ время 시간을 내다

удержание (중) ① 보전(保全), 유지(維持); ② 공제(控除), 공제액

удержать (완) ① (넘어지지 않도록) 잡다, 버티다, 받치다 ② 유지 (고수)하다; ~ первое место 제 1(일) 일을 고수하다 ③ 제하다, 공제하다 ④ 못하게 하다; ~ от необдуманного поступка 경솔한 행동을 못하게 하다 ⑤ 남아있게 하다

удержаться (완) ① 지탱하다, 유지되다,

넘어지지 않다 ② 남아있다 ③ 참다; ~ от смеха 웃음을 참다
удерживать[ся] *см.* удержать[ся]
удивительно (부) ① 매우, 대단히 ② (술어로) 놀라운 일이다, 이상하다; ~, что он уехал 그가 떠난 것이 이상하다
удивительный (형) ① 놀라운, 이상한, 경탄할 만한 ② 훌륭한
удивить[ся] (완) *см.* удивлять[ся]
удивление (중) 놀라움, 경탄; к моему ~ю 놀랍게도
удивлённо (부) 놀란 듯이, 놀라서
удивлять (미완) 놀래다, 경탄케 하다
удивляться (미완) 놀라다, 경탄하다, 이상히 여기다
удирать(미완) 도망(뺑소니)치다, 내빼다
удить (미완) 낚다, 낚시질하다
удлённый (완) 갸름한, 길쭉한
удлинить (완), **~ять** (미완) 길게 하다, 늘이다, 연장하다
удобно (부) ① 편리하게, 편안히 ② (술어로) 편리하다, 알맞다
удобный (형) ① 편리한, 편안한 ② 적당한, 적합한; ~ случай 좋은 기회
удобрение (중) ① 거름주기 ② 거름, 비료; минеральное ~я 광물질비료
удобрить (완), **удобрять** (미완) 거름을 주다, 비료를 치다
удобство (중) ① 편리, 편의; для ~а читалей 독자들의 편의를 도모하여 ② 편의시설; квартира со всеми ~ами 모든 편의시설을 갖춘 살림 집
удовлетворение(중) ① 충족 (만족) 시키는 것 ② 만족(감); с ~м 만족스럽게
удовлетворённо(부) 만족스럽게, 흐뭇이
удовлетворённость (여) 만족(滿足)
удовлетворительно (부) ① 만족할만하게, 기본요구에 맞게 ② (명사로) (중) (불변) (5단계 체점법에서) 보통, 3(삼)점

удовлетворительный (형) 만족할만한, 충분한
удовлетворить (완) ① (요구, 희망 등을) 충족(만족)시키다; ~ спрос(또는 потреб- ности) 수요를 충족시키다; ~ просьбу 요청을 받아들이다 (수락하다) ② кого 만족시키다, …의 부탁(요청)을 들어주다; ваш ответ меня не ~л 당신의 대답은 나에게 불만족합니다
удовлетвориться (완) 만족해하다
удовлетворение (미완) ① *см.* удовлетворить ② чему...에 부합되다, 알맞다; ~ всем требованиям 모든 요구에 부합되다 모든 요구에 알맞다)
удовлетвориться (미완) *см.* удовлетвориться
удовольствие (중) 즐거움, 기쁨, 만족; с ~м 쾌히, 기꺼이
удод (남) (조류) 후투티
удой (남) ① 젖짜는 량, 착유량 ② 젖짜기; молоко утреннего удоя 아침에 짠 우유
удойность (여) 젖짜는 량, 착유량
удорожание (여) 비싸지는 것, 값이 오르는 것, 인상
удорожать (미완) 비싸게 하다, 값을 올리다
удорожаться (미완) 비싸지다
удостаивать[ся] *см.* удостоить[ся]
удостоверение (중) ① 보증(保證), 확인 ② 증명서(證明書); ~ личности 신분증; служебное ~ 근무증명서; командировачное ~ 출장증명서
удостоверить (완) 보증(확인)하다; ~ подпись 인증하다
удостовериться (완) в чём 확인하다
удостоверять[ся] (미완) *см.* удостоверить[ся]
удостоить (완) чего ① (표창 등을) 주다, 수여하다 ② 관심을 돌리다
удостоиться (완) чего 받다, 수여받다; ~

награды 상(표창)을 받다
удосужиться (완) 틈타다, 짬을 얻다; не ~лся спросить 물어볼 짬도 없었다.
удочерить(완),**~ять**(미완) 양딸로 삼다
удочка (여) 낚시대; ловить на ~у 낚다, 낚시질하다 ◇ попасть ~у 속에 넘어가다; закинуть ~у 마음속을 떠보다 сматы- вать ~и 뺑소니를 치다
удрать (완) см. удирать
удружить (완) ① 친절히 하다 ② (본의 아니게) 해를 끼치다, 손해를 주다
удручать(미완) 상심케 하다, 낙심시키다
удручённый (형) 상심(喪心)한, 낙심(落心)한, 기가 죽은
удручить (완) см. удручать
удушить (완) 목을 늘러죽이다
удушливый (형) 숨막히는, 질식시키는
удушье (중) 숨막힘, 질식(窒息)
уединение (중) 고독(孤獨), 외로움; жить в ~и 고독하게 살다
уединёный (형) ① 외로운, 고독한; ~ая жизнь 고독한 생활 ② 쓸쓸한, 궁벽한; ~ый уголок 쓸쓸한 곳, 인적 없는 고장
уединиться (완), **~яться** (미완) 후로 떨어져나가다, 고독하게 되다, 은거하다
уезд (남) ① 군(郡); ② 가다
уездный (형) 군(郡)
уезжать (미완), **уехать** (완) 떠나가다, 가버리다, 출발하다
уж I (남)(동물, 뱀) 율모기
уж II ① см. уже ② (조) 참, 정말; ~ очень много 참 많기도 하다; ~ я не знаю 나는 정말 모르겠습니다.
ужалить (완) ① (곤충이) 쏘다 ② (뱀이) 물다
ужас(남) ① 무서움, 공포; его охватил ~ 그는 공포에 쌓였다 ② (복수) 참상, 비참한 처지 ③ (부사로)매우, 아주, 무섭게; ~ как холодно 아주 춥다 ④ (술어로) 무섭다, 끔찍하다, 말이 아니다, 비참하다 ◇ до ~а 몹시, 극히; приходить в ~ 공포를 느끼다
ужасать[ся] (미완) см. ужаснуть[ся]
ужасающий (형) 무서운
ужасно (부) ① 몹시, 극도로; ~ жарко 몹시 덥다 ② (술어로) 무섭다; это ~! 끔찍하다! 참 무서운 일이다!
ужаснуть (완) 몹시 놀라다
ужаснуться (완) 몹시 놀라다
ужасный (형) ① 무서운 ② 심한, 비상한; ~ ветер 심한 바람 ③ 지독히 나쁜
уже (부) 벌써, 이미
уживаться (미완) с кем...와 사이좋게 지내다
уживчивый (형) 사귐성 있는, 사이좋게 살줄아는
ужимки (복수) 부자연스러운 몸짓
ужин (남) ① 저녁 (식사) ② 만찬 (회); дать ~ в честь кого...를 위하여 만찬을 차리다(마련하다)
ужинать (미완) 저녁을 먹다, 저녁식사를 하다
ужиться (완) см. уживаться
узаконить (완) 합법화하다, 공인하다, 법적효력을 부여하다
узбеки (복수) (~к (남), ~чка (여)) 우즈베크사람(들)
Узбекистан (남) 우즈베키스탄; Узбекская Советская Социалистическая Респуб- лика 우즈벡 사회주의공화국
узбекский (형) 우즈베크*
узда (여) 굴레 ◇ держать в ~е кого 구속(억제)하다
узел I (남) ① 매듭: двойной ~ 막매듭 ② 꾸러미, 보따리 ③ (철도) 부기점; 교차점, 중심점 ④ (공학) 부분조립품 ⑤ (해부) 마디, 절
узел II (남) (해양) 놋트, 해리(海里)
узкий (형) ① 좁은 ② 협소한
узковедомственный (형) 기관 (부서) 본위주의적인; ~ подход 기관 (부서) 본

위주의
узкоколейка (여) 좁은 철길, 협궤 철도
узкоколейный (형); ~ая железная дорога 좁은 철길, 협궤 철도
узловой (형) ① 교차*; ~ая станция (철도) 분기역;~ой пункт 분기점 ② 기본적인, 중심*, 주요한; ~ой вопрос 기본문제, 주요문제
узнавать (미완), **узнать** (완) ① 알아보다; еле узнал его 겨우 그를 알아보았다 ② 알다; ~ все новости 모든 새 소식을 알다 ③ 물어보아서 알다
узник (남) 죄수(罪囚), 죄인(罪人)
узор (남) 무늬
узорчатый (형) 무늬 있는
узость (여) 좁은 것, 협소(狹小)
узурпатор (남) 탈취자(奪取者)
узурпация (여) (권력 등의) 탈취
узурпировать (미완, 완) 빼앗다;~ власть 권력을 탈취 하다
узы (복수)유대; ~ дружбы 친선의 유대
уйгуры (복수) (~ (남), ~ка (여)) 위구르 사람(들)
уйма (여) 다수, 다량; ~ работы 일이 매우 많다; ~ вещей 많은 양의 물건, 숱한 물건
уйти (완) см. уходить
указ (남) 정령(精靈)
указание (중) 교시, 가르침, 지시
указанный (형) 지적된; ~ выше 위에서 지적한, 상술한
указатель (남) ① 표식(標式) ② 색인
указательный(형); ~ палец 집게손가락
указать (완) см. указывать
указка (여) 지시봉
указывать (미완) ① на кого-что 가리키다 ② 교시하다, 가르치다 ③ 알려주다, 대주다 ④ 지적 (지정)하다; ~ срок 기한을 지정하다; указанный срок 지정된 기한
укатить (완) ① 굴리다, 굴려보내다; ~ мяч 공을 굴리다 ② (타고) 가버리다, 떠나가다
укатиться (완) 굴러가다
укачать (완), **укачивать** (미완) ① (흔들어) 재우다 ② (흔들어서) 멀미나게 (졸계)하다; меня укачало 나는 멀미났다
уклад (남) 경제형태, 제도, 양식(樣式)
укладка (여) ① 넣는 것 ② 붙이는 것, 까는것; 포장 ③ (선로 등의) 부설
укладывать (미완) ① 눕히다; ~ спать 재우다 ② 넣다, 집어넣어 두다; ~ книги в шкаф 책을 장안에 넣다 ③ 꾸리다; ~ вещи [в дорогу] (떠날 차비를 하면서) 짐을 꾸리다 ④ 부설하다; ~ рельсы 선로를 부설하다
укладываться I (미완) ① 눕다 ② 다 들어가다
укладываться II (미완) (일정한 기간내에) 끝내다; (일정한 범위를) 차지하다
уклон (남) ① 경사, 내리받이 ② 편함, 경함; левый ~ 좌경; правый ~ 우경
уклонение (중) 회피, 기피; ~ от ответственности 책임회피
уклониться (완) см. уклоняться
уклончивый (형) 회피적인, 애매한; ~ ответ 솔직하지 못한 대답, 애매한 대답
уклоняться (미완) 회피하다;~ от ответа 대답을 회피하다
укол (남) ① 찌르는 것 ② 주사; делать больному ~ 환자에게 주사를 놓다
уколоть (완) 찌르다
уколоться (완) 찔리다
укомплектовать см. комлектовать
укор (남) 비난; с ~ом 비난하여
укорачивать (미완) 짧게 하다, 줄이다; ~ рукава 소매를 줄이다
укорениться (완), **~яться** (미완) 뿌리를 박다, 확립되다
укоризна (여) 비난(非難), 책망(責望)
укоризненно (부) 비난(책망)하여

укоротить (완) *см.* укорачивать
укорять (미완) 비난 (책망)하다
украдкой (부) 남몰래, 슬그머니, 가만히
Украина(여) 우크라이나; Украинская Со-ветская Социалистическая Республика 우크라이나 사회주의공화국
украинский (형) 우크라이나*
украинцы (복수) (~ец (남), ~ка (여)) 우크라이나사람(들)
украсить[ся] (완) *см.* украшать[ся]
украсть (완) 훔치다, 도적질하다
украшать (미완) 꾸미다, 장식(미화)하다
украшаться (미완) 장식 (미화)되다
украшение(중) ① 장식, 미화 ② 장식품
укрепить[ся] *см.* укреплять[ся]
укрепление (중) ① 강화(强化), 공고화(鞏固化) ② 보루(堡壘), 요새방어시설
укреплять (미완) ① 강화하다, 공고히 하다; ~ трудовую дисциплину 노동규정을 강화하다 ② (몸 등을) 튼튼히 하다, 건강하게 하다③
укрепляться (미완) ① 강화되다, 공고해지다 ② 튼튼해지다
укромный (형) 쑥쑥한, 한적한; ~ое место 한적한곳
укроп (남) (식물) 나도회향
укротитель (남), ~ница (여) (맹수를) 길들이는(다루는)사람
укротить(완), ~щать (미완) 길들이다
укрывательство (중) 범인을 숨기는것
укрывать (미완) ① 덮다, 쐬우다 ② 숨기다, 감추다
укрываться (미완) ① 꼭 덮다, 두르다 ② 숨다, 대피(잠복)하다
укрытие (중) (군사)엄폐부, 대피소
укрыть[ся] (완) *см.* укрывать[ся]
уксус (남) 초, 식초(食醋)
уксусный (형); ~ая кислота 초산

укус (남) ① 무는 것, 찌르는 것 ② 물린(찔린) 자리
укусить (완) 물다, 찌르다
укутаться (완), ~ываться (미완) 몸을 감싸다, 폭 되 집어쓰다
улавливать (미완) *см.* уловить
уладить[ся] (완) *см.* улаживать[ся]
улаживать (미완) 처리(해결)하다
улаживаться (미완)처리(해결)되다
уламывать (미완) *см.* уломать
Улан-Батор (남) 울란바또르
улей (남) 벌집, 벌통
улетать (미완), ~еть (완) ① 달아가다 ② (비행기를 타고) 떠나가다
улетучиваться (미완), ~ться (완) ① 휘발 (증발, 기화)하다; эфир ~лся 에테르가 증발하였다 ② 슬그머니 없어지다 (가버리다)
улечься (완) ① *см.* укладываться I ② (공중에 떠있던 것이) 가라앉다; пыль улеглась 먼지가 가라앉았다
улизнуть (완) 슬며시 나가다
улика (여) 유죄증거(물); ~и налицо 증거는 명백하다
улитка (여) 달팽이
улица (여) ① 거리 ② 바깥; на ~е было темно 바깥은 어두웠다
уличать (미완), ~ить (완) 죄상을 밝히다, 죄상을 증명(폭로)하다; ~ить во лжи 거짓을 폭로하다
уличный (형) 거리*, 시가*; ~ое движение 시내교통
улов (남) 어로실적, 어획량
уловить (완) ① 감각(이해, 지각, 감촉)하다 ② 잡다
уловка (여) 꾀, 술책(術策), 속임수; прибегать к ~м 꾀를 쓰다
уложить (미완) *см.* укладывать
уложиться (완) *см.* укладываться II
уломать (완) 겨우 설복 (설득)하다
улучить(완); ~ момент 기회를 엿보다

улучшать (미완) 개선(개량)하다
улучшаться (미완) 좋아지다, 개선(개량)되다
улучшение (중) 개선(改善), 개량(改量)
улучшенный (형) 개선 (개량)된
улучшить[ся] (완) *см.* улучшать[ся]
улыбаться (미완) 웃다, 미소하다, 생글거리다
улыбка (여) 웃음, 미소; с ~ой 웃음(미소)을 띠고, 생글거리면서
улыбнуться (완) *см.* улыбаться
ультимативный (형) 단호한
ультиматум (남) 위협적인 요구, 최후통첩(最後通牒), 강요(強要)
ультра- (합성어의 첫 부분으로서 «초», «극도», «과잉»의 뜻);
ультракоротковолновый (형) 초단파;
ультралевый (형) 극좌파
ультразвук (남) 초음파(超音波)
ультракороткий (형) 초단(超短)의; ~ие волны 초단파(超短波)
ультрафиолетовый (형); ~ые лучи 자외선(紫外線)
ум (남) ① 지혜(智慧), 지능(知能), 이지(理智), 두뇌(頭腦) ② 사상선; быть без ~а от *кого-чего* 감탄(感歎) (탄복)하다; считать в ~e 암산하다; прийтина ~ 생각나다, 생각이 들다; ~а не приложу 모르겠다, 생각이 닿지 않는다.; жить своим ~ ом 자기 견해를 견지하다
умаление (중) 손상(損傷), 훼손(毀損)
умалить (완) *см.* умалять
умалишённый (남) 미친 사람
умалчивать (미완) 침묵을 지키다, (말하지 않고 마음속에) 감추어두다
умалять (미완) 넘보다; 손상시키다, 훼손시키다
умелец (남) 솜씨있는 사람, 기능자
умело (부) 솜씨있게, 능란(능숙)하게
умелый (형) 솜씨있는, 능란한
умение (중) 솜씨, 수완, 능력(能力)

уменьшаемое (중)(수학) 빼임수(피감수)
уменьшать (미완) 줄이다, 적게하다, 작게하다, 감소(축소)하다
уменьшаться (미완) 줄다, 적어(작아)다, 감소(축소)되다
уменьшение (중) ① 감소(減少), 축소(縮小) ② 감소(축소) 량
уменьшить[ся] (완) *см.* уменьшать[ся]
умеренный (형) ① 치우치지 않은, 적당한 ② (기후 등이) 온화한
умереть (완) *см.* умирать
умертвить (완) ① 죽이다, 살해하다 ② (신경 등을) 죽이다
умерший ① умереть 의 능동과거 ② (명사로)(남) 죽은 사람, 고이
умерщвлять (미완) *см.* умертвить
уместить (완) ① 다 걷어 넣다 ② 놓다, 배열하다
уместиться (완) 다 들어가다, 자리잡다
уместный (형) 적당한, 알맞은
уметь (미완) (+미정형) 할줄 알다; ~ть рисковать 그릴줄 알다;не ~ли читать и писать 읽을 줄도 쓸 줄도 몰랐다
уменьщать[ся] *см.* уместить[ся]
умирать (미완) ① 죽다, 사망하다, 서거하다 ② 사라지다, 소멸하다
умнеть (미완) 영리해지다
умница (남, 여) 재간둥이
умножать[ся] (미완) *см.* умножить[ся]
умножение (중) (수학) 곱하기, 승법(乘法); таблица ~я 구구표
умножить (완) ① (수학) 곱하다; три ~ на пять 3(삼)을 5(오)로 곱하다 ② 불구다, 증가시키다
умножиться (완) 불어나다, 증가되다, 증대되다.
умный (형) 영리한, 지혜있는
умозаключение (중) 추리, 삼단논법
умолить (완) *см.* умолять
умолк(남); без ~у 쉴새없이, 끊임없이
умолкать (미완), **умолкнуть** (완) 잠잠해

지다, 조용해지다, 멎다
умолчать (완) *см.* умалчивать
умолять (미완) 간절히 빌다, 간청하다, 애걸하다
умопомешательство (중) 광기(狂氣), 정신착란(精神錯亂)
умопомрачительный (형) 굉장한, 놀랄 만한, 상상하기 어려운
уморительный (형) 우습기 짝이 없는, 우스꽝스러운
уморить (완) ① 죽이다 ② 몹시 지치게 하다, 몹시 괴롭히다 ◇ ~ со смеху 허리가 끊어질 정도로 웃기다
умственный (형) 정신적(精神的)인, 지적인; ~ труд 정신노동(精神勞動)
умудрённый (형); ~ опытом 경험(經驗)이 풍부한
умудриться (완), **~яться** (미완) (+미정형) …할 수 있게 되다, …할 기회를 찾아내다
умчаться (완) 빨리 달려가다, 질주하다
умывальник (남) 세면대
умывание (중) 세수
умывать (미완) 세수시키다, 씻어주다
умываться (미완) 세수하다, 씻다
умысел (남) 기도, 음모(陰謀); без всякого ~ла 아무 생각없이; с ~лом 일부러
умыть[ся] (완) *см.* умывать[ся]
умышленно (부) 고의로, 고의적으로, 일부러, 우정(友情)
умышленный (형) 고의적인, 의도적인
унаследовать (완) *см.* наследовать
унести (완) *см.* уносить
унестись (완) ① 빨리 가버리다, 멀어지다 ② (환상, 생각이) …에로 달리다
универмаг (универсальный магазин) (남) 백화점(百貨店)
универсальность(여) 보편적인것
универсальный (형) 만능(萬能)의; 보편적인; ~ое средство 만능약
университет (남) 종합대학(綜合大學)

унижать (미완) 업신여기다, 인격을 모욕하다, 자존심을 꺾다, 천대하다
унижаться (미완) 비굴해지다, 자기를 낮추다
унижение (중) 업신여기는 것, 천대(賤待), 모욕(侮辱); терпеть ~я 모욕을 당하다, 천대받다
униженный (형) 모욕당한
унизительный (형) 모욕적인
унизить[ся] (완) *см.* унижать[ся]
уникальный (형) 희귀한, 들도 없는
уникум (남) 하나 밖에 없는 것, 둘도 없는 것, 희귀한 것
унимать (미완) ① 진정시키다, 조용하게 하다 ② (감정 등을) 누르다, 억제하다
униматься (미완) ① 진정되다, 조용해지다 ② 멎다, 덜해지다
унификация (여) 일원화(一元化)
унифицировать (미완, 완) 일원화하다
уничтожать (미완) 격멸하다, 소탕하다, 숙청하다
уничтожаться (미완) 청산되다
уничтожение(중) 격멸, 소탕, 청산, 숙청
уничтожить[ся] *см.* уничтожать[ся]
уносить (미완) ① 가지고(들고, 메고, 지고)가다, 나르다; ② 몰래 가져가다, 빼앗아가다; ③ (물, 바람 등으로) 떠내려 보내다, 날려 보내다
уноситься (미완) *см.* унестись
унывать (미완) 낙심하다 침울해하다
унылый (형) 침울한, 우울한, 구슬픈
уныние (중) 침을, 우울, 의기소침
унять[ся] (완) *см.* унимать[ся]
упадок (남) 쇠퇴(衰退), 몰락; прийти в ~ 쇠약해지다
упаковать (완) *см.* упаковывать
упаковка (중) ① 짐(물건)을 꾸리는 것, 포장 ② 포장재료
упаковщик (남), **~ца** (여) 포장공

упаковывать (미완) 짐을 꾸리다(싸다)
упасть (완) *см.* падать
упереться (완) *см.* упираться
упиваться (미완) ① 실컷 마시다, 취하도록 마시다 ② *чем* 즐기다, 열중(도취)하다
упираться (미완) ① 기대다, 버티다; ~ ногами в землю 땅에 두 발을 버티고 서다 ② 부딪치다 ③ 고집을 쓰다; он упёрся на своём 그는 자기주장을 하다, 고집부리고 있다
упитанный (형) 살진
упиться (완) *см.* упиваться
уплата (여) 지불(支佛), 납부(納付)
уплатить (완), **уплачивать** (미완) 물다, 지불(납부)하다; ~ за квартиру 택시사용료를 내다, 집세를 물다
уплотнение (중) ① 압축(壓軸), 굳히는 것, 다지는 것 ② 굳어진 곳 ③ (의학) 침
уплотнить (완), **~ять** (미완) ① (굳게) 다지다, 굳히다, 압축하다; ~ять грунт 땅을 굳게다지다 ② 죄다, 밀집시키다 ③ 밀도를 높이다
уплывать (미완), **~ыть** (완) ① 헤엄쳐 가다, 떠가다, 항행하여가다 ② (시간, 사건 등이) 지나가다, 사라지다
уповать (미완) на *кого-что* 기대하다, 굳게 믿다; ~ на успех 성공을 굳게 믿다
уподобить[ся] *см.* уподоблять[ся]
уподоблять (미완) …와 비슷하게하다, …와 유사하게 하다
уподобляться (미완) 비슷하게 되다, 유사하게 되다, 닮다
упоение (중) 환희(歡喜), 열중(熱中), 도취; работать с ~м 열중하여 일하다
упоительный (형) 열중 (경탄)하게 하는
уползать (미완), **~ти** (완) 기어가다
уполномоченный(남)전권위원, 전권대표

уполномочивать (미완), **~ть** (완) 전권을 맡기다(위임하다); ~ на ведение дела 사무처리를 위임하다
упоминание (중) 언급(言及), 지적
упоминать (미완), **~януть** (완) ① 언급하다, 지적하다 ② (이름을) 들다, 열거하다; ~янутый выше 위에서 말한, 상술한 것 같이
упор (남) ① 고이는 것, 버티는 것, 의지하는 것 ② 고임대, 지주, 지점 ◇ делать ~ на ….에 치중하다; выстрелить в ~ 총구를 바싹대고 쏘다; смотреть в ~ 맞대고 보다
упорно (부) 꾸준히, 완강하게, 검질기게
упорный (형) 꾸준한, 완강한, 검질긴; ~ая борьба 완강한, 투쟁(鬪爭)
упорство (중) 완강성, 고집(固執)
упорствовать (미완) 고집(固執)하다, 완강(頑强)히 굴다
упорхнуть (완) (새가) 날아가다
упорядочение (중) 정리, 정돈
упорядочить (완) 정리 (정돈)하다
употребительный(형)널리(흔히 쓰이는)
употребить (완) *см.* употреблять
употребление (중) 사용(祉用), 이용(利用); способ ~я 사용법
употреблять (미완) 쓰다, 사용하다
употребляться (미완) 쓰이다, 사용(私用)되다, 이용(利用)되다
управление (중) ① 운전(運轉), 조종; 조종장치; ~ автомобилем 자동차운전; дис- танционное ~ 원격조종 ② 관리(管理), 지휘(指揮), 통치(統治) ③ 관리기관, 국(局); плановое ~ 계획국, 기획국
управленческий (형); ~ аппарат 관리기구(管理機構)
управляемый (형) 조종(유도)되는; ~ спуск 조종하강; ~ снаряд 유도탄
управлять (미완) *кем-чем* ① 운전(조종)하다 ; ~ автомобилем 자동차를 운전하

다 ② 관리(지휘, 통치)하다
управляющий (남) 관리인, 지배인, 주임; ~ банком 은행총재
упражнение (중) ① 연습(練習), 훈련(訓練) ② 연습문제, 과제; сборник ~й 연습문제집
упражняться (미완) в чём, нра чём 연습(練習)하다, 실습(實習)하다, 훈련(訓練)하다; ~ в музыке 음악을 연습하다; ~ на рояле 피아노를 연습하다
упразднение (중) 폐지, 해산, 해체
упразднить (완), **~ять** (미완) 없애다, 폐지하다, 해산(解散)하다, 해체(解體)하다; ~ить лишнюю должность 필요 없는 직무를 폐지하다
упрашивать (미완) 간청 (탄원)하다, 간청하여 동의하게 하다
упрёк (남) 비난, 나무람
упрекать (미완) 비난하다, 나무라다; ~ в скупости 인색하다고 비난하다
упрекнуть (완) упрекать의 일회태
упросить (완) см. упрашивать
упростить[ся] (완) см. упрощать[ся]
упрочение (중) 강화(强化), 공고화
упрочить (완) 공고히(튼튼히)하다
упрощать (미완) 간단(단순)하게 하다, 간소화하다
упрощаться (미완) 간단(단순)하게 되다, 간소화되다
упрощение (중) 단순화, 간소화; 비속화
упрощенчество (중) 비속화(卑俗化)
упругий (형) 탄력있는, 탄성이 있는
упругость (여) 튐성, 탄력성(彈力性)
упряжка (여); оленья(собачья) ~ 사슴썰매, 개 썰매
упряжь (여) 마구
упрямец (남) 고집쟁이
упрямиться (미완) 고집쓰다
упрямство (중) 고집(불통), 완고
упрямый (형) 고집이 센, 완고한, 억지쓰는; ~ факты- ~ая вещь 사실은 움직일 수 없다
упрятать (완) ① (깊이, 잘) 감추다, 숨겨두다, 은폐하다 ② (빠져나오기 어려운 곳에) 쑤셔 넣다, 처넣다, 쫓아 보내다
упускать (미완), **~тить** (완) 놓치다, 놓아버리다; ~тить из рук 손에서 떨어뜨리다; ~тить случай 기회를 놓치다 ◇ ~тить из виду(또는из вида) 잊어버리다
упущение (중) 잘못, 실수(失手)
ура (감) 만세 (외침소리); кричать ~ 만세를 부르다
уравнение (중) ① 평등 (균등)하게 하는 것, 균일화 ② (수학) 방정식; дифференциальное (алгебраическое) ~ 미분(대수)방정식
уравнивать I (미완) 동등하게하다, 평등하게하다, 균등하게하다
уравнивать II (미완) 고르게 하다, 평평하게하다
уравниловка (여) 부당한 균등화, 평균주의, 평균
уравновеситься см. уравновешиваться
уравновешенный (형) 침착한, 듬직한, 절도있는; ~ характер 침착한 성격
уравновешивать (미완) ① 무게를 균등하게하다 ② 균형을 잡다, 평등하게 하다, 동등하게 하다
уравновешиваться (미완) ① 무게가 균등하게 되다 ② 균형이 잡히다, 평등(동등)하게 되다
уравнять (완) см. уравнивать I
ураган (남) 폭풍(暴風), 태풍(颱風)
ураганный (형) 질풍같은; ~ ветер 몹시 세찬바람; ~ огонь 맹사격
уразуметь (완) 깨닫다, 이해(해득)하다
уран (남) (화학) 우라늄(uranium)
Уран (남) (천문) 천왕성(天王星)
урановый (형) 우라늄(uranium)의; ~ая руда 우라늄광(uranium 鑛)
урбанизация (여) ① 인구의 도시집중

② 도시화(都市化)

урвать (완) ① 빼앗아가다 ② 짬을 내다; ~ время для разговора 담화하기 위해 짬을 내다

урегулирование (중) 조절(調節), 조정(調整); 정리, 처리

урегулировать (완) 조절하다, 조정하다; 정리하다, 처리하다

урезать (완) ① 베어내다, 잘라서 줄이다 ② 짧게 하다, 감소하다, 줄이다; ~ расходы 지출을 줄이다

урезонить (완) 타이르다

урезывать (미완) см. урезать

уремия (여) (의학) 오줌독증, 요독증

уретра (여) (해부) 오줌길, 요도(尿道)

урна (여) ① 투표함 ② 유물함 ③ (거리의) 휴지통(休紙桶)

уровень (남) ① 수준(水準), 수위(水位), 수평(水平); ~ воды 물면, 수위, 수면, 2000 метров над уровнем моря 해발 2000 미터이다; ~ 수준(水準); жизненный ~(또는~ жизни) 생활수준: повысить ~ 수준을 높이다; культурный ~ 문화수준 ② 수준기(水準器), 수평기, 다림판 ◇ встреча на высшем уровне 최고위급회담(最高位級會談)

уровнять (완) см. уравнивать II

урод (남) ① 병신(病身), 불구자(不具者) ② 흉하게 생긴 사람, 흉물(凶物)

уродить (완) 낳다

уродиться (완) ① 익다, 여물다; хорошо ~ 대풍이 들다; в кого 닮다; ~ в отца 아버지를 닮다

уродливый (형) ① 기형적(畸形的)인, 불구* ② 보기 흉한; ~ая внешность 보기 흉한 모습 ③ 비정상적(非正常的)인, 변태적(變態的)인, 괴상한

уродовать (미완) ① 병신으로 만들다 ② 보기 흉하게 만들다 ③ 마스다, 깨뜨리다 ④ 왜곡하다, 손상시키다

уродство (중) ① 기형성(奇形性), 불구 ② 보기 흉한 외모 ③ 부정적(否定的)인 것, 비정상적(非正常的)인 것

урожай (남) ① 수확, 수확고; хороший (плохой) ~ 풍(흉)작; средний ~ 평균수확고: второй ~ 뒷그루; собирать ~ 수확(가을걷이)하다 ② [хороший] ~ 풍작; в прошлом году был ~ на яблоки 지난해는 사과가 풍작이었다.

урожайность (여) 수확고(收穫高), 수확능력(收穫能力)

урожайный (형) 수확이 많이 나는; ~ый год 풍년; ~ые сорта 단수확품종

уроженец (남) ~ка 출신(出身), 내기; ~ец Пхеньяна 평양출신

урок (남) ① 수업시간(授業時間); ~ математики 수학시간 ② 숙제; делать(또는 учить) ~и 숙제를 하다 ③ 과(科); пер- вый ~ 제 1 (일) 과 ④ 교훈(教訓); ~и истории 역사의 교훈; это вам послужит хорошим ~ом 이것은 당신에게 좋은 교훈으로 될 것이다

уролог (남) 비뇨기과의사(泌尿器科醫師)

урологический (형) 비뇨기학의

урология (여) 비뇨기학(泌尿器學)

урон (남) 손해(損害), 손실; наносить ~ 손해를 끼치다; понести (또는 потерпеть) ~ 손해를 입다

уронить (완) 떨어뜨리다

урочный (형); ~ое время 정해진 시간

Уругвай (남) 우루과이

урчать (미완) (배에서) 꾸룩꾸룩하다; (개, 고양이 등의 목에서) 가르랑거리다

урывками (부) 때때로, 짬짬이, 틈틈이

урюк (남) 말린 살구

усадить (완) ① 앉히다; ~ детей 아이들을 앉히다 ② за что 또는 (+미정형) ... 에 하게 하다; ~ ребёнка за книгу 아이로 하여금 (아이를 앉혀놓고) 책을 읽게 하다

усадьба (여) ① (농촌) 저택(邸宅)(주로 농촌지주의) 살림집 ② 주택지구 ③

(꼴호즈 등의) 경영 (및 주택) 중심
усаживать (미완) *см.* усадить
усаживаться (미완) ① 앉다, 자리를 차지하다 ② за *что* (앉아서 어떤 일에) 달라붙다, 착수하다
усатый (형) 콧수염이 있는
усваивать (미완) ① 섭취(攝取) (습득, 파악)하다: 배우다, 본을 따다 ② 소화하다
усвоение (중) ① 섭취(攝取), 습득(習得), 파악(把握) ② 소화, 흡수(吸收)
усвоить (완) *см.* усваивать
усвояемость (여) 소화흡수율
усеивать (미완) *см.* усеять
усердие (중) 열성(熱誠), 열심(熱心); с ~м 열심히, 부지런히
усердно (부) 열심히, 꾸준히
усердный(형) 꾸준한, 부지런한, 열성적인
усердствовать (미완) 열심히 하다, 힘을 다하다
усесться (완) *см.* усаживаться
усечённый (형) ①; ~ конус 원추대 ② 생략된
усеять (완) 전면 (사방)에 뿌리다, 가득 뿌려서 덮다; звёзды ~ли небо 하늘에 별들이 총총하다
усидчивый (형) 끈기있는
усиление (중) 강화(强化), 확대, 증강
усиленно (부) 심하게, 강열 (격렬)하게
усиленный (형) 강화된; ~ое питание 영양가가 높은 식사; ~ая охрана 특별경비
усиливать (미완) 강하게 하다, 강화 (확대, 증강)하다; ~ питание 식사의 영양가를 높이다
усиливаться (미완) 강해지다, 심해지다, 증대되다
усилие (중) 노력(努力); прпилагать ~я 노력하다, 노력을 기울이다
усилитель (남) (전기) 증폭기, 증강기.
усилить[ся] (완) *см.* усиливать[ся]

ускакать (완) (말을 타고) 빨리 가버리다, 껑충껑충 뛰어가다
ускользать (미완), **~нуть** (완) ① 빠져나가다 ② 빨리 가버리다. 갑자기 가버리다, 사라지다
ускорение (중) ① 촉진(促進), 재촉;~ научно-технического прогресса 과학기술적 진보의 촉진 ② 보다 빨라지는 것 ③ (물리) 가속도(加速度)
ускоренный (형) 더 빠른, 빨라진; ~ая съёмка 가속촬영(加速撮影);~ое обучение 단기수업
ускорить[ся] (완) *см.* ускорять[ся]
ускорять (미완) ① 다그치다, 촉진하다, 속력을 더 내다; ~ шаг 걸음을 다그치다; ~ дело (또는 работу) 사업을 촉진하다 ② (시간, 시기를) 앞당기다
ускоряться (미완) 더 빨라지다
уславливаться (미완) *см.* условиться
уследить (완) за *кем-чем* 눈을 떼지 않다, 감시 (주시)하다
условие (중) ① 조건(條件), 상태(常態); непременное (또는 необходимое) ~ 필수조건 ② 조건부(條件附)
условиться (완) 약속(約束)하다; ~ о встрече 만나기로 약속하다
условленный (형) 약속한, 약정한
условно (부) 조건부로, 조건적으로, 가정적으로
условный (형) ① 조건부가 있는; ~ое согласие 조건부 동의 (합의) ② 조건*; ~ый союз (언어) 조건접속사; ◇ ~ый знак(또는 ~ые знаки) 약호(略號); ~ый рефлекс (생리) 조건반사(條件反射)
усложнить[ся] (완) *см.* усложнять[ся]
усложнять (미완) 복잡 (착잡)하게 하다
усложняться (미완) 복잡 (착잡) 해지다
услуга (여) ① 방조; оказать ~у 방조하다 ② (복수) 편의봉사
услужить (완) 돕다, 봉사하다, 친절하다

услужливый (형) 시중들기 좋아하다
услыхать (완) *см.* услыщать
услышать (완) 듣다
усматривать (미완) *см.* усмотреть
усмехаться (미완), **~нуться** (완) 코 웃음치다, 픽 웃다, 빙긋하다
усмешка (여) 코웃음, 비웃음; с ~ой 비웃으면서
усмирение (중) ① 진정 ② 진압(鎭壓)
усмирить (완), **~ять** (미완) ① 진정시키다 ② 진압하다
усмотрение (중); по своему ~ю 자기마음대로; предостовляю это на ваше ~е 당신의 재량에 맡깁니다.
усмотреть (완) ① 살펴보다 ② 발견하다, 알아차리다; ~ в этом злой умысел 여기에 흉계가 숨어있다는 것을 알아차리다
уснуть (완) 잠들다
усовершенствование (중) ① 개선(改善), 개량(改量), 완성(完成) ② 개선된 점, 개량된 점
усовершенствовать (완) 개선하다, 개량하다, 완성하다
усовершенствоваться (완) 개선되다, 개량되다, 완성되다
усовестить (완) 꾸짖다, 뉘우치게 하다
усомниться (완) в ком-чём 의심하다, 의혹을 품다
усохнуть (완) 말라서 무게가 줄다
успеваемость (여) 학업성적
успевать (미완) ① *см.* успеть ②; [хорошо] ~ 공부 잘하다, 성적이 우수하다
успевающий (형) 성적이 좋다, 공부를 잘 하다는
успеть (완) ① …할 시간이 있다; я не ~л пообедать 나는 점심 먹을 틈이 없었다. ② (때마침, 제때에) 미치다, 다 닿다; ~ть на поезд 기차시간에 맞게 오다 (다 닿다); ~ть к обеду 점심시간에 때마침 오다 (다 닿다)

успех (남) ① 성과, 성공; добиться ~а 성공을 거두다; достигнуты определённые ~и 일정한 성과가 이룩되었다; иметь ~ 성공하다; желаю вам ~а! (당신에게) 성과가 있기를 바랍니다. ② (흔히 복수) 좋은 성적 ③ 호평(好評); с большими ~ом 대성황리에
успешно (부) 성과적으로
успешный (형) 성과적인
успокаивать (미완) ① 달래다 진정시키다, 안심시키다 ② (아픔, 흥분 등을) 가라앉히다
успокаиваться (미완) ① 조용해지다, 진정하다, 안심하다 ② 가라앉다, 잠잠해지다, 멎다
успокоить[ся] *см.* успокаивать[ся]
уста (복수) 입, 입술; из уст в ~ 이 사람으로 부러 저 사람에게, 이 사람 저 사람 입을 거쳐
устав (남) ① 규약(規約); ~ партии 당규약 ② 헌장; Устав ООН 유엔헌장
уставать (미완) *см.* устать
устало (부) 피곤 (피로) 한듯이
усталость (여) 피곤, 피로
усталый(형)피곤한, 피로한, 지친, 고달픈
усталь (여); без ~и 쉴새없이
устанавливать[ся] *см* установить[ся]
установить (완) ① 놓다, 새우다, 배치 (설치)하다; ~ памятник 기념비를 새우다 ② 정하다, 제정 (성정)하다; ~ цену 가격을 정하다 ③ 확증(확인) 하다, 밝혀내다
установиться (완); ~лась тишина 조용해졌다; ~лись дружеские отношения 우의적인 관계가 맺어졌다
установка (여) ① 설치(設置), 가설(假設); ~ телефона 전화가설 ② 설비(設備), 장치(裝置), 시설(施設); силовая ~ 동력설비 ③ 지시(指示), 지령(指令)
установление (중) ① 확증(確證), 확인

(確認); ~ факта 사실의 확인 ② 법규(法規)

установленный (형); ~ порядок 제정된 질서; 정해진 절차

устаревать (미완) *см.* устареть

устарелый (형) 낡아빠진; ~ое слово 현재 쓰이지 않는 단어 (말), 말투

устареть (완) 낡아지다, 현대에 맞지 않게 되다

устать (완) 피곤 (피로)해지다, 지치다

устилать (미완); устлать (완) 깔다; ~ пол коврами 마루에 주단을 깔다

устно (부) 말로, 구두(口頭)로

устный (형) 구두*, 구답*; ~ая речь 입말; ~ый экзамен 구답 시험

устои (복수) 기초, 지반, 토대

устойчивость (여) ① 안정성(安定性) ② 확고성; 고정성, 불변성(不變性)

устойчивый (형) ① 안정된; ~ые урожаи 안정된 수확 ② 고정된; ~ая погода 별로 변동이 없는 날씨; ~ое словосочетание (언어) 공고한 단어결합

устоять (완) ① 버티다, 지탱하다; ~ на ногах 두 발로 버티고 서있다 ② (요구, 유혹 등을) 이겨내다

устояться (완) 안정되다, 고정화 되다, 침착(沈着)해지다

устраивать (미완) ① 꾸미다, 조직(組織)하다; ~ концерт 음악회를 조직하다; ~ ба-нкет 연회를 베풀다 ② 일으키다; ~ ска- ндал 말썽을 일으키다 ③ ~ на работу 취직시키다, 일자리를 구해주다 ④ 충족시키다 это меня устраивает 이것은 내 마음에 듭니다.

устраиваться (미완) ① 자리를 잡다 ② ~ [на работу] 취직하다

устранение (중) 퇴치(退治), 제거

устранить[ся] (완) *см.* устранять[ся]

устранять (미완) 치우다, 없애다, 퇴치 (제거) 하다; ~ недостатки 결함을 퇴치하다

устраняться (미완) 물러서다; ~ от дел 일에서 물러서다

устрашать(미완), **~ить** (완) 위협하다

устремить[ся] *см.* устремлять[ся]

устремление (중) ① 쏠리는 것 ② 지향(指向), 목적(目的)

устремлённость (여) 지향성(指向性)

устремлять (미완) ① 향하게 하다, 돌진시키다 ② (시선) 등을 돌리다, 집중하다

устремляться (미완) ① 향하다, 돌진하다 ② 쏠리다, 지향하다: 집중되다

устрица (여) (동물) 굴(堀)

устроитель(남) 조직자, 주최자(主催者)

устроить[ся] (완) *см.* устраивать[ся]

устройство (중) ① 기구(機構); государственное ~ 국가기구 ② 구조(構造); ~ машины 기계의 구조 ③ (기계) 장치(裝置), 설비(設備)

уступ (남) 턱진 부분, 턱진 곳, 돌출부

уступать (미완) ① 양보 (양도) 하다; ~ место 자리를 양보하다; ~ дорогу 길을 내어주다 ② (값을) 깎아 팔다, 에누리하여 팔다; не ~ ни копейки 한 푼도 깎아; ~ в споре 논쟁에서 지다 (수그러지다)

уступительный (형) 양보(讓步)의; ~ союз (언어) 양보접속사

уступить (완) *см.* уступать

уступка (여) 양보(讓步); идти на ~и 양보하다

уступчивый (형) 양보심이 많은

устыдить (완) 창피 (망신)를 주다

устыдиться (완) 부끄러워하다

устье (중) 하구(河口), 강어구

усугубить[ся] () *см.* усугублять[ся]

усугублять (미완) 심화 (강화)하다

усугубляться (미완) 심화 (강화)되다

усы (복수) 코수염

усыновить (완), **~лять** (미완) 미완 양아들 (양딸)로 삼다

усыпать (완), **усыпать** (미완) 뿌리다, 끼얹다

усыпить (완), **~лять** (미완) ① 잠을 재우다, 잠이 오게 하다; 마취시키다; ② 약화시키다, 무디게 하다; **~ить бдительность** 경각성을 무디게 하다

усыхать (미완) *см.* усохнуть

утаивать (미완), **утаить** (완) ① 감추다, 숨기다, 비밀에 붙이다 ② 훔치다, 속여서 빼앗다

утайка (여) 감추는 것, 숨김; **без ~и** 숨김없이

утаптывать (미완) 밟아다지다, 짓밟다

утащить (완) ① 끌어가다 ② 몰래 훔쳐가다

утварь (여) (집합) 도구, 가구; **домашняя~** 집세간, 가재도구(家財道具)

утвердительно (부) 긍정적으로

утвердительный (형) 긍정적(肯定的)인

утвердить (완) ① 확립(確立)하다 ② 승인(承認)하다, 비준(批准)하다

утвердиться (완) 확립(確立)되다

утверждать (미완) ① *см.* утутвердить ② 주장하다, 단언하다, 확언하다

утверждаться (미완) *см.* утвердиться

утерджение (중) ① 확립(確立) ② 승인(承認), 비준(比準) ③ 주장(主張), 확언

утекать (미완) *см.* утечь

утёнок (남) 새끼오리

утеплить (완): **~ять** (미완) 따뜻하게 하다; 난방장치를 하다

утерпеть (완) 참아내다

утеря (여): **~ документов** 문건분실

утёс (남) 벼랑, 절벽(絶壁)

утечка (여) 새는 것, 도중손실

утечь (완) (물, 시간 등이) 흘러가버리다, 지나가다 ◇ **много воды утекло** 오랜 세월이 지나갔다

утешать (미완) 위안하다, 위로하다

утешаться (미완) ① 위로가 되다 ② 위안을 얻다, 기쁨을 얻다

утешение (중) 위안(慰安), 위로(慰勞)

утешивать[ся] (완) утешать[ся]

утилизация (여) ① 이용(利用); ② 폐물이용(廢物利用)

утилизировать (미완, 완) (주로 폐물을) 이용하다

утилитарный (형) ① 공리적(公利的)인 ② 실용적(實用的)인, 응용(應用)의

утиль(남) (집합) 폐물(廢物), 못 쓰는 물건

утиный(형) 오리*: **~ая ферма** 오리 목장

утихать (미완), **утихнуть** (완) 고요해지다, 멎다: **море утихло** 바다가 고요했다: **ветер утих** 바람이 멎었다; **боль утихла** 아픔이 멎었다

утихомирить(완) 진정시키다, 가라앉히다

утихомириться (완) 진정하다, 조용해지다

утка I (여) ① 오리: **домашняя (дикая) ~** 집(물) 오리 ② 헛소문; **пустить ~у** 허위보도를 하다 ③ (의학) (주둥이가 긴, 환자용) 오강

уткнуться (완) ① 들이밀다, 파묻다; **~ в воротник** 얼굴을 웃깃에 파묻다 ② 몰두하다;**~ в книгу** 책읽기에 몰두하다

утлый (형) 든든치 못한

утолить (완) *см.* утолять

утолщаться(미완) 굵어지다, 두꺼워지다

утолщение (중) 굵은(두꺼운) 부분

утолять (미완) 덜다, 끄다; **~ жажду** 갈증을 덜다; **~ голод** 시장기를 덜다; **~ боль** 아픔을 덜어주다

утомительный (형) ① 고단한, 피로케 하는 ② 지루한, 싫증나는

утомить[ся] (완) *см.* утрмлять[ся]

утомление (중) 피곤, 피로

утомлять (미완) 피곤하게 하다

утомляться (미완) 피곤해지다

утонуть (완) ① 가라앉다, 침몰하다 ② (물에 빠져) 죽다

утончённый (형) 세련된, 섬세한

утопать (미완) 잠겨있다; ~ в зелени 녹음속에 잠겨있다

утопить[ся] (완) см. топить[ся]

утопический (형): ~ социализм 공상적(空想的) 사회주의(社會主義)

утопия (여) 공상(空想), 환상(幻想)

утопленник (남), **~ца** (여) 물에 빠져 죽은 사람

утоптать (완) см. утаптывать

уточнение (중) ① 보다 정확히 (명확히) 하는 것, 정밀화 ② 수정(修正)

уточнить[ся] (완) см. уточнять[ся]

уточнять (미완) ① 보다 정확 (명확)하게 하다 ② 수정하다

уточняться (미완) ① 보다 정확 (명확)하게 되다 ② 수정되다

утрамбовать(완), **~овывать** (미완) см. трамбовать

утрата (여) ① 상실(喪失); ~а трудоспособности 노동능력상실 ② 손실(損失); по-нести ~у 손실당하다

утратить (완), **~чивать** (미완) 잃다, 상실하다

утренний (형) 아침*; ~яя заря 아침노을; ~яя зарядка 아침체조

утренник (남) ① 낮 공연 ② 아침추위

утрировать (미완, 완) 과장하다

утро (중) 아침; с самого ~а 이른아침부터; по ~ам 아침마다; в десять часов ~а 아침 10 (열) 시에; на ~о 다음날 아침에; под ~о 동트기 전에, 이른 새벽에 ◇ доброе ~о! 안녕히 주무셨습니까? в одно прекрасное ~о 어느날 아침에

утроить (완) 세곱으로 (삼배로) 늘이다

утром (부) 아침에

утрцждать (미완) 폐를 끼치다, 수고시키다

утрясать (미완), **~ти** (완) ① (가루 따위를) (흔들어) 다져지게 하다; ② 합의하여 처리하다

утюг (남) 다리미; гладить ~ом 다리미로 다리다

утюжить (미완) 다리다, 다림질하다

утужка (여) 다림 질

ух (감) 에크!, 아이구!

уха (여) 생선국

ухаб (남) (길의) 홈챙이, 홈타기

ухабистый (형); **~ая** дорога 울퉁불퉁한 길

ухаживать (미완) ① 시중들다, 돌보다, 손질하다; ~ за детьми 아이를 돌보다, 아이의 시중을 하다; ~ за больным 환자를 돌보다 (간호하다); ~ за цветами 꽃을 손질하다, ② (여자를 따르며) 비위를 맞추다, 호의를 사려하다, 알랑거리다

Ухань (남) г. 무한

ухватить (완) 꽉 잡다, 틀어쥐다

ухватиться (완) за кого-что ① 붙잡다, 붙들다; ~ за рукав 소매를 붙잡다 ② (어떤 일에) 재깍 달라붙다; (기회 등을) 포착하다; ~ за выгодное предложение 유리한 제안에 매달리다 ◇ ~ обеими руками (어떤 일에) 쌍수로 받들다 (환영하다)

ухитриться (완), **~яться** (미완) (+미정형) (어려운 일을) 용케 (수를 써서) 해내다; он ~ился достать билеты 그는 용케도 (날쎄게)표를 얻었다

ухищрение (중) 꾀, 계책(計策), 술책(術策); идти на ~я 꾀를 부리다, 계책 (술책)을 쓰다

ухищряться (미완) 꾀(술책)를 쓰다

ухмыльнуться (완),**~яться** (미완) 코웃음 치다, 비죽이 웃다

ухо (중) ① 귀; уши горят (부끄러워서 또는 얼어서) 귀가 빨갛게 되다; ударить кого по уху 귀뺨을 치다; заткнуть уши 귀를 막다 ② (방한모 따

위의) 귀가리게; шапка с ушами 귀가리개가 달린 모자 ◇ шептать (또는 говорить) на ухо 귓속말을 하다; пропустить мимо ушей 귀등으로 듣다; в ушах звенят 귀가 운다; развесить уши 귀가 항아리만 하다, 남의 말을 잘 듣다; по уши влюбиться 홀딱 반하다; не верить своим ушам 자기 귀를 의심하다

уход I (남) 출발, 떠나는 것: перед самым ~ом 떠나기 바로 직전에

уход II (남) 간호(看護), 시중, 손질, 관리: ~ за больным 간호; ~ за детьми 아이를 돌보는 것, 아이시중; ~ за цветами 꽃을 손질하는 것; ~ за посевами 밭을 가꾸는 것; ~ за коровами 젖소관리; нуждаться в ~е 손질할 (가꿀, 간호할) 필요가 있다

уходить (미완) ① 가버리다, 떠나다, 출발하다 ② 달아나다, 도망치다; 버리고 ③ 면하다, 벗어나다 ④ 물러가다, 그만두다 ⑤ 사라지다, (시간이) 지나가다 ⑥ 몰두 (열중) 하다; ~ в науку 과학에 몰두하다 ◇ ~ вперёд 따라 앞서다

ухудшать (미완) 더욱 나쁘게 하다, 악화시키다

ухудшаться(미완)더 나빠지다, 악화되다

ухудшение (중) 더 나빠지는 것, 악화

ухудшить[ся] (완) см. ухудшать[ся]

уцелеть (완) 무사히 남다, 온전히 남다, 살아남다

уценивать (미완), **уценить** (완) 가격을 낮추다, 가격인하(價格引下)하다

уцепиться (완) ① 든든히 잡다 (쥐다) ② 달라붙다, 매달리다

участвовать (미완) 참가 (참석)하다

участие (중) ① 참가(參加), 참석(參席), 참여(參與); принимать ~ 참가하다, 참석하다 ② 동정(動靜), 동감(動感)

участиться (완) см. учащаться

участковый (형) ① 분구*; ~ая избирательная комиссия 분구선거위원회 ② (명사로) (남) 분구담당 사회안전원

участник (남), **~ца** (여) 참가자

участок (남) ① 분구, 지역; избирательный ~ 선거구, 선거장 ② 분야, 부문: ~ работы 사업 분야, 맡은 일

участь(여) 운명, 숙명; горькая~ 비운

учащаться (미완) ① 빈번해지다 ② 빨라지다

учащийся (남) 학생(學生)

учёба (여) 공부, 학습(學習)

учебник (남) 교과서(敎科書)

учебно-воспитательный (형); ~ая работа 교수교양사업

учебный (형) ① 학습(學習)의, 교수(敎授)의, 교육(敎育)의; ~ый год 학년도; ~ая группа 학급; ~ая дисциплина 학습규률; ~ый предмет (또는 ~ая дисциплина) 학과목: ~ый план 과정안; ~ая программа 교수요강; ~ая часть 교무부; ~ое пособие 교재, 참고서; ~ое заведение 학교, 교육기관 ② 연습(演習)의; ~ый самолёт 연습기; ~ое судно 연습선; ~ая стрельба 사격연습

учение (중) ① 공부 ② 훈련 ③ 학설

ученик (남), **~ца** (여) ① 학생(學生) ② 견습공(見習工) ③ 제자, 계승자(繼承者)

ученический (형) (중학교 이하의) 학생

учёный(형) ① 학술(學術)의;~ый совет 학술평의회; ~ый секретарь 학술서기, 과학서기; ~ая степень 학위; ~ое звание 학직 ② 박식(博識)한 ③ (명사로) (남) 학자(學者)

учесть (완) см. учитывать

учёт (남) ① 계산; 실사; ~ товаров 상품실사 사업; закрыто на ~ 실사중이다 ② 등록; становиться (стать) на ~ 등록되다, 명부에 오르다; взять на ~ 제명하다: снять с ~а 제명되다 ③ 고려 (하는 것): с ~ом обстоятельств 사정을 고려하여

учётный (형) 등록(登錄)의, 등기(登記)

의; ~ая карточка 동록카드

учётник(남), **~ца** (여) 계산원; 접수계

училище (중) (초등 및 중등) 전문학교: профессионально-техническое ~ 직업기술학교: военное ~ 군관학교

учинить(완), **~ять** (미완) (좋지 못한 것) 하다, 일으키다, 빚어내다: ~ить скандал 소동을 일으키다

учитель (남) ① (보통교육부문의) 교원(敎員), 선생 ② 스승, 선생(先生)

учительница (여) (보통교육부문의) 여교원(女敎員), 여선생(女先生)

учительская (여) 교원실

учительский (형) 교원*; ~ институт 교원대학(敎員大學)

учительствовать (미완) 교원생활을 하다, 교편을 잡다

учитывать (미완) ① 계산하다, 실사하다 ② 고려하다, 타산하다

учитываться (미완) 고려되다

учить (미완) ① 배워주다, 가르치다; ~ сына русскому языку 아들에게 러시아어를 배워주다; ~ читать 읽는 것을 가르치다; ~ собаку 개를 걸들이다 ② (반복하여) 익히다, 습득하다; ~ стихи 시를 외우다; ~ наизусть 암송하다, 암기하다; ~ урок 학과를 예습하다

учиться (미완) 배우다, 공부하다

уредительный (형) 창립(創立)의

учредить (완), **~ждать** (미완) ① 내오다, 창립(創立)하다, 창설(創設)하다 ② 제정(制定)하다, 정하다

учреждение (중) ① 창립(創立), 창설(創設) ② 제정(制定) ③ 기관(旗官), 공공시설; государственное (наное) ~ 국가 (과학) 기관; культурно-бытовые ~я 문화후생시설: детский ~я 어린이교양시설

учтиво (부) 정중하게, 깍듯이

учтивый(형)정중한, 깍듯한, 예절이 바른

ушанка (여) (귀가리 개가 달린) 털모자

уши (복수) *см.* ухо

ушиб (남) 타박상(打撲傷)

ушибать[ся] (미완) *см.* ушибить[ся]

ушибить (완) 타박상을 입히다

ушибиться (완) 타박상을 입다, 다치다

ушивать (미완), **ушить** (완) (바느질하여) 줄이다, 좁히다

ушко (중); игольное ~ 바늘귀

ушной (형) 귀*; ~ая раковина 귀바퀴

ущелье (중) (좁고 깊은) 골짜기, 협곡(峽谷), 계곡(溪谷)

ущемить (완), **~лять** (미완) ① 끼다, 눌러놓다; ~ить палец дверью 문에 손가락을 끼다 ② 제한 (억제)하다; ~лять права 권리를 재합하다; ~ить самолюбие 자존심을 훼손하다

ущерб (남) 손실(損失), 손해(損害), 결손(缺損); причинять (또는 наносить) ~ 손실을 주다; понети ~ 손실을 보다; без ~а для дела 사업에 손실 없이; это идёт в ~ здоровью 이것은 건강에 해롭다.

ущипнуть (완) 꼬집다

уют (남) 아담한 것, 아늑한 것

уютно (부) 아담하게, 아늑하게

уютный (형) 아담한, 아늑한, 알뜰한

уязвимый (형) 상하기 쉬운 ◇ ~ое место 약점(弱點)

уязвить (완) 마음을 상하게 하다 (찌르다); 모욕하다; ~ самолюбие 자존심을 손상하다

уязвлённый (형) 모욕당한; ~ое самолюбие 손상당한 자존심

уязвлять (미완) *см.* уязвить

уяснить (완), **~ять** (미완) 명백히 알다, 이해하다; ~ить себе все обстоятельства дела 모든 사정을 명백히 알다

Ф

фабрика(여) 공장(工場); швейная ~ 옷공장, 피복공장; спичечная ~ 성냥공장

фабрикация(여) ① 조작(造作) ② 날조; ~ ложных слухов 헛소문을 날조하는 것

фабриковать (미완) ① 조작(造作)하다 ② 날조(捏造)하다

фабула (여) (작품의) 줄거리

фаворит (남) ① 총아(寵兒), 총애를 받는 사람 ② (체육, 경연 등에서) 인기 있는 사람, 집단(集團)

фаза (여) ① 단계(段階); ~ развития 발전단계 ② (물리, 화학) 상(像), 모습, 위상(位相), 상태; ~ переменного тока 교류의 위상 ③; ~ луны 월상(月像)

фазан (남) 꿩

фазатрон (남) (물리) 파조트론

факел (남) 횃불

факельный(형); ~ое шествие 횃불행렬

факсимиле(중)(불변) 정확한 복사(사본)

факт (남) ① 사실(事實); исторический ~ 역사적 사실; приводить ~ы 사실을 들다; извращать ~ы 사실을 왜곡하다 ② (조) (술어로) 옳다, 그렇다, 사실이다

фактически(부) 사실상, 실제상, 실지로

фактический (형) 사실의, 실지의; ~ое положение 실태, 실황; ~ий материал(또는~ие данные) 사실(실지)자료

фактор(남) 요인(要因), 요소(要所), 인자

факультативный (형) 선택(選擇)의; ~ые предметы (또는 дисциплины) 선택과목(選擇科目)

факультет (남) 학부(學部)

фальсификатор (남) 위조자(偽造者), 날조자(捏造者)

фальсификация (여) 위조, 날조(捏造)

фальсифицировать (미완,완) 위조(僞造)하다, 날조(捏造)하다

фальстарт (남) (체육) 출발반칙, 신호전 출발

фальшивить (미완) ① 곡조가 틀리게 연주하다, 곡조가 맞지 않게 노래하다; ② 위선적으로 행동하다

фальшивка(여) 위조문건; 위조품(偽造品)

фальшивый (형) ① 가짜의, 위조(僞造)의; ~ый документ 위조문서(僞造文書); ~ые деньги 가짜돈, 위조화폐; ~ая подпись 위조수표 ② 부자연스러운, 틀린; ~ая нота 틀린 곡조; ~ая игра 서투른 연기 ③ 위선적인, 허위의(虛威-); ~ые улыбки 선웃음

фальшь (여) ① 허위(虛威), 위선(偽善), 거짓 ② 곡조가 맞지 않는 것

фамилия (여) 성; имя и ~ 성명; как ваша ~? 당신의 성은 무엇입니까?

фамильярно (부) 허물(어려움) 없이

фамильярность(여) 허물이 없는, 어려움이 없는 것

фамильярный(형) 허물없는, 어려움 없는

фанатизм (남) 열광상태, 광신상태

фанатик (남) 미치광이, 광신자(狂信者)

фанатичный(형) 미친, 광신적인(狂信的)

фанера (여) ① 단판 ② 합판(合板)

фанерный (형) 합판으로 만든; ~ лист

- 670 -

합판(合板)

фантазёр (남), ~ка (여) 환상가(幻想家), 몽상가(夢想家)

фантазировать (미완) ① 환상(몽상)에 잠기다, 공상하다 ② (있을 상 싶지 않은, 될 수도 없는 것을) 꾸며내다, 생각해내다

фантазия (여) ① 창조적인, 상상(想像), 상상력(想像力) ② 환상(幻想), 몽상(夢想), 공상(空想) ③ 허구(虛構), 거짓, 실현될 수 없는 것 ④ (음악) 환상곡(幻想曲)

фантаст (남) (문화) 환상작가

фантастика (여) ① 환상(幻想); (집합) 환상작품; научная ~ 과학적 환상 ② 허황된 것

фантастический (형) ① 환상적인 ② 기묘한, 기괴한 ③ 비현실적인, 허황한, 믿을 수 없는 ④ 비상한, 상상을 초월하는, 신비로운

фанфара (여) (긴) 트럼펫, 신호나팔

фара (여) (자동차 등의) 전조등

фарватер (남) 물길, 수로(水路), плыть(또는идти, быть) в ~е кого-что...의 정책에 추종하다

фарингит (남) (의학) 인두염(咽頭炎)

фарисей (남) 위선자(僞善者)

фаринсейский (형) 위선적(僞善的)인

фармакология (여) 약리학(藥理學), 약물학(藥物學)

фармакопея (여) 약전, 약국방(藥局方)

фармацевт (남) 약제사, 조제사(調劑師)

фармацевтика (여) ① 조제학(調製學), 제약학(製藥學) ② 제제(製劑)

фарцевтический (형) 제약의(製藥-); ~ завод 약공장, 제약공장(製藥工場)

фарс(남)① 어리광대극 ② 놀음, 못된 장난, 파렴치한 것

фартук (남) 앞치마, 행주치마

фарфор (남) 자기, 사기그릇; 사기제품

фарфоровый (형); ~ая посуда 자기(瓷器), 사기그릇; ~ый завод 도자기공장; ~ые изделия 자기제품

фарш (남): [мясной] ~ 잘게 다진 고기

фаршировать (미완) 소를 박다

фасад (남) (건물의) 앞면, 정면(正面)

фасовать (미완) (저울의 달아서) 포장하다, 정량 포장작업을 하다

фасовщик (남), ~ца (여) 정량포장공

фасоль (여) 당콩, 강남콩

фасон (남) (의복, 모자 등의) 본(本), 형(形), 모양

фатальный (형) 불가피한; 숙명적인

фауна (여) 동물계, 동물사이 (한 지방의) 동물

фашизм (남) 파시즘(fascism)

фашист (남) 파시스트(fascist), 파쇼분자

фашистский (형) 파시스트의(fascist), 파쇼의

фаянс (남) (집합) 파얀스도기 (유약칠한 오지, 질그릇)

фаянсовый (형); ~ая посуда 유약오지, 파얀스오지 그릇

февраль (남) 2(이)월, 이월(二月)

февральский (형) 2(이)월의

федеральный (형) 연방(聯邦)의

федеративный (형) 연방(聯邦)의

Федеративная Республика Германия, ФРГ 독일연방공화국 (서부독일)

федерация (여) ① 연방(聯邦), 연합(聯合); Российская ~ 러시아연방 ② 연맹(聯盟); Всаемирная ~ профсоюзов(ВФП) 세계직업연맹; ③ 협회(協會), 동맹(同盟): ~ фут-бола 축구협회

феерия (여) ① 몽환극(夢幻劇); ② 꿈나라 같은 광경

фейерверк (남) 불꽃, 꽃불; устроить ~ 꽃불을 올리다

фельдшер (남) 준의사

фельетон(남) 펠레톤(feuilleton),

풍자평
феникс (남) 불새, 불사조(不死鳥)
фенолог (남) 생물기후학자
феномен (남) ① 현상(現象) ② 회유한 인물(사물)
феноменальный (형) 비범한, 비상한, 회유한; ~ая память 비상한 기억력; ~ый успех 미증유의 성과;
феодал (남) 봉건영주(封建領主)
феодализм (남) 봉건제도(封建制度), 봉건주의(封建主義)
феодальный (형) 봉건(封建)의; ~ые пережитки 봉건잔재
ферзь (남) (서양장기에서) 여왕(女王)
ферма I (여) ① 농장(農莊), 목장(牧場); живодоводческая ~ 축산농장 ② (자본주의나라에서) (개인) 농장(農場)
ферма II (여) (건축) 트러스(truss), 대들보, 받침목
фермент (남) 효소(酵素)
фермер (남) (자본주의나라에서) 농장주
ферросплав (남) 합금철
1 Фес (Первое послание к Фессалоникийцам, 5장, 247쪽) 대살로니가 전서(데살로니카인들에게 보낸 처음 편지(Letters of Paul to the Thessalonians)
2 Фес (Второе послание к Фессалоникийцам, 3장, 250쪽)대살로니가 후서(데살로니카인들에게 보낸 두 번째 편지(Letters of Paul to the Thessalonians)
фестиваль (남) 축전
фетиш(남)① 우상화된 물건② 우상(偶像)
фетишизм (남) 우상숭배(偶像崇拜)
фетр (남) 고급펠트
фетровый (형); ~ая шляпа 펠트모자, 중절모자
фехтование (중) 격검(술)

фехтовать (미완) 격검을 하다
фешенебельный (형) 고급의, 우아한
фея (여) 선녀(仙女)
фиалка (여) 제비꽃
фиаско (중) (불변) 실패(失敗), 패망(敗亡); потерпеть ~ 실패하다
фибры(복수); всеми ~ами души 극도로
фиброма (여) (의학) 섬유종(纖維腫)
фигура (여) ① 몸매, 체격(體格), 골격; стройная ~ 날씬한 몸매 ② (수학) 도형(圖形); плоская (пространственная) ~ 평면(공간)도형 ③ 인물(人物), 거물(巨物) ④ 장기쪽
фигурально (부) 비유적으로
фигуральный (형) 비유적(比喩的)인
фигурировать (미완) 나타나다, 나타나곤 하다; ~ в повестке дня 일정에 오르다
фигурист (남), ~ка (여) 피겨선수
фигурный (형) ① 모형의; ~ая резьба 모형조각 ②; ~ое катание 피겨(경기)
Фиджи (중) (불변) 피지
физик (남) 물리학자(物理學者)
физика (여) 물리학(物理學)
физиолог (남) 생리학자(生理學者)
физиология (여) 생리학(生理學)
физиономия (여) 얼굴, 표정(表情); скор- чить ~ю 얼굴을 찌푸리다
физиотеропевт (남) 물리요법의사(物理療法醫師)
физиотерапевтический (형); ~ий кабинет 물리(요법) 치료실; ~ое лечение 물리치료(物理治療)
физиотерепия (여) 물리치료(物理治療)
физический (형) ① 물리(物理)의; ~ий факультет 물리학부; ~ая химия 물리화학 ② 육체(肉體)의; ~ий труд 육체노동; ~ая подготовка 육체적 준비; ~ая ку- льтура 운동(運動), 체육(體育); ~ая гео- графия 자연지리학(自然地理學)
физкультура(여) 운동(運動)

체육(體育); заниматься ~ой (체육) 운동을 하다

физкультурник (남), ~ца (여) 체육인(體育人), 운동가(運動家), 운동선수

физкультурный (형) 체육(體育)*, 운동*

фиксировать (미완) ① 고정시키다 ② (정착액으로) 정착시키다 ③ (포착) 기록하다 ◇ ~ внимание 주의를 집중시키다

фиктивный (형) 허구적인, 가상적인

фикция (여) 허구(虛構), 거짓, 꾸며낸 것

филантроп (남) 자선가(慈善家)

филантропия (여) 자선(사업)

филармония (여) 음악보급협회

филателист (남) 우표수집자

филателистический (형) 우표(수집*); ~ магазин 우표상점

филателия (여) 우표수집

филе (중) (불변) ① 등심(고기) (제일 좋은 고기) ② (일반적으로) 뼈를 발라낸 물고기

филиал(남) 지부(支部), 분원(分院), 분관

филигранный (형) 섬세한, 세밀한

филин (남) 수리부엉이

филиппины (복수) 필리핀

филолог (남) 어문학자(語文學者)

филологический (형) 어문학(語文學)의; ~ факультет 어문학부

филология (여) 어문학(語文學)

философ (남) 철학가(哲學家)

философия (여) 철학(哲學)

философский (형) 철학(哲學)의

философствовать (미완) 공론을 늘어놓다, 말공부하다, 궤변을 일삼다

фильм (남) 영화(映畵); цветной(худо-жественный, документальный, нау-чнопопулярный, двухсерийный) ~ 천연색 (예술, 기록, 과학교육, 2부작) 영화

фильтр (남) 거르개, 여과기(濾過器); све- товой ~ 차광판, 여광기

фильтровать (미완) 여과하다

финал (남) ① (체육) 결승전, 결승경기 ② 끝, 결말, 종말 ③ 종곡, 종막

финалист (남) (체육) 결승전 출전자

финальный (형) (체육); ~ый матч(또는~ая встреча, ~ая игра) 결승전

финансирование (중) 자금공급, 융자

финансировать (미완, 완) 자금을 공급하다, 융통하다, 융자하다

финансист (남) ① 재정전문가(財政專門家) ② 금융자본가(金融資本家)

финансовый (형) 재정의, 금융의; ~ая политика 재정정책; ~ый капитал 금융자본(金融資本)

финансы(복수)① 재정(財政), 금융(金融); министр ~ов 재정상, 세정부장 ② 돈

финик (남) 대추야자나무의 열매

финиковый (형); ~ая пальма 대추야자나무

финиш (남) (체육) 결승선, 결승점; прий-ти к ~у 결승선에 도달하다

финишировать (미완, 완) ①결승선에 도달하다 ② 결승점까지 남은 거리를 달리다

финишный (형) 결승선의

финляндия (여) 핀란드

финляндский (형) 핀란드의

финны (복수) (финн (남), финка (여)) 핀란드사람(들)

финский (형) 핀란드의

фиолетовый (형) 자주빛*, 자색*

фирма (여) 회사(會社), 상사(商事)

фирменный (형); ~ магазин 직매점; ~ знак 상표(商標)

фисташка(여) 피스타슈카(fistashchka),

피스타키오나무

фитиль (남)(등잔의) 심지, 도화선(導火線)

флаг (남) 기(旗), 기발(旗-), 기폭(旗幅); государственный ~ 국기; поднять (спустить) ~ 기발을 올리다(내리다)

флагман (남) ① (함대, 분함대) 사령관(司令官) ② 기함(旗艦), 지휘함

флагманский (형); ~ корабль 기함(旗艦), 지휘함(指揮艦)

флагшток (남) 깃대, 깃발대

флажок (남) 작은기, 손기(발), 수기(手旗); сигнальный ~ 신호기(信號旗)

флакон (남) (향수 따위를 넣는) 작은병

фланг (남) 좌우측면(左右側面), 측면(側面); ударить с ~a(또는 во ~) 측면을 공격하다; левый ~ 좌익; правый ~ 우익; прикрывать ~ 좌우측을 엄호하다

фланговый(형) 측면*;~ удар 측면타격

фланель (여) 프란넬

флегматичный (형) 지둔한, 게으른

флейта (여) ① 플룻 ② 피리; играть на ~е 피리를 불다

флексия(여) (언어) 굴절, 변화하는 어미

флективный ~ые языки (언어) 굴절어

флигель (남) 결채(結綵), 딴채, 별채

флирт (남) 애교(愛嬌), 교태(嬌態), 아양

флиртовать (미완) 애교를 부리다, 교태를 부리다, 아양을 떨다

Флм (Послание к Филимону, 3장, 263쪽) 빌레몬서(필레몬에게 보낸 편지(— 便紙, The Letter of Paul to Philemon)

фломастер (남) 마지크

флора (여) 식물계(植物系), 식물사회학(植物社會學): (한 지방의) 식물(植物)

флот (남) ① 선단(船團), 선대; военно- морской ~ 해군 (함대); торговый ~ 상선대, ② (군사) 함대; тихоокеанский ~ 태평양함대; ◇ воздушный ~ 항공대

флотилия (여) ① (일정한 수역에 있는) 함대(艦隊) ② 선단, 선대; рыболовецкая ~ 어선단

флотский (형) ① 선단(船團)의, 함대(艦隊)의 ② (명사로) (남) 해병(海兵)

Флп (Послание к Филиппийцам, 4장, 239쪽) 빌립보서(필립비인들에게 보낸 편지(— 人 — 便紙, Letter of Paul to the Philippians)

флюгер (남) ① 풍향기, 풍향계(風向計) ② 견해를 자꾸 바꾸는 사람

флюоресценция (여) (물리) 형광성

флюорография(여) 뢴트겐검사(Röntgen 檢査), 엑스선투시(X線透視)

флюс (남) 이몸곪기, 치조농양(齒槽膿瘍)

фляга (여) (멜빵이 달린 둥글납작한) 물통, 물병; походная ~ 행군용 물통

фляжка (여) *см.* фляга

фойе (중) (불변) (극장, 영화관 내의) 휴게실(休憩室) (유보장), 휴식장

фокус I (남) 초점, 모임점 найти ~ 초점을 맞추다

фокус II (남) ① 요술(妖術), 손재간; ② (복수) 변덕(變德), 괴벽(怪癖)

фокусник (남) 요술사, 요술쟁이

фольга (여) 금속판(金屬版), 박(薄); золотая ~ 금박(金箔)

фольклор (남) ① 구전문학(口傳文學); 민간설화(民間說話), 전설; 민요 ② 민속

фольклорный (형) 민속(民俗)의; ~ ансамбль 민속가무단

фон (남) ① 배경(背景) ② (그림 따위의) 기본색조, 바탕

фонарик (남) (фонарь의 축소); карманный ~ 회중전등(懷中電燈). 랜턴.

фонарь (남) ① 등(燈), 등불; уличный ~ 가로등; электрический ~ 손전지 ②

(매를 맞아 생긴) 멍

фонд (남) 기금(基金), 폰드(fond), 자금(資金), 준비금(準備金); ~ обороны 국방기금; ~ заработной платы 노임 폰드 ~ семе- нной ~ 종자예비; библиотечный ~ 장서(량)

фонема (여) (언어) 음운(音韻)

фонетика (여) 어음론(語音論)

фонетический (형) 어음*: 어음론적인; ~ая транскрипция 어음적사(법); ~ий строй 어음체계; ~ое письмо 표음문자

фонология (여) (언어) 음운론(音韻論)

фонтан (남) 분수(分水) ◇ бить ~ом 용솟음치다, 팔팔, 흐르다

форель (여) 칠색송어

форзац (남) (인쇄) 면지(面紙), 덮지

форма (여) ① 형식(型式), 양식(樣式), 식; ~a и содержание 형식과 내용 ② 형태(形態), 형(形): 겉모양, 모양새, квадратная ~a 정방형(正方形);~a шара 구형; органи- зационные ~ы 조직형태; повелитель- ная ~a (언어) 명령형 ③ 골, 틀, 형(形); ~a для отлива 주물형 ④ 제복; школьная ~ 학생복; военная ~a 군복 ◇ быть в ~е 역량(재능)을 충분히 발휘할 수 있는 상태

формализм (남) 형식주의(形式主義)

формалин(남)(화학) 포르말린(Formalin)

формалист (남) 형식주의자(形式主義者)

формально (부) 형식적으로

формальность (여) ① 형식주의(形式主義), 형식만 차리는 것; пустая ~ 쓸데없는 형식 (주의) ② (형식상) 필요한 수속; тамо- женные ~и 세관수속

формальный (형) ① 공식적(公式的)인, 형식상* ② 형식 (주의)적인

формат (남) (책, 종이, 카드 동의) 크기, 규격(規格), 판형

формация (여) (그 발전단계에 고유한) 구성(構成), 형태(形態); общественно- эко- номическая ~ 사회강제구성형태

форменный(형) ① 제복의; ~ая одежда 정복, 제복; ~ая фуражка 제모 ② 진짜의; ~ый дурак 얼머저리

формирование (중) ① 형성(形成), 편성(編成), 조직(組織); ~ составов (철도) 화차편성작업 ②(군사 (연합) 부대)

формировать (미완) ① 못다, 형성하다, 편성하다, 조직하다; ~ дивизию 사단을 편성하다; ~ правительство 정부를 구성(조직)하다 ② 배양하다 형성하다; ~характер 성격을 배양하다

формироваться (미완) ① 형성(편성, 조직)되다 ② 배양 (성속, 형성)되다

формовка (여) ① 성형(成形), 주형(鑄型), 형(形)만들기 ② 형, 거푸집, 틀

формовочный (형) 성형의, 주형의; ~цех 성형직장

формообразование(중)(언어) 형태조성

формула (여) ① 공식, 식 ② 정리, 원칙

формулировать (미완) 공식화(公式化)하다, 정식화하다

формулировка (여) 정식화(된 것), 공식: 요약한 표현

формуляр (남) ① (기계, 구조물 등의) 설명서(說明書)② 도서카드

форпост (남) 전초(前哨)

форсирование (중) ① 다그치는 것 ② (군사) 도하작전(渡河作戰)

форсировать (미완. 완) ① 다그치다, 촉진시키다 ②(군사) 도하하다

форсунка (여) (공학) 분출구(噴出口), 분사기(噴射機)

форт (남) 보루(堡壘)

фортепиано (중)(불변) 피아노

фортификация (여) ① 요새 구축학 ② 요새(要塞), 방어시설

форточка (여) 환기창, 환기구

фосген (남) (화학) 포스겐(phosgene)

фосфат (남) 인산염(燐酸鹽)
фосфор (남) 인(燐)
фосфоресценция (여) 인광(燐光) (현상)
фосфорит (남) 인회토(燐灰土), 인회암
фосфорный (형) 인의; ~ые удобрения 인비료(燐肥料)
фотоальбом (남) 사진첩(寫眞帖)
фотоаппарат (남) 사진기(寫眞機)
фотоателье (중) 사진관(寫眞館)
фотобумага (여) 사진종이, 인화지
фотовыставка (여) 사진전시회
фотогеничный (형) 촬영에 적당한
фотограф (남) 사진사(寫眞師)
фотографировать (미완) 사진을 찍다, 촬영하다
фотографироваться(미완) 사진을 찍다
фотография(여) ① 사진; семейная ~ 가족사진 ② 사진관 ③ 사진술(寫眞術)
фотокарточка (여) (한 장씩의) 사진
фотокопия (여) 사진부본, 복사판
фотокорреспондент(남)(보도)사진기자
фотолюбитель (남) 사진예호가
фотометр (남) 광도계(光度計), 광력계
фотомонтаж (남) 사진몽타즈, 사진신문
фотон (남) (물리) 광량자
фотонабор (남) (인쇄) 사진조판
фотоплёнка (여) 사진 필림
фоторепортаж (남) 사진보도
фотосинтез (남) (생물) (탄수화물 동의) 광합성(光合成)
фотоснимок (남) 사진(寫眞)
фотосъёмка (여) 사진찍기, 촬영(撮影)
фотоэлемент (남) (전기) 광전지(光電池), 광전판(光電板)
фрагмент(남) 토막, 단편, 발췌문(拔萃文)
фраза (여) ① 구(句), 문구(文句) ② 미사여구(美辭麗句), 공담(空談) ③ ходячая ~ 관용구(慣用句)
фразеологический (형) 성구*, 성구론적인; ~ий словарь 성구사전

фразеология (여) ① 성구 ② 성구론
фрак (남) 연미복(燕尾服)
фракционер (남) 종파분자, 종파주의자
фракционный (형) 종파(주의)적인
фракция (여) ① 당파(黨派): 프락치(fraktsiya) (국회, 정당 등에 틀어가 있는 일정한 당의 당원그룹) ② 종파(宗派)
框муга (여) 들창
франк (남) 프랑 (화폐단위)
франт (남) 멋쟁이
Франция (여) 프랑스(France)
французкий (형) 프랑스*; ~ язык 프랑스어
французы (복수) (~з (남): ~женка (여)) 프랑스사람(들)
фрахт (남) ① (배) 운임(運賃) ② 배짐, 수화물(手貨物) ③ 배수송(-輸送)
фрахтовать(미완)용선하다, 배를 삯내다
ФРГ см. Федеративная Республика Германии
фреза (여) (공학) 프레이즈(fraise)
фрезерный (형); ~ станок 프레이즈반(fraise 伴), 날개칼반
фрезеровщик(남),~ца(여) 프레스 공
фреска (여) 벽화(壁畵)
фритаун (남) г. 프리타운
фронт (남) ① 전선(戰線) ② 대열(隊列); пройти перед ~ом 대열 앞으로 통과하다 ③ 앞면, 정면, 전면 ④ 경계면
фронтовик (남) 전선군인, 출전군인
фронтовой (형) 전선*
фрукт (남) (흔히 복수) 과일, 괄실; свежие ~ы (싱싱한 과일)
фруктовый(형) 과일*; ~ый сад 과수원; ~ый сок 과일물, 과일즙; ~ый сахар 과당
фруктоза (여) 과당(果糖)
фугас (남) 지뢰(地籟)

фужер (남) (다리기 긴) 컵, 포도술잔
фузия (여) 유합(癒合), 융합(融合)
фундамент (남) 기초(基礎), 토대(土臺); заложить ~ 기초를 닦다
фундаментальный (형) ① 기초*, 기본적인, 주요한 ② 확고한, 견고한
фуникулёр (남) 케이블카
функциональный (형) 기능*, 기능적인
функционировать (미완) 일하다, 작용하다, 기능을 수행하다: 영업하다
функция (여) ① 기능(技能), 작용(作用) ② 임무, 직무 ③ (수학) 함수(函數)
фунт I (남) 파운드(pound) (화폐단위): ~ стерлингов 스털링 파운드(sterling pound)
фунт II (남) 폰드 (러시아에서의 옛 무게단위: 409.5 그람)
фураж (남) 말먹이
фуражка (여) (체양이 있는) 모자(帽子), 제모(制帽), 군모(軍帽), 학생모(學生帽)
фургон (남) ① (화물자동차의) 유개차체 ② 덮개있는 수레
фурор (남) 경탄을 일으킨 성공, 큰 파물; произвести ~ 큰 파물을 일으키다

фурункул (남) 뽀두라지
фут (남) 피트 (feet: 길이의 단위; 30.5 센치 미터)
футбол (남) 축구(蹴球)
футболист (남) 축구선수(蹴球選授)
футболка (여) (뜨개천으로 만든) 운동셔츠, 유니폼(uniform)
футбольный (형) 축구*; ~ый матч 축구경기 (시합); ~ая команда 축구 티; ~ый мяч 축구공; ~ое поле 축구장
футляр (남) 갑, 케이스, 합; ~ для очков 안경집; ~ для музыкального инструмента 악기케이스
футуризм (남) 미래파(未來派)
футурист (남) 미래파주의자, 미래주의자(未來主義者)
фуфайка (여) (소매 없는) 티셔츠
фыркать (미완), ~нуть (완, 일회) ① (말이) 코뚜레질하다 ② (소리를 내면서) 코웃음을 치다 ③ (불명을 말하면서) 투덜거리다, 성나다, 코방귀를 뀌다
фюзеляж (남) (비행기의) 동체(胴體), 기체(機體)

X

хаживать (미완) 다니다, 돌아다니다
хаки (불변); костюм цвета ~ 카키색(보위색)옷
халат (남) 덧옷; рабочий ~ 작업복; санитарный ~ 위생복; больничный ~환자복
халатность(여)부주의, 태만, 소홀한태도
халатный (형) 태만한, 소홀한; ~ое отношение к работе 직무에 대한 소홀한 태도
халтура (여) ① 되는대로 (불성실하게) 해놓은 일; 엉터리작품; заниматься ~ой 일을 엉터리로 (불성실하게) 하다; ② 부수입
халтурить (미완) ① 되는대로 (볼성실하게) 일하다; ② 덧벌이하다
халтурщик (남), ~ца (여) 일을 되는대로 (불성실하게)하는 사람
хам (남) 야비한 놈
хамелеон (남) 카멜레온
хандра (여) 우울증(憂鬱症)
хандрить (미완) 침울(우울)해지다
ханжа (남, 여) 위선자(僞善者)
Ханой (남) g. 하노이
хаос (남) 혼돈(混沌), 혼란(混亂)
хаотический, ~ный (형) 혼돈된, 무질서한, 질서가 없는
харакири (중) (불변) 배를 갈라 죽음
характер (남) 성격, 성질; 본성, 특성
характеризовать (미완, 완) 특징짓다, 특징 (특색)을 나타내다
характеризоваться(미완)특징지어지다
характеристика (여) ① 평정서(評定書) ② 특징짓는 것, 특징(特徵) (성격)묘사(妙思) ③ 특성(特性), 성능(性能), 특징
характерный (형) 특정적인, 특유한, 고유한; ~ая черта 특징
Харape (남) g. (불변) 하라레
хариус (남) (어류) 살기
харкать (미완) (가래, 침, 피 따위를) 뱉다, 토하다; ~ кровью 피를 토하다
хартия (여) 헌장(憲章)
Хартум (남) g. 하르툼
харчи (복수) 먹을것, 식사
харчо (중) (불변) 양고기국
хата (여) 농가(農家), 오막살이
хвала (여) 칭찬 (찬양); воздавать ~у 칭찬하다, 찬양하다
хвалебный (형) 칭찬하다, 찬양하다
хвалить (미완) 칭찬(찬양)하다
хвалиться(미완) 자랑하다, 자부하다, 자만하다, 뽐내다
хвастаться (미완) ① 뽐내다, 자랑하다 ② 호언장담하다
хвастливо (부) 자랑삼아, 뽐내어
хвастливый (형) ① 자랑하는, 자만하는, 뽐내는 ② 교만한(驕慢-)
хвастовство (중) 자만, 장담, 큰소리
хвастун (남) 자만하는 사람, 대포쟁이
хватать (미완) ① (덥석) 쥐다 ② 붙잡다, 체포하다 ③ (무인칭) 충분(넉넉)하다; этого хватит на месяц 이것이면 한 달 동안 넉넉하다
хвататься (미완) ① 덥석 쥐다 (잡다); ~ за голову(또는 за волосы) (공포, 절망 동으로) 머리를 싸쥐다 ② (이 일, 저 일에) 덤벙덤벙 손대다 (달라붙다)
хватить (완) ① см. хватать③; ② 세게 치다 (때리다), 후려갈기다 ③ хватит

(무인칭) 됐다, 그만두어라, 충분하다 пустых слов 농담을 그만두시오; хватит спорить 말다툼질을 걷어치워라
хвойный (형); ~ лес 바늘잎나무숲, 침엽수림(針葉樹林)
хворать (미완) 앓다, 병들다
хворст (남) ① 삭정이, 나무깽이; ② 꽈배기, 바삭기름튀김
хвост (남) 꼬리, 꽁지
хвощ (남) 쇠뜨기, 속새
хвоя (여) (집합) 바늘잎, 침엽(針葉)
Хельсинки (남) (불변) 2. 핼싱키
хижина (여) 오막살이 (집), 오두막
хилый (형) ① 허약한(虛弱-), 병적인(病的-) ② 시들시들한
химера (여) 망상(望床), 환상, 공중누각
химизация (여) 화학화(化學化)
химик (남) 화학문전문가, 화학자(化學者)
химикалии, ~ты (복수) 화학제품, 약품
химический (형) 화학(化學)의
химия (여) 화학(化學)
хиромант (남), ~ка (여) 손금쟁이
хина (여), **хинин** (남) 키닌
хирург (남) 외과의사(外科醫師)
хирургический (형) 외과의
хирургия (여) 외과술, 외과학
хитрец (남) 가살군, 꾀보, 교활한 사람
хитрить (미완) 꾀를 부리다, 교활하게 행동하다
хитро (부) 교활하게, 기묘하게
хитросплетение (중) 간계, 흉계(凶計)
хитрость (여) 꾀, 교활성(狡猾性), 간책(奸策); пуститься на ~ 꾀를 쓰다
хитрый (형) 꾀있는, 교활한, 간교한
хихикать (미완) 킥킥거리다, 비웃다
хищение (중) 횡령, 절취, 약탈(掠奪)
хищник (남) ① 맹수(猛獸), 맹금(猛禽) ② 횡령자(橫領者), 약탈자(掠奪者)
хищнический (형) 약탈적인
хищничекство(중) ① 약탈(掠奪),

탈취(奪取); ② 남용(濫用), 오용(誤用)
хищные (복수) (동물) 식육(食肉)
хищный (형) ① 다른 동물을 잡아먹는, 육식하는; ~ зверь 맹수 ② 약탈적인
хладнокровие (중) 냉정(冷情), 냉담
хладнокровный (형) 침착한
хлеб (남) ① 빵, 홀데브 ② 알곡, 곡식, 곡물; сеять ~ 곡식을 심다 ◊ ~-соль (손님환대의 표식인) 소금을 얹은 빵
хлебзавод (남) 빵공장
хлебозаготовки (복수) 알곡
хлебопоставки (복수) 알곡 (곡물)납부(納付), (곡물)수매(收買)
хлев (남) (집승)우리, 마구간
хлопать (미완) 소리나게 두드리다(지다); ~ в ладоши 손벽을 치다
хлопководство (중) 목화재배(업)
хлопкоуборочный (형); ~ая машина 목화수확기
хлопнуть (완) хлопать의 일회태
хлопок (남) 목화(木花). 면화(棉花)
хлопотать (미와) ① 분주히 돌아가다, 부주해하다; ~ по хозяйству 가정일에 분주하다 ② 걱정하다, 염려하다 ③ за кого 주선하다, 알선하다
хлопотливый (형) ① 분주스러운, 거들기 좋아하는 ② 손이 많이 드는, 분주한
хлопотно(슬어로) 시중이 많다, 성가시다
хлопотный (형) 손이 많이 드는
хлопоты ① 걱정스러운 일, 시끄러움; доставлять(또는 причинять) хлопот 폐를 끼치다; нажить себе хлопот 시끄러운 일을 걸머지다 ② 알선(韓旋), 주선
хлопчатобумажный (형); ~ая ткань 면천(免賤), 면직물(綿織物)
хлопья (복수) ① 솜(털) 부스러기; ② 송이; снег идёт ~ми 함박눈이 송이송이 내린다

хлор (남) (화학) 염소(鹽素)
хлорирование (중) 염소화, 염소처리
хлорировать (미완, 완) 염소살균하다
хлорный (형) 염소의; ~ая кислота 염소산(鹽素酸); ~ая известь 염화석회, 표백제, 표백분(漂白粉)
хлорофилл (남) 엽록소(葉綠素)
хлороформ(남) 클로로포름(chloroform. 마취제의 일종)
хлынуть (완) ① 막 쏟아지다, 솟구쳐 나오다; ~л дождь 비가 쏟아졌다 ② 밀려들다
хмелеть (미완) 취하다
хмель I (남) 호프
хмель II (남) 술기운, 취기(醉氣); во ~ю 취해서
хмельной (형) ① 술취한; ② 취하게 하는; ~й напиток; ~е 주정음료, 술; ③ (명사로): ~е (중) 술
хмурить (미완) 찌푸리다, 찡그리다
хмуриться (미완) ① 수심을 띠다, 우울해지다, ② (얼굴, 눈썹 등을) 찡그리다, 찌푸리다 ③ (하늘, 날씨가) 흐려지다, 음산(陰散)해지다.
хмурый (형) ① 침울한, 우울한, 근심어린 ② 찡그린, 찌푸린 ③ 흐린, 음산한; ~ое небо 흐린 하늘
хныкать (미완) ① 흐느껴 울다; ② 우는 소리를 하다, 하소연하다
хобот (남) ① 코끼리의 코; ② (두더지, 쥐. 곤충 등의) 주둥이
ход (남) ① 움직임, 걸음; 운행(運行) 속도(速度); ~ поезда 기차의 운행(運行); пу-стить машину в ~ 기계를 가동시키다; малый(또는 тихий) ~ 서행, 천천히 가는 것; ② 과정(過程), 행정(行程); в ~е борьбы 투쟁과정에서; ③ (공학) 행정 (거리);~ поршня 피스톤행정; холостой ~ 공행정, 헛돌기, 공회전; ④ 작업 장치, 행정부 바퀴; колёсный ~ 주행바퀴; ⑤ 들어오는 곳, 입구(入口); 나가는 곳, 출구(出口), 통로(通路); чёрный ~ 대문; ~со двора 마당에서 들어오는 문; подземный ~ 지하통로; потайной ~ 비밀입구; ⑥ (트럼프, 장기, 바둑 등에서) 수, 순번, 차례; ваш ~ 당신의 차례입니다; ⑦ 조치(調治), 수단(手段); ловкий ~ 교묘한 수단 ◊ на ~у 걸어가면서; пойти в ~ 널리 통용되다; 잘 팔리다; пустить в ~ 적용하기 시작하다
ходатай (남) 알선자, 주선자(周旋者)
ходатайство (중) ① 알선(斡旋), 주선(周旋) ② 청원(請願), 청원서(請願書)
ходатайствовать(미완) 알선(주선)하다
ходить (미완) ① 걷다, 다니다, 갔다 오다;~ в школу 학교에 다니다 ② в чём 입고(쓰고, 신고) 다니다; ~ в пальто 외투를 입고 다니다; ~ в сапогах 장화를 신고 다니다 ③ за кем-чем 돌보다, 시중들다, 간호하다; ~ за больным 환자를 간호하다 ④ 통용(유통)되다
ходкий (형): ~ товар 잘 팔리는 상품
ходовой (형) ① 항해의; ~ые испытания 시험항해; ② 가장 수요가 많은 ~ой размер обуви 가장 수요가 많은 신발문수; ~ой товар 상시상품, 잘 팔리는 ③ 널리 사용되는; ~ые слова 통용어
ходок(남)① 보행자 ②(체육) 경보선수
ходьба (여) ① 걸음, 보행 ② (체육) 육상(陸上) (경기)
хождение (중) ① (걸어서) 다니는 것, 보행(步行), 통행(通行); ② (화폐 따위의) 유통(流通), 통용(通用) ◊ иметь ~ 유통 (통용) 되다; ~ по мукам 고난의 길
хозрасчёт (남) 독립체산제; перевести предприятие на ~ 기업을 독립체산제로 넘기다
хозрасчётный(형); ~ое предприятие 독립체산제기업소
хозяин (남) ① 주인(主人) ② 살림꾼
хозяйка (여) ① 여주인; ② 살림꾼; ◊

домашняя ~ 가정부인

хозяйничать (미완) ① 주인 노릇을 하다; ② 경영하다, 운영하다

хозяйский (형) ① 주인의 ② 주인다운, 살림꾼다운

хозяйственник (남) 경리, 경리책임자

хозяйственный (형) ① 경리의; ~ый орган (경리기관) ② 살림꾼다운 ◇ ~ое мыло 빨래비누; ~ый магазин 가정용품상점

хозяйство (중) ① 경제(經濟); народное ~ 국민경제; плановое ~ 계획경제; ② 경리(經理); сельское ~ 농촌경리, 농업(農業); лесное ~ 임업; ③ (집안)살림; домашнее ~ 집안 살림, 가정의 살림살이; вести ~ 살림살이를 꾸려나가다 ④ 농장(農場); опытное ~ 시험농장

хозяйствовать (미완) ① 경영(經營)하다, 운영하다; ② 집안살림을 꾸리다

Хоккайдо (중) (불변) 북해도

хоккеист (남), ~ка (여) 하키선수

хоккей (남) 아이스하키; ~ на траве 필드하키

хоккейный (형) 하키의; ~ый матч 하키경기; ~ая команда 하키 팀

холера (여) 콜레라

холецистит (남) (의학) 담낭염

холл (남) 홀, 거실(居室)

холм (남) 야산(野山), 언덕

холмистый (형) 야산(언덕)이 많은

холод (남) 추위; сильный ~ 강추위

холодать (미완) 추워지다

холдеть (미완) ① 차지다, 차가워지다; ② 소름이 끼치다

холодец (남) 고기묵

холодильник (남) ① 냉동기(冷凍機), 냉장고(冷藏庫); домашний ~ (가정용)냉동기; ② 냉각기(冷却機), 냉각장치; вагон-~ 냉동차(冷凍車)

холодно (부) ① 냉정하게, 쌀쌀하게; ② (술어로) 춥다

холодность (여) 냉담성, 무관심성

холодный (형) ① 추운, 찬; ~ая погода 추운 날씨; ~ая вода 찬물 (냉수); ~ый ветер 찬바람; ~ый душ 냉수욕 ② 냉정한, 냉담한, 쌀쌀한; ~ый приём 냉대 ◇ ~ая война 냉전; ~ое оружие (칼, 창 등의) 무기류, 도창류; ~ая обработка [ме-талла] 냉동가공

холостой (형) ① 남자에 대하여; 미혼의, 장가들지 않은 ~ человек 독신(자) ② 공란의; ~ патрон 공란 ③ (공학) 헛돌기의; ~ход 헛돌기, 공회전

холостяк (남) 총각, 독신(자)

холст (남) ① 마포, 아마포 ② (미술) 화포

хомут (남) ① 멍에; ② 힘겨운 일; ③ (공학) 쇠고리, 끼우개

хомяк (남) 메쥐

хор (남) 합창(合唱), 합창단(合唱團)

хорда (여) (수학) 현

хорёк (남) 족제비

хореограф (남) 무용연출가

хореографический (형) 무용의; ~ое искусство 무용예술

хореография (여) ① 무용술 ② 무용연출

хорея (여) (의학) 무도병, 중풍(中風)

хориат (남), ~ка (여) 합창단가수

хоррмейстер (남) 합창단지휘자

хоровод (남) (노래에 맞추어 추는) 군무, 원무, 윤무

хоронить I (미완) 매장하다, 묻어버리다, 장례를 치르다

хоронить II (미완) 감추다, 숨기다

хорошенький (형) ① 좋은; ② 귀여운, 예쁜; ~ая девочка 귀여운 처녀 ◇ ~ого понемножку (야유) 재미난 꿀에 범난다, 그만하면 충분하다

хорошенько (부) 잘, 충분히

хорошеть (미완) 고와지다, 예뻐지다, 아름다와지다

хороший (형) ① 좋은, 훌륭한; ~ий

человек 좋은 사람; ~ая погода 좋은 날씨; ~ий голос 훌륭한 목소리; ② (흔히 собой와 함께; 완전형 없음) 곱다, 예쁘다; она ~а собой 그 여자는 미인이다; он ~ собой 그 미남자이다; ③ 적당한, 적절한; ~ий вопрос; 적절한 질문 ◇всего~его! 안녕히 계십시오! 안녕히 가십시오!; по ~ ему 잘, 순조롭게, 화목하게

хорошо (부) ① 잘, 좋게; чувствоать себя ~ 기분이 좋다 ② (술어로) 좋다

хорь (남) см. хорёк

хотеть (미완) 원하다, 바라다, ……을 하고싶어하다; я хочу почитать газету 나는 신문을 읽고 싶다

хотеться (미완) …하고싶다; мне хочется поговорить с вами 나는 당신과 말하고 싶습니다

хоть ① (접) 비록 ……지만; ~ я стар, но ещё могу работать 비록 내가 늙었지만 아직 일 할수 있다 ② (접) (+명령형) ……지경으로, …정도로; мокрый, ~ выжми 폭 곳었다 ③ (조) 하다못해 ……일도; ~ сейчас пойду 지금이라도 가겠다 ④ (조) 실례로, 가령; взять ~ этот случай 가령 이 경우를 예로 들어보자 ~ куда (술어로) 손색이 없다, 훌륭하다; ~ бы что кому 아무렇지도 않다, 끔만하다

хотя (접) 비록 ……지만 я пойду, ~ я болен 비록 내가 병들었지만 가겠습니다.

хохол,хохолок(남) (새의)도가머리, 관모

хохот (남) 요란한 웃음, 폭소

хохотать (미완) 요란하게 웃다, 껄껄 웃다: ~ до слёз 눈물이 날 지경으로 웃다

Хошимин (남) г. 호지명시

храбрец (남) 용사(勇士), 용병(勇兵)

храбриться (미완) 용기를 내다, 허세를 부리다

храбро (부) 용감하게, 과감하게

храбрость (여) 용감성, 용기(勇氣)

храбрый (형) 용감한(勇敢-), 과감한

храм (남) ① 사원(寺院), 성당(聖堂), 성전(聖傳); буддийский ~ 절, 사찰(寺刹); ② 전당(殿堂); ~ науки 과학의 전당

хранение (중) 보관(保管), 전장; сдать на ~е 보관시키다; камера ~я [ручного багажа] 손짐보관실; плата за ~е 보관료(保管料)

хранить (미완) ① 잘 거두어두다, 보관하다, 보존하다, 건사하다; ~ овощи в пог- робе 야채를 저장고에 보관하다; ~ прох- ладном месте 찬곳에 거두어 (건사해)두다 ② 간직하다, 새겨두다; в памяти(또는в сердце, в душе) 기억해두다, 가슴속에 새겨두다; ③ 보호하다, 수호하다 ◇ ~ в иайне 비밀에 붙여두다

храниться (미완) ① 보관되어있다; ② 간직되다 ③ 보호되다

храп (남) 코고는 소리

храпеть (미완) 코를 골다

хребет (남) ① (해부) 척주, 등뼈, 척추 ② 산줄기 (산맥)

хрен (남) 서양고추냉이 ◇ ~ редьки не слаще (_속담) 그놈이 그놈이다

хрестоматия (여) 독본(讀本), 해설서

хризантема (여) 국화(菊花)

хрип (남) ① 목 쉰소리 ② (의학) 라셀음(Rassel 音), 수포음(水泡音)

хрипеть (미완) 목쉰소리를 내다

хриплый (형) 목이 쉰, 목이 갈린

хрипота (여) 목쉰것, 목쉰것, 목쉰소리

христиане (복수) (~ин (남), ~ка (여)) 기독교신자(들), 기독교도(基督敎徒)

христианский (형) 기독교(基督敎)의

христианство (중) 기독교(基督敎)

хром (남) (화학) 크롬(chrom)

хромать (미완) 절뚝거리다; ~ на левую ногу 왼다리를 절뚝거리다

хромирование (중) 크롬 칠하는 것, 크롬 도금(chrom 鍍金)

хромистый(형)크롬의; ~ая сталь 크롬강

хромой (형) ① 다리를 저는; ~ человек 절름발이, 절뚝발이 ② (명사로) (남) 절름발이

хромосома (여) (생물) 염색체(染色體)

хроника (여) ① 연대기(年代記), 실록(實錄); ② (신문, 잡지 등에서) 소식란, 통보란(通報-); ③ (영화의) 시보

хроникальный(형); ~ фильм 시보영화

хронический (형) 만성의; ~ое заболевание 만성병, 만성질환(慢性疾患)

хронологический (형); ~ая таблица 연표, 연대표;в ~ом порядке 연대순으로

хронология (여) 연대(年代), 연대기

хронометр (남) 정밀시계, 측정시계

хронометраж (남) (정밀시계에 의한) 시간 측정, 작업시간측정

хрупкий (형) ① 부서지기 쉬운, 깨지기 쉬운, 연한; ~ий лёд 부서지기 쉬운 얼음 ② 가냘픈; ~ая женщина 가냘픈 여자 ③ 몹시 약한, 허약한; ~ое зроворье 허약한 건강

хрусталик (남) (의학) (눈의) 수정체

хрусталь (남) ① 수정(水晶), 크리스탈; горный ~ 수정; ② 고급유리; ③ 고급유리제품, 고급유리그릇

хрустальный (형) ① 고급유리로 만든; ~ая ваза 고급유리병; ② 투명한, 맑은; ~ая вода 맑은 물; ③ (소리에 대하여) 맑은, 방울을 굴리는듯한

хрустеть (미완), **хрустнуть** (완, 일회) 바작바작 (바삭바삭, 바스락바스락) 소리를 내다; снег хрустит под ногами 눈이 발밑에서 바드득바드득 한다

хрюкать (미완), ~нуть (완, 일회) (돼지가) 꿀꿀거리다

хряк (남) 수퇘지

хрящ (남) 삭뼈, 연골(軟骨)

худеть (미완) 여위다, 파리해지다

художественный (형) 예술의, 미술의; 예술적인; ~ая самодеятельность 예술소조; ~ый фильм 예술영화; ~ая выставка 미술전람회; ~ые изделия 미술품; ~ая литература 문학, 문예작품

художник (남), ~ца (여) ① 화가(畫家), 미술가(美術家); ② 예술가: (예술분야에서) 창조(創造)자

худой (형) 여윈, 살빠진 빼빼마른

худощавый (형) 여윈 초체한

худший (형) 보다 나쁜, 가장 나쁜

хуже(плохо, плохой의 비교급) 더 나쁘게, 더 나쁘다

хулиган (남) 망나니, 불량자

хулиганить (미완) 망나니짓하다, 난폭하게 행동하다

хулиганский (형) 망나니*, 난폭한; ~ поступок 망나니짓, 난폭한 짓

хулиганство(중) 망나니짓, 난폭한 행위

хулить (미완) 비난(비방)하다, 욕하다

хунта (여); военная ~ 군사불한당

хурма (여) ① 감 ② 감나무

хутор (skia) (우크라이나식의) 농경지가 달린 농가: 농촌부락

Ц

цапать (미완) 잡아채다, 긁어 잡다; ~ из рук 손에서 잡아채다
цапля (여) 왜가리; белая ~ 해오라기, 백로(白鷺)
ЦАР *см.* Центральноафриканская Республика
царапать (미완) ① 허비다, 할퀴다 ② 되는 대로 갈겨쓰다
царапаться (미완) ① 할퀴다, 쥐어뜯다; ② 서로 할퀴며 싸우다
царапина (여) 할퀸(허비운) 자리
царапнуть (완) ① царапать의 일회태 ② 약한 상처를 입히다
царевич (남) 왕자(王子), 왕태자
царена (여) 공주(公主)
царизм (남) 황제제도(皇帝制度)
царить (미완) ① 지배하다, 우위를 차지하다 ② 깃들다; ~т тишина 정적이 깃들고있다, 잠잠하다
царица (여) ① 여왕(女王); ② 왕비, 왕후
царский (형) 황제(皇帝)의
царство (중) (+규정어) 영역(領域), …계; ~ природы 자연계(自然界)
царствование (중) 통치시대
царствовать (미완) 통치하다, 지배하다
Царь 1 (Первая книга Царств, 31장, 289 쪽) 사무엘 상(上)(books of Samuel I; 구약성서 가운데 2권
Царь 2 (Вторая книга Царств, 24장, 326 쪽) 사무엘 하(下)(books of Samuel II; 구약성서 가운데 2권)
Царь 3 (Третья книга царств, 23장, 357 쪽) 열왕기상(列王記 上, books of Kings 히브리어 성서나 개신교 〈구약성서〉에 속한 2권의 책
Царь 4 (Четвертая книга царств, 26장, 393 쪽) 열왕기하(列王記 下, books of Kings)
царь (남) ① 황제(皇帝) ② 왕(王)
цвести (미완) 꽃피다, 개화하다
цвет I (남) 색, 빛깔 ◊ на вкус и на ~ товарища нет (속담) 입맛과 취미는 각인각색이다
цвет II (남) ① 꽃; живые ~ы 생화; ② 정예(精銳), 핵심(核心), 정수(부대) ◊ во ~е лет 전성기에
цветение (중) 꽃피는것, 개화; пероид ~я 개화기
цветистый (형) ① 꽃이 만발한; ② 알락달락한, 무늬난; ③ (문체나 말 등에서) 지나치게 분식된
цветник (남) 꽃밭, 호단, 꽃동산
цветной (형) 색의, 색갈이 있는, 천연색의; ~ой фильм(~ая фотография) 천연색 영화(사진); ~ой каркндаш 색연필; ~ая бумага 색종이; ~ой телевизор 칼라텔레비젼; ~ые металлы 유색금속
цветоводство (중) 꽃재배
цветок (남) 꽃; живые (искусственные, полевые, садовые) цветы 생화 (만든꽃, 조화, 돌꽃, 화초); сажать цветы 꽃을 심다
цветочница (여) 꽃파는 여자
цветочный (형) 꽃의; ~ мёд 꽃꿀; ~ горшок 화분(花粉)
цветущий (형) ~ вид 생기발랄한 모습
цветы (복수) *см.* цветок
цедить (미완) 거르다, 걸러내다, 걸러; ~ через сито 채로 걸러내다
целебный (형) 건강에 좋은, 치료에 효력이 있는; ~ые травы 약초; ~ое средство

약제
целевой(형);~ая установка 목표(설정)
целесообразно (부) ① 합리적으로 ② (술어로) 합리적이다, 적합하다
целесообразность (여) 합리성
целесообразный (형) 합리적인, 타당한
целеустремоённо (부) 목적지향성있게
целеустремлённость (여) 목적지향성
целеустремлённый(형) 목적지향성있는
целиком (부) 전부, 몽땅: 전적으로, 완전히 ◇ ~и полностью 전적으로
целина(여) 처녀지(處女地), 미개간지(未開墾地); освоение ~ы 처녀지개간
целинный (형); ~ые земли 처녀지(處女地), 미개간지(未開墾地)
целить[ся] (미완) ① 겨누다, 조준하다; ② 노리다, 기회를 보다
целлофан (남) 셀로판(cello), 셀로판지
целлулоид (남) 셀룰로스(cellulose) 세포막질(細胞膜質), 섬유소(纖維素)
целлюлоза (여) 섬유소
целовать (미완) 입 맞추다, 키스하다
целоваться (미완) 서로 입 맞추다., 키스하다
целое (중) ① 전체(全體), 총체(總體); составить единое ~ 혼연일체를 이루다 ② (수학) 정수(定數), 완수
целостность (여) 통일성, 전일성, 완전무결; территориальная ~ 국토완정
целостный (형) 전일적인, 완전무결한
целость (여) 완전무결(完全無缺) ◇ в ~ и и сохранности 아무런 손실 없이
целый (형) ① 완전, 저, 온; ~ый день 온종일; ~ый час 완전 한시간; ~ый год 온 한해; ~ый ряд вопросов 일련의 문제들 ② 온전한, 성한, 무사한; он остался цел 그는 무사하였다 в ~ом 총체적으로
цель (여) ① 목적, 목표; достичь ~и 목적을 달성하다; поставить ~ь 목표를 세우다 ② 목표, 과녁; попасть в ~ь 명중하다 ◇ с ~ью(또는 в ~ях) чего...을 목적으로, …하기 위하여
цельнометаллический(형) 순금속제의
цельность (여) 완전성
цельный (형) ① 있지 않은, 한 재료로 만든, 한 물건으로 만든; ② 전일적인, 오완전한, 순수한; ~ое молоко 순우유
Цельсий (남) 섭씨(온도계); 10 градусов по ~ию 섭씨 10(십) 도
цемент (남) 시멘트
цементировать (미완, 완) ① 시멘트를 바르다, 시멘트 땜질하다; ② 단결시키다, 계속시키다. 공고하다
цементный (형) 시멘트의
цена (여) ① 값, 가격; ~а на хлеб 빵값; подниматься(снижаться) в ~е 값이 오르다(내리다); взвинчивать цены 값을 올리다; снижать цены 가격을 인하다; снижение цен 가격인하; ② 대가, 희생, 노력 ~ою жизни 목숨을 걸고; любой ~ой 어떤 대가를 치르더라도, 어떤 희생으로라도; дорогой ~ой 막대한 노력을 돌이여, 막대한 희생으로 ◇ быть в ~е (몹시)비싸다; ~ы нет 매우 귀중하다(가치가 있다)
ценз (남) 법정자격; избирательный ~ 선거자격
цензор (남) (출판물) 검사원, 교정원
цензура (여) (출판물 등의) 검열(국)
ценить (미완) ① 값을 정하다 ② (가치, 의의를) 평가(인정)하다; высоко ~ 높이 평가하다
цениться (미완) ① 값이 있다, 평가되다; меха дорого ценяться 모피는 대단히 비싸다 ② 가치 (의의)가 있다, 존중을 받다
ценник (남) 가격표(價格票)
ценность (여) ① 가격, 가치(액); иметь ~ь 가치가 있다 ② (복수) 귀중품 ③ (복수)부, 재부; материальное и духовные ~и 물질적 및 정신적 재산(가치)
ценный (형) ① 값있는, 가치있는; ~ые

вещи 값있는 물건, 귀중품; ~ый подарок 가치있는 (귀중한)선물 ② 귀중한, 중요한; ~ый работник 귀중한 일군; ~ое открытие 중요한(귀중한)발명 ③ 가격이 표시된; ~ая посылка 가격표시 소포

ценообразование (중) 가격형성

центр (남) ① 중앙(中央), 중심(中心), 중심지; в ~е и на местах 중앙과 지방에서; ~ вращения 회전중심; ② 중앙기관(中央機關)③ 센터(center);~ управления полётом 우주비행조종센터; культурный (туристический) ~ 문화(관광) 센터

центализация (여) 중앙집권화

централизм (남); демократический ~ 민주주의중앙집권제

централизованный (형) ① 중앙집권화된, 중앙에 집중된 ② 하나의 중심에서 출발하는

централизовать (미완, 완) ① 중앙집권제를 실시하다 ② 집중하다

Центральноафриканская Республика 중앙아프리카공화국

центральный (형) ① 중앙(中央)의, 중심(中心)의; ~ый комитет(орган, аппарат) 중앙위원회(기관, 기구); ~ая улица 중앙거리; ~ая нервная система 중추신경계통; ~ые газеты 중앙신문들; ~ое отопление 중앙난방; ② 기본(基本)의, 주요의, 중심의; ~ый вопрос 기본(중심) 문제; ~ая фигура 주요인물

центристский (형) 중립주의의

центрифуга (여) 원심분리기

центробежный (형) 원심(遠心)의; ~ая сила 원심력(遠心力)

центростмительный (형) 구심(求心)의; ~ая сила 구심력(求心力)

цеп (남) 도리깨

цепенеть (미완) 굳어지다, 마비되다, 감각을 잃다

цепкий (형) ① (동물의 발톱에 대하여) 잘 그러잡는 (잡아쥐는), 잘 걸리는; ~ие когти 날카로운 발톱 ② 포착력이 빠른; ~ий взгляд 예민한 눈초리; ~ая память 아로새겨 잊지 않는 기억력

цепляться (미완) ① 걸리다, 매달리다, 매달리다, 달라붙다; ~ за ветки 나뭇가지에 걸리다; ② 놓지 않으려고 하다 ③ 트집을 잡다

цепной (형) ① (쇠)사슬의; ~ая передача (공학) 사슬전동 ② 쇠사슬에 매인; ~ая собака(또는 ~ой пёс) 쇠사슬에 맨 개 ◇ ~ая реакция (물리) 연쇄반응

цепочка (여) ① (가늘고 작은) 쇠사슬; ~а для часов 시계 줄; ② 열, 줄, 종대행진;~ой 줄 (열)을 지어, 한 줄로

цепь (여) ① 쇠사슬; якорная ~ 닻줄; посадить собаку на ~ 개를 쇠사슬에 매어놓다; ② (복수) 족쇄(足鎖), 수갑 ③ (복수) 철쇄, 구속; разорвать цепи 쇠사슬을 끊다(벗어나다) ④ 연속, 연쇄; ~ событий 일련의 사건 ⑤ 줄, 열, 줄기, 산맥; горная ~ 산맥 ⑥ 회로, 궤도; ~ тока 전류회로 ⑦ 산개대형

церемониал (남) ① 의례; ② 분열행진

церемониальный(형);~ марш 분열행진

церемрниться (미완) ① 예의를 (격식을) 차리다, 예절을 지키다; не ~ьтесь좋도록 하십시오; ② 사양하다

церемония (여) ① 식, 의식(儀式), 예식(禮式); ~я награждения 수훈식; свадебная ~я 결혼식; погребальная ~я 장례식 ②(흔히 복수) 격식(格式) (을 차리는 것), 사양; без ~й 격식을 차리지 말고, 사양하지 말고

церковь (여) 교회 예배당, 교회당

цех(남)직장(職長); кузнечный(литейный, сборочный) ~ 단조(주물, 조립)공장

цеховой (형) 직장의

цивилизация (여) 문명(文明)

цивилизованный (형) 문명한

цигейка (여) 양털, 양모피(羊毛皮)

цигейковый (형) 양털로 만든

цикада (여) 매미
цикл (남) ① 순환(주)기, 주기(週期); ~ движения 운동주기; рабочий ~ 작업주기 ② 주파수 ③ 순환, 과정; производственный ~ 생산과정 ④ (수학) 윤채; непрерывный ~ 연속윤채 ⑤ (상호 연결된 현상의) 묶음, 계열; ~ концертов 연속음악회
циклический (형) ① 주기적인, 순환의; ~ процесс 순환과정 ② 환식의, 환상의
цикличность (여) ① 순환적인 것, 순환성; ② 순환공정(順換工程)
цикличный (형) ① 순환(順換)의; ~ое развитие 순환발전 ② 순환식*
циклон (남) 선풍, 온대성 저기압
цилиндр (남) ① 둥근기둥, 원주 ② 원통
цилиндрический (형) 원주형*, 원통형*
цинга (여) 피혈병, 혈루병
цинизм (남) 파렴치, 철면피
циник (남) 파렴치한자, 철면피한자
цинично (부) 파렴치(철면피)하게
циничный (형) 파렴치한, 철면피한, 낯가죽이 두꺼운
цинк (남) 아연(亞鉛)
цинковый(형) 아연의, 아연으로 만든; ~ые белила 아연백(산화아연으로 만든색감)
цинкография (여) 동판(銅版)
цинния (여) 백일홍
циновка (여) 거적, 돗자리
цирк(남) ① 예술; 곡예단 ② 곡예극장
циркач (남) 곡예사(曲藝師), 곡예배우
цирковой (형) 곡예의; ~ое искусство 곡예술; ~ое представление 곡예공연
циркулировать (미완) 순환하다; (소문 등이) 돌다
циркуль (남) 컴퍼스(compass)
циркуляр (남) 지시문, 지령서, 회람장
циркулярный (형); ~ое письмо 지시문, 지령서
циркуляция (여) 순환(循環); ~ крови 피돌기, 혈액순환

цирроз (남)(의학); ~ печени 간경변증
цистерна (여) (액체저장, 수송용의) 탱크 물자동차, 유조차
цистит (남) (의학) 방광염(膀胱炎)
цитадель (여) 아성(牙城), 성새(城塞)
цитата (여) 인용문(引用文), 인용구(引用句); приводить ~ы 인용하다
цитировать (미완) 인용하다
цитология (여) ①세포학 ② 세포 진단학
цитрус (남) 귤나무(속)
цитрусовые (복수) (집합) 귤작물
циферблат(남) (시계 등의) 문자판
цифра (여) ① 숫자; арабские(римские) ~ы 아라비아(로마) 숫자 ② (흔히 복수) 숫자, 지수, 액수;
ЦК (Центральный комитет)중앙위원회
цоколь (남) (건축) (석조 건물의) 기초지반 (기둥 등의) 대
цокольный (형); ~ этаж 아래층, 일층
ЦРУ(Центральное разведывательное управление США) 미국중앙정보국
ЦТАК(Центральное телеграфное агентство Кореи) 조선중앙통신(사)
цукат (남) 사탕에 담근 파일(껍질), 사탕절임파일
цунами (복수) (불변) 해일(海溢); сейсмические ~ 지진해일
цыгане(복수)(~(남),~ка(여)집시사람(들)
цыганочка(여) 집시춤(러시아의 민족무용)
цыгвнский (형) 집시의: ~ий романс 집시의 로맨스 (러시아 로맨스의 하나)
цыкать (미완) на кого 가만히 있게 하다, 위협하기 위하여 소리치다
цыкнуть (완), цыкать의 일회태
цыпки (복수) (피부의) 튼 것, 튼 자리
цыплёнок (남) 병아리
цыпочки (복수); на ~ах 발끝으로; подниматься(вставать) на ~и, стоять на ~ах 발돋움하다, 발끝을 디디고 서다

Ч

чабан (남) 양몰이꾼
чад (남) (숨막 힐듯한) 냄새, [코를 찌르는] 내내, 연기(煙氣); угореть от ~а 연기에 취하다
Чад: Республика Чад 챠드공화국
чадить (미완) 연기(독한 내내)를 피우다; из кухни ~т 부엌에서 탄내가 난다
чаевые (복수) 팁(낡은 사회에서 고맙다는 뜻으로 계산밖에 더 주는 돈)
чай (남) ① 차; 차나무; 차잎: зелёный ~ 녹차 ② 차; 차물: пить ~ 차를 마시다; сладкий ~ 설탕을 넣은 차; крепкий (слабый) ~ 진한(연한) 차; заваривать ~ 끓는 물에 차를 타다, 마른 차에 끓는 물을 부어 우리다 ③ 차 마시기; за чашкой чая 차를 마시면서
чайка (여) 갈매기
чайная (여) 다방, 차집
чайник (남) 주전자, 차관, 수관
чайный (형) 차의; ~ая плантация 차농장, 차재배원; ~ая ложка 차순가락, 작은 순가락; ~ый сервиз 차도구 한조
чайхана (여) (주아세아의) 다방, 차집
чалма (여) (회교도의) 머리수건
чан (남) 큰 쇠통; 탱크
чарка (여) 술잔
чаровать (미완) 매혹시키다
чародей, (남) ~ка (여) ① 요술쟁이, 마법사 ② 매혹적인 사람
чарующий(형) 매혹적인, 마음을 틀어 잡는
чары (복수) 매혹(魅惑), 매력(魅力)
час (남) ① 시: 9 ~ов 아침(오전) 9(아홉) 시: 6 ~ов вечера 저녁(오후) 6(여섯)시: 12 ~ов дня 낮 12(열두) 시; ~ ночи 밤(오전) 1(한) 시; без четверти ~; который ~?; надо ждать два ~а 15(십오)분전 한시; который ~? 몇 시입니까?; ② надо ждать два ~ 두 시간 [동안] 기다려야 된다.; опоздать на ~ 한 시간 늦어지다; ехать со скоростью сорок километров в ~ 시속 40(삼십) 키로 미터의 속도로 가다; ③ (복수) (미리 정해놓은) 시간; ~ы работы(занятий) 근무 (수업) 시간: приём- ные ~ы 면회시간 ④ 수업 (교수)시간 ⑤ 때, 시기, 순간; в вечерние ~ы 저녁때에; ~ отдыха 휴식시간 ⑥ (군사); стоять на ~ах 보초를 서다; комеданский ~ (계엄령하의) 통행금지 시간; ◇ не по дням, а по ~ам 급속히, 무럭무럭; битый (целый) ~ 온 한 시간, 오래 동안; в до-брый ~! 성공을 빕니다!
часовой I (남) 보초병(步哨兵), 보초(步哨)
часовой II (형) 시계의; ~ая стрелка 시계바늘; по ~ой стрелке 시계바늘이 돌아가는 방향으로; ~ая мастерская 시계수리소 ◇ ~ой пояс (지리) 시경대
....**часовой** (합성어의 뒷부분으로서 (시), (시간)이라는 뜻)
часовщик (남) ① 시계수리공
частица (여) ① (소) 부분(部分) ② (물리) 소립자(素粒子) ③ (언어) 조사
частично (부) 부분적으로
частичный (형) 일부의, 부분적인
частное [중] (수학) 상, 차
частнокапиталистический(형) 자본주의(資本主義)의, 자본(資本)
частнособственнический(형)사적소유
частность (여) 세부, 사소한 부분 ◇ в

~и [삽압어] 특히
частный (형) ① 개인의, 사적인; ~ая собственность 사유재산;~ая торговля 개인상업; ~ый капитал 개인자본 ② 개별적인; от общего к ~ому 일반적인 것으로부터 개별적인 것에서 ③ 우연(예외)적인, 특수한;~ый случай 특수한 경우
часто (부) ① 자주, 빈번히, 종종 ② 빽빽히; деревья посажены ~ 나무를 배게 심었다
частокол (남) 말뚝을 세우다, 바자
частота (여) ① 도수(度數), 빈도(頻度); ② 진동(회)수 ③ 주파수(周波數); ток высо-кой ~ы 고주파
частотность (여) 빈도(頻度) 빈도수
чатсотный (형); ~ словарь 빈도사전
частушка (여) 속요
частый (형) ① 빈번한, 잦은; ~ые встречи 빈번한 상한 ② 빽빽한, 조밀한; ~ый гребешок 살이 밴 빗, 참빗 ③ 바른, 급한; ~ый пульс 빠른 맥박
часть (여) ① 부분(部分), 일부, 몫: ~ь целого (전체, 완전한 것의) 일부[분]; бо- льшей ~ью(또는 по большей ~и) 대부분은; делить на ~и 나누다, 구분(세분)하다; платить по ~ям 분합하여 지불하다 ② 부분[품], 부속품(附屬品); ~и тела 신체의 부분; запасные ~и (예비)부속품 ③ (책의)부, 편; ④ 부, 부서; учебная ~ь 교육부; ⑤ (군사) 부대; военная ~ь 군부대 ◇ ~и речи (언어) 품사; по ~и чего... 에 대하여 말한다면; рвать на ~и 숨돌릴 틈을 주지 않다; разрываться на ~и 여러 가지 일이 퍽 많다, 여러 가지 직무를 수행하다
часы [복수] 시계; ручные ~ 손목시계, 팔목시계; карманные (настольные) ~ 회중(탁상) 시계; стенные ~ 벽시계: ~ спешат(отстают) 시계가 빠르다 (늦다)
чахлый (형) ① 시들어가는 ② 파리해진

чахнуть (미완) ① 시들다 ② 파리 (허약)해지다
чаша (여) 접시모양으로 된 그릇 (물건)
чашечка (여);коленная ~ (해부) 술개물
чашка (여) 사발, 공기, 보시기, 접시; чайная ~ 차잔
чаща (여) 밀림, 나무가 우거진 깊은 숲
чаяние (중) 염원(念願), 희망(希望)
чваниться (미완) 우쭐대다, 뽐내다
чванливый (형) 오만한, 건방진, 우쭐대는
чванство (중) 자만, 오만, 행세
чей (소유대)(남) (чья(여), чьё(중), чьи (복수)) ① 누구의: это чей дом (또는 чей это дом)? 이것은 누구의 집이요?; это чья книга (또는 чья это книга)? 이것은 누구의 책이요?: ты чьй?, ты чья? 너 뉘집에냐? ② (관계 대) (주오와 술어를 연결시킴); он поэт, чьё имя всем известно 그는 모든 사람이 알고 있는 (그의 이름을 알고 있는) 시인이다; ③ (관계 대) (술어부문을 연결시킴: 주어에 지시어 тот가 대응됨): я тот, чьё письмо вы полу- чили 제가 바로 당신에게 편지를 보냈던 사람입니다 ④ (관계 대) (보어부문을 연결함) 누구의 ....라는 것: она знает, чьй это порфель 그 여자는 이것이 누구의 가방인가를 알고있다
чей-либо (미정대) 누구의, 어느 누구의 것이든지, (임의의 소유를 나타냄)
чей-нибудь (미정대) 누구의, 누구의 것이든지 (임의의 소유를 나타냄); возьмите чей-нибудь карандаш 누구의 연필이든 가지시오
чей-то (미정대)(소유자는 일정하나 똑똑히 알 수없는) 누구의 것인지; на столе оста-лась чьято книга 책상위에 누구의 책인지 남아있었다
чек (남) ① 유가증권(有價證券), 어음,

수표(手標); выписывать ~ 수표를 때다; платить по ~y 수표에 의하여 지불하다; ② (출납외) 전표(錢票)
чека (여) (공학) (차바퀴의) 비녀못, 가로재기, 지름
чеканка(여) 코킹(caulking)[공정], 프래스
чековый (형); ~ая книжка 수표책
чёлн (남) 통나무배, 매생이
челнок (남) (방직기, 재봉기의) 북
челночный; ~ая дипломатия 왕복외교
человек (남) 사람, 인간; взрослый ~ 어른 (서인); молодой ~ 젊은이, 청년
человеколюбие (중) 인자한 것, 박애
человеконенавистнический (형) 인간증오 [사상]의
человекообразный; ~ая обезьяна 유인원(類人猿)
человеческий (형) ① 인간(人間)의; ~ие права 인권; ~ие жертвы 인명피해 ② 사람다운; ~ое обращение 인도적인 대우 (취급)
человечество (중) 인류
человечность (여) 인간성, 인정
человечный (형) 사람다운, 인정있는
челюсть (여) 턱
чем I *см.* что
чем II (접) ① (비교를 나타냄) …보다; дуб выше, ~ сосна 참나무는 소나무보다 더 크다; лучше поздно, ~ никогда (소담) 전혀 안하기보다는 늦어도 하는편이 낫다 ② (тем과 함께) …면 할 수록; ~ больше слушаешь, тем интереснее 들으면 들을수록 재미난다; ~ скорее, тем лучше 빠르면 빠를수록 좋다
чемодан (남) 트렁크, 여행(용) 가방
чемпион (남); ~ка (여); 선수권보유자; ~ мира 세계선수권보유자
чемпионат (남) 선수권대회; ~ по футболу 축구선수권대회: ~ мира 세계선수권대회

чепуха (여) ① 어러석은 수작, 헛된 말, 황당한 소리 ② 시시한 것, 보잘 것 없는 것
червивый (형) 벌레먹은
червоточина (여) 벌레먹은 구멍(자리)
червь (남) ① 벌레, 구더기; дождевой ~ 지렁이 ② 새끼벌레, 유층; шелковичный ~ 누에
червяк(남)① 벌레, 구더기; ② (공학) 웜
червячный(공학):~ая передача 웜전동
чердак (남) 고미다락, 만장
черёд(남) 차례 ◇ идти своим чередом 순조롭게 되어가다
чередование (중) 바꿈, 교체(交替)
чередовать (미완) 교대하다, 교체하다, 바꾸다, 번갈아하다
чередоваться(미완) 교체되다, 엇바뀌다
через (전) (+때) ① 넘어서, 건너서; перейти ~ улицу 거리를 건너가다; прыгнуть ~ канаву 도랑을 뛰어넘다; перелезать ~ забор 울타리를 타고 넘어가다 ② 지나서, 후에; ~ год(месяц, день, час, десять минут) 일년 (한달, 하루, 한시간, 십분) 후에; работать ~ день 하루 건너 일하다; ~ каждые три часа 세 시간씩 사이를 두고 ③ 뚫어서; пройти ~ лес 산림속을 지나가다; идти ~ толпу 군중속을 헤치고 나가다; влезть ~ окно 창문으로 들어가다 ④ 통하여; объявить ~ газету 신문을 통하여 광고하다; сообщить ~ товарища 친구를 통하여 알리다; беседовать ~ переводчика 통역을 통하여 담화하다
черёмуха (여) 구름나무, 귀룽나무
черенок (남) ① 손잡이, 자루; ~ косы 낫자루 ② (식물) 접목, 접가지
череп (남) 두개골(頭蓋骨)
черепаха (여) 거북이 ◇ идти как ~ 매우 느리게 가다, 거북을 타다
черепаший (형) 거북이; ~ий панцирь 거

북이잔등 ◇ ~ьим шагом 거북이 (매우 느린 걸음으로)
черепица (여) ① (집합) 기와(起瓦) ② 기와 한 장
черепичный (형); ~ая крыша 기와지붕
черепной (형); ~ая коробка (핵부) 두개(頭蓋) ~ая кость 두개골(頭蓋骨)
чересчур (부) 너무, 지나치게
черешня (여) 양벗, 단벗
черкать (미완) ① 들이 긋다 ② (써놓은 것) 선을 지우다
чернеть (미완) ① 꺼매지다, 거멓게 되다 ② 검게 (거멓게) 보이다
чернеться (미완) 검게 (거멓게) 보이다
черника (여) 야생딸기, 애생딸기 나무
чернила (복수) 잉크
чяернильница (여) 잉크병
чернить (미완) ① 검게 하다 ② 나쁘게 말하다, 비방하다, 더럽히다
чёрно-белый (형); ~ые фотографии 흑(백)색사진; ~ый телевизор 흑색텔데비전, 흑백티브이
чёрно-бурый;~ая лисица 흑갈색 여우
черновик (남) 초고(礎稿), 초안, 원고
черновой (형) 초고(礎稿) ~ой вариант 초고, 초안, ~ая тетрадь 잡기장
черноволосый (형) 머리카락이 검은
чернозём (남) 흑토(黑土)
чернозёмный (형); ~ая зона (또는 полоса) 흑토대(黑土帶)
черноморский (형) 흑해(黑海); ~ое побережье 흑해연안
чернорабочий (남) 막노동자, 잡부(雜夫), 막벌이꾼
чернослив (남) (집합) 말린 자두
чернота (여) 검은색, 흑색(黑色)
черный(형) ① 검은, 흑색의; ~ый цвет 검은 색; ~ые глаза 새까만 눈 ② (명사로); ~ый 흑인(黑人) ◇ ~ый ход 뒤문; ~ое дело 나쁜 일, 더러운 행동, 악랄한 행동; ~ый рынок 암시장, 비합법적 시장; ~ые металлы 흑색금속; ~ая металлу-ргия 흑색야금
черпать (미완) ① 푸다, 긷다, 뜨다; ② 얻어 내다, 섭취하다
черстветь (미완) ① 굳어지다; ② 무정해지다, 냉담해지다
чёрствый (형) ① 말라 굳어진, 딴딴한 ② 냉담한, 무정한
чёрт (남) 귀신(鬼神), 도깨비, 악마(惡魔) ◇ ~ возьми 그것 참, 제길, 젠장; ~ с ним(тобой, ними 등) 내버려두어, 두어두라; ~ принёс 제때에 오지 못하고
черта (여) ① 선(線); провести ~у 선을 긋다; ② 경계(經界), 한계(限界); в ~е го-рода 도시안에서; ③ 특성(特性), 특징(特徵); основные ~ы 기본특징; отличитель- ная ~а 특성, 특색;характерная ~а 특징 ④ (흔히 복수) 겉모습, 외모; ~ы лица 면모, 얼굴생김; ◇ в общих ~ах 대체로
чертёж (남) 도면(圖面), 도안(圖案), 도표; рабочий ~ 시공도
чертёжник(남),~ца(여) 제도공(製圖工)
чертёжный (형) 제도용의; ~ая доска 제도판(製圖板)
чертить (미완) 제도하다, 그리다; 선을 긋다 (들이긋다)
четополох (남) 지느러미엉겅퀴
чёрточка (여) ① 선(線) ② 이음표
черчение (중) ① 제도(製圖), 작도(作圖), 선을 긋는 것 ② 제도학(製圖學)
чесальный (형); ~ая машина (방직) 빗질 기계, 소면기(梳綿機)
чесать (미완) ① 긁다; ~ спину 잔등을 긁다 ② 빗다; ~ волосы 머리를 빗다 ③ 빗질하다; ~ лён 아마를 빗질하다
чесаться (미완) ① 긁다, 긁적거리다 ② 가렵다, 근질근질하다
чеснок (남) 마늘
чесночный (형) 마늘*, 마늘로 만든
чесотка (여) (의학)옴

чествование (중) ① 축하(祝賀), 경축(慶祝) ② 축하모임, 경축모임

чествовать (미완) 축하하다, 경축하다, 경축모임을 진행하다

честно (부) 정직하게, 성실하게

честность (여) ① 정직성(正直性) 성실성(誠實性); ② 성실한 태도

честный (형) ① 정직한, 성실한 ② 순결한 ◇~ое слово 정말이다

честолюбивый (형) 공명심에 사로잡힌, 야심을 품은

честолюбие (중) 공명심(公明心), 야심

честь (여) ① 명예(名譽), 영예(榮譽); ② 경의(敬意), 존경(尊敬) ③ 정조; считать большой ~ю(또는 считать за ~) 큰 영광으로 생각하다; отдавать ~ кому 거수경례하다: в ~ кого-чего... 에게 경의를 표시하여, …을 기념하여

чесуча (여) 명주(明紬)

чета (여) 쌍, 한쌍; не ~ кому-чему 어림도 없다, 비교도 안된다

четверг (남) 목요일(木曜日)

четвереньки(복수); на ~и стать 네발로 서다, 손과 발을 짚고 엎디다; ползти на ~ах 네발로 기어가다

четвёрка (여) ① 수자 4 ② (5계 단채점법에서) 4(사)점; ③ (버스, 전차 등의) 4(사)번차 ④ 4명으로 된 한조

четверо (수) [집합] 네사람, 네개; нас было ~ 우리는 네사람이였다; ~ суток 4(사) 주야

четвероногие [복수] 사족수, 사족류

четверостишие (중) 4(사)행시

четвёртый(수) 네 번께*, 게 4(사); ~ый этаж 4(사) 층; ~ая страница 4(사)페지; ~ая часть 4(사)분의 1(일)

четверть (여) ① 4(사)분의 1(일); три ~и 4(사)분의 3(삼) ②; ~ часа 15(십오)분; ~ пятого 4(네)시 십 오분; без ~и три 십 오분전 3(세)시 ③ <4(사)학기로 나눈 학년도의 한> 하기 ④ (음악)4(사)분 음표

четвертьфинал(남)(체육)준준결승[경기]

чёткий (형) ① 절도 있는, 명확한, 똑똑하게 쓴; ~ шаг 절도 있는 걸음걸이; ~ по-черк 똑똑한 필적 ② 정확, 잘 깨인; ~ ритм работы 작업의 정확한 율동

чёткость (여) 정확성, 명확성

чётный (형) ~ое чило 짝수, 우수

четыре (수) 넷, 4(사)

четыреста (수) 400(사백)

четырёхгранник (남) 4(사)면체(-面體)

четырёхугольник (남) 4(사) 각형(角形), 사변형(斜邊形)

четырёхугольный (형) 4(사)각, 사각형

четырнадцатый(수) 열 넷째의, 제 14의

четырнадцать (수) 열넷, 14(십사*)

чехи [복수] (чех (남), чешка (여))

чехол (남) 덮게, 케이스

Чехословакия (여) 체코슬로바키아: Чехо-словацкая Социалистическая Респуб- лика ЧССР 체코슬로바키아 사회주의공화국(社會主義共和國)

чесословацкий (형) 체코슬로바키아

чечевица (여) (식물) 렌즈콩[숙]

чечётка (여) 텝춤

чешский (형) 체코의

чешуя (여) 비늘

чибис (남) (조류) 쟁개비

Чили (중) [불변] 칠레

чилийский (형) 칠레의

чин (남) 관등 [급], 관위

чинить I (미완) ① 고치다, 수리하다 ② 깎다: ~ карандаш 연필을 깎다

чинить II (미완)…하다, 행하다; ~ препятствия 방해하다

чиновник(남) 관리(官吏), 관료(官僚)[배]

чирей (남) 부스럼, 헌데, 종기

чирикать (미완) 재재거리다, 지저귀다

Числ (Четвертая книга Моисея. Числа 36장 140 쪽) 민수기(— 記, Numbers (히)Bemidbar('광야에서'라는 뜻). 모세의 4번째 책이라고도 불리는 〈구약성서〉의 4번째 책)

численность (여) 수(數), 인구수(人口數), 수량(數量); ~ населения 인원수; ~ по- головья скота 집집승 마리 수

численный (형) 수적인, 양적(量的)인; ~ое превосходство 수적우세; ~ый рост 양적성장

числитель (남) (수학) 분자(分子)

числительное (중); [имя]~ 수사(數詞): количественное(порядковое) ~ 수량(순서)수사(數詞)

числиться (미완) 수에 들어가다, 포함되다, 간주되다; ~ в списке 명단에 오르다; ~ больным 환자로 인정되다

число (중); ① 수(數), 숫자, 수량(數量): целое ~o 정수(定數); дробное ~o 분수(分數), ② 날, 날자; сегодня какое ~o? 오늘은 며칠입니까?; десятого ~a 10(십)일 날에; письмо от пятого ~а 5(오) 일부 편지; в первых числах мая 5(오) 월초에 (상순에); в последних числах мая 5(오) 월말에, 오월하순에;◇ (единственное(множественное) ~o (언어) 단(복) 수; в том ~е …을 포함하여

числовой(형);~ое выражение 수적표시

чистильщик (남) 청소부(淸掃夫); ~ обуви(또는 сапог) 구두닦이

чистить (미완) ① 깨끗이 하다, 닦다, 청소하다; ~ зубы 이를 닦다;~ щёткой платье 옷을 솔질하다 ② 껍질을 벗기다, 다듬다, (물고기의) 배를 따다; ~ яблоки 사과껍질을 벗기다

чистка (여) ① 청소(淸掃) ② 껍질 벗기기, 닦달질 ③ 숙청(淑廳)

чисто (부) ① 깨끗이; ~ убрать 깨끗하게 거두다 (청소하다) ② 순전히, 완전히; ~ корейский стиль 순 조선식 ③ [술어로] 깨끗하다; в комнате ~ 방안이 깨끗하다 ◇~-начисто 아주 말끔히

чистовик (남) 정서한 것, 정서한 글

чистовой (형); ~ая тетрадь 정서하기 위한 학습장

чистокровный (형) ① 집집승 등에 대하여 순종의, 순혈통의 ② 진짜의, 순수한

чистописание (중) 서법(書法), 글씨쓰기를 배워 익히는 것, 습자(習字)

чистоплотный (형) ① 깨끗한 것을 좋아하는, (몸, 옷 등이) 말쑥한, 산뜻한 ② 정직(正直)한, 결백(潔白)한

чистосердечно (부) 솔직하게, 정직하게, 사실대로, 있는 그대로

чистосердечный (형) 솔직한, 정직한

чистота (여) ① 깨끗한 것, 정결(淨潔): содержать в ~е 깨끗이 거두다 ② 결백(潔白), 순결(純潔); ③ 명료성(明瞭性)

чистый (형) ① 깨끗한, 정결한 ② (도덕적으로) 순결한, 결백한; ~ая совесть 깨끗한 양심 ③ 순수한; ~ая шерсть 순모 ④ 맑은

читальный (형): ~ зал 열람실(閱覽室)

читальня (여) 열람실(閱覽室)

читатель (남) 독자(讀者)

читательский (형) 독자; ~ий билет 독자증; ~ая конференция 독자 [의견발표] 모임

читать (미완) ① 읽다:~ про себя(вслух) 속으로 (소리 내어) 읽다; бегло читать 줄줄 거침없이 읽다: ~ по складам 철자를 더듬어 읽다 ② 낭독하다; ~ наизусть 암송하다 ③ 강의하다; ~ лекции 강의를 하다 ◇~ нотации 엄격하게 훈계하다

читка (여) 읽기, 독보(獨步), 낭독(朗讀); ~ газет 신문독보

чихать (미완), ~нуть (완) ① 재채기 하다 ② 거들떠보지 않다

член (남) ① 성원(成員), 위원(委員), 일

원(一員);~ партии 당원; ~ профсоюза 직맹원: ~ ЦК 중앙위원회 위원: кандидат в ~ы ЦК 중앙위원회 후보위원; ~ комиссии 위원회 위원: действительный ~ Академии наук 과학원 원사: ~-корреспондент 후보원사: почётный ~ 명예위원; ~ делегации 대표단 성원; ~ клуба 구락부회원; ~ семьи 가족, 식구 ② (언어);~ предложения 문장성분 ③ (수학) 항(項); ~ пропорции 비례항 ◇ постоян-ный 정회원; ~ СЭВ 경제상호원조이사회성원국

членистоногие (복수) 절족동물
членить (미완) 나누다. 가르다, 구분하다
члениться (미완) (부분으로) 나누이다
членораздельно (부): говорить ~ 또박또박 (분명하게) 말하다
членораздельный (형); ~ ответ 확정적인 대답
членский (형); ~ий бтлет 당원증(黨員證), 회원증(會員證); ~ие вносы 당비
членство (중) (어떤 조직의) 성원으로 있는 것, 성원의 자격을 가지고 있는 것
чокаться [미완], ~нуться [완, 일회] (축배 등) 술잔을 마주치다(맞추다)
чреватый (형) *чем* (흔히 좋지 못한 결과를) 배태하고 있는 (가져올 수 있는); ~ опасностью 위험을 배태하고 있는
чрезвычайно (부) 극히, 비상히, 몹시
чрезвычайный (형) ① 비상한, 예외적인 ② 긴급한, 특별한; ~ый съезд 비상회의: ~ые меры 긴급대책 비상대책(非常對策) ◇ Чрезвычайный и Полномочный Посол 특명전권대사(特命全權大使)
чрезмерно (부) 지나치게, 과도하게
чрезмерный (형) 지나친, 과도한
чтение (중) ① [책] 읽기: книга для ~я 독본: учиться ~ю и письму 읽기와 쓰기를 배우다, 독법과 서법을 배우다 ②낭독(朗讀), 낭송(朗誦): ~е стихов 시낭송 ③ [복수] 학술논문발표회: пушкинские ~я 푸쉬킨 연구토론회
чтец (남) 낭독자(朗讀者)
чтить (미완) 몹시 존경하다, 몹시 숭배하다: ~ память 추도하다
что I (대) ① [의문 대] 무엇, ~ это? 이것이 무엇인가?; ~ он делает? 그는 무엇을 하는가?; чего здесь нет? 여기에 무엇이 없는가?; чем ты пишешь? 너는 무엇으로 쓰는가?; ~ делать? 무엇을 할까?, 어떻게 할까?; ~ случилось? 웬 일인가?; ~ с тобой? 넌 무슨 일이 생겼니?; ~ же это, такое? 와 함께 물음의 대상을 지적하고 물음을 강조함; знаешь, ~ такое война? 전재이란 어떤 것인지 아는가? ② [의문대](의문부사의 뜻으로 쓰이며) 왜?;~ты задумался? 너는 왜 생각에 잠겨 있느냐? ~ он не идёт? 그는 왜 오지 않는가? ③ [의문대] (일반적으로 묻거나 다시 말해달라는 뜻에서) 무엇이라고? 다시 한번; (물음을 강조할 때) 뭘? 그래? 정말?; подойти поближе- ~? 좀 가까이 오게-무어라고?; ~?; меня ждут? 뭘? 날 기다려?; ~? тебя обижают? 그래, 자네를 모욕한다고? ④ [미정대] 그무엇, 무엇인지, 무엇이든지: если ~ случиться, извести меня 만일 무슨 일이 생기면 곧 나에게 알려라; ты бы поел чего 자네 뭘 좀 먹지; нет ли чего новенького? 무슨 새것이 (새소식이) 없나?; в случае чего 무슨 일이 생기면; чуть ~걸핏하면, 무슨 일이든지 일어나기면 ⑤ [관계대] (보어부문을 연결시킴) 무엇…하는(라)는 것; я знаю, ~ он делает 나는 그가 무엇을 하는가를 안다; я знаю, о чём он пишет 나는 그가 편지에서 무엇을 쓰고 있는지를 안다 ⑥ [관계 대] (규정부

문을 연결시킴) …한(하는, 할); ты тот мальчик, что принёс письмо? 네가 편지를 가지고 가져온 그 소년이냐?; дом, ~ стоит на берегу, это наша школа 기슭에 있는 건물은 우리 학교이다 ⑦ [관계대] (연결부문을 연결시킴) 이것, 그것; дождь перестал, ~ нас очень обрадовало 비가 멎었다, 그것은 우리를 몹시 기쁘게 했다 ◇ a ~? (물음이나 지적에 대한 반응으로) 왜요?, 왜 그래?; ещё чего! 뭣이 어째!; ни за ~결코; ни к чему аму 소용없다, 맞지 않는다.; на ~ 어떤, 웬, 얼마나; ~ за че-ловек? 웬 사람인가?; ~ за уха! 얼마나 좋은 생선국인가!; не за ~! 천만에!; ~ делать! 하는 수 없지!, 별도리 없지!; ни с чем остаться(уйти) 아무것도 얻은 것이 없이 남다 (가버리다); во ~ бы то ни стало 어떤 일이 있어도, 모든 것을 무릅쓰고, 꼭 틀림없이

что II (접) ① (보어부문을 연결시킴)…라는 것; я писал вам, ~ мы приехали во вторник 나는 우리가 화요일에 왔다는 것을 당신에게 써보냈다; я рад, ~ ты здоров 네가 건강하다니 나는 기쁘다 ② (주어부문을 연결시킴) …라는 것이; из-вестно, ~ он новатор 그가 혁신자라는 것은 두루 알려져 있다. ③ (술어부문을 연결시킴)…한 그러한것; море такое, ~ кажется, ему нет конца 바다는 끝이 없는 것 같이 보인다. ④ (규정부문을 연결시킴)…한 그러한; ночь была такая тёмная, ~ нельзя было сделать ни шагу 한 발자국도 내디딜 수 없을 만큼 밤은 캄캄하였다; ⑤ (양태 및 정도부문을 연결시킴)…하도록, …할 정도로; он распорядился так, ~ все были довольны 그는 모두가 만족하도록 처리하였다 ⑥ (복합접속사를 형성함): потому, ~(оттого, ~, ввиду того, ~; благодаря тому, ~; вследствии того, ~; в связи с тем, ~; в силу того, ~) [원인 접] …때문에; несмотря(невзирая) на то, ~ [양보 접] …에도 불구하고

чтобы (접) ① (목적부문을 주문에 연결시킴) …하기 위하여, …하도록, …하게끔; я сделаю всё, ~ вам помочь 나는 당신을 도와주기 위하여 모든 것을 다하겠다.; он спешил, ~ успеть на поезд 그는 기차에 늦지 않도록 서둘렀다 ② (보어부문을 연결시킴) …할 것,…하도록; я хочу, ~ вы это сделали 나는 당신이 그것을 해주기를 바랍니다.; скажите, ~ он закрыл дверь 그가 문을 닫도록 (그에게 문을 닫으라고) 말해주시오 ③ (복합접속사를 형성함): для того,; так, ~ …하기 위하여, …하도록; вместо того, ~ 할 대신에

что-либо см. что-нибудь

что-нибудь [미정대] 무엇이나, 무엇이든지, 아무것이나; купи ~ 무엇이든지 사라; нет ли чего-нибудь почитать? 아무 것이든 읽을 것이 없는가?

что-то I [미정대] 무엇인가, 그 무엇, 무엇인지; ~ виднеется 무엇인가 보인다.; ~ случилось 무슨 일이 생겼다; чего-то нехватает 무엇인지 모자란다.

что-то II (부) 어쩐지; мне ~ не хоче- тся есть 나는 어쩐지 먹고 싶지 않다.; тут ~ не так 이것은 암만해도 이상하다

чуб (남) (이마에 내리드리운) 앞머리카락

чувственность (여) 감각(感覺), 각성

чувствительный (형) ① 감각(感覺); ~ое восприятие 감수 ② 육감적인

чувствительность (여) ① 감수성, 자극성 ② 감수성이 빠른 것, 민감성

чувствительный (형) ① 예민한, 정밀한 ② 감수성이 빠른, 민감한

чувство (중) ① 감각; органы ~а 감각기관(感覺器官) ② 마음, 느낌, 정정;~о долга 의무감, 의리; ~о ответственности

책임감; ~о собственного достоинства 자존심; ~о гордости 자부심; ~о жалости 연민감; от избытка ~감정이 북받쳐 ③ (흔히 복수) 의식, 맑은 정신; упасть без ~а 정신을 잃다, 실신하다; прийти в ~о 정신을 차리다 ② 사랑의 정, 사랑; сильное ~о 열렬한 사랑

чувствовать (미완) 느끼다, 감각하다; ~ боль 아픔을 느끼다, 아프다; хорошо себя ~ 건강상태가 좋다; плохо себя ~ 몸이 편치 않다; как вы себя чувст-вуете? 건강(기분)이 어떻습니까?; я чувствую, что он придёт 내 예감에는 그가 꼭 올 것 같다

чувствоваться (미완) 느껴지다, 감촉되다

чугун (남) 선철(銑鐵), 주철(鑄鐵), 무쇠
чугунный (형) 무쇠; ~ горшок 무쇠단지
чугунок (남) 무쇠단지, 무쇠그릇
чудак (남) 괴짜, 괴벽한 삶
чудачество (중) 행동이 괴벽한것; 괴벽한 행동
чудачка (여) 괴벽스러운 여자
чудеса см. чудо
чудесный (형) ① 훌륭한 (뛰어나게) 아름다운, 황홀한; ~ день 훌륭한 날; ~ вид 절경 ② 신비로운, 기이한; ~ мир сказок 옛말의 신비로운 세계
чудить (미완) 괴상한 행동을 하다
чудиться (미완) [흔히 무인칭] …듯이 느껴지다; мне ~тся стук 누군가 문을 두드리는 것 같다
чудной (형) 이상한, 기이한
чудный (형) 훌륭한, 놀랄만치 아름다운; ~ая погода 훌륭한 날씨
чудо (중) ① (미신에게) 기전; верить в чудеса 기전을 믿다 ② 놀라운 것, 기적; творить чудеса 기적을 낳다, 기적을 창조하다
чудовище (중) 괴물(怪物)
чудовищный (형) ① 무서운, 어마어마한; ~ое существо 무시무시한 피물 ② 지독한, 극악한; ~ое преступление 극악한 범죄 ③ 극도의, 대단한; ~ая разруха 극심한 파괴

чудом (부) 기적적으로
чужбина (여) 이국땅, 타향, 타곳, 타고장
чуждаться (미완) кого-чего 피하다, 멀리하다
чуждый (형) 인연이 없는, 관계가 먼; ~ элесмент 이색분자
чужеземный (형) 타국, 남의 나라, 외국
чужеродный (형) 다른, 색다른
чужой (형) ① 남의, 타인(他人)의; ~ая книга 남의 책; ~ая мысль 남의 사상; ~ие вещи 남의 물건 ② 인연이 없는; ~ие люди (친척이아닌) 남들; он для меня ~ой 그는 나와 아무런 인연도 없다 ③ 타고장*, 다른 나라; ~ая сторона 타고장, 낯선 고장; ~ой язык 다른 나라 말 ④ [명사로] [남] 남; стесняться ~ 이 남을 어려워하다

Чуктка (여) Чукотский п-в 추크치반도
чукотский (형) 추크치(Chukchi)
Чукотское море 추크치해(Chukchi海)
чулан (남) 광(廣), 고방(庫房), 헛간
чулки (복수) (단수 чулок) 긴양말
чума (여) 흑사병(黑死病), 페스트(pest)
чумазый (형) 지저분한
чумиза (여) (식물) 조
чураться (미완) кого-чего 피하다, 멀리하다
чурбан (남) ① 통나무토막 ② 바보
чуткий (형) ① (청각, 후각이) 예민(銳敏)한 ② 정밀한; ~ая аппаратура 정밀한 기구 ③ 민감한, 감수성이 빠른; ~ий к но-вому 새것에 민감한 ④ 인정이 깊은
чутко (부) ① 예민하게 ② 정밀하게 ③ 민감하게 ④ 인정있게
чуткость (여) ① (청각, 후각의) 예민성

② 정밀성 ③ 민감성 ④ 인정이 깊은 것

чуть (부) (접) ① (부) 겨우, 약간; ~ заметный 약간 보이는, 알릴락말락한; он ~ дышит 그는 겨우 숨을 쉬고 있다.; ~ больше 조금 더 많다 (크다) ② (접) (시간부문에서) …하자마자; ~ кто войдёт 누가 들어오자마자…; ~ только стало сме-ркаться 날이 저물어지자마자 ◇ ~´´[было] не …..하마트면.; ~ что 걸핏하면; ~~ 조금, 약간; ~[ли] не…. 거의, ….나 다름없다

чутьё (중) ① (동물의) 후각, 취각; ② 감각, 감촉, 포착, 이해력: политическое ~ 정치적 안목

чучело (중) ① 박제품 ② 허수아비

чушка (여) 주괴, 선철괴, 무쇠 덩어리

чуять (미완) ① (짐승이) 냄새를 맡고 알아내다 ② 느끼다, 예감하다; сердце моё чует недоброе 나의 가슴속에 불길한 예감이 돈다.

Ш

шаблон (여) 본(本), 형(形), 모형(模型) (게지), 모형판

шаблонный (형) ① 모형(模型) (게지)* ② 지부한, 판에 박은

шаг (남) ① (한) 걸음; 발걸음; 보조(步調) ② 행동(行動); 대책(對策), 조치(調治) ③ 발전단계 ④ (공학) 피치, 간격(間隔) ◇ ~ за ~ом 점차로

шагать (미완); ~нуть (완, 일회) ① 걷다, 걸음을 옮기다; ② 건너(넘어)가다; ~нуть через порог 문턱을 넘다

шагом (부) 걸음, 평보로; ~ марш! 앞으로 갓!

шайба (여) ① (공학) 자리쇠; 유량구멍판 ② (채육) (빙상) 하키공(hockey-), 아이스하키 퍽(ice hockey puck); хоккей с ~ ой (빙상) 아이스하키

шайка I (여) 악당(惡黨), 도당(徒黨), 일당; ~ воров 도적단

шайка II (여) (손잡이가 달린) 물바가지, 작은 물통, 대야

шакал (남) (동물) 이리

шалаш (남) 초막(草幕), 막집

шалить (미완) 장난하다

шалость (여) 장난

шалун (남), ~ья (여) 장난꾼, 장난꾸러기

щалфей (남) (식물) 뱀차조기 (수)

шаль (여) 어깨수건

шальной (형) 미친듯한 ◇ ~ая пуля 유란; ~ые деньги 쉽게 얻어진 돈

шаман (남) (샤만교를 믿는 종족들에 있어서) 무당, 마술사, 마술의생

шаманизм (남) 샤마니즘, 샤만교

шаманка (여) 무당(巫堂)

шампанское (중) 삼광주

шампиньон (남) 들버섯(속), 느타리

шампунь (남) 샴푸(shampoo)

шанс (남) 좋은기회

шантаж (남) 공갈, 위협(威脅), 협박

шантажировать (미완) 공갈치다, 위협하다, 협박 하다

шантажист (남), ~ка (여) 공갈자, 협박자

шапито (중) 예술단의 이동천막

шапка (여) ① (채양이 없는) 모자(帽子); меховая ~ 널 모자; надеть(снять) ~у 모자를 쓰다(벗다) ② (인쇄) 표제의 제목 ◇ на воре ~а горит (속담) 도적이 제발이 저리다

шапочка (여) 어린이모자

шапочный (형) 모자의(帽子) ◇ ~ое знакомство 풋낯이나 아는 사이; прийти к ~ому разбору 막 끝날 무렵에 도착하다

шар (남) ① (수학) (球), 구체(具體); поверхность ~а 구채의 표면 ② 구(球), 공; воздушный ~ 고무풍선, 기구(器具); земной ~ 지구; бильярдный ~ 당구의 알 ◇ хоть ~ом покати 텅 비였다 아무것도 없다

шарада (여) 단어 알아 맞추기.

шарахаться (미완), ~нуться (완, 일회) ① (갑자기 놀라서 옆으로)물러서다, 피하다 ② 힘껏 부딪치다

шарж (남) 만화, 풍자화; дружеский ~ 우의적인 (악의 없는) 풍자화

шарик (남) 고무풍선 ◇ красные(белые) ковяные ~и 적(백) 혈구

шариковый (형); ~ая ручка 원주필; ~ый подшипник 볼베어링

шарикоподшипник (남) 볼베어링

шарить (미완) [더듬어] 찾다, 뒤지다; ~

в карманах 호주머니를 뒤지다
шарлатан (남) 협잡꾼, 사기꾼
шарнир (남) 접철, 돌쩌귀
шаровары(복수)한복바지; 넓은 채육바지
шаровой (형) 공 모양의; ~ая поверхность 구면
шарообразный (형) 구형의, 공모양의
шарф (남) 목도리
шасси (중) [불변] (항공) 착륙장치
шатать (미완) ① 흔들다 ② [무인칭] 비틀거리다; его ~ет 그는 비틀거린다.
шататься (미완) ① 흔들리다 ② 비칠거리다. ③ 빈둥거리다, 헤매다
шатен (남), ~ка (여) 갈색머리의 사람
шатёр (남) 큰 천막
шаткий(형) ① 흔들리는; ~ая лестница 흔들리는 ② 불안정한; ~ое положение 불안정한 상태; ~ие убеждения 확고하지 못한 신념; ни ~о, ни валко 좋지도 않고 나쁘지도 않게
шаткость (여) 불안정성
шатун (남) (공학) 연간, 연결대
шах (남) (장기에서) 장, 장구, 장훈
шахматист (남), ~ка (여) 장기선수
шахматный (형) 장기의;~ый турнир 장기경기 (시합); ~ая доска 장기판; ~ая игра 장기놀음; ~ая фигура 장기쪽; в ~ом порядке 장기판형으로
шахматы (복수) ① 장기; играть в ~ 장기를 두다 ② 장기쪽 한조
шахта (여) ① 탄광(炭鑛) ② 탄갱(炭坑); 수직갱(垂直坑); спускаться в ~у [탄]갱으로 내려가다
шатёр (남) 광부(鑛夫)
шахтёрский (형) 광부의; ~ посёлок 탄광마을
шахтный ~ подъёмник 수직갱 승강기
шашка I (여) 장검
шашка II (여) [서양]바둑의 쪽, 바둑돌
шашки (복수) [서양] 바둑; играть в ~ 바둑을 두다
шведский (형) 스웨덴의
шведы [복수] <~ (남), ~ка (여)> 스웨덴사람[들]
швейник (남) 재봉사, 재봉공(裁縫工)
швейный (형) 재봉*; ~ая машина 재봉기; ~ая фабрика 옷공장, 피복 공장
швейцар (남) 현관지기, 문지기
Швейцария (여) 스위스
швейцарский (형) 스위스의
швейцарцы (복수) (~ец [남], ~ка (여)) 스위스사람[들]
Швеция (여) 스웨덴어(Sweden語)
швея (여) 여자 재봉사(裁縫師)
швырнуть [완, 일회], ~ять [미완] ① 던지다; ~ять камнями(또 камни) 돌을 던지다 ② 내던지다; ~ять в окно 창문밖으로 내던지다 ◇ ~ять деньги (또는 деньгами) 돈을 낭비하다;~ять деньги на ветер 돈을 뿌리다
швыряться (미완) ① чем 던지다, 서로 던지다, 마주 던지다; ~ камнями [друг в друга] 서로 돌멩이질하다 ② кем-чем 되는대로 취급하다 ◇ ~ деньгами 돈을 낭비하다 (물 쓰듯 하다)
шевелить (미완) ① (다쳐서) 움직여(흔들어) 놓다; ~ ветки 나뭇가지들을 약간 흔들다 ② чем 약간 움직이다; ~губами (пальцами) 입술(손가락)을 약간 움직이다 ◇~мозгами 머리를 쓰다, 생각하다
шевелиться (미완) ① 가볍게 움직이다 (흔들리다) ② 활기를 띠다, 흥성거리다 ③ (명령형); шевелись! 빨리 해라! шевели- тесь! 빨리 하시오!
шевельнуть[ся] см. шевелить[ся]
шевелюра (여) [숱이 많은] 머리카락
шедевр (남) 걸작(傑作), 명작(名作)
шезлонг (남) (여름에 쓰는) 안락의자
шелест (남) 살랑거리는(설레는) 소리
шелестеть(미완) ① 살랑거리다; ② чем 살랑거리는 소리를 내다

шёлк (남) ① 명주실, 인견사; ② 비단 (緋緞); искусственный ~ 인견, 인조비단 (-緋緞); натуральный ~ [순] 비단
шелковистый (형) 명주같은, 부드러운
шелковица (여) 뽕나무
шелковичный (형): ~ червь 누에
шеководство (중) 누에치기, 양잠[업]
шёлковый (형) 비단*;~ое платье 비단옷
шелкопряд (남) 누에나비
шёлкопрядный (형); ~ая фабрика 견방직공장
шелохнуться (완) 약간 움직이다, 흔들리다
шелуха (여) 껍질, 외피(外皮)
шелушиться (미완) [껍질이] 벗겨지다
шельмовать (미완) 비난하다
шельф (남); континентальный ~ 대륙붕 (大陸棚) [지역]
шепнуть см. шептать
шёпот (남) 속삭임, 귀속말
шёпотом (부) 소곤소곤, 속살속살, 귀속말로
шептать (미완) 속삭이다, 소곤거리다
шептаться (미완) 서로 속삭이다, 소곤거리다
шеренга (여) 횡대; в одну ~у становись! 일렬횡대로 섯!
шероховатость (여) 거친것
шероховатый (형) 거친
шерсть (여) ① (짐승의) 털 ② 털실 ③ 모직물(毛織物); чистая ~ 순모(純毛)
шерстяной (형) 모직의(毛織), 모재의; ~ой костюм 모직양복; ~ые изделия 털재품
шершавый (형) 껄껄한, 거친
шест (남) 장대
шествие (중) 행진(行進); факельное ~ 횃불행진
шествовать (미완) 행진하다
шестёрка (여) ① 수자 6(육) ② (6(육)번이 붙은 모든 것); 6(육)호차 ③ 여섯으로 구성된 한 그룹
шестерня (여) (공학) 치차
шестеро (수) 여섯; ~ сыновей 여섯 명의 아들
шестегранник (남) 6(육)면체(-面體)
шестидесятилетие (중) 예순 돌; 60(육십) 주년
шестидесятый (수) 예순번째의
шестиугольник (남) 6(육) 각형(角形)
шестнадцатый (수) 열여섯번째의, 재16(십육)
шестнадцать (수) 열여섯, 16(십육)
шестой 9수) 여섯 번째*, 제 6()(육)*
шесть (수) 여섯, 6(육)
шестьдесят (수) 예순, 60(육십)
шестьсот (수) 600(육백)
шеф (남) ① 후원자(後援者), 후원단체 (後援團體) ② 책임자(責任者)
шефский (형) 후원(後援)의; ~ая работа 후원사업
шефство (중) 후원(後援), 지원(支援)
шефствовать (미완) над кем-чем 후원하다, 지원하다, 도와주다
шея (여) 목; сидеть на шее у кого.... 의 등을 긁어먹고 살다; гнать в шею (난폭하게) 내쫓다
шиворот (남):взять за ~ 목덜미를 잡다
шиворот-навыворот (부) 거꾸로, 반대로
шик (남) 멋, 멋부리는 행위
шикарный (형) 훌륭한; 사치스러운
шиллинг (남) 쉴링
шило (중) 송곳; ~а в мешке не утаишь (속담) 자루속의 송곳, 싸고 싼 사향도 냄새난다.
шимпанзе (남) [불변] 침팬지
шина (여) ① 다이야 ② (의학) (접골용의) 부축판, 부목(負木)
шинель (여) 군용외투
шинковать (미완) (양배추 등을) 잘게 썰다
шип (남) ① 가시; ② (미끄러지지 않게

하는) 뾰족뾰족한 못:~ы마름쇠
шипение (중) 씩씩(쉬쉬)하는 소리
шипеть (미완) ① 씩씩(쉬쉬) 소리를 내다 ② 두덜거리다, 욕질하다
шиповки (복수)(체육) 스파이크
шиповник (남) 들장미
шипучий (형) (액체에 대하여) 거품이 부글부글 이는
ширина(여) 너비, 폭; ~ой в два метра 너비 2(이) 미터
шириться (미완) 확대되다, 전개되다, 장성하다
ширма (여) ① 병풍(屏風) ② 엄폐물(掩蔽物); служить ~ой 엄폐물로 되다
широкий (형) 넓은, 광범한, ~ая улица 넓은 거리; ~ие массы 광범한 대중; ~ие брюки 헐렁한 바지 ◇ ~ий экран 시네마 필림, 광폭영화; ~им фронтом 도처에서, 가는 곳 마다; ~ую ногу 유족(부유)하게
широковещательный (형) 과대한, 많은 것을 약속하는; ~ая реклама 과대광고, 허풍이 있는 광고
широколиственный(형); ~ые деревья 넓은잎나무
широкоплечий (형) 어깨가 쩍 벌어진
широкополый (형) ~ая шляпа 채양이 넓은 모자
широкоэкранный (형); ~ фильм, 시네마 필림, 광폭영화
широта (여) ①; ~а кругозора 시야가 넓은 것 ② (지리) 위도; южная(северная) ~а 남(북)위; средние ~ы 중간위도지대
ширпотреб (남) [집합] 대중소비품
ширь (남) 활짝 트인 넓은 공간(-空間); ~ степей 광막한 초원 ◇ во всю ~ 활짝; развернуться во всю ~ 광범히 전개(발전)되다
шить (미완) ① 바느질하다, 꿰매다, 깁다 ② (옷, 신발 등을) 짓다
шитьё (중) ① 바느질, 재봉 ② 바느질 거리, 바느질한 것 ③ 수놓은 천; [집합] 자수품
шифер (남) 스레트
шифоньер(남) 작은 옷장, 화장대(化粧臺)
шифр (남) 암호; буквенный(цифровой) ~ 문자 (수자 암호)
шифровальщик (남) 암호수
шифрованный (형); ~ текст 암호문
шифровать (미완) 암호로 쓰다
шишка (여) ① 혹 ② 중요한 (대단한) 인물 ③ (식물) 솔방울열매; сосновая ~ 솔방울; кедровая ~ 잣송이
шкала (여) (측정기구의)눈금[판], 눈금자
шкатулка (여) 귀중품함, 보석함
шкаф (남) 장; книжный (стеной) ~ 책(벽)장
шквал (남) 돌풍(突風), 질풍 ◇~ огня 맹사격, 집중사격
шкворень (남) (공학) 세로축목
шкиф (남) 피대바퀴
школа (여) ① 학교; начальная ~а 초등학교; средняя ~а 중학교; высшая ~а 대학; ходить в ~у 학교에 다니다; закончить ~у 학교를 졸업하다; ~а-интернат 기숙학교 ② 학과; руская музыкальная ~а 러시아 음악류파
школьник (남) ~ца (여) 중학교의 학생
школьный (형) 학교의(學校-), 학생의(學生-); ~ое здание 학교건물; ~ый возраст 학령; ~ая форма 학생복, 교복; ~ые принадлежности 학용품; ~ые годы 학창시대
школярство (중) 비자립적 태도
шкура (여) ① (짐승의)가죽; 모피; овечья ~а 양가죽 (양피); сдирать~у 가죽을 벗기다 ② 껍질, 외피
шкурка (여) ① 가죽, 모피(毛皮); (шкура 의 축소); ② 껍질; ~ яблока 사과껍질 ③ 연마지

шкурник (남) 사리사욕자, 이기주의자
шлагбаум (남) (초소, 가로 건너 길 등의) 차단봉, 가로막이 [대]
шлак (남) 광재, 슬form, 용재
шланг (남) 호스, 관, 물호스; резиновый ~ 고무호스
шлем (남) ① 투구 ② (투구모양의)모자; лётный ~ 비행모; водолазный ~ 잠수모
шлёпанцы (복수) 방안신
шлёпать(미완),~нуть (완) 찰싹치다
шлифовальный (형) ~ станок 연마반(研磨盤), 갈인반
шлифовать (미완) ① 연마하다, 갈다 ② 다듬다, 완성하다
шлифовка (여) 연마(硏磨). 갈이
шлифовщик (남), ~ца(여) 연마공
шлюз (남) 갑문, 물문, 수문(水門)
шлюпка (여) 보트, 단정; спасательная ~ 구명정(救命艇)
шляпа (여) 모자, 중절모(中折帽)
шляпка (여) ① (체양이 있는) 부인모(婦人帽) ② 물건의 평평한 옷 부분; ~ гвоздя 못대가리; ~ гриба 버섯 갓
шляться (미완) 바라다니다, 빈둥빈둥 돌아다니다
шмель (남) 호박벌, 땡벌
шницель (남) 돼지고기카트레트
шнур (남) ① (가늘게 꼰) 끈 ② (전기의) 코드
шнуровать (미완) ① 끈을 매다; ~ ботинки 구두끈을 매다 ② 끈으로 꿰매다
шнурок (남) (가는) 끈, 단화끈
шов (남) ① 혼솔, 솔기 ② 이음줄, 연결부 ③ (의학) 황실, 봉합사(縫合絲) ◇ руки по щвам (держать, стоять 등) [바지혼솔에 손을 붙이고] 차렷자세를 취하다
шовинизм (남) 배외주의, 배타주의; великодержавный ~ 대국주의
шовинист (남) 배외주의자
шовинистический (형) 배외주의적

шок (남) 충격(衝擊), 충동(衝動)
шокировать (미완) (무례한 언행으로) 난처하게 (기분을 상하게) 하다
шоколад (남) 초콜릿(chocolate)
шоколадный (형) 초콜릿의(chocolate); ~ цвет 갈색, 초콜릿 색(chocolate 色)
шомпол (남) (총의) 소재대
шорник (남) 마구제작공
шорох (남) 바스락바스락하는 소리
шорты (복수) 무릎바지, 쇠코잠방이
шоссе (중) [불변] 신작로, 포장도로
шоссейный (형); ~ая дорога 신작로, 포장도로
шофёр (남) 운전기사
шофёрский (형) 운전기사; ~ие права 운전면허(運轉免許)증
шпага (여) (찌르기만 한수 있는) 장검
шпагат (남) ① 끈, 노끈, 짐바 ② (체육) 직선으로 다리벌려앉기
шпала (여) (철도) 침목(枕木)
шпаргалка(여) (시험때의) 부정행위쪽지
шпат (남) 장석, 들돌; полевой ~ 장석
шпенёк (남) 사북; 뾰족쇠
шпик I (남) (소금에 절인 또는 훈제한) 비게
шпик II (남) 밀정(密偵), 간첩, 스파이
шпиль (남) ① (지붕우의) 뾰족탑 ② (해양) 양묘기) 닻을 울리는 기계
шпилька (여) ① 비녀, 머리 핀침, 부인용핀침 ② 독설, 비꼬는 말 ③ (공학) 심는 볼트 연결못
шпинат (남) 시금치
шпингалет (남) (문, 창문의) 쇠고리
шпиндель (남) (공학) 엄지축, 주축(主軸), 스핀들(spindle)
шпион (남) 간첩(間諜), 밀정(密偵)
шпионаж (남) 간첩행위(間諜行爲)
шпионить (미완) 간첩질 하다, 정탐하다
шпионский (형) 간첩의, 밀정의

шплинт (남) (공학) 짜개관, 짜개못

шпионка (여) (공학) 쐐기, 키, 비녀못

шпора (여) 박차(拍車)

шприц (남) 주사기(注射器)

шпроты (복수) [훈제한] 청어 통졸임

шпулька (여) (직기, 재봉기의) 토리

шпур (남) ① (광업) 발파구멍, 발파 공 ② (공학) 배출구멍

шрам (남) 허물, 흠집, 다친자리

шрапнель (여) 유산탄

Шри-Ланка (여) 스리랑카

шрифт (남) 활자(活字); жирный ~ 굵은 활자; курсивный ~ 비낌체활자

штаб (남) 참모부, 본부; генеральный (또는 главный) ~ 총참모부

штабель (남) (건재, 자재 등의) 차곡차곡 쌓은 더미

штабной (형) 참모부*, 본부*

штамп (남) ① 스탬프, 공인, 직인; поста-вить ~ 공인을 찍다 ② 프레스형, 스탬프형 ③ (맹목적으로 따르는)틀, 본; мыслить ~ями 틀에 박인 생각을 하다

штамповка (여) 형단조, 프래스작업

штанга (여) ① 금속봉(金屬-) ② (체육); ~ ворот 골문대 ③ (체육) 역기[경기]

штангенциркуль (남) (공학) 노기스 (nogisu), [긴] 컴퍼스(compass)

штангист (남) 역도선수

штаны (복수) 바지

штапель (남) 스프실, 스프천

штапельный (형) 스프*; ~ое волокно 스프; ~ая ткань 스프천, 스프직물

штат I (남) [기구] 정원(定員), 편제(編制): быть в ~е 정원에 포함되다

штата II (남) (행정단위) 주(州)

штатив (남) 대, 받침틀, 삼발이, 고정대

штатный (형) 정원*, 편제*;~ый состав 기구정원; ~ая должность 편제상의 직위 ◇ работать в ~ом режиме (공학) 예정대로 작업하다

штатский (형) ① 서민의; ~ое платье 평복, 사복 ② [명사로] (남) 백성, 문관 ③ [명사로];~ое (중) 평복, 사복; ходить в ~ом 사복을 입고 다니다; одетый в ~ое 사복차림을 한

штемпелевать (미완) 스탬프를 찍다

штемпель (남) 스탬프, 도장; почтовый ~ 우체국의 소인

штепсель (남) 접속자(接續子)

штиль (남) 무풍 [상래], 바람이 잔잔한 날

штифт(남)(공학) 대가리 없는 작은 못, 핀

шток (남) (공학) 대, 연결대

штольня (여) [수평] 갱도

штопать (미완) 떠서 깁다

штопка (여) ① 떠서 깁는 것 ② 떠서 깁는 실

штопор (남) ① 병마개 뽑이, 타래송곳 ② (항공) 나선형급강하

штора (여) (권양식) 창가림, 카텐

шторм (어) 폭풍우, 풍파; поднялся ~ 폭풍이 일어났다; попасть в ~ 폭풍우를 만나다

штраф (남) 벌금(罰金); наложить ~ 벌금을 물리다

штрафной (형) 처벌의; ~ой удар (체육) 공차기; ~ая площадка 공차기구역

штрафовать (미완) 벌금을 물리다, 벌금에 처하다

штрейкбрехер (남) 파업파괴자

штрек (남) 연층 (연주) 갱도(坑道)

штрих (남) ① 가는 줄(서, 획) ② 특징, 특색, 특성

штриховать (미완) 가는 줄을 치다, 가는 선을 긋다

штудировать (미완) [면밀히] 연구하다, 탐구하다

штука (여) ① 한개 (한 마리, 한 알, 한 대, 한 자루 등); пять ~ яиц 계란 다섯 알; в коробке 25 ~ 곽 안에는 스물다섯

개 있다 ② (일반적으로) 물건(物件), 현상(現象); что это за ~а? 이건 도대체 뭐냐? ◇ вот так ~а! 굉장하구나!; в том-то и ~а 요점은 거기에 있다

штукатур (남) 미장공

штукатурить (미완) 미장(매질)하다

штукатурка (여) ① 미장, 매질 ② (물에 푼) 모래, 매흙; ◇ сухая ~ [미장건재] 박판

штукатурный (형) ; ~ые работы 미장작업

штурвал (남) 조종간(操縱桿), 타륜(舵輪)

штурвальный (남) 조종사, 타수(舵手)

штурм (남) 돌격(突擊); взять ~ом 돌격으로 점령하다

штурман (남) 항법사(航法士)

штурмовать (미완) 돌격하다

штурмовик (남)(항공) 지상공격기, 습격기

штурмовщина (여) 날림식 사업[작품]

штуцер (남) 도관이음꼭지

штучный (형) 개개로 된; ~ый товар 개수 [로 파는]; ~ая продажа 세분판매

штык (남) 총창 ◇ встречать кого-что в ~и 적대시하다; держаться на ~ах 총칼(군대)에 의거하다

штырь (남) (공학) 못, 핀, 속대

шуба (여) 털외투 **шулер** (남) 협작꾼

шум (남) ① 소음(騷音), 잡음(雜音); 소리; ~ поезда 기차소리; войти без ~а 소리를 내지 않고 들어오다; ~ в ушах 귀 울림 ② 소동(騷動); поднимать ~ 소동을 일으키다; много ~у из ничего 헛소동

шуметь (미완) ① 소음을 일으키다, 소리를 내다, 술렁(웅성)거리다; ветер ~ит 바람이 윙윙거린다; дети ~ят 아이들이 떠든다 ② 욕지거리하다, 찌거럭거리다 투덜거리다, 두덜거리다

шумиха (여) 소동(騷動); поднимать ~у 소동을 일으키다

шумный (형) ① 요란한, 소란한, 떠들썩한 ② 물의를 일으킬; ~ый успех 큰 파문을 일으킨 성공 ◇ ~ые согласные (언어) 쉬صу리, 소음 자음

шумовка (여) 그물국자(구멍이 송송 뚫린 국자)

шурин (남) 처남(妻男)

шуруп (남) 나사[못]

шурф (남) (광업) 수직(경사) 시굴갱

шуршание (중) 바스락거리는 소리, 사랑거리는 소리, 바삭거리는 소리

шуршать (미완) 바스락거리다, 살랑거리다, 바삭거리다

шустрый (형) 약빠른, 약삭빠른, 민첩한

шут (남) 어리광대 ◇ ну тебя к шуту! 제길랄! 망할 것 같으니 라구!; ~ его знает! 누가 안담!, 알거나 뭐야!

шутить (미완) ① 농담하다, 농질 하다, 웃기다, 익살 부리다; вы шутите 농이지요 ② над кем-чем 비웃다, 조롱하다, 조소하다; ③ 대수롭지 않게 대하다, 경시하다; ~ с огнём 불장난하다; чем чёрт не шутит 귀신도 못하는 장난이 없다, 세상에는 별별 일이 다 있을 수 있다

шутка (여) 농담(弄談), 농질, 익살; в ~у 농으로, 농담으로; принять за ~у 농담으로 여기다; злая ~а 심한 농담 ◇ ~и в сторону! (신중한 이야기로 넘어자고 할 때) 농담은 그만합시다!

шутливо (부) 농조로, 익살궂게

шутливый (형) 농조(弄調)*, 익살스러운; ~ разговор 농담(弄談)

шутник (남) 익살군, 농담군, 익살쟁이

шуточный (형) 익살*, 농담*; это дело не ~ое 허투루 볼 일이 아니다, 중요한 (대단한) 일이다

шутя (부) 농(弄)삼아, 농으로

шушукаться (미완) 소곤거리다, 귀속말로 말하다

шхуна (여)(돛대가 2-3개 있는) 작은돛배

Щ

щавелевый (형):~ая кислота (화학) 옥살산(oxal酸), 싱아산
щавель (남) ① 옥살 ②(식물) 소리쟁이
щадить (미완) ① 용서(容恕)하다, 자비(慈悲)를 베풀다 ② 아끼다: не щадя сил 힘을 아끼지 않고
щабень (남) (도로에 깔기 위한) 깬 돌, 깬 자갈
щебет (남) 재재거리는 소리
щебетание (중) 재재거리는 것
щебетать (미완) ① (새들이) 재재거리다 ②(아이들이) 재잘거리다
щегол (남) 노랑방울새
щеголеватый (형) 맵시있게 차린
щёголь (남) 멋쟁이
щегольнуть(완), ~ять(미완) 멋쟁이 차림을 하다, 화려하게 차려입다; ~ять в но- вом костюме 멋있게 새 옷을 입고 다니다.
щедро(부) 아낌없이, 너그럽게, 통이 크게
щедрость (여) 후한 것, 아낌없이
щедрый (형) ① 너그러운, 후한, 아낌없는; ~ый человек 손이 큰 사람; ~ые подарки 후한 선물 ② 풍부한, 값진 ③ на что 잘 주는; ~ый на обещания 약속을 잘 (함부로)하는
щека (여) 뺨, 볼; румяные щёки 홍조를 띤 뺨; ударить по ~е 뺨을 치다
щеколда (여) 문걸 쇠, 빗장
щекотать (미완) ① 간질이다 ② [무인칭] 간지럽다; у меня в горле (в ухе, в носу) щекочет 나는 목 (귀, 코) 구멍이 근질근질한다. ③ (가볍게, 기분 좋게) 자극하다
щекотка(여);бояться~и 간지럼을 타다
щекотливый(형) 미묘한, 신중성을 요하는; ~ый вопрос 미묘한 문제;~ое дело 신중성을 요하는 문제
щелевой (형); ~ звук (언어) 스침소리
щёлка (여) 작은 틈
щёлкать (미완), ~нуть (완) ① (손 끝따위로)튀기다; ② чем 퉁기는 소리를 내다, 짤깍(딱)하는 소리를 내다; ~ать языком 혀를 차다 ③ что [소리를 내면서]까다, 까먹다; ~ать семечки 해바라기씨를 까먹다
щелочение (중) 알칼리화(alkali-)
щелочной(형) 알칼리[성]*; ~ые метаьны 알칼리금속; ~ая реакция 알칼리
щёлочь (여) (화학) 알칼리(alkali)
щелчок (남) ① 손가락으로 퉁기는 것, 그 소리 ② 자존심의, 모욕; получить ~ 모욕당하다
щель (여) ① 틈, 짬; ~ в полу 마루바닥의 틈; дверная ~ 문틈; дует из щели 틈에서 바람이 새들어온다 ② 엿보는 구멍; смотровая ~ (군사) 감시구멍, 시창
щемить (미완) [무인칭]아프다; у меня сердце ~т 나는 가슴이 아프다
щемящий (형) 괴로운; ~ее чувство 괴로운 감정
щениться (미완) (개, 승냥이, 여우 등이) 새끼를 낳다
щенок (남) (개, 승냥이, 여우 등의) 새끼
щепа (여) 나무지저귀, 나무부스러기
щепетильно (부) 꼼꼼하게, 까다롭게
щепетильный (형) 깐깐하게 구는, 깔끔한, 좀스러운, 까다로운
щепка (여) 도끼 밥, 나무 조각 ◊ лес

рубят- ~и летят (속담) 큰일에는 작은 허물이 따라 다닌다.(성공에는 희생도 있다는 뜻)
щепотка (여) (세손가락 끝으로 집을수 있는) 소량(小量)
щербинка (여) 거친 것
щетина (여) 센털; свиная ~ 돼지털
щетинистый (형): ~ые волосы 머리칼
щётка (여) 솔: зубная ~ 치솔; обувная ~ 구두솔; одёжная(또는 платяная) ~ 양복솔, 옷솔; половая ~ 마루솔
щи (복수) 양배추국; зеленые ~ (시금치 등으로 만든) 나물국
щиколотка (여) 복사뼈
щипать (미완) ① 꼬집다, 집다 ② 아프게 하다, 자극하다; мороз щиплет лицо 추위에 얼굴이 에이는 듯하다 ③ 잡아 뜯다.; 뜯어먹다: лошадь щиплет траву 말이 풀을 뜯어 먹는다; ④ 털을 뽑다: ~ курицу 닭털을 뽑다
щипаться (미완) 꼬집다, 서로 꼬집다

щипковый (형); ~ые музыкальные инструменты 손가락으로 뜯는 현악기
щипнуть см. щипать
щипцы (복수) 못뽑이, 집게, 부저가락
щит (남) ① 방패 ② 게시판 ③ (공학) 배전반 ④ 농구백판 ◇ проходческий ~ 갱도굴진기; пгоднять на ~ 대단히 추어주다, 지나치게 칭찬하다
щитовидный (형); ~ая железа (해부) 방폐샘, 갑상선(甲狀腺)
щиток (남) 방어판, 보호판, 차단판
щука (여) (어류) 민물꼬치삼치
щуп (남) (공학) 간극측량기, 간극계지, 마개계지, 틈계지
щупальца (복수) 더듬뿔, 촉각, 촉수
щупать (미완) 만지다, 더듬다, 다쳐보다; ~ пульс 맥을 보다
щуплый (형) 약한, 허약한, 연약한
щурить ~ глаза 눈을 가늘게 뜨다
щуриться (미완) 눈을 가늘게 뜨다, 실눈 짓다

Ъъ

ъ 1. твёрдый знак 분리부호, 분리기호 (예: съезд, въехать 등); 2. (옛 정자법의) 경음부호 (경음부호는 자음과 모음 е, ё, ю, я 에만 삽입되어 분리기호로서 즉, 이 부호를 사이에 둔 앞뒤의 자음과 모음을 분리하여 발음하게된다: сьел [sjɛ ′l] (먹다) – 분리부호가 없는 сел [s'ɛ ′l] (앉았다) 과 비교된다)
ъ *буквa* Двадцать восьмая буква русского алфавита.

ъ Ъ, буква ер, твердая полугласная, а ныне безгласная; у нас 27-я, а в *черк* 30-я по порядку; встарь ставилась и посреди слов, за согласною, чтобы придать ей легкий, неясный гласный звук (*съвет*, *вместо* совет *и пр.*), а ныне только перед мягкою гласною, чтобы согласная оставалась твердою, но переходила в и (съежиться, съедать, съюлить), либо перед и, обращая его в ы, которое и состоит из ъ, и и затем, в конце слова, по твердой согласной притупляя ее. Как мы постепенно выкинули ер из средины слов, так точно оно могло бы быть откинуто и в конце, а оставлено только перед согласными, в средине, где оно нужно для произношенья.

ъ ъ (*прцизн.* ерь (*устар., финп*) или твердый знак). *см.* **ер** .

ъ Ъ, буква ер, твердая полугласная, а ныне безгласная; у нас 27-я, а в церк. 30-я по порядку; встарь ставилась и посреди слов, за согласною, чтобы придать ей легкий, неясный гласный звук (*съвет*, вм. *совет и пр.*), а ныне только перед мягкою гласною, чтобы согласная оставалась твердою, но переходила в и (*съежиться, съедать, съюлить и пр.*), либо перед и, обращая его в ы, которое и состоит из ъ, и и затем, в конце слова, по твердой согласной притупляя ее. Как мы постепенно выкинули ер из средины слов, так точно оно могло бы быть откинуто и в конце, а оставлено только перед согласными, в средине, где оно нужно для произношенья.

Ыы

ы 말의중간 또는 말미에만 쓰임
ы *буква* Двадцать девятая буква русского алфавита.
ы Ы, буква еры, 28-я, а в *черк* азбуке 31-я; гласная, составлена изъ, и, звучит согласно сему, почему и ни одно слово не может начаться с этой буквы, как и с безгласного ъ. *Ер да еры упали с горы.*
ы ы (*прцизн.* также еры (*устар*), *нескп., ср.* название буквы "ы", название соответствующего звука и другие значения: *срн* А́; *. см. тж.* **еры**.
ы Ы, буква еры, 28-я, а в церк. азб. 31-я; гласная, составлена из ъ, и, звучит согласно сему, почему и ни одно слово не может начаться с этой буквы, как и с безгласного ъ. *Ер да еры упали с горы.*

Ьь

ь мягкий знак 염음기호, 연음부호(연음부호는 자음뒤에 붙어 그 자음이 연자음으로 된다 стиль, день, сеиья, статья) ж. ш 는 뒤에 ь 가 있어도 항상 경음[з], [ʃ] 로 발음되며, ч. щ 는 뒤에 ь 가 없어도 항상 연음 [ʧ] [ʃʧ]로 발음된다. ружьё (총), рожь (호밀), мышь (쥐), врач (의사), товариш (동지) **ь** *буквa* Тридцатая буква русского алфавита.

ь Ь, буква ерь, ерик, паерок. паерчик; мягкая полугласная, у нас 29-я, в черк азбуке 32-я; она противоположна букве ъ: эта придает согласной самое грубое, твердое, тупое произношенье, а ь - самое тонкое, мягкое; ни того, ни другого нет в ·*зап. языках, а есть среднее, свойственное нам только при некоторых буквах. Ставится и в средине и в конце слова; *без* нее обойтись нельзя, или нужен иной знак, *что* выйдет на то же.

ь Ь (*прцизн.* ерь (*устар., фипп*) или мягкий знак). *см.* **ерь**

ь Ь, буква **ерь**, ерик, паерок. паерчик; мягкая полугласная, у нас 29-я, в церк. азб. 32-я; она противоположна букве ъ: эта придает согласной самое грубое, твердое, тупое произношенье, а ь - самое тонкое, мягкое; ни того, ни другого нет в зап. языках, а есть среднее, свойственное нам только при некоторых буквах. Ставится и в средине и в конце слова; без нее обойтись нельзя, или нужен иной знак, что выйдет на то же.

Ю

юань (남) (중국의 화폐단위) 웬
ЮАР см. Южно-Африканская Республика
юбилей (남) 기념(紀念), 기념축제(紀念祝祭) 기념일(記念日), 기념행사(記念行事); отмечать(또는 праздновать) ~ 기념일을 맞이하다, 기념축제를 맞이하다
юбилейный (형) 기념(記念)의; ~ая медаль 기념메달; ~ый сборник 기념(紀念)논문집(論文集); ~ые торжества 기념행사(記念行事)
юбиляр (남) 기념축전을 맞이하는 사람 (기관, 도시 등)
юбка (여) 치마, 양복치마, 스카트
ювелир (남) 보석공(寶石工); 보석상
ювелирный (형) ① 금은보석의(金銀寶石-); ~ые изделия 금은보석세공품, 보석류; ~ый магазин 귀금속 및 보석 상점 ② 섬세한, 정교한; ~ая работа 섬세한 일
юг (남) 남, 남쪽
юго-восток (남) 동남지방
юго-восточный (형) 동남의
юго-запад (남) 서남, 서남지방
юго-западный (형) 서남*
Югославия (여) 유고슬라비아
югославский (형) 유고슬라비아*
югославцы (복수) (~(남), ~ка(여)) 유고슬라비아사람(들)

южане (복수) (~ин(남), ~ка(여)) 남쪽사람[들], 남방인, 남방태생; 남측
Южная Африка 남아프리카
Южно-Африканская Республика (ЮАР) 남아프리카공화국
южный (형) 남쪽의, 남방의
юла (여) 팽이; пускать ~у 팽이를 둘리다
юмор (남) ① 코믹, 우스게, 유모어, 웃음거리 ② 유모어수법; 유모어작품
юморист(남) ① 익살쟁이,② 유모어작가
юмористический (형) 익살스러운, 유모어적인
ЮНЕСКО (중) 유네스코(UNESCO: 유엔교육과학문화기구)
юнец (남) 소년, 젊은이; 풋내기
юность (여) 청년시절, 청춘; 젊은이들
юноша (남) 청년, 젊은이; ~и и девушки 청년(남녀)들
юношекий (형) 청년*, 청년다운; ~ пыл 청춘의 혈기
юношество (중) ① 청년시절, 청춘(靑春) ② (집합) 청년들
юный (형) 나이어린, 젊은; ~е годы 어린시절; с ~х лет 어릴 때부터
Юпитер (남) (천문) 목성
юридически [부] 법률상으로, 법적으로
юридический [형] 법의(法-), 법률의(法律-), 법률상; ~ий факультет 법학부 ◇ ~ая консультация 법률상담(法律相談)
юристконсульт(남) 법률고문(法律高文)
юриспруденция (여) 법학(法學), 법률학
юрист (남) 법률가; 법학자(法學者)
юркий (형) 재빠른, 약빠른, 날센
юркнуть (완) 날 세게 몸을 숨기다; ~ в норку 굴속으로 날 세게 뛰어들어 숨다; ~ в толпу 군중 속으로 재빨리 몸을 감추어버리다
юродствовать (미완) 바보 (백치)의 행동을 하다, 미련하다
юрта (여) 유목민(遊牧民)의 천막(天幕)

(흔히 원추형의 집)

юстиция (여) 사법기관(司法機關), 사법제도(司法制度); министр ~и 사법상

Я

я (인칭 대) (주) (меня (생, 대), мне, (여) мной, мною, (조) обо мне (전)나, 저; я еду в Сеул 나는 서울로 간다.

ябедничать (미완) 고자질하다

яблоко; (중) 사과 ◇ ~ раздора 싸움거리; ~ от яблони недалеко падает (속담) 콩심은데 콩나고 팥심은데 팥난다

яблоня (여) 사과나무; 능금나무

яблочный (형) 사과의; ~ый сок 사과즙; ~ое варенье 사과쨈

явиться (완) ① кем -чем...이다...으로 되다; это ~лось великим событием 이것은 위대한 사건이었다.; партия является выразителем интересов трудового народа 국가는 근로자들의 대표자이다; ② 오다? 나오다? 출석하다 ~ться вовремя 제때에 오다

явка (여) ① 출석(出席) 참여(參與); ~ об-язательна 반드시 참석할 것 ② 연락처, 비밀회합장소(秘密會合場所)

явление (중) ① 현상; 일; ~ природы 자연현상 ② (연극)장; действие первое, ~ второе 제 1(일)막 제 2(이)장

являться [미완] *см.* явиться

явный(형) ① 명백한, 뚜렷한; ~ая ложь 새빨간 거짓말; ~ый обман 명백한 협잡 ② 노골적인; ~ая враждебность 노골적인 적의; ~ый враг 드러난 적 ◇ становиться ~ым 명백하게 (노골적으로) 되다

явочный (형); ~ый пункт 연락처, 비밀회합 장소; ~ым порядком 사전 협의 없이, 자의로

явственно (부) 뚜렷이

явственный (형) 뚜렷한

явствовать (미완) ....라는 결론이 나오다; из этого ~ует, что... 이로부터.....라는 결론이 나온다

явь (여) 현실(現實), 사실(事實), 실제(實際); мечты стали явью 숙망은 현실로 되였다

ягнёнок (남) 양새끼, 새끼양

ягода (여) ① 뭍열매, 장과(딸기, 다래) ② 딸기, 산딸기, 양딸기; собирать ~ы [산]딸기를 따다 ◇ одного поля ~а 한배속(한통속)이다

ягодица (여) ① (해부) 궁둥이 (엉덩이)의 한 짝 ② 엉덩이, 궁둥이

ягодник (남) ① 장과원 ② 장과숲

ягодный (형) 뭍열매의, 장과(漿果)류; ~ куст 장과관목

яд [남] 독(毒), 독약, 독물; змеиный ~ 뱀독; принять ~ 독약을 마시다

ядерный (형) 핵의; ~ое оружие 핵무기; ~ая катастрофа 핵참화; ~ая энергия 핵에너지; ~ая реакция 핵반응; ~ый реактор 핵반응기; ~ая физика 핵물리학

ядовито (부) 악의를 품고

ядовитый (형) ① 독이 있는, 유독한; ~ая змея 독사; ~ый газ 독가스; ~ое вещество 유독물질 ② 독살스러운, 악의에 찬; ~ое замечание 표독한 지적

ядохимикаты (복수) (집합) 농약(農藥), 살충제(殺蟲劑), 살초제(殺草劑)

ядрица (여) 메밀쌀

ядро (중) ① 핵(核); атомное ~ 원자핵; ~ древесины 나무속, 고갱이 ② 핵심(核心), 중심(中心); руководящее ~ 지도적 핵심 ③ (체육) 포환; толкание ядра 포환던지기 ④ (옛 대포의) 대포알, 포탄

язва (여) ① 궤양(潰瘍); ~ желудка 위궤양 ② 재앙(災殃) ③ 표독스러운 사람,

악바리

язвенный (형); ~ая болезнь 궤양

язвительный (형) 독살스러운, 악랄한, 악의에 찬

язвить (미완) 독살스럽게 말하다, 독설을 퍼붓다

язык (남) ① (해부) 혀; ② 말, 언어(言語): родной ~ 모국어; иностранный ~ 외국어; литературный ~ 문화어; разговор- ный ~ 회화[어]; корейский ~ 조선말, 조선어: русский ~ 러시아말, 로어 ◇ найти общий ~ 합의를 보다; взять ~а(군사) 혀(포로)를 잡다

языковед (남) 언어학자(言語學者)

языковедение (중) 언어학(言語學)

языковой (형) 언어의, 말의; ~ые явления 언어 현상: ~oe чутьё 언어감각, 언어적 소질

языкознание (중) 언어학(言語學): общее ~ 일반언어학(一般言語學); введение в ~ 언어학개론(言語學概論)

яичко (중) ① яйцо의 축소 ② (해부) 불알, 고환(睾丸)

яичник (남) (해부) 난소(卵巢)

яичница (남) 계란후라이, 닭알부침

яичный (형) 닭알, 계란; ~ая скорлупа 닭알껍질; ~ый белок(желток) 흰자위(노란자위)

яйцеклетка (여) 난자(卵子), 난세포

яйценоскость (여) 산란성, 산란능력

яйцо (중) ① 닭알 ② (조류, 동물의) 알; нести(또는 класть) яйца 알을 낳다 ◇ выеденного яйца не стоит 아무런 가치도 없다; ~ вкрутую 푹(흠씬) 삶은 닭알; ~ всмятку 반숙, 반숙한 계란

якобы (단어 또는 단어결합이 나타내는 내용에 대한 의혹을 표시한다) ① (접) …듯이; говорят, ~ он уехал 그가 떠나간 듯이 말한다 ② (조) 마치 …와 같이; он ~ всё понял 그는 모든 것을 안 듯이 군다.; он приехал ~ для того, чтобы рабо- тать 그는 마치 일하러 온 듯이 군다.

якорный (형); ~ая стоянка 정박소(碇泊所/渟泊所); ~ая цепь 닻줄

якорь (남) ① 닻; стоять на ~e 닻을 내리다, 정박하다; бросить(또는 отдать) ~ь, стать на ~ь 닻을 던지다; поднять ~ь 닻을 올리다 ② (전기) 회전자(回轉子), 전기자(電氣子)

яловый (형)(집짐승이)새끼를 낳지 못하는

яма (여) ① 구덩이, 구멍; выгребная(또는 мусорная) ~ 오물구덩이; помойнаяа ~ 시궁창 ② 움 ◇ рыть яму кому (누구에게) 함정을 파놓다

Ямайка (여) 자메이카

ямщик (남) 마부(馬夫)

январский (형) 1(일)월의, 정월의

январь (남) 1(일)월, 정월(正月)

янтарь (남) 호박(琥珀)

Япония (여) 일본(日本)

японский (형) 일본의

японцы ~ец(남), ~ка(여) 일본사람(들)

ярд (남) 야드 (0.914 미터)

яркий (형) ① 빛나는, 밝은, 눈부신; ~oe солнце 눈부신 태양; ~ий свет 밝은 빛; ~ая лампа 밝은 등불 ② 선명한: ~ий цвет 선명한 색깔 ③ 뛰어난, 뚜렷한; ~ий пример 뚜렷한 실례

ярко (부) ① 눈부시게; ~ светит солнце 해가 눈부시게 비친다. ② 선명하게: ~ раскрасить 선명하게 채색하다 ③ 생동하게; ~ описать 생동하게 묘사하다

ярко.... (합성어의 첫 부분으로서 성명한), (밝은)의 뜻: ярко-розовый 밝은 장미색(薔薇色)

ярко-красный (형) 새빨간

яркость (여) ① 눈부신것, 밝은 것; ② 선명성(鮮明性), 뚜렷한 것; ③ 생동성; ④ (물리) 광도(光度), 조도(照度)

ярлык (남) ① 표, 상표(商標); багажный

~ 짐표 ② 딱지; придепить(приклеить) ~ 딱지를 붙이다

ярмарка (여) (정기적으로 서는) 시장 (市場), 장마당; весенняя ~ 봄철시장

ярмо (중) ① 멍에 ② 기반, 부담

яровой (형) 봄에 심는(가는); ~ая пшеница 봄밀; ~ое поле(또는 ~ой клин) 봄갈이할 땅(밭)

яростно (부) ① 맹렬히 ② (자연현상에 대하여)사납게, 미친듯이

яростный (형) ① 분노에 찬; ~ый взгляд 살기띤 눈초리 ② 사나운, 미친듯한, 맹렬한, 억센

яркость (여) ① 분노(忿怒), 울분(鬱憤), 격분(激憤); привести в ~ 격분케 하다 ② 맹렬한 것

ярус (남) 층, 겹, 단

ярый (형) ① 미친듯한, 회포한; ~ враг 횡포한 원수 ② 열렬한, 열중한; он ~ поклонник музыки 그는 열렬한 음악애호가이다

ясли (복수) ①: [детские] ~ 탁아소(託兒所) ② 구유(具有)

ясно (부) ① 밝게, 똑똑하게, 명확히; 뚜렷이;~ светит солнце 해가 밝게 비친다; ~ слышать 명확히 듣다; коротко и ~ 간단 명료하게 ② (술어로) 명백하다, 뚜렷하다; ~ без слов 말할 것 없다; это совершe- нно ~ 이것은 아주 명백하다; ~, что он ошибся 그가 틀린 것은 명백하다 ③ (술어로)(무인칭)날이 개다(맑다) ④ (조) 물론, 그렇고 말고

ясность (여) 명확성, 명료성; внести ~ во *что* (전후관계를) 명백히 하다; ~ ума 명철한 지력

ясный (형) ① 밝은; ~ое солнце 밝은 태양; ~ый свет 밝은 빛 ② 맑은; ~ое небо 맑은 하늘; ~ая погода 맑은 날씨; ~ая улыбка 환한 웃음; ~ый взор 명랑한 눈매 ③ 명백한, 명확한; ~ый ответ 명확한 대답

ястреб (남) 새매

яхта (여) 요트

яхтсмен (남) 요트선수

ячейка (여) ① (해부) 세포(細布) ② (작은) 구멍 ◇ партийная ~ 당세포

ячменный(형) 보리의;~ая каша 보리죽

ячмень I (남) 보리

ячмень II (남) (의학) 눈다레끼

ячневый (형); ~ая крупа 보리쌀

яшма (여) (광물) 벽옥(碧玉)

ящерица (여) 도마뱀

ящик (남) 상자, 함, 궤, 궤짝; почтовый ~ 편지통; мусорный ~ 쓰레기통; ~ стола 서랍; ◇ откладывать в долгий ~ 깔아두다, 오래도록 미루다, 일을 무한정 질질 끌다

한국어-
러시아어
사 전

КОРЕЙСКО-
РУССКИЙ СЛОВАРЬ

올림말 약 30,000 단어

저자 M. **안또니나**
B. **바실리**
김 춘 식
김 경 환

도서출판 문예림

조-러 사전

КОРЕЙСКО-РУССКИЙ СЛОВАРЬ

올림말 약 30,000 단어

머 리 말

러시아와 한국 사이에 협력 발달 과정은 증가할수록 러시아 사용권에서 한국어 연구에 관심이 더욱 증가하고 있다. 동시에 한국에서도 러시아어 연구에 관심이 증가하는 것이다. 이와 관련하여 여러가지 유형 번역 사전이 필요하는 것이다. 러시어 사용권에서 많은 한-러 사전들이 출판되었다 본 사전은 새한러사전 출판이후 가장 기본적이고 필수적인 어휘들로 약 3만 단어 이상의 표제어로 수록했다. 오래 전부터 독자들의 요구에 의해서 기본적인 한-러사전이 필요했기 때문에 저자들이 한국어를 배우는 학생은 물론이며 특히 번역과 통역의 참고서로 연구하는 사람들에게 큰 도움을 줄 수 있다고 기대한다. 본 사전은 숙어결합들이 풍부하게 수록되어 있고, 또한 필요한 문법적인 것과 문장들, 광범위한 용어 등이 포함되었다.

연구진들이 본 사전에 러시아 생활에서 새로운 사회적, 과학적과 문화적 현상을 반영할 수 있는 단어와 용어들 포함하려고 했다.

일반적으로 현대의 러시아어 넓게 사용하고 있는 생활 어휘는 물론, 본 사전은 사회·정치적 어휘, 또한 기술, 농업, 예술과 스포츠 분야에서 전문 용어들을 포함했다. 게다가 사전에 다수 용어법적인 단어들, 주로 일정한 어휘결합들 (문법적으로 연결된 단어군), 관용구, 속담, 격언 등의 포함되었다. 또한 사전에 지금은 사용하지 않은 단어들도 (진부한 단어들이) 포함되었다. 왜냐하면 이 단어들이 러시아 고전 문학에 관심 가지고 있는 독자들에게 필요할 수 있기 때문이다. 본 사전의 저자들이 최근에 남한과 북한에서 출판된 한국어 번역 사전, 백과사전, 또한 현대의 한국 작가들의 작품, 한국 신문잡지와 최근의 출판물, 또한 한국어 어휘와 용어법에 관련한 번역, 통역, 과학 연구적, 편집적과 교육적인 작업 과정에서 저자들로 수집했던 많은 실제적인 자료들을 이용하여 러시아 단어, 어휘결합과 삽화 사례들을 한국어로 번역했다는 것이다. 한국어 어휘 구성들이 현저한 변화를 겪었던 것을 고려하여 한국 단어 선택을 수록했다. 번역자들 및 통역자들 뿐만 아니라 한국과 러시아어를 공부하는 사람들을 위해 연구진들이 많은 노력으로 유익한 사전을 창조했던 것이다. 우리나라들의 언어 공부와 연구는 매년 증대하고 있다. 따라서 우리나라들이 언어 이용을 통해 직접 문화적 연구, 다방면의 협력 과정, 상호존경 그리고 상생의 성공에 이해관계를 더욱 유익하게 만들 수 있다는 것이다.

끝으로 이 사전이 나오기까지 수고하신 모든 분들께 감사드리며 특히 도서출판 문예림 서덕일 사장님과 임직원들, 그리고 사전의 교정과 워드작업에 수고해주신 오정욱, 초이따찌아나, 알리나초이, 덴나타샤, 손올가, 나우지르지바예바 이리나 연구원들에게 감사드린다.

2013. 02
우즈베키스탄 교육센터 한국어 연구소
어문학박사 M.안또니나, B.바실리이바노비치, 김경환,김춘식

일러두기

* 어휘수록
1. 이 사전에는 사회에서 널리 쓰이고 있는 표준어를 중심으로 일상 학습과 실무에 필요한 학술어, 전문어, 외래어, 신어, 의성어, 의태어 및 숙어, 옛말, 속담, 속어, 관용구, 북한말 등을 총망라하였음.
2. 중요어휘와 외래어는 표제어를 대역하는 한자 또는 영어의 표기를 수록하였음
3. 교과서에 나오는 중요한 인명, 지명, 사건명 등을 간추려 실었음.

* 어휘의 배열
1. 표제어는 구분하기 쉽게 견명조체로 표기하였음.
2. 표제어는 일어(一語) 일표제어(一標題語) 방식을 취하여 이어(二語) 이상의 복합어도 각각 독립된 표제어로 올림을 원칙으로 하였음.
3. 동음이의어(同音異議語)는 별도의 올림말로 처리하고 그것이 한자말이인경우에는 한자로 괄호( )안에 표기하였였음.
   예) 가계(家計) I семейный бюджет
        가계(家系) II генеалогия, родословная.
        가계(家契) III *арх. см.* 집문서
        가계(加階) IV ~하다 повышать(в чине, ранге)
4. 어휘배열
   1) 초성배열
      ㄱㄲㄴㄷㄸㄹㅁㅂㅃㅅㅆㅇㅈㅉㅊㅋㅌㅍㅎ
   2) 중성(모음)
      ㅏㅐㅑㅒㅓㅔㅕㅖㅗㅘㅙㅚㅛㅜㅝㅞㅟㅠㅡㅢㅣ
   3) 종성(자음)
      ㄱㄲㄳㄴㄵㄶㄷㄹㄺㄻㄼㄽㄾㄿㅀㅁㅂㅄㅅㅆㅇㅈㅉㅊㅋㅌㅍㅎ
   4) 같은 자모로 표기되는 어휘의 경우는 그 쓰이는 빈도에 따라 수록 순위를 정하여 표제어에 로마체(I II III IV)를 붙여 두었음.

* 맞춤법
1. 순 우리말과 한자어의 맞춤법은 한글학회의(한글맞춤법 통일 개정안)에 의거하였음.
2. 고어는 출전에 적힌 원형대로 적었음.

* 외래어. 관용어
1. 외래어 표기는 교육인적자원부 제정 로마자 한글화 표기법에 따랐음.
   예) 프로그램(목록)(目錄) program) программа
2. 어원이 달리 변하여 쓰이는 일반화된 말 및 관용되어온 말들은 관용되는 대로 표기를 하였음.

О ПОСТРОЕНИИ СЛОВАРЯ

* ЗАПИСЬ ЛЕКСИКИ
1. Словарь содержит общественно – политическую лексику, а также соци-альную терминологию из области науки, техники, сельского хозяйства, искусс- тва, спорта. Кроме того, в словарь включено множество фразеологических единиц – главным образом устойчивых словосочетаний, идиоматических выражений, пословиц и поговорок.

2. Основная лексика и заимствованные слова приводятся в форме англий-ского и китайского языков вместо заглавных слов.

3. Названия районов, имена, заглавия даются в словаре сокращёнными.

* РАСПОЛоЖЕНИЕ ЛЕКСИКИ
1. Заглавные слова расположены в словаре в порядке гёнмёнжо.
2. Заглавные слова проводятся в форме одного слова. Потому сложные   слова помещаются самостоятельными заглавными словами.
3. Омонимы выделяются в самостоятельные слораные статьи, но в случае ханза (китайский язык), данные слова даются в скобках.
   예) 가계(家計) **I** семейный бюджет
       가계(家系) **II** генеалогия, родословная.
       가계(家契) **III** *арх. см.* 집문서
       가계(加階) **IV** ~하다 повышать(в чине, ранге)
4. Расположение лексики
   1) Расположение начального согласного
      ㄱㄲㄴㄷㄸㄹㅁㅂㅃㅅㅆㅇㅈㅉㅊㅋㅌㅍㅎ
   2) Гласные
      ㅏㅐㅑㅒㅓㅔㅕㅖㅗㅘㅙㅚㅛㅜㅝㅞㅟㅠㅡㅢㅣ
   3) Согласные
      ㄱㄲㄳㄴㄵㄶㄷㄹㄺㄻㄼㄽㄾㄿㅀㅁㅂㅄㅅㅆㅇㅈㅉㅊㅋㅌㅍㅎ

   4) Если заглавные слова имеют несколько значений, то они помечаются светлыми римскими чифрами соответственно частому использованию.

* Орфография
1. орфография чистого корейского и китайского языков основаны на пра-вилах объединой орфография по корейскому языку.
2. Древние слова напечатаны первоначальными формами.

참고서적(Лексикографические источники)

1. Словарь русского языка: В 4-х т./ АН СССР. Ин-т рус.яз.; Гл.ред. А.П.Евгеньева. 2-е изд., испр. и доп. М., 1981-1984. Т. 1-4
2. Ожегов С.И. Словарь русского языка/Под ред. Н.Ю.Шведовой.14-е изд.стер.М., 1981
3. Орфографический словарь русского языка. 18-е изд., испр. и доп.М., 1981
4. Орфоэпический словарь русского языка/Под ред.Р.И.Аванесова 2-е изд., стер.М.,1985
5. Фразеологический словарь русского языка/Под ред. А.И.Молоткова. 3-е изд.,М.,1978
6. Большая Советская Энциклопедия/Гл.ред.А.М.Прохоров.3-е изд.М.,1969-1978.Т.1-30
7. Советский Энциклопедический словарь.3-е изд.,М.,1985
8. Мазур Ю.Н.Моздыков Д.М.Усатов В.М.Краткий русско-корейский словарь.2-е изд.,М.,1959
9. 최신한러 사전 김문욱, 김춘식 편 도서출판 문예림, 서울. 2009.
10. 최신러한 사전 김춘식 도서출판 문예림, 서울. 2009
11. 러한 입문사전 김춘식 도서출판 문예림 서울 2011.
12. 새우리말 큰 사전, 신기철, 신용철, 서울 1981.
13. 엔센스 한영사전, 민중서관,6판 서울 2000.

ㄱ

ㄱ первая буква кор. алфавита; обозначает согласную фонему **k**; ㄱ,ㄴ,ㄷ,ㄹ 순으로; алфавитный порядок ㄱ,ㄴ,ㄷ,ㄹ순으로 배열하다 расположить в порядке алфавита; 가; 1) 가(이)없는 бескрайний; 강가 берег реки; 길가 обочина дороги; 2)сущ. поблизости, вблизи; 우물가 около колодца.

가(加) I сложение; увеличение; 가와감 сложение и вычитание.

가(可) II сущ. 1) хорошо, ладно, ничего; 2)"за"(при голосовании); 3) удовлетворительно, посредственно

가-(假) I преф. кор. 1)поддельный, фальшивый 가의사 врач шарлатан; 2) временный; 가건물 постройка временного типа, времянка; 3) предварительный; 가계약 предварительное соглашение.

가-(加) II преф. кор. добавление, увеличение; 가속도 ускорение; 가일층 ещё более.

-가(家) суф. кор. имени деятеля, образует сущ. от сущ. со знач.: 1) представителя профессии, выраженной в производящем имени: 역사가 историк; 2) деятеля области (сферы), выраженной в производящем имени: 예술가 работник(деятель) искусства; 3) лица, обладающего способностью, обозначенной в производящем имени, 전략가 стратег; 4) лица, постоянно обладающего предметом или качеством, выраженным производящим именем: 낙천가 оптимист.

가 1) оконч. им. п. указывает: а) на подлежащее; 이제는 우리가 나라의 주인이다 теперь мы хозяева страны; б) на допол. со знач. результата при гл. 되다: 그는 기사가 되었다 он стал инженером; 2) присоединяется к сущ, сопровождаемому гл.связкой 아니다: 3) усил. частица же, именно.

가가(家家) *см.* 집집; ~문전 перед дверями каждого дома.

가감법(加減法) 1) сложение и вычитание; 2) способ алгебраического сложения.

가감산(加減算) сложение и вычитание

가게(<假家) 1) лавка, магазин, ларёк, киоск; ~를 내다 держать лавку; ~를 보다 торговать; ~기둥에 입춘 *см.* 개(발에 주석 편자) III; 2) временное жилище.

가격(價格) цена, стоимость; ~정책 политика цен; ~차금 разница в ценах(на товары, продаваемые по коммерческим ценам, и выдаваемые по карточ-кам); ~표시 우편물 почтовое отправление с объявленной ценостью.

가결(可決) принятие, одобрение(при голосовании); ~에 부치다 ставить на голосование; ~일치원칙 принцип единогласия; ~하다 принимать, одобрять

가계(家計) семейный бюджет;~부기 ведение в семье книги доходов и расходов.

가공(加工) обработка, отделка; 수지~ переработанная смола; ~직장

обрабатывающий цех; ~처리 отделка; ~여유 припуск на обработку; ~하다 обрабатывать.

가구(家具) мебель, обстановка; ~공장 мебельная фабрика; ~를 짜다 собирать мебель. **가까운** близкий.

가까이 1) близко, вблизи, около; 소리가~서 난다 рядом раздается звук; ~하다 близко сойтись; 2) послео около; к, под; 학교 ~로 к школе; 정류소 ~에 около остановки; 저녁~ под вечер; 가까이 오다 подходить.

가깝다 1) близкий;가까운 ~년간 ближайшие годы; 가까울수록 회계는 바로 해라 посл. букв. ≅ чем ближе друг, тем точнее веди счет; 2) похожий, приблизительный; 삼만 명에 ~ почти 30000 человек.

가끔 время от времени; иногда; изредка.

가난 I бедность; ~에 쪼들리다 потерпеть бедность.

가난 II нужда, нищета, лишения; ~[이] 들다 а) обеднеть, обнищать; б) стать редким(дефицитным), недоставать; в) скудный(об урожае); ~이 (~을) 파고들다 все больше ухудшаться (о материальном положении); ~에 쪼들리다 терпеть(переносить) лишения.

가난(家難) **III** <-> 부유 бедность <-> богатство.

가느다랗다(가느다라니, 가느다라오) тоненький; 가느다란 미소 едва заметная улыбка.

가능(可能) возможность; ~하다 возможный; 실행이 ~하다 выполнимый, осуществимый.

가능하면(可能-) если возможно.

가능성(可能性) [-ссонъ] возможность; возможности;

가능한 возможный.

가다 I. идти; ехать; уходить; уезжать; 1) 가는 (가던) 날이 장날 посл. ≅ не было ни гроша, да вдруг алтын (букв. тот день, когда пошел(за покупками), оказался базарным); 달리는 말에 채찍질하다 обр. форсировать работу; 간다간다 하면서 아이 셋 낳고 간다 посл. ≅ пора и честь знать 갈수록 심산(수미산) 이라 посл. ≅ чем дальше, тем хуже (букв. чем дальше идешь, тем глуше горы); 2) доходить(о слухах, о новостях); 3) приходится (на долю); 4) привлекать, приковывать (к себе чье-л. внимание); 5) появляться; 관심이~ заинтересоваться; 6) продаваться (за какую-л. цену); 얼마나 갈까요? за сколько продается? 7) проходить(о времени); 8) исчезать; 9) умирать; 10) гаснуть; 11) [ис]портиться; 맛이~ потерять вкус; 12) покоситься, накрениться; 13) требоваться, быть израсходованным; 가나오나(오나가나) идти или не идти, всё равно; 오다 ненароком, случайно; кстати; 간데온데 없이 бесследно; **II.** в сочет. с деепр. предшествования др. гл. обозначает интенсивно возрастающее действие, начинающееся с данного момента: 꽃이 피어가오 цветы расцветают.

가득 битком, до отказа, полностью; ~붓다 наливать до краев, ~싣다 накладывать(нагружать) до отказа; 두 눈에는 눈물이 ~ 고여있다 глаза полны слёз; ~하다 полный, наполненный, набитый до отказа.

가득하다 полный; набитый до отказа.

가득히 полный; ~담다 плотно упакованный; 한 잔 ~ 붓다 наполнять

стакан до краёв; ~채우다 набивать; 그릇에 물을 ~ 채우다 наполнить блюдо водой; 트럭에는 가구가 ~ 실려 있었다 грузовик был забит мебелью; 주전자를 ~채워라 наполнить чайник до краёв.

가뜬히 легко; проворно; ловко; ~ 차리다 быть легко одетым; 몸 ~ 여행하다 путешествовать на легке; ~ 들어 올리다 поднять что-л. без труда; 말은 시내를 ~ 뛰어 넘었다 лошадь ловко прыгнула через ручей.

가라앉다 тонуть; идти на дно; спускаться; успокаиваться; 깊이 ~ глубоко погружаться; 물속으로 ~ погружаться под воду; 바다 밑으로 ~ от-пускаться на дно моря; 배와 함께 ~ погружаться вместе с кораблём; 성이 ~ успокаиваться; 부기가 ~ опу- холь спала; 아픔이 ~ боль утихла; 종기가 ~нарыв прорвался.

가라앉히다 тонуть; оседать на дно; отстаивать; 배를~топить корабль; опустить корабль на дно; 찌꺼기를 ~ осадить на дно; 성을 ~ умиротворять, успокаивать; 마음을 ~ успокаиваться; 흥분을 ~ успокаивать нервы; 진통을 ~ успокаивать(боль, волнение).

가락 I 1. 1) веретено; ~기름 веретенное масло; ~ 국수 домашняя лапша; ~[을] 내다 умело бросать палочки (при игре в ют); ~[이]나다 набить руку(в чем-л.); 2. счетн. сл. 1) для мелких продолговатых предметов: 엿 다섯 ~ пять корейских ирисок; 2) для мотков ниток: 명주실 한 ~ (один) моток шелковых ниток; 3) несколько штук(о мелких продолговатых предметах, мотках).

가락 II 1) мелодия, мотив; ~ 을 맞추다 подхватить мотив; 2) ритм; ~[이] 맞게 в тон; в ритм; в такт; ~[을]떼다 первым приступать(к делу)

가렵다 прил. чесаться, зудеть; 가려운데를 긁어주다 обр. ублажать; предупреждать(чьи-л.)желания.

가로 I горизонтально.

가로 II 1) сущ. поперечный, горизонтальный;~돌무덤 틀 могильный курган(периода Когурё); ~메리야스 기계 поперечно-вязальная трикотажная машина; ~자리표 *мат.* горизон-тальная координата; ~이동대위법 *муз.* горизонтально-подвижной контрапункт; 2) поперек; горизонтально; ~놓이다 быть положенным поперек; ~놓다 положить поперек; ~눕다 а) ложиться(лежать) поперек; б) лежать пластом; ~지르다 а) перекидывать (что-л.) с одного места на другое; класть поперек(на что-л.); б) пересекать, проходить через;

가로막히다 1)быть прегражденным; 길이 눈에 가로막혔다 дорога занесена снегом; 2) не быть допущенным, встречать препятствия.

가로세로 сущ. и нареч. горизонтально и вертикально; 머리 속에 생각이 ~얽힌다 мысли теснятся в голове.

가로채다 1) выхватывать(из чьих-л. рук); тащить из-под носа; перехватывать; 2) вмешиваться в разговор; не давать говорит, пере-бивать.

가루 мука, порошок, пудра; ~담배 табачная пыль; ~비누 мыльный порошок; ~사탕 сахарный песок; ~소금 мелкая соль; ~우유(분유) *см.* 가루 젓; ~는 칠수록 고와지고 말은

할수록 거칠어진다 посл. ≈ слово-серебро, молчание-золото.

가르다(가르니, 갈라) I 1) делить, разде-лять, отделять, 부부의 의를~ разлучать супругов; 2) разбираться (в чем-л.); 흑백을 ~ разбираться кто прав, кто виноват; 갈라 맡다 брать на себя часть(работы); 갈라붙이다 разделять; 머리를 갈라붙이다 делать пробор; 갈라서다 а) стоять порознь; б) разделяться, расходиться; порывать(дружбу, знакомство).

가르치다 1) учить; обучать; поу-чать 글을 ~ учить грамоте; 2) отучать; 버릇을 ~ отучать от (дурной) при-вычки.

가르침 учение, обучение, указание, наставление; учить.

가리키다 1) указывать, показывать, отмечать; ~을 가리켜 отмечая, имея в виду(что-л.); 2) см. 가르치다 1).

가마 1. 1) гончарная печь; 2) *тех.* котел; 3) см. 가마솥; ~가 검기로 밥도 검을까? *посл.*≈ смотри в корень (букв. разве рис в (закоп-ченном) котле черный); ~가 솥더러 검정아 한다. *посл. букв.* ≈ кухон-ный котел обзывает другой котел замарашкой; 4) диал. см. 솥; **2.** счетн. сл. груда.

가마득한 옛날 седая старина.

가만 1) так, как есть; ~두다 а) не трогать, оставлять как есть; б) бро-сать, оставлять; 2) как вводн. сл. подожди[те]; ~있다 а) спокойный, тихий; 여기저기 돌아다니지 말고 이곳에 ~있는게 좋겠다. ты сидел бы лучше спокойно на этом месте, а не ходил то туда, то сюда; б) ~ 있거라(있자) разг. подожди[те]; ~하다 тихий, спокойный; неслышный; не-заметный; ~한 가운데 среди тишины.; 가만가만[히] тихотихо, потихоньку, тайком.

가만있다 оставаться неподвижным; соблюдать тишину; не работать (о заводе); 그는 아무 것도 하지 않고 집에 ~ он бездельничает дома.

가맹(加盟) вступление(в союз *и т.п.*); участие(в союзе *и т.п.*); ~공화국 союзная республика;~년 월 일 дата вступления (напр. в союз); ~단체 орга-низация, входящая(в союз); ~수속 процедура приема(в союз *и т.п.*); ~하다 вступать(в союз *и т.п.*);состоять(в союзе *и т.п.*).

가문과 혈통 род и кровные узы.

가물다(가무니, 가무오) быть очень за- сушливым.

가뭄 засуха сокр. *от* 가물음, 한발; ~더위 жара в период засухи.

가방 I теплая часть перегороженной комнаты вблизи очага(в кор. доме).

가방 II сумка, портфель.

가벼운 легкий.

가벼이 1) легко, легонько; 2) неос-торожно; легкомысленно.

가볍다 1) лёгкий; 마음이 ~ легко на душе; 2) незначительный, несерьез-ный; 가벼운 두통 легкая головная боль; 3) легкомысленный, опромет-чивый; 4) слабый, чуть слышный

가볍게 просто, обыденно;

가볍디 가볍다 легчайший.

가뿐하다 легкий; 가뿐한 기분 хорошее настроение.

가사(家事) 1) домашние дела; домашнее хозяйство; ~노동 работа по дому; ~싸움(쌈) семейная ссора; ~를 돌보다 вести домашнее хозяйство; ~형편으로 по семейным обстоятельствам; 2) домоводство.

가상(嘉祥) I хорошее предзнаменование, добрый знак.

가상(假想) II воображение, предположение; допущение; ~적 воображаемый, мнимый; ~하다 воображать, предполагать; допускать; ~한 благоприятный

가수(歌手) 1) певец, певица; 독창~ солист[ка]; 민요~исполнитель[ница] народных песен; 2) певец непрофессионал, певицанепрофессионалка

가스(gas) газ; ~가감변 *тех.* дроссельная заслонка;~기관(발동기.엔진) газовый двигатель; ~계량기(메트) газометр; ~난로(스토브) газовая печь; ~도관 *см.* 가스관; ~대사 газообмен; ~램프 *см.* 가스등: ~마스크 *см.* 방독면; ~만틀 калильная сетка; ~발생기 газогенератор; ~발생기식 트럭 газогенераторный трактор; ~발생로 газогенераторная печь; ~방전 *см.* 기체[방전]; ~분석 газовый анализ; ~소모기 *текст.* газоопаливающая машина; ~전구 газосветная лампа; ~중독 отравление газом; ~청소기 газоочистительная установка; ~탱크 газголь- дер; ~ 터빈 газовая турбина; ~ 파이프 *см.* 가스관; ~한난계 *см.* 기체[온도계]; ~해체 дегазация; ~압착 용접 газопрессовая сварка.

가스관(-關) газопровод.

가스등 1) газовая горелка; 2) газовая лампа.

가슴 1) грудь; ~연락 передача(мяча двумя руками) от груди(в баскетболе); ~지느러미 грудные плавники(у рыб); ~수영(헤엄) баттерфляй(способ плавания); ~운동 спорт. дыхательные движения; ~으로 멈추기 *спорт.* остановка мяча грудью; 2) перен. сердце, душа; ~을 찢다 терзаться; ~을 헤쳐 놓다 говорить по душам; 이-ливать душу; ~을 앓다 болеть душой; ~을 에이다 терзать свое сердце; ~이 달다 беспокоиться; ~이 내려앉았다 сердце так и упало; ~이 미어진다. сердце раз-рывается;~이 선뜻하다 обременеть; ~이 숯등걸이 되다 вся душа горит;~이 뜨끔하다 сердце ёкает; ~이 찔리다 испытывать угрызения совести; ~이 아프다 сердце щемит; 3) *см.* 웃가슴; 가슴 설레는 느낌 чувство заставляющее биться сердце.

가압류(假押留) временный захват; прикрепление; ~하다 временно прикрепить, захватить, схватить.

가옥(家屋) I дом, жилище.

가옥(假玉) II подделка (имитация) под драгоценный камень.

가운데 1. середина, средняя часть; ~모음 лингв. гласные среднего ряда; ~삼촌 средний брат отца; ~손가락 средний (безымянный) палец; **2.** послелог 1) среди, посреди; 2) после прич. 일하는 ~에 в ходе(в процессе) работы.

가요(歌謠) песня;~적песенный

가요곡(歌謠曲) мелодия песни.

가을 추계(秋季), 추기(秋期) 1) осень; ~ 누에 тутовый шелкопряд осенней выкормки; ~작물 *с.-х.* осенняя культура; ~장마 осенние дожди; ~ 하늘 осеннее небо; ~식은 밥이 봄 양식이다 *посл. букв.* ≅ остывший и не съеденный осенью рис идет в пищу весной; ~중 쏘대듯 *обр.* не зная ни отдыха ни срока; 2) уборка урожая; ~하다 убирать (урожай)

가장(家長) I 1) глава семьи; ~제도

патриархат; 2) хозяин(о муже);
가장(假葬) II 1) временное захоронение; 2) закапывание трупа; 3) похороны ребенка; ~하다 временно погребать; закапывать(труп); хоронить (ребенка); ~좋은 것 самое лучшее; ~신나는 날 이었다 это был самый прекрасный день.
가정(家庭) семья; ~적 семейный, домашний; ~공업 *см.* ~가내[공업]; ~교사 домашний учитель, гувернер ~교훈 наставление родителей; ~교육 домашнее образование; ~노동 работа по дому; ~방문 посещение семей учеников(учителем);~부인 домашяя хозяйка; ~살림 ведение домашнего хозяй ства; ~성분 *см.* 출신(성분) ~생활 семейная жизнь; ~고양 домашнее воспитание; ~환경 семейные обстоятельства; ~을 꾸리다 заводить семью.
가져가다 сносить, уносить.
가져다주다 доставить.
가져오다 приносить.
가족(家族) семья, члены семьи; ~식당 домовая кухня; ~제도 родственные отношения; ~적семейный, семействен-ный; ~생활 семейная жизнь.
가죽 кожа, шкура; ~숫돌 ремень для правки бритв;~잠바 кожаная куртка; ~조끼 феод. кожаный жилет(орудие пытки).
가지 I ветка, ветвь; ~많은 나무가 바람 잘날 없다 *посл. букв.* ≡ нет дня, чтобы в ветвях густого дерева не играл ветер; ~를 치다 а) подрезать (обрезать) ветви; б) косить (траву); ~를 치다 расти(о деревьях, траве);~가벌다 ухудшаться (об отношениях); ~를 꺽다 ломать ветку.
가지 II 1) род; 여러~(의)разного рода, разный; 2) счетн. сл. 세~ 방법 три способа; 부탁한 ~ (одна) просьба.
가지고 1) 그 사람 ~너무 그러지 마시오 가뜩이나 성난 사람 ~ 왜 그래 Зачем ты еще больше злишь его? 2) с, посредством; 공 ~놀다 играть с мячом; 무얼~ 그리 싸우느냐 Из-за чего вы ссоритесь? 한 달에 백 불을 ~ 어떻게 삽니까? Как ты можешь жить на сто долларов в месяц?
가지다 1. 1) взять, брать(с собой); 2) иметь, обладать, держать(в руках); 3) получать, приобретать, обретать; 4)проводить (собрание *и т.п.*); 5) зачать; 새끼를~ вынашивать детеныша (о самке животного); 아이를 ~ забеременеть; 알을~ быть с яйцом (о несушке); быть с икрой(о рыбе); 기대를 ~ возлагать надежды; ~을/를 가지고 а) с чем-л. в руках; б) указывает на орудие действия; 톱을 가지고 나무를 베다 пилить дрова (дерево) пилой; в) указывает на объект действия; 허 참 어째다고 날 가지고 트집이요 ну, в самом деле, почему вы ко мне придираетесь? **2**. после деепричастной гл.(оконч. 아/어/여) обычно в ф. 가지고 указывает на результативную завершенность действия; 그는 꿩 세 마리를 잡아 가지고 돌아 왔다 он возвратился убив трех фазанов; 가져가다 уносить с собой; 눈길을 가져가다 переводить взгляд; вносить(напр. нервозность во что-л.); 가져다주다 давать, приносить; 가져오다 прям. и перен. приносить(с собой).

가지런히 ровно, вровень, одинаково; 집을 ~하다 уст. быть хорошим хозяином(хозяйкой), хорошо вести хозяйство

가치가 높은 высокая ценность.

가치관(價値觀) взгляд на ценности.

각(角) I 1) третья ступень китайск-ой гаммы; 2) третья нота(из пяти в вост. музыке); 3) рог (муз. инст- румент).

각(刻) II 1) гравирование, резьба; 2) см. 조각 II; 3) см. 물시계 1); 4) этн. четверть часа; 5) этн. 14 мин. 24 секунды; 6) единица долготы звука(в кор. музыке).

각-(各) преф. кор. 1) каждый, все; ~국가 каждое государство; 2) несколько.

각각(各各) I нареч. каждый, в отдельности, соответственно.

각각(刻刻) II ~으로 каждый момент, каждый отрезок времени.

각국(各國) каждая страна, каждая нация, различные страны; ~사절 иностранные дипломатические представительства; 세계~ все страны мира; 세계 ~의 대표 представители всего мира; ~에서 대표 한 사람씩 представитель от каждой страны; ~의 무역 사정을 시찰하러 가다 ездить по разным странам по коммерческим делам; ~은 2명의 대표를 대회에 파견 한다 каждая страна прислала двух делегатов на ралли.

각선미(脚線美) линия ноги.

간(肝) анат. печень; 간이라도 빼어 먹겠다 посл. букв. ≈ даже свою печень готов отдать(за друга); 간에 붙었다 쓸개에 붙었다 한다, 간에 붙고 쓸개에 가 붙다 посл. ≈ держать нос по ветру(букв. то ли прилипнуть к печени, то ли к желчному пузырю); 간을 녹이다 бередить душу; 간을 졸이다 терзаться; 간이 덜렁하다 перепугаться; 간이 뒤집혔다 смешинка в рот попала; 간이 마르다 см. 애가 마르다 II; 간이 콩알만해졌다 душа в пятки ушла; 간이 크다 смелый, отважный; 간이 타다 см. 애가 타다 간에 기별도 안 간다 заморить червячка; 간에 기별을 하였다 как будто совсем не ел; 간에 바람이 들다 см. 허파에 바람이 들다 간에 불붙다 погружаться в меланхолию.

-간(間) суф. кор. помещение

간, 간장(-醬) печень.

간격(間隔) 1) расстояние, интервал, промежуток; ~을 두다 оставлять промежуток(интервал); ...의 ~을 두고 с интервалом в...; ~이 없이 без интервалов, вплотную; 2) отчуждение, охлаждение.

간결하게 кратко и ясно.

간섭(干涉) 1) вмешательство; интервенция; ~하다 вмешиваться, организовывать(интервенцию); 2) физ. интерференция; ~분석 хим. интерферометрический анализ; ~적 а) интервентский, интервенционистский, б) интерференци-онный.

간식(間食) 1) ~하다 перекусить (напр. между обедом и ужином); 2) см. 곁두리.

간음(姦淫) прелюбодеяние; ~하다 вступать в незаконную связь.

간장(-醬) I соевый соус; ~ 종구래기 (쪽박) ковшик для соевого соуса.

간장(肝腸) II ~이 녹다 быть очарованным, плениться; болеть(о душе).

간장(肝臟), 간(肝) III анат. печень;

~경화증 цирроз печени; ~농양 абсцесс печени; ~ 지스토마 печеночный паразито-сосальщик; ~요법 гепатотерапия; ~질환 заболевание печени.

간절히 сердечно, убедительно.

간접(間接) [~적] косвенный, опосредствованный, непрямой ~거름(비료) косвенные удобрения; ~노동 вспомогательный труд; ~노력 непроизвольные затраты; ~매매 торговля через посредников;~반칙 персональная ошибка(в баскетболе); ~보어 лингв. косвенное дополнение; ~사격 воен. огонь непрямой наводкой; ~ 선거 многос-тупенчатые выборы; ~소작 стар. субаренда; ~조준 воен. непрямая наводка; ~추리 лог. опосредствованное умозаключение.

간판(看板) 1) вывеска 2) перен. прикрытие; ~을 들고 под прикрытием; 간판이나 배경이 등용의 수단(手段)이 될 수 없다 "бумажка" или "спина" не могут стать средством для выдвижения на работе.

갈매기 чайка.

갈비 1) рёбра; 2) см. 가리 ~가 휘다 кости трещат(под тяжестью ноши); взвалить на себя непосильное бремя

갈비대 анат. ребро.

갈색(褐色) коричневый цвет; ~전초 сено; ~고미 цветочная пыльца (в улье); ~목탄 бурый уголь; ~조류 бурые водоросли; ~철광 мин. лимонит; ~인종 малайскополинезийская раса.

갈수록 время проходит; ~태산이다 вещи становятся хуже и хуже; одна беда за другой; ~고향이 그립다 с течением времени я тоскую по до-му всё больше и больше; 형세가 나빠진다 дела идут всё хуже и хуже.

갈아타다 пересесть, делать пересадку, пересаживаться; 말을 ~ менять лошадь; 목포행으로~ поменять на экспресс.

갈잎 срезанный тростник(камыш)

갈증(渴症) жажда; ~이 나다 испытывать жажду; ~을 풀다 утолять жажду.

감 хурма(плод); 감 단자 печенье из рисовой муки и хурмы; 감도 꼭지가 물러야 떨어진다 посл. букв. ≅ и хурма упадет, если за сохнет её плодоножка.

감기(感氣) простуда; ~가 들다, ~를 앓다, ~에 걸리다 постудиться; ~ 기운이 있다 чувствовать себя простуженным; ~고뿔도 남을 안 준다 погов. ≅ у него снега среди зимы не выпросишь(букв. он (она) даже своего насморка другому не даёт; ~는 밥상머리에 내려앉는다 посл. ≅ вся простуда проходит, как только садится есть.

감기다 I 1) закрываться; слипаться (о глазах); 2) закрывать(кому-л.) глаза; заставлять(кого-л.) закрыть глаза.

감기다 II 1) быть намотанным (обмотанным); 2) пристать (прилипнуть)(к телу); 3) прижаться, прилипнуть; 4) пристраститься; 술에 ~ пристраститься к вину.

감다 I мыть; 미역을 ~ купаться.

감다 II закрывать(глаза); 감은 눈 못보다 не видеть ночью, страдать куриной слепотой.

감다 III обматывать, наматывать; 1) 붕대를~ бинтовать; 몸을~ свернуться в клубок 태엽을~ заводить (часы); 2) зацепить ногой(ногу противника в кор. нац. борьбе); 3) пренебр. вырядиться.

감당(堪當) ~하다 брать на себя, нести (ответственность).

감독(監督) 1) контроль; инспекция; надзор; ~기관 органы инспекции (надзора); ~관청 инспекция (учреждение); 2) контролер, инспектор; 3) мастер; 영화 ~ кинорежисер.

감동(感動) глубокое впечатление (чувство); ~을 주다 производить глубокое впечатление; ~시키다 растрогать, тронуть; ~ 하다 быть глубоко тронутым (взволнованным); ~적 трогательный; волнующий; ~적으로 трогательно

감사(感謝) благодарность; ~만만(천만) не находить слов для выражения благодарности; ~무지 не знать, как и благодарить; ~하다 1) см. 고맙다; 2) благодарить; 3) благодарение; 감사 인사를 드리다 говорить слова благодар-ности.

감사합니다 Спасибо.

감소(減少) уменьшение, сокращение, снижение; редукция; ~수열 мат. убывающая прогрессия;~함수 мат. убывающая функция; ~하다 уменьшать, сокращать, снижать.

감속(減速) замедление; редуцирование; тех. децелерация; ~적 замедленный; ~장치 тех. демультипликатор; ~운동 замедленное движение.

감속기(減速器) тех. редуктор.

감시(監視) наблюдение, надзор, инспекция; ~구역 воен. район наблюдения; ~램프 см. 감시등; ~신호 сигнал проверки; ~초소 наблюдательный пост; ~위치 позиция наблюдения; ~하다 наблюдать, надзирать, инспектировать.

감싸다 1)обёртывать; завёртывать; 2) покрывать, брать под защиту; 죄인을 ~ приютить преступника.

감아올리다 наматывать;поднимать (что-л.) 닻을 ~ поднимать якорь; 돛을 ~ поднимать парус; 발을 ~ свернуть эк-ран.

감자 картофель; ~경작 сладкое блюдо, приготовленное из тёртого картофеля с клейким рисом и кунжутным семенем; ~국수 куксу из картофельной муки;~다식 картофельные оладьи с мёдом; ~된장 острая приправа из картофеля (приготовленная особым способом) ~만두 вареники, приготовленные из картофеля и рисовой муки;~수확기 картофелеуборочная машина; ~장아찌 картофель в соевом соусе; ~볶음 жаренный картофель;~찌개 картофель, отваренный в соевом соусе.

갑니다 идти; ехать; уходить; уезжать

갑시다 давиться; задыхаться.

갑자기 неожиданно; внезапно;вдруг

갑작스럽다 неожиданный, внезапный.

갑작스레 неожиданно; внезапно

갑판(甲板) палуба; ~견습 палубные учения; ~여객 пассажир, едущий на палубе; ~성원 см. ~갑판원; ~지휘 управление с палубы; ~창고 палубный пакгауз;~화물 палубный груз; ~유리 палубный иллюминатор

값, 가격 1. 1) цена, стоимость; 값도 모르고 싸다한다 посл. букв. ≈не узнав цены, говорить, что дёшево; 값 싸다 а) дешёвый; 값싼

것이 갈치자반, 값싼 것이 비지떡 посл.≅дорого, да мило, дешево, да гнило: б) нестоящий, пустяковый; 값을 놓다 назначить цену; 값을 매다 проставлять цену; 값을 보다 а) давать цену; б) спрашивать цену; 값을 부르다 называть цену; 값을 치다 наз-начать свою цену(о покупателе); 값가다(값이 나가다) дорогой, драго-ценный; 값이 나다 получать расценки; 값[이] 닿다 сторговаться; 값이 없다 а) очень дешевый; б) нестоящий, пустяковый; в) бесцен-ный, дорогой; 값이 있는 죽음 сме-рть дорогой ценой; 2) перен. ва-жность, ценность; 3) результат; 4) мат. в значении; 2. в ф. дат. п. после прич. буд. вр. хотя; ~싼 дешевый; ~을 치르다 платить цену

값지다 дорогой.

강(江) река; 강 건너 불구경 *посл. букв.* ≅ смотреть через реку на пожар; *см.* 하천.

강-(强) *преф. кор.* сильный; усиленный, форсированный; 강호령 сильная брань (незаслуженная); 강행군 форсированный марш; ~ 하다 сильный.

강남(江南) *обр.* далекий юг(южная часть Китая от реки Янцзы).

강변도로(江邊-) набережная.

강세(强勢) ударение;подчёркивание; акцент;~(가)있는 음절 выразительный, эмфатический слог; ~를두다 делать ударение; подчёркивать; ~로 나오다 принимать агрессивную позу; занимать агрессивную пози-цию; ходить с козырей; ~주 львиная доля.

강수량(降水量) количество осадков; 당 지의 ~은 30밀리였다 30 мм. осадков выпало здесь; 을 여름에는 ~이 적었다 летом у нас выпадает мало дождей.

강아지 щенок; ~한테 메주 멍석 맡긴 것 같다 *посл.*≅доверить козлу капусту.

강압(降壓) I понижение давления (напряжения); ~냉각장치 эл. редукционно-охладительная установка; ~변전소 эл. понижающая подстанция; ~변압기 эл. понижающий трансформатор; ~하다 понижать (давление, напряжение).

강압(强壓) II принуждение; подавление;...에 ~을 가하다 оказывать нажим на...;~적 принудительный; ~적으로 принудительно; ~하다 принуждать; подавлять.

강의(剛毅) I ~하다 стойкий, непоколебимый.

강의(講義) II лекция; курс лекций; ~하다 читать лекцию.

강제(强制) принуждение; ~ 수단 средство принуждения.

강조(强調) ударение.

강타(强打) полдача на силу(в волейболе).

강화도(江華島) Канхвадо о-в.

갖가지 различный; ~ 언어가 난무하다 смешиваются разные языки.

갖고 있다 владеть. иметь.

갖다 час от часу не легче.

갖추다 подготовить; 1) подготовить, 방어태세를 ~ занять оборонительную позицию, 2) иметь; 조건을 ~ иметь все условия; 몸을 ~а) держать себя, б) следить за собой, ‖ 갖추 쓰다 писать(иероглифы) в полном начертании.

같다 1) одинаковый,тот же самый, 똑~ абсолютно одинаковый, 꼭~ точно такой же;

같지 а) неодинаковый; б) неприличный, некрасивый; в) ничтожный, не заслуживающий внимания; ~않다, 같은 값이면 так уж получилось; уж если так; 같은 값에 так или иначе; как ни делай; 같은 값에 다홍치마 (검둥송아지) *посл.* ≃ чего уж тут выбирать, ведь цена та же; 2) 새것과 ~ как новый; 아래와 같은 нижеследующий; 이와 같은 подобного рода, подобный; 3) 비가 올 것~ кажется, (что) пойдёт дождь; 4) 집에서 책을 읽느니만 같지 못하다 лучше бы читать книгу дома.

같이 1) одинаково, так же; 2) вместе; 3) после основы имени, а тж. после основы 과/와 словно, подобно; 4) 내일 ~떠나려는데 마침 네가 왔다 собирался выехать завтра, а ты как раз приехал.

같이하다 делать вместе; 생사고락을 ~ разделять горе и радость; 의견을 ~ разделять мнение.

갚다 1) расплачиваться (с долгами), возвращать, отдавать (долг); 2) платить, отплачивать; 은혜를 ~ отплатить за добро; 3) мстить.

갚음 1) уплата (долгов); 2) отплата, воздаяние (за добро, старания); 3) месть; ~하다 см. 갚다.

개 I топь (по берегам рек).

개 II собака; 개가 콩엿 사먹고 버드나무에 올라간다 *посл.* ≃ пускать пыль в глаза; 개 핥은 죽 사발 같다 *погов.* ≃ словно чашка вылизанная собакой; 개가 웃을 일이다 необыкновенное (неслыханное) дело; 개 눈에는 똥만 보인다 *посл.* ≃ голодной курице снится просо; 개도 나갈 구멍을 보고 쫓는다 *посл.* ≃ с одного вола семь шкур не дерут; 못된개가 부뚜막에 먼저 올라간다 *посл.* ≃ не в свои сани не садись; не за свое дело не берись; 개발에 편자 *погов.* ≃ как корове седло; 개 패듯 하다 бить как собаку.

개강(開講) ~하다 начинать (курс лекций и т. п.).

개교(開校) ~하다 а) открывать (учебное заведение); б) начинать (занятия).

개교식(開校式) церемония открытия учебного заведения.

개구리 лягушка; ~헤엄 плавание стилем брасс; ~ 움츠려야 뛴다 *посл.* ≃ всякое дело требует разбега (*букв.* и лягушка прыгает только после того, как пригнётся); ~ 올챙이적 생각을 못한다 *посл. букв.* ≃ лягушка не помнит, что она была головастиком; ~ 볶음 жаркое из лягушек.

개근(皆勤) ~하다 ходить на работу регулярно (ежедневно); аккуратно (регулярно, ежедневно) посещать занятия.

개근상(皆勤賞) награда за непрерывную добросовестную службу.

개발(開發) 1) развитие; 2) освоение; разработка, эксплуатация; ~하다 а) развивать; б) осваивать; разрабатывать, эксплуатировать.

개방(開放) 1) открытие; ~ 정책 политика "открытых дверей"; ~ 제진실 *текст.* открытая камера; ~홈 *эл.* открытый паз; 2) освобождение; 3) выключение (света); ~적 открытый, свободный; ~하다 а) открывать; оставлять открытым; б) освобождать; в) выключать (свет).

개업(開業) ~하다 а) открывать (предприятие, дело *и т. п.*); б) возобновлять (торговлю, дело *и т. п.*)

개인(個人) индивидуум, личность; частное лицо; ~적 индивидуальный, личный; ~감정 личное чувство; ~경리 единоличное хозяй ство; ~교수 индиви-дуальное обучение; ~기업 частное предприни-мательство; ~농민 сущ. ведущий единоличное хозяйство; ~이기주의 эгоизм; ~상업 частная торговля; ~소유 частная собственность; ~소유권 право частной собственности; ~작업량 индиви-дуальная выработка; ~적 소비 личное потребление; ~ 영웅주의 преувеличение роли личности(в истории); ~영웅주의자 "герой" (противопоставляющий себя народным массам); ~ 우월감 личное превосходство; ~위생 личная гигиена.

개척(開拓) освоение, возделывание (земли); ~하다 осваивать, возделывать(землю); 자기 길을 ~하다 пробивать себе дорогу.

개학(開學) ~하다 а) начинать(занятия, новый учебный год); б) открывать(учебное заведение).

개항(開港) ~하다 открывать порт (для внешней торговли); открывать (новый порт).

개혁(改革) реформа преобразование; 토지 ~ аграрная реформа; ~하다 реформировать, преобразовывать, обновлять.

객원(客員) 1) гость(напр. на собрании, заседании и т. п.); 2) арх. внештатный чиновник; ~교수 приглашённый преподаватель.

객체(客體) 1) объект; 2) эпист.вежл. Ваше(его) здоровье(о человеке, находящемся на чужбине).

갯밭 поля вдоль берега бухты.

갱(坑) шахта, копи; ~을 달다 а) проходить штрек; б) рыть канаву на золотом прииске; ~구 вход в шахту; ~내 в шахте; в руднике; ~내 작업 работа в шахте; ~도 штольня; подземный ход; ~문 вход в шахту; ~부 шахтёр; ~실 корот-кая штольня; ~차 вагонетка.

갱생(更生) возвращение к жизни, воскрешение; ~하다 возвращать жизни, воскресать, возвращаться на правильный путь, возрождаться; 자력~ возрождение собственными силами.

갱신(更新) обновление.

갸름하다 продолговатый, удлинённый, овальный; 갸름한 눈 миндалевидные глаза; 갸름한 얼굴 миндалевидное лицо; 갸름한 코 миндалевидный нос

갸우뚱 ~하다 склониться, наклониться; ~거리다 качаться из стороны в сторону; мотать головой; 고개를 ~ 숙이다 склонить голову набок.

걔 (그 아이) этот ребенок.

거 разг. 1)(сокр. от 그것) это; 거 누구냐? кто это?; 거 봐라(보오, 보시오, 보십시오,보게,보아라,보지) разг. разве это не так?; разве я не прав?; 2) межд., выражает восхищение ах!

거기(倨氣) высокомерие.

거꾸러지다 1) упасть ничком; потерпеть крах; 3) бран. сдохнуть.

거꾸로 вверх дном; вверх ногами; шиворот-навыворот, наоборот.

거기로, 저기로 туда.

거나 окон. деепр. разд. потр. тж. в безличных предложениях: 가거나 말거나 상관없다 пойдёшь или не пойдёшьмне всё равно; 크거나 작거나 가릴 것 없다 всё равно;

маленький или большой
-거나(아무래도 괜찮음을 나타내는 접미사) 많~ 적~ 마찬가지다 много или нет-всё равно; 그가 오~말~우리는 갈 것이다 придёт он или нет, мы уедем; 옳~ 그~내 생각은 그렇다 правильно или нет, но таково моё мнение.
-거늘(이유) поэтому (하물며) неговоря о том, что ... тем более; 날이 이미 늦었~ 그곳서 머물기로 하였다 так как уже было поздно, мы решили остаться там; 그 아이는 걷지도 못하~ 하물며 뛰기까지야 малышка не умеет ходить, а уж тем более бегать.
-거니(까닭) 나는 아직 젊었~ 돌인들 무거우랴 я ещё молод, разве могут камни быть тяжёлыми для меня; 비가 오겠~ 하고 우산을 가져왔다 я предполагал, что будет дождь, и поэтому принёс зонтик; 주~ 받~ и давать, и получать; 그것이 좋다 ~ 나쁘다~말도 많다 много спорово том, хорошо это или плохо.
거드름 надменное, высокомерное поведение; самодовольный(надменный) вид; ~[을] 부리다 надменно (высокомерно) вести себя; иметь самодовольный вид; ~[을] 피우다 проявлять высокомерие; ~[을] 빼다 иметь надменный вид; ~스럽다 прил. казаться высокоме-рным,иметь высокомерный вид
-거든 оконч. воскл. ф. 1) 땅을 잘 다루어야만 많은 소출을 낼 수 있거든 хорошо обрабатывая землю, можно получить большой доход!; 2) око-нч. усл. деепр. 아버지께서 오시거든 말씀하세요 если придет отец, скажу (передам) ему.

거래(去來) 1) торговля;(экономические) связи; 수입금~ налог с товарооборота; 2) см. 왕래; 서신 ~ переписка; 3) (устный) доклад(начальнику); ~하다 а) торговать; б) докладывать(начальнику).
거래처(去來處) покупатель, обычно постоянный; деловое знакомство; ~가 많다 иметь большие связи в.
거래하다 иметь деловые отношения с кем-л.; вступать в сделку с кем-л.
거리 I 1) материал, сырьё; 국 ~ суповой набор; 김치~ овощи для приготовления кимчхи; 2)предмет, объект; тема; 자랑~ предмет гордости; 웃음거리 объект насмешек; 이야기 ~ тема разговора.
거리(距離) II 1) дистанция, расстояние, интервал;~측정기дальномер; 2) разница, различие; расхождение; 3) суф. в течение; 하루~ в течение одного дня; 해~ в течение года.
거리, 대로(大路) III проспект.
-거라 оконч. повелит. ф. некот. гл.: 일어나 가거라 Иди! 자거라 Спи!
거스름돈 (денежная) сдача.
거슬러 올라가다 идти, грести; идти (под парусом) против течения; 강을 ~ идти, плыть вверх по тече-нию; грести (идти под парусом) вверх по реке; 과거로 ~ мысленно вернуться в прошлое; 근원에 ~ проследить путь (вещи) от её происхождения.
거울 зеркало.
거울삼다 по образцу; следовать примеру; учиться у; 선인의 덕행을 ~ быть добродетельным по примеру старых мудрецов; 다른 사람의 잘못을 ~ учиться на чужих ошибках.
거의 почти; ~ 차이가 없다 почти

нет разницы.

거절(拒絕) отказ, отклонение, непринятие; ~하다 отказываться(от чего-л.); отказывать (кому-л. в чём-л); 정중하지만 단호한 ~ отклонить вежливо, но решительно; 딱 ~하다 отказать на отрез; 면회를 ~하다 отказываться видеть(человека) отказывать самому себе; 요구를(신청을) ~하다 отклонять просьбу(заявление); 약속을 ~하다 отказываться от обязательств; ~증서 протестовать.

거절당하다 получить отказ.

거절하다 отказывать; отказываться

거짓말 ложь; ~하다 рассказывать (небылицы), врать; 새빨간~наглая ложь; явная ложь; чистая подделка; 그럴듯한 ~ правдоподобная ложь; ложь которая видна на сквозь; 빤히 들여다보이는 ~ прозрачная (очевидная, явная ложь); 죄 없는(악의없는) ~ белая ложь выдумка; ~투성이 гора лжи; паутина лжи; ~ 같다 невероятный; 천연스럽게 ~ 하다 лгать, как если бы говорить правду; лгать с честным лицом; ~이 아니다 я говорю всерьёз; 암만해도 ~같다 это звучит невероятно; ~할 사람이 아니다 он не тот человек, который будет лгать; ~쟁이 лжец; 상습적 ~쟁이 закоренелый лжец; ~ 탐지기 детектор лжи; ~ 탐지기로 조사하다 проходить тест на детекторе.

거처(居處) проживающий,живущий в...; ~하다 1) жить, проживать; 2) местонахождение, местожительство; ~를 알아내다 определять местонахождение; ~를 자주 바꾸다[옮기다] часто менять адрес; переезжать с места на место.

거치(据置) отсрочка, откладывание; ~하다 оставит(долг) неуплаченным (откладывать уплату долга; отсрочить платёж); ~의 неисполненное обещание; неоплаченный долг; 3년 ~의 보험 отложить стра-хование на 3 года; 10 년 ~의 차관 невозможность оплатить долг в течении 10 лет; 3 년~ 5 년 상환 возмещение долга в течении 5лет с трёхгодичной отсрочкой; ~기간 день уплаты задолжности; ~저금 отложить сбережения; фиксировать вклад.

거치다 1) задевать; спотыкаться; 2) преодолевать; 3) заходить, заезжать; 4) оставлять без внимания; проходить мимо; заглянуть по пути; 많은 사람의 손을 ~ проходить через много рук; 세관을 ~ пройти таможню.

거친 말 ругательство.

거칠다 грубый,невоспитанный.

격정 беспокойство; ~을 끼치다 вызывать беспокойство; ~도 팔자 беспокойная душа

격정스럽다 чувствовать неудобство, неловкость; почемуто неспокойный.

걱정 염려(念慮)(불안,근심) беспокойство; волнение; тревога; озабоченность;(신경씀) забота;(나무람) брань; ~스럽다 беспокойный; ~하다 беспокоиться; тревожиться; (신경씀) заботиться; (나무람) браниться; ругать; ~시키다 причинять беспокойство; ~스레 беспокойно; ~을 끼치다 вызывать беспокойство; ~ 없이 без забот; ~도 팔자 беспокойная душа; ~거리 источник волнений(тревог; беспокойства); ~꾸러기 беспокойный человек; человек, вызывающий беспокойство

건강(健康) здоровье; ~하다 здоровый; ~에 좋은(나쁜) полезный (вредный) для здоровья; ~에 조심하다 следить за здоровьем; ~을 회복하다 выздоравливать; восстанавливать здоровье; ~은 그 무엇과도 바꿀 수 없다; здоровье нельзя ни на что променять/здоровье дороже всего; ~진단을 받다 проходить медицинский осмотр; подвергаться медицинскому освидетельствованию; ~미 здоровая красота; ~진단 медицинский осмотр; ~체 здоровый организм(телосложение); 건강상태 состояние здоровья; 건강을 헤치다 вредить здоровью.
건강한 здоровый.
건국(建國) основание государства; ~하다 основывать государство; ~기념일 день основания государства; ~자 основатель государства; ~훈장 орден за заслуги перед государством.
건너 через; на другой(противоположной) стороне; 강 ~에 по ту сторону (на той стороне) реки; (길을) ~가다 переходить(через) улицу (дорогу); ~뛰다 перепрыгивать; перескакивать; пропускать очередь; ~오다 переходить через что-то; ~지르다 перебрасывать (перекидывать) с одного конца на другой; проводить горизонтальную линию через что-то; ~짚다 предугадывать; догадываться; ~마을 соседняя деревня; ~편 другая (противоположная) сторона; 건넛집 дом напротив.
건너가다 переходить.
건너다 переходить(через) улицу (дорогу).
건너뛰다 прыгнуть через(что-л.); 개울을 ~ прыгнуть через ров, канаву; 담을 ~ перепрыгнуть через стену; 3 페이지를 ~ перескочить через три страницы.
건널목 переход(через реку).
-건대 1) оконч. деепр. со знач. насколько; как; 듣~ как я слышал; 2) разг. оконч. деепр. в вопр. предложении указывает на обстоятельства, вызвавшие вопрос: 무엇을~ 자네를 볼 수가 없나? Ты наверно был чемто занят, тебя совсем не было видно?
건물(建物), 건축물, 집 II здание, строение; 고층 ~ высотное здание.
건설(建設) строительство; постройка; конструкция;сооружение; создание. ~적 конструктивный; ~하다 строить; создавать; конструировать; 국가를 ~하다 заложить основы государства; ~비 расходы на постройку; ~자 строитель.
건설방 распутник.
건축(建築) I строительство; сооружение; возведение; застройка; ~하다 строить; сооружать; возводить; застраивать; ~용의 строительный; предназначенный для строительства; ~가 архитектор; ~공사 строительные работы; ~공학 технология строительства; ~과 архитек-турно-строительный факультет; ~ 기사 инженер-строитель; ~면적 площадь застройки;~물 строение; постройка; здание; ~미 красота строения; ~비 расходы на пост-ройку; стоимость строительства; ~사 история архитектуры; ~사무소 строительная контора;~양식 архитектурный стиль; ~업자 строитель; ~재료 строительные мате-риалы; стройматериалы; ~학(술) архитектура; зодчество; ~

학자 архитектор; ~현장감독 прораб.
건축(乾縮) II строительство.
건축가(建築家) архитектор строитель
건축하다 строить.
걷다 I 1) рассеиваться (о тучах, тумане); 2) прекращаться(напр. о дожде); 3) подбирать; убирать; прибирать; 4) собирать; созывать; 5) прекращать.
걷다 II идти(пешком); шагать; 다니다 ходить; 걷기도 전에 뛰려 한다 пытается прыгать прежде, чем научится ходить; 걷기 ходьба.
걷다 III 커튼을 ~ поднимать занавеску; 걷어 들이다 поднимать; подбирать; собирать.
걷다 IV 세금을~ собирать налоги; 회비를~ собирать членские взносы.
결- I преф. более или менее; 걸맞다 более или менее подходить; 걸뜨다 плавать, находиться в воде во взвешенном состоянии.
결- II преф. очень; 걸차다 очень плодородный; 걸싸다 проворный.
걸다 I вешать; 농담을~ подшучивать над кем-л.; 말을~обращаться к кому-л.; 목숨을 ~ рисковать жизнью; 목에 새끼를~ накидывать верёвку кому-л. на шею; 문에 빗장을~ закрывать дверь на засов; 시비를~ жаловаться на кого-л.; выражать недовольство; 싸움을~ задираться; искать ссоры с кем-л.; 연애를 ~ полюбить; 작살로 ~ зацеплять багром; 전화를~ звонить по телефону; 최면술을~ загипнотизировать; 희망을~ возлагать надежды; 걸고넘어지다(전가하다) сваливать вину(ответственность) на кого-л...
걸다 II 음식상이 ~ стол ломится от яств.
걸리다 I (갈리다) висеть, быть подвешенным; 감기에~ простудиться; 귀에 ~ звучать в душе; 눈에 ~ попадаться на глаза; 마음에 ~ лежать на душе, беспокоить; 목에 ~ застревать в горле; 병에 ~ заболеть.
걸리다 II заставлять идти пешком.
걸맞다 подходящий, сносный.
걸음 шаг; 바쁜~ торопливый шаг; ~을 걷다 шагать; ~을 내딛다 делать шаг вперёд; ~을 늦추다 замедлить шаг; ~을 멈추다 остановиться; ~을 서두르다 торопиться; ~이 빠르다(느리다) ходтьба быстрым(медленным) шагом; 한 ~ 물러서다 отступать на шаг; 한 ~ 도 물러서지 않다 ни на шаг(ни шагу) не отступать; 한 ~ 앞으로 шаг вперёд; 두 ~ 뒤로 два шага назад; ~ 아 날 살려라 дай бог ноги; ~걸음 шаг за шагом, каждый шаг; ~걸이 походка; ~마 учиться ходить; ковылять; ~짐작 измерение расстояния шагами.
걸음걸이 походка.
걸작(傑作) шедевр; забавное (смешное) поведение; забавник; фигляр.
걸치다 быть переброшенным (перекинутым) через что-л.; ...에 걸쳐 в течении, в протяжении чего-л.; 걸쳐놓다 оставлять висеть.
검(劍) меч; ~가(객) фехтовальщик; ~광 блеск(сверкание) меча; ~극 меч и копьё; ~기 вид острого меча; ~법 правила фехтования; ~술 фехтование.
검- очень; сверх нормы; пере.
검붉다 тёмно-красный.

검다 чёрный; 검은 깨 чёрный кунжут; 검은 돈 деньги, добытые нечестным путём; 검은마음 чёрная душа; 검은 피 густая(запёкшаяся) кровь; 검은콩 чёрные соевые бобы; ~ 희다 말이 없다 не говорить ни да, ни нет; 검은머리 흰머리 될 때까지 до старости; 검은 머리 파뿌리 될 때까지 всю жизнь; с молодых лет до седых волос.

검도(劍道) фехтование.

검문(檢問) допрос; ~하다 допрашивать; ~소 контрольно-пропускной пункт.

검버섯 тёмные пятна на лице

검붉다 тёмно-красный.

검사(檢査) I проверка; осмотр; инспекция; контроль; ~를 받다 проходить осмотр; ~ 하다 проверять; осматривать; инспектировать; контролировать; ~관 инспектор; контролёр; проверяющий; ревизор; экзаменатор; ~대 контрольный стенд; ~제 система контроля; ~증 акт осмотра; 체력~ медицинский осмотр.

검사(檢事) II прокурор; обвинитель; 부장 ~ главный прокурор.

검역(檢疫) карантин; ~하다 подвергать карантину; подвергать медицинскому осмотру; ~선 карантинное судно; ~소 карантин; санитарный пункт; ~원 служащий карантина;~의 карантинный врач; ~ 증명서 свидетельство о вакцинации; ~항 карантинный порт.

검열(檢閱) ревизия; цензура; проверка; контроль;~하다 подвергать цен-зуре; проверять; контролировать; инспектировать; ~을 받다 проходить цензуру; ~제도 система контроля.

검열(檢閱), 감독 инспекция.

검인(檢印) виза; печать(штамп)для удостоверения о проверке; ~을 찍다 визировать.

검증(檢證) ~조서 юр. акт удостоверения подлинности; ~하다 удостоверять подлинность, заверять.

검진(檢診) медицинский осмотр; судебно-медицинская экспертиза; ~하다 подвергать медицинскому осмотру; производить судебномедицинскую экспертизу.

검토(檢討) рассмотрение, исследование, проверка; ~ 하다 рассматривать; исследовать; 재~ повторная проверка;переэкзаменовка;пересмотр.

겁 страх; ~을 내다 бояться; ~쟁이 трус; 엉~결에 в испуге; ~나 하다 (~이 많다) пугливый; боязливый; ~이 없다 бесстрашный; ~을 내다 боять-ся; испугаться; ~이 나다 бояться; ~을 먹다 струсить; ~기 чувство страха; испуг;озабоченность; ~쟁이 трус.

것 вещь; то; нечто;видимо; может быть; 이~ это; 그~ то; 어느~ что-л.; 아무~ ничто; 저~ (вон) то; 새~ новое; 헌~ старое; 이 책은 내 ~이다 эта книга моя; 나는 네가 모르는 ~을 안다 я знаю то, чего не знаешь ты; 잠자지 말 ~! Не спать! 내일은 비가 올 ~이다 завтра, может быть, будет дождь.

것 служ. сл. с анафорической функцией: 1) после сущ., личн. мест. и порядк. числ. замещает имя, ранее упомянутое в речи: 이 책은 내 것이다 эта книга моя(книга); 2) с предшествующими прил. образует словосочет. со знач. определённого качества: 좋은 것 хорошее; 늙은 것 старое; 3) с предшествующими указ. мест. образует местоимённые сущ.: 이것 это; 그것 то; 저것(вон) то; 4) после гл. словосочет. и предложений выполняет функцию соотнос. сл. и переводится то; 나는 네가 모르는 것을 안다 я знаю то, чего не знаешь ты; 5) с прич. буд. вр. образует форму, выражающую приказ: 담배를 피우지 말것! не курить!; 6) после прич. в сопровождении гл. -связки 이다 обозначает действие, в осуществлении которого у говорящего имеется полная уверенность: 오직 꾸준한 노력으로써만 과학의 높은 봉우리에 도달할 수 있는 것이다 только неустанным трудом можно достичь высот в науке; 7) после прич. буд. вр. в сопровождении гл.-связки 이다, если подлежащим является 3 л. видимо: 저 산 너머는 지금 비가 올 것이다 сейчас за теми горами, видимо, идёт дождь; 8) входит в состав некоторых мест; 어느 것 что-л.; 아무 것 ничто.

-것 суф., присоединяясь к корню предикатива, выражает: 1) уверенность говорящего в наличии признака, обозначенного корнем: 김씨 친구는 바로 저 집에 살 것이다 товарищ Ким как раз и живёт в том доме; 2) обязательность признака, обозначенного корнем: 오늘은 강물도 얼어붙것다 и река должна покрыться льдом; 3) категорическое утверждение: 책이 있것지, 실험실이 좋것지, 무슨 불편이 있겠는가 Какие могут быть неудобства?ведь книги есть, да и лаборатория прекрасная (превосходная).

겉 наружная сторона; поверхность; внешний вид; ~ 다르고 속 다르다 мягко стелет, да жёстко спать.

겉- внешний; поверхностный; примерный; грубый; ~ 대중 определение на глаз; ~늙다 выгля-дить старше своих лет; ~ 마르다 подсыхать(снаружи).

겉장(-張) 1) верхний лист(бумаги) (напр. в пачке); 2) обложка книги.

게 I краб; 마파람에 ~눈 감추듯 словно корова языком слизнула; ~ 걸음 치다 двигаться(ходить) боком; быть медлительным(неповоротливым); ~거품 пена изо рта краба; пена(слюна), выделяемая при сильном возбуждении; ~살 мясо краба; сушёное мясо краба; ~장 солёные крабы, приготовленные в соевом соусе; соевый соус с солё-ными крабами; икра краба.

게 II (거기) там.

게 III (에게) к кому-л.; у кого-л.; 내~ 돈이 있다 у меня есть деньги.

게시 объявление; уведомление; бюллетень; ~ 하다 извещать; уведомлять; давать объявление; ~판 доска объяв-лений.

게임 игры.

겨우 едва;еле; с трудом; едваедва; 두 사람 남았다 осталось лишь два человека; ~ 살아가다 переби-ваться; ~열차 시간에 왔다; едва успел на поезд.

겨우내 всю зиму; за зиму.

겨우살이 всё необходимое на зиму; ~를 장만하다 готовить необходимое на зиму.

겨울, 동계(冬季), 동절(冬節), 동기(冬期) зима; ~의 зимний; ~을 나다 проводить зиму;(пере) зимовать; ~날 зимний день; ~날씨 зимняя погода; ~맞이 подготовка к зиме; ~바람 зимний ветер; ~밤 зимняя ночь; ~방학 зимние каникулы; ~옷 зимняя одежда; ~철 зима; зим-ний период;

겨자 갓, 개자(芥子) горчица; ~가루 сухая горчица; ~기름 горчичное масло; ~즙 горчичный соус.

격(格) ~에 어울리지 않게 살다 жить не по средствам; ~이르다 принадлежать другому обществу; ~이 떨어지다 не подходить; 아니 땐 굴뚝에 연기나랴는 ~으로 как говориться, нет дыма без огня.

격노(激怒),**분노**(忿怒) гнев; ярость; ~한 разъярённый; возбуждённый; ~하다 быть охваченным гневом; разозлиться; разъяриться; ~한 군중 разъярённые массы.

격려(激勵) воодушевление; поощрение; одобрение; поддержка; ~하다 воодушевлять; поощрять; одобрять; поддерживать; ~금 поощрение; ~문 воззвание; ~사 вооду-шевляющая речь.

격렬(激烈) ~하다 ожесточённый; бурный; буйный; пламенный; ~한 논쟁 ожесточённый спор.

격리(隔離) озоляция; разобщение; ~하다 изолировать; разобщать; отбирать; выбирать; ~벽 изолирующая переборка; перегородка; ~병실 изолятор; ~사육 содержание в карантине; ~실 изолированное помещение; ~판 сепаратор; разделитель; ~처분 изоляция; ~환자 изолированный инфекционный больной.

격분(激忿) возмущение; негодование; гнев; ~하다 возмущаться; негодовать; ~시키다 привести в негодование; ~하여 с негодованием-(возмущением); ~하지않고 без негодования.

결 I слой; пласт; жилка; строение ткани; степень плотности ткани.

결 II 1) см. 성결 II; 결이 바르다 прямодушный; 2) см. 결기; 결(이) 나다 вспылить; разозлиться; 결이 삭다 успокоиться, утихомириться.

결과(結果) результат; следствие; ~적으로(~의...로) в результате чего-л.; ...한 ~가 되다 кончать чем-л.; привести к чему-л.

결국(結局) в результате; в конечном счёте; в конце концов

결근(缺勤) невыход на работу; прогул; ~하다 не выходить на работу; ~계 объяснительная записка о причине невыхода на работу; ~자 не вышедший на работу.

결단(決斷) (категорическое) решение; ~하다 принять(категорическое) решение; ~적 решительный; ~코 решительно; категорически; непременно; ни в коем случае; ~력 решительность; ~성 решительность.

결론(結論) вывод; заключение; заключительное слово; ~을 짓다 делать вывод; выступать с заключительным словом; ~이 나다 заключаться; заканчиваться.

결말(結末) конец; заключение; результат; ~이 나다 заканчиваться; завершаться; ~을 짓다(내다) заканчивать; завершать.

결산(決算) подведение итогов; отчёт; подытоживание; подведение счётов; ~하다 подводить итого; подытоживать; отчитываться; рассчитываться;

производить расчёт; ~보고(балансовый) отчёт; ~분배 расчёт; отчёт и расчёт; ~총회 отчётное собрание.
결산보고(決算報告) отчет.
결석(缺席) I отсутствие; неявка; непосещение; пропуск; ~하다 отсутствовать; не являться; ~계 заявление о неявке; ~률 процент отсутствующих(неявившихся); ~생 отсутствующий на занятиях; ~자 отсутствующий; неявившийся.
결석(結石) II камни; конкременты; ~증 каменная болезнь; литиаз.
결손(缺損) недостаток; убыток; нехватка; дефицит; потеря; ~을 메우다 покрывать дефицит; ~이 나다 терпеть убыток; испытывать нехватку; ~액 сумма убытков; дефицит; недостающая сумма; ~처분 меры по ликвидации дефицита.
결승(決勝) финал; ~선 линия финиша; ~전 финальное соревнование; решающий бой; финал; ~점 финиш; 준~ полуфинал
결승전(決勝戰) финиш.
결시(缺試) ~하다 не явиться на экзамен.
결실(結實) плодоношение; завязывание плодов; созревание плодов; окончание; завершение; развязка; ~하다 завязывать; созревать; оканчиваться; завершаться; приносить плоды; ~기 период завязывания плодов; ~량 плодоносность.
결심(決心) I решение; решимость; ~하다 решить(ся).
결심(結審) II ~하다 завершать судебное разбирательство; ~을 다지다 твёрдо решить(ся).
결여(缺如) отсутствие; недостаток; нехватка; ~하다 отсутствовать; недоставать; не хватать;нуждаться в чём-л.
결의(決意) I решимость; решительность; ~하다 решиться на что-л.; ~문 (письменное) обязательство.
결의(決議) II решение; постановление; резолюция; ~하다 решать; принимать решение (постановление; резолюцию); ~권 право решающего голоса; ~문 решение; резолюция; постановление;~안 проект решения (резолюции).
결정(決定) I решение; постановление; определение; ~적 решительный; ~하다 принимать решение; решать; постановлять;определять; ~권 право решающего голоса; ~론 детерминизм; ~론자 детерминист; ~서 решение; постановление; резолюция.
결정(結晶) II кристалл; ~의 결정 плоды стараний; ~체 кристалл; кристаллическое тело; ~화 кристаллизация; ~화하다 кристаллизировать(ся).
결코 ни в коем случае; абсолютно; совершенно; ни как не; отнюдь.
결함(結銜) недостаток;дефект; изъян; ~이 있는 дефектный; с изъяном; 성격 ~ отрицательная черта характера
결합(結合) связь;соединение сборка; стыковка; объединение; слияние; сочетание; комбинация; ~하다 связывать(ся); соединять(ся); объединять(ся); сливать(ся); соче тать(ся); ком-бинировать(ся); ~력 сила сцепления(соединения;связи); связующая сила.
결핵(結核) туберкулёз; ~균 конк-

реционная текстутра; ~성 결절 туберку-лёзный бугорок; ~성 고정관염 туберку-лёзный коксит; ~성 관절염 туберку-лёзный артрит; ~성 뇌막염 туберку-лёзный менингит; ~성 소인 туберку-лёзный диатез.

결혼(結婚) бракосочетание; женитьба; ~식 свадьба; замужество; ~의 брачный; матримониальный; ~하다 вступать в брак; ~을 신청하다 делать кому-л. предложение.; ~ 신청을 받다 получать предложение; ~을 거행하다 справлять свадьбу; ~기념일 годовщина свадьбы; ~식 свадьба; свадебный обряд; обряд бракосочетания; 연애 ~ брак по любви

결혼(結婚), 혼례(婚禮) свадьба.

겸 и; заодно; вдобавок; 수상 ~외상 премьер-министр и(одновременно) министр иностранных дел; 거실 ~ 침실 жилая комната (спальня и гостиная вместе); 밥도 먹을 ~쉴 для того, чтобы и поесть, и отдохнуть.

경 I нагоняй; разнос; ~을 치다 получать нагоняй;~치게очень.

경(徑) II диаметр; 반~ радиус; 직~ диаметр.

경계(境界) I граница; рубеж; грань; ~선 пограничная линия; пограничный (межевой) знак(столб).

경계(警戒) II предостережение; предубеждение; предохранение; охранение; наблюдение; ~하다 предостерегать кого-л. от чего-л.; ~망을 펴다 создавать систему охранения; выставлять охранение; выставлять охрану; ~경보 сигнал об угрозе нападения; ~경보발령 оповещение об угрозе нападения; ~근무 караульная служба; ~망 сеть сторожевых постов; ~ 신호 сигнал тревоги; предупредительный сигнал; ~심 опасение; бдительность; настороженность.

경고(警告) предостережение; предупреждение; выговор.

경고하다 предупреждать кого-то о чём-то; предостерегать кого-л. от чего-л..

경공업(輕工業) легкая промышленность

경과(經過) ход; процесс; течение; развитие.

경금속(輕金屬) лёгкие металлы; ~합금 сплав лёгких металлов.

경기, 경쟁(競爭) состязание.

경기도(京畿道) Кенгидо пров.

경기장(競技場) стадион.

경력(經歷) биография; ~있는 사람 бывалый человек.

경로사상(敬老思想) почтение(уважение) к старости; ~하다 относиться с почтением к старикам, почитать (уважать) старость.

경영(經營) управление; ~학 наука управления.

경영(經營) ~하다 управляться.

경영인 руководящий работник.

경영자 руководитель, управляющий, заведующий; владелец, хозяин

경우 1) случаи; ~가 있다 случаться; ~가 드물다 случай редкий; ~에 따라 в зависимости от обстановки 2) шанс.

경작(耕作) право на собственность и обработку земли.

경쟁(競爭) I конкуренция.

경쟁(競爭) II соревнование; 생존~ борьба за существование.

경제(經濟) экономика. ~정책 экономическая политика.

경주(傾注)~하다 a) сосредоточивать (силы, внимание на чём-л.); 힘을 ~하다 прилагать силы; б) посвящать себя(чему-л.); в) выливать; высыпать; г) арх. лить как из ведра(о дожде).
경찰(警察) полиция.
경찰서(警察署) полиция.
경축(慶祝) празднование; чествование; поздравление; ~대회 торжественное заседание; ~연회 торжественное заседание, вечер в связи со знаменательной датой; б) приветствовать, поздравлять.
경축하다 чествовать.
경험(經驗) опыт; филос.эмпирия; ~교환 обмен опытом; ~비판론 эмпириок-ритицизм;~을 쌓다 накопить опыт; ~적 основанный на опыте; ~적 단계 этап проверки (чего-л.) на практике; ~하다 испытать, знать по опыту; испытывать на личном опыте; ~을 쌓다 накопить опыт; см. 시험(試驗)
곁 1) ~에 сбоку; рядом, около; 2) перен. покровитель; ~(이)비다 одинокий; беззащитный; прил. быть без присмотра; 3) ответвление; 곁[을] 주다 раскрывать душу (кому-л.).
계 I общество взаимопомощи.
계(契)II Геобщество взаимопомощи
계곡(溪谷) ущелье, в котором протекает ручей.
계급(階級) класс.
계란(鷄卵) см. 닭알; ~송병 см. 알송편 ~장아찌 гарнир к рису из варёных яиц в соевом соусе;~찌개 гарнир к рису из солёных креветок с яй- цом, луком, перцем и т. п. ~에도 유골이 있다 обр. непредвиденное затруднение.

계산(計算),셈, 카운트(count) 1) счёт; 2) подсчёт, вычисление.
계속(繼續) продолжение.
계속하다 продолжать.
계시 I арх. ученик, подмастерье.
계시(啓示) II откровение; ~하다 открывать; показывать.
계약서(契約書) контракт.
계원 сотрутник сектора(секции)
계절(季節) время года; сезон.
계좌번호 текущий счёт номер.
계주 эстафета.
계층(階層) слой, прослойка; сословие; 상인 ~ купеческое сословие.
계획(計劃), 예정안 план; проект; программа
계획성(計劃性) планомерность.
계획하다 планировать.
곗돈(契-) деньги, собранные обществом взаимопомощи.
고(高) высокий; ~속 высокая скорость
-고(-高) объём; сумма; 어획~ улов рыбы.
고가(高價) I высокая цена; ~의 물건 дорогой(ценный) товар; ~품 дорогая (ценная) вещь.
고가(高架) II ~의 надземный; подвесной; воздушный; ~다리 виадук; ~도로 эстакада; ~철도 надземная железная дорога.
고개(목) I загривок; голова; ~를 끄덕 кивать головой; ~를 돌리다 оглядываться назад; ~를 들다 поднимать голову; ~를 숙이다 склонять (опускать) голову; ~ 방아를 찧다 клевать носом; дремать. ~가 아프도록 что голова болит; ~가 절로 숙여지다 сама собой голова склонилась в поклоне; 고개를 수그리다

опускать голову.; ~짓 кивок(напр. в знак согласия);~하다 кивать головой
고개 (언덕,재, 고갯마루) II а) перевал; б) вершина; в) кульминационный пункт;오십 고개를 넘다 перевалить за пятьдесят лет;~길 дорога через перевал; ~마루 гребень горы(холма); ~턱 высшая точка перевала.
고객(顧客),손님 покупатель; клиент; посетитель.
고결(高潔),고매(高邁),청아(淸雅) ~하다 благородный; возвышенный; ~성 благородство; возвышенность; ~한 благородный; чистый.
고구려(高句麗),졸본부여(卒本扶餘:기원전 37년경~668년) династия Когурё; 고구려를 세우다 основать Когурё.
고구마 батат; сладкий картофель
고국(故國) родина; отечество; родная страна, ~을 그리워하다 тосковать по родине.
고급(高級) высший разряд(класс; сорт);~공무원 высокое должностное лицо; ~장교 высший офицерский состав; ~차 машина высшего класса; ~품 высокосортный товар.
고급유리 хрусталь.
고기 1) мясо; 2) рыба; ~잡이 рыбная ловля; ~를 굽다 жарить мясо(рыбу); ~잡이하다 ловить рыбу; ~잡이배 рыбачья лодка; рыболовное судно; ~젓 солонина; ~조림 мелко нарезанное мясо, приправленное соевым соусом; 돼지 ~ свинина; 말 ~ конина; 소 ~ говядина; 양 ~ баранина; 고깃국 мясной суп; 고깃덩어리 кусок мяса; 고기 통조림 консервы (мясные).
고기잡이, 어업 рыболовство.
고기압(高氣壓) высокое атмосферное давление; ~권 замкнутая изобара антициклона; ~지대 область высокого атмосферного давления; антициклон.
고까지로 нареч. (почти) так(до такой степени); ~뭘 울고 있냐 о чём так горько плачешь?
고등(高等) высший класс(сорт; разряд); ~하다 высокий; высший; ~교육 высшее образование; ~동물 высокоорганизованное животное; ~법원 высший суд; ~수학 высшая математика; ~식물 высшие растения; ~학교 высшая школа.
고등어 японская скумбрия.
고딕(Gothic) готический; ~식 건축 готическая архитектура; готика; ~양식 готический стиль; ~체 готический шрифт.
고려(高麗) I династия Корё(918-1392 гг.);~청자 фарфор эпохи Корё.
고려(考慮) II соображение; обдумывание; ~하다 иметь в виду что-л.; учитывать; принимать во внимание; в расчёт
고려하다 учитывать.
고령(高齡) преклонный возраст; человек преклонного возраста, ~자 человек преклонного возраста.
고르다 1) выбирать; отбирать; разравнивать; выравнивать; 2) ровный; одинаковый; нормальный
고립(孤立),격리 изоляция; одиночество; ~적 одинокий; изолированный; ~되다 изолироваться; ~시키다 изолировать; ~무원 быть одиноким и беспомощным; ~주의 изоляционизм; ~주의자 изоляцио-нист.
고맙다(고마우니, 고마와) благодарный; достойный благодарности; 대단히~ большое спасибо; 고맙습니다 спа-

сибо кому-л. за что-л.; бла-годаря кого-л. за что-л.; 고맙게 받다 принимать с благодарностью.

고맙습니다, 감사합니다 спасибо.

고모(姑母) сестра отца; тётка; ~부 муж сестры отца; дядя.

고무(鼓舞) I вдохновение; воодушевление; ~적 вдохновляющий; воодушевляющий; ~하다 вдохновлять; воодушевлять; 사기를 ~하다 поднимать дух.

고무 II резина; каучук; ~공 резиновый мяч; ~신 резиновая обувь; ~장갑 резиновые перчатки; ~줄 резиновый шнур; ~지우개 резинка; ластик; ~풍선 аэростат; воздушный шар; ~호스 резиновый шланг; 인조(합성)~ синтетический каучук 자연~ натуральный каучук; 재생~ регенеративный каучук. ~판 резиновая прокладка; 고무관을 갈다 поменять резиновую прокладку.

고생(苦生) невзгоды; лишения; трудная жизнь; ~스럽다 тяжкий; бедственный; мучительный; ~하다 испытывать невзгоды(лишения);много пережить; ~스레 мучительно; с большими трудностями(лишениями); ~끝에 낙이 온다 после невзгод приходит радость; ~길 тяжёлый путь; путь, полный лишений; ~담 рассказ о тяжёлой жизни(о страданиях); ~살이 тяжелая жизнь; ~살이 하다 жить в нужде; бедствовать

고소(告訴) I предъявление иска; подача жалобы; судебная жалоба; ~하다 подавать жалобу(на кого-л.); предъявлять иск; ~를 기각하다 отказывать в иске; ~인 подавший жалобу; ~장 жалоба.

고소(苦笑) II натянутая(неестественная) улыбка; ухмылка; ~하다 выдавливать из себя улыбку; заставить себя улыбнуться.

고속(高速) высокая скорость; ~도로 автострада; ~버스 автобусэкспресс; ~화 도로 автомагистраль.

고속도로(高速道路) автострада; скоростное шоссе.

고시(考試) I экзамен; ~원 общежитие для студентов, готовящихся к сдаче государственных экзаменов; 국가~ государственные экзамены; 고등~ экзамен для поступления на высокую государственную должность (службу).

고시(告示) II извещение; объявление; ~하다 извещать кого-л. о чём-л.; объявлять кому-л. о чём-л.; оповещать кого-л. о чём-л.; ~가격 фиксированные цены.

고심(苦心) самоотверженные усилия (старания);~하다 прилагать самоотверженные усилия(старания); ~참담 усердие; ~참담 하다 прилагать все усилия.

고아(孤兒) I сирота; ~가 되다 осиротеть; 생활 сиротская жизнь; ~원 приют; детский дом.

고아(高雅) II ~하다 изящный; изысканный; элегантный.

고액(高額) большие деньги; ~권 крупная купюра; ~납세자 человек, который платит большие налоги; ~소득자 человек, зарабатывающий большие деньги.

고양이 кошка; кот; ~새끼 котёнок.

고요 1) тишина; безмолвие; 2) состояние покоя; ~하다 тихий; безмолвный; спокойный; ~한 спокойный; ~해지다 утихать.

고용(雇傭) наём; ~하다 нанимать; ~

계약 соглашение(контракт) о найме; ~노동자 наёмный рабочий; ~인 наниматель; ~주 наниматель(хозяин); ~조건 условия найма; 불완전 ~ неполная за-нятость; 완전 ~ полная занятость; 고용의 기회 возможности найма.

고위(高位) 1) высокий ранг; 2) высокое положение; высокий пост; ~관리 сановник; высокопоставленный чиновник; ~급 высший ранг; ~급인사 высокопоставленные лица; ~급 회담 совещание на высшем уровне; ~성직자 сановник; прелат; ~층 привилегированная про-слойка; высшие круги.

고유(固有) ~하다 специфический; характерный; свойственный; присущий; собственный; типичный; ~명사 имя собственное; ~성 специфичность; самобытность; 고유의 글자 характерные буквы.

고유의 민속놀이 оригинальные народные игры.

고유하다 свойственный; характерный.

고의로, 일부러 нарочно.

고의적(故意的) умышленный.

고이(古爾) 1) красиво; 2) благородно; 3) спокойно; полностью; ~ очень красиво; очень благородно; очень спокойно.

고자(鼓子) I кастрат, скопец; ~ 처가 집 다니듯 обр. ходить зря(понапрасну)

고자(孤子) II книжн. я(человек, потерявший отца,-о себе во время траура).

고자질하다 доносить; ябедничать.

고작~해야 от силы;самое большее

고장(故障) I авария; 전화가 ~이다 телефон не работает; ~이 나다 сломаться; (ис)портиться; ~을 내다 повредить; вызывать аварию.

고장 II местность; район; область; провинция; место производства; ареал; родина; 내 ~사람 мой земляк; 본 ~팀 команда хозяев поля; 대구는 사과의 본 ~ Город Тэгу известен вкусными яблоками.

-고저 оконч. деепр. цели: 이 달안으로 이 과업을 완수하고자 세밀한 계획을 세웠다 для того, чтобы выполнить задачу в течение этого месяца,(они) разработали детальный план.

고전(古典) 1) классика; древние (старинные) произведения; литературные памятники; 2) древние обряды; старинные правила; ~적 классический; ~경제학 классическая политическая экономика; ~극 классическая драма; ~문학 классическая литература; ~미 классическая красота; ~역학 классическая механика; ~주의 классицизм; ~파 классицисты; приверженцы классицизма.

고정(固定) закрепление; фиксация; ~적 фиксированный; устойчивый; стабильный; постоянный; ~하다 фиксировать; закреплять; делать устойчивым (стабильным); ~불변 постоянство и неизменность; ~가격 стабильные цены; ~관념 стереотип; устойчивое мышление; навязчивая идея; ~목표 неподвижная цель; ~수입 постоянный доход; ~ 자본 основной капитал; ~자산 недвижимость; ~화 фиксация; закрепление; ~화하다 фиксировать; закреплять; стабилизировать;~시키다 крепить

고조(高潮) сигизийные приливы;

апогей; кульминационный пункт; 최~에 달하다 достигнуть зенита(апогея; кульминационной точки); 싸움이 ~된 상황에서 в разгаре борьбы; ~기 сигизия; период подъёма; ~점 кульминация

고집(固執) упрямство; настойчивость; ~쟁이 упрямец; ~스럽다 казаться упрямым(неуступчивым; непокладистым); ~스레 упрямо; настойчиво; ~하다 упрямиться; настаивать на своём; ~을 부리다 упрямиться; ~(을) 세우다 упорно стоять на своём.

고체(固體) твёрдое тело; ~연료 твёрдое топливо.

고추 красный перец; 고춧가루 молотый красный перец; ~장 соевая паста с молотым красным перцем.

고출력 высокая выходная мощность.

고충 душевная боль; тягостные мысли; ~을 털어놓다 изливать душу.

고층(高層) верхний(высокий)слой, ~건물 высотное здание.

고치 кокон шелкопряда; ~에서 비단실을 짓다 вить кокон; 섬유~ шёлковое волокно; ~실 коконная нить

고치다 ремонтировать; налаживать

고통(苦痛) боль; мука; страдание; ~스럽다 мучительный; ~을 주다 мучить.

고프다(고프니, 고파)배가~ проголодаться; быть голодным; хотеть есть.

고함, 외침소리 громкий крик; ~(을) 지르다 громко кричать; орать; ~(을) 치다 истошно кричать.

고향(故鄕) родина; родные места;~을 그리워하다 тосковать по родине; ~마을 родное село; ~사람 земляк.

고혈압(高血壓) повышенное кровяное давление; ~증 гипертоническая болезнь; гипертония; ~환자 гипертоник.

고희(古稀), 70 살의 семьдесят лет; семидесятилетие.

곡(曲) мелодия; мотив; песня; несколько мелодий(песен); ~을 연주하다 исполнять музыкальное произведение; ~명(~목) название музыкального произведения; программа концерта; 몽환~ фантазия; 행진~ марш.

곡괭이 кирка; кайло; ~질하다 работать киркой(кайлом).

곡류(穀類) зерновые; хлебные злаки

곡물(穀物) зерновые; хлебные злаки; ~건조기 зерносушилка; ~(도매)상 (оптовый) торговец зерном; ~창고 зернохранилище

곡선(曲線) кривая линия; ~계 курвиметр; ~미 меандр; красота линий; ~운동 криволинейное движение; ~좌표 криволинейные координаты; ~형 дугообразная форма.

곡예(曲藝),아크로바트(acrobate), 서커스 (circus) цирковое искусство; ~연습 акробатическое упражнение; ~비행 головокружительный полёт; ~단 цирковая труппа; ~사 артист цирка; ~술 цирковое искусство.

곡절(曲節) перипетии; превратность; осложнения; затруднения;причина; обстоятельства; 우여~ превратности; трудности; 운명의 ~ превратности судьбы; 인생에는 ~많다 в жизни много перипетий.

곡창(穀倉) 1) зернохранилище; амбар; закром; 2) обр. перен.

житница; ~지대 житница; зерновой район(страны).
곤경(困境) трудное(тяжёлое) положение; ~에 빠지다(처하다) попадать в переделку; оказываться в тупике (затруднении); быть в трудном (тяжёлом) положении.
곤고(困苦) ~하다 тяжёлый; бедственный.
곤궁(困窮) ~하다 бедственный; полный лишений.
곤돌라(англ gondola) гондола.
곤두박질, 곤두박이 кувыркание; быстрый бег; ~하다 падать вверх тормашками.
곤란(困難) трудности; ~하다 трудный; тяжёлый; 곤란하게 만들다 причинять трудности.
곤욕(困辱) тяжкое оскорбление; 죽을 ~ смертная обида; ~을 치루다 получить смертельную обиду; ~을 당하다 подвергаться тяжким оскорблениям; ~을 참다 терпеть (снести) смертельную обиду.
곤하다 1) усталый; утомлённый; 2) сонливый; осоловелый; 3) крепкий(о сне усталого человека); 곤히 잠들다 заснуть крепким сном.
곧, 즉시, 바싹 сразу; сразу же, тут же; ...은 바로 именно.
곧 скоро.
곧, 금방, 즉시 тотчас.
곧게 прямо.
곧다 прямой.
곧바로 сразу; немедленно; тотчас же; 일을 끝내자 나는 ~집에 돌아갔다 после работы я сразу вернулся домой.
곧바르다(곧바르니, 곧발라) прямой; правильный.
곧은 прямой;

곧은길 прямая дорога.
곧장 1) прямо; напрямик; 2) сразу же; немедленно; тут же; ~가다 идти напрямик.
골(뇌(腦), 머리) I 1) анат. мозг; 2) голова; ~아픈 일 хлопотное дело; ~이 비다 бестолковый; тупой;глупый.
골(성,노여움, 부아) II вспышка гнева; ~을 내다 сердиться; волноваться; ~이 나다 вспылить; ~이 오르다 выходить из себя.
골(등성이,능선(稜線)) III 1. 1) ущелье; долина; овраг; 2) пробор; 3) округ; уезд; 4) паз; 2. 1) см. 골짜기; 2) см. 고랑; 골(을) 지르다 пахать третий раз; 골을 타다 а) бороздить, проводить борозды; б) см. 가르마를 타다
골(англ goal) IV ворота; финиш; гол; попадание мяча в корзину; ~을 얻다 забить гол; ~을 지키다 стоять в воротах; 세 ~차로 이기다(지다) победить(проиграть) со счётом 3:0; ~라인 линия ворот; ~키퍼 вратарь; ~킥 удар по воротам; ~포스트 штанга.
골격 1) анат. скелет; 2) костяк; остов; каркас; ~근 скелетная мышца.
골고다 Голгофа, лобное место
골머리 1) голова; 2) мозг; ~를 앓다 сильно беспокоиться; тревожиться.
골목 переулок;~길 переулок;~대장 1) главарь; коновод; 2) заводила.
골몰~하다 уйти с головой(во что-л.); 독서에 ~하다 поглотиться в чтение; 일에 ~하다 увлекаться работой.
골짜기 ущелье; долина; овраг; лощина
골치 голова; ~아픈 일 источник беспокойства; проблема; тревога; ~를 앓다 беспокоиться(о ком-чём-л.); мучиться(с кем-чем-л.) (над кем-чем-

л.); *см.* 골 I.
골프(англ. golf) гольф; ~를 치다 играть в гольф; ~공 мяч для игры в гольф; ~장 площадка для игры в гольф; 골퍼 игрок в гольф.
곪다 нарывать; гноиться; созреть; 상처가 곪았다 рана гноится
곬 1) путь; перен. русло; 한 곬을 잡다 выбрать путь; 2) путь миграции(ры-бы); 3) см. 골짜기.
곯다 не наедаться; 배를~голодать
곯리다 I 1) портить; гноить; разлагать; 2) тревожить, беспокоить.
곯리다 II 배를~ заставлять голодать; кормить не досыта.
곰 медведь; ~가죽 медвежья шкура; ~새끼 медвежонок; 불~ бурый медведь; 흰~ белый полярный медведь.
곰곰이 тщательно; внимательно; основательно; ~ 생각하다 раздумывать.
곰팡이 плесень; ~슬다 покрыться плесенью; ~가 나다 (за)плесневеть; 습기로 ~가 생겼다 от сырости покрылось плесенью.
곱 раз; 세~ втрое; 열~ в десять раз.
곱다 I 1) красивый; 2) любимый; ласковый; 3) мягкий; 4)гладкий; 5) мелкий; 고이 как есть; без изменений; 고운정 미운정 нерушимая дружба.
곱다 II окоченелый(о пальцах)
곱다 III изогнутый; кривой; 허리가 곱다 сгорбленный.
곱빼기 двойная работа.
곱셈 умножение.
곱슬곱슬하다 вьющийся;кудрявый (о волосах *и т. п.*).
곱절 вдвойне; 세~ втройне; 몇~ в несколько раз.

곳 место; 이~ тут; здесь; 저~там; ~에 따라 в зависимости от места; ~에 везде; повсюду; повсеместно.
곳곳 там и здесь.
공(볼) I мяч;~에 바람을 넣다 надуть (накачивать) мяч; ~을 몰다 вести мяч; ~을 받다 ловить мяч; ~을 빼앗다. перехватывать мяч; ~을 주다 передать(отдать) мяч; ~을 차다 бить по мячу; ~놀이를 하다 играть в мяч; 가죽~(고무~) кожаный(резиновый) мяч; 축구~ футбольный мяч.
공(空) II ноль; ~으로 돌아가다 свестись на нет(к нулю); ~을 치다 не добиться успеха.
공(功) III 1) заслуга; 2) старание, усилие; ~을 세우다 отличиться (чем-л.); совершить подвиг; ~ 을 들이다 (쌓다) прилагать большие усилия(к чему-л., для чего-л.).
-공(-工) рабочий; 용접~ сварщик; 인쇄~ наборщик.
공간(空間) пространство; промежуток; интервал; свободное(пустое) место; ~적 пространственный; ~기하학 стерео-метрия; ~도형 пространственная фигура; ~재료 полигр. пробельный материал; ~예술 пространственное искусство; ~지각 восприятие пространства.
공갈(恐喝), 위협(威脅) угроза; запугивание; шантаж; ~하다 угрожать; запугивать; шантажировать; ~죄 шантаж; ~죄의 혐의로 по обвинению в шантаже.
공감(共感) сочувствие(к кому-чему-л.); симпатия; ~하다 сочувствовать (кому-чему-л.).
공개(公開) ~적 открытый; публи-

чный.

공격(攻擊) атака; штурм; наступление; нападение; нападки; ~적 наступательный; ~하다 атаковать; штурмовать; наступать; нападать; критиковать; ~대 ударная часть; наступающая(атакующая) часть; ~력 наступательная(ударная) сила; ~로 пути наступления;~수 нападающий; ~자 наступающий; атакующий; 기습 ~ внезапное нападение; 정면 ~ фронтальное наступление; лобовая атака; 측면~ фланговая атака.

공고(公告) официальное извещение (объявление); ~하다 официально сообщать(оповещать); опубликовать; обнародовать.

공공(公共) ~의 общественный; публичный; ~건물 общественное здание; ~기관 общественная организация;~사업 общественная работа; ~시설 места общественного пользования; ~요금 плата за коммунальные услуги; ~위생 здравоохранение; ~재산 общественное достояние.

공공연 ~하다 открытый; откровенный; ~히 открыто; откровенно; ~한 비밀 всем известный секрет.

공구, 도구 орудие; инструмент; ~강 инструментальная сталь; ~실 инструментальная; ~함 ящик для инструментов.

공군(空軍) военно-воздушные силы; военная авиация; ~기 военный самолёт; ~기지 военно-воздушная (авиационная) база; ~력 военно-воздушные силы.

공권력(公權力) государственная(общественная) власть.

공금(公金) общественные(государственные, казённые) деньги; ~을 횡령하다 присваивать казённые (государственные) деньги; ~횡령 казнокрадство; ~횡령자 казнокрад; растратчик.

공급(供給) снабжение; поставка; подача; ~하다 снабжать кого-что-л. чем-л.; подавать кому-чему-л. что-л.; ~계약 контракт о поставках; ~ 가격 заводская цена; ~과다 перепроизводство; 관 питательная трубка; ~자 поставщик; ~지 пос- тавщик.

공급(供給)<-> **수요**(需要) предложение <-> спрос.

공급하다 снабжать кого-что-л.

공기(空氣) I воздух; атмосфера; 신선한 ~ свежий воздух; 오염된 ~ загрязнённый воздух; ~조절 кондициони-рование; 타이어에 ~를 넣다 накачивать(спустить) шину; ~가열기 калорифер; ~냉각기 воздухоохладитель; ~압축기 компрессор; ~여과기 воздушный фильтр; ~오염 загрязнение воздуха; ~요법 аэротерапия; ~정화기 воздухоочиститель; ~총 пневматическое ружьё; ~펌프 воздушный(велосипедный) насос.

공기(空器) II пустая посуда; миска для риса.

공동(共動) ~의 совместный; объединённый; общий; коллективный; общественный; публичный; ~체 община.

공동생활 совместная жизнь.

공동체(共同體) община; 원시~ первобытная община; ~[적]общинный; ~토지 общинные земли.

공로(功勞) 1) заслуга; 2) подвиг; ~가 있는 заслуженный; ~세우다 совершать подвиг; иметь заслуги; ~에

의해 по заслугам; ~메달 медаль за заслуги; ~상 премия за заслуги; ~자 заслуженный чело-век.

공무 служебные дела (обязанности); ~여권 служебный, заграничный паспорт; ~출장 служебная командировка.

공무원 (государственный) служащий.

공문서 официальные документы

공범(共犯) групповое преступление; ~하다 совершать групповое преступление.

공법(公法) I юр. публичное право.

공법(貢法) II закон о поземельном налоге.

공부(工夫) I занятия; учёба; ~하다 заниматься; учиться; 수학을 ~하다 заниматься математикой.

공부(工部) II приказ строительных работ и кустарного промысла (в Коё).

공사(工事) I строительные работы; строительство; 토목~ строительные работы; ~하다 строить.

공사(公私) II общественное и личное(частное); ~량편 гармония общественных и личных интересов.

공사(公事) III 1) уст. государственные; общественные дела; 2) дела ведомства; 3) прост. см. 소송.

공사비(工事費) стоимость строительства; расходы на строительство.

공산주의(共産主義) коммунизм;~[적] коммунистический; ~ 교양 коммунистическое воспитание; ~도덕 коммунистическая мораль; ~전사 борец за коммунизм; ~적노동 коммунистический труд; 전시~ военный коммунизм; ~적 토요노동 коммунистический субботник.

공설(公設) сущ. общественный муниципальный; ~시장 рынок; ~운동장 стадион; ~하다 строить; сооружать; оборудовать.

공손(恭遜) ~스럽다 казаться скромным и почтительным; ~하다 скромный и почтительный.

공습(空襲) воздушная атака; ~하다 атаковать с воздуха; ~경보 воздушная тревога.

공시(公示) официальное сообщение (извещение; оповещение); ~하다 официально сообщать(извещать; оповещать);~가격 официальная цена.

공식(公式) формула; схема; ~적 официальный; ~발표 оповещение; ~방문 официальный визит; ~성명 официальное заявление; ~화 формализация; схема-тизация; ~화하다 схематизировать; представлять в виде формулы.

공업(工業) индустрия; промышленность; ~의(적) промышленный; индустриальный; ~가 промышленник; ~계 промышленные круги; ~부기 бухгалтерский учёт на промышленном предприятии; ~용수 промышленная вода; ~지대 индустриальный район; ~품 промышленные товары; промышленная продукция.

공업단지(工業團地) промышленная зона

공업분야 промышленная отрасль.

공업화(工業化) индустриализация; ~수준 уровень индустриализации; ~하다 индустриализировать.

공연(公演) I представление; спектакль; выступление; ~하다 давать представление(спектакль);выступать.

공연(空然) II книж. ~하다 ненужный, излишний; бесполезный; безуспешный; беспричинный; ~히 зря; напрасно; беспричинно; ~한 말씀! Что вы!

공연스레(空然-) напрасно; зря.

공연히 напрасно; зря.

공예(工藝) искусство(техника) изготовления; прикладное искусство; ~가 мастер; ~품 худажественное изделие; произведение прикладного искусства.

공예(工藝) прикладное искусство.

공용(公用) I 1) обшее пользование; ~재산 2) общественное достояное; ~어 общий язык.

공용(共用) II ~하다 использовать вместе;~안테나 общая антенна

공용어(公用語) официальный язык.

공원(公園) I парк; сквер; 국립~ государственный парк.

공원(工員) II рабочий завода (фабрики)

공유(公有) I общее пользование. ~물 общественное достояние, собственность, ~의 общественный; ~재산 общественная собственность; ~자 совладелец; ~지 общественная земля.

공유(共有) II совместное владение; ~[적] общинный; общий, находящийся в совместном владении; ~결합 хим. ковалентная связь; ~하다 совместно владеть(чем-л.).

공익(公益) общая польза(выгода); общественное благо; ~단체 общественная организация; ~법인 общественная правовая организация; ~사업 общественное дело; ~정신 дух всеобщего благосостояния.

공임(公任) уст. служебная обязанность; служебный долг.

공작(工作) I производство; выпуск; строительство; стройка; ручная работа; работа; операция; подготовка; изготовление; манёвр; ~하다 выпускать; производить; строить; работать; прибегать к манёврам; ~기계 станок; ~물 ученическое изделие; творение человеческих рук; ~비 производственные расходы; расходы на производство; ~실 учебная мастерская; ~원 работник.

공작(公爵) II князь; ~부인 княгиня.

공작실(工作室) мастерская комната.

공장(工場) завод; фабрика; ~의 заводской; фабричный; ~법 фабричное законодательство; ~위원회 фабричнозаводской комитет; ~주 фабрикант; заводчик; ~지대 фабричнозаводской(промышленный)район; ~폐쇄 локаут; закрытие фабрики (завода).

공장건물 корпус.

공저(共著) соавторство; совместно написанный труд; ~자 соавтор.

공정(公正) I ~하다 правильный; справедливый; ~성 справедливость.

공정(公定) II сущ. ~의 официально утверждённый(установленный); ~가격 такса; установленная(официальная) цена.

공정(工程) III процесс; ход работы; ~계획 план технологического процесса; ~도 технологическая схема; ~손실 производственные потери.

공제(控除) вычет; вычитание; отчисление; ~하다 вычитать; отчислять; ~금 отчисления; удержанные (вычтенные) деньги; ~액 удерживаемая (отчисляемая) сумма.

공존(共存) сосуществование; ~하다 сосуществовать; ~공영 сосуществование и совместное процветание.

공중(公衆) общественность; общество; публика; ~도덕 общественная мораль; ~변소 общественный туалет; ~위생 социальная гигиена; ~전화 телефон-автомат; ~전화실 телефонная будка.

공중(空中) небеса;~의 воздушный; ~에 в воздухе; в небе; ~곡예 воздушный акробатический номер; ~누각 воздушный замок; химера; ~열차 воздушный поезд; ~전 воздушный бой; ~제비 переворот через голову с упором на руки; ~회전 сальто-мортале.

공중전화(-電話) телефон-автомат.

공증(公證) доказательство; обоснование; ~사무소 нотариальное засвидетельствование; ~사본 нотариальная копия; ~하다 заверять(документ).

공직(公職) уст. пост; должность; служебные обязанности; ~생활 жизнь служащего; ~자 чиновник; должностное лицо; государственный служащий.

공짜(空-) бесплатно полученная вещь; ~로 даром; без труда; ~의 бесплатный.

공책(필기장,노트(note)) тетрадь; записная книжка; блокнот.

공탁(供託) ~하다 отдавать на хранение; вносить в депозит; ~금 деньги в депозите; ~물 вещь, отданная на хранение; ~자 депозитор; депонент.

공통(共通) ~의 общий; ~성 общность; ~어 общий язык; ~점 а) общность; б) близость; ~인수 *мат.* общий множитель; ~되다 быть общим в чём-л.;~적으로 в общем.

공판(公判) публичный суд; открытое судебное заседание; ~하다 судить открытым судом; ~정 место проведения открытого судебного заседания.

공포(公布) обнародование; официальное объявление;опубликование; ~하다 обнародовать; официально объявлять; опубликовать.

공포(恐怖) страх; боязнь; ~감 чувство страха;~심 боязнь;~증 фобия.

공포(空砲) холостой выстрел; ~사격 холостой выстрел.

공학(工學) I технические науки; технология; ~부 технологический факультет; ~연구소 технический научно-исследовательский институт; 전기~ электротехника.

공학(共學) II совместное обучение; 남녀~ школа совместного обучения; смешанная(мужская и женская) школа.

공항(空港), 비행장, 에어포트(airport) аэропорт.

공해(公害) I загрязнение окружающей среды; общественный вред; ~산업 производство, загрязняющее окружающую среду.

공해(公海) II открытое море; ~항해 судоходство(плавание)в открытом море

공허(空虛), 빔 ~하다 пустой; бессодержательный; опустошённый; ~감 чувство опустошённости; 정신적 ~감 душевная опустошённость.

공헌(貢獻) вклад; ~하다 делать (вносить) вклад во что-л..

공화(共和) республиканский; ~정치 республиканкий режим; ~국 республика; ~당 республиканская партия; ~제 республиканский строй; ~주의

자 республиканец.
공화국(共和國) республика.
공회장 место проведения съездов (собраний).
공휴일(公休日) всенародный выходной день.
-곶(串), **갑**(岬), **관**(串) мыс.
과(科) I 1) отделение; 2) класс; 3) тип; 4) отрасль; 국화~ семейство сложноцветных; 역사학~ историческое отделение.
과(課) II 1) отделение; сектор; 2) урок; 제1 ~ первый урок; 교무~ учебная часть.
과, 부 отдел.
-과 (그리고) суф. кор. ...에 대해 с кем-чем-л.; 아들 ~아버지 сын и отец; 적~싸우다 бороться с врагом; 그 여자는 꽃 ~같다 она похожа на цветок.
과감 ~하다 смелый; отважный; мужественный; ~하게 смело; отважно; мужественно; ~성 смелость; отвага; мужество; ~한 отважный; смелый; мужественный; ~히 смело; храбро; отважно
과격 ~하다 а) радикальный; крайний; экстремистский; б) резкий; ~분자 радикал; экстремист; ~파 радикалы; экстремисты.
과다 ~하다 чрезмерный; слишком большой; 공급~ поставка, превышающая спрос.
과로(過勞) переутомление; ~하다 переутомляться; ~사 смерть от переутомления.
과립(顆粒) зерно; зёрнышко; крупинка; ~형성 грануляция.
과목(科目) предмет; дисциплина; 선택~ факультативные предметы; 필수 ~ обязательные предметы.

과민 ~하다 чрезмерно(болезненно) чувствительный; 그 여자는 나이에 대해 매우 신경 ~이다 она болезненно воспринимает разговоры о возрасте; ~성 сверхчувствительность; ~성의 сверхчувствительный; ~증 гиперестезия; повышенная болевая чувствительность.
과밀(過密) перенаселение.
과반수(過半數) большинство; ~를 얻다 получать большинство(голосов); ~로 통과되다 быть принятым (утверждённым) большинством (голосов); 절대~ абсолютное большинство.
과세(課稅) обложение налогом(пошлиной); ~하다 облагать налогом; ~률 ставки налогообложения.
과수원(果樹園) фруктовый сад.
과외(課外) сущ. ~의 внеклассный; внеурочный; факультативный; ~수업 внеклассные занятия; ~지도 факультативные занятия; ~활동 общественные мероприятия.
과용(過用) II ~하다 слишком много тратить; 약을 ~하다 принимать слишком большую дозу лекарства.
과음 ~하다 слишком много выпить; перепить.
과일 фрукт;~술 фруктовое вино; ~즙 фруктовый сок; ~졸임 компот; ~쨈 варенье; повидло.
과잉(過剩) излишек; избыток; ~하다 быть в избытке(в излишке); ~생산 перепроизводство; ~생산 공황 кризис перепроизводства; ~ 인구 перенаселение
과자 кондитерское изделие; ~점 кондитерская.
과장 преувеличение; гипербола; ~의 гиперболический; ~하다 преу-

величивать; ~법 гипербола.

과학(科學) наука; ~자 учёный; научный работник;~적 научный; ~계 научные круги; научный мир; мир науки; ~성 научность.

관(管) I 1) труба; трубка; 2) анат. сосуд.

관(冠) II венец; корона.

-관(-官) I суф. кор. должностное лицо; чиновник; 사령~ командующий; 외교 дипломат.

-관(-館) II суф. кор. учреждение; 대사~ посольство; 영화~ кинотеатр

-관(-觀) III суф. кор. мнение; взгляд; 세계~ мировоззрение; 인생~ взгляды на жизнь.

-관(管) IV суф. кор. труба; 배수~ водосточная труба; 임파선 ~ лимфатические сосуды.

관개(冠蓋) орошение; ирригация; ~하다 орошаться; ~공사 ирригационное строительство; ~망 ирригационная система; ~수리 гидромелиорация; ~용수 вода для орошения; ~용수량 количество воды, необходимое для орошения.

관객(觀客) 1) зритель; 2) публика; ~석 места для зрителей

관계(關係) 1) отношение; связь; участие; 2) сношение;~하다 иметь отношение(связь) с кем-чем-л.; ~의(적) имеющий отношение; относительный; релятивный; ~가 없다 не иметь никакого отношения; быть непричастным; ...한~로 по причине того, что...; в связи с тем, что..; ~과 ~없이 безотносительно к чему-л.; 역사~서적 литература по истории; 그것은 나와 아무런 ~가 없다 я тут не при чём/ мне нет до этого дела;

친척 ~에 있다 состоять в родстве; ~대명사 лингв. относительное местоимение; ~자 участие; заинтересованное лицо; 전후 ~ контекст; ~형용사 относительное прилагательное.

관공서(官公署) уст. ведомство и присутствие.

관광(觀光) туризм; ~하다 совершать туристическую поездку; осматривать достопримечательности; ~가이드 туристический справочник; ~객 турист(-ка); экскурсант(-ка); ~버스 турис-тический автобус; ~업체 бюро путешествий; ~여행 туризм; экскурсия; ~열차 туристический поезд; ~지 достопримеча-тельность; ~객 турист; 관광안내소가 어디 있습니까? Где находится турбюро?

관념(觀念) 1) представление; понятие; идея; 2) взгляды; концеп- ция; ~론적 идеалистический; ~론 идеализм; ~론자 идеалист.

-관데 уст. оконч. деепр. 비가 얼마나 왔관데 물소리 저다지 요란하뇨? (обозначает предпологаемую причину) вода сильно шумит, повидимому прошёл дождь.

관람(觀覽) просмотр; осмотр; ~하다 смотреть; осматривать; ~객 зритель; посетитель; ~료 входная плата; ~석 места для зрителей; ~자 зритель; посетитель; ~실 зрительный зал.

관련(關聯) (взаимо)связь; ...와(과) ~되다 быть связанным с кем-чем-л.; зависеть от кого-чего-л.; ...와(과) 하여 в связи с чем-л.; ~성 (взаимо) связь; взаимозависимость; 관련이 많다 много взаимосвязей.

관례(慣例) обычай; обыкновение;

관법 общее право.
관료(官僚) чиновничество; бюрократия; ~적 бюрократический; ~치 бюрократизм; ~제(주의) бюрократизм; ~주의자 бюрократ; ~주의체제 бюрократическая система; ~화 бюрократизация; ~화하다 бюрократизировать; ~주의 бюрократизм.
관리(官吏) I чиновник.
관리(管理),통치(統治) II управление; контроль; ~하다 управлять чем-л.; заведовать чем-л.; контролировать; ~하에 두다 взять под контроль; ~기관 орган управления; ~법부 методы(способы) управления; ~비 управленческие расходы; эксплуатационные расходы; ~소 управление; ~자 заведующий; администратор; 사무~ управление делами.
관리과 отдел управления.
관리인(管理人) заведущий; администратор.
관세 (таможенная) пошлина; ~동맹 таможенный союз; ~법 закон о налогах; ~율 таможенный тариф; ~장벽 таможенный барьер; ~전쟁 таможенная война;~협정 тарифное соглашение.
관습(慣習) привычка; обычай; обыкновение; ~적으로 по привычке;~이 되다 входить в привычку(в обыкновение).
관심(關心) интерес; внимание; ~을 가지다 интересоваться кем-чем-л.; ~을 돌리다 обращать внимание на кого-что-л.; ~을 보이다 проявлять интерес; ~사 объект интереса; дело, в котором заинтерисован; 중대 ~사 дело огромной важности.
관절(關節) анат. сустав; ~강직; неподвижность сустава, анкилоз;~낭 суставная капсула; ~류마치스 суставной ревматизм; ~절개술 вскрытие сустава, артротомия; ~연골 суставной хрящ; ~염 артрит; ~통 артралгия.
관중(觀衆),청중 публика; зритель; ~석 места для зрителей(публики)
관찰(觀察) наблюдение; рассмотрение; ~력 наблюдательность; ~하다 наблюдать; рассматривать; ~자 наблюдатель
관측(觀測) наблюдение; обсервация; предвидение; предсказание; ~하다 наблюдать; предвидеть; ~대 наблюдательная вышка; ~소 обсерватория; наблюдательный пункт; ~자 наблюдатель.
관통(貫通) ~하다 проникать(проходить; пробивать) насквозь; пронизывать; ~상 сквозная огнестрельная рана.
관하여 о ком-чём-л.; про кого-что-л.
관할(管轄) юрисдикция; компетенция; ведение; ~하다 ведать кем-чем-л.; ~기관 компетентное учреждение; ...의 ~에 속하다 быть(находиться) в ведении кого-чего-л.; ~권 юрисдикция.
관행(慣行) обычай; ~을 따르다 следовать обычаю; ~대로 하다 делать по обычаю.
관현(管絃) духовые и струнные инструменты; ~악 оркестровая музыка; ~악단 оркестр струнных и духовых инст-рументов.
관형사(冠形詞) атрибутивное прилагательное; атрибутивные слова(о кор языке).
괄약근(括約筋) анат. сфинктер.
괄호(括弧) скобки.

광 I кладовая; чулан.
광(光) II блеск; свет; глянец; лоск; ~을 내다 придавать блеск чему-л..
광(鑛) III рудник; шахта.
-광(-鑛) I суф. кор. руда; шахта; рудник; 자석~ магнитная руда; 철~ железная руда.
-광(-狂) II суф. кор. фанатик; болельщик; любитель; маньяк; -ман; 속도~ любитель больших скоростей; 예술~ фанатик искусства; 절도~ клептоман; 축구~ фанат футбола.
광고(廣告) реклама; объявление; ~하다 рекламировать; объявлять; 신문에 ~를 싣다 давать объявление в газету; помещать объявление в газете; ~란 отдел(рубрика) объявлений; ~료 плата за объявления (рекламу); ~ 문 текст объявления (рекламы); ~방송 коммерческая передача; ~지 объявление; реклама; ~탑 столб для объявлений(рекламы); ~판 доска объявлений(рекламы)
광고(廣告) 예고 анонс; реклама; объявление.
광물(鑛物) минерал; руда; ~채집 коллекция минералов; ~계 мир минералов; ~명 название минерала; ~성 минеральный; ~성 섬유 минеральное волокно; ~성 염료 минеральный краситель; ~수 минеральная вода; ~질 минеральное вещество.
광물학 минералогия; ~적 минералогический; ~학자 минералог.
광범위(廣範圍) широкая сфера; широкий круг(масштаб).
광부(鑛夫) горняк; шахтёр; рудокоп
광산(鑛山) рудник; копи; шахта; ~권양기 рудничная подъёмная машина; ~도시 шахтёрский посёлок; ~통로 штольня; ~꼼바인 горный (рудничный) комбайн; ~압축기 шахтный компрессор.
광산업(鑛産業) уст. горное дело; горный промысел.
광석(鑛石) руда; минерал; ~감정학 минералография; ~검파기 кристаллический детектор; ~광물 рудный минерал; ~매장량 запас руды; ~층 рудный пласт.
광업(鑛業) горнодобывающая промышленность; ~권 право на разработку полезных ископаемых; ~소 рудник; шахта; ~주 горнопромышленник; ~지구 горнопромышленный район
광역(廣域) обширный район; ~도시 мегаполис; агломерация городов; слияние городов.
광택(光澤) блеск; глянец; лоск; ~이 나다 блестящий; глянцевый; лоснящийся; ~이 없는 лишённый блеска; матовый;тусклый;~을 내다 лощить; полировать; наводить глянец(лоск) на что-л.; ~지 глянцевая бумага.
광통신 фотоника.
광폭(廣幅) значительная ширина; ~파종 широкорядный посев; ~영화 широко-экранный фильм.
광학(光學) оптика; ~적 оптический; ~고온계 оптический пирометр; ~기계(기구) оптический прибор; ~성 оптическое свойство; ~스펙트르 физ. оптический спектр; ~유리 оптическое стекло; ~자 оптик; ~조척 воен. оптический прицел; ~투영 оптическая проекция; ~활성 хим. оптическая активность(деятельность);~적 등방체 geol. оптическое изотропное тело; ~적 녹음 оптическая звукоза-

пись; ~적 이방체 geol. анизотропическое тело.

광합성(光合成) фотосинтез.

광화학(光化學) фотохимия; ~반응 фо-тохимическая реакция.

광활(廣闊) простор; обширность; ~하다 обширный; широкий; ~대지 обширные земли; ~한 평원 широкая равнина.

괘(卦) I 1) триграммы и гексаграммы Ицзина; 2) гадание.

괘 II муз. кобылка.

괘(罫) III типографский материал для набора линий.

괘념 ~하다 быть озабоченным;~치 않다 не беспокоиться (заботиться; тревожиться).

괘도(掛圖) настенные наглядные пособия.

괘씸스럽다 казаться ненавистным (от-вратительным).

괘씸하다 ненавистный; отвратительный

괜찮다 I ничего.

괜찮다 II неплохой; сносный; благополучно; нормально; ~들어가도 괜찮을까요? Можно войти? 찮으시다면 если вы не возражаете;

괜찮습니다 Ничего.

괜하다 ненужный; лишний; бесполезный; безуспешный; беспричинный; 괜한 말씀 Что вы! 괜한 욕 беспричинное(необоснованное) ос корбление.

괭이 мотыга.

괭이농사 мотыжное земледелие.

괴(塊) I кор. мед. твёрдая опухоль в брюшной полости;괴[를] 배다 образовываться(о твёрдой опухоли в брюшной полости).

괴(魁) II 1) арх. см. 우두머리; 2) первые четыре звезды в созвез- дии Большой Медведицы

괴기 ~하다 странный; причудливый; ~소설 сенсационная книга (фильм).

괴다 I ~눈에는 눈물이 괴었다 глаза наполнились слезами.

괴다 II бродить(о вине и т.п.); 괴여 오르다 пениться(о бродящем пиве).

괴다 III подставлять; подпирать; поддерживать; 손으로 턱을 ~ подпирать рукой подбородок.

괴다 IV любить; обожать.

괴력(怪力) необычайная (удивительная) сила.

괴로움 муки; мучения; страдания; ~을 주다 подвергать кого-л. мучениям; ~을 당하다 страдать(мучиться) от чего-л.; 양심의~ угрызения совести; 죽음의 ~ предсмертные муки; агония.

괴로워하다 страдать(мучиться) от чего-л..

괴롭다(-苦-) мучительный.

괴롭히다(-苦-) мучить.

괴물(怪物) удивительная(причудливая) вещь.

괴벽(乖僻) чудаковатость; ~하다 чудаковатый; странный; привередливый; капризный; ~한 사람 чудак.

괴벽스레(乖僻-) странно и привередливо(капризно).

괴상(乖常, 怪常) ~하다 странный; удивительный; ~망측 очень странный (причудливый).

괴상스레(乖常-, 怪常-) странно; удивительно.

괴상야릇하다 эксцентричный; необычный.

괴팍(乖愎) ~스럽다 прил. казаться привередливым(своенравным);~하다 привередливый; своенравный.

궨돌 археол. дольмен.

굄 подставка(подо что-л.).

굄대 подставка; подпорка.

굄목(-木) деревянная подставка (подпорка); дерево, служащее подпоркой.

굉음 раскат; грохот; гул; грохотание

굉장하다 величественный; грандиозный.

굉장히 очень.

교(巧) I сноровка; умение; лукавство; хитрость.

교(敎) II 1) *см.* 종교 2) секта канонников.

교(絞) III несколько прядей.

-교(橋) I *суф. кор.* мост; 인도교 пешеходный мост.

-교(敎) II *суф. кор.* религия; вера; 기독교 христианство.

교과(敎科) предмет; дисциплина; курс; ~ 과정 учебный процесс.

교과목(敎科目) предметы обучения, предусмотренные программой.

교과서(敎科書) учебник.

교관(敎官) *арх.* офицер-преподаватель; преподаватель спецпред-мета.

교내(校內) *сущ.* внутри учебного заведения; в учебном заведении; ~ 규칙 устав школы.

교대(交代), **교체**(交替) I смена; ~하다 сменять(ся); заменять(ся); ~로 посменно; поочерёдно; ...와 ~되어 오다 приходить на смену кому-л.; ~작업 (по)сменная работа; ~작용 метасоматизм; ~제 (по)сменная работа; 삼~제 работа в три смены.

교대(橋臺) II бык моста.

교대제(交代制) посменная работа; 삼~ (работа) в три смены

교도소(矯導所) тюрьма;~장 начальник тюрьмы.

교란(攪亂) ~하다 дезорганизовывать; учинять беспорядок; вызывать хаос; ~공작 подрывная работа; ~자 нарушитель; дезорганизатор; подрывные элементы.

교류(交流) (взаимный) обмен; переменный ток; ~하다 обмениваться кем-чем-л.; ~발전기 альтернатор; генератор переменного тока; ~ 전동기 мотор переменного тока; ~ 전압 напряжение переменного тока; 문화 ~ культурный обмен.

교리(敎理) *рел.* учение; доктрина; догмат.

교만(驕慢) высокомерие; ~하다 высокомерный; надменный; ~을 부리다 вести себя высокомерно.

교만성(驕慢性) высокомерие; надменность.

교묘 ~하다 а) искусный; умелый; ловкий; мастерский; б) изящный; прекрасный.

교무(敎務) учебно-воспитательная работа; религиозные дела; ~과 учебная часть; учебный отдел; ~실 учительская комната; ~주임 заведующий учебной частью (завуч); ~처 админи-стративный отдел в учебном заведении; ~처장 начальник административного отдела в учебном заведении.

교문(校門) двери учебного заведения.

교미(交尾) I спаривание; ~하다 спариваться; ~기 период спаривания(случки).

교미(嬌媚) II кокетство.

교사(敎師) I преподаватель; учитель.

교사(校舍) II здание учебного заведения; школьное здание; учебный корпус.

교섭(交涉) переговоры; сделка; ~하다 вести переговоры; заключать сделку; 단체 ~ коллективные переговоры.

교수(敎授) 1) преподавание; обучение; 2) профессор; ~하다 преподавать; обучать; ~안 план урока (занятия); 정~ профессор; 조~ доцент; ~진 профессура; преподавательский состав; 명예 ~ заслуженный профессор; 지도~ куратор.

교수론(敎授論) дидактика.

교수법(敎授法) методика преподавания

교실(敎室), 강당 1) класс; аудитория; 2) обр. школа.

교양(敎養) образование; воспитание; образованность; воспитанность;~이 있는 образованный; воспитанный; культурный;~이 없는 невоспитанный; некультурный; невежественный;~학부 отдел образования.

교외(郊外) I окраина города; пригород; предместье; ~열차 пригородный поезд.

교외(校外) II внешкольный; внеаудиторный; ~수업 внеклассное (внеаудиторное) обучение; репетиторство; ~실습 внеклассная (внеаудиторная) практика; ~활동 общественные мероприятия; внешкольная деятельность.

교육(敎育), 교양(敎養) воспитание; образование; просвещение; тренировка; ~적(의) образовательный; воспитательный; учебный; педагогический;~하다 воспитывать; давать образование кому-л.; тренировать; ~가 работник просвещения; педагог; ~계 педагогическое поприще; ~과 сектор(отдел) народного образования; ~기관 учебные заведения; ~대학 педагогический институт; ~부 министерство образования(просвещения); ~사 история просвещения; ~사업 педагогическая работа; ~상 министр просвещения; ~성 министерство просвещения; ~심리학 педагогическая психология; ~영화 учебный фильм; ~자 педагог; ~제 система образования; ~탄 учебный патрон(снаряд); ~학 педагогика; ~행정 административная работа в органах народного образования; ~회 просветительное общество; 가정 ~ домашнее воспитание; 의무 ~ обязательное обучение; 직업 ~ профессиональное образование.

교제(交弟) дружеские отношения; общение; ~하다 вступать в дружеские отношения с кем-л.; общаться с кем-л.; завязывать знакомство; ~가 넓다 иметь широкий круг знакомых; ~가 общительный человек; ~비 расходы на заведение знакомства; ~술 умение общаться.

교직(敎職) I преподаватель[ница]; проповедник[ца]; ~원 преподавательский состав и технический персонал; ~자 учитель[ница]; преподаватель[ни-ца].

교직(交織) II ткань из различных ниток; смешанная ткань; ~물 смешанная ткань.

교차(交叉) пересечение; скрещивание; ~개념 лог. перекрещивающиеся понятия; ~하다 перекрещиваться; ~로 перекрёсток; ~사격 перекрёстный огонь; ~점 перекрёсток; точка (место) пересечения.

교착(交錯) I ~개념 см. 교차[개념];

~하다 смешиваться; перемешиваться.
교착(交着) II приклеивание; ~하다 приклеиваться; ~력 степень клейкости; сила сцепления; ~성 1) клейкость; 2) лингв. агглютинативный характер; ~어 лингв. агглютинативный язык.
교체(交替) смена; замена; ~하다 менять; заменять; чередовать.
교태(嬌態) приятные манеры; кокетство; ~를 부리다 иметь приятные манеры; кокетничать.
교통(交通) уличное движение; транспорт; сообщение; коммуникация; перед-вижение; перевозка; ~량 интенсивность уличного движения; ~로 пути сообщения, коммуникации; ~망 транспортная сеть; ~의 편리 удобство транпорта; ~을 정리하다 регулировать уличное движение; ~난 затор; пробка; ~법규 правила уличного движения; ~사고 дорожнотранспортное происшествие; ~상 министр путей сообщения; ~선 линия коммуникаций, коммуникации; ~성 министерство путей сообщения; ~순경 ГАИ; ~신호 светофор; ~방송 уличное движение передача; 교통이 두절되다 движение транспорта прекращается.
교통비 расходы на транспорт.
교통수단 транспортное средство.
교통신호 дорожный сигнал.
교통정리 регулировать уличное движение.
교편(敎鞭) уст. указка; ~을 놓다 бросать(оставлять)педагогическую работу.
교포(僑胞) соотечественники, живущие за границей.

교환(交換) I обмен; коммутация; соединение абонентов; ~하다 обменивать; соединять; ~기 коммутатор.
교환(交歡) II ~하다 дружить(с кем-л.); проводить дружеские встречи; обмениваться дружескими приветствиями
교활한 хитрый.
교회(敎會) церковь. 교회당 церковь.
교훈(敎訓) преподавание; поучение; урок; ~적 поучительный; дидактический; ~를 주다 преподать урок; ~을 얻다 извлекать урок.
구(九) I девять.
구(區) II район; сектор; участок.
구(求),(공) III шар; сфера.
구-(舊) старый; бывший; 구졸업생 бывшие выпускники.
-구(口) I отверстие; 접수구 окно (для приёма чего-л.); 출입구 входи (выход)
-구(區) II район; округ; 노동지구 рабочий район; 선거구 избирательный округ.
-구(具) III средства; принадлежности; инвентарь; 문방구 письменные принадлежности; 운동구 спортивный инвертарь.
구개음(口蓋音) палатальный(нёбный) звук.
구개음화(口蓋音化) смягчение; палатализация; ~하다 смягчаться; палатализоваться.
구경 I 1) осмотр; ознакомление; 달 ~ любование луной; 2) зрелище; ~속 좋다 наслаждаться зрелищем; ~[이] 나다 произойти (о чём-л. привлекающем внимание); 3) ~못 하다 не видеть, не иметь ни малейшего представления; ~스럽다 интересный, достойный внимания; ~하다 осмат-

ривать; знакомиться; любоваться; ~을 가다 пойти(поехать)посмотреть (осмотреть) 영화를 ~하다 смотреть фильм; 가극을 ~하다 слушать оперу; ~거리(интересное) зрелище; ~꾼 зритель.

구경(球莖) II клубень; ~식물 корнеплоды.

구국(救國) спасение отечества; ~투쟁 борьба за спасение отечества; ~항쟁 спасение отечества; ~적 патриотический; ~하다 спасать отечество.

구금(拘禁), 억류 заключение; лишение свободы; ~하다 лишать; заключать в тюрьму.

구급(救急) скорая(первая) помощь; ~약 медикаменты для оказания первой помощи; ~차 машина скорой помощи.

구급약(救急藥) медикаменты для оказания первой(неотложной) мед. помощи; ~약통 аптечка.

구급차(救急車) скорая помощь(автомашина).

구급책 срочные(неотложные) дела.

구급처 пункт скорой помощи.

구급품 аварийные материалы.

구급함(救急函) ящик для аварийных материалов.

구김 помятость; ~방지 가공 несминаемая пропитка; ~이 가다 мяться; морщиться; ~을 보이지 않다 не растеряться; не упасть духом.

구김살 морщины; складки; неполадки; затруднения; ~투성이[의] весь в складках(морщинах);~이 가다 [с] мяться; покрываться морщинами (складками); ~을 펴다 разглаживать складки; устранять неполад-ки; выходить из затруднительного положения.

-구나 벌판이 넓~! широко поле! 잘 일하는구나!хорошо работают!

구내(區內) внутри района; на участке; в районе.

구내선(構內線) станционный путь; (железнодорожные) подъездные пути (на территории предприятия).

구독(購讀) I ~하다 подписываться на газету(журнал; книгу); ~료 плата за подписку на газету(журнал; книгу); ~자 читатель; под- писчик.

구독(溝瀆) II ручей с топкими берегами.

구두 I ботинки; туфли; ~끈 шнурки; ~닦이 чистильщик обуви; ~약 сапожный крем; гуталин; ~을 칠하다 чистить обувь; ~주걱 рожок для обуви; ~창 подмётка; ~코 носок.

구두(口頭) II ~의 устный; ~계약 устная договорённость; ~로 устно; ~설명 объяснение; толкование; ~심리 судебное разбирательство без оформления протокола.

구두닦이 чистка обуви; чистильщик обуви.

구두쇠 жадина; скряга.

구라인다(<англ. grinder) 1) см. 연마돌; 2) точило; точильный станок.

구르기 1) утаптывание ногами 2) спорт. упражнение для ног.

구르다(덩굴덩굴) I катиться; 구르는 돌은 이끼가 안 낀다 под лежачий камень вода не течёт(катящийся камень не обростает мхом); 굴러온 돌이 박힌 돌뺀다новое побеждает старое (катящийся камень выбивает лежачий камень); 뎅구르다 굴러다니다 передвигаться(переноситься) с места на место; 굴러들다 вращаться; снова попадать(на определённое место).

구르다(발을) II топать; 발을 구르며 기뻐하다 притоптывать ногами от радости.

구름 облако, туча; ~차일 высокий навес (тент) от солнца.

구름다리 1) видуак; перекидной мост(над дорогой); 2) ступеньки на сцене(бутафория)

구릉(丘陵) холм; бугор; курган; возвышенность.

구리, 구리쇠,동(銅) медь; ~빛 медный цвет; ~줄 медная проволока.

구린내 дурной запах; вонь; ~가 나다 источать дурной запах; вонять; (수상하다) вызывать подозрение(сомнение).

구매(購買) I покупка; закупка; ~하다 покупать; закупать; ~가격 закупочные цены; ~력 покупательская способность; ~자 покупатель; ~품 товар.

구매(毆罵) II ~하다 бить и ругать.

-구먼 비가 오겠구먼 дождь всётаки будет.

구멍 отверстие; дыра; щель; нора; яма; отдушина; люк; ~돌결 пористая текстура; ~봐 가며 쐐기 깎는다 в чужой монастырь со своим уставом не хо-дят(пробку делают по размеру отверстия); ~은 깎을수록 커진다 тот больше ошибается кто в своих ошибках не кается; ~이 나다 (뚫어지다) продырявливаться; срываться (о деле).

구멍가게 лавчонка, ларёк.

구명(救命) I ~하다 спасать; ~대 спасательный пояс; ~삭 канат; аварийная верёвка;~정 спасательный катер(лодка); ~조끼 спасательный жилет

구명(究明) II выяснение; изучение; исследование; ~하다 выяснять; изучать; исследовать

구물거리다 лениво двигаться; проявлять медлительность; копаться.

구박(驅迫) притеснение; угнетение; гонения; ~하다 притеснять; угнетать; подвергать гонениям.

구백 девятьсот.

구별(區別) различие; разница; ~하다 делать(устанавливать) различие; отличать что-л., от чего-л.; различать что-л..

구보(驅步) бег; рысь;~로 갓! бегом марш! (команда); ~하다 бежать.

구부러지다 изгибаться; сгибаться; искривляться.

구분(區分) подразделение; разграничение; классификация; сортировка; деление; разделение; подразделение; дробление; ~하다 классифицировать; делить на части; разделять.

구상력 сила воображения.

구상하다 задумывать.

구설(口舌) пересуды; клевета; ~수 судьба быть оговорённым

구성(構成) состав; структура; конструкция; построение.

구성되어있다 состоять.

구속(拘束) ограничение; стеснение; воен. сковывание; задержание; арест; тюремное заключение; ~하다 ограничивать; стеснять; воен. сковывать; задерживать;арестовывать; ~을 받다 быть стеснённым; ~력 связующая сила;~영장 ордер на арест.

구수하다 аппетитный; вкусный; приятный на вкус.

구술(口述) устное объяснение; устное изложение; ~하다 устно излагать; передавать на словах; ~시험 устный экзамен.

구슬 бусинка; бисер; стеклярус; драгоценность; жемчуг; ~땀 капельки пота.

구심력(求心力) центростремительная сила.

구심점(求心點) центр притяжения.

구워내다 обжигать.

구워지다 печься; запекаться; жариться; обжариваться.

구원(救援) I помощь; спасение; выручка; ~하다 спасать; выручать; помогать кому-л. в чём-л.; ~을 요청하다 попросить(потребовать) помощи; ~하러가다 пойти на помощь; ~대 спасательный отряд; ~병 подкрепление; ~자 спаситель; ~투수 сменный питчер(подающий); 예수 그리스도의 피로써 죽음에서 구원받다 Спастись от смерти кровью Иисуса Христа.

구원(舊怨) II затаённое недовольство; старая обида.

구이 жаркое; жареное мясо; жареная рыба; 통닭 ~ жареная курица.

구인(求人) I набор(поиски) рабочей силы; предложение работы; ~하다 искать рабочих; ~광고 объявление о наборе рабочей силы; ~란 страница объявлений о наборе рабочей силы.

구인(拘引) II ~하다 арестовывать.

구입 I нищенские заработки; ~장생 полуголодное существование; ~하다 едва зарабатывать на хлеб; получать нищенскую зарплату.

구입(購入) II покупка; приобретение; ~하다 покупать; приобретать.

구절(句節) фраза; отрывок(речи)

구제(救濟) I материальная помощь; ~하다 оказывать материальную помощь; 빈민을 ~하다 оказывать материальную помощь бедным; ~책 меры оказания помощи.

구제(驅除) II дезинсекция; ~하다 истреблять(уничтожать) насекомых; ~약 химикаты для уничтожения насекомых

구제품(救濟品) вещи и продовольствия для оказания помощи.

구조(救助) I спасение; помощь; выручка; ~하다 спасать; помогать кому-л. в чём-л.; выручать кого-что-л.; оказывать помощь кому-л. в чём-л.; 인명을 ~하다 спасать кому-л. жизнь;~대 спасательный отряд; ~선 спасательное судно; ~신호 сигнал бедствия; сигнал SOS; ~작업 спасательные работы.

구조(構造), 구성(構) II конструкция; структура; устройство; строй.

구조대(救助袋) спасательный мешок (для спасения людей при пожаре в многоэтажном доме).

구조망(救助網) предохранительная сетка(впереди трамвая; паровоза).

구직(求職) поиски работы; ~하다 искать работу; ~신청을 하다 обратиться кому-л.(во что-л.) в поисках работы; ~자 ищущий работу.

구직함(具職銜) ~하다 записывать чин, ранг, основную должность и должность по совместительству (чиновника).

구차(苟且)~미봉 едва сводить концы с концами; ~투생 не стремиться к богатству; ~스럽다 казаться бедным(нищим); ~하다 бедный; нищий; жалкий; униженный.

구체(具體) I ~적 конкретный; ~성 конкретность; ~화 конкретизация; ~화하다 конкретизировать.

구체(求體) II шарообразный предмет; сферическое тело.
구축(構築) I сооружение; возведение; ~하다 сооружать; возводить; закладывать; ~물 сооружение; строение.
구축(驅逐) II изгнание; ~하다 изгонять; выгонять; вытеснять; ~함 эскадренный миноносец(эсминец).
구출(驅出) I изгнание; ~하다 изгонять; выгонять.
구출(救出) II спасение; избавление; ~하다 спасать; вызволять; избавлять; выручить.
구충(驅蟲) ~[작업] дезинсекция; ~약(제) инсектициды; глистогонное средство.
구타(毆打) избиение; ~하다 бить; избивать.
구토(嘔吐) рвота; ~하다 тошнить; рвать; ~설사 рвота и понос; ~제 рвотное средсто; ~증 болезнь, сопровождаемая рвотой.
구하다(求-) I искать; находить; доставать.
구하다(救-) II спасать кого-что-л. от чего-л.; избавлять кого-что-л. от чего-л..
구하다 III прокаливать(лекарство); кор. мед. делать прижигание толчёной полынью.
구호(口號) I лозунг; призыв;пароль
구호(救護) II помощь; спасение; уход за больным; ~의 спасательный; по спасению; ~하다 помогать; спасать; ухаживать за кем-л.; ~물자 материальная помощь; ~미 рис, предназначенный для гуманитарной помощи; ~반 спасательная команда; спасательный отряд; ~소 пункт первой помощи

구황(救荒) ~식물 дикорастущие растения, идущие в пищу в голодный год; ~작물 сельскохозяй ственные культуры, употребляемые вместо основных культур, не уродившихся в неурожайный год; ~하다 оказывать помощь голодающим.
구획(區劃) участок; секция; отделение; ~하다 разграничивать; ~선 линия разграничения; 행정 административное деление; 행정 ~선 граница(административных) районов.
국 I суп; 국에 덴 놈 물 보고도 분다. посл. ≅ обжёгшись на супе, дует на воду.
국(局) II департамент; управление; бюро; 보도~ информбюро
국(國) III суф. кор. государство; страна; ~적 государственный; 계획~ государственный план; 관세~ государственная пошлина; 구조~ государственное устройство; 규격~ государственный стандарт; 기관~ государственный орган; 기구~ государственный аппарат; 사업~ государственные дела; 소유~ государственная собственность; 승인~ признание государства; 시험~ государственные экзамены; 안보~ безопасность страны; 연합~ объединение государств; федерация; 예산~ государственный бюджет; 재정~ государственные финансы; 제도~ государственный строй; 주권~ государственная власть.
국가(-歌) I государственный гимн
국가(國家) II страна; государство.
국경(國境) (государственная)граница; ~경비대 пограничные войска; ~분쟁 пограничный инцидент; ~선

пограничная линия. ~수비병 пограничник.

국경일(國慶日) национальный праздник

국고(國庫) государственная казна; казначейство; ~금 рациональный денежный фонд.

국군(國軍) (корейская) армия.

국기(國旗) государственный флаг.

국내(國內) I ~에 в стране; в государстве; ~법 государственное законодательство; ~산 товар отечественного производства; ~상업 внутренняя торговля; ~수송 каботажное плавание; ~수역 внутренние воды; ~외 внутри и вне страны; ~적 внутригосударственный; ~전쟁 гражданская война; ~화물 грузы, перевозимые внутри страны.

국내(局內) II ~[에] в департаменте; в управлении; ~배선 станционная проводка (на телеграфе); ~까벨 эл. станционный кабель.

국도(國道) I государственный тракт; дорога (тракт; шоссе) общегосударственного значения.

국도(國都) II уст. столица.

국력(國力) государственная мощь; могущество страны; государственные ресурсы.

국립(國立) ~의 государственный; национальный; учреждённый государством; ~공원 национальный парк; ~극장 государственный театр; ~대학교 государственный университет; ~묘지 национальное кладбище; ~박물관 государственный музей; ~병원 государственная больница.

국무(國務) государственные дела; ~를 행하다 вести государственные дела; ~성 государственный департамент; ~위원 министр; членкабинета министров; ~장관 государственный секретарь; ~총리 премьерминистр; ~회의 заседание кабинета.

국문(國文) I корейская национальная письменность; ~소설 повесть (рассказ) на корейском языке; ~과 отдел родной литературы (и языка); филологический факультет; ~법 грамматика родного языка; ~학 родная (национальная) литература; ~학사 история родной (национальной) литературы.

국문(鞫問) II феод. допрос важного преступника в чрезвычайном судебном присутствии.

국민(國民) народ; нация; ~의 народный; национальный; ~경제 национальное хозяйство; ~교육 народное образование; ~부 национальное богатство; ~성 национальный характер; ~소득 национальный доход; ~연금 пенсия; ~장 государственные похороны; государственный траур; ~투표 плебисцит; референдум.

국방(國防) I государственная оборона; ~부 министерство обороны; ~부장관 министр обороны; ~비 расходы на оборону страны.

국방(局方) II ~택일 этн. счастливый день выбранный астрологом; ~의원 феод. дипломированный врач.

국사(國史) национальная история; история страны.

국세(國稅) государственные налоги (сборы); ~청 департамент государственных налогов.

국수 소면 корейская лапша; ~분통 цилиндр в приспособлении для приготовления куксу; 비빔~ куксу с приправами; 장국~ куксу с горячим супом, заправленным соевым соусом; ~장국밥 горячий суп с куксу и рисом сваренным на пару, заправленный соевым соусом; ~잘 하는 솜씨가 수제비 못 하랴? *посл. букв.* ≅ если ты умеешь делать куксу, то неужели не сделаешь простой лапши; ~를 먹다 справлять свадьбу; ~먹은 배 ненасытная утроба.

국수물 1) вода, в которой сварено куксу; 2) отвар изпод куксу, заправленный гречневой мукой.

국악(國樂) национальная классическая музыка; корейская классическая музыка; 국립국악원 институт корейской классической му-зыки.

국어(國語) язык; родной язык; родная речь; корейский язык; ~학 родной язык; ~학사 история отечественного языкознания; ~사 история родного.

국영(國營) ~의 государственный; находящийся в ведении государства; ~농장 советское хозяйство (совхоз); ~화 национализация; передача в ведение государства.

국외(國外) I ~의 заграничный; ~로 за границу; ~에서 за границей.

국외(局外) II независимая позиция; непричастность; ~의 непричастный; безучастный; посторонний; нейтральный; ~에 서다 держаться в стороне от чего-л.; ~에서 관찰하다 наблюдать со стороны; ~자 посторонний; непричастное(нейтральное) лицо.

국유(國有) государственная собственность; ~림 государственный лес; ~지 государственные земли; ~철도 государственная железная дорога.

국익(國益) государственная польза; интересы государства; ~을 생각하다 заботиться об интересах государства; ~을 위해 일하다 действовать в пользу государства.

국적(國籍) гражданство; подданство; национальная принадлежность; ~불명기 самолёт без опознавательных знаков; ~법 закон о гражданстве; ~변경 смена гражданства; ~상실 лишение гражданства; ~선택 оптация.

국제(國際) I ~적 международный; интернациональный; ~가격 цены на мировом рынке; ~경기 международные соревнования; ~경제 международное хозяйство; ~공법 международное право; ~관계 международные отношения; ~교류 международный обмен; ~교섭 международные переговоры; ~노동기구 международная организация труда; ~노동운동 международное рабочее движение; ~단체 международная организация; ~도시 город мирового значения; мировая столица; огромный город; ~무대 международная арена; ~박람회 международная выставка; ~법 международное право; 부흥개발은행 Международный банк реконструкции и развития (МБРР); ~사법 частное международное право; ~선 международная регулярная авиалиния; ~시장 мировой рынок; ~에너지 기관 Международное Энергетическое Агенство (=МЭА); ~연맹 Лига Наций; ~연합 Организация Объединённых Наций(=ООН); ~의회연맹 Межпарламентный Союз(=МС);

~저작권 между-народное авторское право; ~정세 международное положение; ~주의 интернационализм; ~통화기금 Международный валютный фонд(=МВФ); ~항로 международная линия судоходства; ~화 интернационализация; ~회의 международное совещание

국제(國制) II 1) государственный строй; 2) феод. одежда надевающаяся во время государственного траура.

국제공항(國際空港) международный аэропорт.

국제법 международное право.

국제화 интернационализация.

국지(局地) ~적 местный; локальный; ограниченный одним районом; ~전 локальная война.

국토(國土) государственная территория; страна; ~관리 землеустройство; ~분단 раскол(расчленение) государственной территории на две части.

국화(菊花) I хризантема; ~석 окаменелость в виде хризантемы; ~주 водка, настоянная на цветах златоцвета индийского

국화(國花) II национальный цветок.

국회(國會) конгресс; парламент; национальное собрание; ~도서관 национальная библиотека; ~의사당 палата; ~의원 депутат парламента; член парламента; ~제도 парламентаризм.

군(軍) I армия; войска.

군(郡) II уезд; уездный город

군- преф. лишний; ~말 лишнее слово; ~사람 лишний человек; ~식구 иждивенец; нахлебник.

-군(-軍) I армия; войска; 공~ военновоздушные силы; 육~ сухопутные силы; 해~ военноморские силы.

-군(-君) II 1) ты; 2) мистер; 김~ мистер Ким.

군것질 ~하다 заморить червячка; перекусить.

군대(軍隊) армия; войска; ~식으로 повоенному; ~에 들어가다 поступать на военную службу; ~생활 военный быт; армейская жизнь.

군데 место; ~군데 тут и там; вез-де; повсюду.

군말 пустая болтовня; бред; ~하다 попусту болтать; бредить.

군밤 печёный каштан.

군사(軍事) военные дела; ~적 военный;~교육 военное обучение; ~기지 военная база; ~동맹 военный союз; ~분계선 военнодемаркационная линия; ~비 военные расходы; ~용어 военный термин; ~우편 полевая почта; ~원조 военная по-мощь; ~위원회 военный совет; комитет обороны; ~재판소 военно-полевой суд; ~정권 военный режим; ~조약 военный договор(пакт); ~학 военная наука; ~행동 боевые действия; военные акты; ~행정 военная администрация; ~협정 военный договор; военное соглашение; ~화 милитаризация; ~훈련 военная подготовка.

군산(群山) Кунсан г.

군읍(郡邑) 1) уезд и уездный город (уездный центр); 2) административнотерриториальные единицы(в феод. Корее).

군인(軍人) военный; военнослужащий; воин; ~생활 солдатская жизнь; жизнь военнослужащих; ~정신 боевой дух.

군중(群衆) I толпа; публика; массы;

народ; ~대회 массовый митинг; ~심리 психология толпы(масс); чувство коллективизма; ~집회 собрание.

군중(軍中) II ~에 в армии.

굳게 твёрдо; 굳게 약속하다 надежно обещать.

굳다 твердый; крепкий;прочный; напяжённый; скупой; прижимистый; затвердевать; копиться; 굳은살 сухая мозоль.

굳세다 сильный; крепкий; твёрдый; непреклонный.

굳어지다 затвердевать; быть твёрдым.

굳은, 딱딱한, 단단한 жесткий, твердый.

굳이 твердо; крепко; упорно; настойчиво.

굳히다 делать твёрдым(прочным); укреплять.

굴 I устрица; ~껍질 устричная раковина; ~양식 устрицеводство; ~양식업 устричный промысел; ~양식업자 устрицевод; ~양식장 место разведения устриц; устричный завод.

굴(窟) (터널) II пещера; берлога; нора; логово; туннель; 사자~ логово льва; 여우~ лисья нора.

-굴(窟) суф. кор. пещера; нора; логово; 빈민굴 трущобы; туннель.

굴곡(屈曲) изгибы; извилины; кривизна; ~이지다 изогнутый; извилистый; ~진 해안선 изрезанная береговая линия; ~운동 зигзагообразное(волонообразное) движение.

굴곡성(屈曲性) извилистость.

굴다(구니, 구오) вести себя; поступать; обращаться с кем-л.; обходиться с кем-л.; относиться к ко-мул.; 돼지처럼 ~ поступать посвински; 못되게 굴다 вести себя отвратительно; 못살게 ~ обращаться с кем-л. плохо.

굴뚝 (дымовая) труба; ~아니 땐 나랴 нет дыма без огня.

굴욕(屈辱) унижение; оскорбление; срам; позор; ~적 унизительный; оскорбительный; позорный; ~을 당하다 подвергаться унижению (оскорблению); ~을 참다 терпеть (сносить) оскорбления; ~을 주다 унижать; оскорблять; обижать; ~감 чувство унижения(оскорбление).

굴절(屈折) изгиб; преломление; рефракция; дифракция; флексия; ~하다 преломляться; ~각 угол преломления; ~망원경 рефрактор; ~성 преломляемость; ~어 флективные языки

굴착(掘鑿) бурение; ~하다(про)бурить; ~공 бурильщик; проход- чик; ~기 бурильная машина; копёр; экскаватор.

굴하다 нагибаться; подчиняться (покоряться) кому-чему-л.; 굴하지 않고 не боясь; не взирая ни на что.

굵다 1) толстый; 2) крупный; большой; 3) басистый; громкий; 4) мощный; 5) грубый.

굵다랗다(굵다라니, 굵다라오) 1) довольно толстый; 2) довольно крупный (большой); 3) басистый; грубый(о голосе); 4) довольно грубый (напр. о ткани).

굵어지다 1) становиться толстым (крупным); 2) басистым.

굵은 крупный.

굵직굵직 ~하다 довольно толстые; довольно крупные(большие); басистые; довольно грубые.

굶기다 морить голодом.

굶다 голодать; остаться голодным
굶주리다 голодать; недоедать; 돈에 (사랑에) ~ жаждать богатства(любви); 배움에~ жаждать учиться.
굶주림 голод; недоедание.
굽 1) каблук; 2) копыто; ~을 갈다 менять каблуки; 높은(낮은) ~ высокий (низкий) каблук.
굽다 I печь; жарить; поджаривать; обжигать; 설구워지다 недожаренный; 너무구워지다 пережаренный; 구워삶다 всеми правдами и неправдами заставлять слушаться (под- чиняться).
굽다 II согнутый; кривой; изогнутый.
굽다 III 1) согнутый; кривой; изогнутый; 굽은 나무는 길마가지가 된다. посл. букв. ≈ даже и кривое дерево может пригодиться для приспособления, с помощью которого перевозят тяжести на спине вола; 굽도 젓도 할 수 없다 быть (находиться) в безвыходном положении; 굽은 구슬 археол. ожерелье в форме полумесяца; 굽은 선 см. 곡선; 2) 굽어보다 кривиться; гнуться; сутулиться; горбиться;
굽어 살피다 принимать участие, относиться внимательно(к кому-л.).
굽신거리다 низко кланяться; склонять голову.
굽실 ~하다 склонять голову(в поклоне).
굽실거리다 быстро кланяться.
굽이치다 извиваться; изгибаться; петлять.
굽히다 сгибание рук и ног(в танце).
굽히기 1) сгибать; гнуть; искривлять; нагибать; 2) уступать; ~입장을 сдавать свои позиции.

굽힐 줄 모르는 의지와 신념 несгибаемые воля и вера.
굿(巫) I шаманский обряд; экзорцизм; зрелище.
굿 II 1)горные выработки; 굿[을] 꾸리다 ставить крепь; 2) могильная яма; 굿[을] 짓다 рыть могилу.
굿하다 совершать шаманский обряд; 굿해 먹은 집 같다 букв. (тихо) как в доме где совершался шаманский обряд.
궁(宮) муз. первая ступень кор. гаммы
-궁(宮) суф. кор. дворец.
궁궐(宮闕)궁(宮),궐(闕),궁전(宮殿),왕궁(王宮) (королевский) дворец.
궁금 ~하다 волноваться; тревожиться; беспокоиться; чувствовать голод; хотеть есть; ~증 волнение; тревога; беспокойство; ~하여 волноваться.
궁핍(窮乏) бедность; нищета; нужда; ~하다 бедный; нищий; ~하게 бедно; ~해지다 нуждаться; беднеть; впадать в нищету; нищать; ~화 обнищание; пауперизация.
궁합(宮合) предсказание судьбы в семейной жизни путём сопоставления даты и времени рождения жениха и невесты.
궂다 I слепнуть; становиться слепым.
궂다 II плохой; скверный;ненастный; ~은 말 непристойные слова; ~은 일 неприятная работа; ~은 날씨 ненастная погода.
권(權) I совет; рекомендация;~하다 советовать; рекомендовать; предлагать; ~커니 잣거니 угощая друг друга вином; 이 약은 보사부가 ~한다 это лекарство рекомендовано министерством здравоохранения; 의

사가 치료를 ~한다 врач советует лечение.

권(券) II книга; том; пачка бумаги в 20 листов; 백지 두~ 40 листов чистой бумаги; 제2~ второй том; 조선사 2~ вторая книга истории Чосон; 새 전집은 11~ 으로 이루어져 있다 новое полное собрание сочинений состоит из одиннадцати томов.

-권(-券) I билет; документ; 승차 ~ проездной билет; 정기 ~ абонементный билет; 초대 ~пригласительный билет на что-л.; 항공 ~ авиабилет.

-권(-權) II право; власть; 공민~ право гражданства; 선거~ активное избирательное право; 입법~ законодательная власть; 저작~ авторское право; 주~ верховная власть; суверенное право; 투표~ право голоса; 피선거~ пассивное избирательное право.

-권(-圈) III круг; сфера; 북극 ~ северный полярный круг; 세력~ круг влияния(господства); 성층~ стратосфера.

권력(權力) власть; ~의 властный; ~없는 бессильный; не имеющий власти(авторитета); ~이 있는 влиятельный; могущественный; ~을 잃다 терять власть; ~을 장악하다 взять власть в свои руки; прийти к власти; быть у власти; ~을 행사하다 применять(использовать) власть; ~가 влиятельный человек; власть имущих; властитель(-ница); ~기관 правомочный орган; ~투쟁 борьба за власть.

권리(權利) право; ~가 있다 быть в праве; ~를 갖다 иметь право на что-л.;~를 되살려주다 восстановить кого-л. в правах; ~를 박탈하다 лишать кого-л. какого-л. права; ~를 부여하다 предоставить кому-л. право; ~를 축소하다 урезать кого-л. в правах; ~를 행사하다 вступать в свои права; 한마디로 그녀는 그렇게 말할 권리가 없다 одним словом, она не в праве говорить так.

권리자(權利者) правомочное лицо; сущ. правоспособный.

권리회복 реабилитация.

권세(權勢) власть; влияние; могущество; ~ 있는 властный; властительный; влиятельный; ~를 탐하는 властолюбивый; ~를 부리다 властвовать; показывать свою власть.

권투(拳鬪) I бокс; ~의 боксёрский; ~하다 боксировать; заниматься боксом; ~선수 боксёр; ~장 ринг; ~장갑 боксёрские перчатки.

권투(圈套) II 1) силок; капкан; ловушка; 2) обр. средства обмана.

권한(權限) право; правомочие; компетенция; полномочие; ~이 있는 обладающий полномочием; полномочный; компетентный; ~밖에 있다 выходить за рамки(пределы) компетенции(полномочия); вне чьей-л. компетенции; ~을 갖다 иметь права (полномочия) на что-л.; ~을 부여하다 уполномочивать; облекать полномочиями.

궐(闕) 1) пропуск(что-л. пропущенное); 2) вакансия; 궐[을] 내다 открывать(вакансию); 궐[이] 나다 появляться; открываться(о вакансии); 궐[을]잡다 подсчитывать(пропуски, свободные места, вакансиия).

궐기(蹶起) восстание; ~하다 восставать; подниматься на борьбу; 민중

이 독재자의 억압에 항거하여 ~했다 народ восстал против угнетения диктатора; 무장~ вооружённое восстание.

궤(櫃) I сундук; ящик.

궤(几) II 1) скамеечка со спинкой и подлокотниками, преподносимая королём престарелому министру, уходящему в отставку; 2) прямоугольный жертвенный столик; 3) треногий овальный столик (который клали в могилу вместе с покойником).

궤도(軌道) 1) орбита; рельс; 2) колея; ~의 а) орбитальный; б) колейный; ~를 일주하다 совершить путь по орбите; ~에서 탈선한 객차 сошедший с рельсов поезд; 생활이 제 ~에 올랐다 жизнь вошла в обычную колею; 과학자들은 우주선을 지정된 ~에 올려놓았다 научные работники вывели космический корабль на заданную орбиту; ~론 определение орбит; 지구~ земная орбита.

궤멸(潰滅) полный разгром; крах; ~하다 разрушаться; потерпеть полный разгром (крах); ~시키다 разгромить; 본건주의의 이념적~ идейный крах феодализма.

궤변(詭辯) софизм; парадокс; ~의 софистический; парадоксальный; ~을 부리다 прибегать к софистике; пытаться доказать недоказуемое; ~가 софист, -ка; ~술 софистика; искусство словесных ухищрений.

궤양(潰瘍) язва; ~의 язвенный; ~환자 язвенник,-ца; 십이지장 ~ язва двенадцатиперстной кишки; 위~ язва сундучник; ~성 сущ. язвенный;~성질환 язвенная болезнь

궤짝(櫃-) 궤(櫃) сундук; сундучок; ящик; ящичек; ~의 сундучный; ящичный; ~제조자 сундучник; ящичник; 나무~ деревянный ящик.

귀 I ухо; ~가 가렵다 уши горят; ~의 ушной; ~가 먹다 оглохнуть; быть глухим(тугим на ухо); ~가 밝다 у кого-л. чуткое ухо; ~가 어둡다 тугой на ухо; оглохший; не знающий новости; ~ 담아듣다 слушать во все уши; 귓구멍이 넓다 легко принимать на веру сказанное; 귓불이 널찍하다 у кого-л. широкая мочка уха; 귓전을 울리다 раздаться в ушах; звенеть в ушах; ~에 거슬린다. неприятный для слуха; ~에 쟁쟁하다 ещё звучать в ушах; 한 ~로 듣고 한 ~로 흘린다. в одно ухо вошло, в другое вышло; ~에 걸면 ~걸이, 코에 걸면 코걸이 подвесишь к ушам серьги, нацепишь на нос кольцо; ~지(에지) ушная сера; ~후비개 лопаточка для чистки ушей; ~구멍 слуховой проход; 귓 바퀴 ушная раковина; 귓병 ушная болезнь; 귓불 мочка уха; 귓전 край уха.

귀(<句) II 1) предложение; фраза; отрывок; 2) строфа (в стихах на ханмуне).

귀-(貴-) Ваш; высокий; благородный; дорогой; знатный; ~국 ваше государство; ~빈 высокий гость.

귀가(歸家) возвращение домой; ~하다 возвращаться домой; 장기여행을 마치고 귀가하다 возвращаться домой из долгого путешествия.

귀걸이 серьги; серёжки; 금~ золотые серьги; 보석 ~ серьги с драгоценным камнем.

귀국(歸國) I возвращение на родину; репатриация; ~하다 возвращаться на родину; ~시키다 возвратить на родину; репатриировать; 대통령은 전쟁포로를 제나라로 ~ 시키기로 결정했다 президент решил возвратить на свою родину военнопленных; ~동포 репатриированный соотечественник; ~선 судно для репатриантов;~자 репатриант

귀국(貴國) II вежл. Ваша страна; Ваше государство.

귀금속(貴金屬) благородные(драгоценные) металлы; ~상인 торговец благородными(драгоценными)металлами.

귀납(歸納) индукция; ~적 индуктивный; ~하다 индуктировать; ~논리 индуктивная логика; ~법 индуктивный метод

귀뚜라미,귀뚜리,실솔(蟋蟀) кузнечик; сверчок; ~의 кузнечиковый; сверчковый; ~가 울다 стрекотать; трещать; 호수 주위에서 ~가 큰 소리로 울어댄다. около озера громко стрекочут кузнечики.

귀머거리 глухой; глухая; ~의 глухой; ~ 노인 глухой старик; ~ 삼년이요 벙어리 삼년이다 после замужества женщина должна быть три года глухой и немой.

귀빈(貴賓),큰 손님,귀객(貴客), высокий (почётный) гость; ~석 место для высокого(почётного) гостя; ~실 покои для высокого(почётного) гостя.

귀뿌리 щека(около уха); ~까지 빨개지다 залиться краской, покраснеть до самых ушей.

귀속(歸屬) возвращение назад; экспроприация; ~되다 быть возвращённым по принадлежности; ~시키다 экспроприировать; подвергать что-л. экспроприации; ~재산 экспроприированное имущество.

귀속말 шёпот.

귀신(鬼神) (망자의 넋) душа умершего; ~한테나 잡혀가라 убирайся к чёр-ту! ~이 곡할 노릇이다 лучше и чёрт не сделает ~ 씨나락 까먹는 소리한다. Что ты там бормочешь?

귀여워하다 ласкать; обожать; 모든 할머니는 자기 손자를 귀여워한다. все бабушки обожают своих внуков.

귀염 ласка; очарование; ~둥이 милый ребёнок; хорошенький ребёнок; ~성 миловидность

귀엽다 милый; миловидный симпатичный; 귀엽게 мило; миловидно; симпатично; 그녀의 얼굴은 ~ у неё миловидное лицо.

귀의(歸依) I ~하다 возвращаться и прибегать к чьей-л. помощи; обращаться в буддизм или другие религии; 노년에 들어서 그는 종교에 ~했다 к старости он обратился в религию; ~법 учение Будды(как одно из трёх сокровищ буддизма 불가의 ~법, ~불, ~승중의 하나); ~불 Будда; ~승 буддийские монахи; ~심 вера в буддизм.

귀의(貴意) II вежл. Ваше мнение (желание).

귀족(貴族) аристократ; аристократия; ~적 аристократический; аристократичный; ~적으로 аристократически; аристократично; ~화되다 превращаться в аристократов; ~계급 аристократия; ~성 аристократичность; 노동~ рабочая аристократия.

귀중(貴重) I ~하다 дорогой; драгоценный; дороговатый; ~하게 дорого; драгоценно; ~히 여기다 дорожить чем-л.; считать дорогим; дорого ценить; 나는 그녀의 충고를 ~히 여긴다. я дорожу её советом; ~품 дорогие вещи; (보통복) ~품함 шкатулка для драгоценностей.

귀중(貴中) II Вашей фирме; Вашей редакции; Вашему издательству.

귀착(歸着) завершение; окончание; ~되다 заключаться в чём-л.; приходить к заключению; 이 사건의 본질은 이 점으로 ~된다 сущность этого события заключается в этом; ~점 конечный пункт; вывод; заключение.

귀찮다(貴-) хлопотливый; хлопотный; докучливый; надоедливый; 귀찮게 хлопотливо; докучливо; надоедливо; 귀찮게 하다 докучать кому-л. чем-л.; надоесть кому-л. чем-л.; 귀찮은 일 хлопотливое дело; 그녀는 곤란한 부탁을 해서 나를 귀찮게 하곤 한다. она докучает мне трудными просьбами.

귀천(歸天) I ~하다 отправиться на тот свет.

귀천(貴賤) II богатство и нищета; высшие и низшие; благородные и презренные; высокопоставленные и низкопоставленные; ~을 두지 않고 без различия социального положения.

귀하다 дорогой; ценный; высокий; редкий; драгоценный; (형) ~귀하게 благородно; дорого; редко; 가장 귀한 высочайший; дражайший; редчайший; 귀한 물건을 수집하다 коллекционировать редкие вещи; 귀한 물건 дорогие вещи.

귀화(歸化) I натурализация; ~한 натурализированный; ~하다 натурализироваться; ~시키다 натурализировать; ~절차를 통해 시민권을 획득하다 приобретать гражданство в порядке натурализации; ~민 натурализировавшийся; ~증명 свидетельство о натурализации; ~집단 групповая натурализация.

귀화(鬼火) II блуждающие огоньки; необъяснимые бедствия.

귀환(歸還) возвращение на родину (на место службы); репатриация; ~하다 возвращаться на родину(на место службы); репатриироваться; ~시키다 возвращать кого-л. на родину(на место службы); репатриировать; 민간인과 전쟁 포로를 ~시키다 проводить репатриацию гражданских лиц и военнопленных; ~병 репатриированные военнопленные; ~자 репатриант.

귓속 внутренняя часть уха; ~에 대고 이야기 하다 шептать на ухо; ~말 шёпот; шушуканье

규격(規格) стандарт; трафарет; тип; эталон; ~의 стандартный; типовой; ~화된 стандартизированный; ~에 맞게 제작하다 изготовить по стандарту; ~화하다 стандартизировать; ~설계 типовой проект; ~자재 стандартные материалы; ~지 бумага стандартного размера; ~품 стандартная вещь; стандартный товар; ~화 стандартизация; 국가~ Государственный стандарт(ГОСТ); 표준공업~ нормативно-технический стандарт.

규격품(規格品) стандартные товары
규격화(規格化) стандартизация; ~하다 стандартизировать.

규모(規模) масштаб; размах; расчёт; ~의 масштабный; 대로 ~в большом масштабе; 전국적 ~로 в масштабе всей страны; ~ 있게 살다 жить расчётливо; жить с расчётом;

최근에 미국 원조는 군사 원조 ~를 늘이기로 결의했다 в последнее время парламент США решил расширять масштабы военной помощи.

규범(規範),(표준) I норма; критерий; ~적 нормативный; ~을 따르다 следовать нормам; ~을 정하다 устанавливать нормы; ~화하다 нормализовать; ~에 따라 в соответствии с нормами; ~성 нормативность; ~화 норма-лизация; 국제관계 ~ нормы межгосударственных отношений; 사회~ социальные нормы; 언어 ~ языковые нормы; 윤리 ~ этические нормы.

규범(閨範) II уст. норма поведения для женщин; ~내칙 правила поведения для женщин.

규율(規律) дисциплина; распорядок; ~의 дисциплинарный; ~이 잡힌 дисциплинированный; ~을 잡다 дисциплинированность; ~을 지키다 соблюдать дисциплину; ~성 дисциплинированность; ~위반 нарушение дисциплины; 강철~ железная дисциплина; 내부~ правила внутреннего распорядка; 조직~ дисциплина организации.

규정(規定) правила; положение; предписание; регламент; устав; ~하다 определять; предписывать; регламентировать; ~을 지키다 соблюдать (нарушать) правила; ~에 따라 발표자에게는 각 20분의 시간이 주어졌다 по регламенту каждому докладчику было положено по 20 минут; ~론 детерминизм; ~화 регламентация; 납세~ правила взноса налогов; 노동법 ~ закон о труде.

규제(規制) I строй; уклад; режим; система.

규제(規制) II регулирование; контроль; ~의 регулятивный; контрольный; ~하다 урегулировать; контролировать; ~권한을 행사하다 пользоваться правом контроля администрации; ~를 강화하다 усилить контроль за чем-л.; 생산을 정부의 ~하에 두다 установить правительственный контроль над производством; 국가임금 ~ государственное регулирование заработной платы; 물가 ~ регулирование цен на товары; 환경~ контроль за состоянием окружающей среды; 규제의 완화 послабление правил.

규칙(規則) I правила; закономерность; ~적인 правильный; закономерный; регулярный; ~을 지키다 соблюдать (нарушать) правила.

규칙(糾飭) II ~하다 следить; наблюдать.

규탄(糾彈) осуждение; порицание; ~받다 получать порицание; ~하다 осуждать; порицать за что-л.; клеймить; 정치가의 파렴치한 행동을 ~하다 осуждение политиков за их нахальное поведение.

규탄당하다 быть осужденным (заклейменным).

균(菌) бактерия; микроб; бацилла; грибок; ~의 бактериальный; бактерийный; микробный; бацилловый; грибной; 기회 ~의 원칙 принцип равноправия; ~류학 бактериология; микология; ~류학자 бактериолог; миколог; 발효~ дрожжевые грибки; 발효우유~ кефирные грибки.

균등(均等), 평등(平等) паритет; равенство; ~하다 равный; равномерный; паритетный; ~히 равно; равномерно; паритетно; ~히 하다 уравнивать; ~히 배분하다 равно распределять; 권리를 ~히 부여하다 уравнивать кого-л. в правах; ~한 조건에서 на равных условиях; ~성 равномерность; ~제 уравниловка; ~화하다 уравниваться

균렬(龜裂) ~하다 1) трескаться; покрываться трещинами; 2) разладиться (об отношениях).

균렬선(龜裂線) трещины на почве во время засухи.

균사체(菌絲体) бот. грибница; мицелий

균열(均熱) трещина; ~이 있는 треснутый; ~하다 трескаться; покрываться трещинами; разладиться; ~음 трескотня.

균일(均一) ~하다 однородный; гомогенный; единообразный; ~하게 однородно; гомогенно;единообразно; 성분에 있어서 ~하다 однородный по составу чего-л.; ~반응 гомогенная реакция; ~성 однородность; гомогенность; ~체계 однородная система.

균형(均衡) равновесие; уравновешение; баланс; ~의 равновесный; уравновешенный; балансовый; ~을 이루다 уравновешивать; балансировать; 수요와 공급의 ~ равновесие (баланс) между спросом и предложением; ~론 теория равновесия; ~장치 балансир; ~추 противовес; балансировочный груз; ~축 урав-нительный валик.

균형(均衡), **평형**(平衡) равновесие.

귤(橘) мандарин; ~의 мандариновый; мандаринный; ~껍질 мандариновая корка; ~나무 мандариновое дерево; ~차 мандариновый чай.

그 I кы(назв. кор. буквы ㄱ).

그 II тот; та; то; этот; эта; это; он; оно; ~대신 вместо того; зато; 때까지 до того времени;~때부터 지금까지 с того времени до сих пор; ~를 его; ~에게 ему(к нему); ~에 대해 о нём; ~와 함께 с ним; ~와 같이 подобно этому; подобным образом; ~위에 сверх того; ~도 그럴 것이 и то сказать; ~도 저도 아니다 ни то, ни сё.

그, 그 사람 он.

그, 그 여자 она.

그, 저 та; то; тот.

그간(-間) за то время; см. 그동안.

그것 это; он; она; они; 누가 ~을 네에게 가져다 주었니? Кто это принёс тебе?

그곳 там; ~도 там же; ~이나 여기나 и там, и тут; ~에는 희망이 자란다 там растёт надежда

그까짓 пустяковый; ~것 пустяк; пустяковая вещь; 나는 그녀와 ~일로 다투었다 я поссорился с ней из-за пустяка

그끄저께 три дня(тому) нахад.

그나마 и это, и то; 하나 남은 사과라고 ~ 있는 것이 썩은 사과다 оста-лось одно яблоко, и то гнилое.

그날그날 каждый день; праздно; бесцельно; 그녀는 ~자기의 임무를 초과 달성했다 она перевыполняла свои обязательства.

그냥 так, как есть; попрежнему; как и раньше; непрерывно; не переставая; просто; ~ 내버려 두다 оставлять так, как есть; 비가 ~줄곧 내리고 있다 дождь непрерывно льёт; 저는 ~그녀를 만나보고 싶었을 뿐입니다

мне просто хотелось встретиться с ней; 그냥 지나치는 법이 없다 никогда нельзя пройти просто так.

그녀 она; ~를 её; ~에게 е;. ~에게는 у неё; ~에 대해 о ней; ~와 함께 вместе с ней; ~의 её; 나는 ~의 생일을 맞아 ~에게 꽃다발과 함께 책을 선물했다 я подарил ей книгу и букет цветов ко дню её рождения.

그늘 1) тень; ~구역 радио мёртвая зона.; ~식물 тенелюбивые растения; ~의 밀짚 같다 обр. как тростинка; 2) мрачность, угрюмость; 3) забота, покровительство; ~진 теневой; тенистый; мрачный; угрюмый; ~지다 затеняться; быть затемнённым; покрываться тенью; быть тенистым; ~진 구석 тенистый уголок; ~진 얼굴 угрюмое лицо; 그는 부모님의 ~밑에 살고있다 он живёт под покровительством родителей; 그의 얼굴에 ~이 스쳐지나갔다 по его лицу пробежала тень; ~건조 сушка в тени; ~건조법 способ сушки в тени; ~면 теневая сторона.; 그늘에 말리다 сушить в тени.

그다지 так; настолько; не так уж; не очень; не особенно; 그는 이것을 살 수 있을 정도로 ~부자는 아니다 он не настолько богат, чтобы купить это; 나는 이 책에 ~흥미가 없다 я не особенно интересуюсь этой книгой;й; 그다지 멀지 않은 곳 не такое уж далёкое место.

그대 1) вежл. Вы 2) книжн. ты.

그 대신에, 그러나 зато.

그대로 так, как есть(как было); ~ 두다 оставить так; 있는 ~사실을 말하다 говорить правду такую, какая она есть

그동안 тем временем; за то время; ~어떻게 지내셨습니까? Как вы поживали всё это время?

그득그득 ~하다 полные(о нескольких вместилищах); очень полный; переполненный.

그들 они; ~과 함께 с ними; ~에게 им;~에 대해 о них;~을 их;~의 их.

그때(에) в то время; тогда; 바로~ в то же время; тогда же.

그라인더(англ grinder) 연마반(研磨盤), 숫돌 точило; ~의 точильный; ~로 갈다 точить.

그라프(англ graph) 표(表), 도표(圖表) таблица; график; диаграмма;

그람(англ gram) рус. грамм; ~ 당량 хим. грамм-эквивалент; ~분자 грамм-молекула;~원자 грамм-атом.

그래 да; так; так ли?; разве; как раз; ~ 네가 옳다 да, ты прав; 이것이 정말 ~? Так ли это на самом деле? ~그가 너에게 밀리겠니? Разве он отстанет от тебя? 내가 막 나서려 하는데 마침 내 친구가 들르더군 ~ я только собирался уходить, а мой друг как раз заходит.

그래도 всё так же; и всё же; при всём том; ~ 나는 너를 믿는다 и всё же я верю вам.

그래서 поэтому; ~그녀는 교활한 여자라, ~ 나는 그녀의 말을 믿지 않는다 она хитрая женщина, и поэтому я не верю её словам.

그래저래 тем временем; незаметно

그래프(англ graph) 표(表), 도표(圖表) таблица; табличка; диаграмма; ~의 табличный; ~로 표한 в таблицах.

그래픽(англ graphic) графика; ~의 графический; ~예술 графическое искусство; 컴퓨터~ компьютерная графика.

그램(англ gram) грамм; ~의 граммовый; ~당량 грамм-эквивалент; ~분자 грамм-молекула; ~원자 грамм-атом; ~이온 грамм-ион; ~중 грамм-вес; ~칼로리 грамм-каллория.

그러나 но; однако; а; ~그런 상황에서 그는 아무것도 할 수가 없다 но он ни к чему не способен в такой ситуации; ~나는 그녀를 잊을 수가 없다 однако я не могу забыть её.

그러지 말라 не надо; оставь.

그랬다저랬다 делать по всякому(то так, то сяк).

그러다가 потом.

그러면 в таком случае; тогда; итак; ~다시 만날 때까지 안녕 итак, до встречи.

그러므로, 때문에 потому.

그러잖아도 1) а то в противном случае; 2) как бы там ни было.

그러찮다 (그러하지 아니 하다) 1) не такой; 2) в знач. сказ. неправда.

그러하다 такой; ~ 그럼에도 불구하고 не смотря ни на что; при всём том; 그럴 수가 없다 не может этого быть!

그럭저럭 кое-как; как попало; сносно; само собой; незаметно; ~살아가다 жить кое-как; кое-как перебиваться; ~하다 делать что-л. кое- как.

그런데 а; однако; ~그는 러시아어로 말할 줄을 전혀 모르더구나 а он сов- сем не может говорить порусски.

그런즉 и так; так что.

그럴듯하다 правдоподобный; какбудто хороший; 그럴듯하게 правдоподобно; 그럴듯한 거짓말 правдоподобная ложь; 그럴듯한 것 правдоподобие.

그럼 да, конечно; такой; это; ~에도 불구하고 несмотря на это. см.

그러면.

그렇다 (그러니, 그러오) такой; так; таков; 그녀 역시 ~ и она тоже такова

그렇듯 в такой степени;настолько

그렇듯이 так; таким образом.

그렇잖다 не такой; не так; не таков; не правда; 그렇잖으면 если не так; а то; 이것은 그렇잖다 это не правда/это не так.

그려 усил. частица да... же. 여기 앉읍시다 그려 да сядем же здесь.

그로기(англ groggi) грогги; ~상태인 не на твёрдых ногах; 강하게 맞은 뒤 그는 ~상태에서 다리가 풀렸다 от сильного удара он едва стоит на ногах.

그루 пень; пенёк; ~의 пенёчный; пнёвый;~가 파내진 корчёванный; 나무 밑 ~를 파내다 корчевать пни; ~터기 пень.

그르다(구르니, 글러) неправый; неправильный; неверный; винова-тый; безнадёжный; плохой; порочный; недобрый; зловредный; 그릇되게 неправо; неправильно; неверно; порочно; 그릇된 보도 неверное сообщение; 심보가 그른사람 человек недоброй души; зловредный человек; 누가 옳고 누가 그른가? Кто прав и кто виноват? 일이 완전히 글렀다 дело не получилось; ~ 그름 неправота; виноватость.

그르치다 неправильно делать; портить

그릇 I посуда; чашка; дарование; способность; ~의 посудный; ~을 씻다 мыть посуду; ~을 닦는 사람 посудник; ~이 큰 사람 человек больших способностей; 국수 두 ~ две чашки корейской лапши; 사기~

фарфоровая посуда; 유리~ стеклянная посуда.

그릇 II ошибочно, неправильно; ~되다 быть неправильным(ошибочным); ~된 생각 заблуждение; ~하다 делать неправильно (заблуждаться).

그릇되다 быть неправильным(неверным; ошибочным); 그릇된 견해 неправильный(неверный; шибочный) взгляд; 그릇된 생각 заблуждение; неправильная мысль.; 그릇된 방향으로 이끌다 вести в неправильном направлении.

그리 I так, таким образом, в такой степени; ~하다 в знач. сказ. такой, да такой; ~하여 так, таким образом

그리 II туда; 그도 ~간다 он тоже идёт туда; ~가든 말든 나는 상관이 없다 мне всё равно, пойдёшь ты туда или нет.

그리고 и; при этом; затем; 그대 ~나 ты и я; 그들은 다투고 나서 원수가 되어 결별했다 они поссорились и расстались врагами.

그리기 мат. построение фигуры.

그리다 I 1) тосковать; скучать; 집을 ~ тосковать(скучать по дому); 2) любить.

그리다 II рисовать; писать красками; чертить; изображать; описывать; воображать; представлять себе; рисовать в воображении; 지도를 ~ чертить географическую карту; 이 소설에는 19세기 초반의 전형적인 러시아 농민계급의 형태가 잘 그려져 있다 в этом романе хорошо изображён образ типичного русского крестьянина первой половины 19-го века; 그녀는 간혹 마음속으로 자신을 미인이라고 그려보곤 한다 иногда она в мыслях изображает себя красавицей.

그리 많지 않다 не так уж много.

그리스도(Christ), 크리스트, 중보자 Христос; ~의 христов; ~를 믿는 верующий в Христа; ~교의 христианский; ~교 식으로 по-христиански; ~를 믿다 верить в Христа; ~교화하다 христианизировать; ~교 христианство; ~교도 христианин(-ка); 예수 ~ Иисус Христос; 사람의 몸을 입으신 ~ Бого-человек; ~의 출현 Богоявление Господне; ~의 강림 Богорождение.

그리스도인 христианин.

그리운, 사랑하는 любимый.

그리움 доска.

그리워하다 тосковать по кому-чему-л.; скучть по кому-чему-л.(по ком-чём-л.); 고향에 대한 그리움을 달래다 рассеять тоску по родине; 죽은 아내를 ~ тосковать по умершей жене.

그림, 회화(繪畵) рисунок; картина; картинка; красивый вид(пейзаж); ~의 рисуночный; картинный; ~같이 картинно; ~을 그리다 рисовать; ~같은 풍경 картинный пейзаж; ~처럼 아름다운 것 картинность; ~엽서 художественная открытка; ~이야기 рассказ с картинками; ~쟁이 живописец; художник; ~책 книга с иллюстрациями; иллюстрированная книга; ~판 стенд для рисунков.

그림자 тень; отражение; след; отпечаток; ~의 теневой; 물에 비친 나무의~ отражение дерева в воде; 슬픔의 ~ тень грусти; 수상한 사람의 ~ тень сомнительного человека; ~를 감추다 бесследно исчезать; скрывать следы; ~가 지다 мрачнеть; становиться угрюмым; 제 ~에 놀라다 испугаться собственной тени; 창에 ~가 비쳤다 в окнах мелькали тени; ~하나 얼씬하지 않는다 ни души не видать.; 그림자처럼 따르다 следовать как тень

그림책 книга с иллюстрациями; иллю-стрированная книга.

그립다(그리우니, 그리워) любимый; дорогой; милый; 그리운 고향땅 родина, по которой скучают; 벗들이 ~ соскучиться по друзьям.

그만 I довольно; достаточно; хватит; невольно; нечаянно; так; в таком же положении(состоянии);довольно; всё; наилучший;самый вкусный; ~자라 хва-тит спать; 그럼 ~ 가겠습니다 ну, тогда я пойду; 우연하게도 나는 ~그녀의 이름을 혼동하고 말았다 я нечаянно перепутал её имя; 이제는 추수만 하면 ~이다 теперь осталось только убрать урожай; 만두 맛이 ~이다 какие вкусные пельмени!

그만 II сокр. от 그만한; 그만[하다] I; ~사람 обыкновенный человек.

그만그만하다 такой же; почти одинаковый.

그만두다 бросить что-л. делать; перестать; оставить; 음악을 ~ бросить занятия музыкой; 직장을 ~ оставить службу.

그만두시오 Перестаньте!

그만저만 с отриц. 1) так, 2) обычно; ~하다 такой; 그 일이 ~하게 끝 날 일이 아니다 эта работа так быстро не закончится.

그만큼 столько; ~씩 по стольку; 그는 받은 만큼 ~주었다 он отдал столько, сколько получил.

그맘때 как раз в то время; точно тогда, когда.

그물 сеть; сетка; невод; ~의 сетеой; неводный; ~로 잡다 неводить; ~에 걸리다 попадать в сети; ~을 끌다 тянуть невод; ~을 던지다 закидывать невод; ~질하다 ловить рыбу; ~바늘 игла для вязания сети; ~채 шест рыболовной сети; ~코 ячейка сети.

그믐 последний день лунного месяца.

그믐날 ~께 к концу месяца; 동지 ~ последний день 11-го лунного месяца; 섣달 ~ последний день 12-го лунного месяца; ~밤 ночь последнего дня лунного месяца.

그사이 между тем; тем временем; ~에 점심이 준비되었다 между тем обед уже был готов.

그야 1) именно это; 2) межд. да; ~ 더 말할 나위가 없지 да, нечего и говорить; ~말로 действительно; в самом деле.

그야말로 в самом деле.

그 어떤 некоторый.

그어지다 становиться отчётливым; чётко вырисовываться; 1945년에 38선이 그어졌다 в 1945-ом году установилась 38-ая параллель.

그윽이 тихо; едва уловимо; нежно.

그윽하다 тихий; безмолвный; сокровенный; глубокий; нежный; слабый; 그윽하게 тихо; безмолвно; сокровенно; глубоко; нежно; слабо; 그윽한 골짜기 тихая долина; 그윽한 감정 глубокое чувство; 그윽하고 향긋한 냄새가 풍겨왔다 веяло нежным, еле уловимым ароматом.

그을다 (그으니, 그으오) закоптить; слегка обжечь; 그으린 закопчённый; **그으리다** быть слегка обожжённым; **그을음** копоть; сажа.

그저 1) пока ещё; по прежнему; 2) просто так не раздумывая; ~두다 оставлять так; ~오다 приходить ни с чем; 3) очень; весьма; безмерно; 내 ~그럴 줄 않았지 я так и знал; ~ 그만 [이다] лучше и быть не может; ~열 넉냥금 поспешные выводы; поспешное суждение.

그저께 позавчера.

그적거리다 1)небрежно писать; малевать; 2) быть разборчивым в еде; ворочить нос от пищи.

그전(-前) ~에 раньше; прежде.

그전날 белые дни.

그제 тогда; в то время; позавчера; ~서야 лишь тогда; только тогда; 그~(그그저께) три дня тому назад.

그제야 лишь тогда; ~ 마음을 놓다 теперь душа отлегла.

그중 среди них.

그지없다 бесконечный; безграничный;беспредельный;безмерный; 그지없이 бесконечно; безгранично; беспредельно; безмерно; как нельзя более; 그지없는 사랑 безграничная любовь; 무례하기 그지없다 крайне наглый; 당신을 만나니 반갑기 그지없군요! Я бесконечно рад вас видеть.

그지없이 бесконечно; безгранично; беспредельно.

그치다 прекращать(ся); приостанавливать(ся); кончать(ся); переставать; ограничиваться; 그칠 사이없이 непрестанно; ни на минуту не переставая; 그칠 줄 모르다 безудержный; 그칠 줄 모르는 박수소리 не смолкающие апплодисменты; 비가 그쳤다 дождь перестал идти; 말을 다 перестать говорить; 그의 집에는 손님이 그칠새 없다 у него всё время гости; 그침 прекращение; приостановление; ограничение.

그칠 줄 모르다 бесконечный, безудержный.

극(劇) I пьеса; драма; театр; ~의 театральный; драматический; ~적으로 драматически; ~으로 만들다 инсценировать; ~문학 драматургия; ~영화 художественный фильм; ~ 예술 театральное искусство; ~작가 драматург; ~화 инсценировка; 가면~ театр масок; 단막~ одноактная пьеса; 무언~ пантомима.

극(極) II высшая степень чего-л.; предел; полюс; ~의 полюсный; ~성 полярность; ~지 полярная область; ~지방 заполярье; 남~ южный полюс; 북~ северный полюс; 북~ 탐험 экспедиция на северный полюс; 양~ положительный полюс; анод; 음~ отри- цательный полюс; катод.

극-(極) I крайний; сильный; абсолютный; совершенный; ~히 крайне; сильно; абсолютно; совершенно; ~ 소수 крайне малое число; ~한 сильный мороз.

극-(劇) II *преф.кор.* драматический

-극(劇) *суф. кор.* пьеса; театр; 가면극 театр масок; 무언극 пантомима; 무용극 балет.

극구 всяческими словами; всеми силами; изо всех сил; всячески; ~칭찬하다 хвалить всяческими словами; ~말리다 отговаривать всяческими словами.

극단(極端) край; предел; конец; ~적 крайний; предельный; ~으로 крайне; чрезмерно; до крайности; ~적인 경우에 в крайнем случае; в крайности; ~에서 ~으로 기울다 переходить от одной край ности в другую; бросаться(удариться) из одной крайности в другую; ~으로 기울다 впадать в крайность; удариться в крайность; 양~은 서로 통한다 обе крайности сходятся; ~성 крайность; ~주의 экстремизм; максимализм; ~주의자 экстремист; максималист.

극도(極度) крайняя степень; предел; ~로 в высшей степени; крайний.

극동(極東) Дальний Восток; крайний восток; ~에서 на Дальнем Востоке; ~여행 путешествие на Дальний Восток.

극락(極樂) рай; ~의 райский; ~에 대해 생각하다 думать о рае; ~에서 살다 жить в раю; ~발원(불교) стремление попасть в рай; ~정토 царство Будды Амитабы; ~조 райская птица.

극렬(極烈) ~하다 ожесточённый; яростный; горячий;~하게 ожесточённо; яростно; ~한 논쟁 ожесточённые споры; ~성 ожесточённость; яростность.

극복(克服) преодоление; ~할 수 있는 преодолимый; ~하다 преодолевать; побеждать; справляться с кем-чем-л.; ~되다 быть преодолённым; 어려움을 ~하다 преодоле-вать трудности.

극본(劇本) сценарий; либретто; ~의 сценарный; ~작가 сценарист(-ка).

극소(極小) минимум; микро-; ~의 минимальный; ~량 минимум; наименьшее количество; ~로 минимально; ~수 минимальное(наименьшее) число; крайне незначительное число; ~한 минимальный предел; минимум; ~형 микротип; ~화 минимализация.

극장(劇場) театр; кинотеатр; ~의 театральный; 어제 우리는 ~에 갔었다 вчера мы были в театре; ~표 театральный билет; 연극~ драматический театр; 오페라~ оперный театр.

극적(劇的) драматический; ~으로 драматически; ~갈등 драматический конфликт; ~장면 драматический момент.

극진(極盡) радушие; ~하다 радушный; ~히 радушно; ~히 대하다 относиться к кому-л. с необыкновенным радушием;~한 대접 радушный приём.

극형(戟形) высшая мера наказания; смертная казнь; ~에 처하다 казнить; ~에 처해지다 быть казнённым; ~을 선고하다 приговорить кого-л. к смертной казни.

근(根) I сгусток гноя(в нарыве); корень; ~의 коренной; ~을 구하다 извлекать корень; 평방(세곱) ~ квадратный корень; 입방(세제곱)~ кубический корень.

근(筋) II мускул; мышца; ~의 мускульный; мышечный; ~섬유 мышечные волокна; 괄약 ~ сфинктер; 이두박~ двуглавая мышца плеча.

근(斤) III кын(кор. мера веса = 0.6 кг для мяса или 0.375 кг для овощей и фруктов).

근(近) IV почти; приблизительно; ~10년 전에 почти десять лет тому назад.

근거(根據) опорный пункт; база; опора; основание; аргумент; ~있는 обоснованный; ~ 없는 необоснованный; ~하다 основываться на чём-л.; опираться на что-л.; базироваться на чём-л.; 아무 ~도

없이 без всякого основания; 사실에 ~하다 базироваться на фактах; ~지 база; опорный пункт; плацдарм; 게릴라 ~지 партизанская база; 상륙 ~지 предмостный плацдарм.

근거리(近距離) короткая(ближняя) дистанция;близкое расстояние; 그의 실험실은 서울로부터 ~에 위치하고 있다 его лаборатория находится на близком расстоянии от Сеула; ~정찰 ближняя разведка.

근대(近代) I новое время; ~의 новый; современный; ~화된 модернизированный; ~화 되다 быть модернизированным; ~화하다 модернизировать; ~극 современная драма(пьеса); ~사 история нового времени; новая история; ~성 современность; ~식 сущ. современного образца; современный; ~인 современный человек; ~화 модернизация.

근대 II свёкла; ~의 свекловичный; ~국 суп из свёклы(заправленный соевой пастой с красным перцем)

근로(勤勞) труд; ~의 трудовой; ~하다 трудящийся; 사회를 위해 ~하다 трудиться на(своё) общество; 자신을 위해 ~하다 трудиться на себя; ~대중 трудящиеся массы; ~성 трудолюбие; ~성과 трудовые достижения; ~소득 трудовые доходы; ~인 трудящийся; ~자 труженик(-ца); трудящийся(-аяся); ~조건 условия труда; ~조건 개선 улучшение условий труда.

근면(勤勉) трудолюбие; ~하다 прилежный; старательный; трудолюбивый; ~하게 일하다 прилежно работать; стараться изо всех сил; ~성 прилежность; старательность.

근무(勤務) служба; служение;вахта; ~의 служебный; вахтенный; ~하다 служить;находиться на службе; ~를 마치고 돌아오다 вернуться со службы; ~시간에 지각을 하다 опоздать на службу; 당직~를 하다 дежурить; нести вахту; ~시간 служебное время; служебные часы; ~연한 трудовой(служебный) стаж; ~자 служащий,(~ая); служитель, (~ни-ца); ~지 место службы; ~처 служебное помещение; офис.

근무일(勤務日) рабочий день.

근본(根本) основа; корень; прошлое; прошлая жизнь; ~적 основной; коренной; основательный; радикальный;~적으로 в корне; коренным образом; радикально; ~적인 문제 основной вопрос; ~적인 전환 коренной переворот; ~이 되다 ложить в основу чего-л.; ~부터 잘못 하다 в корне ошибиться.

근사(勤仕) I 1)уст. верная(усердная) служба(чиновника); 2)усердие; старание; ~[를] 모으다 прилагать постоянные усилия.

근사(近似) II ~하다 почти одинаковый; похожий; сходный; аналогичный; как будто хороший; правдоподобный; красивый; хороший; модный; ~하게 почти одиноково; похоже; сходно; аналогично; как будто хорошо; правдодобно; красиво; хорошо; 그녀의 옷은 ~하다 у неё красивое платье; ~근 мат. приближённый корень; ~계산 приближённое вычисление; ~법 приближение; аппроксимация; ~성 приближённость; сходность; аналогичность; ~식 приближённая формула; ~치 приближённое значение; ~해 приближённое решение; 어림~법 грубое приближение; 축자 ~법 приближение методом интераций.

근성(根性) I настойчивость; упорность; ~있는 настойчивый; упорный; ~있는 사람 настойчивый человек; человек с упорным характером.

근성(芹誠) II уст. искренность; чистосердечность.

근속(勤續) непрерывное служение; ~하다 непрерывно служить(работать); ~수당 стаж работы на одном месте; ~연한 срок(стаж) непрерывной службы.

근시(近視) миопия; близорукость; ~의 близорукий; недальновидный; ~안적 정책 близорукая политика; ~안 близорукие глаза; недальновидность; ~ 안경 очки для близоруких.

근심 I забота; тревога; волнение; беспокойство; нервозность; ~스럽다 встревоженный; беспокойный; ~스레 встревоженно; беспокойно; с тревогой; ~하다 тревожиться; беспокоиться; ~스런 표정 встревоженный (беспокойный) вид; ~걱정없이 살다 жить без забот и тревог; ~에 싸이다 быть встревоженным; ~거리 беспокойство; предмет беспокойства; ~걱정 забота и беспокойство.

근심(謹審) II эпист. с почтеним рассматривать.

근육(筋肉) мускул; мышца; ~의 мускульный; мышечный; ~질의 мускулистый; ~세포 миоцит; ~요법 миотерапия; ~조직 мускулатура; мышечная ткань; ~종 миосаркома; ~주사 внутримышечная инъекция; ~학 миология; ~학자 миолог; ~통 мед. миодиния.

근절(根絕) выкорчёвывание; искоренение; уничтожение; ~된 выкорчеванный; искоренённый; уничтоженный; ~하다 выкорчёвывать; искоренять; уничтожать; ~되다 искореняться; уничтожаться; 뇌물 수수행위를 ~하다 искоренять взяточничество.

근처(近處) I окрестность;~에 в окрестностях; поблизости; вблизи; 도시~ окрестность города.

근처 (근방) II ближайшее место.

근친(近親) близкие родственники; ~교배 близкородственное размножение; ~상간 кровосмешение; кровосмесительство; ~상간자 кровосмеситель(-ница)

근하(謹賀) книжн. почтительное позд-равление; ~신년 почтительное позд-равление с Новым Годом; ~하다 почти-тельно поздравлять.

근황(近況) нынешняя ситуация

글 письменность; письмо; текст; знание; учёность; ~로 쓴 письменный; ~을 배우다 учиться письму (грамоте; науке); ~이깊다 обладать глубокими знаниями; ~로도 말로도 이루 다 표현 할 수 없다 ни в сказке сказать, ни пером описать; ~잘 쓰는 사람은 붓을 탓하지 않는다 хороший писарь не жалуется на кисть; ~동무 соученик; товарищ по школе; ~ 말 письменный язык; ~재주 способность к сочинению; способность к учению.

글공부 ~하다 заниматься; учить урок; зубрить.

글라이더 планёр; ~의 планёрный; ~를 타고 비행하다 летать на планёре; планировать; ~경기 планёр-

글러브 перчатки; ~의перчаточный; ~를 끼다(벗다) надевать(снимать) перчатки; 권투~ боксёрские перчатки; 야구~ бейсбольные перчатки.

글리세린(glycerine), 감유(甘油) глицерин; ~의 глицериновый; 화상을 입은 피부에 ~을 바르다 смазывать обожённую кожу глицерином; ~연고 глицериновая мазь; 알칼리화 ~ щелочной глицерин; 정제 ~ чистый глицерин; 천연~ сырой глицерин.

글리코겐(glycogen) 당원질(糖原質) гликоген; ~을 합성하고 분해하는 재생과정은 신경체계와 호르몬에 의해 이루어진다. регуляция синтеза и рас-пада гликогена осуществляется нервной системой и гормонами.

글썽거리다 навёртываться; набегать; 그의 눈에는 눈물이 글썽거렸다 на его глаза навернулись слёзы.

글썽하다 *прил.* навернуться(о слезах)

글쎄 1) да, пожалуй(некатегорическое утверждение); 2) впрочем.

글씨 почерк; письмо;чистописание; ~가 곱다 красивый почерк; 알아 보기 쉬운 ~ разборчивый почерк; 촘촘한 ~ убористый почерк; ~교본 прописи; ~체 почерк.

글자 буква; письменный знак; литера; ~의 буквенный; ~그대로 буквально; точно; в буквальном смысле; ~체 стиль написания; почерк; ~판 циферблат.

글짓기 сочинение; изложение; ~하다 сочинять; писать сочинение.

글피, 삼명일(三明日) через(спустя) два дня; ~에 на третий день; 그 ~ через (спустя) три дня; на чет-вёртый день.

긁개식(-式) ~콘베아 тех. скребковый конвейер.

긁다 чесать; скрести; царапать; сгребать; задевать;затрагивать чьи-л. чувства; чернить; порочить; отбирать; отнимать; 뒷통수를 긁적이다 по-чесать затылок; 등을 긁다 чесать спину; 쇠스랑으로 낙엽을 긁어내다 сгребать сухие листья граблями; 비위를 긁다 обижать; портить настроение; 지주가 소작인에게서 마지막 한줌의 쌀까지 긁어 갔다; помещик отобрал у арендаторов рис до последнего.

긁어 부스럼을만들다 доставить себе беспокойство собственной глупостью;

긁개 серебок; скребло;

긁적이다 почёсывать.

긁어모으다 соскребать.

긁적거리다 почесать.

긁히다 быть поцарапанным(содранным; расчёсанным); получить царапину;

긁힌 상처 царапина.

금, 값, 가격(價格), I 1) (последняя) цена; 금도 모르고 싸다 한다 *см.* 값(도 모르고 싸다 한다); 금(을) 뵈다 просить назвать свою цену(о продавце); 금(을) 맞추다); 금(을) 치다 определять(назначать) цену; предугадывать; 금(이)나다 быть оценённым; 금[이] 닿다 приемлемый(о це-не); 2) см. 인끔.

금,줄,선(線), 틈 II линия; трещина; трещинка; ~의 трещинный;~가다 трещать; дать трещину; ~을 긋다 определять границы чего-л.; отмежёвывать; 사소한 일로 친구사이에 금이 갔다 из-за пустяка между друзьями испортились отношения.

금(金), 황금(黃金) III 1) золото; 금이야 옥이야 как величайшая драгоценность; 2) книжн. деньги; 3) металл(одна из пяти стихий в вост. космогонии); ~파오다 этн. 15-го числа первого лунного месяца взять горсть земли в торговых рядах на проспекте Чонно в Сеуле и положить её на кухне(для того, чтобы стать богатым). ~의 золотой; ~이 섞인 золотоносный; ~이야 옥(玉)이야 애지중지하다 лелеять как зеницу ока; 반짝인다고 모두 다 ~은 아니다 не всё то золото, что блестит; ~가락지(반지) золотое кольцо; ~가루 золотой порошок; ~관 золотая корона; ~광 золотой рудник; золотые прииски; ~괴 слиток золота; ~도끼 золотой топор; ~메달 золотая медаль; ~박 золотая фольга; ~본위제 золотой стандарт; ~붕어 золотая рыбка; ~비녀 золотая головная шпилька; ~시계 золотые часы; ~시계줄 золотая(позолоченная) цепочка для часов; ~실 золотая нить; ~언 золотые слова; изречение; афоризм; крылатые слова; ~제품 изделия из золота; ~테 золотой(позолоченный) ободок; ~테 안경 очки в золотой (позолоченной)оправе; ~혼식 золотая свадьба; ~화 золотая монета; ~환본위제 золотовалютный стандарт.

금강산(金剛山 봄), 봉래산(蓬萊山 여름), 풍악산(楓嶽山 가을), 개골산(皆骨山 겨울) алмазные горы

금고(今古) I теперь и прежде; современность и древность(прошлое)

금고(金庫) II сейф; несгораемый шкаф; ~의 сейфовый; 은행~ банковский сейф; 철제~ стальной сейф.

금기(金器) I арх. 1) золотая утварь; 2) металлическая утварь.

금기(禁忌) II противопоказание; запрет; ~시되는 противопоказанный; 류머티스 환자에게 ~시되는 약 противо-показанные для ревматика средства(лекарства)

금년(今年) (올해) этот(текущий; нынешний; настоящий) год; ~에 в этом(текущем; нынешнем; настоящем) году; ~도 계획 план на этот (текущий; нынешний; настоящий) год.

금리(金利) процент; ~의 процентный; 고~로 돈을 대출해주다 ссужать деньги под большие проценты; 고~ большой(ростовщический) процент; 단기대출 ~ процент по краткосрочным займам; 법정~ законный процент; 여신~ ссудный процент; 연~ годовой процент.

금메달(金-) 1) золотая медаль; 2) золотая звезда(героя).

금방(今方) как раз сейчас; сразу; только что; ~버스가 떠났다 автобус уехал только что.

금번(今番) этот раз; теперь.

금붕어 золотая рыбка.

금빛 цвет золота; золотой цвет; ~넘실대는 물결 волны, отливающие золотом; ~노을 заря, отливающая золотом.

금상첨화(錦上添花) хорошее к хорошему

금세(今世) уст. мир сегодня; нынешний мир(век).

금세기(今世紀) этот(текущий; нынешний; настоящий) век; ~에 на

этом(текущем; нынешнем; настоящем) веку.

금속(金屬) металл; ~의 металлический; ~이 함유된 металлоносный; ~가공업 металлообрабатывающая промышленность; ~건자재 металлические строительные материалы; ~결정 кристалл металлов; ~공업 металлургическая промышленность; ~공학 металлургия; ~관 металлическая труба; ~물리학 металлофизика; ~산화물 окись металла; ~성 свойства металлов; ~전자관 металлическая радиолампа; ~절삭공구 металлорежущий инструмент (прибор); ~판 металлическая пластинка(плита); ~판화 гравюра на металле; ~피복 металлическое покрытие; ~학 металловедение; металлография; ~화학 металлохимия.

금시(今時) (именно)теперь(сейчас); ~발복 быстрые результаты; быстрый эффект; ~초견이다 впервые увидеть; ~초문이다 впервые услышать.

금액(金額) сумма; ~의 суммовой; 상당한 ~ крупные суммы; 전체 ~ общая сумма; ~으로 표시하여 в суммовом выражении.

금연(禁煙) запрещение курения; ~하다 бросить курить; 우리 업소에서는 ~입니다 у нас курить нельзя.

금요일(金曜日) пятница.

금욕(禁慾) воздержание; ~적인 аскетический; ~하다 воздерживаться; вести аскетическую жизнь; обуздывать страсти; 성생활에 대한 ~ половое воздержание;~주의 аскетизм; ~ 주의자(생활자) аскет.

금융(金融) денежное обращение; финансы; денежный оборот; ~의 финансовый; ~감독관 финансовый инспектор; фининспектор; ~공황 финансовый кризис; ~계 финансовые круги; ~기관 финансовый учреждения(органы); ~시장 финансовый(денежный) рынок; ~자본 финансовый капитал; ~전문가 финансист; ~ 정책 финансовая политика.

금은(金銀) золото и серебро; ~방 ювелирный магазин; ~보화 драгоценности; сокровище; драгоценные ископаемые; ~세공술 ювелирное искусство; ~화 золотые и серебряные монеты.

금전(金錢) деньги; ~의 денежный; ~욕 жадность к деньгам; ~출납부 кассовая книга.

금주(禁酒) запрещение пить спиртные напитки; ~하다 запрещать спиртные напитки; воздерживаться от употребления спиртных напитков; ~법 закон, запрещающий спиртные напитки.

금지(禁止) запрещение; запрет; воспрещение; ~하는 запретный; запрещающий; ~된 запрещённый; ~하다 запрещать; воспрещать; налагать запрет; ~되다 запрещаться; воспрещаться; ~조치를 해제하다 снять запрет; ~구역 запретная зона; ~령 запретный закон; ~조치 запретительные меры; 관계자외 출입 ~ посторонния вход воспрещён; 출입 ~вход воспрещён.

금지령(禁止令) закон(приказ), запрещающий делать(что-л.)

금품(金品) деньги и вещи(товары); взятка; ~을 건네다 дать взятку; ~을 수수하다 брать взятку.

금하다 запрещать; воспрещать; налагать запрет; сдерживать(чувст-во) 놀라움을 금할 수 없다 не могу сдержать своего удивления.

급(級) I класс; разряд; ранг; степень; уровень; ~의 классовый; ранговый; 고~ 기능공 рабочий высшего разряда; 제 1~ 비밀 совершенно секретная информация; 제 1~ 훈장 орден первой степени; 최고~ 회담 переговоры на высшем уровне; 최하~ низший разряд; 순양함~ крейсер первого ранга.

급(急) II 1) срочность; 2) срочное дело; 3) опасное(критическое) положение.

급-(急-) резкий; быстрый; скорый; острый; крутой; экстренный; ~경사 крутой склон; ~류 быстрое течение; стремительный поток; ~보 экстренное сообщение.

급강하(急降下) 1) ав. пикирование; 2) быстрое падение(температуры); ~하다 пикировать; быстро падать(о температуре);пикирование; ~의 пикирующий; ~하다 пикировать; ~폭격 пикирующая бомбардировка.

급격하다 стремительный; резкий; крутой; 급격히 стремительно;резко; круто; 정세의 급격한 변화 резкое изменение обстановки; 상황이 급격히 반전되었다 обстоятельства круто изменились.

급급하다 быть всецело поглощённым чем-л.; пороть горячку; ужасно спешить; суматошиться; 작년에는 그는 돈 벌이에 급급했다 в прошлом году он был всецело поглощён заработками.

급기야 наконец; в конце концов; ~ 그들은 이혼하고 말았다 в конце концов они развелись

급락(急落) резкий спуск; резкое снижение; ~한 резко спущенный (сниженный); ~하다 резко спускаться(снижаться); 주가가 ~했다 акции резко упали в цене.

급류(急流) 1) быстрое течение; ~하다 быстро(стремительно) течь; 2) крутой поворот, ~용퇴 своевременно уйти с поста, сделав карьеру; 3) см. 급류수.

급매(急賣) срочная продажа; ~의 срочно продажный; ~하다 срочно продавать; 현금가로 ~하다 срочно продавать за наличный расчёт; ~가 цена, по которой производится срочная продажа.

급박하다 срочный; чрезвычайный; не терпящий отлагательства; 급박한 정세 чрезвычайная ситуация.

급변(急變) внезапная перемена; неожиданный поворот; неожиданное происшествие(событие); ~하다 внезапно(круто; неожиданно) изменяться.

급선무(急先務) неотложное дело; первоочередная задача; 무엇보다도 이 일이 ~이다 прежде всего это наша первоочередная задача.

급성(急性) сущ. острый; ~염증 острое воспаление; ~위장염 острый гастроэнтерит;~위염 острый гастрит.

급소(急所) жизненно важный орган; уязвимое место; ~를 찌르다 задеть за живое; задеть за больное место.

급속하다 быстрый; скорый.

급속히 быстро; спешно.

급속도로 быстрыми темпами; с большой скоростью;

급속도 большая скорость; быстрые

темпы.

급수(給水, 물공급) водоснабжение; ~하다 снабжать водами; ~관 водопроводная труба; ~관리 체계 диспетчерская система водоснабжения; ~탑 водонапорная башня; водокачка; ~펌프 водоснабжающая помпа.

급식(給食) снабжение пищей; питание; ~하다 снабжать пищей; доставлять пищу; питать.

급유(給油) заправка бензином; ~하다 заправлять бензином; ~기 лубрикатор; ~선 судозаправщик.

급하다 быстрый; стремительный; спешный; торопливый; неотложный; срочный; невыдержанный; несдержанный; порывистый; серьёзный; опасный; критический; 급히 быстро; срочно; наспех; наскоро; второпях; 급한 걸음 торопливые шаги; 성미가 급한 사람 несдержанный человек; 급한 불을 끄다 прежде всего выполнить неотложное дело; 급히 돈이 필요하다 срочно нуждаться в деньгах; 급한 볼일이 있다 у меня срочное дело; 환자의 병세가 급하다 остояние больного опасно; 급하다고 바늘 허리에 매어 쓸까? как ни торопись, а нитку в ушко продеть придётся; 급하면 업은 아이도 찾는 법 в спешке ищет своего ребёнка, а тот у него за спиной сидит; 급할수록 돌아가라 если спешишь, то иди окольным путём

급행(急行) ~료 взятка; ~열차 скорый поезд; экспресс; ~ 열차권 билет на скорый поезд.

급히(빨리) срочно; быстро.

긋다 I (그으니, 그어) 1) переставать (о дожде); 2) пережидать(дождь).

긋다(그으니, 그어) II проводить линию(параллель); чиркать(спичкой); 직선을 ~ проводить прямую линию; 성냥불을 ~ чиркать спичкой; зажигать спичку.

긍정(肯定) утверждение; ~적 положительный; утвердительный; ~적으로 положительно; утвердительно; ~하다 утверждать; подтверждать; ~적 주인공 положительный герой; 낡은 것에 대한 부정과 새것에 대한~ отрицание старого и утверждение нового; ~적 판단 положительное суждение.

긍지(矜持), 자랑 гордость; ~를 갖다 гордиться чем-л.; 민족적 ~ национальная гордость; 조국에 대한 ~ гордость за Родину.

기(氣) I энергия; сила; бодрость; дух; ~가 살다 приободриться; обрести хорошее настроение; ~가 죽다 пасть духом; ~가 질리다 робеть; побаиваться; душа в пятки уходит; ~가 차다 захлёбываться; захватывать дух; ~를 쓰다 надсаживаться; надрываться.

기(旗), 깃발 II знамя; флаг; флажок; ~를 달다 вывешивать флаг.

-기(期) I период; 백악~ меловой период; 빙하~ ледниковый период

-기(-機) II машина; самолёт; 발동~ двигатель; 전투~ боевой самолёт.

-기(-器) III прибор; аппарат; орган; 가열~ нагревательный прибор; 주사~ инъектор; 소화~ орган пищеварения.

-기(記) IV записки; очерк; 여행~ путевые заметки; 연대~ летопись.

-기(氣) V суф. кор. чувство; ощущение; 기름~ маслянистость

기간(期間) период; срок; сессия; ~

만료 후에 по истечении срока; 일정 ~동안 в течение определённого срока; 시험~ экзаменационная сессия; 회계 ~ отчётный период.

기계(機械), 기구 I машина(механизм); ~의 машинный; ~적인 машинальный; ~화하다 механизировать; ~공학 машиноведение; ~농사 машинное земледелие; ~론 механистический материализм; ~론자 механист; ~설비 машинное оборудование; ~실 машинное отделение; ~체조 спортивная гимнастика; ~화 механизация; ~화부대 см. 기갑.

기계(器械) II прибор; инструмент; аппаратура; спорт. снаряд; ~체조 упражнения на снарядах; спортивная гимнастика; 의료~ медицинская аппаратура.

기계식(機械式) сущ. механический; механического типа; машинный; ~부선기 горн. механическая флотационная машина; ~분급기 горн. механический классификатор; ~충진 горн. машинная закладка; ~측심기 механический эхолот.

기관(機關) I 1) двигатель; мотор; аппарат; 2) орган; учреждение; ~사 машинист; ~실 машинный зал; машинное отделение; ~장 главный механик; 과학연구 ~ научноисследовательское учреждение; 권력~ органы власти; 내연~ двигатель внутреннего сгорания; 보건~ органы здравоохранения; 상업~ торговый аппарат; 지도~ руководящие органы.

기관(器官) II органы; 감각~ органы чувств; 소화~ органы пищеваре- ния; 호흡~ органы дыхания.

기관지(氣管支) бронхи; ~의 бронх- иальный; ~염 бронхит; ~임파선염 бронхоаденит. ~절개술 бронхотомия; ~촬영술 бронхография; ~천식 бронхи-альная астма; ~협착 бронхостеноз; ~확장증 бронхоэктазия; 모세~ бронхиола.

기관차(機關車) локомотив; ~의 локомотивный; 견인~локомобиль; 내연~ тепловоз; 전기~ электровоз; 증기 ~ паровоз.

기구(器具) I орудие; инструмент; прибор; инвентарь; ~의 орудный; инструментальный; приборный; инвентарный; ~주의 инструментализм; ~제작공 инструментальщик; 농~ сельскохозяй-ственное орудие; 실험~ эксперимен-тальный прибор; 운동~ спортивный инвентарь; 제도~ чертёжный прибор; 휴대~ ручной набор инструментов

기구(機構) II 1) механизм; 2) устройство; структура; строй; 3) орган; аппарат; ~개편 реорганизация аппарата, ~조직표 штатное расписание; 국가~ государственный строй(аппарата); 국제~ международный орган.

기구(氣球) III воздушный шар; аэростат; ~의 аэростатный; ~를 띄우다 запускать аэростат; ~에 가스를 채우다 наполнять(газом) аэро-стат; ~학 аэростатика; 무인~ бес-пилотный аэростат; 풍선~ воздушный шар

기금(基金) фонд; ~의 фондовый; 사회보장~ фонд социального обеспечения; 산업진흥~ фонд индустриализации; 생산확충~ фонд расширения производства; 실업구제 ~ фонд безработицы.

기급(氣急) сильный испуг; ~절사 упасть в обморок от испуга; ~스럽다 очень испуганный; ~하다 1) испуганный; напуганный; 2) испугаться; ~할 разг. потрясающий.

기껏 что есть силы; в меру свои-х сил; ~해야 от силы; самое большее; ~해야 그녀는 열여섯 살 밖에 안된다. ей от силы шестнадцать лет.

기내(畿內) арх. 1)столичный округ; ~[에] 2) в пров. Кёнгидо.

기념(記念) юбилей; ознаменование; празднование; память; ~의 юбилейный; ознаменованный; памятный; мемориальный; ~할 만한 достопамятный; знаменательный; ~하다 ознаменовывать что-л. чем-л.; праздновать; отмечать; ~으로 в память о ком-чём-л.; в ознаменование чего-л.; ~의 표시로 в знак памяти; ~관 мемориальное здание; музей; ~논문집 юбилейный сборник статей; ~비 памятник; монумент; мемориальная доска; ~식 торжественная церемония; чествование; ~식수 памятная посадка саженцев; ~일 юбилейный день; годовщина; памятный день; ~품 сувенир; памятный подарок; ~호 юбилейный номер; ~회 торжественное(юбилейное) собрание; ~관 мемориал.

기능(機能) I функция; ~적 функциональный; ~을 수행하다 функционировать; 국가~ функция государства; 생리적~ физиологическая функция; ~문체 функциональный стиль; ~의미론 функциональная семантика; ~장애 функциональное расстройство; дисфункция; ~저하 депрессия.

기능(技能) II умение; мастерство; ~적 квалифицированный; ~자격을 부여하다 квалифицировать кого-л.; ~공 мастер; квалифицированный рабочий; ~급수 квалификационные разряды.

기다 ползти; ползать; раболепствовать (пресмыкаться; низкопоклонничать перед кем-л.); 기어서 ползком; 설설~ ползать в ногах у кого-л.; 뱀이 굴에서 기어 나왔다 из норы выползла змея; 아기가 마루를 기어 다닌다 ребёнок ползает по полу.

기다랗다(기다라니,기다라오) довольно длинный(долгий); 기다란 연설 затянувшаяся речь.

기다리고 있던 참이다 как раз ждал.
기다리다 ждать кого-чего-л.; ожидать; подождать; 기다리고 기다리던 날 долгожданный день; 기다리게 하다 заставлять кого-л. ждать; 부질없이~ ждать у моря погоды; 애타게 ждать не дождаться; ждать с нетерпением; 잠깐만 ~ 주세요 подождите минутку.

기대(企待) ожидания; надежды; ~하다 ожидать; надеяться; уповать на что-л.; рассчитывать на кого- что-л.; ~하여 в надежде на что-л.; ~를 걸다 возлагать на кого-л. надежды; рассчитывать на кого-л.; ~에 보답하다 отвечать ожиданиям; оправдать надежды; ~에 어긋나다 не оправдать надежды; разочаровывать; 그에 대하 ~가 크다 на него возлагают большие надежды; от него ждут многого; 남의 도움을 ~하지 말아라 не рассчитывай на чужую помощь; ~치 расчёт.

기대다 опираться на что-л.; прислоняться к чему-л.; 기대어 앉다 сесть, прислонившись к чему-л.; 지팡이에 ~ опираться на трость; 책상에 ~ прислоняться к столу.

기도(企圖) I попытка; замысле; намерение; ~된 задуманный; намеренный; ~하다 пытаться; делать попытку; намерен; намереваться; замышлять.

기도(祈禱) II молитва; молебен; ~의 молитвенный; ~하듯이 молитвенно; 하다 молиться; ~를 드리다 читать (творить) молитву; ~하러가다 идти на молитву; 고인의 명복을 ~하다 молиться за упокой души умершего; ~문 молитва; ~서 молитвенник; ~실 молельня; молитвенный дом.

기동(起動) I 1) см. 기거[동작]; 2) пуск; запуск; введение в действие; ~권선 эл. пусковая обмотка; ~보상기 эл. пусковой компенсатор; ~시간 эл. пусковой час; ~장치 эл. пускатель; ~저항기 эл. пусковой реостат; ~전류 эл. пусковой ток; ~하다 вставать с постели(о больном); запускать(вводить в действие).

기동(機動) II маневрирование; ~적 манёвренный; подвижный; ~하다 манев-рировать; ~력 способность маневрировать; ~부대 манёвренные войска(части); ~성 манёвренность; ~작전 манёвр; манёвренная операция.

기둥 1) столб; стойка; колонна; 2) перен. опора; столп; стержень; ~의 столбовой; колонный; опорный; ~을 세우다 ставить столб; 나라의 ~ опора страны; ~감 материал, годный на столб(стойку; опору); ~뿌리 основание столба; ~그물 стр. сетка колонн; ~도표 мат. опорная таблица;

~머리 стр. копитель; ~을 치면 보장이 울린다 посл.букв.≒ ударишь по стойке, а трещит балка; лес рубят, щепки летят; ноги промочишь, а голова болит

기득권(旣得權) приобретённое(законное) право; ~을 포기하다 отбрасывать приобретённое(законное) право.

기록(記錄) запись протоколирование; протокол; рекорд; ~의 записной; протокольный; рекордный; ~하다 записывать; протоколировать; регистрировать; ~을 더듬다 перелистывать протокол; ~을 갱신하다 побить рекорд; ~을 깨뜨리다 побить рекорд; ~을 세우다 создать (установить; поставить) рекорд; ~계기 регистрирующий прибор; рекордер; самописец; ~광 рекордомания; ~부 книга протоколов; ~수립 установление рекорда; ~영화 документальный фильм; 세계 ~ мировой рекорд; ~원 писарь; секретарь.

기류(氣流) I воздушное течение; течение воздуха; воздушная струя; ~를 따라 위로 вверх(вниз) по течению воздуха.

기류(旗類) II знамёна; флажки; ~신호 мор. сигнализация флажками.

기르다 (기르니, 길러) выращивать; выхаживать; откармливать; воспитывать; прививать; отращивать; запустить; 아이들을 ~ выращивать детей; 우수한 전문가를 ~ воспитывать способных специалистов; 음악에 대한 취미를 ~ прививать вкус к музыке.

기름 масло; жир; сало; ~의 масляный; жировой; сальный; ~지다 маслянистый; жирный; ~을 먹이다

промасливать; ~을 바르다 намазывать; ~을 짜다 выжимать масло; ~칠하다 смазывать маслом; ~걸레 промасленная тряпка; ~기 маслянистость; жирность; ~덩어리 кусок сала; ~때 сальные(масляные) пя-тна; ~칠 смазка; 옥수수~ кукуруз-ное масло; 콩~ бобовое масло.

기리다 восхвалять; воспевать; возносить; 영웅을~ воспевать героев.

기만(欺瞞) обман; ~적 обманный; лживый; фальшивый; ~하다 обманывать; ~당하다 быть обманутым; ~성 лживость; фальшь; обманчивость; ~술 махинация; ~책 хитрые уловки; тактика обмана.

기묘하다 затейливый; причудливый; ~기묘하게 затейливо; причудливо; 기묘한 생김새의 바위 причудливая скала.

기물(棄物) I посуда; утварь; ~의 посудный; 부엌~ кухонная утварь; 살림 ~ домашняя утварь.

기미,점 I родинка; тёмное пятно;~가 끼다 тёмные пятна появляются.

기미(氣味) II 1) стремления и вкусы; ~상적(상합) общность стремлений и вкусов; ~가 통하다 находить общий язык; 2) *кор. мед.* критерии определения состава и эффективности лекарства; 감기 ~가 있다 чувствую что простудился.

기미(幾微) III признак; симптом; примета; ~가 보이다 появляются симптомы; ~를 알아차리다 догадываться (замечать) признак чего-л..

기밀(機密) тайна; секрет; ~의 тайный; ~로 하다 делать что-л. в тайне; ~을 누설하다 разглашать тайну; ~문서 секретный документ; ~비 расходы на секретную службу; 군사 ~ военная тайна.

기반(基盤) основа; фундамент; база; ~을 두다 основываться(базироваться) на чём-л.; класть в основу что-л.; 국가의 경제적 ~ экономическая база государства.

기발하다 необыкновенный; оригинальный; находчивый.

기발하게 необыкновенно; оригинально; находчиво; 기발한 생각 оригинальная идея(мысль).

기복(起伏) I неровность; рельеф; ~이 있는 неровный; волнистый; ~이 심한 지대 неровная холмистая местность;~지대 пересечённая местность.

기복(起復) II уст. ~[출사(행공)] вступление на должность в период траура(напр. по родителям); ~하다 вступать на должность в период траура.

기본(基本) основа; фундамент; база; ~적 основной; фундаментальный; базовый; капитальный; кардинальный; ~적으로 основательно; фундаментально; ~으로 삼다 основать что-л. на чём-л.; ставить что-л. во главе угла; ~급 основная зарплата; ~모순 основные проти- воречия; ~법 основное право; ~형 основная форма; ~화음 основной аккорд; ~비 эк. основные расходы; ~실 текст. элементарная нить.

기본적, 중요한 главный.

기분(氣分) I настроение; расположение духа; самочувствие; ~을 망치다 испортить настроение; ~을 전환하다 развеяться(о настроении); ~이 나쁘다 быть не в духе; быть в плохом настроении; у кого-л. настроение плохое; ~이 매우 좋다 чувствовать себя превосходно; ~이 좋다 быть в духе; быть в хорошем настроении; у кого-л. настроение хорошее; ~에 치우쳐 행동하다 вести себя по настроению; ~파 человек настроения; прихотливый человек; ~이 어떻습니까? Как вы себя чувствуете?

기분(幾分) II *уст. см.* 얼마, 얼마쯤

기분주의(氣分主義) расхлябанность; привычка работать по настроению; ~적 зависящий от настроения.

기쁘하다 радоваться(обрадоваться) кому-чему-л.; ~그녀는 나를 보고 기뻐했다 она обрадовалась мне.

기쁘다 рад; радостный; 기쁨 радость; 기쁘게 радостно; 기쁘게 하다 радовать; обрадовать; порадовать; 아들은 좋은 성적을 받아와 어머니를 기쁘게 해 주었다 сын порадовал мать своими отличными отметками.

기사(記事) I статья; корреспонденция; заметка; ~를 보내다 корреспон-дировать во что-л; 신문~ газетная статья.

기사(技士) II инженер.; ~의 инженерский; 광산~ горный инженер; 건축~ инженер-строитель; 전기~ инженер-электротехник.

기사(騎士) III всадник; рыцарь; ~의 рыцарский; ~도에 따라 по-рыцарски; ~로 행동하다 рыцарствовать; ~단 рыцарство; ~도 рыцарские нравы; ~문학 куртуазная литература.

기상(起床) I подъём(после сна); ~하다 вставать с постели; подниматься; 나팔 подъём горном; ~체조 утренняя зарядка.

기상(氣象) II метеор; погода; метеорологические явления; ~의 метеороло-гический; ~관측 метеорологические наблюдения; ~관측소 метеорологическая станция; ~관측시스템 метеосистема; ~대 метеорологическая обсерватория; ~로켓 метеорологическая ракета; ~예보 прогноз погоды; ~위성 метеоспутник; ~통보 метеорологическая сводка; сводка погоды; ~학 метеорология; ~학자 метеоролог.

기색(氣色) I выражение лица; вид; 우울한~ угрюмый вид; ~이 좋지 않다 плохо выглядеть/ у кого-л. плохой вид; ~을 보이지 않다 не подавать(не показывать) вида.

기색(起色) II ~이 보인다 1) вот-вот (кто-л.)встанет(со своего места); ~을 보이다 готовиться встать со своего места; 2) арх. конъюнктура(в торговле).

기생(寄生) паразитизм; тунеядство; ~의 паразитарный; тунеядный; ~적 паразитический; ~하다 паразитировать; тунеядствовать; ~균 паразитирующая бактерия; ~생활 паразитство; паразитический об- раз жизни; ~충 паразит; паразити-ческое насекомое; ~충학 паразито-логия; ~충 학자 паразитолог.

기선(汽船) I пароход; ~의 пароходный; ~으로 여행하다 путешествовать на пароходе; ~을 타다 садиться на пароход.

기선(機先) II первый ход; ~을 제압하다 нанеси удар первым.

기세(氣勢) дух; сила духа; ~가 등등하다 торжествующий; исполненный гордости собственной мощью; ~가 오르다 у кого-л. поднимается; ~가 충천하다 быть полным энтузиазма;

окрыляться; воодушевляться.

기소(起訴) I обвинение; предъявление иска;возбуждение судебного дела; ~의 обвинительный; ~하다 выдвигать обвинение; обвинять в чём-л.; предъявлять иск; ~를 취하하다 отклонять обвинение; 살인죄로 ~하다 обвинять кого-л. в убийстве; 이 사건은 ~되지 않았다 судебное разбирательство этого дела задерживается за недостатком улик; ~유예 откладывание обвинения; ~장 обвинительное заключение; обвинительный акт.

기소(欺笑) II уст. ~하다 обводить вокруг пальца; одурачивать; издеваться; насмехаться.

기숙(寄宿) ~학교 школа-интернат; ~하다 жить в общежитии(на частной квартире).

기숙사(寄宿舍) общежитие; ~의 общежитский; ~사감 комендант общежития.

기술(技術) I техника; технология; мастерство; ~적 технический; технологический; ~적으로 технически; 선전~ передовая техника; ~교육 техническое обучение; ~자 техник; технолог; инженерно-технический работник; ~진 технические кадры; ~혁신 техническое но-ваторство.

기술(記述) II описание; изложение; запись;~하다 описывать; излагать; записывать; 역사적 사실의~ описание исторических фактов; ~언어학 дескриптивная лингвистика.

기습(奇襲) I внезапное нападение; налёт; рейд; ~의 налётный; ~하다 внезапно нападать; совершать рейд; ~작전 рейдовая операция.

기습(奇習) II 1) причуда; 2) странный обычай.

기승(氣勝) I ~을 부리다 быть несговорчивым (настойчивым); ~을 피우다 быть упрямым(настойчивым); ~스럽다 прил. казаться упрямым (несговорчивым, настойчивым); ~하다 несговорчивый; упрямый; настойчивый.

기승(氣勝) II неистовство; буйство; бешенство; неукротимость; ~스럽다 неистовый; буйный; неукро- тимый; яростный; ~스레 неистово; буйно; неукротимо; бурно; яростно; ~을 부리다 неистовствовать; буйствовать; бушевать; свирепствовать.

기압(氣壓) I атмосферное давление; ~단위의 атмосферный; атм. ~계 барометр; ~조정기 баростат.

기압(汽壓) II давление пара.

기어이(期於-) во что бы то ни стало; чего бы это ни стоило; обязательно; непременно; в конце концов, наконец.

기억(記憶) память; воспоминание; ~하다 помнить; вспоминать; 희미한~ куриная(короткая) память; ~에 따라 по памяти; ~에 남다 оста-ваться в памяти; ~에 생생하다 свежо в памяти; ~해 두다 сохранить в памяти; запомнить; 그는 ~력이 나쁘다 у него слабая(плохая) память; 만일 내 ~이 틀리지 않았다면 7년 전에 나는 그와 한 기숙사에서 살았다 если память мне не изменяет, мы с ним жили вместе в общежитии семь лет тому назад; ~력 память; способность запоминать; ~장치 блок памяти; память; запоминающее устройство.

기업(企業) I предприятие; ~가 предприниматель(-ница); ~경영 управление предприятием; ~활동 предпринимательская деятельность;국영 ~ государственное предприятие; 대~ крупное предприятие; 중소~ мелкие и средние предприятия

기업(基業) II 1) фамильное(унаследованное) дело; 2) основная работа

기여(寄與) вклад; ~하다 делать (вносить) вклад во что-л.; 그는 국제 평화와 안전을 공고히 하는 데에 비준 있는 ~를 했다 он внёс весомый вклад в укрепление международного мира и безопасности.

기역 киёк(старое назв.кор.букв. ㄱ)

기온(氣溫) температура воздуха; ~관측 наблюдение за температурой; 연교차~ годовая амплитуда температуры воздуха; 일교차~ суточная амплитуда температуры воздуха.

기와(起臥) черепица; ~의 черепичный; ~ 로 만든 черепичный; ~를 굽다 обжигать черепицу; 지붕에 ~를 이다 крыть крышу черепицей; ~장이 кровельщик; ~지분 черепичная крыша.

기용하다 выдвигать кого-л. на должность чего-л.; восстанавливать на службе; 대통령은 그를 법무부 장과에 기용했다 президент выдвинул его на должность министра юстиции.

기운(氣運) сила; энергия; бодрость; дух; чувство; ощущение; тенден-ция; настроение; атмосфера; ~차다 энергичный; ~차게 энергично; ~없이 вяло; устало; ~을 쓰다 напрягать силы; 찬~이 풍기다 веять холодом; 나는 감기 ~이 있다 каже-тся я простудился.

기울다 (기우니, 기우오) покоситься; наклониться; склониться; накрениться; ухудшаться; увлекаться чем-л.; вкладывать душу во что-л.; заходить; косой; наклонившийся; накренившийся; 기울게 косо; 옆으로 기울어진 저녁 해가 서쪽으로 기울었다 вечернее солнце склонилось к западу; 그녀는 최근에 음악에 마음이 기울기 시작했다 в по-следнее время она стала увлекаться музыкой.

기울어지다 1) покоситься; наклониться; накрениться; заходить(о солнце); 2)ухудшаться(о ходе дел)

기울이다 склонять; наклонять; со-средоточивать; 고개를~ наклонять голову; 귀를 ~ прислушиваться; склонить ухо к чему-л.; 힘을 ~ прилагать усилия к чему-л.; вкладывать душу во что-л..

기웃거리다 покачивать; вертеть; заглядывать; подглядывать; подсматривать; 고개를 ~ вертеть головой.

기웃기웃 ~들여다 보다 то и дело заглядывать; ~하다 см. 기웃거리다

기원(紀元),연대 I эра;~전 до нашей эры; ~전 700년 700-ый год до нашей эры; 인류 역사의 신 ~을 열다 открыть новую эру в истории человечества; 신(그리스도) ~ новая (наша) эра; н.э.

기원(起源) II происхождение; начало; генезис; источник; ~의 ге-нетический; ~하다 иметь что-л. своим источником; вести начало от чего-л.;восходить к чему-л..

기원(祈願) III мольба; моление; ~하다 молить; молиться; ~을 들어 주다 услышать чью-л. мольбу;внять мольбе; 그는 고인의 명복을 ~ 했다 он молился за упокой души

уме-ршего;
기이하다 странный;причудливый; удивительный; 기이함 странность; причуд-ливость; удивительность; 기이하게 странно; причудливо; удивительно; 기이한 옷차림 причу-дливый наряд.
기입하다 вписывать; записывать; 수첩에 전화번호를 ~ записывать в книжку номер телефона
기자(記者), 언론인 I журналист; корреспондент; ~의 корреспон-дент-ский; журналистский; ~단 группа корреспондентов; ~회견 пресскон-ференция; интервью; 여~ коррес-пон-дентка; журналистка; 전문~ специальный корреспондент; 종군 ~ военный корреспондент.
기자(奇字) II иероглифический стиль(один из шести).
기적(奇蹟) I чудо; ~적 чудесный; изумительный; ~적으로 чудесно; изумительно; чудом; ~을 행하는 чудотворный; ~을 행함 чудотво-рец; ~을 창조하다 творить чудеса; 그는 ~적으로 살아났다 он чудом спасся.
기적(汽笛) II гудок;~의 гудочный; ~을 울리다 давать гудок.
기절(棄絶) обморок; ~의 обмороч-ный;~하다 упасть(падать) в обморок; терять сознание; ~에서 깨어나다 очнуться от обморока.
기존(既存) имеющийся; существую-щий; ~공식 существующая формула; ~설비 имеющееся обору-дование.
기준(基準), 규칙(規則) I критерий; стандарт; норма; норматив; ~의 стандартный; нормативный; ~하다 считать что-л. критерием(нор-мой); принимать что-л. за норму(критерий); ~을 세우다 устанавливать критерий; нормировать; 임금 계산의 ~ норма заработной платы; 진리의 ~ крите-рий истины; ~가격 стандартная цена; ~량 норма; ~원가 норма себестои-мости; ~점 начало отсчёта; начало координат; ~화 нормализация; стан-дар-тизация.
기지(基地) фундамент, база; ~의 фундаментальный; базовый; ~에서 на базе; ~를 두다 базироваться чем-л.; ~망 сеть баз; 군사~ военная база; ~원료 сырьевая база; 전진~ передо-вая база; 항공~ авиационная база; авиабаза; 해군~ военноморская база.
기질(氣質) физическое состояние; здоровье; характер; темперамент; 다혈적~ сонгвинистический темпе-рамент; 담즙질적~ холерический темперамент; 우울~ меланхоличес-кий темперамент; 점액~ флегмати-ческий(белокровный) темперамент.
기차(汽車) поезд; ~를 타다 сесть на поезд; ~를 타고가다 ехать на поезде; ~에서 내리다 сойти с пое-зда; 기찻길 железная дорога; ~승무원 поездная(кондукторская) бригада; ~시간표 расписание поез-дов; ~표 железнодорожный билет.
기체(氣體) газ; газообразное тело; ~의 газовый; ~를 함유한 газиро-ванный; ~를 분리시킨다 газиро-вать; ~화시키다 газифицировать; превращать что-л. в газ; ~화하다 газифицироваться; превращаться в газ;~방전 газовый разряд;~분석기 газоанализатор; ~여과기 газовый фильтр; ~연료 газовое топливо; ~온도계 газовый термометр; ~정량 газометрия; ~채취기 газифер; ~화

газификация; газировка; газация; превращение в газ.

기초(基礎), 토대(土臺) основа; фундамент; ~의 основной; фундаментальный; ~적 основательный; фундаментальный; ~하다 основываться; базироваться; ~를 쌓다 закладывать фундамент чего-л.;. ~위에서 на основе чего-л.; опираясь на что-л.; на базе чего-л.; 건물의 콘크리드~ бетонный фундамент здания; 이론적~ теоретическая основа; ~공제 основное отчисление; ~과학 фундаментальные науки; ~대사 основной обмен; ~지식 основные знания.

기침 кашель; ~이 나다 кашляться; закашляться; 헛(마른) ~을 하다 кашлять сухим кашлем; ~하다 кашлять.

기타(其他) I другие; прочие; 사과, 배와~과일 яблоки, груши и другие фрукты.

기타 II гитара.

기탁(寄託) поручение; ~하다 поручать;~증서 поручительное письмо.

기특하다 похвальный;достойный похвалы; 기특히 похвально; лест-но; 기특히 여기다 считать похвальным; отзываться лестно.

기포(氣泡) пузырь; пена; ~가 생기다 пузыриться; пениться; ~성 пузырчатость; пенистость; ~제 хим. пенообразующий агент; пенообразователь; вспениватель.

기피하다 избегать; уклоняться от чего-л.; 책임을~ уклоняться от ответственности.

기피자 уклоняющийся.

기필코 непременно; неизбежно; ~이 어려운 상황을 극복하겠다 непременно преодолею это затруднение.

기하(幾何) геометрия; ~급수 геометрическая прогрессия; ~적 геометрический;~급수적으로 늘어나다 возрастать в геометрической прогрессии; ~학자 геометрик; 고등~ высшая геометрия; 해석~ аналитическая геометрия.

기하다(期-) 1) приурочивать; брать (что-л.)в качестве отправного момента; 이 날을 기해서 по случаю этой даты; 1) обещать; предвещать.

기한(期限), 기간 срок; ~이 끝나가다 срок истекает; ~을 앞당기다 делать что-л. досрочно; ~을 연장하다 продлить срок; ~을 정하다 назначать(устанавливать) срок; ~을 초관하다 превысить срок; ~내에 в срок; ~만료 전에 до истечения срока; дос-рочно; 3년 ~으로 сроком на три года.

기호(記號) I знак; символ;~의 знаковый; ~체계 знаковые системы; ~학 семиотика; семиология; ~학자 семиолог.

기호(嗜好) II вкус; склонность; ~에 맞다 соответствовать(отвечать) чьим-л. вкусам; ~에 맞지 않다 приходиться не по вкусу; ~품 табачноводочные из-делия и чай.

기혼(旣婚) I состоящий в браке; ~남성 женатый мужчина; ~여성 замужняя женщина; ~자 женатый; замужняя.

기혼(氣昏) II ~하다 смутный; помутившийся(о сознании); помутиться (о сознании).

기화 I газообразование; парообразование; испарение; карбюрация; ~하다 превращаться в газ; испаряться; ~시키다 превращать что-л. в газ; испарить; газифицировать; карбюрировать; ~기 испаритель; карбюратор.

기화(奇貨) II 1) драгоценность; редкость; 2) удобный(благоприятный) случай, предлог; ...을 ~로 [하여] ссылаясь на то что, под тем предлогом что; ~가거 уст. можно воспользоваться удобным случаем.

기회(機會) случай; подходящий момент; шанс; ~를 놓치다 упустить случай(шанс); ~를 이용하다 воспользоваться случаем; ~가생기면 если представится случай;~가 있을 때마다 при каждом удобном случае; ~를 보아서 при удобном случае.

기획(企劃) планирование; ~하다 планировать; ~초안을 잡다 набросать план; 비용~ планирование затрат; 영역별~ отраслевое планирование; ~부서 планирующие органы.

기후(氣候) климат; ~의 климатический; ~에 적응하다 акклиматизироваться; 대륙(성)~ континентальный климат; ~구 климатический район; ~요법 климатотерапия; ~학 климатология; ~학자 климатолог; ~조건 климатические условия

긴급(緊急) ~동의 предложение о рассмотрении внеочередного вопроса; ~회의 экстренное собрание.

긴급하다 срочный; безотлагательный; неотложный; экстренный.

긴급히 срочно; неотложно; экстренно

긴급명령 экстренные распоряжения

긴급모임 экстренное собрание

긴급조치 срочные(экстренные)меры.

긴급한 экстренный.

긴밀하다 близкий; тесный; ~히 близко; тесно; 긴밀한 관계 тесная связь; 긴밀한 의존관계에 있다 быть в тесной зависимости от чего-кого-л..

긴장(緊張) напряжение; накал; ~된 напряжённый; накалённый; натянутый; ~하다 напрягаться; 몹시 ~하여 с большим напряжением; ~된 정국 напряжённое политическое положение; ~도 напряжённость; накалённость; интенсивность.

길 I 1) дорога; путь; 2) способ; средство; доступ; ~의 дорожный; путевой; ~떠날 차비를 하다 собираться в дорогу; ~을 내다 прокладывать дорогу; ~을 뚫다 искать путь к решению чего-л.; ~을 막다 загораживать (преграждать) путь кому-л.; ~을 잃다 терять дорогу; ~을 잘못 들다 сбиваться с пути; ~을 재촉하다 торопиться; спешить; ~이 늦다 запаздывать (задерживаться) в дороге; 그것을 알 ~이 없다 узнать об этом нет никаких средств; 다른 ~은 없다 другого пути нет; больше ничего не остаётся делать; 배움의~ дорога к знаниям; 성공의~ путь к успеху; 전인미답의 ~ неизведанный путь; 평탄한~ ровная дорога; 가는~에 по дороге(пути); 돌아오는 ~에 на обратном пути; ~가 обочина(край) дороги; ~목 развилина(развилка; разветвление) дороги; главный проход; ~손 путник; странник; гость; ~잡이 проводник.

길 II ~이 들다 1) приобрести блеск; лосниться; 2) приручаться; укрощаться; 3) быть удобным; ~들이다 а) наводить блеск(лоск); б) приручать, укрощать(животных); привить привычку.

길길이 высоко; ввысь;~쌓이다 быть высоко наваленным(нагромождённым); ~자라다 расти ввысь; ~뛰다 бесноваться; неиствовствовать.

길다(기니, 기오) длинный; длинно-; длительный; продолжительный; долгий; 다리가~ длинноногий; 수염이~ длиннобородый.

길다랗다 довольно длинный.

길다랗게(다라니) довольно длинно.

길드(guild) гильдия; ~의 гильдейский; 사회주의 ~ гильдейский социализм.

길들이다 дрессировать; укрощать.

길이(거리) длина; продолжительность; промежуток; ~가 300킬로미터인 강 река длиной в триста километров; 낮과 밤의 ~ продолжительность дня и ночи.

길이 долго; долгое время; в течение долгого времени;

길이길이 долго-долго; в веках; навеки;

긴 밧줄 длинный канат.

긴 시간 долгое время.

길일 счастливый день.

길조 доброе предзнаменование

길하다 служащий добрым предзнаменованием; предвещающий счастье;

길흉(吉凶) счастье и несчастье; удача и неудача; судьба.

길흉화복 счастье и несчастье.

김,증기(蒸氣), 수증기(水蒸氣) I пар; испарение; ~의 паровой; ~을 올리다 вариться на пару; ~이 나가다 (빠지다) охладевать; терять вкус; выдыхаться; ~빠진 소리 жалкий лепет; 입 ~을 불다 дуть на что-л.; выпускать из рта пар; 맥주 ~이 빠졌다 пиво выдохлось.

김 II сорняк; ~을 매다 вырывать сорняки; делать прополку; ~매기 прополка.

김밥 голубцы в листьях порфиры, начинённые рисом, с приправами (едят сырыми).

김장독 глиняный чан для солений.

김장밭 поле(участок), на котором выращиваются овощи для приготовления солений.

김장철 сезон(время) засолки(приготовления солений).

김치 кимчхи; 떡 줄 사람은 아무 말도 없는데, 김칫국부터 마신다 хозяин ещё и не думает продавать корову, а он уже за рога.

김칫독 глиняный чан для хранения кимчхи.

김치국 1) рассол из-под чимчхи; ~먹고 수염 쓴다 посл. ≅ много шуму из ничего; ~부터 마신다[줄 사람은 아무 말도 없는데 김치국부터 마신다] суп, заправленный кимчхи.

깁다(기우니, 기워) штопать; зашивать; латать; чинить; дополнять; восполнять; 옷을~ латать одежду; 양말을~ заштопать носки.

깁스(Gips), 석고 гипс; ~의 гипсовый; ~를 하다 держать ногу в гипсе; ~붕대 гипсовая повязка.

깃 I перо; ~을 다듬다 птичье гнездо; ~을 다듬다 охорашиваться; ~털이 자라다 оперяться; ~털 оперение.

깃 II 1) перо, оперение(птицы); 깃[을] 다듬다 охорашиваться(о птицах); 2) оперение (напр. стрелы); 3) птичье гнездо.

깃 III 1) соломенная подстилка (для скота); солома(в гнездо); ~에 들다 сидеть в гнезде; высиживать птенцов; 고기깃; 깃[을] 주다 класть соломенную подстилку(скоту); кидать (в воду) ветви, траву(для привлечения рыбы).

깃들다 (깃드니, 깃드오) гнездиться; устраивать жилище; существовать; возникать; 건전한 정신은 건전한 신체에 깃 드린다 в здоровом теле здоровый дух.

깃들이다 водиться; жить(о животных, птицах); гнездиться.

깊다 1) глубокий; 2) глухой; 3) крепкий; 3) густой; 깊다랗다 довольно глубокий; 깊디깊다 глубокийглубокий; 깊이 глубина; 깊게 глубоко; 깊이 하다 углублять; делать глубоким; 깊이가 있는 사람 серьёзный человек; 깊이가 있는 연설 глубокомысленное выступление; 깊이 잠들다 спать крепким сном; крепко заснуть; 감명이 находиться под сильным впечатлением.

깊숙이 глубоко.

깊은 глубокий; 깊은 밤 глубокая ночь; 깊은 병 серьёзная болезнь; 깊은 비밀 глубокая тайна; 깊은 숲 глухой лес; 깊은 생각 глубокая мысль; 깊은 안개 густой туман; 깊은 인상 глубокое впечатление; 깊은 잠 крепкий(глубокий) сон.

깊이 1) глубина; 2) серьёзность; 3) лубоко; ~잠이 들다 крепко зас- нуть.

깊이깊이 очень глубоко.

까놓다 откровенничать; 까놓고 말해서 откровенно говоря.

까다 I 1) худеть; 2) сокращаться, убывать (о состоянии, имуществе).

까다 II очищать; чистить; лущить; колоть; выводить(цыплят);сидеть на яйцах; бить; сильно избивать; наносить увечья; 병아리를 ~ выводить цыплят; 사과 껍질을 ~ очищать яблоко; 적을 ~ наносить врагу увечья.

까다로운 щепетильный.

까다로이 1) непросто; сложно; 2) придирчиво, капризно.

까다롭다 трудный; сложный; придирчивый; привередливый; щекотливый; деликатный; 까다롭게 сложно; непросто; щекотливо; придирчиво; привередливо; 까다롭게 굴다 привередничать; 까다로운 질문 щекотливый вопрос; 까다로운 사람 привередливый человек.

까닭 причина; повод; ~없이 ни с тогони с сего; 이러한 ~에 по этой причине; по этому поводу.

까마득하다 очень далёкий; далёкийдалёкий; недостигаемый; 까마득한 목포 недостигаемая цель; 까마득한 옛날 седая старина.

까맣다(까마니,까마오) очень чёрный; очень далёкий; недосягаемый; совсем забытый; неграмотный.

까맣게 잊다 совсем забыть.

까먹다 очищать(лущить; колоть) и есть; 자기 재산을 야금야금 ~ постепенно растрачивать своё имущество.

까무러치다 терять сознание;падать в обморок; 갑자기 ~ вдруг упасть в обморок.

까발리다,드러내다, 폭로하다 обнаруживать; вскрывать; раскрывать; 음모를 ~ раскрывать заговор.

까불다 (까부니, 까부오) 1) качаться; колебаться(сверху вниз); 2) мигать(о свете); 3) быть несерьёзным; легкомысленным; 4) балаганить; балагурить; быть несерьёзным; 경망스럽게 ~ легкомыс-ленно балаганить.

까지 до; к; по; даже; 그때~ к тому времени; 아침부터 저녁~ с утра до вечера; 어린 아이 ~도 모두 다 все, и даже дети; 1917년부터 1991년 ~ с 1917 года по 1991 год.

까칠하다 шершавый; жестковатый; 까칠까칠하다 местами шершавый; местами жестковатый; 까칠한 머리털 жестковатые волосы; 까칠한 살갗 шершавая кожа.

까탈 придирка; препятствие; помеха; ~을 부리다 придираться; донимать; 사소한 일로도 ~을 부리다 придираться к кому-л. даже из-за пустяков.

깍두기 солёная редька, нарезанная кубиками.

깍듯이 вежливо; обходительно

깍듯하다 вежливый; учтивый; обходительный; 깍듯함 вежливость; учтивость; 깍듯하게 вежливо; учтиво; обходительно; 깍듯한 태도 учтивая манера.

깍쟁이 скряга; жмот; ~노릇을 하다 скряжничать; скупиться на деньги; ~짓 скупость.

깎다 строгать; обтачивать; затачивать; чинить; счищать; стричь; брить; косить; сбавлять; уменьшать; портить; порочить; подрывать; 값을 ~ сбавлять цену; 이(利)를 ~ стричь волосы; 연필을 ~ затачивать карандаш; 판자를 ~ строгать доску.

깎이다 быть строганным; быть стриженным; уменьшаться; портиться; быть подорванным; 체면을 ~ портить репутацию;

깐 после опред. расчёты; намере-ния; 제깐에 по моим расчётам; 깐[을] 보다 взвешивать в уме; расчитывать.

간간하다 тщательный; аккуратный; дотошный.

간간하게 тщательно; аккуратно; дотошно.

깔개 подстилка.

깔깔 ~웃다 рассмеяться.

깔깔거리다 закатываться смехом.

깔끔하다 чистый и гладкий; ловкий; умелый.

깔끔히 чисто и гладко; ловко; умело; 깔끔히 일을 처리하다 ловко устроить дела.

깔다 (까니, 까오) подстилать; стелить; давить; 식탁에 식탁보를 ~ стелить скатерть на стол.

깔때기 1) воронка (для переливания жидкости); 2) феод. головной убор конвоира конусообразной формы; 3) прост. 3) феод. солдатский ко-вш из промасленной бумаги для воды.

깔려 있다 быть застланным.

깔리다 быть подстеленным (разостланным; расстеленным); 자동차에 ~ попасть под машину.

깔보다 презирать; смотреть исподлобья (свысока; презрительно).

깔아뭉개다 подстилать и топтать; скрывать и замалчивать; намеренно закрывать глаза на что-л.; игнорировать; 여론을 ~ игнорировать общественное мнение.

깜둥이 1) тёмнокожий человек; 2) ласк. чёрная собачонка.

깜박 мгновенно; вдруг; неожиданно

깜박거리다 1) мерцать; 2) мигать, моргать; 3) то и дело терять сознание (память); быть в полуобмо-рочном состоянии.

깜박(깜빡)하다 мерцать; мигать; моргать глазами; внезапно потерять сознание (память); 깜빡임 мерцание; моргание; мигание; 눈 깜빡(깜짝)할 사이도 없이 не успеть гла-зом моргнуть; 눈 하나 깜빡 안하다

глазом моргнуть; 멀리서 불빛이 깜빡였다 вдали мерцал огонёк.
깜작 ~하다 моргнуть.
깜찍하다 милый; миловидный; 깜찍하게 мило; миловидно; 그녀는 깜짝하게 생겼다 она выглядит миловидно.
깡그리 всё без остатка(без исключений).
깡통 пустая банка; пустой человек; глупец; невежда; 통조림 ~ пустая консервная банка; ~을 차다 стать нищим; 그는 음악에는 ~이다 он полный профан в музыке.
깡패 гангстер; хулиган; ~의 гангстерский; хулиганский; ~짓을 하다 хулиганить; ~짓 хулиганство; 정치 ~ политический гангстер.
깨 кунжут; ~의 кунжутный; ~가 쏟아지다 исключительно интересный;восхитительный
깻묵 кунжутные жмыхи.
깻잎 листья кунжута.
깨끗이 1) чисто, аккуратно, безупречно; 2) совершенно; полностью; совсем.
깨끗하다 чистый; чистый и све-жий; аккуратный; безупречный; безукоризненный.
깨끗함 чистота; аккуратность; безупречность; безукоризненность.
깨끗하게 чисто; приятно; симпатично; аккуратно; безупречно; безукоризненно; начисто;
깨끗히하다 чистить; очистить.
깨끗한 чистый.
깨다 I разбивать; ломать; наносить рану; ранить; нарушать; подрывать; 낡은 관습을~ ломать старые обычаи; 정적을 ~ нарушить тишину.
깨어지다 разбиваться; разламываться; разрушаться; нарушаться; срываться.
깨다 II пробуждаться; проснуться; очнуться; прийти в себя; протрезвляться; постигнуть; понять; быть просвящённым.
깨우다 будить; пробуждать; приводить в чувство; 잠에서 ~ пробудиться ото сна.
깨우치다 открывать глаза(на что-л.); доводить до сознания(что-л.); пробуждать.
깨닫다(깨달으니, 깨달아) понимать; постигать; осознавать; 계급모순을 ~ осознавть классовое противоречие; 진리를 постигать истину; 깨달음 пони-мание; постижение; осоз-нание.
깨지다 сокр. от. 깨어지다; 깨진 그릇 맞추기 поговор. букв. = соединять черепки разбитой посуды; 깨진 냄비와 께맨 뚜껑 прост.обр. брак вдовца с вдовой.
꺼내다 извлекать; вынимать; вытаскивать; начинать разговор; высказывать; заговорить; 호주머니에서 손수건을~ вытаскивать(вынимать) носовой платок из кармана.
꺼림칙하다 несколько неприятный (тошный); 어쩐지 이 일을 하기가 ~ почемуто несколько неприятно делать.
꺼지다 проваливаться;оседать; в валиться; впадать; 마룻바닥이 ~ пол проваливается; 눈이 움푹 ~ глаза ввалились.
꺼칠꺼칠~하다 местами шершавый (жёсткий); очень шершавый(жёсткий).
꺼칠하다 шершавый;сухой(о коже, волосах-от недоедания).
꺾꽂이 вегетативное размножение.
꺾다 ломать, рвать; менять направ-

ление; перегибать пополам; складывать двое; подавлять; сдерживать; перебивать; не давать говорить;
꺾임 преломление; рефракция;
꺾이다 сломаться; обломиться; 고집을 꺾지 않다 упрямо стоять на своём; 꽃을 ~ срывать цветок; 꺾임각 угол преломления;
꺾쇠 складка; сгиб; излом; изогнутость; сгорбленность.
꺾쇠괄호(-括弧) квадратные скобки.
꺾어지다 1) сломаться; обломиться; 2) перегибаться пополам; складываться вдвое.
껍데기 скорлупа; кожура; корка; раковина; панцирь; оболочка; ~의 корковый; раковинный; панцирный; оболочковый; 굴~ устричная раковина; 이불 ~ пододеяльник.
껍질 скорлупа; кожура; корка; кора; оболочка; ~을 벗기다 очищать кожуру; 귤 ~ мандаринная корка; 빵 ~ хлебная корка.
-께 суф. после сущ. около; примерно; 보름~에 примерно в середине месяца.
-께 вежл.оконч. дат. п. указывает: 1) на адресат действия; 형님께 편지를 쓰다 писать письмо брату; 2) на субъект действия при при ст-рад. залоге 손님들에게 권고된 대로 как рекомендовано гостями (посетителями); 3) нареч. 그 따위 실은 어머니께 많다 таких ниток много у матери.
-께서 вежл.окон. им. п. указывает: 1) на подлежащее; 아버지께서 말씀하셨다 отец сказал; 2) на исходный пункт действия; 아버지께서 온 편지 письмо (пришедшее) от отца.
껴안다, 포옹하다 1) обнимать; 2) брать на себя несколько дел; 꽉 ~ душить в объятиях; 몇몇 일의 책임을 ~ брать на себя ответственность за несколько дел; 아이를 ~ обнимать ребёнка.
꼬다 вить; крутить; корчиться; задевать словами; ехидничать; дерзить; 꼬이다 виться; крутиться; закручиваться; 몸이 아파서 ~ корчиться от боли; 새끼를 ~ вить верёвку.
꼬드기다 1) пробуждать; провоцировать; толкать(кого-л. на что-л.); 2) возбуждать; подливать масло в огонь; 3) резко дёргать(шн-ур запущенного бумажного змея).
꼬리 хвост; ~가 드러나다 раскрываться; обнажаться; ~를 감추다 заметать следы; ~를 물다 следовать друг за другом.
꼬리표(-票) бирка(с адресом и фамилией отправителя и получателя); ~(가)붙다(달리다) перен. вешать ярлык.
꼬마 малыш; маленький; ~자동차 малолитражный автомобиль.
꼬부라지다 согнуться; изогнуться; быть нехорошим; испорченный; 꼬부랑길 изогнутая дорога; 꼬부랑 노인 сгорбленный старик.
꼬시다 заманивать; втягивать; 미끼를 써서 ~ калачом заманивать.
꼬이다 I стопориться; становиться раздражительным; ~일이 꼬였다 дело стопорится; 그는 성격이 꼬였다 он стал раздражительным; 꼬임에 넘어가다 быть обманутым; попасть в ловушку.
꼬이다 II кишеть; толпиться; 개미떼가 마루에 ~ муравьи кишат на полу.

꼬임 искушение; соблазн.
꼬집다 щипать; задевать; уколоть; акцентировать; подчёркивать; 서로 ~ щипаться; 아픈 곳을 ~ задевать кого-л. за живое(больное место).
꼬집히다 быть ущипленным (задетым);
꼭, 반드시 I крепко; сильно; плотно; прочно; терпеливо; 눈을 ~감다 сильно зажмурить глаза; 배고픔을 ~참다 терпеть голод терпеливо.
꼭 II точно; как раз; непременно; обязательно; твёрдо; ~같다 точно такой же, как; совсем похож на что-л. (кого-л.); 몸에 ~맞는 옷 хорошо сидящий костюм; 약속을~지키다 твёрдо выполнять обещание; 이표현이 여기에 ~들어맞는다 это выражение здесь уместно.
꼭지 черенок; ручка крышки; ~의 черенковый; ~를 따다 срывать черенок.
꼴 вид; картина; зрелище; 이런 ~로 в таком виде; ~불 견이다 неприятно (отвратительно) смотреть; ~사납다 отвратительный; мерзкий.
-꼴 после назв. денеж. единиц указ. на пропорцию; обычно не переводиться 연필 열 자루에 20 전이면 한 자루에 2전 꼴이다 если десять карандашей стоят 20 чон, то один карандаш 2 чона.
꼴찌 последнее место(по порядку).
꼼꼼하다 тщательный; внимательный; щепетильный; 그는 금전문제에 대해서는 매우 꼼꼼하다 он очень щепетилен в денежных делах.
꼼꼼함 тщательность; внимательность; щепетильность.
꼼꼼한 준비 тщательная подготовка.
꼼짝 ~하다 еле двигаться; ~못하다

быть не в состоянии шевель-нуться; быть связанным по рукам и ногам; ~안하다 не шелохнуться; не изменить мнения; стоять на своём; ничего не делать; палец о палец не ударить; слова не сказать против кого-л..
꽁무니 хвостец; копчик; зад; задница; самый конец; хвост чего-л.; ~를 빼다 потихоньку сбежать; ~를 사라지다 в страхе броситься бежать; опасаться; остерегаться.
꽂다 втыкать; всовывать; вставлять; ввинчивать; ~바늘을 ~ втыкать иголку во что-л.; 전구에 소켓에~ ввинчивать лампочку в патрон.
꽃 цветок; красота; прелесть; ~의 цветочный; ~답다 прекрасный(красивый) как цветок; ~피다 цвести; расцветать; быть в расцвете; ~가지 ветка с цветами; ~구경 любование цветами; ~나무 цветущее дерево; декоративные растения;~단지 самый первый плод огурца, тыквы и т.п.; ~무늬 цветочный узор; ~밭 цветник; ~병 цветочная ваза; ~씨 семена цветов; ~장수 цветочник; ~향기 аромат цветов; ~봉오리 бутон; ~송이 цветок; цветик; ~술 тычинка и пестик; ~잎 лепесток.
꽉 крепко; сильно; до предела; полностью; 생각이 머리에 ~차다 голова забита мыслями; 숨이~막히다 дыхание спёрло; 가방에 책을 ~채우다 набивать портфель книгами.
꽝이다 Ах, чёрт, не получилось!
꽝 ~하다 бухнуть; грохнуть; 그는 주먹으로 방문을 ~쳤다 он стукнул кула-ком в дверь.
꽤 довольно.
꽤 많다 очень много.
꽤진지하게 довольно-таки серьезно

꾀 хитрость; уловка; план; 꾀[를] 쓰다 (내다) прибегать к хитрости; хитрить; 꾀[가] 바르다 ловкий; искусный; хитрый; 꾀[를] 부리다 а) пускаться на хитрость; б) ссылаться(на что-л.), выставлять(что-л.) в качестве предлога; 꾀[를] 피우다 прибегать к уловкам. ~를 쓰다 хитрить; прибегать к хитрости; ~돌이 малый ловкий.

꾀까다롭다 очень придирчивый (привередливый, капризный)

꾸다 I видеть сон; видеть во сне что-л.; мечтать; думать; 꿈을 ~는 사람 мечтатель; фантазёр; 내가 그런 것을 할 수 있으리라고는 꿈도~않았다 мне даже и не снилось то, что я смогу сделать это

꾸다 II брать в долг(взаймы); 꾼돈 взятые в долг деньги; 잠시 돈을 ~ брать на время у кого-л. деньги; 어디 ~놓은 보릿자루 чело-век, не участву-ющий в общем заговоре.

-꾸러기 презр. суф. образующий сущ. от сущ. со знач. лица: 잠~ соня; 장난~ шалун.

꾸물거리다 лениво двигаться; еле-еле двигаться; копаться; 정리하는데 ~ копаться с уборкой; 무얼 거리 꾸물거리고 있니? Что ты так долго копаешься?

꾸준하다 упорный; неустанный;
꾸준함 упорство; упорность;
꾸준히 упорно; неустанно; 꾸준히 실천해나가다 упорно осуществлять на практике.

꾸짖다 упрекать кого-л. в чём-л.; ругать; бранить; 호되게 ~ осыпать кого-л. упрёками.

꿀 мёд; ~의 медовый; ~맛 вкус мёда; очень сладкий вкус; ~물 вода с мёдом; очень сладкая вода; ~벌 медо-носная пчела; ~잠 сла-дкий сон.; ~참외 сладкая дыня; ~맛이다 сладкий как мёд; ~먹은 벙어리 немой, покушавший мёду; ~벌 пчелиный мёд; 아카시아 ~ акацие-вый мёд.

꿇다 [무릎을]~ становиться на коле-ни; встать на колено; 꿇어 사격 стрельба с колена.

꿈 сон; сновидение; мечта; грёзы; надежда;чаяние;~꾸다 видеть сон; грезить; мечтать; ~속에서 во сне; ~에도 совершенно; совсем; абсолютно; ~결 같다 призрачный; фантасти-ческий; быстротечный; мимолётный; ~에 보이다 сниться; ~자리가 사납다 видеть плохой сон; ~보다 해몽이 좋다 толкование сна приятнее самого сна; ~은 아무렇게 꾸어도 해몽만 잘하여라 какой бы сон ни приснился, толкуй его хорошо.

꿩, 산계(山鷄), 산량(山梁), 야계(野鷄) фазан; ~고기 фазанина; 암(까투리)~ фазаниха; ~대신에 닭이라 на безры-бье и рак рыба; ~먹고 알 먹는다 одним ударом убить двух зайцев.

꿰다 прокалывать; пронизывать; на-калывать; нанизывать; накалываться; 진주에 실을~ нанизывать жемчуг на нить.

꿰매다 сшивать; зашивать; насажи-вать; поправлять; улаживать; ~셔츠에 달 단추를 ~ насаживать пуго-вицы на пиджак; 헤어진 외투를~ зашивать из-ношенное пальто

꿰어지다 быть проколотым (про-низанным)

끄나풀 шнурок; тесёмка; прихвос-тень; подхалим; агент; ~노릇 подхалимство; ~노릇을 하다 подхалимничать; работать агентом.

끄다 I тушить; гасить; выключить; 불을 ~ тушить(гасить) огонь; 텔레비전을 ~выключать телевизор.

끄다 II разбивать; ломать; колоть (лёд).

끄떡 усил. стил. вариант 까딱; ~없다 а) неподвижный; устойчивый; б) беспрепятственный; в) целый; нетронутый.

끄집다 схватить и потянуть.

끄집어내다 а) вытаскивать; вынимать; 기침을 ~ откашляться; 이야기를 ~ начинать рассказывать; б) выявлять(недостатки); в) сделать (заклю-чение, вывод).

끄집어들이다 а) затащить; б) вовлекать; втягивать.

끈 верёвка; тесьма; тесёмка; шнур; шнурок; ~으로 맨 шнуровой; ~으로 묶다 шнуровать; ~으로 묶어서 끌고 가다 привести кого-л. на верёвке.

끈기(-氣) напористость; упорство; цепкость; ~있다 напористый; упорный; цепкий; ~가 부족하다 у кого не хватает упорства.

끊다 отрывать; разрывать; разрезать; отрезать; прекращать; бросать; прерывать; обрывать; покупать; выдавать; 소식을~ не иметь вестей; беспрестанный; 또박또박 끊어 말하다 говорить коротко и ясно; 목숨을 ~ обрывать жизнь; кончать жизнь самоубийством; 수돗물 공급을 ~ прекращать подачу воды; 술을 ~ бросать пить; 약속어음을 ~ выдавать простой вексель; платить по простому векселю; 왕복표를~ покупать обратный билет; 외교관계를 ~ разрывать дипломатические отношения; 저의 퇴로를 ~ отрезать путь к отступу; 갑자기 자기 말을 ~ оборвать свою речь

끊어지다 разрываться;прекращаться; прерываться; обрываться; 끊어졌다 이어졌다하다 отрывистый; 끊임없다 непрерывный;

끊이다 1) обрываться; рваться; разрываться; прекращаться; прерываться; 생명이 ~ обрываться(о жизни); 2) кончаться(напр. о товарах в магазине).

끊임없다 непрерывный; беспрестанный.

끌 долото; стамеска; ваяло; 둥근 ~ долото круглое; ~을 사용해 동판에 새겨 넣다 ваялом вырезать на ме-ди; ~날 остриё долота (стамески; ваяла).

끌다 (끄니, 끄오) тащить; тянуть; волочить; привлекать; притягивать; затягивать; тянуть;вести за собой; вывести; ~끌리다 тащиться; тянуться; волочиться; 끌어내다 вытаскивать; выводить; 끌어내리다 втаскивать вниз; снижать; 끌어당기다 притягивать; тянуть; 끌어안다 обнимать; прижимать к груди; 끌어올리다 втаскивать наверх; поднимать; 시간을 ~ тянуть время; 옷자락을 마룻바닥에 ~ тащить подол платья по полу; 인기를 ~ быть популярным; 자기편으로 ~어들이다 притягивать к себе; 전화선을 ~ протягивать телефонную линию.

끓다 кипеть; бурлить; перегреваться; раскаляться; кипятиться; дышать с присвистом; хрипеть; кишеть чем-л.;

끓어오르다 кипеть.

끓이다 кипятить; варить; 끓는 물 кипящая вода; 끓어오르는 분노 кипучийгнев; 구더기가 우글우글 ~ кишит личинками; 물을 끓이다 кипятить воду; 방구들이 절절 끓는다 пол нагревается; 피가 끓어 오른다 кипит кровь.

끔직하다 поразительный; удивительный; ужасный; чрезмерный; чрезвычайный; ужасающий; вызывающий содрагание; ~끔직하게(히) поразительно; удивительно; чрезмерно; ужасно; 끔직한 광경 ужасающее зрелище; 엄마는 끔직하게 제 자식을 사랑한다 мама ужасно любит своего ребёнка.

끝(마지막) конец; кончик; остриё; верхушка; макушка; кончина; результат; ~의 конечный; последний; ~나다 кончаться; заканчиваться; завершаться; оканчиваться; закрываться; ~내(마치)다 кончать; заканчи-вать; завершать; оканчивать; закры-вать; отбывать; ~없다 бесконечный; ~장나다 всё кончено; ~까지 до кон-ца; ~내 в конце-концов; наконец; ~무렵에 к концу; 이 ~에서 저 ~까지 от одного конца до другого; 처음부터 ~까지 с начала до конца; ~없이 бесконечно; без конца; ~마무리 завершение; окончание; ~판 конец; финал

끝장 конец; окончание; завершение; ~[을] 내다 оканчивать; закан-чивать; ~[을] 보다 заканчивать; ~[을] 쥐다 доводить до конца; ~[이] 나다 а) оканчиваться; заканчиваться; б) разваливаться; рушиться.

끼다 вставлять; вкладывать; помещать; надевать; омывать; прибегать к чьей-л. помощи; использовать кого-л. в своих интересах; дополнять; добавлять; присоединять; ~끼움 вставка; 끼우는 창틀 вставная оконная рама; 결혼반지를 손가락에 ~ надевать обручальное кольцо на палец; 모스코바 시는 강을 끼고 있다 город Москву омывает река; 부록을 끼워서 책을 비싸게 팔다 продавать дорогую книгу с приложением 창틀에 유리를~ вставить стекло в оконную раму.

끼우다 вставлять; вкладывать; втыкать; допускать к участию в чём-л.; 땅에다 말뚝을~ втыкать кол в землю.

끼이다 I 1) страд. залог от 끼다 III. 1), 2); 2) вонзаться(о колючке, занозе); 3) смешаться(напр. с толпой); влезть; протиснуться.

끼이다 II не любить, сторониться людей.

끼치다 I покрываться гусиной кожей; 고약한 냄새가 확 ~ неприятный запах бил резко в нос.

끼치다 II наносить; причинять (ущерб, вред); затруднять; оказывать влияние (благодеяние); вли-ять; ~폐를 причинять; ~폐를 끼치게 되어 죄송합니다. извините за беспокойство; 후손에게 좋은 영향을 ~ оказывать благотворное влияние на потомков.

끽: **끽하다** истошно крикнуть; жалобно взвизгнуть.

낄낄거리다 приглушённо(сдержанно) смеяться; хихикать про себя; 낄낄거림 хихиканье;

낌새 признак; симптом; намёк; ~를 채다 догадаться.

낑 ~하다 крякнуть(от боли, усилия); захныкать(о ребёнке).

낑낑거리다 кряхтеть; хныкать; 아파서~ кряхтеть от боли; 아기가 사소한 일로~ ребёнок хнычет по пустякам.

낑낑거림 кряхтенье; хныканье.

ㄴ

ㄴ вторая буква кор. алфавита, которая обозначает согласную фонему **Н.**

- ㄴ -суф. наст. вр. гл. 비가 내린다 идет дождь.

- ㄴ 1) оконч. прич. прош.вр. гл.: 어제 간 사람 человек уехавший вчера; 2) оконч. опред. ф. прил. и гл.-связ-ки наст. вр.: 눈부신 성과 блестящие успехи.

- ㄴ가 оконч.интимн. вопр. ф. прил. и гл.-связки: 그게 누군가? кто это? 기분이 좋은가? настроение хорошее?

- ㄴ감 разг. интимн. оконч. предикатива, указывающее на чужую речь, содержание которой отвергается говорящим: 아니, 까마귀가 바로 흰감 검지 нет,ворона не белая, как ты говоришь, а чёрная.

- ㄴ 1 разг.интимн. оконч. воскл. ф. наст. вр. прил. и гл. -связки: 걸 I 날이 찬걸! День холодный!

- ㄴ 걸 разг. оконч. против. деепр., прил. и гл.-связки: 아주 좋은 사람 인걸 아직까지 몰라보고 있었지 он очень хороший человек, но я до сих пор об этом не знал.

- ㄴ데 разг. 1. оконч.против. деепр.: 날씨가 이렇게 찬데 가시려고 합니까? На улице так холодно,а Вы собираетесь идти? 2 интимн.оконч. вос-кл. ф. прил. и гл.-связки: 참 놀라운데! поистине удивительно!

- ㄴ 들 оконч. уступ. деепр.: 죽은들 잊을 수야 있으랴! разве можно забыть до самой смерти!

- ㄴ바 оконч. деепр. разъяснительного: 이 제품은 질이 좋은바 그것 은 노동자 동무들의 극진한 노력의 결과이다 эта продукция хорошего качес-тва: она является результатом упорного труда рабочих.

- ㄴ저 книжн.интимн. оконч. воскл. ф. прил. и гл. -связки: 금강산의 산봉우리 참으로 기이한 저! Вершины Кымгансана поистине причудливы!

- ㄴ 저이고 книжн. оконч. воскл. ф. прил. и гл. -связки: 그 마음 한없이 어진 저이고! Душа его добра безмерно!

- ㄴ즉 оконч. деепр. причины: 이젠 여기까지 왔은즉 앞길은 어렵지 않다 раз мы дошли до этого места, предстоящий путь не(так)труден; 사실인즉 в действительности же; 말인즉 если уж говорить.

- ㄴ지 интимн. оконч. вопр.ф. прил. и гл.-связки. употр. тж. в придат. предлож. перед. гл.: 누가 키가 더 큰지 모르겠어요? не знаю,кто выше ростом

- ㄴ 지고 книжн. оконч. воскл. ф. прил. и гл.-связки: 이상한 사람인지 고! странный человек!

- ㄴ지라 книжн. оконч. деепр. причины: 비가 온지라 길바닥이 젖어 있었다 дорога намокла, так как шёл дождь.

Ч I **Я**; ~의 мой; моя; моё; мои; ~는 바담풍 해도 너는 아니 바담풍

해라 посл. ≅ сам пьёт, а людей за пьянство бьёт; ~로서는 для меня; ~를 меня; ~에게 мне; ~에 대해 обо мне; ~와 함께 со мной; ~의 조국 моя отчизна; ~는 딸을 둘 두었습니다 у меня две дочки; ~ 먹자니 싫고 개 주자니 아깝다 сам есть не хочет, а отдать собаке жалко; ~부를 노래를 사돈집에서 부른다 валить с больной головы на здоровую.

나 II частица 1) или; 아침에나 저녁에 만날 수 있습니다 можем встретиться утром или вечером ...나 ...나 или... или, либо...либо; и...и. 네나 내나 и я, и ты; 2) хотя бы; 만년필이 없으면 연필이나 주십시오 если нет авторучки, то дайте хоть карандаш; 3) примерно, приблизительно, около; 사흘이나 걸린다 требуется около трёх дней.

-나 I фам. оконч. вопр. ф. гл.: 자네 어디가나?Ты куда идёшь?

-나 II оконч. против. деепр.: 비록 몸은 크나 발은 작다 сам большой, а ноги маленькие; ...나 마나 деепр. с разд. знач.: 물어 보나마나 всё равно спрашивай или не спрашивай.

-나 III оконч. разд. деепр.: 자나깨나 불 조심 하자 Будем осторожны с огнём днём и ночью(букв. и спя и бодрствуя).

나가다 1) выходить, выезжать, выступать, отправляться; 나간 사람 몫은 있어도 자는 사람의 몫은 없다 посл. ≅ кто не работает, тот не ест; 나갔던 파리 왱왱한다. посл. ≅ лодырь, вернувшись домой, больше всех шумит; 직장에~ выходить на работу; 직장에서 ~ уходить с работы; 2) выходить в свет, выпускаться; 3) 말이~ становиться известным (напр.о секрете); 말이 나가지 않다 не быть в состоянии вымолвить слово; 4) исчезать, про- падать; 정신이~ терять разум, 넋(혼)이~ потерять сознание; 5) расходоваться, тратиться, изнашиваться; 무릎팍이~ брюки протёрлись на коленях; 값이 ~ стоить, 무게가~ весить; 나가 넘어지다, 나가자빠지다 а) падать навзничь (на спину), б) отказываться 나가동그라지다 падать навзничь(на спину) (о сравнительно небольшом живом существе); 나가둥그러지다 падать навзничь(на спину)(о живом существе значительных размеров); 나가번지다 диал. см. 나가 넘어지다, 나가자빠지다 а) опрокидываться, падать навзничь(на спину), б) валиться с ног(напр. от усталости); 나가 빠드러지다 а) лежать пластом (об упавшем), б) прост. бран. испустить дух, сдохнуть, подохнуть; 나가쓰러지다 а) упасть мёртвым, б) повалиться, свалиться с ног; 2. после деепр. основного гл. указывает на постепенно развивающееся действие, направленное в будущее: 이 문제는 풀려 나간다. эта проблема постепенно разрешается.

나가떨어지다 падать; валиться с ног; 피곤하여 ~ валиться от усталости.

나가세요 выйдете.

나그네 1) путешественник(-ца); путник(-ца); странник(-ца); 외로운 ~ одинокий путник; ~ 주인 쫓는 격 гость хозяйничает; ~길 путь; путешествие; странствие; ~귀는 석 자라 посл. ≅ при гостях не шепчись (всё равно услышат); 3) пренебр. мужик.

나날 дни; время; 행복한 ~ счаст-

- 89 -

ливые дни; 괴로운 ~을 보내다 проводить мучительные дни; ~이 ежедневно, день ото дня, с каждым днём. ~이 день за днем; ~이 새로워지다 обновляться день ото дня.

나누다 делить; разделять; раздавать; обменяться; 고랑을~ 길을~ 4를 2로~ делить 4 на 2; 사이좋게 반씩~ делить побратски пополам; 슬픔을 친구와 함께~ делить горе вместе с другом; 인사를~ обменяться приветствиями; 감독이 배우들에게 다양한 배역을 나누어주었다 ре-жиссёр раздал разные роли актёрам; 빅또르와 나는 정말로 피를 나눈 형제지간이다 действительно, мы с Виктором кровные братья; ~기 деление; 나눗수(제수) делитель; 나뉨수(피제수) делимое; 점심을 ~ ра-зделить трапезу; 한잔씩을 ~ распить по рюмке; 이야기를~ делиться впечатлениями, разговаривать; 피를 나눈 형제 кровные братья; 피를 나눈 동포 кровные братья и сёстры (о соотечественниках).

-나니 I книжн. фам. оконч. воскл. ф. предикатива: 봄은 가나니 Уходит весна!

-나니 II книжн. оконч. деепр. причины: 나아가는 곳에 광명이 있나니 젊은 그대여 나아가자 впереди свет-лое будущее, поэтому кто молод вперёд!

나다 появляться; возникать; рождаться; производиться; добываться; произрастать; рождаться; доставаться; браться; вспоминать; приобретать; стать известным; быть установленным; завершаться; быть заданным; заболеть; испортиться; у кого есть время; освободиться; быть свободным; выходить; исполниться; минуть; хорош собой; красивый; незаурядный; проводить; 겨울을~ перезимовать; 결말이~ завершиться; 고장[이]~ испортиться; 구멍[이]~ продырявиться; 기침[이]~ закашляться; 기억[이]~ вспомнить; 끝이~ кончиться; 능률이 ~ становиться производительным; 눈병이~ заболеть глазной болезнью; 두통이 났다 заболела голова; 땀내가~, 땀냄새가 ~ пахнуть потом; 맛이~ приобретать вкус; 맛이 났다 появился аппетит; 소문이 났다 была проделана дверь; 병[이]~ заболеть; 빈자리가~ освободилось место; 새싹이~ пробиваются ростки; 성[이]~ рассердиться; 소문이~ распространяются слухи; 야단[이]~ случиться(о беде), произойти(о скандале); 이가~ прорезаться(о зубах); 이름[이]~ стать известным 효과가~ давать эффект; 흥이 ~ заинтересоваться; 그녀의 이름이 기억이 나질 않는다 не могу вспомнить её имени; 너는 그런 용기가 어디서 나니? Откуда у тебя берётся такая смелость? 다섯살이 났다 상처에서 피가난다 из раны идёт кровь; 시베리아에서는 석탄이 풍부하게 난다 В Сибири богатые залежи угля; 이 소년은 겨우 네 살 났다 этому мальчику едва исполнилось четыре года; 창문이 화단으로 나 있다 окно выходит в сад; 석탄이 난다 добывается уголь; 인삼이 난다 выращивается женьшень; 값이 났다 цены установлены; 자리가 났다 освободилось место; 난 거지든 부자 сущ. прикидывающийся нищим; 난 부자 든 거지

сущ. прикидывающийся богачом; 난 대로 있다 каким был, таким и остался -아(-어, -여) указывает на исполненность действия;쫓기어나다 быть изгнанным; -고 указывает на законченность предварительного действия; 아침을 먹고 나서 집을 떠났다 позавтракав, ушёл из дома.

나다니다 гулять; прогуливаться; 한가하게~ праздно гулять.

나대다 1) слоняться; 2) см. 나부대다

나돌다 (나도니, 나도오) прогуливаться; прохаживаться; слоняться; распространяться; проявляться; 기운이~ приободриться; 입에서 입으로 소문이 ~ переходить(слухи) из уст в уста; 정신이 나도는 눈 осмысленный взгляд.

나뒹굴다(나뒹구니, 나뒹구오) 1) кататься, валяться; 2) быть разбросанным, лежать в беспорядке.

나들이 ~하다 выходить из дому; ходить по гостям; заходить в гости; 부모님 댁에 ~가다 навещать(посещать) родительский дом; ~옷 выходной костюм; выходное платье.

나라, 국가 страна; государство; мир; царство; 꿈~ мир грёз(снов); 사회주의~ социалистическое государство; 어린이~ детский мир; 어둠의~ тёмное царство; 우리~에서 в нашей стране; у нас в стране.

나란히 в ряд; рядом;

나란하다 ровный; 나란히 ряд; рядом; ровно; рядком; 나란히 서다 стоять в ряд; 나란히 줄을 맞춰 가다 идти рядами; 세계적인 학자 들과 나란히 в ряду мировых учёных; 우로나란히! Равнение направо!

나란히 рядом в ряд; рядом; бок о бок; плечом к плечу;~앉다 сидеть рядом.

나루 переправа; перевоз; ~에서 на переправе; ~를 건너다 переправляться; 나룻배 паром; ~터 переправа; перевоз;~를 건너다 переправляться (через реку,напр. на пароме).

나르다 возить; перевозить; носить; переносить; 트럭으로 화물을 ~ перевозить груз на грузовике; 트렁크 를 방안으로~ переносить чемодан в комнату

나른하다 вялый; расслабленный; утомлённый; ненакрахмаленный; мягкий (о ткани).

나른히 вяло; устало.

나른함 вялость; расслабленность.

나른해지다 расслабляться; утомляться; чувствовать себя вяло; 강훈련 뒤에 몸이 나른해지다 расслабляться после усиленной тренировки; 더위에 몸이~ жара разморила.

나름 служ. сл., после имени и прич. буд. вр. гл. в сочет.с ~이다 зависит от; определяется тем; 각자 ~대로 кому как; 이것은 하기 ~이다 это зависит от того, как работать; 일이 며칠이나 걸릴 가요? 그것이야 일할 ~이지요 Сколько дней займёт работа? это зависит от того, как работать.

-나마 оконч. уступ. деепр.: 맛이 좋지 못하나마 먹어 보게 хоть и не оченьвкусно,всё же попробуй.

나머지 остаток; излишек; остальное; в результате чего-л.; так ..., что; 도매로 팔고 남은 ~상품 остаточные товары после оптовой продажи; 심사숙고한 ~ в результате долгих раздумий; ~ 사람들은 아직 도착 하지 않았다 остальные ещё не пришли; 생각하던 ~ в результате раздумий.

나무 дерево;лесоматериалы; дрова; топливо; 과일~ фруктовое дерево; 어린~ деревце; ~밑에서 под деревом; ~를 때다 жечь дрова; ~를 베다 рубить дерево; ~를 심다 сажать дерево; ~에서 내려오다 слезть с дерева; ~에 오르다 лазать на дерево; ~하러가다 идти за дровами; 나뭇가지 ветвь дерева; ~껍질 древесная кора;~꾼 дровосек; лесоруб; 나뭇단 вязанка дров; 나뭇잎 лист (листья) дерева; ~젓가락 деревянные палочки для еды; ~토막 кусок(обрубок) дерева; ~구조 деревянная конструкция; ~그릇 деревянная посуда; ~다리 а) ходули; б) деревянный протез для ноги; ~망치 мор. мушкель; ~줄기 ствол дерева; ~에 오르게 하고 흔든다. посл. букв. ≅ заставив (кого-л.) влезть на дерево, раскачивать его; ~에도 못 대고 돌에도 못 대다 погов. ≅ глас вопиющего в пустыне; ~도 쓸만한 것을 먼저 벤다. посл. ≅ сначала выдвигают талантливых и способных; ~하다 заготовлять топливо(дрова).

나무 가지 ветка дерева.

나무라다 укорять в чем-л.(за что-л.); порицать; упрекать; ставить в упрёк; 나무람 укор; укоризна; по-рицание; 나무라듯 укоризненно; с укоризной; 나무란 데 없다 безупречный; безукоризненный; 무례하다고 укорять кого-л. в неприличном поведении.

나무람(꾸중,야단, 걱정, 질책(叱責), 힐책(詰責)) упрёки; ~[을] 타다 а) болезненно воспринимать упрёки; б) дичиться, стыдиться(о детях); ~하다 упрекать

나뭇잎 лист(листья дерева).

나물(남새, 채소(菜蔬), 소채, 채마(菜麻)) съедобная зелень; салат из зелени; ~을 무치다 готовить сала-т из зелени; ~을 캐다 собирать зелень; 고사리~ салат из папоротника; 미나리~ салат из петрушки; 시금치~ салат из шпината; ~하다 собирать съедобные травы; гото вить салат из зелени.

나발 I 1) металический духовой музыкальный инструмент; 2) бран. вздор, бред; ~[을] 불다 а) нести чушь; б) преувеличивать, раздувать; 3) конст-рукция "имя + 이다 в деепр. ф. + 나발 + 이다 в деепр. ф." придаёт пренебрежительный оттенок имени: 칼이든 ~이든 так себе ножичек; 미군이고 ~이고 американские вояки.

나부대다 вертеться, не сидеть спокойно(на месте).

나비 I бабочка; ~넥타이 галстук-бабочка; ~수집가 коллекционер бабочек.

나비 II ширина ткани.

나쁘다(나쁘니, 나빠) плохой; худой; слабый; скверный; неприятный; вредный; дурной; нехороший; недостаточный; 나쁜 말 брань; 그것은 눈에 ~ это вредно для глаз; 머리가 ~ слабоумный; 한 그릇으로서는 나쁘지 않소? Хватит Вам одной тарелки?

나쁜 плохой; 나쁜 날씨 плохая погода; 나쁜 버릇 дурная привычка; 나쁘게 여기다 считать плохим; понимать в дурном смысле; 기분이 ~ быть не в духе; неприятно; 기억력이 ~ у кого-л. слабая память; 나쁜 짓을 하다 поступать дурно; 흡연은 건강

에 ~ курение вредно для здоровья.

나사 винт; ~의 винтовой; ~를 조이다 завинчивать; ~를 풀다 отвинчивать; вывинчивать; развинчивать; ~돌리게 отвёртка; винтовой ключ; 숫~ болт; 암~ гайка; ~고리 ~송곳 буравчик, сверло; ~절반 винторезный станок; ~절삭선반 винторезный токарный станок; ~층층대 винтовая лестница; ~틀개 отвёртка.

나사렛 예수 Иисус Назарянин

나서다 выходить; выступать; приступать; браться за что-л.; появляться; обнаруживаться; вмешиваться; соваться; 군중 속에서 ~ выступить из толпы; 마땅한 혼처가 ~ появилась подходящая пара(о женихе и невесте); 남의 일에 ~ вмешиваться в чужое дело; 혁명가의 길로 ~ вступить на путь рево-люционера.

나선 винт; спираль; ~의 винтовой; винтообразный; спиральный; ~으로 винтом; винтообразно; спирально; ~형 강하 спиральный спуск; ~형 계단 винтовая(спиральная) лестница; ~식 강하를 하다 делать спираль.

나아가다 двигаться вперед; 그는 무대로 나아갔다 он вышел на сцену; 나아가[서] далее.

나아오다 1) приближаться, подходить; 2) постепенно продвигаться; (постепенно) развиваться(о событиях).

나아지다 улучшаться; 건강이 ~ здоровье улучшилось; 관계가 ~ отношения с кем-л. улучшились.

나약하다 слабый; изнеженный; мягкий; 나약함 слабоволие; слабость; изнеженность; мягкость; 나약한 성격 слабый характер; 나약해지다 изнеживаться.

나열 ~하다 выстраиваться в боевой порядок; расставлять в ряд; перечислять по порядку; 종류별로 ~ расставлять что-л. в ряд по видам.

나오다 выходить; выступать; выдаваться; выпячиваться; появляться; происходить; уходить; поступать; вести себя; приходить; вступать; выходить в отставку; уходить с работы; исходить; слетать с языка; производиться; добываться; произрастать; выходить; выпускаться; быть установленным; завершаться; быть заданным; быть выданным; оканчивать; 그는 고등교육기관을 나왔다 Он окончил ВУЗ; <논증과 사실>지 최신호가 나왔다 вышел последний номер журнала "Аргументы и факты";세상에 ~ появиться на свет; 암초가 수면위로 나와있다 подводные скалы выдаются над поверхностью воды; 애매한 태도로 ~ вести себя непонятно; 이 공장에서는 일년에 30만 대의 자동차가 나온다 на этом заводе производятся триста тысяч автомобилей; 이 단어는 라틴어 어원에서 나왔다 это слово происходит от латинской этимологии; 자기도 모르게 그 말이 입에서 나왔다 произвольно эти слова слетели с языка; 증명서가 나왔다 было выдано удостоверение; 가슴이 불룩이 ~ выпячивать грудь вперёд; 결재가 나왔다 дана санкция; 신문이 나왔다 вышла газета; 샘물이 나온다 бьёт источник; 집을 (집에서)~ выходить из дома; 친절한 태도로~ поступать любезно; 피가 나왔다 проступила кровь; 싹이~ всходить(о растениях); 필요성에서 ~ вызываться необходимостью; 저 힘이 어디서 나오는지 откуда у него берутся силы?

나위 служ.сл.,употр. в конструкции "прич. буд. вр. смыслового гл.+ 나위+없다" не стоит даже и...; 더 말할 ~가 없다 не стоит даже больше и говорить.

나이 I возраст; годы; ~가 들다 взрослеть; становиться старше; ~ 가 어리다 молодой; ~를 먹다 постареть; повзрослеть;·~ 순으로 по старшинству; ~에 어울리지 않게 не по годам; 그녀는 나와 ~가 같다 мы с ней однолетки/ она одного возраста со мной/ мы с ней ровесники; 그는 ~값을 못한다 он ведёт себя не по возрасту; 이 여인은 이미 결혼할 ~를 넘겼다 эта женщина уже вышла из брачного возраста; ~ 가 아깝다 вести себя не по возрасту; ~가차다 достигать брачного возраста; ~ 테 годовые кольца; 어린 ~ молодые годы; ~덕이나 입자 ~값 посл. ≈ почитать только за длинную бороду; ~대접 пожилым почёт; ~[가] 많다 немолодой, взрослый.

나이(挪移) II уст. ~하다 позаимствовать на короткий срок.

-나이까 книжн. почт. оконч. вопр. ф. гл.: 노래 소리를 들으시나이까? слышите ли Вы звуки песнопений?

-나이다 книжн. почт. оконч. повеств. ф. гл.: 어머니가 그리워 아침저녁으로 생각 하나이다 тоскую по матери, и день и ночь она в моих думах.

나이론(*англ.* nylon) нейлон; ~의 нейлоновый; ~수지 нейлоновая смола; ~실 нейлоновые нитки; ~천 нейлоновая ткань.

나자빠지다 1) опрокидываться, падать навзничь (на спину); 2) быть заброшенным (оставленным без присмотра); 3) 나자빠져 болтаясь без дела.

나중에 потом; впоследствии; затем; после чего-л.; позже чего-л.; в конце; наконец; 맨~ в самом конце; позже всех.

나체(裸體) обнажённое (голое) тело; ~의 нагой; обнажённый; голый; ~로 обнажённым телом; голышом; ~로 수영하다 купаться голышом.

나타나다 выражаться; проявляться; появляться; показываться; обнаруживаться; возникать; **나타내다** выражать; проявлять; показывать; обнаруживать; 그에게 음악에 대한 재능이 나타났다 у него проявился талант к музыке; 그의 얼굴에는 격노한 분노의 감정이 나타났다 на его лице выразился гнев; 장점과 단점이 동시에 나타났다 одновременно обнаружились достоинства и недостатки.

나타내다 выявлять, проявлять, выражать; 두각을 ~ выделяться (среди других); 이름을~ прославиться, стать известным.

나태, 게으름, 태만 лень; ~하다 ленивый; ~하게 лениво; ~한 사람 ленивец(-ица); 그는 ~한 편에 든다. он из ленивых.

나팔 труба; горн; духовые музыкальные инструменты; ~을 불다 трубить; дуть в трубу; ~바지 брюки-клёш; брюки раструбами; ~수 трубач; горнист; ~소리 звуки трубы; 기상~ побудка горном; ~꼭지 *муз.* мундштук, амбушюр

나팔꽃 вьюнок; ~이 핀다 расцветают цветы вьюнка; ~과 семейство вьюнковых.

나풀거리다 плавно развеваться, колыхаться.

나흘 четыре дня; ~간의 четырёхдневный; 동지 나흗날 четвёртое число(чет-вёртый день) 11-го месяца по лунному календарю.

낙(樂) радость; удовольствие, отрада; 나의 유일한~ моя единственная радость; 인생의 ~ радость жизни.

-낙 оконч. деепр. разделительного: 얼굴이 붉으락푸르락 한다 лицо то краснеет, то бледнеет.

낙관(樂觀) оптимизм; ~적 оптимистический; ~적으로 оптимистически; ~하다 смотреть на что-л. оптимистически; ~론 оптимизм; ~론자 оптимист(-ка); ~성 оптимистичность.

낙낙(落落)~난합 уст.так раскидало, что не соберёшь; ~장송 высокая раскидистая сосна; ~장송도 근본은 종자 погов. букв. ≅ и высокая сосна выросла из (маленького) семени; ~하다 а) свисающий; б) раскиданный(разбросанный) в разные стороны; в) расходящийся, не совпадающий; г) прил. с открытым сердцем.

낙농(酪農) молочное хозяйство;~의 молочный; ~농장 молочная ферма ~업자 владелец молочной фермы; ~제품 молочные продукты.

낙서(落書) мазня на бумаге; надпись; ~하다 а) пропускать при письме; б) марать бумагу; [на]писать оскорбительные слова(на ви-дном месте); 2) мазня на бумаге(о написанном); 3) оскорбления(написанные на видном месте); 벽에다 ~하다 написать на стене оскорбительные слова.

낙엽(落葉) листопад; опавшие листья; 가을~ осенний листопад; ~이 질 때에 во время листопада; ~을 긁다 сгребать опавшие листья; ~이 졌다 опали листья; ~송 лиственница; ~수 листопадное дерево; ~식물 листопадные растения.

낙오(落伍)~하다 отставать от кого-л.,че-го-л.; 대오에서 ~하다 отставать от строя; ~자 отставший; отсталый.

낙원(樂園) рай; счастливый край; 지상~ земной рай.

낙인(烙印) тавро; клеймо; ~이 찍힌 клеймённый; ~을 찍다 накладывать тавро; клей мить; 말에 ~찍다 клеймить лошадь; ~하다 выжигать клеймо; прям. и перен. клеймить.

낙지 소팔초어(小八梢魚), 초어(梢魚.草魚), 해초자(海草子) осьминог; ~잡이 배 лодка для ловли осьминогов (спрутов); ~회 мелко нарезанное сырое мясо осьминогов (спрутов) с пряностями; ~백숙 отварной осьминог; ~저냐 осьминог, приготовленный в кляре; ~전골 рагу из осьминога с овощами и грибами; ~어채 заливное из осьминога.

낙타(駱駝), 약대, 탁타, 타마(駝馬) верблюд;~의 верблюдовый; верблюжий; ~털 верблюжья шерсть; 단봉~ одногорбый верблюд; 쌍봉~ двугорбый верблюд.

낙태(落胎), 애지움, 임신중절(妊娠中絶) выкидыш; аборт; прерывание беременности; ~하다 делать аборт

낙하(落下) падение; спуск; ~하다 падать; спускаться; ~각도 угол падения;자유~ свободное падение.

낙하산(落下傘) парашют; ~의 парашютный; ~을 타고 내리다 прыгать с парашютом; ~부대 парашютнодесантные войска.

낙후(落後) отставание; ~하다 отсталый; отставать; ~된 기술 отсталая технология;~성 отсталость.

낚다(낚시하다) удить; поймать на удочку; 물고기를 ~ удить рыбу; 저녁에는 고기가 잘 낚이지 않는다 вечером рыба клюёт плохо; 적절한 기회를 ~ поймать удобный случай.

낚시 рыболовный крючок; рыбная ловля; удилище; удочка; ловушка; западня; ~하다 удить(ловить) рыбу; ~바늘에 지렁이를 꿰다 насадить червяка на крючок; ~를 던지다 закидывать удочку; ~에 걸려들다 попасться на удочку; ~꾼 удильщик(-ца); ~터 место рыбалки; ~대 удилище; ~밥 наживка; приманка; ~줄 леса; леска; ~어업 рыболовная ловля удочкой.

낚아채다 дернуть; вздернуть.
낚았습니다 ловил.
낚이다 1) быть выуженным; 2) перен. быть пойманным на удочку.
낯 плата зерном за помол(на мельнице).

난(蘭) I см. 난초.
난(欄) II столбец; колонка; 신문~ газетная колонка; 사전은 두~ 으로 되어있다 словарь напечатан в два столбца.

난(亂) III восстание; бунт; мятеж; смута; ~의 бунтовской; мятежный; смутный; ~을 일으키다 поднимать восстание(бунт; мятеж); 뿌카쵸푸의 ~ пугачёвский бунт.

난-(難-) трудный; тяжёлый; неловкий;~문제 трудный вопрос.

-난(難) суф. кор. трудности; 식량난 трудности с продовольствием, продовольственные затруднения.

난간(欄干) перила; парапет; поручень; балюстрада; ~의 перильный; балюстрадный; ~에 기대다 опереться на перила; ~을 붙잡다 держаться за поручень.

난감하다 затруднительный; невыносимый; нестерпимый; 난감해 하다 затрудняться; находиться в затруднительном положении; 답변하기가 난감합니다 затрудняюсь ответить.

난관(難關), 곤란 трудность; препятствие; ~에 봉착하다 сталкиваться с трудностью(препятствием); ~을 극복하다 преодолевать трудность (препятствие)

난국(難局) тяжёлое положение; трудная (тяжёлая) обстановка; 정치적~ тяжёлое политическое положение; ~에서 빠져나오다 выходить из трудной обстановки; ~을 타개하다 преодолевать тяжёлое положение.

난데없다 неизвестно откуда взявшийся;неожиданный(внезапный)
난데없이 неожиданно; внезапно
난동(亂動) сумасбродство; бесчинство; дебош; ~의 сумасбродный; бесчинный; ~을 부리다 сумасбродничать; бесчинствовать; устроить дебош(дебоширить).

난로(煖爐) печь; печка; жаровня; ~의 печной; жаровенный; ~를 피우다 топить печь; 냄비를 ~위에 얹다 поставить кастрюлю на печь; ~연통 печная труба; 전기~ элект-рическая печь.

난리(亂離) война; бунт; мятеж; смута;беспорядки; беспорядок; хаос; ~를 평정하다 подавлять беспорядки (мятеж); 방안이~법석이다 комната в большом беспорядке.

난립(亂立) неорганизованное стихийное выдвижение; ~하다 неорганизованно выступать; выставлять самих себя; 선거후보가~했다 неорганизованно выступали кандидаты на выборах.

난무하다 танцевать разнузданно; развеваться; распространяться в беспорядке; 눈발이 바람에 ~ снежинки развеваются по ветру; 유언비어가 난무하다. беспорядочно распространяются слухи.

난민(難民) беженцы; бегство; 정치적~ политические беженцы; ~을 본국으로 송환하다 репатриировать беженцев; ~을 후송하다 эвакуировать беженцев.

난방(煖房) отопление; ~하다 отапливать; ~이 필요한 계절 отопительный сезон; ~시설(장치) отопительное устройство; 가스~ газовое отопление; 중앙~ центральное отопление

난봉 I распутство; ~을 부리다(피우다) распутничать; ~[이] 나다 развращаться, становиться на путь порока; ~자식이 마음잡아야 사흘이다 посл. ≃ а) горбатого могила исправит; б) букв. беспутный человек берётся за ум лишь на три дня; ~ 꾼 распутник.

난소(卵巢) яичник; 난자는 ~에서 형성되고 숙성된다 в яичнике образуется и созревает яйцеклетка.

난시(亂視) астигматизм.

난잡(亂雜) беспорядок; неразбериха; беспутство; распутство; разврат; ~하다 беспорядочный; беспутный; распутный; развратный; ~하게 беспорядочно; беспутно; распутно; развратно; ~한 행동을 하다 беспутничать; распутничать; развратни чать.

난처(難處) ~하다 затруднительный (о положении); ~한 모양으로 а) с видом человека, попавшего в затруднительное положение; б) в нерешительности, с нерешительным видом.

난처하다 затруднительный

난처하게 되다 оказываться в затруднительном (неловком) положении; попадать впросак

난처해 하다 чувствовать себя неловко; смущаться; испытывать конфуз.

난초(蘭草), 난(蘭), 국향(國香) орхидея; ирис; канна; 금~ пыльцеголовник; 나리~ липарис; 은~ пыльцеголовник прямостоячий; 장식용 화초로 ~를 재배한다 культивируют канны как декоративные.

난치(難治) ~의 трудноизлечимый; ~병 трудноизлечимая болезнь; ~병환자 трудноизле-чимый больной

난타(亂打) избиение; ~ 하다 избивать; бить как попало; 그는 의식을 잃을 정도로 ~당했다 он был избит до потери сознания.

난투(亂鬪) побоище; жестокая драка; ~ 가 벌어졌다 завязалась жестокая драка; ~ 극 сцена побоища; зрелище драки.

낟가리 скирда; стог.

낟알 зерно; зёрна; ~을 탈곡하다 молотить; ~걷이 сбор урожая; уборка хлебов; ~구경을 못 하다 обр. даже не знает вкуса риса (о бедном человеке).

날(日) I день; сутки; погода; дата; день; время; период; случай; 불행한~ чёрный (тяжёлый) день; 지난~ минувшие дни; 쾌청한~ солнечный день; ~로 с каждым днём; изо дня в день; день за днём; ~마다 каждый день; 어느 날 однажды; в один прекрасный день; 카크다 раз; ~이 갈수록 с течением времени; со временем; 고통의 ~을 거듭하다 проводить мучительные дни; 비라도 오는 ~은 견학여행을 취소해야 한다 в случае дождя надо отменить экскурсию; 오늘은 ~이 궂다 сегодня погода скверная; ~이 개기 시작한다 небо проясняется; ~일 밝는다 день светает; 혼사~을 잡다 назначать день свадьбы; 날을 가리다 (받다) этн. выбирать счастливую дату(при помощи гадания); б) назначить день свадьбы; 날[이]들다 установиться о погоде; 젊은 날 молодость; 날에는, 날이면 в случае, если 발각되는 날에는(날이면)в случае обнаружения

날 II лезвие; остриё; ~을 세우다 точить; заострять; ~이 서다 становиться острым; заостряться; ~이 무딘 칼 нож с тупым лезвием; 면도~ лезвие бритвы; 칼~ лезвие ножа; 날 잡은 놈이 자루 잡은 놈을 당할까 날이 서다 посл. ≈ рукой дубинку не перешибёшь (букв. разве тот, кто взялся за лезвие ножа может противиться тому, кто взялся за рукоятку?).

날- сырой; неспелый; незрелый; необработанный; невыделанный; наглый; неожиданный; внезапный; ~가죽 невыделанная кожа; ~감자 неспелый картофель;~강도 наглый грабитель; ~벼락 внезапный удар молнии; ~로 в сыром виде;~로 먹다 есть в сыром виде; ~ 것 сырое; свежее; неготовое; незрелое; ~고기 сырое мясо; сырая рыба; 날계란 сырое яйцо; 날밤 незрелый каштан; 날상제 распорядитель траура(до выноса гроба из дома).

날개 крыло; крылья; лопасть; шнуруемая часть ботинка; ~가 달린 имеющий крылья; ~가 있는 крылатый; крылый; ~ 모양의 крылообразный; 양 ~가 달린 двукрылый; 풍차의 ~ крылья ветряной мельницы; ~를 접다 складывать(опускать) крылья; ~를 펴다 расправлять крылья; ~를 흔들다 махать крыльями; 날갯죽지 плечевое сочленение; ~바퀴 тех. крыльчатое колесо;~치다 а) расправлять крылья; б) воспрянуть духом; ~부러진 매 сокол с перебитым крылом(о человеке) ~[가] 돋치다 а) бойко идти(о торговле); б)быстро копиться(напр. о деньгах); в)быть окрылённым.

날다 I (나니, 나오) летать; лететь; высоко подпрыгнуть; быстро двигаться; убегать; испаряться; 나는 ~ (~수 있는) летающий; летучий; 난다 긴다 하다 выделяться чем-л.; 마음이 날 것 같다 легко на сердце; 소매치기는 군중속에 경찰이 있는 것을 눈치채고 그대로 날았다 как только воркарманник заметил милицию в толпе, сразу убежал; 시간이 나는듯 빨리 지나간다 время летит быстро; 학이 안개 속을 날아 간다 журавль летит в тумане; 날면 기는 것이 능하지 못하다 кто умеет летать, тот не умеет ползать; 날아들다 влетать; залетать; прилетать; неожиданно появляться; налететь; нагрянуть; 날아오르다 взлетать; взлететь; 나는 새도 깃을 쳐야 날아간다 날고뛰다 посл.≈без труда не вынешь и рыбки из пруда; 날아가다 улетать; исчезать; улетучиваться; рассеиваться; 날아예다 уст. см. 날아가다.

날다 II выцветать; блекнуть; испаряться; улетучиваться; 붉은 색은 쉬 난다 красный цвет легко выцветает; 휘발유가 날아갔다 бензин улетучился.

날뛰다 беситься; бесноваться; свирепствовать; 날뛰는 бешеный; бесноватый; 기뻐 ~ прыгать от радости; 아들이 시험을 잘못 봐서 아버지는 무섭게 날뛰었다 отец свирепствовал из-за того, что сын не сдал экзамен; 사납게 ~ свирепствовать.

날렵하다 живой; расторопный, проворный; ловкий; 날렵하는 живость; расторопность; проворность; ловкость; 날렵하게 расторопно; проворно; ловко; 날렵한 걸음 быстрый шаг; 날렵한 도약 ловкий прыжок.

날리다 подниматься; разноситься; развеваться; трепетать; полоскаться; запускать в воздух; поднимать вверх; делать на скорую руку; халтурить; полностью израсходовать; растрачивать; упустить случай; прославиться кем-л.,чем-л.; 새장에서 새를~выпускать птицу из клетки; 좋은 기회를 ~ упустить хороший шанс; 깃발이 바람에 날린다 Флаг развевается по ветру; 남의 돈을 완전히 날렸다 растратил чужие деньги; 눈발이 바람에 날린다 снежинки разносятся ветром; 모형비행기를 공중으로 날렸다 пустил макет самолёта в воздух; 방안에 먼지가 날린다 в комнате поднялась пыль; 유명한 학자로서 이름을 날렸다 он прославился как учёный; [펄펄] ~ развеваться, полос-каться(о флагах); 이름을~ сделать себе имя, прославиться.

날림 халтурщина; ~의 халтурный; кампанейский; ~으로 халтурно; на скорую руку; тяпляп; ~으로 하다 халтурить; делать на скорую руку; ~ 공사 халтурное строительство.

날씨(일기) погода; 변덕스러운 ~ переменчивая погода; 온화한 ~ мягкая погода; ~가 어떻든 간에 при любой погоде; ~에 관계없이 независимо от погоды; ~에 따라 в зависимости от погоды; ~를 예보하다 передавать прогноз погоды; ~가 풀리다 потеплеть; 날씨가 좋습니다 хорошая погода.

날씬하다 тонкий; стройный; 날씬한 몸매 тонкий стан; 날씬한 허리~ тонкая талия. 날씬한~ стройный.

날아가다 лететь; вылетать; пролетать; улетать; исчезать; улетучиваться; рассеиваться; 모든 희망이 날아갔다 все надежды исчезли; 비행기가 모스크바에서 서쪽으로 50km를 날아갔다. самолёт пролетел 50 ки-лометров на запад от Москвы.

날아갑니다 улетает.

날인(捺印), **날장**(捺章) печать; ~하다 ставить печать; штемпелевать; прикладывать печать; ~란 штемпелевальный квадратик.

날조(捏造) фальсификация; ~의 фальшивый; фальсификационный; ~하다 фальсифицировать; фабриковать; ~되다 быть фальсифицированным(фабрикованным); ~된 역사 ложная история; 헛소문을 ~하다 фабриковать ложные истории.

날자 1) число дней; день; число; ~로 적히다 быть датированным; датироваться; ~를 적어 넣다 датировать что-л.чем-л.; ставить дату; 떠나기까지는 아직 ~가 남아있다 до отъезда ещё осталось несколько дней; 신청서에 어제 ~를 기입하십시오. датируйте заявление вчерашним числом; ~변경선 геогр. линия перемены даты, граница дат; 2) дата.

날카롭다(날카로우니, 날카로와) острый; тонкий; чувствительный; нервный; резкий; 날카로움 острота; тонкость; резкость; 날카롭게 остро; тонко; нервно; резко; 날카로운 목소리 резкий голос; 날카로운 비판 острая критика; 날카로운 시선 колючий взгляд; 날카로운 창 острое копьё; 끝이 날카로운 메스 остроконечный скальпель; 날카로운 주목 пристальное внимание; 신경이 ~ чувствительный, нервный.

낡다 старый; устарелый; ветхий; устаревший; отживший; 낡은 것 старьё; 낡은 관습 старый обычай; 낡은 옷 старое платье; 사진이 빛이 바래 낡았다 фотография выцвела; 낡아빠지다 совершенно старый; обветшалый; затасканный; 사진이 ~ фотография выцвела.

남 I чужой(-ая); неродные; посторонний(-яя); другой(-ая); ~의 чужой; чуждый; посторонний; другой; ~의 나라 чужая страна; чужбина; ~의 물건 чужие вещи; ~들 앞에서 при чужих людях; ~의 마를 듣고 с чужих слов; ~을 등쳐먹고 살다 жить за чужой счёт; сидеть на шее у кого-л.; 너는 우리 일과 상관없는 ~이다 в нашем деле тычеловек посторонний; 우리들은 이제 서로 남남이다 теперь мы друг другу чужие; ~이 장에 간다고 하니 거름 지고 나선다 обезьянничать; ~좋은 일을 하다 делает работу, выгодную только другому; 남모르게(몰래) тайком, украдкой, исподтишка, незаметно; 남다르다 отличаться от других, выделяться; 남 볼상 репутация; 남 잡이가 제 잡이 남을 물에 넣으려면 저 먼저 들어간다 посл. не рой другому ямусам в неё попадёшь; 남이 눈 똥[찌]에 주저앉다 посл. ≃ попасться на удочку; 남 없는 особый,отличный от других; 남에 없는 일처럼(일같이) словно нет работы лучше; 남의 군불에 밥 짓는다, 남의 발에 감발한다. 남의 불에게 잡기, 남의 팔매에 밤 줏는다, 남의 싼 불에 게 잡는다 посл. чужими руками жар загребать; 남의 굿 보듯 посл. ≃ моя хата с краю; 남의 다리를 긁다 посл. ≃ чесать ноги другому; 남의 달잡다 переходить месяц(при беременности); 남의 등을 쳐 먹다 жить за счёт других; 남의 말하기는 식은 죽 먹기 посл.≃в чужом глазу соинку видит, а в своём бревна не замечает; 남의 말에 안장 지운다 распоряжаться чужим как своим; 남의 바지 입고 새 벤다 посл.≃ посади свинью за стол, она и ноги за стол; 남의 밥보고 씨래기국 끓인다, 남의 밥보고 장 떠먹는다 посл. ≃ чужим умом не будешь умён; 남의 밥에 든 콩이 굵어 보인다 посл. ≃ в чужих руках ломоть шире (букв. бобы в каше другого кажутся крупнее); 남의 살 같다 терять чувствительность, затекать; 남의 잔치에 감 놓

아라 배 놓아라 한다, 남의 잔치 감이야 배야 совать свой нос в чужие дела; 남의(남이 친) 장단에 궁둥이춤춘다 плясать под чужую дудку; 남의 집 살다 жить в батраках; быть наёмным работником; 남의 제상에 배놓거나 감 놓거나 посл. ≈ не суй свой нос не в своё дело; 남의 친기도 우기겠다 에단지 посл.≈чужая печаль с ума свела, а по своей потужить некому; 남의 흉이 한가지면 제 흉이 열가지라 посл. ≈ не говори плохо о других, посмотри на себя; 남의 떡함지에 넘어진다 выпрашивать, клянчить; 남의 싸움에 칼빼기 человек, любящий совать свой нос в чужие дела; 남의 열 아들 부럽지 않다 посл.≈ свой сын лучше десятерых сыновей другого; 남의 염병이 내 고뿔만 못 하다 посл.≈ за чужой щекой зуб не болит; 남의 일은 오뉴월에도 손이 시리디 посл.≈ когда работа чужая, то руки мёрзнут в маеиюне; 남의 일을 보아 주려거든 삼 년내 보아 주어라 раз взялся помогать комуто, то помогай.

남(南), 남쪽 II Юг; южная сторона; ~쪽의 южный; ~녘 땅 южная часть страны; ~단 южная оконечность; южная часть чего-л.; ~도 южные провинции Кореи; ~동풍 юговосточный ветер;~반구 южное полушарие; ~서풍 югозападный ветер; ~풍 южный ветер; ветер с юга.

남-(男) I преф. кор. мужчина, мужской; 동정남 девственник. 남학생 студент.

남-(南) II преф. кор. южный; 남반구 южное полушарие.

-남 разг. груб. оконч. заключительной ф. сказ. со знач. риторич. вопроса: 귤이 빛이 남 разве же мандарин белый?!

남극(南極) 1) Южный полюс; ~거리 астр. Южное полярное расстояние; ~기단 метеор. массы антарктического воздуха; ~노인성 см. 남극성; 2) Южный магнитный полюс; 남극의 길목 южный полюс; Антарктика; ~권 южный полярный круг; ~성 Канопус; ~대륙 Антарктида; ~식물구 антарктическая флора; ~조약 международный договор об Антарктике; ~지대антарктический пояс; ~탐험 экспедиция на южный полюс; ~해 Южный ледовитый океан.

남기다 1) заставлять (позволять) оставаться; оставлять; 기록을 ~ оставить запись; 남김없이 всё, целиком, полностью, без остатка; 2) извлекать выгоду, получать прибыль; 50원 남기고 팔았다 продал с прибылью в 50 вон.

남김없이 без остатка.

남남북녀(南男北女) обр. на юге мужчины красивые, а на севереженщины.

남녀(男女) мужчины и женщины; ~노소 할 것 없이 все от мала до велика; ~공학 совместное обучение мальчиков и девочек; ~관계 взаимоотношение полов; ~노소 мужчины и женщины; стар и млад;~평등 равноправие мужчин и женщин; ~동권(동등권,평등권) равноправие мужчин и женщин; ~노소 все от мала до велика; ~동등(평등) равенство мужчин и женщин; ~유별 арх. между мужчиной и женщиной есть различия.

남다 оставаться; быть вырученным;

оставшаяся выручка; 남은 остаточный; оставшийся; лишний; 남은 돈 деньги, оставшиеся после чего-л.; 남은 표 лишний билет; 충분히 남는다 хватит с излишком; более чем достаточно; 남아돌다 оставаться; быть в излишке; быть лишним; 기억에 ~ запечатлеться в памяти; 남아넘치다 а) быть переполненным(набитым битком); б) быть преисполненным; 얼굴에 남아넘치는 웃음을 띠다 улыбаться всем лицом; 남아돌다, 남아돌아가다 оставаться(в остатке); быть в из-лишке, быть лишним.

남대문(南大門) Намдэмун(южные ворота); ~구멍 같다 обр. большой(о дыре)

남매(男妹) брат и сестра; братья и сёстры.

남모르다(남모르는) неизвестный (кому-л.)

남모르게 а) украдкой, тайком; б) неузнаваемо.

남북(南北) 1) север и юг; 2) лоб и затылок; 3) выступающая часть чего-л; ~[이] 나다 выступать, выдаваться.

남빛 тёмносиний(цвет); индиго.

남성(男性) 1) мужской пол; мужчина; ~답다 подобающий мужчине, мужественный; 2) лингв. мужской род.

남용(濫用) неправильное употребление; злоупотребление чем-л.; ~하다 использовать как попало; злоупотреблять чем-л.;직권을 ~하다 злоупотрелять властью; 직권~ злоупотребление властью.

남쪽 юг.

남편 I муж; супруг; ~의 증조모 прабабушка мужа.

남편(南便) II южная сторона, юг.

납(<臘) свинец.

납기(納期) срок платежа (сдачи поставок).

납니다 пускать ростки.

납부 уплата; ~하다 уплачивать; вносить взнос; ~ 되다 быть уплаченным; 전액을 ~하다 уплатить всю сумму; 회비를 ~하다 уплачивать членский взнос; ~금 вноси-мые деньги; взнос.

납부금(納付金) вносимые(уплачи-вемые) деньги, взнос.

납세(納稅), 고지서(告知書) уплата налога; ~하다 платить налог; ~능력이 있는 налогоспособный; ~능력 налого-способность; ~액 сумма налога); ~의무 обязанность платить налоги; ~자 налогоплательщик(-ца).

납시다 арх. вежл. выходить.

납입(納入) 1) см. 납부; 2) продажа; поставки(товаров); ~하다 а) см. 납부[하다]; б) продавать; поставлять (товары).

납작 1) ~먹다 проглотить в мгновение ока; ~대답하다 выпалить в ответ; ~엎드리다 лечь распластавшись; ~들어붙다 плотно пристать (прилипнуть).

낫 I серп; ~모양의 серповидный; серпообразный; ~으로 베다 жать серпом; ~과 망치 серп и молот; ~놓고 기억자도 모른다 не знать ни одной буквы(азов); ~질하다 жать серпом; ~자루 серповище; рукоятка серпа; ~질 жатва серпом; 낫과 망치 серп и молот; 낫 놓고 기억자도 모른다 посл. ≈ на знать ни одной буквы(ни аза) (букв. не знает даже, что серп по форме напоминает букву

"ㄱ"); 낫으로 눈 가리기 погов. ≈ как страус прятать голову под крыло (букв.закрывать серпом глаза)

낫다 I (나으니, 나아) поправляться; заживать; улучшаться; проходить; 고질병이 완전히 나았다 прошла затяжная болезнь; 곪은 상처가 나았다 зажил нарыв; 병을 앓고 난 뒤에 환자는 완전히 나았다 после болезни больной совсем поправился.

낫다 II (나으니, 나아) лучший; 아무것도 없느니 보다는 그래도 이것이 더 ~ это всё же лучше, чем ничего; 택시로 가는 것보다는 지하철로 가는 것이~ лучше ехать на метро, чем на такси.

낭독(朗讀) чтение вслух; декламация; ~의 декламационный; ~하다 читать вслух; зачитывать; декламировать; 그녀는 낭랑한 목소리로 자작시를 낭독했다 она прочла собственное стихотворение звонким голосом; ~자 чтец(-ица); де-кламатор.

낭떠러지 обрыв; утёс; ~의 обрывистый; утёсистый; ~에서 떨어졌다 сорваться с обрыва;

낭비(浪費) расточительство; мотовство; напрасная трата чего-л.; ~하는 расточительный;~하다 растрачивать; мотать; расточать; 사소한 일에 돈을 ~하다 растрачивать деньги по мелочам; 시간을 헛되이 ~하다 напрасно тратить время; ~성 расточительность.

낭비의 문화 культура излишнего растрачивания.

낭비하다 <-> 아껴쓰다 транжирить <-> экономно использовать.

낭송 декламация; публичное чтение; ~의 декламационный; ~하다 декламировать; 그는 시를 잘 ~ 한다 она хорошо декламирует стихотворения; ~자 декламатор(-ша).

낮 день; ~의 дневной; ~에 днём; 밤~ день и ночь; 밤~으로 и день и ночь; 한~ полдень; ~교대 дневная смена; ~ 잠 дневной сон; сиеста; 낮은 새가 듣고 밤 말은 쥐가 듣는다 посл. букв. ≈ сказанное днём слышат птицы; 낮에 난 도깨비 обр. наглец.

낮다 низкий; невысокий; низко; низинный; нижний; неудовлетворительный; младший; тихий; 낮게 низко; невысоко; ниже; тихо; негромко; 낮은 목소리 тихий голос; 낮은 울타리 невысокий забор; 낮은 점수 неудовлетворительные отметки; 낮은 지대 низина; 낮은 학년 младший класс; 질이 낮은 상품 товары низкого сорта(качества); низкосортные товары; 효율이 낮은 기계 низкоэффективный аппарат.

낮아요 низко.

낮아지다 понижаться; снижаться; убавляться; 가격이 ~ понижаться в цене; 지위가 ~ понижаться в должности.

낮은 низкий.

낮추다 понижать;снижать; занижать; убавлять; принижать; принижать себя; скромничать; фамильярно обращаться(разговаривать); 목소리를 ~ понижать голос; 속도를 ~ убавлять скорость; 원가를~ снижать себестоимость; 말씀을 낮추시지요 говорите со мной на "ты"; 낮춤말 пренебрежительное название (обращение).

낮추보다 свысока смотреть(на кого-л.); презирать, третировать.

낮춤말 простая форма.

낯 лицо; честь; репутация; достоинство;~을 가리다; дичиться кого-л.,чего-л.(о ребёнке); неодинаково относиться(к людям); ~이 간지럽다 испытывать неловкость; быть не по себе;~이 두껍다 бесстыжий; наглый; ~이 뜨겁다 стыдно кому-л.;~이설다 незнакомый; непривычный для глаза; ~이 익다 примелькаться; приглядываться; знакомый; ~을 못들다 опускать глаза от смущения; ~을 붉히다 багроветь от гнева(злости;стыда); ~가림 하는 아이 дикий ребёнок; ~선 환경 непривычная обстановка; ~ 빛 выражение лица; цвет лица; ~짝 рожа; морда; ~을 돌리다 отворачиваться; обращать внимание, проявлять интерес; ~을 알다 узнавать (кого-л.) ~을 익히다 знакомить; ~이 익어지다 примелькаться (о лице); ~이 간지럽다 чувствовать себя неудобно(неловко); 낯가죽[이 두껍다]; испытывать стыд; в знач. сказ. стыдно; ~이 부끄럽다 испытывать стыд; в знач.сказ. стыдно; ~이 설다 незнакомый, непривычный для глаза; ~이 떳떳하다 совесть чиста; ~이 뜨뜻하다 см. 얼굴(이뜨뜻하다) 낯[이]없다 стыдиться, не смотреть в глаза; ~이 있다 знакомый;~을 내다 показать себя; ~을 묻히다 запятнать честь(репутацию); ~을 깎다 обесчестить, запятнать репутацию; ~이 나다 приобрести авторитет, заслужить уважение;~이 깎이다 уронить своё достоинство.

낯선 незнакомый.
낯설다 незнакомый.
낯이 설다 лицо незнакомо.
낯이 익다 знакомый; примелькавшийся(о лице).
낯익다 лицо знакомо.

낱 штука; ~낱이 во всей подробности; во всех деталях; ~개로 продавать по штукам (поштучно; в отдельности); ~소리 отдельные звуки.
낱낱 каждая штука.
낱낱이 нареч. каждая штука; поштучно, в отдельности.
낱말, 단어(單語)어휘(語彙) слово; ~풀이 толкование слов.

낳다 I рожать; метать икру; нести (яйца); порождать; вызывать; приводить к чему-л.; творить; 기적을 ~ творить чудеса; 아이를~ родить ребёнка; 의심은 불신을 낳는다 сомнение рождает недоверие.

낳다 II 1) прясть; 2) ткать.

-낳이 суф. после геогр. назв. обозначает место производства ткани: 강진 ~천 канчжинские ткани.

내 I дым.

내, 냄새 II запах; аромат; ~가 나다 пахнуть чем-л.; 어디선가 탄~가 심하게 난다 откудато сильно пахнет гарью; 땀~ запах пота.

내, 시내물 III речка; ручей; 시냇물이 흐른다 речка движется; течёт ручей; 냇가 берег речки(ручья); 내 건너 배 타기 посл. букв. ≅перейдя речку садиться в лодку.

내(內) IV внутри; ~의 внутренний; 공장 ~에서 на заводе; 국 ~의 отечественный; 금년 ~에 в течение этого года; 기한 ~로 в срок.

내 (나의) V я; мой; ~가 한 일 проделанная мною работа; ~ 고향 мой родной край; ~조국 моя Отчизна; 내가 할 말을 사돈이 한다 валить с больной головы на здоровую; 내 노래를 사돈이 부른다(내

가 할 말을 사돈이 한다) посл. букв. ≅ то, что должен сказать я, говорит сват; мою песню поёт сват; 내 남 없이 всё равно кто; либо я, либо другой; 내노라 하다 зазнаваться; 내미락 네미락 하다 перекладывать, сваливать(ответственность, работу на другого); 내 밑 들어 남 보이기 показать все свои недостатки; 내 밥 먹은 개가 발뒤축 문다 посл. букв. ≅ собака, которая ест твой хлеб, тебя же кусает за пятки; 내 코가 석자, 내 코가 대 자 오치 посл.≅ мне только до себя (о человеке попавшем в трудное положение).

내- преф. вы-;из-;сильно;с силой; ~달리다 сильно бежать; ~몰다 выгонять; выталкивать; ~쉬다 выдыхать; выдувать; ~오다 выносить; вытаскивать; ~배다 выступать (о поте и т.д.).

내-(來-) следующий; ~달 следующий месяц; ~학기 следующий семестр.

-내 суф. на протяжении; 겨우~ на протяжении зимы; 봄내 на протяжении всей весны.

내가 берег речки(ручья).

내가다 вывозить; выносить; 관을 방안에서~ выносить гроб с покойником из комнаты; 쓰레기를 손수레에 실어 마당에서 ~ вывозить мусор со двора на ручной тележке.

내각(內閣) I кабинет министров; ~을 구성하다 формировать кабинет министров; ~불신임 недоверие парламента правительству; ~책임 система ответственности кабинета министров перед парламентом; 연립~ коалиционный кабинет министров; 예비~ теневой кабинет; 일당~ однопартийный кабинет; 전시~ военный кабинет; ~결정 постановление кабинета(совета) министров; ~명령 распоряжение кабинета(совета) министров; ~성원 член кабинета(совета) министров; ~수상 председатель кабинета(со вета) министров.

내과(內踝) I внутренняя часть лодыжки

내과(內科) II терапия; терапевтическое отделение; ~의 терапевтический; ~병동 терапевтическое отделение; ~의사 терапевт; ~질환 внутренняя болезнь; ~학 терапия.

내구(耐久) ~성이 있는 прочный; ноский; терпеливый; ~하다 долго терпеть(выносить); быть прочным; 압축에 견디는 ~성 прочность при сжатии; 충격에 견디는~성 прочность на удар; ~성 прочность; носкость; ~재 прочные материалы.

내국(內國) внутри страны; ~의 отечественный; внутренний; ~무역 внутренняя торговля; ~산 отечественное производство; ~시장 внутренний рынок.

내기 пари ; спор; ~하다 держать пари; спорить; ~ 로 на пари; на спор; ~를 걸다 заключать пари; ~에 이기다(지다) выиграть(проиграть) пари(спор);죽을~로 не жалея своих сил,с напряжением всех своих сил.

내깔기다 1) бросать, выбрасывать; 2) отправлять естественные потребности где попало; 3) с силой бросать(выбра-сывать).

내년(이듬해) следующий год; ~에 в следующем году; ~ 이맘 때 в это же время в следующем году.

내놓다 выставлять; выносить; экспонировать; выдвигать; высказывать; опубликовать; выпускать в свет; отдавать; сдавать; уступать; оставлять; исключать; откровенно; 내놓고 말하다 говорить откровенно; 물건을 팔려고 ~ выпускать в продажу; 신작시 세 편을 ~ опубликовать три новых стихотворения; 우선권을 ~ уступать первенство; 증거를 ~ выдвигать аргумент; 책상을 복도 가운데로~ выставлять стол на середину коридора; 내놓고는 исключая.

내다 I дымить(о плите); вырываться(из плиты о пламени)

내다 II порождать; производить; извлекать; выставлять; выносить; вносить удобрения; высаживать; пересаживать;отдавать(приносить) (жертву);угощать;подавать блюдо; представлять; предъявлять; высылать; посылать; издавать; выпускать в свет; опубликовать; получить долг; 찾아 ~ выискать; 가루를 ~ делать порошок; 볏모를 ~ высаживать рисовую рассаду; 세금을 ~ платить налоги; 속력을 ~ выжимать скорость; 시간을~ улучать время; 신고서를 ~ подавать заявление; 연기를 ~ выпускать дым; 용기를 ~ воспрянуть духом; набраться смелости; 입장료 ~ платить за вход; 짬을 ~ выкраивать время; 편지를 ~ отправлять письмо; 한턱을 ~ угощать кого-л.; 빛을 ~ излучать свет; 먼지를 ~ поднимать пыль; 의견을~ высказывать мнение; 명령을~ отдавать приказ; 희생을 ~ принести в жертву; 자리를 ~ уступать место; 끄집어내다 вытаскивать; 내[다]... и 내여... показывает направленность действия изнутри наружу; 내[여]놓다 выпускать; 내[여] 주다 выдавать; 아, 어, 여 ука-зывает на завершённость действия: 끓어내다 вскипятить; 견디어 내다 вынести, вытерпеть; 내다 보다 1) выглядывать; 2) смотреть вперёд(вдаль) 내어 가다 см. 내가다; 내어놓다 см. 내놓다; 내어버리다 см. 내버리다; 내어쫓다 см. 내쫓다; 내어오다 см. 내오다

내다보다 выглядывать; смотреть вперёд(вдаль); заглядывать в будущее; предусматривать; ~ 내다보는 구멍 смотровая щель; 내다보는 창문 смотровое окошко; 모든 상황을 미리 ~ заранее предусматривать все ситуации; 창문 밖으로 아름다운 거리가 за окном виднеется красивая улица; 내다보인다. виднеться.

내닫다 (내달으니, 내달아) выбегать; устремляться вперёд.

내던지다 выбрасывать; выкидывать; вышвыривать; забрасывать; бросать словами; 시작한 일을 ~ забросить начатое дело; 담배꽁초를~ выбрасывать окурок за окно.

내동댕이치다 выкидывать, вышвыривать

내두르다(내두르니,내둘러) 1) размахивать(чем-л.); 2) помыкать(кем-л.)

내디디다 делать шаг вперёд; ступать; зашагать; делать первые шаги в чём-л.;приступать к чему-л.; 그는 한 걸음 한 걸음 내디뎠다 он делал шаг за шагом; 우리는 학문의 세계에 첫걸음 내디뎠다 мы делали первые шаги в мире науки; 걸음을 ~ зашагать.

내딴 ~은, ~에, ~으로 по моему личному мнению, убеждению.

내려가다 опускать; спускаться; сходить; идти(ехать) из столицы в провинцию; снижаться; падать; сокращаться; передавать потомкам; доходить до потомков; перевариваться; 기온이 영하 10도로 ~ температура падает до десяти градусов мороза; 산에서~ спускаться с горы

내려다보다 смотреть сверху вниз; смотреть, потупив взор; смотреть свысока на кого-л.; 옥상에서 밑을 ~ смотреть с крыши вниз; 부자는 가난한 이를 내려다 본다 богатые смотрят свысока на бедных.

내려앉다 спускаться; опускаться; оседать; проваливаться; 건물의 기초가 내려앉았다 фундамент здания осел; 새가 나뭇가지에 내려앉았다 птица опустилась на ветку дерева; 천장이 내려앉았다 потолок провалился.

내려오다 спускаться; сходить; переезжать из столицы(центра) в провинцию(филиал); доходить до наших дней; 예로부터 내려오는 풍습 старинные обычаи; 감사가 지점까지 내려왔다 ревизор приехал в филиал фирмы; 승강기를 타고 ~ спускаться на лифте.

내력(來歷) I прошлое; биография; причина; источник; корень; 모든 일에는 ~이 있다 всему есть своя причина; ~을 알아보다 узнавать чьё-л. прошлое

내력(內力) II внутреннее усилие; внутренние силы.

내렸습니다 спустил.

내륙(內陸) 1) внутренние районы; ~의 внутренний; внутриконтинентальный; ~국 внутриконтинентальная страна; ~권 внутриконтинентальный круг; ~지대 районы, отдалённые от моря; ~지방 местности, отдалённые от моря; ~하천 реки внутреннего бассейна; ~호 внутреннее озеро; 유역 геогр. замкнутый бассейн рек; ~하천 реки внутреннего бассейна; 2) *см.* 대륙;~기후 *см.* 대륙 [기후].

내리 сверху вниз; подряд; непрерывно; как попало; ~쓴 글 письмо, напи-санное сверху вниз; ~ 짓밟다 растоптать; ~ 칠일동안 비가 내렸다 дождь тшёл семь дней подряд; ~공급 централизованное снабжение.

내리- преф. сверху вниз; подряд; непрерывно; сильно; с силой; как попало; ~까다 бить; ударять; ~뛰다 спрыгивать вниз; ~쓸다 под-метать; ~읽다 не отрываясь читать; ~사랑 любовь родителей к детям; 내리닫다 сбегать(напр. о лестнице).

내리갈기다 бить(хлестать) сверху вниз

내리구르다 (내리구르니, 내리굴러) 1) давить сверху вниз;тянуть(о ноше и т.п.); 2) угнетать, притеснять.

내리긋다 (내리그으니, 내리그어) 1) проводить вертикальную линию; линовать (сверху вниз); 2) всё время чертить линии;штриховать.

내리누르다(내리누르니,내리눌러)давить сверху вниз; угнетать; притеснять; 백성을 ~ угнетать народ.

내리다 снижаться; опускаться; спускаться; садиться;идти; выпадать; садиться; выходить; сходить; падать; снижаться; худеть; перевариваться; вселиться(о духе); опускать; спускать; слагать; снимать; отдавать приказ; делать вывод(заключение); переваривать; усваивать; задавать трёпку; 막을~ опускать занавес; 말에서 ~

слезть с лошади; 물건 값이 내린다 цены на товары падают; 버스에서 ~ выходить из автобуса; 법령을 ~ издавать закон; 부기가 내렸다 опухоль спала; 비가 내린다 идёт дождь; 비행기가 공항에 내렸다 самолёт приземлился на аэродром; 수레에서 짐을 ~ спускать груз с воза; 이슬이 내린다 роса садится; 판결을 ~ выносить приговор; 명령이 ~ быть отданным(о приказе); 살이 ~ похудеть; 명령을 ~ отдать приказ; 결론을 ~ делать вывод (заключение)

내려가다 а) сходить, спускаться(с горы, с лестницы и т.п.); б)ехать, идти(из центра в провинцию);

내려긋다 а) проводить линию ниже чего-л.; подчёркивать; б) см. 내리긋다.

내려놓다 опускать(на землю и т.п.); перекладывать сверху вниз (ниже);

내려 누르다 см. 내리누르다;

내려다 보다 а) смотреть сверху вниз; б) смотреть потупив взор; в) смотреть свысока(на кого-л.)

내려디디다 сходить, спускаться

내려먹다 понижаться в должности;

내려먹이다 а) засыпать указаниями (нижестоящего); б) нагружать работой;

내려치다 см. 내리치다 1); 내려 꽂다 а) воткнуть, вставить(что-л. верти-кально); б) пикировать;

내려쓰다 I а) писать, подписывать (что-л. под чем-л.); б) см. 내리쓰다 1);

내려쓰다 II нахлобучивать(головной убор); одевать низко на лоб.

내려앉다 опуститься, [o]сесть; 가슴이 내려앉았다 сердце упало

내려오다 а) опускаться; сходить; б) приезжать, приходить(из столицы в провинцию); в) следовать порядку; 이상에서 말해 내려 온 바와 같이 как подробно сказано выше; г) доходить до наших дней.

내리막 спуск; уклон; 가파른(밋밋한) ~ крутой(отлогий) спуск; ~ 표지 дорожный знак "спуск";уклонный знак; ~길 дорога, ведущая вниз.

내리세요 спустите ваши руки.

내리치다 бить (хлестать) сверху вниз; 주먹으로 탁자를 세게~ сильно бить кулаком по столу.

내립니다 спустит, спускает.

내막 закулисная сторона; подоплека; 사건의~ подоплека события; 이 일에는 나름의 ~이 있다 в этом деле есть своя подоплека.

내면 внутренняя сила; внутренность; ~적 внутренний; скрытный; духовный; ~독백 внутренний монолог; ~묘사 изображение внутреннего (духовного) мира; ~생활 внутренняя (духовная) жизнь; ~세계 внутренний (духовный) мир; ~연마 선반 внутришлифовальный станок; ~나사 внутренняя резьба; ~선삭 расточка; ~선삭반 расточный станок; ~연마반 внутришлифовальный станок; ~으로 в душе.

내몰다 (내모니, 내모오) выгонять; изгонять; подгонять; гнать; торопить; подхлёстывать; 가축 떼를 들판으로 ~ выгонять стадо в поле; 게으름뱅이를~ подгонять ленивца; 차를 ~ гнать машину;

내몰리다 изгоняться; быть выгнанным; быть подогнанным.

내무(內務) внутренние дела; ~부 министерство внутренних дел; ~부

장관 министр внутренних дел.

내밀다 (내미니, 내미오) выступать; высовывать; выпирать; выпячивать; протягивать; сваливать что-л. на кого-л.; перелагать на кого-л.; 가슴을~ выпячивать грудь; 손을~ протягивать руку; 자신의 책임을 남에게 ~ сваливать свою ответственность на чужих; 창문 밖으로 머리를 ~ высовывать голову за окно; 혀를 ~ высовывать язык

내밀리다 1) быть высунутым(выпяченным); 2) быть вытолкнутым (выдворенным).

내밀치다 с силой выталкивать.

내받다 1) сильно выталкивать(что-л. головой); бодать; 2) сопротивляться, упорствовать.

내뱉다 выплёвывать; бросаться словами; изрыгать проклятия; 가래침을~ выплёвывать слюну с мокротой (слюну); 욕설을 툭~ бросаться ругательными словами.

내버리다 отбросить.

내버려두다 не трогать; не прикасаться; не обращать внимания; бросать на произвол судьбы; оставлять без присмотра(внимания).

내버려두어라 не трогай(не тронь); 방을 치우지 않고 ~ оставлять комнату неубранной

내보내다 (вы)пускать; высылать; отправлять; выбрасывать; выгонять; выселять; выдворять; 담배 연기를 코로 ~ пускать дым через нос; 대표단을 국제회의에 ~ отправлять делегацию на международную конференцию; 마을에서 ~ выселять из деревни; 직장에서~ выгонять с работы; 상품을 시장으로 ~ выбрасывать товар на рынок.

내복약(內服藥) лекарство для внутреннего употребления; ~을 복용하다 принимать лекарство для внутреннего употребления.

내부(內部) I внутренняя часть(сторона); внутренность; изнанка; ~의 внутренний; ~적으로 внутренне; ~로 внутрь чего-л.; ~로부터 из-нутри; ~에 внутри чего-л.; 당은 ~로부터 와해되었다 партия дезорганизовалась изнутри; 외부는 깨끗한데 ~는 지저분하다 снаружи чисто, а внутри грязно; ~마찰 внутреннее трение; ~모순 внутреннее противоречие; ~저항 внутреннее сопротивление; ~층 внутренний слой; прослойка; ~[적] внутренний; ~골격 анат. скелет; ~굴절 лингв. внутренняя флексия; ~마찰 внутреннее трение; ~저항 физ. внутреннее сопротивление; ~채산제 хозрасчёт(напр. на предпиятии); ~예비 внутренние резервы; ~원천 внутренние ресурсы.

내부(乃父) II книжн. 1) вежл. твой отец, я (отец о себе); 2) его(её) отец; ~내자 каков отец, таков и сын.

내부딪치다 с силой натолкнуться (налететь).

내부딪히다 натолкнуться, налететь, наскочить(на что-л.).

내분(內分) I деление; расщепление; деление внутренней точкой;~하다 делить внутренней точкой.

내분(內紛) II внутренний раздор; внутренние распри; семейные раздоры; ~의 씨 яблоко раздора; ~을 일으키다 сеять внутренний раздор.

내분비(內分泌) инкреция; внутренняя секреция; ~의 икреторный; ~물 инкреты; гормоны; ~선 железа внутренней секреции; эндокринная железа.

내붙이다 1) вывешивать(напр. объявления); 2) приклеивать, прикреплять; прилеплять; 3) с силой выбрасывать (вышвыривать); 4) с силой бить(избивать); 5) перен. выпалить; 6) быстро идти(к намеченной цели).

내비치다 светить(освещать) изнутри; просвечивать; немного рассказать; 등불이 커튼너머로 내 비친다 сквозь занавеску просвечивает свет лампы; 나는 내 생각을 내비쳤다 я рассказал о том, что я думаю.

내빈(內賓) I гость; посетитель (-ница); ~의 гостевой; посетительский; ~을 대접하다 принимать гостей; ~을 맞이하다 встречать гостей; ~을 배웅하다 провожать гостей; ~석 места для гостей; гостевые места.

내빈(耐貧) II (가난) ~하다 терпеть нужду(лишения).

내빼다 удирать; давать тягу; 그는 내뺄 사이가 없었다. он не успел удрать.

내뿜다 выпускать; извергать; извергаться; 화산에서 용암이 내뿜어졌다 лава извергалась из вулкана; 화산이 용암을 내뿜는다 вулкан извергает лаву.

내사(內查) I секретное(тайное) расследование; ~하다 секретно(тайно) расследовать; 관리의 내물 수수 행위를 ~하다 секретно(тайно) расследовать коррупцию бюрократов.

내사(內賜) II личный дар(короля).

내색(-色) выражение лица; ~하다 выражаться (отражаться) на лице; ~하지 않다 не подавать виду чего-л.; не показывать вида чего-л.; ~을 내다 выражаться (отражаться) на лице(о чувствах).

내성(內省) I самонаблюдение; интроспекция. ~적 скрытный; интроспективный; неоткровенный; ~적 기질 скрытная натура; ~적인 사람 скрытный че ловек.

내성(耐性) II устойчивость; стойкость; выносливость;~이 있는 упорный; устойчивый; стойкий; выносливый; 산에 ~이 있는 кислотостойкий; 습기에 ~이 있는 влагоустойчивый; 염분에 ~이 있는 жароупорный; 내산성 кислотостойкость; 내열성 жароупорность.

내세(來世) загробный мир; загробная жизнь; тот свет; ~의 загробный; ~에서의 고인의 명복을 빌다 молиться за упокой души; ~관 взгляд на загробный мир.

내세우다 выставлять; выдвигать; ставить; превозносить; ставить что выше чего-л.; высоко оценивать; 개인의 이익보다 집단의 이익을 더 ~ ставить интересы коллектива выше личных; 대표자로~ выдвигать кого-л. представителем; 이 싸구려 소설에는 새롭게 내세울만한 아무것도 없다 в этом дешёвом романе нет ничего нового, на что можно было бы обратить внимание; 대열 앞에 ~ поставить перед строем; 사회적 이익을 개인적 이익보다 더 높이 ставить общественные интересы выше личных.

내수(內需) спрос внутреннего рынка; ~가 증가(감소)하다 расти(падать) спрос на внутреннем рынке; ~를 충족시키다 удовлетворять спрос на внутреннем рынке.

내숭 лукавство; хитрость; коварство; ~스럽다 лукавый; хитрый;

коварный; ~스레 лукаво; хитро; коварно; ~떨다 лукавить(лукавствовать).

내쉬다 выдыхать; выдувать; выпускать; ~는 выдыхательный; 깊이 숨을 ~ глубоко выдыхать.

내쉼 выдыхание; выдох.

내시경 эндоскоп; 기관지 ~ 검사법 эндоскопия бронхов; ~검사 эндоскопический осмотр; ~ 검사법 эндоскопия.

내심(內心) I душа; мысль; замысел; внутренне; в душе; про себя; ~ 기대하다 надеяться(ожидать) в душе; ~을 털어놓다 раскрывать свою душу кому-л..

내심(內心) II центр вписанной окружности. (수학) ~을 구하다 искать центр вписанной окружности.

내오다 выносить; вытаскивать; 과일을 쟁반에 담아 부엌에서~ выносить поднос с фруктами из кухни.

내외(內外) I внутренняя и внешняя сторона; приблизительно; около; 국~에 на родине и за рубежом; 국~정세 внутреннее и внешнее положение страны; 40명 ~ приблизительно 40 человек; 이삼 년~ примерно двратри года; ~어물전 феод. фирма, занимавшаяся торговлей рыбой в Сеуле.

내외(內外) II муж и жена; супруги; ~하다 избегать(чуждаться)мужчин (женщин); ~간 между мужем и женой; между супругами; ~술집 (주점) питейное заведение без служанок;

내외간(內外間) между мужем и женой, между супругами; ~싸움은 칼로 물 베기 посл. ≈ милые бранятсятолько тешатся.

내용(內用) I содержание; сущность; фабула; ~이 풍부하다 содержательный; ~적 относящийся к содержанию; ~을 담다 содержать; ~이 빈약한 책 книга с бедным содержанием; ~이 풍부한 기사 содержательная статья; ~을 깊이 파고들다 глубоко вникать в содержание чего-л.; ~물 содержимое;~과 형식 форма и содержание; ~과 형식의 통일 единство формы и содержания.

내용(內用) II 1) расходы на бытовые нужды; 2) см.내복 II

내용물(內容物) содержимое.

내의(內衣) I нижнее бельё; 겨울 ~ зимнее нижнее бельё; 춘추 ~ демисезонное нижнее бельё; ~를 갈아 입다 менять нижнее бельё; ~를 입다 надевать нижнее бельё.

내의(內醫) II придворный медик, лекарь.

내일(來日) завтра; завтрашний день; будущее; ~의 завтрашний; ~할 일 работа на завтра; ~ 아침(저녁)에 завтра утром(вечером); ~은 해가 서쪽에서 뜨려나보다 завтра красный снег выпадет. 내일 아침 6시에 나를 깨워주십시오 разбудите меня пожалуйста завтра в 6часов.

내장(內臟) I внутренние органы; внутренности; потроха; ~의 внутренностный; висцеральный; 생선 ~을 긁어내다 потрошить; ~하수증 висцероптоз; спланхноптоз; ~학 спланхнология; ~반사 висцеральные рефлексы; ~신경증 висцеральный невроз; ~탈출 выпадение внутренностей.

내장(內藏) II внутреннее устройство; ~하다 содержать; иметь; 모뎀

은 컴퓨터에 내장되어 있다 модем встроен в компьютер

내젓다(내저으니,내저어) размахивать чем-л. перед собой; выгребать (вёслами); 노를 ~ грести вёслами; 팔을~ размахивать руками.

내정(內政) I внутренние дела государства; домашнее хозяйство; семейная жизнь; ~에 간섭하다 вмешиваться во внутренние дела; ~간섭 вмешательство во внутренние дела; ~불간섭 невмешательство во внутренние дела; ~범절 нормы семейной жизни.

내정(內定) II неофициальные выборы; ~하다 неофициально решать; 사전에 대의원 후보를 ~하다 неофициально избирать кандидата в депутаты.

내주다 выдавать; передавать; подавать; уступать; сдавать; 수건을 ~ подавать полотенце; 자리를 ~ уступать место; 통행증을 ~ выдавать пропуск.

내지(內地) I 1) внутренняя территория страны; 2) внутренние районы, отдалённые от моря; 3) своя страна.

내지(乃至) II от... до...; или; и; 이백 ~ 삼백 킬로미터 от двухсот до трёхсот; 조선~중국 Корея и Китай

내지르다 (내지르니, 내질러) 1) выталкивать; с силой ударить(толкать); 2) выкрикивать; рожать; гадить; 냅다 욕을~ выкрикивать ругательные слова; 주먹을 ~ с силой ударить кулаком; 줄줄이 자식을 ~ рожать детей подряд; 소리를 ~ кричать; 3) прост. см. 낳다 I.; 4) прост. см. 누다 I.

내쫓기다 быть изгнанным.

내쫓다 выгонять; изгонять; 직장에서 ~ выгонять со службы; 집에서 ~ выгонять из дома.

내차다 1) вышвыривать, отшвыривать(ногой); 2) с силой пинать (лягать).

내치다 1) бросать, выбрасывать; 2) швырять; 3) выгонять, вышвыривать; 내치락들이치락 а) быть непостоянным (ветренным); капризничать; б) то усиливаться, то ослабевать(о болезни); 내친걸음 первые шаги; самое начало.

내키다 понравиться; захотеть; приходиться по душе; 나는 그녀의 행실이 썩 내키지는 않는다 мне не очень нравится её поведение; 마음이 내키지 않다 разочароваться; охладеть;

내켜 놓다 а) переставлять вперёд; б) откладывать(напр. работу);оставлять (что-л. кому-л.).

내한(來韓) I приезд(посещение) в Корею; ~하다 приезжать в Корею; посещать Корею; ~사절단 делегация, приехавшая в Корею.

내한(耐寒) II морозоустойчивый; морозостойкий; ~성 морозоустойчивость; морозостойкость;~작물 морозоустойчивые культуры;~비행 полёт при пониженной температуре; ~하다 не бояться холода,(легко) переносить холод.

내화(內貨) I внутренняя валюта.

내화(耐火) II ~의 огнеупорный; огнестойкий; ~구조 огнеупорная конструкция; ~연와(벽돌) огнеупорный кирпич; ~성 огнеупорность; ~시멘트 огнеупорный цемент; ~재(료) огнеупоры, ~피복 огнеупорный покров; ~가공 текст. огнеупорная пропитка; ~점토 огнеупорная глина.

내후년 через два года; ~에 내딸은 대학에 입학한다 через два года моя дочка поступит в университет.

냄비 кастрюля; ~의 кастрюльный; 법랑~ эмалированная кастрюля; 알루미늄 ~ алюминиевая кастрюля.

냄새 запах; ~가 나다 пахнуть чем-л.; издавать запах; давать себя чувствовать; чувствоваться; ~를 맡다 нюхать; обонять; ~를 피우다 делать вид кого-л.; подавать вид; 그에게선 범죄자 ~가 난다 чувствуется, что он преступник; 좋은 ~가 난다 пахнет хорошо.

냅킨(napkin) салфетка; бумажные салфетки; 식후에 ~으로 입을 닦다 вытираться салфеткой после еды.

냇가 см. 내 берег реки.

냉(冷) ощущение холода в нижней части живота; простудные заболевания; боли; ~하다 холодный; чувствовать холод в нижней части живота; ~을 치료하다 лечить простудные заболевания.

냉-(冷-) холод; ~기 холод; холодный воздух; ~면 лапша в холодном бульоне; ~차 прохладительный напиток.

냉각(冷却) охлаждение; ~하다 охлаждать; ~되다 охлаждаться; ~기 конденсатор; рефрижератор; ~수 тосол; антифриз; ~장치 холодильная установка; ~재 охладитель.

냉대(冷待) холодный приём; ~하다 принимать холодно; ~를 받다 быть холодно принятым.

냉동(冷凍) замораживание; ~하다 замораживать; ~되다 быть замороженным; ~식품 мороженные фрукты; ~실 морозильник; ~창고 холодильный склад.

냉동고(冷凍庫) морозильник.

냉동기(冷凍機) холодильник.

냉매(冷媒) охлаждающая среда; охлаждающее средство.

냉면(冷麵) нэнмён(куксу холодный)

냉방(冷房) холодная(неотопленная) комната.

냉수(冷水) см. 찬물; ~마찰 обтирание холодной водой; ~맛 같다 безвкусный; ~먹고 된 똥 눈다 обр. из ничего сделать что-то; ~먹고 이 쑤시기 посл. ≅ букв. выпив холодной воды, ковырять в зубах зубочисткой; ~에 이 부러질 노릇(일) обр. невообразимое дело; ~로 샤워하다 принимать холодный душ; ~마찰을하다 обтираться холодным полотенцем.

냉장(冷藏) хранение в холодильнике; охлаждение; замораживание; ~하다 хранить в холодильнике; охлаждать; замораживать; ~고 холодильник; ~차 рефрижератор; ~수송 перевозка в рефрижераторе.

냉전(冷戰) холодная война; ~시대 эпоха холодной войны; ~정책 политика холодной войны.

냉정(冷靜) 냉담성 I хладнокровие; спокойствие; бесстрастие; ~하다 хладнокровный; спокойный; бесстрастный; ~히 хладнокровно; спокойно; бесстрастно; ~을 잃지 않다 сохранять хладнокровие(спокойствие духа).

냉정(冷情) II ~하다 холодный, бесчувственный, бездушный; ~히 холодно; бездушно; ~하게 대하다 относиться к кому-л. холодно (с равнодушием).

냉혹하다 жестокий; холодный; 그는 성격이 냉혹하기 그지없다 он

очень жестокий.

-냐 разг. оконч. вопр. ф. прил. и гл.-связки. 물이 맑으냐? вода прозрачная?

너 I тк. в знач. опред. четыре; 너이[서] вчетвером.

너 II (с выдел. частицей - 넌; в вин. п. -널) ты; ~의 твой; твоя; твоё; твои; ~로서 для тебя; ~를 тебя; ~에게 тебе; ~에 대해 о тебе; ~ 와 함께 с тобой; ~나 없이 все без исключения; ~도 나도 ты и я; все до одного; ~ 나 하는 사이다 быть с кем-л. на "ты"; 너 나 할 것 없이, 너 나없이 너도나도 кто бы то ни был; любой; все

너그러이 великодушно; милостливо.

너그럽게 с широким сердцем.

너그럽다 великодушный; снисходительный; щедрый; 너그럽게 великодушно; снисходительно; щедро; 너그럽게 대하다 снисходительно относиться к кому-л.; 너그럽게 용서하다 великодушно простить.

너댓 четырепять; ~명 четырепять человек; ~새 четыре-пять дней; ~째 четвёртый-пятый.

너더댓 четырепять.

너더댓새 четыре-пять дней.

너더댓째 четвёртый-пятый.

너덕너덕 заплата на заплате;~하다 весь латанный, весь в заплатах.

너덜 ~[이] 나다 болтаться(о лохмотьях); обтрепаться.

너덜거리다 обтрепаться; болтаться; 너덜거리는 옷자락 обтрёпанный подол; 위도리에 단추가 너덜거린다 на пиджаке болтается пуговица.

너덜너덜 ~하다 1. *см.* 너덜거리다; 2) прил. а) обтрёпанный; б) несерьёзный.

너덧째 примерно четвёртый.

너도 ~개미자리 мокричник лиственничный; ~밤나무 бук; ~방동사니 ситничек поздний; ~제비란 ятрышник малоцветковый; ~양지꽃 сиббальдия ле-жачая.

-너라 груб оконч. повел. ф. гл. 오다: 이리 오너라 иди сюда.

너머 за; через; сверх; слишком; 담~로 через ограду; 저산~에 за той горой; 한 달이 ~ 걸렸다 потребовался месяц с лишним; 산너머에 за горой; 담너머로 через ограду.

너무 слишком; чрезмерно; ~많이 слишком много(мало). 너무너무 черезчур, слишком, чрезмерно. 너무 벅차다 слишком трудно. 너무도 слишком.

너비, 폭 ширина; ~ 6 미터의 골목길 переулок в шесть метров; ~가 10미터이다 ширина 10 метров.

너울거리다 1) плавно колыхаться (колебаться, качаться); 2) плавно размахивать, медленно махать.

너울지다 неспокойный, волнующийся (о море).

너절하다 скверный, плохой, дрянной.

너희들, 당신들 вы; ~의 ваш; ваша; ваше; ваши; ~로서는 для вас; ~를 вас; ~에게 вам; ~에 대해 о вас; ~와 함께 с вами; 얘들아 ~ 어디 가니? Куда вы идёте, ребята?

넉 тк. как опред четыре; 넉 장 четыре листа; 넉 동 다 갔다 а) прошли все четыре фишки(в игре ют); б) всё сделано, всё кончено;넉 장 뽑다 делать(что-л.) нерешительно.

넉넉하다 достаточный; обильный; быть с запасом; зажиточный; 넉넉한

достаточно; с запасом; с излишком; 넉넉한 살림 обеспеченная жизнь; 돈이 넉넉하다 иметь много (достаточно) денег; 시간이 넉넉하다 иметь достаточно(много) времени.

넋 душа; дух; 애국의 ~ патриотический дух; ~을 놓다 растеряться; оторопеть; ~을 잃다 падать духом; потерять сознание; ~이 나가다 обезуметь; ~이 빠지다 души не чаять в ком-л.; 넋을 놓다 растеряться, быть ошеломлённым; 넋을 먹다 см. 겁[을 먹다]; 넋이야 신이야 [하다] что в голове, то и на языке; что думает, то и говорит; 넋이 없다 а) быть ошеломлённым; б) быть поглощённым(чем-л.); 넋이 없이 а) растерянно; б) без настроения; 넋이 올라서 с подъёмом.

넋두리 нытьё; жалоба; сетование; ~를 늘어놓다 ныть; жаловаться; сетовать на кого-то; роптать; 노파는 자신의 기구한 운명에 대해 ~를 늘어놓았다 старушка сетовала на свою тяжёлую судьбу; ~하다 а) этн. говорить от имени души умершего(о шаманке); б) жалова ться, сетовать.

넌더리 отвращение; ~가 나다 надоедливый; отвратительный; ~ 나게 하다 опротиветь; надоедать кому-л., чем-л.; 그는 그 여자에게 ~가 났다 она ему надоела; 그녀의 넋두리를 듣는 것도 이젠 ~가 난다 она надоела мне своим нытьём; ~[를] 내다 проявлять отвращение; ~를 대다 вызывать отвращение; опротиветь.

넌덕 балагурство; ~[을] 부리다 балагурить; ~스럽다 прил. быть бойким на язык.

넌덜머리 прост. см. 넌더리; ~[가] 나다 прост. опротиветь; надоесть; ~

[를] 떨다 вызывать сильное отвраще ние; надоесть до чёртиков.

넌센스(англ. nonsens) нонсенс; вздор; ерунда; чепуха; ~의 ерундовский (ерундовый); ~한 행동(말)을 совершать бессмысленные поступки.

넌지시 незаметно; втихомолку; тайком; ~ 암시하다 втихомолку намекать на что-л.; ~엿보다 тайком (незаметно) подглядывать.

널 I 1) см. 널빤지; 널두께 같다 обр. очень толстый; 2) см. 널판; 3) сундучок, в котором чиновники 17-ранга хранили историографические рукописи.

널 II доска;доска на качелях; гроб; ~ 뛰다 качаться на качелях; 미친년 ~뛰듯이 делать наспех; коекак.

널다 I (너니, 너오) вешать; развешивать; ~ 빨래를 развешивать бельё; 널어놓다 расставлять(расстилать; раскладывать; рассыпать рядами) для просушки.

널다 II (너니, 너오) грызть; разгрызать(о животном).

널다랗다(널다라니, 널다라오) довольно широкий(просторный)

널려있다 расстеленный; развешанный.

널리 широко; просторно; великодушно; снисходительно; благосклонно; 그의 명성은 소장학자들에게 ~ 알려져 있다 его имя распространено(широко известно) среди молодых учёных; 저희를 ~ 용서해 주세요 простите нас великодушно

널리다 быть расставленным(разложенным; развешенным); быть разбросанным(рассыпанным); валяться; 탁자 위에 신문과 잡지가 ~ 있다 на столе разложены газеты и журналы.

넓다 широкий; просторный; обширный; ~넓이 площадь; пространство; 널리 широко; просторно; 넓어지다 расширяться; распостраняться; 넓히다 расширять; распространять; 넓은 대로 широкий проспект; 넓은면적 обширная площадь; 넓은 마음씨 широкая душа; 교제범위가 넓은 사람 человек с широким кругом знакомств;법률의 적용범위를 넓히다 расширять границы действия закона; 시야를 넓히다 расширять кругозор; 그는 어깨가 ~ он широк в плечах; 최근 국제무대에서 미국의 세력권이 현저하게 넓어졌다 за последнее время расширилась сфера влияния США на международной арене; 치마의 폭이 ~ юбка велика; 넓은 방 просторная комната; 넓은 의미로 в широком смысле(значении); 마음이 넓다 великодушный; 넓다듬이[질] ~하다 бить вальком (сухое бельё)на специальном камне (перед глаженьем).

넓다라니 достаточно широко(просторно, обширно).

넓다랗다 достаточно широкий (просторный, обширный).

넓습니다 широкий.

넓이 1) площадь; пространство; 2) ширина; ~사격 воен. фронтальный огонь.

넓이뛰기 прыжки в длину.

넘기다 переправлять; переводить; перевозить; переворачивать; опрокидывать; листать; перелистывать; глотать; проглатывать; передавать; перекладывать; отдавать; проводить; упускать; пропускать; просрочить; пропустить; 기회를 ~ упускать случай; 납부기한을 ~ пропускать срок уплаты; 고비를 넘겼다 кризис миновал; 재판에 ~ отдавать под суд; 책임을~ перекладывать ответственность на кого-л.; 책장을~ переворачивать листы книги; перевернуть страницу книги; 추운 겨울을 ~ проводить морозную зиму; 국경을 ~ переправлять через границу; 사흘을 ~ занять более трёх дней; 기한을 ~ просрочить, пропустить срок; 날을 ~ неправильно заточить лезвие; 넘겨박다 а) свалить, сбить с ног; б) строить козни(против кого-л.); 넘겨다 보다 а) читать(чьи-л.) мысли; б) заглядываться, засматриваться(на что-л.); в) заглядывать, подглядывать; 넘겨잡다 предугадывать; догадываться; 넘겨짚다 предугадывать; предвидеть; 넘겨쓰다 брать на себя (напр. вину, ответственность).

넘나들다(넘나드니,넘나드오) переходить (переезжать) туда и обратно; посещать друг друга; ходить друг к другу; 그들은 이웃에 살면서 서로 넘나드는 사이다 они живут по соседству и часто ходят друг к другу; 두만강을 ~ переходить Ту-манган и возвращаться обратно.

넘다 переходить; превышать; переваливать; превосходить; переправляться; переходить; преодолевать; избавляться; миновать; 국경을 ~ переходить через границу; 기준을 ~ превышать норму; 높은 산을 ~ переправляться через высокую гору; 문지방을~ переступать порог; 그녀는 마흔이 훨씬 넘었다 ей далеко за сорок-ей перевалило за сорок; 닷새가 넘었다 прошло более пяти дней; 물이 넘는다 вода переливается через край; 그 사람은 마흔이 ему за сорок; 칼날이 ~ быть неправильно заточенным(о лезвии ножа); 넘어가다 а) переходить; переваливать; перелезать; 수중에 넘어 가다 переходить в(чьи-л.) руки; б) сильно накреняться на одну сторону; валиться, падать; в) проходить(о пище); г) попадаться(на хитрость); быть обманутым; д) проходить, миновать(опасное место); е) привязываться, привыкать(к кому-л.); ж) вытянуть(напр. высокую ноту); 넘어다 보다 загля-дывать, подглядывать; 넘어 박히다 удариться(о землю); врезаться(в землю); 넘어서다 переходить; 넘어뛰다 а) перепрыгивать; б) перескакивать, переключаться(с одного на другое); 넘어오다 а) переходить; перебегать; склоняться (на чью-л. сторону); 손으로 넘어 오다 а) переходить в (чьи-л.) руки; 넘고처지다 б) превышать; в) валиться, падать; г) идти обратно(о пище); рвать.

넘보다 свысока смотреть на кого-л.; пренебрегать; умалять; завидовать; 그는 남을 넘보는 나쁜 버릇이 있다 у него есть вредная привычка свысока смотреть на других.

넘실거리다 волноваться(о море); вздыматься(о волне).

넘어가다 накреняться; валиться; падать; переворачиваться; перевёртываться; проходить; лезть в горло; передаваться; перекладываться; отдаваться; переходить; проходить; быть обманутым; попадаться на хитрость; быть очарованным (увлечённым); увлека- ться кем-л., чем-л.; 공격으로 ~ переходить в наступление; 권리가 ~ право передаётся кому-л.; 산을 ~ переваливать через гору; 제 꾀에 제가 ~ попадаться на

свою хитрость; 토론으로 ~ переходить к дискуссии(в дискуссию); 그녀는 첫눈에 그에게 넘어갔다 она влюбилась в него с первого взгляда; 울타리가 넘어갔다 забор покосился набок.

넘어뜨리다 (по)валить; опрокидывать; 다리를 걸어 ~ валить с ног.

넘어오다 накреняться; валиться; падать; покоситься; рвать; идти обратно(о пище); передаваться; переходить; отдаваться; переходить; перебегать; перевалить; 공장은 채권자의 손으로 넘어왔다 завод перешёл в собственность кредиторов; 그는 우리편으로 넘어왔다 он перешёл на нашу сторону; 먹은 것이 넘어올 것 같다 меня тошнит; 서류가 아직 유리에게 넘어오지 않았다 документ ещё не поступил к нам. 넘어져서 падать

넘어졌습니다 упасть на землю.

넘어지다 падать; валиться; провалиться; потерпеть неудачу; 맨땅에~ падать на землю; ~ 나는 하마트면 넘어질 뻔했다 я чуть не упал.

넘치다 переливаться через край; переходить; превышать; переваливать; быть переполненным чем-л.; бить через край; 분에 넘치는 사치 роскошь не по средствам; 기쁨이 넘친다 веселье бьёт через край; 강물이 넘쳤다 река вышла из берегов; 그녀의 얼굴은 기쁨에 넘쳤다 её лицо было переполнено радостью; 넘쳐[실행(완수)]하다 перевыполнять; 넘쳐흐르다 а) переливаться через край; выходить из берегов; б) перен. быть переполненным(напр. радостью); бить через край(напр. о весельс).

넙적 сразу, быстро; ~먹다 быстро есть; ~대답하다 выпалить ответ; 엎드리다 быстро лечь; ~하다 быстро схватить(съесть).

넝쿨 плеть; 호박~ стебель тыквы

넣다 класть во что-л.; вкладывать; вставлять во что-л.; включать; отдавать; помещать; прибавлять; складывать; 공기를 ~ нагнетать воздух; 괄호 안에~ заключать в скобки; 병에 물을 ~ наливать воду в бутылку; 아이를 유치원에~ отдавать ребёнка в детский сад; 일정에~ включать в повестку дня; 주머니에 손을~ совать руку в карман; 책을 가방에~ класть книгу в портфель; 세면기에 물을~ наливать воду в умывальник; 얼굴을 물속에 ~ погружать лицо в воду; 힘을 ~ вкладывать силы.

넣어 вкладывать.

네 I да; '네'냐 '아니'냐 Да или нет? 네, 알았습니다. Да, понял(а).

네 II ты; твой; твоя; твоё; твои; ~생각에는 по твоему мнению; ~가 옳다 ты прав(а); ~ 떡이 한 개면 내떡도 한 개다 как аукнется; так и откликнется; 네 담이 아니면 내 소뿔이 빠지랴 (부러지랴) (네 소뿔이 아니면 내 담이 무너지랴) посл. ≅ валить с больной головы на здоровую; 네 콩이 크니 내 콩이 크니 посл. ≅ из ничего сырбор загорается; 네 떡 나 먹었더냐 하는 듯이 посл. ≅моя хата с краю, ничего не знаю.

네 III четыре;~발의 четвероногий; ~번째의 четвёртый;네사람 четыре человека; 네 개 четверо; 우리는 그 당시에 네 명이었다; тогда нас было четверо; ~발 четвереньки.

-네 суф. репрезентативного ин. ч. 남정네 мужчины; 순옥이 네 집 дом семьи Сунок.

-네 1) фам. окончание повеств. ф. предикатива: 시내물이 맑네 вода в ручье прозрачная; 2) поэтич. оконч. воскл. ф. предикатива: 꽃이 피네 расцветают цветы!

내거리 перекресток; ~에서 на перекрёстке; ~의 신호등 светофор на перекрёстке.

네다섯 четыре или пять.

네댓새 1) четыре-пять дней; 2) четвёртое-пятое число.

네댓째 четвёртый-пятый.

네모 четыре угла; четырёхугольник; ~나다 квадратный; ~꼴 четырёхугольник.

네발 1) четыре ноги; 2) см. 네다리; ~[을] 들다 прост. поднимать руки; ~[을]타다 страдать нарушением обмена веществ от употребления мяса животных. 네 발 걸음으로 на четвереньках.

네온(англ. neon) неон; ~의 неоновый; ~가스 неоновый газ; ~등 неоновая лампа; ~사인 неоновая вывеска.

네트(англ. net) волейбольная сетка; ~터치 касание волейбольной сетки.

네트워크(англ. network) компьютерная сеть.

네활개 обр. руки и ноги, конечности; ~[를] 벌리다 раскидываться(во сне); ~[를] 치다 а) входить энергичной походкой, размахивая в такт руками; б) разнузданно вести себя.

넥타이(англ. tie) галстук; ~를 메고 носить галстук;~를 매다 надевать (завязывать) галстук; 나비~ галстук-бабочка.

넥타이 핀(*англ.* necktie pin) булавка для галстука.

넷 четыре; 넷, 사 четыре.

넷째 четвертый.

녀-(女) преф. кор. женщина; 여의사 женщина-врач.

-녀(女) суф. кор. женщина; 유부녀 замужняя женщина.

년(年) I год; 1~간의 годичный; 일~ (один) год; 이~ два года; 십~ десять лет; 윤~ високосный год; 수십년 несколько десятков лет.

년 II баба; 못돼먹은~ бабища; 쌍~ сукина дочь; ~놈 мужик и баба.

년간(年間) 1) в течение года; за год; 2) год; ~[적] годовой; ~계획 годовой план.

년금(年金) пенсия; ~보장 пенсионное обеспечение;~증서 пенсионная книжка

년도(年度) год; 학습~ учебный год.

년령(年齢) *см.* 나이 I; ~적 возрастной.

년말(年末) *см.* 세밑; ~시험(переводные) экзамены в конце(учебного) года.

년봉(年俸) жалованье за год(получаемое один раз в год.)

년월(年月) годы(и месяцы), время.

년월일(年月日) дата.

년월일시(年月日時) дата и время(час)

년중(年中) в течение года; ~무휴 целый год без отдыха; ~행사 ежегодно проводимое торжество (мероприятие)

년차 1) возрастная очерёдностью; 2) суз. годичный; ежегодный; ~대회 годичное собрание

년차별 1) в зависимости от возраста; 2) по годам; ~계획 план на год.

녘 1) сторона; край; 2) послелог к чему-л.; под что-л. 동~ восточная сторона; 북~땅 северные земли; 새벽~ к рассвету; 저녁~ к вечеру, под вечер; 밝아 올 녘에 к рассвету.

노 I шнур, бечёвка, тесёмка; 노드리듯 обр. словно натянутые нити(о дождевых струях).

노 II север(в арго моряков).

노(<櫓) III весло; ~를 저어 나아가다 идти(плыть) на вёслах; ~를 젓다 грести вёслами.

노-(老-) старо-; старый;~모 старуха-мать; ~부부 старики-супруги; ~송 старая сосна; ~승 старый буддийский монах; ~처녀 старая дева; ~총각 холостяк; бобыль.

-노(奴) суф.кор.указывает на лицо, обладающее отриц. качеством, выраженным в производящей основе; 매국노 изменник родины, предатель; 수전노 скряга.

-노 груб. оконч. вопр. ф. предикатива 저 꽃이 붉노? Тот цветок красный?

노가다판(<*яп.* dogata) 1) место, где работают чернорабочие; 2)скандал, дебош.

노곤하다 усталый; утомлённый; 노곤히 устало; утомлённо; 노곤함 усталость

노기(怒氣) гнев; ~가 어리다 гневный; ~를 띠고 с гневом; ~ 어린 얼굴 гневное лицо.

노끈 шнур; бечёвка; тесёмка; верёвка; 포장용 ~ верёвка для упаковки;~으로 묶다 шнуровать; ~을 꼬다 вить верёвку.

노년(老年) 1) преклонный возраст; 2) человек преклонного возраста; старость; преклонный возраст; старик;

старец; ~에 в старости; в преклонном возрасте; ~에 접어들다 стареть; ~기 преклонные годы; старческий период

-노니 I книжн. фам. оконч. воскл. ф. гл. 우리는 길을 떠나노니 и вот мы отправляемся в путь.

-노니 II книжн. оконч. деепр. причины: 고요한 밤 시내가에서 이 노래 부르노니 벗이여, 나의 노래를 들으시라 эту песню пою тихой ночью на берегу ручья(и потому), друг мой, услышь меня.

노닥거리다 пространно говорить (о чём-л.), разглагольствовать.

노동(勞動) труд, работа; 강제~ принудительный труд; ~의 трудовой; рабочий; ~가 설치 теория трудовой стоимости; ~가요 песня о труде; ~가치 설 эк. теория трудовой стоимости; ~강도 интенсивность труда; ~계급 рабочий класс; ~계급성 пролетарская классовость; ~계급화 преобразование по образцу рабочего класса; ~계약 трудовое соглашение; ~공급 рабочее снабжение; ~궁전 дворец культуры; ~귀족 рабочая аристократия; ~능력 трудоспособность; работоспособность; ~당 трудовая(рабочая) партия; ~대상 объект труда; ~도구 орудие труда; ~력 рабочая сила;~법 закон о труде; ~법령 трудовое законодательство; ~보험 страхование труда; ~보호 охрана труда; ~부 министерство труда; ~브로카 штрейкбрехер; ~생산능률(생산성) производительность труда; ~생산성 производительность труда; ~수단 средства труда; ~수첩 трудовая книжка; ~숙련 квалифициро-ванный труд; ~시간 рабочее время; ~시장 рабочий рынок; ~운동 рабочее движение; ~운동 рабочее движение; ~육체(정신) физический (умственный) труд; ~임금 заработная плата; ~자 рабочий(-ая); ~자원 трудовые ресурсы; ~재해 несчастные случаи во время работы, трудовой травматизм; ~쟁의(분쟁) трудовой спор(конфликт); ~절 праздник Первого мая; ~조합 профессиональный союз; профсоюз(профессиональный союз); ~조합원 профсоюзник; ~조합주의 тредюнионизм; ~지대 отработочная рента; ~하다 работать, трудиться; труд; работа; ~학원 рабфак; ~회관 дом культуры(предприятия);

노동권(勞動權) право на труд.

노동량(勞動量) количество труда.

노동력(勞動力) рабочая сила.

노동모(勞動帽) головной убор рабочего

노동안전기술(勞動安全技術) техника безопасности.

노동일(勞動日) рабочий день.

노동자(勞動者) сущ. рабочий; ~적 рабочий.

-노라 книжн. груб. оконч. повеств. ф. предикатива: 나는 그대들을 기다리기나 긴 밤을 새웠노라 поджидая их, я провёл длинную-длинную бессонную ночь

-노라면 оконч. деепр. условного со знач. если и дальше делать что-л.; 이 길로 계속 가노라면 큰 냇물에 다달을 것이다 если и дальше пойдёте по этой дороге, то придёте к большой реке.

노란 만병초 рододендрон золотистый (Rhododendron aureum).

노란 팽나무 бот.каркас съедобный (Celtis edulis)
노란 목소리 а) ломающийся голос; б) грубый голос.
노랑 I желтый(цвет); ~나비 желтушки; ~머리 блондин(-ка)
노랑(老浪) II арх. старая(пожилая) женщина.
노랗다(노라니,노라오) яркожёлтый; 얼굴이 노란 желтолицый; 피부가 노란 желтокожий
노랗게 되다 желтеть
노랗게 하다 желтеть
노랗습니다 желтый.
노래 песня; ~의 песенный; ~하다 петь песню(воспевать); ~를 짓다 сочинять(слагать песню); 감정을 담아 ~하다 петь с чувством; 저음으로 ~하다 петь басом; 피아노 반주에 맞춰 ~하다 петь под аккомпанемент рояля; 노랫가락 мелодия песни; 노랫소리 звуки песни.
노래가락 1) мелодия песни; 2) народные песни, в основе которых лежат шаманские закли-нания.
노래소리 звуки песни.
노략질 грабёж; разбой; ~하다 грабить; разбойничать; заниматься грабежом(разбоем); ~한 재물 награбленное имущество.
노려보다 пристально смотреть на кого-л., что-л.; бросать алчные взгляды; 매서운 눈초리로~ бросить свирепый взгляд.
노력(努力) старание; усилие; труд; ~하다 стараться; усердствовать; силиться; прилагать старания(усилия); 다년간의 ~의 결실 плод многолетнего труда; 아무런 ~ 없이 без всякого усилия;без малейших стараний; 공연한 ~을 하다 прилагать тщетные усилия; 전력을 다해 ~하다 прилагать все усилия к чему-л.(для чего-л.); ~적 трудовой; ~기준량 производственная норма; ~전선 трудовой фронт; ~후비 трудовые резервы; ~훈장 ор-ден Труда(в КНДР); ~영웅 герой труда; 2) рабочая сила; ~배치 расстановка рабочей силы; ~폰드 фонд рабочей силы.
노력가(努力家) старательный(трудолю-бивый)
노력비 трудовые затраты.
노련하다 опытный; искусный; бывалый;
노련해지다 искушаться в чём-л.; приобретать сноровку в чём-л.; 노련한 사냥꾼 опытный охотник;
노련미 сноровка.
노루, 장(獐) косуля; ~고기 мясо косули; ~피 кровь убитой косули; ~가 제 방귀에 놀란다. посл. ≅ заяц самого себя бояться; ~를 피하니 범이 나온다 посл. букв. ≅ только избавились от косуль, появились тигры; ~보고 그물 짊어진다 посл. букв. ≅ завидя косулю, схватил силки; ~친 막대 삼 년 우린다 посл. букв.≅ палку, которой убили ко-сую, три года берегут(о пригоди- вшейся вещи); ~꼬리가 길면 얼마나 길까? посл. ≅ знай больше, говори меньше; ~꼬리만큼(만 하다) как хвост у косули(об очень коротком предмете).
노릇 работа; занятие; роль; функция; жалкое(бедное) положение; 목수 ~을 하다 работать столяром; 주인 ~을 하다 хозяйничать; 저런 딱한~이 있나 Какая беда(бедствие)! 참 교육자 ~을 하기란 쉽지 않은 일이다 быть настоящим педагогом-

нелёгкое дело;춘향~роль Чхунхян

노모(老母) старуха-мать.

노선(路線) 1) линия; 2) (политический) курс; маршрут; ~의 маршрутный; ~버스 маршрутный автобус; 공업화~ курс на индустриализацию; 지하철~ линия метро; 총~ генеральная линия; 운행 ~도 маршрутная карта.

노소(老小) 1) старики и дети; 2) старые и молодые; ~를 막론하고 от мала до велика; все без исключения; ~동락 веселится и стар и млад; ~동락 веселится и стар и млад.

노숙하다 умелый; опытный; зрелый; 노숙하게 умело; опытно; зрело; 그녀는 이제 노숙한 여인이다 теперь она зрелая женщина.

노안(老眼) старческие глаза; старческое зрение.

노여움(怒-) обида; чувство обиды; досада; недовольство; 노엽다 обидный; досадный; 노엽게 обидно; досадно; 노여워하다 обижаться на кого-л.,что-л.; гневаться; 노엽게 하다 обижать; ~을 잘 타는 사람 обидчивый человек; ~을 사다 навлекать на себя чей-л. гнев; вызывать недовольство; ~을 타다 обижаться; 그녀는 우리에게 노여 워하고 있다 она на нас обижена; 나는 무척 노여웠다 мне было очень обидно; 노여움을 사다 разозлить; 노여워하다 гневаться; сердиться.

노염(怒-)~[이]나다(들다) обидеться; ~[을]사다 вызывать недовольство; ~[을]타다 выражать недовольство; ~[을] 풀다 переставать обижаться; ~[을] 쓰다 очень обидеться; быть очень недовольным.

노예(奴隷) раб[а]; ~의 рабский; ~로 만들다 порабощать; закабалять; ~짓을 하다 раболепствовать перед кем-л.; 욕망의 ~ раб страстей; ~근성 раболепство; ~무역 работорговля; ~상인 работорговец; ~제 рабовладельческий строй; ~화 порабощение; закабаление; ~적 рабский; ~국가 рабовладельческое государство; ~사회 рабовладельческое общество; ~노동 прям. и перен. рабский труд; ~소유 рабовладение; ~소유자 рабовладелец; ~소유자적 рабовладельческий; ~시대 рабовладельческая эпоха; ~시장 невольничий рынок; ~제도 ра-бовладель-ческий строй.

노을 заря; 붉은~ красная заря; 아침~ утренняя(вечерняя) заря; ~이 지고 있다 заря занимается; ~졌다 занялась заря.

노인(老人) I см. 늙은이, 영감; ~자제 сын, рождённый на склоне лет; ~잔치 банкет(пир) для стариков, старик(-уха); старый человек; ~의 старческий; ~다운 стариковский; старушечий; ~성원시 старческая дальнозоркость; ~성 질환 старческая болезнь.~성 치매 старческое слабоумие.

노인(路人) II уст.путник; проезжий

노임(勞賃),월급(月給) зарплата(заработная плата); ~을 동결 인상하다 замораживать(повышать)зарплату; ~수준 уровень зарплаты; ~체계 система зарплаты.

노즐 сопло; ~의 сопловый(сопловой); ~을 넓히다 суживать(расширять) сопло;~구멍 сопловое отверстие.

노천(露天) ~에 под открытым небом; ~극장 летний театр; ~대회 митинг(собрание) под открытым небом; ~무대 открытая сцена; ~채굴장 горн. карьер.

노천시장(露天市場) открытый рынок; ~에서 под открытым небом;~광상 карьер; ~극장 летний театр; ~무대 открытая сцена.

노출 обнажение; обнаружение; выявление; экспозиция; ~의 экспозиционный; ~하다 обнажать; обнаруживать; открывать; экспонировать; ~되다 обнажаться; обнаруживаться; открываться; ~된 обнажённый; обнаруженный; открытый; экспонированный; 모순의 ~ обнаружение противоречий; 알몸으로 ~하다 обнажать голое тело; ~계 экспонометр; экспозиметр.

노폐물(老廢物) 1) негодная(старая) вещь; 2) ирон. старая развалина; 3) физиол. выделения

노환(老患) старческая болезнь; см. 노인(老人); 노획 захват трофеев; ~하다 захватывать; ~물 трофей.

노후(老朽) I см. 노폐;~하다 старый; непригодный; ~한 장비 старое оборудование.

노후(老後) II преклонные годы; старость; ~의 생활 жизнь на склоне лет; ~를 대비하다 готовиться к старости;~연금 пенсия по старости

녹(綠) I ржавчина; ~슨 ржавый; ~으로 뒤덮인 изъеденный ржавчиной; ~슨 못 ржавый гвоздь; ~이 슬다 ржаветь; покрываться ржавчиной; 쇠가~슨다 железо ржавеет.

녹(祿) II жалованье, выплачиваемое чиновнику продуктами и деньгами; ~을 먹다 находится на государственном обеспечении.

녹다 таять; плавиться; раствор яться; согреваться; отогреваться; терпеть крах; проваливаться; выбиваться из сил; очаровываться; увлекаться кем-л., чем-л.; 강철이 고로에서 녹는다 сталь плавится в домне; 그는 이번 시험에 녹아 났다 он провалился на этом экзамене; 눈이 녹는다 снег тает; 설탕은 물에 녹는다 сахар растворяется в воде; 얼었던 손이 녹았다 замёрзжие руки согрелись; 힘든 일을 하고 난 뒤에 그녀는 녹아 떨어졌다 после тяжёлой работы она выбивалась из сил.

녹두(綠豆) бот. маш; ~누룩 затор для приготовления водки из риса с примесью маша; ~비누 растёртый маш(использовался вместо мыла); ~전 блин из муки маша; ~죽 каша из маша с добавлением рисовой крупы.

녹말(綠末) крахмал; ~의 крахмальный; 감자 ~가루 картофельный крахмал

녹색(綠色) зелёный(цвет); ~(의) зелёный; ~으로 зелёным; ~으로 만들다 делать зелёным; ~이 되다 зеленеть; ~혁명 зелёная револю-ция; ~식물 зелёные растения.

녹음(綠陰) I густая тень от дерева; ~이 우거지다 покрытый густой зеленью; 시원한~ прохлада в тени дерева; ~방초 прохлада тенистого дерева и густая трава.

녹음(錄音) II звукозапись,грамзапись; ~방송 передача звукозаписи по радио; ~장치 звукозаписывающий аппарат; ~하다записывать на плёнку (грампластинку); звукозапись; грамзапись; ~하다 записывать на плёнку (грампластинку); ~기 магнитофон; ~실 студия звукозаписи; ~테이프 магнитофонная плёнка(лента).

녹음기(錄音器) 1) магнитофон; 2) адаптер, звуковоспроизводящий аппарат.

녹이다 растапливать; расплавлять; растворять; согревать; отогревать; измучить; довести до изнеможения; обвораживать; очаровывать; увлекать кем-л., чем-л.; 고문을 하여 반죽을 정도로 녹여 버리다 измучить кого-л. пытками до полусмерти; 난롯가에서 손을 ~ согревать руки у печки; 무쇠를~ расплавлять чугун; 미모로 남자들을~ обвораживать мужчин красотой; 설탕을 물에 ~ растворять сахар в воде.

녹지(綠地) зелёный уголок; озеленённый участок;~대 зелёная зона; ~면적 площадь озеленения.

녹차(綠茶) зелёный чай.

녹초 ~가 되다 а) совершенно износиться, отжить свой век(о вещах); б) выбиться из сил, выдохнуться; ~를 부르다 прост. свалиться от усталости.

녹화(綠花) I озеленение; ~하다 озеленять; 도시~ озеленение города; 주택지구~ озеленение жилых кварталов; ~사업 работы по озеленению.

녹화(綠化) II озеленение; ~근위대 озеленители; ~사업 работы по озеленению; ~하다 озеленять.

논,답(畓), 수전(水田) [поливное(заливное)] рисовое поле; ~에 도랑을 치다 чистить и углублять оросительную канаву; ~에 물을 대다 орошать рисовое поле; пускать воду на рисовое поле; ~에 물을 빼다 отводить воду с рисового поля; ~에 물을 채워 두다 залить водой рисовое поле; ~을 갈다 вспахивать рисовое поле; ~을 매다 полоть рисовое поле; ~갈이 вспашка(пахота) рисовых полей; ~고랑 борозда на рисовом поле; ~길(두렁길) тропинка между рисовыми полями; ~농사 рисоводство; ~도랑 оросительная канава; ~두렁 межа на рисовом поле; ~물 вода на рисовом поле; ~바닥 дно залитого водой рисового поля; ~밭 орошаемые и суходольные поля; ~배미 участок рисового поля; ~일 работа на рисовом поле; ~을(논으로)풀다 превращать в орошаемое (заливное) (рисовое) поле; 논 이기듯 신 이기듯 하다 обр. разжёвывать, разъяснять(так, чтобы стало понятно).

논(論) 1) стиль трактата(произведений на ханмуне); 2) трактат(на ханмуне); 3) обсуждение.

-논(論) суф. кор. теория; учение; 유물론 материализм; 문장론 синтаксис.

논거(論據) 논증(論證) аргумент, довод, основание аргумент; довод; основание; ~와 사실 аргументы и факты; 설득력 있는 ~ убедительный аргумент; ~를 제시하다 приводить аргументы(доводы).

논리(論理) логика; ~적 логический; логичный; ~적 실증주의 см. 신실증주의; ~적 악센트 лингв. логическое ударение;~적 인식 филос. логическое познание.

논문(論文) статья; монография; диссертация; 문~ монография; 졸업~ дипломная работа; 학위~ диссертация; 박사학위~ докторская диссертация; 학술~ научная статья; 학위 ~을 방어하다 защищать диссертацию; ~집 сборник статей.

논벼 рис, высаживаемый на орошаемое поле.

논설(論說), **논문**(論文) статья(в газете, журнале); ~문 текст статьи; статья; ~위원 обозреватель(-ница).

논스톱(англ. nonstop) безостановочный; беспосадочный; прямого сообщения; ~으로 비행하다 лететь без посадки.

논쟁(論爭) полемика; спор; дискуссия; ~적 полемический; спорный; дискуссионный; ~하다 вести полемику с кем-л.; спорить с кем-л.; дискутировать; ~의 여지가 없다 бесспорный; неоспоримый; ~에 끌어들이다 вовлекать кого-л. в полемику (спор); ~에 말려들다 вступить в полемику(спор); ~에서 ...의 편을 들다 вставать на чью-л. сторону в споре; ~을 걸다 вызывать кого-л. на спор

논지(論旨) I суть статьи(монографии; диссертации *и т. п.*) довод, аргумент.; ~이 글의 ~는 이해하기 어렵다 суть этого текста непонятна.

논지(論之) II ~하다 уст. книжн. говорить, задевая(кого-л.); касаться (чего-л.) в разговоре.

논평(論評) обозрение; обзор; комментарии; ~하다 обозревать; комментировать; критически рассматривать; ~가 обозреватель(-ница); комментатор(-ша).

논하다(論-) обсуждать.

놀 I бушующие волны(на море); 놀이지다 подняться(о волнении на море); 놀이치다 разбушеваться(о морской стихии).

놀 II ракушковый рачок(вредитель риса); 놀[이] 들다 желтеть, вянуть (о заболевшем рисе)

놀다 I (노니, 노오) играть; гулять; отдыхать; не работать; бездельничать; простаивать; совершать необдуманные поступки; играть роль; играть в кости; мешать; 놀고 있는 설비 простаивающее обору-дование; 크게 ~ играть большую роль; 훼방을 ~ мешать; препятствовать; 그는 하루도 놀지 않는다 он не отдыхал ни одного дня; 남의 장단에 놀아나서는 안된다 нельзя плясать под чужую дудку; 오늘 은행은 논다 сегодня банк не работает; 우리는 문화의 공원으로 놀러갔다 мы отправились гулять в парк Культуры; 어금니가 논다 коренной зуб шатается; 저희 집에 좀 더 자주 놀러오세요 приезжайте к нам в гости чаще; 노는 입에 염불하기 *посл.* ≈ маленькое дело лучше большого безделья; 놀기 좋아 넉동치기 *посл.*≈ от безделья собака на ветер лает; 역할을 ~ играть роль; 이가 ~ шататься(о зубе); 작용을 ~ оказывать воздействие; 방해를 ~ создавать помехи; ~먹다 бездельничать, вести праздный образ жизни; 놀아나다 а) развращаться; б) порхать (по жизни); легкомысленно вести себя; 놀아먹다 а) бездельничать, лодырничать; б) вести распутный образ жизни, распут- ничать.

놀다(노니, 노오) II редкий, дефицитный.

놀라다 пугаться чего-л.; изумляться чему-л.; поражаться чем-л.,чему-л.; удивляться чему-л.; 놀란 испуганный; 놀랍다 изумительный; поразительный; удивительный; 놀라움 испуг; изумление; удивление; 놀란 나머지 от изумления; 놀라서 с испугу; 놀라운 소식 удивительные вести; 그녀는 무엇에나 놀란다 она всего пугается; 그는 놀라서 자기가 왜 거기로 갔는지 잊어버렸다 с испугу он забыл, зачем пришёл туда; 나는 그녀의 희생정신에 놀랐다 я изумлён её самоотверженности; 우리 모두는 그녀의 아름다움에 놀랐다 все мы были поражены её красо-той; 놀란가슴(혼) перен. заячье сердце; 놀란 피 синяк; 놀란 흙 по-двергшаяся обработке земля; 놀라울 정도로 до удивительной степени; 놀라움을 금할 수가 없다 нельзя скрыть удивления.

놀랍다(놀라우니, 놀라와) 1) порозительный, изумительный, удивительный; 2) страшный.

놀래다 удивлять.

놀리다 I давать отдых; давать поиграть(погулять); потворствовать безделью; позволять вести праздный образ жизни; подтрунивать над кем-л.; подшучивать над кем-л.; приводить к простою; расшатывать; двигать; 놀림 насмешка; 공장을 ~ приводить завод к простою; 놀림을 당하다 подвергаться насмешкам; 친구를~ подшучивать над приятелем; 놀림감 предмет насмешек; 역을 ~ поручать(кому-л.) роль.

놀리다 II перестирывать.

놀아나다 развращаться; порхать по жизни; легкомысленно вести себя; плясать под чужую дудку; 놀아난 여편네 развращённая жена; 무사태평으로 ~ беззаботно порхать по жизни.

놀았습니다 играл.

놀음, 유희(遊戯) игра; развлечение; забава; фарс; 꼭두각시 ~ фарс марионеток. 성인용~развлечение для взрослых; после прич. гл. + 하다 делать вид, что; 몇 숟가락 뜨는 ~을 하였다 сделал вид, что съел несколько ложек(напр. каши).

놀이 игра; развлечение; забава; ~하다 играть во что-л.(на чём-л.); 술래잡기 ~ игра в горелки; 숨바꼭질 ~ игра в прятки; ~터 игровая площадка; 주사위 ~ игра в кости; 카드 ~ игра в карты; ~마당 место игры.

놈 мужик; тварь; 믿을수 없는 ~ ненадёжный тип; 수상한~ подозрительный тип; 세상엔 별이별 ~이 다 있다 на свете бывает всякая тварь; ~팽이 мужлан; 쌍~ сукин сын.

놉니다 играет.

놋 I медь; латунь; ~의 латунный; ~그릇 посуда из латуни; ~숟가락 латунная ложка.

-농(農) суф. кор. крестьянин; 고용농 батрак; 소작농(крестьянин-) арендатор

농-(農) преф. кор. сельскохозяйственный; крестьянский; аграрный; ~기계 сельскохозяйственная машина; ~기구 сельскохозяйственный инвентарь; ~대 сельскохозяйственный факультет; ~약 агрохимикаты; ядохимикаты; ~어촌 деревни и рыбацкие посёлки; ~작물 сельскохозяйственная культура; 자영 ~ крестьянин-собственник.

농가(農家) крестьянская семья; из-ба; крестьянский двор; 잘사는~ богатая изба; ~소득 сельскохозяйственные доходы; ~살림 а) крестьянское хозяйство; б) крестьянская жизнь.

농간(弄奸) козни;~을 부리다, ~하다 строить(козни); ~에 넘어가다 попадаться на удочку; ~을 부리다 строить козни кому-л. (против кого-л.).

농경지(農耕地) земельные угодья.

농과(農科) сельскохозяйственное отделение; сельскохозяйственная отрасль; ~대학 сельскохозяйственный институт; сельскохозяйственный фа культьет.

농구(籠球) баскетбол; ~의 баскетбольный; ~하다 играть в баскетбол; ~공 баскетбольный мяч; ~선수 баскетболист; ~팀 баскетбольная команда

농구장(籠球場) баскетбольная площадка

농구화(籠球靴) спортивная обувь для игры в баскетбол; кеды.

농군(農軍) земледелец, крестьянин

농기계(農機械) сельскохозяйственная машина; ~ 작업소 машинно-тракторная станция; ~임경소 машинно- прокатная станция.

농기구(農器具) сельскохозяйственные инструменты; ~ 수리반 с.-х. ремонтная бригада.

농담(弄談) шутка; шутливый разговор; ~하다 шутить; вести шутливый разговор; ~으로 넘기다 отделываться шутками; ~으로 말하다 говорить в шутку; ~으로 여기다 принимать что-л. за шутку; ~도 분수가 있지 и в шутках надо знать меру;~이냐, 진담이냐? Это в шутку или всерьёз?

농민(農民) крестьянин(-ка); крестьянство; ~의 крестьянский; ~운동 крестьянское движение; 소작~ крестьянин-арендатор; ~적 крестьянский; ~동맹 крестьянский союз; ~촌 уход крестьян с земли; ~문학 литература о деревне; ~봉기 крестьянское восстание; ~시장 колхозный рынок; ~자위대 крестьянский отряд самообороны; ~전쟁 крестьянская война; ~조합 сельскохозяйственная артель(кооперация); ~폭동 крестьянский бунт; ~휴양소 дом отдыха для членов сельскохозяйственной артели; ~은행 крестьянский банк.

농부(農夫) крестьянин; земледелец; пахарь; мужик; ~의 крестьянский; земледельческий; пахарский; ~가 крестьянская песня

농사(農事) земледелие; ~의 земледельческий; ~짓다 заниматься земледелием; 올해는 ~가 잘 되었다 в этом году выдался хороший урожай; ~꾼 крестьянин; земледелец ~법 метод(способ) земледелия; ~일 сельскохозяйственные работы; ~철 сезон сельскохозяй- ственных работ; страда; ~물정 안다니까 피는 나락 홰기 뽑는다(뺀다) *посл. букв.* ≒ считается знатоком, а рис от курмака не может отли-чить; ~를 짓다, ~하다 заниматься земледелием.

농산물(農産物) сельскохозяйственные продукты; ~가공 обработка сельскохозяйственных продуктов; ~도매시장 оптовый рынок сельскохозяйственных продуктов; ~수매 заготовка сельскохозяйственных продуктов.

농수산(農水産) земледелие и рыбопро-мышленность; ~부 министерство сельского хозяйства и рыбной промышленности; ~장관 министр сельского хозяйства и рыбной промышленности.

농아(聾兒) I глухонемой(-ая); ~학교 школа для глухонемых

농아(聾啞) II глухой и немой; ~학교 школа для глухонемых

농업(農業) сельское хозяйство; земледелие; ~경제학 экономика сельского хозяйства; ~계 сельскохозяйственная сфера; ~국 аграрная страна; ~대학 сельскохозяйственный институт; сельскохозяйственный факультет; ~사 история развития сельского хозяйства; ~상 министр сельского хозяйства; ~성 министерство сельского хозяйства; ~용수 воды, используемые в земледелии; ~자 земледелец; крестьянин; ~정책 аграрная политика; ~ 협동조합 сельскохозяйственный кооператив; ~적 сельскохозяйственный, крестьянский; деревенский; ~경제학 экономика сельского хозяйства; ~경영학 сельское хозяйство(как наука); ~공동체 сельская община; ~공산체(꼼무나) сельская коммуна; ~공황 аграрный кризис; ~공업국가 аграрно-индустриальное государство; ~근로자 труженик сельского хозяйства; ~기사 агроном; ~기상학 сельскохозяйственная метеорология; ~도시 город в сельскохозяйственном районе; ~노동 сельскохозяйственный труд; ~노동자 сельскохозяйственный рабочий; ~부산물 побочные продукты сельского хозяйства; ~지도 руководство сельским хозяйством; ~지도체계 система руководства сельским хозяйством; ~식물 сельскохозяй-ственная культура; ~정책 аграрная политика; ~지구 сельскохозяйст-венный район; ~지리학 география сельского хозяйства; ~집단화 коллективизация сельского хозяйства; ~현물세 натуральный сельскохозяйственный налог; ~협동조합림 лес, принадлежащий сель-скохозяйственному коллективу; ~협동화 кооперирование сельского хозяйства; ~화학 агрохимия; ~아르젤리 сельскохозяйственная артель; ~위원회 комитет по сельскому хозяйству.

농작물(農作物) сельскохозяйственная культура.

농장(農場) ферма; хозяйство; ~의 фермерский; ~의 부속건물 хозяйственная постройка; ~경영 фермерство; ~주 фермер[~ша]; 개인~ личное хозяйство; 낙~ молочная ферма; 모범~ образцовая ферма; 집단~ колхоз(коллективное хозяйство); 축산~ животноводческая ферма.

농지(農地) земля; земельные угодья; ~의 земельный; 비옥한~ плодородная земля; 척박한~ сухая и неплодородная земля; ~면적 земельная площадь; ~세 земельный налог.

농촌(農村) деревня; село; ~의 деревенский; сельский; ~에서 в деревне; на селе; ~식으로 подеревенски; ~문학 деревенская литература; ~경리 сельское хозяйство; ~공동체 см. 농업(공동체); ~과잉 인구 эк. аграрное перенаселение; ~노력 협조반 сельскохозяйственная бригада взаимопомощи; ~문제 аграрный вопрос; ~부르죠아 см. 부농; ~소비 협동조합 сельская потребительская кооперация; ~프로레타리아 наёмный сельскохозяйственный рабочий, сельскохозяйственный пролетарий.

농한기(農閑期) время отдыха от сельскохозяйственных работ.

농협 *см.* 농업협동조합 сельскохозяйственный профсоюз.

농후하다 густой; крепкий; сгущённый; концентрированный; насквозь пропитанный чем-л.; ~농후한 용액 концентрированный раствор; 사대주의 사상에 농후한 насквозь пропитанный идеологией низкопоклонства.

높낮이 1) высота; 2) лингв. высота тона [иероглифа].

높다 высокий; возвышенный; 높이 высота; 높은 정신세계 возвышенный духовный мир; 높은 직위 высокий пост; 300미터의 높이 300 метров в высоту; 70미터 높이의 탑 башня высотой в 70метров; 깃발을 높이 들다 высоко держать знамя; 높다라니 довольно высоко; 높다랗니 довольно высокий; 높이뛰기 прыжок в высоту; 높은 나무에는 바람이 세다 *уст. посл.*≈ чем выше пост, тем труднее на нём удержаться (букв. на высоком дереве ветер сильнее); 높은 기둥 центральный столб(в комнате с деревянным полом в кор. доме); 높은 밥 рис, верхом наложенный в миску; 높은 자세 спорт. высокая стойка; 높디높다 высокий-превысокий; 높으락낮으락 то высоко, то низко; неровно; 나이가~ быть в годах; 높은 사람 человек, занимающий высокий пост; большой человек.

높습니다 высокий.
높아요 высоко.

높아지다 повышаться; 생활수준이 높아졌다 уровень жизни повысился.

높은 высокий. ~기품 высокая натура.

높이, 고도(高度) I высота; 악센트~ лингв. тоническое ударение.

높이 II 1) высоко; 2) громко; 영웅성을 ~시위하다 продемонстрировать высокий героизм.

높이다 повышать; чтить; уважать; 목소리를 ~ повышать голос; 생산성을 ~ повышать производительность; 신앙심을 ~ укреплять веру; 윗사람에게 말을 ~ почтительно разговаривать со старшими; 신심을 ~ укреплять уверенность.

높이뛰기 прыжок в высоту; ~기둥 стойка(удерживающая планку для прыжков в высоту); ~틀 планка для прыжков в высоту.

높임 почтительные слова.

높임말 вежливый стиль речи; вежливая форма.

놓다 I класть; ставить; устанавливать; сооружать; вышивать; набивать; считать; расставлять; поджигать; делать инъекцию(укол); ссужать кого-л. чем-л.(кому-л., что-л.); сдать(отдать) в аренду; посылать кого-л.; прибавлять; давать; чинить;что касается кого-л., чего-л..., то...; 상황을 알아보기 위해 사람을 ~ посылать человека для выяснения обстоятельств; 수건에다 꽃무늬수를 ~ вышить цветочные узоры на полотенце; 시름을 ~ отвлекаться от забот; отле-гать от сердца; 아파트에 세를 ~ отдать квартиру на арендное содержание; 이불에 솜을 ~ набить одеяло ватой; 일손을 ~ перестать работать; 전화를 ~ устанавливать телефон; 접시를 식탁 위에 ~ положить тарелки на стол; 주판을 ~ считать на счётах; 침을 ~ делать иглоукалывание; 훼방을 ~ чинить помехи; 나는 어제 새장의 새들을 놓아주었다 вчера я выпустил птиц из клетки; 덫을~поставить силки; 다리를 ~ наводить мост; 구들을 ~ делать утеплённый пол(в кор. доме); 둘에 셋을 ~ к двум прибавить три; 수를 ~ вышивать; 자개를~ инкрустировать; 놓고 말하자면 (말할진대) что касается, то...; относительно (кого-л., чего-л.); после деепр. предшествования(оконч.-아, 어, 여) указывает на то, что действие осуществлено и результат этого действия сохраняется; 미리읽어~ заранее прочитать; 불을 켜~ зажечь лампу(и оставить её в этом состоянии).

놓다 II выпускать; отпускать; освобождать; выпускать; фамильярно разговаривать; переставать; оставлять; бросать; отвлекаться от чего-л.; успокаиваться; быть увлечённым чем-л.; быть помешанным на чём-л.; 속력을 ~ прибавлять скорость; 놓아기르다 выращивать на воле; 함부로 놓아 말하다 разговаривать на ты, тыкать; 마음을 ~ успокаиваться; ...에 대한 희망을 놓지 않았다 не оставлять надежды(на что-л.); 권리를 ~ отказываться от прав; 주사를 ~ делать инъекцию; 불을 ~ поджигать; 북새를~ поднимать суматоху; 짝자꿍을 ~играть в ладушки(с ребёнком); 훼방을 ~ чинить помехи; 놓아가다 быстро идти(двигаться); 놓아두다 бросать, оставлять; предоставлять самому себе; ~놓아먹다 расти без присмотра(без призора); 놓아먹은 말 а) лошадь, выросшая на воле; необъезженная лошадь; б) необузданный человек, дикарь; 놓아먹이다 содержать на воле(скот).

놓아두다 оставлять; предоставлять самому себе; не трогать; 다 되기 전에는 그냥 놓아두어라 пока не будет готовне трогай.

놓아주다 пускать; отпускать; выпускать; освобождать; 체포된 범인을 감옥에서~ выпустить арестованного преступника из тюрьмы.

놓여있습니다 лежит; находится
놓으세요 положите.
놓을까요 положу.
놓이다 I быть отпущенным; быть освобождённым; успокаиваться; находиться; лежать на чём-л.; быть установленным; быть сооружённым; 기숙사 입구에 전화가 놓였다 у входа общежития установлен телефон; 나는 지금 곤란한 처지에 놓여 있다 сейчас я нахожусь в затруднительном положении; 마음이 ~ успокоиться; 놓여나다 освободиться; 놓여나오다 освобождаться.

놓이다 II 1) находиться; лежать(на чём-л.); 2) быть сооружённым (установленным); 전화가 놓였다 установлен телефон; 3)быть набитым (подбитым)(ватой); 4) позволять (заставлять) класть (устанавливать, сооружать); 5) позволять(заставлять) выращивать (скот); 6) позволять (заставлять) подсчитывать на счётах; 7) позволять(заставлять) добавить прибавить; 8) просить (заставлять) расставить(шашки и т. д.)

놓쳤습니다 выпустил.
놓치다 упускать; выпускать; попускать; 좋은기회를 ~ упустить счаст-

ливый случай; 그녀는 단 한마디도 놓치지 않고 강의를 주의깊게 들었다 она слушала лекцию внимательно, не пропуская ни одного слова.

뇌 I выветренные породы.

뇌(腦) II 뇌수 мозг; ~의 мозговой; ~막 мозговая оболочка; ~막염 менингит; ~수종 гидроцефалия; ~신경 черепномозговые нервы; ~염 энцефалит; воспаление головного мозга; ~일혈 кровоизлияние в мозг; ~졸중 инсульт; ~종양 цереброма; ~진탕 сотрясение мозга; ~ 하수체 гипофиз; 간~ промежуточный мозг; 대~ большой мозг; 소~ мозжечок; ~경화증 церебросклероз; ~절개술 цереботомия; ~연화증 церебромаляция.

뇌리(腦裏) ~에 в голове(мыслях; памяти); на уме; ~에 박히다 врезаться в память кому-л.; ~에서 떠나지 않다 не выходить из головы.

뇌물(賂物), взятка; ~을 받다 брать взятку; ~을 상습적으로 수수하다 заниматься взяточничеством; ~수수 взяточничество; см. 매수.

-뇨 книжн. груб. оконч. вопр. ф. прил. и гл.-связки; 지금이 어느 때이뇨? Какое сейчас время года?

누 I ущерб; ~가 오더라도 идти в ущерб; ~구나 할 것 없이 причинять (наносить) кому-л. ущерб.

누 II кто; ~가 오더라도 кто бы ни пришёл; ~구나 할 것 없이 все без исключения.

누가(累加) I ~오차 суммарная ошибка.

누가 II кто. ~이겼나 кто выиграл.

누구 кто; ~의 чей; ~든지 ктонибудь; кто угодно;~에게나 всякому, любому;~의 코에 바르겠니 слишком мало; недостаточно; кот наплакал; 너는 ~를 좋아하니? Кого ты любишь? 이 방은 ~의 방이니? Чья это комната? ~를 물론하고 все без исключения, все(как один); ~가 올지라도... кто бы ни пришёл; ~인지, 누군지 кто-то; ~나 а) всякий любой; ~에게나 всякому, любому; ~나 할 것 없이[다] все без исключения; ~라도 кто бы то ни был.

누구누구 1) кто да кто; кто ещё? 2) некоторые; некто.

누구세요 кто это.

누구하고 с кем.

-누나 оконч. воскл. ф. гл.: я! 그가 정말 오누나! да! в самом деле, он идёт.

누그러지다 ослабевать; смягчаться; теплеть; 화가 누그러졌다 гнев смягчился; 추위가 누그러졌다мороз спал; 병이~ улучшаться (о состоянии больного); 추위가~ спадать (о морозах).

누나, 언니 старшая сестра для мальчика; сестра для девочки; 친~ родная старшая сестра(для мужчины)

-누나 оконч. воскл. ф. гл.: я! 그가 정말 오누나! да! в самом деле, он идёт.

누님 сестра. см. 누나

누락 упущение; пропуск; ~하다 упускать; пропускать; ~되다 быть упущенным; быть пропущенным; 명단에서 몇 명이 ~ 되어있다 в списке пропущено колько имён.

누렇다(누러니, 누러오) жёлтый; 병을 앓고 나더니 그는 얼굴이 온통 누렇게 되었다 после болезни его лицо стало жёлтым.

누르다 I (누르니, 누르러) давить; нажимать; прижимать; сдерживать;

подавлять;угнетать; 단추를~ нажать кнопку; 흥분을 ~ сдержать волнение; 국수를 ~ делать куксу; 눌러 듣다 a) терпеливо выслуши- вать; б) долго слушать; 눌러 보다 a) терпеливо смотреть(читать); б) долго смотреть(читать); 눌러앉다 остаться; засидеться; осесть(где-л.); 눌러 있다 загоститься, долго пребывать.

누르다 II (누르니, 누르러) жёлтый; 누르락붉으락 то желтеть, то краснеть(от злости).

누리 I мир; свет; 온~ весь мир; 온~에 떨치다 прославляться на весь мир.

누리 II зоол. мешечницы (Pachytylus danicus).

누리다 I 1) наслаждаться счастьем; 2) наслаждаться чем-л.; 부귀 영화를 ~ наслаждаться роскошной жизнью

누리다 II 1) прил. иметь специфический запах(привкус козлятины); отдавать(чем-л.); 2) отвратитель-ный, подлый(о поступках).

누비다 стегать; пробираться(через; сквозь); 온 세상을 ~ обойти весь мир; 이불을 ~ стегать одеяло; 누비이불 стёганое одеяло.

누설 I разглашение; утечка; ~ 하다 разглашать; выдавать; ~되다 просачиваться; 공무상의 비밀을~하다 разглашать служебную тайну; ~자 разгласитель, -ница.

누설(漏泄) **II** утечка; ~하다 a) уст. просачиваться(о воде); выходить(о воздухе, напр. из камеры); распространяться(о запахе); б) просачиваться(о секретных сведениях); в) уст. пропускать(воду, воздух); распространять(запах); г) разглашать (тайну).

누에, 뉘, 가잠(家蠶) тутовый шелкопряд; шелковичный червь; ~를 치다 разводить тутовый шелкоп-ряд; заниматься тутовым шелкоп-рядом; ~고치шелковичные коконы; ~농사 разведение тутового шелкопряда; ~번데기 куколка тутового шелкопряда; ~나비 бабочка(тутового) шелкопряда; ~시렁 выкормочная этажерка; ~자리 выкормочная рама; ~ 가 오르다 переползать на коконники для завивки коконов(о гусеницах шелкопряда).

누워 лежа.

누이 сестра; сестрица; ~좋고 매부 좋다 и вам хорошо, и мне хорошо/ обоим хорошо;~동생 младшая сестра; сестрёнка; 오~ брат и сестра.

눈 I 1)глаз; перен. взгляд; зрение; 눈에 가시 обр. бельмо на глазу; 눈을 밝히고 зорко; 눈 가리고 아옹하다 *посл.* ≅ a) стреляного воробья на мякине не проведёшь; б) толочь воду в ступе; 눈 감으면 코베어 먹을 인심 (세상) уст. букв. мир, в котором стоит только закрыть глаза, как у тебя отрежут нос; 눈도 거들 떠 보지 않다 обр. закрывать глаза (на что-л.); 누 먼 고양이 갈 밭 매듯(눈먼 중 마캐듯); *посл.* ≅ искать иголку в стоге сена; 눈 먼 고양이 닭알 어르듯 한다 *посл.* ≅ носится как курица с яйцом; 눈 먼 놈이 앞장선다. *посл.* ≅ глупый лезет вперёд; 눈먼 망아지 워낭소리 듣고 따라간다 *посл.* ≅ маленькая собачка лаетбольшой подражает; 눈먼사랑 слепая любовь; 눈먼자식이 효도한다 *см.* 병신(자식이 효도한다) I 2); 눈보 다 동자가 크다 *см.* 배(보다 배꼽이 크다) I; 눈여겨 보다 внимательно осмотреть; 눈은 있어도 망울이 없다 обр. иметь глаза и ничего не видеть; 눈

뜨고 도적맞는다. уст. посл .= против силы не пойдёшь; 눈뜬 소경(장님) обр. слепой с отрытыми глазами(о безграмотном человеке.); 눈앞에서 자랑 말고 뒤에서 꾸짖지 말라; погов. букв.= не хвали в глаза, не брани за глаза; 눈에 넣어도 아프지 않겠다 обр. очень любимый; 눈[을] 감다 а) закрывать глаза; б) умирать; в) закрывать глаза(на что-л.); 눈 딱 감다 а) смиряться(с чем-л.); б) совсем закрывать глаза(на что-л.); 눈[을]걸다 присматриваться(к кому-л.); 눈을 곤두 세운다 обр. глаза мечут искры; 눈을 굴리다 см. 눈방울[을 굴리다]; 눈을 기이다 (기다) тай-ком(украдкой) делать(что-л.); 눈을 돌리다 а) обращать взор(куда-л.); 눈을 뒤집다 обр. увлечься(чем-л.); 눈[을] 맞추다; а) переглядываться, бросать взгляды друг на друга; б) строить(друг другу) глазки; 눈을 부라리다 сердито(злобно) смотреть (на кого-л.); 눈을 붙이다 вздремнуть,ненадолго заснуть; 눈[을] 속이다 ввес-ти в заблуждение; 눈[을] 주다 а) подмигивать(в знак согласия); 눈[을] 팔다 а) отводить глаза в сторону; б) смотреть невнимательно (рассеянно); 눈(을)흘기다 косо смотреть(на кого-л.); 눈(을) 꺼리다(피하다); избегать (чьего-л.) взгляда; 눈을뜨다 а) открывать глаза; б) прозревать; в) стать грамотным; 눈(이)가다 устремляться (о взоре); 눈이 가매지게(까매지게, 가매지도록, 빠지지도록) 기다리다 ожидая, проглядеть все глаза; 눈[이] 높다 а) проницательный; прозорливый; б) смотреть свысока; 눈이 동그라지다 (뚱그래지다, 동그래지다, 똥그래지다) делать большие глаза; удивляться, изумляться; 눈이 뒤집하다, 눈을 뒤집어쓰다 обр. а) глаза вышли из орбит (от гнева и т.п.); б) увлечься(чем-л.);

потерять голову; 눈이 많다 быть на глазах(на виду); 눈[이] 맞다 а) встретиться глазами; б) симпотизировать друг другу; 눈[이] 멀다 ослепнуть; 눈이 먼 слепой; 눈[이] 무디다 недальновидный; нерассудительный; 눈(이) 무섭다 бояться(опасаться) чужих взглядов; 눈[이] 벌겋다 обр. быть корыстолюбивым; 눈(이)시다 см. 눈꼴(이 시다); 눈(이)시게(시도록); равнодушно, без любопытства(смотреть на что-л.); 눈[이]꺼지다 а) запасть(о глазах); б) сдохнуть, околеть; 눈이 빠지게(빠지도록) обр. а) до помутнения в глазах(смотреть, поджидать); 눈이 비였나? Ты что ослеп? 눈이 어둡다; потерять разум(напр. от жадности); быть ослеплённым(напр. властью); 눈에 거슬리다 быть неприятным (противным); 눈[에] 거칠다 противный; 눈에 걸리다 а) см. 눈에 거슬리다; б) бросаться в глаза; 눈에는 풍년 погов. = хоть видит око, да зуб неймёт; 눈에(밖에)나다 обр. потерять веру(доверие); 눈에 들다 а) бить (бросаться) в глаза; б) нравиться; радовать взгляд (взор); 눈에 밝히다 мелькать перед глазами(о незабываемых впечат- лениях и т. п.); 눈에 불이 나다 а) вызывать отвращение; противно смотреть(на кого-л., что-л.); 눈에 삼삼 귀에 쟁쟁 обр. стоять перед глазами(о чьём -л. облике); 눈에 선하다 стоять перед глазами, запечатлеться в памяти; 눈에 설다(서투르다) непривычный для глаз, незнакомый; 눈에 차다 быть довольным (удовлетворённым), быть по душе; 눈에 핏대를 올리다 налиться кровью(о глазах); 눈에 헛거미가 잡히다 обр. а) круги перед глазами(от голода); б) жадность гла-за застлала; 눈에 흙이 들어가기 전 перед смертью; 눈에 뜨이다(띄다)

- 133 -

бросаться в глаза; попадаться на глаза; 눈에 쌍심지를 켜다 наливаться кровью (о глазах); 눈에 쌍초롱을 켜달다 обр. следить налитыми кровью глазами; 눈[에] 어리다 сто-ять перед глазами; возникать в памяти; 눈(에) 익다 привычный для глаз; 2) рассудительность; 3) ячейка(в сети); петля(в вязании).

눈(雪) II снег; ~의 снежный; ~덮힌 들판 заснеженные поля; ~이 오나 비가 오나 и в снег, и в дождь; ~이 내린다 идёт снег; снег падает; ~이 녹다 снег тает; ~길 снежная (заснеженная) дорога; ~덩이 комок снега; снежок; ~발 снежинки; ~비 дождь со снегом; мокрый снег; ~사람 снежная баба(снеговик); ~사태 снежный обвал; снежная лавина; ~ 송이 снежинки; ~싸움 игра в снежки; ~ 썰매 сани; санки; ~싸락 крупа снега; мелкий снег; 첫~ первый снег; 함박~ хлопья снега; 눈 기약 приурочивание чего-л. к времени выпадения снега; 눈집어 먹은 토끼 다르고 얼음 집어먹은 토끼 다르다 *посл.* ≅ неопытного человека сразу видно; 눈 위에 서리친다 *посл.* ≅ беда не ходит(букв. иней, да ещё поверх снега).

눈(嫩) III почка; росток; побег; ~이 트다 давать(пускать) ростки побеги); 아직 나무의~이 트지 않았다 ещё не распустились почки на деревьях

눈가 края век; ~에 기쁨이 어렸다 в уголках глаз затаилась радость.

눈곱 гной в уголках глаз; ~만하다 крошечный; крохотный; ~이 끼다 покрываться гноем в уголках глаз.

눈금 деление; 온도계의 ~ деление термометра; ~을 속이다 обмерять кого-л.; ~바늘 стрелка(указатель) на шкале; ~자 линейка с деле- ниями.

눈길 I взор; взгляд; 부드러운 ~ нежный взгляд; 의미 심장한 ~ многозначительный взгляд; ~을 보내다 обращать взор на когото; направлять взор на кого-что-л.; ~을 피하다 из-бегать чьего-л. взгляда.

눈꼴 форма(разрез) глаз; ~이사납다 быть тошнотворным(отвратительным)(о виде); ~이 나다(틀리다) противно смотреть(на что-л.); ~이 시다 глаза б не смотрели.

눈물 I слёзы; ~을 흘리다 лить слёзы; плакать; 기쁨의 ~ слёзы радости; 뜨거운 ~ горячие слёзы; ~로 지새다 заливаться слезами; ~을 닦다 вытирать глаза; ~을 짓다 слезиться; обливаться слезами; ~을 참다 сдерживать слёзы; ~을 터뜨리다 расплакаться; ~을 흘리다 проливать слёзы; ~이 나도록 웃다 смеяться до слёз; ~이 앞을 가리다 слёзы застилают(затуманивают) глаза; ~이 뺨을 타고 흘러내린다 слёзы покатились по щекам; ~이 핑 돈다 слёзы навернулись на глаза; ~ 한 방울 흘리지 않다 не проливать ни одной слезы; ~ 방울 слезинка; капля слёз; ~샘 слёзная железа; ~이나다 [за] плакать; ~을 거두다 сдерживать слёзы; ~을 머금다 быть полными слёз(о гла-зах); ~을 짜다 презр. а) пустить слезу; б) выжимать слезу; ~이 돌다 навёртываться(о слезе); ~이지다 обливаться(заливаться) слезами; ~이 헤프다 плаксивый; глаза на мокром месте; ~이 앞을 가리다 застилать глаза(о слезах); ~이 어리다 появляться(о слезах).

눈물 II талая(снеговая) вода.

눈물겹다 (눈물겨우니, 눈물겨워) до слёз горестный; 눈물겹도록 горестно(больно) до слёз; 눈물겨운 생활 горестная жизнь.

눈보라 метель; буран; снежная буря; пурга; ~치다 мести; пуржить; ~가 세차게 휘몰아 친다 сильно метёт

눈알 глазное яблоко; ~을 부라리다 см. 눈(을 부라리다) I 1); ~이 곤두서다 вспыхивать гневом(о глазах).

눈여겨보다 всматриваться в кого-л., что-л.; 인상착의를 주의 깊게 ~ внимательно всматриваться в черты лица.

눈을 흘기다 косить глазами в сторону

눈총 злобный взгляд; ~을 받다 быть ненавистным; ~을 보내다 бросать злобный взгляд; ~을 맞다 быть ненавистным; ~을 주다 смотреть с ненавистью(со злобой); ~을 쏘다 а) бросать злобные взгляды; б)бросать алчные взгляды.

눈치 догадливость; смекалка; ~가 빠르다 догадливый; смекалистый; ~가 없다 недогадливый; несмышлённый; ~를 보다 пытаться разгадать;~를 차리다 채다 догадаться; замечать что-л.; ~밥 чужой хлеб; ~보기 оглядкой; ~가 다르다 странный, необычный;~가 빠르다 смекалистый, догадливый; ~가 빠르면 절에 가도 젓갈(새우젓)을얻어먹는다 посл. ≅ догадливый голодать не будет(букв. если есть смекалка, то и в храме поешь солёных креветок); ~를 살피다 влезть (за-лезть) в(чью-л.) душу; ~ 코치 다 알다 всё знать; обо всём догадываться; ~ 코치도

모르다 ничего не знать; быть недогадливым; ~빠르기는 도가집 강아지 обр. человек со смекалкой; ~가 안는 암탉 잡아먹겠다 посл. ≅ от него всего можно ожидать (букв. он может убить даже соседку).

눈다(눌으니, 눌어) подгореть; подпалиться.

눌러쓰다 нахлобучивать; надевать низко; 털모자를 귀까지~ надвинуть шапку на уши.

눌러앉다 оставаться; засиживаться; оседать; 고향마을에 ~ оставаться в родной деревне.

눌리다 I быть придавленным; быть прижатым; 눌려서 지내다 жить под гнётом.

눌리다 II дать подгореть; подпалить.

눌변 сбивчивая (негладкая) речь; 그는 ~ 이다 он говорит сбивчиво.

눕다 I (누우니, 누워) ложиться; лежать; 바로(엎드려) ~ ложиться на спину(на живот); 병석에 ~ лежать больным; 옆으로 ~ ложиться на бок; 누울 자리를 봐 가며 발을 뻗는다 по одёжке протягивай ножки; 누워서 떡 먹기 (это) пара пустяков; 누워서 침 뱉기 не рой другому яму, сам в неё попадёшь; 느릿느릿 ~ медленно; 누워서 침 뱉기 посл. ≅ Не рой другому яму сам в неё попадёшь(букв. плевать лёжа); 누운 소타기, 누워서 떡 (팥떡) 먹기 обр. пара пустяков; 누워서 떡 먹으면 콩고물(팥고물)이 눈에 들어간다. посл. ≅ нет дел, не требующих труда; 누울 자리보고 발 뻗는다 посл.≅ по одёжке протягивай ножки (букв. протягивай ноги настолько, насколько позволяет та постель, на которую ты ложишься); 누워 먹다

бездельничать; 누워 지내다 а) бездельничать; б) быть прикованным к постели.

눕다 II (누우니,누워) отбеливать (ткань).

눕히다 укладывать кого-л. в что-л.; 벽돌을 눕혀서 쌓다 класть кирпич плашмя; 환자를 침대에 ~ уложить больного на кровать.

뉘 I необрушенный рис в рисовой крупе

뉘 II благодарность потомков; 뉘[를] 보다 пользоваться почётом и уважением(о стариках).

뉘 III сокр. от 누구(의) 뉘집에 죽이 끓는지 밥이 끓는지 모른다 *посл.* ≈ спроси в людях, что дома де лается.

뉘앙스(< фр. nuance) нюанс; 발음상의 ~ нюанс произношения.

뉘엿뉘엿 быть на закате(о солнце).

뉘우치다 раскаиваться в чём-л.; 자기가 지은 죄를 ~ раскаиваться в своих грехах. 뉘우침 раскаяние

뉴스(news) новости; 아침(저녁) ~ утренние(вечерние) новости; ~를 방송하다 передавать новости.

뉴안스(<фр. nuance), *см* 뉘앙스 оттенок, нюанс.

느긋느긋 ~하다 а) прил. часто тошнить; б) *см.* 느긋거리다.

느긋하다 I тошнить.

느긋하다 II уравновешенный; зажиточный; обильный; спокойный; 느긋이 уравновешенно; зажиточно; обильно; спокойно; 느긋한 태도 уравновешенное поведение; 마음이 ~ быть уравновешенным(спокойным).

느끼다 I слишком жирный; тошнотворный; 느끼한 음식 слишком жирная пища; 점심을 먹고 난 뒤에 속이 ~ после обеда меня тошнит.

느끼다 II чувствовать; ощущать; осязать; испытывать; понимать; сознавать; думать; 양심의 가책을~ испытывать угрызения совести; 통증을 ~ ощущать(чувствовать) боль; 추위를 ~ чувствовать холод; 필요성을 ~ познавать потребность. 나는 그녀가 옳다고 느껴진다 я думаю, что она права; 느낌 чувство; ощущение.

느낌 чувство; ощущение. *см.* 감각

-느냐 разг. груб. оконч. вопр. ф.: 밖에 비가 오느냐? На улице идёт дождь?

-느뇨 книжн. груб. оконч. вопр. ф.: 그를 본 사람들이 몇이 였느뇨? сколько человек его видели?

-느니 I разг. интимн. оконч. повеств. ф. указывает на то, что признак, выраженный предикативом, приписывается говорящим предмету на основе личного опыта или знания; 지난날에 그도 아주 가난하였었느니 раньше(,я знаю,) и он был очень бедным.

-느니 II оконч. деепр. предикатива, употр. перед сравн. частицей 보다: 앉아서 죽느니보다 차라리 일어나 싸울 것이다 лучше подняться на борьбу, чем умереть на коленях.

-느니라 разг. груб. оконч. повеств. ф.; подчёркивает, что признак, выраженный предикативом, приписывается говорящим предмету на основании лич-ного опыта или знания: 그이는 아주 훌륭한 선생이였느니라(я знаю, что) он был прекрасным учителем.

느닷없이 неожиданно, сверх всяких ожиданий.

-느라고 разг. оконч. деепр. причины гл. 계산을 하느라고 들리는

소리에 주의를 돌리지 않았다 поскольку он был занят подсчётами, он не обращал внимания на доносившиеся звуки.

느루 растянувшись; вытянувшись; ~먹다 экономно потреблять(расходовать); ~잡다 некрепко держать в руках (что-л.); 시간을 ~ 잡다 зарезервировать время.

느리다 медленный; медлитель-ный; пологий; протяжный; ту гой; слабый; нетугой; 느린가락 протяжная мелодия; 느린걸음 медленный шаг; 느린 성장 медленный рост; 느린 언덕 пологий холм

느림보 медлительный человек.

느릿느릿 ~하다 а) медлительный, нерасторопный, неповоротливый; ~ 걸어도 황소걸음 посл.=терпение и труд всё перетрут.

-느먼 разг.1. интимн. оконч. повеств. ф. гл., выражает непредви-денное действие; 그래도 막 가느먼 и не смотря на это всё же уходит; 2. оконч. против. деепр. 비가 오느먼, 어딜 가요? Куда же ты идёшь, ведь на улице дождь?

느슨하다 слабый; нетугой; неплотной; расслабленный; вялый; 느슨해진 규율 расшатанная дисциплина; 띠를 느슨하게 매다 нетуго завязать; 밧줄을 느슨하게 당기다 слабо натянуть канат.

느지막이 1) нетуго, слабо; 2) поздновато; 3) 시간을 ~잡다 отвести достаточно времени.

느지막하다 1) поздноватый; 2) достаточный(о сроке).

늑간(肋間) ~신경 межрёберные нервы; ~신경통 межрёберная невралгия.

늑골(肋骨) 1) см. 갈비 I 1); ~융기 мед. бугристость рёберная; 2) мор. шпангоут; ~층막판 стр. ребристое перекрытие.

늑대 волк(Canis lupus coreanus) ~의 волчий; 양의 탈을 쓴 ~ волк в овечьей шкуре; ~는 ~ 끼리 노루는 노루끼리 посл. = гусь свинье не товарищ(букв. волк с волком, а косуля с косулей).

늑막(肋膜) анат. плевра; ~염 плеврит; ~경검법 плевроскопия; ~심낭 염 плевроперикардит; ~절개술 плевротомия; ~페염 плевропневмония.

늑장(勒葬) ~하다 этн. незаконно хоронить на чужом участке; медлительность; ~[을] 부리다 быть медлительным; проявлять неповоротливость.

는 противительно-выделительная частица; 우리는 제때에 왔으나 박씨 는 늦게왔다 мы пришли вовремя, а товарищ Пак опоздал.

-는 I суф. наст. вр. гл.: 바다가 보이는구나 видно море.

-는 II оконч. прич. наст. вр. гл.: 거리를 달리는 자동차 автомашина, едущая по улице.

-는가 фам. оконч. вопр. ф.: 무엇을 보는가? На что ты смотришь?

-는갑다 почт. оконч. повеств. ф. со знач. предположения: 그는 집에 서 쉬는 갑다 (сейчас)он, наверно, отдыхает дома.

-는걸 разг.1. интимн. оконч. повеств. ф., выражающее непредвиденный говорящим признак предмета; 야, 참 어린 학생이 책을 아주 잘 읽는 걸 да, в самом деле, маленький школьник прекрасно читает; 2. оконч. против. деепр. 아주 훌륭한 상품이였 는걸 안 팔릴 리가 있어요? Товар превосходный, почему же его не купят?

-는고 книжн. фам. оконч. вопр. ф.: 코끼리에게는 무엇을 주는고? Чем кормят слона?

-는데 1. оконч. деепр. общей связи со знач.: 1) противительным: 그게 퍽 좋은 책이겠는데 우리가 잘 몰라 보고 있나 봐 это очень хорошая книга, а мы повидимому, просто не разбираемся (в литературе); 2) разъяснительным: 어머니께서는 지금 밭에 가셨는데 조금 있으면 오실게요 мама сейчас на поле, она скоро придёт; 2. интимн. оконч. повеств. ф., выражающее непредвиденный говорящим признак предмета; 비까지 오는데 даже дождь идёт.

-는바 оконч. присоединительного деепр. 그는 소설 창작에 종사하는바 금년에 장편을 하나 썼다 он занимается литературным творчеством и в этом году написал роман.

-는 새려 частица не то что..., но и.... не только не..., а наоборот; 낫기는 새려 더 한가 봅니다. не только не улучшается, а наоборот, видимо, ухудшается; 기러기는 새려 오리조차 날아오지 않는다 не только гуси, но даже и утки не прилетают.

-는지 1. интимн. оконч. вопр. ф. предикатива: 누가 노래를 잘 부르는지? Кто хорошо поёт? 누가 노래를 잘 부르는지 아십니까? Не знаете ли Вы, кто хорошо поёт?

-는지고 книжн. оконч. воскл. ф. гл. 노래도 참으로 아름답게 부르는지고 И песни чудесно поёт!

-는지라 книжн. оконч. деепр. причины: 날씨가 몹시 추웠는지라 가는 나무 가지들은 모두 얼었다 так как погода была очень холодной, тонкие ветви деревьев промёрзли.

늘, (항상,계속, 다만) всегда; постоянно; всё время; ~ 그녀는 자기 아이들에 대해 염려한다 она всё время беспокоится за своих детей.

늘그막 старость.

늘다(느니, 느오) увеличиваться; возрастать; расти; удлиняться; развиваться;повышаться; богатеть; 살림살이가 ~ становиться зажиточным; 생산량이 두 배로 늘었다 выпуск продукции увеличился в два раза; 늘고 줄고 하다 обр. а) проявлять гибкость(в работе); б) приспосабливаться(к обстановке); 늘어나다 а) постепенно увеличиваться, расти; расширяться; удлиняться; б) богатеть; 늘어놓다 а) расставлять(выстраивать)(в ряд); раскладывать(ставить, располагать) друг возле друга; б) разбрасывать; в) рассылать во все концы(людей); 말을 ~пространно распространяться (о чём-л.); 늘어서다 стоять, вытянувшись в ряд; 늘어앉다 рассаживаться в ряд.

늘리다 увеличивать; приумножать; расширять; 생산량이 세 배로 ~ увеличить выпуск продукции в три раза; 인원을~ увеличить штат (персонал).

늘씬하다 тонкий, стройный; 늘씬하게 때리다 сильно избить

늘어나다 растягиваться; расширяться.

늘어놓다 разбрасывать; раскидывать; распространяться; наплетать; 말도 안 되는 소리를 ~ наплести чепуху; 온 방안에 온갖 잡동사니를 ~ разбросать всё(всякую всячину) по всей комнате.

늘어뜨리다 1) удлинять; увеличивать; растягивать; 2) свешивать; спускать; 3) опускать(голову); 4) вытягивать(ноги).

늘어서다 стоять в ряд; 이 열 종대로 ~ стоять в две колонны.

늘어지다 удлиняться; растягиваться; свисать; обвисать; замедляться; сникнуть; размякнуть; спокойный; 늘어지게 잠을 자다 отоспаться; выспаться; 팔자가 ~ жить спокойно; 버드나무 가지가 늘어진다 ветки ивы свисают.

늘이다 удлинять; растягивать; продлевать; свешивать; спускать; 기한을 ~ продлевать срок; 생가죽을 펴서 ~ растягивать сырую кожу; 소매기장을 ~ удлинять рукава.

늘임새 манера растягивать слова.

늙다 стареть; стариться; быть старым; 늙은 старый;престарелый; 늙어 꼬부라지다 дряхлый; 늙은 티 старческий вид; 늙게하다 старить; 자기 나이보다 더 늙게 보이다 выглядеть старше своих лет; 푸른색 넥타이는 당신을 늙어 보이게 합니다 синий галстук вас старит; 늙은이 старик; старый человек; 늙은(노)처녀 старая дева; 늙은 총각 старый холостяк; 늙은 소 콩밭으로 간다 *посл. букв.*≈ старый вол идёт на бобовое поле; 늙은소 흥정하듯 *обр.* затягивая дело.

늙은이 старый человек.

능동(能動) активность; действенность; ~적 активный; ~적 대처 активная подготовка; ~ 적으로 만들다 активи-зировать; ~성 активность; действенность; ~형 форма действительного залога; ~적 발음기관 лингв. активные органы речи; 2) см. 능동상.

능력(能力) способность; мощность; возможность; ~있는 способный; мощный; возможный; ~ 있는 간부 способные кадры; 비범한 ~ незаурядная способность; ~껏 по мере возможности; что есть сил; 구매~ покупательная способность; 생산~ производительные способности; ~자 способный человек; умелец.

능률(能率) эффективность; произ-водительность; ~적 эффективный; произ-водительный; 시간의 ~적 사용 производительная трата времени; ~적으로 일하다 работать с высокой производи-тельностью.

능하다(能-) горазд в чём-л.(во что-л.; чему-л.); искусный; умелый; 그는 만사에 ~ он на все руки мас-тер; 그녀는 수학에 ~ она имеет склонность к математике.

늦- поздний; ~가을 поздняя осень; ~겨울 поздняя зима; ~더위 поздняя жара; ~봄 поздняя весна; ~여름 позднее лето; ~모 поздняя рисовая рассада.

늦다 поздний; запоздалый; протяжный; слабый; нетугой; ненатянутый; опаздывать;запаздывать; 늦은 곡조 протяжная мелодия; 때늦은 봄 запоздалая весна; 밤이 늦도록 до поздней ночи; 아침 늦게 поздно утром; 제일 늦게 ь позже всех; 기차가 한 시간 늦게 왔다 поезд оп-оздал на час; 내 시계는 5분 늦게 간다 мои часы отстают на 5 минут; 늦어도 самое позднее; 잠이~ долго спать, поздно вставать.

늦추다 1) прям. и перен. ослаблять; распускать; 2) разматывать(удочку *и* *т.п.*); 3) задерживать;отсрочивать; 걸음을 ~ замедлять шаги.

늪 болото; топь; ~의 болотный; ~에 빠지다 попадать в топь(трудное положение); ~지대 болотина.

닐리리 *обр.* звуки корейских духовых музыкальных инструментов; ~쿵덕쿵 звуки корейских духовых и ударных музыкальных инструментов.

-니 I *разг.* оконч. вопр. ф.: 누가 반장이니? кто староста группы? 일이 어떻게 되었니? как дела?

-니 II 1. разг. фам. оконч. повеств. ф. прил. и гл.- связки: 최씨는 본 받을 젊은이니 товарищ Цой-тот человек, с которого нужно брать пример; 2. оконч. деепр. разделительного: 빛이 붉으니 누르니 논의가 있었다 вели спор о том, красное (оно) или жёлтое

-니 III 1. оконч. деепр. со знач.: 1) причины: 산이 깊으니 짐승들도 많다 так как горы глухие, то и зверей много; 2) условия: 저희야 가니 무엇을 하겠습니까? Если мы пойдём, то что мы будем делать?; 2. оконч. гл., выступающего как вводное слово: 들으니 как я слышал; 생각하니 по-моему.

-니까 усил. стил. вариант -니 III.

-니라 разг. груб оконч. повеств. ф. прил. и гл. -связки, указывающее на то, что признак связывается с предметом на основании личного опыта: 소가 느리기는 하지만 착실한 짐승이니라 хотя вол и неповоротлив,(но я знаю, что) он полезное животное.

니은(ㄴ) вторая буква кор. алфавита, которая обозначает согласную фонему **Н.** см. ㄴ.

니켈*(англ.* nickel) никель; ~의 никелевый; ~도금을 하다 никелировать; ~광 никелевый рудник; ~합금 никелевый сплав.

니코틴*(фр.* nicotine) никотин.

님 любимый(дорогой); милый; человек; дорогой; милый; 나의 ~ мой дорогой; ~도 보고 뽕도 딴다 сочетать приятное с полезным.; -님 уважаемый; 부모~ уважаемые родители; 교수~ уважаемый профессор; 형~ старший братец.

ㄷ

ㄷ третья буква кор. алфавита; обозначает согласную фонему Т.

다 I 1) все; всё; полностью; совершенно; до конца; не стоит...; 누구나 다 все без исключения; 계획을 ~끝내다 выполнить план; 목적지에 ~오다 доехать до места назначения; 전력을 ~하다 прилагать все силы; 별 말씀을 ~하십니다 не за что; не стоит благодарности; 것이 ~입니다 это всё; 2)*разг.* всё же.

다 II усил. частица; употр. после имён в дат. и местн. п. же 그게 누구에게 다 보 편지입니까? Кому же это письмо?

다- преф. кор. много-; ~결정체 поликристаллические тела; ~단계 многоступенчатый; ~종 много сортов; ~층 건물 многоэтажное здание.

다-(多-) преф. кор. много-; 다기대 много-станочный; 다층건물 много-этажное здание.

-다 I груб. оконч. повеств. ф.: 우리는 공부를 한다 мы учимся.

-다 II оконч. деепр. прерванного действия: 이야기를 하다 전화가 와서 중단하였다 мы разговаривали, но зазвонил телефон, и беседа была прервана.

다가다 подходить; подступать приближаться; 바싹 ~ подходить вплотную; 나는 그녀에게 다가갔다 я подошёл к ней.

다가오다 подходить(к кому-чему-л.); подступать; приближаться; наступать; 겨울이 다가온다 наступает зима; 여객선이 부두로 다가온다 пассажирский пароход подходит к пристани.

다각(적)(多角-) а) многоугольный; многосторонний; многоотраслевой; многогранный; ~도로 многоранно; разносторонне; всесторонне; ~화 하다 обеспечивать разностороннее развитие; ~도 многогранность; ~형 многоугольник; ~적 многоугольный; ~부채형 *мат.* многоугольный сектор; ~경리 многоотраслевое хозяйство.

-다고 1) оконч. сказ. в косвенной речи: 나는 그 사람이 열 시에 온다고 말하였다 я сказал, что он придёт в десять часов; 2) разг. оконч. сказ. повеств. предложения,содержащего косвенную речь; 난 또 비가 온다고 я думал, что ещё идёт дождь

다그다(다그니, 다가) 1) передвигать[ся]; пододвигать[ся]; 2) опережать (намеченный срок); 3) ускорять (работу); 4) 숨을~ учащённо дышать; 다가가다 подходить (вплотную) (к чему-л.); 다가놓다 перекладывать ближе(к чему-л.); подтягивать(перекладывать) к себе; 다가들다 а) подходить, подступать; пододвигаться ближе(к чему-л.); б) напирать, наседать; 다가붙다 прижиматься, прислоняться(к че-му-л.); 다가서다 а) вставать ближе(к чему-л.); 다가쓰다 расходовать в счёт аванса; 다가앉다

подсажива-ться, садиться ближе(к чему-л.); 다가오다 подходить(вплотную) (к чему-л.).

다그치다 ускорять; форсировать; 다그쳐 묻다 торопливо спрашивать; 일을 ~ ускорять работу.

다급하다 торопливый; поспешный; 다급한 걸음 торопливые шаги.

다급히 торопливо; поспешно;

-다나 разг. интимн. оконч. сказ. повеств. предложения, содержащего: 1) косвенную речь: 이 섬에는 아직도 가부장적인 풍습이 지배한다나 говорят, что на этом острове господствуют патриар-хальные обычаи; 2) отриц. ожидаемого следствия.

-다네(сокр. от... 다 하네) разг. интимн. оконч. воскл.ф. предикатива, выражающее:а) восхищение; 강물은 흐르고 하늘은 푸르다네 Текут реки и небо такое лазурное! б) подчёркнутое утверждение; 이 산에는 큰 짐승이 있어도 사람을 해치지 않는 다네 в этих горах живут крупные звери, но ведь они не вредят человеку.

다녀가다 заходить; заезжать; сходить; съезжать; 학교에 ~ сходить в школу.

다녀오겠습니다 вернусь.

다녀오다 заходить; заезжать; сходить; съезжать; 고향에~ съездить на родину.

다년(多年) много(несколько) лет; ~(의) многолетний; ~간 в течение многих лет; ~생 многолетний; ~초 многолетние травы; ~의 경험 многолетний опыт.

다녔니 ходил.

-다는데(сокр. от ...다하는데) 1) деепричобщей связи предикатива. сказ. в предложении, содержащем косвенную речь: см. -는데; 2) интимн. оконч. повеств. ф. в предложении, содержащем косвенную речь: 요리만 잘 하면 양고기도 맛이 있다는데 говорят, что, если хорошо приготовить, то и баранина вкусная.

-다니(сокр.от...다하니) разг. интимн. оконч. повеств. ф. предикатива с усил. знач.: 그런 어린 것을 장가를 보내다니 Разве можно женить такого мальчика!

다니다 1) ходить; ездить; курсировать; 모자를 쓰고 ~ ходить в шапке; 직장(학교)에 ~ ходить на работу(в школу); 버스가 시 중심가와 변두리 사이를 다닌다 автобусы курсируют между центром города и его окраинами; 구경을 ~ осматривать, знакомиться(с чем-л.); 학교에 ~ ходить в школу, учиться; 2) в сочет. с сущ., обозначающими профессию работать; 교원으로 ~ работать учителем; 다녀가다 заходить; заезжать; сходить; съездить(на прежнее место).

다닙니다 ходить.

다독거리다 слегка похлопывать (ребёнка); 젖먹이를 다독거리며 재우다 слегка похлопывая, убаюкивать грудного ребёнка.

다듬기다 1) быть приведённым в порядок (упорядоченным); 2) быть причёсанным(приглаженным) (о волосах); 3) быть отремонтированным (об инструменте); 4) быть отобранным (отсортированным) (напр. об овощах); 5) быть обрезанными(о ветках); 6) быть отредактированным (обработанным); 7) быть выровненным(выглаженным); 8) заставлять (позволять) 9) причесать(пригладить) (волосы); 10) отдавать в ремонт; 11) заставлять(позволять) отбирать (сортировать); 12) заставлять(позволять)

- 142 -

обрезать(ветки); 13) заставлять (позволять) обрабатывать(редактировать); 14) заставлять(позволять) выравнивать (разглаживать).

다듬다 I 1) приводить в порядок; упорядочивать; 2) причёсывать; приглаживать; 머리를 ~ причёсывать волосы; 문체를 ~ обрабатывать стиль; 빨래한 옷을~ отбивать бельё; 손톱을~ обрезать ногти; 양파를~ чистить лук; ~질 отбивание; приглаживание; 깃을 ~ охорашиваться(о птицах); 3) ремонтировать(инструмент); 4) отбирать, сортировать(напр. овощи); 5) обрезать(ветки); 6) обрабатывать, редактировать; 7) гладить, разравнивать; отбивать(бельё).

다듬다 II обрабатывать; прихорашивать

다듬질 ~하다 приглаживать, придавливать.

다락 I антресоли(над кухней); 2) крытые нары(на улице); ~같다 а) дорогой; очень высокий(о цене); б) крупный; дородный.

다락 II чердак; ~의 чердачный; ~에서 살다 жить на чердаке

다량(多量) большое количество; ~적으로 в большом количестве.

다루다 1) обращаться(с кем-л., чем-л.); управлять(чем-л.); владеть (кем-л.,чем-л.); 공작기계를~ управлять станком; 아이들을~ обращаться с детьми; 2) вести(дело); 3) обрабатывать; 4) мять,размягчать.

다르다(다르니, 달라) другой; иной; отличный; разный; отличаться; различаться; 다르게 подругому; иначе; отлично.;다른 예와는 다르게 в отличие от других примеров; 다름이 아니라 дело в том, что... 다르게 생각하다 думать иначе, чем кто-л.; 다름없다 не что иное, как... 말과 행동이 ~ слова и дела расходятся; 일솜씨가 ~ отличаться умением работать; 다름 разница; отличие; различие.

다르륵 유리창을~열다 с шумом распахнуть окно; ~하다 а) издать дребезжание; дребезжать; б)резко остановиться(о чём-л. катящемся с постукиванием)

다른, 딴 другой; разный.

다를 바 없다 нет разницы.

다름 разница; различие; отличие, ... ~[이]아니다 (없다) не что иное, как...; ... ~이 아니라 не иначе, как...., дело в том,что...

다리(발) I 1) нога; лапа; ~가 긴 длинноногий; ~가 짧은 коротконогий; ~를 구부리다 сгибать ногу; ~를 벌리다 расставлять ноги; ~를 뻗다 вытягивать ноги; ~를 삐다 вывихнуть ногу; ~를 펴고 자다 спать безмятежным сном; ~타박상을 입다 ушибить ногу; ~자세 положение ног; ~가 길다 см. 발(이 길다); ~가 짧다 발(이짧다); ~아래 소리 самоуничтожение; ~를 들리다 быть перехваченным(опережённым)(кем-л.); ~를 펴고(뻗고)자다 спать безмятежным сном; ~이야 날 살려라 см. 걸음(아 날 살려라); ~에 자개바람 이 나다(일다) обр. мчаться как угорелый; 책상~ ножка стола; 안경~ дужка очков.

다리, 교량(橋梁) II прям. и перен. мост;~위에서 на мосту;~기둥 опора моста; ~를 건너다 идти(перейти) через мост; ~를 놓다 наводить мост; посредничать; ~받침 опора моста; ~아래에서 원을 꾸짖는다. посл. ≅ говорить за глаза; 누구를~를 놓아

서 전하다 передавать(через кого-л.); ~를 건너다(넘다) а) переходить мост; б) передавать из уст в уста(из рук в руки).

다리를 저는 хромой.

다만 1) чаще в сочет. с 뿐, 따름 только; лишь; 2) однако; тем не менее; 3) в сочет. с ~라도 по крайней мере; хотя бы; 나는 ~ 이것만을 바랍니다 я только этого желаю; 내 몸은 이미 늙었으나 ~ 마음만은 청춘이다 я стар, но молод душой; ~일 뿐이다 лишь.

-다며 *разг.* интимн. оконч. вопр. ф. предикатива: 아니 검은것은 싫다며? Что, чёрное не любишь?

다발 I 1) пучок; вязанка; 건초 ~ пучок сена; ~로 묶다 связывать в пучки; 꽃~ букет цветов; 2) несколько пучков(снопов, вязанок).

다발(多發) II феод. ~장리 посылка нарядов(уездным начальником) для поимки преступника. ~형리 посылка нарядов(судейским приказом) для поимки преступника.

다발성 поли-; ~관절염 полиартрит; ~근육염 полимиозит; ~식경염 полиневрит.

다방(茶房) кафе; чайная; ~에서 в кафе (чайной).

다방면(多方面) многосторонность.

다섯(오) пять; ~(번)째 пятый; ~개(명) пятеро; ~ 배로 в пять раз; 그 당시에 우리는 전부 ~명이었다 тогда нас было всего пять человек.

다소(多少) 1) количество; 2) много или мало; *нареч.* более или менее; немного; несколько; ~간의 차이 некоторая(небольшая; незначительная) разница; ~라도 хотя бы в незначительной степени.

다소곳이 1) понуро и молчаливо; 2) скромно; послушно.

다소곳하다 1. 1) понурый и молчаливый; 2) скромный; послушный; **2.** 1) понуриться и молчать; 2) слушаться.

다소나마(多少-) хоть сколько-нибудь; более или менее; немного; несколько.

-다손 оконч. предекатива; выражает предположение; употр. в сочет. с 치다: 밭일은 내일 한다손 치고... допустим, что на суходольном поле будем работать завтра.

다수(多數) большинство; большая часть; большое число; 압도적 ~ подавляющее большинство; 절대 ~ абсолютное большинство; ~를 차지하다 получать большинство; ~가결 решение большинство голосов; ~파 фракция большинства; большинство.

다스리다 1) управлять(страной); контролировать; 2) ухаживать(за чем-л.); приводить в порядок; сдерживать; 3) лечить(болезнь, рану); 4) исправлять, выправлять, улаживать; 5) творить суд и расправу; наказывать; расправлять(с кем-чем-л.); 나라를~ управлять страной; 병을 ~ лечить болезнь; 삼림을 ~ ухаживать за лесом; 자기 자신을 ~ владеть собой; 죄인을~ наказывать преступника.

다시(茶時) I *арх.* значитирое время

다시 II 1) снова; вновь; опять; ещё(раз); больше; ~없는 기회 единственный шанс;~없다 не имеющий себе равных; ~말해서 другими словами; иначе говоря; ~는 이런 일이 없을 것입니다 Больше это не повторится; ~는 안그럴게요 больше не буду;~해도 마찬가지다 Опять двадцать пять; 2) с частицей 는 в сочет.

с отриц. больше; ~는 그를 보지 못할까 보다 я его, наверное, больше не увижу; ~없다 не имеющий себе равных.

다시금 усил.стил. вариант; *см.* 다시

다양성(多樣性) многообразие; разнообразие.

다양하다 многообразный; разнообразный; 다양한 현상 различные явления; 다양성 многообразие; разнообразие.

다양한 разнообразный.

다오 вежл. повел.от отсутствующей словарной ф. гл. "давать":1) после сущ. дайте, отдайте; 그 책을~ дайте эту книгу; 2) после деепр. -아,-어,-여 не переводится: 나를 도와~ помогите мне.

-다오 вежл. разг. оконч. повеств. ф.: 참으로 물고기들이 많다오 и действительно рыбы много.

다음 1) следующий; 2) затем; потом; далее; 3) после прич. прош. вр. гл. указывает на предшествование одного действия другому после того, как; вслед за чем; поскольку же не..., постольку...; если же не..., то ... ~날 следующий день; ~달 следующий месяц; ~주 следующая неделя; ~해 следующий год; 그 ~의 последующий; ~차례 следующая очередь; ~과 같이 следующим образом; ~번에 в следующий(другой) раз; 내가 차를 마신 ~에 после того, как я выпил чай.

다음절 сущ. многосложный;лингв. полисиллабический.

다이아몬드 алмаз; ~의 алмазный; ~상 алмазник;~칼 алмазный резец.

다정하다 сердечный; душевный; дружелюбный; 다정히 сердечно; душевно; дружелюбно; 다정한 벗 задушевный друг; 다정한사이 дружелюбные(интимные; близкие) отношения; 다정다감 чувствительность; сентиментальность.

다지다 1) утрамбовывать; утаптывать(напр. землю); 2) укреплять (напр. силы); 3) принять решение; укрепиться в решении; 4) делать акцент; подчёркивать; 5) мелко рубить; резать; 고기를 ~ мелко рубить мясо; 기초를 ~ укреплять фундамент; 맹세를 ~ давать клятву; 집터를 ~ площадь под дом; 마음을 ~ решить(сделать что-л.).

다짐 1) трамбовка, утаптывание, уплотнение; 2) обязательство; обещание; клятва; 3) навязывание обязательств(властями); 계수~[을] 두다 а) давать обещание(обязательство); б) уст. давать письменное обязательство (влас-тям); ~[을]받다 а) брать(взять) обязательство; б) уст. получать письменное обязательство (о властях); ~하다 давать обязательство; обещать; ~을 받다 взять обязательство; ~하다 давать обязательство(обещание).

다채로이(多彩-) красочно.

다채롭다 разноцветный; красочный; разнообразный; 다채로운 예술공연 разнообразные художественные представления; 다채로운 옷감 разноцветные ткани.

다쳤습니다 повредиться.

다치다 1) трогать, прикасаться, задевать; 2) вредить, причинять вред; портить, ломать; 3) ушибить; поранить; 건강을 ~ портить здоровье; 자존심을~ задеть(затронуть) самолюбие; 그는 다리를 다쳤다 Он ушиб (поранил) ногу.

다투다 1) ссориться(с кем-л.); спорить(о ком-чём-л.); спорить(с кем-чем-л.); оспаривать; бороться(за что-л.); спешить; торопиться; 2) поссориться, повздорить; враждовать; браниться(с кем-л.); 사소한 일로 ~ ссориться из-за пустяков; 세계 선수권을 놓고 ~ оспаривать звание чемпиона мира; 승부를 ~ соперничать; оспаривать победу; 우승을 ~ бороться за первое место(первенство); 촌각을 ~ торопиться; 말다툼이 주먹다짐으로 되어버렸다 Ссора перешла в драку; 다툼 спор; ссора; 권력을 ~ бороться за власть; 승부를 ~ соперничать; оспаривать победу; 앞을 다투어 наперегонки; наперебой; 다툰 것을 잊었어요 забыли о нашей ссоре.

다툼 ссора; спор; борьба; 자리 ~ споры из-за места; ~하다 а) спорить, оспаривать, состязаться, соперничать, бороться; б) ссориться.

다툼질~하다 а)ссориться; б)спорить

다하다 1) иссякать; истощаться; использовать[ся] до конца; исчерпывать[ся]; кончать[ся]; 목숨이 ~ испустить дух; 온 힘을 ~ напрягать(отдавать) все силы; 정성을 ~ вкладывать всю душу(во что-л.); 최선을 ~ сделать всё возможное; 힘이 다하였다 силы иссякли; 갖은 수단을~ испробовать все средства; 호의를 ~ проявлять доброжелательность; 열성을 ~ целиком отдаваться (чему-л.); 다함없이 다하다 неиссякаемый; неисчерпаемый; безграничный; безмерный; беспредельный; 2) заканчивать; завершать; 본분은 ~ выполнить долг до конца.

다행(多幸) счастье; удача; ~하다 счастливый; удачливый; ~히 к счастью, ~으로 여기다 почитать (считать) за счастье; 천만 ~이다 слава Богу; 다복천만~입니다 слава Богу, пронесло; ~으로 к счастью; ~스럽다 прил. казаться счастливым (удачливым).

닥치다 1) приближаться; наступать (о времени); 2) [на]грянуть; постигнуть(напр. о несчастье); 3) 닥치는 대로 без разбора; как попало; 불행이 닥쳤다 нагрянуло(постигло) несчастье.

닦다 I 1) стирать; вытирать; протирать; чистить; счищать; 2) разравнивать; расчищать; 3) закладывать базу(основу); 4) усовершенствовать (знания); развивать; воспитывать; 5) подводить(баланс); 6) 길을 ~ расчищать дорогу; 땀을 ~ вытирать пот; 마루를 ~ вытирать пол; 윤이 나도록 ~ натирать до блеска; 의지를~ закалять волю; 이를 ~ чистить зубы; 접시를 ~ протирать тарелку; 지식을 ~ усовершенствовать знания; 학문을 ~ изучать науки; 6) см. 훌닦다; 7) см. 가다듬다 닦은 방울 같다 а) блестеть (о глазах); б) поступать умно; быть умницей(о ребёнке);닦아대다 давать нагоняй; 닦아세다 (세우다) распекать; 닦아주다 читать нотацию.

닦다 II см. 볶다.

닦달하다 допекать; донимать(кого-л. чем-л.); изводить; 그는 생트집을 잡으며 끊임없이 나를 닦달했다 он донимал меня бесконечными придирками.

닦습니다 стирает.

닦이다 I 1) быть начищенным(вымытым, натёртым, отпалированным); 2) быть разровненным(расчищенным); 3) быть заложенным(об основании, базе); 4) быть усовершенствованным(о знаниях); быть воспитанным(о воле); 5) быть подведённым (о балансе); 6) получать нагоняй; 7) быть воодушевлённым (приодобрённым); 8) заставлять(позволять) чистить(мыть, натирать, полировать); 9) заставлять(позволять) разравнивать (расчищать); 10) заставлять(позволять) совершенствовать знания (закалять волю); 11) заставлять(позволять) подводить баланс; 12) вынуждать (позволять) ругать, бранить; 13) подбадривать, воодушевлять.

닦이다 II 1) быть поджаренным; 2) заставлять(позволять) поджаривать.

단 I 1) вязанка; сноп; ~을 묶다 вязать снопы; 나무~ вязанка дров; 짚~ сноп соломы; 2) несколько вязанок(снопов).

단 II подшивка; подпушка; 치맛~ подшивка у юбки.

단(段) III 1) столбец(в газете); абзац; 2) ступень; терраса; 3) ранг; класс; разряд; 4) радио каскад; 두 ~을 오르다 подниматься на две ступени; 이 ~으로 나누다 делить на два столбца.

단(團) IV группа; организация; ~가 гимн организации; ~복 форма; форменная одежда;~원 член группы; ~장 глава делегации(группы; команды; труппы; миссии); 관광~ группа туристов; 대표~ делегация

단(壇) V 1) трибуна; помост; ~상에 오르다 подниматься на трибуну;강~ кафедра; 교~ помост для учителя; 2)жертвенник(земляной); алтарь.

단(單) VI (только) лишь; (только) один; ~둘이서만 наедине; ~한 마디만 말하다 произносить только одно лишь слово.

단-(單-) I преф. кор. одно-; моно-; едино-; ~색 монохроизм; ~선율 одноголосие; ~조 единообразие; ~세포 сущ. одноклеточный.

단-(短-) II преф. кор. коротко-; кратко-; ~거리 короткая дистанция; ~파 방송 коротковолновая передача.

-단(團) I суф. кор. группа, труппа, команда; 대표단 делегация; 무용단 балетная труппа; 야구단 бейсбольная команда.

-단(緞) II суф. кор. шёлк; 약산단 яксанский шёлк.

단결(團結), 단합(團合) I солидарность; объединение; сплочение; консолидация; ~하다 объединяться; соединяться; сплачиваться; 만국의 노동자여 ~하라! Рабочие всех стран, соединяй-тесь! ~력 сила единства; ~심 дух сплочённости.

단결(斷決) II уст.~하다 окон-чательно(сразу) решить; решить раз и навсегда.

단골 I 1) место, где постоянно покупают(что-л.); 2) постоянный посетитель(покупатель); клиент); ~집 дом, который постоянно посещается; ~서리 постоянный ходатай(о чиновнике военного при-каза или приказа личного состава, который кому-л. протежирует); ~식당 излюбленная столовая.

단골 II половинка черепицы.

단과대학(單科大學) институт(в противоп. университету).

단념(斷念) отказ; отречение; ~하다 отказаться(от чего-л.); отречься (от чего-л.); 해외 갈 생각을~하다 отказаться от мысли поехать за границу.

-단다 (сокр. от...다한다) разг. груб.

оконч. повеств. ф. предикатива с усил.знач. 나는 청년공원에 놀러 간 단다 я ведь иду гулять в молодёжный парк.

단단하다 1) крепкий; твёрдый; прочный; 2) плотный; тугой; 3) стойкий, непоколебимый; 4) серьёзный(о критике, замечании); 단단히 твёрдо; крепко; прочно; стойко; плотно; туго; всерьёз; крепконакрепко; 단단한 몸 крепкое тело; 단단한 벽돌 прочный кирпич; 단단한 의지 стойкая воля; 단단히 묶다 завязать туго; 단단히 틀어쥐다 крепко держать; 단단한 땅에 물이 괸다 *посл. букв.* ≡ твёрдая земля воду держит а) копейка рубль бережёт; б) начал делодействуй смело.

단단한 крепкий.

단단히 твёрдо; крепко; прочно; стойко; плотно; туго; всерьёз; крепконакрепко.

단도직입(單刀直入) ~적으로 прямо; без обиняков; ~적으로 문제를 제기하다 ставит вопрос ребром.

단독(單獨) I ~적 отдельный; сепаратный.~[으로] сам(один), отдельно (от других); ~강화 сепаратный мир; ~결실 *бот.* партенока-рпический плод; ~개념 *филос.* понятие о частном; ~비행 *ав.* одиночный полёт; ~선거 сепаратные выборы; ~정부 правительство, сформулированное на основе сепаратных выборов; ~처리하다 вести дело(справляться) одному; ~행위 сепаратные действия; ~일신 один(одинокий)человек.

단독(丹毒) II *мед.* рожа; рожистое воспаление.

단락(段落) I [тал-] 1) конец; окончание; 2) абзац; рубрика; ~을 짓다 заканчивать; завершать; 세 ~으로 나누다 делить на три абзаца.

단락(短絡) II [тал-] *эл.* короткое замыкание.

단련(鍛鍊) I [тал-] 1)перен.закалка; закаливание; привыкание; приспособление; мучение; ~하다 закалять; мучить; ~되다 закаляться; привыкать(к кому-чему-л.); ~을 받다 маяться; подвергаться мучениям; 몸과 마음을 ~하다 закалять тело и душу; 당성 ~ партийная закалка; 2) ковка(металла).

단련(單練) II [тал-] ~방기 текст. тазово-тонкая ровничная машина.

단백(蛋白) белок; белковое вещество; альбумин; ~의 белковый; ~뇨 альбуминурия; ~질 протеин; белок; ~질 대사 белковый обмен; ~질 섬유 белковое волокно; ~기아 белковое голодание; ~요법 белковая терапия; ~변성 белковая дегенерация; ~사료 белковый корм; ~평형 белковый баланс.

단번에 с одного раза; в раз; сразу же;~에 알 수 있다 можно узнать за один раз.

단서(端緒) исходный пункт; ключ; начало; путеводная нить; ~가 되다 служить поводом; ~를 잡다 (얻다, 찾다) найти ключ(к чему-л.); 범인 색출의~를 얻다 быть на пути к обнаружению преступника;~를 열다 положить начало; сделать почин.

단속(團束) I регулирование; управление; ~하다 контролировать; регулировать; управлять; ~에 걸리다 попадать под контроль; 음주 운전 ~을 하다 проверять водителей на наличие алкоголя в организме.

단속(斷續) II ~적 прерывистый;

спазматический; ~적으로 прерывисто; ~되다 прерываться; ~기 реле; ~음 прерывистые звуки;~장치 радио тиккер; ~하다(всё время) прерываться (о контракте и т. п.).

단수(單數) I [-ссу] 1) простое число; 2) мат. знаменательное число; 3) единственное и множественное число; 명사 ~형 имя существительное в единственном числе.

단수(斷水) II ~하다 прекращать водоснабжение; выключать воду.

단순(單純) I простота;~하다 простой, простодушный; несложный; ~히 просто; ~한 사람 простодушный человек; ~한 호기심 простое любопытство; ~화시키다 упрощать; ~노동 простой труд; ~성 простота; ~재생산 простое воспроизводство; ~화 упрощение; ~광석 мономинеральная руда, ~박자 муз. простой такт; ~상품 생산 простое товарное производство; ~시간 임금제 повременная оплата; ~재생산 простое воспроизводство;~현수 спорт. простой вис; ~협업 эк. простая кооперация; ~화아 простая цветочная почка; ~음부 муз. простая нота; ~음정 муз. простой интервал.

단순(丹脣) II красные губы(у женщины); ~호치 обр. красивое лицо.

단식(單式) I простой способ; одиночный разряд; ~경기 игры одиночного разряда; ~비순기 простая бухгалтерия; ~교환기 эл. индивидуальный коммутатор; ~부기 простая бухгалтерия; простая система счетоводства; ~조차장 ж.-д. односторонняя сортировочная станция; ~피스톤 펌프 одноцилиндровый насос; ~인쇄 плоская печать; печатание с плоских форм(напр. литография и т.п.).

단식(斷食) II 1) голодовка; голодание; ~하다 голодать; ~투쟁 голодная забастовка; голодовка; ~동맹 коллективная голодовка; ~치료 лечение голодом; 2) рел. пост.

단어(單語), 말 слово; ~를 암기하다 выучить наизусть слова; ~장 словник;~들의 집합 набор слов; ~의 구조를 익히다 научиться конструкции слова.

단열(斷熱) ~적 физ. адиабатический; ~경도 адиабатический градиент; ~곡선 адиабата; ~적 팽창 адиабатическое расширение; ~적 압축 адиабатическое сжатие.

단오(端午) этн. тано(стар. кор. традиционный праздник 5-го числа 5-го месяца по лунному календа-рю); ~부적 заклинание от злых духов, приклеиваемое к косяку двери в день тано, ~부채 веер, подаренный королём в день тано, ~비음 праздничное платье, надеваемое в день тано.

단위(單位) I единица; мера; звено; звенья; составная часть; отдел; ~의 единичный; отдельный; ~시간 единица времени; 도량형 ~ единица измерения; 하부 ~ низшие звенья; 화폐 ~ денежная единица; 모든 부문과 ~에서 во всех отраслях и звеньях; ~노조 отдельный профсоюз; ~섬유 текст. элементарное волокно; ~행렬 мат. единичная матрица; ~압력 физ. удельное давление.

단위(單爲) II ~생식 биол. партеногенез.

단일(單一) единство; один состав;

~하다 единственный; единый; унитарный; односоставный;~성분의문장 односоставное предложение; ~한제도 единая система; ~국가 единое государство; ~민족 единая нация; ~성 единство; монолитность; ~화 унификация; единение; ~구성문 лингв. односоставное предложение; ~소득세 единый пароходный налог; ~진자 простой физический маятник; ~도급 임금제 простая сдельщина.

단적(端的) откровенный; прямой; ~으로 말하다 говорить прямо; ~으로 보여 주다 наглядно показывать; 단적으로 나타낸 말 прямое слово

단절(斷絶) I прекращение; разрыв; ~하다 прекращать(с кем-л.)(отношения); прерывать; разрывать; ~되다 прекращаться; разрываться; прерываться; 관계를 ~하다 разрывать отношения; 아침부터 연락이 ~되었다 утром прервалась связь; 교통도로를 ~하다 перерезать коммуни-кации.

단절(斷折) II ~하다 а) ломать(напр. палку); б)сломить(напр. волю).

단점(短點) недостатки; дефект; слабое место(слабая сторона); 장점과 ~ достоинства и недостатки; 누구에게나 각각의 ~이 있다 у каждого свои недостатки.

단정(端正) I ~하다 а) корректный; приличный; ~한자세로 앉다 сидеть чинно; б) опрятный; аккуратный.

단정(短艇) II 1) сампан, лихтер(в порту); 2)~갑판 шлюпочная палуба

단정하다 аккуратный; 옷차림이~ аккуратно одеваться

단조롭다 монотонный; однообразный; 단조로움 монотонность; однообразие;단조로운 곡조 монотонная мелодия; 단조로움에 힘들어하다 тяготиться однообразием.

단지(장독) (통) I 1) небольшой(глиняный) кувшин; банка; 꿀 ~ кувшин мёда; 사기 ~ фарфоровый кувшин; 2) сокр. от 영양 [단지].

단지(短智) II *см.* 다만 1); ~ 시간문제 вопрос только времени; 그것은 ~소문에 불과하다 это простонапросто слухи.

단체(團體), 기관(機關) I организация; группа; коллектив; ~경기 состязание между организациями(коллективами); ~행동 коллективные действия; ~를 구성하다 создавать организацию(группу; коллектив); ~계약 коллективный договор; ~교섭 коллективные переговоры; ~전 групповое состязание;~정신 дух коллективизма; ~행동 коллективные действия; 학술 ~ научная организация; ~적 коллективный; групповой

단체(單体) II хим. простое тело ~ 광물 однородный минерал; ~분리 горн. разделение породы(на отдельные минералы); ~웅예 бот. однобратственные тычинки.

단추 I 1) пуговица; запонка; 2) кнопка; ~를 누르다 нажимать кнопку; ~를 달다 пришивать пуговицу; ~를 끼우다 застёгивать на пуговицы; ~개폐기(스위치) кнопочный выключатель.

단추 II пучок(редиски, лука *и т.п.*)

단축(短縮) сокращение; уменьшение; ~하다 сокращать; уменьшать; 길이를 10미터~하다 сократить длину на 10 метров; 여름휴가를 이틀~하다 сократить летний отпуск на два дня;

레일 ~ укороченные рельсы.

단출하다 1) малочисленный; небольшой; 2) простой; лёгкий; 단출하게 차려입다 одеваться легко; 식구가~ у коголибо небольшая семья; 단출하게 다니다 단출하게 입다 легко одеваться.

단층(單層) I один этаж(ярус); один слой; ~집 одноэтажный дом; ~의 одноэтажный; ~건물 одноэтажное здание; ~권선 эл. однослойная обмотка; ~문화 주택 одноэтажный (благоустроенный) дом

단층(斷層) II дислокация; тектонический разрыв; ~의 дислокационный; ~면 разрез сбросов; ~운동 тектоническое движение; ~촬영법 рентгенография.

단파(短波) короткая волна; ~의 коротковолновый; ~라디오 коротковолновый радиоприёмник; ~방송 коротковолновая радиопередача; ~송신기 коротковолновый передатчик; ~수신기 коротковолновый приёмник.

단편(短篇) I 1) короткая запись; 2) ~소설 рассказ; новелла; ~영화 киноновелла; ~작가 писательно-веллист; ~집 сборник рассказов(новелл); ~영화 короткометражный фильм; ~예술 영화 киноновелла.

단편(斷片) II 1) обломок; осколок; 2) отрывок; фрагмент; ~적 отрывочный; фрагментарный; ~적으로 отрывками; ~적인 기억 фрагментарная память.

단풍(丹楓) 1) красножёлтые листья деревьев; осенние листья; 2) ~나무 корейский клён; ~들다 одеться в багрянец и золото(о деревьях осенью); ~잎 пожелтевшие(покрас-невшие) листья; ~놀이 любование осенней природой.

단호하다 решительный; категорический; непоколебимый; 단호히 решительно; категорически; непоколебимо; наотрез; 단호한 입장 непоколебимая позиция; 단호히 거절하다 отказать наотрез.

닫다 I (달으니,달아) бегать; мчаться; носиться; 닫는 말에 체질한다 (채찍질한다, 채를친다) погов. ≡ торопить хорошего работника(букв. бить кнутом скачущую лошадь); 달아나다 а) убегать; сбегать; бросаться в бегство; б) пропадать; исчезать; в) изнашиваться; истираться; разрушаться; г) лететь(о времени).

닫다 II закрывать; затворять; 닫히다 закрываться; затворяться; 괄호를 ~ закрывать скобки; 창문을 ~ закрывать окно; 오늘 백화점은 문을 닫았다 сегодня универмаг закрыт.

닫았습니다 закрыл.

닫으세요 закройте.

닫치다 с силой закрывать(захлопывать); 닫쳐! заткнись! замолчи!

닫침 лингв. смычка; затвор; ~소리 смычный(затворный) согласный.

닫히다 быть закрытым; закрываться.

달(月) I 1) луна; месяц; ~의 лунный; месячный; 2) месяц(период); 다음~ следующий месяц;이~этот(текущий) месяц; 지난~ прошлый месяц; 지지난 ~ позапрошлый; 매~ ежемесячно; ~을 채우지않고 나다 родиться преждевременно; ~거리 менструация; месячные; 둥근 달 круглая луна; ~빛을 받아 при лунном свете; ~이 뜬다 луна восходит; ~이 떴다 луна взошла; ~이 이지러진다 месяц убывает на ущербе; ~이 진다 луна заходит; ~맞이 встреча луны; ~무리 ореол вокруг луны; ~밤 лунная ночь; ~빛 лу-нный свет; 보름 ~ полная луна; 초생~ молодой месяц; серп луны; 달마다 ежемесячно; 달이 가시다 этн. проходить(о несчастливом месяце, в котором кто-то умер); 달이 차다 наступать(о счастливом месяце, в котором должен родиться ребёнок); 달이 차지 않은 아이 ребёнок, родившийся преждевременно.

달 II остов бумажного змея.

달갑다(달가우니, 달가와) приятный; радостный; желанный; 달갑지 않은 손님 нежеланный гость; 달갑든 달갑지 않든 хочешь не хочешь; 나에게 그의 말은 들리지 않았다 его слова были мне не по душе.

달걀 куриное яйцо; ~노른자 желток; ~흰자 белок; ~껍질 яичная скорлупа; 날 ~ сырое яйцо; 삶은 ~ варёное яйцо.

달구다 накалять; раскалять; нагревать; 달구어지다 накаляться; раскаляться; нагреваться; 달구어진 모래 раскалённый песок; 새빨갛게 ~ раскалить докрасна; 방을 ~ натопить комнату.

달다 I 1) нагреваться; раскаляться; становиться горячим; 2) гореть (напр. от стыда, лихорадки); 3) пересыхать(о горле); 4) выкипать, выпариваться; 5) беспокоиться; мучиться; 모래가 햇볕에 달았다 песок раскалился на солнце; 부끄러워 얼굴이 달았다 щёки горели от стыда; 입안이 달았다 пересохло во рту

달다 II 1) вешать; 돛을~ поднимать паруса; 전화를~ устанавливать телефон; 창문을 навешивать оконную раму; 2) присоединять; прикреплять; прицеплять; пришпиливать; 단추를 ~ пришивать пуговицу; 3) брать с собой(кого-л.); 4) давать; снабжать (напр. комментариями); 주를 ~ комментировать; 5) заносить(напр. в приходорасходную книгу); 6) давать (имя, название); 7) зажигать (фитиль, лампу); 8) сделать первый ход(фишкой в игре ют).

달다 III (다니,다오) взвешивать; вешать; 눈짐작으로 ~ взвешивть на глаз; 자기 몸무게를 달아보다 взвешиваться; 달아보다 а) взвешивать; б) оценивать взглядом(кого-л.); оценивающе смотреть(на кого-л.).

달다 IV (다니, 다오) 1) сладкий; 2) вкусный; приятный; 3) охотно; с удовольствием; 달디단 сладкийпресладкий; очень сладкий; 달게 여기다 считать(что-л.) благом; принимать как благо; 달게하다 подсластить; 물맛이 ~ вкус воды приятный; 배가 ~ груша сладка.

달라붙다 1) приставать; прилипать; приклеиваться; обрушиваться (на кого-л.); 2) льнуть(к кому-л.); 3) напирать, наседать; 4) энергично взяться(за что-л.); ухватиться(за что-л.); 귀찮게 ~ надоедливо приставать; 마음먹고 일에~ решительно взяться за дело; 손에 풀이 달라붙는다 клей прилипает к руке; 아이가 엄마에게 달라붙는다 ребёнокльнёт к матери.

달라지다 [из]меняться; становиться другим; 낯빛이 ~ изменяться в лице; 유행은 항상 달라진다 мода постоянно меняется.

달래다 I 1) успокаивать; утешать; 2) убеждать; уговаривать; упрашивать; 3) искушать; соблазнять; 우는 아이를 ~ успокаивать плачущего ребёнка.

달러(dollar) доллар; 캐나다 ~ канадский доллар; ~로 환산하여 в пересчёте на доллары; ~부족 долларовый голод; ~시세 рыночный курс доллара.

달려가다 бежать; 그는 급히 옷을 입고 병원으로 달려갔다 он торопливо оделся и побежал в больницу.

달려갑니다 бежит.

달려오다 прибегать; 선두로 ~ прибегать первым; 숨을 몰아쉬며 ~ бежать со всех ног.

달려있다 зависеть.

달력(-曆), календарь(calendar), 역서(曆書) календарь; 탁상용 ~ настольный календарь; 한 장씩 뜯는~ отрывной календарь; ~을 넘기다 перевёртывать календарь.

달리 иначе; подругому; поразному; ~하다 расходиться(в чём-л.); ...와 ~ иначе чем; в отличие(от кого-л.); ~방법이 없다 иначе нельзя; 우리는 그들과 의견을 ~했다 мы с ним разошлись во мнениях; ~말 하자면 иначе говоря.

달리기, 달음질, 달음박질, 뜀박질, 담박질; 경주(競走), 러닝(running) бег; 남자 200미터~бег на 200 метров для мужчин; 단(장)거리 ~ бег на длинную(короткую) дистанцию; 장애물 ~ бег с препятствиями; ~선수 бегун(ья).

달리다 I 1) висеть; быть повешенным; 달린 다리 висячий мост; 2) быть прикреплённым(прицепленным; пристроенным)(к чему-л.); 3) присоединяться, прикрепляться, прицепляться; 4) быть взятым с собой(о компл.); 5) иметься(о ребёнке); 6) зависеть (от кого-чего-л.); 7) снабжаться (напр. комментариями, пояснениями); 8) быть за-несённым(в журнал); 9)быть присвоенным(об имени); 10) иссякать(о силах); 11) осоловеть; 12) быть поставленным в первую клетку (о фишке в игре ют); 아이가 셋 딸린 이혼녀 разведённая женщина с тремя детьми; 천장에 달려있는 전등 лампа, подвешенная над потолком; 단추가 단단히 달렸다 пуговицы крепко пришиты; 사업의 성공 여부는 우리에게 달려있다 успех этого дела зависит от нас; 이 교재는 해설이 많이 달려있다 это пособие снабжено многочисленными пояснениями.

달리다(모자란다) II 1) иссякать; недоставать; испытывать нехватку; не хватать; истощаться; 2) разг. становиться бедным; 일손이 ~ не хватает рабочих рук; 자금이 ~ средств не хватает; 힘이 ~ быть не по силам.

달리다(띄어가다) III 1) погонять(лошадь); гнать(машину); 2) заставлять (позволять) бежать(мчаться); 3) предаваться(фантазии); уноситься мыслями; 4) быстро обгонять(что-л.); 말을 타고 ~ мчаться на лошади; 자동차를 ~ гнать машину; 그는 쏜살같이 달렸다 он мчался стрелой; 달려 나오다 выбегать; 달려들다 набрасываться(на кого-л.); 달려붙다 см. 달라붙다.

달빛 лунный свет. 달빛이 쏟아지다 лунный свет проливается.

달성(達成) достижение; осуществление; ~하다 достигать(чего-л., до чего-л.); добиваться(чего-л.); осуществлять; ~되다 осуществляться; 목표를 ~하다 достигнуть цели; 염원을 ~하다 осуществлять мечту; 책임량을 초과 ~하다 перевыполнять норму.

달성되다 достигать.

달아나다 бежать; мчаться; убегать; удирать; обращаться в бегство; миновать; исчезать; улетать; 감옥에서 ~ убегать из тюрьмы; 허겁지겁 ~ удрать в спешке; 단추가 달아났다 ~ пуговица оторвалась; 입맛이 달아났다 аппетит пропал; 잠이 달아났다 пропал сон.

달아오르다 раскаляться; накаляться; становиться горячим; гореть; покраснеть; 그녀는 부끄러움에 얼굴이 빨갛게 ~ от стыда у неё покраснело лицо; 쇠가 빨갛게 달아올랐다 железо накалилось докрасна; 달아올랐습니다(얼굴이) покраснело.

달이다 1) приготовлять(лекарственный отвар); заварить; настаивать; заваривать; 인삼을 ~ заваривать женьшень; 차를~ заваривать; 2) приготовлять путём выпаривания(напр. сою).

닭,계(鷄),덕금(德禽) 1) курица; петух; ~의 петушиный; петуший; куриный; ~똥 같은 눈물 крупные слёзы; ~이 매일 알을 낳는다 каждый день курица несёт яйца; ~이 알을 품고 있다 курица сидит на яйцах; ~이 울기전에 일어난다 вставал до петухов; ~잡아먹고 오리발 내놓는다 посл. ≅ украл поросёнка, а сказал на гусёнка; ~쫓던 개 먼 산 바라보듯 (지붕 쳐다 본다) погов. ≅ видит око, да зуб неймёт; ~고기 курятина; ~똥 куриный помёт; ~고기수프 куриный бульон; ~모이 птичий корм; ~살 гусиная кожа; ~장 курятник; ~털 куриный пух; 닭을 치다 держать кур; 닭 소 보듯, 소 닭 보듯 погов. ≅ равнодушно взирать(на что-л.) букв. смотреть как петух на быка, смотреть как бык на петуха); 닭 싸우듯 сцепиться как петухи; ~에도 텃세 한다 посл. ≅ а) всякий петух на своём пепелище хозяин; б) дома и стены помогают; ~이 자치다 возвещать рассвет(о третьих петухах); ~이 천이면 봉이 한마리 있다 среди многих людей найдётся один выдающийся(букв. гдетысяча кур, там найётся один феникс); ~의 대가리 погов. ≅ голова еловая(букв. куриная голова); ~의 목을 쥐고 논다 посл. ≅ не держи петуха за горло, всё равно придёт утро(букв. гулять, держа петуха за шею); ~의 똥 같은 눈물 шутл. крупные слёзы; ~의 알로 백운대 치기 посл. ≅ букв. пытаться разбить каменную стену яйцом; ~목장 прицеферма; 2) этн. "курица" (назв. 10-го символа двенадцатеричного цикла).

닭고기 курятина.

닭곰 куриный бульон

닭알 куриное яйцо; ~ 노른자위 желток; ~흰자위 белок; ~도 굴러가다 서는 모이 있다 посл.≅ сколько верёвку не вить, а концу быть (букв. покатившись, и яйцо ког- данибудь остановится); ~공장 птицефабрика.

닮다 1) быть похожим(сходным); походить(на кого-что-л.); 2) уподобляться(кому-чему-л.); подражать(кому-чему-л. в чём-л.); имитировать; 그녀는 성격이 제 어미를 꼭 닮았다 она характером точно пошла в свою маму; 그는 아버지 얼굴을 닮았다 лицом он похож на отца; 그를 닮을 필요는 없다 не стоит ему подражать;

닮은꼴 подобные фигуры.

닳다 1) истираться; изнашиваться; 신발창이 다 닳아서 구멍이 났다 подошва истёрлась до дыр; 연필이 다 닳았다 карандаш совершенно исписался; 2) сгорать, догорать(напр. о свече).

담 I 1) стена(каменная или глинобитная); забор; 돌~ каменная стена; 흙~ глинобитная стена; ~을 쌓다(치다) возводить стену; окружать забором; 그는 오래전에 술하고 ~을 쌓았다 он уже давно бросил пить; 그들은 사소한 일로 서로 ~을 쌓았다; они поссорились из-за пустяков; 술과 담을 쌓다 а) возводить стену; б) разойтись; прекратить отношения(с кем-л.); в) навсегда отказаться(от чего-л.); 2)см. 울타리

담(痰) **II** 담이좋다 послушные(податливые) волосы; 담이 나쁘다 непослушные(жёсткие) волосы.

담 III желчный пузырь; дерзость; смелость; отвага; ~이 세다 очень дерзкий(смелый; отважный); ~이 크다 дерзкий; смелый;отважный; ~낭염 холецистит; ~석 желчный камень; ~석증 желчно-каменная болезнь; ~즙 желчь.

담(痰) **IV** 1) мокрота; слизь; 2) киста; 3) болезнь, вызванная скоплением выделений; ~이 들다 заболеть в результате скопления выделений; ~이 풀리다 рассасываться(о скопившихся выделениях); 4) *прост. см.* 창병.

-담(-談) суф. кор. рассказ; беседа; 경험~ рассказ о пережитом; 회고 ~ воспоминания.

담그다(담그니, 담가) 1) погружать(в жидкость); 2) солить; мариновать; 3) настаивать(что-л. на чём-л.); 4) заваривать(пиво); 술을 ~ варить пиво; курить вино; делать водку; 장을~ приготовлять соевый соус; 찬물에 발을 ~ погружать ноги в холодную воду; 빨래를 물에 ~ замачивать бельё.

담다 1) накладывать; наполнять(что-л. во что-л.); всыпать(что-л. во что-л.); вливать(во что-л.); 2) воплощать; отражать(напр. в рассказе); вкладывать; 밀가루를 자루에 ~ всыпать муку в мешок; 바구니에 과일을~ накладывать в корзину фрукты; 병에 물을 ~ вливать воду в бутылку; 온정성을 ~ вкладывать всю душу; 작품에 사상을 ~ воплощать идею;

담담하다 ясный; светлый; чистый; уравновешенный; спокойный; бесстрастный; 담담한어조 спокойный тон.

담담히 урав-новешенно; спокойно; бесстрастно;

담당(擔當) ~구역 вверенный(кому-л.) участок; ~구역 의사 участковый врач.

담당자(擔當者) сущ. отвечающий(за что-л.); взявший на себя обязанности.

담당하다 брать(на себя что-л.); ведать(чем-л.);заведовать(чем-л.); 아이의 양육을 담당하다 брать ребёнка на воспитание; 회계를 담당하다 заведовать финансами; 담당구역 вверенный(кому-л.) участок; 담당자 отвечающий(за что-л.); взявший (какую-л.) обязанность; заведующий (чем-л.).

담배 сигарета; папироса; табак; ~를 끄다 потушить сигарету; ~를 끊다 бросать курить; ~를 피우다 курить; ~에 불을 붙이다 прикуривать; ~에 인이 박이다 втянуться в курение; 담뱃재를 털다 стряхивать пепел с сигареты; 담뱃갑 портсигар; ~꽁초 окурок; ~농사 табаководство; ~물부리 мундштук(трубки); ~서랍 сигаретница; табакерка; ~설대 чубук (длинной кор. курительной трубки); ~종이 курительная бумага; ~재떨이 пепельница; ~꼬투리 а) окурок; б) прожилки сухого табачного листа; ~쌈지 кисет(для табака); ~야화병 бактериальная рябуха табака(заболевание табака); ~에 인이 백이다 втянуться в курение; ~씨로 뒤웅박을 판다 *обр.* придираться к мелочам.

담백하다 непритязательный; искренний; бескорыстный; неприторный; пресный; 담백한 사람 бескорыстный человек; 담백한 음식 пресная пища.

담벼락 1) поверхность стены; ~을 바르다 штукатурить стену; 2) стена; 3) тупица; ~하고 말하는 셈이다 ему хоть кол на голове теши.

담보(擔保) I 1) гарантия; залог; обеспечение; ~하다 гарантировать; давать гарантию; обеспечивать; ручаться(за что-л.); ~로 잡히다 отдать(что-л.) в залог; ~를 요구하다 требовать гарантию; 무한담보 하다 гарантировать неприкосновенность границ; 상호~ взаимные гарантии; 2) заложенная вещь.

담보(膽-) II дерзость;смелость; ~가 크다 дерзкий; смелый.

담뿍 обильно; ~하다 а) полный; б) переполненный; 입가에 ~한 미소 широкая улыбка на лице.

담요 1) корейское шерстяное одеяло; 푹신한~ пушистое одеяло;. ~를 깔다 разостлать одеяло; ~를 덮다 укрываться одеялом; закутаться в одеяло; 2) одеяло(матрац), набитое шерстью (пухом).

담화(談話) I разговор; беседа; устное заявление; ~하다 беседовать; вести беседу(разговор); ~를 발표하다 выступать с заявлением; опубликовать заявление; ~를 나누다 беседовать; разговаривать.

답(答) ответ; решение; ~하다 отвечать; ~을 얻다 найти решение; 맞는 ~ правильное решение; правильный ответ; ~신(장) ответное письмо.

-답니다 *разг.* 1) сокр. от ...다 합니다 2) *почт.* оконч. повеств. ф. гл. и прил. при выражении восторга, гордости *и т.п.* 대한민국의 하늘은 아주 참 맑답니다 Небо Кореи очень ясное!

답답하다 1) скучный; тоскливый; 2) душный; 3) тесный; 4) досад-ный; 5) недогадливый; несообра-зительный; 답답한 경우 досадный случай; 답답한 사람 недогадливый человек; 가슴이~ тяжело на душе; 실내가 ~ душное помещение.

답변(答辯) ответ; ~하다 отвечать; 질문에 대한 ~ ответ на вопрос.

답변서(答辯書) письменный ответ.

답사(答辭) I 1) ответная речь; ответное слово; 2) *см.* 답언; ~를 하다 а) выступать с ответной речью; б) *см.* 답언[하다] 1).

답사(踏査) II обследование(на месте); исследование; разведка; ~하다 обследовать; исследовать; разведывать; 사전~ предварительная экспедиция; 현지 ~ обследование на месте.

답습(踏襲) следование(чему-л.); подражание; имитация; ~하다 следовать (чему-л.); подражать; имитировать (что-л.); 낡은 방식을 ~하다 следовать старому методу.

-답시고 оконч. гл. в косв. речи, выражающее необоснованное преувеличение: 제기술이 낫답시고 거들거리더니 결국 성공하지 못했다 хвастаться, что де мол его мастерство лучше, а сам опростоволосился.

답신(答信) I новость, сообщение (в ответном письме). *см.* 답.

답신(答申) II *уст.* 1) ~하다 давать ответ на запрос (вышестоящего); 2) ответ на запрос.

답안(答案) письменный ответ; ~을 작성하다 заполнять экзаменационный лист; ~을 제출하다 сдавать экзаменационный лист; ~지 экзаменационный лист.

답장(答狀) ответное письмо; ~하다 посылать ответное письмо.

닷되들이 объем в пять литров (1되1.8L).

닷새 1) пятое число; пять дней; ~에 걸쳐 на протяжении пяти дней; 삼월 초 ~ пятое число марта; ~를 굶어도 풍잠 멋으로 굶는다 *посл.* ≡ *букв.* голодает 5 дней ради моды; 2) *см.* 닷새날.

당(黨) I (정당) партия; ~의 партийный; ~내부의 внутрипартийный; ~에 가입하다 вступать в партию; ~에서 제명하다 исключать из партии; ~에 적을 두다 состоять в партии; ~을 탈퇴하다 выходить из партии; ~간부 партийные кадры; ~강령 программа партии; ~규(약) устав партии; ~기 знамя партии; ~대회 партийный съезд; ~보 партийная газета; ~비 партийный взнос (партвзнос); ~성 партийность; ~수 глава (лидер) партии; ~원 член партии; партийный; ~원증 партийный билет (партбилет); ~쟁 борьба политических группировок; ~적 принадлежность к партии; ~중앙위원회 Центральный комитет партии; 공산~ коммунистическая партия; 다수~ партия большинства; 소수~ партия меньшинства; 야~ оппозиционная партия; 여~ правящая партия; ~건설 партийное строительство; ~단체 партийная организация; ~대표자 회 партийная конференция; ~마크 эмблема партии; ~생활 партийная жизнь; ~정책 교양 воспитание на политике партии; ~중앙 центральный комитет партии; ~학습 партийная учёба; ~위원회 партийный комитет.

당(當) II соответственно; на; с; 인구 1인 ~ на душу населения; 헥타르 ~ 밀 수확량 сбор пшеницы с одного гектара; 한 사람~ 공책 두 권씩 по две тетради на одного человека; 정보 당 수확고 урожай с одного 존보; 킬로당 얼마씩입니까? сколько стоит килограмм? 인구 일인 당 на душу населения.

당구(撞球) I бильярд; ~대 бильярдный стол; ~장 бильярдная; ~를 치다 играть на бильярде; ~공 бильярдный шар.

당구(鐺口) II большой котёл для варки риса (в арго будд. монахов).

당국(當局) I 1) соответствующие учреждения (органы); ~자 соответствующий чиновник (работник); 행정~ соответствующие административные органы; 2) власти; 3) ~하다 а) *арх.* возлагать на себя ответственность; б) *см.* 대국[하다] III.

당국(當國) II 1) заинтересованное государство; страна, имеющая непосредственное отношение (к чему-л.); 2) *уст.* ~하다 нести ответственность за политические дела.

당금(唐錦) I шёлк, ввозимый из Китая; ~같다 *обр.* драгоценный;

редкостный; бесценный; ~아기 мальчик, выросший в обстановке всеобщего обожания.

당금(當今) II теперь; сейчас.

당기다 1) тянуть;(к себе); тащить; придвинуть; волочить; 2) приближать(дату, срок); 방아쇠를 ~ нажимать на спусковой крючок; 입맛이 ~ появляться(об аппетите); 지정된 기일을~ продвинуть вперёд назначенный срок; 탁자를 좀 더 가까이 ~ придвинуть столик поближе; 5일 간이다 당겨 완성하다 завершить на 5 дней раньше срока; 3) подносить огонь(к чему-л.); 4) быть увлечённым(чем-л.); испытывать тягу (влечение)(к чему-л.); 당길 마음 *см.* 당길심; 마음에~ привлекать; нравиться; 물이~ появляться(о жажде); 5) переноситься(о пламени).

당나귀(唐-),나귀,여마(驢馬) осёл; ~의 ослиный; ~기침 *обр.* надрывный кашель; ~떼 ослиное упрямство; ~귀 치레 *погов.* ≅ букв. сколько не украшай уши осла, осёл оста- нется ослом; ~하품한다고 한다 *погов.* ≅ *букв.*(увидев громко кричащего осла) говорит, что он зевает(о глухом человеке).

당당하다 достойный; гордый; внушительный; значительный; величественный; 당당히 достойно; гордо; с достоинством; поправу; 당당한 권리 законные права; большие права; 당당한 위세 внушительный вид; 세력이 ~ иметь большое влияние (большую власть).

당당히 достойно; гордо; поправу.

당돌하다 дерзкий; нахальный; 당돌히 дерзко; нахально; 당돌한 대답 дерзкий ответ; 당돌한 소년 дерзкий мальчик.

당면(當面) I 1) первоочерёдность; насущность; ~과제 первоочередная (актуальная) задача; ~과업 очередная задача; ~수리 текущий ремонт; 2) *см.* 대면 1); ~하다 а) находиться (стоять) перед(чем-л.); б) *см.* 대면 (하다).

당번(當番) 1) дежурство; ~서다 вставать на дежурство; дежурить; 2) дежурный; 수직~ дежурный; вахтёр; сторож; ~하다 дежурить.

당부(當付) I 1) просьба; поручение; напутствие; 2) ~하다 просить; обращаться с просьбой; поручать; говорить напутствие; 신신 ~하다 настоятельно просить.

당부(黨部) II партийный комитет (аппарат); партийные органы.

당분간(當分間) сущ. и нареч. пока; некоторое время; ~중단하다 прекращать на некоторое время; ~나는 시골에 머무를 것이다 пока остаюсь в деревне.

당선(當選) избрание; отбор; 현상 응모에~된 작품 произведение, получившее одобрение на конкурсе; ~되다 из-бираться; 그녀는 국회의원 에 ~되었다 она была избрана в депутаты парламента; ~작 избранник[-ца]; ~작가 избранный писатель.

당시(當時) I ~에 во время; [그] ~[에] тогда, в то время; ~의 тогдашний;전쟁~에 во время войны; ~승상 арх. влиятельный человек.

당시(瞠視) II~하다 таращить(глаза)

당신 1) Вы; 2) ты (обращение между супругами); 3) он сам; она сама; ~의 아내 Ваша жена; 어머님, 당신은 늘 우리를 걱정해 주시곤했다 мать всегда заботилась о нас.

당연하다 естественный; безусловный; закономерный; 당연히 естественно; закономерно; 당연한 결과 естественный результат; 당연시하다 считать естественным(само собой разумеющимся); 모두 다 그를 마음에 들어하는 것은 당연한 일이다 естественно то, что он всем нравится.

당일(當日) именно тот день; назначенный день; 대회 ~ назначенный день съезда; 이 표는 발행 ~에 한해 유효함 этот билет годен только на день выдачи.

당장(當場) I сущ. и нареч. немедленно; сейчас же; место происшествия какого то дела; тут же; сразу на месте; ~이 자리에서 결판을 내자 давай всё решим здесь и сейчас.

당직(當直) I 1) дежурство; 2) сущ. дежурный; дежурная; ~을 서다 дежурить; ~군관 дежурный офицер; 3) дежурство чиновника десятого ранга в сыскном ведомстве по особо важным делам; 4) дежурный чиновник десятого ранга в сыскном ведомстве по особо важным делам; ~하다 а) дежурить, нести вахту; б)быть на дежурстве в сыскном ведомстве по особо важным делам(о чиновнике десятого ранга).

당직(讜直) II ~하다 искренний; прямодушный; прямой.

당착(撞着) 1) столкновение; 2) противоречие; конфликт; несоответствие; несовпадение; 자가~ сам себе противоречит; ~하다 а) сталкиваться; б) противоречить(чему-л.); не соответствовать, не вязаться(напр. о начале и конце речи)..

당첨(當籤) выигрыш; 복권에 ~되다 выиграть в лотерею; ~금 денежный выигрыш; ~번호 выигрышный номер; ~공채 выигрышный заём.

당첨하다 выигрывать(в лотерее).

당초(當初) I 1) см.애초~에 с самого начала;~에 이해할 수 없었다 совершенно ничего не понял.

당초(唐草) II переплетающиеся стебли вьющихся растений(на орнаменте).

당치않다 неподходящий; неуместный; неподобающий; неоправданный; незаслуженный; 당치않은 질문 неуместный вопрос; 당치않은 소리를 하다 говорить о неподобающих вещах.

당파(黨派) фракция; группировка; ~적 фракционный; ~성 склонность к фракционной деятельности; партийность; ~주의 фракционизм.

당하다 1. 1)попадать; оказываться; 2) встречать, сталкиваться(с чем-л.); 3) брать на себя(напр. ответственность); 4) справляться, выносить, выдерживать; 5) преодолевать; побеждать; одерживать верх; 6) испытывать; подвергаться; 2. соответствующий; подходящий; уместный; 당치도 않는 소리 ~ неуместные слова; 검거를 ~ быть арестованным; 모욕을 ~ терпеть оскорбление; 불행을 ~ попасть в беду; 어려움을 ~ сталкиваться с трудностями; 그는 이일을 당해 낼 수 없다 он не в силах справиться с этой работой; 이 세상에 우리를 당할 수 있는 자는 없다 нет в мире такой силы, которая могла бы победить нас; 난국에 ~ оказаться в тяжёлом положении; 뒤를 ~ поддерживать материально(кого-л.); 거절 ~ встретить отказ; 패배를~ потерпеть поражение;...의 희생을 ~ стать жертвой(чего-л.); 당한 말을 하다

говорить уместные слова.

당황(唐慌) растерянность, замешательство, смущение; ~망조 паника; смятение; ~실색 растерявшись, измениться в лице; ~하다 растерянный; смущённый; растеряться; прийти в замешательство.

당황하다 1) смущаться; растеряться; 2) приходить в замешательство; 조금도 당황하지 않고 ничуть не растерявшись; 당황하게 만들다 приводить в замешательство; смущать; 그의 신랄한 비판에도 나는 전혀 당황하지 않았다 я нисколько не смутился его резкой критике.

당황한 나머지 в результате(вследствии) растерянности(смущения).

닻 якорь; ~을 감아올리다 выбирать якорь; ~을 내리다 бросать якорь; становиться на якорь; ~을 올리다 поднимать якорь; сниматься с якоря; ~줄 якорный канат.

닻줄 якорный канат(трос).

닿다 1) соприкасаться(с чем-л.); прикасаться; доставать(до чего-л.); 2) добираться(до чего-л.); доноситься (до чего-л.); достигать(до чего-л.); 3) устанавливаться(о связи с кем-л.); 목적지에~ добираться до назначенного места; 손이 책상에 ~ прикоснуться рукой к столу; 기차가 정시에 닿았다 поезд прибыл точно в установленное место; 그는 힘이 닿는 데까지 달렸다 он бежал что есть силы; 우연히 그녀와 연락이 닿았다 случайно с ней установилась связь; 전쟁 소식이 우리마을까지 닿았다 весть о войне дошла до нашего села.

닿치다 сталкиваться; наталкиваться.

대 I бамбук; ~의 бамбуковый; ~바늘 бамбуковая игла; ~숲 бамбуковая роща; ~ 끝에서도 삼 년 *посл.* ≅ иной и в огне не сгорит;

대 II 1. 1) стебель; 2) шест; палка; 3) раз; самостоятельность; характер; ~가 가늘다 шест тонкий; ~가 곧다 прямой; честный; ~가 세다 твёрдый; решительный; ~가 약하다 слабохарактерный; 담배를 한 ~피우다 выкурить одну сигарету; 매를 한 ~ 때리다 ударить один раз палкой; 깃~ шест с флагом; 옥수수~ кукурузный стебель; ~가 내리다 этн. садиться на ветку(о вызванном духе); 2. счётн. сл. 1) для продолговатых предметов: 연필 석 대 три карандаша; 2) для ударов: 매 한 대 один удар палкой); 3) для выкуренных трубок(сигарет): 매한 대 выкурить одну трубку(сигарету

대(代) III 1) отряд; дружина; 2) ряды; шеренга.

대(對) III 1. 1) возвышение; помост; подмостки; 2)подставка; 2. 1) счётн. сл. для транстпортных средств, станков и машин: 굴착기 두 ~ два экскаватора; 비행기 다섯 ~ пять самолётов; 자동차 두 ~ два автомобиля; 자동차 두 대 две автомашины; 선반 네대 четыре токарных станка.

대(臺) IV 1) родословие; родословная; род; поколение; 2) царствование, правление; 3) *см.*세대;~를 이은 교사 потомственный учитель; 우리 ~의 사람들 нынешнее поколение; 세종대왕 ~에 при короле Сечжоне; ~로 из рода в род; ~대손손 из поколения в поколение; ~가 끊어지다 вымереть(о роде); ~를 물리다 передаваться из поколения в поколение; ~를 잇다 продолжать род; наследовать; ~물림 вещь, передающаяся по наследству; 고생~ палеозойская вера; 중생~ мезозойская эра; ~를 받다 наследовать дело.

대(坐) V 1. 1) пара (к кому-л. предмету); 2) между(кем-чем-л.); про = тив(кого-че-го-л.); 공~공 미사일 ракета класса воздух-воздух; 자본가 ~ 노동자의 투쟁 борьба рабочих против капиталистов; 한국 ~ 일본의 축구 경기 футбольный матч между командой Кореи и командой Японии; 2 ~1로 이기다 выиграть со счётом 2:1; 200표 ~ 300표로 이기다 выиграть большинством в триста голосов против двухсот; 그 안은 칠십 대 삼십으로 통과 되었다 предложение было принято семьюдесятью голосами против тридцати; 일 대 이 один два(счёт очков в соревновании); 마포 대를 하다 обменивать коня на пхо(в кор. шахматах); 2. счётн. сл. 주련한내 парные надписи с пожеланиями здоровья и благополучия (вывешиваемые по обеим сторонам двери дома).

대(對) VI большое; великое; ~소 крупные и мелкие; ~소 경중에 따라 в зависимости от величины и важности; ~소 경중을 가리다 учитывать все стороны.

대-(對-) с чем; противо. ~미 관계 отношения с США; ~공방어 противовоз-душная оборона.

대-(大-) преф. кор. большой; крупный; мощный; сильный; капитальный; великий; дига, 거장 корифей; ~가족 большая семья; ~공사 большая стройка; ~문호 крупный писатель; ~변혁 крупные преобразования; ~보수 капитальный ремонт; ~지주 крупный помещик (землевладелец); ~지진 сильное землетрясение; ~타격 мощный удар.

-대(-隊) I суф.кор. отряд; команда; 소방~ пожарная команда; 유격~ партизанский отряд; 수색~ поисковая партия; 음악 ~ оркестр.

-대(-代) II суф. кор. плата(за что-л.); 신문~ плата за газету; 양복 ~ плата за костюм.

대가(大家) I 1) авторитет(в чём-л.); корифей; мастер; 러시아 과학의 ~ корифей русской науки; 현대철학의 ~ авторитет в современной философии; ~인 척하다 выдавать себя за авторитет; 2) см. 거가[대족].

대가(代價) II вознаграждение;плата; цена; 노력의 ~ плата за труд; 어떤 ~를 치르더라도 любой ценой; 헤아릴 수 없는 희생의 ~로 ценой огромных жертв; ~를 치르다 платить; расплачиваться; см. 세집.

대강당(大講堂) актовый зал; ~에서 в актовом зале.

대개(大概) 1) краткое(основное) содержание; 2) почти всё; в основном, большей частью; по большей части; вообще; 우리 회사의 여자들은 ~는 이미 결혼을 했다 большинство женщин нашей фирмы состоят в браке; см. 대부분; см. 대체 I 2.

대거(大擧) I уст. большое начинание(дело); 2)~하다 очень спешить, торопиться(в работе); ~[하여] объединёнными усилиями; всеми силами.

대거(貸去) II~하다 занимать; брать в долг.

대견하다 1) довольный; удовлетворённый; 대견스럽다 казаться удовлетворённым(довольным); 그는 자기 아들을 대견스러워한다 он гордится своим сыном; 2) трудный; тяжкий; невыносимый; 3) полезный.

대결(對決) I противоборство; конфронтация; ~하다 противоборствовать; противостоять (кому-чему-л.); 악의 세력과 ~하다 противоборствовать силам зла.

대결(代決) II ~하다 1) решать(санкционировать; утверждать) вместо (кого-л.); 2) решение, принятое вместо(кого-л.).

대경(大驚) I изумление; сильный испуг; ~대책 уст. сильно ругаться (об испуганном человеке); ~실색 [по]бледнеть от страха; ~하다 сильно удивляться(пугаться); поражаться

대경(大慶) II большое радостное событие; ~하다 достойный поздравления.

대구(大邱) I г. Тэгу.

대구(大口) II треска; 말린~ вяленая треска; ~탕 острый суп из трески

대국(大國) I большое государство; держава; ~적 великодержавный; ~배타주의 великодержавный шовинизм.

대국(大局) II общее положение; общая ситуация; ~적 общий; ~적 견지에서 с общей точки зрения.

대굴대굴 ~구르다,~하다 а) катиться (о маленьком предмете); б) вращать(глазами);

대궐(大闕) дворец короля.

대규모(大規模) крупный масштаб; ~의 крупномасштабный; большой; ~공격 крупномасштабное наступление.

대기(隊旗) I знамя отряда(части).

대기(大氣) II 1) атмосфера; 2) воздух; ~권 атмосфера; ~오염 загрязнение атмосферы; ~의 атмосферный; воздушный; ~불안정한 неустойчивая атмосфера; ~순환 циркуляция атмосферы; ~과전압 эл. атмосферное перенапряжение; ~순환 циркуляция атмосферы; ~전기 атмосферное электричество; ~질량 масса атмосферы; ~하중 стр. атмосферные нагрузки; ~료법 аэротерапия.

대기(待機) III ожидание; выжидание; простой; ~하다 ожидать; выжидать; ~료 штраф за простой; ~실 комната ожидания; приёмная; ~계선 воен. рубеж выжидания; ~상하차 ж.-д. погрузка и выгрузка в пути.

대납(代納) 1) сдача(уплата) вместо (чего-л.); 2) феод. выплата подати откупщиков (вместо кого-л.).

대내(對內) I 1) внутренний; внутриполитический; ~외 внутренний и внешний; внутриполитический и внешнеполи-тический; ~외 정책 внутренняя и внешняя политика; 2) ~하다 относиться к(области) внутренней жизни.

대내(大內) II резиденция короля.

대뇌(大腦) большой мозг; ~반구 полушария головного мозга; ~피질 кора полушарий головного мозга.

대다 1) 1) трогать; прикладываться; касаться; приставлять; соединять; пришивать; останавливать; 남몰래 손을 ~ сделать(что-л.) втайне от других; 등을 벽에 ~ прислоняться спиной к стене; 땅에 발을~ касаться земли ногами; 비밀명단을 ~ выдать тайный список; 평계를~ оправдываться; 붓을 ~ начать писать (кистью); 낫을~ начать жать; начать жатву; ~ 주시오 соедините меня (обращение к телефонистке); 2) пускать(воду); 3) причаливать; пришвартовываться; 배를 부두에 ~ причалить пароход к пристани; 시간에 맞게 ~ вовремя прибыть; 4) пришивать; подбивать(каблуки); 뒷굽을 ~ подбивать каблук; 5) снабжать; вкладывать(средства); 뒤를 ~ обеспечивать материально; 학생에게 교과서를 ~ снабжать учеников учебниками; 6) ставить на кон(в игре); 7) целиться; направлять; наводить; 총부리를 ~ целиться из винтовки; 8) прибывать(куда-л. в назначенное время); 9) сравнивать; сопоставлять; 길이를 대어 보다 мериться длиной; 키를 대어 보다 мериться ростом; 10) докладывать; сообщать; информировать; 11) 구실을 ~ придумывать предлоги; 성화를~ докучать; 핑계를 ~ ссылаться(на что-л.);12) 대고 иметь ввиду; 누구에 대고... о комлибо; с кемлибо; 2. после смыслового гл. в ф. деепр.(оконч. -아, 어, 여) указывает на интенсивно происходящее действие: 웃어~ беспрестанно хохотать; 떠들어~ галдеть (шуметь) не переставая.

대다수(大多數) подавляющее большинство; ~의 경우에 в большинстве случаев.

대단 ~[히] очень; весьма; чрезвычайно; совсем; ~하다 а) большой; огромный; громадный; б) очень важный; выдающийся.

대단하다 большой; огромный; громадный; крупный; сильный; необычайный; значительный; выдающийся; критический; тяжёлый; 대단히 очень; весьма; чрезвычайно; совсем; 대단한 규모 крупный масштаб; 대단한 인물 выдающаяся личность; 대단한 추위 сильный мороз; 대단치 않다 незначительный; 환자의 병세가 대단하다 состояние больного критическое

대담하다 отважный; смелый; дерзкий; 대담무쌍하다 бесстрашный; отважный; храбрый; 대담성 отвага; смелость; бесстрашие.

대답 ответ; отклик; ~하다 отвечать (кому-л. на что-л.); откликаться; 공손한~ вежливый ответ; 질문에 ~하다 отвечать на вопрос.

대대 I 1) ряд поколений; ~의 потомственный; наследственный; фамильный; ~곱사등이 *посл.* ≅ от горбатого отца и сын горбун; 2) ~로 *нареч.* из поколения в поклению.

대대(代代) II батальон; эскадрон; дивизия; ~장 командир батальона (эскадрона; дивизии); 보병~ стрелковый батальон; 포병~ артдивизион; ~구역 батальонный район.

대동단결(大同團結) объединение; соединение; единение; ~하다 объединяться; соединяться.

대동맥(大動脈) аорта; ~내막염 *мед.* эндаортит.

대들다(대드니,대드오) 1) набрасываться(на кого-л.); нападать(на кого-л.); 닥치는 대로 아무에게나 ~ набрасываться на кого попало; 2) противостоять.

대등(對等) I ~조약 равноправный договор; ~하다 равный; паритетный.

대등(大登) II *арх. сущ.* приходить(об урожайном годе).

대략(大略) 1. 1) большой план; 2) сокращённое изложение; 2.в общих чертах; в основном; приблизительно; около(чего-л.); ~적 общий; приблизительный; ~짐작하다 приблизительно догадываться; ~ 두 시간

около двух часов; ~ 추산하다 приблизительно подсчитать.

대량(大量) I 1) большое количество; масса; ~의 массовый; ~으로 в большом количестве; ~생산 массовое производство; ~학살 массовые убийства; ~적 массовый; ~ 살상 무기 оружие массового поражения; ~살상수단 средство массового уничтожения; 2) см. 대도 IV.

대량(大樑) II см. 대들보; ~구가 балочная ферма.

대로 служ. сл. 1) подобно тому, как ...; так, как есть; в соответствии(с чем-л.); согласно(чему-л.); каждый раз; всякий раз, когда; сам по себе; настолько..., насколько...; 날이 개는 ~ как только небо прояснилось; 닥치는 ~ как попало; 될 수 있는~ по мере возможности; 명령~ в соответствии с приказом; 원상~ так, как было прежде; 이미 결심한~ как уже решил; 있는 그~ так, как есть; 그는 어떤 시험이든 보는~ 늘 실패했다 он не сдал все экзамены; 원상 ~복구하다 восстановить так, что было прежде; 키 ~ по росту; 의사의 이르는~ в соответствии с приказом; 되는 수 있는 ~ по мере возможности; 2) в такой степени, как...; 그들의 모양은 비참할 ~비참하였다 вид их был жалок настолько, насколько он может быть жалким; 3) после мест. сам по себе; 너는 너 ~나는 나 ~ ты сам по себе, я сам по себе;

대류(對流) конвекция; ~의 конвекционный; ~식 난방기 конвектор; ~권 тропосфера; ~전류 конвекционный ток; ~난방 конвекционное отопление; ~방전 физ. конвекционный разряд

대륙(大陸) континент; материк; ~적 континентальный; ~성 기후 континентальный климат; ~ 봉쇄 континентальная система; ~간탄도탄 межконтинен-тальная баллис-тическая ракета; МБР; ~붕 конти-нентальный шельф; материковая отмель; ~판 материковый скат; ~경사면(비탈) геол. контенинтальный (материковый) склон; ~빙하 материковый ледник; ~횡단 철도 трансконтинентальная железная дорога.

대륙성(大陸性) континентальный характер; ~극기단 континентальный полярный воздух; ~기후 континентальный климат; ~북극 (남극) 기단 континентальный(арктический) антарктический воздух; ~ 적도 기단 континентальный; экваториальный воздух.

대리(代理) I 1) замещение; посредничество; заместитель[-ница]; временно исполняющий обязанности; ~하다 замещать(кого-л.); временно исполнять обязанности; 2) заместитель; ~대사 временный поверенный (посол); ~점 предста-вительство; агенство.

대리(大利) II большая выгода(прибыль)

대립(對立) I противопоставление; противоположность; конфронтация; антагонизм; ~적 противоположный; антагонистический; ~하다 противостоять; 첨예하게 ~된 견해 резко противоположные взгляды; ~하여 в противоположность(кому-чему-л.); 이 논거에 다른 제 3의 논거는 ~된다 этому доводу противопоставлен другой третий.

대립(大粒) II крупное зерно.

대명사(代名詞) местоимение; 소유~ притяжательное местоимение; 인칭~ личное местоимение; 재귀~ возвратное местоимение; 지시~ указательное местоимение.

대목 1) ответственный момент; 2) самое важное место; ответственный участок; отрывок; 장편소설에서 골라낸 ~ избранные отрывки из романа; 바로 그 ~에서 в самый ответственный момент; 가장 중요한 ~을 맡다 взять на себя самый важный участок; ~을 맞다 наступить (о сезоне распродаж)

대문 I 1) основнлой текст(в противо-положность комментариям); 2) после опред. отрывок(из книги *и т. п*)

대문(大門),문(門),정문(正門) II парадный вход; главная дверь; парадные ворота; главные(ворота); парадный дверь; ~열쇠 ключ от(главных) ворот(к главным воротам); ~을 닫다 закрыть(открыть) (главные) ворота.

대범하다 великодушный; широкий; невозмутимый; сдержанный; 대범한 사람 великодушный человек; 대범한 품성 широкая натура; 대범하게 행동하다 великодушничать

대법원(大法院) коллегия верховного суда; ~장 председатель коллегии верховного суда.

대변하다 представлять; говрить(от чьего-л. имени); 노동자의 이익을 ~ представлять интересы рабочих; ~인 представитель[~ница]; агент.

대변인(代辯人) 1) представитель; агент; 2) резонёр.

대보름 15-е число первого лунного месяца; ~달 полная луна в ночь на 15-е число первого лунного месяца.

대부 I кредитование; предоставление ссуды; ~금 ссуда; кредит; ~하다 кредитовать; ссужать; предоставлять кредит(ссуду); ~자본 ссудный капитал; 담보~ссуда под залог; 신용~ кредит; ~의 조건으로 на условиях краткосрочного(долгосрочного)банковского кредитования; ~를 받다 кредитоваться; брать(у кого-л.) в кредит.

대부(大父) II крёстный(отец); ~가 되다 быть крёстным отцом(у кого-л.).

대부분(大部分) 1) большая часть; львиная доля; большинство; 2) почти всё; большей частью; по большей части; 우리들 ~ большинство из нас; 이 공장의 노동자 ~ большая часть рабочих этой фабрики; ~ 해결하다 решить почти всё.

대비(對備) I подготовка; ~하다 заранее подготовиться; 만반의 ~를 하다 подготовиться на всякий случай; 사전에 시험에~하다 заранее подготовиться к экзаменам; 그는 ~가 잘 되어있다 он хорошо подго- товлен(к чему-л.)

대비(貸費) II ~하다 выдавать(стипендию с последующей отработ-кой в старой кор. школе).

대비(對比) контраст ~시키다 сопоставление; сравнение; контраст; ~하다 сопоставлять(с кем-чем-л.); сравнивать (с кем-чем-л.); контрастировать(кому-чему-л., с кем-чем-л.); 사본을 원본과 ~하다 сопоставлять копию с подлинником; 자신의 의견을 다른 사람과~하다 сравнивать своё мнение с другим.

대사(大使) I посол; ~의 посольский; ~관 서기관 секретарь при посольстве; ~급 회담 встреча на уровне послов; ~관 посольство; ~관원 посольские работники.

대사(臺詞) II актёрская речь; 무대에서 ~를 행하다 выступать с речью на сцене.

대사관(大使館) посольство.

대상(對象) I 1) объект; предмет; 과학 연구의 ~ предмет научного исследования; 광범위한 독자들을 ~으로 한 책 книга, ориентированная (предназначенная; рассчитанная)на широкого читателя; ~으로 삼다 ориентироваться (на кого-что-л.); объективировать; предназначать; ~자 лицо, представленное(к чему-л.);~화 объективация; ~적 относящийся к объекту; ~설계 проект сооружения; ~하다 быть объектом; 2) партнёр; соучастник; собеседник

대상(代價) II 1)плата(чем-л. вместо чего-л.); компенсация; 2) расплата (уплата)(за кого-л.); 월경~ мед. викарное кровотечение; ~하다 а) платить(чем-л. вместо чего-л.); компенсировать; б) расплачиваться; платить(за кого-л.).

대성전(大聖殿) место в конфуцианском храме, где храниться поминальная дощечка Конфуция.

대성황(大盛況) ~에 в обстановке большого успеха; ~을 이루다 достигать большого успеха(эффекта).

대세(大勢) (общая) ситуация(обстановка); ~를 거스르다 плыть против течения;~가 이미 기울었다 общая ситуация неблагоприятна.

대소(大小) I крупный и мелкий; ~ 경중을 가리다 учитывать все стороны; ~사 большие и мелкие дела; ~ 인원 уст. крупные и мелкие чиновники.

대소(大笑) II ~하다 громко смеяться; хохотать.

대속(代贖) ~하다 а) брать на себя чужую вину; б)страдать(из-за кого-л.).

대수 I важное(серьёзное) дело; ~롭지 않다 неважный; несерьёзный; ~롭지 않은 사건 неважное событие; ~지않게 여기다 пренебрегать; считать(кого-что-л.) неважным(несерьёзным); 그게 무슨~요? Разве это важно (серьёзно)?

대수(臺數) II число; 자동차~ число автомобилей.

대수(代數) III алгебра; ~의 алгебраический; ~방정식 алгебраическое уравнение;~식 алгебраическое выражение;~치 алгебраическая величина; ~학자 алгебраист; ~적 алгебраический; ~함수 алгебраическая функция.

대수롭다 важный; серьёзный; 대수롭지 않다 неважный; несерьёз- ный; 대수로우냐? разве это важно(серьёзно)?

대신(代身) I 1) после сущ. вместо (кого-чего-л.); взамен(кого-чего-л.); за; 2) после прич. гл. вместо того, чтобы; 3)перед гл. от имени(кого-л.); ~하다 заменять(кого-что-л. кем-чем-л.); сменять; замещать; 아버지 ~ вместо отца; 집에 가는 ~에 вместо того, чтобы идти домой; 언니가 돌아가신 어머니를 ~했다 старшая сестра заменила умершую мать; 우리가 그들의 자리를 ~하게 되었다 нам пришлось заменить их; 동무 ~으로 вместо товарища; 빚 ~에 за долги; ~말하다 говорить от имени.

대신(大臣) II министр(о нескольких странах).

대역(帶域) I диапазон; 단파 ~ коротковолновый диапазон; 주파수~ диапазон частот; 초고주파 ~ диапазон волн.

대역(代役) II замена; дублёр; ~하다 заменять; дублировать(кого-л.).

대열(隊列) строй; ряд; колонна; шеренга; ~의 строевой; 시위~ колонна демонстрантов;~에서다 стоять в строю;~을짓다 строиться в ряды(в колонну).

대외(對外)~(적) внешний; внешнеполитический; ~무역 внешняя торговля; ~정책 внешняя политика; ~채무 지불유예 мораторий; отсрочка по платежам и финансовым обязательствам.

대용(代用) I 1) замена; замещение; субституция; ~물 заменитель; суррогат; ~하다 заменять; замещать; 가죽 ~품 заменитель кожи; 고무 ~품 субститут каучука; 설탕 ~품 суррогат сахара;~식 продуктзаменитель; субститут; ~품 заменитель; субститут; суррогат; эрзац; 2) заменитель; ~사료 корм-заме- нитель;~작물 с.х. культура-заменитель.

대용(大用) II ~하다 а) уст. широко применять; б) назначить на высокий пост(чиновника).

대우 I посев бобовых в междурядьях(зерновых культур); ~를 내다 (파다)сеять бобовые в междурядье.

대우(待遇) II 1) обращение; отношение; 2) вознаграждение, оплата; 3) радушный приём(кого-л.); обслуживание; ~하다 а) обращаться(с кем-л.); относиться(к кому-л.); предоставлять преимущества; тепло относиться(к кому-л.); обслуживать; б) вознаграждать; в) принимать(кого-л.);~를받다 встретить радушный приём; быть принятым с особой любезностью.

대원(隊員) I бойцы части(подразделения), члены отряда; 지질 탐사 ~ члены поисковой партии.

대원(大圓) II большой круг.

대응(對應) 1) реакция; отклик; ответ; 2) соответствие; ~하다 соответствовать; стоять лицом к лицу(с кем-л.); реагировать; откликаться; ~하여 соответственно(чему-л., с чем-л.); ~변 соответственные стороны; ~사격 встречный огонь; ~책 контрмера; соответст-вующие меры; ~원리 мат. принцип соответствия.

대의(大義) парламентаризм; ~원 парламентарий; депутат; ~제도 парламентарная система; ~정치 парламентарный режим; ~제도 парламентарная система; ~하다 представительствовать (участвовать) в парламенте.

대인(大人) I 1) уст. книжн. вежл. отец; 2) уст. книжн. вежл. Вы;они; 3) большой(высокий) человек; гигант; великан; ~국 страна-гигант; 4) книжн. см. 어른; 5) ~군자 высоконравственный человек; добрый и благородный человек; порядочный человек;~용표 билет для взрослых;

대인(對人) II ~방어 спорт. индивидуальное блокирование игрока; ~하다 относиться к человеку; обращаться с человеком; ~방어 самозащита; самооборона; ~지뢰 противопехотная мина.

대입(代入) I подстановка; ~하다 подставлять; заменять; 대수식에 숫자를 ~하다 подставлять число в алгебраическое выражение; ~법 способ подстановки.

대입(大入) II поступление в университет; ~시험 вступительные экзамены в университет.

대적(大敵) I 1) численно превосходящие силы противника; 2) сильный противник.

대적(對敵) II состязание; соревнование; ~하다 находиться лицом к лицу с противником; состязаться(с кем-л. в чём-л.); соревноваться(с кем-л. в чём-л.); ~투쟁 борьба с противником.

대접(待接) 1) приём; обращение; 2) угощение; ~하다 угощать(кого-л. чем-л.); принимать; обращаться (с кем-л.); 정성스런 ~ сердечный приём; 손님에게 과일을 ~하다 угощать гостей фруктами; 저녁 ~을 받다 быть приглашённым на ужин; ~해 주셔서 고맙습니다 Спасибо за угощение.

대조(對照) 1) сопоставление; сверка; сличение; 2) иск. контраст; ~적 контрастный; ~하다 сопоставлять; сличать; сверять; 빈부의 극심한 ~ чрезмерный контраст между бедностью и бога-тством; ~를 이루다 составлять конраст; 사본과 원본을 ~하다 сверять копию с подлинником; ~법 способ конраста; ~표 сравнительная таблица; ~편집 кино контрастный монтаж.

대졸(大卒) окончание университета; ~(의) окончивший университет; ~실업자 безработные выпускники университета; ~학력 высшее образование.

대중 I 1) догадка; предложение; расчёт; 2) стандарт; ориентир; основной критерий; ~[을] 잡다, ~하다 а) предпологать; догадываться; рассчитывать; б) ориентироваться (на что-л.).

대중(大衆) II 1) массы; ~문학 популярная литература; ~없다 без ограничений(в любой сфере); ~가 популярный писатель; ~잡지 популярный журнал; ~화 популяризация; ~적 массовый; ~을 사로잡다 овладеть массами; ~성 массовый характер; массовость; популярность; ~소설 популярный роман; ~식당 общественная столовая; ~적 массовый; ~단체 массовая организация; ~무용 массовые танцы; ~식사 обед; завтрак; ужин(по общественным ценам); ~적 영웅주의 массовый героизм; 2) будд. братия; ~공양 угощение монахов(верующими); ~신림 монастырь, управляемый монашескими общинами.

대중(對證) I ~하다 приводить(аргументы, доказательства напр. в споре).

대중(對症) II аллопатия ~요법 мед. симптоматическое лечение; ~투제 применение лекарства в зависимости от симптомов болезни; ~화하다 популяризировать
대중의 аллопатииеский.

대지(大地) 1) земля; 광활한~ обширные земли; 비옥한~плодородные земли; 어머니 ~ земляматушка; 2) этн. могила на счастливом месте (приносящая счастье родственникам).

대책(對策) I мера; мероприятие; контрмера; 적절한 ~을 세우다 принимать надлежащие меры(к чему-л.); 비상~ экстренные меры; 임시~ временные меры; ~적 относящийся к мерам(мероприятиям); ~적 문제 вопрос о мерах.

대책(大責) II 1) ~하다 сильно ругать;

2) сильная ругань.

대체(大體) I 1) главное, суть; 2) вообще; ~로 в основном; в общем; ~로 우리가 예측한대로되었다 вообще так и вышло, как мы предпо-лагали; ~무엇이 문제니? В чём же дело?

대체(代替) II замена; замещение; субституция; ~하다 заменять, поставлять(что-л.) взамен(чего-л.).

대추 плод юоюбы(жужуба); ~나무 ююба(жужуб); ~씨 семя плода юоюбы (жужубы); ~편포 нарезанное кусочками и высушенное мясо; ~씨 같다 крепыш(о человеке маленького роста); ~나무 방망이 обр. коренастый человек; ~나무에 연 걸리듯 *погов.*= в долгу как в шелку (словно бумажный змей, запутавшийся в ветвях юоюбы).

대출(貸出) ссуда; выдача; ~금 상환 погашение ссуды; ~이자율 ссудочный процент; 장기신용 ~ долгосрочная кредитная ссуда; 정기간행물 ~выдача периодических изданий; ~받다 взять взаймы; ~해주다 ссужать; давать в кредит(взаймы; в долг; напрокат); ~금 денежная ссуда.

대출부(貸出簿) журнал регистрации выдачи(чего-л.).

대출원(貸出員) лицо, выдающее(что-л.).

대출자(貸出者) 1) кредитор; заимодавец; 2) получатель кредита.

대충(代充) восполнение(чем-л. другим); ~자금 американские ассигнования(Южной Кореи); ~하다восполнить; пополнять.

대치(代置) I противопоставление; противоборство; конфронтация; ~하다 противопоставлять; противостоять; стоять напротив;находиться в состоянии конфронтации; 남과 북의 무력 ~상태 положение военной конфронтации между Югом и Севером; ~상태에서 긴장 완화로의 이행 переход от конфронтации к разря-дке.

대치(代置) II ~하다 заменять, подставлять(взамен чего-л.).

대칭(對稱) симметрия; ~적 симметрический; ~을 유지하다 соблюдать симметрию; ~면 плоскость симметрии; ~점 симметричная точка; ~축 ось симметрии; ~직선 симметрические прямые; ~행렬 симметрическая матрица; ~이동 симметрическое перемещение.

대통령(大統領) президент;~의 президентский;~직선 прямые президентские выборы; 전직(현직)~ бывший(нынешний) президент; ~재임 기간 период пребывания на посту президента; ~에 선출되다 быть избранным на пост президента; ~지위 에서 물러나다 уйти в отставку с поста президента;~직위를 수행하다 принимать на себя обязанности президента; президе-нтствовать; 우리 나라에서는 5년 단임으로 ~선출된다 у нас президент избирается на пять лет без права переизбрания на второй срок; ~직 президентство.

대폭(大幅) 1) ширина(широкого полотна); 2)значительная степень; резко; круто; значительно; 정원을 ~ 감축하다 резко сократить штаты; ~으로 в значительных размерах; значительно; ~적 значительный.

대표(代表) 1) представительство; образец; ~자 представитель; делегат; ~적 наиболее крупное произведение; типичное(характерное) произведение;

~하다 представлять;~하여 от имени (кого-чего-л.); ~적 사례 типичныйпример; 상설무역 ~부 постоянное торговое представительство; 협상단의 수석~главный представитель на переговорах; ~를 선출하다 избирать делегатов; ~권 полномочия; ~단 делегация; ~부 представительство; ~이사 генеральный директор; 전권~ полно-мочный представитель; 통상 ~ торговый представитель; ~ 기관 представительный орган; ~ 제도 юр. представительная система; 2) см. 대표자; ~적 типичный; характерный.

대표부(代表部) представительство (аппарат).

대하 I ~에 под возвышением(постаментом).

대하(大廈) II уст. большой дом; большое здание; ~고루 величественное(грандиозное) здание.

대하다 I 1. 1) стоять лицом к лицу(с кем-л.); 2) встречаться, сталки-ваться; 3) обращаться, обходиться(с кем-л.);относиться(к кому-чему-л.); 2. послелог о; про; к; в; на; насчёт; 대통령에 대한 비판 критика в адрес президента; 조국에 대한 사랑 любовь к Родине; 질문에 대한 답변 ответ на вопрос; 남처럼 ~ обращаться, как с посторонним; 손님에게 친절히~ обходиться с гостями любезно; 이 문제에 대하여 по этому вопросу; 물음에 대한 대답 ответ на вопрос.

대하여 про.

대학(大學)(연구소 또는 학술 및 교육의 최고기관) университет; институт; высшее учебное заведение(ВУЗ); факультет; ~의 университетский; институтский; вузовский; ~에 입학하다 поступать в университет (институт); ~가 университетский (вузовский) городок; ~생 студент[-ка]; ~원 аспирантура; ~원생 аспирант[-ка]; 사범대 ~ педагогический институт; 인문 ~ филологический (гуманитарный) институт.

대학교(大學校) высшее учебное заведение; институт; ~교수 профессор; преподаватель ВУЗа; ~병원 клиника(при медицинском институте); ~생 студент(Высшего Учебного Заведения)

대학원(大學院) аспирантура(при высшей школе).

대한민국(大韓民國) 한국(韓國) Корея (Корейская республика).

대한해협(大韓海峽) Корейский пролив.

대항(對抗) сопротивление; противодействие; протест; ~하다 сопротивляться; противодействовать; ~력 сила сопротивления; сопротивляемость; ~전 состязание; ~경기 (시합) двустороннее состязание; ~운동 контрманёвр

대형(大型) I большой формат; крупные формы (габариты); ~화하다 укрупнять габариты(формат; формы) (чего-л.); ~선박 большое судно; ~설비 крупногабаритное оборудование; ~수송기 тяжёлый транспортный самолёт; ~차 большая автомашина; ~발전기 эл. крупногабаритный генератор.

대형(隊形) II строй; порядок; ~을 변경하다 перестраивать;~을 이루다 строиться; 산개~рассыпной строй; 전투 ~ боевой строй; ~변경 воен. перестроение;전투~боевой порядок

대화(對話) I разговор; беседа; диалог; ~체 разговорный стиль.

대화(大火) II большой пожар.

대화(大禍) III большое несчастье; большое бедствие.

대회(大會) съезд; конгресс; сессия; ~를 개최하다 открыть съезд(конгресс; конференцию); ~일정 повестка дня съезда; ~장 место проведения съезда(конгресса; конференции); 군중 ~ митинг; 정기~ очередной съезд; 체육~ спартакиада; 보고 ~ доклад; публичная акция; 축전 ~ фестиваль.

댁(宅) 1) вежл. Ваш дом; Ваша семья; 2) вежл. Вы; 3) вежл. Ваша супруга; 4) уст. мой дом(янбан о своём доме в разговоре с нижес-тоящими); ~내 두루 안녕하신가요? Как ваша семья, всё в порядке? ~은 누구세요? Кто ты?

댁-(宅) суф. кор. 1) уроженка(о чьей-л. супруге); 2) вежл. дом; 판서댁 дом начальника приказа.

댁네(宅-) вежл. Ваша(его)жена

댄스(dence) танец; ~파티에 가다 пойти на танцы; ~음악 музыка для танцев.

댐 (둑,제방(堤防),방죽) плотина; дамба; ~의 плотинный;дамбовый; 저수용~ водохранилище; 콘크리트~ бетонная плотина.

댓 перед некоторыми сущ. примерно(приблизительно) пять; ~사람 примерно пять человек.

댓새 примерно пять дней.

댓째 примерно пятый.

더, 또 ещё(больше); более; ~깊다 более глубокий; ~는 없다 больше нет; ~는 참을 수 없다 больше не могу терпеть; 더 기다리다 더 깊다 более глубокий; 한 번 더 읽다 прочитать ещё раз; 더 할 나위 없다 быть совершенным(безупречным); быть как нельзя лучше; 더 아니 как же не; 더 아니 기쁠까? как же не радоваться? 더 없다 как нельзя больше(лучше).

더구나 вдобавок; кроме того; сверх того; к тому же; 말을 함부로 하는데다가 ~ 거짓말까지도 한다 Грубит, да вдобавок ещё и лжёт; см. 더군다나

-더구나 груб. оконч.воскл. ф.: 그 골짜기 물은 맑더구나 какая прозрачная вода в этом ущелье!

더군다나 вдобавок; сверх того; к тому же;в дополнение; кроме того

더그레 1) халат с тремя полами (который носили стражники, телохранители и палачи); 2) подкладка мантии чиновника с круглым воротником; 3) детский свитер.

-더냐 разг. груб. оконч. вопр. ф.; употребл. когда говорящий хочет получить подтверждение того или иного факта: 눈이 산 너머에도 오더냐? правда ли что и за горой идёт снег?

-더뇨 оконч. вопр. ф. 얼마나 넓은 호수더뇨? как широко это озеро?

-더니 I разг. интимн. оконч. повеств. ф.; употр. говорящим при изложении фактов, очевидцем которых он был: 저녁이면 집에 놀러 오군 하더니 по вечерам приходят к нам гости.

-더니 II оконч. деепр.: 1) после основы наст. вр. имеет знач. а) причины; 열심히 노래를 배우더니 이젠 아주 잘불러요 так как усердно учился пению сейчас прекрасно поёт; б) противительное; 어제까지도 빛이 푸르더니 오늘은 조금 붉어 졌구나

вчера ещё была зелёной, а сегодня уже покраснела; в) соеди-нительное; 마당에다 지게를 벗어 놓더니 그 길로 채소밭으로 들어간다 поставил во дворе чиге и сейчас же пошёл в огород; 2) после основы глаг. прош. вр. когда; 내가 밤에 집에 돌아왔더니 순희가와서 기다리는 것이 когда я вечером возвратился домой, меня ждала там Сунхи.

더덕 бот. кодонопсис ланцетолистный.

더덕더덕~붙어있다 быть усеянным; ~하다 усеянный; усыпанный.

더듬거리다 1) шарить; ощущать; искать(идти) ощупью; 2)заикаться; запинаться.

더듬다 1) щупать; шарить; перебирать; искать на ощупь; 2) интуитивно осознавать(понимать); 3) 기억을 ~ вспоминать; 4) напр ягать (слух); 5) заикаться, запинаться; 길을 ~ идти на ощупь; 생각을 ~ перебирать в памяти; 첫마디부터 말을 ~ запнуться на первом же слове; 호주머니 속의 지갑을 ~ нащупать кошелёк в кармане; 더듬어 나가다 искать на ощупь.

더듬질 ощупывание; заикание.

더듬이 рожки; щупальцы(у животных).

더디다 1) замедленный; медлительный; 걸음이 ~ идти медленными шагами; 진행이 ~ медлить с выполнением(чего-л.); 2) замедляться.

-더라 1) разг. груб. оконч. повеств. ф. сказ. очного наклонения: 강물이 좀 흐리더라 в реке вода немного мутная(говорит человек, видевший реку); 2) книжн. имеет подчёркивающее знач.: 당대의 명사들이 그 청덕을 사모하고 우러러 하지 아니 할 이 없더라 учёные того времени восхищались и преклонялись перед таким благородством.

-더라니 разг. интимн. оконч. повеств. ф. со знач. предпологаемого результата: 네가 말을 안 듣고 혼자 가더라니, 그거 봐라, 혼자 갈 수 있던? ты не слушал меня и ушёл один, вот и теперь смотри(что случилось); разве можно было идти одному?

-더라니까 разг. интим. оконч. повеств. ф. выражает упрёк: 글쎄 아무도 없고 어린아이 하나가 집을 보더라니까 дома же никого не было кроме одного ребёнка.

-더라도 оконч. деепр. уступительного: 좀 어렵더라도 끝내 해 내겠어요 хотя и трудновато, но закончу.

-더라면 оконч. деепрнч. с уступительно-условным значением: 우리가 더 주의 깊은 사람이었더라면 미리 알아 낼 수도 있었을 것이다 будь мы более внимательными людьми, мы могли бы узнать заранее.

더러 1) несколько; немного; незначительно; некоторая часть; некоторые; кое-что; кое-кто; 2) иногда; временами; местами; ~그렇게 이야기하는 사람도 있다 Некоторые так говорят; 우리는 ~ 만나기도 한다 Мы иногда встречались.

-더러 разг. окон. дат. пад.;누구더러 명령하는가? кому приказываешь?

더러워지다 загрязняться.

더럭 겁이 ~나다 неожиданно сильно испугаться; 화를 ~내다 неожиданно вспылить.

더럭더럭 1) с жадностью; прожорливо; 2) прилежно; настойчиво; 3) назойливо; ~조르다 выпрашивать; 억지를 ~쓰다 упрямствовать.

더럽다 (더러우니, 더러워) 1) прям. и перен. грязный; нечистый; 2) разг. скверный; мерзкий; дряной; паршивый; до чёрта; чертям тошно; 더러움 грязь; 더러워지다 пачкаться; мазаться (чем-л.); загрязняться; 더럽히다 пачкать; мазать; загрязнять; 더러운 손 грязные руки; 더러운 짓 скверный поступок; 일이 더럽게 돌아간다 дела идут скверно; 재수가 없어도 더럽게 없었다 действительно не повезло так, что чертям тошно; 흰옷은 쉬이 더러워진다 белая одежда быстро пачкается.

더럽히다 1) пачкать; марать; мазать; загрязнять; 더럽힌 고치 пятнистый кокон(шелкопряда); 2) осквернять; бесчестить.

더부살이 1) прислуга; работник; 2) паразит(о растении); 3) см. 곁방살이; иждивение; ижденевенец[-ка]; ~하다 а) жить в прислугах; б) жить за чужой счёт; быть на(чьём-л.) иждивении; в) см. 곁방살이; ~신세 иждивенство; ~환자 걱정 сущ. вмешиваться в чужие дела.

더불어(употр. после 와/과) вместо;, наряду(с кем-чем-л.); 평생을 책과 ~살다 всю жизнь прожить вместе с книгами; 형님께 ~ вместе со старшим братом.

더없다 наибольший; наивысший; несравнимый; 더없이 несравненно; как нельзя больше(лучше); 더없는 행복 самое большое счастье; 더없이 좋은 날씨 на редкость хорошая погода.

더욱 ещё более; ~좋아지다 становиться лучше; улучшаться; ~큰 소리로 말하다 говорить ещё громче; ~좋다 ещё лучше; ~ 빛나다 еще больше сиять. 더욱더 ещё более.

더위 1) жара; 2) *кор. мед.* тепловой (солнечный) удар; ~타다 не выносить жары; 숨막힐듯한 ~ гнетущая жара; 참기힘든 ~ нестерпимая жара; ~가 계속된다 жара стоит;~가 누그러든다 жара спадает;~를 먹다 получить тепловой(солнечный) удар; ~에 힘들어하다 страдать от жары; ~를 타다 не выносить жары; ~를 팔다 см. 더위팔기[하다] ~가 들다(~를 먹다) получить тепловой удар; ~먹은 소 달만 보아도 헐떡인다 *посл.* ≡ букв. измученный жарой вол начинает тяжело дышать при виде луны; ~하다 перегреться; получить тепловой удар; ~를 이겨내다 преодолевать жару.

-더이다 *уст. почт.* окон. повест. ф. предикатива в очном наклонении.

더하다 I 1) усиливаться; увеличиваться; усиливать; увеличивать; 2) добавлять; прибавлять; складывать; 3) ухудшаться(о состоянии больного); 둘에 둘을 ~ прибавить два к двум; 병세가 ~ состояние болезни ухудшилось; 추위가 ~ мороз усиливается; 7더하기 3은 10이다 семь плюс три будет десять; 더하기 сложение; плюс; 일을 ~ ра-ботать сверхурочно.

더하다 II быть сильнее(больше); 더할 나위 없이 좋다 быть как нельзя лучше; 부모님 사랑인들 이보다 더하랴! Даже родительская любовь не может быть сильнее этой любви!; 더할 나위 없다 лучший; нет сравнения

덕(德) 1) нравственность; добродетель; благодеяние; милость; ~이 높다 высоконравственный; ~이 있다

добродетельный; ~으로 благодаря (кому-чему-л.); 친구들의 도움 ~(분)에 благодаря помощи друзей; 2) см. 덕택; ~을 보다 пользоваться (чьей-л.) милостью; 3) добрые дела; ~담 доброе пожелание; ~망 репутация добродетельного человека; добрая слава; ~성 нравственность; нравственные качества; ~행 доброе дело; добродетельный поступок; 4) ~에(덕으로) благодаря

덕담(德談) доброе пожелание;~노래 этн. песня с мольбой о счастье; ~하다 желать счастья.

덕분(德分) благодаря.

덕분이다 благодаря.

-던 I разг. сокр. от -더냐,-더니

-던 II оконч.прич. или опред. ф. прил. прош. вр. обозначает соответственно: а)действие, имевшее место в прошлом безотносительности к результатам: 하던 일은 끝 내고야 한다 надо закончить работу, которую мы делали; б) признак, характеризовавший предмет до данного момента: 맑던 하늘이 어느 사이에 구름으로 덮였다 чистое(букв. бывшее чистым) небо неожиданно покрылось облаками.

-던가 1) интим. оконч. вопрос. ф. прош. вр. гл.; присоединяется к основе прош. вр. 왜 못 갔던가? почему ты не смог прийти? 2) ин-тимн. оконч. вопр. ф. очного наклонения; присоединяется к основе наст. вр.: 산 너머도 비가 오던가? что и за горой идёт дождь?

-던걸 1) сокр. от -던 것을; 2) ин-тимн. оконч. вопрос. ф. с подчёркнутым значением; 그 사람의 힘이 훨씬세던걸 ведь тот человек довольно силён.

-던고 1) интимн. оконч. вопр. ф.; выражает риторический вопрос: 얼마나 나의 고향이 아름답던고! как прекрасны мои родные места! 2) интимн. оконч. повест. ф. очного наклонения: 네가 본 코끼리는 얼마나 크던고? как велик слон, которого ты видел.

-던데 1) оконч. дееп.: а) с против. знач. 아까 가볼 때는 자던데 이젠 깬 모양이지? когда ходил к ним, они спали, а теперь наверное проснулись; б)обозн. общую часть между предложениями: 강물이 많던데 어떻게 건너 오셨어요? воды в реке много, как же вы переправились? 2) оконч.повест. ф. сказ. с подчёркн. знач.: 아냐, 아침에 그이는 직장으로 가던데 нет, он же утром ушёл на работу.

-던들 оконч. деепр. с уступ. значением: 미리부터 알았던들 대책을 못 세웠으리? хотя знали с самого начала, а мер не приняли.

-던바 книжн. окон. деепр. присоединительного: 이 용광로는 요사이 수리하던바 그 성능이 아주 양호하다 недавно эту доменную печь ремонтировали,(при-чём) её мощность теперь очень высокая

던져 бросил.

던졌습니다 бросил.

-던지 1) оконч. деепр. со знач. вероятной причины: 어찌 기쁘던지 발을 구르면서 뛰었다 он прыгал и скакал от радости; 2) оконч. вопр. ф. сказ. придаточного предложения: 그 때 그가 있었던지 기억이 나오? ты припоминаешь, что тогда он был? 3) интим. оконч. вопр. ф. предикатива: 그 때 날이 춥던지? тогда было холодно?

던지기 метание; толкание; 포환 ~

толкание ядра.

던지다 бросать; выбрасывать; забрасывать; кидать; метать; 공을 ~ бросать мяч; 담배꽁초를 휴지통에 ~ бросить окурок в урну; 시선을 ~ кидать взоры(на кого-что-л.); 아무 데나 마구 ~ бросать куда попало; 주사위를 ~ кидать жребий; 파문을 ~ вызвать сенсацию; ~기 метание; толкание; 몸을 ~ бросаться(напр. в воду); 소문을~ пускать слух; 화제를~ поднимать разговор(о чём-л.); 이야기를~ заговаривать(с кем-л.); 던져 마름쇠 погов. ≅ дело мастера боиться(букв. как ни бросай проволочного ежа, всегда он встанет остриём к верху).

던집니다 бросит.

덜 1) в сочет. с прил. не такой; 2) в сочет с нареч. не так; 3) в сочет. с гл. ещё не(совсем); ~하다 слабый; 두 사람이 아직 ~왔다 два человека ещё не пришли; 오늘은 어제보다 추위가~하다 сегодня не так холодно, как вчера; 잠이 아직 ~깼다 ещё не совсем проснулся; ~춥다 не такой холодный; ~빨리 не так быстро; 두 사람이 덜 왔다 два человека ещё не пришли.

덜기, 빼기 감하기 вычитание.

덜다 (더니, 더오) уменьшать; ослаблять; вычитать; отнимать; отбавлять; сбавлять; 갈증을~ утолить жажду;근심을~ уменьшать заботы; 다섯에서 둘을 ~ вычитать два из пяти;지출을~ уменьшать расходы; 짐을 ~ облегчить ношу; 힘을 ~ экономить силы.

덜미 1) затылок; загривок;~를 짚다 (치다) схватить за шиворот(за загривок); 2) непосредственно сзади (позади); ~대문 задние северные (ворота); ~를 잡히다 затронуть самое больное место.

덜하다 слабый(по сравнению с...); слабее; 병세가~ больному лучше.

덤(덧거리,우수리) 1) добавка; надбавка; прибавка; ~으로 вдобавок; впридачу; в дополнение; ~을 주다 дать в дополнение; 2) см. 우수리.

덤비다 1) набрасываться; налетать; спешить; суетиться; пороть горячку; 함부로 ~ набрасываться ни с того, ни с сего; 그는 무턱대고 이 일에 덤빈다 он начал работать наугад; 2) см. 서두르다.

덤핑(dumping), 투매 демпинг.

덥다(더우니,더워) 1. 1) жаркий; горячий; 2) кор. мед. согревающий; 더운 여름 жаркое лето; 더운찜질 согревающий компресс; 방안의 공기가 더워졌다 воздух в комнате нагрелся; 방이 골고루 더워졌다 пол в комнате равномерно нагрелся; 환자의 몸이 ~ у больного жар; 더운 색 тёплые цвета; 더운점심 горячий обед; 더운약 согревающее средство; 2. нагреваться; согреваться.

덧- преф. добавочный; дополнительный; поверх(чего-л.); ~니 зуб, расположенный вне зубной дуги; ~보태다 дополнительно добавлять; ~버선 вторые носки, надеваемые поверх первых; ~옷 верхняя одежда; ~입다 надевать поверх(чего-л.); ~머리 голова.

덧나다 I 1) открыться(о ране); 2) ухудшаться(о сотоянии больного); обостряться; 3) пропадать, терять (напр. аппетит); 4) обижаться; разгневаться; раздражаться; 부스럼이

다시 덧났다 прыщ снова нагноился.
덧셈 сложение; ~을 하다 производить сложение.
덧없다 1) суетный; тщетный; напрасный; быстротечный; мимолётный; 2) неясный; смутный; неотчётливый; 덧없이 тщетно; напрасно; неясно; смутно; неотчётливо; 덧없는 생각 смутные мысли; 덧없는 희망 тщетные надежды; 덧없이 살아온 일생 напрасно прожитая жизнь.

덩 паланкин принцессы.
덩굴 плеть ползучего или стелющегося растения; ~의 плетевой; ~을 걷다 убирать(собирать) плоды ползучих или стелющихся растений; 포도~ виноградные плети; ~개별꽃 ложная звездчатка; ~며느리주머니 см. 줄꽃[주머니]; ~별꽃 волдырник; ~식물см.만생[식물]; ~꽃말이 бот.тригонотис; ~딸기 ежевика
덩달아 слепо(бессознательно) следуя (за кем-л.);~그는 덩달아웃었다 он засмеялся вслед за другими.
덩어리 1) ком; глыба; кусок; 2) масса; 금~ слиток золота; 기름~ кусок жира; 얼음~ глыба льда; 흙~ ком земли; 한 ~가 되다 сплотиться воедино(в одно целое); 돈 ~ см. 목돈.

덫 капкан; ловушка; западня; ~에 걸리다 попасть в капкан(ловушку; западню);~을 놓다 ставить капкан (ловушку; западню).
덮다 1) покрывать; накрывать; укрывать; закрывать; застилать; 2) охватывать; окутывать; закрывать глаза(на что-л.); 덮습니다 жарко; 덮이다 быть покрытым (накрытым; закрытым; укрытым); быть застланным; 뚜껑을~ закрывать крышкой; 식탁보로 식탁을 ~ накрыть стол скатертью; 아이에게 이불을 덮어주다 укрыть ребёнка одеялом; 짙은 안개가 계곡을 덮었다 густой туман окутал долину; 덮개 крышка; ~어 쓰다 1. а) укрывать (напр. одеялом); нахлобучиваться; покрываться(пылью и т. п.); б) брать на себя (напр. ответственность); ~어 쓰다 2. а) скопировать текст; б)калькировать(что-л. намеченное точками); ~어 놓고 как попало; на обум;на удачу; ~어 놓고 닷냥금 посл. ≅ не посмотрев в святцы, да бух в колокола.
덮씌우다 покрывать[ся]; накрывать[ся]
덮어놓다 закрывать; приостановить; прекратить; отложить; 덮어놓고 без разбора; как попало; наобум; наудачу; 사정을 알아보지도 않고 덮어 놓고 나무라다 ругать, не разобравшись в чём дело.
덮어두다 закрывать глаза(на что-л.); скрывать; ~사실을 덮어 두어서는 안된다 нельзя скрывать правду.
덮어쓰다 укрываться(чем-л.);покрываться (чем-л.); брать на себя; 누명을~ быть незаслуженно опороченным; 먼지를~ покрыться пылью; 이불을 ~ укрыться одеялом.
덮어씌우다 сваливать(взваливать) вину(на кого-л.); 책임을 다른 사람에게~ взваливать ответственность на другого.
덮었습니다 покрывать.
덮이다 быть покрытым(накрытым, закрытым, укрытым); быть застланным.
덮치기 сеть для ловли птиц.
덮치다 1)наваливаться(на что-л.); 2)

(неожиданно) набрасываться(наваливаться)(на кого-что-л.); 고양이가 쥐를 갑자기 덮쳤다 неожиданно кошка набросилась на мышь; 엎친데 덮친격 беда не ходит одна.

데 1. после опред. 1) место; 2) случай; положение; состояние; обстоятельство; 가는 ~마다 везде; 갈 ~가 없다 некуда идти; 나는 그녀가 사는~를 모른다 я не знаю, где она живёт; 이 약은 머리 아픈데 잘듣는다 это лекарство хорошо помогает при головной боли; 2.после опред. предлож. и словосочет. с 데 있다 (дело) заключается в том, что..; ...데 대한 문제 вопрос в том, что ...; 데 역할을 하다 играть роль в ....

데- преф. выражает незавершённость действия:데삶다 недоварить; 데익다 недозреть.

-데 разг. фам. окон. повест. ф. 참 금강산은 아름답데 Кымгансан очень красив.

데다 1)обжигать[ся](чем-л.); 덴자리 место ожёга; 끓는 물에 손을~었다 обжёг руку кипятком;덴 소 날치듯 *погов.=букв.* мечется, словно обжёгшаяся корова; 2) потерпеть наудачу;

덴가슴 перепуганная душа

데려가다 вести(уводить) с собой; везти(увозить) с собой; 손을 잡고 ~ вести(кого-л.) за руку; 환자를 병원 ~ вести больного в полик- линику.

데려오다 приводить с собой; 아이들을 집으로 ~ привести детей домой.

데리고 다니다 водить.

데리다 데리고, 데려 взяв с собой; 데려 가다 вести(уводить) с собой; 데려오다 приводить с собой.

데모(*англ.* demonstration) демонстрация; ~하다 устраивать демонстрацию;~군중 массы демонстрантов

데시벨(*англ.* decibel) децибел(дб.).

뎅 звукоподр. удару по железному предмету бум.

뎅그렁~하다 звякнуть;издать(звон)

도 I одно очко(при броске косточек в игре ют).

도(度) II 1) мера; предел; степень; ~를 넘지않다 знать меру; ~에 지나치다 выходить за рамки(пределы); заходить слишком далеко; переходить границы; 긴장~ степень напряжения; ~를지나치게 выходить за рамки (пределы); 2) мерка, масштаб, мерило; 3) в разн. знач. градус; 급경사의 60 ~각 острый угол; 북위 38도 38 градусов север-ной широты; 알콜 45~의 보드카 45-градусная водка; 영하 20~ 20 градусов мороза; 4) (несколько)раз; 삼사도 три-четыре раза.

도 III то(*муз.*инструмент, состоящий из нескольких небольших барабанов, соединённых штоком).

도(道) IV 1) уст. книжн. см. 도리; 2) религиозное учение(догма);3) мораль, нравственность; 도를 닦다 а) изучать религиозные догмы; б) нравственно воспитывать себя; ~를 닦다 вникать в сущность религиозных учений; ~에 어긋나다 противоречить нравственным нормам; 4) уст. приёмы (владения оружием).

도(道) V 1) провинция; ~의 провинциальный; ~단위의 행정기관 провинци-альный административный орган; 충청북~ Чхунч-хон-Пукто (провинция Северный Чхунчхон); 평안남~ южная провинция Пхёнан (южная Пхёнандо; Пхёнан-Намдо); ~지사 губернатор провинции; ~청

административное управление провинции; 2) *сокр.* провинциальный орган

도 VI (ит. do) до(нота);~-레-미-파-솔-라-시 до-ре-ми-фа-соль-ля-си.

도(道) VII правильный путь; разумные основания.

도 VIII *частица* 1) (даже) и, тоже; ни (при отриц. сказ.); 바다도 하늘도 푸르다 и море и небо-всё голубое; 하나도 얻지 못하였다 не нашёл ни одной; 2) имеет подчёркивающее значение: 야, 바다가 넓기도 하다 о, море очень широкое!

도-(都) *преф. кор.* глава; лидер; 수~ предводитель.

-도(-島) I *суф. кор.* остров(острова); -до (-то); 독~ Токто(остров Ток); 제주~ Чечжудо(остров Чечжу).

-도(-徒) II *суф. кор.* человек; 문학~ литератор; 불교~ буддист; 과학~ человек(люди) науки.

-도(圖) III *суф. кор.* картина; карта; план; чертёж; 설계~ проект; 천체~ астрономическая карта; 측면~ вид с боку(в профиль).

-도(渡) IV *суф. кор.* переправа; перевоз; 삼전도 самчонский перевоз

-도(度) V *суф. кор.* 1) степень; 경사도 степень наклона;긴장도 степень напряжения; 2) после ~년 год; 학년도 учебный год.

-도(刀) VI *суф. кор.* нож; 해부도 скальпель.

도구(道具) 1) орудие; инструмент; прибор; средство; ~를 사용하다 использовать орудие; ~주의 инструментализм; 가재~ домашняя утварь; 생산~ орудие производства; ~담당자 театр. реквизитор; 세수~ умывальные пренадлежности; 2) средство, орудие.

도금(鍍金) плакирование; ~하다 плакировать; 금~ 시계 часы с позолотой; 금으로 ~하다 золотить; покрывать золотом; 금~이 벗겨지다 позолота сходит; ~박강판 белая жесть.

도금공(鍍金工) плакировщик.

도급(都給) I сдельщица; ~단가 сдельные расценки; 단일 ~임금제 система единой сдельной оплаты труда; ~루진 임금제 сдельно-прогрессивная оплата труда; ~임금제 сдельная оплата труда.

도급(道級) II *сущ.* провинциальный; ~기관 провинциальное произведение; провинциальный орган.

도급제(都給制) сдельщина; ~노임 сдельная оплата труда; ~로 сдельно.

도깨비 1) дьявол; черт; демон; 꼬마~ дьяволёнок; чертёнок; ~감투 а) шапканевидимка; б) волшебный предмет; ~불 блуждающие огоньки; ~놀음 дьявольщина; чертовщина; 장난 а) шутка дьявола; б) чудо; ~짓 а) чудо; б) безобразие; ~할미 баяга; ~기와장 뒤듯 *погов.* ≒ словно дьявол переворачивает черепицы(о беспорядочном перелистывании, переворачивании); ~도 수풀이 있어야 모인다 *посл.* ≒ построить на песке(что-л.); ~도 수풀이 있어야 재주를 피운다 *посл.*≒для раскрытия таланта нужны условия; ~를 사귀였다 *погов.* ≒ не было ни гроша, да вдруг алтын; ~땅 마련하듯 *обр.* как попало; беспорядочно; ~쓸개 같다 *обр.* маленький и отвратительный; ~씨나락 까먹는 소리 *обр.* невнятное бормотании; 2) тупица, глупец.

도끼 топор; ~질을 하다 рубить(колоть) топором; 믿는 ~에 발등 찍힌다 оказать медвежью услугу; 신선놀음에~자루 썩는 줄모른다 хозяин гуляет, топорище сгнивает; ~날 лезвие топора; ~자루 топорище; 손~ топорик.

도끼눈 острый взгляд; ~을 하고 보다 злобно смотреть.

도끼자루 топорище.

도난(盜難) I кража; ~당하다 быть обкраденным; 나는 소매치기한테 지갑을 ~당했다 ворКарманник украл у меня кошелёк.

-도다 книжн. высок. окон. повест. ф. сказ.: 조국을 위하여 모두다 불사신처럼 싸웠도다 все беззаветно боролись за Родину.

도달(到達) I 1) прибытие; 2) достижение(чего-л.); ~하다 достигать(чего-л.); прибывать; ~점 пункт прибытия; 목적지에 ~하다 достичь назначенного места; 최고수준에 ~하다 достичь наивысшего уровня; 합의에 ~하다 прийти к соглашению

도달(導達) II арх. ~하다 тайно доносить(нашёптывать)(вышестоящему).

도대체(都大体) 1) ~로 о общем; в целом; в основном; 2) перед отриц. совершенно; совсем; никак; действительно; ~무슨 일입니까? Действительно в чём же дело? ~알 수가 없다 совершенно невозможно узнать; 3) короче говоря.

도덕(道德), 도리(道理), 윤리(倫理) мораль; нравственность; ~적 моральный; нравственный; этический; ~의 해이 моральный износ; ~적 의무감 чувство нравственного долга; ~적 풍모 моральный облик; ~관 моральные взгляды; ~성 мораль-ность; ~군자 см. 도학[군자]; ~부인론 аморализм.

도둑 вор; ~고양이 бездомная кошка; ~맞다 быть обкраденным(обворованным);~질하다 красть; воровать; грабить;현장에서 ~을 잡다 поймать вора на месте преступления; ~을 맞으려면 개도 안 짓는다 кому судьба быть обкраденным, у того и собака не лает; ~이 제발저린다 на воре шапка горит; ~질 воров- ство.

도라이바(англ. driver)드라이바, 나사돌리개) отвёртка

도라지(도래,길경(桔梗)) колокольчик; ~나물 салат из корней колокольчиков; 백~ белый колокольчик.

도람무통(<англ. drum + 桶) 드럼통 бак; 석유~ нефтяной бак.

도랑(개울, 개천) канава; сток; ~을 치다 рыть канаву; очищать канаву; ~치고 가재 잡는다 сочетать приятное с полезным; ~물 вода в канаве; ~에 든 소 обр. а) везучий человек; б) счастье валом валит.

도래(到來) наступление; приближение; ~하다 наступать; приближаться; 새시대의 ~를 예고하다 предвещать приближение новой эры.

도량(度量) I длина и объём;~형 мера и вес; измерение; ~형표 таблица мер и веса.

도량(度量) II 1) великодушие; благородство; ~이 넓은 사람 человек широкой души; ~이 넓다(좁다) великодушный(ограниченный); ~이 크다 великодушный;благородный; 2) измерение; определение количества; ~단위 единица измерения; ~하다 измерять; определять(количество).

도량 III 1) место расположения буддийского храма(монастыря); 2) территория буддийского храма; 3) буддийский храм(как место изучения буддизма)

도로(徒勞) I напрасный(бесполезный) труд; ~무공 бесполезные (бесплодные) страдания; ~무익 бесполезный (напрасный) труд.

도로(道路) II дорога; путь; ~의 дорожный; 자동차 전용~ автострада; 통행금지 ~ проезд запрещён; ~를 개통하다 открыть дорогу; ~를 막다 перекрыть дорогу; ~건설 строительство дорог; ~망 дорожная сеть; сеть дорог; 순환~ кольцевая дорога; 포장~ асфальтированная дорога; ~표식 дорожный знак.

도로 III обратно; снова; 아이들을 ~ 집으로 돌려보내다 обратно отпустить детей домой; 잃어버린 것을 ~ 찾다 снова найти потерянное; ~ 아미타불 остаться у разбитого корыта.

-도록 окоч. деепр. выражает: 1) предел: 밤이 새도록 앉다 сидеть с утра до утра; 2) цель: 병이 나지 않도록 주의해라 заботиться, чтобы не заболеть.

도르다(도르니, 돌라, 두르다) 1)돌라 вокруг; кругом(чего-л.); 병풍으로 돌라(둘러)막다 ставить ширму(вокруг чего-л.); 2) раздавать; обносить; 3) обманывать; вводить в заблуждение; 4) обкрадывать; 5) передавать(друг другу); 돌라입다 одевать, носить по очереди(что-л.); 6) стошнить; 돌라가다 уезжать, обобрав(кого-л.); 돌라내다 а) обирать; грабить; б) соблазнять; искушать; 돌라대다 а) ограждивать; б) передавать(друг другу); в) обманывать; 돌라맞추다 а) обвязывать(напр.верёвкой); б)обходиться; удовлетворяться(чем-л.); в) обманывать; вводить в заблуждение; 돌라매다 обвязывать; увеличивать капитал (за счёт процентов); 돌라보다 переводить взгляд; смотреть то на одно, то на другое; 돌라붙다 переходить(на чью-л.) сторону.

도르래 1) флюгер; 2) вертушка прикреплённая к палке(которой играют дети).

도르르 1) ~말리다 свёртывать, скручивать(напр. об узких полосках бумаги); ~흘리다 2) скатываться (напр. о каплях пота).

도리(道理) нравственная норма; правильный путь; разумные основания; способ; путь; ~에 맞다 разумный; ~에 어긋나다 противоречить здравому смыслу; ~하는 수 밖에 다른 ~가 없다 нет иного пути, как...; ничего не остаётся, как ...; нормы (правильный) путь; способ; ...하는 수 밖에 ~가 없다 нет иного пути, как...; ничего не остаётся как.....

도리가 없다 нет способа(пути).

도리어 наоборот; напротив; 그는 미안하게 생각하지 않고 도리어 성을 냈다 он не чувствовал себя виноватым, а наоборот даже рассердился.

도립(道立) I *сущ.* провинциальный; ~극장 театр в провинциальном центре; ~병원 провинциальная больница.

도립(倒立) II ~영상 перевёрнутое изображение; ~하다 переворачиваться вверх дном(на другую сторону).

도마(跳馬) кухонная доска; ~에 올려 놓았다 делать(кого-л.) предметом обсуждения(порицания); ~위의 고기가 칼을 무서워하랴 *посл.* ≅ *двух смертей не бывать, а одной не миновать*(букв.на кухонной доске рыба не боится ножа); ~에 오른 고기 *погов.* ≅ жизнь висит на волоске(словно рыба на кухонной доске).

도마도 помидор; 일년감; ~검은 부패병 чёрная гниль томата(болезнь).

도망(逃亡) I бегство; побег; ~을 가다 убегать; обращаться в бегство; 감시를 피해 ~치다 убегать изпод стражи; ~자 беглец [-янка]; ~을 치다 обращаться в бегство.

도망(悼亡) II уст. ~하다 скорбеть (горевать) по покойной жене.

도맡다 брать(взваливать) на себя всё; 그는 전적으로 자기 가족의 생계를 도맡고 있다 он полностью обеспечивает свою семью.

도매(都買) I оптовая продажа; опт; ~의 оптовый; ~로 оптом; ~로 팔다 продавать оптом; ~가 оптовые цены; ~상 оптовик; оптовый торговец; ~업 оптовая торговля; ~가격 оптовая цена; ~상업 оптовая торговля; ~하다 продавать оптом (целой партией).

도매(都賣) II уст. оптовые закупки; ~하다 закупать оптом.

도박(賭博) 1) азарт; азартная игра; 2) игра с огнём; риск; ~하다 играть в азартные игры; играть с огнём; рисковать; ~에 빠지다 войти(впасть) в азарт; ~기구 игровой инвентарь; ~꾼 (азартный) игрок; ~사업 игорный бизнес; ~장 игор-ный дом.

도발(挑發) разжигание; провокация; подстрекательство; ~적 провокационный; ~하다 разжигать; развязывать; провоцировать; ~적 행동 провокационные действия; 전쟁~ провокационные войны.

도보(徒步) I ходьба; ~의 пеший; ~로 пешком; ~로 가다 идти пешком; ~경주 состязание в ходьбе; ~여행 пеший ход; ~하다 ходить(идти) пешком.

도보(圖報) II уст. ~하다 стремиться воздать добром за добро.

도산(逃散) I уст. ~하다 разбрасываться; рассеиваться; разбегаться; разлетаться(в разные стороны); бросаться врассыпную.

도산(到山) II уст. ~행하 вознаграждение за несение гроба до могилы; ~하다 достигать могилы(о похоронной процессии).

도서(圖書) I 1) книги; книжный; ~대출 выдача книг; ~목록 каталог книг; ~열람실 читальный зал; читальня; ~전람회 выставка книг; 참고~ справочник; справочная книга; 2) уст. книги и картины.

도서(島嶼) II острова; ~지역 островной район.

도서(圖署) III арх. личная печать (напр. на книгах); 대중~ публичная библиотека; 이동~ передвижная библиотека.

도서관(圖書館) библиотека; ~의 библиотечный; ~에 등록하다 записываться в библиотеку; ~원 библиотекарь; ~장 директор библиотеки; ~학 библиотеко-ведение; 대중~ 이동~ передвижная библи-отека.

도서실(圖書室) читальня.

도수(徒手) I свободные пустые руки; ~로 голыми руками; с пустыми руками; ~경례 приветствие(отдание чести) без оружия; ~동작 движение свободными руками; ~체조 спорт. вольные упражнения; ~훈련 строевая подготовка без оружия.

도수(刀手) II 1) воин, вооруженныймечом; 2) палач, отсекающий голову мечом.

도시(都市) I город(города); ~의 городской; ~외곽에서 살다 жить за городом; ~계획 планировка города;

~국가 городгосударство; ~녹화 озеленение города;~인 горожанин[-ка]; (복~네);городской житель; городская жительница; 행정~ городское управление; 공업~ промышленный город; 대~ крупный город; 위성~ город-спутник; 지방~ провинциальный город; 항구~ портовый город; ~경영성 министерство коммунального хозяйства; ~녹화 озеленение города; ~문학 литература, описывающая жизнь горожан Европы конца средних веков; ~중심부 общегородской центр.

도시(圖示) II ~하다 показать на схеме(диаграмме).

도시락, 밥곽, 1) маленькая корзинка; 2) см. 밥곽; 3) рис в коробке(на завтрак); обед; закуска; специальная посуда для обеда; закуски; 점심 ~을 싸다 собирать обед.

도식(圖式) I 1) схема; формула; ~적 схематичный; схематический; ~적인 사고방식 схематическое мышление; ~을세우다 составлять формулу; ~화하다 схематизировать; ~성 схематичность; 주의~схематизм; ~주의자 схематизация; 2) см. 도식주의.

도식(徒食) II ~하다 a) быть дармоедом; б) арх. есть вегетарианскую пищу

도심(都心) I центр города; ~에서 살다 жить в центре города; ~지대 центральный район; центральная улица.

도심(盜心) II уст. стремление(желание) украсть(что-л.).

도안(圖案), 도면(圖面) I 1) эскиз; чертеж; контур; план; схема; ~하다 набрасывать эскиз; чертить; 상표 ~ эскиз марки; 2) иск. графика.

도안(道眼) II отверстие в ручке сабли(для чеки).

도약(跳躍), 뜀뛰기 I 1) прыжок (прыжки); ~의 прыжковый; ~하다 прыгать; делать прыжки; ~대 трамплин; 2) (경기) соревнования по прыжкам; ~선수 прыгун; 3) ~운동 прыжки(упражнения).

도약 II ~하다 растирать(лекарство)

도와주다 помогать(кому-л. в чём-л.); оказывать помощь;

도와주세요! Помогите! 아내는 아이가 책 읽는 것을 도와주었다 жена помогла ребёнку прочесть книгу.

도외시(度外視) игнорирование; ~다 игнорировать; оставлять без внимания; 의도적으로 사실을 ~하다 умышленно игнорировать факты.

도용(盜用) I тайное пользование чужим; плагиат; ~하다 тайно пользоваться чужим; заниматься плагиатом; 그는 타인의 작품을 도용했다 он переписал чужое произведение.

도용(陶俑) II этн. глиняная фигурка человека (которую клали в могилу вместе с покойником).

도움, 원조(援助),조력(助力) помощь; ~으로 при помощи; с помощью; ~을 받다 пользоваться(чьей-л.) помощью; ~을 주다 оказывать помощь; ~을 청하다 просить помощи; ~이 되지 않는다 не помогает; не годится; 그는 아무짝에도 ~이 되지 않는다 он ни к чему не годится.

도입(導入) внедрение; ~하다внедрять (во что-л.); 신기술 ~ внедрение новой технологии; 외자~ внедрение иностранного капитала; ~되다 внедряться (во что-л.); 연구결과를 생산에 ~하다 внедрять результаты исследований в производство; ~부

втупительная часть; вступление.

도자기(陶磁器) фарфор; фаянс; керамические изделия гончарные изделия; ~의 фарфоровая, фаянсовый; керамический; 고려~ фарфор эпохи Корё; 유약칠을 한 ~ глазурованный фарфор; ~공업 керамическая промышленность; ~공장 завод керамических изделий.

도장(圖章), 인장(印章) I штамп; печать; ~을 만들다 изготовлять печать; ~을 찍다 класть(накладывать, ставить) печать; накладывать штамп; ~집 футляр для печати.

도장(塗裝) II окраска; ~하다 покрывать краской; окрашивать; ~공 красильщик[-ца]; маляр[-ша]; ~작업 малярные работы.

도장(道場) III центр подготовки; сооружение для занятий; 유도~ сооружение для занятий дзюдо; 태권도 ~ центр подготовки тхэквондо.

도저히 1) перед отриц. ф. сказ. никак; никаким образом; ни в коем случае; 나는 ~그녀를 잊을 수 없다 я никак не могу забыть её; 2) последовательно, твёрдо.

도적(盜賊) I 1) грабитель; грабители; ~을 앞으로 잡지 뒤로는 못 잡는다(~을 앞으로 잡지 뒤로 잡나?) посл. ≅ не пойман не вор; ~이 매를 든다 посл.=букв. вор бьёт хозяина(у которого украл); ~이 제 발이 저리다 посл. ≅ на воре шапка горит(букв. у вора ноют ноги); ~에게 열쇠를 준다 погов.=букв. дать вору ключ; ~의 두목도 ~이요 그 졸개도 또한 ~이라 посл. ≅ букв. не только тот вор, кто ворует, но и тот, кто ворам потакает; ~의 집에도 되가 있다 посл. ≅ и у вора есть совесть(букв. и в доме вора бывает мерка для зерна); ~의 씨가 없다 посл. ≅ вор не рождается вором; 2) кража; воровство; ~나무 кража(заготовка)дров(в чужом лесу); ~노름 игра в азартные игры тайком; ~을 맞다 быть ограбленным; ~맞고 사립고친다. см. 소(잃고 외양간 고친다), ~맞고 죄된다 посл.≅ на бедного Макара все шишки валяться(букв. кого обокрали, того и винят); ~을 맞으려면 개도 안 짖는다 посл. ≅ букв. кому судьба быть обкраденным, у того и собака не лает (на вора); ~하다 воровать; грабить.

도적(道的) II ~로 в масштабе всей провинции; ~문제 вопрос, касающийся всей провинции в целом.

도적질 ~하다 а) красть; воровать; грабить; б) присваивать(незаконным путём) (что-л.) чужое; ~해 보다 смотреть украдкой; ~을 해도 손이 맞아야 한다 посл.≅ букв. и в краже нужно согласие.

도전(挑戰) I вызов (на бой); провокация; ~적 вызывающий провокационный; ~하다 вызывать на бой; посылать(бросать) вызов; провоцировать; ~적 행동 провокационные действия; ~을 받아들이다 принять вызов; ~적 태도를 취하다 вести себя вызывающе; 프로복싱 세계챔피언에 ~하다 оспаривать звание чемпиона мира по профессиональному боксу; 웬지 그의 말이 ~적으로 들린다 почемуто в его словах слышится вызов; ~자 посылающий[-ая]; претендент[-ка](на что-л.); ~적 провакационный; вызывающий; ~행위 провокационные действия.

도전(盜電) II ~하다 незаконно пользоваться электроэнергией

도중(島中) I ~에 на острове.

도중(都中) II уст. 1) ~[에] в коллективе; в обществе; 2) все(члены) коллектива; общества; ~비용 совместные расходы.

도중(途中) III по дороге; по пути; проездом; проходом; мимоходом; на полдороге; на полпути; в ходе; в процессе; ~강의 ~에 в ходе лекции; 집으로 가는 ~에 по дороге домой; ~에 포기하다 бросать на полпути.

도착(倒着) I прибытие; приезд; ~하다 прибывать; приехать; 무사히 ~하다 прибыть (приехать) благополучно; 비행기는 7시에 ~합니다 самолёт прибудет в семь часов; ~성명 объявление о прибытии; ~경도 мор. достижение меридиана; ~위도 мор. достижение широты.

도착(倒錯) II ~하다 извращать; искажать.

도참(圖讖) 1) гадание; предсказание судьбы; 2)книга предсказаний судеб.

도처(到處) ~에 повсюду; повсеместно; везде; 전국 ~에서 по всей стране; ~에 활기가 넘쳐난다 повсюду радостное оживление; ~낭패 полный провал; повсюду(везде) неудачи; ~선화당 всюду тёплый (радушный) приём; ~청산 всюду прекрасные условия(жизни); ~춘풍 полный успех(в работе).

도청(盜聽) I подслушивание; ~하다 подслушивать; 특수장치를 이용하여 전화를 ~하다 подслушивать телефонный разговор с помощью специальной аппаратуры; ~장치 подслушивающее устройство; 무선~ радиоперехват.

도청(都廳) II 1) чиновник ведомства королевского двора, временно создававшегося для организации строительства, свадебных и похоронных церемоний; 2) место сбора чиновников; 3) судья(на состязаниях в кор. поло); 4) место сбора судей

도취(陶醉) I 1) опьянение(упоение) (чем-л.); 2) упоение; ~하다 быть упоённым(опьянённым)(чем-л.); ~되다 опьянеть; 그는 처음으로 거둔 승리에 ~되었다 он был опьянён первой победой; ~에 빠지다 опьянеть; быть упоенным.

도취(盜取) II ограбление; ~하다 ограбить.

도태(淘汰) 1) отбор; селекция; ~되다 отбираться; быть удалённым (отстранённым); ~시키다 отбирать; селекционировать; отстранять;~설 селекционная теория; 인공~ искусственный отбор; 자연~ естественный отбор; 집단~ групповой отбор; ~학자 селекционер; 2) атрофия, утрата; 3) промывка; ~하다 а) отбирать, селекционировать; б) атрофировать, утрачивать; в) *арх*. промывать.

도표(圖表) I схема; график; диаграмма; таблица; 생산증대 ~ диаграмма роста производства; ~로 나타내다 схематизировать; ~를 그리다 чертить схему(график).

도표(導標) II 1) дорожный указатель, веха; 2) *см.* 지표; 3) показатель(напр. роста).

도피(逃避) I дезертирство; бегство; побег; ~하다 дезертировать; бежать; скрываться; 현실을~하다 отворачиваться(уйти) от действительности; ~자 дезертир; беглец; ~주의 эскапизм; ~처 убежище.

도피(圖避) II уст. ~하다 замышлять (побег).

도하(渡河) переправа(перевоз) через реку; ~하다 переправляться через реку; форсировать реку; ~지점 пункт переправы; ~장소 переправа (место).

도합(都合) всего; итого; в общей сложности; 나를 포함하여 ~ 일곱 사람이 모였다 включая меня, собралось всего 7 человек.

도해(圖解) 1) иллюстрация; пояснительный текст(к карте, чертежу и т.п.); 3) ~하다 а) иллюстрировать[ся]; б) давать пояснение (к рисунку, чертежу и т. п.).

도해법(圖解法) [-ппоп] мат. графическое решение.

도형(圖形) I 1) набросок, эскиз; контур; схема; ~기하학 начертательная геометрия; 2) геометрическая фигура; 공간~ мат. пространственная фигура; 평면 ~ плоская фигура.

도형 II каторжные работы.

도화선(導火線) 1) огнепровод; огнепроводный шнур;фитиль; 2) причина; повод; толчок; 전쟁의 ~ непосред-ственный повод к войне; ~에 불을 붙이다 запаливать огнепроводный шнур (фитиль).

독 (단지) I (глиняный) чан; ~안에 든 쥐 как мышь, попавшая в чан; 장~ чан для соевого соуса; 독틈에도 용수가 있다 посл. ≃ из всякого положения можно найти выход; 독틈에 탕관 посл. ≃ между двух огней; 독 안에 든 쥐 = 독 안의 쥐 посл.≃ букв. как мышь, попавшая в чан; 독을 보아 쥐를 못친다 посл. ≃ петух на что храбр, и то ястреба боиться.

독(毒), 독약(毒藥) II 1) яд; отрава; токсин; вред; миазмы; ядовитость; злоба; ~하다 ядоносный; крепкий; забористый; едкий; горький; жестокий; лютый; ~한 냄새 едкий запах; ~한 사람 лютый человек; ~한 성미 жестокий нрав, ~을 품고 со злобой; ~을 없애다 нейтрализовать яд; принять противоядие; ~이 오르다 злиться; 마음을 ~하게 먹고 슬픔을 견디내다 стойко перенести горе; ~으로 ~을 제압해야 한다 яд надо нейтрализовать ядом; ~이 전신에 퍼졌다 яд распространился по всему телу; ~가스 ядовитый(отравляющий) газ; ~버섯 ядовитые грибы; ~사 ядовитая змея; ~약 яд; ~충 ядовитые насекомые; ~풀 ядовитая трава; 독으로 독을 치다 см. 열 [로 열을 치다]; 2) см. 독살 II; 3) см. 해독 II; 독이 나다 а) отправиться; б) появляться (о мозоли, опухоли и т. п.); в) см. 독살[이 나다] II; 독이 오르다 а) злиться; б) жечь(о перце); горчичь(о табаке и т. п.).

독-(獨-) преф. кор. одинокий; один; сольный; монопольный;~무 сольный танец; ~차지 монопольное владение; ~채 одинокий дом; дом на отшибе; 독살림 одинокая жизнь.

독가스(毒+англ.gas) ядовитый (отравляющий) газ; боевое отравляющее вещество; ~공격 газовая атака.

독감(毒感) I инфлюэнца; грипп; ~에 걸리다 заболеть гриппом.

독감(獨監) II одиночная камера (в тюрьме).

독기(毒氣) 1) миазмы; ядовитые испарения; 2) воспаление; раздражение; 3) злоба; ~있는 ядовитый;

злобный; ~를 품고 말하다 говорить со злобой.

독단(獨斷) 1) единоличное (произвольное) решение; своеволие; произвол; произвольное решение; ~적 своевольный; произвольный; ~적 판단 произвольное решение; ~적으로 행동하다 поступать своевольно; ~성 своевольство; произвольность; 2) субъективное решение; 3) догма.

독려(督勵) поощрение; ~하다 поощрять; подбадривать; воодушевлять (чем-л.); вдохновлять; 공적을 세우도록~하다 воодушевлять на подвиг.

독립(獨立),자주(自主) независимость; самостоятельность; отдельный; одинокий; ~적 независимый; самостоятельный; ~하다 быть независимым (самостоятельным); 완전한~ полная независимость; 정치적~ политическая независимость; ~을 선포하다 провозглашать независимость; ~을 인정하다 признать независимость; ~을 쟁취하다 добиться независимости; завоевать независимость; ~건물 здание для одного учреждения; ~국 независимое государство; ~선언서 декла-рация независимости; ~성 независимость; самостоятельность; ~여단 отдельная бригада; ~운동 движение за независимость; ~채산제 хозрасчёт; самоокупаемость; ~투사 борец за независимость; ~가옥 а) см.외딴집; б) см. 독립(주택); ~국가 см. 독립국; ~독행 уст. самостоятельно действовать; ~대대 отдельный батальон; ~사건 мат. независимое событие; ~선언서 декларация независимости; ~자존 уст. самостоятельно существовать; ~자활 уст. жить самостоятельно; ~자영 уст. самостоятельно хозяйствовать; ~주택 дом для отдельной семьи, особняк; ~채산제 эк. хозрасчёт.

독립국(獨立國)[тонънип-] независимое (самостоятельное) государство.

독립권(獨立權) [тонънип-] право на независимость.

독립성(獨立性)[тонънип-] самостоятельность, независисмость

독방(獨房) 1) отдельная комната; одноместный номер; каземат; одиночная камера для заключённых; ~에서 옥고를 겪다 томиться в каземате; 일인용 ~을 배정하다 распределять одноместные номера; 2) см. 독감 II.

독본(讀本) 1) книга для чтения; хрестоматия; 톨스토이의 인생~ круг чтения Л.Н. Толстого; 러시아문학 ~ хрестоматия по русской литературе; 국어 ~ книга для чтения по родному языку; 문학 ~ хрестомаятия; 2) учебник, учебное пособие.

독불장군(獨不將軍) 1) обр. букв. один в поле не воин; 2) одинокий и беспомощный человек; 3) человек, который всй любит делать сам; 그는 ~이다 он своенравный человек; 그는 성격이 ~식이라 다른 사람의 말은 듣지 않고 매사를 자기 혼자서 하길 좋아한다 У него своенравный характер, поэтому он не слушает других и любит делать всё сам.

독사(毒蛇) 1) ядовитая змея; 2) см. 살무사; ~눈 зловредные глаза.

독살(毒殺) I убийство при помощи яда; отравление; ~하다 убить при помощи яда; отравлять; ~당하다 быть отравленным.

독살(毒煞) II злоба; ~스럽다 злобный; язвительный; ядовитый; ехидный; ~스레 ядовито; со злобой; язвительно; ехидно; ~을 부리다 злиться; злобствовать; ехидничать; ~을 피우다 ~이 나다 разозлиться.

독서(讀書) чтение; ~하다 читать книгу; ~삼매 сосредоточенное чтение; ~실 читальный зал; ~열 стремление к чтению;~회 кружок чтения.

독소(毒素) 1) токсин; ~의 вредный; токсичный; 건강의 ~적인요소 вредный для здоровья элемент; ~료법 ~혈증 токсинемия; ~형성 токсинообразование; 2) вредность, вред

독수리(禿-) орёл; ~의 орлиный; ~같은 매서운 눈초리 орлиный взгляд; 새끼 ~ орлёнок(орлята); ~암컷 орлица; 쌍~ двуглавый орёл; ~는 파리를 못잡는다 погов. ≒ каждому своё

독식(獨食) уст. ~하다 извлекать выгоду только для себя.

독신(獨身) I несемейный человек; одинокий человек; целибат; ~의 холостой; безбрачный; ~으로 холостым; ~으로 지내다 жить холостым, не вступая в брак; ~생활 холостая(одинокая) жизнь; безбрачие; ~서원 обет безбрачия; ~자 холостяк[-чка]; ~주의자 сторонник безбрачия; ~모성 матьодиночка ~생활 холостая(одинокая) жизнь.

독신(篤信) II ~하다 рел. глубоко верить.

독실하다 искренний; добросовестный; 독실한 사람 искренний человек; 독실한 신자 глубоко верующий(во что-л.).

독일(獨逸) Германия; ~의 германский; ~철학 немецкая философия; ~혐오증 германофобство; ~어 немецкий язык; ~인 немец; немка

독일어(獨逸語) немецкий язык

독자(讀者) I читатель[-ница]; ~의 читательский; ~의 소리 читательский отзыв;일반~를 대상으로 한 책 книга, рассчитанная на широкого читателя; ~란 колонка писем читателей; ~층 круг читателей; ~모임 читательская конференция.

독자(獨自) II ~적самостоятельный; ~적 태도를 취하다 вести себя самостоятельно; ~적으로 해결하다 решать самостоятельно (своими силами); ~성 самостоятельность.

독재(獨裁) 1) диктатура; 2) автократия; ~적 диктаторский; 부르주아에 대한 프롤레타리아의 ~ диктатура проле-тариата над буржуазией; ~적인 수단에 의존하다 прибегать к диктаторским методам; ~정치를 강제하다 навязать диктатуру; ~자 диктатор; ~정치 деспотизм; 군사~ военная диктатура.

독점(-店) I место обжига глиня- ной посуды.

독점(獨占) II монополия; ~적 монополистический; монопольный; ~하다 монополизировать; обладать монополией(на что-л.); 대외무역 국가가 ~하여 행하다 ввести государственную монополию внешней торговли; ~가격 монопольные цены; ~권 монопольное право; ~이윤 монопольная прибыль; ~자본 монопольный капитал; ~자 монополист; ~거두~이윤 монопольная прибыль; ~자본자 монополист(о капиталисте); ~자본주의 монополистический капитализм; ~지대

монопольная рента; ~이전 *сущ.* домонополистический.

독창(獨創) 1) ~하다 творить, создавать; 2) оригинальная выдумка; оригинальное творение; ~적 оригинальный; самобытный; ~적인 논문 оригинальная статья; ~성 оригинальность; самобытность.

독촉(督促) напоминание(о чём-л.); настойчивое требование; ~하다 напоминать; торопить(с чем-л.); 도서 반납~требование вернуть книгу; 회답을~하다 торопить с ответом;~장 письменное напоминание.

독특(獨特) ~하다 специфический, своеобразный, самобытный.

독특성(獨特性) специфичность, своеобразие, самобытность.

독특하다 специфический; своеобразный; характерный; самобытный; 독특한 냄새 специфический запах; 독특한 취향 своеобразный вкус; 독특성 специфичность;своеобразие; характерность; самобытность.;독특한 민족정신 особый национальный дух.; 독특한 표현 особое выражение.

독하다 1) ядовитый; 2) крепкий(о вине, табаке); резкий(о запахе); 3) злой; свирепый, лютый; 4) стойкий, терпеливый.

돈 деньги; ~의 денежный; ~에 어둡다 корыстный; жадный до денег; 부정한 ~ шальные деньги; 쉽게 번~ лёгкие деньги; ~을 아무리 써도 ни за какие деньги; ~에 맛을 들이다 становиться алчным к деньгам; ~을 갈퀴로 긁어모은다 загребать(грести) деньги лопатой; ~을 걸고 승부를 하다 играть на деньги; ~을 물다 платить; ~을 물 쓰듯하다 сорить (швыряться) деньгами; транжирить; ~을 바꾸다 разменять деньги; ~을 벌다 зарабатывать; ~을 뿌려대다 бросать деньги на ветер; 사기로 ~을 빼앗다 выманивать деньги(у кого-л.); ~이 나올 구멍을 찾다 искать способ (источник) получения денег; ~이 돈을 번다 деньги идут к деньгам; ~이면 다다 при деньгах Памфил всем людям мил/ деньги есть милый мой, денег нет чёрт с тобой/ деньгиэто всё; 이 돈이면 양복을 살 수 있다 на эти деньги можно купить костюм; ~놀이 ростовщичество; ~꾼 ростовщик[-ца]; ~뭉치 пачка денег; значительная (большая) сумма денег; ~벌이 заработки; ~줄 источник получения денег; 돈을 만지다 иметь дело с деньгами;~을 뿌리다 сорить(швыряться) деньгами; 돈 반 상 먹고 열네 잎으로 사정한다 *посл.* ≅ занял рубль, а отдаёт по копейке; 돈 종이 бумага с водяными знаками (для печатания денег); 2) цена, стоимость;돈을 치르다 [за] платить; 3) мелкие деньги; ~푼 копейки; небольшая сумма денег; 거스름 ~ сдача; 잔~мелочь; мелкие деньги; 푼 ~ гроши; мелочь; 돈을 주다 показывать(пальцем) на монету(в которую нужно попасть при игре в расшибалку); 돈을 치다 попадать в монету(при игре в расшибалку); 4) мизерная сумма(денег), гроши; 5) имущество, состояние; 6) уст.тон (1/10 няна; см. 냥 ; 2) 7) тон(единица веса = 3,75 г.); 금 두 ~쭝 примерно два тона золота; 금 한 ~짜리 반지 золотое кольцо весом в один тон.

돈값[-ккап] цена(стоимость)денег;

~이 떨어지다 обесцениваться(о деньгах).

돈독하다 добродушный; сердечный;
돈독히 добродушно; сердечно.

돋다 1) появляться; 싹이 ~ пробиваться(о ростках); 땀이~ выступать (о поте); 구미가 ~ появляться(об аппетите); 두드러기가 ~ вскочить(о прыще); 그는 온몸에 소름이 돋았다 у него по телу пробежали мурашки; 새싹이 돋는다 новые ростки пробиваются; 이마에 식은땀이 돋는다 на лбу выступил холодный пот; 2) всходить(о солнце, луне); 해가 돋았다 солнце взошло; 3) проявляться(на лицео чувствах); 얼굴에 생기가 돋았다 лицо оживилось; 4) прост. сердиться.

돋보기 очки для дальнозорких; выпуклые(толстые) очки; ~를 쓰다 надевать очки для дальнозорких; ~안경 очки для дальнозорких.

돋보다 считать лучше, переоценивать.

돋보이다 выглядеть лучше; 그녀는 단연 돋보인다 она бесспорно выглядит лучше.

돋아나다 пробиваться; появляться; всходить; вскакивать; 첫새순이 돋아 나기 시작한다 начинают пробиваться первые всходы; 코위에 조그만 뾰드라지가 돋아났다 на носу вскочил маленький прыщик.

돋우다 1) приподнимать; припускать; поднимать; 2) стимулировать; усиливать; повышать; 목청을~ повышать голос; 부아를 ~ нервировать; 사기를~ поднимать боевой дух; 식욕을 ~ возбуждать аппетит; 발끝을 ~ вставать на носки; 벼슬을 ~ повышать в чине; 북을~ окучивать; 돋우고 뛰어야 복사뼈다 *посл.*≅ выше головы не прыгнешь; 목청을 ~ повышать голос; 사기를~ поднимать(боевой) дух; 신경을~ нервировать; 신심을 ~ вселять уверенность; 화를 ~ выводить(кого-л.) из себя.

돌, 주년(週年) I 1) годовщина; первая годовщина; ~을 기념하다 отмечать годовщину; 큰딸이 세~이 지났다 старшей дочке исполнилось три года; ~잔치 угощение по случаю первой годовщины со дня рождения ребёнка; 돌을 잡히다 두 돌 позволять ребёнку самостоятельно брать разложенные перед ним игрушки и сладости в первую годовщину со дня его рождения; 2) год(при обозначении возраста до трёх лет); 생후 두 ~ два года со дня рождения; 3) см. 돌 1).

돌(石) II 1) камень; строительный камень; шашка; круглый камешек корейских шашек; ~의 каменный; ~을 거리에 깔다 мостить улицу камнем; ~을 던지다 бросать камнем(в кого-л.); сдаваться; капитулировать; ~처럼 굳어지다 окаменеть; ~다리도 두들겨 보고 건너라 семь раз отмерь, а один раз отрежь; ~가루 каменная пыль; ~다리 каменный мост; ~담 каменная стена(ограда); ~대가리 чурбан; болван; дубовая голова; ~더미 груда камней; ~멩이 камешек; небольшой камень; ~무더기 куча камней; ~무덤 каменный курган; ~부리 выступающая над землёй часть камня; ~부처 каменное изваяние Будды; ~산 каменистая (скалистая) гора; ~층계 каменные ступеньки; ~치기 игра в камешки; 걸림~ камень преткн-овения; 숫~

точильный камень; 돌로 치면 돌로 치고 떡으로 치면 떡으로 친다 *посл.* ≃ каков привет, таков и ответ; 돌틈에도 용수가 있다 *см.* 독[틈에도 용수가 있다] I ; 2) *см.* 석재; 3) *см.* 쇠돌; 4) *см.* 바둑돌 ; 5) *мед.* камни.

돌- преф.1)дикий(дикорастущий); ~배 дикая груша; 2) низкого качества.

돌격(突擊) атака; штурм; ~하다 атаковать; штурмовать; 적의 진지를 ~하여 점령하다 взять штурмом позицию противника; ~대 ударная часть; ударный(штурмовой)отряд; ~대원 ударник[-ца]; ~명령 команда на атаку(штурм); ~선 линия атаки; ~적 штурмовой, ударный; ~작업반 ударная бригада.

돌고래 I дельфин; ~사육장 дельфинарий; 새끼~ дельфинёнок.

돌고래 II дымоход, выложенный из камня(под утеплённым полом).

돌기(突起) I 1) выпуклость, выступ, бугорок; возвышение, рельеф; 2) *уст.* внезапное появление; ~하다 а) выступать, возвышаться; б) внезапно появляться(возникать); 3) *анат.* отросток.

돌기(突騎) II *арх.* ворвавшаяся конница.

돌다 1) кружиться; вертеться; вращаться; 소문이 돈다 ходят слухи; 머리가 빙빙 돈다 голова кружится; 지구는 태양의 주위를 돌았다 Земля вращается(вертится) вокруг Солнца; 생각이~вертеться(о мысли); 눈이 돌았다 поплыло перед глазами; 소리가 귀가에~непрерывно звучать в ушах; 2) 길을 ~ идти кружным путём; 3) пускать(ходить) по кругу; 경비를~ патрулировать; 4) ходить, обращаться, циркулировать; распространяться(напр. об эпидемии); 금융시장에서 자본이 돌지 않는다 на денежном рынке не обращается капитал; 전염병이 급속히 돌았다 эпидемия быстро распространилась; 5) работать(о заводе, машине); 6) действовать, давать эффект; 7) появляться; 눈물이~ навёртываться (о слезах); 침이~ выделяться(о слюне); 윤기가~ блестеть; 안에 군침이 돈다 во рту выделяется слюна; 그녀의 눈에 눈물이 핑 돌았다 слёзы у неё навернулись на глазах; 기름기가~ лосниться; 8) менять направление; поворачивать; 길모퉁이를 ~ свернуть за угол; 뒤로 돌아! кругом! 우로 돌앗! Направо!(команда); 9) переходить(на чью-л. сторону); 10) свихнуться, сойти с ума; 너 돌았니? Ты с ума сошёл? 숨이~ оживать, приходить в себя; 돌아가다 머리가~ кружиться(о голове); б) окружать; в) идти кружным путём; г) поворачивать, сворачивать; д) скривиться(о губах); е) возвращаться; приходить (приезжать) обратно; 돌아가며 인사를 시키다 представлять по очереди; к) распределяться; приходить(на долю); л) работать, функционировать(о машине, предприятии); 수포로 돌아가다 лопнуть, как мыльный пузырь; п) идти(о делах); обстоять(о положении); 돌아눕다 перевернуться на другой бок; 돌아내리다 а) спускаться по спирали; б) прикидываться скромным; 돌아다니다 а) кружить, колесить; ~를 돌아다 보다 돌아들다 сворачивать, заворачивать(куда-л.); 돌아보다 оглядываться; 돌보다; 돌아서다 а) поворачиваться, отворачиваться (стоя); б) избегать встречи; 돌아서서 시비하다 критиковать за глаза; в) окружать; г) переходить на другую сторону; д) приходить в норму; 마음이 돌아서다 успокаиваться, приходить в себя; 돌아치다 усил. стил. вариант 돌아가다; 돌아 앉다 сидеть(садиться) спиной(к комучему-л.); 돌아오다 а) огибать; б) делать крюк, идти кружным путём; в) возвращаться; 돌아오는 길에 на обратном пути; г) распространяться (о болезни); д) распределяться; приходиться на долю; е) восстанавливаться, возвращаться(к прежнему состоянию); 제 정신으로 돌아오다 приходить в себя; наступать(о времени); приближаться(о назначенном дне,дате).

돌다리 I каменный мост; ~도 두드려 보고 건너라 = 구운 게도 다리를 떼고 먹는다 *см.* 굽다 I.

돌다리 II [-тта-] мостик через канаву

돌담 каменная ограда.

돌돌 I нареч. 1) ~말다 скатывать в трубку; 2) ~굴러 가다 катиться (о круглом предмете).

돌돌 II 물이 ~흐른다 вода журчит.

돌려보내다 возвращать; отсылать обратно; отпускать; отправлять обратно; 선물을~ отсылать обратно подарок; 학생들을 방과 후에 집으로 ~ отпускать учеников домой после уроков.

돌려주다 возвращать; одалживать; давать взаймы; 꾼돈을 ~ возвращать долг; 게게 급전을 좀 돌려주실 수 없으십니까? вы не можете одолжить мне деньги?

돌리다 1) вертеть; крутить; вращать; 바퀴를 ~ вертеть колесо; 2) пускать по кругу; 술잔을~пускать рюмку по кругу; 3) поворачивать; менять направление; 고개를 ~ поворачивать голову; 눈길을 다른 곳으로 ~ отвести глаза(от кого- чего-л.); 숨을 ~ переводить дух; 시계를 5분 뒤로~ перевести стрелку на пять минут назад; 얼굴을 창가 쪽으로~ повернуться лицом к окну; 몸을~ оборачиваться; 4) пускать в ход(в действие); 공장을~ запускать завод; 여유자금을 ~ пускать в обращение избыточные деньги; 영화를 ~ демонстрировать фильм; 5) распространять (слухи *и т. п.*); 6) раздавать; распределять; 돌려서 по очереди; по порядку очереди; 신문을~ раздавать газеты; 7) проявлять(интерес, заботу); обращать(внимание); прилагать(усилия); 시선~ направлять взор(на что-л.); 8) направлять, посылать(куда-л.); 9) одалживать, давать в долг; 10) скапливаться(о слюне во рту); 11) возвращать; 12) приписывать(кому-л. что-л.); сваливать(на кого-л.); 공을 남에게~ приписывать успех другим; 제 잘못을 남의 탓으로 ~ приписывать чужим свою вину; 책임을 남에게 ~ возлагать ответственность на другого; 영화를 ~ 책임을 ~ возлагать ответственность, 13) помочь преодолеть(кризис в болезни); 14) приходить в норму; 정신을 ~ приходить в себя; 15) успокаивать; прогонять(напр. тоску); 16) изменять (намерение, решение *и т. п.*); 17) сторониться, чуждаться(кого-л.); 돌려서 말하다 говорить намёками; 18) откладывать; отодвигать; 문제 해결을 다음 주로 ~ отложить решение вопросов на следующую неделю; 19) в сочет с сущ. в твор. п. считать, рассматривать в качестве(кого-чего-л.); 20) 먹은 것을 ~ стошнить, вырвать; 21) заставлять(позволять) вертеться(кружиться); 22) заставлять (позволять) распространять(напр. слухи); 23) заставлять(позволять) пускать по кругу; 24) заставлять (позволять) пускать в действие; 25) заставлять(позволять) пускать в обращение; 26) заставлять(позволять) поворачивать(сворачивать);돌려가다 обносить; передавать(друг другу); 돌려놓다 игнорировать, отстранять; пропускать,не включать; 돌려내다 а) выманивать, забирать обманным путём; б) отстранять; 나만 돌려내고 только без меня; 돌려 붙이다 돌려대다 поворачивать, направлять(в другую сторону); изменять направление; 돌려보내다 а) возвращать, отсылать (обратно) назад; б) отводить (от кого-чего-л.); в) приводить в негодность; 돌려보다 читать(просматривать) по очереди; 도려 세우다 а) переставлять; [видо]изменять; б) возвращать на истинный путь; 돌려주다 а) возвращать чужое; 돌려쓰다 а)использовать по очереди; б) одалживать(что-л.); 돌려씌우다 сваливать, перекладывать(на кого-л.).

돌림 1) ~으로 по очереди; ~차례로 по порядку; 2) круг; ~계단 винтовая лестница; ~편지 письмо, передаваемое от одного другому; 3) см. 돌림병감기 (инфекционный) грипп; 4) отстранение(кого-л. от чего-л.).

돌멩이 камень; 돌멩이질 ~하다 кидаться камнями.

돌무더기 куча(груда) камней.

돌무덤 1) могильный холм, сложенный из камней; 2) место в реке, огороженное камнями(для ловли рыбы).

돌변(突變) 1) внезапное изменение (превращение); неожиданный поворот; 2) ~하다 внезапно изменяться (превращаться); 사태가 전혀 다른 방향으로 ~했다 ситуация неожиданно изменилась; ~적 неожиданно (внезапно) изменяющийся.

돌보다 ухаживать(за кем-чем-л.); заботиться(о ком-чём-л.); следить(за кем-чем-л.); 아무것도 돌보지 않고 ни на что не глядя; не взирая ни на что; 건강을 ~ следить за здоровьем; беречь здоровье; 아이들을~ заботиться о детях; присматривать(следить) за детьми; 몸을 ~ заботиться о здоровье.

돌아가다 кружиться; вертеться; поворачивать; сворачивать; скривиться; возвращаться(приходить) обратно; передаваться по очереди; распределяться; приходиться на (чью-л.) долю; доставаться; работать; функционировать; обращаться; скончаться; оканчиваться; заканчиваться; обстоять; идти; обходить; идти окружным путём; 돌아가신 분 покойник[-ца]; 돌아가며 자기소개를 하다 представляться по очереди; 수포로 ~ лопнуть как мыльный пузырь; 순조롭게 ~ обстоять благополучно; 실패로~ окончиться неудачей(провалом); 이전의 직무로 ~ вернуться на прежнюю должность; 바퀴가 돌아간다 колесо вертится; 별장이 내 몫으로 돌아갔다 мне досталась дача; 병사들은 지뢰밭을 우회하여 돌아갔다 солдаты обошли минное поле;

돌아가시다 умереть; засохнуть; потухнуть.

돌아다니다 обходить; расхаживать (по чему-л.); бродить(по чему-л.); разъезжать(по чему-л.); распространяться; ходить; обходить; 거리를 헤메며 ~ бродить по улицам; 자동차를 타고 온 시내를 ~ разъезжать по всему городу на автомобиле; 흉흉한 소문이 돌아다닌다 ходят дурные слухи.

돌아보다 оглядываться; вспоминать; оглядываться на прошлое; осматривать; обследовать; 과거를 ~ вспоминать прошлое; 뒤도돌아보지 않고 달아나다 бежать без оглядки; 사방을 ~ оглядываться по сторонам; 전시회를 ~ осматривать выставку.

돌아서다 поворачиваться; отворачиваться; повернуться спиной; отвернуться(от кого-чего-л.); переходить на(чью-л.) сторону; приходить в нормальное состояние; улучшаться;뒤로 ~ поворачиваться спиной; 민중의 편으로 ~ переходить на сторону народа; 환자의 병세가 돌아섰다 состояние больного улучшилось;친구들이 그로부터 돌아섰다 друзья отвернулись от него.

돌아앉다 сидеть отвернувшись; сидеть(садиться) спиной(к кому-чему-л.); 그들은 서로 등을 지고 돌아앉았다 они сели спиной друг к другу.

돌아오다 возвращаться; вернуться; восстанавливаться; наступать; приближаться; распределяться; приходиться на(чью-л.) долю; огибать; обходить; объезжать; делать крюк; идти окружным путём; идти окольной дорогой; 돌아오는 길에 на обратном пути; 산모퉁이를 ~ огибать гору; 영웅이 되어 전선에서 ~ вернуться с фронта героем; 이 킬로미터를~сделать крюк в два километра; 제정신이~приходить в себя.

돌아오다가 возвращаясь.

돌아온대요 возвращается.
돌아옵니까 возвращаешься
돌아옵니다 возвращается.

돌연(突然) неожиданно; внезапно; вдруг; ~하다 неожиданный; внезапный; ~눈보라가 일었다 внезапно поднялась метель; ~변이 мутант; мутация; ~변이설 мутационная теория; ~히 неожиданно, внезапно, вдруг; ~비등 бурное кипение.

돌연성(突然性) неожиданность, внезапность.

-돌이 суф. после имён, выражающих время на: 닷새돌이로 내려왔다 приехал на пять дней из центра.

돌이키다 1) поворачивать обратно; вспоминать; оглядываться; обдумывать; передумать; 자신을 돌이켜 보다 оглятдываться на самого себя; 몸을 ~ оборачиваться; 2) 돌이켜 보다 оглядывать[ся] на прошлое; 돌이켜 생각하다 а) передумывать, ра-ссматривать подругому; 건강을 ~ поправиться, выздороветь; 3) восстанавливать; исправлять; поправлять; 돌이킬 수 없는 실수 ~ непоправимая ошибка; 건강을 ~ восстанавливать(поправлять)здоровье.

돌이켜 보다 оглядываться(на прошлое)

돌입(突入) вторжение, проникновение; ~내정 см. 내정 [돌입]; ~하다 вторгаться, врываться(силой).

돌진(突進) стремительное продвижение вперёд; натиск;~하다 стремительно продвигаться; внезапно устремиться; ринуться; 적의 진지를 향해 ~하다 ринуться на позицию противника.

돌출(突出) ~하다 выступать; выдаваться вперёд; 건물의 모서리가 골목

으로 ~되어 나왔다 здание выходит углом за переулок; ~부 выступ; выступающая часть.

돌파(突破) 1) преодоление(трудностей *и т. п.*); 2) прорыв (напр. фронта); 3) превышение(нормы); перевыполнение; ~하다 а) преодолевать (напр. трудности); б) прорывать (напр. фронт); в) превышать (норму *и т. п.*); перекрывать; 난관의~ преодоление трудностей; 기준치를 ~하다 перевыполнить норму; 적진을 ~하다 прорвать оборону противника; ~구 место прорыва; прорыв.

돌팔이 шарлатан; бродячий торговец; ~약사 бродячий лекарь; ~글방 бедная частная школа; ~무당 бродячая шаманка; ~선생 учитель бедной частной школы; ~장님 бродячий слепой гадальщик; ~의원 бродячий лекарь.

돌풍(突風) вихрь; шквал; ~의 вихревой; шквальный; ~을 일으키다 поднять шквальный ветер; ~이 불었다 налетел вихрь(шквал).

돔(dome) купол; свод; ~의 купольный; ~형태의 куполообразный; 성당의 황금빛 ~ золотые купола собора.

돕다(도우니, 도와) помогать (кому-л.); оказывать помощь; поддерживать; оказывать поддержку; способствовать; стимулировать; пользоваться; 밤을 도와 под покровом ночи; 금전적으로 ~ поддерживать деньгами; 서로~ помогать друг другу; 이웃의 일손을 ~ помогать соседу в работе; 입맛을~ вызывать аппетит; 도와 주세요! Помогите! 도와달라 구미에 도와 나서다 приходить на помощь.

돗자리 циновка; ~의 циновочный; 왕골~ тростниковая циновка; ~를 마루에 깔다 стелить циновку на пол.

동 I 1. вязанка; связка; 2.счётн. сл. 1) 10 кусков туши; 2) 10 писчих кисточек; 3) 50 кусков шёлка(полотна); 4) 100 рулонов бумаги; 5) 100 снопов(рисовой) соломы; 6) 10000 штук сушёной хурмы *и т. п.*; 7) несколько вязанок(связок); 8) круг (совершаемый фишкой в игре ют).

동 II 1)стык, сочленение; бот.узел; 2) связь, логичность(в суждение *и т. п.*); 동이닿다 быть связным(логичным); 동을 달다 продолжать(рассказ *и т. п.*); ~을 대다 а) доводить до конца, не останавливать на полпути; б) быть логичным; 동[을] 자르다 а) покончить, порвать отношения(с чем-л.); 장기와 동을 자르다 бросить играть в шахматы; б) разламывать (на части); 3) *см.* 동안 I; 5) *см.* 동거리 I; 끝동; 동[이]나다 прекращаться, останавли-ваться на полпути; кончаться; 동이끊기다 кончаться, заканчиваться.

동 III цветоножка.

동이 서다 расти вверх.

동 IV 1) *см.* 동쪽; 동[이] 트다 зардеться(о заре); 2) см. 동가 I; 3) 동에서 번쩍 서에서 번쩍 *обр.* повсюду кипит работа.

동 V дамба.

동(銅) VI см. 구리 I; медь; ~의 медный; ~광 медная руда; ~메달 бронзовая медаль; 청 ~ бронза; зелёная медь; 황 ~ жёлтая медь.

동(洞) VII 1) участок(административно-территориальая единица в городе); микрорайон; ~민 жители района; ~장 глава районной администрации; 2) 동[사무소] контора участка; районная администрация; 3) деревня.

동(棟) VIII см. 채 IX; дом; 5호 ~ дом номер пять; 고층건물 동을 지었다 построили два высотных дома; 병~ отделение в больнице.

동 IX лёгкий стук.

동-(同) преф. кор. этот(же самый), тот(же самый); один; 동시기 тот(же) период; 동학교 эта школа.

-동(動) суф. кор. движение; 수평동 горизонтальное движение.

동감(同感) 1) сочувствие(к кому-чему-л.); 2) согласие(с кем-л.); ~하다 сочувствовать (кому-чему-л.); разделять(чьё-л.) мнение; быть согласным(с кем-л.); ~을 표시하다 выражать сочувствие(согласие); 사회주의 운동의 대원칙에 ~하다 быть согласным с великим принципом социалистического движения; 나도 ~ 이요 и я согласен.

동갑(同甲), 동년배(同年輩) 1) тот же возраст; 2) ровесник[-ца];сверстник[-ца]; однолеток[-ка]; 3) то же количество; та же норма; 그들은 ~이다 они одних лет; 나와 그녀는 ~이다 мы с ней ровесники(одноле-тки).

동강 1. оставшаяся часть; оставшийся кусок; ~양초 огарок свечи; ~연필 огрызок карандаша; ~동강 на куски(части); ~내다 разрезать на куски; ~이 나다 быть разрезанным; ~부러지다 сломаться на куски; 초 ~ огарок свечи; ~을 치다 разрезать (разрубать) на куски; **2.** кусками; частями; **3.** счётн. сл. 1) кусок; 2) несколько кусков.

동거(同居) ~하다 жить(с кем-л.) вместе в одной квартире; ~인 сожитель[-ница]; ~가족 семья, живущая в одном доме(в одной комнате).

동격(同格) 1) одного разряда; одной квалификации; одного положения; 2) тот же образец; 3) та же норма; 4) одного падежа; ~으로 대하다 относиться(к кому-л.) как к равному; обращаться(с кем-л.)как к равному; ~어 приложение.

동결(凍結) прям. и перен. замораживание; замерзание; ~하다 замораживать; ~되다 быть замороженным; 외국의 재산 ~ замораживание иностранного капитала; ~자산 замороженные средства; ~심도 глубина промерзания грунта; ~구좌 секвестр на расчётный счёт

동경(東經) I геогр. восточная долгота; ~131도 131 градус восточной долготы; 한반도와 그 인접한 모든 섬은 동경 124도와 131도 북위 33도 와 43도 사이에 위치하고 корейский по-луостров и все прилегающие к нему острова расположены между 124 и 131 восточной долготы и между 33 и 43 северной широты.

동경(憧憬) II 1) страстное желание; стремление(к чему-л.); ~하다 страстно желать(чего-л.);стремиться(к чему-л.); томиться жаждой(по чему-л.); 자유를 ~하다 стремиться к свободе; ~심 стремление; жела-ние; жажда.

동계(同系) I 1) та же система; 2) та же(самая) родня; 3) та же(самая) организация.

동계(冬季) II уст. см. 동기 V; зимний период(сезон); ~방학 зимние каникулы; ~올림픽 зимняя олимпиада.

동공(瞳孔) зрачок; ~의 зрачковый; ~경직 каталепсия зрачка; ~반응 аккомодация зрачка; ~확대 расширение зрачка; ~강직 каталепсия зрачка; ~거리계 мед. пупиллостатометр; ~긴장증 мед. пупиллото-пия; ~마비 мед. пу-пиллоплегия; ~반응 аккомодация зрачка; ~산대 расширение зрачка.

동굴(洞窟) пещера; грот; ~의 пещерный; ~ 종유석 сталактитовая пещера; 원시인들은 ~에서 살았다 первобытные люди жили в пещерах; ~벽화 пещерная живопись(фреска); 인공 ~ искусственный грот; ~동물 пещерное животное.

동그라니 눈을 ~뜨다 сделать круглые глаза(напр. от испуга)

동그라미 1) круг; кружочек; ~를 그리다 начертить кружочек; ~를 만들다 делать круг; 2) монета.

동그래지다 становиться круглым, округляться.

동그스름하다 слегка округлённый; закруглённый.

동급(同級) один разряд(класс; сорт; ранг); одна степень; один класс; ~의 상품 товары того же сорта; 대사와의~의 지위를 부여하다 присвоить (кому-л.) ранг посла; ~생 одноклассник[-ца].

동기(同氣) I братья и сёстры; ~간에 между братьями(сёстрами); 친 ~ родные братья и сёстры.

동기(同期) 1) тот же период; один период(курс; выпуск); однокурсник[-ца]; 작년 ~와 비교하여 сравнивая этот период с периодом в прошлом году; 나는 그와 ~동창생이다 мы с ним однокурсники; ~변류기 конвертор; ~속도 синхронная скорость; ~ 동창 однокашник; 2) одновременность; синхронизм; ~녹음 синхронная звукозапись; ~발전기 синхронный генератор; ~전동기 синхронный двигатель; ~조상기 эл. синхронный компенсатор.

동기(動機) III 1) стимул; повод; толчок; 2) муз. мотив; 개인적 ~ мотив личного характера; 범죄의 ~ мотив преступления; 직접적 ~ непосредственный повод; 어떤~에서 по(каким-л.) мотивам; ~가 되다 послужить стимулом(толчком)(к чему-л.); ~를 부여하다 дать стимул(толчок); ~를 설명하다 мотивировать.

동기(冬期) IV см. 겨울철; ~방학 зимние каникулы; см. 동계

동남(東南) 1) восток и юг; 2) юго-восток; ~동 ост-зюйдост; ~방(향) юго-восточное направление; ~아시아 юго-восточная Азия; ~풍 юговосточный ветер; ~서북 страны света: восток, запад, юг и север.

동네 селение; деревня; 한 ~사람 односельчанин[-ка]; ~방네 вся деревня; ~방네 소문을 내다 распускать слухи по всей деревне.

동년(同年) 1) тот же год; 2) тот же возраст; 3) см. 동방 III; ~ 12월에 в декабре того же года; ~배 ровесник[-ца]; сверстник[-ца]; однолеток[-ка].

동등(同等) I 1) тот же разряд(класс; сорт; ранг); та же степень; 2) мат. равенство; тождество; эквивалентность; ~하다 равный; тождественный; паритетный; эквивалентный; ~하게 равно; наравне(с кем-чем-л.); на равных правах(с кем-чем-л.); 조건이 ~하다면 при равных условиях; ~하게 하다 рав-няться(с кем-чем-л.); ~권 равноправие; ~관계 соотношение эквивалентности; ~확대체 эквивалентно-е соотношение;...과(와)

하게 нара-вне с..., на равных правах с...

동등(冬等) II арх. 1) четвёртый разряд, четвёртая степень(из четырёх); 2) налоги,вносившиеся зимой

동떨어지다 отдаляться(от кого-чего-л.); отделяться(от кого-чего-л.); 동떨어져서 особняком; 마을에서 동떨어진 외딴집 дом, стоящий осо-бняком от деревни.

동락(同樂)~하다 вместе веселиться (радоваться); разделять(с кем-л.) радость.

동력(同力) I [-нйок] 1) ~하다 соединять усилия; 2) объединённые усилия

동력(動力),에너지 II (운동상태) прям. и перен.(движущая)сила;энергия; 사회발전의 ~ движущая сила общественного развития; ~을 사용하지 않고서 без применения силы; ~계 динамометр; силометр; ~기계 машина с двигателем; энергомашина; ~선 силовая линия; ~설비 энергоустановка; ~자원 энергоресурсы; ~학 динамика; ~공업 энергетическая промышленность; ~기상학 динамическая метеорология; ~기지 энергетическая база; ~농기계 сельскохозяйственная машина с двигателем(напр. самоходный комбайн); ~발란스 энергобаланс; ~설비 энергоустановка; ~체계 энергосистема; ~회로 эл. силовая цепь; ~일군 энергетик; ~원천 энергоресурсы.

동류(同流) I [-нйу] 1) см. 동배 II; 2) (одна и) та же школа; (одно и) то же течение (направление).

동류(同僚) II 1) тот же вид(сорт); ~의 одновидный; ~의 식물 растения одного вида; ~항 подобный член; ~근식 мат. подобный радикал; ~의 식물 растения одного и того же вида; 2) сообщники, соучастники, коллега; сослуживец[-ица]; компаньон[-нка]; 이전의 ~들 бывшие сослуживцы; 직장의 ~ коллега по работе; 나는 그녀와 ~ мы с ней коллеги; ~로 받아들이다 принять(кого-л.) в компаньоны.

동맥(動脈) I прям. и перен.артерия; ~의 артериальный; ~경화 артериосклероз; ~내막염 эндартериит; ~염 артериит; ~출혈 артериальное кровотечение; 경~ сонная артерия; ~경화증 артериосклероз; ~몽오리 мед. аневризма; ~절개 вскрытие артерии; ~주위염 периартериит; ~중증염 мезартериит; ~출혈 арте-риальное кровотечение; ~혈압 арте-риальное давление

동맥(銅脈) II медная жила.

동맹(同盟), 연합(聯合) союз; альянс; блок; ~하다 заключать союз; вступать в союз (блок)(с кем-чем-л.); объединяться; ~하여 в союзе(с кем-чем-л.); 제국주의 ~ антиимпериалистический альянс; 좌익~ союз левых сил; ~국 союзные страны(государства); ~조약 союзный договор; ~파업 (파공) забастовка; ~휴업 забастовка учащихся; студенческая забастовка; 바위~ оборонительный союз; 외교~ дипломатический союз; ~적 союзный; ~국가 союзное государство; союзник; ~태업 саботаж; ~휴교(휴학) забастовка учащихся; студенческая забастовка; ~해고 локаут.

동맹(東盟) II праздник в десятом месяце по лунному календарю, в который приносилась жертва небу(в

Когурё).

동면(東面) I восточная сторона(чего-л.).

동면(冬眠) II зимняя спячка; ~에 들다 находиться в состоянии зимней спячки; 곰은 ~에 들어가 겨울을 난다 медведь проводит зиму в состоянии спячки; ~하다 быть в состоянии(зимней) спячки.

동무, 친구 I друг; товарищ; партнёр[-ша]; сослуживец[-ица]; компаньон; ~하다 дружить (с кем-л.); делать(играть) совместно(с кем-л.); 고향~ земляк; ~따라 강남간다 слепо следует за товарищем на далёкий юг из-за пустяков; 길 ~ спутник[-ца]; попутчик[-ца]; 말 ~ собеседник[-ца]; 소꿉 ~ товарищ с детства; 길~ попутчик, спутник; ~장사 совместная торговля; ~몰래 양식 낸다 *погов.* ≅ скромно трудиться; ~따라 강남 간다 *погов.* ≅ с товарищем хоть на край света(букв. за товарищем идёт на дальний юг).

동무(東廡) II помещение в восточной части молельни(для хранения поминальных дощечек).

동문(同文) I 1) тот же самый (одинаковый; идентичный) текст; 이하 ~ и так далее; ~동궤 см. 거동궤 [서동문]; ~전보 телеграммы с идентичным текстом; 내용은 이하 ~ одинаковое (идентичное) содержание; 2) одна и та же(одинаковая) письменность; ~이다 ~동종 люди одной и той же расы, пользующиеся одной письменностью(но живущие в разных странах).

동문(東門) II восточные ворота; ~옆에 у восточных ворот; ~밖으로 쫓아내다 прогонять за восточные ворота.

동문(同門) III *уст.* у одного и того же учителя; выпускники одного университета(одной школы); товарищ по учёбе; ~수학(동학, 수업) *уст.* учёба (занятия)у одного и того же учителя; ~수학하다 учиться у одного учителя (профессора); 나는 그와 대학 ~이다 мы с ним выпускники одного университета; ~회 ассоциация выпускников.

동물(動物), 짐승 животное; ~의 животный; ~의 세계 мир(царство) животных; ~적 본능 животный инстинкт; 길들이진 ~ дрессированные животные; 네발로 걷는 четвероногие (двуногие) животные; 육식성(잡식성,초식성) плотоядные(всеядные; травоядные)животные; ~을 조련하다 дрессировать(кого-л.); ~기 описание животных; ~보호구역 заповедник; ~생리학 физиология животных; ~생태학 экология животных; ~성 животность; ~원 зоопарк; ~조련사 дрессировщик [-ца]; ~표본 чучело животного; ~학 зоология; ~학자 зоолог; ~해부학 анатомия животных; 무척주~ беспозвоночные животные; 척추~ позвоночные животные; 포유~ млекопитающие животные; ~적 животный; ~곡예 цирковой номер в исполнении зверей; ~섬유 волокно животного происхождения; ~숭배 культ животных; ~심리학 зоопсихология; ~전기 биотоки; ~지리구 зоогеографическая область; ~지리학 зоогеография; ~해부학 анатомия животных; ~화가 анималист; ~우화 *лит.* аполог.

동반(同班) I 1) (одна и) та же группа; 2) *феод.* тот же разряд(ранг).

동반(同伴) II 1) сопровождение; ~하다 сопровождать[ся]; сопутствовать; 여행길에 부인을~하다 сопровождать жену в поездке; 비가 천둥을 ~하다 дождь сопровождался громом; ~자 попутчик[-ца]; спутник[-ца]; компаньон; ~자살 совместное самоубийство(с кем-л.); 2) спутники; ~사격 стрельба по движущейся цели; ~정맥 вена, расположенная рядом с артерией; ~행렬 мат. присоединённая матрица.

동방(東方) I 1) восток; 2) Восток, восточные страны(в противоп. странам Западной Европы); ~의 신비로운 세계 таинственный мир Востока; ~으로 진출하다 выходить на Восток ~토룡단 этн. жертвенник у Восточных ворот Сеула.

동방(東邦) II уст. обр. Корея; ~예의 지국(예의지방) страна на Востоке, в которой строго соблюдаются правила этикета(имеется в виду Корея).

동방예의지국(東方禮義之國) "Восточная страна этики"(старинное название Кореи, данное Китаем).

동방학(東方學) востоковедение.

동병상련(同病相憐) взаимное сочувствие(соболезнование); ~하다 сочувствовать; соболезновать.

동봉(同封) I ~하다 вкладывать в один конверт вместе(с чем-л.); прилагать(к чему-л.).

동봉(動蜂) II рабочая пчела.

동북(東北) 1) север и восток; 2) северо-восток;~의 северо-восточный; ~방 северо-восточное направление; ~부 северо-восточная часть; ~풍 северо-восточный ветер.

동분서주(東奔西走) ~하다 носиться туда и сюда; суетиться; метаться; 매일 밤낮으로 ~하다 каждый день с утра до ночи носиться туда и сюда.

동사(動詞) I глагол; ~의 глагольный; ~어미변화 спряжение глагола; 완료상~ глаголы совершенного вида; 자~ непереходный(переходный) глагол; 조~ вспомогательный глагол.

동사(凍死) II ~하다 гибнуть(погибать) от холода; замерзать.

동산 I 1) холм (невысокая гора) около деревни; 뒷~ холм за деревней; 2) сад; садик(возле дома); парк; ~의 садовый; парковый; ~에서 в саду; в парке; 3) альпийская горка; клумба(возле дома) 꽃~ цветник.

동산(動産) II движимое имущество; движимость; ~을 화재보험에 들다 страховать движимое имущество от пожара; 부~ недвижимое имущество; недвижимость.

동상(銅像) I (бронзовая) статуя; (бронзовый)памятник(кому-л.); ~재막식 церемония открытия памятника; 푸쉬낀 ~ бронзовый памятник Пушкину; ~을세우다 воздвигать бронзовую статую(бронзовый памятник).

동상(凍傷) II 1) обморожение; ~연고 мазь, используемая при обморожении; ~에 걸리다 обмораживаться; ~하다 обмораживаться; 2) обмороженное место; 3) *мед.* ознобление.

동색(同色) 1) тот же(одинаковый) цвет; 2 феод. люди, принадлежащие к одной политической группировке; 초록은 ~ два сапога пара.

동생(同生) I 1) младший брат; 2) младшая сестра(младшие сёстры); 사촌~ двоюродный младший брат; двоюродная младшая сестра; 쌍둥이 ~ братблизнец; сестраблизняшка; 형

~ побратски; 형~하는 사이가 되다 брататься(с кем-л.); 이복~ единокровный брат; единокровная сестра; 친~ родной младший брат; родная младшая сестра.

동생(同生) II ~동락 вместе наслаждаться жизнью.

동서(東西) I 1) восток и запад; ~고금에 없던 일 беспрецедентный случай; ~남북 사방에서 со всех сторон; отовсюду; ~남북 восток, запад, юг и север; ~부 восточная и западная части; ~양 Восток и Запад; страны Востока и Запада; ~불변 обр. невиданная глупость; 2) см. 동서양.

동서(同婿) II 1)свояки(мужья сестёр); 2) невестки(жёны братьев); 나는 그와 동서지간이다 мы с ним свояки; ~보고 춤추다 погов. ≈ и хочется и колется.

동석(同席) I 1) тот же порядок мест; ~하다 сидеть рядом(вместе с кем-л); ~하여 식사를 하다 есть за общим столом; 2) места рядом.

동석(凍石) II тальк, стеатит.

동성(同性) I 1) одинаковое свойство (качество); однородность; 2) одного пола; ~의 однополый; ~애 гомосексуализм; ~애자 гомосексуалист; лесбиянка.

동성(同姓) II одинаковая фамилия; ~동본은 남녀간의 결혼은 한국에서 법적으로 금지되어 있다 В Корее мужчинам и женщинам, у которых одинаковая фамилия и общее место происхождения своей фамилии, строго запрещается по закону вступать в брак; ~동본 одинаковая фамилия и общее место происхождения своей фамилии; ~동명 однофамилец и тёзка; ~부락 할머니 бабушка(по отцовской линии); ~할아버지 дедушка(по отцовской линии); ~아주머니 тётка (сестра отца).

동성(同聲) III 1)одинаковое мнение; аналогичные взгляды; ~상응 находить общий язык; 2) одинаковый звук(голос); ~합창 однородный хор.

동시(同時) I 1) одно и то же время; один и тот же период; ~의 одновременный; синхрон-ный; 2) ~에 одновременно; вместе(с чем-л.); ~에 일어난 두 현상 два одновременных явления; 그와 ~ одновременно с ним; ~에 맞춰서 하다 делать одновременно(с кем-чем-л.); ~대 одна и та же эпоха; один и тот же период; ~대인современник[-ца]; ~녹음 синхронная звукозапись; ~성 одновременность; синхронность; ~촬영 синхронная киносъёмка;~통역 синхронный перевод; ~적 одновременный, синхронный; ~장치 тех. синхронизатор; ~타격 одновременный удар.

동시(東詩) II корейский стих на ханмуне(в противоп. китайскому стиху).

동식물(動植物) животные и растения; 한국의 ~계 фауна и флора Кореи.

동심(同心) I 1) единодушие; единомыслие; концентричность; ~의 единодушный; концентричный; ~하다 иметь единое мнение; ~원 концентрические окружности(круги); ~ 동력(합력)협력 единство мыслей и действий; 2) ~케불 эл. концентрический(коаксиальный) кабель.

동심(動心) II ~하다 растрогаться, расчувствоваться; разволноваться.

동안(同案) I промежуток времени;

그 ~에 в течение этого времени; 내가 살아 있는 ~에 пока я жив; 독서실있는 ~에 во время пребывания в читальном зале; 두 시간 ~에 в течение двух часов; 석달 ~에 за три месяца; 네 시간 ~ в течение четырёх часов; ~[이] 뜨다 а) длительный, долгий(о периоде); б) отдалённый(о растоянии).

동안(童顔) II подетски наивное (простодушное) лицо;그는 ~이다 он выглядит намного моложе своих лет; его лицо выглядит подетски наивно.

동양(東洋) I Восток;восточная Азия; ~화 восточная картина; ~적 восточный; азиатский; ~적 색조 восточный колорит;~적 풍습 восточный обычай; ~인 азиат[-ка]; ~풍 восточный стиль; ~학 востоковедение; ~학자 востоковед.

동양(同樣) II ~하다 *уст. книжн.* одинаковый, однообразный.

동업(同業) 1) совместное торговое дело(предприятие); совместная работа; одинаковое занятие(ремес-ло); 2) ~하다 совместно работать(с кем-л.); заниматься торговым делом вместе(с кем-л.); ~자 компаньон; ~조합 см. 길드; ~조합제도 *ист.* цеховой строй.

동요(童謠) I песни для детей; детская песня; ~경연대회에 참가하다 участвовать в конкурсе песен для детей; ~를 부르다 петь детскую песню.

동요(動搖) II 1) колебание; физ. флуктуация(флюктуация); 2) колебания; нерешительность; волнения; ~하는 колеблющийся; нерешительный; неустойчивый; ~하다 колебаться; волноваться; не решаться; флуктуировать; ~없이 без колебаний; 민중의~ народные волнения;사상의~ брожение идей; ~분자 колеблющиеся элементы.

동원(動員) мобилизация; ~의 мобилизационный; ~하다 мобилизовать; производить мобилизацию; приводить(кого-что-л.)в активное действие; 무력을 ~하다 мобилизовать вооружённые силы; 총 ~령을 내리다 объявить всеобщую мобилизацию; ~령 приказ о мобилизации; 부분~ частичная мобилизация; 총~ всеобщая мобилизация; ~적 мобилизационный.

동(東)유럽권 восточноевропейский блок; ~쪽의 восточный; ~에 번쩍 서에 번쩍 внезапно появиться и исчезнуть; ~이 트다 брезжить; рассветать; 극~ Дальний Восток; 중~ Средний Восток.

동의(同議), 찬성(贊成) I единомыслие; одинаковое мнение; одинаковая мысль; согласие; совпадение мнений(взглядов; мыслей); ~하는 согласный. ~ 하다 соглашаться(на что-л., с кем-л.); давать согласие; быть одного мнения; ~를 얻다 получать согласие(от кого-л.); 제안에 ~ 하다 соглашаться на предложение; 저는 당신의 견해에 전적으로~합니다 я полностью согла- сен с вами.

동의(同義) II одинаковый смысл; синонимия; ~적 синонимический; синонимичный; 구문론상의 ~ синтаксическая синонимия; 어휘론상의 ~ лексическая синонимия; ~어 синоним.

동의(動議) III внесение предложения; предложение; ~하다 вносить предложение; предлагать; 정회를 ~하다 предложить прервать заседание; 긴급~ предложение о рассмотрении внеочередного вопроса.

-동이 ласк. суф. малыш; 귀염~ милый ребёнок; 막내~ последыш; 해방~ поколение, родившееся в 1945-ом году, после освобождения Кореи от Японского империализма

동(이)나다 полностью израсходоваться; кончиться; 재고가 모두 동이 났다 все запасы кончились.

동일(同一) I ~하다 тот же самый; тождественный; одинаковый; ~시하다 считать одинаковым; ставить на одну доску; ~개념 лог. тождественные понятия; ~법칙 закон тождества; ~성 идентичность; тождественность; ~원리 лог. критерий тождества.

동일(同日) II тот же(самый) день.

동작(動作) I движение; действие; ~하다 двигаться; действовать; быть в действии; 손~ движение рук; ~묶음 кобинация движений (в танце); ~전류 а) эл. рабочий ток; б) биотоки.

동작(東作) II арх. весенние полевые работы; ~서성 весною посев, а осенью уборка.

동전(銅錢) медная монета; ~ 한 닢 없다 ни гроша нет.

동점(同點) I равное число очков (баллов); ровный счёт; 축구경기는 3 대3 ~으로끝났다 Футбольный матч окончился в ничью со счётом 3:3.

동점(東漸) II уст. ~하다 постепенно распространяться на Восток.

동접(同接) уст. 1) ~하다 вместе учиться, учиться в одной школе; 2) одноклассник; однокурсник; товарищ по школе.

동정 I накладывать воротничок; ~을 달다 пришивать белый накла-дной воротничок; ~ 못다는 며느리 맹물받라 머리빗는다 *посл.*=по наружности о человеке не суди.

동정(同情) II сочувствие; сострадание; ~어린 눈으로 바라보다 смотреть глазами, полными сострадания; ~하다 сочувствовать(кому-л.); испытывать сочувствие(к кому-л.); 남의 불행을 ~하다 испытывать сочувствие к чужому горю; принимать участие в чужом горе;~하여 из сострадания; из жалости; ~심 отзывчивость; ~파업 забастовка солидарности.

동족(同族) 1) соотечественники; соплеменники;~상잔 распри между соотечественниками(соплеменниками); ~어 слова, образованные от одного и того же корня; ~애 любовь к соотечественникам; ~결혼 эндошамия;~관계этническая связь; ~내란 гражданская война; ~상쟁 братоубийсвенная война; ~학살 братоубийство; ~현상 биол. гомология; 2) см. 동종 I.

동종(同種) ~의 однородный; одноимённый; ~요법 гомеопатия; ~요법의 гомеопат; ~문장 성분 однородные члены предложения;~상척 уст. чуждаться друг друга(напр. о родственниках); ~이식 мед. гомотрансплантация; ~이형 биол. диморфизм; ~의 돼지 свиньи одной породы; ~의 물건 однородные вещи; ~의 작업 одинаковая работа.

동지(冬至) I зимнее солнцестояние; 동짓날 день зимнего солнцестояния; ~두죽(팥죽; 시식) этн. жидкая каша из фасоли угловатой(которую едят в день зимнего солнцестояния)

동지(同志) (친구) II 1) вежл. товарищ; единомышленник; 2) арх.

единодушие; 혁명~ товарищ по революции; ~애(愛) товарищеская дружба; чувство товарищества; ~적 товарищеский.

동질(同質) одно и то же(одинаковое) качество; ~적 однородный, гомогенный; одного и того же качества; ~다상 мин. полиморфизм; ~이상 мин. диморфизм; ~이성 хим. изомерия

동쪽 восточная сторона; восток; ~마을 деревня на восток(от чего-л.).

동창생(同窓生), 동창 товарищ по учёбе; 나는 그와 ~이다 мы с ним учились вместе.

동창회(同窓會) 1) корпорация выпускников одной школы(одного учебного заведения); 2) собрание учащихся(студентов) (одного учебного заведения)

동체(胴體) туловище; торс; корпус; 비행기의 ~ фюзеляж; корпус самолёта; ~착륙 ав. посадка на фюзеляж; ~폭탄가 фюзеляжный бомбодержатель.

동침하다 спать вместе(о супругах); спать вместе на одной постели.

동태(凍太) I 1)мороженый минтай; 2) минтай зимнего улова.

동태(動態) II движение; сдвиги; тенденция; изменения.

동태(動胎) III кор. мед. боязнь выкидыша.

동판(銅板) I листовая медь;медные пластины; медная гравировальная доска.

동판(銅版) II медная печатная доска.

동포(同胞) I 1) соотечественник; 해외~ соотечественники, проживающие за рубежом; ~애 любовь к соотечественникам; 2) родные братья и сёстры

동포(洞布) II феод. холст, вносившийся крестьянами в качестве откупа от воинской повинности.

동하다 I 1) уст. двигаться, играть(о мускулах); 2) возбуждаться; пробуждаться(о чувствах); 호기심이 ~ возбуждается любопытство; 마음이 ~ беспокоиться; 3) возобновляться(о бо-лезни).

동하다(同-) II уст. книжн. тот же самый, одинаковый, такой же.

동해(東海) I Восточное море; ~안 восточное побережье; побережье Восточного моря;~부인 арх. см. 홍합.

동해(凍害) II ~를 입다 быть побитым морозом(о растениях)

동행(同行) I 1) сопровождение;~하다 идти вместе; сопровождать; сопутствовать; 2) ~자(인) спутник; попутчик.

동행(東行) II ~하다 идти (ехать) на восток.

동화(同化) I 1) ассимиляция; адаптация; 2) усвоение; освоение; ~하다 ассимилироваться; уподобляться; ~정책 политика ассимиляции;~작용 ассимиляция; ~전분 ассимиляционный крахмал; ~유연 조직 анат. бот. ассимиля-ционная паренхима.

동화(童話) II 1) детский рассказ; рассказ для детей; ~작가 детский писатель; ~집 сборник детских рассказов; 2) детская литература.

동화책 книга детских рассказов; 동화책에 마음이 갔다 книга сказок запала в душу.

돛 парус;~을 달다 поднять паруса.
돛단배 парусник; парусная лодка.
돛자락 нижняя часть паруса.
돼(되여) см. 되다; 돼 먹다 прост. хо-рошо, ладно.

돼지 1) свинья; ~단독 вет. рожа у свиней; ~페스트 чума у свиней; ~회충 свиные аскариды; ~옴벌레 зоол. свиной зудень; ~가 깃을 물어들이면 비가 온다 *посл.* ≅ иногда и глупый попадает в точку; ~는 흐린 물을 좋아한다 *посл.* ≅ а) свинья найдёт грязь; б) всякая птица своим голосом поёт; ~떽따는 소리 обр. пронзительный визг; 2) бран. свинья; 3) одно очко(в игре ют); 4) этн. «свинья» (назв. 12-го знака двенадцатеричного цикла)

돼지고기 свинина.

되 I 1) тве(мера сыпучих тел - 1,8 л.); мерка для зерна(ёмкость 1,8 кг); 되로 주고 말로 받는다 *посл.* ≅ воздастся строицею; 2) несколько тве.

되 II арх. варварские племена (на севере Манъчжурии).

되 III диал. см. 되우.

되- преф. 1) напротив; наоборот; 2) обратно; назад; ~돌아서다 возвращаться назад; 되받다 огрызаться; 되치이다 быть побитым своим оружием; 되가지다 взять обратно; 3) опять; 되풀이 снова и снова.

-되 оконч. деепр.с противит. и разъяснительным значением.

되가지다 взять обратно.

되감다 снова наматывать; перематывать.

되넘기 перепродажа; ~장수 перекупщик; ~하다 перепродавать.

되넘기다 1) снова передавать(переправлять); 2) снова возвращать.

되넘겨짚다 упреждать, опережать.

되넘다 [-тта] 1) снова переходить (переправляться); 2) обратно переходить (переправляться)

되다 1. 1) становиться; превращаться; являться; быть; годиться; вырасти; наступать; исполняться; 되는 대로 как попало; как выйдет; как получится; наобум; на скорую руку; небрежно; 다 되었다 всё готово; 밤이 되었다 наступила весна; 밤이 되었다 наступила ночь; 곱게 стать красивым; 삼 년이 되었다 прошло три года; 된 사람 настоящий человек; 된 말 подходящее слово; 삼 십여 명이나 되었다 нас было свыше тридцати человек; 하나로 ~ быть одним из...; 될 성부른 나물은 떡잎부터 알아본다 *посл.* ≅ каков корень, таков и отпрыск; 2) выходить, получаться; быть готовым; 배추가 잘되었다 капуста выросла хорошей; 공연은 잘 되었다 гастроли прошли успешно; 된 대로 как выйдет, получится; 될 번 댁 шутл. неудачник; 만일 될 수 만 있다면 если удастся; 될 수 있는 대로 по возможности; 되도록(될수록) по возможности, как можно(напр. быстрее); 3) состоять(из чего-л.); 중대는 세 개 소대로 되어 있다 рота состоит из трёх взводов; 4) впадать(в какое-л.) состояние; 걱정이~ встревожиться; 안심이~ успокаиваться; **2.** 1) после результативного деепр. с оконч. 게 а) получить возможность; б) быть вынужденным;여기서 일하게 되었다 пришлось (удалось) здесь поработать; 2) после инф. на 기 в твор. п. быть решённым; 현물세를 폐지하기로 되었다 решено было отменить натуральные налоги; 3) после деепр. с оконч.-아(어, -여) в сопровождении частицы 야+하다(되다) должен; 나는 잘 배워야 된다 я должен хорошо учиться; 4) после деепр. с оконч. -아서(-어서, -여서) в сопровождении частицы 는 с послед. отриц. не следует, не годится, нельзя(делать что-л.); 거기 가서는 안된다 туда не следует идти.

되다 II мерить(меркой зерно).

되다 III 1) густой; крутой; 2) туго натянутый; 3) 되게 сильно; серьёзно; 된풀 густой клей; 된 сильный, серьёзный; 된맛 чувство горечи.

되도록 по возможности; как можно; ~좋게 как можно лучше.

되돌다(되도니, 되도오) снова(обрано) возвращать[ся].

되돌려보내다 посылать(возвращать) обратно.

되돌리다 заставлять(позволять) возвращаться.

되돌려보내다 посылать(возвращать) обратно.

되돌아가다 обратно возвращаться.

되돌아서다 поворачиваться обратно.

되돌아오다 приходить(приезжать) обратно; обратно возвращаться.

되들다 I (되드니,되도오) снова(обратно)входить; 되들고되나다 входить и выходить(вслед за другими).

되들다 II (되드니, 되도오) 얼굴을 ~ задирать нос; быть высокомерным (заносчивым).

되려 сокр. от 도리어.

되묻다(되물으니, 되물어) переспрашивать.

되박 [-빡] 1) см. 되 I; 2) посуда, используемая вместо мерки(при измерении зерна мерой тве).

되받다 получать обратно; возражать; давать отпор; огрызаться; 되받아 넘기다 передавать(кому-л.) полученное(от кого-л.); 되받아 묻다 되받아 외다 тут же повторять(услышанное).

되살아나다 заново рождаться; возрождаться.

되새기다 1) постоянно жевать; 2) снова обдумывать.

되새김질 жвачка; ~하다 жевать жевачку; глубоко задуматься(над чем-л.).

되었습니다 стал.

되짚다 1) снова опираться(напр. на трость); 2) 되짚어 тут же, сразу же; 묻다 тут же снова спросить.

되찾다 снова искать(разыскивать).

되풀이 I повторение; ~하다 повторять; ~되다 повторяться; ~교잡 с.-х. повторное скрещивание.

되풀이 II ~하다 1) мерить с помощью тве(см. 돼); 2)продавать зерно меркой тве.

된- преф. 1) густой, крутой; 된장 соевая паста; 2) сильный

된바람 сильный ветер.

된소리 I сильный; взрывной; согласный

된소리 II геминáта; ~괴기 геминáция(в кор. языке ㄲ,ㄸ,ㅃ,ㅆ,ㅉ).

된장(-醬) соевая паста; ~국 суп, заправленный соевой пастой; ~에 풋고추 박히듯 обр. неподвижно, не двигаясь.

두(斗) I см. 두성.

두(豆) II этн. деревянный жертвенный сосуд с крышкой(для мяса).

두(頭) III счёт. сл. для домашнего скота голова.

두 IV определит. ф. числ. два; ~사람 два человека; 두 번 два раза; 두 번째 второй, другой; 두변수 함수 мат. функции двух переменных; 두 배나 вдвое; 두 손연락 спорт. передача двумя руками; 두 점변 см. 이수변; 두 길마를[길을] 보다 лавировать; сидеть между двух стульев;

두 귀가 번쩍 뜨이다 см. 귀[가 번쩍 뜨이다] I; 두 다리를 걸치다 см. 량[다리를 걸다] V; 두 동이 지다 противоречить(друг другу); не совпадать; 두 동이 싸다 неуверенный, нерешительный; 두 말 말고 беспрекословно; 두 말 못 하였다 не мог сказать ни "да" ни "нет"; 두 말하다 бросать слова на ветер; зря болтать; 두 말않다 두 말없이 молча; не перебивая; 두 볼에 밤을 물다 обр. сердиться; надуваться; 두 손 맞잡고 앉다 сидеть без дела; 두 손 버무리 두 손벽이 맞아야 소리 난다 посл. ≃ букв. только две ладони издают звук; 두 손을 들다 손[을 들다]; 두 손에 떡 посл. ≃ букв. в обе руки, да по хлебцу; 두 수 двоякий способ; 두 수 없이 так и не иначе; только так; 두 절개 посл. ≃ букв. собака, приходящая за едой в два храма остаётся без еды.

두 V звукоподр. хрюканью свиньи хрю

두-(頭) преф. кор. голова; 두 문자 заглавная буква.

두 군데 два места.

두각(頭角) макушка; верхняя часть головы;~을 나타내다 быть на голову выше(других); выделяться.

두고보다 выжидать; следить.

두고보자 поживём-увидим.

두교대 1) ~작업 двухсменная работа; 2) вторая смена; ~하다 заступать на вторую смену.

두교대제(-交代制) система работы в две смены.

두근거리다 биться; колотиться(о сердце); 가슴이 ~ сердце стучит (колотится; прыгает).

두꺼비 жаба; ~기름 жир жабы(как лекарство); ~파리 잡아먹듯 обр. хватая на лету; ~꽁지 만 하다 см. 게꽁지 [만 하다].

두꺼운 толстый.

두껍다 (두꺼우니, 두꺼워) толстый; большой.

두께 толщина; 벽의~ толщина стены.

두뇌(頭腦) 1) головной мозг; 2) ум; сознание; рассудок; 3) место на склоне горы, удобное для захоронения.

두다 1. 1) положить; класть; 2) оставлять; 그대로 ~ оставить в таком же положении; оставить как есть; 염두에 ~ иметь в виду; 사이를 두고 с интервалами, с промежутками; 이틀을 두고 через(каждые) два дня; с промежутком в два дня; 3) помещать; устраивать; 보초를 ~ выставлять часового; 4) сохранять, беречь; 두었다가 국 끓여 먹겠느냐? ирон. бережёшь, чтобы забрать с собой в могилу; 5) располагать, класть(что-л.) в (каком-л.) направлении; 6) не обращать внимания; пренебрегать; 7) добавлять, примешивать(в пищу); 8) набивать (ватой); сажать(на вату); 9)создавать, учреждать; сооружать, строить; делать; 부서를 ~ создавать отдел; 대문을 ~ ставить ворота; 차이를 두지 않고 не делать различия; 중점을 ~ делать упор (на что-л.); 10) иметь в виду; 11) иметь(при себе); брать с собой; 양자를 ~ иметь(воспитывать) приёмного сына; 12) держать, нанимать (слугу и т. п.); 13) назначать; избирать(на должность); 14) играть(в шахматы и т. п.); 15) 두고 на протяжении; в течении; 평생을 두고 всю жизнь; 16) арх. ставить(подпись); 두고 보다 следить, выжидать; 두고

봅시다 поживём увидим; 내 말이 안 맞는가 두고 보시오 подожди, время покажет, прав я или нет; **2.** после деепр. на -아, -어, 여 указывает на то, что действие, выраженное деепр., совершается с учётом того, что его результат используется в дальнейшем: 모아~ собирать на всякий случай.

두덜거리다 ворчать; бормотать, бурчать себе под нос.

두둑하다 выпуклый; обильный.

두둔 покровительство; протекция; заступничество; ~하다 покровительствовать; протежировать; заступаться; защищать(кого-л.); брать под защиту.

두둥실 ~뜨다, ~하다 парить(в воздухе); плавно плыть(по воде)

두드러지다 **1.** 1) выпуклый, рельефный; надлежащий; выделяющийся; 두드러진 곳 выступ; 2) отчётливый, выразительный; 두드러진 생각 ясная мысль; **2.** 1) выступать, выдаваться, вздуваться; выгибаться(посередине); выскочить(о прыще и т. п.); 2) становиться отчётливым(рельефным).

두드리다 1) стучать; 문을 ~ стучать в дверь; 손벽을 ~ хлопать в ладоши; 2) прост. бить, колотить; 주먹으로 ~ бить кулаком; 3) 두드려 как попало; на скорую руку, коекак.

두들기다 сильно стучать; ударять; бить.

두런두런하다 шептаться; шушукаться.

두려운 страшный.

두려움 страх; боязнь

두려워하다 бояться; страшиться; испытывать боязнь(страх); опасаться; трусить; робеть(перед кем-л.).

두렵다(두려우니, 두려워) 1) прил. бояться; страшиться; опасаться; 2) очень сомнительный.

두루 1) вокруг, кругом; 2) почти все; все без исключения; в общем; 옛 친구들을 ~ 다 만나 보았다 встретил почти всех из старых друзей;~생각해 보다 обдумать со всех сторон; ~춘풍 а) терпимое отношение; б) терпимый(добродушный человек).

두루두루 1) кругом; вокруг; ~살피다 озираться по сторонам; оглядываться вокруг; 2) коекак; 3) безразлично, равнодушно(относиться к кому-л.).

두루마기(남자들이 외출할 때 입는 코트) турумаги пальто, которое одевают мужчины на выход; корейский верхний халат.

두루치기 I 1) широкое использование(применение); 2) ходовая(широко используемая) вещь; 3) применимость; 4) мастер на все руки.

두루치기 II закуска из моллюсков (осьминога) с приправой.

두르다(두르니, 둘러) 1) крутить, вертеть, вращать; 재봉틀을~ шить на машинке; 2) махать, размахивать (напр. флажком); 3) обходить по краю, огибать; окружать; 선을~ заключать в круг; 테를~ обрамлять; 4) см. 에돌다; 5) окутывать; обматывать, обвязывать; 목도리를 목에 ~ обвязывать шею шарфом; 머리에 수건을~ повязать голову платком; 6) надевать(кор. юбку); опоясываться (ремнём); 7) помыкать(кем-л.); 8) обводить(кого-л.) вокруг пальца; 9) доставать, добывать; 10) заменять (слово); ‖ 둘러놓다 а) складывать (расставлять) вокруг(чего-л.); 그들은 의사를 놓고 앉았다 они расселись вокруг врача; б) изменять направление; повёртывать;

둘러 대다 а) запускать(напр. машину); б) доставать, добывать; в) перен. выкручиваться;

둘러막다 огораживать;

둘러말하다 говорить(о чём-л.) не прямо(иносказательно);

둘러맞추다 а) приспособлять; подгонять; б) придумывать, сочинять.

둘러매다 а) брать(взваливать) на плечи; б)замахиваться(палкой и т. п.)

둘러보다 осматривать, оглядывать; 사방을 ~ оглядываться кругом(по сторонам).

둘러붙다 переходить(на чью-л. сторону); примыкать(к группе и т. п.)

둘러서다 обступать;

둘러차다 подвешивать(вокруг чего-л.)

둘러치다 I окружать, огораживать

둘러치다 II а) перекидывать, перебрасывать(через голову); б) ударять со всего размаха; 둘러치나 메치나 погов. как ни делай результат один и тот же

둘러싸다 а) окутывать, обматывать, обволакивать; 식탁을 둘러싸고 вокруг обеденного стола; в) концентрировать внимание(на чём-л.), придавать серьёзное значение(чему-л.);

둘러쓰다 а) обматывать, завязывать (голову); б) облеплять, обливать(с ног до головы); в) покрывать сплошь (напр. о прыщах); г) брать, принимать на себя(чью-л. вину и т. п.)

둘러앉다 рассаживаться вокруг (чего-л.)

둘러엎다 опрокидывать.

두르르 1) ~말다 свёртывать в трубочку; 2) ~굴다 катиться с грохотом (о колесе и т. п.).

두름 1) связка рыбы из 20 штук, нанизанных по 10 штук на две бечёвки; 2) связка(какой-л. зелени) из 10 пучков; 3) несколько связок (зелени).

두리번거리다 눈을~ вращать глазами; 사방을 ~ оглядываться по сторонам.

두만강(-江) р. Туманган.

두메 отдаленная горная местность; ~산골 앉은 이방이 조정일 알 듯 погов. ≅ сидит дома, а обо всём знает(букв. как писарь в горном захолустье знает обо всех государственных делах)

두문불출(杜門不出) ~하다 быть затворником;жить в четырёх стенах.

두부(豆腐) I соевый творог; ~껍질 корочка на соевом тво-роге.

두부(頭部) II голова.

두부찌게 суп из тубу.

두서너째 второй-третий-четвёртый.

두서넛 два-три-четыре.

두세 перед именем два-три.

두세째 второй-третий.

두셋 два-три.

두텁다(두터우니,두터워) 1) см.두껍다; 2) крепкий, прочный(о дружбе); 3) большой, огромный(напр. о заботе); сердечный; достаточный; зажиточный; сочный; очень гус-той; 두텁게 массивно; густо; сочно; 두터운 잎사귀 толстые листья; 두터운 배려 огромная забота; 두터운 우정 крепкая дружба; 4) см. 넉넉하다; 5) см. 짙다.

두통(頭痛) головная боль; ~거리 головоломка; загвоздка.

둑(축) I дамба; плотина; насыпь; ~을 막다 заделывать дамбу.

둑 II два круга, которые проходит фишка(в игре ют);~이나다 пройти два круга(о фишке).

둑길(밭둑길, 논둑길) дорога по насыпи между полями.

둔(屯) 1) сборище; ~을 치다 устраивать сборище; толпиться; 2) место сборища.

둔하다(鈍-) 1) медлительный; неповоротливый; неуклюжий; 2) громоздкий; массивный; 3) тупой; глуповатый; 머리가 둔해졌다 голова отупела; 둔한 사람 медлительный человек; 4) глухой(о звуке).

둘 два; ~이 оба; двое; ~이서 вдвоём; ~도 없다 а) нет второго такого; б) дорогой, единственный; 둘이 먹다가 하나가 죽어도 모르겠다 *посл.* ≒ язык проглотишь(букв. оба едят так, что умри один, другой не заметит).

둘- преф. бесплодный(о животном); 둘암소 яловая корова.

둘둘 1) ~말다 свёртывать; 종이를 ~ свёртывать бумагу; 2) ~굴리다 катить; 콩을~ катить шар;~구르다 легко катиться(о тяжёлом круглом предмете)

둘러대다 говорить не прямо(иносказательно); говорить обиняком.

둘러보다 осматривать; оглядывать; ~ 주위를 оглядываться кругом; озираться вокруг.

둘러서다 обступать; 학생들이 선생 주위에 둘러섰다 школьники обступили учителя.

둘러싸다 окутывать; обматывать; обволакивать; окружать; обступать; 둘러싸고 вокруг(кого-чего-л.).

둘러앉다 рассаживаться вокруг (чего-л.);

둘러 앉았습니다 усесться в кружок.

둘러엎다 опрокидывать.

둘레 окружность; 가슴~ объём груди; ~에 вокруг.

둘째 второй; ~ 손가락 указательный палец; ~아버지 дядя(второй брат отца); ~어머니 тётка(жена второго брата отца); ~치고 считая второстепенным; ~로 가라면 섧다(설위, 노엽다, 노여워) 하겠다 достойный быть впереди(первым); 둘째 절 второй куплет

둥 I (...둥, ...둥) после прич. употр. дважды то ли ..., то ли; либо ..., либо; или ...,или; не то ..., не то...; 그가 고향으로 돌아오리라는 둥, 평양에 남아 있으리라는 둥, 한 동안 말들이 많았다 одно время многие говорили, что он либо вернётся в родные места, либо останется в Пхеньяне.

둥 II звукоподр. однокр. удару в большой барабан *и т. п.* бум.

둥그래지다 становиться круглым; округляться.

둥그러니 нареч.в форме круга(шара)

둥그러지다 1) упасть и покатиться; 2) кувыркаться;кататься(по земле)

둥그렇다(둥그러니,둥그러오) см.둥글다

둥글넓적하다 [-롭-] круглый и приплюснутый.

둥글다(둥그니, 둥그오) 1) круглый; 2) становиться круглым; округля-ться; 둥근얼굴 круглое лицо; 둥글게하다 округлять; 둥근지붕(천정) купол; 둥근톱 круглая(циркулярная) пила.

둥글둥글 ~하다 а) круглые(о нескольких предметах); б)совершенно круглый.

-둥이 пренебр.суф. образует имена от имён: 바람둥이 ветренный(легкомысленный) человек.

둥지, 보금자리 1) прям. и перен. гнездо; ~를 틀다 вить гнездо; гнездиться; 2) см. 굴.

뒤 1) зад; задняя(обратная; другая) сторона(часть); ~에서 за спиной; за кулисами; за глаза, тайком; ~를 따라 вслед(следом) (за кем-л.); 뒤에 수평 현수 спорт. заднее равновесие при горизонтальном ви- се; 뒤로 돌리다 повернуть обратно; 그 뒤를 이어 вслед за этим; ~에 뒤를 이어 один за другим; ~에 처지다 отставать(от кого-л.); ~로 호박 씨 깐다 *см.* 밑구멍[으로 호박씨 깐다]; ~를 돌아 보다 оглядываться назад на прошлое; 2) сущ. затем, потом, после; 일을 ~로 미루다 отложить работу; ~가 나다 (켕기다) бояться за последствие;~를 거두다 *см.* 뒷일[을 수습하다]; 뒤를 누르다 беспокоиться о будущем; ~를 두다 а) не решать, оставлять на будущее; б) затаить(напр. зло); 뒤[를 사리다]; ~에 난 뿔이 우뚝하다 *посл.* ≅ букв. поздние рога мощнее ранних; ~에 불나무는 그루를 돋운다 *посл.*≅ букв. дерево, которым будешь любова- ться на-до вырастить; ~에 오겠다 приду потом; ~에 오면 석 잔이라 *погов.* ≅ опоздавшему три штрафные рюмки; 수술의 ~가 좋다 результат операции отличный; 3) конец(чего-л.); 뒤[를 다지다]; в) *см.* ~를 달다 ~를 맑히다 закончить полностью(напр. работу);~를 조지다 а) закончить(завершить) полно-стью; привести в порядок(дело); 뒤[를 다지다]; в) *см.* 뒤[를 누르다]; 4) след; 손 댄 뒤 след руки; ~가 풀리다 бесследно проходить(напр. об обиде); ~를 밟다(재다) выслеживать; идти по следу; 5) поддержка; ~가 든든 하다 иметь надёжную поддержку; 6) *см.* 뒤대; 7) *см.* 뒤밭;~를 방이다 ставить фишку на одну из последних клеток поля, где стоит другая фиш-ка(в игре ют); ~를 꽂다 ставить фишку на клетку последнего ряда(в игре ют); 8) ягодицы, зад; ~가 늘어지다 *обр.* а) засиживаться; б) не доводить дело(до конца), затягивать (окончание чего-л.); ~를 빼晳[а) сбегать; б) см. 발뺌[을 하다]; ~를 싸주다 *обр.* брать под защиту; баловать (ребёнка); 9) эвф. *см.* 똥; ~가 급하다 испытывать сильные позывы к отправлению естественной надоб-ности; ~가 무겁다 а) чувствовать позывы при запоре; б) чувствовать слабость после болезни; ~가 터지다 испражняться на постели(о тяжё-л о больном); ~가 트이다 налаживаться (о желу-дке) после запора; ~를 보다 опра-вляться; 10) *см.* 맞건 뒤;~내려 긋다 добавлять вторую вертикаль-ную черту(к графемам 아, 야) ~가 구리다 быть двуличным; ~를 노리다 быть пристрастным; искать недо-статки(у другого); ~가 드러나다(들리다) а) стать известным; по-лучить огласку; б) разориться; ~를 물다 следовать друг за другом; ~를 부탁하다 просить присмотреть(за чем-л.); ~를 사리다 поступать(го-ворить) осторожно(с оглядкой); ~를 캐다(파다) тайно расследовать; ~를 잇다 наследовать.

뒤- преф. гл. и прил. 1) как попало, беспорядочно; 뒤까불다 вести себя легкомысленно; 2) сильно; 뒤놀다 сильно качаться; 3) снова, опять; 뒤바꾸다 снова менять; 4) наоборот; 5) весь, целиком; 뒤덮다 сплошь покрывать.

뒤(뒷)간 [-깐] *см.* 변소; ~기둥이 물방아 기둥을 더럽다 한다 *посл.* ≅

чужие грехи перед очами, а свои за очами; ~과 사돈집은 멀어야 한다 *посл.* ≅ лучше жить подальше от уборной да от сватов; ~에 갈 적 맘 다르고 올 적 맘 다르다 *посл.* ≅ вздохнуть свободно (напр. выполнив работу); ~에 옷입하고 사나 보자 *погов.* скупой богач беднее нищего.

뒤(뒷)걸음 [-ккор-] 1) шаг(ход) назад; 2) см. 퇴보; ~을 치다, ~하다 а) шагать(пятиться) назад; б) см. 퇴보[하다].

뒤(뒷)골목 [-ккол-] дальний переулок.

뒤(뒷)길 I [-ккил] 1) дорога сзади (чего-л.); 2) будущее;перспектива; 3) неофициальный путь, способ; 4) уст. северная(западная) провин-ция(по отношению к южной про-винции); ~을 두다 оставлять ла- зейку.

뒤(뒷)길 II [-ккил] спинка платья.

뒤(뒷)끝 1) конец; окончание(напр. собрания); ~을 막다 см.끝[을 막다]; 2) последствие, результат, ~을 보다 видеть результаты(чего-л.).

뒤(뒷)다리 [-тта-] 1) задние лапы (ноги); 2) задние ножки(мебели);~를 잡다 обнаружить(найти) слабое место (у кого-л.).

뒤돌아보다 оглядываться назад

뒤돌아서다 поворачиваться назад.

뒤따르다 идти вслед; следовать(за кем-л.); следовать по пятам

뒤떨어지다 отставать; 유행에~ отставать от моды.

뒤(뒷)맵시 [твин-] вид сзади.

뒤(뒷)문(-門) [твин-] задние двери (ворота); чёрный ход; ~거래 чёрный рынок; торговля изпод полы; ~으로 드나들다 заходить(выходить)тайком

뒤물 [твин-] вода для подмывания; ~하다 подмываться.

뒤바퀴 [-ппа-] заднее колесо.

뒤범벅 1) беспорядок; неразбериха; сутолока; ~이 되다 быть перемешанным; всё вверх дном; 2) перен. каша, винегрет.

뒤살피다 внимательно(тщательно) осматривать.

뒤소리 [-ссо-] 1) см. 뒤말; 2) закулисные разговоры; 3) крики одобрения; подбадривающие возгласы; ~하다 а) см. 뒤말[하다]; б) вести закулисные разговоры; в) ободрять, подбадривать криками.

뒤엎다 опрокидывать;перевёртывать вверх ногами.

뒤전 I [-ччон] 1) сущ. позади, сзади (чего-л.); 2) обратная(закулисная) сторона; ~을 보다 делать(что-л.) тайком; 3) последняя позиция; 4) задняя часть борта(судна); 5) этн. Последний(двенадцатый) круг(в шаманском обряде); ~을 놀다 а) завершать, заканчивать; б) этн. завершать последний круг(в шаманском обряде).

뒤전(-殿) II [-ччон] этн. помещение в королевской родовой молельне, где хранились поминальные дощечки.

뒤지다 I 1) отставать; 2) не достигать; не доходить.

뒤지다 II 1) искать; копаться(в чём-л.); 2) разрывать; разгребать; 3) листать; 호주머니를 ~ искать в кармане; 책장을 ~ листать страницы книги.

뒤집다 1) выворачивать наизнанку; переворачивать; 소매를~ вывернуть рукава; 건초를 ~ ворошить сено; 2) переставлять; менять местами; ~집 는 대위법 *муз.* обратимый контрапункт; 3) переделывать, перерешать; 4)

закатывать (глаза); 눈을 ~ закатить глаза; 5) всполошить, взбудоражить; ~집고 핥다 хорошо знать, подробно разузнать; ~집어쓰다 물을 a) небрежно надевать(шапку); б) укрываться с головой; в) быть облитым с ног до головы; г) принимать на себя(вину); брать на себя(ответственность); ~집어 엎다 a) переворачивать; опрокидывать; б) подрывать, вредить; в) свергать; г) опровергать;д) всполошить.

뒤집어쓰다 небрежно надевать; укрываться с головой; быть покрытым с головы до ног; брать на себя; 모자를~ нахлобучить(надеть) шапку; 이불을~ укрыться одеялом; укутаться в одеяло; 물을 ~ быть облитым с головы до ног.

뒤집어엎다 переворачивать; опрокидывать; свергать; 잔을 ~ опрокинуть чашку; 적들의 주장을 ~ опровергнуть утверждение врагов.

뒤집히다 1) быть вывернутым наизнанку(перевёрнутым; опрокинутым); 2) быть смещённым(перемещённым); 3) быть переделанным; 4) закатываться (о глазах); 주전자가 뒤집혔다 чайник опрокинулся; 눈이 뒤집혔다 глаза закатились.

뒤쫓다(뒤쪼으니,뒤쪼아) долбить (напр. долотом) то тут, то там.

뒤척이다 шарить; рыться; ворошить.

뒤축 1) см. 발뒤축; 2) задник обуви; пятка(носка, чулка).

뒤치닥거리 1) уход, забота; 2) приведение в порядок; ~하다 a) ухаживать, заботиться, следить(напр. за детьми); б) приводить в поря-док, убирать.

뒤틀다(뒤트니, 뒤트오) 1) вывёртывать; закручивать; поворачивать; вертеть; крутить; 2) противостоять; не уступать(друг другу); 3) препятствовать; срывать.

뒤틀리다 1) быть вывернутым(закрученным); 2) противостоять; не уступать; 3) быть сорванным(напр. о плане); 4) быть злым(опасным); 5) ошибаться.

뒷걸음 шаг(ход) назад; ~질 하다 пятиться назад; ~치다 шагать назад; идти назад; идти вспять.

뒷받침 подставка; подкрепление; подпорка; поддержка; помощь; ~하다 подставлять; подпирать; поддерживать; помогать.

뒷전 позади; сзади; обратная(закулисная) сторона; задняя часть борта; ~에서비방하다 клеветать за спиной (за глаза).

듀랄루민(*англ.* duralumin) дюралюминий; дюраль.

드 ты(назв. кор. согласной буквы ㄷ)
드- преф. очень;
드높다 очень высокий.
드나들다(드나드니, 드나드오) 1) входить и выходить; 2) приходить и уходить; приезжать и уезжать; 3) ходить взад и вперёд; сновать тудасюда; 4) быть неровным.
드넓다 очень широкий; просторный;
드넓은 바다 бескрайнее море
드높다 очень высокий; грандиозный.
드높이 очень высоко; ~다 возвышать.
드디어 наконец; в конце концов.
드라마 *рус.* драма; ~적 драматический.
드러나보이다 выставляться напоказ.
드러나다 1) показываться; обнаруживаться; выявляться; 2) приобретать широкую известность.
드러내다 обнаруживать; выявлять;

проявлять; показывать; обнажать; выражать; 대단한 재능을~ обнаружить большие способности.

드러내었습니다 появляться.

드러눕다(드러누우니, 드러누워) 1) лечь; улечься; 2) слечь(о больном); 3) жить в покое.

드렁거리다 1) громко храпеть; 2) грохотать, стучать, греметь.

드리다 I вежл. **1.** 1) давать; вручать; преподносить; 선물을 ~ преподносить подарок; 말씀을 ~ говорить; 감사를 ~ приносить(кому-чему-л.) (свою) благодарность; 2) сообщать (вышестоящему), докладывать; 보고를 ~ докладывать; 인사를 ~ передавать привет; 맹세를 ~ давать клятву; **2.** после дееп. на -아(-어,-여)указывает на то, что действие совершается в интересах второго(третьего) лица: 어머니의 하시는 일을 도와드리다 помогать матери в работе.

드리다 II вить, сплетать, плести.

드리우다(드리우니, 드리워) 1) опускать; свешивать; 2) висеть, свешиваться; 3)оставлять, передавать(потомкам); 지붕에서 밧줄을~ свешивать верёвку с крыши; 구름이 낮게 드리워있다 люстра висит над потолком.

드릴(*англ.* drill) дрель; сверло; ~가공 сверление.

드문드문 1) редко; местами; 2) редко; изредка; ~ 찾아오다 приходить (навещать) изредка; ~하다 редкий; ~ 걸어도 황소걸음 см. 느릿느릿(걸어도 황소걸음); ~하다 редкий.

드물다(드무니, 드무오) редкий.

드뭅니다 редко.

드세다 1) очень сильный; 고집이~ очень упрямый; 2) влиятельный; 3) тяжёлый, изнурительный(о работе); 4) этн. злой, свирепый (о домовом).

드셨어요 слышал.

득(得) I доход, выгода.

득 II ~긁다 скребнуть, царапнуть; 성냥을 득 긋다 чиркнуть спичкой; 줄을 득 긋다 прочертить линию; 득얼어붙다 сковать льдом.

득남(得男) рождение сына.

득녀(得女) рождение дочери.

득도(得道) познание истины; ~하다 *рел.* постигать истину, прозревать.

득세하다 приобретать влияние; выдвигаться; делать карьеру.

득실(得失) 1) приобретение и потеря; 2) польза и вред; выгода и убыток; 3) успех и провал; ~상반 так на так; 4) положительные и отрицательные стороны; ~거리다 кишеть; 개미들이 득실거린다 муравьи кишат.

득표(得票) 1) ~하다 получить(необходимое число голосов); 2) необходимое число голосов.

득하다 I *в знач. исключительного сказ. не употр.* внезапно похолодать.

득하다(得-) **II** *уст. см.* 얻다 I.

-든 I *оконч. дееп. разделительного:* 비가 오든 말든 우리들에게는 상관이 없다 нам всё равно: идёт дождь или нет.

든 II *разг.* усил. частица, употр. после основы гл. наст. вр. перед. *отриц.*: 갖든 못 하나마 구경이라도 하자 брать то(это)нельзя, так давай хоть посмотрим.

-든가 *оконч. дееп. разделительного:* 지붕을 고치든가 도랑을 치는 일을 하여 주십시오 почините крышу или выройте канаву.

든든하다 1) твёрдый; сильный; 2) крепкий; прочный; надёжный; верный; 든든히 твёрдо; крепко; прочно; серьёзно; 든든한 몸 крепкое телосложение; 든든한 경제토대 прочный экономический базис; 3) вполне достаточный(о средствах); 4) сытый, полный(о желудке); 든든하게 먹고 길을 떠났다 хорошо поев, отправились в дорогу; 5) тёплый; 든든히 입다 тепло одеваться; 6) серьёзный, строгий(напр. о наказе).

-든(지) 가~ 말~ 마음대로 해라 делай как хочешь; можешь идти, можешь остаться(или иди или нет).

듣다 I (들으니, 들어) капать; 듣거니 맺거니, 맺거니 듣거니(из глаз) капают слёзы.

듣다, 청취하다 II (들으니, 들어) 1) слышать; слушать; 부모의 말을 ~ слушаться родителей; 듣기좋은 노래도 늘 들으면 싫다 = 듣기좋은 육자배기도 한 번 두 번 *посл.* ≅ букв. и хорошая песня надоест, если много раз слушать; 들으면 병이요, 안 들으면 약이라 *посл.* ≅ слово не нож, а до ножа доводит; 들은풍월 *обр.* отрывочные знания; 2) получать (приказ, указание *и т. п.*); 지시를 ~ получать распоряжение; 3) выслушивать (просьбу *и т. п.*); 부탁을 들어주다 удовлетворять просьбу; 4) узнавать(о чём-л.); 5) слушать, повиноваться; 6) действовать(о лекарстве).

듣다 III действовать; быть эффективным; 약이 듣는다 лекарство оказывает действие.

듣습니다 слушает.

들(판) 1) равнина; 2) поле; 기름진 들 плодородное поле; 들을 놓다 сделать перерыв на обед(на поле).

들- I *преф.* перед назв. растений полевой; дикий; ~꽃 полевой цветок; ~장미 дикая роза; ~풀 полевые цветы; 들장미 дикая роза.

들- II *преф. употр.* перед предикативами 1) очень, сильно; 들끓다 бурлить; 2) весь 들쓰다 накрывать (волной).

-들 *суф. мн.* 사람들 люди.

들것 носилки;~으로 환자를 나르다 нести носилки больного.

들국화 девясил.

들기름 масло из семян периллы.

들길 дорога в долине; тропинка.

들깨 1) бот. перилла; 2) семена периллы; 기름 см. 들기름 масло из семян периллы; 들깻잎 листья периллы.

들꽃 полевой цветок.

들끓다 сильно кипеть; бить ключом; бурлить; взбудораживаться; возбуждаться; кишеть; 가마의 물이 들끓는다 вода в котле бурлит; 가슴이 들끓는다 сердце сильно стучит(бьётся); 거리는 사람들로 들끓었다 улицы кишели толпами.

들끓었습니다 кипеть.

들다 I (드니,드오) 1) входить; вступать; поступать; приступать; 해가 잘 ~ быть солнечным(напр. о комнате); 자리에 ~ лечь в постель; 들락날락 하다 то входить, то выходить; 들데 날데 없다 быть в безвыходном положении(в тупике); 드는줄은 몰라도 나는 줄은 안다 цену вещи узнаешь, когда её потеряешь; 든거지 = 난 부자 든거지; см. 나다; 든거지 난 부자 *погов.* ≅ дома- нищий, в людяхбогач; 든부자 = 난 거지 든부자 см. 나다 든부자 난 거지 *погов.* ≅ букв. домабогач, а на людяхнищий; 물에 ~ войти в воду; 잠자리에 ~ лечь в постель; 길을 잘못 ~ потерять дорогу; заблудиться; 2) поселиться, остановиться(напр. в гостинице); 새

집에 ~ вселиться в новый дом; 3) краситься; 이 천은 물이 잘든다 эта материя легко красится; 단풍이~ пожелтеть(о листьях); 4) требоваться (напр. о средствах); 여비가 얼마나 들었니? во сколько обошлась поездка? 점심식사에 20분이 든다 на обед уходит 20 минут; 5) наступать, приходить; 밤이~ наступать(о ночи); 나이~ быть в годах; 잠이~ заснуть; 6) возникать, появляться; 감기가~ простудиться; 단풍~ пожелтеть, покраснеть(о листьях на деревьях); 든 버릇 난 버릇 посл. ≒ привычка-вторая натура; 멍이~ появляться(о синяке); 병이~ заболеть; 정이~ возникать(о симпатии); 7) наваливаться(о плодах, о злаках); 풍년이 들었다 выдался богатый урожай; 8) попасться; 그물에 ~ попадаться в сети; 9) прий тись по нраву, по душе; 마음에 ~ понравиться; 시중을 ~ ухаживать; 10) в сочет. с именем в вин. п. совершать, выполнять (действие, указанное именем сущ.): 중매를 ~ посредничать;역성을~ заступаться; 11) после дееприч. цели стремиться, стараться: 사귀려고 ~ стараться подружиться...; 12)...에 들어서는 что касается...; 시험에~ быть допущенным к экзаменам; 예선에~ быть допущенным к конкурсу (напр. об артисте); 들어가다 а) входить, вступать; поступать(куда-л.); б) требоваться(напр. о средствах); в) запоминаться, усваиваться; г) возникать(о чувстве, мысли); д) западать(напр. о глазах); е)ослабевать; пропадать; исчезать; ж)переходить(в новое состояние); 들어맞다 совпадать, сбываться, попадать в цель; 들어박히다(박이다) а) вонзаться; б) быть вбитым(воткнутым); в) неотлучно находиться(где-л.); 들어붙다 들어서다 а) входить, вступать; б) находиться, располагаться(где-л.); 들어차다 быть полным, наполненным; 들어앉다 а) входить и садиться; б) подсаживаться(близко к кому-л.); располагаться, находиться(вблизи чего-л.); в) перен. прочно сесть; г) неотлучно находиться (напр. дома);не отрываться, засесть; 들어오다 들어온 놈이 동사 팔아 먹는다 посади свинью за стол, она и ноги за стол; б) принадлежать, быть охваченным(включённым); в) запомнить, усваиваться; г) переходить(в новое состояние).

들다 II (드니,드오) хорошо резать; быть острым.

들다 III быть в годах.

들다 IV (드니,드오)(올리다) 1) поднимать; 고개를 ~ поднять голову; 드는 돌이 있어야 낯이 붉다 посл. ≒ букв. только когда поднимешь камень, покраснеет лицо(от усилия); 2) держать(что-л. в руках); 수건을 들고 с полотенцем в руках; 3) вежл. кушать, пить; 아침식사에 무엇을 드시겠습니까? Что вы хотите взять на завтрак? 많이드십시오 Приятного аппетита! 4) приводить(пример, доказательства); 예를 ~ привести пример; 드나놓으나 하나뿐이다 обр. имеется только один (напр. ребёнок); 5) выдвигать(условия); поднимать (вопрос); 비가~переставать(о дожде); 든 손에(손으로) сразу же, сейчас же; 들고나다 а) вмешиваться; б) выносить из дому для продажи; в) см. 들고일어나다; 들고버리다, 들고주다 броситься бежать; 들고튀다 уходить, расходиться; 들고뛰다 стремительно убегать; 들고빼다 убежать, ускользнуть; 들고일어나다 а) вздыматься; б) подниматься, выступать; 들어내다 а) выносить, выставлять; б) выгонять, выдворять; в) *см.* 드러내다; 들어먹다 а) промотать; б) присваивать.

들들 I 1) ~굴리다 вращать(глазами); 2) ~구르다 катиться с грохотом (напр. о телеге).

들들 II 1) ~볶다 поджаривать; перемешивать(бобы *и т. п.*); 2) ~볶다 досаждать; изводить; ~ 맷돌에 갈다 молоть, растирать(с помощью жёрнова); 3) ~뒤지다 шарить (в ящике *и т. п.*).

들떠들다(들떠드니, 들떠드오) сильно шуметь.

들뜨다(들뜨니, 들떠) 1) отставать; отходить; отклеиваться; 2) быть взбудораженным (неспокойным); 3) быть легкомысленным; 4) быть опухшим; 벽지가 들떴다 обои отклеились (отстали); 들뜬 기분을 가라앉히다 успокоить взбудораженное настроение.

들뜨이다 1) быть отклеенным(отставшим); 2) быть взбудораженным (неспокойным); 3) быть легкомысленным(ветренным); 공상에~ витать в облаках; 4) быть опухшим

들뜬 분위기 возбуждённая атмосфера.

들락거리다 то входить, то выходить; сновать.

들랑거리다 то входить, то выходить; сновать.

들러리 шафер, дружка(жениха), подружка невесты; ~를 서다 быть шафером(подружкой).

들러붙다 1) (хорошо) приклеивать, приставать, прилипать; слипаться; 2) быть(стать) близкими(тесными) (об отношениях).

들려주다 давать возможность послушать; рассказывать; давать знать (кому-л.); 노래를 ~ давать возможность послушать песню; 재미있는 이야기를 ~ расскажите чтонибудь интересное.

들렸습니다 слышал.

들르다 заходить; заезжать; заглядывать; 상점에~ зайти в магазин; 오늘 집에 들리십시오 заходите сегодня ко мне.

들리다 I 1) слышаться; доноситься; 2) заставлять слушать; 내말이 들립니까? Вы меня слышите? 소문이 들려왔다 донёсся до нас слух; 들릴락 말락하다 едва слышный; 들려주다 а) давать возможность послушать;б) сообщать, давать знать(кому-л.).

들리다 II 1) 감기에~ простудиться; 병에 ~ заболеть; 2) этн. быть околдованным (заворожённым) (злым духом).

들리지 않게 하다 глушить; заглушить.

들먹거리다 1) дрожать; вздрагивать; сотрясаться; 2) махать вверх и вниз; поднимать и опускать; 가슴이 ~ сильно биться(о сердце).

들먹이다 1) дрожать, вздрагивать, сотрясаться; 2) шевелить губами; 3) сильно биться(о сердце); 4) дёргать(о нарыве); 5) докучать, надоедать.

들볶다 1) досаждать; изводить; маять; мотать; не давать житья(кому-л.); 괜히 사람들을 ~ незачем изводить людей; 2) тревожиться, волноваться.

들앉히다 [-анчхи-] 1) ввести и усадить(куда-л.); 2) назначить на должность; 3) держать взаперти; засадить(куда-л.).

들어가다 входить; попадать; поступать; переходить.

들어서다 избегать; противиться вступать; оказаться.

들어오세요 войдите.

들어오지 마세요 Посторонним вход воспрещён!

들어올리세요 поднимите.

들었습니다 слушал.

들으면 если слышал.

들이- *преф.* 1) беспрерывно; 2) сильно; 3) как попало; ~덤비다 налетать, обрушиваться(на кого-л.); 4) внезапно, неожиданно, вдруг; ~닥치다 внезапно нагрянуть; 5) внутрь.

들이닥치다 внезапно(неожиданно) нагрянуть.

-들이 *суф.* ёмкостью в ...; 1킬로 들이 ёмкостью(вместимостью)в один килограмм; 1리트 ~병 литровая бутылка; 열 말들이 ёмкостью(вместимостью) в десять маль.

들이갈기다 1) сильно бить, хлестать; 2) вести шквальный огонь; 3) писать вкривь и вкось; 4) отправлять естественные надобности где попало; 5) плеваться где попало; 6) громко болтать; 7) истошно кричать; 8) перерубать сильным ударом; 9) с силой пнуть.

들이긋다 I (들이그으니, 들이그어) проникать внутрь(об инфекции).

들이긋다 II (들이그으니, 들이그어) 1) провести линию(ближе к внутренней стороне); 2) делать вдох; вдыхать; 3) черкать, чертить (линии).

들이꽂다 1) втыкать, вставлять; 2) с силой втыкать(вставлять).

들이다 1) заставлять(позволять) входить; впускать; 2) вносить, включать; 3) допускать(к экзаменам); 4) вселять, поселять; 5) красить; окрашивать; 6) давать; предоставлять; 친척을 자기 집에~ поселить у себя родственников; 빨간 물을~ окрашивать в яркокрасный цвет; 돈을~ ассигновать средства; **들여가다** вносить; **들여놓다** а) вносить и класть; б) впускать, позволять войти; **들여다 보다** а) смотреть внутрь (чего-л.); б) пристально (внимательно) смотреть, разглядывать; в) досконально знать; **들여앉히다** а) вводить и усаживать; б) подвигать (что-л. внутрь); в) назначать на должность; г) заставлять сидеть дома; **들여오다** вносить; **들여 디딘 발** начатое дело.

들이대다 I 1) наставлять, приставлять; 2) настаивать; настойчиво требовать; 3) быстро добираться (на место); 사장에게 요구조건을 ~ предъявить директору свои требования.

들이대다 II пускать воду.

들이마시다 1) хлебать; глотать; пить большими глотками; 2) делать полный вдох(большой глоток); глубоко вдыхать; 공기를 한가슴 ~ набрать в грудь воздух.

들이밀다(들이미니, 들이미오) 1) вталкивать; впихивать; втискивать; всовывать; просовывать; 2) сильно толкать; 3) нерасчётливо вкладывать(давать, предоставлять); 4) навязывать(вопрос)

들이받다 1) ударять(головой); таранить; 2) сильно ударяться(стукаться).

들이붓다 (들이부으니, 들이부어) 1) всыпать(во что-л.); вливать; 2) сильно литься; лить как из ведра; 물을 독에 ~ влить воду в чан.

들이켜다 I с жадностью выпить; жадно вдыхать; 단숨에 ~ выпить

залпом; 신선한 공기를 ~ вдыхать свежий воздух.

들이켜다 II пилить изо всех сил.

들쭉날쭉 неровно; зубчато; изрезанно; ~하다 неровный; зубчатый; изрезанный.

들추다 1) разгребать; 2) рыться; 3) обнаруживать; раскрываться; 호주머니를~ рыться в кармане; 비밀을~ раскрывать тайны; узнавать всю подноготную; 4) трясти(напр. о телеге)

들추어내다 вырыть; выкопать; раскрыть; обличить; разоблачить скрытых врагов.

들키다 быть замеченным(обнаруженным); попасться на глаза.

들통(-筒) раскрытие; обнаружение;

들통이나다 раскрыть; обнаружить.

듬뿍 вдоволь; полно; ~하다 полный (до краёв).

듬직하다 солидный; внушительный; 그는 나이보다 듬직하게 보였다 он выглядел не по летам солидно.

듯 1) после прич. предикатива словно; 총알이 비가 오는 듯 떨어진다 пули падают словно град (букв. словно идёт дождь); 2) после прич. предикатива в сопровождении ~하다, 싶다 вероятно, кажется 올 듯싶다 (он), кажется, приедет; 그가 올 듯하다 он, вероятно, приедет; 3) оконч. деепр. сравнительного 바다가 넓듯 그의 마음은 너그럽다 его душа широка словно море.

-듯 (..처럼) словно; как будто; 노래하~ петь, словно соловей; 죽은 ~ словно мёртвый; 다 안다는 ~이 с таким видом, будто он всё знает.

등 I 1) спина; ~을 대고 눕다 лечь (лежать) на спину(на спине); ~을 펴다 выпрямить спину; ~에 지다 взвалить на спину; ~을 굽히다 согнуть(сутулить) спину; ~을 돌리다 повернуться спиной(к кому-чему-л.); 등배가 맞다 см. 배[가 맞다] I; 등 시린 절 обр. чувство неудобства за слишком щедрое вознаграждение; 등 쳐먹다 присваивать, грабить; 등 쳐먹고 사다 жить за счёт(кого-л.); 등치고 간 내먹는다 посл. ≃ в глаза не льсти, а за глаза не брани; 등치고배 만지다(문지르다) посл.≃ целовал ястреб курочку до последнего пёрышка; 등을 돌리다 отвернуться (от кого-л.); отвергать(кого-л.); 등을 대다(업다) полагаться(расчитывать) на поддержку(авторитет)(кого-л.); 등을맞대다 быть против(кого-л.); 등이 달라 огорчаться, испытывать досаду(при неудаче); 등이 닿다 а) натереть спину(о животном); б) иметь поддержку со стороны (кого-л.); 등이 더우랴 배가 부르랴 посл. ≃ нет никакой выгоды; 등이 터지다 потерпеть полный провал, банкротство; 2) обух; 칼~ обух(ножа); 3) гребень горы; 등을 타다 идти по гребню(горы); 4) корешок книги; 5) подъём(ноги).

등(燈) II лампа; фонарь; ~을 켜다 включить(зажечь) лампу; ~을끄다 выключить(потушить) лампу; ~불 огонь лампы(фонаря); ~잔 светильник; 가로~ уличный фонарь; 석유~ керосиновая лампа.

등(藤) III см. 등나무; 사과,배,복숭아, ~의 과일 яблоко, груша, персик и другие фрукты.

-등(燈) суф.кор. лампа; 가로등 уличный фонарь; 탐조등 прожектор.

등가(等價) эквивалент; равноценность; ~적 эквивалентный; ~계산

эквивалентный расчёт; ~교환 эквивалентный обмен;~물 эквивалент; ~보상 эквивалентное возмещение; ~성 эквивалентность; ~형태 эквивалентная форма; ~용량 эквивалентная ёмкость.

등겨 рисовые высевки(отруби); ~섬에 생쥐 엉기듯 обр. собираясь толпами в поисках съестного(о голодающих людях)

등고선(等高線) geogr. горизонталь; ~지도 карта, вычерченная в горизонталях.

등골(鐙骨) I анат. стремечко.

등골 II область позвоночника; ~이 오싹하다 мурашки бегают по спине; дрожь пробежала по спине(от страха);~서늘하다 мурашки бегают по спине(от страха).

등골(鐙骨) III [-ㅋ콜] 1) см. 등골뼈; 2) спинной мозг; ~이 빠지다 выбиться из сил; выматываться; ~을 빨아먹다(빼먹다) а) перен. сосать (чью-л.) кровь; б)присваивать себе (чужое имущество); ~을 뽑다 а) присваивать(чужое имущество); б) мучить, заставлять страдать; ~이 빠지다 выбиваться из сил.

등과(登科) [-꽈] феод. ~외방 выезд в провинцию в качестве чиновника (после сдачи экзамена на государственную должность); ~하다 выдержать экзамен на государственную должность.

등교(登校) посещение школы; ~하다 ходить в школу; посещать школу; ~생 ученик, посещающий школу; заочник на сессионных занятиях; ~수업 сессионные занятия(заочников);~시간время занятий в школе

등급 1) класс; разряд; сорт; ранг; ~을매기다 определить разряд(класс); ~이오르다 повышаться по разряду; ~개념 см. 동위 [개념]; ~변형 тех. ступенчатая деформация; 2)одного и того же разряда(класса, сорта, ранга); одной и той же степени.

등기(登記) 1) регистрация; ~하다 регистрировать; 2) ~우편 заказное почтовое отправление.

등기료(登記料) плата за регистрацию.

등기부(登記簿) регистрационный журнал.

등단하다 а) подниматься на трибуну; занимать место в президиуме; б) перен. выходить на арену; в) феод. выдвинуться на должность военачальника сеульского гарнизона.

등대(燈臺) маяк.

등대불 огонь маяка.

등대지기 сторож маяка.

등뒤 1) тыльная сторона; 2) невидимая сторона; ~의 세력 а) тайные силы; б) силы, стоящие(за кем-л.).

등등(等等) и так далее; и тому подобное.

등록(登錄), 기록(記錄) I регистрация; прописка; ~증 свидетельство о регистрации; ~상표 гербовая(торговая) марка; ~카트 учётная карточка; ~하다 регистрировать, прописывать.

등록(謄錄) II [-녹] запись обычаев (прецедентов).

등록증(登錄證) [-녹] 1) свидетельство о регистрации(напр. брака); 2) (технический) паспорт.

등변(等邊) равносторонний; ~사각형 ромб; ~삼각형 равносторонний треугольник; ~선 изолинии;~쌍곡선 равносторонняя гипербола; ~원기둥 равносторонний цилиндр; ~압선

геогр. изаллобары; ~원추 равносторонний конус.

등분(等分) **1.** 1) деление на равные части; 세~ деление на три равных части; ~하다 делить на равные части (поровну);~되다 делиться на равные части; 2) равные части; ~으로 поровну; **2.** счётн. сл. доля.

등불(燈-), 가로등 1) огонь лампы (фонаря); ~베짱이 зоол. Hexacentrus japonicus; ~여치 зоол. Phaneroptera nigroantennata; 2) см. 등잔불.

등비(等比) ~급수 геометрическая прогрессия; ~수열 геометрическая последовательность; ~중항 среднее геометрическое; ~항렬 геометрический ряд.

등산(登山) восхождение на гору; подъём на гору; альпинизм; ~하다 совершать восхождение (подъём) на гору; восходить на гору; ~객 приехавший альпинист; ~로 маршрут восхождения на гору; ~모 головной убор альпиниста; ~복 одежда альпиниста; ~지팡이 палка альпиниста; альпеншток; ~화 ботинки для альпинистов; ~림 уст. восхождение на гору и погружение в воду.

등수(等數) порядок призовых мест; разряд; категория; ~에 들다 занимать призовое место; выдержать экзамен; ~를 메기다 определять призовые места; давать разряд; ставить оценку.

등위선(等位線) астр. эквипотенциальные линии.

등장(登場) I 1) выход(на сцену); появление(на трибуне); 2) перен. выход на арену; ~하다 а) выходить (на сцену); б) перен. выходить (на арену); ~ 인물 а) персонаж; действующее лицо; б) участник; заинтересованное лицо; лицо, причастное(имеющее отношение к чему-л.).

등장(等狀) II ~하다 обращаться с петицией, подавать коллективное прошение.

등지다 1) отвернуться; повернуться спиной; 2) оставлять; покидать; 벽을 등지고 앉다 сесть спиной к стене; 고향을 ~ покидать родные места; 그들은 서로 등지고 있다 они не в ладах; 반달을 등지고 спустя полмесяца; 3) оторваться(от чего-л.); порвать(с кем-чем-л.); 시대를~ быть противником прогресса; 4) ухудшаться(об отношении); 등진 가재 человек, пользующийся поддержкой(кого-л.).

등차(等次) 1) разница(напр. в разряде); 2) одинаковая разница; ~급수 арифметическая прогрессия; ~수열 арифметическая последовательность; ~중항 среднее арифметическое; ~항렬 арифметический ряд.

-디 I груб. разг. оконч. вопр. ф. предикатива: 밖에 바람이 불디? На улице ветер?

디- II после основы предикативного прил. указывает на интенсивность качества: 높디높다 высокийвысокий.

디귿 уст. тигыт(назв. буквы ㄷ).

디디디(DDD) автоматическая междугородная телефонная связь.

디디티(англ. DDT) ДДТ(дихлордифенил-хлорэтан)(средство для истребления насекомых).

디스카운트(англ. discount) скидка; дискаунт.

디스켓(англ. diskette) дискет.

디스코(англ. disco) дискотека; танцы

디스크(*англ.* disk) диск.
디스플레이(*англ.* display) показ; проявление; выставка; дисплей.
디엔에이(*англ.*DNA)ДНК(дезоксирибонуклеиновая кислота).
디엠지(DMZ) демилитаризованная зона.
디자이너(*англ.* designer) модельер; конструктор; дизайнер.
디자인(*англ.* design) план; дизайн.
디저트(*англ.* dessert) десерт; сладкое; третье.
디젤-(*нем.* Diesel) ~기관차 топловоз; ~ 엔진 дизель; дизельный двигатель; ~기관 дизель, дизельный двигатель; ~트랙터 дизельный трактор.
디지털(*англ.* digital) ифровой.
디테일(*англ.* detail) детальное описание; детали,подробности.
디플레이션(*англ.*deflation) дефляция
딜러(*англ.* dealer) банкомёт; дилер; раздающий карты.
딜레마(*англ.* dilemma) дилемма
따갑다(따가우니,따가와) 1) очень горячий(жаркий); 2) прил. гореть (напр. о коже); 3)резкий(о критике *и т. п.*).
따끈하다 достаточно горячий.
따끈따끈하다 очень горячий.
따끔하다 чувствовать жжение; гореть; резкий; чувствовать резкую (острую) боль.
따님 Ваша(его) дочь.
따다 I 1) рвать; срывать; собирать (плоды, ягоды *и т. п.*); 2) брать (факты, данные напр.из доклада); 요점을 ~ конспектировать; 3) завоёвывать(победу); набирать(очки); получать(отметку); 점수를 ~ набирать очки; 4) прост. отбирать; 5) избегать(кого-л.); 6) наотрез отказывать; 7) отстранять (от дела); 깡통을 ~ открывать консервную банку; 따돌리다 изолировать(кого-л.); держать на растоя-нии; 따다가 발리다 а) вырывать(выдирать) и разбрасывать; б) нудно рассказывать.
따다 II 1)вскрывать(волдырь, нарыв); открывать(консервную банку); разрезать арбуз; 2) отрывать(часть чего-л.); 3) вскапывать часть земли; 4) прокапывать, проделывать(канаву).
따돌리다 изолировать(кого-л.); держать на расстоянии.
따듯이 тепло. 따뜻하게 тепло.
따뜻하다 тёплый. 따뜻한 теплый.
따뜻합니다 тепло.
-따라 1) вслед за; 2) как раз.
따라 앞서다 обгонять. 따라가다 догонять. 따라잡다 догонять.
따라서 следовательно; в соответствии; следуя (말해 보세요) повторите за
따라지 1) презр. замухрышка; ~목숨 обр.зависимое положение; 2) одно очко в игре.
따로 1) отдельно; раздельно; 2) на отшибе; особо; ~살다 раздельно жить; 한가한 때는 ~없었다 никогда не было свободного времени; ~내다 выделить(напр. молодожёнов); ~나다 выделиться(напр. о моло- дожёнах).
따로따로 отдельно.
따르다 I (따르니, 따라) отливать, наливать; разливать.
따르다 II (따르니, 따라) 따라서다 따라잡다 1) следовать(за кем-л.), догонять; 2) следовать, подражать (кому-чему-л.).
따사로이 тепло, ласково.
따사롭다 теплый; ласковый.
따스하다 тепловатый, ласковый.
따습다(따스우니,따스워) очень тёплый.
따옴표(-票) кавычки.

따위 1) типа(чего-л.); подобный (чему-л.); 2) после личн. имён и мест. придаёт оттенок пренебредения, ироний: 너 ~ такие как ты; ты и тебе подобные.

따지다 1) докапываться; разбираться (в чём-л.); 2) скрупулёзно расспрашивать(допрашивать); 3) тщательно подсчитывать, высчитывать; 4) учитывать, брать во внимание.

딱 1) ~치다,~하다 сильно стукнуть (напр. кулаком по столу); 2) полностью, совсем(прекратиться, остановиться); 3) прочно; крепко; плотно; 4) как раз; точно; 5) широко; 6) сильно.

딱딱 1) ~하다 хлопать, стучать, слегка ударять; 2) ~맞다(그치다,막히다) то и дело останавливаться (прекращаться, прерываться); 3)~맞다 точно (полностью) совпадать (сходиться); 4) ~ 마주치다 то и дело сталкиваться (втречаться); 5) ~들어붙다 плотно прилипать(приклеиваться); 6) ~벌리 다 широко раскрывать(напр.рот); 7) ~ 버티다 пререкаться друг с другом; 8) ~끊다 совсем бросать (отказываться); 9) ~자르다 точно отрезать (отрубать)

딱지 I 1) струп; болячка; 2) панцирь (краба *и т. п.*); 3) пятно(на грубо выделанной бумаге); 4) корпус, крышки(часов); ~를 떼다 *см.* 뚜껑 [을 떼다].

딱지 II отказ; ~를 놓다 отказывать; отвергать; ~를 맞다 получить от-каз.

딱지 III 1) наклейка; этикетка; бирка; ярлык; квитанция; ~를 떼다 выписывать штрафную квитанцию за правонарушение; 우표 ~ почтовая марка; 2) 놀이딱지 игра в карты; 3) прозвище; перен. ярлык.

딱하다 1) жалкий; вызывающий жалость; 2) неловкий; неудобный; затруднительный; 딱하게 여기다 жалеть; 딱한 입장 затруднительное положение.

딴 I другой; ~눈으로 보다 считать странным(подозрительным); 전혀 ~ 문제 совсем другой вопрос.

딴 II 내 ~에는 что касается меня; с моей стороны; лично я

딴눈 1) искусственный взгляд; 2) взгляд в сторону; ~으로보다(~을 주다) считать странным(подозрительным); ~을 팔다(뜨다) *см.* 한눈[팔다].

딴딴하다 1) твёрдый; жёсткий; 2) крепкий; сильный.

딴판 1) совершенно другое положение; 2) нареч. совсем, совершенно; ~ 다르다 совершенно другой(о характере).

딸(딸아이, 딸애, 딸아기, 딸자식(子息), 여식(女息),여아(女兒) дочь; ~없는 사위 обр. человек, ставший чужим; ~은 산적 도적 дочь и после замужества обуза для родителей; ~은 제 딸이 고와 보이고 곡식은 남의 곡식이 탐스러워 보인다 *посл.* ≡ букв. дети всегда хороши свои, а вещи чужие; ~의 굿에 가도 전대가 셋 *посл.* ≡ шаманка за гадание три шкуры сдерёт и с родной дочери(о жадном человеке); ~의 집에서 가져온 고추장 *посл.* ≡ у него зимой и снега не выпросишь; ~의 채반 재 넘어가고 며느리 채반 농위에둔다 дочь милее снохи.

딸기 земляника; клубника.

딸꾹질 икота; ~ 하다 икать.

딸꾹거리다 то и дело икать.

딸리다 1) побуд. залог от 따르다 II 1); 2) находиться(при ком-чём-л.); принадлежать(кому-чему-л.).

땀 пот; ~을 흘리다 обливаться потом; ~이 나다 потеть; ~투성이다 весь в поту; 그는 구슬 ~을 흘린다 с него пот льёт градом;~을 들이다 остыть(о вспотевшем человеке); ~을 뺐었다 пришлось попотеть; ~뿌리다 перен. поливать потом; 땀[이]나다 обр. очень трудный(тяжёлый); ~이 빠지다 усил. стил. вариант 땀 많이 나는 것, 다한질(多恨-) потливость.

땀띠 потница.

땀방울 [-빵울] капли пота.

땀을 씻다 вытирать пот.

땀이 나다 потеть.

땅, 토양(土壤) 흙 I 1) суша; земля; почва; территория; страна;пахотная земля; ~이 꺼지도록 глубоко вздохнуть; 이국 ~에서 죽다 умереть на чужой земле; 땅 짚고 헤엄치기 (всё равно) что плыть, держась за землю(о лёгком деле);땅 팔 노릇이야 обр. пустое дело; ~을 파다 прост. заниматься земледелием; ~을 파먹다 а) жить земледелием; б) работать шахтёром; ~이 꺼지게(꺼지도록) обр. глубоко вздохнуть; 2) часть шахматной доски, занятая шашками.

땅 II бух!, бах!(звукоподр. выстрелу или столкновению двух металлических предметов).

땅속 недра; ~에 в недрах земли; под землёй; ~의 자원 полезные ископаемые.

땅콩 земляной орех; арахис.

땋다 1) плести; заплетать (напр. косу); 2) вплетать(в волосы, напр. ленту).

때, 시간(時間)) I 1) время; пора; ~맞게 вовремя; ~맞게 비가 왔다 Дождь пошёл вовремя;~때로 иногда; время от времени; изредка; ~없이 когда угодно; в любое время; ~를 보다 дождаться счастливой поры; ~를 같이 하여 одновременно; 2) время года, сезон; 3)период, эпоха; 4) момент случай; 하루에 세 때를 먹다 есть три раза в день.

때 II грязь; пятно(напр. на одежде); ~가 묻다 запачкаться; 때(가)벗다 см. 때물(이 벗다); 때(가)끼다(묻다, 오르다) презр. скупой и подлый; 때가 빠지다 см. 때물(이 빠지다); 때를 벗다 а) реабилитлроваться; б) см. 때물(을벗다),때(를)씻다 смыть позор

때로 время от времени; иногда, временами; изредка.

때로는 иногда; время от времени; временами; изредка.

때리다 1) бить; избивать; ударять; 2) хлестать (о косом дожде); 3) прост. резко критиковать; 4) прост. называть цену; 5) прост. делать линию с помощью плотничьего шнура; 때리는 시어미보다 말리는 시누이가 더 밉다 погов. противен не тот, который говорит в глаза, а тот который хулит за глаза; 마음을 ~ отозваться в душе; 머리를 преследовать(о мыслях); ~ 신경을 взбудоражить.

때문 ~에 1) причина; 2) в начале предложения поэтому; 3) после придат. предложения так как;~이다 потому что; 비가 오기~에 못 갔다 не пошёл, так как идёт дождь.

때문에 по причине; изза; поэтому; так как; потому что; 비가오기~가지 못했다 Не пошёл, так как идёт дождь.

때문이다 изза.

때우다 1) заделывать (дыру, отверстие); штопать; 2) делать(что-л.) коекек(на скорую руку); 3) пойти на маленькую неприятность, что-бы избежать большого несчастья.

땜 I ~하다 а) заделывать отверстие, паять; лудить; штопать; б) пойти на маленькую неприятность, чтобы избежать большого несчастья.

땜 II дамба.

땡 1) см. 땡땡구리; случайно выпавшее счастье, удача; 땡(을)잡았다 (떴다) прост. неожиданно повезло (привалило счастье).

떠나다 1) отправляться; оставлять; покидать; 2) исчезать; пропадать; 길을 ~ отправляться в путь; 현실을 ~ отрываться от действительности; 3) после им. п.: 떠나가게(갈 하고) очень громко.

떠났습니다 ушёл.

떠돌다(떠도니, 떠도오) 1) бродить; скитаться; 2) носиться; кружиться(в воздухе); 3) разноситься; распространяться(о слухах); вертеться(о мысли); 생각이~ мысли бродят в голове; 4) проявляться(о чувстве).

떠들다 I (떠드니, 떠드오) 1) шуметь; кричать; поднимать шум; 2) разноситься(о слухах).

떠들다 II (떠드니, 떠드오) приподнять, отодвинуть(напр. крышку).

떠들썩하다 1. 1) очень шумный; 2) взволнованный; 2. 1)шуметь; галдеть; 2) волноваться; 3) распространяться(о слухах).

떠맡다 1) всецело брать на себя (напр. ответственность); 2) быть вынужденным взять на себя(ответственность).

떠밀다 толкать; перекладывать на другого.

떠받다 1) поддеть; поддать; подбросить вверх(рогами, головой); 2) сбить с ног, отбросить(напр. машиной); 3) давать отпор; 4) подпирать (поддерживать) снизу; 5) см. 떠받들다

떠받들다(떠받드니, 떠받드오) 1) поднимать; подбрасывать; 2) заботиться, ухаживать, лелеять

떠벌리다 1) преувеличивать, хвастать; хвастливо рассказывать; 2) устраивать на широкую ногу; основывать(напр. дело)

떠벌이다 преувеличивать; хвастать; хвастливо рассказывать

떠오르다 (떠오르니, 떠올라) 1) подниматься; всплывать на поверхность; всходить; 2) приходить в голову; всплывать(в памяти).

떠오르게 하다 напоминать; пробуждать

떡 I рисовой паровой хлебец;~먹듯 проще простого; пара пустяков; ~국 (корейский) суп с клёцками; ~방아 крупорушка; 떡 다 건지는 며느리 없다 посл. нет невестки, которая бы не обманывала свою свекровь; 떡도 떡 같이 못 해 먹고 찹쌀 한 말만 다 없어졌다 обр. из-за малого потерять большое; 떡도 떡이려니 하고 합이 더 좋다 погов. хорош хлебец, а посуда ещё лучше; 떡 먹은 입 쓸어치듯 떡 본 김에 제사지낸다 обр. делать(что-л.), пользуясь удобным моментом; 떡삶은 물에 중의 데치기 обр. убить двух зайцев; 떡줄놈 사람은 꿈도 안 꾸는데 김치국부터 마신다(떡줄 사람은 아무말도 없는데 김치국부터 마신다) посл. ≈ хозяин ещё и не думает продавать корову, а он уже за рога; 떡 해먹을 집안 обр. недружная семья; 떡으로 치면 떡으로 치고 돌로 치면 돌로친다 см. 돌(로 치면 돌로 치고 떡으로 치면 떡으로 친다) III; 떡을치다 бить варённый рис(при приготовлении парового хлебца); 떡이생기다 вдруг привалило счастье.

떡 II деревянная подкладка под поперечную балку.

떡국 [токкук] суп с тонко нарезанным рисовым хлебом; ~차례 см. 새해(차례);~을 먹다 ~을 먹이다 переносить на след. год(незаконченное дело); ~이 통간 한다 быть умудрённым годами.

떡방아 крупорушка, на которой рушат рис, идущий на приготовление(корейского) парового хлеба; ~ 소리 듣고 김치 국 찾는다 посл. ≡ букв. едва услышал звук крупорушки, достаёт рассол изпод кимчхи(об излишней поспешности).

떡볶이 жаркое с ломтиками парового рисового хлебца.

떨구다 ронять; сбрасывать; оставлять; иссякать; кончаться; снижать; понижать; 눈물을 ~ ронять слёзы.

떨다 I (떠니,떠요) 1) прям. и перен. дрожать; трястись; 2) образует гл. с усил. знач. от имён сущ.: 간사를 ~ пускаться на хитрости.

떨다 II (떠니,떠요) 1) стряхивать, вытрясать; 2) израсходовать, истратить(деньги и т. п.); 3) обчистить, ограбить; 4) вычитать, отнимать(при счёте); 떨어버리다 выбрасывать из головы(напр. мысль); 5) продавать, покупать(весь остаток)

떨어뜨리다 1) ронять; сбрасывать; 2) снижать; понижать; 3) склонять; опускать(голову).

떨어지다 1) падать(сверху вниз); 떨어진 주머니에 마패 들었다 посл. ≡ мал золотник, да дорог; 2) заходить(о солнце, луне); 3) отрываться(напр. о пуговице); опадать(о листьях); 4) проходить(о болезни); исчезать(о привычке); 5) выкинуть(о плоде); 6) снижаться, понижаться; 7) не идти в сравнение,быть хуже; 8) провалиться (напр. об экзамене); 9) попасть(в тяжёлое положение); 10) быть обманутым; 11) пасть(о крепости); 12) спускаться(о приказе и т. п.); 13) свалиться(о несчастье); 14) иссякать, кончаться; 15) делиться без остатка(о числе); 16) обрываться, прерываться; 17) см. 헤어지다; 18) отставать, оставаться позади; 19) оставаться(о долге); 20) отстоять, быть удалённым.

떨이 1) остатки товаров,проданные по сниженной цене; 2) распродажа оставшихся товаров по низкой цене; ~하다 продавать оставшиеся товары по низкой цене.

떨치다 1) греметь(о славе); приобретать известность; 2) громко раздаваться(о голосе); 떨쳐나서다 активно выступать; горячо браться (за что-л.).

떫은 терпкий.

떳떳이 достойно, справедливо

떳떳하다 справедливый; достойный.

떼 I толпа;стадо; стая; рой; косяк.

떼 II упрямство; ~를 쓰다 упрямиться.

떼다 1) отрывать; отделять; отлеплять; 시선을 ~ отрывать взор; 젓을 ~ отнимать от груди; 손을 떼라! Руки прочь! 술을~ отрывать взор; 2) вскрывать; распечатывать; 3) взламывать(дверь); 4) разъединять, разнимать; 5) делать (аборт); 6) отбирать (права); 7) снимать(с должности); 8) 아이를 ~ сделать аборт; 8) 걸음을~ начинать ходить; 9) 입을 ~ открывать рот; 말을~ начинать говорить; 10) вычитать, отнимать; 11) получать (документ, билет); 12) медлить, тянуть; 13) разрывать(отношения); 14) прекращать, приостанавливать(работу); 15)

бросать(напр. дурную привычку); 16) сделать полностью; закончить; освоить; 17) отказывать в просьбе; 18) избавиться, вылечиться; 떼어 먹다 присваивать себе чужое; 떼어 놓은 당상 несомненно и мне перепадёт.
떼치다 1) с силой отрывать(отцеплять); отшвыривать; 2) наотрез отказываться; 3) порывать отношения; 4)отказываться(от мысли).
또 I (다시) 1) снова; опять; 2) и; ещё; ещё раз; 3)перед отриц. сказ. всё же.
또는 или(же).
또다시 снова, ещё раз, опять.
또래 1) 같은~ровесники; одногодки; 2) похожие вещи(предметы).
또박또박 1) ясно; чётко; точно; ~말하다 ясно излагать; 2) ~쓰다 чётко писать; 3)точно, пунктуально; 4) ~하다 **1.** см. 또박거리다; **2.** чёткий, точный, регулярный.
또치까(*рус.* точка) 온점, 마침표, 종지점(終止點), 피리어드(period) 1) *см.* 종지부; 2) огневая точка.
또한 (а) также; к тому же.
똑 I точно; как раз; ~ 같다 точно такой же, как ...; очень похожий на..
똑 II ~하다 а) падать со стуком(о небольшом твёрдом предмете); б) ломать[ся], обрывать[ся] с хрустом; в) быстро(легко) обрывать (срезать) (напр. плод); г) легко стукнуть, ударить; д) стучать(о каплях).
똑같구나 одинаково
똑같습니다 одинаковый.
똑딱 ~단추 кнопка(застёжка);~하다 а) легко постукивать; б) тикать(о часах); в) тарахтеть(о моторе).
똑똑하다 1) ясный; отчётливый; чёткий; 2) умный, толковый; 3) точный.
똑바로 1) прямо; напрямик; в лицо (смотреть); 2) точно; правильно; 똑바르다 прямой; справедливый.
똥 1) кал; навоз; помёт; дерьмо; фекалии; испражнения; экскременты; ~을 누다 испражняться; ~묻은 개 겨 묻은 개를 나무란다 в чужом глазу соринку видит, а в своём бревна не замечает; ~구멍 анальное отверстие; ~물 жидкие экскременты; зелень (при рвоте); ~배 большой живот; ~오줌 кал и моча; 똥 친 막대기 обр. а) человек с подмоченной репутацией; б) никудышная вещь; 똥항아리 а) ночной горшок; б) ирон. пустое место(о человеке); 똥싼 주제에 매화 타령 한다 *посл.* ≈ делать хорошую мину при плохой игре; ~을 싸다 прост. обр. очень трудный(тяжёлый); ~이 마렵다 обр. очень срочный и трудный(о деле); 2) сокр. от 먹똥).
뚜 1) ту (звук, издаваемый трубой); 2) прост.гудок,сирена
뚜껑 1) крышка; 2) см. 딱지; 3) см. 책가위; 4) прост. шапка(пренебрежительно); ~을 데다 (열다) прост. начинать первым(напр. о выступлении).
뚜렷이 явно.
뚝 1) усил. стил. вариант 똑 II; 2) неожиданно; вдруг.
뚝배기 горшок из обожжённой глины; ~보다 장맛이 좋다(뚝배기 봐선 장맛이 달라) *посл.* ≈ горшок некрасивый, а соя в нём вкусная.
뚫다 1) продырявить; проделать отверстие; сверлить; буравить; 2) прокладывать(путь); 3) преодолевать; 4) овладеть, постигать; 5) находить пути(решения чего-л.); 뚫어맞히다 точно угадывать; 뚫어새기다 проделать отверстие.
뚫리다 побуд. и страд. залоги от

뚫다; 뚫린 골목 а) сквозной узкий проход; б) переулок.

뚫어뜨리다 продырявить.

뚫어지다 продырявиться; преодолеваться; 뚫어지게 보다 сверлить глазами.

뚱하다 1. 1) немногословный, необщительный; 2) угрюмый, мрачный; озабоченный; 2. молчать(в знак несогласия)

뛰놀다(뛰노니, 뛰노오) 1) резвиться; скакать; 2) сильно биться(напр. о пульсе); 3) качаться(напр. на качелях).

뛰다 1) прыгать; подпрыгивать; подскакивать; скакать; 뛰는 놈 위에 나는 놈이 있다=기는 놈 위에 나는 놈이 있다 см. 기다 II; 뛰도 걷도 못한다 обр. не сметь и пикнуть; 2) качаться(на доске); 3) сильно биться (напр. о пульсе); колотиться (напр. о сердце); 4)быстро бежать; прост. удирать; 5) нарушать(порядок, очерёдность), перескакивать; 6) см. 팔팔(펄펄,펄쩍) ~ топать ногами(напр. в гневе);

뛰어나다 а) выделяться, резко отличаться; 뛰어난 학자 выдающийся учёный; 뛰어 나오다 внезапно появиться; б) прост. влететь, вылететь (напр. из комнаты); в) смело (решительно) браться(за какое-л.) дело; г) вмешиваться в чужие дела.

뛰어갑니다 бежит.

뛰어나다 выделяться; резко отличаться; выдаваться; превосходить.

뛰어나오다 выбегать; выскакивать; неожиданно(внезапно) появиться.

뛰어넘다 перескакивать; перепрыгнуть

뛰어들다 (стремительно) вбегать (врываться); вскакивать; бросаться.

뜀 прыжок.

뜨겁다(뜨거우니, 뜨거워) 1) прям. и перен. горячий; жаркий; 뜨거운 국에 맛 모른다 посл. ≅ букв. вкуса горячего супа не распробуешь; 2) гореть(от стыда)

뜨거움 тепло; горячесть.

뜨겁다 горячий; гореть.

-뜨기 суф. образующий имена лиц с презр. оттенком:촌뜨기 деревенщина.

뜨내기 1) бродяга; 2) случайная работа; ~손님 случайный посетитель; ~장사를 하다 торговать от случая к случаю.

뜨다 I (뜨니,떠) 1) подниматься (вверх); взлетать; 2) плавать, плыть, парить(в воздухе); 3) всходить(о луне, солнце и т. п.); 4) немного отклеиваться(отрываться); 5) быть неспокойным; 6)отражаться(на лице); 7)всплывать(в памяти); 8) пропадать (о деньгах, вещах, данных в долг); 뜬 구름 обр. житейские дела; 뜬 돈 случайные деньги; 뜬말 см. 뜬소문; 뜬벌이 случайный заработок; 뜬소리 (뜬소문) необоснованные слухи.

뜨다 II (뜨니, 떠) покидать; оставлять (место); уезжать; уходить.

뜨다 III 1. 1) медленный; 2) далёкий; отдалённый; 3) долгий; 4) нечувствительный; 2. проходить(о большом промежутке времени).

-뜨리- суф., образующий перех. глаг. с усил. знач.: 넘어뜨리다 свалить, повалить.

뜨문뜨문 редко; ~하다 очень редкий

뜨물 ~먹은 당나귀 청 обр. невнятная речь; ~먹은 주정 а) дебош, устроенный человеком, притворившимся пьяным; б) шутл. глупое упрямство; ~에 빠진 바퀴 눈 같다 обр. мутные глаза.

뜬금 колеблющиеся цены.

뜬소문 ложные слухи.
뜯다 1) рвать; разрывать(на куски); вырывать; разбирать; 편지를~ распечатать письмо; 뜯어고치다 разобрать и починить; исправлять; 뜯어말리다 разнимать дерущихся; 뜯어먹다 отрывать и есть; жить за счёт; 닭의 털을~ ощипывать курицу; 2) отрывать, отклеивать; 3) разбирать (напр. часы); 4) играть (на щипковом музыкальном инструменте); 5) выискивать(недостатки); 6) сосать кровь (о насекомых); 7) обирать; 뜯어맡다 брать на себя часть работы; 뜯어 벌리다 а) разделить и разложить; б) начинать неприятный разговор; 뜯어보다 а) внимательно рассматривать; б) с трудом разбираться(в чём-л.); 뜯어읽다 с трудом читать.
뜸 I прижигание; ~을 뜨다 прижигать.
뜸 II варка на медленном(слабом) огне; ~을 들이다 не спешить, дать время развиться(какому-л. делу).
뜸 III в кор. мед. прижигание(полынью).
뜸질 ~하다 а) прижигать, делать прижигание; б)диал. см. 찜질[하다].
뜸집 [-ччип] землянка, крытая матами
뜸하다 прерванный(приостановившийся) на некоторое время.

뜻 의미(意味) 1) мысль; воля; намерение; стремление; 2) смысл; значение; 3) значимость; важность; ~밖에 неожиданно; ~이 굳다 твёрдый (о воле); ~을 이루다 осуществляться (о намерениях); ~을 세우다 поставить перед собой цель; намереваться; ~깊은 날 знаменательный день; ~이 맞다 совпадать(о стремлениях, мыслях); ~을 세우다 поставить перед собой цель; намереваться(что-л.) сделать; ~을 받다 а) выполнять (волю, желание) умершего; б) идти навстречу чужому желанию.
뜻밖에 неожиданно; внезапно; вдруг; невзначай; ~ 성격이 좋았다 успех превзошёл ожидания.
뜻하다 1) ставить себе целью; намереваться; 2) значить; означать; 3) в отриц. и вопр. предложении ожидать.
띠 1) пояс; ремень; 2) узкая полоска материи; 3) лента; ~를 매다 подпоясаться; надеть пояс; ~를 풀다 расстегнуть пояс; снять пояс.
띠다 1) надевать(ремень); подпоясывать[ся]; 2) иметь; нести(обязанность); 3)иметь(носить) при себе; 4) иметь; обладать; 5) проявлять; обнаруживать.
띵하다 ничего не соображать; 머리가 ~ ноющая головная боль.

ㄹ

ㄹ четвертая буква корейского алфавита, обозначает согласную фонему л/р.

-ㄹ I оконч. прич; выражает: 1) относи тельное буд. вр.: 행복한 생활 жизнь, которая будет более счастливой; 2) долженствование: 갈 사람들은 이미 떠났다 люди, которые должны были уйти, уже отправились в путь; 3) вероятность: 집에서 기다릴 사람들을 생각하였다 по думал о людях, которые, видимо, ждут (его) дома; 4) возможность: 들어앉을 자리가 없다 нет места, которое можно занять; 5) перед служ. сл. -атрибутивное отношение: 젊은 때 когда молод; 6) в кор. иероглифических словарях соединяет кор.сл., обозначающее значе ние иероглифа, с его кор. чтением: -움직일 동 "значение - двигаться, чтениетонъ".

-ㄹ II сокр. от -를.

-ㄹ가 интимное окончание вопросительной формы предикатива; выражает: 1) предположение: 그 사람들이 지금 어디쯤 갈가? они, повидимому, кудато пошли?; 2) побуждение собеседника к действию: 이제 갈가? ну, пойдём что ли?; 3) позволение совершить действие: 더 물어볼까? можно ещё спросить?; 4) возможность совершить действие: 그 애가 읽을까? этот ребёнок может читать (прочесть)?

-ㄹ거나 разг. интимн. оконч. вопр. ф.; выражает неуверенность говорящего: 자 우리 산보라도 갈거나 ну, мы хоть пройдёмся?

-ㄹ걸 разг. оконч. повеств. ф.; выражает: 1) предположение: 이 꽃은 피면 붉을 껄 пожалуй, эти цветы, распус тившись, будут красными; 2) сожаление в связи с совершённым действием: 더 공부를 하여야 둘껄 [мне] надо было больше заниматься.

-ㄹ게 разг. 1.интимн. оконч. повеств. ф.; выражает обещание совершить дей ствие: 내 가져다 줄게 я [тебе] при несу; 2.оконч. деепр.: 내 일생 경력을 이야기할게 들어보려나? я расскажу о перипетиях своей жизни, ты будешь слушать?

-ㄹ고 интимн.оконч. вопр. ф. с оттенком: 1) предположения: 도대체 그게 누굴고? вообще, кто же это может быть?; 2) побуждения к действию: 어느 책부터 읽을고? ну, с какой книги нач нём читать?; 3) возможности: 거기까지 하루에 어이 갈고? как за день можно туда добраться?

-ㄹ는지 1) разг.интимн. оконч. вопр. ф. выражает: предположение: 내일은 날씨가 따뜻할는지? завтра, наверно, бу дет тёплая погода; 2) побуждение собеседника совершить действие: 자네가 내 말을 들어줄는지? ну, будешь ли ты слушать меня?; 3) возможность совершить действие: 이 문제가 그렇게 풀릴는지 можно ли разрешить этот вопрос таким образом?

-ㄹ다 оконч. повеств. ф.: 울이 없었으매 뵈는 것이 다 뜰 일다 так как не было забора, взору предстало поле.

-ㄹ더러 разг. оконч. дат.п. у личн. мест.: 날더러 누가 무슨 말을 하던? кто мне говорил и что?

-ㄹ라 I разг. интимн. оконч. повеств. ф.; выражает: 1) опасение: 이리 오너라, 넘어질라 иди сюда, а то упадёшь; 2) предположение: 그대로 두었다가는 썩을라 если так оставить, пожалуй, сгниёт.

-ㄹ라 II разг. оконч. деепр. разделительного: 저녁을 지을라 약을 끓일라 하다 то готовить ужин, то варить лечебный отвар.

-ㄹ라구 разг. интимн. оконч. вопр. ф.; выражает: 1)сомнение: 그렇게 비가 왔는데 강물이 맑았을라구? столько времени шли дожди, разве вода в реке могла быть прозрачной?; 2) подчёркнутое утверждение: 아무러면 소 잃고 외양간 고칠라구! как бы то ни было, а после драки кулаками не машут!

-ㄹ락 оконч. деепр. разделительного: 먼 곳에서 뻐꾸기소리 들릴락 말락 사라진다 из далека то слышится, то пропадает голос кукушки.

-ㄹ랑 разг. подчёркивающая частица: 널랑 여기 앉아 있으렴 уж ты то сиди здесь.

-ㄹ래 разг. груб. оконч. повеств. ф. гл.; выражает намерение: 나도 읽을래 я тоже собираюсь прочитать.

-ㄹ러냐 разг. груб. оконч. вопр. ф.; выражает: 1) после основы гл. возможность совершения действия: 네가 혼자해 낼러냐? ты[это]можешь сделать один?; 2) после основы гл.-связки и прил. неуверенность (удивление) в связи с наличием признака: 물이 목욕하기에는 뜨거울러냐? достаточно ли нагре лась вода, чтобы можно было мыться?; 어쩌면 파도소리 저리도 요란할러냐! почему же рёв волн так громок?!

-ㄹ러니 разг.оконч. деепр. противительного: 아까는 비가 올러니 이젠 말끔히 개었다 совсем недавно шёл дождь, а сейчас совсем прояснилось.

-ㄹ러라 книжн. груб. оконч. повеств. ф.; выражает: 1) после основы гл. возможность совершения дей ствия: 그대로 먹을러라 есть можно прямо так; 2) после основы прил. и гл.-связки признак, устанавливаемый говорящим на основе предшествующего опыта: 네가 헤엄치기 좋을 만큼 물이 깊을러라 [там] настолько глубоко, что ты сможешь свободно поплавать.

-ㄹ런가 разг. интимн. оконч. вопр. ф.; выражает вопрос о наличии возмож ности совершить действие: 그렇게 맛있게 요리하면 앓는 이도 조금 먹을런가? если так вкусно приготовленно, то и больной может немного поесть?

-ㄹ런고 уст. высок. см.-ㄹ런가.

-ㄹ레 разг. фам. оконч. повеств. ф.; выражает: 1) признак, устанавливаемый говорящим на основе своего опыта: 보름만 더 있으면 햇곡식을 먹을레 ещё только через две недели будем есть зерно нового урожая; 2) предположение, основанное на наблюдении или опыте: 봉오리를 보니 꽃이 붉을레 по бутонам видно, что цветы красные.

-ㄹ레라 оконч. повеств. ф.; выражает: 1) предположение с оттенком восхище ния: 바람도 훈훈할레라 да и ветер, наверное, тёплый!; 2) желание, намерение, возможность:이 몸은 죽어서도 임을 섬길레라 буду преданной любимому до смерти.

-**ㄹ려고** см. ~려고.

-**ㄹ망정** оконч.деепр. уступительного: 비록 어린 동무일망정 애국적 열성은 어른에 지지 않습니다 хотя [он] и молод, но чувства патриотизма у него не меньше, чем у взрослого.

-**ㄹ뿐더러** оконч. деепр. соединитель ного: 바람이 불뿐더러 눈까지 쏟아진다 ветер дует, да ещё и снег идёт.

-**ㄹ사** книжн.оконч. повеств. ф.; выражает: 1) после основы гл. -намере ние: 집을 갈사собираюсь идти домой; 2) после основы прил. -восхищение: 누른국화 가을볕에 꽃 다울사 хороши жёлтые хризантемы под лучами осеннего солнца.

-**ㄹ새** книжн оконч. деепр. ф. предикатива со знач.: 1) причины: 길동이 비호 같이 걸을새 발자국 소리조차 없더라 так как Киль Дон ходит как тигр, звука его шагов не слышно; 2) одновременности дей ствия с действием заключитель-ного сказ.: 노래를 부를새 맑은 바람은 옷자락을 날리고 달은 얼굴을 비치더라 в то время, когда они поют, свежий ветер развевает полы [их] одежды, а луна освещает их лица.

-**ㄹ세** I разг. фам. оконч. повеств. ф. гл.-связки: ~이다: 누구야? -날세 кто там? -это я.

ㄹ세 II разг.оконч.деепр.; выражает гипотетическое условие: 종이가 없을세 말이지 если бы не было бумаги...

ㄹ세라 1. груб. оконч. повеств. ф.; выражает 1) беспокойство говор-ящего по поводу проявления данного признака или совершения данного действия: 바람이 일었으니 물결이 높을세라 под нялся ветер; как бы не поднялось вол нение (на море); 2) восклицание: 날씨가 좋을세라! хороша погода!; 2.оконч. деепр. причины: 밤이 좋을세라 산보나 하자 так как вечер хороший, пойдём хоть пройдёмся.

-**ㄹ소냐** книжн. груб. оконч. вопр. ф.; выражает встречный вопрос: 겉이 희다 하여 속까지 흴소냐 если [ты] го воришь, что [это] снаружи белое, то белое ли оно и внутри?

-**ㄹ손가** книжн.фам. оконч. вопр. ф., выражающей встречный вопрос.

-**ㄹ수록** оконч. деепр. нарастания: 가면 갈수록 чем дальше идёшь; 물건이 좋을수록 값이 높아간다 чем лучше вещь, тем выше цена.

-**ㄹ시고** оконч. воскл. ф. прил.: 아침 해볕 고울시고! ласковые лучи утреннего солнца!

-**ㄹ작시면** оконч. деепр. ф. некоторых гл. со знач. условия: 그자가 또 올작시면 필시 야단이 날것이로다 если этот тип ещё раз придёт, неизбежно возникнет скандал.

-**ㄹ지** I интимн. оконч. вопр. ф. с оттенком: 1) предположения: 솜 것이나 털 것 없이 밤을 지낼지? ты, наверное, будешь спать без тёплого одеяла?; 2) после основы гл. -св-язки и прил. выра жает вопрос, ответ на который даётся собеседником на основании личного опыта, или предположение с от-тенком вос хищения: 운전하기 쉬운 기곌지? эта машина проста в управлении, не так ли?

-**ㄹ지** II разг.оконч.вопр.ф. со знач.: 1) пожелания: 저게 비가 올 구름일

지? не пойдёт ли дождь из того об лака?; 2) намерения: 그 대가 내 집을 찾아줄지? вы собираетесь посетить меня?; 3) возможности сове-ршить действие: 이 배로 저런 강을 건늘지? на этой лодке можно пе-реправиться через ту реку?

-ㄹ지나 книжн. оконч. деепр. противительного: 이미 그는 다달았을지나 어인 까닭인지 소식을 전하지 않도다 он уже добрался [до места назначения], но почемуто известий [от него] нет

-ㄹ지니 книжн. оконч. деепр. причины: 내일 이침에 저곳에 다달을지니 그 때 만나기로 하리로다 так как завтра утром прибудем туда, то там и встретимся.

-ㄹ지니라 книжн. высок. оконч. повеств. ф.; выражает обязательное наличие признака: 그 짐승이 숲속에 숨었을지니라 этот зверь, наверняка, прячется в лесу.

-ㄹ지라 см. -ㄹ지니라.

-ㄹ지라도 оконч. условно-уступитель ного деепр.: 네가 갈지라도 일에는 별 지장이 없겠지? если ты уйдёшь, то это не особенно повредит делу?

-ㄹ지어다 книжн. высок. оконч. повеств. ф. со знач. долженствования: 내 집을 찾을지어다 [Вы] долж-ны обязательно меня посетить.

-ㄹ지언정 оконч. деепр. уступительного: 산이 높을지언정 오를 수 있소 хотя гора и высокая, взобраться(на неё) можно.

-ㄹ진대 книжн. высок. оконч. деепр. условного: 건강할진대 무엇이 두려우랴? если здоровы,так чего же бояться?

-ㄹ진저 книжн.высок. оконч. воскл. ф.: 조국을 위하여 용감히 싸울진저! за родину сражаются с отвагой!

라(羅)I гонг.

라(la) II (음악) муз. ля.

-라 I оконч.повеств. ф. гл.-связки: 이것은 책이라 это книга; тж. употр. после имён сущ. перед гл. называния: 저는 김 탁경이라 부릅니다 меня зовут Ким Тхак Кён.

-라 II книжн. груб. оконч. повел. ф.: ~읽으라! читай!

-라 III разг.оконч. деепр. причины: 넓은 강이라 건느는데 한참 걸립니다 поскольку река широкая, для того, чтобы(через неё) переправиться, потребуется некоторое время

-라고 I разг. 1. интимн. оконч. вопр. ф. гл. -связки, выражает встречный(повторный) вопрос: 이게 만년필이라고 так говоришь, что это авторучка?; 2. 1) оконч. деепр. причины гл.-связ ки; 2) после имён сущ. придаёт им пренебр. оттенок: 사람이라고человечишка; 3) перед гл. говорения указывает на косвенную речь: 그를 음악가라고 말하는 이도 있다 некоторые говорят, что он музыкант.

-라고 II оконч. ф., выражающей косвенное повеление: 오라고 말하다 гово рить, чтобы (кто-л.) пришёл.

-라구 I разг. груб. оконч. повел. ф.: 더 좀 용감하라구 ну, будь немного посмелее!

-라구 II разг. интимн. оконч. вопр. ф. с оттенком опасения: 내가 떨어지라구? а я не упаду?

라듐(англ. radium) хим. радий.

라디오 рус. радио; радиовещание; радиоприёмник; ~드라마 радиопос-тановка; ~메터 радиометр; ~송신기 радиопередатчик; ~수신기 радиоп-

риёмник; ~존데 радиозонд; ~천문학 радиоастрономия;~체조 гимнастика по радио; ~방송 радиопередача; передача по радио; ~방송을 하다 передавать по радио; вести радиопередачу;~공학радиотехника
라디오공학(-工學) радиотехника
라디오방송국 радиостанция.
라디움 хим. радий.
라마(喇嘛) рел. лама.
라면 рамён; корейская лапша быстрого при готовления.
라벨(англ. label) ярлык; этикетка; бирка.
-라서 разг. деепр. причины гл.-связки
라선(螺線) винтовая линия
-라야 частица только; 첫새벽에 ~ 집으로 돌아왔다 возвратился домой только на рассвете.
라운드(англ. round) тур; раунд; рейс.
라운지(англ. lounge) холл; комната для отдыха.
라이벌(англ. rival) соперник; конкурент.
라이센스(англ. license) лицензия; патент.
라이터(англ. lighter) зажигалка.
라켓(англ. racket) ракета;ракетка.
라틴(англ. latin) латинский; романский; ~문자 см. 로마[문자].
라틴말 латинский язык.
라틴어(англ. latin-) латинский язык.
락(樂) радость; удовольствие.
-락 оконч.деепр. разделительного: 얼굴이 붉으락푸르락 한다 лицо то краснеет, то бледнеет.
-람 I разг. интимн. оконч. вопр. ф. гл.- связки; содержит оттенок осужде ния: 그런 것도 밥이람? что ты гово ришь: разве и это рис?

-람 II разг. интимн. оконч. вопр. ф. гл. и прил.; содержит оттенок осужде ния по отношению к собеседнику за действие, навязывае-мое говорящему: 누가 그런 짓을 하람? ну, кто же застав ляет так поступать?
랑(浪) арх. госпожа(при обращении)
-랑 разг. после основы имени указывает: 1)на адресат действия; 2) на объект совместного действия; 3) на пере числение: 연필이랑 칼이랑 사왔다 покупал и карандаш, и нож; 4) в сочет. 같다 и 동일하다 обозначает объект сравнения.
랑데부(англ. rendezvous) встреча; свидание; место встреч(свидания); ~하다 встречаться в назначенном месте.
랭킹(англ. ranking) категория; ранг; раз ряд; степень; класс.
랴 частица;употр. после имён при перечислении: 동이랴 남북이랴 돌아다니던 나그네 путешественник, объездив ший и восток, и север, и юг.
-랴 1) интимн. оконч. вопр. ф.; 2) груб. оконч. вопр. ф. гл.; употр. при испрашивании подтверждения собеседни ка на действие говорящего; 나도 가랴? мне что тоже идти?
략(略) 1) см. 생략 2) "удовлетворительно" (балл на экзамене на государ ственную должность при пятибалльной системе).
-러 оконч. деепр. цели: 공부하러 떠났다 отправился заниматься.
-러니 книжн. оконч. деепр. причины.
-러니라 уст. оконч. повест. ф.: 선생님이 만드신 약은 참으로 훌륭한 것이러니라 лекарство, приготовленное

вами действительно очень хорошее.
-러 книжн. оконч. повест. ф.: имеет подчёркнутый оттенок.
러시아(англ. Russia) Россия; 연방~ Российская Федерация; ~인 русский(-ая); россиянин(-нка); ~어 русский язык.
러시아 모스코바 Россия; Москва
러시아워(англ. rush hour) час пик.
럭비(англ. rugby) регби.
-런가 соседний дом.
-런고 уст.книжн. оконч.вопр. ф
런닝(англ. running) (속옷상의) беганье; бега; беготня; ~셔츠 майка; безрукавка.
-런들 уст. оконч. уступ. деепр.: 그게 아무리 좋은 책이 런들... как бы хороша ни была эта книга...
런치(англ. lunch) второй завтрак, ланч
럼주(англ. rum酒) ром.
레 муз. ре.
레닌주의(рус.Ленин+主義) ленинизм
레닌주의자(рус. Ленин + 主義者) ленинец
레루(<англ. rail) рельсы; ~교정 выпрямление рельса; ~교환 замена рельсов; ~접촉기 рельсовый контактор.
레루못(<англ. rail) ж.-д. костыль.
레몬(англ.lemon) лимон;лимонный
레몬산(англ. lemon + 酸) лимонная кислота
레벨(англ. level) 1) см. 수준; 2) см. 수평 I.
레스링(англ.wrestling) спорт.борьба.
레스토랑(англ. restaurant) ресторан.
레슨(англ. lesson) урок; ~을 하다 (받다) давать(брать) уроки чего-л.; 개인~ репетиторский урок.
레슬링(англ. wrestling) спорт. борьба

соревнование по борьбе
레이더(англ. radar) радар.
레이더 관측소 место радарного измерения.
레이즈(англ. laser) лазер; квантовый усилитель.
레즈(англ. leisure) досуг; свободное время; развлечение; увеселение; забава.
레코드(англ. record) 1) граммофонная пластинка; 2) см. 기록 2).
레코드판(-板) пластинки.
레트(англ. let) мяч, который упал на площадку.
렌즈(англ. lens) линза; чечевица; оптическое стекло;лупа; объектив.
렌트겐 1) физ. рентген; 2) см. 렌트겐선; ~검사 рентгенография; ~요법 рентгенотерапия; ~사진 рентгенограмма, рентгеновский снимок; ~진단 рентгеновский способ исследования; ~진단학 рентгенодиагностика; ~진찰실 рентгеновский кабинет;~측정법 рентгенометрия;~투시 рентгеноскопия.
-려 оконч. деепр. намерения; 문제를 해결하려 생각하는 자는 тот, кто думает решить вопрос.
-려고 см. -려.
-려늘 книжн. оконч. против. деепр.
-려니 разг. фам.оконч.повеств. ф.: 1) указывает на предположитель-ный признак: 그 자가 기어이 오려니 он, видимо, в конце концов придёт; 2) перед гл. мышления является признаком дополнительного придат. предлож.: 거저 보통의 바위려니 생각하였더니 역사적 유물인 모양이여 думал, что(это) повидимому, исторический памятник
-려니와 оконч. деепр. со значениями: 1) соединительным: 꽃의 빛이

아름다우려니와 향기도 좋을 것이다 окраска цветов очень красива, и их запах так же хорош; 2) противительным: 현재 도와는 못 주려니와 방해야 놀 필요가 있느냐? сейчас не могу помочь, но разве нужно чинить препятствия?

-려든 оконч. против. деепр.: 남방에서는 이보다도 더 더우려든 이까짓 더위를 못 참다니... на юге ещё жарче, неужели я не смогу вынести этой жары...

-려무나 разг. груб. оконч. повел. ф.: 갈테면 가려무나 если хочешь иди ти, так иди!

려고 дорожные трудности.

력($力$) соревнования в беге с тяжестью.

-력($力$) суф. кор. 1) сила; энергия; мощь; ~생산력 производительные силы; 원자력 атомная энергия; 군사력 военная мощь;2)способность; 구매력 покупательная способность; 기억력 память (способность к запоминанию).

련($蓮$) I лотос.

련($聯$) II 1)строфа; 2)см. 주련 I

련($輦$) III королевский паланкин.

련($連$) IV 1) пачка бумаги в 500 лис тов; 2) арх. ён(единица измерения длины = 20 м)

련($連$) V подряд: 바람은 련 사흘째 분다 ветер дует третий день подряд.

-련마는 оконч. против. деепр.: 집에 이미 왔으련마는 어째 전화에 나오지 않을가? уже возвратился домой, а почему же к телефону не подходишь?

-련만 сокр. от -련마는. дить(кого-л.) во время консультации с приближёнными(о короле).

-렴 груб. оконч. повел. ф. гл. смысл, рассудительность. 3) расцвет и упадок; 세태~ уст. несправедливый мир.

-렷다 I разг. груб. оконч. повеств. ф.; выражает предположение с оттенком уверенности: 우리에게도 행복이 있으렷다 и к нам, наверное, придёт счас тье.

-렷다 II арх. интимн. оконч. повел. ф. гл.: 분부를 거행하렷다 выполняй распоряжение.

령($零$) I нуль; 전위~ эл. нулевой потенциал.

령($領$) II военное формирование (периода Корё).

-령($令$) I суф. кор. приказ;указ, за-кон; 동원령 приказ о мобилизации.

-령($領$) II суф. кор. территория; владения; 자유령 свободная территория.

-례($禮$) I 1) этикет; приличия; 2) см. 경례 3) см. 예식 I 2); ~를 이루다 устраивать свадьбу.

-례($例$) II 1) пример;(аналогичный) случай, прецедент; ~를 들면 например; 2) образец; ~의 вышеизложенный; вышеуказанный.

로($爐$) печь.

로-($老$) преф. кор. старый; ~전사 ветеран.

-로($路$) I суф.кор.дорога, путь; 방수로 отводной канал; дренажная канава; 신작로 шоссе.

-로($爐$) II суф. кор. печь; 용광로 доменная печь.

-로 оконч. твор. п.; обозначает: 1) орудие действия: 물로 씻다 мыть водой; 2) материал: 나무로 만들다 дела ть из дерева; 3) направление: 집으로 가다 идти домой; 4) при гл.

삼다, 여기다, 간주다 считать(рассматривать)(кого-л., что-л.) в качестве кого-л., чего-л.); 5) образ действия: 화살로 날아가다 лететь стрелой: 6)в качестве (кого-л., чего-л.); 교원으로 일하다 работать преподавателем(в качестве преподавателя); 7) в течение: 오늘로 회의를 해야 된다 в течение сегодняшнего дня надо провести собрание; 8) причину: 비로 못 오나? не можешь прийти из-за дождя?; 9) после инф. оконч.: 기 в сочет. с 하다(되다) решить(решено); 떠나기로되다 решено отправиться в путь; 휴식하기로 하였소 решили отдохнуть

-로구나 разг. груб. оконч. повеств. ф. гл.-связки; выражает: уверенность говорящего: 벌써 열두시로구나 уже 12 часов.

-로구먼 разг. интимн. оконч. повеств. ф. гл.-связки; выражает: а) уверенность говорящего: 모두 자는 게로구먼 конечно, все спят; б) имеет подчёркивающее значение: 휘발유 창고 근처로구먼 왜 담배 피워 почему ты куришь? ведь мы у бензохранилища.

-로군 разг. интимн. оконч. повеств. ф.гл.-связки; выражает восхищение: 아름다운 경치로군 красив же(здесь) пейзаж!

-로니 оконч. уступ. деепр.; присоединяется к инф. с оконч. 기: 빛이 누르기로니 상관이 있는가? (хотя) цвет жёлтый,но какое это имеет значение?

-로다 высок.книжн. оконч. повеств. ф. гл.-связки: 이것은 참으로 모범적 사실이로다 это, действительно, факт поучительный.

-로되 оконч. против. деепр. гл. - связки ~이다: 이것은 책이로되 저것은 잡지다 это книга, а вот тожурнал.

-로서 оконч. твор. п. со знач. в качестве; будучи; 교원으로서 학교에서 근무하였다 работал в школе преподава телем.

-로서니 оконч. деепр. уступительного; присоединяется к гл. в ф. инф. с око нч. 기: 아무리 어린아이로서니 그 말이야 못 알아 들을가? почему же он не может понять эти слова, хотя он и ребё нок.

-로세 разг. фам. оконч. повеств. ф. гл.- связки; выражает восхищение.

-로소이다 уст. почт. оконч. повеств. ф. гл.-связки.

-로써 оконч. твор. п. со знач. орудия действия: 대패로써 깎다 строгать рубанком

로고스 филос. логос.

로그 (нем. Logarithmus) ~방정식 логарифмическое уравнение; ~수표 логарифмическая таблица; ~함수 логарифмическая функция.

로그수(нем. Logarithmus + 數) логарифм.

로뎀나무 можжевеловый.

로또 рус. лото.

로라(<англ. roller) 1) тех. вал; валок; валец; ролик; 압연~ валок прокатного стана; ~베아링 роликовый подшипник; ~소모기 валиковая чесальная машина; ~스케트 роликовые коньки; ~콘베아 рольганг, роликовый конвейер; 2) тех. каток; 3) красочный валик; 4) см. 로르.

로라식(<англ. roller+式) роликовый, валиковый;~다짐기 каток(машина).

로마(англ. Roma) Рим; римский; ~문자 латинские буквы;латиница; ~법 римское право$ ~수자 латинские

- 236 -

цифры; римская цифра.
로마교(*ит.*Roma+教) католичество.
로맨스(*англ.*romance) 1) лит. роман; 2) *муз.* романс романс; романтика; 3) *см.* 낭만.
로보트(*англ.* robot) 1) робот; 2) *см.* 바지저고리.
로비(*англ.* lobby) вестибюль; приёмная; фойе; холл; ~하다 пытаться воздействовать на членов конгресса;
로비스트(*англ.* lobbyist) лоббист; завсегдатай кулуаров; 최초의 ~ лоббист первый.
로션(*англ.* lotion) примочка; лосьон; жидкое косметическое средство.
로케이숀(<*англ.* location) натурная съёмка.
로케트(*англ.* rocket) 1) ракета; ~발동기 ракетный двигатель; 2) *сущ.* реактивный.
로케트탄(*англ.* rocket + 彈) реактивный снаряд.
로타리(*англ.* rotary) площадь с клумбой посередине.
로테이션(*англ.* rotation) вращение; чередование; периодическое повторение.
로프(*англ.* rope) 밧줄; 자일(도 seil) канат; верёвка; трос.
록 лог (부피단위).
-록(錄) *суф. кор.* запись; протокол; 속기록 стенограмма; 회의록 протокол собрания.
론(論) 1) стиль трактата(произведений на ханмуне); 2) трактат(на ханмуне); 3) обсуждение.
-론(論) *суф. кор.* теория; учение; 유물론 материализм; 문장론 синтаксис.
-롭- *суф.*, образующий прил. от сущ.: 향기 аромат > 향기롭다 ароматный.

롱슛(*англ.* long shoot) 1) удар по воротам с дальней дистанции; 2) бросок мяча в корзину с дальней дистанции(при игре в баскетбол).
뢴트겐(*англ.* Roentgen) рентген; ~선 рентгенография.
료(料) *феод.* 1)жалованье(офицерам и мелким гражданским чиновникам) нату рой и деньгами; 2) жалованье слугам, выдаваемое зерном.
-료(料) *суф. кор.* 1) плата; вознаграждение; ~관람료 плата за вход(на выс тавку *и т.п.*); 원고료 гонорар; 2) вещество; материал; 조미료 приправа.
룡(龍) 1) дракон; 용가는데 구름가고, 범가는데 바람간다 *посл.*≃ куда один, туда и другой; 용 못 된 이무기 *обр.* зловредный человек; 용은 용을 낳고 봉황은 봉황을 낳는다 *см.* 왕대 (밭에 왕대 난다); 용이 물밖에 나면 개미가 침노를 한다 *уст.посл.* ≃ попал в беду от людей пощады не жди. 용의 알을 얻은 것 같다 носиться как ку рица с яйцом; 2) *обр.* "дракон", пятый знак двенадцатеричного цикла.
루블(*англ* r(o)uble) *рус.* рубль; ~에 의한 통제 контроль рублём.
루비(*англ.* ruby)홍보석(紅寶石), 홍옥(紅玉) 1) *см.*홍보석. 2) рубин (кегль).
루터교 лютеранство.
류마치스(<*англ.* rheumatism) ревматизм.
르 ры (назв. кор. буквы ㄹ).
르네상스(*англ.* Renaissance) эпоха Возрождения; Ренессанс; ~건축 архитектура Возрождения; ~예술 искусство(ху дожество) Возрождения. *см.* 문예[부흥] I.
르네상스(*фр.* Renaissance) Ренессанс.
-를 *оконч.* вин. п., указывает на: 1)

прямой объект: 의자를 만들다 делать стул; 2)адресат действия: 이 책을 너를 주마 дам тебе эту книгу; 3) материал, из которого что-л.сделано: 밀가루를 만두를 빗다 делать пельмени из пшеничной муки; 4) (перед гл.) место или направление движения: 신의주를 가다 идти (ехать) в Синыйчжу; 5) коли чество: 백 리를 가다 пройти сто ли; 6) имеет тж. подчёркивающее знач.: 아무 것도 버리고를 싫지 않습니다 ничего выбросить не хочу.

리니멘트(*англ.* liniment) фарм. линимент.

리드(*англ.* reed) муз. язычок.

리듬(*англ.* rhythm) 율동(律動), 운율(韻律) рифма; ритм.

리례(*англ.* relay) см. 릴레이(relay); см. 계주.

리마(*англ.* lima) тех. развёртка; ~가공 тех. развёртывание.

리미트(*англ.* limit) лимит.

리바운드(*англ.* rebound) отскок; отдача; рикошет.

리바이벌(*англ.*revival) возрождение; оживление; восстановление; возобновление.

리브레토(*ит.* libretto) либретто.

리얼리스트 реалист.

리얼리즘(*англ.*realism) реализм; см. 현실주의,사실주의, 실재론(實在論)

리얼리티(*англ.*reality) действительность; реальность; истинность.

릴레이(*англ.* relay)이어달리기, 계주(繼走), эстафета; эстафетные гонки.

-림(林) суф. кор. лес; 국유림 государственный лес.

링(*англ.* ring) 1) спорт. ринг; площадка; 2) см. 반지 I; 3) см. 바퀴.

링크(*англ.* link) каток.

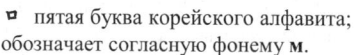

ㅁ пятая буква корейского алфавита; обозначает согласную фонему **м**.

ㅁ세 фам. оконч. заключительной ф.гл.; выражает обещание: 오늘밤에 다 읽음세 сегодня вечером прочитаю всё.

-ㅁ에랴 оконч. вопр. ф. предикатива; выражает риторический вопрос.

마 I *бот.* диоскорея бататная (DIoscorea batatus dencne).

마(魔) II злой дух; чёрт; дьявол; досадные помехи; ~가 들다 сталкиваться с непредвиденными трудностями (затруднениями).

-마 груб. оконч. заключительной ф.гл.: выражает обещание.

마감(磨勘) конец; окончание;финал; 시작과 ~ начало и конец; ~에 в конце; в заключение; конечный; последний; финальный; ~하다 завершать; заканчивать; ~짓다 заканчиваться; приходить(подходить) к концу; ~시간 время закрытия; ~하다 завершать; заканчивать.

마개(麻楷) пробка; затычка; 병~ пробка бутылки; ~를 막다 заткнуть (закупорить)бутылку;~를 열다 откупорить бутылку;~계지 калибрпробка.

마구 беспорядочно; без разбора; как попало; сильно; ~덤벼들다 обрушиться; наброситься; налететь; 돈을 ~쓰다 сорить деньгами; 땀방울이 ~흘러 내린다 капли пота текут ручьём; ~생긴 돌 неотшлифованный камень; ~난(뚫은) 창구멍 язык без костей; ~떠들다 поднимать шумиху.

-마냥 после имён словно; 물결 ~ словно волны.

-마는 хотя; ~그는 가끔 게으름을 피웠지만는 공부를 잘 했다 Он учился хорошо, хотя и поленивался;시간이 있다마는 가지 않는다 хотя и время есть, идти не хочется.

마늘, 대산(大蒜),호산(葫蒜) чеснок; ~쪽 долька чеснока; зубчик чеснока; ~만두 чеснок в кляре, поджаренный на вертеле(закуска к вину); ~숙주나물 салат из зелени чеснока.

-마다 после имён каждый; 사람~ каждый человек; 해~ каждый год; 10분~ каждые десять минут.

마당 1. 1) двор; площадка;~에 при случае; ~에 삼을 캐였다 *посл.* ≅ счастье подвалило (букв. во дворе вырыл корень женьшеня); ~터진 데 솔뿌리 걱정 *погов.* ≅ снявши голову, по волосам не плачут; ~을 빌리다 *уст. пренебр.* устраивать смотрины в доме родителей невесты; 2) место действия; арена; 전투~ поле боя; 2. счётн. сл. для песен, арий.

마디 1) узел (растения); колено (бамбука; злаковых растений *и т. п.*); сус тав; сочленение; сегмент (червя *и т.п.*); 뼈~ сочленение костей; 무릎~ коленный сустав; 2) узел(на нитке *и т. п.*); 3) тяжесть на сердце; 4)слово; фраза; куплет; муз. такт; 한~도 ни(одного) слова; 2) узел(на нитке и т. п.); 3) тяжесть на сердце; 4) слово;

фраза; куплет; муз. такт; 한 ~로 말하면 одним словом; 한~의 변명도 하지 않다 не сказать ни слова в своё оправдание.

마디마디 1) каждый узел; каждое колено (бамбука *и т. п.*); каждый сустав; каждое сочленение; каждый сегмент (червя *и т. п.*); 2) каждое слово; каждая фраза; каждый куплет (такт).

마땅하다 1) соответствующий; подходящий; 2) должный; правильный; 마음에 ~ быть по душе; нравится; ~히 должным образом; как подобает.

마력(魔力) I сверхъестественная сила; чары; ~을 지닌 обворожительный;очаровательный

마력(馬力) II 1) лошадиная сила; 10 ~의 모터 мотор в десять лошадиных сил; ~견인 конная тяга; 2) физ. лошадинная сила; 3) мощность; ~계수 коэффициент мощности.

마련 1) подготовка; устройство; ~하다 готовить; подготавливать; составлять; 자금을 ~하다 составлять капитал; 죽기 ~이다 суждено умереть; ~을 대다 задумывать и осуществлять; ~하다 а) замышлять; планировать; б) готовиться (к чему-л.); подготовить,устроить(что-л.); 2) после деепр. с оконч. -게, -도록 и инф. в сочет. с 이다 быть обречённым; суждено; 3) после деепр. с оконч. -게 и инф. в прош. вр. в сочет. с 이다 хорошо, что...; а то...; ~이 아니다 слов нет; ~이 없다 быть в ужасном(катастрофическом) положении.

마련하다 замышлять; планировать; готовиться; подготовить;устроить.

마련이다 обязательно; непременно.

마련했던 приготовленный.

마렵다(마려우니, 마려워) чувствовать позывы; 오줌이 ~ чувствовать позывы к мочеиспусканию.

마루(바닥) I деревянный пол; ~를 놓다 настилать пол; ~를 닦다 мыть пол; ~판 доски пола.

마루 II 1) конёк(двускатной кры-ши); 2) гребень горы; ~넘은 수레의 세 обр. пиковое положение; 3) кульминационный пункт.

마르다(마르니, 말라) I 1) сохнуть; высыхать; пересыхать; 빨래가 마른다 бельё сохнет; 입술이 마른다 губы сох нут;병으로 몸이 말랐다 похудел от болезни;마른기침 마른벼락 сухой кашель; 마른땀 холодный пот;마른 가래질하다 копать корейской лопатой сухую землю; 마른 걸레질하다 вытирать(что-л.) сухой тряпкой; 마른고기 а) сушёное(вя- леное) мясо; б) сушёная(вяленая) рыба; 마른 구역 позывы к рвоте; 마른 구역질하다 тошнить; 마른 국수 а) куксу, не отваренное в воде; б) сухое куксу; 마른금점 уст. работа горного маклера; 마른기침 сухой кашель; 마른 과자 сухое печенье; 마른날 солнечный день; 마른 논 сухое(не залитое водой) рисовое поле;마른눈 сухой снег; 마른바가지 ковш для зерна; 마른반찬 гарнир(к рису) из вяленых продуктов; 마른 밥 а) один рис(без супа); б) рис комками; 마른버짐 мед. чешуйчатый лишай; 마른번개 вспышка молнии на безоблачном небе; 마른벼락 гроза в ясный день; 마른 신 а) непромасленная кожаная обувь; б) обувь для сухой погоды; 마른자리 сухое место; 마른 장 выпаренный соевый соус в виде порошка; 마른재 сухая зола(удобрение); 마른찬합 блюдо для гарниров(к рису) (кондитерских изделий); 마른천둥 гром среди ясного неба; 마른침이 났다 пересохло во рту; 마른타작 обмолот высохшего риса; 마른편포 сушёная(вяленая) каракатица; 마른하늘 ясное небо; 마른 홍두깨 катание чуть влажного белья; 마른 행주질하다 вытирать сухим полотенцем посуду; 마른빨래 сухая чистка (одежды); 마른 써레질하다 выравнивать(разравнивать) сухую земллю; 마른안주 закуска к водке(о вяленом мясе, печенье и т. п.); 마른 옴 мед. сухой скабиес; 마른 일 "сухая работа"(женские работы типа кройки, шитья, тканья и т. п.); 마른 입으로 всухомятку; 말라비틀어지다 прост. а) становиться дряблым, вялым; б) становиться дряхлым; 말라빠지다 прост. исхудать, высохнуть; 마른나무에서 물내기 посл. (всё равно, что) поливать засохшее дерево; 마른나무에 꽃이 피랴 посл. ≅ питать пустые надежды(букв. разве на засохшем дереве зацветут цветы?); 마른 나무에 좀 먹듯 обр. а) чувствуя с каждым днём всё хуже и хуже; б) постепенно разо ряясь; 마른하늘에 생벼락 погов.(как) гром среди ясного не-ба; 마른이 죽이듯 обр. тщательно, скрупулёзно; 2) [по]худеть; 3) иссякать; исчезать.

마르다(마르니, 말라) II кроить; делать (что-л.) по мерке.

마름모(-模) ромб.

마름모형(-形) мат. ромб.

마리(단위) I счётн. сл. 1) животное, птица, насекомое и т. п. ; 2) несколько животных(птиц, рыб, насекомых);

마리 II счёт. сл. для поэтических произведений.

마무리 1) завершение(работы); 2) муз. каданс, каденция; ~하다 завершать.

마무리되다 завершаться.

마법(魔法) колдовство; волшебство; магия; волшебный; магический; ~을 부리다 колдовать; показывать фокусы; ~사 фокусник; чародей; маг; колдун.

마비(痲痺), 중풍(中風) 1) паралич; 2) перен. оцепенение; ~시키다 парализовать; ~되다 отниматься; парализоваться; цепенеть; столбенеть; ~환자 паралитик; паралитический; быть пара лизованным; онемевший; нечувствительный; 소아~ детский паралич; 심장~ внезапная остановка сердца.

마비성(痲痺性) мед. сущ. паралитический; ~졸중 паралитический инсульт; ~수척 паралитический маразм; ~분비 паралитическая секреция.

마사지, 안마 массаж; ~를 하다 делать (кому-л.) массаж; ~술(안마술) массажные приёмы.

마시다 1) пить; 2) дышать; вдыхать; нюхать; 신선한 공기를~ дышать свежим воздухом.

마우스(англ. mouse) мышка(компьютера)

마을 1) деревня; село; 2) ~을 다니다 навещать соседей; ходить по гостям; ~사람 селянин(-нка); ~가다 навещать соседей; ходить по гостям.

마음 1) душа; характер; сердце; 2) чувство; настроение; 3) желание; намерение; ~이 불안하다 быть неспокойно на душе; ~이 괴롭다

тяжело на душе; ~이 가지 않는다 душа не лежит(к комучему-л.); ~이 넓다 великодушный; благородный; ~이 좁다 бездушный; мелочный; чёрствый; ~이 곱다 добросердечный; ~이 순하다 послушный; ~을 합쳐 единодушно; дружно; ~에 들다 быть по душе; нравиться;~에 만족하다 быть довольным; ~이 통하다 сходиться характерами; понимать друг друга; 무서운 ~이 생기다 почувствовать страх; ~이 헝클어지다 быть в смятении чувств; ~대로 по своему желанию; сколько душе угодно; ~만 있으면 못할 일이 없다 При желании можно сделать всё; 돌려보낼 ~으로 с намерением вернуть(кого-что-л.); ~은 굴뚝같다 гореть желанием; ~을 돌리다 передумать; изменить своё намерение; ~을 두다(품다) интересоваться; проявлять интерес; ~을 끌다 привлекать; тянуть(к кому-л.); ~을 쓰다 заботиться; беспокоиться(о ком-чём-л.); ~이 가라앉다 успокаиваться; утешаться; ~이들뜨다 тревожиться; беспокоиться; ~고생 (душевные) переживания; ~공부 нравственное воспитание; ~한 번 잘 먹으면 복두칠성이 굽어본다 посл. добрая душа самое главное; ~이 달다 испытывать досаду(огорчение); ~이 붙다 привязаться всей душой;~이상했다 на душе тяжело ~이좋다 хороший(о человеке); ~이 크다 а) великодушный; б) благородный;~이 아프다 душа болит; ~이 약하다 слабохарактерный; ~이 한줌만 해지다 сердце сжимает тревога; ~에 짚이다 а) предугадывать, предчувствовать; б) испытывать угрызения совести; 2) чувство,

настроение; ~이 변하다 изменяться (о настроении); ~을 내다 намереваться, замышлять; ~을 먹다 решить[ся]; ~이 나다 появляться(о желании); ~에 없다 а) не нравиться; б) не хотеться; ~에 있다 а) нравиться; 2) хотеться; ~잡아 개장수 тщетные подуги; ~을 놓다 успокоиться; ~을 붙이다 а) привязаться(к кому-л.); б) успокаиваться; ~을 잡다, ~이 잡히다 образумиться; ~을 졸이다 испытывать нетерпение;~은 딴 곳에 가 있다 мысли далеко; ~이 돌아서다 одуматься; ~이 조이다(죄다) испытывать нетерпение; ~이 쏠리다 увлекаться; ~이 쓰이다 интересоваться; ~에 걸리다 беспокоиться; ~이 그립다 соскучиться; ~에 차다 быть удовлетворённым. ~든든해하다 быть уверенным в себе. ~먹었습니다 решился.

마음대로 как душе угодно.
마음속에 새기다 запечатлеть в душе.
마음속으로 про себя.
마음씨 душа; нрав; ~가 곱다 душевный;добросердечный; ~가 나쁘다 чёрствый; бессердечный.
마음에 꼭들다 очень нравиться
마음에 들다 нравиться.
마이너스(англ. minus) минус; 10 ~ 4는 6이다 Десять минус четыре равняется шести; см. 미누스.
마이크(англ. mike) микрофон.
마이크로-(англ. micro-) микро-;~메터 микрометр;~버스 мокроавтобус; ~파 микроволна; ~필름 микрофильм.
마일(англ. mile) миля.
-마저 даже; и ... 너 ~ 떠나다니! Даже ты уходишь! 이젠 만나기

~어렵게 되였다 теперь даже встретиться стало трудно.

마주 1) прямо; ~보다 смотреть прямо в лицо(в глаза); 2) лицом к лицу; друг к другу; ~서다 стоять лицом к лицу; 3) навстречу; ~가다 손을 идти навстречу; 4) взаимно; 손을 ~잡다 обмениваться рукопожатиями.

마주잡이 1) переноска (чего-л.) на плечах в паре(с кем-л.); 2) похоронные носилки, переносимые двумя носильщиками.

마주쳤습니다 встретиться.

마주치다 1) натыкаться(на кого-л.); сталкиваться(с кем-л.); 2) 시선이~ встречаться взглядами; 문에서 아버지와 ~ сталкиваться с отцом в дверях.

마지막 (최후의) 1) конец; последний этап; последний; ~순간 последний момент; ~으로 наконец; в заключение; 2) последний раз; ~으로 보다 видеть в последний раз; ~숨 последний вздох; ~숨을 거두다 испускать последний вздох; ~숨을 지우다 умереть.

마찬가지 1) всё равно; одно и то же; такой же; такого же рода; ~로 равным образом; ~아닙니까? разве не всё равно; 2) ...과 ~로 (так же,) как и; подобно тому, как; 꼭 ~이다 совершенно одно и то же; ...에 대해서도 ~이다 так же обстоит дело и(с чем-л.).

마찰(摩擦) 1) трение; ~하다 тереться; разногласия; трения; ~력 сила трения; ~열 теплота трения; ~음 щелевой(фрикативный) согласный; ~계수 коэффициент трения; ~선광 обогащение по трению; ~선별 горн. сепарация по трению; ~시험 испытание на истирание; ~전달 тех. фрикционная передача; ~활차 тех. фрикционный полиспат; ~용접 сварка трением; 2) перен. трение.

마취(痲醉) наркоз; анестезия; обезболивание; ~시키다 подвергать наркозу; усыплять; анестезировать; ~제 анес тезирующие средства; анестетики; 두르 만; ~하다 а) обезболивать, анестезировать, усыплять; б) перен. одурмани вать.

마치 точно; словно; как будто; ~ 꾀꼬리처럼 노래하다 петь, словно соловей; ~같다 как будто; словно; точно; ~처럼 как будто; ~춤이나 추듯이 뱅뱅 돌고 있다 кружаться словно в тан це.

마치고 окончив.

마침 как раз; кстати; именно; 자네가 ~왔군 Ты пришёл кстати; ~맞다 а) как раз подходить, прихо-диться впору; б) быть кстати; ~몰라 Бог знает, что тогда будет.

마침내 в конце концов; наконец; в конечном счёте.

마케팅(англ. marketing) маркетинг.

마파람 южные ветры; ~에 곡식이 혀를 빼물고 자란다 в тёплую погоду и злаки хорошо растут; ~에 게 눈 감추듯 по гов. словно корова языком слизнула.

마흔, 사십 сорок.

마흔째 сороковой.

막(幕) I 1) палатка; шалаш; 2) занавес; завершаться;оканчиваться; начинаться; действие; акт; ~을 치다 а) разбивать палатку; строить шалаш; б) повесить занавес; ~을 내리다 закрывать(опускать) занавес; ~을 올리다 поднимать занавес; ~의 뒤에서 за кулисами; ~을 닫다(내리다) а) закрывать, опускать занавес; б) завершаться, оканчиваться; ~을 열다(올리다) а) поднимать занавес; б) начинаться; 3) театр.действие, акт.

막(膜) II плёнка; перепонка; плева; мембрана; 횡격~ тех. диафрагма.

막 III только что; сейчас же; 그는 ~ 가려던 참이었습니다 Он только что хо тел уйти(пойти).

-막(幕) суф. кор. занавес.

-막 내리~ спуск; 오르~ подъём; 늙으막에 на старости лет.

막내 1) последний; младший; ~아들 (самый) младший сын; ~딸 младшая дочь; ~동생 младший брат; ~누이 (самая)младшая сестра; ~며느리 жена(самого) младшего сына; ~사위 муж(самой) младшей дочери; ~삼촌 (самый) младший брат отца; ~손자 (самый)младший внук; ~자식 последний ребёнок(в семье); ~아우 (самый) младший брат; 2) последний(младший) ребёнок.

막내둥이(-童-) ласк. последыш; последний ребёнок(в семье); ~응석받듯 по гов. букв. словно последний ребёнок в семье, которого балуют.

막노동 физический труд; чёрная работа; ~하다 делать чёрную работу.

막다 1) закрывать; затыкать; преграждать; загромождать; 수도 물을 ~ закрывать воду; 공격을~ отбивать атаку; 사고를~ предупреждать несчастный случай; 숨을~ затруднять дыхание; 일끝을~ завершать работу; 2) не давать; запрещать; препятствовать; отстоять; отбивать; 고지를 막아내다 отстоять высоту; 막아서다 вставать на пути, преграждать(путь); 3)отказываться(от чего-л.); отвергать; предупре-ждать;

막대기 몽둥이 палка; ~자석 брусковый магнит;~의 교훈 поучения прутьями; ~질 ~하다 размахивать палкой.

막히다 1) быть закрытым(закупоренным); быть преграждённым (загороженным); 기가 막힌다 дух захватывает; 숨이 막혔다 Дыхание спёрло; 코가 막혔다 нос забит; 막 힐데 없이 беспрепятственно; 앞길이 прям. и перен. быть закрытым (о пути); 2) запинаться (в разговоре); 3) быть скованным.

만(灣) I залив; бухта.

만(萬) II десять тысяч; 만 분지 일 а) одна десятитысячная доля; б) мизерный, незначительный; 수십만 несколько сотен тысяч.

만(滿) III перед именем, обозначающим время целый; 만 스무 살 полных(ровно) 20 лет; 만 일년 целый год; 만으로 몇살인가? сколько лет тебе исполнилось.

만 IV только; лишь; 집에서~ 읽었다 читал только дома; 소리를 질러~ 보지 попробуй толко крикнуть.

-만 сокр. от -마는.

만고(萬古) 1) седая старина; ~불멸 бессмертие; ~불멸의 진리 вечная истина; ~강산 древняя земля родины; ~풍산 долгие страдания; ~에 빛나다 сиять вечно; 2) ~에 веками; ~불멸 бессмертие; 3) ~의 не имеющий себе равных, несравнимый; беспрецедентный; ~열녀 преданнейшая из жён; ~명장 прославленный богатырь; ~절색 а) прекраснейшая из прекрасных; б) прос лавленная красота.

만기(滿期) I истечение срока; полный срок;~제대(퇴역) демобилизация по истечении срока службы;

~가 되어 по истечении срока; ~되다 истекать(о сроке); ~가 되어가고 있다 срок исте-кает; ~로... в связи с истечением срока.
만기(晩期) II поздний период; ~작물 поздние культуры; ~파종 по-здний сев; ~암장광상 geol. позднегемати-ческие(гистеромагматические) месторождения.
만나다 встречаться(с кем-л.); видеться(с кем-л.);소나기를~попасть под ливень; 남편을 잘 ~ выйти замуж за хорошего человека; 그와 만날 일이 없다 нечего с ним встечаться; 감기를~ простудиться; 남편을 잘~ выйти замуж за хорошего человека; 합숙을 잘~ найти хорошее общежитие; 야단을~ нарваться на неприятность.
만나서 встретив.
만나요 до свидания.
만날 изо дня в день; постоянно; всегда; ~뗑그렁 погов. как с гуся вода.
만날까 встретимся.
만남 встреча.
만났습니다 встретились
만능(萬能) всемогущество; всемогущий; универсальный; 무슨 일에나 ~이다 искусный в любой работе; мастер на все руки; ~하다 ~선반 универсальный токарный станок; ~후라이스반 универ сальный фрезерный станок; б) искусный в любой работе.
만드셨습니다 сделали;изобрели
만들다(만드니, 만드오) 1) делать; изготовлять; создавать; производить; творить; готовить; 상품을~ производить товар; 사전을~ составлять словарь; 길을~ прокладывать дорогу; 자금을~ доставать средства(деньги); 짬을~ находить время; выбраться; 음식을~ готовить еду; 일거리를~ наделать дел; 2) превращать; 부유한 나라로~ превращать в богатую страну; ..을..로~ сделать(кого-что-л. кем-чем-л.); 시를~ слагать стихи; 상처를~ [по]ранить; повредить; 소리를~ поднять шум; 짬을 ~ находить время
만들어 сделать; изобрести.
만료(滿了) истечение срока; ~하다 истекать; отбывать срок; ~일 последний день (срока).
만리(萬里) 1) 10,000 ли; 2) дальнее (большое) расстояние;~장성 Великая Китайская стена; ~장천 книжн. бескрайнее небо; ~전정 обр. блестящие перспективы; ~옥야 необозримая плодородная равнина.
만만하다 1) мягкий; 2) слабый; 3) простой; лёгкий;
만만히 несерьёзно;неуважительно.
만만하게보다 неучтиво обращаться.
만무(萬無) ~하다 ни в коем случае; не может быть; 그가 나에게 거짓말을 하였을리가 ~하다 Не может быть, чтобы он сказал мне неп равду;~시리 уст. ни в коем случае не может так быть; ~일실 уст. а) ничего не пропало, всё на месте; б) нечего опасаться неудач.
만물(萬物) 1) всё сущее; природа; 2) тысяча(множество) вещей;~의 영장 венец творения; ~상(相) разнообразие форм; ~상(商) мелочная торговля; ме лочная лавка; ~상점 арх. мелочная лавка.
만반(萬般) I всяческий; всевозможный;~의 준비 всесторонние приготовления; ~과학 все отрасли науки;

~준비 всесторонние приготовления.

만반(滿盤) II~진수 *обр.*стол ломится от яств; ~하다 богатый(о столе).

만사(萬事) I всё; всевозможные дела (события); ~가 잘되다 всё(все дела) в порядке; 세상~ все события, происходящие в мире; ~무심 полное безразличие; ~태평 а) благополучие и спокойствие; б) благодушие; беспечность; самоуспокоенность; ~형통 всё идёт как задуманно.

만사(萬謝) II ~하다 а) выражать глубокую благодарность; б) многократно просить(прощения).

만성(慢性) ~적 хронический; затяжной; продолжительный; ~적으로 되다 принять хронический характер; ~적 기아 хронический голод; ~적 고질(질병,질환) хроническая болезнь; ~염증 хроническое воспитание; ~위염 хрони-ческий гастрит.

만약(萬若) если; допустим; предположим; ~을 위하여, ~을 생각하여 на всякий случай; учитывая все случаи; ~의 경우에 в крайнем случае; см. 만일 1), 3).

만일(萬一) 1) сущ. если, допустим, предположим; 2)книжн. мизерная (ничтожная) часть; 3) ~을 위해서, ~의 경우에 на всякий случай; ~의 손해 возможный ущерб; ~을 경계하다 предупреждать всякого рода случайности; ~을 생각해서 учитывать все случаи.

만장(滿場) I весь зал; вся аудитория; все присутствующие; ~중 а) ~에 среди собравшихся; ~일치로 единогласно, единодушно.

만장(萬丈) II невообразимая высота; ~공도 уст. абсолютное беспристрастие; величайшая справедливость; ~광염 уст. высочайший пафос; ~생광 уст. а) величайшая слава; б) глубочайшая признательность; ~절애 уст. бездонная пропасть.

만전(萬全) совершенство; безупречность;~의 대책 необходимые меры; ~을 기하기 위하여 для полной верности; ~의 대책을 강구하다 обезопасить; при-нимать все меры; ~을 기하다 обезопасить; ~하다 совершенно безопасный.

만족(滿足) I удовлетворение; удовлетворённость; достаточность; полнота; ~하다 довольный; удовлетворённый; достаточный; удовлетворительный; ~스럽다 быть(казаться) довольным(чем-л.)(удовлетворённым); ~하게 удовлетворительно; достаточно; ~해하다 доовольствоваться(чем-л.); быть довольным(чем-л.); 그들은 현재의 생활에 ~해 한다 Они доволем тем, как сейчас живут; ~시키다 удовлетворять(чем-л.); ~감 чувство удовлетворения; ~을 느끼다 быть довольным(чем-л.)

만족(蠻族) II варварские племена.

만지다 1) щупать; ощупывать; трогать; 2) обращаться; иметь дело

만지작거리다 слегка ощупывать.

만큼 тк.с предшествующим опред. 1) указ. на то, что подлежащее обладает признаком в той же степени, что и до полнение, оформлление этой частицей: такой, как; так же, как; 나는 어른들~ 일을 할 수 없다 Я не могу работать так, как работают взрослые; 할 ~하시오 Делайте по возможности; 가질~가져라 Возьми сколько возможно; 한 달 ~ с месяц; около месяца; 얼마~주시오 дайте скольконибудь; 2) присоединяясь к прич. буд. вр. гл. и опред. ф. буд. вр. прил.,а тж. после ф. гл. с оконч. 이, указ. на ту степень, в какой подлежащее вбладает признаком, выраженным сказ.: настолько;настолько ..., что; в такой мере..., что; так..., чтобы; 그의 기쁨은 하늘에 오를 ~이나 컸다 обр. он был несказанно рад(букв. радость его была так велика, что достигала неба); 3) присоединяясь к прич. прош. вр. гл. и опред. ф. прош. вр.,а тж. после деепр. гл. с оконч. 니(으니), 느니, выражает причину: так как, поскольку; раз; 나도 잘 모르니~ 확답하기 어렵다 Поскольку я сам хорошо не знаю, затрудняюсь дать точный ответ.

만하다 1) после имён такой же, как; величинойс;수박~величиной с арбуз; 2) после имён с отриц. 못 не идёт ни в какое сравнение с; 우리만 못하다 не идёт ни в какое сравнение с нами; 3) после прич. буд. вр. можнт, можно; 갈~ может идти; 읽을 만합니까? разрешите (можно) прочитать?

만화(漫畵) карикатура; юмористический рисунок;~가 карикатурист; ~영화 мультипликационный фильм; мульт фильм; ~책 книга с карикатурами;сборник карикатур; комикс.

많다 многочисленный; много; 그는 나이가~ему много лет, он в годах.

많습니다 много. **많아요** много.

많이 много.

많이나다 обильно расти; обильно производиться.

맏- преф. 1) (самый) старший; ~아들 (самый)старший сын; ~며느리 старшая сноха; ~형 старший брат; ~딸 старшая дочь; ~누이(самая)старшая сестра; 2) (самый) ранний (первый); ~물 первые овощи(фру-кты и т. п.); ~배 детёныши первого выводка

(помёта).

맏이 [맞지] 1) (самый) старший брат; 2) (самая) старшая сестра; 3) старшинство; 4) старший(по возрасту).

말(馬) I 1) маль(мера объёма ≈ 18л); 말 위에 말을 얹는다 посл. хлопот полон рот; 2) мерка(для измерения сыпучих тел); 3) несколько маль.

말 II 1) лошадь; конь; ~을 타고 верхом(на лошади; на коне);~고기 кони на; 말 가는데 소도간다 посл. ≈ что под силу одному, то может сделать другой(букв. где прой- дёт конь, там и вол пройдёт); 말 갈데 소 갈데 다 다녔다 обр. побывал всюду; 말귀에 염불 см. 소[귀에 경 읽기] I; 말머리에 태기가 있다 посл.≈ доброе началополдела откачало; 말살에 쇠살에 обр. язык без костей; 말 잡은 집에 소금이 해자라 обр. угощать скрепя сердце; 말 죽은데 체장사 모이듯 строить своё счастье на чужом несчастье(букв. словно торговец ситами, который спешит туда, где погиб конь(чтобы дёшево купить конский волос); 말타면 경마 잡히고 싶다 погов. ≈ ты ему рубль,а он два просит; 말 태우고 버선 깁는다 посл. ≈ на охоту ехатьсобак кормить(букв. посадили на коня и штопают седоку носки); 2) этн. "лошадь" (назв. 7-го знака двенадцате-ричного цикла).

말 III 1) конь(в кор. шахматах); 2) фишка (в игре ют).

말,언어(言語) IV рдест заострённый (Potamogeton oxyphyllus; растение).

말(단어. 문자) V 1) слово; речь; язык; ~같지 않다 это вздор(пустые слова); ~같지 않은 말을 하다 говорить вздор (глупости); ~만 앞세우다 кормить обещаниями; 엉뚱한 ~을 하다

говорить невпопад; ~을 옮기다 передавать(чьи-л.) слова; ~을 내다 выдавать секрет; разглашать тайну; ~을 그치다 замолкать; переставать говорить; ~을 듣다 слушаться; подчиняться; ~을 막다 перебивать; прерывать; ~이 되다 быть правдивым; соответствовать действительности; ~이 많다 многословный; болтливый; ~이 적다 неразговорчивый; молчаливый; ~이 통 하다 понимать друг друга; 말밑천 (본전) повод(основание) для разговора; 말 휘갑을 치다 говорить невпопад; 내 말이 그 말이 아니다 я не о том говорю; 말 그대로 см. 문자[그 대로] II; 말도 말게(말아라, 마오) не надо даже заикаться(спрашивать); 말로는 못 할 말이 없다 на словах всё можно сделать; 말로 온 동네를 다 겪는다 обр. только словами угощают; 말이야 바른 대로 말이지 говоря по правде; 말께나 하다, 말마디나 하다 а) поругивать(кого-л.); б) довольно прилично(гладко) говорить; 말만 귀양 보낸다 обр. бросать слова на ветер; 말 많은 집은 장맛도 쓰다(말 단 집장이 쓰다) посл. ≅ болтовня до добра не доводит(букв. в доме, где много болтают и соя горькая); 말 바로 см. 문자[그대로]; 말아닌 말 глупости, чепуха; 말은 보태고 떡은 뗀다 посл. букв.≅ при передаче слов каждый от себя прибавляет,а при передаче хлеба каждый себе отламывает по кусочку; 말은 해야 맛이요, 고기는 씹어야 맛이라 посл. букв. ≅ слово звучит только в речи,мясо имеет вкус только во рту; 말이란 탁 해 다르고 툭 해 다르다, 말이란 아 해 다르고 어 해 다르다 посл.≅ одно и то же всяк по своему понимает; 말이 말을 만든다 посл. ≅ скажешь на ноготок, а перескажут с локоток (букв. слово рождает слово); 말은 앵무새 пустослов, болтун; 말을 건네다 обращаться(к кому-л.); 말을 나누다 разговаривать; беседовать; 말을 디디다 слушаться; 말을 물 흐르듯 하다 обр. складно(гладко)говорить; 말을 붙이다 обращаться(к кому-л.); ~을 비치다 а) подсказывать; б) вмешиваться в разговор; 말을 삼키다 промолчать, сдержаться; 말을 주고 받다 разговаривать; беседовать; ~을 일으키다 поднимать шум; ~이 굳다 запинаться; не слушаться(о чьём-л. языке); ~이 나다 а) быть разглашённым(о тайне); б) заговаривать; заводить разговор; ~이 난 바에 поскольку шла речь; 말이 많으면 쓸 말이 적다 посл. букв. ≅ много слов, а толку мало; ~이 말을 물다 разноситься, разлетаться (напр. о новости); ~이 못 되다 быть невыразимым; ~이 무겁다 говорить веско(солидно); ~이 새다 просочиться(о секретах); ~이 떨어지다 язык развязался; ~이 아니다 а) говорить (вздор), глупости; б) очень тяжёлый, неимоверно трудный; 말에 오르내리다 см. 입(에 오르내리다) 1); 2) как дополн. к гл. говореня и восприятия служит для введения прида точного косвенной речи; 나는 그녀가 아직 시집을 가지 않았다는 말을 들었다 я слышал, что она ещё не вышла замуж; 3) после дееприч. предшествования, сопровождаемого частицей 야, в сочет с гл. -связ-кой; 그가 집에 있어야 말이지 было бы лучше, если бы он был дома; 4) ~이야 ~이죠 так сказать; 5) ~이지 надо сказать; 6) в сочет. с гл.-связкой 이다 подчёркивает знач. вышесказанного; 혼자 남아 있으란 ~인가 Ну, что мне одному оставаться?

-말(末) суф. кор. конец; 고려~ конец эпохи Корё; 학년~ конец учебного года.

말- преф. перед некоторыми сущ. большой; **말거미** большой паук.

말갛다(말가니, 말가오) светлый; прозрачный; ясный.

말공부(-工夫) [-кконъ-] 1) пустые разговоры, праздная болтовня; 2) сплетни, пересуды;~하다 а) говорить попусту, болтать; б) сплетничать.

말굽 1) конское копыто; ~도리 продольная балка с подковообразными концами; ~웅두리 коленный сустав; коленная чашка(у коровы); 2) ~추녀 подковообразные стропила

말끔 чисто; начисто; совсем; совершенно; всё; ~하다 а) чистый; без примеси; б) свободный; незаставленный; ~히 чисто; начисто; совсем; совершенно; всё;~히 씻다 а) отмыть; отчистить; б) см. 말끄러미; ~닦다 вычистить; отчистить.

말끔하다 чистый. **말끔히** чисто.

말끝 1) конец фразы(речи); ~을 달다 добавлять; договариваться; досказывать;~을 흐리다 скомкать(замять) конец речи; спутаться(сбиться) в конце речи; ~을 잡다 см. 말꼬리[를 잡다]; 2) начало речи.

말다 I (마니,마오) свёртывать; скатывать; 종이를 돌돌~ скатывать бумагу в трубку; 담배를~свернуть папиросу; 말아 먹다 всё погубить.

말다 II (마니,마오) разбавлять; 밥을 물에~ разбавлять водой варёный рис; 국수를 ~ разбавлять водой лапшу.

말다 III (마니, 마오) 1. переставать, прекращать; 2. 1) после недостаточного инф. с оконч. 지~ выражает запрещение:가지마시오 не уходите; 먹지 말아 не ешь; 2) после имён действия и деепр. предшествова-ния предикатива не надо: 걱정말아라 не беспокойся; 슬피마시오 не горюйте; 3) после смыслового гл. в деепр. ф. имеет антонимическое значение: 가거나 말거나 идти или не идти; 4) после деепр. прерванного действия выражает незавершённость начатого действия: 책을 읽다가 말았다 Книгу не дочитал; 5) после деепр. предшествования гл.(оконч. 고), иног да в сопровождении частицу 야, указывает на непременно завер-шённое действие: 우리는 승리하고 [야] 말 것이다 мы обязательно победим; 6) после соед. деепр. предикатива: 말고 конеч но; 가고 말고 конечно, пойду; 좋고 말고 конечно, хорошо; 7) после предика тива в заключительной ф. с оконч. 다 подчёркивает знач. слова в данной мысли: 그는 영웅이다 마다 Да он же герой; 8) после деепр. мгновенного действия имеет усил. знач.: 인순이는 밥숟갈을 놓자마자 밖으로 뛰어 나갔다 как только Инсуни поела она, выбежала на улицу; 9) пос ле имён сущ.: 말고 а не; 인준이 말고 영식이를 만나러 왔대요 приходил чтобы встретиться с Енсиком, а не с Инчжуном; 너 말고 그를 만나러 왔다 Приходил, чтобы встретиться с ним, а не с то бой; 마지못해 поневоле; вынужденно; 기뻐마지 아니하다 не могу не радоваться; 더는 말고 больше не надо, достаточно; 마지 아니 하다 нельзя не; не могне

말다듬기(마니, 마오) упорядочение (нормализация) языка.

말단(末端) 1) конец; край; ~기관 самая низшая инстанция; ~지각이상 мед. акропарестезия; ~혈관신경증 мед. акроангионевроз; 2) самая низшая инстанция.

말리다 I 1) быть свёрнутым(скатанным); 2) завиваться(о волосах); 3) заставлять(позволять) скатывать (свёртывать); сушить; высушивать; вялить.

말리다 II 1) отговаривать; не советовать; 2) унимать; разнимать; 3) оберегать(от порубки, потравы и т.п.).

말살(抹殺) стирание; зачёркивание; уничтожение; искоренение; ~하다 стереть; зачеркнуть; вычеркнуть; стирать с лица земли; ликвидировать; уничтожать; 지상에서 ~ 하다 стирать с лица земли.

말소(抹消) стирание; зачёркивание; выписка(из домовой книги); ~시키다 стереть; зачёркивать; вычёркивать; выписываться(из домовой книги); ~하다 стирать; вычёркивать написанное.

말썽 1)жалобы; ворчание; 2) скандал; склока; ~을 부리다 жаловаться; ворчать; скандалить; устраивать склоки; ~꾼 ворчун; склочник; ~스럽다 а) надоедливый; ворчливый; б) склочный.

말씀 вежл. см. 말

말씨 манера говорить; интонация.

말초(末梢) 1) самые последние(тонкие) веточки дерева; 2) анат. Периферия; ~적 периферический; ~신경 периферический нерв.

말하다 1) говорить; 말하자면 то есть; 말할것도 없다 нечего(и стоит) говорить; само собою разумеется; 말할수없이 невыразимо,неимоверно; неописуемо; 2) рассказывать; 3) называ ть[ся]; ~하세요 скажите; ~했습니다 сказал.

맑다 1) ясный; чистый; прозрачный; 2) правильный(о чертах лица); 3) тонкий(о вкусе); 4) чистосердечный; 5) скромный; 맑은 술 водка, оставшаяся в сосуде после первого слива; 맑은 장국 а) мясной бульон с кусочками го вяди ны; б) бульон, заправленный соевым соусом.

맑습니다 ясный.

맑아졌습니다 стал ясным.

맑은 강물 чистая река.

맑히다 1) очищать, фильтровать; 2) упорядочивать; приводить в порядок.

맘 сокр. от 마음; 맘 잡아 개장수 сокр. горбатого могила исправит.

맛(味) I 1) вкус; ~을내다 придавать вкус(чему-л.); ~을 보다 пробовать; испытывать на себе; чувствовать; ~이 있다 вкусный; ~이 없다 невкусный; ~이나다 приобретать вкус; становиться вкусным;~좋고 값 싼 갈치자반 погов. дёшево и сердито; ~을 들이다 а) при давать вкус; б) входить во вкус; пристраститься; ~을봐라 (я тебе) покажу!; (я тебя) проучу!;~이 들다 быть готовым(о соленьях, вине и т. п.); ~이 붙다 увлечься; пристраститься; 2) настроение; атмосфера; 명절 맛 праздничная атмосфера; 3) интерес; 너 혼자 바다로 갈맛이 있느냐? какой интерес одному выходить в море?;~을 부리다 (피우다) быть нетактичным (нескромным).

맛 II 1) съедобные моллюски; 2) см. 가리맛 맛있게 вкусно. 맛있는 вкусный. 맛있습니다 вкусный.

맛있어요 было вкусно.

망(網) сеть; сетка; плетёнка; ~뜨다 вязать сети.

망(望) II 1) ~을 보다 следить; наблюдать; ~을 서다 стоять на страже; 2) см. 명망; 3) см. 천망.

망(望) III 1) полная луна; 2) день полнолуния; пятнадцатое число (по лунному календарю).

-망(網) суф. кор. сеть; 교통망 сеть путей сообщения.

망명(亡命), 이주(移駐) 1) бегство за границу; (политическая)эмиграция; ~하다 эмигрировать(по политическим причинам); ~생활 жизнь в эмиграции; ~객 (политический) эмигрант; ~지 страна пребывания эмигранта; 2) ~도주 уст. бегство после совершения тяг чайшего преступления; ~죄인 бежавший (важ ный) преступник.

망명하다 эмигрировать.

망원(望遠) ~렌즈 телеобъектив; ~분광기 телеспектроскоп; ~사진술 телефотография; ~초소 наблюдательный пост на возвышенности

망원경(望遠鏡) телескоп; бинокль; подзорная труба; 굴절~ рефрактор; 대물렌즈 ~ телеобъектив; 쌍안~ телебинокль.

망정 после некоторых форм гл. в сочет с гл.-связкой в ф. ~이지 хорошо получилось,что(поскольку)~; 여비가 와야 ~이지 그러지 않으면 돌아 갈 수 가 없게 되었다 хорошо получилось, что пришли деньги, а то мы бы не смог ли вернуться.

망치 молот; кувалда; ~질 하다 бить молотом(кувалдой).

망치다(亡-) 1) [по]губить; 2) приводить в негодность.

맞- преф. 1) напротив; лицом к лицу; друг против друга; друг с другом; 맞바꾸다 поменяться; 2) равный; 맞적수 достойные(друг друга) противники; 3) встречный; 맞바람 встречный ветер.

맞걸다(맞거니, 맞거오) 1) вешать (что-л.) друг против друга; 2) сцеплять, зацеплять друг за друга; 3) ставить деньги на кон.

맞교대(-交代) две смены; 작업~ двухсменная работа; ~하다 заменять друг друга (поменяться).

맞다 I 1) попадать(подо что-л.); получать(удар и т. п.); принимать (кого-л.); 비를~ попасть под дождь; 매를~ быть [по]битым; 총알이 바로 맞았다 Пуля попала в цель; 폭풍을 맞다 попа дать в буран; 눈보라를 맞다 попадать в метель; 봄을 맞다 встречать весну; 뺨을맞다 получить пощёчину; 총을맞다 получить пулю; 주사를 ~ получать укол; 손님을 ~ принимать гостей; 2) подвергаться (чему-л.); 도적을 ~ быть ограбленным; 도장을 ~ быть поставленным(о печати); 퇴짜를 ~ быть отвергнутым; 3) встречать; 남편을 ~ выходить замуж; 아내를 ~ жениться; 사위를 ~ выдавать дочь замуж; 맞은바람 встречный ветер; 맞은 바래기 то, что видно впереди; 맞은편(쪽) противоположная(та) сто рона; 맞은혼인 см. 맞혼인.

맞다 II 1) подходить; соответствовать; совпадать; быть(оказаться) впору; быть правильным(точным); 이 옷이 너에게 맞는다 Этот костюм тебе идёт(тебе к лицу); 맞아 떨어 지다 совпадать(соответствовать) полностью; быть как раз; 2) после деепр. ф. качественных прил. усиливает степень качества: 급해~ очень спешный.

맞들다(맞드니, 맞드오) 1) поднимать вдвоём(что-л.); 2) делать(что-л.); вдвоём(совместно,общими усилиями)

맞불 1) ответный огонь; ответная стрельба; 2) встречный пожар(устраиваемый в целях ликвидации лесного пожара); 3) огонёк папиросы прикуриваю щего человека;~을 놓다 а) вести ответный огонь; б) устраивать встречный пожар; в) зажигать огонь(на противоп. стороне чего-л.).

맞서다 1) стоять друг против друга; противостоять; 2) идти(выступать) друг против друга; 3) сталкиваться (встречаться) лицом к лицу(с чем-л.).

맞이 встреча; приём; 설~ встреча нового года; ~하다 встречать; принимать; 남편으로 ~하다 выходить замуж; 아내로~하다 жениться.

맞이하다 встречать; 손님을~ принимать гостей.

맞추다 1) прилаживать; пригонять; приноравливать; 시계를~ ставить часы; 입을 ~ [по]целовать; 간을 ~ придавать(чему-л.) острый(солёный) вкус; 맛을~ придавать надлежащий вкус; 맞추어 보다 сличать; сверять; 피아노를 ~ настраивать рояль; 뼈를 ~ вправлять кость; 소리를 맞추어 хором; 장구 소리를 맞추어 под звуки барабана; под барабан; 구두를 발에 맞추어 짓다 делать обувь на ноге; 2) соединять, совмещать; 3) давать(нужный, верный ответ); 4) договариваться; уславливаться(о чём-л.).

맞춤법(-法) правила правописания; орфография.

맞히다 I толкать, побуждать; подводить(подо что-л.); 매를 ~ заставлять (позволять) избивать; 주사를 ~ заставлять(позволять) делать укол; 도장을~ заставлять(просить) поставить печать.

맞히다 II подгонять; пригонять; делать по вкусу; 주사를 ~ заставлять получать укол.

맡 после прич. гл. с оконч. 는 и 던 в ф. дат. п. сразу после(чего-л.); 집으로 오는밑에 이야기했다 рассказал сразу после прихода домой.

맡기다 1) поручать(кому-л.); доверять; вверять; 임무를~ возложить миссию(на кого-л.); 자신의 운명을...에게~ вверить(вручить) свою судьбу (кому-л.); 주문을 ~ делать заказ; 2) представлять(документ); 3) просить (поручить)занять(место).

맡다 I 1) брать на себя; принимать; получать; 맡은일 порученное дело; 맡아놓고 отвечая за всё; 2) брать на хранение; 3) занимать(место); 4) принимать(напр. заказ); 5) получать (напр. разрешение).

맡다 II нюхать, обонять.

매 I палка; дубинка; ~를 맞다 быть побитым(палкой); серьёзный упрёк; критика; 매도 먼저 맞는 게 낫다 Ожидание смерти хуже самой смерти; 매도 먼저 맞는 놈(것)이 낫다 посл. ≅ сама беда лучше ожидания беды; 매끝에 정든다 посл. ≅ от испытаний дружба становиться крепче; 매 위에 장사 없다 погов. ≅ перед палкой все кланяются.

매 II 1) см. 매끼; 2) связка(листового табака); 3) куски мяса(для продажи); 4) этн. кусок холста, в который заворачивают тело покойника.

매 III прям. и перен. сокол; ~를 꿩으로 보았다 посл. букв. принимать фазана за сокола.

매-(每) преф. каждый, еже...; 매공장 каждый завод.

-매 суф. строение; покрой; 눈~ раз рез глаз; 몸~телосложение; фигура;

옷~ покрой одежды.

-매 книжн. оконч. дееpr. причины: 그 사람이 왔으매 같이 길을 떠났다 он пришёл и они отправились в путь вместе.

매각(賣却) продажа; ~하다 продавать; распродавать.

매개(媒介) посредничество; ~하다 быть(служить) посредником; посредни чать; ~체 посредник; разносчик; агент; 전염병의~ разносчик заразы; ~체 раз носчик заразы.

매기다 1) оценивать; отмечать; 등급을 ~ давать разряд; 점수를 ~ ставить оценку; 2) отмечать

매다 I 1) завязывать; связывать; привязывать; 넥타이를 ~ завязывать галстук; 파란넥타이를 ~ завязывать синий галстук; 목을 ~ повеситься; 붓을~ делать кисть; 책을 ~ сшивать книгу; 2) крутить(нить); 3) держать (скот); 4) см. 매기다 1) 매어달다; см. 매달다.

매다 II полоть; пропалывать; 김을 ~ полоть гряды.

매달다(매다니,매다오) 1)вешать;подвешивать;2)приковывать;привязывать

매달리다 1) висеть; быть подвешенным; быть прикреплённым; быть добавленным (приложенным); быть привязанным(прикованным); 매달린 개가 누워 있는 개를 웃는다 посл. ≒ смех сквозь слёзы(букв. висящая собака смеётся над лежачей); 2) быть прикомандиро-ванным (прикреплённым); быть добавленным (приложенным); 3) перен. бытьпривязанным(прикованным)(к чему-л.); опираться; полагаться; зависеть(от кого-л.).

매듭, 마디 1) узел; соединение; ~을 풀다 развязывать узел; ~없는 그물 безузловая сеть; ~자반 съедобные морские водоросли, свёрнутые в трубочку, начинённые чёрным перцем и обжаренные; 2) загвоздка; 3) завершение; ~을 짓다 а) завязывать узел; б) завершать дело.

매듭점(-點) мат. узловая точка

매듭짓다 завязывать узел; завершать.

매매(賣買) I купляпродажа; торговля; ~하다 покупать и продавать; торговать; ~계약 торговая сделка; ~결혼 (혼인) выкуп невесты

매매(昧昧) II ~하다 уст. тёмный, невежественный.

매사(每事) любое(каждое) дело; ~가감 уст. обр. справляться с любым делом; ~불성 терпеть неудачу в каждом деле; ~는 간주인 обр. дело хозяйское; ~불여튼튼 погов.добрый конецвсему делу венец.

매스게임(англ.mass game) массовая пластика; ритмическая гимнастика.

매스껍다(매스꺼우니, 매스꺼워) прил. испытывать тошноту; 속이~ тошнить; см. 메스껍다

매스컴(англю mass communication) СМИ (средства массовой информации)

매슥거리다 то и дело тошнить

매애애 мэ-э-э. 매워요 горький.

매우(梅雨) I затяжные дожди в начале лета. 매우 II очень; весьма.

매이다 I 1) быть завязанным(привязанным); 2) быть зависимым(связанным; прикованным); 영어에 매인 몸 человек, брошенный в тюрьму; 매인 목숨 зависи мое положение.

매이다 II быть прополотым.

매일 каждый день; ежедневно; ~같이 (почти) каждый день 매일되풀이되다 ежедневно повторяться

매일매일 каждый день.

매입(買入) покупка; закупка; приобретение; ~하다 покупать; закупать; при обретать.

매장(埋葬) I 1)погребение; похороны; 2) (политическая) изоляция человека; ~하다 а) погребать; хоронить; б) изолировать (от общества).

매장(埋藏) II ~하다 зарывать; хоронить; прятать в землю; таиться в недрах; ~량 предполагаемые запасы в недрах.

매장(買贓) III арх. ~봉적 человек, купивший краденую вещь и ограбленный человек; ~하다 покупать (скупать) краденое.

매트리스(англ.mattress) матрас(матрац); тюфяк.

매표(買票) продажа билета; ~구 касса; ~원 кассир; ~하다 продавать билет (талон).

매화(梅花) 1) цветы сливы; 매화도 한철 국화도 한철 посл. букв. слива цветёт в своё время, а хризантема в своё ≅ а) всё до поры до времени; б) всему своё время; ~빙열 керамические изделия с орнаментом в виде цветов сливы; ~타령 (народная) песня о сливе; ~강정 хворост из рисовой муки, обмазанный мёдом(патокой); ~산자 корейское печенье из рисовой муки, обмазанное мёдом (патокой) и обсыпанное воздушным рисом; ~편문 крупный орнамент(на керамике); 2) ~나무 сливовое дерево; слива.

맥 I гряда.

맥(脈) II 1) пульс; см. 혈맥; 2) см. 맥락; ~을 보다 а) щупать пульс; б) перен. разнюхивать; прощупывать (кого-л.); 3) см. 지맥; 4) этн. горный хребет(термин, употр. при выборе счастливого места для дома или могилы); 5) сила; ~없이(놓고) а) бессильно; б) без всякой причины; ~을 놓다 расслабнуть; ~을 쓰다 а) напрягать силы; б) собраться с духом; 6)горн. жила; 맥도 모르고 침통 뺀다 (흔든다) тыкаться как слепой щенок носом; ~도 모르다 ничего не знать (не понимать); ~을 추다 а) поправиться; стать на ноги; ~맥[을] 쓰다; 맥[이] 나다 а) уставать; утомляться; б) падать духом.

맥락(脈絡) 1) кровеносные сосуды; кровеносная система; 2) взаимосвязь; контекст; ~관통 уст. ясность(очевидность) связи.

맥박(脈搏) пульс; пульсация; биение пульса; ~치다 пульсировать; биться; ~계 сфигмометр; измеритель давления; ~묘사기 мед. сфигмограф; ~완서 мед. брадикаодия.

맥주(麥酒) пиво; ~양조 пивоварение; ~병 пивная бутылка; ~집 пивная; ~안주 закуска к пиву; ~과자 солёные кондитерские изделия к пиву; ~찌끼 барда; ~양조자 пивовар.

맥추절 Праздник жатвы пшеницы.

맨- I преф. самый; ~끝에 в самом конце; в конце концов; 맨 마감에 в самом конце.

맨- II преф. (всего) лишь; только; один; целиком; голый; лишённый (чего-л.); пустой; 집 앞산에는 ~소나무뿐이다 На горе перед домом растут лишь сосны; 맨머리 непокрытая голова; 맨발 босые ноги; 맨손 пустые руки.

맴 I ~을 돌다 кружиться.

맴 II звукоподр. стрекоту цикады.

맵시 красивая форма; красивый вид; красота

맷집 ~이 좋은 사람 человек крепкого телосложения.

맹 пресный; чистый; ~물 чистая вода.

맹-(猛) сильный; яростный; ожесточённый; ~공격 яростная(ожесточённая) атака(наступление); ~연습 упорная(усиленная) тренировка; ~활동 актив ная(кипучая) деятельность.

맹랑(孟浪) ~하다 а) тщетный;пустой; б) несговорчивый; в) 일이 ~하게 되었다 дело сорвалось; ~스럽다 прил. а) казаться тщетным(пустым); б) казаться трудным; в)казаться несговорчивым; ~치 않다 сообразительный; умный.

맹렬(猛烈) ~하다 жестокий; ожесточённый; яростный; бешеный; ~한 비등 бурное кипение; ~한 속도 бешеные темпы.

맺다 1) завязывать; вязать; 2) завязываться; образовываться; 이슬이 ~ появляться(о росе); 3) завязывать (отношения); заключать (договор, соглашение и т. п.); 4) завершать; заканчивать; заключать; 5) таить; питать; 맺고 끊은 듯 аккуратно; полностью.

맺히다 I 1) быть завязанным(скреплённым); завязываться; 2) быть сжатым (плотно закрытым); 3) собираться; скапливаться; 눈물이 맺혔다 наверну лись слёзы; 4)быть собранным(подтянутым).

맺히다 II застревать.

머금다 [-тта] 1) держать во рту; 2) держать в себе; заключать; таить; питать(чувство); 3)сдерживать; задерживать; 눈물을 ~ сдерживать слёзы.

머리 1) голова; тех. головка; ~곡예 цирковой номер на голове; ~단 조기 тех. высадочная машина; ~로 멈추기 спорт. остановка мяча головой; ~위에서 두 손 넣기 спорт. бросок двумя ру ками над головой; ~위에서 두 손 연락 спорт. передача двумя руками над головой;~를 삶으면 귀까지 익는다 посл. букв. если сварить голову,сваряться и уши; ~없는 놈 댕기 치레한다 посл. букв. пустой человек украшает себя лентами; ~피도 마르지 않다 молоко на губах ещё не обсо-хло; ~는 끝부터 가르고 말은 밑부터 한다 прежде всего надо быть ло- гичным; ~가 굵다 (크다, 커다랗다) а) большеголовый; б) большой, повзрослевший(о ребёнке); ~가 무겁다 голова тяжёлая; ~를 굽히다(숙이다) прям. и перен. склонить голову; ~를 들다(쳐들다) прям. и перен. поднима ть голову; ~를(가로)흔들다 качать головой(в знак несогласия); ~를 끄덕이다 кивать головой (в знак согласия); 2) волосы(на голове); ~가 모시 바구니가 되다 обр. становиться седым, как лунь; ~에 서리가 앉다 быть тронутым сединой (о волосах);~에 서리발을 이다 поседеть; ~끝 кончики волос; ~ 끝에서 부터 발끝까지 прям. и перен.с головы до ног; перен. до зубов; 화가 ~끝까지 в сильном гневе;~를 풀다 распускать волосы(в знак траура по родителям); ~를 깎다 а) подстригаться; б) постричься в монахи; в) быть посаженным в тюрьму; ~를 땋다 заплетать волосы;~를 얹다 а) носить косы короной; б) выходить замуж; в) носить волосы валиком(о кисэн);~를 얹히다 а) выдавать замуж; б) лишиться невинности кисэн; ~카락 волосы; 3) ум, сознание; рассудок; ~가 굳다 а) тупой; тупоумный; б) твер долобый, косный; ~가 돌다 (돌아가다) терять разум; 4) верхушка, макушка; вершина(горы); ~꼭대기 темя; 5) передняя часть, передний край(чего-л.); 기선의 ~ нос судна; 뱃~ нос судна; 6) начало(чего-л.); ~기사 передовая статья; 7) глава; главарь; ~가 가볍다 быть в приподнятом настроении; ~가 세겠다(셀 지경이다, 빠지겠다, 빠질 지경이다) тревожиться, беспокоиться(по пустякам); ~를 모으다 собираться в тесном кругу; ~가 젖다 быть пропитанным до мозга костей; погрязнуть(в чём-л.); ~가 썩겠다.~가 썩을 지경이다 думать до головной боли; ~가 썩다 перен. гнилой; прогнивший; ~를 내밀다 появляться(показыться) на глаза; ~를 싸매고(싸고) изо всех сил; со всей энергией; ~를 썩이다 ломать голову (над чем-л.); ~를 쓰다 раздумывать; ~를 짜다 мучительно раздумывать; ~에 들어가다(오다) стать ясным (понятным), доходить до сознания; ~꼬리 없이 см. 밑[도 끝도 없이].

-머리 I суф. 1) конец, край; 2) начало сезона.

-머리 II словообразовательный суф. имени сущ. с пренебр. оттенком: 버르장머리 дурная привычка.

머리말 서두(序頭) предисловие

머무르다(머무르니, 머물러) 1) останавливаться; топтаться на месте; ограничиваться; 자동차는 집 앞에 머물렀다 автомобиль остановился перед домом; 2) топтаться на месте; 3) ограничиваться; 4) запаздывать; задерживаться.

머슴(애)아이 1) мальчик, живущий в батраках; 2) диал. см. 사내아이.

먹 1) сухая тушь; 2) см. 먹물; 먹을 그리다 замазывать чёрным; ~을 놓다 прочертить чёрную линию.

먹- преф. кор. чёрный; ~구름 чёрное облако 먹겠습니다 будет есть.

먹다 I 귀가(귀를)~ оглохнуть

먹다 II (식사하다) 1. 1) есть; пить; курить; вдыхать; 술을~ пить вино; 젖을 ~ сосать грудь; 탄내를 угореть; 먹는 물 питьевая вода; 먹을 것 еда; пища; 먹기는 파발(홍중군)이 먹고 뛰기는 역마(파발마)가 뛴다 посл. в жизни всегда лошадь тащит, а кучер получает на чай; 먹기는 아귀 같이먹고 일은 장승 같이 한다 посл. букв. ест, как вечный голодный дух, а работает, как верховой столб(о прожорливом лодыре); 먹는 데는 감돌이 일에는 베돌이 погов. букв. первый в еде, последний в работе; ~가 굶어 죽겠다 погов. с такой еды; ~가 보니 개떡이다(먹다가 보니 개떡 수제비라) посл.то, что ели(и хвалили), оказалось собачьей едой; 먹자는 귀신은 먹여야 한다 посл.букв. дьявола, попросившего есть, надо кормить(чтобы он не запросил большего); 먹지도 못하는 제사에 절만 죽도록 한다(먹잘 것 없는 제사에 절만 많다) посл. ≅ воду в ступе толочь(букв. класть поклоны во время обряда жертвоприношения, при котором не ставят угощения); 먹을수록 남남한다 посл.≅ аппетит приходит во время еды; 먹는 데는 남이요, 굳은 데는 일가라 посл.≅ евши пирог, вспомни и сухую корочку; 먹는 소가 똥을 누지 посл. ≅ без труда не выловишь и рыбки из пруда; 먹는 떡에도 살을 박으라 한다 посл. ≅ взялся за гуж, не говори, что не дюж; 먹지않는 씨아에서 소리만 난다 погов.≅много слов, да мало дела; 먹을 때는 개도 아니 때린다 посл. букв. собаку, и ту не бьют вовремя еды; 아침을~ завтракать; 2) брать; получать; присваивать; исполняться; 이자를~ получать проценты; 뇌물을~ брать взятки; ...에서 5분의 2를~ присваивать(брать) (себе) две пятых; 3) занимать(какое-л.) место; 4) испытывать(чувства); 5) 나이를(살을) ~ исполняться(о возрасте); 6) выживать; сгонять; 7) получать; подвергаться; 매를 ~ быть избитым; 총알을 ~ быть раненным пулей; 8) брать, действовать(о чём-л. режущем, пилящем); 톱이 잘 ~ пила хорошо пилит; 9) расходовать, тратить; 먹은 금새 деньги, потраченные на покупку; 10) как неперех. гл. есть, пожирать; 버짐이 ~ распростра няться(о стригущем лишае); 농사를 지어~ жить земледелием; кормиться землёй; 11) ложиться ровным слоем(о пудре, креме *и т. п.*); 12) требоваться; 마음을 ~ решиться(на что-л.); 겁을 ~ испугаться; 얼마나 먹습니까? сколько стоит? 먹는 곳 먹고 닮다 быть очень похожим(вылитым); 먹고들어 가다 먹고죽재도 없다 очень редкий (дефицитный); 먹고떨어지다 лёгкий, успешный; **2.** служгл., указывающий на завершённость действия: 견디어 ~ выдерживать; выносить.

먹이 1) корм; фураж; 2) пища; питание; кушанье.

먹이다 1) заставлять(позволять) есть (пить, курить, вдыхать); угощать, кормить, поить; 2) заставлять(позволять) захватывать(занимать) 3) подвергать; обрекать; 4) толкать (на взятку); 5) давать выиграть(деньги); 6) заставлять(кого-л.) прибавить себе годы; 7) подавать(что-л. в машину); 8) да-вать пропитаться(окраситься); 9) отпускать(средства); 10) вкладывать(стрелу в лук); 11) запевать; 12) толкать(пилу к партнёру); 13) разводить; выращи вать.

먹여 살리다 прокормить.

먹히다 1) быть съеденным(выпитым, выкуренным); 2) быть полученным (присвоенным); 3) быть занятым(захваченным); 4) иметься(о чувстве); 5) исполняться(о возрасте); 6) быть выжитым(изгнанным); 7) подвергаться (чему-л.); 8)быть податливым(о материале); 9) быть выигранным(о деньгах); 10) требоваться(о средствах); 돈이 ~ требоваться.

먼저 раньше; прежде(всего);сперва, сначала; 누구보다도~ раньше других; 무엇보다도~ прежде всего; первым долгом; в первую очередь; 제일~ самый первый; ~먹은 후 답답 *посл.* ≅ первому кону не радуйся.

먼지 пыль; ~투성이가 되다 быть в пыли; ~구름 облако пыли.

멀졀다(멀거니, 멀거오) 1) мутный; матовый; 2) затуманенный; посоловевший(о глазах); 3) очень жидкий.

멀고도 험한 길 далекий и тернистый путь.

멀다(머니, 머오) I 1) далёкий; отда лённый; дальний; 먼 옛날 далёкое прошлое; глубокая древность; 먼데 일가가 가까운이웃만 못하다, 먼사촌 보다 가까운 이웃이~ *посл.* близкий сосед; 낫다 Близкий сосед лучше дальней родни; 먼 장래 далёкое будущее; 멀지 않아 а) недалеко; б) скоро; в скором времени; 먼전으로 돌다 держаться в стороне, уклоняться (от чего-л.); ~이 머다 해서 до того, как...; раньше, чем...; 먼 데 단 냉이 보다 가까운 데 쓴 냉이 *посл.* ≅ букв. лучше синица в руке, чем журавль в небе; 먼데 무당이 용하다 в дальних краях шаманка(всегда)

лучше; 머나멀다 далёкий|далёкий; 2) бесконечный; бескрайний; 3) давний.
멀다 II 1) 눈이 ~ терять зрение; 2) 귀가~ лишаться слуха.
멀리 далеко; далёко; ~에서 издалека; ~떠나다 отправляться в далёкий путь; ~하다 отдаляться; уклоняться; удаляться; избегать.
멀미 1) морская болезнь; ~하다 заболеть морской болезнью;~를내다 (앓다) заболеть морской болезнью; 2) отвращение; ~하다(나다) а) заболеть морской болезнью; б) надоесть до тош ноты.
멀쩡하다 1) целый; нетронутый; 2) разг. здоровый; 3) беспочвенный; дутый; 멀쩡한 거짓말 явная ложь; 멀쩡하게 멀쩡한 거짓말 явная ложь.
멈추다(세우다) прекращать[ся]; переставать; останавливать[ся]; 눈길을 ~ остановить взгляд(на чём-л.).
멋 вкус; элегантность; щегольство; ~을 내다(부리다, 피우다) щеголять; модничать; ~이 들다 быть щёголем; ~이 없다 непривлекательный; серый; 멋대로~이 있다 по своему вкусу; ~도 모르다 не понимать; не осознавать; не чувствовать.
멋대로 по своему вкусу.
멋있다 привлекательный;модный
멍 1) кровоподтёк; синяк; 2) плохой оборот(дела); помехи, неисправности (в механизме); ~이 들다 (지다)а) появиться(о кровоподтёке, синяке); б) при нимать плохой оборот(о деле); испортиться(о ме-ханизме).
명군 защита от шаха(в кор. шахматах); ~장군 трудно определить кто прав, кто виноват; ~하다 защищаться(от шаха в кор. шахматах).
명석(<-席) соломенный мат; ~굼에 새앙쥐 눈뜨듯 обр. поглядывая из укромного уголка.
멎다 переставать; прекращаться; останавливаться; 모터가 멎다 остановился мотор; 바람이 멎었다 ветер утих.
메 I молоток; молот.
메 II 1) варёный рис, который ставиться перед поминальной дощечкой во время жертвоприношения; 2) рис, сваренный на пару(в речи фрейлин).
메- преф. неклейкий(напр. рис).
메기 амурский сом;~주둥이(아가리) прост. см. 메기입; ~가 눈은 작아도 저 먹을 것은 알아본다 посл. букв. хотя у сома глаза маленькие, он находит себе пищу; ~나래에 무슨 비늘이 있으랴 погов. ≅ не бывать бычком лягушке; ~아가리 큰 대로 다 못 먹는다 посл. букв. у сома велика пасть, да не всё удаётся съесть.
메다 брать(на плечи); нести(на плечах); ~붙이다 сокр. от 메어다 붙이다; ~치다 сокр. от 메어다 치다; ~꽂다 сокр. от 메어다 꽂다; 메박다 сокр. от 메어박다; 메붙이다 сокр. от 메어붙이다; 메치다 сокр. от 메어치다, 메꾼지다(꽂다) сокр. от 메어꽂다; 메어다 붙이다 усил. стил. вариант 메어붙이다; 메어다 치다 усил. стил. вариант 메어치다; 메어다 꽂다 усил. стил. вариант 메어꽂다; 메어박다 бить с плеча; 메어붙이다 бить со всего плеча; 메어치다 с силой бить; 메어꽂다, 멨다 붙이다(치다, 꽂다) с силой сбрасывать.
메달(англ. medal) медаль; 금(은, 동) ~ золотая (серебряная; бронзовая) медаль; ~을 수여하다 награждать медалью.
메리야스(исп. medias) трикотаж;

три котажное полотно; ~기계 трикотажно-вязальная машина.

메모(*англ.* memorandum) 1) напоминание; меморандум; заметка; запись; записка;~하다 записывать; 2) см. 비망록; 3) см. 각서 I.

메스(*англ.* mess) скальпель; ~를 가하다 а) оперировать; б) браться (за что-л.).

메틸(*англ.* methyl) *хим.* метил; 비올레트 метиловая фиолетовая краска; ~알콜 метиловый(древесный) спирт.

멘스(*англ.* menses) 월경(月經) менструация.

-며 *оконч.деепр.* соединительного: 꽃이 붉으며 크다 цветок большой и красивый.

며느리 1) сноха; ~사랑은 시아버지, 사위 사랑은 장모 Свёкор любит сноху, а тёща зятя; ~자라 시어미 되니 시어미 터를 더 잘 한다 *посл.* ≃ из грязи, да в князи; ~가 미우면 발뒤축이 닭알 같다고 나무란다 *посл.* у нелюбимой снохи даже пятки некрасивые; ~가 미우면 손자까지 밉다 от нелюбимой снохи и внук нек-расивый; 2) 손자 ~ жена внука; 조카 ~ жена племянника.

며칠 несколько дней; некоторое число; ~후에 (뒤에) через(спустя) несколько дней.

멱 I горло; ~을 따다 убить; зарезать; ~이 나다 опухать(о горле лошади); ~이 차다 *в знач. сказ.* очень много, по горло.

멱 II 1) ход конём(слоном)(в кор. шахматах); 2) ход шахматной фигурой.

멱살 1) горло (человека); 2) ворот; ~을 잡다 схватить(взять) за шиворот;~을 들다 схватить за шиворот.

면 I земля(вырытая мышами, муравьями *и т. п.*);~을 내다 а) вырывать(рыть) землю(о мышах, муравьях *и т. п.*); б) тащить(воровать) понемногу.

면 II юноша, находящийся в связи с педерастом.

-면(綿) I *суф. кор.* хлопок; вата; ~탈지면 гигроскопическая вата.

-면(面) II *суф.кор.* поверхность; сторона; 암흑~ тёмные стороны (чего-л.).

-면 *оконч. условного деепр.:* 1) после основы гл. наст. вр. если, когда; (만약,만일) 수길이가 오면 나를 기다리라고 전하여 주세요 если придёт Сугиль, передайте ему, чтобы он меня по дождал; 2) после основы гл. прош. вр. если бы; 만약 고장이 안 났으면 한 시간 전엔 왔을 거요 если бы не произош ла авария, мы бы пришли на час рань ше; 3) после основы гл. прош. вр. в сопровождении прил. 좋다(싶다)хоро шо было бы(хотелось бы); 비가 오면 얼마나 좋아! как было бы хорошо, если бы пошёл дождь; 그이가 왔으면 싶다 хотелось бы, что-бы он пришёл.

면도(面刀) бритьё; бритва; ~하다 бриться; ~날 лезвие бритвы; ~칼 бритва; ~크림 крем для бритья; ~세트 бритвенный прибор.

면면(面面) I 1) лица; ~상고 молча смотреть в лицо друг другу; ~회시 *уст.* молча осматривать(разглядывать) лицо друг друга; 2) разные стороны (области, сферы); 2. см. 면면이.

면면(綿綿) II ~하다 непрерывный, длинный.

면목(面目) 1) *уст.* см. 낯; ~가증 отвратительное лицо; ~부지 не знать друг друга в лицо; ~이 익다 см. 낯(이 익다); ~을 가리다 낯(을 가리다); ~을 알다 см. 낯(을 알다),~을 익히다 см. 낯(을익히다);~이 없다 стыдиться; стыдно; совестно; ~을 세우다 сохранить лицо (достоинство); ~을 잃다 уронить достоинство; потерять лицо; 2) внешний вид; 3) манеры; 4) см. 체면 ~이 없다 см. 낯[이 없다].

면목있는 знакомый.

면사무소(面事務所) волостное управление.

-면서 оконч. деепр. одновременности; 책을 읽으면서 걸었다 шёл, читая книгу.

면역(免疫) I 1) биол. иммунитет; им мунизация; 2) ~하다 обладать иммуни тетом; приобрести иммунитет; ~요법 иммунотерапия; ~생물학 иммунобиоло гия; ~주사 инъекция сыворотки; ~혈청 сыворотка.

면역(免役) II ~하다 а) освобождать от военной службы; б) освобождать от военной повинности.

면전(面前) I ~에서 в присутствии; перед лицом; перед глазами(взором) (кого-л.); на глазах(у кого-л.).

면전(面傳) II уст. ~하다 лично передавать (сообщать).

면책(免責) I ~하다 выговаривать (бросать упрёки) в лицо.

면책(面責) II освобождение(от выговора; ответственности); неприкосновенность; ~하다 избегать ответственности (выговора).

면허(面許) I 1) разрешение; одобрение; 2) патент; ~장 лицензия; патент; 운전~증 водительские права; разрешение на управление транспортным средством; ~하다 разрешать; давать (разрешение на что-л.).

면허(面許) II уст. ~하다 лично разрешать.

면회(面會) I приём; личная встреча; свидание; ~하다 принимать(кого-л.); лично встречать[ся](видеться); ~시간 приёмные часы.

면회(面灰) II ~하다 [по]белить известью снаружи.

멸 бот. гуттуиния сердцевидная (Houttuynia cordata).

멸균(滅菌) ~소독 стерилизация; ~하다 стерилизовать.

멸족(滅族) истребление всего рода (племени); ~하다 истреблять(весь род, всё племя)

멸하다(滅-) 1) погибать; 2) губить; уничтожать.

명(名)I 1) сокр. от 무명 I; 2) диал. см. 목화 I.

명(命) II 1) стиль мемориальных надписей (на ханмуне); 2) мемориальная надпись; эпитафия(на ханмуне).

명(命) III 1) жизнь; ~이 길다 долговечный; живучий; 2) см. 운명 II.

명(名) IV человек; 세~ три человека

명-(名) преф. кор. известный; знаменитый; 명배우 знаменитый актёр; 명가수 известный певец.

명곡(名曲) известная мелодия; известное музыкальное произведение; ~집 сборник известных песен; песенник. 명년(明年) будущий год.

명당(明堂) 1) этн. счастливое место (для могилы, дома); ~자손 потомки человека, похороненного на счастливом месте; 2) хорошее(приятное) место(напр. для отдыха); 3) зал для утрен них приёмов(в королевском дворце); 4) (ровная) площадка (перед могильным холмом); 5) лоб(в физиогномике).

명랑(明朗)[-нанъ] ~하다 а) оживлённый; жизнерадостный; б) светлый;

ясный; чистый; яркий; ~스럽다 прил. а) казаться оживлённым(жизнерадостным); б) казаться светлым (ясным, чистым).

명령(命令), 지령(指令) I приказ; приказание; команда; предписание; распоряжение; ~하다 приказывать; отдавать приказ; ~을 수행하다 выполнять приказ; ~서 письменный приказ; предписание; ~적 приказный, императивный, повелительный.

명령(明靈) II [-нйон] этн. всевидящая душа (умершего).

명령하다 приказывать.

명령했습니다 приказал.

명맥(命脈) 1) биение сердца; жизнь; 2) перен. сердце; ~을 잊다 поддерживать жизнь; ~소관 перен. жизненно важные артерии; ~을 붙이다 едва поддерживать свою жизнь(своё существование)(каким-л. занятием).

명문(名門) I прославленный род; знатный род; ~출신 выходец из знатного рода; ~가 знатный род; ~거족 прославленный и знатный род; ~세족 могущественный род.

명문(名文) II прекрасное произведение; ~대작 шедевр.

명상(冥想) 1) ~하다 спокойно и глубоко обдумывать(что-л.); 2) глубокое раздумье (размышление); ~의 задумчивый; ~에 잠기다 быть в глубоком раздумье; ~가 человек, который любит поразмыслить.

명예(名譽), 평판 честь; почёт; слава; ~롭다 почётный; доблестный; славный; ~심 честолюбие; ~욕 честолюбивые стремления; честолюбие; ~직 почётная должность; ~훼손 диффамация(на кого-л.); клевета; ~주석단 почётный президиум; ~의장병 почётный караул; ~스럽다 почётный.

명중(命中) попадание в цель; ~하다 попадать(прямо) в цель; ~률 процент попаданий в цель; ~사격 меткая стрельба; ~탄 пуля, попавшая в цель.

명함(名銜) 1) вежл. имя; 2) визитная карточка; ~판사진 фотография размером с визитную карточку; ~도 못들이다 (отличаться)как небо от земли.

몇 1) сколько; 2) несколько; ~분이지나서 спустя несколько лет.

몇몇[мйон-] усил.стил. вариант 몇

몇 푼의 노자 небольшие дорожные расходы.

모 I 1) угол; 입방체의 грань куба; ~난 돌이 정 맞는다 посл.≅ как аукнется, так и откликнется; ~가 서다 острый; с острыми углами; ~를 재다 стёсывать угол; 2) угол зрения; 어느~로 보나 со всех точек; 3) кусок (напр желе, соевого творога); 4) ~로 боком; ~로 던져도 마름쇠 всё сходит с рук, всё зака-нчивается благополуч но; ~로 가도 서울만 가면 된다 посл.≅ цель оправдывает средства; ~를 꺾어 앉다 сидеть боком(к чему-л.); 5) резкость, злость; ~가나다 быть очень резким(острым).

모 II 5 очков(в игре ют).

모(<苗) III 1) рисовая рассада; ~를 심다 высаживать рисовую рассаду; ~를 내다 высаживать рисовую рассаду; ~를 붓다 высеивать семена в рассад ник; ~를 찌다 выдёргивать рисовую рассаду из рассадника; 2) см. 모종 I; **모**(毛) IV шерсть.

모(茅) V этн. пучок стеблей мискантуса(вставляемых в сосуд с песком во время жертвоприношения).

모(母) VI мать; мама.

모 VII диал. см. 뫼 II.

모(模) VIII ~를 따다(뜨다) подражать; копировать.

모(某) IX 1) перед именами сущ. некий; один; энский; ~회사 энская компания;~공장 энский завод; 2) см. 아무개

-모(帽) суф. кор. головной убор; 방한모 ушанка.

모가지 1) прост. см. 목 I; ~가 붙어 있다 едва удержаться на службе; ~가 떨어지다(날아나다, 달아나다) прост. см. 목[이 떨어지다] I; 2) стебель с колосьями; 3) разг. увольнение(с работы).

모계(謀計) I хитрость; уловка;~하다 пускаться на уловки(хитрости).

모계(母系) II материнская линия; ~사회 человеческое общество в период матриархата; ~제도 матриархат.

모국어(母國語) родной язык.

모기 комар; 모기 소리만 하다 тоненький, как комариный писк; ~발순 ле тать тучами(о комарах после заката солнца); ~다리에서 피 뺀다 обр. кро хоборствовать; ~다리의 피 만하다 обр. незначительный; мизерный; ~보고 칼 빼기 погов. ≈ за комаром да с топором (букв. увидев комара, выхватить меч); ~소리 만 하다 тоненький, как ко-мариный писк(о голосе).

모꼬지 ~하다 собираться(напр. на пирушку)

모내기 пересадка(высадка)рисовой рассады; ~하다 пересаживать(вы-саживать) рисовую рассаду.

모녀(母女) мать и дочь.

모니터(англ. monitor) световой фо-нарь;контролёр передачи; монитор.

모델(англ. model) 1) модель; образец; 2) натурщик; натурщица.

모델링(англ. modelling) исполнение по модели; лепная работа; формо-вка.

모독(冒瀆) надругательство; поругание; осквернение; ~하다 надругаться; осквернить. 모두 I все; всё.

모두(冒頭) II начало рассказа.

모래 песок; ~가 많은 песчаный; ~위의 누각 замок, построенный на пес ке; ~시계 песочные часы; ~분사기 пескоструйный аппарат; ~사탕 (설탕) сахарный песок; ~진흙 супесчаная почва; ~초반 песчаный слой; песчаная подушка; ~로 내막 는다, ~로 방천한다 погов.≈ строить на песке(букв. запрудить реку песком). 모래곶 песчаная коса.

모략(謀略) 1) хитрость; уловка; манёвр; интрига; заговор; 2) уст. меры; планы; ~적인 хитроумный; коварный; ~하다 прибегать к уловкам(интригам); интриговать; ~에 걸려들다 по пасться на удочку(в ловушку).

모르다(모르니, 몰라) 1) не знать; не понимать; не уметь; не замечать; 모르기는 몰라도 точно неизвестно, но ...; 모르는 체하다 делать вид, что не знаешь; ...일지 모른다 может быть; 그것은 사실일지도 모른다 может быть, это и правда; 어찌 반가운지 모른다 очень рад; 모르면 몰라도 (모르되) а) трудно сказать; б) вообще(говоря); 2) в конце предл. после сказ., оканчив. на ~지 очень: 어찌 반가운지 모르다 очень рад; 몰라보다 а) не узнавать знакомое; б) не уважать(кого-л.); несчитаться(с кем-л.); 몰라주다 не понимать(кого-

- 262 -

모스(*нем.* Morse) ~부호 азбука Морзе.

모르핀(*англ.* morphine) морфий

모릅니다 не знаю.

모멸(侮蔑) презрение; ~적 презрительный; ~하다 презирать; ~을 당하다 быть презренным; ~감 чувство презрения.

모범(模範) I образец; пример; ~을 보이다 показывать пример; ~적인 образцовый; примерный; поучительный; ~이 되다 служить(быть) примером; ~을 보이다 показывать пример; ~생 примерный(образцовый) учащийся; ~분단칭호성취운동 движение за звание образцового звена; ~하다 считать примером.

모범(冒犯) II уст. ~하다 совершать незаконные действия; б) вести крамольные речи.

모빌(*англ.* mobile) подвижной; мобильный; передвижной; изменчивый.

모순(矛盾) противоречие; ~되다 противоречить(кому-чему-л.); ~적 противоречивый; ~성 противоречивость; противоречивый характер; ~개념 лог. противоречащие понятия; ~당착 противоречие; несогласованность; ~법칙 лог. закон ротиворечий.

모습(貌襲) облик; наружность; внешний вид; 늠름한~ бравый вид; 당황한 ~ растерянный вид; 가련한 ~으로 в жалком виде; 그의 ~이 눈에 선하다 Я как будто вижу его перед собой; 그에게 옛날~이란 없다 В его облике не осталось ничего от прошлого; Он сов сем не похож на себя в прошлом; 천사의~으로 в образе агента; 모습이 변화되다 вид изменяется.

모시다 1) заботиться; ухаживать(за старшим); 2) почитать; поклоняться; 3) провожать; сопровождать (старшего); 4) помещать; устраивать (напр. гостя).

모양(模樣) I 1)(внешний)вид; внешность; ~이 나다 иметь вид; ~이 개잘량이다 обр. потерять авторитет; опозориться;~이사납다 а) ужасный, страшный(о внешнем виде); б) позорный; ~이 아니다 а) быть в плохом состоянии; б) плохо выглядеть; ...의 ~으로 в виде(чего-л.); ~을 부리다 щеголять; 강이 거울~ 반짝인다 Река сверкает, как зеркало; 2) фигура; поза; манера;3) после имён словно; подобно; как; 이~으로 таким образом, так; 4) после прич. в сопровождении ~이다, 같다 указывает на вероятность признака: 강추위가 조금 풀린 ~이다 морозы, видимо, немного ослабли.

모양(暮樣) II уст. некий(какой-то) способ.

모욕(侮辱),손해 обида; оскорбление; ~적 оскорбительный; унизительный; позорный; ~하다 оскорблять; позорить; ~을 당하다 терпеть оскорбление; быть презираемым; ~을 참다 проглотить; 그는 모든 ~을 참았다 Он выносил все оскорбления; ~감 чувство обиды

모으다(모으니, 모아) 1) собирать; копить; 돈을 ~ скопить денег; 2) сосредоточивать (внимание *и т.п.*); 모아들다 собираться.

모음(母音) гласный(звук); ~생략 элизия; ~조화 гармония гласных; ~화 вокализация.

모의(模擬) I репетиция; ~시험 предварительный экзамен; ~재판 инсценировка судебного процесса; ~

투표 предварительное голосование; ~법정 инсценировка судебного процесса; ~하다 репетировать.

모의(謀議) II совещание; (тайный) сговор; ~하다 совещаться; сговариваться.

모이다 I 1) быть собранным(скопленным); 2) собираться; 모엿! Стройся!/Становись! 모여 총! составить винтовки в козлы!(команда).

모이다 II коренастый и крепкий.

모임 сбор; собрание; ~을 가지다 собираться; заседать.

모자(帽子) I 1) головной убор; кепка; шапка; шляпа; фуражка; ~를 쓰다 надевать шляпу; ~를 벗다 снимать шляпу; ~걸이 вешалка; 2) см. 갓모자.

모자(茅茨) II уст. 1) солома для кровли; 2) см. 모옥.

모조(模造) I 1) ~하다 делать по образцу; имитировать; копировать; ~품 имитация; подделка;~어 калька; ~소도구 театр. макет; 2) см. 모조지; 3) см. 모조품.

모조(毛彫) II гравирование тонкими линиями (на дереве, металле и т. п.).

모조리 всё; целиком; полностью.

모종(暮鐘) I рассада; ~하다 высаживать рассаду; ~삽 маленькая лопатка; ~기계 рассадапосадочная машина.

모종(某種) II некоторый; некий; ~의 혐의 некоторые подозрения(сомнения).

모지다 1) угловатый; с выступами (углами); 눈을 모지게 뜨고 성내다 коситься (на кого-л.); 2) придирчивый; сварливый.

모지라지다 истрепаться;износиться; истереться;исписаться(о кисточке); 손톱이 모자라지게 일을 하다 обр. ра-ботать до седьмого пота.

모직(毛織) шерстяная вещь.

모질다(모지니,모지오) 1) жестокий; суровый; злой; 모진 목숨 тяжёлая жизнь; 모진바람 сильный(резкий) ветер; 2) терпеливый; выносли- вый; стойкий.

모집(募集) набор; приём; вербовка; призыв; сбор; ~위원회 приёмная комиссия; ~하다 набирать; принимать; вербовать; собирать.

모퉁이 1) угол; 길~ поворот дороги; угол улицы; ~를 돌아 за углом; 2) закоулок; уголок; 3) часть; 일의 한 ~ часть работы; 4) ответственный момент

모함(謀陷) I обвинение; неправая укоризна; ~하다 толкать(напр. на опасный шаг); вовлекать(напр. в авантюру); ~을 잡다 перен. подкапываться (под кого-л.).

모함(母艦) II авианосец.

모험(冒險) авантюра; приключение; ~하다 рисковать; идти на авантюру; ~적 авантюрный; приключенческий; ~가 авантюрист; ~담 приключенческий рассказ; ~심 авантюризм; ~주의 авантюризм; ~소설 авантюрный (приключенчес- кий) роман.

모형(模型), 견본(見本) I модель; макет; образец; шаблон; ~도 макет; ~선 модель судна; ~계지 шаблон; лекало; ~촬영 макетная съёмка; ~합성법 комбинированная съёмка

모형(母型) II 활자~полигр.матрица.

모호(模糊) ~하다 неясный; неопределённый; туманный; 모호한 대답 расплывчатый ответ; ~하게 하다 придавать неопределённый характер (чему-л.); наводить тень (на ясный день)

목 I 1) шея; горло; гортань; голос; жизнь; ~[이] 마르다 пересохло в горле(от жажды); 목마른 사람이 우물 판다 захочешь пить, выроешь колодец; ~[이] 마르게 очень; нетерпеливо; страстно;~이 막히다(메[이]다) а) застревать в горле(давиться); ~메인 개 겨 탐하듯 *погов.* ≅ съесть не могу, а оставить жалко; ~을 걸다 отдать жизнь; б) 목[이] 맺히다; 목짜른 강아지 겨섬 넘아다보듯 обр. вытянув шею (смотретьо человеке маленького роста); ~안소리 тихий (едва слышный голос); ~을 놓아(놓고) во всё горло; громко; ~을 축이다 утолять жажду; промочить горло; 2) горлышко; горловина; шейка; голенище(сапога); 3) узкий проход, ~을 베다(자르다, 떼다) увольнять, давать расчёт; ~이 간들거리다 (간들간들 하다) а) встретиться лицом к лицу со смертельной опасностью; б) находиться под угрозой увольнения; ~이 갈리다 охрипнуть; ~이 곤다 упрямый; ~이 달아나다(날아나다, 떨어지다) а) погибнуть; встретить смерть; б) быть уволенным;~이 잘리다 быть уволенным;~이 맺히다 подступать(о комке к гор-лу); ~이 붙어 있다 а) оставаться в живых; б) едва удержаться на службе; ~이 쉬다 хриплый (о голосе); ~이 잠기다 охрипнуть; ~이 빠지게(빠지도록) очень; сильно; ~에 핏대를 세우다 быть охваченным сильным чувством.

목 II размельчённая руда.

목-(木) преф. кор. деревянный; 목상자 деревянный ящик.

-목(木) суф.кор.дерево(как материал); 오리목 дранка.

목각(木刻) резьба по дереву;~활자 деревянный шрифт; деревянная литера; ~공 гравёр на дереве;~화 гравюра на дереве; ксилография; ~하다 гравировать(резать) по дереву.

목격(目擊) ~하다 видеть своими глазами; быть свидетелем(очевидцем); ~담 рассказ очевидца; ~자 очевидец; свидетель.

목구멍 горло; гортань; ~이 포도청 голод толкает на любое преступление; ~풀칠 жалкое существование; ~의 때도 못씻겠다 обр. раз лизнуть (о мизерном количестве пищи).

목사(牧使) I феод. градоначальник города 1-го разряда.

목사(牧師) II священник; пастор.

목소리 1) звук речи; речь; мнение; требование;~를 곤두세우고 부르짖다 кричать во весь голос; 2) тембр голоса; 3) отклики, голос; голоса; 군중의 ~ голос масс. 4) см. 후유.

목수(木手) *см.* 목공 I 1); ~가 많으면 집을 무너뜨린다(~가 많으면 기둥이 기울어진다) *посл.* ≅ у семи нянек дитя без глазу (букв. где много плотников, там дом скорее разрушится).

목숨 жизнь;~을 걸다 отдать жизнь; ~을 걸고 рискую жизнью;~을 잃다 лишать жизни; ~을 부지하다 поддерживать жизнь; ~이 있는한 до последнего вздоха; пока жив; ~이 왔다갔다한다 находиться на грани жизни и смерти; 그는 ~같은 것은 아무렇지도 않게 생각한다 Ему жизнь копейка; 위기일발의~이었다 Жизнь висела на волоске;~도모 попытка спастись; ~으로 ценой жизни.

목요일(木曜日) четверг.

목욕(沐浴) купание; мытьё; ~하다

купаться; мыться; принимать ванну; ~물 вода для мытья; ~수건 банное полотенце; ~재계 омовение; ~실 ванная комната; ~탕 баня; ~통 кадка для мытья; ванна; ~해면 зоол. губки.

목재(木材) лесоматериалы; лес; ~공업 лесная промышленность; ~펄프 целлюлоза; ~상 лесоторговец; ~소 лесоразработки; предприятие лесной промышленности; ~건조실 лесосушилка.

목적(目的) (목표) I цель; объект; 무슨 ~으로 с какой целью?; зачем? ...을 ~으로 с целью; в целях; ~으로 하다 ставить себе целью(что-л.);~상황어 лингв. обстоятельство цели; ~지향성 целеустремлённость; ~하다 ставить себе целью(что-л.); ~하고 с целью; в целях

목적(牧笛) I пастушья свирель.

목전(目前) II на глазах; перед глазами; под носом; предстоящий; нависать; ~에서 на глазах(у кого-л.); ~에 다다르다 надвигаться~의 일만 생각한다 думать только о сегодняшнем дне;위험이 ~에 있다 нависла угроза (опасность).

목조(木造) I деревянный; ~건물 деревянное строение.

목조(木彫) II 1) резьба по дереву; вырезывание из дерева; 2) см. 목조품.

목표(目標) цель; объект; ~에 맞다 попасть в цель;~에 맞지않다 промахнуться;~로 삼다 ставить своей целью; ~를 높이 세우다 ставить высокие цели; метить высоко; ~하다 иметь целью(объектом)(что-л.); 목표로 삼다 ставить целью.

목화(木花) I хлопок; хлопчатник; ~솜 вата из хлопк;. ~재배업 хлопководство; ~영양 단지 перегной ный горшочек для выращивания рассады хлопка.

목화(木靴) II уст. чёрные сапоги с загнутыми носами.

몫 1) доля; часть; ...의 ~으로 되다 достаться(кому-л.); ...의 ~으로 남겨 두다 оставить на(чью-л.) долю(для кого-л.); 나의 ~만을 지불하였다 я заплатил только за себя; 자기~으로 만족하다 быть довольным своей частью; 열 몫을 내다 делить на 10 частей; 2) см. 목 I 5).

몰-(沒) преф. 1) целиком, полностью; 2) все до одного; 몰염치 сгонять всех.

몰골(-骨)(непривлекательный) внешний вид; физиономия; ~이 틀리다 неказисто выглядеть; ~사납다(흉하다) безобразный(о виде)

몰다(모니, 모아) 1) гнать; сгонять; загонять; 2) отгонять; отпугивать (напр. птиц); 3) преследовать; 4) управлять; водить; 5) направлять; поворачивать; 6) ругать; поносить; 7) ...으로 ~ считать(рассматривать; обращаться) как ...; ‖ 몰아가다 угонять; ..죄인으로 ~ считать преступником; 일에 몰리다 работа поджимает; 몰아넣다 вовлекать; ввергать (во что-л.); 몰아내다 выгонять; 몰아붙이다 сгонять; 몰아치다 а) сгонять; б) мести(о метели); в) подгонять, торопить; г) ругать; поносить.

몰두(沒頭) [-뚜] ~하다 уходить с головой(во что-л.); увлекаться(чем-л.); до самозабвения; быть поглощённым(чем-л.); 공부에 ~하다 предаться учению; 일에 ~하다 углубиться в работу; 그는 수년간 이 일에

~ 하였다 Он в течение нескольких лет был всецело поглощён этой работой.

몰두하다 уходить с головой; углубляться; отдаваться.

몰라보다 не узнавать; не обращаться вежливо; 어른을 ~ плохо(невежливо) относиться к старшим; 몰라보게 달라졌다 изменился до неузнаваемости.

몰락(沒落) падение;гибель; разорение; банкротство; упадок; ~하다 пасть; разориться; обанкротиться; 몰락한 가문 захудалый род.

몰래 незаметно;украдкой; тайком; потихоньку;~몰래 совершенно незаметно(тайно).

몰리다 1) быть загнанным(куда-л.); 2) быть гонимым; 3) быть управляемым;управляться(кем-л.); 4) быть напрвленным (повёрнутым); 5) быть изруганным; 6) накапливаться(о работе); 7) 말이 ~ захлёбываться словами; не быть в состоянии выговорить; 8) испытать нехватку(в чём-л.); 몰려나다 быть изгнанным (согнанным).

몰수(沒收),압수(押收) экспроприация; конфиксация; ~하다 экспроприировать; конфисковать; 무상~ безвозмездная конфискация(раздача); ~금 конфиско-ванные деньги; ~품 конфискованные вещи; ~재산 конфискованное имущество; ~지주 экспрорприированный помещик

몸 1) тело; туловище; ~무게 вес (тела); ~도 마음도 и тело, и душа; 2) корпус; остов; 3) не покрытое глазурью керамическое изделие; 4) после опред. человек; 자유로운 몸이 되다 стать свободным человеком; 노동자의 몸으로서... как рабочий; 5) см. 몸에 것: 몸 행동 театр. «физические» действия; ~담아 있다 жить в одном месте(осесть); ~둘 곳을(바를) 모르다 не находить себе место; смущаться; теряться; ~을 가지다 а) быть беременной; б) иметь менструацию; ~을 더럽히다 терять девичью честь; ~을 던지다 а) целиком отдавать себя(чему-л.); б) броситься в воду (вниз) (с целью самоубийства); 몸[을] 두다 см. 몸[을] 붙이다 а); ~을 바치다 отдавать всего себя; жертвовать собой; посвятить себя(чему-л.); ~을 받다 замещать (кого-л.); ~을 버리다 а) потерять честь(о женщине); б) вредить здоровью; подрывать здоровье; ~을 붙이다 а)найти кров; б) поселиться; приcтроиться; ~을 잠그다 окунуться с головой(во что-л.); ~을 잡다(잡치다) стать калекой; получить увечье; ~을 조심하다 а) следить за собой; б) быть осторожным(в словах, поступках); ~을 팔다 заниматься проституцией; ~을 풀다 разрешиться от бремени; родить; ~을 쓰다 а) действовать; развивать деятельность; б) проявлять ловкость (в игре и т. п.); ~이 나다 толстеть; полнеть; жиреть; ~이 달다 нервничать; ~에 나쁘다 вредный(для здоровья);~에 배다 привыкать; ~에 좋다 полезный; целебный; ~이 좋아지다 поздороветь; окрепнуть; ~ 조심하십시오 Прошу вас, берегите себя(своё здоровье); ~에 맞는옷 подходящая по размеру одежда; ~을 사리다 незаметно скрыться; ~가까이 близко от себя; ~성히 지내십시오 Будьте здоро вы.

몸값 1) выкуп(за кого-л.); 제~을 올리다 набить себе цену; 2) плата проститутке.

몸서리 дрожь; ~가 나다 леденить; коробить; ~를 치다 а)леденеть от ужаса; б)в знач.сказ.коробит(от отвращения).

몸통, 도체 туловище; корпус; ~운동 движение туловищем; ~타격 спорт. удар по корпусу.

몹시 очень; сильно; ~지쳤다 порядком устал; адски устал; ~사랑하다 страстно любить.

몹쓸 перед именами плохой; порочный; дурной; негодный; ~노릇 дурное занятие; ~놈 мерзавец, негодяй; ~말 скверные слова.

못(불능) I отриц. частица с модальным оттенком не(мочь); 알아차리지 ~하다 не узнавать; 이것은 아무데도 못쓴다 это никуда не годится; в конструкции... -다[가] 못하여 а) с гл. неыть в состоянии больше...; 그꼴을 보다가 못 하여 영순이는 웃어 버리고 말았다 не будучи в состоянии больше треть на это, Ёнсуни в конце концов ассмеялась; б) с прил. до крайности; 춥다 못 하여 아프다 холодно до того, что всё ломит; 못 나다, 못 생기다 а) бестолковый, глупый; б) некрасивый; 못 생긴 며느리 제삿날 병난다 посл. ≈ у неприятного человека и поступки неприятны(букв. нелюбимая сноха заболеет и в день жертвоприношения); 못 되다 а) не составлять(определённого количества, суммы); б) тяжёлый(о болезни); в) плохой, дурной; 못 된 놈 подлец; 못 된 나무에 열매만 많다 посл.а) букв. ≈ на корявом дереве больше плодов; б) уст. ≈ в бедной семье больше детей; 못 된 버리지 장판방에서 모르긴다 посл. букв. ≈ и так противное насекомое, да ещё и боком ползёт; 못 된 송아지 엉덩이에 뿔이 난다 посл.≈ у паршивого телёнка и у хвоста рог; 못 된 일가 항렬만 높다 см. 일가(못 된 게 항렬만 높다) I; 못 돼 먹다 прост. плохой; дурной; ~먹는 감 찔러 보기 как собака на сене; 못 먹는 잔치에 갓만 부신다 посл. букв. ≈ на пиру, где не кормят, только шляпу испортишь; 못 먹는 씨아가 소리만 난다 = 먹지 않는 씨아에서 소리만 난다; см. 먹다 II; 못 살다 жить бедно (плохо); 못 살면 터[조상] 탓 посл. ≈ (валить) с больной головы на здоровую; 못 하다 уступать(в чём-л.), не идти ни в какое сравнение(с чем-л.); 못 쓰게 되다 а) становиться некрасивым (о лице); б) ухудшаться (о здоровье); 못 입어 잘 난 놈 없고 잘 먹어 못난 놈없다 посл. букв. ≈ все хороши, когда сыты и одеты.

못 II см. 굳은살; ~이 박히다 натереть мозоль.

못(貯水池) III водоём; пруд; озеро.

못 IV гвоздь; ~을 박다 забивать гвоздь; ~ 박히다 запасть в душу; не выходить из головы; словно прикованный; ~뽑이 гвоздодёр; ~대가리 шляпка гвоздя.

못나다 бестолковый; грубый; некрасивый.

못난이 презр. 1) дурак;глупец; дурень; 2) страшила.

못쓰다 не годится; непригодный; 못쓰게 되다 становиться некрасивым; ухуд шаться; 못쓰게 만들다 портить;ломать; коверкать; повреждать.

뫼 могила; ~를 쓰다 хоронить; предавать земле.

묏자리 место для могилы.

묘(墓) I могила; гробница; ~를 쓰다 хоронить; погребать; предавать земле.

묘(廟) II молельня; храм(конфуцианский, буддийский).

묘목(苗木) саженец; ~이식기 лесопосадочная машина.

묘비(墓碑) намогильная стела; ~명 надпись на стеле у могилы.

묘하다(妙~) 1) чудесный; восхитительный; великолепный; 2) удивительный; интересный; странный; хитрый; 묘하게도 как ни странно; как ни удивительно; 묘한 질문 хитрый (странный) вопрос; 묘한 이야기 странный разговор; 이것은 묘하게 들린다 Это звучит странно; 어제 묘한 일이 생겼다 Вчера со мной приключилось нечто странное.

무 I подшипник.

무 II редька; ~국 суп с редькой; ~김치 кимчи с редькой; ~절임 солёная редька; ~채 мелко нарезанная редька.

무(無) III 1) ничто; нуль; 2) филос. небытие; ~에서 유를 창조하다 из ничего создать всё; ~자비하다 беспощадный; ~책임하다 безответственный; ~로 돌아가다 сводиться к нулю.

무- I преф. мягкий, жидкий, рыхлый; 무살 рыхлое тело

무-(無) II преф. кор. нет; не иметься(часто переводится рус. приставкой не..., без...; реже не имеющий, лишённый чего-то); 무간섭 невмешательство;무시험으로 без экзамена.

무겁다(무거우니,무거워) 1)тяжёлый; 2) весомый; важный; серьёзный; 3) медленный; медлительный; 4) низкий (о голосе); 5) задумчивый; мрачный; 6) уравновешенный; 마음이~ тяжело на душе; 입이~ умеющий хранить тайны (секреты); 궁둥이가~ тяжёлый на подъём; 무거운 침묵을 깨다 нарушить глубокую тишину; 7) 무겁게 сильно, очень.

무게, 중량(重量) 1) вес; тяжесть; 2) важность; значительность; ~를 달다 вешать; взвешивать; ~가 얼마인가? Сколько ты весишь? Какой у тебя вес? ~가 4킬로그램 줄었다 я потерял четыре килограмма; ~있는말 веские слова; 그는~있게 말한다 Он говорил весомо(убедительно); ~중심 физ.центр тяжести. 무게를 떠받치다 поддерживать тяжесть.

무결(無缺) 1)сущ.все присутствуют, никто не отсутствует; 2) ~하다 безукоризненный; безупречный; совершенный; 완전 ~하다 полное(абсолютное) совершенство; безупречность.

무고(無故) I 1) ~결근 прогул; 2) ~하다 благополучный; безаварийный; 집안이 ~하다 Дома всё благополучно.

무고(無辜) II ~하다 невинный; ни в чём не повинный. 무고한 백성 ни в чём не повинные жители.

무고(誣告) III 1) ~하다 ложно обвинять, оклеветать, оговаривать; 2) неправильное обвинение; ложный донос; оговор.

무관심(無關心),문감(門鑑) I безразличие; равнодушие; незаинтересованность; апатия; ~하다 равнодушный; безразличный; невнимательный;быть равнодушным; пренебрегать; 외모에 ~하다 равнодушный к внешности; 그는 나의 일에 전혀~하였다 Он не оказал мне никакого внимания.

무궁화(無窮花) гибискус(Hibiscus syriacus); ~동산 обр. Корея.

무균(無菌) асептический; стерильный; противогнилостный; стерилизованный; пастеризованный; ~조작법 асептический способ изготовления лекарства; ~우유 пастеризованное молоко.

무기(武器) оружие; ~를 지닌 вооружённый; при оружии; ~를 놓다 сложить оружие; ~를 잡다 браться за оружие; вооружаться; ~를 잡고 (들고) с оружием в руках; 인원과 ~에 막대한 손실을 주다 наносить огромные потери в живой силе и технике; ~하사 уст. унтерофицероружейник.

무기력(無氣力) ~하다 вялый; обессиливший; бездеятельный; неэнергичный; слабохарактерный; бессильный; ~성 вялость; бездеятельность; бессилие.

무난(無難)~스럽다 прил. а) казаться нетрудным; б) казаться безупречным (безошибочным); ~하다 а) нетрудный; б) безупречный, безошибочный

무난히 нетрудно; без затруднения; безупречно; безошибочно; беспрепятственно.

무능력(無能力) неспособность; неправоспособность; бессилие; ~하다 неспособный; неправоспособный; ~자 неспособный(бездарный) человек.

무늬 узор; ~를 놓다 а) рисовать (вырезать)узор; б) вышивать узор.

무단(無斷) I самовольный; беспричинный; ~외출 самовольный выход; ~결근 самовольная отлучка; прогул; ~결근하다 отлучаться(уходить; отсутствовать) без разрешения(без спросу); прогуливать; ~결석 самовольное отсутствие; ~결석하다 отсутствовать без разрешения(без спросу); ~출입 самовольный вход и выход; ~히 самовольно, беспричинно.

무단(武斷) II военная тирания; ~적 тиранический; ~정치(통치) военная диктатура; ~향곡 бесчинства феодальной верхушки в провинции.

무당(巫堂) шаманка; ~춤 танец шаманки; ~서방 а) муж шаманки; б) ирон. любитель дармовщины; ~이 제굿 못하고 소경이 제죽을 날모른다 посл. чужую беду руками разведу, а свою бедуума не приложу.

무대(舞臺) сцена; арена; поприще; 국제~ международная арена(поприще); 야외~ открытая сцена; 회전~ вращающаяся сцена; ~감독 постановщик; ~장치 декорации; ~장치가 декоратор; ~조명 освещение сцены; ~영화 экранизированная драма; ~예술 а) сценическое искусство; б) см. 연극

무더기 куча; груда; кипа; ~로 쌓다 сложить в кучу; ~죽음 повальная смерть.

무덥다(무더우니,무더워)жарко и душно; душный; 무더운 여름날 душный летний день.

무디다 тупой; 날이 무딘칼 нож с тупым лезвием. 무딘, 뭉퉁한 тупой 무뚝뚝하다 быть холодным; официальным;무뚝뚝하게 묻다 спросить неприветливо; 무뚝뚝하게 대하다 сухо принимать.

무럭무럭 1) быстро, стремительно; бурно (расти, подниматься); ~자라다 быстро расти, не по дням, а по часам; расти на глазах; 2) резко (ударять в нос-о запахе); 3) клубами (подниматься-о дыме, паре, пыли); 4) ~떠오르다 нахлынуть(о чу-вствах).

무력(武力) вооружённые силы; военная сила; ~에 호소하다 прибегать к оружию; ~간섭 вооружённое вмешательство; вооружённая интервенция; ~도발 вооружённая провокация; ~시위 военный парад; ~침공 вооружённое нападение; ~행사 военное действие(с помощью вооружённых сил); ~침범 вооружённое вторжение.

무렵(-獵) момент; пора; время; 저녁 ~에 к вечеру; 그 ~에 тогда; в те времена; 바로 이 ~에 как раз в это время; 동틀 ~에 к рассвету; 일이 끝날 ~에 когда заканчивали работу; 1990년~부터 примерно с 1990 года.

무례(無禮) бесцеремонность; бестактность; дерзость; ~하다 бесцеремонный; бестактный; невоспитанный; невежливый; грубый; дерзкий; нахальный; 무례한 부탁이지만 прости за бесцеремонность, но ...무례한 짓을 하다 вести себя невоспитанно(невежливо; грубо); 무례하게도..을하다 иметь нахальство сделать(что-л.).

무료(無聊) I скука; тоска; уныние; ~하다 скучный; нудный; тягостный.

무료(無料) II бесплатный; ~로 бесплатно; даром; безвозмездно; ~교육 бесплатное обучение; ~봉사 бесплатное обслуживание; ~의무교육 бесплатное обязательное образование; ~치료 бесплатное лечение.

무르다 I (무르니, 물러) 1)возвращать (купленную вещь); взять обратно; 무를문서 документ, дающий право на возврат недвижимой собственности до истечения срока оплаты; 2) возвращаться к тому, с чего начал; 3) отходить, отступать; возвращаться на прежнее место; 무르와가다 арх. уходить, не поворачиваясь спиной к старшему; 무르와내다 арх. а)выносить, уносить(что-л. от старшего); 물러가다 а)уходить, отходить; б) уходить, не поворачиваясь спиной к старшему; в) уходить, убираться восвояси; г)исчезать, проходить(напр. о холоде); д)возвращать(купленную или обмененную вещь); 물러나다 а) отходить, уходить; б) оставлять работу; в) отрываться, отпадать; г) расходиться; 물러서다 а) отходить, уходить; б) оставлять, бросать(работу); 물러앉다 а) пересаживаться (отодвигаться) назад; б) бросать на середине(работу); в) рушиться, валиться(о доме и т. п.)

무르다(무르니,물러) II 1)поспевший, уварившийся; 2) прям. и перен. мягкий, жидкий(о пище); 무른 감도 쉬어 가면서 먹어라 посл. букв. мягкую хурму и ту ешь с отдыхом (≅ а) знай меру в еде; б) тише едешь, дальше будешь); 무른땅에 말뚝박기, 무른 땅에 낡을 박고 재고리에 말뚝치기 погов. ≅ а) проще простого; б) с мягким человеком (предметом) можно легко справиться.

무르익다 1) созревать; поспевать; 2) [по]краснеть(о листьях дерева); 3) быть в разгаре; 무르익은 зрелый; спелый.

무릅쓰다(무릅쓰니, 무릅써) 1) пренебрегать; не взирать(на что-л.); 자신의 위험을 ~ пренебрегать собственной опасностью; 위험을 무릅쓰고 не взирая на опасность; 생명의 위험을 무릅쓰고 рискуя жизнью; 2) см. 뒤집어쓰다; см. 뒤집다.

무릎 колено; ~을 마주하다 сидеть лицом к лицу; ~을다치다 ушибить

колено; ~을 맞대고 이야기하다 говорить с глазу на сглаз(с кем-л.); ~을 꿇다 пасть на колени(перед кем-л.); опуститься(стоять) на коленях; ~을 꿇고 용서를 빌다 про-сить прощения на коленях; ~걸음 ползание на коленях; ~마디 сустав колена; ~뼈 коленная чашечка; ~장단 удар по коленям в такт музыке; ~을 맞대다 сидеть напротив, касаясь друг друга коленями; ~을 꿇다 прям. и перен. стать на колени.

무리 I толпа; группа; сборище; банда; шайка; свора; стадо; табун; отара; стая; рой; косяк; ~를 지어 толпой, группой, всей массой; стадом, стаей; 10명씩 ~를 지어 группами по десять человек; 강도~ шайка разбойников.

무리 II ореол; 달~ ореол(венец) вокруг луны; 해~ корона; ореол.

무리(無理) III 1) неразумность; безосновательность; 2) неестественность; нелогичность;чрезмерность; 네가 그렇게 말하는 것도 ~는 아니다 Естественно(понятно), что ты говоришь; ~수 иррациональное число; ~식 иррациональное выражение № ~하다 1. а)неразумный, безосновательный; б) чрезмерный, непомерный; 2. делать(что-л.) через силу, перенапрягаться.

무리하다 неразумный; безосновательный; неестественный; чрезмерный; непомерный; делать(что-л.) через силу; пытаться сделать невозможное; 무리하게 натяну то; с натяжкой; 무리함 없이 без натяжки.

무모(無謀) ~하다 безрассудный; сумасбродный; отчаянный; рискованный; ~행동 безумный поступок.

무법(無法) беззаконие; беззаконность; нелегальность; анархия; ~의 незаконный; нелегальный; беззаконный; ~자 человек вне закона; ~천지 анархия; ~천지다 царит бесправие; ~하다 незаконный, беззаконный.

무사(無事) ~하다 спокойный; благополучный; беспечный; беззаботный; остаться целым; ~분주 попусту спешить(суетиться);~태평спокойствие, беспечность; ~태평으로 살다 жить беззаботно(беспечно).

무사하다 спокойный.

무사히 спокойно; без проблем

무상(無償) I безвозмездный; бесплатный; ~으로 даром; бесплатно; ~원조 безвозмездная помощь; ~분배 безвозмездная работа; ~몰수 безвозмездная конфискация; ~치료제 бесплатное лечение.

무상(無常) II переменчивость; изменчивость; мимолётность; быстротечность; неуверенность; ~하다 изменчивый; быстротечный; переменчивый; непостоянный; ~출입 входить и выходить(в любое время); свободное посещение; ~왕래 ходить(курсировать) в любое время.

무서운 страшный; ужасный.

무서워하다 бояться.

무선(無線) I беспроволочный; беспроводной; ~반작용 мероприятия по созданию помех радиопередачам противника; ~방송 радиопередачи; ~송신기 радио передатчик; ~신호대 радиомаяк; ~전보(전신) радиотелеграф; ~전파 радиоволна;~전화 радиотелефон; ~항행법 радионавигация; ~원격 측정 радиотелеметрия.

무선(舞扇) II веер, с которым испол

няется танец.

무섭다(무서우니,무서워) 1) страшный; 무서워서 под страхом; боясь(чего-л.); в страхе(от чего-л.); 아무것도 무서운 것이 없다 нечего бояться; 하기가 무섭게 сразу же; тут же; как только; 집에 돌아오기가 무섭게 그는 화를 냈다 Как только вернулся домой, сразу рассердился; 나는 호랑이가 ~ я боюсь тигра, тигров; 무섭다니까 바스락거린다 нарочно наводить(на кого-л.) страх; пугать; 2) лютый; 3) невообразимый, чрезмерный; 4) 무섭게 посл. инф. с оконч. 5) сразу же, тут же, как только.

무섭습니다 страшный.

무소식(無消息) отсутствие вестей (известий); 그 후로 전혀 ~이다 С тех пор(о нём) нет никаких известий;~이 희소식(호소식)отсутствие новостейсамая хорошая новость; ~하다 неизвестный; в знач. сказ не иметь вестей.

무쇠(-釗) чугун; ~의 железный; стальной; ~가마 железный котёл; ~주먹 железный кулак; ~ 두멍을 쓰고 소에 가빠지다 *посл.* рубить сук, на котором сидишь; перен. сущ. железный, стальной.

무슨 1) какой; что за; который; ~일인가? В чём дело? ~ 문제로? По какому вопросу? ~일이 생기면 в случае чего; если что случится; ~일이든지 любое дело; какая угодно работа; ~사람이요? что за человек? 이게 ~물건이요? что это? ~일이요? в чём дело? ~생각을 하느냐? о чём думаешь? 2) какойто; какойнибудь; ~분주한 일이 있다 (он) чем-то занят; ~일이든지 любое дело, какая угодно работа; 3) в отриц. предлож. никакой; ~바람이 불어서 каким ветром? какими судьбами?

무식(無識), 몽매 1) невежество; безграмотность; 2) темнота; некультурность; ~하다 а) неграмотный; невежественный; необразованный; б) тёмный; некультурный; непросвещённый; ~쟁이 невежда; неуч; непросвещённый человек; ~소치 уст. по незнанию; темнота, некультурность; ~스럽다 прил. казаться невежественным(некультурным).

무심(無心) ~하다 ненамеренный; непредвиденный; бездушный; холодный; безразличный; равнодушный; ~한 세월 беспощадное время; ~한 구름 мрачные тучи.

무안(無顔) смущение; чувство стыда; конфуз; ~하다 постыдный; смущённый; конфузный; ~해하다 сконфузиться;прийти в смущение; ~을 주다 стыдить; ~을 당하다 испытывать сильное смущение; ~스럽다 казаться смущённым; ~스레 испытывая стыд(смущение); со стыдом; ~을 보다 испытывать чувство стыда; ~을 타다 испытывать сильное смущение.

무어(撫御) разг. 1) сокр. от 무엇; ~니 ~니해도 как ни говори; что и говорить; 2) разве; а что; 그게 ~ 정말이니? разве это правда?

무언(無言) безмолвие; безмолвный; молчаливый; ~부답 *уст.* (всегда) найдётся слово для ответа; ~부도 уст. всё, что есть на душе можно выразить словами; ~하다 безмолвный, молчаливый.

무엇(-쯺) 1) что; 2) что-то; что-нибудь;~이나 всякое; ~이든지 что-нибудь;~때문에 из-за чего; по какой причине;~보다도 более всего;прежде всего; 누가 ~이라고 하든 кто бы что ни говорил;~이 ~인지 전혀 모르겠다 Совершенно не понимаю, что к чему; 마실 것 ~좀 주십시오 дайте чтонибудь попить; ~인지 что-то; ~보다도 먼저 прежде всего; ~하다 разг. неприятный, неудобный.

무엇보다도 больше всего.

무엇을 사겠습니까? Что вы будете по купать?

무엇입니까? что это такое?

무역 I 1) 11-й звук в восточном звукоряде; 2) арх. 9-ый месяц по лунному календарю.

무역(貿易) II 1) внешняя торговля; ~하다 вести торговлю; ~사무관 торговый атташе; 2) уст. торговля между отдельными районами страны.

무용(舞踊) танец; танцы; балет; ~대본 ~배우 артист балета; ~조곡 хореографическая(танцевальная) сюита; ~학교 хореографическое училище; ~써클 хореографический кружок; ~언어 язык танца; ~예술 хореографическое(балетное) искусство.

무우 I ~강즙 сок редьки(как лекарство); ~버무리(시루떡) паровой рисовый хлеб(с редькой); ~배추 редька и лис товая капуста; ~시래기 сушёная ботва редьки; ~진디[물] капустная тля; ~씨 семена редьки; ~밑둥 같다 обр. один как перст.

무우(無憂) II ~하다 беззаботный, беспечный

무우국 суп с редькой.

무임(無任) I ~하다 прил. не иметь служебных обязанностей

무임(無賃) II бесплатный; ~승차하다 ехать по бесплатному билету; ~승차 бесплатный проезд; ~승차권 льготный билет; ~하다 бесплатный.

무자격(無資格) отсутствие квалификации; отсутствие диплома; непригодность; ~의 неквалифицированный; недипломированный; ~자 неквалифицированный(недипломированный) работник; ~하다 неквалифицированный, недип-ломированный.

무저항(無抵抗) непротивление; ~으로 без сопротивления; ~주의 принцип непротивления; непротивничество; ~하다 не сопротивляться.

무정(無情) ~하다 бессердечный; без жалостный; бездушный; бесчувственный; ~스레 бездушно; бессердечно; безучастно; ~세월 быстротечное время; ~스럽다 казаться бесчувственным(бездушным).

무제한(無制限) 1) ~하다 неограниченный, беспредельный; 2) ~으로 неогра ниченно, беспредельно; безгранично.

무조건(無條件) [-ккон] ~적 безусловный; ~반사 безусловный рефлекс; ~항복 безоговорочная капитуляция; ~확율 мат. безусловная вероятность; ~적으로, ~하고 безоговорочно, безусловно.

무지(無知) незнание; невежество; неграмотность; неведение; ~하다 невежественный; несведущий; ~몽매 абсолютное невежество; ~문맹 неграмотность; ~스럽다 а) казаться незнающим; б) казаться глупым; в) казаться свирепым, жестоким; г) казаться громадным(чрезмерным).

무지개 радуга; ~다리 арочный; ~꽃 цвет радуги.

무차별(無差別) ~적,~하다 недифференцированный;беспорядочный;~폭격 беспорядочная бомбардировка; ~로 без различия;без разбора; беспорядочно; ~적으로 без различия,

без разбора; беспорядочно.
무책임(無責任) безответственность; ~하다 безответственный
무한(無限) ~하다 безграничный; бесконечный; беспредельный; ~히 безгранично;очень; бесконечно; ~급수(합열) бесконечный ряд; ~궤도 гусеница; гусеничная цепь; ~소수 мат. бесконечная дробь; ~수열 мат. бесконечная последовательность; ~순환소수 мат. бесконечная периодическая дробь; ~직선 мат. неограниченная прямая; ~집합 мат. бесконечное множество; ~화서 бот. ботрическое соцветие; ~까논 муз. канон.
무한정(無限定) бесконечно; безгранично; ~하다 безграничный; бесконечный; ~으로 безгранично;бесконечно.
무혈(無血) ~적 бескровный; ~혁명 бескровная революция; ~점령 захват без боя.
무형(無形) бесформенный; ~무색 бес форменный и бесцветный; ~무적 бесследный; ~하다 а) бесформенный; б) нематериальный; невещественный; в) отвлечённый.
무화과(無花果) инжир; винная ягода; ~나무 инжир (Ficus carica).
무효(無效) недействительный; не имеющий законной силы; неэффективный; безрезультатный; ~로 하다 считать недействительным; аннулировать; ~로 되다 утрачивать силу; становиться недействительным; ~분열 а) срезание злаковых, не давших колоса; б) злаковые, не давшие колоса; ~저항 эл. реактивное сопротивление; ~전력 эл. реактивная мощность; ~하다 неэффективность.
무효화(無效化) ~하다 становиться неэффективным.
무흠(無欠)~하다 а) лишённый изъянов (дефектов);свободный от недостатков; б) откровенный; близкий(об отношениях)
묵(默) желе; нустой кисель.
묵념(默念)~하다 молиться про себя; спокойно размышлять.
묵다 I 1) быть старым; 2) отдыхать; находиться под паром(о земле); 묵은 솜 старая вата; 묵은 밭 залежные суходольные земли; 묵은 닭 старая курица; 묵은 떡 давно приготовленная тушь; ~해 старый год; 묵은 장 쓰듯 небрежно тратя; 묵은세배 этн. поклон, от вешиваемый старшему вечером последнего дня старого года.
묶다 1) связывать; перевязывать; увязывать; упаковывать; 2) соединять; объединять; комплектовать; составлять; собирать; 묶어세우다 собирать, спла чивать; 묶어 일으키다 организовывать и поднимать(напр. на борьбу).
묶음 связка(ключей); вязанка(дров); сноп (пшеницы, риса); пук(соломы, бумаг); букет(цветов); пачка(бумаг, денег, писем); кипа(тетрадей); ~용접 многодуговая сварка.
묶이다 быть связанным(перевязанным).
문(門) I 1) дверь; ворота; 2) вход; проход; окно; 3)этн. духхранитель ворот; 4) дом, семья, род; 5) зоол. класс; ~을 닫다 ликвидировать дело; переставать заниматься предпринимательской деятельностью; ~을 잡다 выходить(о голове ребёнка при родах); ~을 열다 а) проводить политику открытых дверей; б) не ограничивать приёма (в какую-л. органи-

문(文) II предложение; 복합~ сложное предложение; 결의~ текст резолюции.

-문(門) I суф. кор. ворота, дверь; 개선문 триумфальная арка.

-문(文) II суф.кор. 1)(письменный) текст; ~결의문 текст резолюции; 2) лингв. предложение; 복합문 сложное предложение; 3) литература.

문답(問答) 1) вопросы и ответы; диалог; 2)~하다 отвечать на вопросы; вести диалог; ~식 форма диалога.

문답법(問答法) вопросы и ответы на уроке, беседа(как метод преподавания).

문답식(問答式) форма диалога.

문명(文明) I цивилизация; просвещение; ~의 이기 блага цивилизации; современные удобства; ~국 цивилизованное государство; ~인 культурный(образованный) человек; просвещённый человек; ~하다 а) цивилизованный, культурный; б) арх. блестящий, яркий.

문법(文法) I грамматика; ~적 грамматический; ~구조 грамматический строй; ~적 범주 грамматическая категория; ~적 형태 грамматическая форма; ~적 의미 грамматическое значение.

문법(聞法) II будд. слушание проповедей.

문안(文案) 1) осведомление о здоровье; 2) привет; ~하다 передавать привет; ~객 посетитель, осведомляющийся о здоровье; ~편지 письмо с осведомлением о здоровье; ~인사 привет с осведомлением о здоровье; ~을 드리다 передавать привет; 3) ~이 어떠하오? как Ваше здоровье? (самочувствие)

문예(文藝) 1) литература и искусство; ~비평 литературная страница (в газете); литературный раздел (в журнале); ~부흥 Возрождение, Реннесанс; 2) (художественная) литература; ~과학 см. 문예학; ~비평 (литературная) критика; ~작품 художественное произведение; ~전선 литературное поприще; ~평론 рецензия на (художественное) произведения; ~학자 литературовед.

문의(問議) ~하다 спрашивать; запрашивать; 서면으로 ~하다 запросить (обратиться с запросом) в письменной форме.

문장(文章) I 1) фраза; текст; предложение; сочинение; ~가 литератор; писатель; ~부호 знак препинания; ~성분 член предложения; 2) уст. сочинитель, писатель

문장(門長) II самый старший(человек) в роду.

문전(門前) перед воротами; у ворот; у дверей; ~에 перед воротами; у ворот; у дверей; ~걸식 сбор подаяний; ~옥답 плодородное рисовое поле недалеко от дома; ~옥토 плодородная земля около дома.

문제(연습) I упражнение.

문제(問題) II вопрос; проблема; задача; ~를 내다 задать вопрос; ~로 삼다 ставить(поднимать) вопрос; ~성 проблематичность; 양심~ дело совести;... ~이(가) ~로 된다 речь идёт о..., ~없다 конечно, что за вопрос.

문제거리[-꼬-] 1) источник проблем; 2) трудная задача, проблема.

문학(文學) 1) литература; 사실주의~ реалистическая литература; ~적

литературный; ~과정 литературный про цесс; ~유파 литературная школа; ~이론 теория литературы; ~사조 литературное направление; ~작품 литературное произведение; ~조류 литературное течение; ~청년 молодые любители литературы; ~평론 литературная критика; ~시나리오 киносценарий; ~예술 литера тура и искусство; 2) см. 문예학; 3) гуманитарные науки.

문헌(文獻) документ; классический труд; ~집 сборник документов; ~학 текстология; филология; архивоведение; 강령적~ програмный документ; литературный памятник; ~고증학 текс тология.

문화(文化) культура; ~수준 культурный уровень; ~예술 культура и искусство; ~적 культурный; ~적 시설 культурнопрос ветительское учреждение; ~주택 благоустросн-ный дом; ~혁명 культурная революция; ~적 유물 памятники культуры; ~유산 культурное наследие.

문화민족 культурная нация.

묻기 вопрос.

묻다 I 1) приставать; прилипать; 기름이~ замасливаться; 피 묻은 손 обагрённые кровью руки; 2) 묻어 (с. гл. 다니다, 가다, 오다) нести с собой(что-л.); идти(с кем-чем-л.).

묻다 II (물으니,물어) 1) спрашивать; 2) расследовать; вести следствие; 길을 ~ спросить, как пройти; узнавать дорогу; 책임을~ привлекать к ответственности; 물어내리다 уст. просить, испрашивать(у вышестоящего).

묻다 III 1) зарывать; закапывать; погребать; прятать; 어머니의 가슴에 얼굴을 ~ уткнуться лицом в грудь матери; спрятать лицо в груди матери; 묻은 불이 일어난다 посл. ≅ шила в мешке не утаишь; 2) скрывать; таить в душе.

묻었습니다 похоронили.

묻히다 I 1) быть закрытым(закопанным; погребённым); 2) находиться в недрах; 3) погрязнуть(в чём.).

묻히다 II намазывать; 가루를~ обваливать в муке; 인주를~ наносить краску на канцелярскую печать.

물 I 1) вода; 음료수 вода(питьевая); 더운~ тёплая вода; ~이 부글부글 вода кипит ключом; 물의 경도 жёсткость воды; 물 덤벙 술 덤벙 обр. с бухтыбарахты; 물 만 밥이 목이 멘다 обр. слёзы подступили к горлу; 물먹은 배만 튀긴다 погов. ≅ создавать видимость; 물먹은 솜 같다 как ватные(усталые-о ногах); 물 묻은 바가지에 깨 엉겨 붙듯 обр. прилип как банный лист; 물 묻은 치마에 땀 묻은 걸 꺼리랴 посл. ≅ семь бедодин ответ; 물 밖에 난 고기 обр. как рыба, вынутая из воды; 물 본 기러기 꽃 본 나비 посл. ≅ к кому сердце лежит,к тому оно и бежит; 물 부어 샐 틈이 없다, 물 샐 틈 없다 обр. тщательный, безукоризненый; не к чему придраться; 물 찬 제비 обр. хорошо сложенный человек; 물 친(뿌린)듯 обр. неожиданно замолчав; 물 퍼붓듯 하다 обр. словно речка журчит(о плавной речи); 물 끓듯하다 обр. словно вода бурлит (напр. о толпе); 물 쓰듯 하다 обр. разбазаривать; пускать на ветер; 물위에 뜬 기름 물위의 기름 обр. белая ворона; 물은 트는대로 흐른다 посл. ≅ обр. дитятко, что тесто: как замесил, так и выросло; ~을 내리다 протирать рисовое тесто через редкое сито; ~을 맞다 а) мыть голову в воде горного источника(при головной боли); б) пить воду из целебного источника;~을 먹다 обр. сказаться(о влиянии кого-чего-л.); ~을 잡다 а) задерживать (собирать) воду; б) наливать воду(в посуду при приготовлении пищи); ~이 깊어야 고기가 모인다 *посл.* ≅ люди следуют только за достойным человеком; ~이 내리다 обр. ослабеть, размякнуть; пасть духом;~이 밀다 прибывать(о водепри приливе); ~이 잡히다 а) натереть водяную мозоль; б) собираться, скапливаться(где-л.-о воде); ~이 젖다 перен. быть пропитанным; погрязнуть; ~이 써다 перен. убывать(о воде при отливе); ~이 오르다 а) наливаться соками(о растениях весной); б) улучшиться (о положении);~이와야 배가오지 *посл.* ≅ ничего само собой не делается; ~인지 불인지 모른다 обр. поступать безрассудно;~에 물 탄 것 같다 безвкусный, пресный; ~에 빠지면 주머니부터 뜰 처지 обр. бедность; бе-дственное положение; 2) воды; река; море; озеро; ~건너 배타기 *посл.* ≅ после драки кулаками не машут (букв. пе рейдя реку, садиться в лодку); ~건너보아야 알고 사람은 지내보아야 안다 *посл.* ≅ толь ко перейдя реку, узнаёшь(как она глубока); только пожив с человеком, уз наёшь, каков он; ~에 빠져도 정신만 있으면 산다 *см.* 범(에게 물려가도 제 정신만 차리면 산다) I; ~에 빠진 놈 건져 놓으니까 내 보짐 내라 한다 *посл. букв.* ≅ вытащенный из воды человек требует свой дорожный узелок; ~에 빠진자는 지푸라기라도 잡는다 *посл.* ≅ утопающий хватается за соломинку.

물 II окраска; ~들이다 красить; 검게 ~들다 быть выкрашенным в чёрный цвет(окрашенным в чёрное); ~이 들다 а) быть окрашенным; б) *см.* 단풍(이 들다); в) перениматься (о чём-л. плохом).

물 III свежесть; ~이 나쁘다 несвежий; ~이 좋다 свежий(о рыбе).

물 IV тк. в составе словосочет. 1) стирка; 첫물 первая стирка; 2) сбор; улов; 첫 물의 호박 тыква первого сбора; 3) шелк. яйцекладка.

-물(物) суф. кор. предмет; вещество; 가연물 горючее вещество.

물가(物價) цена; ~지수 индекс цен; ~조절 регулирование цен; ~인하 снижение цен.

물건(物件), 물품(物品) вещь; предмет; ~을모르거든 금보고 사라 *погов.* по товаруцена.

물고기 рыба; ~잡이 рыбная ловля; рыболовное судно; ~떼 косяк(рыбы); ~가루 рыбная мука; ~거름 рыбные туки; ~기름 рыбий жир.

물다 I (무니, 무오) 1) испортиться, протухнуть; 물어도 준치 썩어도 생치 *посл.* ≅ хорошо худо не бывает; 2) *см.* 물쿠다.

물다 II (무니, 무오) 1) держать (во рту; в клюве *и т. п.*); 무는 개를 돌아본다 *см.* 개(도 무는 개를 본다) III; 물라는 쥐나 물지 씨암탉은 왜 물어? *погов.* ≅ зачем заниматься ерундой; 2) кусаться; хватать; 담배를 ~ держать сигарету во рту; 물고 뽑은 것 같다, 물고 뽑은 듯하다 обр. стройный; 3) кусаться, клеваться; 무는 호랑이는 뿔이 없다 *погов.* ≅ у каждого есть свои достоинства и недостатки; 물고 늘어지다 а) брать в рот; держать в зубах; б) не пускать, задерживать; в) неуступать, держаться(напр. за место); 물고 뜯다 а) схватиться(с кем-л.); браниться; б) перен. больно кусать, жалить; 물어넣다 выдавать(кого-л.); 물어내다 а) украсть, вынести(из дома); б) перен. выносить сор из избы; 물어들이다 а) приносить корм(в гнездо); б) доставлять, приносить, приводить; 물어박지르다 рвать, терзать жертву; 물어뜯다 а) рвать зубами; кусаться (о насекомых); б) не давать житья.

물다 III (무니,무오)지불하다 платить; возмещать; 얼마나 물어야 합니까? Сколько с нас?

물독 [-뜍] глиняный чан для воды; ~에 빠진 생쥐같다 *погов.* как мокрая курица(букв. подобно мышонку, попавшему в чан с водой)

물동(物動) I груз; транспортируемые материалы; ~량 количество перевозимых грузов.

물동 II [-똥ㄴ-] 1)дамба плотина; 2) крепь в выработках с обводнёнными породами.

물러가다 отодвигаться; отходить; отступать; исчезать; убираться.

물러나다 옆으로~отойти в сторону.

물러 나오다 возвратиться.

물러나게 увольнять с поста.

물러나다 отступать.

물러서다 *см.* 물러가다;뒤로~ отступить назад; 한걸음~ отступить на шаг.

물론(勿論) конечно; безусловно; разумеется; 그야~이지 да, конечно; ~하고 все(всё) без исключения.

물리(物理) 1) физика; законы природы; 2) *см.* 물리학; ~적 физический; физио...; ~요법(치료) физиотерапия; ~적 멸균법 физические методы стерилизации; ~적 풍화 физическое выветривание;~적 약학제제 фарма-цевтический препарат, приготовленный путём выпаривания, фильтрации *и т. п.*; ~적 원자량 физический атомный вес; ~화학 физическая химия; ~학부 физический факультет; 3) понимание.

물리다 I надоедать; приедаться.

물리다 II 1) быть зажатым(в зубах и т. п.); 2) быть схваченным(зубами, клювом); 3) быть укушенным; 4) совать(в рот); 5) науськивать(напр. собаку); позволять кусать; 6) всовывать; втыкать; ловиться; 젖을~давать грудь ребёнку; 아침에는 고기가 잘 물린다 утром рыба хорошо ловится; 물려지내다 быть в полной зависимости (от кого-л.).

물리다 III 1) заставлять(позволять) возвращать(отдавать); 2) заставлять (позволять) повернуть вспять; 3) заставлять(позволять) передвигать; 4) передавать(по наследству); 5) отодвигать, переносить(срок); 6) этн. изгонять злого духа.

물려받다 получать(от кого-л. по наследству);

물려주다 передать (кому-л. по наследству).

물리치다 1) отражать нападение; отгонять; отбивать(атаку); 2) устранять; преодолевать; 3) не принимать; отказываться; отвергать.

물씬물씬 ~하다 а) очень мягкий; переспелый; переваренный; б) прил. подниматься клубами(о паре, пыли, дыме *и т. п.*); в) резкий, сильный (о запахе).

물의(物議) толки; пересуды; шумиха; ~를 일으키다 вызывать неблагоприятные толки; нашуметь.

물질(物質) 1) материя; вещество; ~보존의 법칙 закон сохранения материи; ~적 материальный; вещественный; ~문명 цивилизация; ~문화 материальная культура; ~생활 материальная жизнь; ~적 관심의 원칙 принцип материальной заинтересованности; ~적부(생활자료, 향리품) материальные блага; ~요새 материальная крепость; 2) вещество; ~대사 биол. метаболим; ~불멸의 법칙 закон сохранения вещества; 3) см. 재물

묽다 1) жидкий; водянистый; 묽게 타다 разбавлять(что-л.); 묽은 유산 разбавленная серная кислота; 묽디묽다 очень жидкий; 묽은치약 зубная паста; 2) хилый; 3) слабовольный, бесхарактерный.

뭇 I 1) пучок(чего-л.); вязанка(дров и т.п.); 2) несколько пучков(вязанок).

뭇 II большая острога.

뭇 III счётн. сл. 1) 10 штук (рыбы); 2) уст. мут(мера площади для определения налога с урожая); 3) несколько десятков штук рыбы; 4) несколько мут.

뭇- преф. множество; ~별 (многочисленные) звёзды; 뭇 사람 много (масса) людей.

뭇다(무으니, 무어) 1) собирать; 배를 ~ строить лодку; 떼를 ~ вязать плот; 2) организовывать, сколачивать; 3) вступать(в какие-л.) отношения; 사돈을 ~ вступать в свойство.

뭉치다 1) образовываться(о комке); свёртываться (напр. о крови); 2) комкать; скатывать; лепить; 3) сплачивать[ся]; смыкать[ся].

뭍 суша. 뭍바람 береговой бриз.

뭐 разг сокр. от 무엇; 뭐 말라빠진 (비틀어진, 죽은) 거야 обр. ерунда. нестоящая вещь.]

뭔 биал см. 무슨;. 뭘 сокр. от 무얼; что;. 뭣 сокр. от 무엇;. 뭣하다 сокр. от 무엇하다; 뭬 сокр. от 무에.

-므로 оконч. деепр. причины 그가 갔으므로 방안은 조용해졌다 так как он ушёл, в комнате стало тихо.

미(美) I красота; красивый; 고전~ классическая красота.

미(ит. mi) II муз. ми.

미(尾) III арх. мелкие боковые корни женьшеня.

미-(未) I преф. кор. ещё не ...; 미성년 несовершенолетие; см. 미해결이다.

미-(微) II преф. кор. мельчайший; микроскопический.

미생물 микроорганизмы.

미-(美) III преф. кор. красивый; 미남자 красивый мужчина.

미-(米) IV преф. кор. 1) рис; 미생산 производство риса; 2) американский; 미제국주의 американский империализм.

-미(米) I суф. кор. рис; 격차미 разница в норме риса, получаемой работающим членом семьи и иждевенцем.

-미(美) II суф. кор. красота; 나체미 физическая красота.

미가공(未加工) сущ. необработанный; ~직물 грубая ткань; ~철 сырцовое железо.

미결(未決) нерешённость; нерешённый; подследственный; ~수 лицо, находящееся в предварительном заключении; под следственное; ~구금 уст. юр. предварительное заключение; ~하다(ещё) не решить.

미국(美國) Соединённые Штаты

Америки.

미국인(美國人) американец.

미꾸라지 амурский вьюн(рыба); ~같다 как вьюн(о человеке); ~천년에 용이 된다 *посл.* ≅ терпение и труд всё перетрут(букв. через тысячу лет вьюн станет драконом);~한 마리가 온 웅덩이 물을 다 흐린다 *посл.* ≅ паршивая овца всё стадо портит(букв. один вьюн мутит всю воду в водоёме).

미끄러지다 1) скользить; поскользнуться; 2) проваливаться(напр. на экзамене); 미끄럼 скольжение; 미끄러진 김에 쉬어간다 *посл.*≅ нет худа без добра(букв. поскользнувшись упал, но зато отдохнул); 3) прост. вылететь(с занимаемой должности).

미래 I "T" -образное приспособление для разравнивания рисового рассадника.

미래(未來) II будущее; грядущее; будущее время; ~완료 будущее время законченного(завершённого) действия.

미련(尾聯) I глупость; тупость; ~스럽다 казаться глупым(тупым); ~하다 недогадливый; ~한 송아지 백정을 모른다 *посл.* букв.глупый телёнок не знает, кто такой мясник.

미련(未練) II 1) неотвязная мысль; сожаление; ~을 가지다 быть(всё ещё) привязанным(к кому-л.); тосковать (по кому-л.); 2) ~하다 уст. неумелый, неопытный.

미루다 1) откладывать; отодвигать; 후일로~ откладывать на будущее; 편지 회답을 ~ не торопиться с ответом на письмо; 후일에 ~ откладывать на будущее; 2) перекладывать, сваливать(на другого); ...로 미루어 исходя(из чего-л.), учитывая (что-л.).

미리 заранее; заблаговременно; вперёд; 돈을 ~ 주다 дать деньги вперёд.

미리미리 задолго; немного раньше.

미만(未滿) после числ. менее чем ...; неполный; после указания на возраст недостигший; моложе; 5세 ~의 아이들 дети,не достигшие(моложе) пяти лет; 60 세~ не достигший(моложе) 60 лет.

미분(微分) I 1) дифференциал; 2) ~법 дифференцирование; ~학 дифференциальное исчисление; ~가능성 дифференцируемость; ~기하학 дифференциальная геометрия; ~ 계수 дифернциальный коэффициент; ~방정식 дифференциальное уравнение; ~회로 дифференциальная схема.

미분(未分) II ~관인 лицо, ожидающее назначение(после сдачи экзамена на государственную должность); ~노비 крепостные, принадлежавшие родителям до раздела имущества; ~하다 быть ещё не разделённым (не распределённым).

미숙하다 незрелый; неспелый; неготовый; неопытный; неквали-фицированный; 미숙성 незрелость; неспелость; неквалифицированность.

미술(美術) изобразительное искусство; художество; ~가 художник; скульптор; ~관 картинная галерея; музей изобразительного искусства; ~품 произведе ние(изобразительного) искусства; ~적 художественный; ~도안 художественный плакат; ~사진 *см.* 예술[사진]; ~전람회 художественная выставка; картинная галерея; ~인쇄 художественная литография.

미안(美顔) I 1) красивое лицо; 2) косметика лица.

미안(未安) II ~스럽다 прил. казаться смущённым; ~하다 а) прил. чувствовать себя неловко(смущённым); ~하지만 простите(извините), что...; б) уст. недовольный.

미안하다 чувствовать себя неловко (смущённым); 미안하지만 простите (извините); будьте добры; будьте любезны; 늦어서 미안합니다 Извините меня за опоздание; Прошу прощения, что опоздал.

미약하다 слабый; маломощный; недостаточный.

미역국 суп из морской капусты; ~을 먹다 прост. а) провалиться(напр. на экзамене); не быть принятым (на работу); б) быть отстранённым (от должности).

미연(未然) ~에 заранее; заблаговременно; вперёд; ~방지 предотвращение.

미완성(未完成) незаконченный; незавершённый; не сложившийся; ~품 полуфабрикат; ~하다 (ещё) не завершить (не закончить).

미용(美容) уход за лицом(волосами); ~사 косметолог; парихмахер[ша]; дамский парикмахер; ~실 косметический кабинет; женская парикмахерская.

미워하다 ненавидеть; недолюбливать; невзлюбить.

미인(美人) красавица; ~계 завлечение (обольщение) с помощью женских чар.

미적미적 ~거리다 понемногу передвигать(толкать); откладывать (переносить) со дня на день; ~하다 см. 미적거리다.

미정(未定) I неустановленный; нерешённый; неопределённый;~ 계수법 мат.способ неопределённых коэффициентов; ~대명사 лингв. неопределённое местоимение; ~하다 ещё не решить(установить, определить).

미정(未正) II этн. два часа дня "час овцы"

미주알고주알 подробно; до мелочей; ~캐묻다 расспрашивать до мелочей.

미지(未知) неведомый; неизвестный; ~의 세계 неведомый мир; ~함수 мат. неизвестная функция; ~하다 ещё не знать.

미지근하다 1) тепловатый; 2) робкий; нерешительный; 미지근히식히다 дать немного остыть, охладить.

미지수(未知數) 1) искомое(неизвестное) число; 2) неизвестность; неясность; ~이다 быть(ещё) неизвестным.

미치다 I 1) сходить с ума; беситься; лишаться рассудка; 미친개 бешеная собака; негодяй; сволочь; 미친 년 сущ. сумасшедшая; 미친놈 сумасшедший; сумасброд; 미친병(증) умопомешательство; сумашествие; 미친듯이 лихорадочно; 미친개 눈에는 몽둥이만 보인다 посл. ≅ пуганая ворона куста боится (букв. в глазах у бешеной собаки только палка); 미친 개 다리 틀리듯 обр. потерпев неожиданное фиаско; 미친개 물 본 듯 обр. словно бешеный; 미친 개 범 물어 간 것 같다 посл. ≅ словно гора с плеч(букв. как будто тигр схватил и унёс бешеную собаку); 미친 개 친 몽둥이 삼년 우린다 см. 노루(친막대 삼년 우린다); 미친년 널뛰듯(미친년 달래 캐듯, 미친년 방아찧듯) обр. делая наспех (кое-как); 2) выходить из рамок, переходить границы, отклоняться от нормы; 3) после имён сущ. в дат. п. помешаться(на чём-л.); уйти с головой(во что-л.); 낚시질에

~ помешательство на рыбной ловле; 미쳐 날뛰다 бесноваться, неистовствовать.

미치다 II 1) достигать; доходить(до чего-л.); касаться; задевать; затрагивать; 못 미쳐 не доходя; 생각이 못 미쳐 доходить умом; 때 미쳐 вовремя; 힘이~ быть по силам(по плечу); 2) оказывать,распространять(напр. влияние); сказываться(на чём-л.).

미행(尾行) I 1) ~하다 а) ходить по пятам; б) следить; 2) сыщик; 3) перен. хвост.

미행(美行) II хорошее поведение.

미행(尾行) III слежка; ~하다 ходить по пятам; следить(за кем-л.); ~자 сыщик.

민(民) 1) *уст. см.* 인민; 2) я (янбан о себе в официальной форме в разговоре с уездным начальником)

민- преф. естественный, обычный; неприукрашенный; 민낯 ненапудренное лицо.

-민(民) суф. кор. люди; народ; 이재~ пострадавшие от стихийного бедствия; 미개민 дикари; 이주민 переселенцы.

민간(民間) ~에서 среди народа; в народе; ~의 частный; гражданский; неправительственный; неофициальный; народный; ~요법 народная медицина; ~무용 народный танец; ~물자 народное богатство(имущество); ~설화 народное предание; ~신앙 суеверие; ~어원 лингв. народная этимология; ~오락 народные развлечения; ~은행 частный банк.

민사(民事) I 1) юр. гражданское дело; 2) уст. дела, занятия народа; ~사건 гражданский иск; ~소송법 гражданский кодекс.

민사(悶死) II ~하다 умирать в муках.

민속(民俗) I народные обычаи(нравы); этнография; ~무용 народный танец; ~학 этнография.

민속(敏速) II ~하다 живой, расторопный; проворный.

민심(民心) настроения(чувства) народа; общественное мнение; популярность; ~을 얻다 завоевать популярность; снискать доверие народа; ~을 잃다 потерять популярность(доверие народа).

민족(民族) нация; народ; ~국가 национальное государство; ~문제 национальный вопрос; ~문화 национальная культура; ~사 история нации; ~성 национальный характер; ~의식 национальное сознание; ~적 национальный; ~주의 национализм; ~간부 национальные кадры; ~경기 традиционные(национальные) спортивные игры(состязания);~경제 национальная экономика; ~고전 национальная классическая литература; ~공업 национальная промышленность; ~무용 национальные танцы; ~문화 национальная культура; 반역자 национальный предатель; ~배타주의 национал-шовинизм; ~자결 самоопределение наций; ~자결권 право наций на самоопределение; ~자본가 национальная буржуазия;~주체 의식 осознание национальной самобытности, национальное самосознание; ~통일전선 единый национальный фронт; ~해방투쟁 национально-освободительная война.

민주(民主) демократия; ~국가 демократическое государство; ~당 демократическая партия; ~주의 демократия; демократизм;~화 демократизация;~기지 демократическая база; ~개혁 демократическая реформа; ~진영 демократический лагерь; ~혁명 демократичес кая революция.

믿다 верить; 믿을만한 사람 человек, заслуживающий доверия; 믿을사람 человек, заслуживающий доверия; 믿기는 신주 믿듯 *обр.* слепо веря; 믿는 낡에 곰이 핀다 *посл.* ≈ неожиданно рухнуть(о надеждах); 믿는 도끼에 발등 찍힌다 *посл.* ≈ оказать медвежью услугу

믿음 вера; доверие.

미음직하다 достоверный; надёжный; верный; заслуживающий доверия; 믿음직하게 уверенно.

밀 I пшеница; ~가루 пшеничная мука.

밀(蜜) II (пчелиный) воск.

밀 III руда(напр. при промывке золота).

밀-(密) преф. кор. тайный,секретный; ~밀수입 ввоз контрабандой.

밀고(密告) донос; ~하다 (тайно) доносить; секретно информировать; ~자 доносчик; ~하다 секретно информировать; (тайно) доносить

밀다(미니, 미오) 1) толкать; отталкивать; 2) гладить; разглаживать; разравнивать; 3) строгать; брить; 4) счищать; соскабливать; 5) печатать; 6) отодвигать; переносить(срок); 밀어내다 выталкивать, вытеснять.

밀리다 1) получить толчок; быть отодвинутым; 2) быть разглаженным(разров ненным); 3)быть бритым; 4) отмывать ся; 5) накапливаться; собираться; 6) откладываться; отодвигаться(о сроке); 밀려나다 быть вытесненным(изгнанным); 밀려나오다 а) вытесняться; б) хлынуть потоком; 밀려다니다 а) идти, будучи подталкиваемым сзади; 밀려들다 нахлынуть.

밀어내다 выталкивать; вытеснять; вы таскивать; выдвигать.

밀어붙이다 1) вклеивать; 2) толкать в одну сторону.

밀접하다 1) плотно прилегать; 2) близкий; тесный; ...와 밀법한 관계에 있다 быть тесно связанным(в тесной связи)(с кем-чем-л.); находиться в близких отношениях(с кем-чем-л.).

밀집(密集) концентрация; скученность;~하다 концентрироваться; скучиваться; тесниться; толпиться; ~광석 сплошные(массовые) руды; ~동발 *горн.* частое крепление; 주택의 ~지역 густонаселённый район; ~하다 а) концентри-роваться; скучиваться; б) тесниться, толпиться.

밀항(密航) ~하다 совершить незаконный(неразрешённый) рейс; ~선 судно, совершающее незаконный (неразрешённый) рейс; ~자 человек, совершающий неза конный (неразрешённый) рейс.

밉다(미우니, 미워) противный; от-вратительный; омерзительный; ненавистный; 미운 벌레가 모로긴다 *посл.* ≈ в ненавистном человеке всё противно; 미운자식 밥 많이 먹인다(미운아이 먼저 품는다, 미운아이 떡 하나 더 주라) *посл.* ≈ а) горбатое дитя для матери всех дороже; б) целовал ястреб куроч ку до последнего пёрышка; 미운털이 박히였나? разве есть основание для ненави-сти? 미운 일곱 살, 미운 일고여덟 살 *обр.* трудный возраст(о ребёнке в возрасте 7-8 лет).

밉살맞다 противный, отвратительный; ненавистный.

밉살스럽다 *прил.* казаться отвратительным (омерзительным; ненавистным).

밉살스레 отвратительно, омерзительно

밉상 1) мерзкий вид; мерзкая внешность; ~스럽다 прил. казаться мерзким(отвратительным); 2) противный человек.

및 союз законченного перечисления и.

밑 1) низ; дно; основание; база; снизу; младший; ~의 동생 младший брат; ~바닥 днище; дно; ~줄 линия, подчёркивающая слово; ~빠진 독 без-донная бочка; ~빠진 독에 물붓기 наливать(носить) воду в бездонную бочку; ~빠진독(항아리) перен. Бездонная бочка; 2) см. 밑둥; 3) см. 밑구멍; 밑으로부터의 비판 критика снизу; ~도[끝도] 모르다 ни с того, ни с сего, без причины; ~도 끝도 없다 быть бессвязным (нелогичным); ~이 구리다 а) иметь уязвимое место; б) быть подозрительным; ~이 더럽다 плохой(не достойный)(о поведении); ~이드러나다 обнаруживаться, становиться ясным; ~이 들다 образовываться(о клубне корнеплода); ~이 빠지다 страдать выпадением прямой кишки.

밑구멍 1) дыра на нижней стороне (на дне); 신발~1)дыра на подошве; ~으로 호박씨깐다 посл. в тихом омуте черти водятся; 2)эвф. анальное (заднепроходное) отверстие; 3) эвф. женский половой орган.

밑둥 1) комель(дерева, растения); 2) нижняя часть столба(колонны и т.п.); 3) клубень; корнеплод.

밑바닥 днище, дно; 신발~ подошва обуви.

밑바탕 основное свойство.

밑반찬 приготовленный впрок гарнир к рису.

밑받침 1) сущ. подложенная (подо что-л.); подставка, подстилка, подкладка; 2) стр.подушка; 3) опора, поддержка.

밑변(-邊) мат. основание.

밑뿌리 корень(растения).

밑술 1) вино, оставшееся в сосуде после отлива; 2)вино, добавляемое в затор(для ускорения брожения).

밑실 нитки на челноке.

밑씻개 туалетная бумага.

밑알 [мид-] яйцо, которое кладётся в гнездо(чтобы куры-несушки откладывали-в нём яйца).

밑자락 подол.

밑자리 1) нижние места; 2) подстилка, подушка для сидения; 3) основа плетённого изделия; 4) см. 밑천. **밑접시** цветочный поддон.

밑정 число естественных отправлений (у грудного ребёнка); ~이 사납다 часто мочиться.

밑조사 (предварительное) расследование; ~하다 вести(предварительное расследование).

밑줄 нижняя линия.

밑줄기 комель(растения).

밑지다 быть(оказаться;находиться) в убытке; терпеть(нести) убыток; 밑지는 장사 убыточное дело; 밑져야 본전 нет худа без добра

밑창 1) подошва; 2) см. 밑바닥; ~이 드러나다 см. 바닥[이 드러나다].

밑천 1) капитал; состояние; 2)перен. основа; база; ~이짧다 а) небольшой (о состоянии); б) испытывать недостаток(в чём-л.).

밑판(-板) подставка.

ㅂ шестая буква корейского алфавита; обозначает согласную фонему **б**, **п**.

-ㅂ니다 почт. оконч. повеств. ф. предикатива: 나는 극장으로 갑니다 я иду в театр.

-ㅂ디까 разг. вежл. оконч. вопр. ф. предикатива; употр. в том случае, когда говорящий стремится установить, высказывает ли собеседник данную мысль на основе личного опыта: 지금 농촌에서는 냉상모 모내기들을 합니까? сейчас в деревне высаживают рассаду риса, выращенную холодным способом в открытом грунте? (спрашивают человека, приехавшего из деревни)

-ㅂ디다 разг. вежл. оконч. повеств. ф. предикатива; указывает на то, что говорящий высказывает данную мысль на основе личного опыта: 비닐론 공장은 참 굉장합디다 завод виналона, в самом деле, грандиозен(говорит человек, побывавший на этом заводе).

-ㅂ시다 почт. оконч. пригласит. ф. предикатива: 오늘은 영화관으로 갑시다 а сегодня давайте сходим в кино.

-ㅂ시오 разг. вежл. оконч. повел. ф. предикатива: 어서 갔다 오십시오 пожалуйста сходите(туда)!

-ㅂ지요 разг. вежл. оконч. заключительной ф. предикатива: 거름을 많이내야 가을에 가서 많이 거두지요 только внеся много удобрений(в землю),осенью собирают богатый урожай; 좀 빠르지요? немного быстрее?

바 служ. сл. 1) после прич. гл. обозначает результат действия: 읽은 바 прочитанное; 할 바가 무엇이냐? что ты будешь делать?; 아는 바와 같이 как (Вы) знаете; 말 하던 바에 의하면 в соответствии с тем, что говорилось; 2) употр. в производном сказ., подчеркивая действие, обозначенное прич. смыслового гл.: 열렬한 축하를 올리는 바입니다 приношу горячие поздравления

바가지 1) черпак из высушенной половины тыквыгорлянки(без ручки); 2) тех. ковш; ~를 긁다 пилить(мужа); ~기중기 ковшовый кран;~[를] 차다 пилить(мужа);~를 쓰다 а) брать на себя всю ответственность; б) понести ущерб(пострадать) одному; ~싸움 сущ. поедом есть(мужа).

바깥 1) сущ. внешний; наружный; вне; снаружи; на дворе; на улице;на свежем воздухе; под открытым небом;~마당 внешний двор;~바람 а) ветер; б) свежий воздух,улица; ~소문 слухи;~소식 вести; 2)см. 한데 II; 3): ~주인 [양반] пренебр. муж, хозяин; ~두령 глава семьи; ~노인 старик-хозяин дома;~반상 обеденный стол для короля; ~부모 отец; ~사돈 сват (отец одного из супругов по отношению к родителям другого супруга); ~상제 этн. распорядитель траура; ~식구 член семьи (о мужчине); ~심부름 а) мелкое поручение хозяина дома; б) поручение сделать (что-л.) во дворе(на улице); ~출입

выход на улицу; ~어른 вежл. хозяин (дома).

바깥일 [-кканнил] 1) работы на улице (на открытом воздухе); 2) работа вне дома (обычно работа мужа); 3) событие, происшедшее вне дома.

바꾸다 менять[ся]; обменивать[ся]; изменять; переменить; 자리를 ~ [по]меняться(с кем-л.) местами.

바꾸어 말하다(바꾸어 말하면) иначе говоря; говоря другими словами.

바뀌다 быть заменённым; заменяться.

바나나(англ. banana) банан(дерево и плод).

바느질 шитьё; ~하다 шить.

바늘 1) игла(для шитья); иголка; ~베아링 игольчатый подшипник; ~가는데 실 간다 посл. букв. куда иголка, туда и нитка; ~도둑이 황소 도둑된다 посл.букв. укравший иголку украдёт и вола; ~로 찔러도 피 나올 데가 없다 обр. а) плотный,крепкий(о человеке); б) волевой(о характере); 2)вязальная спица; 3) стрела(напр. часов); 4) игла шприца;~한 쌈 пачка иголок(из 24 штук).

바늘구멍 [-꾸-] 1) дырочка, проделанная иглой; 2) маленькое отверстие; 3) см. 바늘귀; ~으로 하늘 보기 погов. букв. видеть небо через ушко иголки; ~에서 황소바람 들어 온다 обр.холодный ветер пройдёт и через узкую щель.

바늘귀[-ккви] игольное ушко.

바다 море; ~는 메워도 사람의 욕심은 못 채운다 посл.= бездонную бочку не наполнишь;~와 같다 обр. очень глубокий и бескрайний; огромный; 바닷가 берег моря; 바닷가재 морской рак; краб; 바닷물 морская вода; 바다표범 тюлень; 바다고기 морская рыба.

바닥 1) ровная поверхность(чего-л.); полотно(дороги); 2) пол; 3) нижний слой; дно; ~[을]짚다 углубляться (напр. при проходке шахты); 4) см. 밑바닥; 5) подошва (обуви); равнина; 6) см. 평지대; 7) улицы(города); квартал; район; 8) выделка ткани; ~첫째 ирон. см. 꼴찌;~[을]보다 а) закончить работу; б) растратить, полностью истратить; ~ [이] 나다 а) завершиться(о работе); б) полностью израсходо- ваться; в) протереться(о подошве); г) обнаруживаться, выявляться; ~[이] 드러나다 обнаруживаться, выявляться.

바라다.원하다 1) надеяться; желать; хотеть; 건강하길 바랍니다 Желая вам здоровья; 2) 바라[다] 보다 а) смотреть прямо; б) смотреть вдаль; в) смотреть со стороны, быть посторонним наблюдателем; г)возлагать надежды; ожидать; д) смотреть с завистью(на кого-л., что-л.); завидовать.

바라보다 смотреть прямо; смотреть вдаль; смотреть со стороны; быть посторонним наблюдателем; возлагать надежды; ожидать; 멍하니~ засмотреться; 뚫어지게 ~ вперить взор(в кого-л., что-л.); 정신없이 ~ заглядеться.

바람 I 1) ветер; ~아래 подветренная сторона; 윗~ наветренная сторона; ~을 등지다 быть обращенным спиной к ветру; ~을 안다 быть обращенным лицом к ветру; ~이 자다 стихнуть(о ветре); ~먹고 구름 똥 싼다 обр. бесплодный фантазёр; ~부는날 가루 팔러가듯 обр. начиная (что-л.) в неудачное время; ~부는

대로 살다, ~을 따라 돛을단다 *посл.* держать нос по ветру; ~앞의 등불 *обр.* крайняя опасность, риск; ~이 불어야 배가 가지 *погов. букв.* без ветра и лодка ни с места; 2) воздух(в камере, шине *и т. п.*); ~이 불다 дуть;공에~을 넣다 накачивать мяч; ~[이] 나가다 а) просачиваться (о воздухе); б)перен. выдохнуться; действие; влияние; сила(чего-л.); 3) увлечение; ~[을]켜다 увлекаться; 4) мода; поветрие; веяние; 5) трудности, препятствия; 6) мятеж, смута; 7) *см.* 풍병, 중풍; 8) после назв. мест. обычаи, нравы; 9) после опред. в ф. дат. п. по причине,так как; 10) после опред. действие, влияние; сила(чего-л.); 11) неполный наряд; 셔츠 ~으로 오다 приходить в одной рубашке (без пиджака); ~[을] 내다 давать эффект; давать высокую производительность; ~을 마시다 *см.* 바람[을] 쐬다 б); ~[을] 맞다 а) быть непоседливым(ветренным); б) быть обманутым; в) быть парализованным (разбитым параличом); ~[을] 잡다 а) шляться, шататься; б) замышлять пустое дело; ~을 피우다 флиртовать; б) фантазировать; в) вызывать инцедент; ~ [을] 쐬다 а) дышать воздухом; б) осваиваться с обычаями (какой-л.местности); ~[이]나다 а) подниматься, начаться(о ветре); б) увлекаться; в) быть живым (энергичным); г) быть производительным; ~[이] 들다 а) быть сухим(несочным) (напр. о редьке); б) увлекаться (кем-л.); в) быть несбыточным; г) возникать(о затруднениях); ~[이] 끼다 быть неспокойным(непоседливым).
바람 II 1) длина вытянутых рук(как единица измерения для ниток, верёвки, проволки *и т. п.*); 2) несколько кусков(верёвки, проволоки *и т. п.*), каждый из которых равен длине вытянутых рук.
바래다 I 1) выцветать; выгорать; линять; 2) обесцвечивать(тканьо лучах солнца);3)отбеливать(ткань)
바래다 II провожать.
바래다주다 провожать.
바로 I 1) прямо; ровно; ~ 8시에 오너라 приди ко мне ровно в 8 часов; 줄을 ~긋다 проводить линию прямо; 2) недалеко, вблизи; 3) правильно; нормально; 4) тотчас; немедленно; 5) прямо(минуя что-л.);~오다 идти прямиком; 6)именно; как раз.
바로 II (после некоторых указ. мест. и сущ.) именно то место; правильный; как раз; 그를 ~보시오 смотрите как раз туда.
바로잡다 1)выпрямлять; выправлять; 2) исправлять; 옷깃을 ~ поправить воротник; 질서를 ~ наводить порядок.
바로잡히다 1) быть выпрямленным (выправленным); 2) быть исправленным.
바르다 I (바르니, 발라) 1) мазать; намазывать; 빵에 버트를~[на] мазать на хлеб масло; 분을 ~ пудриться; 2) пачкать; 3) штукатурить, обмазывать (глиной); 발라 맞추다а) угодничать; подмазываться (к кому-л.); б)втирать очки(кому-л.).
바르다 II (바르니,발라) очищать(орех); извлекать (зёрнышко из скорлупы); 발라내다 а) извлекать (зёрнышко из чего-л.); очищать (орех); снимать (кожицу); б) сортировать (зерно); в) завладеть(приобрести) хитростью; г) выдать чужую тайну; 발라 먹다 а)

есть, сняв кожицу; б) выудить, завладеть (чем-л.) хитростью.

바르다 III (바르니, 발라) 1) прямой; неизогнутый; 2) правильный; 3) правдивый; честный; справедливый; 바른대로 по правде; 바른 말 правда.

바르르 1) ~떨다 слегка дрожать; 2): ~타오르다 сразу(легко) разгораться (загораться); 3): ~끓다 слегка кипеть; 4): ~성내다 рассердиться, вскипеть.

바른손 правая рука; см. 오른손

바보 презр. дурак; дурень; глупец; простофиля; ~같은 소리 глупости; чепуха; ~짓 глупый поступок; глупое поведение.

바쁘니 занят.

바쁘다(바쁘니,바빠) 1) очень занятой; 나는 일이 바빠 갈 수 없다고 말해 주시오 скажите, что я занят и не могу пойти; 2) очень спешный; 바삐 срочно; спешно; второпях; 3) см. 어렵다; 4): 바쁘게 (после инф. предикатива с оконч. 기) едва то-лько, как ...; 비가 멎기가 바쁘게 우리가 갔다 как мы ушли, едва только кончился дождь,

바쁘신가 봐요 выглядеть занятым.

바스스 1): ~부스러지다 разбиваться; крошиться; 2): ~일어나다 вставать дыбом(о волосах);~흐트러지다 разлетаться(о волосах); 3): ~일어나다 легко встать(приподняться)(о человеке); 4): ~닫다 потихоньку закрыть (напр. окно).

바싹 I усил.стил.вариант 바삭

바싹 II 1) ~마르다 засохнуть; пересохнуть; 2) вплотную; плотно; ту-го; 띠를~죄다 туго затянуть ремень; ~마른 тощий; кожа да кости; 3) напряжённо; 귀를~기울이다 прислушиваться, вслушиваться; 정신을 ~

차리다 держать себя в руках; сдерживаться.

바싹바싹 II 1) ~마르다 совсем засохнуть; пересохнуть; 2) очень туго (плотно); 3) очень напряжённо; 귀를 ~ 기울이다 напряжённо прислушиваться.

바야흐로 1) в самый разгар; 2) как раз сейчас; 3) уст. именно, как раз.

바위 скала; большой камень; валун; ~가 많은 скалистый; ~에 계란 부딪치기 погов. бросать в скалу куриными яйцами.

바이러스(*англ.* virus) вирус; зараза.

바이러스학(-學) вирусология.

바이오(*англ.* bio) био.

바이오리듬(*англ.* biorhythm)биоритм

바이올니스트(mviolinist) скрипач

바이올린(*англ.* violin) скрипка; ~기호 муз. скрипичный ключ, ключ соль; ~[을] 켜다 играть на скрипке; ~ 연주자 скрипач.

바인더(*англ.* binder) переплётная, склеивающее вещество

바지 брюки; штаны;~까지 벗어주다 *погов.*≅отдать последнюю рубашку.

바지춤 ~에 넣다 положить за пояс штанов (брюк).

-바치 суф., образующий имена со знач. лица: 갖바치 сапожник; 장인바치 ремесленник.

바치다 1. (от)давать; сдавать; посвящать; преподносить; 마음을 ~ вкладывать всю душу(во что-л.); 목숨을~ жертвовать собой; 몸을 ~ целиком отдавать себя(чему-л.); 2. после деепр. смыслового гл. указывает на то, что данное действие совершается в интересах вышестоящего лица: 일러 ~ докладывать, сообщать(вышестоящему).

바퀴 I 1) колесо; шкив; 2) круг; оборот; 운동장을세(3)~돌다 обежать спортплощадку три раза; *см.* 차륜(車輪) **바퀴** II таракан.

바탕 I 1) основа; база; устои; положение; обстановка; среда; 2) поле; фон; жив. грунт; ~메움 шпаклёвка; ~색 первоначальный(естественный) цвет; основные цвета; 3) натура; задатки; 4) конституция; телосложение.

바탕 II счётн. сл. расстояние, на которое летит стрела(при стрельбе из лука).

박 I тыква-горлянка(Lagenaria vulgarus); 두레~ колодезная бадья; ~을 타다 а) распиливать тыкву-горлянку на две части; б) [по]терпеть неудачу; 2) *см.* 바가지.

박(箔) II фольга; 금~ позолота.

박다 I 1)забивать; вбивать; втыкать; 자개를 박은칠기 лакированная посуда с перламутровой инкрустацией; 못을~ вбивать(забивать) гвоздь в стену; 벽에 못을~ вбить клин; 2) класть; начинять;засовывать; 앞잡이를~ насаждать агентуру; 소를 ~ класть начинку(напр. в пироги); 3) ходить в центр королевского поля королём или королевской пешкой(в кор. шахматах); 4) пускать корни(о растении); 5) сеять; 6) ударить,ткнуть(кого-л.); 7) штамповать; 8) печатать; 9) снимать; фотографировать; 10) внятно говорить, чеканить слова; 11) разборчиво (чётко) писать; 12) вносить в список; 13) 눈을~ уставиться взглядом; 14) делать стежки(иголкой); 15)шить(на швейной машине); 박아디디다 упираться (цепляться) пальцами ног.

박대하다 а) холодно принимать; бесчеловечно(небрежно)относиться(обращаться); б) *см.* 푸대접[하다].

박물관(博物館) музей.

박박 I ~긁다 царапать; скрести; ~찢다 резать(рвать) с треском; 머리를 ~깎다 постричь наголо; ~하다 а) царапать, скрести; б) резать(рвать) с треском; в) прилагать все силы.

박박 II ~얽다 весь в рябинках (о лице).

박사(博士) I 1) доктор(наук); ~논문 докторская диссертация;диссертация на соискание учёной степени доктора наук; ~논문 докторская диссертация; ~학위를 수여하다 присвоить учёную степень доктора наук; 2) обр. мастер, знаток(в какой-л. области); 3)должность чиновника 14-го ранга; 4)должность, экзамен на которую сдавался в ведомстве конфуцианского просвещения.

박사(薄謝) II небольшой подарок в знак благодарности.

박수(拍手) аплодисменты; рукоплескания; ~치다 аплодировать; рукоплескать; ~갈채 овации; 우레같은 ~ бурные аплодисменты; ~갈채 овация; ~하다 аплодировать.

박식(薄蝕) I ~하다 затемнять, закрывать(напр.солнце во время затмения).

박식(博識) II глубокие знания; эрудиция; ~하다 очень образованный; имеющий глубокие знания; эрудированный;~한 사람 эрудированный человек; эрудит.

박약(薄弱) слабость; недостаточность(чего-л.);~하다 слабый; недостаточный; слабовольный; 의지가 ~하다 слабовольный.

-박이 *суф. сущ.* отмеченный, с

меткой.

박이다 I 1) войти, вонзиться; 2) засидеться(где-л.); 3) застареть(о привычке); 4) появляться(о мозолях); 5) запасть(о мысли); 6) см. 박히다.

박이다 II 1) заставлять(позволять) забивать(втыкать, вонзать); 2) заставлять(позволять) класть; 3) заставлять(позволять) пойти в це-нтр королевского поля(при игре в кор. шахматы); 4) заставлять(позволять) сеять(сажать); 5) заставлять(позволять) печатать; 6) заставлять(позволять) снимать(фото-графировать); 7) заставлять (позволять) шить на швейной машине.

박자(拍子), 절도 *муз.* 1) такт; ритм; ~를 맞추다 соблюдать ритм; ~를 맞추어 ритмично; в такт; 2)см. 박V.

박차다 1) ударять(отшвыривать) ногой; пинать; 2) порывать(с кем-л.); отвергать(кого-л.); 3) не обращать внимания.; 모든 난관을 박차다 преодолев все трудности.

박탈(剝脫) лишение; снятие;конфискация; ~하다 лишать; отнимать; отбирать; конфисковывать; снима-ть; 권리~ лишение прав; ~하다 лишать; отнимать, отбирать, конфисковывать.

박테리아(*англ.* bacteria) 세균(細菌), 미균(微菌) бактерия.

박하다 1) ничтожный(о доходе) 2) чёрствый; нерадушный; негостеприимный; 3) уст. см. 얇다; 4) уст. неважный, плохой; 맛이~ невкусный

박해(迫害) 억압 гнёт; притеснение; преследование; ~하다 угнетать; притеснять; преследовать; ~를 받다 подвергаться преследованиям.

박해자(迫害者) притеснитель.

박히다 1) быть забитым(вбитым); быть воткнутым; 사무실에 박혀있다 обр. засесть в канцелярии; 2) быть положенным(во что-л.); 3) быть поставленным в центр королевского поля(о короле или о королевской пешке, при игре в кор. шахматы); 4) пустить корни; 5) быть посеянным (посаженным); 6) получить удар (напр. кулаком); 7) быть поставленным (о печати); 8) быть напечатанным; 9) быть снятым(сфотографированным);10) быть внесённым(в список); 11) быть устремлённым (о взгляде); 12) быть прошитым (простёганным); 13) запечатлеться; 14) быть ярко выраженным(о какой-л. особенности); 15) находиться, располагаться; 16) см. 박이다 I.

밖 1) вне(пределов)(чего-л.); ~에 на дворе; на улице; на открытом воздухе; на двор, на улицу; выходить на улицу; посмотреть в окно; работа под открытым небом; 2) кроме; помимо; 이 ~에 кроме этого; кроме; помимо; лишний; остальной; остальные люди; 3) перед отриц. сказ., переводящимся положительно всего лишь,только; я знаю только это; 4) после прич. буд. вр. обычно при отриц. сказ., часто переводящимся положительно (остаётся) только; (ничего не остаётся,) кроме как; ничего не оставалось,кроме как возвратиться с пустыми руками.

반 I тонкий слой ваты; 반[을]짓다 подбивать тонким слоем ваты.

반(班) II 학급 группа; бригада; команда; класс(в школе); 반을 짜다 группировать, организовывать(группы, бригады *и т. п.*)

반(半) III 1) половина; пол-; полу-; 9시~ половина десятого; ~자동화 полуавтоматизация; 반[을] 타다 разделить(расколоть) на две части; 2)

середина(предмета).

-반(班) I суф. кор. группа, бригада; 예비반 подготовительная группа.

-반(盤) II суф. кор. доска(на которой укреплено что-л.); 배전반 эл. распределительный щит.

반-(半) I преф. кор. пол..., полу...; 반모음 полугласный; 반학기 учебное полугодие, семестр

반-(反-) II преф.кор.анти...;контр...; противо...;~작용 противодействие; 반돌격 контратака.

반가움 радость. **반갑게** довольно.

반가워 рад вас видеть.

반갑다(반가우니, 반가와) радостный; приятный; радушный; 반가운 소식 радостная весть; 만나서 반갑습니다 очень приятно познакомиться с вами; 반가워하다 обрадоваться.

반격(反擊) отпор; контратака; контрнаступление; контрудар; ~하다 контратаковать; отражать атаку; вести(контрнаступление); наносить (контрудар); ~적 направленный против(чего-л.).

반나절 четверть дня; ~길 расстояние, которое можно пройти за четверть дня.

반대(反對) 1) противоположность; контраст; 그와는 ~로 в противоположность тому;наоборот; напротив; ~정리 см. 반정리;~판단 лог. противные суждения; ~방향 противоположная сторона; 2) возражение; протест; противодействие; ~의 목소리 голоса против; ~자 выступающий против чего-л.; несоглашающийся; инакомыслящий; оппозиционер; оппонент; противник; ~파 оппозиция; оппозиционеры; ~세력 оппозиционные силы; ~제안 контрпредложение; ~투쟁 борьба против(чего-л.);~투표 голосование против;~운동 движение (компания) протеста; ~하다 быть против(кого-чего-л.); ~하여 против (кого-л., чего-л.).

반대하다 быть против; возражать

반도체(半導體) эл. полупроводник; ~소자 полупроводниковый элемент; ~수신기 транзистор; ~정류기 полупроводниковый выпрямитель; ~증폭기 полупроводниковый усилитель

반동(反動) 1) полит. реакция; противодействие; ~관료배 реакционное чиновничество; ~세력 реакционные силы; ~하다 быть реакцио-нным; 2) ~[분자] реакционные элементы; 3) см. 반작용.; ~터빈 реактивная турбина; 4) см. 반충; ~적낭만주의 реакционный романтизм; ~적 а) реакционный; б) реактив-ный.

반드시 непременно; обязательно; безусловно.

반듯이 ровно; аккуратно.

반듯하다 прямой; ровный; аккуратный; изящный; 모자를 반듯하게 쓰다 надевать кепку прямо.

반등(攀登) уст. ~하다 карабкаться вверх (цепляясь за что-л.).

반등세(反騰勢) реакция; отскок; рикошет.

반론(反論) [팔-] 1) противоположное мнение; 2) феод. измена одной политической группировке и переход на сторону другой; ~하다 а) высказывать противоположное мнение; б) феод. изменять одной политической группировке и переходить на сторону другой.

반반하다 1) ровный и гладкий; 2) пустой, порожний; 3) пригодный; приличный, приятный; 4) привлекательный; миловидный; симпатичный; 5) 눈이 ~ не смыкать глаз.

반복(反覆) I повторение; ~하다 повторять; делать ещё раз; ~기호 реприза(нотный знак); ~적분 *мат* повторный интеграл

반복(反覆) II 1) возвращение; 2) переменчивость, изменчивость; ~무상 уст. непостоянство; ~소인 уст. непостоянный человек; ~하다 а) возвращать(к прежнему состоянию); б) постоянно менять.

반비례(反比例) *мат.* обратная пропорция;~하다 составлять обратную пропорцию; быть в обратной пропорции(к чему-л.)

반사(反射) 1) отражение; отблеск; отсвет; ~광 отблеск; отсвет; отражённый свет; ~광선 а) отражённый луч; б) иск.рефлекс; ~망원경 астр. рефлектор; ~작용 противодействие; 2) физиол. рефлекс; 조건~ условный рефлекс; ~요법 рефлексотерапия; ~운동 рефлекторное движение; ~적 а) отражающий; отражательный; б) рефлекторный;~하다 а)отражать(ся); давать отражение(о зеркале); отсвечивать(ся); б) рефлектировать.

반성(伴星) I астр. спутник.

반성(反省) II самоанализ; самокритика; самопроверка; пересмотр; обдумывание; размышление; ~하다 обдумывать свои поступки, задумываться над своим поведением; проверять себя; оглядываться на самого себя.

반송(返送) I ~하다 посылать(что-л.) вместе(с чем-л.).

반송(返送) II ~하다 отсылать обратно; возвращать.

반송(搬送) III перевозка; ~전신 частотное телеграфирование; ~전화 высокочастотное телеграфирование.

반신(半身) I верхняя(нижняя) половина тела; правая(левая)сторона тела; ~무도병 *мед.* гемихорея;~불수(마비) а) *мед.* гемиплегия; б) полупаралитик; ~사진 поясная фотография; ~초상 поясной портрет.

반신(半信) II неполная уверенность; ~반의 и верить и не верить; ~하다 не быть вполне уверенным; не полностью верить.

반역(反逆) предательство; измена; ренегатство; ~하다 изменять; предавать; ~자 изменник; предатель; ренегат; ~죄 измена; предательство.

반응(反應) 1) реагирование; 2) хим. реакция; эффект; воздействие;~하다 реагировать; вступать в реакцию; ~등압 изобара реакции; ~등온 изотерма реакции; ~등용 изохора реакции; ~물질 реагирующее вещество; ~속도론 химическая кинетика; ~생성물 продукт реакции; ~장치 реактор.

반입(搬入) привоз; ввоз; доставка; представление; ~하다 привозить; ввозить; доставлять; поставлять.

반작용(反作用) противодействие; реакция; ~하다 противодействовать.

반작용력(反作用力) [-нйок] сила противодействия.

반절(反切) 1) использование иероглифов в качестве фонетиков; 2): ~[본문] таблица сочетания звуков в слоге(в кор. языке); 3) лигатура.

반제(反帝) I антиимпериалистический; ~공동투쟁 общие действия против империализма; ~민족 해방 동맹 антиимпериалистический национальноосвобо-дительный союз; ~ 민족 해방 운동 антиимпериалистическое национальноосвободительное движение; ~반미투쟁 антиимпериалистическая антиамериканская борьба; 반봉건 민주주의 혁명 антиимпериалистическая антифеодальная демократическая революция; ~[통일]전선 антиимпериалистический единый фронт; ~혁명역량 антиимпериалистические революционные силы; ~투쟁 борьба против империализма.

반제품(半製品) полуфабрикат.

반지(斑指) I кольцо; ~를 끼다 надевать кольцо; 결혼~ венчальное кольцо; 약혼~ обручальное кольцо.

반지(半紙) II тонкая бумага (размером 25×35).

반짝 1) ~하다 сверкнуть, блеснуть; 2) быстро(поднять).

반짝거리다 сверкать; блестеть; мерцать.

반짝이다 сверкнуть; блеснуть; мерцать; 별들이 반짝이다 Звёзды мерцают.

반쪽 половина(чего-л.); ~이 되다(от чего-л.) осталась одна половина.

반찬(飯饌) гарнир к рису; закуски; ~거리 продукты для гарнира к рису; закуски; ~단지 ирон. находчивый человек.

반하다 I быть против; ~에 반하여 вопреки; в противоположность; в противовес (чему-л.).

반하다 II 1) неяркий, тусклый; 2) на время прояснившийся(после дождя); 3) ясный, понятный; 4) свободный (о времени); 반한틈 свободное время; 5) прил. временно улучшаться (успокаиваться); 좀~ немного лучше (о состоянии здоровья).

반항(反抗)항의(抗議) сопротивление; противоборство; противодействие; протест; отпор; ~하다 сопротивляться; противодействовать; противиться; про тестовать; давать от-пор; ~적인 сопротивляющийся; противодействующий; ~심 дух неповиновения; дух сопротивления

반향(反響) отзвук; отголосок; эхо; отклик;~을 불러일으키다 вызывать отклик, ~하다 отдаваться эхом; откликаться.

받다 I 1) получать; брать; 선물을~ получать подарок; 2) в разн. знач. принимать; говорить по телефону (с кем-л.); 던진공을 ~ подхватить брошенный мяч; 받아쓰다 писать под диктовку; 사랑을~ пользоваться любовью; быть любимым (любимой); 3) подхватывать(песню); 4) наполнять; 자루로 쌀을~ наполнять мешок рисом; 5) покупать оптом; 6) раскрывать(зонт); 7) подставл ять; подпирать; 8) есть с аппетитом; 9) испытывать; подвергаться(чему-л.); быть объектом(чего-л.); 받고차기 спор; 공격을 ~ подвергнуться нападению (атаке).

받다 II 1) бодать; толкать(головой); 받는 소는 소리 차지 않는다 *посл.* букв. бодливая корова не мычит; 2) давать отпор. **받습니다** ловить.

받아들이다 присвоить; принимать; внедрять; слушать[ся].

받아쓰기 диктант; диктовка.

받아쓰다 диктовать; писать под диктовку. **받았어** получил.

받으세요(전화) получаете.

받을사람 получатель.

받자 1) ~하다 терпеливо сносить; быть снисходительным; терпеливо выслушивать(напр. чьи-л. просьбы); 2) феод. сбор зерновой ссуды(налогов) (ведомством).

받치다 1) подставить; подложить;

적삼을 받쳐입다 надевать рубашку (подо что-л.); 붉은 안을 ~ поставить красную подкладку(подо что-л.); 2) лингв. писать согласные графемы на конце слога под гласными; 3) стоять комом в горле(о пище); 4) намять бока(на жёсткой постели); 5) распирать(о каких-л. чувствах).

받침 1) подставка; подпорка; ~대 постамент; подставка; пьедестал; 두리~ подпорка; 저울~ чашечные весы; 2) лингв. подстрочные согласные графемы в слоге.

받히다 I удариться(о кого-л.,что-л.); попадать[ся]; 내가 소에게 받혔다 меня забодала корова; получить отпор. **받히다** II продавать оптом.

발 I 1) ступня; нога; ~보다 발가락이 더 크다 см. 배(보다 배꼽이 더 크다) I; 발 없는 말이 천리간다 посл. букв. слово без ног, а проходит тысячи ли; ~이 맏아들보다 낫다 посл. ≅ свой глаз лучше родного брата; 발을 벗다 а) разуваться; б) не хотеть обуваться; 발 벗고 덤비다 набрасываться(напр. на работу); ~탄 강아지 같이 обр. словно угоре-лая кошка; ~을 보이다 а) показывать себя; б)дать понять, намекнуть; ~을 붙이다 найти опору; примоститься; ~을 타다 начинать ходить(напр. о щенке); ~을 펴다 успокоиться, вздохнуть спокойно; ~을 끊다 а) перестать ходить; б) порвать отношения; ~을 씻다 полностью отделаться (от чего-л.); ~을 빼다 а) отделываться(от чего-л.); б) разуваться;~이 길다 попасть прямо к столу; ~이 너르다 общительный; ~이 내키지 않는다 не хотеть, не собираться; ~이 맞다 согласованный, дружный; ~이 밭다 находчивый, использующий малейшую возможность; проворный; ~이 잦다 часто посещающий; ~이 뜨다 редко посещающий; ~이짧다 попадать к пустому столу; ~이 익다 хоженный (о дороге); 제~로 서다 стоять на собственных ногах; быть самостоятельным; ни от ко-го не зависеть; 한 ~늦었다 чуть опоздал;~벗고 나서다 активно выступать; ~을 들여놓다 вмешиваться(во что-л.) с интересом; ~벗고 나서다 активно выступать; 2) шаг; ~맞추다 а) держать шаг; б) перен. идти в ногу; ~을 달다 а) подбирать рифму; б) добавлять к сказанному.

발 II ~이 굵다 грубый(о ткани); ~이 가늘다 тонкий.

발 III штора; ~을 치다 опускать штору.

발 IV длина рук, вытянутых в стороны(как мера длины).

발 V дурная привычка.

발(發) VI 1) после геогр. назв. из; 평양 발 열차 поезд из Пхеньяна; 2) после даты от... (иногда не переводиться); 이십 일발 [от]двадцатого числа; 3) после слова, обозначающего час и минуты отправляющийся; 영시 이십 분발 급행열차 скорый поезд, отправляющийся в ноль часов двадцать минут.

발가숭이 1) голое(нагое) тело; 2) гол как сокол(о человеке); 3)голая (лишённая растительности) местность; 4) см. 잠자리

발간(發刊) I публикация; издание; ~하다 публиковать; издавать; выпускать; ~할 준비를 하다 готовить к печати.

발간(發柬) II уст. ~하다 посылать, направлять(приглашение)

발갛다(발가니, 발가오) яркокрасный;

румяный;발(빨)간거짓말 чистейшая липа; явная ложь.

발개지다 [по]краснеть.

발견(發見) открытие; обнаружение; ~하다 открывать; обнаруживать; находить; делать открытие; ~자 обнаруживший; первооткрыватель.

발견자(發見者) сущ. обнаруживший (что-л.); первооткрыватель.

발견하다 открывать.

발광(發狂) I помешательство; потеря рассудка; безумие; ~하다 бесноваться; беситься; сойти с ума; помешаться; потерять рассудок; ~적 бешенный, безумный, сумасшедший, перен. лихорадочный; ~이 나다 сойти с ума, взбеситься; ~하다 бесноваться, беситься.

발광(發光) II свечение; люминесценция; ~도료 люминесцентная(светящаяся) краска; ~동물 светящиеся организмы; ~물체 люминофор; ~반응 хим. реакция, сопровождаемая люминесценцией; ~신호 световой сигнал; ~스펙트르 физ. спектор испускания; ~하다 люминесцировать; светиться.

발굴(發掘) 1) (археологические) раскопки; 2) отыскивание; обнаружение; ~하다 а) откапывать; выкапывать; раскапывать; б)отыскивать; обнаруживать; находить.

발기(-記) I уст. список, реестр; перечень.

발기(發起),창발성 II 1) предложение; инициатива; почин; ~하다 предлагать; проявлять(инициативу); выступать инициатором; выдвигать предложение; выступать с предложением; ~인 инициатор; зачинатель; застрельщик; 2) будд. чтец сутр.

발길 шаг; ~이 잦은 частый; ~이 떨어지지 않는다 не в силах избавиться; ~에 걸리다 путаться под ногами; ~로 차다 пинать; ~을 옮기다 направить свои стопы.

발끈 вдруг; неожиданно; ~거리다 кипятиться; горячиться; 집안이 ~ 뒤집혔다 всё в доме неожиданно перевернулось вверх дном; 2) резко; ~성을(화를)내다 вспылить, прийти в ярость; 화가~오르다 рассердиться

발달(發達) развитие; прогресс;~하다 развиваться; прогрессировать; ~사 история развития.

발달사(發達史) [-ттал-] история (развития); 조선어~ история корейского языка.

발돋움 ~하다 вставать на подставку (подножку); подниматься на цыпочки; стоять на цыпочках.

발동(發動) приведение в движение; деятельность; активность; пуск; запуск; ~하다 приводить в движение; пускать в ход; запускать; вводить в силу(в действие)

발동기(發動機) двигатель; см. 내연[기관] I; ~제작 моторостроение.

발매(發賣) продажа; распродажа; ~되다 поступить в продажу; ~중이다 иметься в продаже; ~하다 продавать, пускать в продажу.

발명(發明) 개설(開設) I открытие; изобретение; ~하다 изобретать; делать открытие; ~가 изобретатель; ~품 изобретение.

발명(發明) II 1) оправдание, объяснение; ~무로 невозможность оправдаться; 2) разъяснение, толкование(напр. конф. канонов); ~하다 а) оправдаться(в чём-л.); б) разъяснять, толковать.

발목 I щиколотка; лодыжка; ~을 잡히다 быть занятым; быть уязвимым; задевать уязвимое место; ~을 삐다 вывихнуть ногу; ~을(~이) 잡히다 а) быть занятым(делом); б) быть уязвимым.

발목(撥木) II смычок корейской гитары

발밑 под ногой; ~에서 под ногами; ~에도 못간다 в подмётки не годится(не станет).

발바닥 подошва; ступня.

발산(發散) испарение; рассеивание; распространение; ~하다 улетучиваться; испаряться; рассеиваться; распространяться; издавать; ~기류 расходящийся воздушный поток; ~광속 расходящиеся пучки света; ~렌즈 рассеивающая линза.

발생(發生) возникновение; появление; зарождение; генезис; 문명의 ~ зарождение цивилизации;~하다 зарождаться;возникать;появляться; ~학 эмбриология; ~적 генетический.

발설(發說) ~하다 обнаруживать; разоблачать.

발성(發聲)[-ссонъ]~하다 а)издавать; производить(звуки); б) воспроизводить звук; ~기관 органы речи; ~법 постановка голоса; в) уст. см. 발설 [하다]; ~여화 звуковое кино; ~영사기 звуковая киноустановка.

발송(發送) отправка; отправление; ~하다 отправлять; посылать; ~자 отправитель.

발신(發信) I [-ссин] ~하다 посылать (корреспонденцию).

발신(發身) II [-ссин] уст. ~하다 а) выбраться из нужды; выходить в люди; б) вызволять из нужды; выводить в люди.

발아(發芽) I прорастание;появление почек; ~하다 прорастать; пускать ростки; давать почки; ~사료 проросшее зерно(как корм);~조리 проращивание зерна(на корм).

발아(發蛾) II см. 나비내기; ~조절 регулирование времени выхода из кокона(тутового шелкопряда); ~촉진 ускорение выхода из кокона (тутового шелкопряда).

발악(發惡) ~하다 бесноваться; злобствовать; лезть из кожи вон; неистовствовать; бешенствовать; 최후의~ последняя(предсмертная) агония; ~적 беснующийся, злобствующий.

발언(發言) высказывание; выступление; заявление; ~권 право голоса (выступления); ~하다 высказываться; выступать; ~을 허용하다 предоставить слово.

발열(發熱) повышение температуры; выделение теплоты; нагревание; ~하다 выделять тепло; иметь повышенную температуру; температурить; подниматься; нагреваться; ~체 нагревательное тело; ~료법 лечение с помощью потогонных средств; ~반응 хим. экзотермическая реакция.

발육(發育) развитие; рост; ~하다 развиваться; расти; ~계단 стадия (ступень) развития; ~과다증 мед. гиперплазия; ~부전[증] мед. инфантелизм, агенезия, гипоплазия; ~이상 мед. дисплазия.

발음(發音) I произношение; ~하다 произносить[ся]; ~기관 органы артикуляции; ~기호(부호) см. 어음[기호] I; ~불능 мед. алазия; ~장애 мед. дислалия.

발음(發蔭) II ~하다 этн. благоденствовать(по благоволению предков).

발음기관(發音器官) органы речи

발자국 след(ноги); шаг; ~을 따라 по следу; 세~ три шага; ~이 나다 отпечатываться(о следах); 한~도 물러서지 않다 не отступать ни на шаг.

발자취 (след) ноги.

발작(發作) припадок; приступ; пароксизм; исступление; инсульт; порыв; ~적 припадочный; ~하다 наступать; охватывать; ~적으로 приступами, порывами.

발전(發展) 발달(發達) I развитие; развёртывание; перерастание;~하다 развиваться; развёртываться; перерастать; ~성 развивающийся.

발전(發電) II выработка электроэнергии; ~하다 производить(вырабатывать) электроэнергию; ~기 генератор; дина-момашина; ~소 электростанция.

발정기(發情期) [-ччонъ-] 1) период полового возбуждения; 2) период течки(у животного).

발족(發足)~하다 основываться; учреждаться; создаваться; начинаться; брать начало.

발표(發表) публикация; сообщение; опубликование; ~하다 опубликовывать; сообщать; издавать; ~기관 [редакционно] -издательский орган

발하다(發-) уст. 1) расцветать(о цветах); 2) появляться; проявляться; 백색이~ приобретать белый цвет; 땀이~ выступать(о поте); 소리가 ~ раздаваться(о звуке); 3) излучать (свет);источать(запах);издавать(звук); 4) проявлять(чувства); 5) см. 떠나다; 6) посылать, отправлять; двигать (войско).

발행(發行) издание; выпуск; эмиссия; ~하다 издавать; выпускать; 신문의 ~부수 тираж газеты; ~인 издатель; ~정지 прекращение издания.

발화(發話) 1) воспламенение; вспышка; загорание; зажигание; ~하다 воспламеняться; загораться; вспыхивать; зажигаться; ~점 точка воспламенения; ~여관 капсюль воспламенитель; ~장치 воспламеняющий механизм;~합금 пирофорный сплав; 2) холостая стрельба; 3) см. 발포 II; ~하다 а) воспламеняться; загораться, зажигаться; б) вести стрельбу (стрелять) холостыми патронами (снарядами); в) см. 발포하다 II

발효 I ~하다 вступать в силу

발효(發效) II брожение; ферментация; ~하다 бродить; ферментировать; ~균 дрожжевые грибки; ~법 способ брожения; техника бродильного дела; способ заквашивания; ~사료 ферментированные корма; ~효소 фермент брожения.

발휘(發揮) проявление; ~하다 проявлять; выказывать; показывать.

밝다(빛) светлый; ясный; яркий; острый; жизнерадостный; счастливый; чистый; честный; справедливый; сведущий(в чём-л.); посвящённый; знакомый(с чем-л.); осведомлённый; рассветать; 방안이~ комната светлая; 밝은얼굴 ~ счастливое лицо; 역사에~ сведущий в истории; 무학에~ начитанный; 밝은 내일을 기약하다 обещать светлое будущее.

밝혀야 надо пояснить.

밝히 книжн. ясно; ярко.

밝히다 1) прям. и перен. освещать; озарять; разоблачать; вскрывать; открывать; изобличать; 잘못을 ~ вскрывать ошибки; 밤을~ коротать ночь; проводить без сна(ночь); 두뇌

를~ просвещать; 눈을~ открывать глаза(кому-л.); 잘못을~ вскрывать ошибки; 2) прибавлять огонь(напр. в лампе); 3) см. 새우다 I.

밟다 1) ступать; наступать; топтать; следить; 무대를~ выступать на сцене; 그림자를~ наступить на тень; 길을 ~ вступать на путь; 달빛을 ~ вступать в полосу лунного света; 황혼을~ бродить в сумерках; 2) проходить(пройти) процедуру; 3) идти(следовать) по(чьему-л.) пути; 약속을 ~ выполнять обещание.

밟히다 быть истоптанным; заставить (позволять) ступать(топтать); заставлять проходить; (позволять) следовать по пути.

밤 I ночь; мрак; тьма; ~이 깊도록 до поздней ночи; ~을 세우다 коротать ночь; проводить без сна(ночь); 밤잔물(숭늉) вода,приготов-ленная на ночь; 밤도와 под покровом ночи; 밤새도록 문 못 들기 посл. ≈ всё пошло прахом; 밤새도록 통곡을 해도 어떤 마누라 초상인지 모른다, 밤새도록 울다가 누가 죽었냐고 посл. ≈ для чего старался-непонятно(букв. оплакивали всю ночь, а какую старуху-неизвестно); 밤 자고 나서 문안하기 посл. букв. проспав ночь, справляться о здоровье(хозяина)(о сказанном слишком поздно); 밤 잠 원수 없다 посл. ≈ времялучший лекарь.

밤 II каштан;군~печёный каштан

밤 III форма для отливки латунных изделий.

밤 IV питательные вещества(за счёт которых развивается телёнок в утробе коровы).

밤교대(-交代) [-ккё-] ночная смена.

밤낮 день и ночь; сутки; днём и ночью; всегда; постоянно; ~없이 и(ни) днём и(ни) ночью.

밤낮없이 и днем и ночью.

밤새우다 не смыкать глаз всю ночь; провести бессонную ночь

밥, 죽 I 1) варёный рис; каша, пища; корм; фураж; наживка; средства к существованию; жертва; ~값 расходы на питание; ~그릇 миска для варёного риса; ~맛 вкус варёного риса; ~벌이 зарабатывать на хлеб; ~알 зёрна варёного риса; ~줄 источник существования; ~통 большая миска для варёного риса; ~풀 зёрна варёного риса; 밥 빌어다가 죽 쑤어 먹을 놈 *бран.* ≈ *посл.* ленивые руки не родня умной голове; 밥 위에 떡 *погов.* ≈ необыкновенное везение (букв. к варёному рису да ещё и хлеб); 2) пища, еда; корм; наживка; 밥 먹을 땐 개도 안 때린다 = 먹을 때는 개도 아니 때린다; см. 먹다 II; 밥이 다 되다 быть готовым (о завтраке, обеде, ужине); ~의 밥이 되다 стать жертвой(кого-л., чего-л.); ~을 먹다 а) есть рис, сваренный на пару; б) [по] есть; ~아니 먹어도 배부르다 обр. одной радостью сыт; 3) опилки; стружки; обрезки; 4) часть доски на качелях, на которой стоит более лёгкий партнёр; ~을 주다 заводить(напр.часы)

밥 II ~을 내다 заставить сознаться (под пытками);вырвать признание(у виновного).

밥 III опилки; 줄~ металлические опилки; 톱~ древесные опилки.

밥숟갈 *сокр.* от 밥숟가락;~[을] 놓다 а) положить ложку; б) перестать есть; в) обр. умереть.

밥술 несколько ложек варёного риса; ~이나 먹다 жить средне(не богато и не бедно).

밧줄 верёвка; тонкая верёвка; ~의 ерёвочный; ~을 매다 крепить канат; ~사닥다리 верёвочная лестница.

방 I клетка в центре поля(в игре ют); 방 따다 ставить фишку в первую от центра клетку.

방(房) II 살림방 комната; ~을 가로질러 바퀴벌레가 지나갔다 Через комнату пробежал таракан; ~을 깨끗이 정돈하다 содержать комнату в чистоте; 빈 ~있습니까? Есть ли свободный номер(свободные комнаты)? ~을 놓다 делать утеплённый пол(в кор. доме).

-방(方) суф. кор. сторона(принимающая участие в чём-л.); 상대방 собеседник; партнёр.

방관(傍觀) равнодушие; безучастие; ~적 безучастный; равнодушный; безразличный; ~하다 смотреть равнодушно;безучастно наблюдать; смотреть(глядеть) сквозь пальцы; ~자 равнодушный человек.

방광(膀胱) I мочевой пузырь; ~염 воспаление мочевого пузыря; цистит; ~결석 камни мочевого пузыря, цистолит; ~경화증 цистосклероз; ~고정술 вези кофиксация; ~뇨관의 везикоуре-теральный; ~마비 цистопаралич, цистоплегия; ~신경통 цистоневралгия; ~절개술 везикотомия, цистотомия; ~촬영술 цистография; ~하수증 цистоптоз.

방광(放光) II излучение, лучеиспускание; ~하다 светиться.

방금(方今) (только) сейчас; только что; 그는 ~도착했다 Он только что приехал; ~방으로 들어가는 참이었다 только что я вошёл в комнату; 그는 ~떠났다 он только что ушёл.

방랑(放浪) скитание; бродяжничество; ~하다 скитаться; бродяжничать; ~생활을 하다 вести бродячий(скитальческий) образ жизни; ~자 (бездомный) бродяга; скиталец; ~생활 бродячая жизнь.

방류(放流) ~하다 спускать воду; 댐의 물을 ~하다 спускать воду с дамбы; 물고기를 ~하다 пускать мальков в воду.

방망이 I 1) скалка(для белья); ~질하다 катать(бить) бельё скалкой; 2) дубинка; 경찰~ полицейская дубинка; 고무~ резиновая дубинка; 참나무~ дубовая дубинка; ~[를]들다 вставлять палки в колёса.

방망이 II арх. книга полезных советов (изречений).

방면(方面) I 1) сторона; направление; 2) область; сфера; отрасль; 옥수수는 강원도~에서 많이 생산된다 в районе провинции Канвондо произрас тает много кукурузы; 3) феод. округ, провинция.

방면(放免) II освобождение; ~하다 освобождать; отпускать;구류자를 ~하다 освобождать арестованного; 그 친구는 무죄로~되었다 Он был арестован без вины(преступления).

방문(房門) I дверь в комнату; ~이 고장나 잘 안 닫힌다 Дверь комнаты сломалась и плохо закрывается.

방문(訪問) II посещение; визит; посещение семей учеников учителем; ~의 визитный; ~하다 посещать (кого-л.); посетить(кого-л.); прибыть с визитом(куда-л.);나는 예의상 친척들을~해야 한다 мне надо нанести визит вежливости родственникам; 러시아 학자들이 우리 대학교를 ~하였다 наш университет посетили русские учёные; 모스코바 ~하다

посещать Москву; 박물관을 ~하다 посещать музей; 아는 사람을 찾아가다 посещать знакомого; ~할 때 입는 옷 выходной костюм; 오랜만에 모교를 ~하다 посетить родную школу(универсистет); 음악회에 가다 посетить концерт; 의례상으 ~하다 быть(прийти; приехать) с визитом; 전시회에 가다 посетить выставку; 청강하다 посещать лекцию; 환자를 ~ 하다 посещать больного; 그는 드물게 수업에 나타난다 он редко посещает занятия; 가정~ домашний визит; 공식~ неофици-альный визит; ~자 수 посещаемость; ~카드 визитная карточка; 의례적인 ~ протокольный визит; 의사의 ~ визит врача; 우호~ дружественный визит; 일본~ визит в Японию.

방바닥 пол(в корейском доме); 고양이가 ~위에 앉아있다 на полу сидит кошка; 그대로~에 쓰러진 채 잠들어 버린다 засыпает, свалившись прямо на пол; 나무~ деревянный пол; ~을 깔다 настилать пол; 천장에서~까지 от потолка до пола; 책이~위에 떨어졌다 книга упала на пол.

방법(防犯) предотвращение преступления; ~순찰을 실시하다 осуществлять патрулирование для предотвращения преступления; ~하다 предупреждать преступления; вести борьбу с преступ-ностью.

방법(方法)**방식**(方式) метод; способ; средство; мера; методика; модус; выход; 그는 다양한~으로 이 문제를 해결하였다 он пытался решить эту задачу различными способами; 다른 ~이 없다 нет другого выхода; ~을 취하다 принимать меры; вводить метод; пользоваться методом; 이것이 가장 간단한 ~이다 это самый простой способ; 과학적~ научный способ; 변증법적~ диалектический метод; 새로운~ новый метод; 연구~ метод исследования; 문제해결 ~ способ решения вопроса(проблемы); 방법을 터득하다 осознать самому метод.

방법론(方法論) методология;методика; ~학자 методист; методолог.

방벽(防壁) баррикада; ~의 баррикадный; ~으로 막다 баррикадировать; ~을 쌓다 строить баррикады; 조국의 ~이되다 стать баррикадой(защитой) родины.

방비(防備) 1) оборона; оборонные работы; ~하다 оборонять; готовить оборону; 수도를 강화하였다 укреплять оборону столицы; 허술한 ~ небрежная оборона; 2) предупреждение(стихийных бедствий); ~하다 а) готовить оборону; б) предупреждать(стихийные бедствия)

방사(放射) 1) излучение; радиация; ~하다 излучать; источать; ~계기 дозиметр; ~무기 реактивное оружие; ~분량 доза радиации;~수준 уровень радиации; ~포병 реактивная артиллерия; 2) уст. см. 발사 I 1); ~하다 излучать,источать.

방사능(放射能) радиоактивность; ~계렬 физ. радиоактивные семейства (ряды); ~단위 единица радиоактивности; ~물질 радиоактивное вещество.

방사성(放射性) радиоактивность; радиоактивный; ~무기 радиоактивное оружие; ~비 радиоактивный дождь; ~전 радиоактивная война; ~동위원소 радиоактивные изотопы; ~방어 защита от радиоа-ктивных излучений; ~붕괴 радиоактивный распад; ~지시체 индикатор радиоактивности; ~오염 радиоактивное заражение.

방사형(防射刑) радиальный; лучевой; 모스크바는~도시이다 Москва-узловой (центральный) город.

방세(房貰) квартплата; квартирная плата; 몇달치~가밀려있다 невыплаченная квартплата на несколько месяцев; 주인이~를 올렸다 хозяин дома повысил квартплату.

방세간[-ссе-] обстановка (мебель) в комнате.

방송(放送) 1) передача; телерадиопередача; радиовещание; телевещание; ~하다 передавать по радио; 그의 연주는 TV로~된다 его концерт передают по телевидению 나는 음악~을 듣고싶다 Я хочу послушать музыкальную пере дачу; 모스크바 ~은 언제 들을 수 있습니까? Когда можно послушать передачу из Москвы? ~을 듣다 слушать по радио; "서울~입니다" "Говорит Сеул"; 스포츠~ спортивная передача; 오늘의 ~프로 программа сегодняшних предач; 한국~공사는 어디에 있습니까? Где находится корейская радиотелевизионная корпорация Кей-Би-Эс? ~드라마 см. 방송극; ~방해 радиопомехи; ~청취자 радиослушатель;~연설 речь, произнесённая по радио; ~음악회 концерт по радио; ~을통하여 호소하다 обращаться по радио; 2) выступление по радио; 3) уст. см. 석방; ~하다 а) пе- редавать по радио; б) выступать по радио; в) уст. см. 석방[하다].

방송국(放送局) телерадиостанция; 중앙~ (центральный) телерадиокомитет; 텔레비전~ телевизионный центр; телецентр; 평양 ~입니다 говорит Пхеньян.

방송극(放送劇) радио(теле) драма; 연속~ многосерийная драма; мыльная опера.

방송망(放送網) сеть телевещания (радиовещания); 전국의 ~을 연결 하다 соединить сеть радиовещания всей страны; 라디오 ~ радиовещание.

방송실(放送室) комната телепередачи (радиопередачи); студия.

방수(防水) I защита от воды; гидроизоляция; 물이 새거나 넘쳐흐르는 것을 막기 위해서는~시설을 잘해야 한다 чтобы предотвратить протекание или выливание воды, необходимо хорошо установить гидроизоляционное оборудование; ~공사[작업] работы по защите от воды(от наводнения); ~외투 пальто из непромокаемой ткани; дождевик; ~매트 судовой пластырь; ~하다 защищать от воды; бороться с наводнением.

방수(防銹) II сущ. антикоррозионный; ~도료 антикоррозионная краска.

방식(方式), 수단(手段) I 1) метод; способ; 경기~이 다르다 метод соревнования различен; 우리는 새로운~으로 러시아어를 배우고 있다 мы изучаем русский язык по новому методу; 2) система; режим; 3) формула;

방식(防蝕) II антикоррозионность.

방심(放心) отсутствие мыслей; умиротворённость; ~하다 проявлять благодушие; быть рассеянным; витать в облаках; 적을 앞에 두고 ~을 하다 Быть рассеянным, имея перед собой врага.

방아간(-間) [-ккан] здание крупорушки (мельницы).

방안(方案) I предложение; проект;

план; 구체적인 ~을 모색하다 искать конкретный план;~을 마련하다(세우다) составлять план; 대응~ встречный план; 조국통일~ предложения по объединению родины.

방안 II ~에 в комнате; ~에서 개를 기르다 держать(разводить) собак в комнате.

방안(方眼) III 1) квадрат(вычерченный, напр. на миллиметровке); ~칠판 клас сная доска, расчерчен-ная на квадраты; 2) горн. эксплу-тационная сетка

방앗간 здание мельницы; мельница; ~의 мельничный; 옛날에는 ~에서 곡식을 찧거나 빻았다 раньше на мельнице тололи и мололи зёрна; ~주인 мельник.

방어(防禦) I оборона; защита; ~하다 оборонять; защищать; 민주은 자유를 ~하기 위해서 일어선다 народ поднимается на защиту своей свободы; 자기 권리를 ~하다 защищать свои права; 학위논문을 ~하다 защищать диссертацию; ~력 оборонная мощь; ~선 оборонительный рубеж; линия обороны; ~전 оборонительный бой; оборонительная война; ~진 оборонительная позиция; ~태세 полная готовность; ~거점 воен. опорный пункт; ~공사 оборонительные работы; ~구역 район обороны; ~반사 физиол. защитный рефлекс; ~작전 оборонительная операция; ~전쟁 оборонительная война; ~전투 оборонительный бой; ~전연 передний край обороны; ~종심 глубина обороны; ~지대 полоса обороны; ~진지 оборонительная позиция; ~하다 оборонять; защищать.

방어(鲂魚) II (Seriola purpurasceus; рыба); локедра

방언(方言) I диалект; ~어법 диалектизм; ~학 диалектология; ~학자 диалектолог; ~적 диалектный.

방언(放言) II неосторожные(необдуманные) слова;~고론 откровенное высказывание; ~하다 говорить необдуманно, бросать(слова) на ветер.

방역(防疫) I предупреждение эпидемии; карантин; профилактика; ~대책 противоэпидемические мероприятия; ~사업 профилактическая работа; ~하다 вести противоэпидемическую борьбу.

방역(防役) II feod. ~하다 откупаться от трудовой повинности.

방울 I колокольчик(звонок).

방울 II 1. капля; 굵은 빗~이 내렸다 выпали крупные капли дождя; 마지막 피 한~까지 до последней капли крови; ~지다 капля по капле; 마지막~의 기름까지 착취하다 перен. выжимать последние соки; 2. счётн. сл. 1) одна капля; 2) не-сколько капель..

방위(方位) I 1) страны света; ~보아 똥 눈다 погов. по одёжке принимают; 2) направление; ориентация; ~목표 воен. ориентир; ~측정 воен. промер направления; ~탐지기 пеленгатор.

방위(防衛) II оборона; защита;~하다 оборонять; защищать; выступать защитником; ~군 оборонительная армия; ~력 эшелонированная оборона; обороноспособность; оборонная мощь; ~산업 оборонная промышленность; ~선 линия обороны; 자기~ самозащита; самооборона; ~태세 оборонительное положение

방음(防音) звукоизоляция; ~의 звуконепроницаемый; ~장치가 잘되는 방입니다 комната с хорошим шумопоглощающим устройством; ~하다 глушить(заглушать) звуки.

방저(方底) уст. четырёхугольное основание; ~원개 обр. несовпадение; противоречие.

방적(紡績) 1) прядение; ~의 прядильный; ~공 прядильщик(ца); ~공장 прядильная фабрика; ~기 прядильная машина; ~견사 шёлковая пряжа; ~공업 прядильная промышленность; ~성능 текст. прядильная способность; ~준비 текст. предпрядение; 2) см. 길쌈; ~하다 а) прясть; б) см. 길쌈[하다].

방정(方正) I 1) легкомысленное поведение; опрометчивый поступок; ~을 떨다 поступать легкомысленно (опрометчиво); ~맞다 легкомысленный; ветреный; опрометчивый; ~스럽다 прил. казаться легкомысленным (опрометчивым); 2) легкомысленный человек.

방정(芳情) II доброта, доброе отношение.

방정맞다 1. легкомысленный, ветреный; опрометчивый; 2. навлекать наказание (проклятие).

방조(傍助), 봉사 I помощь; содействие; ~하다 помогать; оказывать помощь; содействовать; поддерживать; 그의 일을 ~하다 помочь ему в работе; ~범 помощник; ~죄 пособничество.

방조(傍助) II поддержка, помощь; ~하다 поддерживать, помогать.

방지(防止) I предотвращение; предохранение; защита; ~하다 предотвращать; предохранять(от кого- чего-л.); предупреждать; 재난을 미연에 ~하다 предотвращать несчастье; 국제적 대기오염 ~ международ- ноправовая защита атмосферного воздуха от загрязнения; 해양환경오염~ защита морской среды от загрязнения; 폭발방지기~ предохранитель от взрывов; ~기 предох- ранитель.

방지(旁支) II уст. отросток, ответвление; отрог.

방직(紡織) I ткачество; прядение и тканьё; ~의 ткацкопрядильный; ~공 ткач(-иха); ткацкий мастер; ~공장 ткацкая фабрика; ~업 ткацкая работа; ~공업 текстильная промышленность; ~하다 а) ткань; б) прясть и ткать.

방직(方直) II ~하다 правильный, прямой.

방책(方策) I предупредительные меры.

방책(防柵) II уст. воен. полисад, частокол.

방청(傍聽) I ~하다 присутствовать; быть гостем(на заседании и т.п.); быть вольнослушателем; ~객 вольнослушатель; публика; гости(на заседании);~권 право присутствия в качестве гостя(на заседании);~석 места для публики(гостей)

방청 II сущ. антикоррозионный; ~도료 антикоррозионная краска.

방패(防牌) I щит; прикрытие; ...을 ~로 삼아 под прикрытием(чего-л.); прикрываясь (чем-л.); ...을~로 삼다 укрываться(за чем-л.); ~막이 предлог; отговорка; ...을~로 내세우고 под прикрытием(чего-л.), прикрываясь (чем-л.).

방패(方牌) II феод. личный знак посыльного(слуги) ведомства(носившийся на поясе).

방학(放學) каникулы; ~하다 прекратить занятия на время каникул; 그는~때 마다 러시아에 온다 он приезжает в Россию на каждые каникулы; ~에 학생들은 자기 집으로 흩어졌다 на ка никулы студенты разъехались по своим домам; ~이 빠르게 지나갔다 каникулы пролетели быстро; 지금 학생들은 여름 ~이다 сейчас у студентов летние каникулы; 겨울 ~ зимние каникулы.

방해(妨害) препятствие; помеха; преграда;~하다 мешать(кому-чему-л.); препятствовать; тормозить; чинить препятствия; ~가되다 быть помехой(препятствием);~되지않습니까? Не помешаю вам? 라디오가 공부하는데 방해가 되었다 радио мешало мне заниматься; ~꾼 человек, создающий препятствия(пом-ехи); ~물 препятствие; барьер; 치안~ нарушение общественного спокойствия; ...에 ~가되다 быть помехой (препятствием)(в чём-л.); ~[를] 놀다 (놓다) мешать, чинить препятствия; ~하다 мешать, препятствовать.

방향(方向) 방면(方面) 행로(行路) I направление; курс; ориентация; ~을 잡다 держать курс(на что-л.); ~을 바꾸다 менять направление; ~전환을 하다 изменить курс; занять другую позицию; 바다 방향으로 по направлению к морю; 반대~으로 в противоположном направлении; ~전환 перелом; поворот; ~정정기 стр. рихтовочный прибор; ~탐지기 пеленгатор; ~원자가 физ. направленная валентность.

방향(芳香) II аромат, благоухание; ~수제 фарм. ароматная вода; ~알콜제 фарм. ароматные спирты.

방화(防火) I ~갈고리 пожарный багор; ~지대 противопожарная зона; ~책임자 ответственный за противопожарную охрану; ~하다 предохранять(защищать) от огня.

방화(芳花) II душистый(ароматный) цветок.

밭 1) (суходольное) поле; ~에 밀을 뿌리다 засевать поле пшеницей; ~고랑 борозда; ~두렁 межа; ~둑 промежуток между двумя бороздами; ~머리 на чало борозды; ~벼 суходольный рис; 솔~ сосновый лес; 풀~ луг; клетка поля; 호밀~ ржаное поле; ~[을] 뒤다 перепахивать (суходольное) поле; 2) клетка поля (напр.на шахматной доске).

배(복부) I 1. 1) живот; утроба; брюхо; желудок; ~가 고프다 проголодаться; быть голодным; 배가 부르다 быть сытым; насытиться; ~가 고픈 놈더러 요기 시키란다 *посл.* и большому гусю не высидеть телёнка; ~보다 배꼽이 크다 *посл.* ≅ за морем телушка-полушка, да перевоз дорог; ~가 [앞]남산만 하다 *обр.* сильно выпученный (о животе); 2) утолщённая часть(чего-л.); ~둥근대패 рубанок с полукруглым железком(резцом); ~둥근 끌 полукруглое долото; ~[가] 맞다 а) быть соучастником(напр. заговора); б) быть в интимных отношениях; ~가 아프다 (쏘다) завидовать; ~[를] 곯다(주리다) сильно голодать; ~[를] 내밀다(퉁기다) упорствовать, упрямиться; несоглашаться; ~를 불리다 наживаться; ~를 따다 потрошить(рыбу); ~에 기름이 지다 жиреть (от спокойной жизни); 2. счётн. сл. для отёлов, опоросов, яйцекладок *и т. п.*

배 II лодка; судно; пароход; парус;

флот; ~두 척 два судна; ~를 젓다 кататься на лодках; ~들이 항구에 들어왔다 корабли вошли в гавань.

배(과일) III груша; 소나무에 ~가 열린다면 когда на сосне груши созреют; когда рак на горе свистнет; ~먹고 이 닦기 погов. убить двух зайцев; ~주고 배속(속) 빌어먹는다 посл. букв. от дав грушу, просить её сердцевину; ~나무 груша(дерево).

배(胚) IV зародыш; эмбрион; ~형성기 зародышевое состояние

배(倍) V вдвое(в ... раз); 이것은 원래의 가격의~다 это вдвое больше первоначальной цены см. 곱절.

-배(輩) суф.кор. презр. группа лиц; ~강도배 шайка разбойников, разбойники.

배경(背景) фон; задний план; декорация; поддержка; покровительство; ~을 ~으로 на фоне(чего-л.); 나무를 ~으로 한 여인의 모습에는 женская фигура на фоне деревьев; 일어나는 국제적사건의~에는 на фоне текущих международных событий

배고프다 проголодаться; быть голодным.

배구(排球) волейбол; ~하다 играть в волейбол; ~선수 волейболист; ~장 волейбольная площадка.

배급(配給) распределение; выдача (по карточкам); ~의 распределительный; ~하다 распределять; выдавать по карточкам; 상품을 ~하다 распределять товары; ~소 распределительный пункт; ~제도 карточная система.

배기(排氣) I выхлоп; выпуск; ~하다 выходить; выпускать; ~가스 выхлопные газы; ~구멍 выпускное окно; ~수갱 горн. отводящий ствол.

배기(背鰭) II арх.спинной плавник.

배낭(背囊) I заплечный мешок; ранец; рюкзак; вещевой мешок; ~을 매다 надеть рюкзак.

배낭(胚囊) II зародышевый мешок.

배다 I 1) впитываться; пропитываться; 2) проступать; просачиваться; 3) запасть в душу; 4) становиться привычным.

배다 II 1) носить(ребёнка; детёныша); быть беременной; 배지 않은 아이를 낳으랜다 посл. ≅ из пальца мёду не добудешь; 밴 아이 아들 아니면 딸이지 посл. ≅ чтонибудь да будет; 2) давать колос; колоситься.

배달(配達) доставка; разноска; рассылка; ~하다 доставлять; разносить; рассылать; ~로 с доставкой; 물건을 지정된 장소로~하다 доставлять товары на место назначения; 집으로 화물 ~ доставка товара на дом; ~부 почтальон; разносчик; доставщик; 우편~ доставка почтой

배달부(配達夫) разносчик; 신문~ разносчик газет; 우편~ почтальон; 우유~ развозчик(разносчик) молока.

배당(配當) распределение; выделение; ~하다 распределять; выделять; ~금 доля; пай; дивиденд; ~체 глюкозид; 이익~ распределение прибылей.

배려(配慮) I забота; беспокойство; ~하다 заботиться; беспокоиться; ~해주어 감사합니다 благодарю за ваши заботы; 환자에 대한~ забота о больном; ~를 돌리다 проявлять заботу (беспокойство).

배려(背戾) II 하다 противоречить (чему-л).

배반(背反) 배신(背信) предательство; измена; ренегатство; ~의 предательский; ~하다 предавать; изменять; 친구를 ~하다 предавать своего друга; ~자 предатель; изменник; ренегат.

배분(配分) распределение; дистрибуция; ~하다 а) распределять, раздавать; 시간~ распределение времени; 접시마다 먹을 것을~하다 разложить еду по тарелкам;*см*.분배

배상(賠償) I возмещение; компенсация; репарация; ~하다 возмещать; компенсировать; ~금 компенсация; контрибуционные платежи.

배상(杯狀) II сущ. рюмкообразный; бокаловидный.

배석(拜席) I циновка для коленопреклонения(во время церемонии).

배석(陪席) II ~하다 сидеть вместе со старшими; уст. ~판사 присяжный заседатель.

배선(配線) I 1)~하다 прокладывать; 옥내 ~공사 ремонт; работа по проведению проводов внутри дома; 2) см. 배전선; ~단자함 эл. распределительная коробка.

배선(配船) II ~하다 размещать суда
배송(拜送) I ~[을] 내다 а) этн. совершать обряд проводов духа оспы; б) выгонять, изгонять; ~하다 а) этн. провожать духа оспы(на 13-й день болезни); б) этн. провожать духа (совершив жертвоприношение и прочитав заклинания); в) изгонять (злодея).

배송(背誦) II уст.: ~하다 читать наизусть (встав спиной к учителю).

배수(倍數) I 1) откачка воды; дренаж; осушение; водоотвод; водоотлив; ~량 количество откачиваемой воды; ~작업 работа по откачке воды; ~장치 дренажное устройство; 2) вытеснение воды(каким-л. предметом); ~용적 мор. водоизмещение; ~하다 а) откачивать(отводить)(воду); осушать; б) вытеснять(воду).

배수(配水) II водоснабжение; подача воды; ~공사 ремонт водоснабжения; ~본관 магистральный водопровод; ~지관 разводящий водопровод; ~하다 подавать воду.

배신(背信) вероломство; ренегатство; ~하다 предавать; ренегатствовать; ~자 вероломный человек; предатель; ~행위вероломный акт; ~적 вероломный; ~하다предавать

배심(陪審) I ~재판 суд присяжных заседателей; ~제도 система присяжных заседателей; ~하다 участвовать в суде в качестве присяжного заседателя.

배심 II [-ссим] 1) самоуверенность, смелость; ~[을] 대다 смело действовать; ~[을] 부리다 уверенно действовать; ~[이] 좋다 уверенный; смелый; 2) решимость.

배양(排洋) I ~하다 отвергать всё западное.

배양(培養) II 1) разведение; выращивание; культивирование; 2) воспитание, привитие; культура; ~하다 а) культивировать; выращивать; разводить; б) прививать; воспитывать(в духе чего-л.); 인재를~하다 воспитывать кадры;~액 штамп.

배열(配列) I расположение; расстановка(в определённом порядке); ~하다 располагать; расставлять(в определённом порядке).

배열(背熱) II кор. мед. болезнь, сопровождаемая ощущением сильного жара в спине;~하다располагать

배우(俳優) 1) актёр; актриса; артист; артистка; 이~가 주연을 맡았다 этот

актёр играет главную роль; ~실 артистическая(комната);무대~ артист эстрады; 서커스 ~ цирковой артист; 연극 ~ артист драмы; 영화 ~ артист кино; 2) *арх. см.* 광대 I.
배우다 1) учить[ся]; изучать; обучаться; 당신은 어디서 한국말을 그렇게 잘배웠습니까? Где вы научились так хорошо говорить покорейски? 선배로부터 일을~ учиться у старшего; 부모를 보고 ~ учиться у родителей; 대학에서 함께 ~ учиться вместе в университете; 인생을 ~ учиться жизни; 2) привыкать(к чему-л.); приобретать привычку; 배운 도 적질 같다 *посл.* ≈ привычка не сапогс ноги не скинешь.
배정(配定) I распределение; ~하다 распределять; раздавать; 수업시간 ~ 하다 распределять время занятий; 시간 ~ распределение времени.
배정(拜呈) II *уст.* ~하다 почтительно преподносить(подарок).
배짱 1) пренебр. мысли; думы; 2) настойчивость; упорство; ~[을] 부리다(내밀다) настаивать; ~[이] 맞다; ~[을]대다(퉁기다) быть настойчивым, упорствовать.
배추(<白-) I листовая капуста Brassica campestris); 김치는 배추와 고춧가루로 만든다 Кимчхи делают из листовой капусты и перца;~밤나비 капустная совка(Barathra bras- sicae); ~진디물 капустная тля(Bre- vicoryne brassicae)
배추(拜趨) II *уст.*: ~하다 a)подходить (к старшему); б) наносить визит, навещать (старшего).
배치(配置) I расположение; размещение(чего-л.); распределение; дислокация; расстановка; расквартировка; ~하다 располагать; размещать; расставлять; распределять; расквартировывать; ~도 схема расположения (размещения).
배치(背馳) II противоречие; ~하다 противоречить(чему-л.);идти вразрез (с чем-л.).
배포(排布) I 1) план; замысел; 그는 ~가 큰 사람이다 Человек с большими планами; ~하다 планировать, замышлять; 2) план, замысел; 3) см. 배치 II 1); ~가 유하다 уравновешенный, ладнокровный; находчивый.
배포(配布) II распространение; распределение; доставка; ~하다 разносить; доставлять; распространять; раздавать; 유인물을 ~하다 распространять тираж.
배합(配合) 1) смешение; сочетание; ~하다 смешивать; сочетать; комбинировать; 사료를 잘~하다 хорошо смешивать фураж для скота;~비료 сложные удобрения; ~시료 комбикорм; 2) *уст.* бракосочетание; 3) тех. дозировка.
배합률(配合率)[-хамнюл] дозировка.
배합물(配合物) [-хам-] шихта.
배회(徘徊)~하다 бродить;слоняться; скитаться; ~고면 *уст.* слоняться и глазеть по сторонам.
배후(背後) 1) сущ. за спиной, сзади(чего-л.); веон. тыл; ~에서 비방하다 критиковать за глаза; 2) задняя сторона.
백(白) I 1) белый(цвет); 2) *см.*백지III
백(百) II сто; ~루불 сто рублей; 가격을~달러나 더 올렸다 надбавить к цене сто долларов; 당신은 ~달러를 더 지불해야 한다 Тебе надо доплатить ещё сто долларов; 당신이 ~프로 옳아요 Вы на сто процентов правы; ~번 듣는 것이 한번 보는 것 보다 못하다 лучше один раз увидеть, чем

сто раз услышать; 백번 듣는 것이 한 번 보는 것 만 못하다 *посл. букв.* лучше один раз увидеть, чем сто раз услышать; 백 세 후 вежл. после Вашей смерти.

백과사전(百科辭典) энциклопедия; энциклопедический словарь.

백금(白金) платина; ~은 장식품을 나드는데 사용된다 платина широко используется в изготовлении декоративных предметов; ~도가니 платиновый тигель; ~사진 фотопечатание с применением раствора платиновых солей.

백년(百年) 1) сто лет; очень долгое время; ~가약 клятва в верности на всю жизнь(супругов); ~대계 план на далёкое будущее; далеко идущий план; ~해락 счастливая семейная жизнь; ~해로 дожить до старости в мире и согласии(о супругах); ~언약 поклясться прожить вместе всю жизнь(о супругах); 2) см. 백날 2).

백두산(白頭山) гора Пэктусан;~노루 косуля(Capreolus pygargys pygargys); ~쇠박새 буроголовая гаичка(Parus atricapillus sachalinensis); ~족제비 зоол. ласка(Mustela nivalis mosanensis).

백발(百發) седые волосы; седина; ~백중 стопроцентное попадание(в цель); ~노인 седовласый старец; ~홍안 седые волосы и розовые щёки; ~환흑 уст.появление чёрных волос на седой голове.

백방(百方) I ~[의] всесторонний; всемерный; ~으로 всемерно; всесторонне; ~으로 수소문하다 распространять слухи во все стороны; ~천계 разные способы и меры;~효유 уст. разъяснять и так и сяк(со всех сторон); ~으로 всячески, всемерно, всесторонне.

백삼(白衫) I белая одежда, надеваемая под ритуальное платье церемониймейстером на государственном жертвоприношении.

백삼(白蔘) II женьшень, высушенный на солнце.

백색(白色) I 1) белый цвет; ~선철 (주철) тех. белый чугун;~인종 см. 백인종;~왜성 астр. белые карлики; 2) сущ. контрреволюционный; ~공포 (테로) белый террор.

백색(百色) II уст. особенности, специфические(характерные) черты.

백성(百姓) народ; ~의 목소리는 하나 님의 목소리이다 Глас народа—глас Божий; 백성들을 깨우치다 пробудить народ.

백신(vaccine) вакцина; ~주사를 놓다 вакцинировать; ~요법 вакцинотерапия.

백열(白熱) белый накал; накал; ~등 лампа накаливания; ~하다 накаливаться добела; ~전구(전등) эл. лампа накаливания; ~적 напряжённый; ожесточённый;

백의(白衣) 1) белая одежда; ~민족 корейский народ; ~종군 идти на войну простым солдатом; ~천사 медсестра; ~동포 обр. корейские соотечественники; корейцы; 2) человек, не стоящий на государственной службе; ~정승(재상) конфуцианский учёный, сразу ставший членом государственного совета; 3) мирянин.

백일(白日) I 1) яркое солнце; ~청천 яркое солнце и голубое небо; ~하에 폭로하다 обр. выводить на чистую воду; 2) см. 대낮; ~비승(승천) уст. миф. вознесение на небо среди белого дня.

백일해(百日咳) коклюш; ~는 어린애가

잘 거리는 호흡기 전염병이다 Коклюшинфекционная болезнь дыхательных путей, которой часто болеют дети.

백전(白戰) I многочисленные бои (сражения); ~노장 а) опытной полководец; б) обр. человек, прошедший огонь, воду и медные трубы; ~노졸 а) уст. ветеран; б) см. 백전[노장] б) ~백승 непобедимый, всепобеждающий, незнающий поражений.

백전(白戰) II уст. 1) рукопашный бой, рукопашная схватка; 2) обр. состязание поэтов.

백지(白紙) I 1)бумага из коры бумажного дерева; 2) белая бумага; чистая бумага; чистый бланк; 3) см. 공지 II; ~동맹 арх. коллективный отказ студентов писать работу; 4) полнейшее невежество(в чём-л.); 5) отсутствие ясности, неопределённость.

백지(白地) II 1) уст. бесплодные земли; ~징세 облажение налогом бесплодных земель; 2) ~에 без всякой подготовки; на пустом месте; ~애매 безвинно пострадать.

백혈구(白血球) белые кровяные шарики; лейкоциты; ~감소증 лейкопения; ~요법 лейкотерапия; ~모세포 лейкобласт; ~증다증 лейкоцитоз.

백화점(百貨店) универсальный магазин; ~물건은 시장 물건보다 비싸다 товары в универмаге стоят дороже, чем товары на рынке.

밴드(англ. band) лента; музыкальный ансамбль; ~에 맞추어 노래 부르기가 쉽지 않다 Нелегко петь песню в такт с ансамблем; ~마스터 руководитель музыкального ансамбля.

밸 I прост. 1) кишки, потроха, внутренности; 2) злость;밸[이]나다 см. 부아[가 나다]; 3) см. 배짱; 밸[을] 부리다 а) см. 배짱[을 부리다] б) упорствовать, упрямиться; 밸이 꼬이다 питать отвращение.

밸 II нутро; ~(창자)이 골리다 нутро выворачивается.

밸런스(англ. balance) баланс; ~가 맞지 않는다 баланс неправилен.

밸브(англ. valve) клапан; ~를 꽉 조여라 плотно закрой кран.

뱀 змея; ~에 물려죽다 умереть от укуса змеи; ~이 숲속으로 기어갔다 змея поползла к лесу; 한국에는 약 9가지~종류가 있다 В Корее имеется около 9 видов змей;~이 오래 묵으면 용이된다고 한다 говорят,что если змея долго живёт, то становится драконом;~이 물을 마시면 독이 되고 소가 물을 마시면 우유가 된다 Если змея выпьет воду, то вода станет ядом, если корова то молоком; ~을 그리고 발을 붙이다 обр. делать ненужное дело; ~[을] 잡다(보다) обр. навлечь на себя беду.

뱃길 водный(морской) путь.

뱃노래 [пэн-] 1) песня гребцов(как Стенька Разин); 2)песня о жизни моряков; 3) муз. баркарола.

뱃속 внутренность живота; ~이 좋지 않다 с животом плохо; ~이 쓰리다 живот колет; ~이 드려다 보인다 виднеется нутро; ~을 알 수 없다 трудно узнать чужие мысли.

뱅 ~돌리다 а)прокрутить(напр. колесо); б)быть окружённым (напр. горами).

뱅크(англ. bank) банк;~에 예금하다 положить деньги в банк; 국립~ государственный банк; 외환~ валютный банк; 주택 ~ жилищный банк.

뱉다 1) выплёвывать; 2) выкладывать; выставлять; 3) выдавливать из себя (слова *и т. п.*); 침을 ~ плевать; 기침을 откашливаться.

버거(*англ.* burger) бургер; 치즈~ чизбургер; 햄~ гамбургер.

버럭 1) сильно; чрезмерно; 화를 ~내다 прийти в ярость; 2) резко; внезапно; 소리를~지르다 испустить вопль.

버럭버럭 сильно; чрезмерно; ~성을 내다 прийти в ярость; ~고함을 지르다 испустить вопль.

버릇 привычка; дурная привычка; дурные наклонности; правила поведения; ~없다 невоспитанный; непочтительный; нетактичный; неприличный; неучтивый;~을 들이다 приобрести привычку;~을 떼다 бросить привычку; ~을 가르치다 исправлять дурные наклонности; ~하다 а)привыкать; б) становиться (дурной) привычкой.

버리다 бросать; оставлять; избавляться(от кого-л., чего-л.); портить; калечить; 물을 ~ выливать воду; 생각을 버리다 отказаться от мысли; 아/어/여 выражает законченность действия; 읽어 버리다 почитать; 웃어 버리다 рассмеяться.

버림 ~[을]받다 а)быть брошенным (оставленным); б)получить отказ; быть отвергнутым; подвергаться бойкоту.

버물다(버무니, 버무어) быть вовлечённым(замешанным,причастным).

버물리다 1) быть смешанным(перемешанным); 2) заставлять (позволять)смешивать(перемешивать); 3) смешивать, перемешивать.

버선 (корейские) носки; ~을 신고 다니다 одевать корейские носки; ~ 신고 발바닥 긁기 *см.* 신[신고 발바닥 긁기] I.

버섯 гриб[ы]; ~요리 блюдо из грибов; 독~ ядовитый гриб; 식용~ съедобный гриб; ~나물 грибы(как закуска); ~중독 мед.отравление грибами, мицетизм.

버스(bus) автобус; ~운전사 водитель автобуса; ~의 автобусный; ~로 통근하다 ездить на автобусе; ~를 타고 가다 ехать на автобусе;ехать автобусом; 나는 종종 ~를 탄다 Иногда я сажусь в автобус; ~가 정류장에 들어선다 автобус подходит к остановке; ~노선 автобусная линия; ~여행 путешествие на автобусе; ~요금 плата за проезд на автобусе; 관광~ туристический автобус; 근교 셔틀~ пригородный автобус; 마을~ районный автобус; 시내~ городской автобус; 시외~ междугородний автобус; 5번~ пятый автобус;автобус №5; 좌석~ автобус с сидячими местами; ~정류장 автобусная остановка; ~표 билет на автобус; 버스가 언제 갑니까? Когда отправляется автобус?

버젓이 веско, солидно; открыто; в открытую.

버튼(*англ.* button) кнопка; звонок; ~을 누르다 нажимать на кнопку.

버티다 подпирать; поддерживать; выстоять; выдержать; держаться до конца; не подчиняться; упираться; сопротивляться; 못하겠다고~ говорить до конца,что не могу.

벅차다 непосильный; переполненный; кипучий; напряжённый; 하루에 끝내기는 좀 ~ закончить за один день непосильно; 가슴 벅찬 감격 чувство, переполняющее грудь.

번(番) I дежурство; раз; 한 ~ один раз; 다섯 ~ пять раз; 이 번에는 на этот раз; 몇 번 a) несколько раз; б) сколько раз; 번갈아 попеременно; 번갈아 들다 меняться, чередоваться; ~[을] 나다 возвратиться с дежурства; ~을 나들다 сменяться(о дежурных); ~[을] 들다 выходить(заступать) на дежурство; ~[을] 서다 быть на дежурстве

번(旛) II ритуальный стяг.

-번(番) суф. кор. сторож; 현관번 привратник, швейцар.

번개 молния;~의 молниевый; ~형의 молниевидный; ~치다 сверкать; блеснуть; ~가 번쩍였다 молния сверкнула; ~같은 속도로 с быстротой молнии; 마른 ~ зарница; ~가(를) 치다 а) сверкать(о молнии);б) промелькнуть с быстротой молнии; ~치듯 молниеносно, с быстротой молнии; ~가 잦으면 천둥 한다(벼락 늦이라) *посл.*≃ молния ударит жди грома; ~같이 а)молниеносно; б) неожиданно, внезапно.

번개불 вспышка молнии; ~이(을) 치다 *см.* 번개(가 치다); ~에 담배 붙이겠다, ~에 콩볶아 먹겠다,~에 회쳐 먹겠다 *обр.* в мгновение ока; ~에 솜 구워먹겠다 *погов.*≃врёт как сивый мерин.

번거롭다 довольно сложный (запутанный); шумный.

번뇌(煩惱) душевные муки(терзания); страдания; терзаться; мучиться; страдать; ~하다 1) терзаться, мучиться; 2) мучительный. 번듯이 прямо, ровно.

번듯하다 прямой; ровный; 번듯하게 생긴여자 женщина с правильными чертами лица.

번민(煩悶) огорчение; мучение; терзание; страдание; ~하다 огорчаться; мучиться; терзаться; страдать.

번번이 каждый раз; постоянно; всегда; ~이 실패하다 каждый раз терпеть неудачу.

번성(蕃盛) процветание; расцвет; ~하다 расцветать; процветать;бурно расти(развиваться).

번식(繁殖) размножение; разведение; ~하다 размножаться; разводить;~기 период размножения; ~력 плодовитость; 유성~ половое раз-множение; ~기관 половые органы.

번역(飜譯) перевод; ~하다 переводить; ~할 수 없는 표현 выражение неподдающееся переводу; 이~은 원문과 아주 다르다 этот перевод по смыслу далёк от оригинала; ~가 переводчик; ~물 переведённый текст (документ); ~자 переводчик; ~문학 переводная литература.

번영(繁榮) процветание; расцвет; ~하다 цветущий; процветающий; процветать; 국가~ процветание государства.

번잡(煩雜) запутанность; ~하다 сложный; запутанный; хлопотливый; сутолочный; ~해지다 запутывать[ся]; усложнять[ся]; ~스럽다 *прил.* а) казаться сложным(запутанным); б) казаться хлопотливым(сутолочным).

번지(番地) номер земельного участка.

번지다 I распространяться; расходиться; растекаться; расплываться; изменяться; преображаться; 잉크가 종이에 번지다 чернила растекаются по бумаге; 상처가 ~ увеличиваться(о ране).

번지다 II 1) перевёртываться; перелистывать; 2) пропускать(напр. очередь); 3) изъясняться на другом языке.

번지르르 얼굴에는 기름이 ~흘렀다

лицо лоснилось от жира; ~하다 а) блестящий; лоснящийся; б) гладкий, скользкий; в) красивый(о словах).

-번째 첫~ первый;두~второй

번쩍 1)~하다 блеснуть; сверкнуть; мелькнуть; ~이다 блеснуть; сверкнуть; вспыхнуть; ~거리다 блестеть; поблёскивать; сверкать; впыхивать; 2) резко; неожиданно; быстро; 고개를 ~쳐들다 вскинуть голову; 정신을 ~차리다 быстро очнуться(прийти в себя).

번쩍이다 блеснуть; сверкнуть.

번창(繁昌) процветание; расцвет; ~하다 процветать; процветающий; оживлённый; 장사가 ~하다 торговля процветает.

번호(番號), 번지(番地) номер; ~판을 돌리다 набрать номер; 전화 ~를 말씀해 주세요. скажите, пожалуйста, ваш номер телефона; ~부 справочник номеров

번화(繁華)~스럽다 прил. а) казаться цветущим(процветающим); б) казаться оживлённым; ~하다 а) цветущий; процветающий; б) оживлённый, шумный;многолюдный.

벌 I поля(и луга); равнина.

벌(袋) II комплект; пара; сервиз; 양복 세~ три костюма.

벌 III пчела; оса; 꿀~ медоносная пчела; 야생~ дикая пчела; лесная пчела; 일~ пчелаработница; рабочая пчела; ~쐰 사람 같다 словно ужаленный; ~[에] 쐬다 лопаться, раскрываться(о плоде каштана, поражённом болезнью).

벌(罰) IV наказание; кара; взыскание; 그는 담배를 피운 죄로 ~을 받았다 его наказали за курение; ~을 주다 наказать; подвергнуть наказанию; ~을 받다(쓰다) подвергнуться на- казанию; понести кару; быть наказанным; ~로써 в наказание; 본보기로써~을 주다 наказать примерно; 천~ наказание свыше; ~[을]서다 отбывать наказание

벌(閥) V родственные отношения; 그는 나의 조카~이다 он мой племянник.

벌(閥) VI родственные отношения; 그 분이 너의 무슨 벌이되느냐? Кем он тебе приходится?

-벌 суф.родство; 아저씨벌 дядя.

벌금(罰金) штраф; пеня; ~의 штрафной; ~을 물다 заплатить штраф; ~을 메기다 штрафовать;наложить штраф; ~형 денежное наказание.

벌다 I (버니, 버오) образовываться (о щели); трескаться; раскалываться; расходиться; становиться портиться; распускаться; раздаваться; разрастаться; 줌이 벌게(벌도록) 쥐다 набрать полную горсть.

벌다 II (버니, 버오) заслуживать; заработать; 생활비를 ~ зарабатывать на жизнь.

벌떡 внезапно; ~일어나다 внезапно встать; усил. стил. вариант 발딱.

벌레 насекомое; червь; ~먹은 червоточный;насекомоядный; ~ 먹은식물 насекомоядные растения;~먹은 자리 червоточина; 누에~ шелковичные черви.

벌리다 образовывать(щель); широко расставлять(раскрывать); распростирать разгребать; раскидывать; 벌린 입을 다물지(닫치지)못하다 раскрыть рот от изумления; см. 벌이다; 벌린 춤 обр. нельзя оставлять начатого дела.

벌리세요 откройтерот.

벌써, 이미 уже; 그는 이미 애가

아니다 он уже не ребёнок; 우리가 도착했을 때 그는 ~떠났다 когда мы пришли, он уже уехал; ~부터 с давних пор.

벌어지다 1) образовываться(о щели); развертеться; расходиться; расширяться; 사이가 ~ отдаляться друг от друга; дать трещину(об отношениях); 2) распускаться(о листьях); 3) раздаваться(вширь); разрастаться; 4)развёртываться; расстилаться; отрываться(перед взором); 한줄로 ~ рассыпаться цепочкой; 5) расширяться кверху(о посуде); 6) возникать, начинаться; 전쟁이 ~ разразиться(о войне).

벌이 заработок; ~로 생계를 유지하다 заработать свой хлеб; 그는 ~이가 좋다 он хорошо зарабатывает; 돈 ~가 잘 되다 хорошо зарабатывать; ~하다 зарабатывать.

벌이다 раскладывать; расставлять; распростирать; начинать; основывать; открывать.

벌집 соты; 가로~улейлежак; 세로~улейстояк; ~조직 текст. вафельное переплетение; ~을 건드리다 посл. подлить масла в огонь(букв. шарить (рукой) в улье).

벌칙(罰則) положение о наказаниях (штрафах); нарушение положения о наказаниях; ~강화 ужесточение правил.

범, 호랑이(虎-) I тигр; страшный и свирепый человек; 한국신화에 ~은 성스러운 산신령으로 등장한다 В корейских легендах тигр выступает в качестве священного горного духа; ~나비 잡아 먹은듯 обр. словно птичка поклевала; ~도 새끼 둔골을 센다(두남을 둔다) посл. букв. даже свирепый тигр чувствует привязанность к своим детёнышам; ~도 제말(소리)하면 온다 посл.≅ лёгок на помине(букв. тигр(и тот) приходит, когда о нём говорят); ~본 할미 창구멍 틀어막듯 а) словно бабка, закрывающая окно(бумагой) при виде тигра; б) обр. на скорую руку (поесть);~잡아먹는 담보가 있다 = 기는 놈 위에 나는 놈 있다; см. 기다 II; 범 잡은 포수 обр. заяц во хмелю; ~없는 골에 토끼가 스승 이라 посл. на безрыбье и ракрыба(букв. в долине, где нет тигров, и заяцповелитель); ~은 그려도 뼈다귀는 못 그린다 посл.≅ внешность обманчива; 범에게 날개 погов. букв. тигру да ещё и крылья; ~에게 물려가도 정신만 차리면 산다 посл. ≅ твёрдые духом не погибают (букв. был схвачен тигром, но собрался с духом и выжил);범의 차반 мотовство.

범(凡) II уст. книжн. см. 무릇.

범-(汎) преф. кор. пан...; 범아메리가주의 панамериканизм.

-범(犯) суф. кор. 1) преступление; 2) преступник; 정치범 а) политическое преступление; б) полити-ческий преступник.

범람(氾濫) разливаться; выходить из берегов; наводнять; река вышла из берегов; ~구역 пойма реки; ~하다 а) разливаться, выходить из берегов; б) перен. наводнять; в) арх. выходить из рамок.

범론(泛論,汎論,氾論) [-논] 1) общие замечания; основы; введение(в науку); 2) основная линия; общие черты.

범벅 густой кисель из муки; беспорядок; мешанина; ~되다 невнимательный; небрежный; неаккуратный; ~먹은 고양이 손 같다 обр. заскорузлые(о руках); ~으로 묻다 быть облепленным(запачканным); ~타령 песня шаманки.

범인(凡人) I заурядная личность; заурядный человек; 니체는 인간을 초인과 ~으로 나누었다 Ницше разделял людей на выдающихся и заурядных.

범인(犯人) II преступник; субъект преступления; ~이 숨었다 преступник скрылся; 전쟁 ~ военный преступник.

범죄(犯罪) преступление; преступный акт; преступное деяние; преступность; ~적 преступный; ~를 범하다 совершить преступление; ~자가 감옥에서 탈출했다 преступник убежал из тюрьмы; 국제적~ международное преступление; 반평화~ преступление против мира; 반평화 인류~ преступление против мира и человечества; ~자 преступник; 범죄자 인도 экстрадиция; 비인도적 ~ преступление против человечности; 전쟁~ военные преступления; ~하다 совершать преступление; ~공모자 соучастник преступления; ~의학 судебная медицина.

범퍼(англ. bumper) бампер; 자동차 사고로 범퍼가 찌그러 들었다 из-за дорожного происшествия бампер искривился.

범행(犯行) I преступление; преступное действие; ~하다 совершать преступление.

범행(梵行) II будд. отказ от чувственных наслаждений.

법(法),권리(權利)법령(法令) право; закон; правило; правосудие; законодательство; 공장~ фабричное законодательство; ~과(科) кафедра правоведения; ~교육 правовое образование; 국~ государственное право; 국제~ международное право; 군~ военный закон; 금지~ запретительный(запрещающий) закон; 기본~ основной закон; 노동~ трудовое законодательство; трудовое право; закон о труде; 물권~ право на имущество; 민~ гражданское право; ~철학 философия права; ~학 юридические науки; юриспруденция; правоведение; 불문~ неписаный закон; 사회발전~ закон общественного развития; 사회재산 보호~ закон об охране общественной собственности; 상~ коммерческое право; 성문~ положительный закон; 소비에트~ советское законодательство; 자연~ естественный закон; закон природы; 자연보호~ закон об охране природы; 해양~морское право; 해상~ морской закон; 형~ уголовное право; 혼인~ законодательство о браке; 혼인 및 가족~ закон о браке и семье; ~은 멀고 주먹은가깝다 *посл.букв.* закон далеко, а кулак близко; 옷 짓는 법을 알다 уметь шить одежду; 이다 обязательно, непременно; 그 사람은 우리집에오는 법이다 он обязательно приходит к нам; 있다(없다) иметь (не иметь)обыкновения; 성내는 법이 없다 не иметь обыкновения сердиться.

-법(法) 1) закон, правило; 선거법 избирательный закон; 2) способ; метод; приём; 배제법 метод исключения; 3) учение; 삼각법 тригонометрия; 4) лингв. наклонение; 명령법 повелительное наклонение.

법관(法官) судейский чиновник; судья; ~은 재판에서 공명정대해야

한다 судья на суде должен выносить справедливые решения.

법규(法規) законы и правила; правовые нормы; устав; узаконения; установления; законоположения; 현행 ~에 따라 по существующим законоположениям; 관세~ таможенный устав; 당~ устав партии.

법규범(法規範) законность, рамки закона.

법도(法道) уклад(образ) жизни; ~에 어긋나는 행동을 하지마라 Не совершай поступков, противоречащих (обычному) укладу жизни.

법령(法令) закон; законы и декреты; ~의 декретный.

법례(法例) [помнйе] уст. правила применения законов; законоположения.

법률(法律) закон; законодательство; ~상 с юридической точки зрения; ~가 юрист; правовед; законовед; ~개정 пересмотр закона; ~고문 юрисконсультант; ~관계 правовые отношения; ~모순 коллизия законов; ~심의회 законо-совещательная комиссия; ~안 законопроект; ~위반 нарушение законов; ~제정 законо-дательство; ~[적] правовой, юридический; ~사무소 юридическая контора; ~사실 юридический факт; ~질서 юр. правопорядок; ~행위 юр. сделка.

법석(法席) I шум; гвалт; шумиха; шумно; ~을놓다(놀다) шуметь, галдеть; ~을 치다 сильно шуметь, галдеть; ~하다 шуметь.

법석(法席) II будд. место чтения сутр(на молитвенном собрании), «сиденье драхмы».

법원(法院) суд; трибунал; ~소환장 повестка в суд; ~장 прокурор; 고등~ кассационный суд; 대~ верхо-вный суд; 지방~ окружной суд; 최고~ верховный суд(трибунал).

법인세(法人稅) налог на юридическое лицо; ~법 закон о налогообложени юридических лиц.

법정(法廷) I суд; трибунал; зал суда; судебное заседание; ~에 서다 предстать перед судом; 국제군사~ международный военный трибунал; ~의사록 протокол судебного заседания; ~을 열다 начинать судебное разбирательство.

법정(法定) II ~하다 определять (устанавливать) законом.

벗 друг; подруга; соратник; ~하다 дружить; 벗(친구)따라 강남간다 посл. за другом идёт на край света (букв. за другом идёт за реку Янцзыцзян); 벗[을] 트다 дружить; 벗[이] 닿다 разгораться(об углях, дровах).

벗겨주다 снимать(обвинение).

벗겨지다 1) спадать(о покрывале и т. п.); слетать(о шапке и т. п.); 2) оголяться; лишаться растительности; лысеть.

벗기다 быть снятым; спадать; расстёгивать; 사과껍질을~ снимать кожуру с яблока.

벗다 снимать; сбрасывать; избавляться; освобождаться; отказаться(от обычая); бросить; внешне меняться; 벗은 голый; 신발을~ разуться; 짐을~ снять с себя ношу; 책임을~ снять с себя ответственность; 허물(가죽)을 ~ менять кожу, линять; 누명을~ реабилитироваться; 치욕을~ смывать позор; 빚을~ расплатиться с долгами; 애티(애기티)가~ терять ребяческий вид; 벗어나다 выходить за пределы; освобождаться, избавляться(от чего-л.); 일터에서 벗어나다 уйти с работы; 도시를 벗어나다 выйти за пределы города; 양심에 벗어나다 идти против совести; 기대에 벗어나다 обмануть надежды.

벗어나다 сойти(с чего-то); 기차가 레일에서 ~ Поезд сошёл с рельс.

벗어버리다 сбрасывать с себя платье(одежду); сбрасывать кожу; сбрасывать маску.

벗어지다 1) сниматься, слетать, спадать; падать(о чём-л. висящем); слезать(о коже); 2) очищаться; лущиться; 3) развязываться(о свёртке и т.п.); 4) выпадать(о волосах); лысеть; 5) исчезать; терять; проходить(напр.об угрях); 애티가 ~ терять ребяческий вид; 6) рассеи-ваться(о тумане,тучах).

벗었습니다 снял.

벙어리 1) сущ. немой; ~와 봉사가 싸우면 누가 이길까요? Если будут драться слепой и немой, то кто победит? ~냉가슴 앓듯 обр. переживая в душе; ~발능 앓는 소리 обр. тянуть кота за хвост; ~재판 обр. рассудить двух немых; ~차접을 맡았다 обр. набрать в рот воды; 2) копилка.

벗 вишня; черешня; ~꽃 вишнёвый цветок; ~나무 вишня; вишнёвое дерево; ~동산 вишнёвый сад. 벚꽃 цветок вишни. 벚나무 вишня.

베 ткани.

베개 подушка; ~가 너무높다 подушка слишком высокая; 환자의 머리맡에 ~를 대어주었다 больному подложили под голову подушку; ~너머(밑) 송사(공사, 청) обр. просить (что-л.)у мужа в постели(о жене).

베니어판(англ. veneer + 板) фанера.
베니어 шпон; фанера.

베다(썰다) I подкладывать под голову; резать; рубить; 나무를 베어냈다 Дерево перерубили.

베다 II 1) резать; жать; косить; кроить; разрубать; рассекать; 목을~ обезглавить; 베어도 움돋이 обр. уничтожишь, а оно снова появляется; 2) порезать; 손을~ порезать(обрезать) руку.

베데스다(англ. Bethesda) 벳자타 Вифезда = Дом милосердия; 베데스다/벳자타연못(Pool of Bethesda, Bethzath)

베란다(англ. veranda) веранда; 우리 집 ~에서는 시내가 한눈에 보인다 С веранды нашего дома город виден как на ладони.

베스트(англ. best) самый лучший; ~드레스 человек, одевающийся лучше всех; ~멤버 самый передовой член; ~셀러 бестселлер.

베어링(англ. bearing) подшипник; ~동체 корпус подшипника; ~토시 тех. вкладыш; 기계의 베어링이 망가졌다 У той машины сломался подшипник. 베어내다 отрезать.

베이비(англ. baby) ребёнок; ~를 울리지마라 Не заставляй ребёнка плакать

베이스(англ. base) основа; фундамент; бас.

베이커(англ. baker) булочник; 그~는 빵을 맛있게 굽는다 этот булочник хорошо печёт хлеб.

베이컨(англ. bacon) бекон.

베일(англ. veil) вуаль; 그녀는 얼굴을 ~로 가리고 있다 она закрывает лицо вуалью.

베풀다(베푸니, 베푸오) учреждать; создавать; сооружать; устраивать; оказывать.

벤진(англ. benzene) бензин; 자동차에 ~을 채우다 заправлять машину бензином

벤치(англ. bench) скамейка; ~의 скамеечный; ~에세사람이 앉아서 이야기하고 있다 на скамейке сидят три человека и раз говаривают.

벨(*англ.* bell) электрический звонок; ~신호로 문을 열다 открывать дверь на звонок; ~소리가 시끄럽다 звонок громкий; 전화~ звонок в телефонном аппарате; 탁상용 ~ настольный звонок; диал. см. 별 I.

벨트(*англ.*belt)поясной(приводной) ремень; ~콘베야 ленточный(ремённый) конвейер.

벼(나룩(羅祿),정조(正租),답곡(畓穀) рис; 밭~ суходольный рис

벼락 1) молния; грозовой разряд; удар молнии; ~의 молниевый. ~이 나무에 떨어지다 молния ударила в дерево; ~공부 учёба наспех; поверхностные занятия; ~으로 словно молния; ~바람 внезапный удар; ~맞은 소고기 (소뜯어) 먹듯한다 *обр.* расхватывать на шарап; ~같다 молниеносный; ~치듯 а) как молния; молниеносно; б) оглушительно; 2) сокрушительный удар; ~[을] 맞다 получить сокрушительный удар; 3) сильная ругань, громы и молнии; ~이내리다 быть изруганным; 4) ловкий (быстрый) человек; 5) перед именами быстрый; наспех приготовленный; ~감투 *ирон.* незаслуженно полученный пост; ~김치 молодая листовая капуста(редька) в своём соусе; ~덩이 комок земли,вырытый мотыгой при прополке; ~대신 а) человек, которому любое дело по плечу; б) *сущ.* быстрый на ответ; сообразительный человек; ~부자 скоробогач; ~잔치 угощение, приготовленное на скорую руку; ~장아찌 вежие овощи в соевом соусе; ~죽음 скоропостижная смерть; ~회의 короткое собрание, летучка.

벼룩 блоха; 개는 ~을 잡을 수가 없다 из собаки блох не выколотишь; ~등에 육간대청 짓겠다 *обр.* огород городить; ~선지 내어먹는다 *посл.* ≅ у него зимой(горсти) снега не выпросишь (*букв.* из блохи кровь выдавит и ту выпьет).

벼르다 I (벼르니, 별러)(마음먹다) задумывать; замышлять; намереваться; собираться; готовиться; 벼르던 아기 눈이 먼다 *посл.букв.* ребёнок, которого долго ждали, родился слепым.

벼르다 II (벼르니,별러)(나누다) распределять; делить.

벽, 장벽 I стена; стенка; 나는 못을 ~에 박을수가 없다 Я не могу вбить в стену гвоздь; ~에 공고를 붙였다 на стену приклеили объявление; ~에 구멍을 뚫어야 한다 надо пробить дырку в стене; ~에 커다란 그림이 걸려있다 На стене висит большая картина; 크레믈룬 성~ кремлёвская стена; ~[을] 치다 возводить глинобитную стену

벽(癖) II 1) пристрастие, страсть; 2) вредные(дурные) привычки.

벽돌(-乭)кирпич;~을 쌓았다 класть кирпичи; ~로 집을 짓는다 строить дом из кирпичей.

벽지(壁紙) захолустье; глушь; глухомань.

변(邊) I сторона многоугольника.

변(變) II необычайное происшествие(событие); беда; несчастье; ~으로 необычно; неожиданно.

변 III тайный язык; арго.

변(便) IV экскременты; выделения

변-(變) преф. кор. перемена; 변성명 изменение имени и фамилии.

변경(變更) изменение; перемена;

поправка; изменять; вносить поправку; ~하다 изменять; 아들의 명의로 ~하다 переписывать на сына (напр.имущество).

변기(便器) ночной горшок; унитаз; судно.~를 깨끗이 사용합시다 давайте чисто пользоваться унитазом.

변덕(變德) непостоянство; капризы; причуда; ~을 부리다 проявлять непостоянство; ~스럽다 казаться непостоянным (капризным; ветреным); ~[을] 떨다 быть ветреным.

변덕스레 ветрено; капризно.

변동(變動), 변경(變更) перемена; изменение; изменения; ~하다 изменять.

변두리(邊-) 1) край; окраина; 내~ берег речки; 집~ около дома; 숲~ опушка леса; 2) край(посуды), закраина.

변명(變名) I 1) оправдание; объяснение; ~하다 оправдывать[ся]; ~하지 말고 솔직히 말해라 не оправдывайся, а говори откровенно; ~무로 уст. невозможно оправдать; 2) уст. разбор, выяснение; ~하다 а) оправдывать[ся](в чём-л.); б) разбирать, выяснять.

변명(變名) II 1) ~하다 менять(имя); 2) новое(изменённое) имя.

변모(變貌)1)~하다[видо]изменяться; менять облик; преображаться; 2) изменённый облик; видоизменение; преображение; трансформирование; ~없다 а) грубый, неотёсанный; б) прямолинейный.

변비(便秘) запор; ~로 고생하는 환자가 의외로 많다 довольно много пациентов, страдающих запором; ~약 слабительное средство.

변성기(變聲期) половая зрелость; период, когда у подростков ломается голос.

변소(便所) уборная; туалет; уборная со спуском воды; ватерклозет; ~가 무척 더럽다 Туалет ужасно грязный

변속(變速) ~장치 механизм переменных скоростей; ~하다 менять (скорость)

변압기(變壓器) эл. трансформатор; ~가 고장났다 трансформатор сломался.

변절(變節) предательство; ренегатство; измена; ~자 изменник; предатель; ренегат; ~하다 нарушать верность, совершать измену(предательство).

변증법(辨證法) диалектика; ~적 диалектический; ~적 유물론 диалектический материализм.

변질(變質) изменение качества(свойства); перерождение; вырождение; дегенерация; изменять свойства(качества); ~하다 а) изменять свойства (качества); б) вырождаться, дегенерировать.

변태(變態) 1) аномалия; патология; ~적 ненормальный; ~성욕 ненормальная сексуальность; ~심리 психопатология; ~심리학 психопатология; 2) биол. метаморфоза; бот.анаморфоз.

변하다(變-) изменять[ся]; превращать[ся]; 물이 얼음으로 변했다 вода превратилась в лёд; 마음이~ быть непостоянным(ветреным).

변형되다 изменяться; изменять форму.

변호사(辯護士) адвокат, защитник.

변화(變化) 1) перемена; изменение; 근본적~ коренные изменения; ~무상 поразительно изменяться; ~무쌍 необыкновенно изменяться; ~불측 непредвиденно изменяться; 2) лингв. склонение; спряжение; ~시키다(하다) а) изменять[ся]; б) склонять[ся]; спрягать[ся]; ~를 겪다 терпеть изменения; ~시키다 изменить.

변환(變換) I ~하다 [из] меняться; превращаться; 성공하기 위해서 사고의 ~이 중요하다 для того, чтобы добиться успеха, важно сменить образ мышления.

변환(邊患) II уст. тревожное положение на границе.

별 I 1) звезда; звёздочка; ~이 하늘을 뒤덮었다 Звёзды усеяли небо; 별 겯듯하다 словно усыпанный звёздами; 창검이 별 겯듯하다 обр. ощетиниться штыками; 2) звёздочка (на лбу животного).

별(別) II различие; 남녀의 별 없이 независимо от пола; 별 수 없다 ничего не остаётся делать, нечего делать.

-**별**(別) суф.кор.:부문별 по отраслям.

별-(別) преф. кор. особый; 별문제 особый вопрос.

별개(別個) особый; отличный; необычный; странный; необыкновенный; ~[의] особый, отдельный

별나다 особый; отличный; необычный; странный; необыкновенный; 그 교수는 별난 사람이다 этот профессор необыкновенный человек.

별로 не очень; не совсем; не так; особо; особенно; 그 문제는 ~ 중요하지 않다 Этот вопрос не очень важен; уст. 1) см. 이별길; 2) другой путь, другая дорога.

별세(別世) ~하다 покинуть этот мир; скончаться.

별안간 вдруг; неожиданно; врасплох; ~일어난 일이라 영문을 모르겠다 случилось неожиданное дело и я не знаю его причины.

별일(別-) 1) странное дело; 2) неожиданность; происшествие; 모든 것이 별일없이 지나갔다 всё обошлось; ~없이 지내다 жить без особых происшествий; ~을 다 겪다 проходить разные испытания; ~이 없이 благополучно, безовсяких происшествий; 3) другое дело.

볏 I гребешок; хохолок.

볏 II отвал плуга.

볏짚 рисовая солома.

병(瓶) I 1. бутылка; графин; ваза; кувшин; 나는 포도주 한~을 주문하였다 Я заказал бутылку вина; 빈병을 모아 팔면 돈이된다 если собрать и сдать пустые бутылки, то можно заработать деньги; 유리는 친구들과 함께 보드카 한 ~을 나눠 마셨다 мы с друзьями распили бутылку водки; 주사약 ~ амплуа; ~에 찬물은 저어도 소리가 안 난다 посл. ≈ словосебро, а молчание-золото (букв. вода в полной бутылке звуков не издаёт); 2. счётн. сл. 1) бутылка; 2) несколько бутылок.

병(病)질병(疾病) II 1) болезнь; заболевание; недуг; порок; ~을 치료하다 лечиться от болезни; ~이 낫다 оправиться(излечиться)от болезни; ~을 앓다 болеть(чем-л.); 가벼운~ лёгкое заболевание; ~력 анамнез; 결석~ каменная болезнь; 노인~ старческая болезнь; 눈~ глазная болезнь; 당뇨~ сахарная болзень; диабет; 만성~ хроническая болезнь; 발~ заболевание; 심장 ~ болезнь сердца; 유행~ эпидемия; 전염~ заразная болезнь; инфекционная болезнь; инфекционные заболевания(зараза); 정신~ болезнь психи-ческого растройства;중~ серьёзное заболевание;피부~кожная болезнь; 혈우~ гемофилия(кровоточивость); ~든까마귀 어물전 둘듯 обр.[прилип], как муха к мёду;~주고 약준다 посл. букв. даёт лекарство больному, которого сам вогнал в болезнь; ~[이]나다(들다) заболеть; 2) непола-дки, неисправность.

병(丙) III 1) 3-й знак десятичного цикла; 2) 3-й(при публикации); 3) см. 병방 II; 4) см. 병시.

-병(兵) I солдат; рядовой; ~으로 징집해가다 забрать(взять) в солдаты; 장~ солдаты и командный состав; 부상병 раненый солдат; 고사포병 зенитная артиллерия.

-병(病) II суф. кор. болезнь; ~부인병 женские болезни.

병간호(病看護) уход за больным; заботы за больным; ~하다 ухаживать(за больным); ~사 нянечка; санитарка; санитар; сиделка; медсестра; медбрат

병고(病苦) I страдания(мучения) больного; 오랜 ~에 시달리다 долго мучиться от болезни.

병렬(竝列) 1)параллельное расположение; 2) лингв. сочинение; ~성분 однородные члены(предложения); ~하다 а) располагаться параллельно; б) находиться в сочинительных отношениях; ~적 а) параллельный; б) сочинительный; ~구조 сочинительная конструкция; ~접속사 сочинительные союзы.

병리(病理) патология; ~학 патология; ~학자 патолог; ~해부학 патологическая анатомия.

병립(竝立) совместимость; ~하다 совместный; стоять рядом; ~[적] смежный; ~유관속 бот. смежный сосудистый пучок.

병문안(-問安) посещение больного.

병석(病席) постель больного; 아버지가 ~에 누워 계신지 3년 되었습니다 вот уже три года как отец лежит в постели.

병신(病身) I 1) инвалид; калека; урод; ~을 놀리지 말고 도와주어라 не издевайся над инвалидом, а помогай ему; 다리 ~ инвалид с больной ногой; ~육갑한다 *погов. букв.* слабый здоровьем говорит о шестидесятилетии; ~자식이 효도한다 *посл.* ≃ с паршивой овцы хоть шерсти клок; 2) болезненный(человек); 3) хроник; неизлечимый больной; 4) неполноценный человек; 5) уродливая вещь; 6) разрозненные предметы.

병신(丙申) II этн. 33-й знак шестидесятиричного цикла.

병실(病室) I казарма; комната(палата) больного; медицинский кабинет; кабинет врача;~이 부족하다 не хватает больничных палат.

병실 II больничная палата.

병아리 цыплёнок; 노란~가 걸어가는 모습이 재미있다 жёлтый цыплёнок забавно передвигается; ~눈물만큼 обр. кот наплакал;~를 내리다 вылупиться из яйца(о цыплёнке); ~오줌 хилый(слабовольный) человек.

병역(兵役) воинская повинность; военка; ~에 복무하다 служить в солдатах; ~법 права о военной службе.

병영(兵營) 1) военный лагерь; крепость; казарма; ~일기 дневник военного лагеря; 2) феод. военный лагерь, в котором находится командующий сухопутным войском провинции.

병원(病院) больница; госпиталь; 나는 ~에 다녀와야 한다 мне надо сходить в больницу; ~장 главный врач больницы; ~기지 госпитальная база; ~열차(기차) санитарный эшелон (поезд).

병자(病者) I больной; ~에게는 황금

침대도 기쁘지 않다 больной и золотой кровати не рад.

병자(丙子) II этн. 13-й знак шестидесятеричного цикла.

병충해(病蟲害) ущерб, нанесённый насекомыми-вредителями и болезнями(растениям); ~때문에 올 농사 망쳤다 Из-за вреда, причинённого насекомыми в этом году, хорошего урожая не было.

병행(竝行) ~적 параллельный; ~하다 вести(проводить) одновременно(что-л.); идти плечом к плечу; идти параллельно(с кем-чем-л.); ..와 ~하며 наряду(с кем-чем-л.); параллельно(с кем-чем-л.); 공부와 운동을 ~하다 учиться и заниматься спортом параллельно(одновременно); ~불패 *уст.* согласованность; ...과(와) ~하여 наряду с....

병환(病患) Ваша(его) болезнь; 할아버지께서는~중이시다 дедушка сейчас болеет.

볕 солнечный свет; лучи солнца; светить(о солнце); ~에 앉아 꾸벅꾸벅 졸고있는 고양이의 모습이 한가롭다 вид кошки, сидящей и дремлющей на солнце, непринуждён; ~에 말리다 сушить на солнце; ~에 그을다 загорать.

보(保) I 1) см. 보증; 2) см. 보증인; 보를 두다 а) поручиться(за кого-л.); б) назвать поручителя.

보(洑) II запруда; плотина.

보(褓) III платок для завязывания вещей; 비단~ шёлковый платок; 책상 ~ скатерть на письменный стол; 침대~ покрывало для постели.

보(簠) IV сосуд для жертвенного проса

보 V счётн. сл. для жёлчных пузырей.

보(步) VI 1) шаг; 제 일~ первые шаги; 일~ 전진 шаг вперёд; 속~ быстрый шаг; 삼보 앞으로 три шага вперёд; 2) арх. см. 평 II.

-보(-補) помощник; ассистент; 서기 ~ помощник-секретарь; помощник заведующего.

보건(保健) здравоохранение; ~소 медпункт; ~체조 оздоровительная гимнастика; ~시설 органы(учреждения) здравоохранения.

보결(補缺) пополнение, восполнение; ~모집 дополнительный набор(приём); ~선거 дополнительные выборы; ~선수 запасной(игрок); ~하다 пополнять, восполнять; заполнять.

보고(報告) I доклад; сообщение; донесение; отчёт; рапорт; ~하다 докладывать; сообщать; делать доклад(сообщение); отчитываться; 구두~ устный доклад; отчёт; 대중~ публичный доклад; 서면~ письменный доклад; 출장~ отчёт о командировке; 문학~증서 показания очевидца.

보고(保辜) II ~하다 откладывать (дело об избиении до тех пор, пока на теле избитого не появятся следы избиения).

보고(寶庫) III сокровищница; 지식의 ~ сокровищница знаний; 경주는 우리나라 고유문화의 ~이다 Кёнчжу-сокровищница нашей древней культуры; 중동지방은 석유의 ~이다 Ближний Восток богат нефтью.

보관(保管) I хранение; ~하다 хранить; сохранять; ~시키다 отдать на хранение; 돈을 금고에 ~하다 хранить деньги в сейфе; 몰래~하다 хранить[ся] в тайне; 수하물을 ~시키다 сдать багаж на хранение; 술을 움막에 ~하다 хранить вино в погребе;

~료 плата за хранение; ~비 расходы на хранение;~소 хранилище; ~자 хранитель.

보관(寶冠) II корона; диадема.

보관증(保管證) квитанция за хранение; депозитная квитанция; официальная расписка; 수하물~ багажная квитанция; 저당료~ ломбардная квитанция; 가영수증 временная квитанция.

보기 I пример; образец; ~를 들다 приводить пример; ~를 들어 설명하다 пояснить пример; 어떤것을~로 들다 брать(что-л.) в пример; 용맹의 본~를 보이다 показать пример мужества; ~좋은 떡이 먹기도 좋다 красивый на вид рисовый хлеб приятен и на вкус; ~좋다 смотреть приятно; сокр. от 본보기.

보기(補氣) II ~하다 *кор. мед.* повышать тонус(путём приёма лекарства).

보내다 посылать; отправить; проводить; провожать;послать; 나는 집에 편지를 보냈다 대표자를 ~ он посылает матери деньги раз в месяц; 돈을~по-сылать деньги; 의사를 부르러~ по-сылать за доктором; 전보를~ по-сылать телеграмму; 가져오라고~ по-сылать(за чем-л.); 인사를~ посылать(кому-л.) поклон; 철도로 화물을 ~ отправлять груз по железной дороге; 가스를~ снабжать газом; 물을~ направлять воду(напр. на поля); 시선을 ~ бросить взгляд; 시집을 ~ выдавать замуж; 심부름[을] ~ посылать с поручением; 장가를~ женить; 그날그날~ жить(лишь) сегодняшним днём; 박수를~ аплодировать; 비명에 ~ прощаться(с покойным);보냄을 받은자 посланник; 예수그리스도의 보내심을 받은자 посланник Иисуса Христа.

보다 1. 1) смотреть; осмотреть; видеть; видать; пробовать; 날아가는 새를 ~ смотреть на летящую птицу; 영화를~ смотреть кино; 선을~ ходить на смотрины; 음식의 맛을~ пробовать еду на вкус; 사회를~ взять на себя роль ведущего; 집을~ сторожить дом; 아이를~ смотреть за ребёнком; 시험을 ~ сдавать экзамен; 손자를 ~ смотреть за внуком; заиметь внука; 며느리를 ~ встречать невестку; 재미를~ иметь интерес; 새서방을 ~ изменять мужу; 결말을~ подводить итоги; 좋지 않게 ~ смотреть с недоверием; 만만히 ~ смотреть с пренебрежением; пренебрегать; 뒤를~ испражняться; 시장을~ ходить за покупками на рынок; 상을 ~ накрывать стол; 자네를 보러 왔지 пришёл увидеть тебя; 사정을 ~ учитывать положение(ситуацию); 보기 좋은 떡이 먹기도 좋다 *погов. букв.* красиво приготовленный хлеб и есть приятно; 보자보자 하니까 얻어 온 장 한 번 더 뜬다 *посл.* ≃ надо бы хуже, да некуда; 보잘 것 없다 неприятный; неказистый; не на что смотреть; 볼 만하다 стоящий; 볼 낯이 없다 стыдно; очень неудобно; 내가 보건대 помоему; ...으로 보아 исходя из...; ...것으로 보아 исходя из того, что...; судя потому, что...; 보다 못해 не в силах больше смотреть; 보기 좋게 а) блестяще, прекрасно; успешно; б) полностью, окончательно; 2) вести, исполнять; 대리를 ~ временно исполнять обязанности (кого-л.); 3) присматривать; 4) читать, просматривать; 5) после твор. п. рассматривать(как что-л., в качестве чего-л.); 6) изучать, исследовать; 7) обзаводиться(кем-л.); 8) достигать; 결말을 ~ завершиться; 완치를 ~ полностью выздороветь; 9) испытывать, терпеть; 10) увидеться, встретиться; 계집을~ вступить в связь с женщиной; 볼장[을]~ а) хорошо знать свою работу; б) добиваться своего; **2.** служ. гл. 1) после деепр. предшествования указывает на попытку совершить действие: 읽어보다 попробовать (попытаться) прочесть; 2) в форме 보고 после сущ. указывает на объект или адресат действия: 노동자 보고 물었다 спросил у рабочего; 3. служ. прил., после во пр. ф. предикатива указывает на вероятность признака: 왔는가(왔느냐)보다 видимо, пришёл.

-보다 после имён чем; 조국은 생명 ~ 귀중하다 родина дороже жизни; 짐이 보기 ~무거웠다 груз оказался тяжелее, чем казался.

보답(報答) ответ(на заботу; внимание); ~하다 отвечать(на заботу; внимание); воздать десятерицею; ...의 ~으로 от вет(на что-л.).

보도(報道) I корреспондент.

보도(報道), 정보(情報) II сообщение; информация; сводка; ~하다 сообщать; информировать; 믿을 만한 ~에 따르면 по достоверным сообщениям; ~기관 средства массовой информации; массмедия; информационное бюро; информбюро; ~기사 репортаж; ~문학 информационные записки; ~실 отдел новостей; ~원 репортёр; ~기자 репортёр; ~[적] информационный.

보따리 вещи, завязанные в платок; ~를 싸다 бросить; прекратить; собирать вещи и уходить; ~장수 торговец, разносящий товары, завязанные в платок; ~를 싸다 бросить, прекратить.

보람 результат; эффект; польза; толк; ~이 없다 бесполезный; ~하다 метить, ставить метку(знак); 책을 읽어서 ~이 있었다 прочитал книгу с большой пользой; 사는~이 없다 не стоит жить

보류(保留) ~하다 откладывать; резервировать; делать оговорку; оговаривать.

보름 15-е число; 15дней;см.보름날; ~차례 упрощённый обряд жертвоприношения, совершаемый 15- го числа(лунного месяца в дома-шней молельне).

보리 I ячмень;~밥 ячмень, сваренный на пару(вместе с рисом);~쌀 ячменная крупа;~죽 жидкая ячменная каша; ~차 отвар поджаренного ячменя; ~타작 молотьба ячменя; 보릿고개 весенние затруднения с продовольствием;~가을 уборка ячменя;~감주 ячменная брага; ~거름 удобрения для ячменного поля; ~누룩 ячменный затор; ~소주 крепкая ячменная водка; ~수단 ячменный хворост; ~숭늉 а) тёплая вода, налитая в котёл после варки ячменной каши(пьётся вместо чая); б) ячменный отвар; ~깜부기 ячменная головня;~주면 외 안 주랴? погов. сам жадный,и других считает жадными;~[를]타다 прост. быть избитым палками.

보리(<菩提) II будд. 1) прозрение; спасение души, вечное бла женст-во (санскр. Bodhi); 2) способность прозреть.

보물(寶物) I драгоценность; сокровище(стоящее вторым по важности после национального культурного достояния).

보물(洑-) II 1)вода в запруде; 2) вода, вытекающая из запруды

보병(步兵) 1) пехота; стрелковый взвод; ~의 стрелковый; ~대대 стрелковый батальон; ~사단 стрелковая дивизия; ~연대 пехотный полк; стрелковый полк; ~중대 стрелковая рота; ~전호 стрелковый окоп; ~정찰 пешая разведка; ~지원조 группа поддержки пехоты; 2) пехотинец; 3) уст. пеший воин; 4) сокр. от 보병목.

보복(報復) I возмездие; отмщение; месть; реванш; ~당하다 получить возмездие; *см.* 앙갚음.

보복(報服) II уст. правила ношения пяти траурных одежд.

보살피다 присматривать, приглядывать(за кем-чем-л.); проявлять заботу (интерес); 집안일을 ~ вести домашнее хозяйство; 사방을 ~ смотреть (озираться) вокруг.

보살핌 забота, внимание.

보상(報償) компенсация; возмещение; ~하다 возмещать; компенсировать; отдавать; платить; 비용을 ~하다 возмещать издержки; 부족액을 ~하다 возмещать недостающую сумму; ~금 денежная компенсация.

보석(寶石) I драгоценный камень; ~상 торговля ювелирными изделиями; торговец ювелирными изделиями; ~반지 перстень, кольцо с драгоценным камнем.

보수(報酬) 1) оплата; вознаграждение(за труд); ~없이 без оплаты; не получая вознаграждения; 보수를 바라고 한 일이 아니예요 это не та работа, за которую ожидалось вознаграждение; 2) благодарность; ~하다 а) платить за труд; б) уст. отплатить за добро, отблагодарить.

보수(補修) II починка; ремонт; ~하다 чинить; ремонтировать; производить ремонт; 둑을~하다 ремонтировать.

보수(保守) III консервативность; ~적 консервативный; ~와 진보의 투쟁 борьба между старым и новым; ~당 консервативная партия; ~성 консервативность; ~주의 консерватизм; ~주의자 консерватор; ~파 консерваторы; ~세력 консервативные силы; ~하다 держаться за старое.

보안(保安) I охрана общественного спокойствия; ~하다 поддерживать, охранять (общественное спокойствие).

보안(寶案) II подставка для(королевских) драгоценностей.

보여주다(열다) раскрыть; показать; показывать.

보이다 1) видно; быть видным;виднеться; 산에서 마을이 잘 보인다 С горы хорошо видно село; 2) казаться, выглядеть; показаться; 젊어 보이다 выглядеть молодым; 3) показывать, демонстри ровать, проявлять; 의사에게 ~ показаться врачу; 4) подвергать; 시험을~ экзаменовать; 대리를 ~ оставлять за себя(кого-л.); 다시 보여드리겠습니다 до свидания!(при прощании со стар шим).

보일러(*англ.* boiler) (паровой)котёл; бойлер; ~를 수리해야 한다 нужно починить бойлер.

보장(保障) I гарантия; обеспечение; снабжение; ~하다 гарантировать; обеспечивать; снабжать; 이것은 세계평화를 ~할 것이다 это обеспечит мир во всём мире; 신분~ гарантия стабильности; 평화~ обеспечение мира; 전투~ боевое обеспечение; ~하다 гарантировать, обеспечивать.

보장(報狀) II докладная записка в вышестоящее ведомство.

보전(保全) ~하다 сохранять в целостности; сохранять полностью; 영토를 ~하다 сохранить в целостности территорию.; источник(сведений); ценное пособие.

보조(步調) I 1) шаг; поступ; 보조를 맞추다 подстраиваться под шаг; ~를 맞추다 идти в ногу;действовать согласно; 2) ход, развитие(дела).

보조(補助) II помощь; поддержка; ~적 служебный; дополнительный; вспомогательный; подсобный; подручный; помогающий; ~하다 помогать; оказывать(помощь; поддержку); 경비의 일부를~하다 покрывать часть расходов; 편집일 ~하다 помогать в работе по редактированию; ~시간 время, (затраченное) на вспомогательные операции; ~정리 мат. вспомогательная теорема, лемма; ~적단어 лингв. служебное слово; ~적 동사 вспомога-тельный глагол; ~적 품사 лингв. частицы речи; ~화폐 разменная монета.

보존(保存) [со]хранение; тех. консервация; ~하다 сохранять; хранить; консервировать; 유물을 ~하다 сохранять культурные достопримечательности; 영구~длительное хранение; ~적 подлежащий [со] хранению; ~적 요법 мед. консервативное лечение.

보증(保證),담보 ручательство; гарантия; обеспечение; поручительство; ~인 поручитель; гарант; ~하다 ручаться; гарантировать; ~금 денежное обеспечение; залог; ~서 письменная гарантия; гарантийный документ; поручительское(гарантийное)письмо.

보직(補職) предназначение; назначение на должность; ~을 받다 получить назначение; назначать на должность; 국장으로 ~되다 быть назначенным на должность начальника управления.

보짐(褓-) [-ччим] вещи, завёрнутые в платок; узел с вещами; ~장사 торговля вразнос; ~장수 торговец, разносящий товары, завязанные в платок; ~내여 주며 앉으라한다 посл. ≈ притворно сожалеть об отъезде (кого-л.) (букв. совать(в руки) узел с вещами и предлагать посидеть).

보채다 1) капризничать(о ребёнке); баловать; 2) приставать; докучать; 보채는 아이 밥 한 술 더 준다 = 우는 애기 것 준다; см. 울다.

보충(補充) пополнение;дополнение; комплектование; восполнение; заправка; ~하다 пополнять; дополнять; восполнять; комплектовать; заправлять; ~적으로 дополнительно; 결원을~하다 комплектовать отсутствующие кадры; 수업은 ~수업을 포함하여 4시에 끝납니다 уроки заканчиваются в 4 часа, включая дополнительные занятия; ~대대 батальон; ~병 дополнительные войска; ~설명 дополнительное разъяснение; ~수업 дополнительный урок; ~학습 дополнительное занятие; ~휴가 дополнительный от-пуск; ~[적] дополнительный; ~하다 пополнять, восполнять; комплек-товать; заправлять.

보통(普通) 1) обыкновенный; простой; обычный; 나는 ~6시에 일어난다 Я обычно встаю в шесть часов; 이것은 흔히 있는 ~일이다 Это обыкновенная история; ~선거 обычные выборы; ~성적 обычная успеваемость; ~수준의 произведение среднего уровня;~열차 обычный по-езд; ~예금 обычный вклад; ~[의] обычный, обыкновенный,простой); ~교육 общее образование; ~명사 лингв. имя нарицательное; ~학교 шестиклассная начальная школа(в Корееее до 1945 г.); ~휘석 мин. авгит; 2) обычно; ~때처럼 как обычно; ~대로 как обычно.

보편(普遍) универсалия; ~적, ~하다 повсеместный; всеобщий; универсальный; популярный; ~성있는 주장 утверждение, имеющее универсальность; ~성 универсальность; популярность; ~주의 универсализм; ~주의자 универсалист; ~상수 физ. универсальная постоянная; ~식물 распространённые растения; ~타당성 универсальность.

보행(步行) 1) ходьба; хождение; ~하다 шагать; ходить пешком; 자동차가 보행자를 치었다 машина наехала на пешехода; ~자 странник; 2) депеша; 3) пеший гонец; ~객주 заезжий (постоялый) двор.

보험(保險) страхование; ~에 들다 страховать; ~계약하다 застраховаться; ~을 해약하다 аннулировать страхование; ~계약 страховка; контракт страхования; ~금 страховая премия; ~기관 страховые учреждения;~료 страховой взнос; сумма страхования; ~업 страховой бизнес; ~업자 страховик; ~자 страховщик; страховой агент; ~정책 страховой полис; ~회사 страховая компания; страховое общество; 국가~ государственное страхование; 단체~ коллективное страхование; 사회~ социальное страхование; 생명~ страхование жизни; 재해~ страхование от несчастных случаев; 화재~ страхование от пожара; 화재~회사 компания по страхованию на случай пожара; ~계약자 держатель страхового полиса; ~증서(증권) страховой полис;~에 들다 (~을 걸다), ~하다 страховать.

보험금(保險金) страховая премия.
보혈(寶血) кровообогащение; ~제 кровообогатитель.

보호(保護),**수호**(守護) защита; охрана; покровительство; опека; ~하다 защищать; охранять; оберегать; ограждать; опекать; ~아래 под защитой;...의 ~를 받다 находиться под защитой; пользоваться покровительством(поддержкой)(кого-л.); 해양동물자원~ охрана морских рыбных ресурсов; 해양환경~ охрана морской среды; ~구 заповедник; ~국 протекторат(государство); ~무역 протекционизм; ~자 покровитель; защитник; опекун; ~주의 протекционизм; ~제도 протекторат; 어린이~구역 территория, на кото- рой дети находятся под защитой; 교질(콜로이드)~관세 протекционистские(таможенные) тарифы; ~무역정책(무역주의)протекционизм; ~정치 политика создания протекторатов.

복 I сокр. от 복어; 복 치듯 как по-пало, без разбора(бить); 복의 배 обр. а) сущ. толстобрюхий; б) толстосум; 복의 이 갈 듯 скрежеща зубами.

복(伏) II три самых жарких дня (см. 초복, 중복, 말복).

복(福) III 1) счастье; удача; благо; ~되다 счастливый; удачливый; 손자복이 좋다 везёт(удачлив) на внуков; 2) после опред. множество; обилие.

-복(服) суф. кор. одежда, платье; костюм; 학생복 школьная форма; 위생복 медицинский халат; 평상복 повседневная одежда.

복-(復) преф. кор. двойной; сложный; 복본위 биметаллизм

복구(復舊) восстановление; реставрация; ~하다 восстанавливать; реставрировать; 수해지역의 ~작업이 늦다 восстановительные работы в районе водного стихийного бедствия задерживаются.

복권(福券) I лотерейный билет.

복권(復權) II восстановление в правах, реабилитация; ~하다 восстанавливать[ся] в правах, реабилитировать[ся].

복귀(復歸) возвращение; возврат; ~하다 возвращаться.

복리(福利) I благосостояние; благо; ~증진 повышение благосостояния; 국민의 ~를 꾀하는 여러 시책 различные меры, принимающиеся для народного блага.

복리(複利) II сложные проценты(в банковских операциях).

복무(服務), 근무(勤務) служба; служение; ~하다 дослужиться; служить; состоять на службе; работать; 장군이 될 때까지~하다 дослужиться до генерала; ~[적] служебный; ~규정 положение о прохождении службы; ~년한 срок службы.

복사(複寫) I 1) копирование; размножение; воспроизведение; ~하다 дублировать; снимать копию(с чего-л.); повторять; делать(репродукцию); копировать; перепечатывать; размножать; воспроизводить; 2) репродукция; копия; 서류를~하다 делать копии документов; 사진을 ~하다 делать копии фотографий

복사(輻射) II радиация; излучение; эмиссия; ~고온계 пирометр излучения; ~난방 радиаторное отопление; ~에네르기 лучистая энергия.

복사기(複寫機) копировальный аппарат; копировально-множительная машина

복수 I месть; возмездие; реванш; ~적 реваншистский; ~하다 мстить; отплачивать; брать реванш.

복수(複數) II 1) комплексное число; 2) лингв. множественное число.

복숭아 персик; ~나무 персиковое дерево.

복습(復習) повторение(выученного); ~하다 повторять; учить; изучать; ~시간 урокзакрепление пройденного материала; ~시험 контрольная работа.

복식(複式) I 1) сущ. сложный; двойной; сдвоенный;~경기 сложные игры; ~교수 комплексное преподавание; ~교환기 тех. коммутатор с многократным полем; ~화산 см. 복성 [화산] VI; 2) арх. см. 다항식; 3) ~[부기] двойная бухгалтерия.

복식(復飾) II ~하다 возвратиться в мир (о будд. монахе).

복싱(англ. boxing) бокс; ~하다 боксировать; 쉐도우~ бой с тенью; 아마추어~ любительский бокс; 아웃~ дальний бой; 인파이팅~ ближний бой; 프로~ профессиональный бокс; ~링 см. 권투장.

복용(服用) принимать лекарство; 하루에 세 번을 ~하다 принимать микстуру три раза в день.

복음(福音) евангелие.

복음전도자 евангелик.

복잡(複雜) ~하다 сложный; запутанный; беспокойный; тревожный; ~한 사정 сложные обстоятельства; 문제가 ~해졌다 вопрос усложнился; 교우관계가~하다 от-ношения друзей сложны; 여자관계가 ~하다 отношения с женщинами сложны; ~성 сложность; сложный характер.

복지(福地) I земной рай, обетованная земля; счастье; ~국가 государство всеобщего благосостояния; ~사업 мероприятия по благоустройству; ~사회 благоустроенное общество; 사회 ~시설 оборудование по благоустройству.

복지(袱紙) II см. 약복지.

복직(復職) восстановление в должности; ~하다 восстанавливать[ся] в должности; возвращать[ся] на работу; 건강이 회복되어서 다시~하다 здоровье. полностью восстановилось

복합(複合) I сущ. сложный составной; ~하다 соединять[ся] вместе(в одно целое); ~개념 лог. сложное понятие; ~명사 сложное имя существительное; ~박자 *муз.* сложный такт; ~산형 화서 *бот.* сложный зонтик; ~삼단론법 *лог.* полисиллогизм; ~통신 комбинированная (дублированная) связь; ~판단 *лог.* сложное суждение; ~화서 *бот.* сложное соцветие.

복합(伏閤) II ~하다 вымаливать(что-л.), павши ниц перед королевским дворцом(в дни великих событий).

볶다 1) жарить; тушить; 볶은고추장 см. 고추장볶이 볶은 밥 варёный рис, поджаренный с мясом и овощами; 볶은장 а) соевая паста, поджаренная с пряностями; б) *см.* 고추장볶음; 볶은 콩도 골라먹는다 погов. не надо снимать сливки; 볶은 콩이 꽃이 피랴? (볶은 콩에 싹이 날가?) *посл. букв.* разве зацветут жареные соевые бобы? (разве дадут ростки жареные соевые бобы?); 2) беспокоить; надоедать; изводить; мучить; 볶아대다 надоедать, изводить; 볶아치다,볶아때리다 прост. а)торопить, подгонять; б) изводить.

본(本) I 1) пример; образец; выкройка; ~을 받다(따르다) следовать примеру(кого-л.); ~을 따다(뜨다) сделать образец(выкройку); 우리는~주제에서 벗어났다 мы отошли от главной темы; 2) см. 관향; 3) см. 본전 I.

본(本) II место, где родились пре-дки одной и той же фамилии.

-본(本) суф. кор. книга; 간행본 вышедшая в свет(изданная) книга.

본-(本-) преф. кор. 1) основной, коренной; ~본바탕 присущее качество; 2) этот, данный; 본고향 родина.

본격(本格) оновная форма; подлинник; ~적 настоящий; основной; ~적으로 понастоящему; в полную силу; всерьёз; ~소설 рассказ очевидца; ~으로 понастоящему; в полную силу; всерьёз.

본국(本國) I 1) родина; 2) эта (данная) страна; 3) бывшая родина(после изменения гражданства).

본국(本局) II 1) департамент; управление(в противоположность отделению); 2) этот(данный) департамент; это(данное) отделение.

본능(本能) инстинкт; ~적 инстинктивный; ~에 따라 행동하다 действовать, повинуясь инстинкту.

본래(本來) с [самого] начала; изначально; исконно; вообще; по природе; по существу; по сути дела; см. 본디.

본론(本論) 1) основной текст(напр. книги); главная тема; суть дела; ~에 들어가다 перейти к обсуждению главной темы; 2) основная часть (чьей-л. речи)

본부(本部) I 1)главное управление; штаб(-квартира); стравка; ~석 месторасположение главного управления; 연대~ полковой штаб; штаб полка; 참모~ генеральный штаб; 2) этот(данный) отдел(уч-реждения)

본사(本社) I главный офис; наша компания.

본사(本事) II уст. 1) основное дело; 2) это(данное) дело.

본색(本色) 1) основные цвета; 2) первоначальный вид; 3) подлин-ный характер;реальный характер

본성(本性) 특질(特質) природа;(подлинный; истинный) характер; сущность; ~을 드러내다 показать своё настоящее лицо; ~적 присущий.

본시(本始) с начала; изначально; искони; по природе; по существу; по сути дела; см. 본디.

본적(本籍) постоянная прописка; ~지 место прописки; постоянное место жительства.

본점(本店) 1) центральное учреждение(в противоп. отделениям); 은행~ центральный банк; 2) этот(данный) магазин; это(данное) предприятие; 3) свой(мой) магазин; своё(моё) предприятие.

본질(本質) 1) основное свойство; 2) филос. сущность; главное; ~적 существенный; ~에 있어서 по сути дела; в сущности; по существу; сущность.

본체(本體) 1) см. 본바탕; сущность вещей; 2) филос. субстанция; 3) корпус.

볼 I щека; ~에 키스하다 поцеловать в щёку; ~먹다 гневный(о голосе); ~멘소리 сердитый голос; 볼이 붓다 (볼에밤을물다) надуться, обидеться.

볼 II 1) ширина; полнота(обуви); 2) заплата(на кор. носке); ~을 받다 чинить, накладывать заплаты(на кор. носок); ~이 되다 быть энергичным (напористым); ~이 맞다 единодушный(о действиях), быть на одинаковом положении(наравне) (с кем-л.); 3) мяч; шар; пуля; ~을 다투다 бороться за мяч; ~을 멈추다 останавливать мяч; ~을 차내다 отбивать мяч; ~을 빼았다 отбирать мяч; ~을 패스 하다 передавать мяч; ~을 받다 принимать мяч; 튀어나온~ отскочивший мяч; 공중 ~ вы- сокий мяч; 스핀 ~крученый мяч.

볼 III кусок железа,используемый при отбивке режущего инструмена; ~을 달다 отбивать режущий инструмент при помощи куска железа.

볼긋하다 красноватый.

볼기 1) ягодицы; зад; ~를 막대기로 때리다 бить палкой по ягодицам; 2) см. 궁둥이; 3) сокр. от 볼기긴살; 4) см. 태형.

볼륨(англ. volume) звук;сила звука; ~을 낮추다 сделать звук потише; ~조절 регулятор громкости.

볼만하다 достоин осмотра(смотреть; выглядеть).

봄(Spring), 춘기(春期) 1) весна; ~의 весенний; ~에 весной; 겨울이 가면 ~이 온다 за зимой следует весна; 겨울이 가고 ~이 왔다 зима прошла, наступила весна;~에 당신에게 갈 것이다 я приеду к вам весной; 오늘 완전히 ~날씨 сегодня совсем весенняя погода; ~기운 весеннее настроение; ~바람 весенний ветер; ~볕 весенний луч; ~철 весенняя пора; весенний сезон; весна;~파종 яровой хлеб; 이른~ ранняя весна; ~ 조개 가을 낙지 посл. букв. (всему своё время) весной моллюски, а осенью-осьминоги;~꿩이 제 바람에 놀란다 посл. ≈ бояться своей тени; ~ 꿩이 제 울음에 죽는다 посл. букв. весной фазан гибнет от своего пения;~에 간 병아리 가을에 가서 헤아려 본다. посл. цыплят по осени считают; 2) см. 한창때; 3) обр. будущее, полное надежд.

봄눈 снег, идущий весной; ~같이 подобно снегу весной(таять); ~슬듯 а) см. 봄눈 [같이]; б) обр. хорошо перевариваясь(усваиваясь).

봄맞이 встреча весны; подготовка к

весне; ~처리 яровизация; ~하다 встречать весну; готовиться к весне.
봅니다 вижу. **봇나무**(자작나무) береза.
봉 I инкрустация; затычка.
봉(封) II 1) см. 봉지 II 1; 2) свёрток; 3) этн. деньги, посылаемые родителями жениха в подарок родителям невесты; 2. счётн. сл. для пакетов и писем.
봉(峰) III горный пик; горная вершина; см. 산봉우리.
봉(鳳) IV 1) см. 봉황; 2) феникс(самец); 3) простак, простодушный человек; ~을 잡다 пользоваться простотой(кого-л.).
-봉(棒) суф. кор. палка; ~체조 упражнения с палкой; 평행봉 спорт. параллельные брусья.
봉급(俸給) зарплата; жалованье; оклад; ~날 день выдачи зарплаты; ~쟁이 человек, живущий на зарплату; ~생활하다 жить только на одну зарплату.
봉사(奉仕) I служение; обслуживание; услуга; ~하다 обслуживать; служить(кому-л.); оказывать услугу; 자신이 ~하겠다고 신청하다 предложить свои услуги; 누군가를 ~자로 추천하다 предложить(кого-л.) в помощники; ~자 служитель; человек, который служит обществу; 사회적~ социально-бытовое обслуживание; ~기관 учреждение культурнобытового обслуживания
봉사(奉事) II 1) чиновник 16-го ранга; 2) арх. слепой; см. 소경 I 1); ~개천 나무랜다 посл. букв. слепой ругает канаву(, в которую он попал);~단청 구경 см. 소경[단청 구경] I 1); ~문고리 잡기 обр. искать у себя под носом; 3) ~하다 уст. почтительно прислуживать.
봉쇄(封鎖) 1) закупоривание; 2) блокада; осада; оцепление; 3) спорт. блокирование; ~하다 блокировать; закупоривать, затыкать; осадить; выставлять(оцепление); 경제적 ~ экономическая блокада; ~정책 политика блокады; ~책임자 воен. начальник оцепления.
봉인(封印) I печать(на месте склейки; напр. конверта); ~하다 ставить (печать) на месте склейки(напр. конверта); опечатывать (напр. дверь); наложить печать(на что-л.).
봉인(鋒刃) II уст. лезвие ножа; наконечник копья.
봉투(封套) конверт; ~를 붙이다 заклеить(запечатать) конверт; ~를 열다 распечатать конверт; ~에 우표를 붙이다 наклеить марку на конверт.
봉하다(封-) 1) запечатывать(конверт); 2) закупоривать; закрывать; затыкать (дырку; щель); 꼬냑병을 ~ запечатать бутылку коньяка; 편지를 풀로 ~ запечатать письмо клеем.
뵈다 1) сокр. от 보이다; 2) встречать(старшего). **뵈러** чтобы видеть.
뵈옵다 уст. наносить визит(вышестоящему). **뵙게** видеть.
뵙다 видеть; встречать(старшего по возрасту); 대통령을 ~ встречать президента; 어른을 ~ встречать старшего; 요즘 참 뵙기가 힘듭니다 трудно встретить вас в эти дни; сокр. от 뵈옵다.
부(部) I министерство; отдел; часть; 외교~ Министерство Иностранных Дел; 건설~ министерство строительства; 교육~ министерство просвещения; 교통~ министерство транспорта (путей сообщения); 내무~ министер-

ство внутренних дел; 노동~ министерство труда; 농림~ министерство земледелия и лесопромышленности; 농림수산부~ министерство сельского, лесного и рыбного хозяйства; 문화~ министерство культуры; 문화공보~ министерство культуры и информации; 문화관광~ отдел культуры и туризма; 미술~ отдел искусств; 법무~ министерство юстиции; 보건사회~ министерство здравоохранения и общественных дел; 사회안전보장~ министерство социальной защиты; 상공~ министерство торговли и индустрии; 안전기획~ министерство национальной безопасности; 영업~ отдел продаж; 외무~ министерство иностранных дел; 재무~ министерство финансов; 지방자치~ министерство по делам местной автономии; 통산산업~ министерство торговли и промышленности; 체신~ министерство связи; 학예~ отдел искусства и науки; 환경~ министерство окружающей среды.

부(府) II 1) арх. местное присутствие; 2) феод. округ(административная единица). 부(夫) III муж.

부(富) IV богатство, одно из пяти счастий; 물질적~ материальное богатство; ~의 분해 распределение богатства; 물질적부 материальные блага.

부(否) V против(при голосовании); 가부표결에서의 반대 противостояние голосов за и против; 가부(可否) 10표, 부15표 10 голосов за, 15 голосов против; 가부 за и против.

부(父) VI отец; ~모 отец и мать; 부자(父子) отец и сын.

부(不) VII 1) отрицательный; ~도덕 безнравственность; ~자유 несвобода; ~적 непригодность; 부[의] мат. отрицательный; 2) уст. см. 짐 I 3).

부(賦) VIII 1) ода; 2) стих(на ханмуне), в котором рифмуются последние строки; 3) строка из шести иероглифов(в стихах на ханмуне, писавшихся во время экзаменов на государственную должность по гражданскому разряду).

부(附) IX после даты от; 4월 15일 부 신문 газета от 15-го апреля.

부(部) X экземпляр; 세~ три экземпляра.

-부(部) I суф.кор. 1) часть; ~서북부 северозападная часть; 형태부 формальная часть слова; 2) отдел, отделение; 조직부 организационный отдел.

-부(符) II суф. кор. знак; 중점부 знак двоеточия, двоеточие.

-부(夫) III суф.кор. имени деятеля; обычно указывает на лиц, занимающихся тяжёлым физическим трудом или трудом, не связанным с производством: 배달부 почтальон; 잠수부 водолаз.

-부(婦) IV суффикс, стоящий за названием работы и означающий женщину, занимающуюся этой работой: 가정~ домохозяйка; 간호~ медсестра; 파출~ домработница (служанка)

부-(副) I приставка, стоящая перед названием должности, и выражающая должность после неё: ~사장 заместитель президента; ~회장 заместитель председателя; ~총장 проректор; 부부장 заместитель заведующего отделом; 부산물 побочный продукт; 부식물 неосновной продукт питания.

부-(<不) II преф.кор. не...; 부동산 недвижимое имущество; 부자연하다

ненатуральный, неестественный.

부가(附加) дополнение;добавление; присоединение; придаток; ~가치 прибавочная стоимость; ~세 дополнительный налог; ~적 дополнительный; ~반응 *хим.* реакция присоединения; ~손실 *эл.* добавочная потеря; ~화합물 *хим.* продукт присоединения; ~하다 дополнять, присоединять, добавлять.

부각 I морские водоросли, поджаренные в масле.

부각(浮刻) II рельефное изображение; выделение;~시키다 вырезать рельеф; выделять; 개성이 뚜렷이 ~되다 индивидуальность чётко выделяется; ~적 рельефный; ~하다 а) рельефно изображать; б) подчёркивать, выделять

부감(俯瞰) ~촬영 киносъёмка, производимая с точки, расположенной выше снимаемого объекта; ~하다 смотреть(просматривать)с высоты.

부강(富強) обогащение и укрепление государства; 내가 대통령이 되면 우리나라를~한 국가로 만들겠다 если я стану президентом, то сделаю нашу страну богатым и сильным государством; ~하다 богатый и могущественный; быть богатым и могущественным.

부결(否決) отклонение, отказ;~하다 отклонять, отвергать; не принимать; 국회에서 법률이 ~되었다 в парламенте законопроект был от-клонён.

부과(賦課) I ~하다 возлагать(что-л. на кого-л.); облагать; ~금 дополнительный налог; ~액 облагаемая сумма.

부과(付過) II уст. ~하다 брать на заметку(напр. чьи-л. промахи).

부국(富國) I богатое государство; 미국이 세계 최대의 ~이다 США самое богатое государство в мире; ~강병 уст. а) усиление мощи и благосостояния страны; б) богатая страна и сильная армия.

부국(富局) II уст. 1) обр. лицо как у богатого человека; 2) этн. хорошее место(для могилы, дома, расположенное у речки и окружённое горами).

부귀(富貴) богатства и почести; богатство и знатность; 당신은 ~를 누릴 수 있는 운명을 타고났다 Вваm выпала судьба наслаждаться роскошной жизнью; ~영화를 누리다 наслаждаться роскошной жизнью; ~영화 роскошная жизнь; ~다남 богатство, знатность и множество сыновей; ~스럽다 *прил.* казаться богатым и знатным; ~하다 бога- тый и знатный.

부근(斧斤) I уст. большой топор и топорик.

부근(附近) II окрестность; близость; соседство;서울~окрестности Сеула; ~에 아무도 없었다 В окрестности не было никого; ~에 поблизости, по со седству.

부글거리다 кипеть; бурлить; вспениваться; 화가나서~ кипеть от гнева; усил. стил. вариант 보글거리다.

부기 I пренебр. глупец.

부기(簿記) II бухгалтерия; счетоводство; ~하다 вести бухгалтерский учёт; 공장~ заводская бухгалтерия; ~장 бухгалтерская книга. см. 회계.

부끄러움 стыд; стеснение; застенчивость; совестливость; ~을 타다 быть стеснительным.

부끄럽다 испытывать чувство стыда; смущаться; стыдно.

부내(部內) внутри отдела(министерства); ~의 비밀을 누설하다 выдавать внутриминистерские тайны.

부녀(父女) I отец и дочь; ~지간에 사이가 좋다 Отношения между отцом и дочерью хорошие

부녀(婦女) II женщина; ~를 희롱하지 말라 Не издевайся над женщиной; ~노래 народная песня о женской доле; ~동맹 женский союз.

부닥치다 сталкиваться; наталкиваться; 난관에~ столкнуться с трудностями; 막 대문을 나서자 마자 손님과 부닥쳤다 только выйдя за ворота, столкнуться с гостями.

부담(腐談) I *уст.* ненужный (бесцельный) разговор.

부담(負擔) II 1) бремя; тяготы; ответственность; ноша; 보내는 쪽에서 운송료를 ~하다 расходы по отправке берёт на себя отправляющая сторона; 정신적~이 크다 душевные тяготы огромны; ~으로 느끼다 чувствовать бремя; 자기~으로 느끼다 за свой счёт; ~금 выплачиваемые (кем-л.) деньги; ~액 выплачиваемая (кем-л.) сумма; 각자~ каждый платит сам за себя; ~하다 взваливать (бремя); 2) вьюк, перевозимый на лошади.

부당하다 несоответствующий; несправедливый; неправомерный; 부당한 요구 неправомерное требование; 부당한 주장 неправомерное утверждение; 부당한 거래 несправедливая сделка; 부당이득 прибыль, полученная незаконным способом.

부대(部隊)군대(軍隊) I военная часть; войска; команда; 적의~ неприятельская часть; ~원 член части; ~장 командир части; 공수~ специальное подразделение; 유격~ партизанский отряд; 전방~ передовая часть; 후방~ тыловая часть; ~비행기 войсковой самолёт.

부대(附帶) II ~면적 площадь подсобных помещений, нежилая площадь; ~사업 дополнительная работа.

부덕(婦德) I женская порядочность (добродетель).

부덕(不德) II отсутствие добродетелей; 내가 ~한 탓이다 причина в моём отсутствии добродетелей; ~하다 *уст.* безнравственный.

부도(不渡) неуплата; непогашение; ~나다 разориться; стать должником; 그 사업가는 ~를 내고 도망갔다 этот предприниматель разорился и сбежал; ~수표 неоплаченный чек; ~어음 неоплаченный вексель; ~[가]나다 не принимать вексель к оплате.

부동산(不動産) недвижимое имущество; 그는~을 소유하고 있다 этот человек владеет недвижимостью; ~감정사 оценщик недвижимости; ~등기 регистрация недвижимости; ~매매업 бизнес по недвижимости; ~보험 страхование недвижимости; ~취득세 налог на приобретение недвижимости.

부동액(不凍液) антифриз; 겨울철에 자동차 엔진의 냉각수를 얼지 않게 하려면 반드시 ~을 사용하여야한다 зимой, чтобы не дать охлаждающей жидкости двигателя заморозиться, обязательно нужно применять антифриз.

부두(埠頭) 선창(船艙) I пристань; причал; 여행객들이~에서 배를 기다린다 путешественники ждут парохода у причала; ~경비선 брандвахта; ~노동자 портовый рабочий; докер.

부두(符頭) II *муз.* тонкая головка.

부드럽게 하다 смягчить.

부드럽다 мягкий (на ощупь); мелкий (о песке, муке *и т. п.*); нежный; 부드러운 감촉 нежное прикосновение; 부드러운 목소리 мягкий голос; 살결이 ~ кожа мягкая; 마음씨가 ~ душа мягкая; усил. стил. вариант см. 보드럽다

부득이(不得已) вынужденно; ~한 일 вынужденное дело; ~한 사정으로 부탁을 거절하다 отклонять просьбу по вынужденной причине.

부득이(不得已) вынужденно; волей-неволей; ~하다 вынужденный.

부딪다 столкнуться, натолкнуться; ударить[ся](напр. головой).

부딪치다 1) сильно удариться; с силой столкнуться; 문에 머리를 ~ удариться головой об дверь; 난관에 ~ сталкиваться с трудностями; 일에 ~ сталкиваться с работой; 2) см. 맞닥 뜨리다; 3) встретиться; столкнуться.

부딪히다 сталкиваться; разбиваться; 배가 바위에 부딪혔다 корабль разбился о скалу.

부랴부랴 в спешке; торопливо; суетливо;~기차에 타다 суетливо садиться в поезд; ~짐을 꾸리다 суетливо собирать багаж.

부러운 завидный; 그는~직업을 가졌다 он имеет завидную профессию.

부러워하다 завидовать; 타인의 성공을~ завидовать чужому успеху; 남의 재산을 부러워하지 말라 Не завидуй чужому добру.

부러졌습니다 сломаться.

부러지다 сломаться, ломаться; 교통 사고로 다리가 하나 부러졌다 нога сломалась в автокатастрофе; 부러진 칼자루에 옷 칠하기 *погов. букв.* покрывать лаком сломанную руч-ку ножа.

부럽다(부러우니, 부러워) испытывать зависть; 나는 그의 행운~ Я завидую его счастью; 다재다능한 그의 재능이~ Завидую его многогранному таланту; 부러워하다 завидовать.

부르다 I (부르니,불러) 1) звать; вызывать; приглашать; 2) созывать; 3) звать; называть; 4) провозглашать; оглашать;зачитывать; 5) петь; кричать; 6) назначать(це-ну); 손님으로 ~ звать к себе в гости; 이것은 밥상이라고 부릅니다 Это называется обеденным столом; 노래방에서 노래를 ~ петь песню в караоке; 물건 값을~ называть цену товара; 이름을 어떻게 부르십니까? как вас зовут? 불러일으키다 а) поднимать(на борьбу); б) вызывать(чувство).

부르다 II (부르니,불러) сытый; беременная; опухший; вздутый; 배부르게 먹다 есть досыта; 그 여자는 배가 부르다 эта женщина беременная; 그 통은 배부르다 ёмкость в середине вздулась; 배가~ сытый.

부르죠아(*фр.* bourgeois) 1) буржуа; 2) *см.* 부르죠아지; ~[적] буржуазный; ~객관주의 буржуазный объективизм; ~독재 диктатура буржуазии; ~민족주의 буржуазная демократия; ~민주주의 혁명 буржуазнодемок-ратическая революция; ~반동사상 реакционная буржуазная идеология; ~생활양식 буржуазный образ жизни; ~평화주의 буржуазный пацифизм; ~혁명 буржуазная ре-волюция

부르짖다 1) кричать; выкрикивать; 2) настойчиво отстаивать(требовать); 크게 ~ громко кричать; 임금 인상을 ~ требовать заработной платы; 여권 신장을~требовать расширения женских прав.

부르짖음 крики; выкрикивания

부리 I 1) клюв; 2) острый конец (предмета); язычок; 3) горлышко (бутылки); носик(чайника); 4) *презр.* пасть; 총~ дуло ружья; ~를 놀리다

дать волю языку; ~[를] 까다 а) болтать языком; б) отговариваться, пререкаться; ~를 따다(떼다) приступать(к чему-л.); ~[가]잡히다 созревать (о нарыве).

부리 II в речи шаманки 1) душа предка; 2) духпокровитель дома.

부리다 I 1) заставлять работать; 2) использовать(тягловую силу); 3) вызывать духа и просить его(о чём-л.); 4) водить(напр. машину); править(напр. лошадью); 5) проявлять (какие-л. качества); 많은 사람 을 ~ заставлять работать много людей; 재주를 ~ показывать фокусы; 요술을 ~ колдовать; 고집을 ~ упрямиться; 꾀를 ~ хитрить; 요술을 ~ показывать фокусы; 고집을 ~ упрямиться.

부리다 II 1) выгружать, сгружать; 2) отпускать(тетиву лука).

부모(父母), 양친(養親) отец и мать, родители; ~슬하 под крылышком родителей; 요즘 신세대의 젊은이들은 ~를 공경하지 않는다 В последнее время молодые люди не уважают родителей; ~상 смерть(кончина) родителей; 부모를 섬기다 ухаживать за родителями; ~구존 быть живыми(о родителях); ~슬하 под крылышком родителей; ~가 착하여야 효자가 난다 посл. букв. у добрых родителей почтительный сын.

부부(夫婦) муж и жена; супруги; ~간 отношение мужа и жены; между супругами; ~싸움 супруже-ская ссора; ~애 супружеская любовь; ~유별 соблюдение этикета между мужем и женой; ~싸움은 칼로 물 베기см. 내외간(싸움은 칼로 물 베기).

부분(部分) I часть; 조직을 5개 ~으로 나누어 관리하였다 управлять организацией, разделив её на 5 частей; ~적 частичный; ~동화 ~일식 лингв. частичная ассимиляция; ~월식 астр. частичное затмение.

부분(傅粉) II уст. ~하다 пудриться.

부산물(副産物) 1) побочный продукт; ~직장 вспомогательный цех; 2) дополнительные(второстепенные)дела; 사건의~ второстепенные детали, события. 부산을 떨다 суетиться.

부산하다 возиться; хлопотать; 할일 없이~ быть занятым безо всякой причины.

부서(部署) I отдел; отделение; 자기의 원래~로 돌아갔다 возвращаться в своё прежнее подразделение; ~본위주의 местничество, узковедомственное отношение к делу.

부서지다 1) разбиваться; крошиться; разбрызгиваться; 2) ломаться; 3) рушиться; 산산이~ разбиваться вдребезги; 책상이~ стол ломается; 우승의 꿈이 산산이 부서졌다 мечта о победе разбилась вдребезги; 4) см.부스러지다

부설(附設) I постройка; прокладка; проведение; ~권 право на возведение(проведение; установку; прокладку); 공장에 연구소를~하다 строить лабораторию при заводе.

부설(附設) II 사범대학~ 교원 양성소 курсы повышения квалификации учителей при педагогическом институте; ~하다 дополнительно оборудовать (устанавливать, учреждать).

부속(部屬) I уст. 1) класс, разряд, категория; 2)~하다 принад лежать к классу(разряду, категории).

부속(附屬) II добавочный; дополнительный; вспомогательный; принадлежащий; ~물 аттрибут; принадлежность; ~품 запасные части; принадлежности; арматура; фурнитура;

детали; ~건물 пристройка, крыло здания;~병원 больница(при чём-л.); ~학교 базовая школа; ~하다 прилагаться, быть приданным, принадлежать(чему-л.).

부수다 ломать; 산산이~ ломать на куски; 자물쇠를 부수고 열다 взламывать замок; 낡은 담장을 ~ ломать старый забор; *см.* 부시다 II.

부실(<不實-) ~하다 нездоровый; неустойчивый; нестойкий; ненадёжный; нечестный; неполный; недостаточный; бедный(о жизни);몸이 ~하다 тело нездоровое; ~공사 фальшивая работа; ~경영 нездоровое управление.

부아(副芽) I 1) злость; злоба; обида; ~가 치밀다 обида возникает; ~내지 말고 내말 잘 들어보게 Не обижайся, а послушай; ~[가] 나다 злиться, сердиться, обижаться; ~[가] 동하다 при-ходить в ярость; [~]를 돋우다 сердить, злить; 2) *см.* 페 I

부아(副芽) II бот.придаточная почка

부양(扶養) I иждивение; содержание; ~하다 содержать;가족을~ содержать семью; ~가족 семья на иждивении; ~료 плата за содержание(кого-л.); ~의무 обязательство по содержанию (кого-л.); ~가족 иждивенцы.

부양(浮揚) II 침체된 경기를 부양하다 улучшать застойное состояние; ~책 мера по улучшению; 경기~ улучшение ситуации.

부업(副業) подсобный промысел; ~경리 подсобное хозяйство; ~생산물 изделия(продукты) подсобного промысла.

부엉이 сова; ~소리도 제가 듣기에는 좋다고 *посл. букв.* и сове нравится свой собственный крик; ~셈 *обр.* несообразительность; ~집을 얻었다 *обр.* неожиданно разбогатеть.

부엌, 취사장(炊事場) кухня; 어머니가 ~에서 음식을 준비하신다 мама на кухне готовит еду; ~에 가면 더 먹을까?, 방에 가면 더 먹을까? *посл.* ≡ рыба ищет где глубже, а человекгде лучше; ~에서 숟가락 얻었다 см. 살강 [밑에서 숟가락 얻었다].

부연(附椽) I четырёхугольный деревянный брус, присоединённый под углом к концу стропила; ~개판 доска, прибитая к четырёхуго-льному брусу, присоединённом к концу стропила; ~추녀 приподнятая стреха.

부연(敷衍) II добавление; ~설명 дополнительное объяснение; ~하다 а) подробно разъяснять, растолковывать; б) широко распространять.

부유(浮游) I уст. ~기중기 плавучий кран; ~선광 горн. флотация; ~선광법 горн. флотационный метод обогащения; ~수뢰 плавучая мина; ~식물 дот. фитопланктон; ~생물 фитопланктон и зоопланктон; ~하다 свободно плавать.

부유(富裕)↔가난(家難) II богатство; ~하다 богатый; зажиточный;~하게 태어나다 рождаться богатым; ~층 богатый класс;↔ бедность; ~ 천하 уст. всемогущество. ~한 богатый

부응(副應) удовлетворение; совмещение; соответствие; ~하여 в соответствии(с чем-л.); 목적에 ~하다 соответствовать цели; 어머니의 기대에 ~하다 оправдывать надежды матери.

부의(賻儀) материальная помощь семье умершего; ~하다 оказывать (материальную) помощь семье умершего.

부인(夫人) I вежл. Ваша(его) супруга; жена; см. 아내, 처.

부인(婦人) II 1 замужняя женщина; дама; Ваша (его) супруга; ~에게 자리를 양보하다 уступать место женщине; ~병 (женские) болезни; гинекологические заболевания; 가정 ~ домашняя хозяйка.

부인(否認) III отрицание; отклонение; ~하다 отрицать; отклонять; 사실을~ 하다 отрицать факт; 범죄를 ~하다 отрицать преступление.

부자(富者) богач; ~가 되다 становиться богачом; ~의 만족은 가난한 자들의 눈물이다 удовольствия богачейэто слёзы бедных; ~가 하나이면 세 동네가 망한다 *уст. посл. букв.* где один богач, там три деревни бедствуют.

부자연(不自然) неестественность; принуждённость; неправдоподобность; ~스러운 행동 неестественное поведение; ~스럽다 неестественный; ~하다 неестественный, искусственный, деланный.

부자유(不自由) неудобство; дискомфорт; недостаток свободы; ограничение; ~하다 несвободный; ограниченный; 몸이 ~한 사람 физически страдающий человек; 행동에 ~를 느낀다 чувствовать ограниченность действий; ~스럽다 прил. казаться несвободным(стеснённым)

부정(不正) I несправедливость; нечестность; отрицание; ~한 수단 нечестное средство; ~한 일 неправое дело; ~공무원 коррумпированный чиновник; ~사건 скандал; ~행위 неправомерныйакт; ~을 일삼다 быть несправедливым; ~하다 несправедливый, неправильный; ~명색 уст. имущество, нажитое нечестным путём; ~수단 махинации.

부정(不精) II ~하다 грязный; нер- яшливый, неаккуратный.

부정(不貞) III неверность; 그녀는 ~한 여자이다 Онаневерная женщина; ~하다 распущенная, развратная(о женщине); неверная(о жене).

부정(不定) IV 1) ~하다 неопределённый, неустановленный, неразрешённый(о вопросе); ~의문대명사 лингв. неопределённо-вопросительное местоимение; ~인칭문 лингв. неопределённоноличное предложение; 2) мат. неопределённость; ~방정식 неопределённое уравнение;~적분 неопределённый интеграл.

부정(不淨) V грязнота; нечистота; ~한 돈 деньги добытые грязным способом; ~풀이 изгнание духа мёртвого из его дома; ~하다 нечистый, грязный; см. 부정풀이; ~[을]치다(풀다) этн. отводить несчастье, совершая первый круг (в шаманском обряде); ~소지 этн. полоска бумаги, сжигаемая перед молитвой с тем, чтобы отогнать злых духов; ~[을]보다 увидеть плохую примету; ~[을] 타다 этн. быть подверженным несчастью; ~[이] 나다 [들다] случиться(о беде, несчастье).

부정(否定) VI отрицание; противоречие; ~하다 отрицать; ~하기 어려운 사실 трудноотрицаемый факт; ~적 отрицательный; ~개념 лог. отрицательное понятие; ~명제 лог. отрицательный тезис; ~판단 лог. отрицательное суждение; ~의부정 филос. отрицание отрицания

부조(扶助) I материальная поддержка; 상가집에~를 하다 материаль-ная помощь(поддержка) семье умершего; 상호~ взаимная материальная поддержка; ~도 말고 제상 다리도 차지마라 *обр.* не вмешивайся, держись в стороне; ~하다 оказывать(материальную поддержку, помощь).

부조(浮躁) I ~하다 непостоянный(о характере); легкомысленный.

부족(不足) I недостаток; нехватка; дефицит; ~하다 нехватать; недоставать; 노동력 ~ недостаток рабочей силы; 자금~ недостаток средств; ~없는 생활을 누리다 жить в достатке; 수면 ~ недостаток сна; 연습~ недостаток тренировки; ~근사치 мат. приближённое значение с недостатком.

부족(部族) II 1) племя; ~은 조상이 같다는 생각으로 뭉치고 공통의 언어와 종교를 가진 지역 공동체 이다 племя-это территориальное сообщество, имеющее один язык и одну рели-гию, верящее в происхождение от одних предков; 2) см. 종족 I 1).

부주의(不注意) невнимательность; неосмотрительность; неосторожность; ~하다 невнимательный; неосмотрительный; неосторожный;~로 인하여 지갑을 잃어버리다 терять по невнимательности кошелёк.

부지(敷地) I участок, отведённый под строительство;~의 선정 выбор участка под строительство; ~면적 площадь участка под строительство; 공원~ место для строительства парка; 공장~ место для строительства завода

부지(浮紙) II уст. ~하다 изготовлять(бумагу) кустарным способом.

부지런하다 усердный; прилежный; упорный. 부지런한 старательный.

부지런합니다 прилежный.

부지런해라 будь трудолюбивым (прилежным). 부지런히 прилежно.

부질없다 1) бессмысленный; нелепый; глупый; вздорный; 2) бесполезный; ненужный; никчёмный.

부질없이 1) бесполезно, напрасно; 2) бессмысленно, нелепо.

부채(負債), 차변(借邊) I дебет; долг; задолженность; 그 회사는 ~가 많다 У этой фирмы много долгов; ~국 страна-должник; ~비율 уровень задолженности; ~상환 погашение задолженности.

부채 II веер; опахало; ~꼴 веерообразный;~질 обмахивание веером; раздувание ссоры;~궁륭 стр. веерный свод; ~습곡 геол. веерообразная складка; ~꼭지 штифт складного веера.

부처 1) Будда, ~를 건드리면 삼겨웃이 드러난다(~밑을 가왈이면 삼겨웃이 드러난다) шутл. молодец красив, да душой крив; 2) честный, добрый и мудрый человек; ~가운데 토막 обр. добрый, мудрый и спокойный человек.

부치다 I 1) не хватать(о силах); быть непосилам; 힘에 부치는 일 непосильная работа; 2) непосильный.

부치다 II обмахивать веером; 손수건으로~ обмахивать носовым платком.

부치다 III жарить(на масле); 달걀을 ~ жарить яйца.

부치다 IV отправлять; посылать (письмо); 항공으로 ~ отправлять по авиапочте.

부침(浮沈) взлёт и падение;~을 함께하다 взлетать и падать вместе; ~이 심한 인생 жизнь, полная взлётов и падений; ~하다 а) то всплывать, то погружаться; б) уст. то улучшаться, то ухудшаться; то усиливаться, то ослабевать; в) уст. исчезать(не дойдя до адресатао письме).

부케(англ. buket) букет; 결혼식날 ~를 받은 여자는 다음번에 시집갈 수 있다 девушка, поймавшая букет цветов в день свадьбы, может выйти замуж в следующий раз.

부탁(付託) 요청(要請) просьба, поручение;~에 응하다 отвечать на просьбу; 취직을~하다 просить о поступлении на работу;~하다 просить, поручать.

부탁하다 просить.

부터 от; с; из; 아침~ 저녁까지 с утра до вечера; 다음부터 조심하라 впредь (в следующий раз)будь осторожен.

부풀다(부푸니, 부푸오) 1) ворситься; пушиться; 2) опухать, вздуваться; вспучиваться; подходить; 3) набухать; разбухать; 4) быть доволь- ным; 5) перен. надуваться.

부품(部品) деталь; 기계의~ детали машины; 자동차를~을 구하기가 힘들다 трудно достать деталь для автомашины.; 부품 자동삽입기 автоматический вставлятель деталей. 부품장치 детали. 부품창고 склад деталей.

부합(附合) I ~하다 совпадать; соответствовать; согласовываться; 의견과 ~하다 совпадать с мнением.

부합(附合) II ~하다 присоединять, прикладывать.

부호(符號) I символ; знак; код;~로 쓰다 писать знаками; 수학에서 다양한 ~를 사용한다 В математике применяется много знаков; ~명칭 кодированное название(наименование); 일람표~ кодовая таблица.

부호(扶護) II ~하다 поддерживать, подпирать.

부화(孵化) I инкубация; высиживание яиц; 인공~ инкубация; ~하다 выводить птенцов(мальков, гусениц тутового шелкопряда).

부화(浮華) II ~방종 фатовство;~방탕 распущенность; ~하다 фатоватый, щегольский; ветреный.

부활(復活) 1) возрождение; возобновление; оживление; 2) рел. воскресение; 예수의 ~은 기적이다 воскрешение Иисуса-это чудо; ~절 Пасха; ~하천 геогр. вторичная река; ~하다 а) возрождаться, возобновляться; б) рел. воскресать.

부활기(復活期) период возрождения.

부활절(復活節) Пасха.

부흥(復興) возрождение;~기 период возрождения; 문예~ возрождение культуры и искусства; 나라의 경제적 ~ экономическое возрождение страны; ~하다 возрождать[ся].

북 I челнок(в прядильной и швейной машине); 북 나들듯 обр. словно челнок (сновать).

북 II 북을 돋우다(주다) окучивать (растение).

북 III барабан; ~을 치다 бить в барабан; ~소리 удары в барабан; ~춤 танец с барабаном; ~통 деревянный корпус барабана; ~은 칠수록 소리 난다 посл.≈ раздор зло творит.

북(北), 북쪽 IV север, северная сторона; ~으로 가다 идти на север. 1) см. 북쪽; 2) см. 북가.

북극(北極) Северный полюс; ~곰 белый медведь; ~거리 астр. северное полярное расстояние; ~기단 арктические массы воздуха; ~지방 Арктика; ~탐사대 арктическая экспедиция.

북돋우다 1) поднимать; поддерживать; окучивать(растение); 2) стимулировать; 꽃을~ окучивать цветы; 사기를 ~ поднимать дух; 기분을 ~ поднимать настроение; 용기를 ~ подбадривать.

북돋움 окучивание; ~하다 окучивать.

북부지방 северная провинция.

북어(北魚) сушёный(вяленый) минтай; ~는 술안주로 사용된다 минтай служит закуской к водке; ~구이 жареный минтай; ~국 суп из сушёного(вяленого) минтая; ~찜 приправленный минтай на пару; ~껍질 오그라들 듯 обр. не ладиться(о деле) ~뜯고 손가락 빤다 *посл.* ≅ остаться с носом.

복적거리다 толпиться и шуметь (галдеть); 거리가~ шумная толпа на улице; усил. стил. вариант 복작거리다.

북진(北進) продвижение на север; ~하다 продвигаться на север.

북쪽(北-) северная сторона; север; 러시아의 ~ Север России.

분(粉) I 1) пудра; ~[을]바르다 пудрить[ся]; 2) белая краска.

분(盆) II *см.* 화분 I; 분에 심어놓으면 못 된 풀도 화초라 한다 *посл. букв.* и простая трава, если её посадить в горшок, будет называться цветком.

분(忿) 유감(遺憾) III досада; 분을 삭이다 умерить свой гнев; 분을 풀다 сорвать(выместить) гнев; 분이 나다 возмутиться.

분간하다 различать; распознавать; разбирать; 옳고 그름을~ различать, что правильно, а что нет.

분개(分概) I общее представление; ~없다 не уметь разобраться(в чём-л.); ~하다 иметь(общее представление).

분개(憤慨) II возмущение; ~하다 возмущаться, негодовать.

분광(分光) I спектр; ~감도 спектральная чувствительность; ~계 спектрометр; ~광도계 спектрофотометр; ~분석 спектральный анализ; ~사진기 спектрограф; ~측정 спектрометрия; ~화학 спектральная химия; ~이중별 астр. спектральнодвойные звёзды.

분광(粉鑛) II горн. мелочь.

분권(分權) I [-кквон] децентрализация; ~[적] децентрализованный; ~[적]통치 децентрализованный режим государственного управления; ~하다 децентрализироваться; 지방~ провинциальная децентрализация.

분권(分捲) II ~전동기 эл. шунтовый электродвигатель.

분기(分岐) I разветвление; ~점 стык; ~하다 1) разветвляться; 2) разветвление; ~곡선 ж.-д. переводная кривая; ~지역 ж.-д. стрелочная зона; ~침목 стрелочная шпала.

분기(分期) II квартал(часть года).

분기점(分岐點) [-ччом] узел, разветление, развилка;стык; мат. точка разветвления; эл. узловая точка; 도로 ~ стык(развилка) дорог.

분뇨(糞尿) выделения; испражнения; ~를 치다 убирать нечистоты; *см.* 똥오줌.

분단(分段) деление; раскол; расчленение; разделение; ~국 разделённая страна; ~영토 разделённая территория; ~하다 делить на этапы (ступени).

분담(分擔) распределение работы; разделение; 비용을~하다 разделять расходы; 업무를 ~하다 разделять обязательства; ~금 разделение расходов; 손해~ разделение убытков; ~하다 а) брать на себя(часть какой-л. работы); б)распределять(работу).

분란(紛亂) беспорядок; хаос; 가정 ~ семейный беспорядок; 집안에 ~을 일으키다 вызвать беспорядок в доме; ~하다 беспорядочный, хаотический; смутный(о времени).

분량(分量) доза; количество; вес; объём; 약의 ~ доза лекарства; ~이 너무 많다 доза очень велика.

분류(分類) I классификация; сортировка; ~하다 классифицировать; сортировать; 동물을~ классифицировать животных; ~법 систематика (метод); ~학 систематика(наука); ~학자 классификатор, систематик (учёный).

분류(分流) II [пул-] 1) ~하다 отходить, ответвляться(о рукаве реки); 2) рукав(реки).

분류(奔流) III [пул-] ~하다 быстро (стремительно) течь; 2) стремительный поток; 3) стремительное развитие.

분리(分離) I отделение; ~로라 тех. отделительный валик; ~판단 лог. разделительное суждение; ~하다 отделять, обособлять; разделять, расчленять.

분리(分理) II [пул-] 1)~하다 искать (устанавливать) истину; 2) найденная истина; 3) частные принципы.

분리하다 отделять; обособлять; ~기 разделитель; ~운동 сепаратистское движение; ~주의 сепаратизм.

분명하다 ясный; явный; определённый; точный; 분명히 말해두다 говорить раз и навсегда; 말소리가 ~ голос ясный; 일이 잘 될 것이 ~ Ясно, что всё получиться.

분배(分配) 1) ~하다 распределять; 소득을 ~하다 распределять доход; ~금 распределяемая сумма; ~율 коэффициент распределения; ~자 распределитель; ~법칙 мат. дистрибутивный закон; ~지레 распределительный рычаг; 2) доля, норма.

분별(分別) ~하다 различать; отличать; дифферинцировать; ~없다 неразумный; безрассудный; ~없는 행동 неразумный поступок; ~결정 дробная кристаллизация; ~승화 дробная возгонка; ~증류 дробная(фракционная) перегонка; ~없다 неразумный.

분사식(噴射式) сущ. реактивный; ракетный; ~추진기 реактивный пропеллер; ~발동기 реактивный двигатель; ~비행기 реактивный самолёт.

분산(分散) I ~하다 рассеивать; рассредотачивать; 적들이~하여 달아났다 Враг, рассеявшись, побежал; ~적 рассеянный; рассредоточённый; децентрализованный; ~지휘 децентрализованное управление; ~폭격 бомбардировка на рассеивание.

분산(墳山) II гора(сопка), на которой находятся могилы.

분석(分析) I анализ; разделение; разложение; демонтаж; ~하다 анализировать; провести анализ; разделять; разлагать; демонтировать; ~표 таблица(с результатами) анализа; ~[적] аналитический; ~화학 аналитическая химия; ~적 형태 лингв. аналитическая форма; ~적 언어 лингв. аналитический язык.

분쇄(粉碎) 1) дробление; измельчение; 2) разгром; ~하다 дробить; измельчать; громить, разрушать; 바위를 ~하다 разрушать утёс; 적을 ~하다 разгромить врага; ~기 пульверизатор; измельчитель.

분수(分數)소수(小數) дробь; ~다항식 дробный многочлен; ~방정식 дробное уравнение.

분양(分讓) раздача; распределение; 주택 ~распределение домов; 아파트 ~ распределение квартир; ~하다 раздавать; распределять.

분열(分列) I [-йол] рассредоточение; разъединение; расчленение; ~구호 лозунг на нескольких транспарантах; ~하다 рассредоточиваться; разъединяться; расчленяться.

분열(分裂) II [-йол] деление, раскол; *физ.* распад, расщепление; ~변식 размножение делением; ~식물 *бот.* миксомицеты; ~자궁 *анат.* двугнёздная матка; ~조직 *биол.* меристема; ~하다 делить[ся], расчленять[ся]; распадать[ся] расщеп-лять[ся].

분열(分裂) III разделение; ~하다 разделять;~되다 разделяться; ~증 шизофрения; ~증 환자 шизофреник; 분열과 대립 раскол и противостояние.

분위기(雰圍氣) атмосфера; обстановка; ~를 깨뜨리다 нарушать атмосферу; ~가 좋은 식당 столовая с хорошей обстановкой; 가정적인 ~ семейная атмосфера

분유(粉乳) I молочная смесь(порошок).

분유(噴油) II 1) нефтяной фонтан; 2) фонтанирующая нефть.

분자(分子) I 1) хим. молекула; ~격자 молекулярная решётка; ~물리학 молекулярная физика; ~화합물 молекулярное соединение; ~운동론 молекулярно-кинетическая теория; ~원자설 атомно-молекулярная теория; 2) *мат.* числитель; 3) полит. элемент; 파괴~ подрывные элементы.

분자(-子) II частица; 반동~ противник; 열성~ низкий элемент.

분장(扮裝) 1) грим; подготовка к выходу на сцену; 2) приукрашивание; ~하다 а) гримироваться; готовиться к выходу на сцену; б) приукрашивать; 배우가 농부로 ~하다 актёр переодевается в крестьянина.

분쟁(分爭) I конфликт; спор; ~을 해결하다 разрешать конфликт; ~문제 спорный вопрос; ~하다 конфликтовать, спорить

분쟁(分爭) II уст. фракционная борьба; ~하다 вести фракционную борьбу.

분절(分節) 1) биол. метамерия; ~적 метамерный; ~적 배치 биол. метамерное расположение; ~하다 расчленять; 2) биол. метамер; 3) отдельная строфа; отдельный куплет.

분점(分店) II [-ччом] 1) точка деления (чего-л.); 2) астр. точка равноденствия.

분주(奔走) занятость; ~하다 занятый; спешный; ~히 занято, спешно; ~한 나날 занятые дни.

-분지(分之) часть(целого); 오~ 삼 три пятых(3/5).

분출(噴出) извержение; выбрасывание; ~하다 испускать; извергать; выбрасывать; 용암이 ~하다 лава извергается; ~구 кратер; жерло вулкана; ~물 извержения.

분출하다 фонтанировать.

분통(憤痛) I 1) пудреница, коробка для пудры; 2) см. 국수분통; ~같다 чистый(о вновь оклеенной ком-нате).

분통(憤痛) II ярость; негодование; гнев; ~이 터지다 приходить в ярость; 참으로 ~한 일이다 действительно, дело, приводящее в негодование; ~하다 яростный.

분투(奮鬪) старание(борьба) изо всех сил; ~가 упорный работник; ~노력 неимоверные усилия; 인권을 위하여 ~하다 отчаянно бороться за права человека; 직장에서 ~하다 стараться изо всех сил на работе; ~하다 самоотверженно бороться; стараться изо всехсил.

분파(分派) I 1) ответвление; ~하다 ответвляться; 2) секция; фракция; ~주의자 фракционер;~적 сектантский, фракционный.

분파(分破) II уст. ~하다 раскалывать, разламывать.

분포(分布) I распространение; распределение; ~하다 распространяться; распределяться; ~도 карта распространения; ~율 уровень распространения; ~곡선 мат. кривая распределения; ~용량 эл. распределённая ёмкость.

분포(噴泡) уст. ~하다 а) выпускать пузырьки изо рта(о крабе); б) выступать(о пене на губах).

분풀이 ~하다 срывать гнев; 부하에게 ~하다 срывать гнев на подчинённом.

분필(粉筆) 백묵(白墨) мел; ~로 칠판에 글씨를 쓰다 писать мелом на доске.

분할(分割) I разделение; расчленение; ~하다 разделять; расчленять; ~하여 지불하다 платить раздельно; ~지점 рассечённая местность.

분할(分轄) II ~하다[по]делить(напр. административные функции).

분해(分解) 1) разложение; распад; расщепление; ~하다 расщеплять; разлагать; разбирать; демонтировать; 기계를 ~하다 разбирать машину; 총을 ~하다 разбирать ружьё; ~산물 мед. лизат; ~작용 мед. катаболизм; ~증류 крекинг, крекирование; ~판단 лог. разделяющее суждение; 2) ~[반응] хим. реакция разложения.

분홍(粉紅) розовый; ~색 розовый цвет; ~치마 юбка розового цвета.

분홍빛(粉紅-)[-ппит] розовый цвет.

본다(불으니,불어) набухать; увеличиваться; возрастать; 재산이~ собственность увеличивается; 강물이~ река прибывает; ~불어나다 прост. [разо]злиться.

불(火) I 1) огонь; 담배에 ~을 붙이다 зажечь сигарету; ~난데 부채질하다 раздувать огонь; 아궁이에 ~을 지르다 зажигать печку;~을 끄다 потушить огонь; ~을 켜다 развести огонь; 불 난데 풀무질하기, 불붙는데(집에) 부채질하기(키질하기) посл. букв. раздуть вспыхнувший огонь мехами (опахалом); 분 안 땐 굴뚝에 연기 안 난다 посл. букв. из трубы незатопленной печи дым не идёт; 불 없는 화로 см. 딸(없는 사위); 불에 놀란놈이 부지깽이만 보아도 놀란다 посл. букв. напуганный огнём боится и кочерги; 불에 탄 개가죽(오그라지듯) погов. ≡ дело не клеится; 불사르다 а) сжигать, предавать огню; б) уничтожать, ликвидировать; 불을 넣다 зажигать, разжигать; 2) свет(лампы); 3) пожар; пламя; 불 일 듯 как пламя пожара(бушевать); 불 난 강변에덴 소 날뛰듯 обр. между молотом и наковальней; 불난 집에서 불이야 한다 посл.≡ у кого, что болит, тот о том и говорит(букв.о пожаре первыми сообщают хозяева); 불[을] 받다 подвергаться оскорблению (ругани); 불이 붙다(타다) перен. гореть.

불 II 1) см. 불알; 불을 까다[치다] кастрировать, холостить; 2) анат. мошонка.

불(不) III «неудовлетворительно» (оценка по чтению наизусть конф. канонических текстов при сдаче экзамена на государственную должность).

불(弗) IV доллар.

불- преф. очень сильный; 불가뭄 очень сильная засуха.

불-(不) преф. кор. не...; 불만족하다 недовольный,неудовлетворённый

불가능(不可能)~하다 невозможный; ~성 невозможность;내 사전에는 ~

이란 없다 В моём словаре нет слова "невозможно".

불가분(不可分) неотделимый, неразрывный; ~의 관계 неразрывная связь; ~적 неделимый; неразрывный; неотделимый.

불가피(不可避) ~적으로 неизбежно; ~하다 неизбежный; ~한 사정 때문에 회의에 참석하지 못했다 из-за неизбежного обстоятельства не присутствовал на собрании; ~성 неизбежность.

불경기(不景氣) депрессия(экономическая); застой; ~ 때문에 이 기업은 망한다 предприятие рушится из-за депрессии.

불공평(不公平) ~하다 несправедливый; пристрастный; 불공평한 이사회 несправедливое общество; 이익금 배당이~하다 распределение прибыли несправедливо.

불과(佛果) I достижение состояния Будды, вхождение в нирвану.

불과(不過) II ~하다 в знач. сказ. всего лишь; не более как.

불구(不具),부상 I 1) уродство; увечье; ~자 калека; инвалид; 2) уст. эпист. преданный Вам(в конце письма).

불구(佛具) II ритуальные предметы, используемые при жертвоприношинии Будде.

불균등(不均等) неравномерность; непропорциональность; ~[적], ~[하다] неравномерный; непропорциональный; ~박자 муз. нерегулярный метр.

불길하다 дурной, зловещий.

불꽃 1) пламя; ~튀다 зажигать; ~이 이글거리다 пламя горит; ~놀이 салют; 2) эл. искра; ~방[전] (искровой) разряд; ~전압 напряжение искры; 3) см. 불똥 1).

불끈 ~하다 торчать; заметно выступать; сжать кулаки; ~화를 내다 серьёзно гневаться; 주먹을 ~쥐다 крепко сжимать кулаки; 근육이~솟다 напрягать мышцы; усил. стил. вариант 불끈.

불능(不能) невозможность; 교접~ импотенция; ~하다 а) невозможный; б) неспособный(что-л. сделать).

불다(부니,부오) 1) дуть; раздувать; 바람이~ дует ветер; 손을 호호 ~ дуть на руки; 휘파람을~ свистеть; 피리를 ~ играть на свирели; 공모한 사실을 ~ раздувать конспиративный факт; 불고 쓴 듯 불면 날가, 쥐면 꺼질까? *погов.* ≓ сдувать пылинки(с ребёнка); 2) играть (на духовом инструменте); 3) 휘파람을~свистеть; 4) выдавать(секрет); 5) шутл. заливать, врать; 분다 분다 하니까 하루아침에 왕겨 석 섬을 분다 *погов.* ври, да не завирайся; 불어넣다 а) вдувать; б) вселять, внушать; в) выдавать(кого-л.); 불어 먹다 промотать, растратить; 불어세우다 отталкивать; изолировать.

불도저(*англ.* bulldozer) рус. бульдозер; 산을 ~로 밀어 버렸다 бульдозер сдвинул гору.

불량(不良) I неисправность; брак; ~하다 плохой; дурной; недоброкачественный; второсортный; 품행이 ~하다 характер и поведение никуда не годятся; 불량배들이 나에게 덤벼들었다 на меня набросились хулиганы; ~배 хулиганы; ~품 товары низкого качества; недоброкачественные(низкосортные) товары; 성적 ~ плохая успеваемость; 청소년 ~ малолетние хулиганы

불량(佛糧) II зерно для жертвоприношения Будде.

불룩하다 выпуклый; 불룩한 배 выпуклый живот; 불룩한 지갑 толстый кошелёк.

불륜(不倫) безнравственность; аморальность;~관계 аморальная связь.

불만(不滿) недовольство; неудовлетворённость; ~하다 недовольный; ~스러운 표정 недовольное выражение лица; 마음에 ~을 품다 таить недовольство в душе.

불모(不毛) ~의 бесплодный; неплодородный; ~지에서는 농작물이 자라지 않는다 в бесплодных землях ничто не растёт.

불법(不法) I незаконность; неравномерность; ~감금 незаконное заключение (в тюрьму); ~주차 запрещённая парковка; ~적(하다) не законный; нарушающий установленные нормы; ~행위 правонарушение; незаконные действия; ~화 признание(чего-л.) незаконным.

불법(佛法) II буддийский закон; буддийское учение, буддизм.

불변(不變) постоянство; ~하다 постоянный; ~가격 твёрдые цены; ~기한 окончательный срок; ~자본 постоянный капитал.

불복(不服) неповиновение; неподчинение; ~하다 а) не повиноваться, не подчиняться; б)не соглашаться, не мириться; в) не признавать (вину).

불빛 1) отсвет; отблеск; свет(электролампы *и т. п.*); 2) огненнокрасный цвет; 희미한 ~ неясный(бледный) отблеск; ~이 새어나오다 проливается свет.

불성실(不誠實) неискренность; нечестность; недобросовестность; ~하다 неискренний; нечестный; недобросовестный.

불손(不遜) [-쏜] ~하다 заносчивый; нескромный; бесцеремонный; ~하게 굴다 вести себя бесцеремонно;

~한 언동 нескромное поведение.

불시(不時) [-씨] 1) вне сезона; ~의 неожиданный; случайный; ~의 방문객 неожиданный гость; ~[에], ~[로] неожиданно, несвоевременно; 2) ~착륙 вынужденная посадка.

불쌍하다 жалкий, несчастный; 그의 처지가~ его положение жалко; 불쌍하게 여기다 жалеть; ~한처지 жалкое положение

불어나다 расти; увеличиваться; прибывать;сердиться; волноваться.

불온(不穩) непослушный; неблагонадёжный; ~하다 неподходящий; неуместный; 태도가 ~하다 неуместное поведение; ~문서 документ опасного содержания; ~사상 опасная идея; *см.* 불온당[하다]

불응(不應) несовместимость; ~하다 несовместимый; 질문에 ~하다 не отвечать на вопрос; 검문에 ~ отвергать проверку.

불의(佛儀) I буддийские обряды.

불의(不意) II неожиданность; внезапность; ~하다 неожиданный; внезапный; ~의 질문을 당해서 당황하다 растеряться от неожиданного вопроса; ~의 사고 неожиданная мысль; ~[의] неожиданный,внезапный; ~침공 внезапное нападение; ~에 неожиданно, внезапно, врасплох.

불의(不義) III безнравственность; неверность; ~에 항거하다 сопротивляться безнравственности; ~영리 богатство и слава, добытые нечестным путём.

불이행(不履行) невыполнение; несоблюдение; ~하다 не выполнять; не соблюдать; 조약 ~ несоблюде-ние договора

불참(不參) неучастие; ~하다 не участвовать; 행사에~하다 не участвовать в мероприятии; 회의에~ не участвовать в собрании; 경기에~하다 не участвовать в соревновании.

불철주야(不撤晝夜) бодрствование днём и ночью; ~일하다 работать и днём и ночью; ~로 연구에만 몰두하다 быть занятым исследованием и днём и ночью; ~로 без сна и отдыха, и день и ночь.

불충(不忠) неверность(королю); непреданность; ~불효 неверность и непочтительность родителям; ~하다 1) неверный, нелояльный; 2) быть неверным (нелояльным).

불충분(不充分) недостаточность; неполный; несовершенный. ~하다 недостаточный; 자금이~하다 капитала недостаточно; 설명이~하다 объяснения недостаточно.

불쾌(不快) а) неприятность; ~하다 неприятный; нерадостный; ~감 неприятное чувство;~지수 коэффициент неприятности(дискомфорта); б) 몸이 ~하다 чувствовать недомогание.

불통(不通) вмешательство; непонимание; непрохождение; ~이 되다 невозможно проехать; 소식~ отсутствие новостей; 고집~ упрямый; ~하다 непроникновение; непроводимость; непрохождение; непонимание; 통신이~이 되는 곳 место, куда не доходит связь; 전화~ отсутствие телефонной связи; ~하다 не иметь связи.

불편(不便) неудобство; ~하다 неудобный; 교통이 ~하다 неудобный транспорт; 몸이 ~하다 испытывать телесные муки; ~스럽다 несколько неудобный; 속이 ~하다 маяться животом.

불평(不平) жалоба; недовольство; ропот; ~하다 жаловаться; 투덜투덜 ~ 하다 ворчать и жаловаться; ~분자 жалующийся; ~불만 жалобы и недовольства; ~만만 крайнее недовольство; ~스럽다 недовольный.

불평등(不平等) неравенство; несправедливый; ~하다 неравный; неравноправный. ~한 제도 несправедливая система; ~조약 несправедливый договор.

불합격(不合格) несоответствие требованиям; непригодность; ~되다 быть непригодным; ~자 несоответствующий требованиям; ~품 товар, несоответствующий требованиям; ~하다 а) не соответствовать, не удовлетворять (каким-л. требованиям); б) не выдерживать (экзамена).

불합리(不合理)[-хамни] нерациональность; неразумность;~하다 нерациональный; неразумный;~성 нерациональность; ~한 제도 нерациональная система; ~복지정책 неправильная политика благосостояния.

불합의(不合意) уст. 1) взаимное несогласие; 2) расхождение во мнениях; ~하다 а) не соглашаться друг с другом; б) не совпадать(о мнениях).

불행(不幸) неудача; несчастье; горе; бедствие; ~하다 несчастливый; неудачный; злополучный; лосчастный; ~은 겹치기 마련이다 беда не приходит одна; ~중 다행 наименьшее зло; *см.* 고난(苦難) беда.

불행한(不幸-) несчастный.

불허(不許) ~하다 не позволять; не разрешать; воспрещать; 입국을 ~ запрещать въезд в страну; 복사를 ~ копирование запрещено.

불화(不和) I раздоры; склока; распри; 부부간의 ~ супружеские ссоры;

고부간의 ~를 해소하다 разрешать конфликт между невесткой и свекровью; ~하다 1) недружный; 2) быть недружным.

불화(佛畵) II картина на буддийский сюжет.

불황(不況) депрессия; ~대비자금 капитал на чёрный день; ~시대 годы депрессии; ~하다 уст. занятой, не имеющий свободного времени.

불효(不孝) I непочтительность к родителям; непочтение к родителям; ~자 непочтительный к родителям; непочтительные дети; ~하다 1) непочтительный(к родителям); 2) быть непочтительным(к родителям).

붉다 1. 1) красный; 붉은광장 Красная площадь; 붉고쓴장 *посл. букв.* красная соевая паста, да на вкус горька; 붉은 가시딸기 малина(Rubus phoenicolacius); 붉은 인 *хим.* красный фосфор; 붉은 발 조롱이 *зоол.* пустельга(Talco tinnunculus japonensis); 붉은 병꽃나무 *бот.* Weigela florida; 붉은점 무당벌레 кальвина (Calvina rubidus; насекомое); 붉은 차돌 красный кальцит; 붉은털 울타리새 соловейкрасношейка (Luscinia calliope); 붉은 토끼풀 клевер луговой (Trifolium pratense); 붉은팔 красная фасоль угловатая; 붉은허리 제비 рыжепоясная ласточка (Hirundo daurica nipalensis); 붉디붉다 красныйкрасный; 붉으락푸르락하다 то краснеть, то бледнеть; 2) *перен.* красный; революционный, преданный революции; 붉은 군대 *ист.* Красная Армия; 붉은 기 красное знамя; 붉은기 중대운동 движение краснознамённых рот(в КНДР); 붉은넥타이 пионерский галстук; 붉은 수첩 блокнот(педагога); 2. краснеть. *см.* 빨간 красный.

붉었습니다 краснеть.

붐비다 сталкиваться; столпиться; набитый народом;срочный; спешный; хаотический; беспорядочный; суто-лочный; 시장이 몹시~ рынок набит народом. **붑니다** дует.

붓 1) кисточка; кисть(для письма, рисования); 2) орудие письма; ~끝 конец кисти(для письма, рисования); ~대 ручка кисти; ~질 работа кистью; 붓 바치개 *жив.* муштабель; 붓을놓다 а) положить перо; б) закончить писать; 붓을 던지다 а) перестать писать(о писателе); б) бросить литературу и заняться военным искусством; 붓을 잡다 взяться за перо; 붓을 꺾다 *см.* 붓을 던지다 а); 붓이 가볍다 легко (быстро) писаться; 붓이 나가다 гладко (без затруднений) писаться. **붓 대신 칼** нож вместо кисти. 붓, 방언 наречие.

붓다(부으니,부어) I 1) распухать; вздуваться; набухать; отекать; 2) дуться; сердиться; 손등이 ~ кисть руки распухла.

붓다(부으니,부어) II 1) наливать, насыпать; 붓거니작커니 угощая друг друга вином; 2) отливать(деталь *и т.п.*); 3) сеять семена(для получения рассады); 4) сосредоточивать(силы, внимание на чём-л.); 5) вселять(веру *и т.п.*); внедрять, насаждать(идеи *и т.п.*); 6) выплачивать, вносить (проценты, деньги).

붕 I звукоподр. шипению, жужжанию, дребезжанию.

붕(朋) II выход газа или газообразного вещества.

붕괴(崩壞) 1) обвал; 2) крах; низвержение; крушение; ~하다 рушиться; обрушиваться; терпеть крах; 건물이 ~하다 здание обваливается.

붕대(繃帶) бандаж, бинт, повязка;

бинт; ~를 감다 перевязывать бинтом; 개인~ индивидуальный пакет; ~재료 перевязочный материал; ~를 감다,~하다 бинтовать, перевязывать.

붙다 1) прибиваться; присоединяться; приставать; прилипать; склеиваться; 옷이 몸에 ~ одежда прилипла к телу; 2) клеиться; схватывать(о клее); 3) прислоняться; льнуть; 여인들은 붙어 다닌다 любимые ходят прижавшись друг к другу; 4) устраиваться(куда-л.); 5) сдавать экзамен; проходить по конкурсу; 입학시험에 ~ сдавать вступительный экзамен; 6) приступать; начинать[ся]; 기대에 ~ вставать к станку; 7) примыкать; пристраиваться; 붙어살다 жить(у кого-л.), быть нахлебником; 8) прибавляться; увеличиваться; 9) совокупляться; случаться; 10) принадлежать; относиться; 11) привязываться; навязываться; 마음이 ~ привязаться всей душой; 12) пускать корни; приживаться(о растениях); 13) 핑게(구실) ~ находить отговорки; предлоги; 14) 불이~ загораться; зажигаться; 붙는 불에 키질 а) букв. раздувать огонь; б) перен. ставить рогатки; 붙은 돈 крупная купюра; 붙은문자 меткое слово(выражение); ‖ 붙어먹다 а) прост. см. 간통[하다] 1.; б) жить за чужой счёт; присосаться(к кому-л.).

붙들다(붙드니, 붙드오) 1) ухватить; ухватиться(за что-л.); браться(за дело и т.п.); помогать; поддерживать; 달아나는 도둑을~ ловить убегающего вора; 손님을~ принимать гостей; 2) см. 붙잡다; 3) помогать, поддерживать 붙들어 매다 = 붙잡아 매다: см. 붙잡다; 붙들어 주다 а) передавать; б) удерживать; поддерживать; в) заботиться (о ком-л.); ухаживать(за кем-л.).

붙박이 1) фиксированное положение; неподвижность; 2) закреплённый (неподвижный) предмет; ~로 а) неизменно, постоянно; б) неподвижно.

붙여서 завязать.

-붙이 I суф. вещь; 가죽붙이 кожаная вещь.

-붙이 II члены одной группы.

붙이다 1) заставлять(позволять) прилипать; приклеивать; 벽지를 벽에~ клеить на стену обои; 포스터를 다시~ переклеить плакат; 담배불을~ давать прикурить; 2) прислонять; 3) привлекать, определять, устраивать; ставить на работу; 4) начинать; 5) 몸을~ пристраиваться(к кому-л.); 6) увеличивать; давать рост(о процентах); 7) случать; 8) пускать(корни); приживаться(о растении); 9) 구실을 ~ находить предлог; 10) 불을 ~ зажигать; 11) придавать; 입맛을 ~ придавать вкус; 비밀에 붙여 придавая секретность (чему-л.); 12) 뺨(따귀)를~ бить по щекам; 13) 회망(기대) ~ возлагать надежды(ожидания); 14) 말을 ~ завязывать разговор; 15) выносить(на обсуждение); ставить(на повестку дня); 16) ...에 밥을 ~ питаться (где-л. кроме дома); 17) см. 부치다; ‖ 붙여먹다=붙어먹다 б); см. 붙다; 붙여잡다 см. 붙잡다; 붙여 지내다 быть нахлебником(у кого-л.); 붙여짜기 набор без про белов(между словами); 붙여읽다 понятно читать; 붙인마디 узелок на нити (образующийся при обработке кокона).

붙잡다 1) схватить; крепко держать [ся]; схватиться(за что-л.); 2) браться (за дело и т .п.); 3) занимать (должность и т.п.); 4) задерживать, удерживать; 5)поймать, ухватить; 기회를 ~ улучить момент; 6) см. 붙들다; 3); схватывать; 손잡이를 ~ схватиться за рукоятку; ‖ 붙잡아 매다 а) поймать(схватить) и связать; б) привязывать(к чему-л.); закреплять; 붙잡

아 주다 = 붙들어 주다; см. 붙들다.
붙잡히다 1) быть схваченным(задержанным); 감정에 ~ быть охваченным чувством; 2) быть поддерживаемым. **브라쉬**(*англ.* brush) щетка.
브라우스(<*англ.* blouse) блузка.
브레이크(*англ.* break) тормоза; 그의 독주에 ~걸린다 в его гонке сработали тормоза.
브로카(*англ.* broker) 1) маклер, комиссионер; 2) прихлебатель; тунеядец.
블록(*англ.* block) блок; кусок; ~건축 блочная архитектура.
비(雨) I дождь; ~가 물감을 씻어냈다 дождь смыл краску; ~가 오기 시작한다 начался дождь; ~가 온다 идёт дождь; ~가 멎다 дождь перестал; ~를 맞으며 걷다 идти под дождём; ~를 만나다 попасть под дождь; 작은 카페에서~를 피하다 укрыться от дождя в маленьком кафе; 비 맞은 용대기 *обр.* поникший вид; 비 맞은 장닭 같다 *обр.* как мокрая курица; 비오듯하다 *обр.* а) градом сыпаться(о пулях *и т.п.*); б) ручьём литься(о слезах).
비 II метла; веник; 비를 드니까 마당 쓸란다 *посл.* ≅ я ему услужил, а он меня проучил.
비(碑) III монумент; мемориальная доска; надгробный памятник.
비거주자(-居住者) человек, не проживающий в данном месте; ~등록 регист-рация непроживающих в данном месте.
비겁(卑怯) трусость; робость; ~하다 трусливый; ~한 행동을 하다 вести себя трусливо.
비공개(非公開) ~적 закрытый; секретный; ~도서 литература для служебного пользования; ~회의 закрытое собрание.

비관(悲觀) пессимизм; разочарование; ~적 пессимистический; пессимистичный; ~하다 пессимистически смотреть(на что-л.); быть разочарованным; ~론자 пессимист.
비교(比較) сравнение; сопоставление; ~적 сравнительно; сопоста вимо; ~하다 сравнивать; сопоставлять; ~되다 быть сравниваемым (сопоставляемым); ~동물 지리학 сравнительная зоогеография; ~역사적방법 сравнительно-исторический метод; ~역사주의 компаративизм; ~문법 сравнительная грамматика; ~해부학 сравнительная анатомия; ~언어학 сравнительное языкознание.
비구름 дождевое(снеговое) облако; 저쪽에서~이 몰려온다 с той стороны надвигаются дождевые облака(тучи).
비꼬다 1) крутить; скручивать, закручивать; 2) дерзить, говорить наперекор; 3) дерзко(вызывающе) вести себя.
비난(非難) осуждение; порицание; обвинение; ~하다 осуждать; порицать; обвинять; упрекать; ~의 여지가 없다 нет повода для обвинения; ~의 대상 объект для осуждения.
비뇨(泌尿) мочеотделение; ~생식기 계통 мочеполовая(урогенитальная) система; ~생식관 мочеполовой канал; ~작용 уропоэз.
비누 мыло; ~질 하다 мылиться; ~거품 мыльная пена; ~제조 производство мыла; ~경고 мыльный пластырь.
비닐(<*англ.* vinyl) винил;~봉지 виниловый(полиэтиленовый) пакет; ~판 виниловый диск; ~섬유 виниловое волокно; ~수지 виниловые смолы.
비다 1) пустой; порожний; свободный;

вакантный; 집이~ оставлять дом без присмотра; 자리가 ~ место пустует; 주머니가 텅텅~ карман пустой; 빈구멍(름) слабое место; 빈속 пустой желудок; 빈손을 들고 가다 уйти с пустыми руками; 빈손을 털다 а) напрасно стараться; б) делать напрасные затраты; 빈절에 구렁이 끓이 듯 *погов.*≅кишмя кишеть (букв. словно змеи в пустом монастыре); 빈주먹 만들다(가지다,쥐다) начать с ничего(с пустого места); 2) свободный, вакантный; 빈이름 а) неудачное название; б) одно название; 2. пустовать.

비단(飛湍) I стремнина; порог.

비단(緋緞) II шёлк; ~결 шёлковая фактура; ~길 шёлковый путь; ~보 шёлковый платок; ~이 한 끼라 *посл.* ≅ попав в нищету, и богач быстро опускается.

비대(肥大), 비만증 полнота; ожирение; ~증 гипертрофия; ~세포 *мед.* цит; ~세포종 *мед.* мастоцитома; ~하다 1) тучный; 2) гипертрофироваться.

비디오(*англ.* video) видео; ~찍다 снимать на видео; ~대여 видеопрокат; ~복사 видеокопия.

비뚤어지다 1) покоситься; наклониться; 2) делать наперекор, назло; 비뚤어진 나무 покосившееся дерево.

비례(比例) пропорция; ~하다 сопоставлять; балансировать; быть пропорциональным; ~한 지출 предел балансировать затраты на импорт; ~계수기 пропорциональный счётчик; ~선분 пропорциональный отрезок; ~중수(중항) среднее пропорциональное; ~콤파스 пропорциональный циркуль; ~한계 предел пропорциональности.

비로소 только что; впервые.

비록(秘錄) I секретная запись.

비록 II хотя; ~농담이라 해도 хотя это и шутка. 비론리적 нелогичный

비론리주의(非論理主義) алогизм.

비롯되다 брать начало; происходить начинаться с....

비롯하다 начинать с...; 비롯하여 начиная с....

비료(肥料) 두엄 удобрение; навоз; ~공장 завод по производству удобрений; 광물성~ минеральные удобрения; *см.* 거름.

비루스(<*лат.* virus) вирус.

비루스성(<*лат.* virus+性) ~감기 вирусный грипп; ~노염 вирусный энцефалит.

비리다 1) отдающий(сырой)рыбой (кровью); 2) с привкусом сырого арахиса; 3) грязный,отвратительный (о поступке).

비린내 1) запах крови; 2) запах(сырой) рыбы; ~가 나다 ребяческий, детский.

비만(肥滿) I 1) полнота; ~하다 полный; тучный; жирный; 2) ~증 мед. корпуленция.

비만(痞滿) II вздутие живота.

비밀(秘密) тайна, секрет; ~스럽다 тайный; ~스레 тайно; втайне; негласно; ~하다 хранить тайну; ~로 간직하다 хранить в тайне; ~공작 тайный заговор; ~결사 тайное сообщество; ~경찰 секретный агент полиции; ~선거 тайные выборы; ~외교 тайная дипломатия; ~투표 тайное голосование; ~통신 секретная коммуникация; ~조약 тайное соглашение; 절대~ совершенно секретно; ~로 секретно, тайно, негласно.

비방(誹謗) I клевета; инсинуация; кляуза; ~하다 клеветать; кляузничать

비방(秘方) II 1) секретный способ; 2) секретный рецепт.

비범(非凡)~하다 незаурядный; исключительный; необыкновенный; 비범한 재주 незаурядный талант.

비비다 1) тереть;растирать; натирать; 2) приправлять; заправлять(пищу) 3) валять, катать, скатывать; 4) сверлить; 5) см. 꼬다.

비빔밥 пибимпап(сваренный на пару рис, приправленный мясом и овощами); ~저냐 отварной рис в кляре с мясом (овощами).

비상(飛翔) I ~하다 летать, парить.

비상(非常) II ~하다 необычный; чрезвычайный; экстренный; аварийный; ~시 чрезвычайное происшествие(ЧП); ~수단을 취하다 принимать экстренные меры; ~구(запасной) выход; ~근 повременная работа; ~금 неприкосновенный запас денег; ~사태 чрезвычайное положение; ~경계 охранение, выставленное после обьявления чрезвычайного положения; ~경보 тревога; ~소집 экстренный созыв; ~제동 экстренное положение; ~예비 неприкосновенный запас.

비서(飛絮) I летающие в воздухе сережки ивы.

비서(秘書) II 1) секретарь; 그녀는 ~로 채용되었다 она работает секретарём; ~관 секретарь; делопроизводитель; ~실 секретариат; 당~ партийный секретарь; ~책임 от-ветственный секретарь; 2) запрещённая литература; 3) книга с описанием секретов.

비양거리다 I подтрунивать, иронизировать.

비양심적(非良心的) бессовестный; ~행동 бессовестное поведение.

비열(比熱) I удельная теплоёмкость.
비열(脾熱) II воспаление селезёнки.

비열하다(鄙劣-卑劣-) подлый; низкий; 비열한 수단 подлое средство; 비열한 정신 коварная душа.

비옥하다 плодородие; плодородный; тучный.

비용(費用) расходы; издержки; затраты; ~이 많이 드는 일 дело, требующее больших затрат; ~을 줄이다 убавить расходы; 공공~ общественные затраты.

비우다 1) опорожнять; опустошать; 2) оставлять без присмотра(дом); 3) освобождать(квартиру и т. п.); 4) оставлять(работу и т. п.).

비웃다 насмехаться, высмеивать (кого-л.); 남을 ~ насмехаться над другими.

비위(脾胃) I 1) селезёнка и желудок; 2) аппетит; желание; 3) вкус(к чему-л); настойчивость; упорство; ~가 상하다 настроение портится; ~맞추다 смотреть в глаза(кому-л.); угождать; подлаживаться под настроение; ~가 당기다 увлекаться(чем-л.); ~가 노래기 회쳐 먹겠다,~가 떡함지에 넘어가겠다 быть неразборчивым в еде; ~를 거스리다 портить настроение(кому-л.); ~를 긁다 обижать;~를 부리다 (쓰다) быть терпеливым как вол;~를 팔다 терпеть обиды; ~사납다 непри-ятный.

비위(妣位) II очерёдность расположения поминальных дощечек предков по женской линии.

비유(比喩) I метафора; аллегория; ~하다 изображать аллегорически; ~법 способ метафор(аллегорий); ~하여 метафорически, фигурально.

비유(卑幼) II младшие рдственни- ки и молодые люди.

비자(査證)(*англ.* visa) виза; ~를 발급 받다 получать визу; ~를 신청하다 делать заявление на визу; ~를 연장하다 продлевать визу; ~카드 кредитная карточка "Виза"; *см.* 사증.

비좁다 довольно тесный; 비좁은

방에서 살다 жить в тесной комнате.
비죽비죽 ~하다 1. а) см. 비죽거리다; б) 입술을 ~하다 кривить губы; 2. торчащие, выступающие.
비준(批准) 1) ратификация; утверждение; санкция; ~의 교환 обмен ратификационными грамотами; ~하다 ратифицировать, утверждать; 2) см. 비준서.
비준서(批准書) ратификационная грамота.
비즈니스(*англ.* business) бизнес; дело; ~맨 бизнесмен.
비지 I 1) кушанье из растёртых соевых бобов, сваренных с зеленью; остатки растёртых бобов при изготовлении тубу(соевого творога); остатки, употребляемые в пищу; ~먹은 배는 연약과도 싫다한다 посл. буев. после того как съел много бобов с зеленью, не захочется даже домашнего печенья; 2) остатки растёртых бобов(в сое-вом молоке).
비지 II измельчённая в порошок порода, содержащая руду.
비참(悲慘) печаль; горесть; ~하다 печальный; горестный; ~히 горестно; печально; ~한 광경 печальное зрелище; ~한 인생 печальная жизнь.
비추다 1) светить; освещать; озарять; 2) просвечивать(что-л. лучами); 3) отражаться; быть отражённым; 전등으로 어두운 구석을 освещать фонарём тёмные уголки; 4) ...에 비추어 в свете(чего-л.).
비치다 1) светиться; освещаться; 2) отражаться; 3) просвечиваться; 4) вмешиваться; 5) выспрашивать; 얼굴이 ~ показываться ненадолго; 얼굴(눈치)~ показаться ненадолго.
비치하다 приготовить заранее; 무전장치를 ~ приготовить передающее устройство.
비키다 1) отодвигаться; сторониться; 2) отодвигать; 길을~ уступать дорогу; 자동차를~ сторониться автомашин.
비켜서세요 отойдите.
비타민(*англ.* vitamin) витамин; ~제 витаминное вещество; ~결핍증 авитаминоз; ~요법 витаминолечение; ~부족증 гиповитаминоз; ~사료 витаминизированный корм(фураж).
비탈 крутой склон; обрывистый берег; косогор; ~길 дорога по крутому склону.
비판(批判) 1) критика; ~적 критический; критичный; ~하다 критиковать; 엄밀히 ~하다 строго критиковать; ~력 критическая сила; ~론 теория критики; ~을 가하다 подвергать критике; ~적 사실주의(실재론) критический реализм; 2) судить.
비행(非行) I плохой поступок; плохое поведение; 남의 ~을 들추다 обнаруживать плохие поступки у других людей.
비행(飛行) II полёт, перелёт; ~하다 летать; ~기 самолёт, аэроплан; ~사 пилот, лётчик, авиатор; ~장 аэродром; ~공포증 аэрофобия; ~가지 см. 항공[기지]; ~중대 우편 см. 항공[упéль].
빈(賓) I распорядитель на церемонии совершенолетия.
빈(嬪) II пин(титул фрейлины 1-го ранга).
빈곤(貧困) бедствие; нищета; нужда; ~하다 бедный; полный лишений (трудный); ~에 빠지다 впадать в нужду; ~한 가정에서 태어나다 рождаться в бедной семье.
빈민(貧民) бедный народ; нищета; ~가 бедная улица; ~굴 городские трущобы; ~촌 бедный район(квартал); ~학교 школа для бедных.

빈부(貧富) бедность и богатство; ~격차 разрыв между бедными и богатыми; ~귀천 бедность и богатство; родовитость и неродовитость.

빈혈(貧血) мед. малокровие; анемия; 가성~ мнимая анемия; 국소~ малокровие местное, ишемия; 무위성 ~ агастрическая анемия; 속발성~ вторичная анемия; 실혈성~ постгеморрагическая анемия; 증후적~ анемия симптоматическая; 재생성~ анемия регенеративная; 특발성~ малокровие идиопатическое; 악성~ анемия злокачественная; 용혈성~ анемия гемолитическая; 원발성 ~ анемия первичная.

빈혈성(貧血性) [-쏜] сущ. анемичный, малокровный.

빈혈증(貧血症) [-찐] анемия, малокровие. 빌 счёт; квитанция.

빌기 прошение; моление господа.

빌다(비니,비오) I 1) желать; 2) просить, молить; 행운을~ желать удачи; 비는 데는 무쇠도 녹는다 посл. букв. от просьб и чугун плавится; 에게 승리가 있을 것을 желать(кому-л.) победы.

빌다 II 1) занимать; заимствовать; брать в долг; арендовать; 2) прибегать к помощи(кого-л.); 3) основываться(на чём-л.), исходить(из чего-л.); 4) выпрашивать; 빌어먹다 жить подаянием; 빌어먹을 бран. проклятый.

빌리다 1) давать в долг(взаймы; напрокат); сдавать в аренду; 2) прибегать к помощи; занимать; 3) основываться(на чём-л.); исходить (из чего-л.); 책을 ~ брать взаймы книгу; 돈을 빌려주다 давать взаймы деньги; см. 빌다 II 2), 3).

빌었습니다 просить извинения.

빔 I текст. кручение; ~을 먹이다 крутить.

빔 II затыкание, заделывание.

빗 I гребень; расчёска; ~으로 머리를 빗다 расчёсывать волосы расчёской.

빗 II отдел.

빗- преф. неправильный, косой; 빗나가다 уклоняться(в сторону); 빗맞다 не попадать(в цель), отклон-яться (от цели).

빗기다 1) заставлять причёсываться; 2) расчёсывать, причёсывать(кому-л. волосы).

빗나가다 промахнуться; уклоняться в сторону; выходить из рамок; 화제가~ уклоняться от темы; 총탄이 ~ проходить мимо(о пуле); см. 벗나가다.

빗맞다 1) не попадать(в цель); отклоняться (от цели); 2) не сбываться; не получаться.

빗질 ~하다 расчёсываться.

빙 кругом; ~빙돌다 вертеться, обходить; 빙 둘러 앉다 садиться кругом.

빙그레 улыбаться; ~웃다 мило улыбаться; ~하다 мило улыбнуться.

빙그르르 ~돌다 а) навёртываться (о слезах); б) кружиться.

빙빙 돌게 하다 закружить.

빙상(氷上) ледяная поверхность; ~선수 конькобежец; хоккеист; лыжник; ~에 на льду; ~경기 соревнование в бегах на коньках.

빚,의무(義務) долг; задолженность; ~을 갚다 заплатить долг; ~을 지지마라 не бери деньги в долг; 빚[을] 내다 брать в долг; 빚[을] 주다 давать в долг под проценты; 빚[을] 지다 залезть в долги; 빚주고 뺨맞기 посл. букв. одолжишьсвою щёку подставишь; 빚 진 죄인 (종) неоплатный должник.

빚다(술,도자기, 떡을) 1) лепить(вино, фарфор и корейские лепёшки) изготовить;лепить(тесто); готовить;

разделывать; 2) готовить(рисовую водку); 빚여내다 порождать(отрицательные явления).

빚을 갚다 возвращать(отплачивать) долг.

빚쟁이 презр. кредитор; ростовщик.

빚지다 брать в долг.

빛 1) свет; ~나다 сиять; сверкать; блестеть; ~내다 заставлять сиять(сверкать); прославлять; 2) цвет; ~깔 окраска; расцветка; ~살 луч света; 3) 빛이나다 проявляться; 빛을내다 проявлять, показывать себя; 빛좋은 개살구 посл. не все то золото, что блестит; 4) выражение(лица); 5) 빛 다르다 быть иного рода; 빛[이]없다 стыдиться, не находить себе оправдания.

빛, 광선(光線) луч. **빛깔** цвет.

빛나다 сиять, блестеть; 빛나는 성과 блестящие успехи.

빛내다 1) заставлять сверкать(сиять); 2) прославлять.

빠끔빠끔 ~하다 1. покрытый глубокими трещинами; прил. весь в дырках; 2. а) быть покрытым глубокими трещинами; б) глубоко затягиваться(при курении); куковать.

빠르다(빠르니,빨라) 1) быстрый; скорый; стремительный; 그는 이해가~ он быстро соображает; 2) ранний, преждевременный; 3) острый(о слухе и т. п.).

빠지다 падать; быть пропущенным; быть низким; похудеть; уходить; не хватать; 물에 падать в воду(тонуть); 이가~ зуб выпадает; 살이~ похудеть; осунуться; 물에 ~ тонуть; 낡아~ совсем устареть; 게을러~ совсем облениться

빨갛다(빨가니,빨가오) 1) яркокрасный, пунцовый; 2) 새빨간 거짓말 обр. явная ложь. **빨갛습니다** красный.

빨개요 красный. **빨갱이** красный.

빨다, 세탁하다(빠니, 빠오) I стирать; 옷을 ~ стирать одежду.

빨다(빠니, 빠오) II 1) прям. и перен. сосать; 젖을~ сосать грудь; 2) тянуть (о трубе).

빨다(빠니, 빠오) III острый, заострённый. **빨래하다** стирать.

빵(<порт. pao) I хлеб; ~한 조각을 베어내다 отрезать кусок хлеба; ~ 두개를 먹어치우다 перехватить пару пирожков; ~집 булочная

빵 II ~하다 1) лопнуть с шумом; 2) издать гудок(об автомобиле); 구멍이 빵 뚫어지다 продырявиться.

빵크(<англ. puncture) 1) прокол, дыра; ~가 나다 а)проколоть(шину); лопнуть(о камере); ~가 뚫리다 порваться, продырявиться(об одежде); 2) ~가 드러나다 раскрыться(о секрете).

빼내다 отнимать; вычитать; вытаскивать; 가시를 ~ вытаскивать занозу; 좋은 것을 ~ выбирать лучшее; 짐을 ~ вытаскивать багаж; 나는 반지를 빼냈다 я снял кольцо.

빼놓다 оставлять; отложить.

빼다 1) удирать; 2) вынимать; вытаскивать; 3) вычитать; исключать; 4) 명단에서 이름을 ~ исключать имя из списка; 5) 칼을 ~ вытаскивать нож; 6) 이를 ~ уда лять зуб; 7) см. 뽑다2); 8) 얌전을 ~ быть скромным; 9) 빼어나다 выделяться; 10) 빼도 박도 못 하다 зайти в тупик.

빼앗기다 отбирать; отнимать; быть обворованным; 권력을 ~ отнимать власть; страд. залог от 빼앗다.

빼앗다 1) отнимать, отбирать, присваивать; 목숨을 ~ отнимать жизнь; 2) захватывать, увлекать.

빼어나다 выделяющийся; выделяться; 다른 사람보다 ~ выделяться среди других.- **빼어난** выдающийся.

뺄셈 вычитание.

뺑소니 ~하다 сбегать, спасаться бегством. **뺑소니치다** убегать.

뺨 1) щека, щёки; ~을 때리다 ударить по щеке; ~에 키스를하다 поцеловать в щёку; 2) ширина боковой стороны (чего-л.).

뻐꾸기 кукушка; ~의 кукушкин; ~시계 часы с кукушкой;~새끼 кукушонок; *см.* 뻐꾹새(곽공(郭公),길국(鶷鵴),시구(鳲鳩),포곡(布穀),포곡조(布穀鳥),획곡(獲穀)

뻗다 1) тянуться; протягиваться; вытягивать(напр. ноги); вытягиваться(о ногах); 2) проявляться(о чувстве, энергии, силе); 3) распространяться; 4) разг. протянуть ноги, умереть.

뻗치다 1) сильно вытягиваться; 2) с силой вырываться(напр. о воде); 3) протянуть; 구조의 손을 протягивать руку помощи; *см.* 버티다.

뼈 1) кость; 뼈가 휘도록(뼈[가] 빠지게) до седьмого пота; 2) остов, костяк каркас; 3) твёрдая часть(чего-л.); 4) перен. основной стержень, ядро.

뽑다 выбирать; вытаскивать; 권총을 ~ вытаскивать пистолет; 잡초를 ~ выдёргивать траву.

뽑히다 быть вытащенным; быть выбранным; быть избранным; 최고로 ~ быть избранным как лучший; *см.* 뽑다.

뽕 I ~하다 а) вырваться со свистом; б) продырявиться; в) раскрываться.

뽕 II 뽕을 놓다 раскрывать, разглашать; 뽕이 나다 а) раскрываться; б) *см.* 뽕이[빠지다]; 뽕이 빠지다 а) иссякать, б)терпеть убытки за убытками.

뿌리(단위) корень; 땅속에 ~내리다 пускать корни в землю; 질병의 ~ причины болезни; ~를 박다 пускать корни, укореняться.

뿌리다 1) сыпать(о снеге, дожде); 2) разбрасывать, разбрызгивать;3) сеять; 4) распространять; 5)бросать, кидать; 6) обливаться(слезами); 7) бросать (лучи); 8) встряхивать(напр. авторучку); 향수를 ~ душиться.

뿐 только; ...뿐만 아니라 ~도 не только ..., но и....

뿐만 아니라 또한 не только, но и.

뿔 1) рог; рога; 뿔 뺀 소상이라 потерять власть; 2) заострённая часть (чего-л.)

뿔뿔이 отдельно; ~흩어지다 распространяться по отдельности.

뿜다 1) выпускать; извергать; испускать; излучать; 2) брызгать; струиться; 피를~ проливать кровь.

ㅃ ппы(назв. кор. буквы **ㅃ**).

쁘랴니크 пряник.

쁠럭(<*англ*. bloc) 1) блок; 2) рай он, квартал.

쁠류스(плюс) 1) см. 플라스; 2) доход; 3) пополнение; 4) вклад.

삐거덕 ~하다 скрипнуть.

삐거덕거리다 скрипеть.

삐걱 ~하다 резко скрипнуть; взвизгнуть.

삐걱거리다 визжать.

삐걱빼각~하다скрипеть и визжать.

삐걱삐걱 шорох

삐다 I убывать, спадать.

삐다 II вывихнуть.

삐대다 надоедать.

삐딱 косо, наклонно.

삐딱하다 склониться в одну сторону.

삐또관(<*англ*. Pilot+管) физ. трубка Пито.

삐뚤다(삐뚜니, 삐뚜오) покосившийся;
삐뚤어지다 искривляться.
삐뚤이 1) обр. кривой предмет; 2) кособокий(горбатый) человек; 3) кривая(извилистая) тропинка.
삐라(<англ. bill) листовка.
삐라 II рекламные объявления
삐삐 пейджер; ~를 치다 посылать сообщение на пейджер
삐죽빼죽 ~하다 1) см. 비죽거리다; 2) выступающий, торчащий, выпяченный. 삐죽하다 острый; 삐죽한 칼 острый нож;
삐지다 дуться; сердиться; обидеться; 삐진 척하다 делать рассерженный вид; см. 삐뚤어지다.
삐치다 I 1) выбиться из сил; 2) обижаться.
삐치다 II писать элемент в иероглифе.
삐침 сворачивание в сторону.
삑삑거리다 скрипеть; см. 빽빽거리다.
삔(англ. pin) булавка, шпилька.
삘기 молодые побеги мискантуса;
삥 вокруг; 방을 새 도배지로 ~둘러 도배하였다 Комнату обклеили новыми обоями; см. 빙
삥 둘러서다 встать вокруг.
삥 둘러싸다 окружать.
삥땅 утаивание лишних денег; заначка.

ㅅ седьмая буква корейского алфавита, обозначает согласную фонему с

사(私) I личное; частное; ~적인 част-ный; личный; ~적으로 частно; ~기업 частное предприятие; ~적 관심 лич-ный интерес; ~유재산 частная собст-венность; ~적인 이유로 по личным причинам; ~적인 일 личные дела; ~적 견해 личный взгляд(мнение); ~생활 личная жизнь.

사(詞) II стансы(на ханмуне).

사(師) III воен. дивизия.

사(砂) IV этн. рельеф вокруг места, удобного для могилы.

사(士) V королевская пешка(в кор. шахматах).

사(社) VI общество, компания; издательство; агентство.

사(事) VII смерть; 급~ скоропостижная смерть; 생리~ биологическая смерть; 임상 실험~ клиническая смерть; 자연~ естественная смерть; 폭력~насильственная смерть; 횡~ насильственная смерть.

사(四) VIII четыре; 4사람 четверо; 4점 четвёрки; 4배 вчетверо; см 넷; 사호 활자 полигр. шрифт 4-го кег-ля; 사행정기관 четырёхтактный двигатель внутреннего сгорания.

사(絲) IX одна десятитысячная

사(辭) XII речь; 송별~ прощальная речь; 축~ поздравление(приветственная речь); 취임~ торжественная речь.

사(史) XIII история; 한국발달~ исто-рия развития корейского языка; 미술~ история искусства; 고대 러시아문학~ история древнерусской литературы

-사(絲) I суф. кор. нить;пряжа; 견사 шелковая нить; 면사 хлопчатобу-мажная пряжа.

-사(辭) II суф.кор. 1) слово; 개회~ вступительное слово; 2) лингв. служебное слово; морфема; аффикс; 접미사 суффикс.

-사(詞) III суф. кор. лингв. часть речи; 감탄사 междометие; 형용사 прилага-тельное. -사(事) IV суф. кор. дело.

-사(社) V суф. кор. компания; товарищество; фирма; издательство; филиал; отделение; 출판~ издатель-ство; 통신~ телекоммуника-ционное агентство; 신문~ газетное издатель-ство; агентство; 적십자사 общество Красного Креста; 통신~ телеграфное агентство.

-사(師) VI суф.кор.; образует сущ. со знач. имени деятеля:사진사 фотограф; 재봉사 портной.

-사(士) VII суф. кор.; образует сущ. со знач. имени деятеля: 비행사 лётчик, пилот; 운전사 шофёр, водитель.

사각(四角) 1) четыре угла; 2) четырехугольник; ~모자 конфедератка.
사각형(四角形) *мат.* четырёхуголь-ник; ~의 내각의 합은 360도이다 сумма внутренних углов четырёху-гольника - 360 градусов.
사감(舍監) 1) комендант общежития (интерната); 2) управляющий двор-цовыми землями.
사거리(射距離) 1) воен. дальность стрельбы; 2) перекрёсток;*см.*네거리
사건(事件) 1) событие;происшествие; инцидент; дело; 역사적~ историчес-кое событие; 국제적~ международное событие; 불의의~ неожиданное проис-шествие; 이상한 ~이 일어났다 слу-чилось странное происшествие; 민사~ гражданское де-ло; 유괴~ инцидент с похищением; 현행 ~ текущие события; 형사 ~ уголовное дело; ~발전 лит. раз-вития действия; 2) юр. дело; ~기각 прекращение дела; ~중지 приостанов-ление дела; ~제기 возбуждение дела.
사건(事件)사고(事故) казус; случай.
사격(射擊) стрельба; обстрел;огонь; ~을 개시하다 открыть стрельбу; ~하다 стрелять; 목표를~하다 стрелять в цель; 사격장으로~하러가자 пойдём постреляем в тире; ~경기 стрелковые состязания; ~부대 стрелковый полк; ~수 стрелок; ~장 стрельбище; полигон; тир; 조준~ прицельная стрельба; 직접 ~ стрельба прямой наводкой; ~거리 дальность стрельбы; ~개시 открытие огня; ~계선 огневой рубеж; ~지원 огневая поддержка; ~진지 огневая позиция.
사견(私見) личное мнение; 나의 ~으로는 по моему личному мнению; 자기 ~을 지키다 держаться своего мнения.
사경(死境) смертный час; ~에 처하다 попадать в руки смерти; ~을 벗어나다 вырваться из рук смерти; ~에 на грани смерти.
사계(四季) четыре времени года; четыре сезона; ~지불 посезонная оплата; 춘계 весенний сезон; 하계 летний сезон;추계 осенний сезон; 동계 зимний сезон; 1) см. 사철 III 1; 2) см. 사계삭; 3) см. 월계화.
사고(事故) I мысль; мышление;~하다 мыслить; ~과정 процесс мышления; ~력 способность мыслить; ~방식 образ мышления.
사고(四苦) II будд.четыре страдания (рождение,старость, болезни, смерть); ~팔고 а) все муки(страдания); б) будд. восемь страданий.
사공(沙工) 1) лодочник; 사공이 많으면 배가 산으로 올라간다 *посл.* ≡ у семи нянек дитя без глазу; 2) моряк.
사과,능금 I яблоко; ~의 яблоневый; ~를 깎다 чистить яблоко; ~과수원 яблоневый сад; ~나무 яблоня; ~케익 яблочный торт; ~파이 яблочный пирог; 재배~ домашняя яблоня; ~주(酒) яблочная наливка; ~나무 돌드레 зоол. яблочная медведка; ~속 벌레(심식충) зоол. яблочная плодожорка; ~진디물 зелёная яблочная тля; ~집 밤나비 яблочная моль.
사과(謝過) II ~하다 просить

проще-ния

사과하다 извиняться; просить про-щения.

사교(社交) I социальные взаимоот-ношения; общественные собрания; ~적 общительный; ~계 светские круги; общество; ~성 общительность; ~술 умение держать себя в обществе; ~적인간 общительный человек; ~무용(댄스) дружеский танец.

사교(私交) II личные отношения (знакомства).

사귀다 общаться; дружить; водить знакомство с кем либо; пересекаться; скрещиваться; 사귀기 어려운 여자 женщина, с которой трудно общаться; 사귀어야 절교하지 *погов.* ≅ нет дыма без огня.

사귐성(-性) общительность, общи-тельный характер.

사규(社規) правила фирмы.

사그라지다 разлагаться; гнить; гас-нуть; погасать;потухать; исчезать; 불이 ~ огонь гаснет.

사글세(<朔月貰) оплата за квартиру. *см.* 삭월세.

사기(詐欺) I обман; мошенничество; ~를 당하다 подвергнуться мошен-ничеству; ~꾼 жулик; обманщик; мошенник; ~술 мошенничество; ~죄 мошеннические махинации(преступ-ление).

사기(沙器) II фарфор; фарфоровая посуда; ~ 그릇 фарфоровая чашка; ~ 그릇은 깨지기 쉽다 Фарфоровая посуда легко бьётся; *см.* 사기그릇.

사기(社旗) III уст. знамя общества (издательства, фирмы).

사기(士氣) IV боевой дух; ~가 떨어지다 боевой дух падает; ~가 높다 боевой дух высок; ~를 북돋우다 поднимать боевой дух; ~충천 *обр.* высокий боевой дух.

사기업(私企業) частное предприятие; ~을 외국회사에 매각하다 продавать частное предприятие иностранной фирме

사나이 мужчина; ~답지 않은 것 немужественный поступок; ~의 мужской; мужественный

사납다(사나우니,사나와) 1) злой;свире-пый; крутой; жестокий; страшный; отвратительный; 사나운 바다 разбу-шевавшееся море; 사나운 세상 жес-токий мир; 사나운 개코등 아물 틈(날) 이 없다 *посл.* ≅ а) драчливый петух жирен не бывает; б) сделав худо не жди добра; 2) сильный; бурный; 3) страшный, отвратительный.

사내 I 1) сокр.от. 사나이; 2) пренебр. муж

사내(社內) II 회사내 внутри фирмы; ~에 внутри общежития(интерната); ~ 규률 внутренний распорядок на фирме.

사냥 охота; ~하다 охотиться; 맹수~하다 охотиться на хищника; 여우를 ~하다 охотиться на лис(волков, мед-ведей); ~터 место охоты; 매~ соко-линая охота; 비둘기~ охота на голубей; ~개 охотничья собака.

사념(思念) I раздумье; размышление; ~에 빠지다 впасть в раздумье.

사념(邪念) II неверные(ошибочные) мысли.

사노비(私奴婢) крепостные крестья-не.

사늘하다 1) холодный; прохладный, свежий; 2)прил. похолодеть(от страха).

사다(구매하다) 1) покупать; приобретать; 물건을 외상으로~ покупать вещи в кредит; 현금으로~ покупать за наличный расчёт; 잘보지 않고~ покупать не глядя; 사는 사람 покупатель; 돈을~ зарабатывать деньги; 병을~ зарабатывать болезнь; 2) терпеть, испытывать(лишения, оскорбления и т.п.); 3) возбуждать(вызывать) к себе(какие-л.) чувства; 불만을 ~ вызывать недовольство; 웃음(조소)를 ~ вызывать смех(насмешки).

사다리 лестница; 줄~ верёвочная лестница; 접는~ складная лестница; см. 사닥다리.

사닥다리 лестница; ~로 올라가다 взбираться по лестнице; ~로 내려가다 спускаться по лестнице; ~분이 уст. несправедливая делёжка.

사당(祠堂) I 1) родовая молельня(в доме), в которой хранятся поминальные дощечки предков; ~ 양자 см. 신주[양자] I; 2) шкатулка в виде домика для хранения поминальных дощечек предков.

사돈 сват; сватья; свойственник; ~댁 сватья; дом свата; ~집 дом свата; ~남 나무란다 посл. ≅ свекровь дочку бранитневестке науку даёт; ~네 안방 같다 ≅ обр. неудобное (щекотливое) положение; ~밤 바래기 посл. ≅ друг друга домой провожатьдома не бывать; ~의 팔촌 ≅ обр. седьмая вода на киселе; ~하다 становиться сватьями (сватами). **사라졌습니다** исчез.

사라지다(없어지다) исчезать; скрыва-ться; пропадать; 모든 희망이 ~ вся надежда исчезает; 군중 속으로 ~ затеряться в толпе; 목숨(생명)이 ~умирать.

사람,인간(人間) 1) человек; ~의 삶 жизнь человека; ~답게 행동하다 поступать по человечески; ~의 힘으로 불가능하다 это выше человечес-ких сил; ~의 소리 человеческие голоса; ~답다 человеческий; достойный человека; ~됨 характер(облик) человека; склад; нрав; 조선~ кореец; 평양~ пхеньянец; ~값에 들지 못하다 недостойный называться человеком; ~같지 않다 недостойный звания человека; ~은 열 번 된다 обр. человек постоянно меняется; ~을 버리다 стать плохим че-ловеком; портиться(о человеке); ~을 잡다 обр. без ножа зарезать;

사랑,취미 I любовь; ~하다 любить; ~스럽다 любимый; милый; симпатичный; ~은 맹목 любовь зла, полюбишь и козла; ~의 불길은 끄지 못한다 любовь не пожар, а загорится, не потушишь;~의 любовный; ~에 빠지다 влюбляться; 노동에 대한~ любовь к труду; 독서~ любовь к чтению; 시에 대한~ любовь к стихам; 정신적~ сознательная любовь; 조국에 대한 ~ любовь к родине; 첫~ первая любовь; ~의 표시 знаки любви; 짝사랑 безответная любовь; ~싸움 ссора между возлюбленными;супружеская ссора; ~ 싸움은 칼로 물 베기 погов. ≅ милые бранятсятолько тешатся;~을 속삭이다 а) объясняться в любви; б) полюбить друг друга.

사랑(舍廊) II 1) гостиная; 2)комната хозяина дома; ~양반

вежл. хозяин дома.

사려(思慮) раздумье; размышление; озабоченность; ~하다 задумываться, погужаться в раздумье; тревожиться, беспокоиться; разуметь; 깊은~ глубокие раздумья.

사려깊다 заботливый.

사령(司令) диспетчер; командующий; ~관 командующий;~부 штаб; ~탑 капитанский мостик; 1) см. 사령관; 2) диспетчер.

사례(私禮) I личное приветствие.

사례(謝禮) II благодарность; призна-тельность; ~를 표하다 выражать благодарность; благодарить кого-л. за что-л.; ~를 표하는 благодарный; ~의 표시 знак благодарности; ~편지 благодарственное письмо; ~하다 благодарить.

사례(事例) III пример; случай; ~를 설명하다 пояснить примером; ~를 들다 приводить пример; 그의 ~에 따르다 следовать его примеру; ~를 보이다 подать пример;~연구 исследование на примерах.

사로잡다 поймать живым; взять в плен; захватывать; 범을 ~ поймать живого тигра; 마음을 완전히 ~ заполнить всю душу.

사로잡히다 быть пойманным живым (взятым в плен); быть охваченным; быть захваченным; 원수에게~ быть взятым в плен.

사료(飼料) I корм для скота;фураж; ~용의 кормовой; ~를 주다 давать корм; кормить; 말에게~를 주다 давать корм лошади;~를 주는 것 кормёжка; 조잡한~ грубые корма; ~용 식물 кормовые культуры; ~조리장 кормоцех; ~창고 кормовой сарай; 농축~ концентрированные корма; 생~ сочные корма; ~기지 кормовая база; ~작물 кормовые культуры.

사료(史料) II исторические материалы; ~를 수집하다 собирать истори-ческие материалы.

사르다(사르니,살라) I сжигать; зажечь; разжечь; затопить; 아궁이에 불을 ~ затопить печь.

사르다(사르니,살라) II просеивать; 쌀을 ~ просеивать рис.

사르르 1) постепенно; осторожно; 2) понемногу; незаметно; 3) плавно.

사리다 наматываться; укладываться витками; свёртываться клубком; собираться с духом; собираться с мыслями; избавляться; садиться; сокращаться; отпрянуть.

사막(沙漠) I пустыня; ~동물 пустынное животное; 모래~ песчаная пустыня; 고비~ пустыня Гоби.

사막 II ~스럽다 прил. казаться беспощадным(не милосердным); ~하다 беспощадный,немилосердный

사망(死亡) смерть;кончина; гибель; ~하다 умирать; погибать; ~률 коэффициент смертности; ~일 день смерти; ~자 умерший; погибший; 자연사 естественная смерть; ~증명서 свидетельство о смерти; ~증서 свидетельство о смерти; см. 서거(逝去); см. 별세

사면(斜面) I наклон; склон; уклон; покатость; 산~ горные склоны; 1) см.

비탈; ~경작 вспашка косогора;~보강 укрепление скатов(дорожной насыпи); 2) мат. наклонная плоскость.

사면(辭免) II ~하다 уходить в отставку.

사면(四面) III четыре стороны; ~에서 둘러싸다 быть окружённым со всех сторон; ~팔방 все стороны; везде, повсюду; ~초가 а) полное окру-жение; б) полная изоляция.

사면(赦免) IV амнистия; ~하다 амнистировать; ~을 받다 попасть под амнистию; ~장 прошение об амнистии; 개인특별~ частная амнистия; 일반~ общая амнистия.

사멸(死滅) гибель; отмирание; вымирание;~하다 гибнуть; отмирать; вымирать; ~적 гибельный, сокрушающий.

사명(師命) I уст. указание учителя.

사명(辭命) II 1) арх. речь(слова) дипломатического представителя; 2) слова(приказ) короля.

사명(使命) III миссия; ~을 부과하다 возложить миссию(на кого-л.); 숭고한 ~ благородная миссия; ~감 осознание миссии

사모(師母) I жена учителя.

사모(思慕) II ~하다 а) любить; тосковать; б) думать с уважением(о ком-л.); почитать.

사모님 вежл. 1)жена учителя; 2) Ваша супруга(о жене старшего); 3) вежл. супруга пастора.

사모하다 любить; тосковать; думать с любовью.

사무(社務) I уст. работа(служба) в компании(издательстве,агенстве и m n)

사무(事務) II 1) делопроизводство; дело; управление делами; ~적인 деловой; деловитый; ~에따라 поделовому; ~관 делопроизводитель; ~국 орган делопроизводства; ~소 офис; ~실 офис; ~원 работник офиса; ~장 начальник офиса; ~처 место делопроизводства; ~간소화 упрощение делопроизводства; 2)(служебные) дела; ~적 канцелярский.

사무소(事務所) канцелярия; контора

사무실(事務室) кабинет; канцелярия ~적 канцелярский.

사물(私物) I личные вещи;~은 각자의 사물함에 보관해야 한다 личные вещи должны храниться в личном ящике.

사물(事物),물체(物體) II предмет;~의 предметный; ~과 현상 предмсты и явления; ~그 자체 филос. вещь в себе

사발(沙鉢) фарфоровая миска; ~밥 рис в миске; 국~ миска для супа; 밥~ рисовая миска; ~시금 промывка золота в фарфоровой миске(при взятии пробы); ~시계 круглые настольные часы; ~지석 фарфоровая миска с эпитафией (на могиле вместо надгробного кам- ня); ~통문 петиция с подписями, которые ставились по кругу; ~안의 고기도 놔 주겠다 погов.≅ в лесу дров не нашёл(о бестолковом человеке)

사방(砂防) I защита от обвалов(наступления песков и т. п.).

사방(四方) II 1) четыре стороны света; вокруг; всюду; везде; ~신장 этн. четыре духапредводителя святого воинства(охраняющие восток, запад, север, юг); 2) четыре угла; ~모자 *уст см.* 사각[모자] I; ~제기 чеги (игра в волан, в которой принимают участие четыре человека); ~탁자 квадратный стол.

사 백(400) четыреста.

사범(師範) педагог; ~대학교 педагогический институт; ~학 педагогика; 2) см. 승; ~교육 педагогическое образование.

사법(司法) I юстиция; ~적 юстици-онный; ~부 министерство юстиции; ~기관 органы юстиции.

사법(私法) II *уст. юр.* частное право

사법(師法) III *уст.* 1) нормы поведения учителя; 2) ~하다 подражать учителю.

사변(思辨) I 1) размышление; 2) *фил.* умозрение; ~철학 умозрительная фи-лософия; ~적 умозрительный, созер-цательный; ~하다 а) размышлять; б) *фил.* созерцать.

사변(事變) II несчастный случай; катастрофа; бедствие; 국가의 ~ бедствие национального масштаба; нарушение; тревога; беспорядки; волнения; восстание; ~무궁 происшествие за происшествием.

사본(寫本) копия; рукописная книга; ~을 만들다 делать копию.

사부(師父) *вежл.* хозяин и отец; учитель и отец.*см.* 스승.

사분오열(四分五裂) ~되다 разрыва-ться в клочья; распадаться; рас- сыпаться; раскалываться на части.

사비(私費) I личные расходы; ~로 на собственный счёт.

사비(社費) II расходы компании (издательства, агенства).

사뿐 легко.

사뿐싸뿐 ~걷다 идти лёгкой поход-кой(лёгким шагом). **사뿐히** легко.

사사건건(事事件件) каждое дело

사살(射殺) расстрел; ~하다 расст-релять.

사상(思想) 이데울르기 I мысль; идея; мышление; идеология; 1) идеология; ~가 мыслитель; идеолог; ~계 область (сфера) идеологии;~범 политический преступник; ~교양 идеологическое воспитание; ~개조 преобразование идеологии; ~문화적 침투 идеологи-ческое и культурное проникновение; ~사업 идеологическая работа; ~성 идейность; ~자 мыслитель. ~적 идео-логический; ~적 요새 идеологическая крепость; ~전선 идеологический фронт; ~체계 система идеологии; ~투쟁 идеологическая борьба; ~혁명 идеологическая революция; ~의식 идейная сознательность; 2) мышление.

사상(事象) II предметы(вещи) и явления.

사상(死傷) III 1) ~하다 быть убиты-ми и ранеными; 2) убитые и раненые; потери(в живой силе).

사색(思索), 사유 I размышление; раздумье; ~하다 размышлять; разду-мывать

사색(死色) II мертвенно-бледный цвет лица; ~이 되다 становится мертвенно-бледным (о лице).

사생(私生) I незаконное рождение; ~아 незаконнорожденный ребёнок

사생(死生) II жизнь и смерть; ~결단하고 적진에 뛰어들다 рискуя жизнью, проникнуть в лагерь врага; см. 생사 I; ~결단 смертельный риск; ~ 동거 делить горе и радость; ~동고 жить душа в душу(о супругах); 존망 см. 생사[존망] I; ~존몰см.생사[존망] I.

사생활(私生活) личная жизнь.

사서(司書) I библиотекарь.

사서(四書) II 4 самых важных книг конфуцианства.

사선(死線) I 1)грань между жизнью и смертью; 2) уст. граница запретной зоны; 3) грань между жизнью и смертью; ~을 몇 번 넘다 быть на грани смерти несколько раз.

사선(紗扇) II веер(опахало) из тонкого шёлка.

사설(私設) I частное учреждение; ~기관 частный орган; ~단체 частное общество; ~묘지 частное кладбище; ~회사 частная фирма; ~교환 коммутатор, установленный в учереждении (на предприятии); ~철도 частная железная дорога; ~하다 учреждать(о частном лице); основывать(строить) на частные средства.

사설(社說) II передовая(редакцион-ная) статья, передовица.

사수(查受) I уст. ~하다 принимать после проверки(имущество,деньги и т. п.). **사수**(射手) II стрелок.

사슬(沙虱) I цепь; 쇠~ 지어 цепью; 쇠~에 맨 개 собака на цепи; см. 쇠사슬; ~고리 звено цепи; ~시조 сатирическое сиджо.

사슬 II феод. круглая деревянная бирка с отметкой(использовавшаяся на экзаменах по конф. канонам).

사슴(Cervus nippon) олень; ~의 олений; ~ 기르기의 оленеводческий; ~고기 оленина; ~뿔(녹각) оленьи рога;~사육 оленеводство; ~사육자 оленевод; 숫~ самец; 암~ самка.

사신(史臣) посланник; посол; посланец; посланный; дипломат.

사실(寫實) I правда; ~적 реалистический; ~하다 правдиво(объективно) обрисовать(действительность).

사실(事實) II факт; реальность; действительность; в самом деле; фактически; ~적 действительный; реальный; ~을 왜곡하다 искажать факт;~에 근거를 두다 опираться на факты; ~을 밝히다 изложить факт; ~ 그렇다 в самом деле так; ~무근 отсутствие доказательств; ~성 реалистичность; ~주의 реализм; ~혼 незарегистрированный брак; ~로 на самом деле, действительно.

사실성(事實性) действительность, реальность.

사십(四十) сорок; ~에 첫 버선 см. 갓마흔[에 첫 버선].

사악(邪惡) I ~하다 зловредный

사악(肆惡) II уст. ~하다 своевольничать; бесчинствовать.

사양(飼養) I ~하다 выращивать; откармливать(животных).

사양(辭讓) II уступка; ~하다 уступать.

사업(司業) I должность 7-го ранга в ведомстве конфуцианского просве-щения.

사업(事業) II работа; дело; ~하다

проводить работу, дело; ~가 предп-риимчивый человек; предприни-матель; ~비 издержки, связанные с работой;~소 предприятие; бюро;~장 место работы; ~주 хозяин предп-риятия; ~체 предприятие.

사역(寺役) I арх. 1) повинности, которые нёс буддийский монастырь; 2) работы в буддийском монастыре.

사역(使役) II найм на работу;~동사 лингв. глагол в побудительном залоге; ~하다 заставлять работать; 2) см. 사역상.

사연(事緣) обстоятельство; факты; содержание;~을 말해주시오 расска-жите о своих обстоятельствах;~편지 факты, изложенные в письме.

사열(査閱) ~하다 а) тщательно про-верять; б) проводить смотр(войск).

사오십(四五十) сорокпятьдесят

사오월(四五月) 1) апрель и май; 2) апрель или май.

사욕(私慾) I корысть, личные ин-тересы; ~을 채우다 удовлетворить личную корысть; 사리~ личная выгода, личная корысть.

사욕(邪慾) II вожделение.

사용(司勇) I военный чиновник 17-го ранга.

사용(使用) II употребление, исполь-зование, применение; ~가치 потреби-тельская стоимость; ~권 право пользо-вания(эксплуатации); ~료 плата за пользование; ~법 метод использо-вания; ~인 наниматель; ~자 пользо-ватель. ~전류 потребляемый ток; ~ 하다 употреблять, использовать, при-менять. ~하게되다 войти в употреб-ление. **사용하다** использовать.

사우나(англ. sauna) сауна.

사운드(англ. sound) звук; шум; ~엔지니어 звукооператор; ~트랙 зву-ковая дорожка; ~효과 шумовые эффекты.

사원(寺院) I буддийский храм; см.절II

사원(社員) II служащие фирмы;신입 ~ поступивший на работу(на фирму); новичок.

사위 I зять; муж дочери; ~를 보다 выбирать зятя; ~감 кандидат в зятья; ~는 백년지객 погов. ≅ о зяте пола-гается заботиться; ~도 반자식 погов. ≅ зятьэто ещё не сын; ~와 토리개는 먹어도 안먹는다 посл. ≅ зять у тёщи всегда на первом месте.

사위 II 1) количество очков, кото-рые необходимо набрать(при игре в ют или в кости); 2) см. 큰사위.

사유(思惟) I 1) мышление; ~하다 мыслить; ~기능 функция мышления; ~경제설 филос. теория«экономии мыш-ления» (в махизме); ~법칙 законы мышления; ~형식 лог. формы мыш-ления; 2) уст. ~하다 думать, мыслить.

사유(私有) II частное владение; ~권 право владения; ~림 частный лес; ~재산 частное имущество; ~토지 земля, находящаяся в частном владении; ~하다 владеть.

사육(飼育) I ~하다 выкармливать; ~자 скотовод; птицевод; шелковод; ~장 место для скотоводства и шелководства

사육(四肉) II мясо(четвероногих) животных.

사이 1) между чем-кем-л.; 우리들~ между нами; 일 사이사이 между делом; 2시와 3시~에 между двумя и тремя часами; 선생과 제자~ между учителем и учеником; 산~의 오솔길 тропинка между гор; 학생들 ~에 소문이 떠돌았다 между студентами прошёл слух; ~표지 полигр. форзац; 쉴~없이 непристанно, непрерывно; ...를~두고 с интервалами в...; через каждые...; 2) пауза; 3) отношения; ~좋게 살다 жить в согласии; дружно (хорошо) жить; 4) свободное время, досуг; 5) диал. см. 새밥; 6) ~에 между, среди; после глагола(тем временем) пока...

사이다(*англ.* cider) сайда (напиток типа ситро).

사이드(*англ.* side) сторона; ~라인 боковая линия. **사이로** сквозь.

사이사이 между; интервал; 일하는 ~ 책을 읽다 в промежутках между работой читать книгу.

사이좋다 хорошее отношение.

사이즈(*англ.* size) размер.

사익(私益) личная выгода,личный интерес;~과 공익 личные и общественные интересы.

사인(*англ.* sign) X подпись; ~하다 подписываться; расписываться; ~펜 ручка для подписи

사임(辭任) I выход в отставку; ~을 권고하다 советовать выйти в отставку; ~하다 оставлять работу; уходить со службы; выходить в отставку.

사임(寺任) II поручение буддийского храма (монастыря).

사자(獅子) I лев; наследник; ~는 동물의 왕이다 левцарь зверей; ~ 어금이 *обр.* незаменимый человек; ~어금이 같이 아끼다 *обр.* беречь как зеницу ока; ~없는 산에 토끼가 대장 노릇한다 *см.* 범(없는 골에 토끼가 스승이라) I.

사자(使者) II проводник в мир усоп-ших; 꿈속에서 죽음의~를 만났다 во сне встретился с проводиником смерти; ~짚신 будд. соломенные лапти для духа, провожающего души умерших; ~채반 будд. плетёный ритуальный сосуд для духа,провожающего души умерших

사자(死者) VII умерший; ~는 불가부생이라 *погов.* ≈ ничего не поделаешь.

사장 I командир дивизии.

사장(社長) II президент фирмы; директор; ~이 되다 стать презид.

사재(私財) личное имущество; ~를 털다 тратить личное имущество; 그는 ~를 국가에 헌납했다 он пожертвовал личным имуществом в пользу государства.

사전(事典) I словарь; ~을찾다 искать (смотреть) в словаре; ~을 찾으면서 읽다 читать со словарём; ~의 도움을 받다 с помощью словаря; ~편찬 사업 работа по изданию словаря; ~편찬인 словарник; 기술용어~ технический словарь; 백과~ энциклопедический словарь; 소~

словарик; 영한~ англо-корейский словарь; 학술어~ термино-логиче-ский словарь; 해석 ~ толковый словарь; ~편찬학 лексикография.

사전(私電) II частная(неофициальная) телеграмма.

사절(謝絕) I отказ; ~하다 отказы-вать; 근무~ отказ в службе; 여행~ отказ от поездки.

사절(斜截) II ~하다 отказываться (в чью-л. пользу), уступать(кому-л.).

사정(私情) I личные чувства(от-ношения);~이 없다 безжалостный, беспощадный.

사정(事情) II обстоятельства; положение дел; обстановка; ситуация; 가정~으로 по семейным обстоятельствам; ~을 보다 учитывать(принимать во внимание) положение(кого-л.); ~이 사촌보다 낫다 *посл.* = не имей родственников, а умей просить; ~하다 просить войти в положение.

사제(師弟) I учитель и ученик; ~지간 взаимоотношения между учителем и учеником.

사제(舍弟) II книжн. 1) мой младший брат(в разговоре старшего брата с посторонними); 2) вежл. твой млад-ший брат, я(младший брат-о себе в разговоре со старшим братом).

사족(四足) I четыре ноги; лапы(живо-тного); конечности; ~을 못쓰다 быть помешанным на чём-то; ~동물 четы-рёхпалое животное; см. 사지 VIII; ~을 못 쓰다 погрязнуть (в чём-л); ~성한 병신 бездельник, дармоед.

사족(士族) II 1) знатная семья; 2) семья конфуцианского учёного.

사증(査證) виза(на паспорте); ~하다 давать(ставить) визу. см. 비자.

사지(四肢) I конечности; ~가 멀쩡한 사람 совершенно здоровый человек бездельничает, а есть не забывает.

사지(死地) II смертельная точка; лапы смерти; ~를 벗어나다 вырва-ться из лап смерти.

사직(辭職) I отставка; ~하다 выход в отставку; ~청원 прошение(заявле-ние) об отставке.

사직(社稷) II 1) духи земли и пло-дородия; 2) см.국가 I; 3) см.조정 V.

사진(寫眞) 1) фотография; ~기 фото-аппарат; ~첩 фотоальбом; ~을 찍다 снимать; фотографироваться; ~가 фо-тограф; ~관 фотостудия; фотоателье; ~반 фотокомната;~부 фотоотдел; ~술 фотография(как искусство); ~판 фото-пластинка;~학 фотографирование(как наука); ~경위의 фототеодолит; ~동판 см. 사진판;~등급 астр. фотографичес-кая(звёздная) величина; ~망원경 аст-рограф; ~석판 фотолитография;~전송 фототелеграфия; ~제판 фотостереоти-пирование; ~평면도 аэрофотоснимок поверхности земли; ~요판 растр фото-графический(для глубокой печати); ~을 찍다 фотографировать, снимать; 2) арх. ~하다 рисовать с натуры.

사진기(寫眞機) фотоаппарат.

사찰(寺刹) I книжн. см. 절 II.

사찰(査察) II наблюдение; слежка; 공중 ~ слежка с воздуха; 세무 ~

налоговое наблюдение.

사체(死體) мёртвое тело; труп; ~공포증 некрофобия; боязнь трупов; ~안치소 морг; ~검안 вскрытие трупа.

사촌(四寸) I четыре чхона (мера длины ≅ 13 см.); 2) двоюродный брат; двоюродная сестра; ~이 땅을 사도 배가 아프다 *посл.*≅ завидовать чужому счастью; 3) двоюродный брат; двоюродная сестра.

사치(奢侈) роскошь; ~하다 роскош-ный; ~스럽다 роскошный; ~스럽게 살다 жить широко; ~품 предметы роскоши

사칭(詐稱) фальшивые личные дан-ные; ~하다 подделывать личные данные.

사탄(*англ.* Satan) сатана; ~이 광야에서 예수를 시험하였다 сатана искушал Иисуса в пустыне; ~의 원래 이름은 루시퍼였다 настоящее имя сатаны Люцифер

사탕(<砂糖>, 설탕 сахар; конфеты; ~무우 сахарная свёкла; ~수수 сахар-ный тростник.

사태(事態) I состояние дел; событие; 곤란한~ тяжёлое состояние дел; 국가비상~ чрезвычайное положение дел в государстве.

사태(沙汰) II обвал; оползень; наплыв; массовый поток; 이 ~에서 벗어 날 수 있도록 도와주세요 помогите мне выпутаться из этой ситуации.

사택(舍宅) I квартира.

사택(私宅) II ведомственный жилой дом

사퇴(辭退) I выход в отставку; ~하다 выходить в отставку.

사퇴(仕退) II ~하다 уходить со службы (по окончании рабочего дняо чиновнике).

사투리 см. 방언(方言) I диалект; 그녀는 전라도 ~를 쓴다 она говорит на диалекте провинции Чолладо; ~ 흉내내기 подражать диалекту.

사표(辭表) прошение об отставке; заявление об уходе; ~를 재촉하다 подавать заявление об уходе.

사하다(謝-) выражать благодарность, благодарить.

사항(事項) пункты; статьи; параграфы; 관련~ соответствующие пункты; 불만이 있는 ~ пункты, по которым имеются недовольства.

사행(射倖) спекуляция; ~심 азарт; ~하다 а) полагаться на удачу; б) пускаться в авантюру; в) заниматься спекуляцией

사혈(瀉血) I мед. кровоиспускание, венепункция; ~하다 производить-(кровоиспускание), делать (венепункцию).

사혈(死血) II кор. мед. загустевшая кровь.

사형(死刑) смертная казнь; ~수 пр-иговорённый к смертной казни; ~장 место казни; лобное место; ~선고 смертный приговор; ~하다 казнить.

사환(使喚) I мальчик на побегушках в конторе; ~하다 а) быть на побе-гушках; б) посылать с поручениями.

사환(仕宦) II ~하다 служить.

사활(死活) жизнь и смерть; ~문제 вопрос жизни и смерти; ~적 смертельный, решительный; ~적 문제 вопрос жизни и смерти.

사회(司會) I 1)~하다 председатель-ствовать; руководить церемонией; 2) см. 사회자.

사회(死灰) IV уст. 1)(холодная)зола; (остывший) пепел; 2) обр. вялый человек.

사회(社會) III 1) общество; ~의 이익 общественная выгода; ~적 지위 обще-ственное положение; ~과학 общест-венная наука; ~제도 общест-венный строй; социальная структура; ~주의 социализм; ~주의 건설 социалистическое строительство; ~주의사회 социалистическое общество; ~주의 혁명 социалистическая революция; ~질서 общественный порядок; ~체제 общественная система; ~학 обществоведение; социология; ~화 социализация; ~적 의식 общественное сознание; 2)публи-ка; общественность; 3) свет; люди; 4) арх. сельская сходка(проводившаяся после весеннего или осеннего солн-цестояния в день, обозначаемый 5-м знаком десятеричного цикла).

사회생활 общественная жизнь

사회주의(社會主義) социализм; ~적 социалистический; ~공업국가 социа-листическое (индустриальное) государ-ство; ~분배원칙 социалистический принцип распределения; ~사회 соци-алистическое общество; ~혁명 соци-алистическая революция; ~적공업화 социалистическая индустриализация; ~적 민족 социа-листическая нация; ~적 사실주의 социалистический реализм; ~적 인도주의 социалистический гума-низм; ~적 애국주의 социалистический патриотизм.

사회화(社會化) полит.социализация; ~하다 а)социализировать(ся); б)придавать общественный характер.

사후(事後) I ~에 после совершив-шегося факта, задним числом;~승낙 одобрение задним числом.

사후(死後) II ~에 после смерти; ~의 посмертный; ~공명 посмертный титул; ~청심환 погов. ≅букв. давать лекарство после смерти; ~ 술 세잔보다 생전에 한 잔 술이 달다 посл. ≅ лучше один рябчик в руках, чем два на ветке.

사휼(詐譎) уст. ~하다 врать, обма-нывать. **사흗날** третий день.

사흘 1) третье число(месяца); 2) три дня;~굶어 도적질 안할 놈 없다 посл. ≅ нужда всему научит; ~굶은 범이 원님을 안다더냐 посл. ≅ букв. голод-ный тигр не посчитается и с уездным начальником; 길을 하루 가고 열흘 눕는다 посл. ≅ поспешишьлюдей насмешишь; ~돌이로 довольно часто; ~이 멀다 하다 очень частый; ~들이 каждые три дня

삭(朔) I 1) луна в период новолуния; 2) новолуние; **삭**(槊) II трезубец.

삭감(削減) сокращение; ~하다 сокра-щать; урезывать; 예산을 ~하다 сокра-щать бюджет; 대~крупное сокращение.

삭발(削髮) стрижка наголо; ~입도 пострижение в монахи; ~하다 стричь (брить)(волосы); 2) стриженая(бритая)

голова); 3) подрезка деревьев(травы).

삭월세(朔月貰) 1) ежемесячная плата, получаемая за аренду помещения; 2) жильё(помещение), сдаваемое в аренду на условиях ежемесячной платы.

삭월세집(朔月貰-) дом, сдаваемый в аренду на условиях ежемесячной платы.

삯 1) плата за работу; 하루의 ~은 4만원이다 дневная оплата сорок тысяч вон;~바느질 шитьё за деньги; ~빨래 стирка за деньги; 2) см. 세 III; ~을 내다 а) нанимать, б) брать в аренду (напрокат). **삯군** наёмный рабочий.

삯바느질 ~하다 шить по найму.

삯품 наёмный труд; ~을 팔다 работать по найму.

산(山) 1) гора; ~에 오르다 подниматься на гору; ~에서 내려오다 спускаться с горы;우리는~에 올라갔다 мы взошли на гору; ~간 в горах; между горами; ущелье; горная долина; ~골 глухой горный райне; лощина; горная долина; ~골짜기 лощина; горная долина; ~기도 гора молитв; ~기슭 подножие горы; ~길 горная дорога; ~꼭대기 вершина горы; ~나물 дикорастущие горные травы и растения; ~더미 груда; гора; ~등 склон горы; ~등성이 горный хребет; ~록 подножие горы; ~림 гора и лес; ~맥 горный хребет; ~봉우리 горный пик; ~불 лесной пожар; ~사 храм на горе; ~사나무 боярышник; ~사람 горный житель; ~사태 горный обвал; ~삼 горный женьшень; ~새 горная птица; ~세 рельеф горы; ~속 в горах;~수화 пейзажная жи-вопись; ~수유 кизил; ~신 горный дух; ~신당 храм, где живёт горный дух; ~신제 религиозная служба для горного духа; ~악 горы; ~악회 общество альпинистов; ~야 горы и равнины; ~양 амерский горла; дикая коза; ~울림 эхо; ~자수명 красота водного и горного пейзажа; ~장 дача в горах.; ~정 вершина горы;~줄기 горный хребет; ~천초목 вся природа; ~촌 горное селение; ~토끼 заяц; ~파 лук-резанец; 산밑 집에 방아공이가 논다 *посл.*≅ сапожник всегда без сапог; 산밖에 난 범이요, 물 밖에 난고기라 *погов.* ≅ а) как рыба без воды; б) пиковое положение; 산보다 골이 더 크다 *обр.* противоречить здравому смыслу; 산설고 물설다 *обр.* чужедальный;

산(酸) II кислота.

산(算) III уст. 1) счёт; 2) сокр. от 산가지; 산을놓다(두다) а) подсчитывать на счётах; б) считать, подсчитывать; 산도 못 놓다 мизерный, малый(о количестве).

산(産) IV 1) счётное слово для скотов, отёлов, опоросов *и т. п.*; 2) см. 산물. **산 그림자** тень горы.

산골짜기 лощина, горная долина.

산꼭대기 вершина горы.

산란(産卵) I яйцекладка; икрометание; ~하다 откладывать яйца.

산란(散亂) II 1) 무통~разброд;~하다 а) беспорядочный, разбросанный, хаотический; б) находящийся в смятении(растерянности); 2) диспе-рсия, рассеяние; ~복사 рассеянная радиация.

산림(山林) леса; ~감수 лесничий; ~갱신(되살이) обновление леса;~계산학 таксация(отдел дендрологии); ~생물학

дендрология; ~천택 горы, леса, реки и водоёмы; конфуцианский учёный, не состоящий на государственной службе; ~문하 ученик конфуцианского учёногозатворника; ~처사 конфуцианский учёный, не состоящий на государственной службе и живущий в глухой провинции. **산림녹화** озеленение гор.

산모(産母) роженица; ~가 훨씬 좋아 보입니다 роженица выглядит лучше; ~의 상태는 어떻습니까? Каково состояние роженицы? Как себя чувствует роженица?

산문(山門) I 1) горный проход; 2) наружные ворота буддийского мона-стыря; 3) буддийский монастырь.

산문(散文) II проза; ~으로 쓰다 пи-сать в прозе; ~적 прозаичный; ~시 белый стих; стихотворение в прозе.

산보하다 гулять.

산부인과(産婦人科), 여성의학과, 부인과 1) акушерство и гинекология; гинекологическое отделение; ~의사 аку-шер; гинеколог; 2) гинекологическое отделение(больницы).

산성(山城) I крепость на горе.

산성(酸性) II кислотность; ~반응 кислотная реакция; ~비료 кислое удобрение; ~백토 кислый известняк; кислая глина; ~산화물 кислотный окисел; ~식물 бот. оксилофиты; ~탄산염 бикарбонат; ~토양 кислая почва; ~염료 кислотный краситель.

산소(山所) I 1) место, где находятся могилы; ~를 모시다 совершать погребение, хоронить; ~등에 꽃이 피다 процветать(о потомках); 2) см. 뫼.

산소(酸素) II кислород; ~ 처리하다 окислять; ~ 결핍증 мед. аноксия; ~기아 кислородное голодание; ~ 요법 лечение кислородом; ~ 부화법 шёлк. кислородная инкубация; ~절단 автогенная(газовая) резка; ~용접 автогенная(газовая) сварка.

산수(山水) I 1) горный ручей(поток); 2)горы и реки; пейзаж; 3)см. 산수화;~병풍 ширма с пейзажем.

산수(算數),산술(算術) II арифметика; ~을 하다 решать арифметические задачи; ~적 арифметический; ~문제 арифметические задачи;~급수 ариф-метическая прогрессия; ~평균 сред-нее арифметическое; см. 셈법.

산악(山岳) горы; ~ 기상 обр. вели-чественность; ~기후 горный климат; ~지대 горная местность, горный район.

산업(産業) промышленность; ~의 발달 развитие промышленности; ~계 промышленные круги; ~구조 структу-ра промышленности; ~국 индустриаль-ное государство; ~체 промышленное предприятие; ~혁명 промышленная революция; ~화 индустриализация; ~적 промышленный; ~건물 здание про-мышленного предприятия;~국유화 на-ционализация промышленности; ~자본 промышленный капитал; ~조류 продук-тивная птица; ~지리학 география размещения промышленности; ~혁명 промышленная революция; ~예비군 резервная армия труда; ~적 가치 промысловая ценность

산업가(産業家) промышленник.

산유(産油) производство нефти; ~국 странапроизводитель нефти.

산입(算入) ~하다 прибавлять, причислять, присчитывать.

산책(散策), 산보(散步) прогулка; ~하다 прогуливаться; ~갑시다 пой дём прогуляемся.

산출(産出) I производство; добыча; выработка; ~량 объём производства; добыча; ~하다 производить(ся), вырабатывать(ся); добывать(ся).

산출(算出) II вычисление; подсчёт; ~한 금액 вычисленная сумма; ~하다 подсчитывать, вычислять.

산하(傘下) входящий в ...; находящийся в(чьём-л.) ведении; ~기관 нижестоящий орган; ~기업 ведомственное предприятие; 조국전선 ~의 정당들 политические партии, входящие в отечественный фронт; 교육성 ~의 학교들 учебные заведения, находящиеся в ведении министерства просвещения

산학(算學) уст. ~교수 чиновник 12-го ранга расчётного ведомства пода-тного приказа; ~박사 а) чиновник 18-го ранга в конфуцианской колле-гии(в Корё); б) учитель математики в казённом учебном заведении (в Силла); ~훈도 чиновник 17-го ранга податного приказа.

산행(山行) 1) уст. хождение по горным дорогам; 2) арх. см.사냥; ~포수 арх. см. 사냥[포수];~하다 а) ходить по горным дорогам ; б) см. 사냥[하다].

산행하다 идти по горной тропе

산호(珊瑚) I коралл; ~섬 коралловый остров; ~목걸이 коралловое ожерелье; ~모래 см. 산호사; ~바다 море, населенное кораллами; ~앙금 коралловые отложения; ~기둥에 호박 주추 обр. роскошный дом.

산호(山弧) II изгиб горной цепи (горного хребта).

산화(山禍) I этн. бедствие(несчастье), вызванное тем, что предок похо-ронен в несчастливом месте.

산화(酸化) II окисление; ~하다 окис-ляться; ~시키다 окислять; ~물 окисел; ~알루미늄 окись алюминия; ~제 окислитель; ~철 окисленное железо; ~피막 окисная плёнка; ~마그네시움 сернокислый магний, сульфат магния; ~바리움 окись бария; ~칼시움 окись кальция; ~알루미니움 окись алюминия; ~염색 кислотное крашение; ~하다 окислять.

산화(散花) III 1) разбросанные цветы; 2) ~하다 разбрасывать(раскидывать) цветы.

살 I 1) плоть; мясо; мышцы; кожа; ~을 빼다 сбрасывать вес; 돼지는~이 올랐다 свинья набрала вес; ~과 피 кровь и плоть; 살로가다 идти впрок(о пище); 살이 내리다(빠지다) похудеть; 살이 오르다 потолстеть, поправиться; 살이 찌다 а) нагуливать жир; б) жить припеваюючи; 살 찐 놈 따라 부으랴 посл. ≅ ворона, желая подражать гусю, сломала ногу; 살을 에이다 а) пронизывать до костей; б) бросать в дрожь; 살이 살을 먹고 쇠가 쇠를 먹는다 посл. ≅ уст. человек человеку волк; 2) см. 피부 I; 3) мякоть; 4) засеиваемая часть поля; ~을 붙이다 а) об-леч в плоть и в кровь; б) добавлять, восполнять; в) сочинять, выдумывать; ~이 닿다 быть в убытке, терпеть (нести) убытки.

살 II 1) спица; 우산~ спицы зонта; 구김~ морщины; 빗~ зубцы расчёски; 살 같이 стремглав, стремительно; ~살 맞은 뱀 같다 обр. как ужаленный; 살을 먹이다 вложить в лук стрелу и натянуть тетиву; 2) узор, выдавленный на корейском паровом хлебе; 3) см. 어살; 4) блеск накрахмаленного белья; 5) жёсткость накрахмаленного белья; ~박아 치다 сильно бить(ударять); ~을 잡다 см. 살잡이[하다]; ~이 잡히다 а) сморщиться; помяться(о платье); б) слегка подмёрзнуть.

살 III дополнительная ставка(в азартных играх).

살(煞) IV 1) этн. злые чары;~을 맞다 пострадать от нечистой силы; ~이 가서(갔다) чёрт попутал; ~이 돋다 см. 독살[이나다] II; ~이 박히다 зловредный; ехидный(о взгляде); недобрый(о выражении лица); ~이 서다(뻗치다, 끼다) подвергаться действию злых чар; 2) плохие отношения между родственниками.

살 V (나이) счётное слово, обозначающее возраст; 한~ один год; 두~ два года; 스무~ двадцать лет; 당신 몇~입니까? Сколько Вам лет?

살 VI стрела; 손~같이 빠르다 быс-трый как стрела.

-살(殺) суф. кор. убийство; 과실살 неумышленное убийство

살가죽 кожа.

살갗 кожный покров, кожа.

살균(殺菌) ~하다 стерилизовать; ~제 обеззараживающее средство; ~력 стерильность; бактерицидность; ~작용 инсектиционное действие.

살그머니 тайком; украдкой; втихомолку; ~다가오다 подходить украд-кой; ~쳐다보다 украдкой погляды-вать.

살다 I (사니, 사오) жить; проживать; 검소하게 ~ жить скромно; 사이좋게 ~ жить душа в душу; 산 живой; настоящий; 산 불 горящий огонь; 살아 생전 усил. стил. вариант 생전; 산 닭 주고 죽은 닭 바꾸기도 힘들다 посл. ≅ и вор не возьмёт, как ничего нет; 산 사람 눈 빼 먹겠다 обр. страшный, опасный; 산 호랑이 눈섭 обр. птичье молоко; 산 호랑이 눈섭도 그리울 것이 없다 погов. ≅(только) птичьего молока недостаёт; 산 입에 거미줄 치랴 посл. ≅ всегда прожить можно; 살 구멍[을] 뚫다 обр. искать средства существования; 살아나다 а) быть живым; б) оживать; в) спасаться; г) вновь разгораться.

살다 II (사니, 사오) прил. немного больше.

살래살래 ~젓다 покачивать головой; ~흔들다 махать хвостом; ~하다 покачивать, кивать(головой); махать(хвостом).

살림 1) домашнее хозяйство; жизнь; ~을 하다 вести хозяйство; 근근히 ~을 꾸려가다 еле еле вести хозяйство; ~꾼 хозяин; хозяйка; хороший хозяин; хорошая хозяйка; ~살이 хозяйство; ~집 жилой дом; ~터 хозяйство; ~하다 вести домашнее хозяйство; 2) жизнь; ~이 넉넉하다 жить в достатке;~이 꿀리다 жить в тяжёлых условиях, бедствовать; ~을

나다 выделиться из семьи.
살살 I незаметно; слегка; ~닿다 касаться слегка; 1) ~녹다 незаметно растаять(о снеге, сахаре *и т. п.*); 2) ~불다 веять(о ветерке); 3) ~달래다 уговаривать; 4) 눈웃음을~치다 лукаво улыбаться(глазами); 5) 눈치를~보다 украдкой наблюдать(за кем-л.); 6) ~기다 осторожно ползти; красться; ~걷다 осторожно идти.
살살 II 1) 물이~끓다 слегка кипеть(о воде); 2) 고개짓을 하다 покачивать, (кивать) головой; 3) 벌레가 ~기어다니다 ползать(о мелких насекомых)
살수(撒水) I брызганье водой; ~차 тележка для воды; ~하다 брызгать, разбрызгивать; поливать.
살수(殺手) II уст. 1) меченосец; копьеносец; 2) см. 망나니 2).
살아가다 жить; 세상을~ жить в этом мире.
살아나다 выживать; 회복돼서~ выживать, оправившись после болезни.
살아남다 выживать. **살았다** жить.
-살이 суф. жизнь, существование; ~고생 жизненные невзгоды; 객지~ жизнь на чужбине
살인(殺人) убийство; ~범 убийца; ~적 убийственный; зверский; людоедский; ~하다 убивать; ~기도 покушение; ~마 убийца; бандит; душегуб; ~자 убийца; ~죄 убийство; ~강도 бандит, голо-ворез; ~미수 покушение на жизнь; ~ 차첩 ордер на арест убийцы; ~을 내다 (치다) убивать, совершать убийство; ~을 메다 принимать на себя вину за убийство; ~이 나다 совершаться(об убийстве); ~적 만행 неслыханное зло-деяние; ~적 박해 жестокое пресле-дование.

살짝 1) слегка;незаметно; тайком; ~ 도망가다 незаметно убегать; 방에서~ 나가 버리다 выскользнуть из комнаты.
살찌다 полнеть; толстеть; 살찐 송아지 жирный телёнок.
살충(殺蟲) истребление вредных насекомых; ~제 инсектициды; ~하다 уничтожать, истреблять(вредных насекомых)
살펴보다 рассматривать; разгляды-вать; 지도를~ рассматривать карту
살피다(보다) I рассматривать; 창밖을 ~ смотреть в окно; 방안을~ расс-матривать комнату.
살피다 II тонкий и редкий(о ткани *и т. п.*).
삵 삵괭이; 삵의 상 *бран.* противная морда; 삵의 웃음 *обр.* злорадный смех.
삶 жизнь; 어렵게~을 이어가다 вести тяжёлую жизнь.
삶다 1) варить; кипятить; подгото-вить; обработать; 고기를 ~ варить мясо; 삶은 닭이울가? *посл.* ≅ *букв.* разве варёная курица кудахчет? 삶은 소가 웃다가 꾸러미 터지겠다 *погов.* ≅ курам на смех; 2) подготовить, обработать(кого-л.); 3) бороновать и разравнивать. **삼**(蔘) I женьшень.
삼(三) II три; третий; *см.* 셋;~권선 변압기 трёхобмоточный трансформа-тор; ~호 활자 типографский шрифт третьего кегля (высотой 5,54 мм.); ~년 결은 노망태기 *обр.* плод многолетних трудов. **삼백**(三白) триста.
삼각(三角) I 1) треугольник; триго-нометрия; ~대 треножник; штатив;

- 375 -

~자 дельта;~형 треугольник; *см.* 삼각형; ~관계 а) извечный треугольник, любовь втроём; б) отношения между тремя людьми (организациями); ~동맹 тройстве-нный союз; ~정규 арх. см. 삼각자; ~지대 см.삼각주 II;~측량 мат. триан-гуляция; 2) см. 삼각법;~ 방정식 тригонометрическое выражение; ~시차 астр. тригонометрический параллакс; ~함수 тригонометриче-ская функция; ~함수표 таблица тригонометрических функций; ~항등식 тригонометричес-кое тождество.

삼각(三脚) II 1) ~의자 треногий стул; 2) см. 삼각가; 3) см. 비경이.

삼년(三年) три года; ~부조 уст. не выразить соболезнования семье покойного на протяжении трёхлетнего траура; ~ 초토 см. 삼년상.

삼다 [-따] I 1) делать(считать) (кого-л, кем-л, чем-л.); 며느리로 ~ считать невесткой; 고아를 양자로 ~ приютить сироту; 아내로 ~ делать женой; 2) считать, рассматривать.

삼다 [-따] II 1)плести(обувь); 2) прясть (пряжу).

삼림(森林)[-님] лес; ~곤충학 лесная энтомология; ~동토대 лесотундра; ~ 보호 охрана леса; ~지대 см. 삼림대;~초원 лесостепь.

삼면(三面) 1) три стороны(поверхности); 2)третья страница(газеты); ~기사 заметка на третьей странице (газеты). **삼베** мешковина.

삼분(三分) тройное деление; ~법 метод тройного деления; ~하다 делить (что-л.) на три части.

삼위일체(三位一體) Святая Троица; триединство; 성~ Святая Троица.

삼일(三日) 1) третье число(месяца); 2) три дня; ~내에 в течение трёх дней; ~신행 этн. поездка за невестой(к жениху) на 3-й день после свадьбы; ~점고 проверка списков подчинённых начальником уезда на 3-й день после вступления на должность; ~천하 уст. а) захват государственной власти на короткое время; б) занятие высокой должности на короткий срок; ~유가 визиты, совершаемые в течение трёх дней после сдачи экзаменов на государственную должность; ~안 새색시 женщина, только что вышедшая замуж; ~안 새색시도 웃을일 *обр.* курам на смех.

삽 1) лопата; ~으로 땅을 파다 ко-пать землю лопатой; 2) счётн. сл. для комьев земли, вырытых лопатой.

-삽(-사오니-,-사와-) суф. предика-тива, выражает почтительность.

삽시간(霎時間) в один миг, в мгновение ока; ~에 мгновенно; вмиг.

삽입 вставка; помещение;~문장 см. 삽입문; ~자모 а) уст. буква, вставляемая между слогами(напр. для указания на геминацию); б) согласная, вставляемая между компонентами словосочетания(для указания отношений принадлежности в др. кор. языке); ~하다 вставлять; помещать(между чем-л.).

상(床) I 1) стол; ~을차리다 накрывать стол; 밥~ обеденный стол; 2) см. 소반 I; 상을 보다 накрывать (обеденный) стол; 상이 어둡다 ломиться от яств(о столе).

상(常), 상금(償金) II премия,награда, залог; 노벨~ Нобелевская премия; 우등~ первый приз.

상(相), 장관(長官) III министр; 상서기 секретарь министра.

상(上) IV 1) перед именами верхний; первый~반년 первое полугодие; ~반부 верхняя (первая) половина; 2)сокр. от 상감 II.; 3) верх; ~부 верхняя часть; ~등 высший класс; ~의 분류에 속하다 принадлежать высшему классу.

-상(像) I суф. кор. изображение(в виде портрета, статуи *и т.п.*); 반신상 бюст.

-상(商) II суф. кор. торговец; 고물상 старьёвщик.

-상(傷) III суф. кор. рана, ушиб; 총창상 штыковая рана.

-상(狀) IV суф. кор. ...образный; ...видный.

-상(上) V суф. кор. образует имена со знач. прил. от имён: 경제상 эконо-мический.

상공(商工) воздушное пространство (над каким-л. районом); ~부 мини-терство коммерции и индустрии; ~업 торговля и промышленность; ~에 в небе; над.

상공업(商工業) торговля и промыш-ленность.

상관(相關) I 1) (взаимо) отношение; ~[적] коррелятивный; ~개념 филос. коррелят, коррелятивное понятие; ~계수 *мат.* коэффициент корреляции; ~관계 *мат.* корреляционная зависимость; ~작용 биол. корреляция; ~함수 *мат.* корреляционная функция; ~ 없다 а) не иметь (никакого) отношение к(чему-л.); 남의 일에 ~ 마시오 не вмешивайтесь в чужие дела; ~성 взаимоотношение; б) нечего беспокоиться; 2) половая связь; ~하다 а) иметь отношения, быть связанным с...; б) вступать в половую связь.

상관(商館) II уст. 1) фирма, торговый дом; 2) магазин, который содер-жит иностранец.

상권(商圈)[-кквон] I сфера влияния в торговле.

상권(商權) [-кквон] II 1) право на торговлю; 2) господство в области торговли.

상극(相剋) 1) взаимоисключение; ~하다 исключать друг друга; 2) непри-миримость; 3) непримиримость стихий(в вост. космогонии); 물과 불은 상극이다 вода и огоньдье противоположности.

상금(賞金) I денежная премия; ~제 премиальная система.

상금(償金) II возмещение, денежная компенсация.

상급(賞給) I 1) ~하다 премировать, награждать; 2) награда, премия; приз.

상급(上級) II 1) высший разряд (класс); ~기관 вышестоящие органы (учреждения); 2) старший класс; ~생 старшеклассник; ~학교 высшая школа; 3) вышестоящий командир; воен. старший начальник; ~군관 старший офицер; старший офицерский состав.

상납 1) выплата налога; ~하다 упла-та налога; ~금 выплачиваемая сума; 2) преподнесённая вещь, приноше-ние.

상냥스럽다 прил. казаться милым (ласковым).

상냥스레 мило, ласково.
상냥하다 добрый, мягкосердечный; 마음이 상냥한 사람 ласковый(приветливый) человек; 상냥히 미소짓다 добродушно улыбнуться.
상담(相談), 협의(協議) I консультация; ~하다 консультироваться; ~료 плата за консультацию; ~소 консультацион-ная контора; ~역 консультант; 법률 ~소 юридическая консультация.
상담(常談) II 1) обыденный язык; 2) вульгарные слова.
상당(相當) ~하다 соотвествующий; довольный; подходящий; приличный; значительный; изрядный; ~수 изряд-ное число; ~액 изрядная сумма.
상당히(相當-) довольнотаки.
상대(相對) 1) ~하다 встречать(ся); противостоять; 2) другая(противная) сторона; противник; партнёр; оппонент; 나는 ~ 편의 계획을 파악했다 я раскусил планы противника; ~방 другая (противоположная) сторона; ~자 другая сторона; партнёр; 3) противоположность; 4) ~[적] относительный; ~성 относительность; ~주의 относитель-ность; ~높이 относительная высота; ~적 과잉인구 относительное перенаселение; ~적 시칭 лингв. относительное время; ~적 지질 연대 относительная геологическая хронология; ~적 진리 относительная истина.
상류(上流)[-뉴] 1) верхнее течение, верховье; 2) верхи, высшие слои общества; ~계급 привилегированное сословие; ~사회 верхи общества; высшее общество.
상륙(商陸) [-뉵] I кор. мед. корень лаконоса(как материал для лекар-ства).
상륙(上流) II высадка(на берег); десант; ~하다 высаживать(на берег); ~을 허가하다 разрешать высадку на берег; ~기지 воен. база высадки; ~도하 десантная переп-рава; ~작전 десантная операция; ~전투 бой за высадку десанта.
상반(上半) I первая(верхняя) поло-вина
상반(相反) II ~하다 быть противо-положным; противостоять; 성격이~ противоположный характер.
상반기(上半期) первая половина (какого-л.) периода.
상벌(賞罰) поощрения и взыскания; награда и наказание; 공죄에 따라 ~을 주다 награждать и наказывать по заслугам.
상법(相法) [-뻡] I физиогномика.
상법(商法)[-뻡] II торговое право, торговый кодекс;закон о торговле
상봉(相逢) встреча; ~하다 встречать(ся); 오랜만에 ~ встречаться через долгое время.
상부(上部) 1) верхняя часть; ~구조 филос. надстройка; ~구조물 палубная надстройка; 2)вышестоящий орган; ~의 지시에 따르다 следовать приказу вы-шестоящего органа; 3) вышестоощий человек(начальник)
상비약(常備藥) готовое лекарство (напр. в аптеке).
상상(想像) I воображение; предс-тавлене; ~하다 представлять себе; воображать; ~의 воображаемый; 밝은

미래를 ~하다 представлять светлое будущее; ~력 сила воображения; фантазия; ~외 вопреки; неожиданно; невообразимо; невероятно;~화 картина, написанная по воображению.

상상(上殤) II уст. ~하다 умереть в возрасте 14-19 лет.

상설(常設) I сущ. постоянный; стационарный; ~관 оборудованное здание; ~탁아소 стационарные детские ясли; ~회의 постоянный совет; ~위원회 постоянный комитет.

상설(詳說) II ~하다 подробно объяснять; детально описывать.

상세(詳細) I ~하다 подробный, детальный.

상세(商稅)[-cce] II торговая пошлина.

상세하게 알리다 посвятить.

상세하다 подробный; детальный.

상속(上訴),공소(公訴) наследование; ~하다 наследовать; 아버지의 재산을 ~하다 наследовать имущество отца; ~권 наследственное право; ~세 налог на наследство; ~인 наследник; ~재산 наследство. **상속분** доля наследства.

상속자(相續者) наследник.

상수도(上水道) водопровод; водопроводные сооружения; ~와 하수도 водопровод и канализация.

상습(常習) обыкновение, привычка; ~적 обычный, привычный; ~범 рецидивист; ~자 человек с закоренелыми привычками; ~이 되다 стать обычным(привычным), войти в привычку.

상승(上昇) подъём; ~하다 подниматься, возрастать; ~적 подъёмный; ~기 период подъёма; ~력 сила подъёма; ~기류 метеор. вос-ходящий ток воздуха; ~비행 взлёт; ~활주 ав. восходящее скольжение; ~운동 восходящее движение

상시(常時) I обычное время; ~고용 регулярный найм; см. 평상시; ~에 먹은 마음 취중에 난다 посл. ≅ пьяный, что малый: что на уме, то и на языке; ~적 обычный, повседнев-ный.

상시(嘗試) II уст. ~하다 пробовать, испытывать.

상식(相識) элементарные знания; ~적 элементарный; ~이 없는 사람 человек без здравого смысла; ~하다 знать, быть знакомым(с кем-л.).

상실(詳悉) I ~하다 подробно(хорошо) знать

상실(喪失) II потеря; утрата; лишение; ~하다 терять, лишиться; 부모를 ~하다 терять родителей; 기억력 ~ потеря памяти; ~자 человек, потерявший что-л. **상어**(<沙魚) акула.

상업(商業) торговля, коммерция; торговая промышленность; ~도시 торговый город; ~디자인 промышленный дизайн; ~미술 промышленное искусство; ~은행 коммерческий банк; ~주의 меркантилизм; ~학교 торговая школа; ~화 коммерциализация; ~부가금 торговая наценка; ~신용 коммерческий кредит; ~자본 торговый капитал; ~할인금 торговая скидка; ~원가 коммерческая себестоимость; ~적 торговый; ~형태 торговая форма.

상업가(商業家) торговец, коммерсант.

상업계(商業界) коммерческий мир,

торговые круги.

상여(賞與) I 1) премирование, награждение; 2) премия, награда.

상여(喪輿) II похоронные носилки; ~꾼 носильщик, несущий гроб.

상연(上演) I представление; постановка; ~하다 ставить(на сцене); 지금 이연극은 극장에서 ~중이다 этот спектакль сейчас идёт в театре; ~할 때에 무대로 연기를 고의로 뿜었다 во время спектакля сцену специально обволакивали дымом; ~권 право на показ представления.

상연(爽然) II книжн. ~[히] освежающе, прохладно; ~하다 освежающий; приятный.

상용(常用)~하다 обычно(постоянно) употреблять; 마약을~하다 употреблять наркотики; 아편~자 наркоман, употребляющий опиум; ~로그수 мат. обыкновенный(десятичный) логарифм.

상임(常任) постоянная должность; ~ 서기 постоянный секретарь; ~이사 исполнительный директор; ~집행위원회 постоянный исполнительный комитет; ~위원회 президиум.

상자(箱子) тара; ящик; коробка; 술 한 ~ один ящик водки; 사과 한~ один ящик яблок; 사육 ~ выкармливание (выращивание) тутового шелкопряда в ящике; 습곡 ~ геол. коробчатая складка

상쟁(相爭) спор; распри; конфликт; 동족 ~ братоубийственная война; ~하다 бороться; спорить; конкури-

ровать; состязаться.

상점(商店) магазин; ~을 열다 откры-вать (закрывать) магазин; 나는 ~ 마다 돌아다니고 싶다 я хочу походить по магазинам; 담배를 사기 위해 ~에 들렀다 я зашёл в магазин, чтобы купить сигарет; ~에 손님이 들어왔다 в магазин вошёл покупатель.

상중하(上中下) 1) верх, середина и низ; 2) сущ. первый, второй и третий(о разряде); 3) сущ. высший, средний и низший(о сорте).

상징(象徵) символ; ~하다 символизировать; ~어 звукоподражательные и образные слова; ~적 сим- волический; ~화 символизация; ~주의 символизм.

상처(傷處) I 1) рана; ~를 입다 быть раненым; пораниться; ~난 곳에서 피가 흐르고 있다 из раны идёт кровь; ~를 치료하다 залечивать рану; ~가 아물었다 рана залечилась; 2) перен. раны, следы.

상처(喪妻) II ~하다 потерять жену, овдоветь.

상추(爽秋),생채(生菜) 1) салат. 2) латук салатный, огородный салат.

상추밭 поле под салатом; ~에 똥 싼 개 посл. ≅ один раз согрешишь, а подозревают в грехах всю жизнь.

상쾌(爽快)~하다 бодрый, весёлый; 상쾌한 기분 весёлое настроение.

상쾌합니다 бодрый.

상큼 ~걷다 идти вприпрыжку(о корот-коногом человеке).

상큼하다 длинноногий; долговязый; лёгкий.

상타다 получать приз; 최고의 성적으로 ~ получать приз за

лучшую успеваемость.

상태(常態) I обычное(нормальное) состояние (положение).

상태(狀態), 형편(形便) II состояние, положение; 위험한~ опасная ситуация; 건강~ состояние здоровья; 경제 ~ экономическое положение.

상통(相-) I прост. физиономия, морда

상통(相通) II 1) взаимный обмен; 2) взаимопонимание; 3) связь; ~하다 а) обмениваться друг с другом; б) 의사가~하다 понимать друг друга; в) связываться, соединяться

상품(商品), 물품 I товар; 상점에 새로운 ~들이 들어왔다 в магазин завезли новые товары; 많은~들을 전시장으로 옮겼다 на выставку свезли много товаров; ~권 талон на приобретение товара; ~유통 товарооборот; товарное обращение; ~덤핑 демпинг; ~[적] товарный; ~적 형태 товарная форма.

상품 II премия; приз.

상하(上下) 1) см. 위아래; верх и низ; ~수도 водопровод и канализация; 2) сущ. старшие и младшие(по возрасту и положению); ~노소 начальники и подчинённые; старики и молодые; все люди; ~불급 см. 상하사 [불급];~상몽 уст. обман старшим младших (подчинённых) и младшими старших(начальников); ~순설 быть у всех на устах.

상하다(傷-) 1) получить ранение, ушибить(ся), ранить;2) изнашиваться, выходить из строя; 3) портиться, гнить; 4) худеть, похудеть; 5) огорчаться,бередить(душу); тревожиться.

상하부(上下部) верхняя и нижняя части

상호(相互) I 1) см. 호상; ~감응(유도) эл. взаимоиндукция; ~관계 взаимоотношения; ~작용 взаимодействие; ~원조 взаимопомощь; ~보험 взаимострахование; ~원조조약 договор о взаимопомощи; ~의존 взаимозависимость; ~이익 взаимовыгода; ~작용 взаимодействие; ~주의 взаимность; ~통신 взаимокоммуникация; 2) взаимно, обоюдно.

상호(相呼) II уст. ~하다 звать друг друга

상환(償還) II погашение; ~하다 по-гашать; уплачивать, возмещать; ~금 сумма погашения.

상황(商況) I уст. состояние торговли

상황(狀況) II обычное положение; обычные условия; обстоятельство, ситуация.

샅 ~에 а) между ногами; б) в промежутке.

샅샅이 [-치] 1)досконально; до точки; ~뒤지다 просматривать дос-конально; 2) везде, повсюду.

새 I птица; ~의 깃 перо птицы; ~를 기르다 выращивать птицу; 나는 새장에서~를 내보냈다 я выпустил птицу из клетки; ~들이 더운 나라에서 날아왔다 птицы прилетели из тёплых стран; ~들이 사방으로 날아갔다 птицы разлетелись в разные стороны;~집 гнездо птицы; 새는 (새도)앉은 곳마다 깃이 떨어진다 при каждом переезде теряется часть имущества(букв. куда птица садится, там она теряет часть перьев); 새도 가지를 가려 앉는다 не зная броду, не суйся в воду(букв. когда птица садится, она выбирает ветку);

새를보다 отпугивать птиц; 새까먹은 소리 необоснованные слухи

새 II сорок ниток основы; ~벽 새 베 холст в сто двадцать ниток основы.

새(새로운)III новый; 새 직원들이 잘 협력하며 일해 나갔다 новые сотрудники хорошо сработались; 새 사람 а) пе-редовой(прогрессивный) человек; б) новый работник(человек); в) молодая; 새 집 новый дом; 새며느리 친정 나들이 долго не уходить.

새것 1) новое; новейшее; ~과 낡은 것과의 투쟁 борьба нового со старым; 2) новая вещь; 3) новость.

새겨듣다 1) слушать внимательно. 2) запечатлеться, запасть(в душу).

새기다 I вырезать, резать; запечатлеться.

새기다 II 1) объяснять, пояснять; 2) переводить; ~새겨듣다 прислушива-ться.

새끼 I соломенная верёвка; ~잠망 сетка из тонкой соломенной верёвки для уборки выкормочных рам; ~에 맨 돌 тесные отношения; нерастор-жимые узы.

새끼 II молодая особь; детёныш; ~치기운동 движение "от станка станок"; ~고기 малек; ~많이 둔 소가 길마 벗을 날 없다 у кого детки, у того заботы; ~를 치다 приносить потомство, увеличивать.

새다 просачиваться, протекать, про-дырявливаться, просыпать, пробива-ться; ускользнуть, исчезнуть; 가스가 샌다 газ протекает.

새로 заново; ~ 네시 четыре часа дня(утра). **새로운** новый.

새롭다 новый; 새로운 계획 новый план; 기억이~ свежо в памяти; 한 분이 ~ каждая минута дорога; 사람 하나가 ~ очень нужен человек.

새벽 рассвет; ~녘 рассвет; заря; ~달 луна на рассвете; ~밥 завтрак на рассвете; ~별 звезда на рассвете; ~잠 крепкий сон на рассвете; ~같이 на рассвете; рано утром; ~호랑이다 без-защитность, бессилие; ~호랑이 중이나 개를 헤아리지 않는다 в спешке хватают что-л. под ру-ку попало.

새우 I креветка; ~로 잉어를 낚는다 на креветку и карпа ловят; ~벼락 맞던 이야기 никого не интересую-щий рассказ о давно забытом.

새우 II глина, которая кладётся под черепицу.

새우다 не спать всю ночь; 공부로 밤~ заниматься всю ночь.

새파랗다(새파라니,새파라오)яркосиний; 새파란 하늘 синее небо; 새파랗게 и 새파란 перед сл. 젊다 и 젊은이 очень(молодой); 새파랗게 되다 а) впадать в панику; б) рвать и метать.

새하얗다(새하야니, 새하야오) I белоснежный.

새하얗다(새하야니, 새하야오) II ослепительно белый.

새해 Новый год; ~를 맞이하다 встречать новый год; ~를 축하하다 праздновать новый год; ~전갈 новогоднее поздравление, передавемое через слу-жанку женщинам в доме свата; ~차례 небольшое жертвоприношение, совершаемое в первый день Нового года.

색(색깔) I цвет; сорт; 화려하지 않은 ~ скромный цвет; 어두운 ~ тёмный цвет; 얼굴~ цвет лица; 인종~ национальный цвет; 청~ синий цвет; 피부~ цвет кожи.

색깔 цвет; 이 ~은 오래 가지 않는다 этот цвет не выдержит

색동(色-) I 1) полоски различных цветов(для рукавов на детском платье); 2) см. 색동천.

색동(色動) II ~하다 измениться в лице(от испуга или гнева)

색상(色相) I расцветка; 넥타이의 ~ расцветка галстука; 좋은~ хорошая расцветка.

색상(色傷) II 1) ~하다 болезнь в результате сексуальных излишеств; 2) болезнь, вызванная половыми изли-шествами.

색소(色素) биол. пигмент; ~형성 пиг-ментация; ~검사법 хромоскопия; ~결핍 ахромия; ~결핍증 ахроматоз; ахромазия; ~세포 пигментные клетки; ~침착 пигментация; ~아세포 хромобласт; ~용해소 пигмен-толизин.

색시 1) сущ. молодая; незамужняя девушка; невеста; ~걸음 обр. робкая походка; ~그루는 다홍치마적에 앉혀야 한다 а) уст. молодую жену нужно учить с первого дня; б) исправление дурных привычек следует начинать сразу; 2) см. 신부 I; 3) см. 처녀.

샐러드(англ. salad) салат; 파와 감자가 들어 있는 토마트 ~ салат из помидоров с луком и картофелем; ~용 소스 заправка к салату; ~용 야채 салатные овощи.

샘 I 1) родник, колодец; ~의 род-ни-ковый; ключевой; ~이 솟다 а) бить(о ключе); б) перен. бить ключом; в) течь ручьём(о слезах); ~물 родниковая (ключевая) вода; ~터 родник; ключ; неиссякаемый источник; 샘[이]터지다 вновь забить(о ключе); 2) диал. см. 우물 I; 샘에 든 고기 обр. как рыба, попавшая в сеть.

샘 II ненависть и зависть; ~내다 завидовать(кому-л., чему-л.); ~바르다 завистливый; сокр. от 새암.

샘이 나다 завидовать.

샘터 1) родничок, ключ(место); 2) перен. неиссякаемый источник; 3) место для стирки (у родника).

샘플(англ. sample) образец; пример.

샛길 ответвление дороги; кратчайший путь; дорога напрямик.

샛별 утренняя звезда; Венера.

생(生) 1) жизнь; 2) сущ. сырое; неспелое; ~으로 в сыром(неготовом) виде; 3) после дат рождения...1953년 ~ 1953-го года рождения; 4) пос-лесл. «год»... летний; 10년 ~ деся-тилетний; ~후에 после рождения; 1939년생 1939-го года рождения; 15년생 пятнадцатилетний

생-(生) преф. кор. 1) натуральный; 생오이 свежие огурцы; 2) сырой, неспелый; 생장작 сырые дрова; 3) необработанный, невыделанный; 생 모시 неотбелённая ткань из рами; 생가죽 невыделанная кожа; 4) нео-боснованный; 생거짓말 явная ложь; 생고집 бессмысленное упрямство; 5) живой(напр. о бывшем муже, бывшей жене); 6) напрасный, безрезуль-татный; 생고생 напрасные страдания.

-생(生) суф. кор. 1) летний(о растениях); 다년생 многолетний; 일년생 однолетний; 2) друг; коллега(по отношению к подчинённому); 3) учащийся; 연구생 аспирант; 대학생 студент.

생각 I 1) дума, мысль; 2) воспоминание; ~하다 а)думать; считать; рассматривать; 무엇을 ~합니까? О чём вы думаете? 그녀가 곧 돌아올 것이라고 ~한다 думаю что она скоро вернётся; б) вспоминать; ~컨대 (как) мне кажется(думается); 3) желание; 국수 ~있나? хочешь куксу?; 4) мнение, соображение; 내 ~에 помоему; 5) впечатление; ~이 나다 а) вспоминаться, приходить в голову; б) появляться(о желании); в) возникать(об интересе); ~이 돌다 см. 머리[가 돌다].

생각(生角) II 1) срезанные рога оленя; 2) необработанные рога(животных). 생각과 느낌 мысль и чувство. 생각과 느낌을 살지게하다 обогащать мысли и чувства. 생각나다 вспоминаться; приходить в голову. 생겼다 появился. 생겼습니다 образовался.

생겼어요 появился.

생계 1) средства к существованию; ~를 겨우 유지하다 сводить концы с концами; зарабатывать на жизнь; ~비 расходы на жизнь; ~를 이루다 зарабатывать на жизнь; ~무책 отсутствие средств к существова-нию; 2) существование.

생기(生氣) 1) живость, энергия; ~가 없는 безжизненный; ~가 있는 оживлённый; живой; полный жизни; ~발랄 бодрость, энергичность; 2) этн. Счастливый день; ~복덕일 этн. счастливый день(на который что-л. назначе-но) и сч-астливая дата рождения; ~[를]보다 этн. предсказывать счастливый день; ~[를] 짚다 этн. гадать о судьбе, сопоставляя циклический знак дня и возраст с восемью триграммами Ицзина.

생기다 1) возникать; появляться; случаться; происходить; 근심이 ~ почувствовать беспокойство; 그 사람은 어디서 돈이 생겼다? Откуда у него деньги берутся? 무서움이 생겼다 обуял страх; 무슨 일이 생겼다 что-то случилось; 2) приобретать; находить; 3) выглядеть; 못 생겼다 быть некрасивым(уродливым).

생년(生年) год рождения. 생년월일 (生年月日) день, месяц и год рождения.

생년월일시(生年月日時) час, день, месяц и год рождения.

생략 [-냑] сокращение; ~한 сокращённый; ~법 эллиптическое наклонение; ~삼단논법 лог. энтимема; ~하다 сокращать; опускать, делать купюры(в тексте).

생리(生利) [-ни] I ~하다 извлекать (получать) прибыль.

생리(生理) [-ни] II 1) физиология; ~적 физиологический; ~대 гигиеническая прокладка; ~일 менстру-альный период; ~적 식염수 физиологические растворы; ~통 болевое ощущение;~학 физиология; ~휴가 освобождение от работы во время менструации; ~적 습차 биол. физиологический дефицит насыщения; ~적 식염수 физиологические растворы; 2) см. 생리학.

생명(生命), 생활(生活) 1) жизнь; ~의 위험을 무릅쓰고 с опасностью для жизни; ~을 걸다 рисковать жизнью;

인간에게 가장 값진 것은~이다 самое дорогое у человекаэто жизнь; ~력 жизнеспособность; ~보험 страхование жизни; ~선 жизненно важная зона; ~체 живое существо; 2) сущ. жизненно важное. 생명의 근원 источник жизни.

생물(生物) 1) живые организмы; ~체 живой организм; 2) био...; ~학 биология; 그는 ~학에 관한 서적을 많이 갖고 있다 у него много книг по биологии; ~학자 биолог; ~물리학 биофизика; ~전기 биоэлектричество; ~전류 биоэлектрический ток; ~지리학 биогеография; ~층위학 биостратиграфия.

생사(生死) жизнь и смерть; ~존망(존몰) жизнь или смерть; существование или исчезновение.

생산(生産) 1) производство; ~적) а) производственный; б) продуктивный; ~가격 эк. цена произво-дства; ~가축 продуктивный скот и птица; ~경기(경쟁) производственное соревнование; ~구조 структура производства; ~기간 время производства; ~관계 производственные отношения; ~도구 орудие производства;~문화 культура производства, ~방식[양식] способ производства, ~재 материал поиз-водства; ~지 место производства; ~품 продукция; ~체조 производственная гимнастика; ~탐색 промысловая раз-ведка рыбы; ~유격대 партизанский отряд, состоящий из рабочих и крестьян; ~예비 резервы производства; 2) роды; ~하다 а) производить; б) производить на свет, родить.

생산(生産), **발행**(發行) выпуск.

생산력(生産力) [-нйок] производительные силы; ~배치 размещение производительных сил

생생 ~하다 а) живой; свежий; ~한 물고기 свежая рыба; 그것이 머리 속에 ~하게 떠오른다 я мыслено вижу это прямо перед собой(свежо в памяти); 지난날의 감격적인 일들이 아직도 기억에 ~하다 ещё свежи в памяти волнующие события прошлых дней; б) ясный, отчётливый. 생생하게 отчетливо. 생생하다 живой, свежий. 생생한 свежий.

생선(生鮮) рыба, свежая рыба; ~국 суп из свежей рыбы; уха; ~묵 желе(из свежей рыбы);~회 мелко нарезанная сырая рыба с пряностями. ~값 цена на рыбу; ~을 말리다 сушить рыбу.

생시(生時) 1) час(время) рождения; 2) явь; 꿈인지 ~인지 모르겠다 не знаю, сон это или явь; 3) период жизни, жизнь.

생이별 разлука; расставание; ~하다 разлучаться с(кем-л.); раставаться с(кем-л.); 그 부부는 전쟁으로 ~했다 война разлучила этих супругов; 오랜 ~ 끝에 после долгой разлуки.

생일(生日) день рождения;~을 축하 하다 поздравлять с днём рождения; ~에 잘 먹으려고 이레를 굶는다 см. 생일 날[에 잘 먹으려고 이레를 굶는다].

생일날 [-лал] день рождения; ~에 잘 먹으려고 이레를 굶는다 *посл.* ≅ букв. голодать семь дней для того, чтоб наесться в день рождения.

생존(生存) существование; ~하다 существовать; жить;~경쟁 борьба за существование; ~권 право на существование;~자 ныне живущий; живой.

생쥐 мышь; см. 새앙쥐; ~발싸개 만 하다 обр. с гулькин нос; ~ 볼가심할 (입가심할) 것도 없다 ничего не осталось(о пище).

생포(生捕) пленник; ~하다 поймать (кого-л.); брать(кого-л.) в плен; ~되다 быть пойманным(взятым в плен); см. 사로잡다 1).

생활(生活) быт, жизнь; ~비 расходы на жизнь; ~하다 а) жить; существовать; б) арх. спасать; ~화하다 оживляться; становиться повседневным; 나는 한 달에 백 루블로는 ~할 수가 없다 я не могу прожить на сто рублей в месяц; ~고(苦) жизненные невз-годы; ~공간 жизненное простран- ство;~권 биосфера; ~난 трудности жизни; ~비 расходы на жизнь; за-работная плата; ~상 образ жизни; ~양식 образ жизни; ~필수품 предметы первой необ-ходимости; товары массового потребления; ~화 оживле-ние; ~필수품 предметы первой необхо-димости; товары массового потребле-ния; ~적 жизненный.

생활비(生活費) 1) расходы на жизнь; стоимость жизни; 2) заработная плата.

샤워(англ. shower) душ; ~를 하고 싶다 я хочу принять душ.

샤워실(англ. shower room) душевая.

샴페인(фр. champagne) шампанское.

샴푸(англ. shampoo) шампунь.

샹들리에(англ. chanlier) люстра

서(西) I запад; ~반구 западное полушарие; ~유럽 Запад; Западная Европа; см. 서쪽.

서(序) II 1) предисловие; пролог; 2) сокр. от 서문 II; 3) сокр.от 서사I

서(署) III учреждение; управление; участок; 경찰지서(파출소, 지구대) полицейский участок.

-서 частица 1) после имён в твор. п. являясь, будучи; 학생으로서 будучи учащимся; 2) после сущ.в дат. п. в сочетании с частицей 다[가] подчёрки-вает знач. слова: 불다가서 구워 놓으라 в огонь же положи; 3) после деепр. прерванного действия только (ещё) 읽다가 놓아둔 책 книга, кото-рую только что читал; 4) после числ. в просубстантивированной ф. указывает на число лиц, участвующих в действии: 열이서 вдесятером; 셋이서 втроём.

서-(庶) I преф. кор. незаконно-рожденный; 서동생 младший брат, рождённый наложницей отца.

서-(西) II преф. кор. западный; 서반구 западное полушарие.

-서(書) I суф.кор. 1) книга; запись; 비준~ ратификационная грамота; 성명 ~ письменное заявление; 독습서 само-учитель; 인용서 цитируемая книга; 2) документ; 성명서 письменное заяв-ление.

-서(署) II суф. кор. учреждение; управление; участок; 경찰~ поли-цейский участок. 서 있다 стоять.

서각(犀角) кор. мед. рога носорога (как материал для лекарства); ~소독음 лекарство, применяемое при кожных заболеваниях; ~승마탕 жаропонижающее(средство).

서간(書簡) 1) письмо; послание; ~문 текст, написанный эпистолярным стилем; ~문학 эпистолярная литература; ~체 эпистолярный стиль; 2) книжн. см. 편지.

서글프다(서글프니,서글퍼) 1)

грустный, невеселый, печальный; 2) одинокий.

서글피 1) одиноко; 2) грустно.

서기(書記), 비서(秘書) секретарь; ~관 секретарь посольства; ~장 первый (генеральный) секретарь.

서기관(書記官)секретарь(посольства)

서기국(書記局), 비서국 секретариат.

서너 перед именем три-четыре; ~집 три-четыре дома.

서너너덧 от трёх до четырёх.

서넛 примерно 3-4; 3 или 4.

서늘하다 прохладный, страшный, жуткий. 서늘한 прохладный; ~때 прохладное время. 서늘합니다 прохладно.

서다 1) останавливаться; вставать; стоять; 시계가 섰다 часы стоят; 중매를 ~ посредничать; 2) создавать(ся); учреждать(ся); устанавливать(ся); 3) останавливаться; 4) быть острым (наточенным); 5) открываться; начи-наться; 6) появляться; 땀발이섰다 выступили капли пота; 7) быть стройным(логичным); 위신이~ поль-зоваться авторитетом.

서두(書頭) 1) предисловие; начало; вступление; ~를 꺼내다 сделать всту-пление; сказать вступительное слово; ~를 놓다 сделать вступление; сказать вступипительное слово; 2) верхние поля(в книге, рукописи); 3) края сшитой бумаги; 4) ~하다 обрезать (края сшитой книги).

서두르는 торопливый, поспешный

서두르다(서두르니, 서둘러) торопиться, спешить; 귀가를~ торопиться домой; 기차를 타려고~ торопиться на поезд; 어떤 일의 수행을~ торопиться с выполнением чеголибо; 서두르지 말고 천천히 하라 делай не торопясь.

서러움 грусть; печаль; ~을 겪다 испытывать огорчение; 그녀는 ~에 잠겨 있다 она грустит.

서러워하다 тужить по кому-л., чёму-л.(о ком-л., чём-л.); 벗과의 이별을~ огорчаться из-за разлуки с другом; 지나간 젊음을~ тужить об ушедшей молодости.

서럽다(서러우니, 서러워) грустный; грустно кому-л.; 서러운 생각 грус-тные думы.

서로(西路) I 1) западная дорога; 2) дорога, ведущая в провинции Хванхэдо и Пхёнандо.

서로 II друг с другом, между собой, друг друга; ~사랑하다 любить взаимно; 우리는 ~방문하고 있다 мы бываем друг у друга; ~동화 лингв. взаимная ассимиляция; 서로의 의견을 교환하다 обмениваться друг с другом мнениями.

서론(序論) 1) см.머리말; ~적 вводный; 그 책에 대한 ~적 предисловие к той книге; 2) ~적 부분 вводная часть, введение; 2) между собой.

서류(書類) 1) документ; 그는 ~에 서명을 했다 он подписал документы; 증거~ документальные доказатель-ства. 2) уст. распространённая порода; распространённый вид(сорт и т. п.).

서른, 삼십(三十, 30) тридцать.

서리 I иней; ~가 내렸다 выпал иней;

~를 맞다 покрываться инеем; ~를 이다 седеть; серебриться; 나무에 ~가 앉았다 дерево покрылось инеем; 유리창에 ~가 내렸다 иней запушил окно; ~꽃 изморозь; ~같은 칼(칼날) обр. сверкающий клинок; ~를 맞다 никнуть от мороза(о траве); 서리 맞은 구렁이 обр. апатичный(вялый)человек

서리 II ~하다 совершать налёт (напр.на бахчу в виде забавы)

서면(書面) 1) исписанная страница; 2) документ; ~으로 письменно; ~으로 보고하다 письменно доклады-вать.

서명(書名) подпись; ~하다 подписываться; ставить подпись; ~을 받기 на подпись; 그는 편지에 ~했다 он подписал письмо(договор); 남의 필적과 비슷하게 ~하다 подделать подпись; ~운동 кампания по сбору подписей; ~자 подписавшийся

서민(庶民) уст. (простой) народ, простые люди; ~적(的) простодушный; ~층 низкое сословие; простонародье.

서비스(англ. service) обслуживание; услуга; служба; 그녀는 국영~에서 근무하고 있나요? Она на государственной службе? 난 ~에 대해불만을 얘기하고 싶다 я хочу пожаловаться на обслуживание; 당신은 내게 ~를 해줄 수 있습니까? Можете вы оказать мне маленькую услугу?

서서히 медленно; понемногу; шаг за шагом; малопомалу;постепенно.

서시 I уст. 6 очков(в игре).

서시(薯豉) II уст. острый густой картофельный соус.

서술(敍述) изложение, описание, повествование; ~하다 излагать; опи-сывать; повествовать; ~된 изложе-ный; описанный; ~형 повествова-тельная форма; ~문법 лингв. описательная грамматика; ~적 оп-исательный, повествовательный.

서식(書式) I форма составления документа.

서식(棲息) II ~하다 жить; обитать; ~에 알맞은 장소 пригодное для жизни; ~지 место распространения; родина.

서신(書信) письмо, послание 바울~ послание апостола Павла.

서약(誓約) клятва; присяга; ~하다 клясться комулибо в чёмлибо;~을 깨다 нарушать клятву; ~을 지키다 быть верным клятве; ~서 клятва; присяга.

서운하다 полный сожаления; огорчённый; грустный; ~한 마음으로 그를 전송했다 мы с сожалением расстались с ним; ~해하다 жалеть; сожалеть; огорчаться. 서운할까 жаль.

서울 г. Сеул. см. 수도.

서울역 Сеул вокзала(станции)

서점(書店) книжный магазин.

서정(抒情) 1) лирика; переживание; ~적 лирическй; ~적인 분위기 лирическое настроение; ~성 лиричность; ~시 лирика; лирические стихи; 2) ~하다 описывать(выражать) чувства

서쪽(西-) запад; ~에서부터 с запада; ~으로 на запад; к западу; 모스크바에서 ~으로 к западу от Москвы.

서창(西窓) I окно, выходящее на

запад

서체(書體) 1) почерк; 그는 훌륭한 ~로 쓴다 он пишет красивым почерком; 그의 ~는 뛰어나다 у него хороший почерк; 아름다운 ~ красивый почерк; 17세기의 ~ почерк 17 века; 2) уст. см. 글씨체.

서투르다(서투르니, 서툴러) 1) неопытный, неумелый; неловкий; 무슨 일을 하는지 그가 하는 일은 ~ за что не возьмётся, ничего у него не ладится; 글이~ быть плохо написанным; 서투른 말 ломанный язык; 2) чуждый, незнакомый; 3) застенчивый, робкий; 4) ~서투르게 неосторожно, неловко.

서한(書翰) 1) письмо; послание; ~문 письменное предложение; 공식~ официальное письмо; 사무용~ деловое письмо; 2) см. 편지.

서행(西行) I ~하다 идти(ехать) на запад.

서행(徐行) II ~하다 медленно(не спеша, не торопясь) ехать(идти).

석(釋) I 1) Будда; 2) ритуал поклонения статуе Будды, совершаемый монахами утром и вечером; 3) сущ. будить монахов ударами в деревянную колотуш-ку(колокол).

석(錫) II олово.

석(席) III счётн. сл. место; 일천~의 관람석 тысяча мест для зрителей.

석(3.삼)V перед именами три; 석달 три месяца; 석새 베깃에 열 새 바느질 погов. ≅ а) дело мастера боится; б) как небо и земля; 석 자 베를 짜도 베틀 벌이기는 일반 посл. ≅ букв. ткёшь хоть три вершка, а надо расставлять ткацкий станок.

-석(石) суф. кор. камень; минерал; 거리에 ~을 깔다 вымостить улицу камнем; 초~을 놓다 заложить первый камень; ~을 던지다 бросать камень в кого-то; ~상 каменное изваяние; ~순(洵) сталагмит; ~실 каменная пещера; ~연 лечебный камень; ~재 строительный камень; ~조 сделанное из камня; ~주 каменный столб; ~질 свойство минерала (камня); ~탄 каменный уголь; ~탄가스 каменноугольный газ; ~탑 каменная башня; ~판(版) литографический камень;

석가모니(釋迦牟尼, 부처) Будда.

석고(石膏) гипс; ~붕대 гипсовая повязка; ~상 статуя из гипса; ~조각 скульптура из гипса

석류(石榴)[송뉴] 1) гранат(плод); ~나무 гранат(дерево); ~의 열매 грана-товый плод; 2) кор. мед. кожура граната(как материал для лекарства).

석방 освобождение(из тюрьмы); ~하다 освобождать; выпускать на свободу; выпускать изпод ареста; ~운동 движение за освобождение (кого-л.). **석사**(碩士) магистратура.

석양(夕陽) I 1) закат, вечерняя заря; ~별 лучи заходящего солнца; ~빛 вечерние лучи солнца; 2) см. 석양녘.

석양(石羊) II каменное изваяние барана (овцы)(у могилы).

석연(釋然)~하다 прил. чувствовать облегчение, удовлетворённый; 그의 말만 듣고는 문제의 본질이 어디 있는지 아직~치 않았다 по одним его словам ещё не было ясно, в чём суть дела; книжн. ~[히] с облегчением, удовлетворённо.

석유(石油) 1) нефть; ~곤로 керосинка;

~등 керосиновая лампа; ~정제 рафинирование нефти; ~제품 нефтепродукт; керосин; ~통 нефтяная(керосиновая) бочка; ~화학공업 нефтехимическая промышленность; ~지질학 геология нефти; ~탱크 нефтеналивной ре-зервуар; 2) керосин.

석탄(石炭) каменный уголь; ~가스 каменноугольный газ; ~가스화 газификация углей; ~타르 каменноугольный дёготь.

석회(石灰) известь; ~석 известковые породы(известняк); ~가성 едкая известь; 생~ негашёная изве-сть; 소~ гашёная известь; ~가마 печь для обжига извести; ~광재 сэмэнт стр. известково-шлаковый цемент; ~망초 глауберит; ~산호 известковые скелеты кораллов; ~소성 обжиг известняка; ~질소 цианамид кальция; ~질암 известковая порода; 2) см. 생석회.

쉮다 смешивать с чём-л.; подмешивать; 밀가루를 반죽에~она смешала вино с водой; 시멘트에 모래를~ подмешивать песок в цемент

쉮이다 быть смешанным(подмешанным; примешанный).

섟 [сок] I причал.

섟 [сок] II 1) порыв чувств; ~섟이 삭다 успокаиваться; 2) темперамент; 3) деловые качества(человека); 4) технические данные(машины).

선(線) I 1) линия; черта; ~을 긋다 провести линию; 국경~ пограничная полоса; 도화~огнепроводный(бикфордовый) шнур; фитиль; 선 스펙트르 линейчатый спектр; 2) луч; 3) см. 철선 I; 4) см. 선로 I; 5) контакт, связь; 선을 대다 иметь контакт (связь); 6) очертания предмета); 7) тенденция; 선이 가늘다 а) изящный, б) мелочный; 선이 굵다 а) крупный, грубый; б) широкий(о натуре).

선(腺) II 1) анат. железа; 2) сосуды(напр. в древесине).

선(先) III 1) заход(в игре); 2) заходчик.

선(禪) IV 1) будд. созерцание; медитация; учение секты созерцателей; 2) см. 선종 III; 3) 선학 II; 선을 나다 выходить из зала для медитации; 선[에] 들다 входить в зал для медитации

선(善) V добро; 진선미 истина, добро и красота.

-선(線) I суф. кор. 1) линия, черта; ~국경선 пограничная линия; 도화선 огнепроводный шнур; 2) луч; 우주선 космические лучи.

-선(船) II суф. кор. корабль, судно; 병원선 ~ госпитальное судно; 상~ торговый корабль; 비행선 дирижабль.

-선(腺) III суф. кор. железа; ~편도선 миндалевидная железа.

선-(先) преф. кор. 1) первый, начальный; 선보름 первая половина месяца; 2) покойный, умерший; 선부형 покойные отец и брат.

선거(船車) I судно и повозка.

선거(選擧) II выборы;~하다 выбирать; избирать; 의원을 ~하다 выбирать (кого-л.) в депутаты; ~구 избиратель-ный округ; ~권 избирательное право; ~법 избирательный закон; ~인 избиратель; ~인단 группа избирателей; ~일 день выборов; ~전 предвыборная борь-ба; 보궐~ дополнительные выборы; 총 ~ всеобщие выборы; 일반적[평등적,

직접적] всеобщие(равные и прямые) выборы; ~분구 избирательный участок; ~자격 избирательный ценз; ~제도 избирательная система; ~하다 выбирать, избирать.

선결(先決) I ~적 первоочередной; ~하다 решать в первую очередь; ~과제 первоочередная задача.

선결(鮮潔) II ~하다 свежий и чистый

선고(先考) I уст. покойный отец.

선고(宣告) II ~하다 а) оглашать; объявлять; 파산~를 내리다 1) объявлять кого-л. банкротом; ~문 текст декларации(приговора); ~장 объявление; декларация; приговор; 2) выносить(приговор).

선구(先驅) ~적 передовой; ~하다 ехать впереди; 유리 가가린은 우주 여행의 ~자이다 Юрий Гагарин был пионером космических полётов; ~자 передовой всадник; пионер; защитник.

선구자(先驅者) 1) передовой всадник; 2) пионер, зачинщик; инициатор.

선동(煽動) 1) агитация; 2) подстрекательство; ~적 а) подстрекательский; б) агитационный; ~하다 подстрекать; провоцировать; 세계전쟁을 ~하다 провоцировать мировую войну; 총파업을~하다 агитировать на всеобщую забастовку; 폭동을 일으키도록~하다 подстрекать к возмущению; ~가 подстрекатель.

선두(先頭) I главенство, первенство; ~에 во главе; ~에 나서다 быть впереди других; ~에 서다 стоять во главе; ...를 ~로 하여(한) во главе с (кем-л.).

선두(船頭) II капитан парусного судна

선로(線路), 레루 I рельс; линия; ж.-д. путь; ~공 путевой рабочий; ~원 путевой обходчик; ~순회원 путевой обходчик; ~폐색장치 путевая блокировка; ~용량 ёмкость путей.

선물(膳物) 1) подарок, дар; 2) ~하다 дарить; преподносить; делать подарок; ~로받다 получить что-то в подарок; 그녀는 멋진 생일~을 받았다 ко дню рождения она получила чудесный подарок; 생일~ подарок ко дню рождения; 크리스마스~ рождественский подарок.

선박(船舶), 기선(汽船) корабль; судно; ~건조 судостроение; ~급수 класс судов; ~견인 특성 тяговая характеристика судов; ~국적 государственная принадлежность судна; ~이력부 паспорт судна; ~복원성 крен судна (корабля); ~운행표 график движения судов.

선반(旋盤) I настенная полка(для книг и т. п.); 2) токарный станок; ~공 токарь; ~공장 токарная мастерская; 금속~공 токарь по металлу.

선반(旋盤) II токарный станок; ~공장 токарная мастерская.

선발(選拔) отбор; подбор; ~하다 отбирать; подбирать; ~되다 быть выбранным; 적당한 사람을 ~하다 подобрать подходящего человека; ~대 впереди идущий отряд; аван гард; ~배치 подбор и расстановка; ~시험 отборочные испытания.

선배(先輩) сущ. 1) более опытный; 2) ранее(кого-л.) окончивший учебное заведение.

선별(選別) ~된 выбранный; отобранный; сортированный;~하다 отби-рать; сортировать; выбирать; ~된 상품들 сортированые товары.

선봉(先鋒) авангард; ~적 авангардный; передовой; ~에 в авангарде; во главе; ~으로 되다 быть ведущим (передовым); ~대 передовой отряд; авангард; член передового отряда; ~장 начальник авангарда; ~대장 уст. начальник авангарда.

선불 I ~을맞다 а) быть подраненным; б) получить ощутимый удар; ~을 맞은 호랑이 뛰듯 обр. беснуясь, слов-но раненый тигр;~을 걸다(놓다, 지르다) а) ранить(зверя); б) испортить дело.

선불(先拂) II ~하다 платить вперёд

선생(先生) 1) вежл. учитель; 2) вежл. Вы. 선생 두 분 два учителя.

선생님 учитель, учительница, преподаватель.

선서(宣誓) ~하다 давать(клятву,присягу); 재판관 앞에서 ~하다 произносить клятву перед судьёй.

선수(先手) I 1) первый ход(в шахматах, шашках); ~를 두다 первым сделать ход; ~하다 первым сделать ход; 2) см. 선손; ~를 걸다 см. 선손 [을 걸다]; ~를 쓰다 см. 선손[을 쓰다].

선수(船首) II см. 이물 I; ~곡재 мор. форштевень; ~방위 мор. направление по штевню; ~창구 см. 선수창 I; ~흘수 осадка носа (судна).

선수(選手) IV 1) мастер спорта; 2) спортсмен; 농구~ баскетболист; 축구 ~ футболист; 테니스~ теннисист; 3) см. 선수 III.

선수권(選手權) [-кквон] первенство; ~대회 чемпионат, игры на первенство; 세계~ чемпионат мира; 전국~ чемп-ионат страны.

선어말 어미(先語末語尾) окончание, предшествующее конечному.

선언(宣言) I декларация; манифест; ~하다 декларировать; объявлять; провозглашать; 중립을~하다 объявлять нейтралитет; 그러나 검찰이 나왔을 때, 이 대작을 이해했던 사람들은 고골을 천재적인 작가라고 ~했다 но вот появился<Ревизор>и люди, понявшие великое творение, провозгласили Гоголя гениальным писателем; ~문 декларация; манифест; ~식 церемония провозглашения чего-л.; 인권~ декларация прав человека.

선언(善言) II уст. поучение.

선율(旋律) I [-юл] мелодия; ритм; ~소조 мелодический минор; ~음정 мелодические интервалы.

선율(禪律) II [-юл] буъъ. 1) секта созерцателей и секта соблюдающая заповеди; 2) заповеди секты созерцателей.

선입감(先入感) предубеждение; ~을 갖게 하다 предубеждать против кого-л. (чего-л.); 나의 할아버지는 재즈에 심한 ~을 갖고 계신다 у моего деду-шки было сильное предубеждение против джаза.

선입견 превзятое мнение; превзятость; ~에 사로잡힌 превзятый.

선전(宣傳) I 1) пропаганда; ~하다 пропагандировать; ~포고를 하다 объявлять войну; ~문 прокламация; агитлистовка; ~자 пропагандист; агитатор; ~포고 объявление войны; ~선동부 отдел пропаганды и агитации;

2) сокр. от 선전관 I.

선조(宣祖),조상(祖上) I предок, предшественник, родоначальник.

선조(先朝) II период правления предшествующего короля.

선지서 Книги пророков; 대~ Книги больших пророков; 소~ Книги малых пророков.

선진(先陣) I уст. передовой отряд.

선진(先進) II ~적 передовой; ~국 передовая страна.

선진국(先進國) передовая страна, развитая страна.

선천(先天) I ~적 врождённый; унаследованный; ~성 врождённый характер; ~성 심장 판막 장애 врождённые пороки сердца; ~적기형 врождённая аномалия; ~적 면역 врождённый иммунитет; ~부족 мед. врождённая слабость.

선천(宣薦) II ~하다 рекомендовать на должность в ведомство, занимавшееся охраной короля и передачей его приказов

선출(選出) отбор; ~하다 выбирать; избирать; отбирать; ~된 выбранный; избранный.

선택(選擇),선발 выбор; отбор; избрание; ~된 выбранный; избранный; ~하다 выбирать; отбирать; избирать; ...에게~을 맡기다 предоставлять кому-л. что-л. на выбор; 당신의~은 잘못되었다 ваш выбор плох; ~된 사람 избранник; ~부선 селективная флотация; ~채무 юр. альтернативное обязательство; ~흡 (흡착) хим. селективная абсорбция.

선택성(選擇性) избирательность; селективность. **선택하다**

선포(宣布) провозглашение; обнародование; ~하다 провозглашать; обнародовать; объявлять; 위원회는 그를 의장으로~했다 комитет провозгласил его председателем. ~문 декларация.

선풍(旋風) 1) вихрь; ~기 вентилятор; 2) см. 회오리바람; 3) переполох; суматоха; ~을 일으키다 поднять суматоху.

선하다(先-) I первым делать ход (напр. в шахматах).

선하다 II прил. вспоминаться; 눈에 ~ стоять перед глазами.

선행(先行) I предшествование; ~하다 предшествовать(кому-л., чему-л.); 이 사건전에 일련의 작은 사건들이 ~ 되고 있었다 этому предшествовал ряд мелких событий; ~작물 с.-х. предшественник.

선행(旋行) II уст. ~하다 возвращаться обратно.

선행(善行) III хорошее поведение; благородный поступок; ~을 쌓다 делать много добра.

선험(先驗) ~적 филос. трансцендентальный; ~적 관념론 трансцендентальный идеализм; ~철학 трансцендентальная философия.

선회(旋回) вращение; оборот; ~하다 вращаться; кружиться; 비둘기가 하늘 에서 ~하고 있다 голубь кружит в небе; ~포 탑 вращающаяся орудийная башня; ~기관총 турельный пулемёт; ~비행기 автожир.

설 I 1) первый день нового года; начало года; Новый Год; ~을 쇠다

встречать Новый Год; ~날 первое января.

설(說) II 1) теория; 2) мнение; взгляд; 다윈의 ~ теория Дарвина.

-설(設) суф. кор. 1) теория; часто соотв. русск. суф. «изм»; 신비설 мистицизм; 파동설 физ. волновая теория; 2) мнение; 반대설 противоположное мнение.

설- преф.; указ. на неполноту, незаконченность действия: 설삶다 недоварить.

설계(設計) 1) проектирование; планирование; ~하다 проектировать; планировать; ~도 проект; перспективный план; ~사 плановщик; конструктор; проектировщик; ~안 проект; план; 2) см. 설계도.

설교(說敎) проповедь; ~하다 проповедовать; разъяснять; растолковывать; ~자 проповедник.

설날 [-랄] 1) первый день нового года, первое января; 2) см. 설.

설다(서니, 서오) 1) а) не совсем созреть(поспеть); 선참외 незрелая дыня; б) быть недоваренным(неготовым); 선 떡 가지고 친정 간다 посл. ≅ среди своих можно не церемониться; 선 떡 먹고 체했나? погов.≅смешинка в рот попала); 선바람 쐬다 не поняв, привратно судить; 눈에~ незнакомый; 손에 ~ 밥이 неумелый; 선잠 некрепкий сон.

설득(說得) [-뜩] убеждение; ~하다 убеждать кого-л. в чём-л.; 그녀는 나를 오도록~했다 она убедила меня прийти; ~력 сила убеждения; убеди-тельность.

설득성(說得性)[-뜩-] убедитель- ность.

설렁탕(-湯) 1) говяжий бульон(из внутренностей, головы, костей и т. п.); 2) рис, разбавленный бульоном.

설레다 1) быть непосредственным; не сидеть на месте; 설레임 непоседливость; 2) колыхаться; 3) клокотать, бурлить; 4) волноваться, беспокоиться; 놀라서 가슴이 ~ на сердце неспокойно.

설레설레 ~흔들다, ~하다 покачивать (головой).

설립(設立) основание, учреждение; ~하다 основывать; убеждать; организовывать; 국제기구를 ~하다 учредить международную организацию; 이 회사는 1970년에 ~되었다 эта компания основана в 1970 го- ду; ~자 основатель.

설마 авось; вряд ли; едва ли; ~가 사람 잡는다 на<авось> не надейся; ~가 사람 죽인다 погов. ≅ кто на авосьнебось надежду положил, тот сам себя сгубил.

설명(說明) объяснение, разъяснение, толкование; ~하다 объяснять; разъяснять; 너는 그가 학교에 오지 않은 것을 어떻게 ~할래? Чем ты объяснишь его отсутствие в школе? ~서 письменное объяснение.

설명문(說明文) 1)повествовательная манера письма; 2) объяснительная записка.

설명하다 объяснить.

설법 [-뻡] проповедь(буддизма); ~하다 проповедовать(буддизм); 2) способ изложения.

설복(說服) I убеждение(кого-л.); ~하다 убеждать; уговаривать(кого-л.); ~적 убеждающий, убедительный.

설복(褻服) II уст. книжн. 1) см. 속옷; 2) повседневная одежда.

설비(設備) оборудование; устройство; оснащение;~하다 оборудовать; оснащать; ~비 расходы на оборудование; ~용량 установленная мощность; ~투자 капиталовложение на оборудование; ~이용률 коэффициент использования.

설사(泄瀉) [-сса]понос; ~병에 걸리다 заболеть расстройством желудка; ~ 하다 страдать расстройством желудка; ~병 понос; ~약 лекарство от расст-ройства желудка(поноса); ~에 걸리다 расстроиться(о желуд ке)

설악산 гора Соррак.

설정(設定) [-ччонъ] I установление; учреждение; установка; ~하다 устанавливать; 문제 ~ постановка вопроса

설정(雪程) [-ччонъ] II уст книжн. см. 눈길 II.

설치 I малёк рыбы(Blennius yatabei.

설치(設置) II установка; ~하다 устанавливать(напр. прибор);монтировать; создавать; учреждать; основывать;~대 станина; ~안 план; проект; ~출력 установленная мощность.

설치다 1) недоделывать до конца; останавливаться на полпути; 아침을~ не закончить(не доесть) завтрак; 2) бесноваться; 3) см. 설레다; 4) легонько ударять.

설탕(屑糖) сахар; сахарный песок.

섧다(설우니,설워) [-솔타] 1) грустный; грустно; 2) см. 서럽다.

섬 I 1) соломенный мешок(куль);

곡식 섬 мешок с зерном; 2) сом (мера ёмкости=180 л); 3) несколько сомов.

섬 II ступенька каменной лестницы.

섬 III остров; ~나라 островная страна.

섬(纖) IV уст. 1) одна десятимиллионная; 2) крошечный, очень маленький.

섬광(閃光) 1) (световая) вспышка; физ. сцинтилляция; ~결정체 сцинтил-ляционный кристалл;~스펙트럼 спектр вспышки; ~계수관 сцинтилляционный счётчик; ~선량계 сцинтилляционый дозиметр; ~전구 эл. сцинтилляционная ла-мпочка; 2) вспышка(морской сигнал)

섬유(纖維) волокно; биол. фибра; ~세포 волокнистые клетки; ~소 клетчатка; целлюлоза; фибрит; ~유리 фиберглас; 인조 ~ искусственная фибра; ~작물 волокнистые растения; ~질 волокнистость; ~제지림 лес, выращиваемый для нужд текстильной и бумажной промышленности.

섭 мидия(морской моллюск).

섭니다 стоять.

섭리(攝理) [сомни] I 1) провидение; ~하다 а)следить за собой(во время болезни); б) вести(рассматривать) дела(вместо кого-л.); 2) рел. провидение.

섭리(燮理)[сомни] II ~하다приводить в соответствие(светлое и тёмное начала в натурфилософии).

섭섭하다 прил. грустный; досадный; обидный; в знач. сказ. жаль; 난 무척 섭섭하네요 мне очень досадно; 떠나신다니 매우 ~합니다 очень жаль, что вы уезжаете; 너무 섭섭히 생각 마시오 не огорчайтесь. **섭섭해요** сожалею.

섭씨(攝氏) Цельсий;~20도 20 градусов по Цельсию; ~한난계(온도계) термометр(градусник) Цельсия.

섭취 усвоение; ~하다 усваивать; вос-принимать; перенимать; 문화유산을 ~하다 переработать культурное нас-ледие. **섯**! Стойте.

섰다 играть в корейские карты.

성 I гнев; злость; ~이 나다 сердиться; волноваться; возбуждаться; прорваться; ~이풀리다 успокаивать; утешать; 그는 순간적으로 ~이 나서 이런 일을 저질렀다 он сделал это под влиянием минутного гнева; 그는 곧잘 ~을 낸다 его легко рассердить;

성(姓) II фамилия.
성(省) III министерство.
성(城) IV 1) крепостная стена; 2) крепость; ~문 крепостные ворота; ~벽 оплот; крепостная стена.

성(性)(남성,여성) V 1) пол(мужской, женский); ~의 половой; ~적인 сексуальный; ~별에 관계없이 независимо от пола; 2) лингв. род; 3)натура, характер; 감수성이 풍부한 ~질 восприимчивая натура; ~적인 본능 половой инстинкт; ~감 сексуальные чувства; ~교 половой акт; половая связь; ~교육 половое воспитание; ~기(器) половые органы; ~별 половое различие; ~병 венерическое заболевание; ~욕 сексуальность; ~남 мужской пол; ~여 женский пол; ~이 마르다 нетерпимый; вспыльчивый; ~에 차다 удовлетворённый.

성 VI 1) в твор. п. после прич. буд. вр. для; 든든할 성으로 для полной уверенности; 2) после прич. гл. в сочет. с 부르다, 싶다 как будто, словно, 등짐을 져서 키조차 내리 눌린성싶은 사람 человек, словно придавленный ношей. **성**(城) VII замок.

-성(性) I суф. кор. характер, качество; ...ость; 계획성 плановый характер, плановость; иногда дополнительно подчёркивает то, что уже выражено производящим именем: 류사성 сходство.

-성(省) II суф. кор. министерство; 내무성 министерство внутренних дел. **성을 쌓다** строить крепость.

성격(成格) I уст. ~하다 становиться правилом(нормой).

성격(性格),성질 [-ㄲㅕㄱ] II характер; ~적 характерный; по характеру; 나는 그와 ~이 맞지 않는다. 단지 그것뿐이다 мы с ним не сошлись характерами вот и всё; ~묘사 характеристика; ~배우 характерный актёр.

성공(成功) I успех; достижение; ~적 успешный; ~하다 добиваться (успеха); удаваться; увенчаться успехом; ~을 바라다 желать успеха; 진심으로 너의 ~을 빈다! От души желаю тебе успеха! 그의 연주회는 커다란 ~을 거두었다 его концерт прошёл с большим успехом; 성공을 이룩하다 достигать успеха. **성공**(星空) II звёздное небо.

성과(成果), 성공 [-ㄲㄲㅘ] большое достижение, успех; ~를 거두다 достиг-нуть результата; ~를 올리다 пользо-ваться успехом; 그들의 ~는 우리들의 ~에 비하면 빛이 나지 않는다 их успехи бледнеют перед нашими; ~적 успешный; ~적으로, ~있게 успешно.

성냥석(<石硫石) спички; ~갑 коро-бка спичек; ~개비 одна спичка.

성년(成年) I 1) совершеннолетие; ~기 период совершеннолетия; ~식 обряд посвещения юноши во взрослые; 2) сущ. совершеннолетний; 3) зрелый возраст; 4) сущ. взрослый.

성년(盛年) II цветущий возраст

성능(性能) I возможности; способности; данные; характеристика.

성능 II эффективность.

성립(成立) [-닙] образование; фор-мирование; составление; ~하다 обра-зовываться; формироваться; состав-ляться; ~되다 заключать договор.

성명(聲明), 신청서 I заявление; декла-рация; ~하다 сделать заявление; заявлять(о ком-л., о чём-л.); ~서 заявление; декларация.

성명(成名) II ~하다 уст. получить известность, прославиться

성미(性味) характер, нрав; ~가 급하다 невыдержанный; ~부리다 사소한 일에 ~를 부리다 нервничать по пустякам; ~가 나다 сердиться; злиться; ~가 급하다 невыдержанный; ~를 부리다 нервничать.

성별(性別) половое различие; ~이 없이 безразличия(независимо от) пола.

성분(成分) 1) состав;компонент; со-ставная часть; ингридиент; 출신~ социальный состав; 사회~ социа-льное происхождение; 2) лингв. член предложения; ~분석 членение; анализ.

성서(聖書) 1)священные книги; 2) священные книги; Библия.

성숙(成熟) созревание; зрелость; ~하다 созревать; поспевать; зреть; достигнуть зрелости; ~기 период созревания; период зрелости; ~도 степень зрелости.

성실(成實) I ~하다 наливаться(о зерне).

성실(誠實) II искренность; ~하다 верный; преданный; искренний; 그는 직설적이고 ~한 사람이다 он прямой и искренний человек; 그는 오랫동안 조국을 위해 ~하게 근무해왔다 он много лет верно служил родине; ~성 верность. 성실하다 искренний,честный

성심(誠心) искренность; откровенность; ~껏 от всей души; ~으로 искренне, откровенно, от души.

-성싶다 кажется что...

성씨(氏) вежл. ваша(его) фамилия.

성장(成長) I рост; развитие; ~하다 расти; вырастать;развиваться; зреть в летах; 우리들은 시골에서 ~했다 мы росли в деревне; 당신의 아들은 올해 무척 ~했군요! Как ваш сын вырос за этот год!~기 период роста(развития); период зрелости; 급속한 ~ быстрый рост; ~률 степень роста; ~사료 высококалорийные корма.

성장(盛裝) II ~하다 нарядно одева-ться; принарядиться; разодеться; 상하의를 모두 새옷으로 ~하다 разо-деться во всё новое

성적(成績) I успеваемость; резуль-тат, достижение, успех; ~이 좋은 학생 успешный ученик; ученик с хорошей успеваемостью(оценками); ~을 매기다 поставить оценку; 좋은 ~

을 얻다 длать хорошие успехи; добиться успехов; ~순 порядок успеваемости; ~표 ведомость успеваемости.

성적(成赤) II уст. ~하다 пудриться и накладывать румяна.

성전(聖殿) священный храм

성직(聖職) духовный сан; ~자 духо-вное лицо

성질(性質) характер; натура; склад; нрав; качество; 감수성이 풍부한 ~ восприимчивая натура; 부드러운 ~ мягкий характер; 온화한~ кроткий(тихий) нрав; 흥부하기 잘 하는 ~ пылкая натура; 그녀는 쾌활한 ~을 지닌 평범한 사람이다 У неё простой весёлый нрав; 그런 ~의인간은 악마하고나 친하게 지낼 거야 Человек с таким характером даже с чёртом может ужиться; 그의 ~좀 봐! 당신은 어떻게 그와 친하게 지낼 수 있지? Ну и характер у него! Как это вы с ним ладите? ~형용사 лингв. качественное прилагательное.

성취(成就) I завершение, осущест-вление; ~하다 завершать; осущест-влять; достигать; 마침내 나는 내 염 원을~했다 наконецто я осуществил своё заветное желание;목적은~되지 않았다 цель не была достигнута.

성취(成娶) II ~하다 жениться.

성하다 I 1) а) бурно расти; быть в разгаре(в расцвете); процветать; 상업이~ торговля процветает; 2) а) бурный, буйный(о растительности); б) цветущий, процветающий.

성하다 II 1) целый; неиспорченный, неповреждённый; 2) крепкий, здо-ровый.

성함 вежл. ваши(его) фамилия и имя.

섶 I пола(одежды).

섶 II подпорка (у растения).

섶 III сокр. от 섶나무; 섶을 지고 불로 들어간다 посл. ≅ букв. лезть в огонь с сухим хворостом.

섶 IV подстилка на выкормочной этажерке.

세(勢) I 1) сила; могущество; влияние; ~살 버릇이 여든까지 간다 дурная привычка, приобретённая в три года, сохранится до восьмидесяти; 2) см. 세력 3) см. 세도 I; 4) см. 형세; 5) дух. 세(稅) II налог.

세(貰) III 1) сдача в аренду(напрокат); ~를 놓다 сдавать в аренду; давать напрокат; ~를 얻다 брать в аренду; снимать в аренду; брать напрокат; ~를 지불하다 вносить (платить) за аренду; ~를 내다 брать напрокат; 2)арендная плата; 하룰~ за прокат.

세(世) IV 1) геол. эпоха; 2) после числ. обозначает порядок следования монархов, носящих одно имя: 뾰뜨르 일 세 Пётр Первый.

세(歲) V после числ. год; ~십오 세 пятнадцать лет.

세 VI (опред. ф. числ. 셋) три; 세 사람 три человека; 세살 먹은아이 말도 귀담아 들으랬다 посл. ≅ устами младенца глаголет истина; 세 살 적 버릇이 여든까지 간다 посл. ≅ букв. дурная привычка, приобретённая в три года, сохранится до восьмидесяти; 세살에 도리질 ирон. позднее развитие (у ребёнка)

-세 фам. оконч. пригласит. ф. предикатива: 같이 가세 идём вместе!

세계(世界) I мир; свет; ~적 мировой; ~를 일주하다 совершить кругосветное путешествие; ~무대에 나서다 вступать на мировую арену; 전 ~가 이것을 알고 있다 весь мир об этом знает; ~관 мировоззрение; ~대전(전쟁) мировая война; ~무대 мировая арена; ~무역 международная торговля; ~사 всемирная история; ~사적 всемирноисторический; ~신기록 новый мировой рекорд; ~주의 космополитизм; ~지도 карта мира; ~혁명 мировая революция; 동물~ животный мир; ~열강 великая держава; ~시장 см. 국제[시장] I.

세계(世系) II родословная, генеалогия

세계사(世界史) всемирная история; ~적 всемирно-исторический.

세공(細工) 1) тонкая(отделочная) работа; ~하다 тонко(искусно) отделывать; ~사 отделочник; ~품 тонкие изделия.

세공품(細工品) (тонкие) изделия; 상아 ~ изделие из слоновой кости.

세관(稅關) таможня; ~검사 таможенный досмотр; ~제도 таможенная система.

세균(細菌) бактерия; ~학 бактериология; ~경검 бактериоскопия; ~단백질 бактериопротеин; ~요법 бактериотерапия; ~무기 бактериологическое оружие; ~전쟁 бактериологическая война; ~폭탄 бактериологическая бомба.

세납(稅納) 1) налоговый взнос; выплачиваемый денежный нолог; 2) уст. см. 납세.

세다 I 1) седеть; 2) бледнеть; сереть(о лице); 그는 머리가 셌다 он поседел.

세다 II 1) считать(количество чего-л.); сосчитать; 돈을 ~ считать деньги; 백까지 ~ считать до ста; 손가락을 곱아 ~ считать на пальцах; 2) после имён в твор. п. считать, рассматривать.

세다 III 1) сильный; 센바람이 일었다 поднялся сильный ветер; 2) жёсткий; грубый; 3) твёрдый; 4) трудный(о работе); 5) этн. несчастливый.

세다 IV жёсткий; грубый; твёрдый; 뻣뻣하고 센 머리털 жёсткие волосы.

세대(世代) 1) поколение; 젊은 ~ молодое поколение; подрастающее поколение; ~교체 смена поколений; ~교체 биол. метагенез; ~명가 уст. известный(знаменитый) род; 2) см. 시대

세도(勢道) 1) политическая власть; 2) высокое служебное(общественное) положение; ~가 человек пользующийся своим высоким положением; ~를 부리다(쓰다), ~하다 злоупотреблять властью; использовать своё служебное положение; ~정치 власть могущественного министра, управляющего вместо короля.

세력(勢力) 1) влияние; сила; могущество; ~을 떨치다 распространять своё влияние; ~가 влиятельный человек; ~권 сфера влияния; ~범위 сфера влияния; 혁명~ революционные силы; 2) состояние; 병의 ~ состояние больного.

세례(洗禮) 1) рел. крещение; 2) испытание; проверка; ~식 обряд крещения; 전투적~ боевое крещение.

세로 вертикально; сверху вниз; вдоль; ~쓰다 писать сверху вниз; ~줄 вертикальная линия; ~철근 стр. продольная арматура.

세멘(<*англ.* cement) сокр. от 세멘트; ~기와 цементно-песчаная черепица.

세면(洗面) 1) умывание; ~하다 умы-ваться; ~대 умывальник; ~장 комната для умывания; туалет; 2) см. 세수 I.

세무(稅務) I дела по взиманию налогов(по налогообложению); ~관 налоговый чиновник; ~관청 налоговый аппарат; ~사 человек занимающийся налоговыми вопросами по поручительству других; ~서 налоговое управление; ~조사 налоговое расследование.

세무(細務) II мелкие дела.

세밀(細密) деталь; ~하다 детальный; тщательный; ~히 детально; тщательно; ~성 тщательность.

세배(歲拜) 1) поклон(родителям утром нового года); ~하다 поздравлять с Новым Годом(старшего); 세뱃돈 деньги, которые дают детям, пришедшим поздравить с Новым Годом; 2) поклон поздравляющего с Новым Годом

세부(細部) 1)мелкие части; детали; ~적 детальный; мелкий; ~계획화 детализация планов(планирования); 2) см. 세부분

세상(世上) 1) мир; свет; ~없는 не имеющий себе равных; ~없어도 при любых обстоятельствах; ~없이 несравненно; бесподобно; ~에 боже мой; ~을 등지다 удалиться от мира; жить затворником; ~을 모르다 а) совершенно не разбираться в жизни; б) [을]모르고 자다 спать как убитый; в) не знать обстоятельств(причин); ~이 바뀌다 коренным образом измениться; ~을 떠나다 скончаться; уйти из жизни; ~일 мирские дела; 2) земля(в противоп. небу); 3) уст. внешний мир(для отшельника); свобо-да, воля(для заключённого); 4) после 하나 и 몇 век, жизнь; 한~ 살다 прожить свой век; 5) для усиления знач. последующего сл.~말을 들어야지 ты должен выслушать именно это; 2. несравненно, бесподобно.

세수(洗手) I умывание; ~하다 умываться; 세숫대야 таз для умывания; 세숫물 вода для умывания; 세숫비누 мыло туалетное; ~수건 полотенце. 세수(世讎) II заклятый враг.

세습(世襲) наследственность; ~적 наследственный; ~하다 наследовать; получать по наследству; ~제도 наследственная система; ~영지 нас-ледуемые земли.

세우다 I 1) заставлять(позволять) стоять; 2) ставить; основывать; делать; вызывать; воздвигать; 문제를 ~ ставить вопрос; 공훈을 ~ совершать подвиг; 기념비를 ~ воздвигать памят-ник; 빌딩을 ~ воздвигать здание; 선두에~потавить во главе; 보초를 ~ выставлять пост; 3) создавать, учреж-дать; основывать; 기초를 ~ заложить основу; 4) останавливать; 5) точи-ть (нож *и т. д.*);

6) обливаться (напр. потом); 7) (пред-)принимать; 8) наводить (порядок); упорядочивать; 9) сохранять, поддерживать; блюсти; 귀를 ~ навострить уши; 공훈을 ~ совершить подвиг; 피대를 ~ сильно огорчиться.
세우다 II устанавливать.
세우셨습니다 основал.
세월(歲月) 1) время; период; ~은 나는 화살과 같다 время летит стрелой; ~여류 обр. быстротечное время; ~이 없다 а) долгий, длительный, бесконечный; б) небольшой (о выручке, доходах); 2) см. 철 I; 3) см. 세상 2).
세율(稅率) пропорция налога.
세일즈맨(англ. salesman) продавец; коммивояжёр.
세종대왕 король Седжон.
세주다 сдавать в аренду; сдавать напрокат.
세척(洗滌) промывание; промывка; ~하다 мыть; промывать, стирать; ~장 процедурный кабинет; ~제 очищающее средство; ~관장 очистительная клизма
세탁(洗濯) стиральный; стирка; чистка; ~하다 стираться; чиститься; ~기 стиральная машина; ~물 бельё для стирки; ~부 прачка; ~소 прачечная; ~비누 хозяйственное мыло.
세트(англ.set) 1) театр. декорация; 2) киносъёмочная аппаратура; 3) завивка (укладка) волос; 4) щипцы для завивки волос; 5) см.수신기; 6) после сущ. набор, комплект, гарнитур
세포(細胞) I 1) биол. клетка; ~막 клеточная оболочка; ~분열 деление клетки; ~생리학 цитофизиология; ~학 цитология;~감소증цитопения; ~검법 цитоскопия; ~계산기 цитометр; ~료법 цитотерапия; ~발생 цитогенез; ~변태 цитоморфоз; ~병리학 цитопатология; ~분열 деление клетки; ~생물학 цитофизиология; ~형태학 цитоморфология; ~호흡 клеточное дыхание; ~영양층 цитотрофобласт; ~용해소 цитолизин.
세포(細布) II тонкий конопляный холст
섹시(англ. sexy) ~한 сексуальный.
센서(англ. sensor) сенсор.
센세이션(англ. sensation) сенсация.
센스(англ. sense) чувство; ощущение; мысль; значение.
센티미터(англ centimeter) сантиметр.
셀러(англ. seller) продавец.
셀룰로이드(англ.celluloid) целлулоид
셀 수 없을 만큼 столько, что невоз-можно сосчитать.
셈 1) подсчёт; 2) расчёт; соображение; ~하다 подсчитывать; считать; ~에 넣지않고 не считая чего-л.; 다음에 ~합시다 мы потом рассчитаемся; 어찌할 ~이냐? Что ты думаешь делать? ~법 правила счёта; арифметика; ~을 놓다(하다) подсчитывать, считать; ~에 넣다 принимать в расчёт; ~을 차리다 учитывать, принимать во внимание; ~을 치다 а) подсчитывать; б) после опред. предполагать 학생인 셈 쳤다 думал, что (он) учащийся; ~이다 думать, что...; 어찌할 ~이냐? что (ты) думаешь делать; 3) см. 셈판 1); 4) см. 셈평; ~이 나다(들다) поумнеть.
셈법(-法)[-ппоп] 1) правила(способ) счёта (подсчёта); 2) арифметика.

셈속 [-ссок] 1) действительное положение дел; 2) намерение.

셈판 разг. 1) прост. положение дела; 2) обстоятельства, обстановка; ~ 어떻게 된 ~이요 в чём дело?; 3) см. 셈평 1); 4)см.수판III. 셈니다 рассчитать.

셋, 삼 три. 셋째 третий.

셍기다 1) болтать без умолку; 2) непрерывно снабжать.

셔츠(англ. shuther) рубашка.

셔터(англ. shutter) задвижка; заслонка; 문에~를 달아서 닫다 закрывать дверь на задвижку.

소 I корова, бык, вол; ~도 언덕이 있어야 비빈다 на пустом месте многого не сделаешь; ~잃고 외양간 고친다 после драки кулаками не машут; 전에 는 농부들이~로 경작을 했다 прежде крестьяне пахали на волах; 소귀에 경 읽기 посл. ≅ букв. читать буддийские сутры волу; 소도 언덕이 있어야 비빈다 посл. ≅ на пустом месте много не сделаешь; 소 먹미레 같다 погов. ≅ упрям как осёл; 소불알이 떨어지면 주어 먹기(소불알[이] 떨어질가 하고 제 장작 지고 다닌다) посл. ≅ ждать у моря погоды; 소 잃고 외양간 고친다 посл. ≅ букв. потеряв корову, чинить коровник.

소 II начинка.

소(沼) III 1) яма с водой; яма(в реке); 2) заросшее болото(озеро).

소(簫) IV бамбуковая флейта.

소(所) V учреждение;предприятие; место; пункт; 관측~ наблюдательный пункт. 소(小) VI самое малое.

-소(素) I суф. кор. элемент; 발효소 фермент.

-소(所) II суф. кор. 1) место,пункт; 감시소 наблюдательный пункт; 2) предприятие, учреждение; 연구소 научно-исследовательский институт; 휴양소 дом отдыха.

소-(小) I преф. кор. малый, мелкий; 소규모 малый масштаб; 소강당 малая аудитория.

소-(燒) II преф. кор. обожжённый; 소석고 обожжённый гипс

소각(燒却) I сожжение; ~하다 сжи-гать; предавать сожжению; 학생들은 쓰레기를 ~했다 школьники сожгли мусор; ~장 место сожжения(мусора).

소각(小角) II муз. рожок.

소감(昭鑑) I уст. ~하다 обстоятельно выяснять(рассматривать).

소감(所感) II впечатления; чувства.

소개(紹介), 추천 I знакомство, представление; ~하다 рекомендовать; представлять; знакомить кого-л. с кем-л.; 그는 학생들에게 러시아 문학을~했다 он знакомил студентов с русской литературой; 당신에게 내 친구를 ~ 합니다 разрешите представить вам моего друга; 저를 당신의 여자친구에게~해 주세요 познакомьте меня с вашей подругой; ~비 плата за посредничество; ~소 контора маклера (посредника); ~업 посредничество; маклерство; ~업자 посредник; маклер; ~자 рекомен-дующий;~장(письменная) рекоме-ндация; рекомендательное письмо.

소개(疏開) II ~대형 воен. расчленё-нный(разомкнутый) строй; ~하다 a)

소개소(紹介所) контора маклера(по-средника)

소개업(紹介業) посредничество, ма-клерство.

소경 I 1) сущ. слепой; ~노릇하다 а) тыкаться как слепой котенок; б) притворяться слепым; в) искать ощупью; ~놀이(장난)жмурки (игра); ~ 막대 а) посох слепого; б) проводник; впереди идущий; ~기름 값 내기 *посл.* ≅ в чужом пиру похмелье; ~머루 먹듯 *обр.* хватая, что под руку попало; ~매질하듯 (~막대질 하듯, ~이 팔매질하듯) *обр.* а)нанося удары куда попало; б) заниматься критиканством; в) попусту суетясь; г) решая без раздумий; ~북자루 쥐듯 *обр.* не выпуская (чего-л.) из рук; ~시집 다녀오듯 *обр.* выполняя поручение коекак; ~잠 자나 마나 *посл.* ≅ много трудился, но толку не добился; ~장 떠 먹기 *обр.* делать на глазок; ~파밭 두드리듯 *обр.* нанося удары как попало; ~아이 낳아 만지듯 *обр.* неумело(что-л. делать); ~이 문걸쇠를 잡다 *погов.* ≅ неожи-данно повезло(букв. слепой схватился за ручку двери); ~의 초하루날 *обр.* удача, везение; 2) сущ. неграмотный.

소경(蘇莖) II *кор. мед.* стебель пери-ллы(как материал для лекарства).

소계(小計) I частичный(предва-рительный) итог.

소계(小-) II кор. мед. корень вол-чеца(как материал для лекарства)

소괄호(小括弧) круглые скобки.

소굴(巢窟) гнездо; логово; притон; 도둑의~ воровской притон; 창녀의 ~ притон разврата.

소극(消極) I ~적 пассивный;~성 пассивный характер; пассивность; ~분자пассивные члены(общества).

소극(小隙) II уст. 1) небольшая (узкая) щель; 2)мелкая ссора.

소극(笑劇) III театр. водевиль; фарс

소금 I (поваренная) соль(пищевая); ~을 치다 посыпать солью; ~에 담그다 засолить; ~에 절인 오이 солёные огурцы; ~기 солёность; ~물 солёная вода; ~절이 мокрый посол; соленье; ~ 대통 чашечка для соли (используемой при чистке зубов); ~각두기 редька, нарезанная кубиками и посыпанная солью; ~먹은 놈이 물을켠다 *посл.* ≅ *букв.* тот, кто поел соли, пьёт воду; ~이 쉴 때까지 해 보자 *обр.* когда рак свистнет; ~에 아니 전놈이 장에 절가 *посл.* ≅ старого воробья на мякине не проведёшь; ~을 굽다 очень замёрзнуть во время сна; ~이 쉬다 подвести, не оправдать надежды; ~이 쉴가? несгибаемый, непокорный.

소금(銷金) II ~하다 раскрашивать золотой краской(одежду на картине).

소나기 (кратковременный) ливень; ~가 퍼부었다 хлынул ливень; ~삼형제 *обр.* ливень всегда принимается идти три раза. 소나무 сосна.

소나타(*um.* sonata) соната.

소녀(少女) I девочка; девушка.

소녀(小女) II уст. вежл. я(женщинао себе в разговоре с вышестоящим).

소년(少年) 1) мальчик; подросток; юноша; ~당상 а)занятие должности выше 6-го ранга молодым человеком сразу после сдачи экзамена на государственную должность; б) занятие выгодной позиции(в иг-ре); ~등과 сдать экзамен на государственную должность в молодом возрасте; 2) мальчики и девочки; ~시대 юность; 3) уст. молодой(юношеский) возраст; молодые годы; ~고생은 사서 하렸다 *посл.* ≅ невзгоды, перенесённые в юности, закаляют душу; ~여자 молодая женщина; ~기 юность; ~단 пионерская организация; ~법 законы для несовершеннолетних; ~원 лагерь для несовершеннолетних преступников.

소농(小農) занятие земледелием на маленьком участке; ~적 мелкокрестьянский; ~가 дом(семья)мелкого крестьянина.

소다(англ. soda) сода; ~석회 натронная известь; ~각섬석 хим. арфведсонит; ~펄프 натронная целлюлоза; ~유리 оконное стекло.

소덕(所德) уст. чувство обязанности (по отношению к кому-л.).

소독(消毒) дезинфекция; стерилизация; дегазация; дезактивация; ~된 стерильный; ~하다 обезвреживать; стерилизовать; дезинфицировать; дегазировать; дезактивировать; ~기재 средства дегазации(дезинфекции, дезактивации); ~기 дегазатор; стерилизатор; ~법 способ стерилизации; ~실 дезинфекционная камера; ~제 дезинфицирующее средство

소득(所得) прибыль; доход; ~공제 подоходное вычитание; ~세 подо-ходный налог; ~액 сумма(размер) дохода; ~하다 получать(прибыль, доход).

소라 I 1) моллюск Turbo Cornutus Solander(со спиральной раковиной); 2) корейский национальный музыкальный инструмент, сделанный из спиральной раковины.

소라(小鑼) II муз. маленькие тарелки

소란(騷亂) I ~스럽다 казаться шумным (суматошным); ~하다 шу- мный; суматошный; ~을 피우다 поднимать шум (суматоху).

소란(小欄) II 1) углубление; ~반자 архит. кесонный потолок; 2) выступ; бортик (напр. у подноса).

소리, 소음 I 1) шум;звук; звук голоса; ~하다 петь; ~꾼 хороший исполнитель на родных песен; ~문자 фонетическое(звуковое) письмо; 2) звук голоса; крик(животного); пение (птицы); ~를 치다 кричать; [아무] ~ 없이 без звука, не проронив ни одного слова; ~없는 벌레가 벽을 뚫는다 *посл.* ≅ *букв.* тихое насекомое стены прогрызает; 3) народная песня.

소리(疏履) II соломенные лапти, носимые во время траура по матери.

소망(所望) желаемое, желание, надежда; ~하다 желать; 너의 ~이 무엇이냐? Что ты желаешь?

소매 I рукав(одежды); ~를 걷고 나서다 быть застрельщиком(в чём-л.); ~의 안감 рукавная подкладка.

소매(小賣) II розница; розничная продажа; ~의 розичный; ~하다 продавать в розницу; ~가격 розничные цены; ~상업 розничная торговля; торговец торгующий в розницу; ~점 лавка; магазин.

소멸(消滅) I уничтожение; истреб-ление; ~하다 а) исчезать; прекра-щать существование; б) уничто- жать;~사격 огонь на уничтожение.

소멸(掃滅) II ~하다 уничтожать, ликвидировать.

소모(梳毛) I текст. камвольное волокно;~방적 камвольное прядение шерсти;~직물 камвольная ткань.

소모(消耗) II расходование; изнашивание; ~하다 истратиться; израсходоваться; изнашиваться; ~량 расход; ~전 бой(война) на истощение; ~품 мелкие концелярские товары.

소문(所聞) слухи, молва; ~이 나다 распространяться(о слухах); ~을놓다 распространять(пускать) слухи; ~이 사납다 плохой,дурной(о слухе); ~난 잔치에 먹을 것 없다 посл. ≅ букв. на пиру, о котором много говорят, есть нечего.

소방(消防) I предупреждение и тушение пожара; ~하다 тушить пожар; ~관 боец пожарной команды; ~서 пожарная охрана; ~호스 пожарный шланг; ~계단 пожарная лестница; ~철갑모 пожарная каска.

소방(蘇方) II древесина цезальпинии(как краситель).

소변(小便) см. моча; ~의 мочевой; ~을 보다 мочиться; справить маленькую нужду; ~보러 가다 ходить по маленькой нужде; ~검사 исследование мочи; ~기 ночной горшок; 오줌; ~을 보다 мочиться.

소비(消費) I потребление; расходование; ~도시 городпотребитель; ~폰드 фонд потребления; ~[협동]조합 потребительская кооперация; ~의 потребительный; ~하다 потреблять; расходовать; тратить; ~량 потребляемое количество; норма расхода; ~세 налог на потребление; акция; акцизный сбор; ~재 расходуемые материалы; ~조합 потребительская кооперация; ~지 районпотребитель; ~품 потребительские товары. 소비(所費) II затраты.

소비량(消費量) потребляемое коли-чество; норма расхода.

소비물(消費物) предметы потребления.

소비자(消費者) покупатель, потребитель; ~의 потребительский;~조합 потребительское общество(товарищество).

-소서 почт. оконч. повел. ф. предикатива, выражающее мольбу: 가십읍소서 очень прошу, идите!

소설(昭雪) I уст. ~하다 оправдывать; реабилитировать.

소설(小說) II 1) прозаическое произведение, беллетристика; роман; 단편소설 рассказ; 중편소설 повесть; 장편소설 роман; ~가 прозаик; ро-манист; ~사 история романа; 2) см. 소설책.

소속 1) ~하다 принадлежать кому-чему-л.; входить в состав чего; 2) принадлежность; 그는 당에 ~되어 있지 않다 он не принадлежит к пар-тии; ~기관 подведомственное учреждение.

소송(訴訟) 1) судопроизводство; (судебный) процесс; ~기간 процессуальные сроки ~관계 процессуальные отношения; ~관계자 участники в процессе; ~능력 юр. правоспособность; ~단계 процессуальные стадии; ~당사자 стороны процесса; ~비용 судебные издержки; ~행위 процессуальные действия; ~법 процессуальный кодекс; ~비 судебные издержки; ~사건 судебное дело; ~인 истец; жалобщик; ~장 исковое заявление; ~제기 предъявление иска; 사~ гражданское(уголовное) судопроизводство; 2) юр. иск; тяжба; ~가격 цена иска; ~제기 предъявление иска; ~을 걸다, ~하다 возбуждать дело; предъявлять иск.

소스라치다 вздрогнуть от испуга.

소식(消息) I известия, новость, вести; ~란 колонка вестей; ~통 хорошо информированный человек; знаток; осведомлённое лицо; 새~ новость.

소식(消食) II ~하다 переваривать пищу.

소식(素食) III 1) ~하다 есть рис с овощным гарниром(напр. во время поста); 2) варёный рис с овощным гарниром.

소심(小心) малодушие; ~한 робкий; малодушный; ~하다 а) робкий, малодушный, боязливый, б) внимательный; тщательный; дотошный; ~한 사람 робкий человек; ~스럽다 прил. а) казаться робким(малодушным, боязливым); б) казаться внимательным(тщательным; дотошным).

소아(小我) I 1) филос. своё "я" (в идеализме); 2) будд. телесное я.

소아(小兒) II 1) см. 어린아이 ребёнок; младенец; ~마비 детский паралич; 2) арх. дети; ~과 педиатрия; ~과 의사 детский врач; ~병 детские внуренние болезни.

소아과(小兒科) [-ㄲ와] педиатрия; ~의사 детский врач, педиатр.

소외(疏外) отчуждение; ~하다 отчуждаться;отдаляться; охладевать.

소요(逍遙) I ~하다 прогуливаться.

소요(騷擾) II шум; ~를 떨다 шуметь, возмущать спокойствие; ~스럽다 шумный; буйный; ~하다 поднимать шум; ~죄 нарушение общественного порядка.

소요(所要) III сущ. необходимое; требуемое; ~하다 быть необходимым; требоваться; ~량 нужное(необходимое) требуемое количество; ~시간 необходимое время; ~되다 быть необходимым;требоваться

소용(所用) II 1) польза, надобность; ~에 닿다 нужный полезный; 2) нужная вещь; ~되다 нужный; полезный; иметь надобность в чём-л.; ~없다 ненужный; 그것이 무슨 ~이 있는가? Какая от этого польза? 책은 내게 더 이상 ~이 없다 эта книга мне больше не нужна

소원(訴願) I петиция; ~하다 подавать петицию; просить.

소원(所願) II желаемое; желание; ~하다 хотеть; желать; ~을 풀다 удовлетвоять желание; ~을 이루다 осуществлять свои желания; 이것이 그의 유일한 ~이었다 это было его единственным желанием; ~성취 исполнение желаний; 나는 그와 사이가 ~하다 я далёк от него; ~성취 исполнение желаний.

소유(所有) I 1) ~대명사 притяжательное местоимение; собственность; ~하다 иметь; владеть; 2) см. 소유물; ~권 право собственности; ~물 собст-венность; ~욕 страсть к стяжательству; алчность; ~자 владелец; собственник; ~지 земельная собственность.

소유(所由) II 1) арх. причина, осно-вание; 2) чиновник ведомства инс-пекции нравов.

소음(騷音) I 1) шум; 2) лингв. шумный согласный.

소음(嘯音) II 1) уст. свист(ветра); 2) лингв. шипящие согласные.

-소이다 уст. почт. оконч. повеств. ф. предикатива, употр. нижестоящим: 벌써 갔소이다 они уже ушли.

소작(小作) I аренда(земли); ~하다 арендовать; брать в аренду;~을 주다 сдавать в аренду; ~권 право на аренду земли; ~농민 крестьянин- арендатор; ~료 арендная плата за землю; ~인 арендатор земли; ~쟁의 арендный конфликт; ~제도 арендная система;~쟁의 арендный конфликт.

소작(所作) II произведение; сочинение; работа; 한국 작가들과 그의~ корейские писатели и их произведения.

소장(消長) I ~하다 уменьшаться и увеличиваться; приходить в упадок и подниматься.

소장(訴狀) [-ччанъ] II 1) прошение, поданое в ведомство; 2) поданый иск.

소재(所在) I 1) местонахождение; местопребывание; 2)сущ. имеющееся; 책임 ~를 밝히다 выяснять, кто несёт ответственность; ~지 место расположения(чего-л.); ~지 провинциальный администрати-вный центр; ~하다 уст. см. 있다.

소재(素材) II сырьё, материал; 작품 의 ~ содержание; 그가 한 강의 ~는 전혀 새로운 것이 아니었다 Содержа-ние его лекции не представляло ничего нового; ~적 являющийся материалом; ~적 자료 материал(на что-л.).

소제(掃除) I чистка; уборка; ~하다 чистить; очищать; убирать; 굴뚝을 ~하다 чистить трубы; ~부 убор- щик; дворник; см. 청소 I.

소제(小弟) II уст. вежл. я, сам(в разговоре со старшим).

소주(燒酒) крепкая водка(полученная перегонкой); ~잔 рюмочка для крепкой водки.

소중(消中) I кор. мед. болезнь типа диабета, сопровождаемая сильной жаждой.

소중(所重) II ~하다 a) ценный; дорогой; 2) очень важный; ~히 ценно; дорого; очень важно; ~성 ценность.

소중성(所重性)[-ссɔнъ] 1) ценность; 2) важность, значительность.

소지(所持)~하다 1) иметь(при

себе); носить(с собой); 2) сущ. носимое (при себе); 여권을~하다 иметь при себе паспорт; 그 여행자는 많은 돈을 ~하고 있었다 Тот турист носил с собой много денег; 그는 호주머니에 나이프를~하고 다닌다 Он носил в кармане перочинный ножик; ~자 владелец;~품 собственность кого-л.

소질(素質) I 1) врождённые(природные) качества; натура; характер; 2) мед. предрасположение; 3) задатки; 이 아이는 훌륭한~을 갖고 있다 У этого ребёнка прекрасные задатки.

소질(小姪) II уст. вежл. я, сам (племянникосебе).

소집(召集) сбор; созыв; призыв; ~하다 собирать; созывать; призывать; 사령관은 전 부대를 한 곳에 ~했다 Командующий собрал все войска в одном месте;~령 приказ о созыве; ~장 извещение о сборе.

소청(所請) просьба; просимое; ~을 들어주다 удовлетворять просьбу; 나는 내 친구의 ~에 의하여 당신에게 편지를 씁니다 Я вам пишу по просьбе моего приятеля.

소출(所出) урожай; доход(с земли); ~의 урожайный; ~하다 уродить; ~이 많다 уродиться много; 올해는 작년 보다 쌀의 ~이 좋았다 В этом году рис уродился лучше чем в прошлом.

소탈(疏脫) ~하다 простой;чуждый условностей; простосердечный.

소탕(掃蕩) ликвидация; уничтожение; ~하다 ликвидировать; уничтожать; истреблять; 쥐들을 모두 ~해 버리시오 Уничтожайте мышей и крыс; ~전 бой на уничтожение.

소통(疏通) I взаимопонимание; ~하다 понимать друг друга; 그들은 서로 의사가 ~되지 않는다 Они не пони-мают друг друга/ Их точки зрения расходятся.

소통(小桶) II куль, в который входит три маля соли(см. 말 I).

소파 диван.

소포(小包) посылка; ~로 보내다 отправлять почтовой посылкой; 1) ~우편 пересылка почтой; ~판매 товары почтой; 2) ~우편물 почтовая посылка.

소품(小品) небольшое художественное произведение.

소하물(小荷物) ручной багаж.

소형(小形) сущ. малый; малого формата; малых размеров; ~자동차 малолитражный автомобиль; ~전함 воен. карманный линкор.

소홀(疏忽) ~하다 невнимательный; рассеянный;небрежный;халатный; ~하게 대하다 относиться небрежно к чему-л.; ~한생각 несерьёзная мысль; ~히 невнимательно; несерьёзно; небрежно; 직무를 ~히 하다 пренебречь обязанностями; 이 일은 매우~하게 처리 되어있다 Это сделано очень небрежно

소화 I 1) пищеварение; ~과정 процесс пищеварения; ~계수 см. 소화률; ~불량[증] диспепсия; несварение желудка; плохое пищеварение ~효소 пищеварительные ферменты; 2) перен. усвоение, освоение; ~하다 а) переваривать; б) осваивать; усваивать; ~하기 쉬운 음식 лёгкая пища; 그는 러시아 발음을 조금씩 ~시키고 있다 Он понемногу осваивает русское произношение; 음식이 잘~ 되었다

Пища переварилась; 읽은 것을 ~시키다 переварить прочитанное; ~관 пищеварительные органы; ~기 질환 болезни желудочно-кишечного тракта; ~력 способность переваривать (усваивать) пищу; ~액 пищеварительный сок; ~제 средство способствующее пищеварению

소화(消火) II огнетушение; тушение пожара; ~기 огнетушитель; ~전 пожарный кран; ~도구 пожарный инвентарь; ~하다 тушить(пожар)

소화기(消化器) I пищеварительные органы; ~계통 пищеварительная система; ~질환 болезни желудочно-кишечного тракта.

소화기(消火器) II огнетушитель, огнегаситель.

소화제(消化劑) средство для пищеварения; средство, способствующее пищеварению.

소환(召還) I отзыв; ~하다 отзывать (напр. депутата); 대사의 ~ отзыв посла; ~장 документ об отзыве.

소환(召喚) II вызов; ~하다 уст. вызы-вать(напр. в суд); 당신들을 경찰로 ~한다 Вас вызывают в полицию; 법정 에의 ~ вызов в суд; ~장 по вестка.

속 I 1.) внутренняя часть(чего-л.); сердцевина; 나무~ сердцевина дерева; 호두의~ ядро ореха; 연필~ грифель карандаша; 속빈강정[의 잉어등 같다] *посл.* ≅ пуст карман, да красив кафтан; 속[이] 앉다 завязяться(напр. о кочане капусты); 속[이]오르다 расти(о кочане капусты); 2) суть; содержание; 3) см. 소 II; 4) см. 속내; 5) внутренности; нутро; 속을 앓다 страдать животом; ~이불편하다 расстроиться(о желудке); 6) душа; ~으로 про себя; в душу; ~을 썩이다 растроить, разбередить душу; огорчаться; 속[을] 쓰다 см. 마음[을 쓰다]; 속이 달다 беспокоиться, душа не на месте; ~이 살다 быть неподатливым(неуступчивым, несговорчивым); ~이 뒤집히다 1) раздражить; 2) тошнить, воротить(от чего-л.); ~이 보이다 открыться; показать всего себя; ~이 상하다 ранить душу; терзать сердце; ~이 시원하다 быть удовлетворённым; отлегло от сердца; ~이 타다 сильно переживать; болеть душой; душа разрывается;

속(贖) II 1) уплата, возмещение, компенсация; выкуп, откуп; 2) вещи, деньги, труд(как откуп или компен-сация за что-л.); 속[을] 바치다 уст. платить откуп(выкуп).

속다 обмануться в чём-л.; оставаться в дураках; обознаться; 속아 넘어 가다 быть обманутым.

속담(俗談) пословица; поговорка; притча.

속도(速度),**속력**(速力) [-тто] скорость, темпы; ~의 темповый;~를 높이다 прибавить (увеличить) скорость; ~를 낮추다 уменьшить(сбавить) скорость; 마구~를 내다 развить бешенный темп; 작업의~를 높이다 наращивать(увеличивать) темп работы; 고속도로에서는 시속 100킬로까지 ~를 낼수 있다 На автостраде можно развить скорость до 100 км. в час; ~계 спидометр; ~곡선 го- дограф скоростей; ~기호 муз. знаки темпа.

속력(速力) [сонънйɔк] скорость; ~의 скоростной; ~을 내다

набирать(увели-чивать;развивать) скорость;~을 낮추다 сбавлять(уменьшать; замедлять) скорость; ~이 떨어지고 있다 скорость падает; ~이 빠른 자동차 быстрая(скоростная) машина; 전~으로 полным ходом; 전~ полный ход; 최대 ~ максимальная скорость.

속박(束縛) стеснение; ограничение; ущемление; ~된 стеснённый; ограниченный; ~하다 стеснять; ограничивать; ущемлять; 나는 내가 해버린 말에 ~되어 있다 Я связан своим словом; 이 법령은 행동의 자유를~하고 있다 Этот закон ограничивает свободу действий; ~전자 физ. связанный электрон; ~운동 физ. вынужденное(принудительное) движение.

속보(速步) I быстрый шаг; ~로 걷다 идти быстрым шагом.

속보(速報) II 1) немедленно(срочно) сообщать; 2) срочное сообщение; ~하다 немедленно(срочно) сообщать; ~판 доска для срочных сообщений (объявлений).

속삭거리다 1) шептать, говорить на ухо; 2) тихо шуршать.

속삭이다 шептать; говорить на ухо; шелестеть; тихо шуршать; 갈대가 속삭이는 소리를내다 Что выей шепчете? см. 속삭거리다. **속삭이듯** шептать.

속삭임 1) шёпот; нашёптывание; шушуканье; 2) шуршание; 시냇물의~ шёпот ручья. **속상하다** жалеть.

속셈 подсчёты в уме; ~을 잡다, ~하다 а) считать(подсчитывать) в уме; б) прикидывать(рассчитывать) в уме; 나는 비용을 ~해보고 흠칫 놀랐다! Я подсчитал в уме расходы и пришёл в ужас!~이 뭐냐?Что ты подсчитываешь в уме?

속시원하다 быть удовлетворённым; отлегло от сердца.

속옷 нижнее бельё.

속이다 1) обманывать; 속여 넘기다 дурачить; 속여먹다 прост. надувать; 2) заставлять(позволять) обманывать; 그는 여간해서 속아 넘어가지 않는다 Его так просто не проведёшь

속죄(贖罪) искупление; ~하다 искупать (заглаживать) вину; возмещать, компенсировать; ~의 선물 искупительная жертва; ~자 искупитель.

솎다 с.-х. прореживать.

솎음 с.-х. прореживание; ~하다 прореживать.

솎음배추(-<白菜) молодая листовая капуста, выдернутая при прорежи-вании.

손 I 1) кисть руки, рука; 2) рабо-чие руки; ~이 넉넉하다 быть лишними(о рабочих руках); ~이 모자란다(부족하다) не хватает рук(о рабочих руках); 3) ручка, рукоятка; 4) верёвка, палка(по которой вьётся вьющееся растение); 손안에 놓인 듯 как на ладони(виден); ~을 거치다 а) проходить через (чьи-л.) руки; б) доработать; пользоваться чьей милостью; ~을 걸다 а) ударить рукой; б) поднять руку, за-махнуться(на кого-л.); ~을 나누다 а) расставаться; б) распределять работу; ~을 넘기다 а) обсчитаться; б) упустить момент; ~을 놓다 бросить(оставить) работу; ~을 늦추다 ослабить работу; ~을 내밀다 а) просить; б) вмешиваться, совать свой нос; в) перен. протянуть руки (к чему-л.); ~을 돕다 помогать(кому-л.);

подать руку помощи; ~을 들다 а) поднимать руку; б) сдаваться, капитулировать; в) голосовать "за"; одобрять; ~을 대다 а) дотрагиваться рукой; б) приступать(к чему-л.); в) иметь отношение(к чему-л.); г)вмешиваться; д) принимать меры; е)исправлять, улучшать; ремонтировать; ж)присваивать; з) растрачивать; и) бить, избивать; ~을 맞잡다 держаться за руки; сотрудничать; работать рука об руку; ~을 멈추다 останавливаться(бросать) на полпути; ~을 잡고 데려가다 вести ребёнка за руку;

손 II 1) гость; 2) посетитель; клиент, покупатель; 3) см. 나그네; 4) см. 길손.

손 III этн. дух, наносящий вред людям в течение двух дней на каждом из четырёх основных направлений.

손(孫) IV дети и внуки; потомки.

손(損) V ущерб; убытки;урон; потери; 1) см. 손해; 2) см. 손괘 II.

손가락 [-кка-] палец руки; ~자리 отпечатки пальцев; ~을 꼽다 см. 손 [을 꼽다] I.

손길 [-ккил] 1) протянутая рука; 구원의 ~뻗치다 давать руку помощи; 구원의 ~이 닿다 прибывать(о помощи); 조국의 ~ забота родины; 2) ~을 맞잡다 держаться за руки.

손녀딸(孫女-) ласк. внученька.

손님 вежл. гость; см. 손 II 1)-4); ~을 맞이하다 принимать гостя; 차에 탄 ~ пассажир; 이 상점에는 ~이 많다 В этом магазине много покупателей; 2) ~마마 см. 별성[마마].

손발 руки и ноги; конечности; ~을 걷다 придать рукам и ногам покойника нужное положение(до того как остынет тело); ~이 말을 듣지 않다 Перестать владеть руками и ногами; ~을 묶어놓다 связывать по рукам и ногам; обуздывать; ~이 맞다 работать душа в душу; идти в ногу.

손발톱 ногти.

손버릇[-пп ɔ -] 1) дурная привычка (напр. крутить что-л. в руках); 2) ~이 사납다 а) быть нечистым на руку; б) драться.

손벽 [-ппйɔк] см. 손바닥; ~을 치다 хлопать в ладоши, аплодировать.

손상(損傷) 1) потери; ущерб; повреждение; 2) подрыв(напр. репутации); ~된 повреждённый; ~을 입다 быть повреждённым; терпеть ущерб(урон); ~하다 а) наносить ущерб(повреждения; потери); терпеть ущерб; б) подрывать(напр. репутацию); 권위를 ~하다 подрывать(ущемлять) авторитет; 명예를 ~하다 пачкать чьё-л. доброе имя; 자존심을 ~하다 ущемлять (уязв-лять) самолюбие.

손실(損失) 1) ~하다 терпеть(убыток, ущерб); 2) убыток; ущерб; потери; урон; ~을 입다 понести потери(убытки); потерпеть ущерб; ~을주다 причинять (наносить) урон (убытки); 화재로 큰 ~을 입었다 Пожар причинил большие убытки; ~금 сумма денежных убытков.

손아귀 1) ложбинка(выемка) на ладони между большим и указательным пальцами; 2) сила руки; ~에 넣다 положить на ладонь; ~에 틀어 쥐다 держать кого-л. в руках; ~힘이 세다 сильный(о руке); 3) перен. руки.

손아래 1) положение младшего (нижестоящего); 2) сущ. младший; нижестоящий; ~동생 младший брат; ~누이 младшая сестра; ~동맹자 младший партнёр (союзник).

손위 старший; вышестоящий; 그에게 누이가 둘인데, 한 사람은 그보다 ~이고, 한 사람은 손아래이다 У него две сестры, одна старше, другая младше; ~누이 старшая сестра.

손익(損益) прибыль и убыток; выгода и ущерб; ~계산서 см. 손익표.

손익표 ведомость.

손자(孫子) сын сына, внук; ~밥 떠 먹고 천장 쳐다본다 обр. прикидываться невинным; ~턱에 흰 수염 나겠다 *посл.* ≅ ждать (да догонять) -нет хуже.

손장난 [-ᄍ찬ᅳ-] 1) постоянное движение руками; 2) манипуляции (руками); 3) см. 노름; ~하다 а) постоянно вертеть(что-л.) в руках; постоянно трогать(что-л.) руками; б) производить манипуляции(руками), показывать фокусы; в) играть(в карты, кости *и т. п.*).

손질 1) приведение в порядок; уход; 2) см. 매질 I; отделка; обработка; доработка; ~하다 дорабатывать; отделывать; обрабатывать; а) приводить в порядок; ухаживать; б) см. 매질[하다] I а); 집을 ~하다 ремонтировать дом; 의복을 ~하다 почистить(погладить) костюм; 화초의 ~ уход за цветами; 밭의 ~ уход за посевами.

손톱 I ногти(на руке); ~을 깎다 подрезать(подстригать) ногти; ~을 기르다 отращивать ногти; ~만큼도 вообще; совсем;~만큼도 달라지지 않았다 Нисколько не изменилась; ~깎이 маникюрные ножницы; ~탈락 мед. выпадение ногтей; ~밑에 가시 드는 줄은 알아도 염통 밑에 쉬스는 줄은 모른다(~ 곪는 줄은 알아도 염통 곪는 줄은 모른다) *посл.* ≅ за малым погонишься, большое потеряешь; ~발톱이 젖혀지도록 일을 한다 *погов.* ≅ работать до седьмого пота; ~하나 까딱하지 않는다 *погов.* ≅ гонять лодыря; ~여물을 썰다 *погов.* ≅ взваливать на себя непосильное бремя; ~만큼도 в предлож. с отриц. сказ. вообще, совсем. **손톱** II ножовка.

손해(損害), 손실 ущерб; убытки; урон; потери; ~되다 терпеть убытки;~를 보다 терпеть(нести)ущерб(убытки); ~를 끼치다 наносить(причинять) ущерб; 그들은 ~를 보면서까지 가구를 팔 준비가 되어있다 Они готовы продать свою мебель даже в ущерб себе; ~배상 возмещение убытков; компенсация убытков; ~보상(배상) возмещение(компенсация) убытков.

솔 I сосна; ~방울 сосновая шишка; ~밭 сосновый лес(бор); ~잎 сосновая хвоя; см. 소나무; 솔 심어 정자 обр. пустая затея.

솔 II 1) щётка; ёрш; 2) эл. щётка; ~의 щёточный; ~질 하다 чистить щёткой; 구두~ сапожная щётка; 옷~ платяная щётка; 칫~ зубная щётка.

솔 III сыпь(на коже).

솔 IV матерчатая мишень для стрельбы из лука.

솔개 коршун. сокр. от 소리개; ~는 매 편 см. 가재[는 게 편]; ~도 오래면 꿩 잡는다 *посл.* ≅ терпение и труд всё перетрут; ~어물전 돌 듯 обр. никак не оторвёшься(от чего-л. интересного).

솔다(소니, 소오) I подсыхать, покрываться (коркой); затягиваться(о ране); 콘크리트가 솔았다 Затвердел бетон.

솔다(소니, 소오) II узкий; тесный; 어깨 폭이 ~ тесно в плечах

솔선(率先) [-ссэн] почин, инициатива; прежде других; ~하다 выступить первым; быть инициатором (первым, кто...), положить начало, сделать почин; идти впереди; ~자 инициатор; пионер; зачинатель.

솔솔 лёгкий; мягкий; ~불다 веять; нежно дуть; 1) ~새다 понемногу сыпаться (просачиваться); ~뿌리다 разбрасывать; сеять 2)~풀리다 легко разматываться; 3) ~말이나오다 плавно течь(о речи); 4) ~부는 바람 лёгкий ветерок; 봄바람이~분다 Дует лёгкий весенний ветерок.

솔직(率直) [-찌] откровенность; ~히 말하자면 говоря откровенно; ~한 고백 откровенное признание; 당신의 ~한 의견을 말해 주시오 Говорите ваше мнение откровенно; ~하다 честный, откровенный, прямой.

솜 вата; хлопок; ~을 넣다 сажать на вату; делать на вате; подбивать ватой; ~을타다 трепать вату; ~바지 ватные брюки; ~바지저고리 ватные брюки и куртка; ~옷 ватная одежда; ~외투 ватное пальто; пальто на вате; ~털 пух; пушок; ~틀 волчок; джин; 솜같은 눈송이 снежинка, похожая на вату.

솜씨 1) сноровка, умение, мастерство, ловкость; 2) способ, метод; ~있는 искусный; сноровистый; ловкий; ~있게 мастерски; с большим искусством(мастерством); ~를 보이다 показать мастерство(умение); 그는 일을 처리하는 ~가 훌륭하다 У него отличное умение справляться с делом.

솟구치다 1) стремительно подниматься; 2) рывком приподнимать.

솟다 1) подниматься; возвышаться; 해가 ~ восходить(о солнце, луне); 2) бить ключом; 3) выступать(о каплях пота); 4) торчать, выступать; 5) про-рываться(о сильном чувстве); 이마에 땀이~ на лбу выступил пот;땅에서 샘물이~ Из-под земли бьёт ключ; 솟아나다 а) выскальзывать, освобож-даться; б) появиться.

솟아오르다 воздвигаться; вспыхивать; 그는 울화가 솟았다 Его прор вало.

송(頌) ода, панегирик.

송곳 шило; ~모양의 шиловидный; ~ 거꾸로 꽂고 발끝으로 차기 *посл.* ≅ глупо сердиться на самого себя; ~도 끝부터 들어간다 *посл.* ≅ работа любит порядок; ~박을 땅도 없다*обр.* нет ни клочка земли; 세울틈(자리)도 없다 *погов.* ≅ негде яблоку упасть; ~으로 매운재 끌어내듯 *посл.* ≅ в работе кроме силы нужно и умение.

송금(送金) денежный перевод; ~하다 переводить деньги; посылать деньги переводом; 어느 우체국의 창구에서 나 ~을 취급한다 Денежные переводы принимаются в любом почтовом отделении; ~수수료 плата за денежный перевод.

송별(送別) проводы; ~회를 베풀다 устроить проводы; ~회 прощальный вечер; проводы; ~하다 провожать(уезжающего).

송유관(送油管) нефтепровод; бензопровод.

송이 I 1.1) бутон;

коробочка(хлопка); кисть, гроздь; 2) скорлупа каштана (жёлудя и т. п.); 2. счётн. сл. для цветов, гроздей и т. п.; 국화~ бутон хризантемы; 눈~ снежинки; хлопья снега; 목화~ коробочка хлопчатника; 밤~ скорлупа каштана; 포도~ виног-радная кисть(гроздь).

송이(松栮) II грибборовик, белый гриб.

송전(送電) электропередача; ~하다 передавать электроэнергию(ток); ~선 линия электропередачи; ~탑 опора высоковольтной линии.

송판(松板) сосновая доска.

송편(松-) вареники, приготовленные на пару из неклейкого риса; хлеб из рисовой муки с начинкой(фасоль угловатая, кунжут, горох)округлой Формы, паренный на сосновой хвое; ~으로 목을 딸 일 очень досадно; ~을 물다 приходить в ярость; злиться.

송풍기(送風機) 1) воздуходувка; 2) вентилятор.

송환(送還) репатриация; возвращение; ~하다 а) отсылать(отправлять) назад; возвращать; б) отправлять в тыл(раненых); в) репатриировать; 포로를 ~하다 возвращать пленных; 본국~자 репатриированный.

솥 котёл; ~뚜껑 крышка котла; 솥 씻어 놓고 기다리기 обр. ждать в полной готовности; 솥떼어 놓고 삼 년이라 обр. а) дело не ладится; б) затягиваться;(о деле); 솥은 부엌에 놓고 절구는 헛간에 놓으라고한다 обр. не учи учёного; 솥에 개 누웠다 обр. не варили риса несколько дней подряд; 솥에 넣은 팥이라도 익어야 먹지 посл. ≅ поспешишьльюдей насмешишь.

솨 звукоподр. шуму ветра, прибоя.

솨솨~하다 шуметь(о ветре,прибое)

솨하다 послышаться, донестись(о шуме ветра, прибоя).

솰솰 1) ~흐르다 журчать; ручьём, потоком течь; 2) ~새다 с шумом просачиваться(сыпаться); 3) ~빗기다 чесать(расчёсывать) с треском.

쇄국(鎖國) изоляция страны; ~정책 политика изоляции; ~하다 закрывать страну(для иностранцев).

쇄도(殺到) стремительное движение; устремлённость; ~하다 нахлынуть; бросаться; устремляться; кидаться; 군중이 문으로 ~했다 Толпа ринулась к двери.

쇠, 철 1) железо; металл; 2) см. 쇠붙이 2); 3) прост. см. 지남철; 쇠[가] 나다 появляться(о ржавчине); 쇠[가] 돋다 покрыться ржавчиной; 쇠 먹는 줄 а) работа, требующая больших затрат; б) мот, расточитель; ~고리 металическое кольцо; хомут;~도끼 железный топор; ~돈 монета; ~망치 железный молоток; ~물 расплавленный металл; ржавая вода; ~사슬 железная цепь; 쇳덩이 кусок железа; 쇳돌 железная руда.

-쇠 "железо" (2-й слог детского имени,которое даётся мальчикам).

쇠- преф. 1) маленький(о растении, животном); 쇠고래 касатка (малень-кий кит); 2) крепкий, жёсткий; 쇠팥 несъедобная(жёсткая) фасоль угло-

ватая; 3) давний, старый; хронический; 쇠기침 зас-тарелый кашель.
쇠고기 говядина; см. 소고기.
쇠망치 железный молот.
쇠사슬 1) железная цепь; 2) перен. цепи. 쇠약한 слабый.
쇠약해지다 приходить в упадок; хиреть
쇼(англ. show) театр; кино; шоу.
쇼비니즘 рус. шовинизм.
쇼윈도(англ. show-window) витрина; 당신의~에 있는 이붉은 넥타이를 내게 주시오 Дайте мне этот красный галстук который у вас на витрине.
쇼크(англ.shock) шок; побуждение; ~를 주다 дать толчок; 그의 사망은 우리에게 큰 ~였다 Его смерть для нас была тяжёлым ударом; 이 전구를 만지지마라, 그렇지 않으면 당신은 전기~를 받게 될 것이다 Не трогай эти лампочки, а то тебя ударит током; см. 충동.
쇼킹(англ. shocking) удар; толчок; ~한 толчковый; возмутительный; ужасный; ~하게 하다 дать толчок; ~한 일 ужасное происшествие.
쇼트(англ. short) короткое замыкание
쇼핑(англ. shopping) покупка; ~센터 торговый центр; 나는 신발을 사러 ~하는 동안에 나의 오랜 친구를 만났다 Когда я зашёл в магазин, чтобы купить ботинки, я встретил одного своего старого друга.
숄(англ. shawl) шарф; косынка
숍(англ. shop) магазин; лавка
수 I 1) способ; средство; ~를 쓰다 прибегать к хитрости; принимать меры; 갈 ~있다 могу пойти; 나에게 좋은 ~가 있다 у меня хорошая идея; 단~가 높다 очень сильный; 떠나갈 ~밖에 없다 ничего не остаётся другого, как уехать; 수가 익다 научиться, набить руку; 수 틀리다 быть не по душе(не по вкусу); 2) после гл. в ф. прич. буд. вр. в сочет. с 있다(없다) обознач. возможность(невозможность) совершения действия:...ㄹ 수밖에 없다 ничего не остаётся другого, как...; остаётся только...; 할 수 있는 대로 по мере возможности.

수 II самец; особь мужского пола; ~캐 кобель; ~닭 петух.

수(手) III 1) умение, мастерство (напр. игры в шахматы); 수가 세다 очень сильный; 수빠지다 обнаружить свои слабые места; 2) счётн. сл. ход(напр. в шахматах).

수(壽) IV 1) долголетие; долговечность; 2) см. 수명 I 1).

수(水) V 1) вода(одна из пяти стихий в вост. космогонии); 2) сокр. от 수요일

수(數),날짜,숫자, 량(量) VI 1) число; количество; ~를 놓다 считать, подсчитывать, исчислять; ~가 적은 малочисленный;~를 채우다 а) восполнять; доводить(до определённого количества); б) формально числиться; 수 없다 бесчисленный; 2) лингв. число.

수(數) VII 1) везение; см. 운수 III; ~가 나쁘다 не повезло; 수가 나다 [по]везти; 수가 사납다 не [по]везти; 수를때우다 этн. избежать большого несчастья, подвергая себя более лёгким испытаниям; 2) счастье; удача

수(繡) VIII вышивка; ~의 вышивальный; ~놓은 вышитый;~를 놓다 вышивать; заниматься вышивкой; 비단

에 꽃을 ~놓다 вышивать цветы на шелку; ~놓는 여자 вышивальщица.

-수(水) I суф. кор. вода; раствор; 붕산수 раствор борной кислоты; 증류수 дистиллированная вода.

-수(數) II суф. кор. число; 유리수 мат. рациональное число.

수-(數) преф. кор. несколько; 수천 несколько тысяч.

수감(收監) I заключение; арест; ~된 заключённый арестованный; ~하다 подвергать тюремному заключению; взять под арест; ~자 арестант; заключённый

수감(隨感) II первое(случайное) впечатление

수강(受講) посещение лекций(курсов); ~하다 слушать лекции(курс лекций);~생 слушатель, студент; ~자 слушатель лекции.

수강생(受講生) слушатель(курсов); студент.

수강자(受講者) слушатель(лекций).

수강증(受講證) [-ччынъ] [письменное] разрешение на посещение лекций.

수건(手巾) 1) платок; полотенце; ~으로 얼굴을 닦다 вытирать лицо полотенцем; ~걸이 вешалка для полотенец; 손~ носовой платок; ~돌리기 игра с платком; 2) см. 머리수건.

수고(受苦) труды, заботы, беспокой-ство; ~하다 трудиться над чем-л.; брать на себя хлопоты(за-боты); ~를 끼치다 причинять(доставлять) беспо-койство; 그는 조국의 복지를 위해 많은 ~를 했다 он много работал на благо родины; 헛~ напрасный труд; ~스럽다 причиняющий беспокойство (заботы); ~했습니다 спасибо; ~하십니다 здравствуйте.

수고스레 обременительно.

수공(手工) 1) рукоделие; ручная работа; ~노동 ручной труд; 2) тонкая работа; ~의 рукодельный; ~에 종사하다 рукодельничать; ~업 ремесло; кустарное производство; ~업자 ремесленник; кустарь; ~예품 изделия декоративно-прикладного искусства.

수교(手交) I вручение; ~하다 вручать; 편지를 본인에게 ~해주시오 вручите письмо в собственные руки.

수교(手巧) II уст. ловкость; мастерство.

수군거리다 шептать[ся]; перешептываться.

수군덕거리다 то и дело шептать[ся]

수그러지다 1) склоняться; опускаться; никнуть; 2) стихать(напр. о ветре); 바람이 수그러졌다 ветер стих; 3) постепенно проходить(о гневе, возмущении); падать(напр. о настроении)

수궁(首肯) согласие; одобрение; утверждение; ~하는 согласный; ~하다 соглашаться; одобрять; 나는 그의 의견에 ~할 수가 없다 я не могу согласиться с его мнением.

수꽃술 бот. тычинка.

수나사, 볼트 болт.

수난(水難) I наводнение(как стихий-ное бедствие).

수난(受難) II страдание, мучение; ~의 страдальный; ~을 겪다 терпеть бедствие; страдать; бедствовать; ~을 이겨내다 преодолеть бедствие; ~당한

민족의 역사 история многострадальной нации;~기 период бедствия; ~자 пострадавший от стихийного бедствия.

수납(收納) I приём; сбор(денег *и т. п.*); ~하다 принимать; собирать(деньги *и т. п.*).

수납(受納) II ~하다 принимать, получать.

수녀(修女) монашка; католическая монахиня;~원 женский монастырь.

수년(數年) несколько лет; ~간에 걸쳐 в течении нескольких лет.

수다 I многословие; болтливость; ~를떨다 болтать; трепать языком; ~스런 사람 болтливый человек; ~를 부리다 быть болтливым(многословным); ~를 떨다 болтать; быть болтливым; ~스럽다 прил. казаться многословным(болтливым).

수다(數多) II ~식구(식솔) большое семейство; ~하다 многочисленный; в знач. сказ. много

수단(手段) I 1) средство, способ, мера; орудие; ~을 가리지 않고 не гнушаясь никакими средствами; любым путём; ~을 강구하다 изыскивать средства; ~이 좋다 пронырливый; 온갖 ~을 다하다 пустить в ход все средства; принять все возможные меры; 가능한 ~ возможное средство; 교양~ средство воспитания; 방어 ~ средство защиты; 상투~ заезженный способ; 생산~ средства производства; 통신~ средства связи;생산~ средства производства; 2) способ (действия).

수단(水團) II шарики из рисового теста.

수당(手當) денежное пособие; надбавка; ~을 지급하다 дать денежное пособие; 실업~ пособие безработ-ным.

수도(水道) I 1) водопровод;~를 놓다 провести водопровод; ~공 водопро-водчик; ~관 водопроводная труба; ~ 꼭지 водопроводный кран; ~세 плата за воду; 수돗물~ вода из водопровода; 2) водоразборная колонка.

수도(首都) II столица; 그들은 ~로 이사했다 они переехали в столицу.

수도(受渡) III ~하다 принимать и выдавать, производить приём и выдачу(денег и товаров)

수동(手動) ~의 ручной; ~식 ручного типа; ~펌프 ручной насос; ~제동기 ручной тормоз.

수락(<受諾) принятие; получение; ~하다 принимать; получать (согласие, одобрение); 나는 당신의 초대를 기꺼이 ~합니다 я рад принять ваше приглашение.

수레 телега; повозка;~바퀴 колесо повозки; ~운에서 이를간다 *посл.* ≅ после драки кулаками не машут; 역사의 ~바퀴 колесо истории.

수력(水力) гидравлическая сила; гидроэнергия; ~발전 гидрогенерация; ~발전소 гидроэлектростанция; ~건설 гидростроительство; ~공학 гидротехника; ~구조물 гидроконс-трукция; ~굴진법 горн. гидравлический способ проходки; ~기계화 гидромеханизация; ~절점 гидрогенерация; ~측량 гидрометрия; ~채굴 гидродобыча; ~채취 горн. гидроотбойка; ~채탄법 горн. гидравлический способ добычи(угля); ~타빈 гидротурбина; ~탄광 гидрошахта; ~턴넬 гидротехнический тоннель; ~토언제 намывная земляная плотина;

~원동기 гидродвигатель, гидромонитор.

수련하다 1) добрый, мягкий, кроткий; 2) деликатный.

수렵(狩獵) 1) охота; ~하다 охотиться; ~하러가다 идти на охоту; ~지 район охоты; 2) см. 사냥; ~시대 период, когда люди жили охотой и рыбной ловлей.

수령(受領) получение; принятие; ~하다 получать; принимать; ~자 получатель; ~증 квитанция.

수로(水路) 1) водный путь; фарватер; 2) см. 물길; ~안내선 лоцма-нские корабль; ~안내원 лоцман; 3) [плавательная] дорожка.

수록(收錄) 1) ~하다 а) записывать; протоколировать; б) собирать; коллек-ционировать; ~된 регистрационный; 2) регистрация, запись.

수료(修了) окончание; ~하다 окончить(курс обучения); 그는 교육 과정을 ~했다 он окончил курс обучения; ~생 учащийся.

수료식(修了式) церемония по случаю окончания курса обучения.

수료증(修了證) [-ччынъ] свидетель-ство об окончании(курса обучения).

수륙(水陸) 1) вода и суша; ~도장 будд. площадка для жертвоприношения духам земли и воды; ~양서류 зоол. земноводные; ~양용 자동차 автомобиль-амфибия; ~양용전차 воен. танк-амфибия, плавающий танк; ~병진 совместное наступление сухопутных войск и флота; ~진미 см. 산해 [진미] I; ~진찬 редкие дары земли и моря; ~진품 редкостная(ценная) вещь; 2) водные и сухопутные пути.

수리(水利) I 1) гидромелиорация; ~불안전답 рисовое поле без ирригационных сооружений; ~안전답 рисовое поле с ирригационными сооружениями; ~학 гидравлика; гидрология; ~학자 гидролог; 2) транспортировка (перевозка) по воде.

수리(受理) II получение; ~하다 получать; принимать на рассмотрение(заявления, жалобы *и т. п.*).

수리(修理) III ремонт; починка; ~하다 ремонтировать; исправлять; чинить; ~를 맡기다 отдать(сдать) на починку(ремонт); ~를맡다 взять на починку(ремонт); 지금 집을~중이다 сейчас дом ремонтируется; 차를 ~하는데 일주일이 걸린다 ремонт машины займёт неделю; ~공 ремонтник; ~비 расходы на ремонт; 대~ капитальный ремонт; 시계 ~ починка часов; 주택 ~ ремонт квартиры.

수리(數理) IV 1) принципы(законы) математики; ~물리학 математическая физика; ~언어학 математическая лингвистика; ~통계학 математическая статистика; ~적 математический;~논리학 математическая логика; ~지리학 математическая география; ~운영학 программирование(отрасль математики); 2) математика, физика и химия; точные науки.

수리하다, 고치다 ремонтировать

수립(樹立) основание; учреждение; установление; составление(напр. плана);~하다 основывать; учреждать; образовывать; устанавливать; созда-вать; 외교관계를 ~하다 устанавли-вать дипломатические отношения; 그는 신기록을 ~했다 он установил новый рекорд.

수많다 многочис-ленный.
수많은 много.

수매(收買) 1) заготовка; закупка; ~의 заготовительный; закупной;2) скупка; ~상점 скупочный магазин; ~하다 а) заготовлять; закупать; б) скупать; ~가격 закупочные цены; 곡물~ заготовка хлеба.

수면(睡眠) I 1) сон; спячка; ~하다 спать; ~병 сонная болезнь; ~부족 недосыпание; недостаток сна; ~제 снотворное; 2) см. 잠 I; ~요법 лечение сном; ~억제 сонное торможение; 3) состояние покоя; ~화산 спящий вулкан.

수면(水面) II поверхность воды

수명(壽命) I 1) жизнь, долго-летие; продолжительность жизни(человека); ~을 연장시키다 продлевать челове-ческую жизнь; 평균~ средняя продол-жительность жизни; ~장수 долголетие; 2) долговечность, срок службы(чего-л.);기계의~ срок службы машины.

수명(受命) II уст. 1)~하다 получать приказ; 2) см. 수명어천.

수박 арбуз; ~밭 арбузная бахча; ~겉핥기 обр. скользить по поверхности.

수반(首班) 1) глава(напр. государства); 국가의 ~ глава государства; ~으로 하는 во главе; 2) уст. предводитель, вождь.

수북하다 1) наполненный(наваленный) до верху; 그릇에 밥을 수북 하게 담다 наполнить до верху миску рисом; 2) выпученный, выпуклый; 3)густой и длинный(о растительности).

수분(水分) I 1) влага; 여름에는 대기 에~이 많다 летом в воздухе много влаги; 토지의 ~ почвенная влага; 2) см. 물기.

수분(水粉) II 1)см.무리 III; 2)см. 물분

수분(受粉) III опыление; ~하다 опыляться.

수분(水盆) IV низкая ваза для цветов.

수비(守備) I охрана; охранение; ~ 하다 охранять; нести гарнизонную службу; 국경을~하다 охранять границы государства; ~군 пограничные войска; ~대 гарнизон; отряд охраны (караул); 국경 ~ охрана государственной границы.

수비(水飛) II 1) очищение [от примесей] с помощью воды; 2) человек, очищающий глину от примесей с помощью воды.

수사(修辭) I риторика; ораторское искусство; ~의 риторический; ~하다 красиво говорить; уметь говорить; ~법 правила риторики;~학 риторика.

수사(搜査) II дознание; расследование; обыск; ~의 обыскной; ~하다 вести дознание; обыскивать; расследовать; 경찰에 의한 화재 원인의 ~ расследование полицией причин пожара; 그는 이 사건을 ~하도록 의뢰 받았다 ему было поручено расследовать это дело; ~대 отряд по розыску;~망 сеть полицейских постов для поимки преступников.

수사(數詞) III лингв. [имя] числи-тельное; 수량~ количественные числительные;

순서~ порядковые числи-тельные.

수산(水産) I 1) морской(рыбный) промысел; ~물 продукт морского (рыбного) промысла; ~법 закон о рыболовстве; ~업 рыбная промышленность; ~업 협동조합 рыбопромысловый кооператив; ~비료 органические удобрения морского происхождения; 2) см. 수산물.

수산(水疝) II *кор.мед.* опухание яичек.

수색(水色) I см. 물빛 I.

수색(搜索) II обыск; разведка; *воен.* поиск; ~의 обыскной; разведочный; ~하다 обыскивать; разведовать; производить поиск; 가택~하다 подвергнуть обыску; 그의 아파트에서 가택~이 있었다 в его квартире был произведён обыск; 새벽에 우리는 ~을 하기 위해 출발했다 на рассвете мы отправились на разведку; ~대 отряд по розыску преступника; ~망 разведывательная сеть.

수선 I шум; суета; суматоха; ~스럽다 суетливый; суматошный; шумливый; ~을 부리다(피우다, 떨다) шуметь; суетиться; устраивать суматоху; 아이 들이~을 피우다 дети шумят; ~하다 шумливый; суетливый; суматошный.

수선(修繕) II ремонт; починка; ~의 ремонтный; починочный; ~하다 ремонтировать; чинить; 기계를~하다 ремонтировать механизм; 시계를 ~ 하러 보내다 отдать часы на починку; 신발을~하다 чинить обувь; 옷의 ~ ремонт одежды; 의복을 ~하다 почи-нить платье.

수성(水性) I свойство воды; ~가스 водяной газ; ~도료(페인트) водяная (клеевая) краска; ~엑스 *хим.* водный экстракт.

수성(獸性) II 1) животность; свойства(повадки) зверя; ~의 животный; жестокий; 2) см. 야수성; 3) *уст.* см. 수욕 III.

수소(水素) водород; ~결합 водородная связь; ~첨가 гидрогенезация; ~폭탄 водородная бомба; ~부가(반응) гидрогенизация.

수속(手續) I процедура; формальности оформления(чего-л.); ~의 про-цедурный; ~하다 проходить процеду-ры; выполнять процедуры; 입학~을 하다 пройти формальности для посту-пления в учебное заведение; 필요한 ~을 하다 проделать необходимую процедуру; 세관 ~ таможенные фор-мальности; 소송 ~ судебная проце-дура.

수속(收束) II *уст.* ~하다 упаковывать, связывать; собирать.

수송(輸送) перевоз; перевозка; транспорт; транспортировка; ~의 перевозной; транспортировочный; ~에 편리한 транспортабельный; ~하다 перевозить; транспортировать; ~기 транспортный самолёт; ~능력 пропускная способность; транспортные возможности; ~량 количество перевозимых грузов; объём перевозок; ~로 коммуникации; ~료 плата за перевозку; ~비 транспортные расходы; ~선 транспортное судно; ~수단 транспортные средства; 여객~ перевозка пассажиров; ~체계 система перевозок; 철도~ перевоз по железной дороге; 화물~ перевозка грузов; ~능력 см. 수송력; ~원가 себестоимость перевозки.

수수께끼 загадка; головоломка;~의 загадочный; ~를

내다 загадывать загадку; ~를 풀다 разгадывать за-гадку; ~같은 인물 загадочная лич-ность.

수술(手術) 1) мед. операция, опери-рование; ~의 оперативный; опера-ционный; 2) перен. устранение; ~ 하다 а) делать операцию; оперировать больного; б) устранять; ~받다 полу-чить операцию; 당신은 ~을 받아야만 한다 вам необходима операция; ~대 операционный стол; ~비 плата за операцию; ~실 операционная; 외과 ~ хирургическая операция; 정형외과~ хирургическая операция.

수습(收拾) I управление; контроль; ~하다 а) собирать; управлять; конт-ролировать; прибирать; приводить в порядок; б) справляться(с чем-л.); преодолевать; 시국을 ~하다 спасать положение; 정신을~ приходить в себя.

수습(修習) II ~하다 изучать, овла-девать.

수식(修飾) 1) украшение; орнамент; 2) лингв. определение; ~하다 а) украшать, приукрашивать; орна-ментировать; б) лингв. определять; ~어 красивые слова.

수신(受信) I получение сигнала (сообщения); [радио]приём; ~하다 получать(принимать) сигнал(сообще-ние); ~기 приёмник; радиоприёмник; ~안테나(공중선) приёмная антенна; ~인 адресат; получатель.

수신(受信) II ~업무 пассивные кредитные операции.

수심(愁心) грусть, печаль;~에 잠기다 предаться грусти; погрузиться в печаль; ~이 지다 загрустить; ~하다 грустить, быть печальным; 얼굴에 ~이 어렸다 на лицо легла печаль; ~가 элегия.

수압(水壓) давление воды; ~기 гид-равлическая машина; ~기조물 водо-напорное сооружение; ~기관 гидрав-лический двигатель; ~시험 испытание гидравлическим давлением.

수양(收養) I воспитание(приёмного ребёнка); ~부모 приёмные родители; ~아들 приёмный сын; ~어미 приём-ная мать; ~딸로 며느리 삼기 обр. заботиться о своей выгоде.

수양(修養) II воспитание, соверше-нствование; ~의 воспитательный; ~하다 заниматься воспитанием; воспитывать.

수양버들(垂楊-) плакучая ива.

수업(授業) **1.**преподавание, обучение, учеба, занятие; ~하다 преподавать; давать уроки; ~중에 во время занятий; на уроках; ~시간에 빠지다 пропускать занятия; ~에 출석하다 посещать урок; 누구에게...의 ~을 받다 брать уроки у него; 러시아어~ урок русского языка; 오늘은 ~이 없다 сегодня нет занятий; 이 대학이 ~은 9시에 시작된다 заня-тия в этом университете начина-ются в девять часов; ~료 плата за обучение; ~시간 часы занятий; учебный час; ~시간표 расписание уроков; **2.** 1) изу-чение; обучение(чему-л.); 2) оконча-ние(курса обучения); ~증서 свиде-тельство об окончании курса обуче-ния; ~하다 а) изучать; обучаться; б) заканчивать (курс обучения).

수여(授與) вручение; присуждение; присвоение; награждение; ~하다 вру-чать; присуждать; награждать; прис-ваивать; 누구에게 일등상이~되는가? кому суждена первая премия? 승리한 팀에 우승컵을~했다 присудили победившей команде кубок; ~식 церемония присуждения(награждения).

수염(鬚髯) 1) борода; усы; ~이 났다 появились усы; ~을기르다 отрастить усы; отпустить бороду;~을 기른노인 бородатый старик; ~을 쓰다듬다 поглаживать бороду; ~을 내려 쓸다 обр. прикидываться дурачком (непонимающим, незнающим); ~이 대자라도 먹이야 양반(~이 대 자라도 먹는 게 수야, ~이 대자 오치라도 먹이야 양반 노릇을 한다) посл. ≃ мельница сильна водой, а человек едой; ~에 불끄듯 обр. торопливо, в спешке; 2) ость.

수영 I щавель кислый(Rumex acetosa).

수영(水泳) II плавание; см. 헤엄; ~하 다 плавать; ~도하 переправа вплавь; 그는 ~이 매우 익숙하다 он плавает отлично; ~모 купальная шапочка; ~복 купальный костюм; плавки; ~장 бас-сейн для плава-ния; пляж.

수요(需要)<->공급 I спрос; запросы; <-> предложение; потребность; ~를 충족시키다 удовлетворять потребнос-ти(в чём-л.);우리에겐 책들에 대한~가 많다 у нас огромный спрос на книги; ~이 상품은 ~가 많다 на этот товар большой спрос; 이 상품은~가 없다 на этот товар нет спроса; 책의~ потребность в книгах; 와 공급 спрос и предложение; ~자 потребитель

수요(壽夭) II долголетие и ранняя смерть.

수요(需要)요구(要求) III потребность

수요일(水曜日) среда; ~마다 по средам; ~에 в среду.

수용(收容) I размещение; помещение; ~하다 размещать; помещать; вмещать; 이 극장은 5천 명을 ~한다 этот театр расчитан на 5000 человек; 이 호텔은 500명을 ~할 수 있다 эта гостиница вмещает 500 человек; ~력 вместимость; ~소 лагерь; 포로 ~소 лагерь для военноплен-ных; ~능력 см. 수용력.

수용(受用) II ~하다 пользоваться; получать в пользование.

수용(收用) III ~하다 а) собирать и использовать; б) уст. лишать прав(на что-л.), конфисковать; в) феод. наз-начать на должность(человека, име-ющего тк. чин).

수용하다 пользоваться, получать в пользование.

수월하다 1) нетрудный, легкий; простой; 수월하게 легко; просто; 2) см.선선하다 3); 3) совсем обычный.

수위실(守衛室) караульное помеще-ние.

수유(授乳) ~하다 кормить грудью (молоком); нянчить; ~기 период кормления грудью; лактационный период.

수은(水銀) ртуть; ~기압계 ртутный барометр; ~주 ртутный столбик; ~중독 отравление ртутью; ~경고 ртутный пластырь; ~방전등

см. 수은등; ~정류기 эл. ртутный вып-рямитель; ~한난계 ртутный термо-метр; ~연고 ртутная мазь.

수의(獸醫) ветеринар; ~과 факультет ветеринарной медицины;~사 ветеринарный врач; ветеринар; ~대 ветеринарный(медицинский) институт; ~학 ветеринария.

수익(收益) 1) прибыль; доход; выру-чка; ~이 있는 рентабельный; доход-ный; 이 장사는 큰 ~이 있다 эта тор-говля приносит большую прибыль; ~금 денежный доход; ~성 рентабельность; ~자 человек получающий прибыль; 2) ~하다 получать прибыль(доходы).

수인사(修人事) 1) приветствие; ~하다 а) приветствовать; здороваться; б) уст. делать всё возможное; 2) ~대 청명 уст. сделано всё возможное, а в остальном надо уповать на бога.

수입(收入), 소득(所得) I доход, приход, поступление; ~의 доходный; приход-ный; ~하다 получать доход; приходовать; 당신의 개인 ~은 얼마나 되는가? А каковы ваши личные доходы? 올해의 국고 ~은 막대하다 в этом году большое поступление в казну; ~금 денежные доходы(поступления); ~부 приходная ведомость(книга); ~원 источник дохода; ~인지 гербовая марка.

수입(輸入) II импорт; ввоз; ~의 импортный; ввозный; ~하다 импортировать; ввозить; ~상 импорт; импортёр; ~액 объём импорта; ~품 импортная вещь; импортные товары; ввозимый товар.

-수 있다 можно; удачно.

수작(酬酌) 1) угощение друг друга водкой; 2) разговоры, беседа; 3)презр. слова; поступки(кого-л. друго-го); ~하다 а) угощать друг друга водкой; б) разговаривать; в) презр. говорить; болтать; трепаться; поступать(о ком-л.); 나는 그와 오랫동안 ~을 나눴다 мы с ним долго болтали; 어리석은~ глупые поступки; глупость.

수재(水災) I 1) ущерб от наводне-ния; ~민 пострадавшие от навод-нения; 2) см. 수해 I.

수재(秀才) II 1) выдающийся та-лант; талантливый человек; ~교육 обучение особо одарённых детей; 2) уст. вежл. холостяк; 3) предметы, по которым экзаменовался чиновник при поступлении на службу.

수정(水晶) I горный хрусталь; крис-талл; ~과 같은 кристалловидный; ~같이 맑은 물 прозрачная, как кристал, вода; ~체 хрусталик глаза.

수정(修正) II 1) исправление; внесе-ние поправок; ~된 модификационный; ~할 수 있는 исправимый; 2) полит. ревизия; ~하다 а) исправлять; б) полит. ревизировать; 마르크스주의의 ~ реви-зия марксизма; 법률안을~하다 исп-равлять законоп-роект; 작문의 ~ исп-равление сочинения; ~안 проект поп-равок; проект с поправками; ~자 исп-равитель; ~주의 ревизионизм; ~주의자 ревизионист.

수준(水準) 1) прям. и перен.уровень; 소년은 자기 반의

평균 ~보다 낮다 успеваемость мальчика ниже сре-днего уровня своего класса; 문화 ~ культурный уровень; 생활 ~ жизненный уровень; 지적 ~ уровень умственного развития; 2) см. 수평 I; 3) см.수준기

수줍음 стеснение; застенчивость.

수중(手中) I ~에 в руках; в руки; ~에 넘어가다 перейти(попасть) в(чьи-л.) руки; ~에 있다 быть (в чьих-л.) руках.

수중(水中) II ~에 в воде; ~고혼 этн. неприкаянная душа утопленника, обитающая в воде;~촬영 подводная съёмка; подводное фотографирование; ~신호삭 сигнальный трос (напр. водолаза); ~전화 подводная телефонная установка; ~촬영 кино подводная съёмка, подво-дное фотографирование.

수증기(水蒸氣) водяной пар; ~장력 см. 수증기압; ~증류 дистилляция; ~응결 конденсация водяного пара.

수지(收支) I макулатура.

수지(收支) II приход и расход; баланс; ~를 맞추다 балансировать; подводить баланс; ~가 맞는 доходный; прибыльный; ~결산 подведение баланса; ~균형 баланс.

수지(樹脂) III смола; канифоль; камедь; ~를 함유한 смолистый; смолеватый; ~의 смолевой; камедистый; канифольный; ~를 바르다 смолить; ~품 пластмассовые изделия;~향 запах смолы; 합성~ синтетическая смола; ~경고 смоляные пластыри.

수직(守直) I 1) ночное дежурство; 2) ночной сторож(дежурный); ~하다 дежурить (сторожить) ночью; ~을 서다 дежурить ночью.

수직(垂直) II перпендикуляр; вертикаль; ~의 вертикальный; ~으로 пер-пендикулярно; вертикально; ~선 вер-тикальная линия; ~면 вертикальная площадь; ~강하 авиа. вертикальное пикирование; ~기류 вертикальное воз-душное течение; ~내면 선삭반 верти-кально-расточный станок; ~만능 후라 이스반 вертикальный универсальный фрезерный станок; ~볼반 вертикально-сверлильный станок; ~선회 верти-кальный вираж(самолёта); ~종삭 반 (스로타) вертикальный долбёжный станок; ~주축 평면 연마반 вертикаль-ный шпиндельный шлифовальный станок; ~평면 мат. перпендикулярная плоскость; ~후라이스반 вертикально-фрезерный станок; ~이등분선 мат. перпендикулярная биссектриса.

수집(收集), 집회 I сбор; ~하다 собирать; заготовлять.

수집(蒐集) II собирание, коллекция, сбор; ~하다 собирать; коллекциони-ровать; 우표를 ~하다 собирать марки; 정보를 ~하다 собирать сведения (ин-формацию); ~가 коллекционер; соби-ратель; 골동품 ~가 собиратель антик-вариата; 자료 ~ сбор материалов 우표 ~ филателия; филателизм; 우표~가 филателист; собиратель почтовых марок.

수차(水車) I 1) водяная мельница; 2) см. 물레방아; 3)лопасти гребного колеса(водяной турбины и т. п.).

수차(袖-) II жалоба, переданная

непосредственно королю.

수첩(手帖) записная книжка, блокнот.

수축(收縮) I сокращение, сжатие, уменьшение; усадка; ~하다 сжима-ться, сокращаться; ~계수 стр. коэф-фициент сжатия.

수축(修築) II ~하다 ремонтировать; реставрировать.

수출(輸出) вывоз, экспорт; ~의 экспортный; вывозной; ~하다 вывозить; экспортировать; ~난 затруднения с экспортом; трудности экспорта; ~생산 производство на экспорт; ~액 объём экспорта; ~업자 экспортёр; ~입 ввоз и вывоз; ~장려금 экспортные премии; ~초과 превыщение экспорта над импортом;~품 экспортные товары; предмет экспорта; ~관세 вывозная пошлина.

수출입(輸出入) ввоз и вывоз, экспорт и импорт.

수치(羞恥) I позор; стыд; ~스럽다 по-зорный; постыдный; ~를 당하게 하다 позорить; ~를 당하다 позориться; ~ 스런 추억 стыдное воспитание; ~심을 느끼다 позориться; ~심을 잃다 поте-рять стыд; 나는 당신 때문에~스럽게 생각한다 мне стыдно за Вас; ~감 чувство стыда; ~심 стыд.

수치(數值) II мат. числовое(числе-нное) значение.

수평(水平) 1) уровень; ~거리 гори-зонтальное расстояние; ~면 гори-зонтальная плоскость; ~선 видимый горизонт; ~갱도 горизонталь-ный штрек; 2) см. 수준기.

수표(手票) I подпись; ~에 싸인하다 ставить подпись; расписываться; ~로 지불하다 заплатить по чеку; ~로 지불 할 수 있나요? Можно платить чеком? 내일 아침에 너에게~를 보내마 я пришлю тебе чек завтра утром; 무기명 ~ чек на предъявителя.

수표(手標) II расписка; квитанция.

수하물(手荷物) 1) ручной багаж; 2) уст. ноша путника; ~로 보내다 отп-равлять багажом; сдать в багаж; 인수증 багажная квитанция; ~취급 소 багажное отделение; 휴대~ ру-чной багаж.

수학(數學) математика; ~개념 ма-тематическое понятие; ~자(者) ма-тематик; ~적 математический; ~적 논리학 математическая логика.

수해(水害) ущерб от новоднения; ~를 입다 пострадать от наводне-ния; 장마철에 폭우가 내려서 큰 ~를 입었다 в сезон дождей сильные дожди вызвали сильное наводнение; ~지 местность, подвергшаяся навод-нению.

수행(隨行) 1) сопровождение; 2) со-провождающее лицо; ~하다 сопрово-ждать; 차관들이 장관을 ~했다 мини-стра сопровождали его заместители; 정부 대표단 ~원 лица сопровождаю-щие правительственную делегацию; 3) выполнение(чего-л.) вслед за(кем-чем-л.).

수험(受驗) ~하다 сдавать(держать) экзамен; ~생 экзаменующийся(ученик, студент); ~장 место проведения экзамена;~표 экзамена-ционный лист.

수험료(受驗料) [-нё] плата за экзамен

수혜자(水鞋子) сапоги, носившиеся во время

дождя(военными чинов-никами).

수호(守護) I защита; охрана; ~의 защитный; ~하기 위한 для защиты (охраны); ~하다 защищать; охранять; стоять на страже; отстаивать; 두려워 하지 마라, 네가 맞기라도 한다면, 그가 너를~해 줄 것이다 не бойся, если на тебя нападут, он будет тебя защищать; ~신 духпокровитель; ~자 защитник.

수호(修好) II: ~관계 дружественные отношения; ~조약 договор о дружбе; ~하다 дружить; быть в хороших отношениях.

수화(水火) 1) вода и огонь; ~불통 уст. обр. враждовать, не ладить; ~상극 быть нетерпимым(враждебным) по отношению друг к другу; 2) большие трудности(испытания).

수화기(受話器) [телефонная] трубка; наушники. **수화물** хим. гидраты.

수확(收穫),추수(秋收) 1) сбор(уборка) урожая; 2) урожай; 3) перен. резуль-тат, достижение; ~의 уборочный; уро-жайный; ~하다 а) собирать(урожай); производить уборку; б) перен. пожи-нать; ~이 많다 богатый урожай; 평년 작을 웃돈 ~량 урожай выше среднего; 그들은 보리 ~을 마쳤다 они пожали рожь; 그는 실제로 아무런 ~도 거두 지 못했다 он на самом деле не достиг никаких результатов; ~기 уборочная; ~량 урожай; урожайность; ~물 уро-жайность

숙고(熟考) обдуманность; ~하다 тщательно обдумывать; взвешивать; ~하여 계획을 세우다 обдумывать план.

숙녀(淑女) [сунъ-] благородная дама (леди); 신사숙녀 여러분! Леди и джентельмены/Дамы и господа.

숙달(熟達) ~하다 1)умелый; искусный; 2) овладевать, осваивать; ~되다 приоб-ретать мастерство; 어떤기술에 ~되다 овладевать искусством; 나는 이일에~ 되어 있지 않다 у меня нет навыка в этой работе; ~공 квалифициро-ванный рабо- чий.

숙련(熟練) [сунънйон]~노동자 ква-лифицированный рабочий; ~하다 приоб-ретать(мастерство, квалификацию); овладевать(чем-л).

숙련공(熟練工) [сунънйон-] мастер, высококвалифицированный рабочий.

숙명(宿命) [сунъ-] фатум; предопре-деление; ~적 а) фатальный; неизбеж-ный; неминуемый; б) фаталистический; ~론 фатализм; ~론자 фаталист, веря-щий в предопределение.

숙박(宿泊) ночёвка; ~하다 ночевать; останавливаться на ночлег(в гости-нице и т. п.); ~하러가다 отправи-ться с ночёвкой; ~계 листок, запол-няемый приезжающим в гостинице; ~료 плата за номер; ~자 постоялец; ночлежник; ~등록 прописка(в гости-нице и т. п.).

숙식(宿食) 1) ночлег и питание; ~하다 а) ночевать и питаться; б) жить на полном пансионе; 2) арх. тяжёлая пища 숙였습니다 склонять голову.

숙영(宿營) I

воен.расквартирование; ~하다 расквартировываться.

숙영 II привал на ночь; бивак; ~의 бивачный; ~하다 делать привал на ночь; ~지 место бивака.

숙이다 наклонить; 고개를~ понурить(опустить; склонить) голову.

숙제(宿題) 1) домашнее задание; урок; ~하다 делать домашнее задание; делать уроки; ~를 내주다 давать домашнее задание; давать на дом; 2) проблема; 3) уст. заданная тема (сочинения).

숙직(宿直) 1) ночное дежурство; ~하다 дежурить(сторожить) ночью; ~실 комната ночного дежурного; ~자 дежурный; 2) уст. см. 수직 I.

순(巡) I 1) сокр. от 순향 I; 2) очередь; 3) тур(в соревновании по стрельбе из лука).

순(純) II арх. высший балл(в частной кор. школе).

순(筍) III [молодые]ростки(побеги); ~이 나오다 пустить почки; 죽~ бамбуковые побеги; 순[을] 지르다 чеканить(напр. хлопчатник).

순(旬) IV декада; 상~ первая(вторая; третья) декада.

순(純) V 1) чистый; исконный; 순 이론적 문제 чисто теоретический вопрос; 2) совсем, совершенно.

순간(旬間) I 1) 10-е число месяца(по лунному календарю); 2)декада.

순간(瞬間) II миг, момент; ~속도 мгновенный, моментальный; ~적 мгновенный; моментальный; моментный; ~에 결정적인 ~ мгновенно; в одно мгновение; 잊을수 없는 ~ незабываемая минута; ~타격 спорт. мгновенный(молниеносный) удар.

순결(純潔) чистота, девственность; ~미 нравственная чистота; ~성 чистота; 무구~하다 чистый; честный.

순교(殉敎) I ~하다 отдавать жизнь за веру; ~자 человек отдавший жизнь за веру.

순교(巡校) II феод. низший полицейский чиновник(на местах).

순서(順序) очередь; ~대로 по очереди; 자기 ~가 되다 стоять в очереди; ~를 정하다 установить очередь; ~를 지키다 соблюдать очередь; ~를 어기다 не соблюдать очередь; ~수사 порядковое числительное; см. 차례; ~수사 порядковые числительные; 순서대로 써보세요. напишите последовательно

순수(純粹) I чистота; ~하다 чистый; наивный, простодушный; натуральный; ~성 чистота; ~이성 филос. чистый разум; ~문학 искусство для искусства (о литературе);~예술 чистое искусство.

순수(巡狩) II ~하다 совершать поездку по стране.

순순(諄諄) I ~하다 мягкий; сердечный

순순(順順) II ~하다 покорный; послушный; смирный; мягкий; ~하게 말을 잘 듣는다 покорно слушаться; ~하게 타이르다 уговаривать мягкими словами

순식간(瞬息間) миг; мгновение; ~에 в мгновение ока; в один миг.

순응(順應)적응·(適應) адаптация; ~하다 повиноваться; слушаться; приспосабливаться; 새로운 상황에 ~하다 приспособляться к новым условиям;

환경에 ~하다 приспосабливаться к обстановке; 그녀는 새 직장에 빨리 ~했다 она быстро приспособилась к новой работе; 그는 적의를 감추고 새로운 사태에 ~해 갔다 маскируя свою враждебность, он сумел приспособиться к новым порядкам.

순이익(純利益) [-ни-] чистый доход, чистая прибыль.

순조롭다 гладкий; нормальный; бла-гоприятный; 모든 것이 순조로웠다 всё прошло как по маслу.

순종(脣腫) I прыщ(нарывник) на губе

순종(順從) II повиновение; покорность; ~하다 повиноваться кому-л.; слушаться кого-л.; 명령에~하다 повиноваться приказаниям; 윗사람들에게 순종하다 повиноваться старшим.; 순종하다 повиноваться старшим.

순하다(順-) 1) послушный; покладистый; 2) слабый, лёгкий(о ветерке); 3)слабый, некрепкий(о табаке, водке); 4) попутный(о ветре); 5) гладкий; благополучный; 순한아이 послушный ребёнок; 순한바람 일이 순하게 진행 되고 있다 дело идёт как по маслу; 순한 소리 слабые непридыхательные согласные(в кор. языке).

순환(循環) периодическая смена; круговорот; циркуляция; ~하다 циркулировать; 피는 인체 속에서 ~한다 кровь циркулирует по телу человека; ~계 система кровообращения; ~기 цикл; 대기~ циркуляция атмосферы; 혈액 ~ циркуляция крови; ~계통 система кровообращения; ~논법 лог. порочный круг; ~소수 периодическая [десятичная] дробь; ~치환 мат. цикл; ~ 펌프 циркуляционный насос.

순회(巡廻) объезд, обход; ~하다 объезжать; обходить; 문지기는 온 저택을 ~하고 있다 сторож обходит весь двор; ~공연 гастроли; 2) переход (из рук в руки); ~우승기 переходящее знамя; ~하다 а) обьезжать, обходить; б) передавать(из рук в руки).

숟가락 ложка; ~을 놓다 эвф. умереть

숟가락질 ~하다 есть ложкой.

술,보드카 I водка; вино; алкоголь-ные напитки;~김에 под влиянием вина; под пьяную руку; ~주정을 하다 устроить дебош; ~이 깨다 протрезви-ться; ~을 대접하다 угостить; ~타령을 하다 предаваться пьянству; пьянст-вовать; ~판을 벌이다 устраивать вы-пивку; 독한~ крепкое вино; 그는 ~을 입에 대지 않는다 он не берёт спиртного в рот; 빈속에~을 마시다 пить водку на голодный желудок; ~한 모금 глоток вина; ~고래 пьяница; ~ 기운 опьянение; хмель; ~꾼 любитель выпить; ~독 глиняный чан с водкой; ~병 винная бутылка; ~상 стол устав-ленный водкой и закусками; ~자리 место пирушки; ~잔 чарка; ~주정 пья-нство; дебош; ~집 питейное заведение; ~통 винная бочка; ~판 выпивка;

술 II плектр для игры на комунго

술(戌) III 1) «собака» (11-й знак двенадцатиричного цикла); 2) см. 술방; 3) см. 술시.

술 IV толщина(книги, бумаги, ткани *и т. п.*)

술 V кисточка; бахрома; 금실로~을 단 우승기 переходящее знамя об-шитое бахромой.

술 VI 1) диал. см. 숟가락; 2) счётн. сл. а) ложка; б) несколько ложек.

-술(術) суф.кор. искусство; умение; 비행~ искусство пилотирования; пилотаж. 술자리[-쨔-]место пирушки

술잔(-盞) [-짠] чарка; рюмка(для водки); ~을 기울이다 выпить рюмку; ~을 노느다 вместе пить вино(выпивать).

술책(術策) махинация; ~의 трюковый; ~을 쓰다 прибегать к уловкам; устраивать махинацию.

숨 1) дыхание; ~을 죽이고 затаив дыхание; с затаённым дыханием; ~을 거두다(걷다, 넘기다, 모으다, 끊다), 숨(이)지다(넘어가다,끊어지다) испустить последний вздох; ~이 넘어가다 умереть; ~을 돌리다 а) перевести дух; б) передохнуть; собраться с духом; ~을 쉬다 дышать; делать вздох; ~을 죽이다 затаив дыхание; ~이 막히다 дыхание(дух) захватывает;~이 차다 тяжело дышать; ~이 턱에 닿다 сильно задыхаться; ~가쁨 удушье; ~구멍 дыхательное горло; ~소리 дыхание; 숨 쉴 사이 없다 обр. некогда вздохнуть; ~을 고다 обр. задыхаться; ~을 모아쉬다 глубоко дышать; ~이 붙다 обр. дышать на ладан; 숨이 턱에 닿다 обр. сильно задыхаться; 2) свежесть овощей; ~을 죽이다 а) затаить дыхание; б) присолить (овощи).

숨결 дыхание; ~이 고르다 дыхание равномерное.

숨기다, 감추다 1) заставлять(позволять) прятать(скрывать); 2) прятать; скрывать; 몸을~ прятаться.

숨다 1) прятаться; скрываться; 숨어살다 прятать от людей; 2) 숨은 скрытый; 숨은 예비 скрытые резервы.

숨바꼭질 прятки;~하다 играть в пря-тки. 숨었습니다 спрятался. 숨이 가쁘 다 задыхаться. 숨이차다 запыхаться.

숨통(-筒) горло; ~을 조이다 задушить; ~을 끊다 покончить с(кем-чем-л.); вышибить дух(из кого-л.); ~이 끊어지다 умереть; подохнуть; испустить дух.

숫- преф. кор. 1) первый; 2) чистый; невинный; ~처녀 целомудренная девушка.

숫돌 точильный камень; ~에 칼을 갈다 точить нож на бруске; ~이 저 닳는 줄 모른다 посл. ≅ малая оплошность доводит до большой.

숭늉 суннюн(вода, подогреваемая в котле после варки риса; употр. для питья после еды); рисовый напиток; рисовый чай.

숯 древесный уголь; ~을 굽다 выжигать древесный уголь; ~을 피우다 разжечь уголь; ~불 горящий древесный уголь; 숯은 달아서 피우고 쌀은 세어서 짓는다 обр. очень скупой.

숱 густота волос; 숱이많다 густой(о волосах). 숱하다 обильный; многочис-леный; бесчисленный.

숱한 многочисленный.

숲 1) лес; 2) сокр. от 수풀; 숲도 커야 짐승이 나온다 см. 덤불[이 커야 도깨비가 난다]

쉬 I личинка(яичко) мухи; ~를 슬다 разводиться.

쉬 II 1) легко, нетрудно; ~쉬 덥는 방이 쉬 식는다 посл. ≅ букв. комната, которая легко нагревается, легко и остывает; 2) скоро.

쉬 III звукоподр. 1) пис-пис; 2) тсс; тише. **쉬는** отдыхать.

쉬다, 휴식하다 I 1) останавливать[ся]; прекращать[ся]; 2) отдыхать; вежл. спать; 쉴새없이 без устали; беспре-рывно; 쉬지 않고 일하다 работать без перерыва; без отдыха; 쉬는 날 выходной день; 쉬지 않고 а) не прек-ращаясь; б) без передышки, без отдыха; 3)пропускать, не посещать; 학교를 ~ пропускать занятия, не посещать школу; 공장을 ~ не выходить на рабо-ту(на завод); 직장 일을 ~ не выходить на работу; гулять.

쉬다 II киснуть(о пище); прокис-нуть; заквaситься; 쉰 냄새 прокис-лый запах; 밥이쉰다 каша киснет.

쉬다 III хрипеть; охрипнуть; 목이 쉰 хриплый; хрипливый; 쉰 목소리 хриплый голос. **쉬지않고** без отдыха.

쉰, 오십(50) пятьдесят.

쉴새없이 без отдыха.

쉼표 знак паузы.

쉽다(쉬우니,쉬워) 1) лёгкий; простой; 2) в отриц. или вопр.ф. обычный, частый; 그는 아마도 도서관에 있기 가 쉬운데 그곳으로 찾아가 보시오 он, вероятно в библиотеке, лучше пой-дите туда. 쉽지 않다 нелегко.

슈퍼마켓 супермаркет.

슛(<англ. shoot) удар мячом по воротам противника; бросок мяча в корзину(в баскетболе).

스냅(англ. snap) моментальный снимок; 나무 옆에 서 있어라, 난 네 ~사 진을 몇 장 찍고 싶구나 Стань у этого дерева, я хочу сделать с тебя несколько снимков.

스님 (중) будд. 1) наставник; 2) вежл. монах.

스러지다 1) исчезать; теряться; про-падать; 스러진 꽃 увядший цветок; 모닥불이 스러진다 Костёр гаснет; 샛별이 스러지고 동녘 하늘이 훤히 밝아왔다 Исчезла утренняя звезда и на востоке светлеет не-бо; 꽃이 스러진다 Увядают цветы. **스러지며** исчезнуть.

-스럽다 суф. образующий прил. от сущ.; вносит знач. субъективной оценки качества.

스레트(англ. slate) 1) шифер; ши-ферная плита; 2) плита из асбес-тоцемента

스르르 незаметно, тихо; ~풀리다 легко разматываться; 눈을~감다 тихо закрывать глаза; 문이~열렸다 Бесшу-мно отварилась дверь.

스무 перед именами двадцать; ~집 двадцать домов; см. **스물**. **스무날** два-дцатое число; двадцать дней. **스무 째** двадцатый. **스물** двадцать.

스미다 просачиваться; проникать; пронизывать; пропитывать; 물이 땅속에 스며들었다 Вода просочилась в почву.

스스로 само собой, сам; ~할 수 있는 일은 남의 손을 빌리지 말아야한다 Не следует прибегать к посторонней помощи, если это можно сделать самому.

스승 учитель, зачинатель; 스승과 제자 учитель и ученик.

스위치(англ. switch) выключатель; 자동~ автоматический выключатель.

스윙(*англ.* swing) свинг; удар; ~하다 размахивать чем-л.

스웨터(*англ.* sweater) свитер.

스치다 I 1) слегка задевать(касаться); 총알이 어깨를 스쳤다 Пуля слегка задела плечо; 시선이 ~ скользнуть взглядом; 2) зайти, заехать(по пути); 3) промелькнуть(о мысли); 스쳐보다 а) смотреть(глядеть) искоса; б) пробежать глазами, бегло прочитать(просмотреть).

스카우트(*англ.* scout) разведчик

스카트(*англ.* skirt) юбка(европейская)

스캔들(*англ.* scandal) скандал; скандальные слухи.

스케치(*англ.* scetch) ~하다 быстро переписывать; быстро рисовать; см. 속사 IV; см. 소품; скетч; см. 소품곡.

스키(*англ.* ski) лыжи; ~를 타다 кататься на лыжах; ~어 лыжник; 스포츠용 ~ спортивные лыжи.

스타트(*англ.* start) 1) см. 출발; 2) см. 출발점; ~라인 см. 출발선.

스태미너 запас жизненных сил; вынос-ливость

스탠드(*англ.* stand) трибуны; 화분의 ~ подставка для цветочного горшка.

스탬프(*англ.* stamp) темпель; ~를 찍다 поставить штемпель; см. 소인 I; юбилейный(мемориальный) штамп (на открытке и т.п.).

스터킹(*англ.* stocking) чулок.

스테아린산(*нем.* Stearin+酸) стеари-новая кислота; ~나트륨 хим. натрие-вая соль стеариновой кислоты.

스테이션(*англ.* station) вокзал; станция; остановка.

스테이지(*англ.* stage) стадия; сцена; 나는 이곳에서 ~를 볼 수 없다 Отсюда я не вижу сцены.

스튜디오(*англ.* studio) студия.

스튜어디스(*англ.* stewardess) 승무원 стюардесса.

스패너(*англ.* spanner) гаечный ключ.

스펠링(*англ.* spelling) писать; читать по буквам; орфография.

스포츠(*англ.* sports) спорт; ~계 спортивный мир;~선수 спортсмен; ~시합 спортивный состязания; ~용 재킷 спортивная куртка; ~종목 виды спорта; ~명수 мастер спорта.

스푼(*англ.* spoon) ложка.

스프(<*англ.* S.F.) штапельное волокно; ~방적 прядение из штапельного волокна; ~직물 штапельная ткань.

스프(*англ.* soup) II суп.

스프레이(*англ.* spray) пульверизатор; форсунка. ~를 뿌리다 пульверизи-ровать; разбрызгивать.

스프링(*англ.* spring) 1) ~코트 демисезонное пальто; 2) майка; сетка(рубашка).

스피드(*англ.* speed) скорость.

스핀(*англ.* spin) верчение; кружение; ~을 걸다 крутиться; вертеться

슬(瑟) сыль(кор. струнный муз. инструмент типа каягыма с 25 струнами).

슬그머니 незаметно; тайком; втихомолку; без усилий и медленно;

~나오다 уйти незаметно; ~당기다 потихоньку притягивать.

슬금슬금 незаметно, тайком, тихо-тихо; см. 슬그머니.

슬기 I ум; ~롭다 умный, добрый.

슬기(지혜) II мудрость, сообразительность; ~로운 умный; мудрый; ~롭게 판단하다 мудро рассуждать.

슬기로운 мудрый, умный.

슬기롭다 умный, мудрый.

슬랭(англ. slang) сленг.

슬럼프(англ. slump) застой; ~에 빠지다 впадать в уныние(депрессию).

슬리퍼(англ. slipper) тапочки.

슬사(膝射)[-сса] стрельба с колена; ~하다 стрелять с колена.

슬슬 втихомолку еле; ~걸어가다 брести; ~다가가다 подходить украдкой; 눈이~녹고 있다 Незаметно тает снег; ~어루만지다 слегка поглаживать; ~녹다 незаметно таять; ~어루만지다 слегка поглаживать; ~걸어가다 брести, плестись.

슬쩍 вскользь; незаметно; украдкой; ~눈치를 보다 оглядываться украдкой; ~보아 넘기다 посмотреть вскользь; ~ 부딪치다 слегка столк-нуться; 문제를 ~스치고 지나가다 коснуться вопроса вскользь.

슬퍼하다 грустить о ком-л., чём-л. (по кому-л.,чему-л.); 슬퍼하지 말라! Не горюй! 죽은 친구를 생각하며~ грустить по умершему другу.

슬프다(슬프니,슬퍼) печальный, груст-ный; 슬픈소식 грустная весть.

슬픔, 수심, 비애 горе.

슬하(膝下) под кровом; под крылышком; ~에 ниже колена отца, т.е. у отца; 부모의 ~를 떠나다 покинуть отчий дом.

습(濕) кор. мед. мокнущая сыпь на нижней части туловища.

습격(襲擊), 돌격 штурм; ~하다 на-падать; атаковать; совершить на-лёт; штурмовать; ~당하다 подвергаться налёту(нападению); 적의 ~은 예상치 못한 것이었다 Нападение против-ника не было неожиданным

습관(習慣) привычка, обычай; ~적 привычный; ~에 따라 по привычке; ~이 되다 становиться привычкой; входить в привычку; ~이 있다 иметь привычку; 그는 새벽에 일어나는 ~이 있다 Он имеет привычку вставать с зарёй; см. 버릇 1); ~적 привычный; ~하다 делать по привычке.

습관(習慣), 버릇 привычка.

습관성(習慣性) [-ссонъ] 1) сущ. привычный; ~구토 привычная рвота; ~유산 привычный выкидыш; ~변비 привычный запор; см. 관성 I

습기(濕氣) влажность; ~찬 влаж-ный; сырой; ~차다 влажнеть; ~찬 공기 влажный воздух

-습네 [сым-] разг. фам. оконч. по-вств. ф. гл. и прил.; выражает ирон. оттенок: ~나 혼자도 잘 수 있습네 я же и сам могу пойти.

-습니까 [-сым] почт. оконч. вопр. ф. гл. и прил.

-습니다 [-сым] почт. оконч. повеств. ф. гл. и прил.

습도(濕度) влажность; ~계 гидро-метр; гидроскоп.

습득(習得) усвоение; ~하다 овладевать; усваивать; 새 기술을 ~하다 освоиться с новой техникой; ~물 находка.

습성(習性) повадки, привычки; ~적 привычный; ~화하다 делать привычкой; ~화되다 сделаться привычкой; войти в привычку.

습식(濕式) тех. мокрый метод; ~과립기 машина для мокрой грануляции; ~제련 гидролитический способ рафинирования; ~청공법 мо-крый способ бурения;~야금 гид- рометаллургия.

습지(濕地) I болотистое место.

습지(濕紙) II влажная бумага, используемая для приглаживания наклеен-ных обоев.

-습지만 почт. оконч. уступ. деепр.

-습지요 почт. оконч. повест. ф. гл. и прил.

습하다(襲) I обмывать(покойника)

습하다(濕-) II влажный; сырой; мокрый

승(僧) I буддийский монах; ~가(家) дом монаха; см. 중 I; см.신중 I.

승(乘) II степень; n의 3~n в третьей степени; сокр.от 승법

승(乘) III будд. круг спасения.

승(勝) IV победа; 2승 1패 две победы, одно поражение.

승강(昇降) колебания; ~하다 подниматься и опускаться; ~구 лестничная клетка; ~기 лифт; подъёмник; ~대 лестница; ~장 площадка в вагоне; ~운동 колебания (земной поверхности).

승객(乘客) пассажир; 무임~ безби-летный пассажир.

승격(昇格) повышение в должности; ~하다 повышаться в должности; 공사관이 대사관으로~하였다 Миссия переведена в ранг посольства.

승격시키다 повысить в ранге.

승낙(承諾) согласие, одобрение; ~하 는 согласный на что-л.; одобрительный;~하다 соглашаться на что-л.; одобрять; 나는 가는 것을 ~했다 Я согласился поехать; ~서 письменное согласие(одобрение).

승리(勝利) [-ни] торжество, победа; ~의 победа; ~하다 побеждать; торжествовать над кем-чем-л.; одержать (победу, верх); ~를 거두다 торжествовать победу; 정의의~ торжество справедливости; 우리는 빛나는 ~를 이룩했다 Мы одержали блестящую победу; 경기는 방문팀의 ~로 끝났다 Матч закончился победой приезжей команды; ~감 радость победы; ~자 победитель; ~적 победный; победоносный; успешный.

승무원(乘務員) экипаж, команда (судна и т. п.); бригада(поезда); ~의 экипажный.

승산(勝算) расчёты на победу(на успех); шансы на успех; ~이 있다 имеются шансы на успех; 이것은 ~ 이 있는 경기이다 Этот матч рас-читан на победу

승용차(乘用車) легковой автомобиль; легковая машина; см. 승용 [자동차].

승인(承認) утверждение;признание; одобрение;~의одобрительный; ~하다 одобрять; признавать; ~을 받다 полу-чать одобрение; 당신은 우리의

계획 을 ~합니까? Вы одобряете наш план? 법안이 의회에서 ~되었다 Проект закона одобрен на заседании; ~서 письменное одобрение.

승인, 찬동(승) апробация.

승진(承塵) I циновки(куски ткани), которыми обтянут потолок.

승진(陞進) II повышение по службе; ~하다 получать повышение по службе.

승진하다 получать повышение

승차(乘車) I ~하다 садиться(в поезд, трамвай и т. п.); ~권 (проездной) билет.

승차(陞差) II арх. ~하다 повышать по службе.

시(詩) I стих; ~적 поэтический; ~평 критический разбор стихотворения; ~학 поэтика; форма и правила стихосложения; ~형 форма стиха; ~ 화 беседы о поэзии; ~화전 экспони-рование стихов.

시(時) II 1) время; 출장 ~에 во время командировки; 2) час; 12시 45 분 12 часов 45 минут; 시를 매기다 ограничивать время; 시를 찾다 находиться при смерти; 지금 몇 ~입니까? Который теперь час? Сколько сейчас времени? **시**(是) III правильность.

시(市) IV город; ~가 городские улицы; территория города; ~가 전 уличный бой; 시인민 위원회 горо-дской народный комитет; 평양~ город Пхеньян. 서울시 город Сеул.

시 V межд. фу! (выражает недовольство, досаду, раздражение).

-시 почт. суф. предикатива: 어디 가십니까? куда Вы идёте?

시- преф.указ. на высшую степень качества, выраженного прил.: 시꺼멓다 чёрный как смоль; 시뻘겋다 ярко-красный.

시-(媤) преф. кор. указывает на принадлежность к родственникам мужа: 시아버지 свёкор; 시아우 мла-дший брат мужа.

시각(時刻) I 1) отрезок времени; 2) см. 시간 1); 3) момент; минута; ~을다투다 нуждаться в неотложных мерах; 약속된~ обещанная минута; ~대변 кризис(в болезни); ~이 위태 하다 находиться в опасности (в критическом положении).

시각(時角) II астр. часовой угол.

시각(視覺) III зрение;~감시 визуа-льное наблюдение; ~분석기 зрительный анализатор; ~신호 зрительный сигнал.

시각(視角) IV угол зрения(видимости)

시간(時間) 1) время; ~적 временной; ~을 내다 уделить время; ~이 급하다 время не терпит; ~이 많이 걸린다 Это займёт(отнимает; требует) много времени; ~을 맞추다 сверять часы; ~을 보내다 коротать время; ~을 빌려주다 дать время кому-л. для чего-л.; ~을 소비하다 тратить время; ~을 아끼다 беречь время; ~을 빼앗다 отнимать время; ~은 금이다 Время деньги; ~은 모든 것을 해결한다 Время своё покажет; ~급 почасовая оп- лата; ~당 почасовой; часовой; ~성 своевременность; ~표 расписание; 근무~ рабочее время; служебные часы;

시계(時計) I часы; ~가 멎었다 Часы стали; ~가 5분 빠르다 Часы спешат на 5 минут; ~가 늦다 Часы отстают; ~가 12시를 쳤다 Часы пробили 12; ~바늘 часовая стрелка; ~줄 ремешок для часов; цепочка для часов; ~추 гиря(стенных) часов; маятник часов!; ~탑 башня с часа-ми.

시계(視界) II поле зрения.

시골 провинция; ~풍의 захолустный; провинциальный; ~뜨기 прови-нциал; деревенщина; ~신사 провин-циальный дворянин; ~집 дом, наход-ящийся в провинции; ~풍 провин-циальные манеры; ~사람 провин-циал.

시공(施工) строительство; строительные работы; ~의 строительный; ~하다 стоить; ~법 метод строи-тельства; ~자 строитель; ~속도 темпы строительства; ~의 기계화 механизация строительных работ.

시국(時局) ситуация; положение; ~강연 публичная лекция по современному положению; ~담 беседа о современном положении; ~적 уст. своевременный; 현~текущий момент.

시급(時急) крайность; ~하다 неотло-жный; срочный; ~히 срочно; экстренно; безотлагательно; 공장은 ~한 주문으로 3교대로 작업하고 있다 Завод работает в три смены над срочным заказом; 그는 ~하게 수술을 받아야 했었다 Его пришлось срочно проо-перировать; ~한 문제 неотложная задача; ~한 용건 срочное дело.

시기(時期), 기간(其間) I время, пе- риод; 가까운~에 в скором времени; 그때가 그의 생애에서 어려운~였다 Это был тяжёлый период в его жизни; ~상조 преждевременность; ~성 своев-ременность.

시기(時機) II удобный случай(момент); ~를 놓치다 упустить удобный случай.

시기(猜忌) III зависть; ~하는 завистливый; ревнивый; ~하다 зави-довать кому-л.,чему-л.; ревновать кого-л., к чему-л.; 그는 자기 아내와 친구와의 사이를 ~하여 질투하고 있다 Он ревнует свою жену к при-ятелю; ~심 чувство зависти; рев-ности; см. 새암 I

시기심(猜忌心) чувство зависти, за-висть; ревность.

시끄럽다 1) шумный; сутолочный; надоедливый; 2) прил. приставать; 시끄럽게 질문해대다 теребить кого-л. вопросами; 3) щепетильный, деликатный (напр. о вопросе).

시나리오(англ. scenario) сценарий; ~작가 сценарист.

시내 I ручей; речка; ~의 ручейный; ~가 берег ручья; ~물 вода в ручье.

시내(市內) II город; ~에 в гроде; в черте города; ~구경 осмотр города; ~버스 городской автобус.

시늉 подражание; имитация; ~의 подражательный;имитационный; ~하다 подражать кому-л., чему-л. в чём-л.; передразнивать.

시다 1) кислый; 2) чувствовать тупую боль; ломить, ныть;

чувство-вать резь(в глазах); 시어지다скиснуть; закваситься; 발목이~ чувствовать тупую боль в лодыжке; 신맛이 나다 иметь кислый вкус; 시거든 떫거나 말지 = 얽거든 검지나 말지;см. 얽다I.

시달(示達) пересылка; спуск; ~하다 спускать(напр. директиву); пересы-лать; 중앙의 지시를 지방에 ~하다 спускать распоряжение центра на периферию.

시달리다 1) мучиться, томиться, изнывать; 2) мучить; 고된 노동에 ~изводиться от тяжёлой работы.

시대(時代) 시기 эпоха, век, период; ~적 имеющий отношение к дан-ной эпохе; ~상 черты времени; ~정신 дух времени; ~착오 анахро-низм; 셰익스피어~ эпоха Шекспира; ~적 배경에서 на фоне эпохи.

시도(試圖) попытка; намерение; замыслы; ~하다 пытаться; намерива-ться; замышлять; 그는 그녀를 구하기 위해 필사적인 ~를 했다 Он сделал отчаянную попытку спас-ти её; 적군은 포위망을 돌파하려고 ~하고 있다 противник пытается прорвать кольцо окружения.

시동(始動) пуск; запуск; ~하다 приводить в действие; запускать; 모터를~시키다 запускать мотор; 기계의~ пуск машины; ~기 пусковой механизм; ~장치 пусковой механизм.

시들다(시드니, 시드오) 1) вянуть; прям. и перен. увядать; 나뭇잎이 시들고 있다 Листья вянут; 꽃이 시들었다 Цветы завяли; 2) становиться удру-чённым(подавленным); 기세가 ~ падать духом.

시력(視力), 시각 зрение; ~이 약하다 иметь слабые глаза; слаб глаза- ми; иметь слабое зрение; 노인은 오래 전에 ~을 상실했다 Старик давно потерял зрение; ~검사 проверка зрения.

시련(詩聯) I парные надписи в стихах(на колоннах дома).

시련(試鍊) II испытания;~하다 испы-тывать; проводить(испытания); ~을 겪다 перен. вынести испытания; ~을 이겨내다 выдержать испытания; 삶에서 가혹한 ~ суровые тяжёлые испы-тания в жизни; ~기 период испытания.

시멘트(cement) цемент; ~를 바르다 цементировать; ~에 모래를 더섞어라 премешай ещё песку в цемент; ~가루 цементный порошок;~공장 цементный завод.

시무룩하다 недовольный, надутый; 시무룩한 표정 недовольный взгляд.

시민(市民) 1) жители города, горо-жане; 2) феод. сеульские купцы (торговцы); ~권 гражданские пра-ва; ~단체 гражданское общество; ~혁명 гражданская революция.

시비(是非) I 1) истина и ложь; правда и кривда; правота; ~곡직 правота и заблуждения; 2) спор; 3) ~하다 разбирать; ставить под вопрос правильность; ~가 났다 завязался спор; ~를 가르다 разбираться кто прав; ~를 걸다 препираться с кем-л.; 그는 사소한

- 436 -

일로 옆 사람에게 ~를 걸었다 Он придрался к соседу из-за пустяка.

시비(施肥) II ~하다 вносить [удоб-рения]

시사(時事) I текущие события; последнее известие; ~문제 вопросы текущего момента; ~를 해설하다 давать комментарий к текущим событиям; ~에 밝다 хорошо разбираться(ориентироваться) в текущих вопросах; ~에 어둡다 быть не в курсе текущих событий; ~보도 последние известия; ~평론 критика текущих событий; ~해설 ко-мментарии к текущим событиям.

시사(試射) II 1) пробная стрельба, пристрелка; ~소이탄 пристрелочнаязажигательная пуля; пристрелочнозажи-гательный снаряд; 2) арх. отбор стрелков(из лука); ~하다 а) пристреливать[ся]; б) отбирать [стрелков из лука].

시상(施賞) награждение; премирование; ~하다 награждать кого-л. чем-л.; премировать; ~식 церемония вручения награды; ~위원회 комиссия по присуждению премий (наград)

시선(視線) I 1) взгляд; 2) линия визирования(прицеливания);...와~ 이 마주치다 встретиться взглядом с кем-л.; ~을 던지다 бросить взгляд; ~을 돌리다 обращать взор; ~을 피하다 укрываться от взгляда; ~을 향하다 направить взгляд на кого-что-л.

시선(詩選) II ~하다 отбирать при помощи экзамена.

시설(施設) 1) оборудование; оснащение; учреждение; ~하다 оборудовать; оснащать; сооружать; 관개 ~ ирригационные сооружения; 국가~ государственное учреждение; ~물 обору-дование; оснащение; 2) см. 시설물.

시세(時勢) I 1) дух времени; ~에 뒤떨어지다 не идти в ногу со временем; 2) курс цен; ~가 닿다 сходный, подходящий(о цене); ~도 모르고 값을 놓는다 обр. давать оце-нку, не разбираясь(в чем-л.); ~가 그르다 положение неблагоприятно.

시세(時世) II уст. свой век; своё время; ~에 따르다 идти в ногу со временем(с веком); ~에 앞서다 об-гонять своё время.

시속(時速) скорость в час; ~100 킬로미터 со скоростью 100 км. в час.

시스템(англ. system) система.

시시비비(是是非非) 1) положитель-ные и отрицательные стороны; 2) ~하다 разбираться; 사소한 점까지 ~를 가리다 разбирать по косточкам.

시아버님(媤-) вежл. см. 시아버지

시아버지(媤-) отец мужа, свекор

시아주머니(媤-) тётя мужа.

시아주버니(媤-) дядя мужа.

시앗 уст. младшая наложница(в речи законной жены или старшей наложницы); ~싸움 скандал в семье из-за молодой наложницы; ~싸움에 요강 장수 посл. ≅ когда двое дерутся, то третий извлекает выгоду; ~을 보다

взять молодую наложницу; ~을 보면 길가의 돌부처도 돌아앉는다 *посл.* ≅ любая жена будет ревновать, если муж возмет молодую наложницу; ~죽은 눈물만큼 обр. мизерное количество.

시야(視野) 1) поле зрения; 2) кругозор; ~가 넓은 사람 человек с широким кругозором; ~에 들어오다 попадать в поле зрения; ~에서 사라지다 скрываться из виду; ~밖에 있다 быть вне поля зрения; ~에서 놓치다 терять из виду; упустить из виду.

시어머니(媤-) мать мужа, свекровь.

시어머님(媤-) вежл. см. 시어머니

시어미(媤-) пренебр. см. 시어머니; ~가 죽으면 안방이 내 차지 *посл.* ≅ место старшего после его смерти занимается тем, кто следует за ним по старшинству; ~역정에(미워서) 개 배때기(옆구리) 찬다 *посл.* ≅ *букв.* разозлившись на свекровь, пинать ногой собаку.

시옷 сиот(название корейской буквы "ㅅ").

-시울 после имени край; кромка; 눈~очертание глаз; 입~ очертание рта.

시원하다 I 1) прил. почувствовать облегчение; 마음이 ~ легко на душе; 좀 몸이 ~ чувствовать легкость во всем теле; 2) утешительный; обнадеживающий; 3) 시원하지 못하다 (시원하지 아니하다) не нравиться, не годиться; быть недостаточным; 4) откровенный, открытый; чистосердечный; 5) освежающий; прохладный(напр. о ветре); приятный; 6) свежий(о пище); 7) чистый, аккуратный; 시원하게 청소하다 убирать, наводить чистоту.

시원하다 II прохладный.

시원해 прохладно.

시작(詩作) I поэтическое творчество.

시작(始作) II 1) начало; ~이 반 *погов.* ≅ началоположина дела; ~되다 начаться; 2) ~하다 начинать; ~이 반이다 Доброе началопол дела; 나는 무엇 부터 ~해야 좋을지 모르겠다 Я не знаю с чего начать; 날이 밝기 ~하였다 Стало рассветать; 일을 ~하다 начинать работу; приступать к работе; 우리는 매우 소규모로 이 일을 ~했다 Мы начали эту работу в очень скромном масштабе.

시작하다 начи-нать.

시작합니다 начинает.

시장 I ~이 반찬 *посл.* если голоден, то вкусным покажется и пустой рис; ~하다 вежл. голодный; проголодавшийся; ~한 사람더러 요기시키란다 см. 배 [고픈 사람보고 요기시키란다] I.; ~기를 느끼다 чувствовать голод; ~이 반찬이다 Если голоден то всё покажется вкусным; ~기 чувство голода.

시장(柴場) II 1) уст. см. 나무갓; 2) базар (рынок), на котором торгуют топливом.

시장(市場) III 저자, 저자거리, 장(場), 마켓(market) базар, рынок, ярмарка; ~의 базарный; рыночный; ~에서 장사를 하다 торговать на базаре; 상품을 ~에 내놓다 выпустить товар на рынок; ~가격 рыночная цена; ~상인 рыночный торговец; 국내~ внутренний (внешний) рынок; 국제~ международный рынок; 세계~ мировой рынок; 암 ~ чёрный рынок; ~폰드 рыночный фонд; ~외 폰드 внерыночный фонд.

시절 I 1) сезон; время года; см. 철; 2) период жизни; 어린~ детство; годы; 나의 젊은~ годы моей молодости;

좋은~이있었다 Хорошие были времена; 그때가 그의 생애에서 가장 행복하던 ~이었다 Тогда были самые счастливые годы его жизни.

시절(詩節) II лит. строфа.

시중(市中) ухаживаие; уход; ~하다, ~을 들다 помогать, ухаживать за кем-л.; прислуживать(кому-л.); выполнять мелкие поручения; ~을 받다 быть под присмотром кого-л.; 그녀는 환자들을 잘 ~든다 Она хорошо ухаживает; 환자 ~ уход за больным.

시중들다 давать мелкие поручения

시집(媤-) I семья дом мужа; ~을 가다 выходить замуж за кого-л.; ~을 보내다 выдавать замуж за ко-го-л.; ~을 오다 выйти замуж; стать женой; ~살이 жить в доме мужа; ~살이 하다 жить в доме мужа; ~갈 때 등창이 난다 посл. ≅ возникло досадное затруднение(букв. собралась замуж, а на спине вскочил чирей); ~도 가기 전에 기저귀(강아지, 포대기) 장만하다(~도 아니 가서 포 대기 장만한다) посл. ≅ делить шкуру неубитого медведя.

시집(詩集) II сборник стихов.

시집살이(媤-) ~하다 быть замужем

시청(試聽) I ~하다 прослушивать (муз. произведение).

시청(視聽) II просмотр; ~하다 смо-треть и слушать; ~각 зрение и слух;~료 плата за прослушивание.

시청(市廳) III городская управа, мэрия.

시추(試錐) пробное бурение; 탐광용 ~ разведочное бурение; ~하다 бу-рить(пробную скважину); ~공 бу- ровая скважина;~선 буровое судно.

시켰습니다 заказал.

시키다 1) заставлять(позволять) делать (что-л.), велеть; 2) служ гл. образующий гл. побуд. зал. от имен: 공부를 ~ заставлять(позволять) заниматься; 구경을 ~ позволять (давать) осматривать.

시퍼렇다(시퍼러니,시퍼러오) 1) ярко-зелёный; яркосиний; тёмносиний; 2) 시퍼렇게 살다 живой энергичный; 3) 시퍼런 острый; 시퍼런 바다 тёмно-синее море; 시퍼런 칼 острый нож; 4)시퍼렇게 깊다 очень глубокий; 5) 시퍼렇게 노하다 позеленеть от злости; 6) большой, огромный(об авторитете, влиянии); 그는 아직 시퍼렇게 살아 있다 Он и поныне здравствует; 시퍼런 칼 острый нож.

시할머니(媤-) мать свёкра, бабка мужа

시할아버지(媤-) отец свёкра, дед мужа

시합(試合), 경기 состязания, соревно-вания; матч; турнир; ~하다 состяза-ться; проводить [соревновния]; 그는 마라톤 ~에서 우승을 했다 Он взял первый приз на состязаниях по марафонскому бегу; 어느 팀이 이 ~ 에서 이겼느냐? Какая команда победила в этом соревновании? 작년 시즌엔 우리 축구팀이 ~을 모두 이겼다 В прошлом сезоне наша футбольная команда выиграла все матчи; 테니스 ~ площадка для игры в теннис.

시험(試驗), 실험 I экзамен, проба; ~적 опытный, пробный, эксперименталь-ный; ~동물

подопытные животные; ~ 포전 с.-х. опытный участок;~을 치다 (치르다) сда-вать(держать) экзамен; ~ 하다 экзаменировать; подвергать экзамену; испытывать; ~보다 держать(сдавать) экзамен; ~에 통과하다 сдать экзамен; ~에 합격하다 выдержать экзамен; ~에 떨어지다 провалиться на экзамене; ~지 экзаменационый бланк; 구두 ~ устный (письменный) экзамен; 발동기의~ испытание двигателя; 수학~ экзамен по математике; 입학~ приёмный (вступи-тельный) экзамен; 졸업~ вы-пускной экзамен; 진급 ~ переходный экзамен; 채용~ вступительный экзамен.

시험(猜險) II ~하다 завистливый и злой.

시험장(試驗場) 1) место проведения экзаменов(испытаний); 2)опытная станция; опытный цех.

시험지(試驗紙) 1) экзаменационный бланк; 2) реактивная бумага; 리트 머스 ~ лакмусовая бумага.

시효(時效) время(срок) действия; юр. право давности, давность; ~정지 приостановление срока давности; ~중 단 юр. перерыв срока давности; ~가 경과했다 Истёк срок действия; ~가 지나서 무효가 되다 по сроку дав-ности сделаться недействительным; ~ 권 право давности.

식(式) I 1) тип; образец; стиль; форма; 2) см. 의식 II; 3) мат. формула, выражение; 4) лог. модус; 5) лингв. наклонение; 6)после опред. способ, метод; 그런 ~으로 таким методом (способом);~을 올리다 устраивать обряд(церемонию); 결혼~ церемония бракосочетания;свадьба; 대수 ~ алгебраическое выражение; 분자~ молекулярная формула; 서양~ запа-дный(восточный) стиль; 졸업~ цере-мония по случаю выпуска из учеб-ного заведения; 화학~ химическая формула.

식(息) II эпист. я(дочь-о себе в письме к родителям).

식(蝕) III астр. затмение; 식 이중별 астр. затменно двойная звезда.

-식(式) суф. кор. 1) метод, способ; 자동식 сущ. автоматический; 2) тип, образец; стиль; 근대식 совре-менный образец.

식구(食口) 1) члены семьи; едок; 2) член коллектива; 그의 가족은 다섯 ~이다 Его семья состоит из пяти человек; 우리 집은 ~가 많다 У нас большая семья.

식균(食菌) ~세포 биол. фагоциты; ~ 현상 фагоцитоз; ~용해 фагоцитолиз; ~하다 захватывать и перехваривать бактерии(о фагоцитах).

식다 1) прям. и перен. остывать; 식은 죽 먹기 обр. пара пустяков; 식은죽(밥) 먹듯(식은 떡 떼어 먹듯) обр. раз плюнуть; 2) улегаться; идти на убыль;노을이~ гаснуть(о заре); 국이 식는다 Суп остывает(стынет); 차가 식었다 Чай остыл

식당(食堂),레스토랑 1) столовая; рес-торан; 2) кулинария(магазин); ~의 столовский; ресторанный; ~종업원

официант; ~차 вагонресторан.

식당에 갑시다 Пойдемте в столовую.

식량(食量) [синънянъ] I количество съедаемой пищи; ~이 크다 хоро-ший аппетит.

식량(食量), 식료품(食料品) [синънянъ] II продовольствие; ~을 공급하다 снаб-жать(обеспечивать)продовольствием; ~의 자급자족 самообеспечение и самоснабжение продовольствием; ~난 трудности с продовольствием; ~문제 продовольственный вопрос; ~배급 снабжение продовольствием; ~수송 перевозка продуктов; ~창고 продоволь-ственный склад; см. 양식 I.

식량(識量) [синънянъ] III учёность и великодушие.

식료(食料) [синънё] 1) продукты [питания]; пища; пищевые продукты; ~가공공업 пищеобрабатывающая промышленность; 2) арх. см. 식비.

식료품(食料品)[синънё-] продоволь-ственные товары, продукты; ~의 пищевой; ~제조의 вкусовой; ~공업 пищевая промышленность; ~점 прод-маг(продовольственный магазин); 냉동~ замороженные про дукты.

식물(植物) [синъ-] растение; ~구계 флора(района, страны);~상아 скорлупа кокосового ореха; ~지리학 география растений; ~해부학 анатомия растений; ~의 растительный; ~을 연구하다 заниматься исследованиями по бота-нике;~을 채집하다 собирать растения (гербарий); ~원 ботанический сад; ~유 растительное масло; ~의 분포 географическое распространение рас-тений; ~학 ботаника; ~학자 ботаник; 관상용~ декоративное растение; 다년생 ~ многолетнее растение; 야생~열대 тропическая растительность; 재배 ~ культурные растения.

식물성(植物性)[синъ-ссэнъ] сущ. растительный; ~기름 растительное масло; ~로프 трос из раститель- ного волокна; ~섬유 растительное волокно; ~염료 растительный краситель.

식민지(植民地)[синъ-] колония; ~적 колониальный; ~민족 해방운동 на-ционально-освободительное движение в ко-лониях; ~하다 колонизировать; превращать в колонию; 많은 ~들은 독립정부가 되기를 바라고 있다 Многие колонии хотят стать само-тоятельными государствами; ~화 коло-низация.

식별(識別) различение; распозна-вавание; ~하는 различительный; ~하다 различать; распознавать; разбираться; 그는 어둠 속에서 다가오는 사람을 ~했다 Он различал в темноте разли-чающего человека; 나는 색깔을 잘~ 하지 못한다 Я плохо раз личаю цвета; 진실과 허위를~하다 различать истину от лжи.

식사(食事), 급양(給養) I 1) еда, пища, питание; 2) ~하다 принимать пищу; ~요법 лечение диетой; ~의 пи-щевой; 나는집에서~한다 Я питаюсь дома; ~는 어디에서 하고 있습니까? Где вы питаетесь?~량 количество пищи; ~예절 этикет за столом.

식사(式辭) II вступительная речь(на какой-л. церемонии); ~하다 произ-носить вступительную речь.

식욕(食慾) аппетит; ~결핍 отсутствие аппетита; ~이 없는 лишённый аппе-тита; ~을 돋구다 возбуждать(вы-зывать) аппетит; ~을 잃다 терять аппетит; ~이 생기다 появиться (пропасть) об аппетите.

식용(食用) сущ. съедобный; ~식물 съедобные растения; ~색소 пище-вые красители; ~작물 пищевые культуры; ~하다 использовать в качестве пищи, есть; ~버섯 съе-добный гриб; ~유 масло, употре-бляемое в пищу.

식히다 1) давать остыть; охла-ждать; холодить; 끓인 물을 ~ ох-лаждать вскипячёную воду.

신 I 1) обувь, ботинки; 신 신고 발바닥 긁기 обр. делать шиворот-на-выворот; 2) корейская националь-ная обувь; ~을 신다 надевать обувь;~을신어보다 мерить(примерять) обувь; ~을 벗다 разуться; 이젠 좋은 ~을 얻기가 어렵다 가죽~ Теперь трудно найти хорошую обувь; 고무~ резиновая обувь; 짚~ соломе-нные лапти.

신 II 1) интерес(к чему-л.);заинте-ресовать; 2) приподнятое настрое-ние; вдохновение; ~이 나다(오르다) а) заинтересоваться; б) быть в преподнятом настроении; вдохно-виться; 신에 붙잖다 быть недово-льным(неудовлетво-рённым).

신(神) III бог; дух; ~을 믿다 веро-вать в кого-что-л.; ~에게 기도하다 молиться богу; ~의 축복이 있기를! С богом? ~자 верующий человек.

신(臣) IV 1) см. 신하 I; 2) я(в раз-говоре с королём).

신경(神經) нерв[ы], нервный ~각질 биол. неврокератин; ~경련 невроспазм; ~교종 невроглиома; ~근염 невромио-зит; ~계통 а) нервная система; б) перен. система; организация; ~과민 нервоз-ность, излишняя чувствительность; ~독소 невротоксин; ~요법 невротера-пия; ~마비 паралич нерва; ~발생 неврогенез; ~병리학 невропатология; ~상피 не-вроэрителий; ~섬유 нервное волокно ~조직 нервная ткань; ~조직학 неврогис-тология; ~ 종증 невроматоз; ~중추 нервные цент-ры; ~척수염 невромиелит; ~초종 нев-ринома; ~초염 неврилеммит; ~아세포 невробласт; ~아세포종 невробластома; ~외과학 нейрохирургия; ~외과의 ней-рохирург; ~을 자극 하다 играть на нервах; раздражать; ~을 쓰다 печься; проявить излишнюю за-боту운동~ двигательные нервы; 중추~ нервные центры.

신경질(神經質) нервозность; раздра-жительность; ~을 부리다 нервни-чать; раздражаться; ~적 нервный; раздражи-тельный.

신고(申告) I подача сведений; до-клад; рапорт; заявление; деклара-ция; сообщение; ~하다 сообщать, докла-дывать; подавать заявление; заявлять о ком-чём-л.;~자 заявитель; 세관~ таможенная декларация; 출생~ сообщение о рождении.

신고(辛苦) II тяготы; лишения, труд-ности; невзгоды; ~하다

мучиться(с кем-чем-л.), страдать 그는 이 일로 ~를 겪었다 Он мучился над этой работой; ~스럽다 тягостный, мучи-тельный.

신규(新規) 1) новое правило(поло-жение); ~등록 перерегистрация; 2) ~사업 работа в новых масштабах; современные масштабы.

신기하다 удивительный, волшебный.

신기하다 необыкновенный; оригинальный, чудесный, удивительный.

신기하였습니다 удивительный

신기한 удивительный.

신년(新年) новый год; ~사 новогод-нее приветствие; новогодня речь; 근하 ~ С Новым Годом! см. 새해.

신다 [-tta] надевать(на ноги); 구두 를 ~ надеть ботинки.

신랄(辛辣)[сил-]~하다 а) арх. очень острый и солёный; б) жестокий; острый; злой; резкий; колкий; едкий; колючий; ~하게 жестоко; остро; резко; ~한 말 колкое слово; ~한 비평 колкая критика; ~한 야유를 퍼붓다 наговорить; 그녀는 자주 ~한 비난을 퍼붓곤 한다 Она часто делает едкие замечания.

신랑(新郞) [сил-] 1) новобрачный; 2) жених; ~을 달다 вымогать у жениха (угощение); разг. молодой муж(по возрасту);~감 подходящий жених.

신뢰(迅雷) [сил-] I сильные рас-каты грома.

신뢰(迅雷) [сил-] II вера; доверие; ~구간 мат. доверительный интервал; ~확실도 мат. доверительная вероятность; ~하다 доверять кому-чему-л. в чём-л.; полагаться(на кого-л.) 나는 그녀의 능력에 대해 큰 ~를 갖지 못하고 있다 Я не питаю большого доверия к её талантам; 나는 그를 ~하지 못한다 Я ему не доверяю; 우정은 서로의 ~를 키운다 Дружба питает взаимное доверие; ~할 만한 사람 надёжный человек; человек заслуживающий доверие; ~감 чувство доверия; доверие; ~심 вера; доверие.

신망(信望) доверие;~을 얻다 завоё-вывать(заслуживать) доверие; ~을 잃다 терять доверие; ~하다 уповать, возлагать надежды; 2) надежда, ожидание.

신문(新聞) I газета; ~기자 коррес-пондент газеты; журналист; ~분전 арх. а) распространение газеты; б) распространитель(разносчик) газет; ~소설 художественное произведение, печа-тающееся в газете; ~전문 специальное сообщение, переданное в газету по телеграфу; ~에서 읽다 читать в газетах; ~을 통해 알다 узнать из газет; ~을 집집마다 배달하다 разносить газеты по квартирам;~공고 газетное объявление; ~광고 газетная реклама; ~기사 газетные статьи; ~매점 газет-ный киоск; ~배달부 разносчик газет; ~사 газетное издательство; ~지 газет-ная бумага; ~철 подшивка газет; ~학 журналистика; 석간~ вечерняя газета; 일간~ ежед-невная газета; 조간 ~ утренняя газета; 주간~еженедельная газета.

신문(訊問) II допрос; ~하다 допра-шивать;~을 받다 быть на

допросе; подвергаться допросу; ~자 допра-шивающий;~조서 допросный акт.

신바람 [-ппа-] воодушевление; подъём, энтузиазм; ~이 나서 일하다 работать весело; работать с эн-тузиазмом.

신발 обувь; ~을 신다 обуваться; надевать обувь; ~을 벗다 разува-ться; снимать обувь; ~이 작다 обувь тесна(жмёт); ~장 шкафчик для обуви.; 신발 두 켤레 две пары обуви.

신부(新婦) I 1) новобрачная, молодая; 2) невеста; ~감 подходящая невеста.

신부(神父) II аббат; патер; святой отец.

신분(身分) I 1) общественное(соци-альное) положение; социальный статус; ~등록소 отдел записи актов гражданского состояния(загс); ~지위 социальное положение; 2) личность, индивидуальность; ~증명서 удостове-рение личности; 3) сословие;~제도 система сословий; ~적 сословный; ~을 밝히다 установить личность кого-л.; ~을 속이다 скрывать свою сущность; ск-рывать своё лицо; ~증 удостове- рение личности; 농노~ крепостное сословие.

신분(臣分) II положение верноподданного.

신비(神秘) мистика; ~스럽다 прил. казаться мистическим; ~적, ~하다 мистический; таинственный; чудной; чудесный; ~성 мистичность; ~주의 мистицизм; ~주의자 мистик

신사(紳士) джентельмен; ~적 джен-тельменский; ~도 мораль джентель-мена; ~협정 джентель-менское соглашение

신생(新生) I 1) вновь рождён-ный(появившийся); новорождённый; возрождение; ~국가 новое госуда-рство; ~하다 а) вновь рождаться (возникать, появляться); б) возро-ждаться; ~독립국가들 молодые не-зависимые государства; независи-мые развивающиеся страны; ~대 кайнозойская эра;~대한민국 новая Корея; ~아 новорождённый.

신생(申生) II этн. человек, родив-шийся в год "обезьяны".

신설(新設) I 1) новое строительство; ~하다 строить вновь; 2) новое строительство, новостройка;~공장 новая(вновь построенная) фабрика; ~학교 новая школа.

신설(新說) II уст. вновь услышан-ное, новость; 2) новый взгляд(на что-л.); новая теория.

신세(身世) I 1) условия жизни; жизнь, положение; ~타령 жалоба на несчас-тную жизнь; ~타령을 하다 жаловаться на несчастную жизнь; ~를 조지다 ухудшать(чьё-л.) положение; 2) мора-льный долг; признательность; ~를 지다 быть признательным(обязанным); ~를 갚다 отблагодарить; ~를 끼치다 обес-покоить(кого-л.);~를 갚다 отбла-годарить; ~를 지다 быть обязанным (признательным); 당신에게 많은 ~를 졌습니다 Я вам очень обязан; Я в долгу у вас.

신세(新歲) II см. 새해; ~문안 ново-годнее поздравление.

신속(迅速) быстрота; ~히 быстро; ~하다 очень быстрый; 그는~하게 결정했다 Он быстро принял решение; ~성 быстрота.

신용(信用) 1) доверие, вера; ~하다 доверять; 2) ~대부 кредит; ~기관 кредитное учреждение; ~화폐 банкноты; кредитные деньги; ~업무 а) питать доверие к кому-л.; б) приём и выдача ссуды;кредитные операции; ~을 얻다 приобрести(завоевать)доверие; войти в доверие к кому-л.; ~을 잃다 потерять до-верие; выйти из доверия;~이 높다 пользоваться доверием кого-л.; ~이 있다 заслуживающий доверия; 그는 ~을 얻지 못하고 있다 Он не заслуживает доверия; ~금고 кредитный сейф; ~자금 кредитные средства; ~장 аккредитив; ~카드 кредитная карточка; ~협동조합 кредитный кооператив; 사회적 ~ общественный кредит.

신용대부 кредит; ~하다 кредитовать; предоставлять кому-л. кредит; оказывать кому-л. кредит; 물품을~로 주다 отдать товар в кредит.

신용카드 кредитная карточка.

신원(身元) I анкетные данные; ~보증 характеристика; ручательство; реко-мендация; ~조회하다 устанавливать личность кого-л.; выяснять чьё-л. происхождение и прош-лое; ...에게 ~을 보증하다 ручаться кому-л. за когочто-л.; 나는 그의 ~을 보증한다 Я ручаюсь за него.

신원(伸寃) II утешение; ~설치 уст. рассеять недовольство и подавить смущение; ~하다 утешать[ся]; ус-покаиваться.

신음(呻吟) стон, стенания; ~하다 а) стонать; б) изнывать; томиться чем-л.; 농민들은 농노제도의 속박 아래서~해 왔다 Крестьянство стонало под игом крепостного права; 애간장을 끊는~소리 душераздирающий стон.

신임(新任) I 1)вновь назначенный; ~교원 вновь назначенный преподаватель; ~하다 быть вновь назначенным [на должность]; 2) сущ. вновь назначенный[на должность]

신임(信任) II доверие;~투표 вотум доверия;~하다 доверять кому-чему-л.; оказывать доверие; относиться с доверием; ~을 받다 пользоваться доверием; ~을 얻다 преобрести (завоевать) доверие; войти в доверие; ~을 잃다 потерять доверие; ~장 мандат; верительная грамота.

신장(伸張) I экспансия; расширение; увеличение; ~된 экспансионистский; расширенный;~에 도움이 되는 спосо-бствующий росту; ~시키다 расширя-ться; увеличиваться; ~기 период роста; 경제적~ экономическая экспансия; ~하 다 а) удлинять, растягивать; б) расширять(напр. сферу влияния).

신장(腎臟) II анат. почки; ~결석 нефролит; ~고정술 нефропексия; ~독소 нефротоксин; ~경변증 нефроцироз; ~경화증 нефросклероз; ~동통 нефралгия; ~마비 нефропаралич; ~방광염 нефроцистит; ~봉합술 нефрорафия; ~비대증 нефрогипертрофия; ~선종 нефраденома; ~신우염 нефропиелит; ~종양 нефрома; ~절제술 нефрэктомия; ~탈출 нефроцеле; ~하수증 нефроптоз; ~화농증 нефропиоз; ~연화

증 нефромаляция; ~병 заболевание почек; ~염 нефрит; воспаление почек.

신장병(腎臟病) [-ппэйнъ] заболевание почек

신장염(腎臟炎)[-нйэм] мед. нефрит.

신중 I буддийская монахиня(в речи не буддиста).

신중(愼重) II ~하다 благоразумный, осторожный; осмотрительный; вни-мательный, серьёзный; взвешенный; осторожный; ~히 благоразумно; взвешенно; осторожно; осмотрительно; ~한 태도 взвешенный доход; ~하게 행동하다 осторожно действовать; 사진기를 ~하게 취급하지 않으면 안 된다 Надо осторожно обращаться с фотоаппаратом; ~성 осмотрительность.

신청(申請) I заявление, заявка; прошение, ходатайство; ~하다 просить(что-л. в заявлении, заявке); 발명특허를 ~하다 сделать заявку на изобре-тение; ~서 заявление; заявка; ~인 заявитель.

신청(新晴) II наступление ясной погоды после затяжных дождей.

신체(身體) I 1) тело(человека); ~의 телесный; ~의 결함 физический недостаток; ~검사를 하다 проводить(проходить) мед. осмотр; ~검사 медицинский осмотр; 2) труп.; 신체를 단련시키다 закалять тело.

신체(新體) II новый стиль.

신통(神通) ~스럽다 прил. а) казаться чудодейственным(эффективным) (о лекарстве); б) казаться успешным (правильным, точным); в) казаться чудесным(необыкновенным, удивительным); г) казаться приятным(приветливым, любезным); ~하다 а) арх. имеющий необыкновенные дарования; б) чудодейственный, эффективный(о лекарстве); в) успешный; правильный, точный; г) чудесный, чудный; необыкновенный; удивительный; восхитительный; д) приятный; приветливый, любезный; ~한 약 чудодейственное лекарство ~한 대책을 세우다 предпринимать эффективные меры; 날씨가 ~치 않다 Погода неважная.

신파(新派) 1) новое направление, новая школа; ~적 новый; 2) ~연극 "но-вая корейская драма" (начала XX в. в противоположность драме эпохи феодализма); 3) "новая драма" (о натуралистической и формалистической драме)

신학(神學) теология; богословие; ~의 теологический; богословский; ~교 духовная семинария; ~교생 семинарист; ~자 теолог; богослов.

신학기(新學期) новый семестр; новая четверть; 언제~가 시작됩니까? Когда начинается новая четверть?

신호(新戶) I новый двор(дом)

신호(信號) II 1) сигнал; ~권총 ракетница; ~광탄 сигнальная ракета; ~포판 сигнальное полотнище; 2) сигнализация; 3) семафор; ~기재 средства сигнализации; ~의 сигнальный; ~하다 сигнализировать; давать сигнал; ~를 무시하다 игнорировать сигнал; ~기 сигнальный флажёк; сигнализатор; ~등 сигна-льный фонарь; сигнальная лампа; ~수 сигнальщик; 약속~ условный сигнал; 음향~ звуковой сигнал; 조난~ сигнал бедствия; 호출~ позывной сигнал.

신호등(信號燈) сигнальный фонарь; сигнальная лампа;

светофор.

신혼(新婚) I 1) недавнее вступление в брак; ~하다 только что вступить в брак; 2) недавнее вступление в брак; ~여행 свадебное путешествие; ~부부 молодожёны, новобрачные; ~의 новоб-рачный; ~여행을 떠나다 отправляться в свадебное путешествие; ~여행은 어디로 가십니까? Куда вы едите в свадебное путешествие? ~생활 жизнь новобрачных. **신혼**(神魂) II душа.

신흥(新興) сущ. поднимающийся; зарождающийся; ~계급 зарождающийся класс; ~하다 подниматься; зарождаться; ~국가 развивающееся государство; ~세력 зарождающиеся силы.

싣다(실으니, 실어) 1) грузить, нагружать, загружать; 2) содержать в себе; нести с собой; 기차에 짐을 ~ грузить товары в вагон; 봄바람이 꽃향기를 실어온다 Весенний ветер несёт с собой душистый запах цветов; 배에 짐을 ~ грузить корабль товарами; 3) помещать(в газету, журнал); 신문에 광고를 ~ поместить объявление в газету; 잡지에 기사를 ~ поместить статью в журнал; 4) пускать (воду) на рисовое поле.

실 I нить, нитка; 실같다 см. 실낱[같다]; 실 얽힌 것은 풀어도 노 얽힌 것은 못 푼다 посл. ≅ большое дело не так легко решить, как маленькое; ~을 감다 наматывать нить; ~을 바늘에 꿰다 продевать(вдевать) нитку в иголку; ~을 꼬다 крутить нить; ~을 뽑다 вырабатывать нить; прясть; ~이 엉겼다 Нитки спутались; 명주~ шёлковаянить; 털~ шерстяная нить.;

실 같은 금이 가 있다 тонкая как нить трещина образована.

실(室) II 1) комната; помещение; кабинет; 2) отдел(в учреждении); 기관~ домашний зал(цех); 실험~ лаборатория.

실(失) III арх. проигранные деньги.

-실(室) суф. кор. комната; помещение; 목욕실 ванная комната; 연구실 лаборатория; отдел в научноисследо-вательском учреждении; 기관실 машинный зал.

실-(實) настоящий; хороший; ~생활 реальная жизнь.

실- преф. тонкий; маленький; узкий; 실비 мелкий(моросящий) дождь.

실감(實感) живое восприятие; реаль-ное переживание; ~이 나게 말하다 живо описывать; 이 그림은 ~나지 않는다 Эта картина нежизненна (нереальна).

실격(失格) 1) несоответствие пра-вилам(нормам); 2) спорт. дисква- лификация; ~반칙 грубое наруше-ние, за которое спортсмен подвер-гается дисквалификации;~하다 а) не соответствовать(правилам, нормам); б) дисквали-фицировать.

실내 [-лэ] 1) ~에 внутри комнаты (помещения); в комнате; ~경기장 спортивный зал;~극장 камерный театр, ~촬영 павильонная съёмка; ~촬영장 павильон для киносъёмки; ~복 домашняя одежда; 2) уст. вежл. Ваша (его) супруга.

실력(實力) I [реальная] сила;

реаль-ные возможности(способности); 경기 ~ состязание в силе; ~을 기르다 развивать способности; совершенст-вовать свои знания; ~을 행사하다 прибегать к силе; применять оружие; 그는 영어 ~이 있다 Он хорошо владеет английским языком; ~가 влиятельный человек

실력(實歷) II сущ. проверенное практикой.

실례(失禮) I нетактичность; ~가 많았습니다 Извините за беспокойство; 그렇게 하는 건 ~이다, ~하다 а) просить извинения(прощения); б) Это было бы нетактично; 먼저 ~하겠습니다 Прошу извинения я должен оставить вас.

실례(實例) II конкретный(живой) пример; ~를 들다 привести живой пример.

실례하다 извинение, виноватый

실룩 ~하다 скривить[ся].

실리다 1) быть нагруженным(или помещённым); 배에 짐이 실려있다 Судно нагружено товарами; 2) быть охваченным(напр. сном); 3) быть помещенным(в газету, журнал); 기사가 신문에 ~ В газете помещена статья; 4) быть залитым водой(о рисовом поле); 5) позволять(зас-тавлять) грузить; 6) разрешить поме-щать(в газету, журнал и т. п.).

실리카(англ. silica) хим. кремнезём, двуокись кремния; ~겔 силикагель

실린더(англ.cylinder) тех. цилиндр; 증기 기관의~ паровой цилиндр.

실마디 узел на нитке.

실마리 1) начало нитки(в катушке, клубке, мотке); ведущая нить; ~를 찾다(풀다) распутывать нитки; 문제 해결의~를 찾다 найти ключ к решению вопроса; 실타래에서 ~를 찾다(풀다) найти начало нитки в клубке; 이야기의~ нить разговора; 2)단서 I.

실망(失望) отчаяние; разочарование; ~낙담 потерять надежду и пасть духом; 2) потеря доброго имени; ~하다 а) терять надежду; отчаи- ваться; разочароваться в ком-чём-л.; б) терять доброе имя; ~한 разо-чарованный; 그는 나를 ~시켰다 Он разочаровал меня; 나는 완전히 그에게 ~했다 Я совсем разочаровался в нём; 어떤 일이 있더라도 ~하지 마시오 Чтобы не случилось не теряйте надежды; 이 소식은 그를 ~시켰다 Эта весть разочаровала его.

실무(實務) практическая работа; дело; ~적 практический; деловой; ~를 익히다 приучать к делу; ~에 밝은 사람 знаток дела; ~능력 деловая хватка(способность); квалификация; ~자 специалист; ~자 회담 переговоры на уровне специалистов.

실상(實狀)[-싼] I 1) а) действи-тельное (истинное) положение; б) действительное содержание; 2) в действительности, фактически; 이것은 ~불가능하다 Фактически это не-возможно.

실상(實像) [-싼] II действитель-льное(реальное) изображение.

실속(實-) [-쏙] 1) корысть; 2) внутреннее содержание;~없다 пустой, бессодержательный;

несерьёзный; ~없 는 사람 пустой человек; ~있다 содер-жательный; серьёзный; путный; ~을 차리다 извлекать реальную выгоду; 보기는 좋은데 ~은 없다 С виду хорош, а на деле ничего не стоит.; 실속있다 содержательный, полновес-ный

실수(失手) [-ссу] ошибка, оплошность; описка; ~의 ошибочный; оплошный; ~하다 ошибаться; допускать оплошность; делать(дать) промах; просчитываться; 그는 한 번도 ~하지 않았다 Он не делал ни одной ошибки; ~는 죄가 아니다 Ошичка в фальшь не ставит.

실습(實習) [-ссып] практика; ~수업 урок, проводимый практикантом; ~하다 практиковаться в чём-л.; ~의 практический; 여름마다 대학생들은 ~하러 농촌에 간다 Каждое лето студенты едут в деревню на практику; ~공장 опытный завод; ~교육 практическое обучение; ~생 практикант; ~시간 практическое занятие; ~실 кабинет для практики(лаборатория); ~장 место праведения практики; 교육~ педагогическая практика.

실신(失神) [-ссин] обморок; беспамятство;~하다 [по]терять сознание (упасть в обморок); впасть в бес-памятство;~에서 깨어나다 очнуться от обморока; 그녀는 자주~하곤 합니까? У неё часто бывают обмороки? 그녀는 ~했다 Она упала в обморок.

실업(實業) практическая деятельность; предпринимательство; ~학교 школа профессионального обучения; ~가 делец; предприниматель; ~계 деловые круги.

실업가(實業家) делец; предприниматель

실업계(實業界) деловые круги.

실업자(失業者) сущ. безработный.

실없다(實-) 1) ненастоящий; несерьёзный, пустой; 실없은 말 шу-тка; 실없은 말이 송사간다 погов. ≅ шути, да осторожно, а то в беду попасть можно; 실없은 부채손 обр. болтун,пустомеля; 2) неискренний

실용(實用) 1) практическое исполь-зование; применение на практике; ~하다 практическое использование, применение на практике; реально существовать; ~적 практический; практичный; ~적 단위 практическая единица; ~적 운동 спорт. группа упражнений, воспроизводящих обы-чные движения человека; ~성 прак-тичность; ~주의 прагматизм; ~품 предметы обихода.

실재(實才) [-ччэ] I мастер пера.

실재(實在) [-ччэ] II реальное существование, реальность,бытие; ~적 реальный, действительный; ~적 동령림 лес. практический одновоз-растной лес; ~하다 реально сущест-вовать; ~론 реализм.

실제(實際)[-чче]действительность; ~적 реальный, действительный;

практический; ~생활 практическая жизнь; ~소득 реальный доход.

실증(實證) [-ччынъ] 1) доказательство на фактах; ~적 позитивный; 2) ~하다 доказывать на фактах(на деле); ~주의 позитивизм; ~주의자 позитивист; 3) явное доказательство, факт.

실질 сущность; ~적인 реальный; ~ 소득 реальный доход; ~임금 реальная заработная плата.

실천(實踐) I осуществление на практике; ~궁행 самому претворить в жизнь(что-л.); ~하다 осуществлять на практике; претворять в жизнь; 2) филос. практика; ~적 практический; исполнительный; 결 의를~에 옮기다 выполнять обяза-тельства на деле; 계획을 ~하다 претворять план в жизнь; ~가 практик; ~성 практичность; ~자 исполнитель.

실천(實薦) II рекомендация на до-лжность чиновника 14-го ранга в королевскую канцелярию.

실패(失敗) II провал, неудача, поражение; ~로 돌아가다 закончиться поражением(неудачей); ~하다 [по] терпеть неудачу(поражение), про-валиться; ~한 неудачный; ~로 끝나다 закончиться поражением (провалом); ~로 끝난 시도 неудаяная попытка; 선거에서~하다 потерпеть поражение на выборах; ~자 потерпевший поражение; неудачник; ~작 неудачное произведение.

실하다(實-) I намачивать(кунжут) в воде.

실하다 II 1) крепкий; ядрёный; 2) самостоятельный,зажиточный; 3) солидный; 몸이 실한 젊은이 крепкий парень; 재산이 실한 사람 состоятельный человек; 4) см. 착실[하다]

실행(實行) I осуществление; выполнение; осуществление; проведение; ~하다 выполнять; осуществлять; реализовывать;проводить; исполнять; 계획을 ~하다 выполнять план; 계약대로 실행하다 вы- полнять по договору; ~자 испол-нитель.

실행(失行) II ~하다 распутничать(о женщине).

실험(實驗) эксперимент; опыт; испытания; ~의 экспериментальный; опытный; испытательный; ~된 испытуемый; ~하다 испытывать; экспериментировать над(с) (кем-чем-л.); ~중이다 быть на испытании; ~과학 экспериментальная наука; ~극장 эксперимен-тальный театр; ~물리학 экспериментальная физика; 화학~ химический экс-перимент; ~[적] экспериментальный; ~학교 экспериментальная школа; ~ 어음학 экспериментальная фонетика.

실현(實現) реализация, осуществление; ~가능한 осуществимый; реальный; реалистичный; ~하다 приводить в жизнь; реализовываться; осуществляться; 희망을 ~하다 реализовать желание(идею); 결국 나는 나의 진정 어린 염원을 ~했다 Наконецто я осуществил своё за- ветное

желание; ~성 реальность.
실현되다 осуществиться.
실현시키다 осуществлять.
싫다 1) противный; неприятный; 싫은 약 противное лекарство; 그는 보기도 ~ Противно даже смотреть на него; 나는 이것을 보는 것도 ~ Мне противно и смотреть на это; 나는 이것에 대하여 말하기조차도 ~ Мне противно говорить об этом; 공짜라도 ~ И даром не возьму; 보기가 неприятно смотреть; 2) прил. не хотеть, не любить; 3) 싫도록 вдоволь.
싫어하다 не хотеть; не любить; 그는 술을 싫어한다 Он не любитпить вино.
싫증(-症)[-ччынъ] отвращение; ~이 나다 надоедать; терять интерес(к чему-л.); охладевать;~이 나도록 같은 말을 되풀이하다 надоедливо твердить одно и тоже; 일에 ~이 나다 охладевать к работе.
심 I сухожилие вола.
심(心) II 1) сердцевина; 나무줄기의 ~ сердцевина ствола; 배추의~ кочерыжка(напр. капусты); 연필의~ грифель (в карандаше); 2) кусок ткани, подложенный под(какую-л.) часть костюма(напр. бортовка); 3) неразварившиеся зёрна(риса и т. п. в жидкой каше); 4) бумажная (марлевая) салфетка с лекарством(на ране и т. п.).
-심(心) суф. кор. 1) чувство; 애국심 회전심 чувство патриотизма; 2) центр; 회전심 центр вращения.
심각(深刻) ~히 глубоко; серьёзно; остро; всерьёз;~한 문제 серьёзный вопрос; ~하다 уст. 1) глубоко резать (напр. по дереву); 2) а) глубокий; серьёзный; острый; строгий; б) резкий(о голосе); в) жестокий силь-ный; ~해지다 углубляться; обостря-ться; 한국경제는 ~한 위기를 겪고 있다 Корейская экономика переживает глубокий кризис; ~화 углубление; обострение.
심근(心筋) анат. миокард;~염 миокардит;~변성증
миокардоз;~봉합술 кардиорафия; ~질환 миокардиопа-тия;~위축증 миокардио-дистрофия.
심기다 1) быть посаженным(о растении); 2) заставлять(позволять) сажать(растения).
심다 [-тта] сажать; сеять; 꽃을 ~ сажать цветы; 사과를~ сажать яблоню;정원에 나무를~ сажать дерево в саду; 음악에 대한 취미를 심어 주다 привить вкус к музыке.
심리(心理) I душевный склад;психика; психология; ~의 психический; ~적 а) моральный; б) психологи-ческий; ~묘사 описание психоло-гического состояния; ~소설 психологический роман;~언어학 психолингвистика; ~전 психологическая война; психическая атака; ~주의 психологизм; ~주의자 психологист; ~학 психология; ~학자 психолог.
심리(審理)[-ни] II 1)слушание дела, судебное разбирательство; 2)~하다

а) слушать(дело); б) пересмотреть(дело преступника) по указу короля.

심부름 [мелкие] поручения; ~을 들다, 하다 выполнять[мелкие] поручения; ~꾼 человек на побегушках.

심사(心事) I сокровенные мысли (думы); ~낙막 уст. пасть духом из-за несбывшихся надежд.

심사(心思) II 1) см. 마음; 2) нрав; склонность; зловредность;~가 편치 않다 душа не на месте; ~가나다 возникать(о злом чувстве); ~가 틀리다 измениться(по отношению к кому-л.); ~가 꼴리다 быть зловредным; ~가 꽁지벌레라 обр. зловредный человек; ~가 께지다 резко именить отношение(к кому-л.);~를 놓다 вредить по злобе;~를 부리다 зловредничать.

심사(心思) III 1)~하다 глубоко раз-думывать(обдумывать); 2) глубокое раздумье; ~숙고 а) вдумчивость; б) глубокие мысли; ~숙려 а) забот-ливость; б) глубокое беспокойство, заботы.

심술(心術) 1) недоброжелательность; ~을 놓다(놀다) нарочно мешать; 2) упрямство; вред, зло, злорадство; ~굿다 зловредный, злорадный; строптивый; ~을 ~부리다 капризничать; делать(что-л.) наперекор(назло); ~을 피우다 вредить(кому-л.) из злобы; ~이 나다 ревновать; ~이 사납다 злорадный; ~을 피우다 вредить(кому-л.) из злобы; ~이 왕골 장골대라 а) ненавистник; б) сущ. любящий перечить;

~스럽다 прил. а)казаться недоброжелательным; б) казаться упрямым.

심심하였습니다 скучно.

심었습니다 сажал, посадил.

심의(審議) обсуждение; рассмотрение;~하다 рассматривать; обсуждать; разбирать; ~에 붙이다 ставить(вно-сить) на обсуждение; ~에 착수하다 приступать к обсуждению; 문제를 ~하다 обсуждать вопрос; 사건을 ~하다 разбирать дело; ~권 право участия в обсуждении.

심장(心臟) I прям. и перен. сердце; ~이 고동친다 Сердце бьётся; 그녀는 ~이 나쁘다 У неё плохо с сердцем; ~마비 инфаркт; ~병 сердечные болезни; кардиопатия; ~이식 пересадка сердца; ~판막 сердечный клапан; ~으로 всем сердцем; от всего сердца; ~경화증 кардиос-клероз; ~요법 кардиотерапия; ~발생 кардиогенез; ~비대증 кардиомегалия; ~신경증 кардионевроз; ~천식 сердечная астма; ~파혈 разрыв сердца; ~판막 сердечный клапан; ~판막염 кардиовальвулит; ~하수증 кардиоптоз; ~혈관학 кардиоангиология;~확장 расширение сердца; ~연화증 кардиомаляция; ~용적계 кардиометр; ~이 강하다 перен. толстокожий; ~이 약하다 слабохарактерный.

심장(心腸) II арх. сокровенные чувства.

심적(心的) [-ㅉ족] сердечный; душевный; ~변화 изменение в душевном состоянии; ~고통 душевное страдание; боль в душе.

심정(心情) 1) сущ. сокровенное; 2) состояние души; 나는 그의~을 모르

젰다 Я не знаю, что у него на душе; 자신의 ~을 털어놓다 открывать кому своё сердце; изливать душу.

심지(心-) I 1) светильня; фитиль; 램프의 ~를 뽑아내다 вытащить фи-тиль; 2) затычка; 구멍에 ~를 틀어박다 заткнуть дырку затычкой; 3) салфетка(на рану); 4) см. 제비 I.

심지(心志) II воля, решимость.

심지어(甚至於) даже.

심취(心醉) опьянение; увлечение; ~하다 увлекаться(кем-чем-л.); оча-ровываться; сильно опьянеть; 그는 일에~해 있다 Он увлечён работой; 나는 일에~해 있어 극장에 늦어 버렸다 Я так увлёкся работой, что опозд-ал в театр.

심통(心-) дурной характер; злоба; ~을 부리다 злиться на(кого-что-л.).

심판(審判) 1) приговор; ~관 судья; 국제~ судья международной категории; ~을 보다 судить; быть судьёй; 판사는 범죄자들에게 준엄한 ~을 내렸다 Судья вынес преступникам суровый приговор; 2)спорт. судейство; 3) см. 심판원; 4) рел. божий суд; ~하다 а) выносить (приговор); б) спорт. судить; 그는 축구경기에서 ~을 보았다 Он был судьёй на футбольном матче; в) рел. воздавать за добро и зло(о боге).

심하다(甚-) I 1) глубокий; сильный, резкий; интенсивный; 심한 모욕 жесткая обида; 심한 추위 крепкий мороз; 심한 코감기 сильный насморк; 심한폭우 сильный ливень; 2) см. 혹독 [하다].

심혈(心血) I вся душа;~을 기울이다, ~을 경주하다 вкладывать всю душу (во что-л.).

심혈(深穴) II глубокая яма.

심호흡(深呼吸) глубокое дыхание; ~하다 глубоко дышать.

십(十) I десять; ~곱하기~은 백 десятью десять сто; ~각형 десятиу-гольник; ~리 десять ли; ~리터 декалитр; ~면체 десятигранник; ~분의 1 десятая часть; ~배의 деся-теричный; ~점 десятка; ~종 경기 десятиборье; ~진법 десятичная система исчисления; 십년감수 обр. слава богу, пронесло; 십년일득 обр. сбылась заветная мечта; 십년공부나무아비타불(도로아미타불) обр.пойти прахом(о деле, в которое вложено много энергии, сил); 십리가 모래바닥이라도 눈찌를 가시나무가 있다 посл. ≅ и среди ближайших друзей могут быть враги; 십리 반찬 обр. хороший гарнир(к рису); 십리에 다리 놓았다 обр. негладко идти(о деле, работе); 십리에 장승 서듯 обр. редко расставленный.

십리 10 ли(4 км).

십자(十字) 1) название иероглифа "十"; 2) крест; ~포화 перекрёстный огонь; 3) см. 십자가 II.

십자가(十字架) крест; распятие; 당신은 종 탑 위에 큰~가 있는 교회가 보입니까? Вы видите церковь с бо- льшим крестом на колокольне? 우리 가 있는 곳을 알기 쉽게 지도 위에 ~표시를 하시오 Отметьте на карте крестиком место, где мы находи-мся.

십장생(十長生) арх. десять живых существ и предметов,обладающих долголетием: солнце, горы, вода, камни, облака, сосна, «трава бес-смертия», черепаха, журавль, олень.

십중팔구(十中八九) вероятно; по вс-ей вероятности; в восьми случаях из десяти; 그는 ~오지 않을 것이다 Скорее всего он не придёт; ~ 그가 이길 거야 десять против одного, что выиграет он; см.십상[팔구].

십진(十進) ~기수법 мат. десятичная система счисления; ~명수법 мат. десятичная нумерация.

싱겁다 1) пресный, несолёный; 싱거운 음식 пресное блюдо; 2) сла- бый, некрепкий(о воде, табаке); 3) лишний, ненужный; неуместный; 싱거운 소리를 하다 городить чепуху; 4) непристойный(о поведении); 5) робкий, застенчивый.

싱글벙글 улыбкой; ~웃다, ~하다 расплываться в улыбке.

싱싱(<生生) ~하다 a) свежий; 싱싱한 과일 свежие фрукты; б) живой, энергичный; 기운이~ быть очень энергичным; в) дружный(о всходах); буйно растущий. **싱싱해** свежий.

싶다 употр. тк. в аналитических конструкциях: 1) после деепр. с оконч. ~고 хотеть, желать; 가고 싶소 хочу пойти; 노래하고 ~ хочу петь; 2) после вопр. ф. предикатива с оконч. 가 или служ. сл. 상 видимо, кажется; 오후쯤엔 비가 올가 ~ кажется, после обеда будет дождь; 그는 울 상 ~ он, кажется, [сейчас] заплачет; 3) посл. усл. деепр. с оконч. 면 хотелось бы; 노래하고 ~ хочу петь; 비가 올까 кажется идет дождь; 나는 산책하고 ~ мне хочется погулять; 나도 대학생이 돼보았으면 싶었다 Хотелось бы чтоб и я стал студентом.

싶었습니다 хотелось бы. **싶었어** хотел.

ㅆ восемнадцатая буква кор. алфавита; обозначает фонему **сс**.

싸개 обёрточная бумага; обивочная ткань; обёртка; чехол.

싸게 дёшево; 너는 이 외투를 ~구입 했다 Это пальто дёшево купил.

싸구려 1)межд. покупайте, дёшево отдаю(крик торговца); 2) товар, продаваемый по дешёвке.

싸늘하다 холодный; студённый.

싸다 I 1) завертывать; 모두 함께 싸 주세요 Заверните пожалуйста всё вместе;상품을 신문지로~ заворачивать товар в газетную бумагу; 책을 종이로~ обёртывать книгу бумагой; 싸고 싼 사향도 냄새난다 *посл.* ≅ букв. сколько не завёртывай мускус, он всё равно будет пахнуть; 2) окружать; окутывать; обволакивать; 3) готовить (еду, чтобы взять с собой); 싸고돌다 (싸돌다) а) ходить вокруг(чего-л.); б) развёртываться(вокруг чего-л.- о событиях); в) брать(кого-л.) под свою защиту; 싸주다 а) завернуть и отдать (что-л.); б) прикрывать, защищать (кого-л.); 싸데려 가다 этн. брать в дом бедную невесту, приготовив ей приданное, и сыграв свадьбу за счёт жениха.

싸다 II 1)гадить; 2) диал.см. 누다 I

싸다 III 1) дешёвый, завёртывать, окружать; 싸게 дёшево; 이 가방은 무척~ Этот портфель совсем дешёвый; 이것은 매우~ Это очень дёшево; 2) разг. заслуживающий(кары, наказания); 그래 ~так тебе и надо; 3) диал.см. 비싸다.

싸매다 обвязыать; обматывать; 머리를 수건으로~ обматывать голову полотенцем; 붕대로 상처를~ бинтовать рану; 수건으로 눈을 ~ завязывать глаза полотенцем.

싸우다 бороться, воевать; 권리 옹호를 위해 ~ бороться за свои права; 그의 마음속에는 사랑과 질투가 싸우고 있다 У него любовь борится с ревностью; 전염병과 ~ бороться с эпидемией; 정욕과 ~ сражаться со страстями; 아이들이 싸우고 있다 Мальчики дерутся. 싸운 бороться.

싸움 битва; борьба;~하다 драться с кем-л.; бороться с кем-чем-л.; ~질하다 драться; ~패 драчуны; ~끝에 정이 붙는다 обр. драка кончается миром; ~은 말리고 흥정은 붙이랬다 см. 흥정[은 붙이고 싸움은 말리랬다]; ~하다 драться; сражаться; бороться.

싸이즈(англ.size) размер, величина.

싹 I росток;~을 내다 пустить(дать) росток; ~을 밟다 догадываться; угадывать.; 싹이 너무 늦게튼다 рос-тки слишком поздно пробиваются.

싹 II 1) начисто, совсем; 2) легко, без труда. ~나다 ростки появляются.

싹트다 почки распускаются; прорастать; возникать,создаваться; 아직 나무엔 싹이 트지 않았다 Ещё не распустились почки на деревьях.

쌀 рис;~의 рисовый;~가게 рисовая лавка;~값 цены на рис;~겨 рисо-вые отруби; ~농사 рисоводство; ~뜨물 вода в которой мыли рис; ~밥 рис, сваренный на пару; ~자루 мешок с зерном;~죽 рисовая каша; ~추수 урожай риса; ~통 корыто с зерном; 보리~ ячменевая крупа; 쌀은 쏟고 주어도 말은 하고 못 줏는다 посл. ≅ букв. рассыпанный рис можно собрать, а сказанного не вернёшь; 2) крупа; 3) сокр. от 입쌀; 쌀에뉘 [섞이듯] обр. искать иголку в стоге сена.

쌀쌀하다 пасмурный и прохладный, угрюмый, неприветливый; 그녀는 나를 쌀쌀하게 대했다 Она приняла меня холодно; 쌀쌀맞은 사람 холодный человек.

쌈 1) голубцы; ~을 싸다 делать корейские голубцы; 2) пачка иголок (из 24 штук); 3) свёрнутый кусок (материи); 4) сокр. от 알쌈.

쌓다 складывать; 경험을~ накапливать опыт;장작을 창고에~ складывать брёвна в сарай; 자루를 차곡차곡 ~ наваливать один мешок на другой; 울어~ не переставая плакать.

쌓아올리다 накапливать.

쌓이다 быть сложенным(наложенным); складываться; накладываться; 눈이 무릎까지 쌓였다 Снега наволило по колено.

쌩쌩하다 бодрый; энергичный.ослаб. стил. вариант 씽씽하다.

써 написав.

-써 оконч., присоединяется к сущ. в форме твор. п., уточняя его орудное знач.: 말로써만 동정하다 сочувствовать только на словах.

써다 1) спадать(о воде); 2) высыхать (напр. о луже).

썩 1) очень живо; ~물러가라! Пошёл вон!; ~좋다 Очень хорошо; 그는 노래를~잘 부른다 Он поёт очень хорошо; 2) 썩 좋다 썩 베여지다 хо- рошо(легко) резаться; 3) сразу же, тут же; 4): 썩 씻다 смахнуть(напр. пот); 5) отчётливо, заметно.

썩다 гнить, портиться; 썩은냄새 гнилой запах; 썩은물 гнилая вода; 썩은 물건 гнилушка; 건초가 비에 젖어 썩고있다 Сено гниёт под дождём; 생선이 썩었다 Рыба испортилась; 시체가 썩고 있다 Труп гниёт; 재능을 썩히다 зарывать талант в землю; 썩은 새끼로 범 잡기 *погов.* ≅ *букв.* ловить тигра гнилой соломенной верёвкой; 마음이~ тяжело на душе

쏘다 1) ныть; ломить; 2)стрелять; 3) прост. сильно поносить; 4) жалить(о насекомых); 5) задевать, говорить колкости; стрелять, укусить (насе-комых); 나는 꿀벌에게 심하게 쏘였 다 Пчела больно меня ужалила; 이가 쏜다 Зубы ноют; 의 아픈곳을 쏘다 задевать кого-л. за живое; 쏘아보다 쏘아떨구다 см.사격하다.

쏙 ~내밀다 выпячивать; выпягивать; ~빠지다 глубоко провалиться; ~ 뽑아내다 выхватывать.

쏜살같은 скоропреходящий.

쏜살같이 очертя;на всём скаку
쏜살같이 날다 летеоь стрепой
쏜살같이 달린다 пежать куда тлаза глаза глядат.

쏟다 изливать; выливать; высыпать; 눈물을 ~ лить потоки слёз; 자루에서 가루를 ~ высыпать муку из мешка; 통에서 물을~ вылить воду из бочки.

쏠다(쏘니,쏘오) грызть; прогрызать; 쥐가 널빤지를 쏠았다 Мышь прог- рызла доску.

쏴 ~하다 завыть(о ветре): зашуметь (напр. о лесе).

쏴쏴 ~하다 завывать(о ветре); шуметь (напр. о лесе).

쐐기 клин;~모양의 клиновидный; ~형문자 клинообразные письмена.; ~로 죄다 заклинивать; ~를 박다 (치다) взбивать клин между кем-л.; ~질 하다 забивать клин.

쑤다 варить; 쑨 죽이 밥이될가? *посл.* ≅ снявши голову, по волосам не плачут(букв. разве жидкая рисовая каша станет варёным рисом).

쑥 I полынь; ~을 캐다 выкапывать полынь; 쑥 바구니 같다 обр. спутанные волосы.

쑥 II 1) неблаговидный(постыдный) поступок; 2) сущ. совершивший неблаговидный(постыдный)поступок.

쉐쉐 успокойся(говорят, поглаживая больное или ушибленное место у ребёнка).

쓰 ссы(назв. кор. буквы ㅆ).

쓰다(쓰니, 써) I писать, использовать,

надевать; 받아~ писать под диктовку; 그녀는 나에게 자주 편지를 쓴다 Она мне часто пишет

쓰다(쓰니,써) II надевать; 그녀는 모자를 쓰고있다 Она надевает шляпу; 쓰고 나다 быть похожим как две капли воды(на кого-л.)

쓰다(쓰니,써) III тратить; 1) употреблять, использовать; пользоваться; 2) расходовать(деньги); 3) применять (лекарство) 4) 힘을~ прилагать силы(усилия); 애를~ прилагать старания, стараться 5) проявлять (напр. упрямство) 6) прибегать(к чему-л.); 꾀를~ пускаться на хитрости; 7) двигать, владеть(напр руками) 8) задолжать; 9) угощать; 10) иметь,носить(фамилию) 11) делать ход(напр. в шахматах) 12) кричать, выкрикивать; 13) в отриц. или вопр. предложении нельзя, не сметь; 그렇게 하면 못 써! не смей так делать!; 쓸데없다 а) ненужный, бесполезный;   б) пустой, бессмысленный.

쓰다(쓰니, 써) IV делать могилу.

쓰다(쓰니, 써) V 1) горький; 입이 ~ во рту горчит; 쓰디쓴 진리 горькая истина; 쓴 도라지(외, 오이)보듯 쓴 외(오이) 대하듯 см. 원두쟁[이 쓰외 보듯];~달다 말이 없다 см. 검다[희다 말이 없다]; 쓴 것이 약 погов.≃букв. и лекарство [бывает] горькое; 쓴 맛 단 맛 다 보다 погов. ≃ букв. изведать вкус и сладкого, и горько-го 쓴 잔을 들다(마시다) см. 고배[를 들다] II; 쓴 입(입맛)을 다시다 обр. считать неправильным; 2) крепкий(напр. о табаке); 3) 입맛이 ~ нет аппетита, не хочется есть.

쓰다듬다 [-뜨다] ласкать.
쓰다듬어주다 погладить.
쓰라린 상처 жгучая(ноющая) рана; горькая рана.
쓰라림 душевные переживания
쓰러뜨리다 свалить; повалить; 바람이 나무를 쓰러뜨린다 Ветер валит деревья

쓰러지다 повалиться, свалиться; 기진맥진하여 ~ валиться от усталости; 땅 위에 ~ пасть на землю; 적은쓰러졌다 Неприятель потерпел поражение; 쓰러저 가는 나무를 아주 쓰러뜨린다 обр.добивать(кого-л.); 2) слечь, свалиться (о больном); 3) потерпеть поражение; пасть; погибнуть.

쓰러지며 падать.
쓰레기 мусор; ~를 어디에 버려야 합니까? А куда мусор выбрасывать; ~통 мусорный ящик; ведро для отбросов; 인간 ~ подонок.

쓰리다 жгучий; 마음이 ~ болеть душой(сердцем); 위가 ~ в желудке сосёт.

쓰십니다 пишет.
쓰이다 писаться; писанный; сочинённый; 이 단어는 어떻게 쓰이는가? Как пишется это слово? страд. и побуд. залоги от 쓰다 I.

쓰임 расходуемое; расходы.
쓰임새   сумма   расходов; количество расходуемого.

쓱 легко.
쓱싹 вжиквжик(звук режущей пилы); ~하다 а) взвизгнуть(о пиле, напиль-нике); б) округлить (при счёте); в) скрыть, замазать (напр. недостаток).

쓱싹거리다 1) визжать(о пиле, напи-льнике); б) округлять(при счёте); 3) замазывать (напр. недостатки).

쓱쓱 легко; мгновенно; незаметно; 일을~해 치우다 быстро разделаться с делами.

쓴 написанный.

쓴, 매운 горький.

쓴맛 горький вкус; горе горькое.

쓴술 водка, приготовленная на заторе из неклейкого риса.

쓴웃음 горькая усмешка; растерян-ная улыбка; ~을 짓다 усмехаться горько.

쓸개 жёлчный пузырь; ~가 빠지다 глупый; неумный; см. 담낭; ~가 빠지다 бран. глупый, неумный.

쓸다(쓰니, 쓰오) подметать; 먼지를 ~ мести сор; 그녀는 방을 쓸었다 Она подмела комнату; 쓸어들다 нахлынуть; 쓸어모으다 смести в одно место.

쓸데없는 짓 бесполезное дело.

쓸모 пригодность; ~있는 пригод-ный; ~가 있다 пригодиться; 이것은 언젠가 또다시 네게~가 있을지도 모른다 Это тебе ещё когданибудь приго-дится. 쓸모가 있다 быть полезным; годный, пригодный. 씁니다 пишу.

쓸어버리다 сметать с лица земли.

씁쓰레하다 чуть горьковатый; усил. стил. вариант 쌉싸래[하다].

씁쓸하다 горьковатый; усил. стил. вариант 쌉쌀[하다].

씌우다 укрывать; 죄인에게 족쇄를 ~ надевать на преступника кан- далы.

씌워서 покрыть.

씨 I семя; семена; ~를 말리다 полностью уничтожать; ~를 받다 оставлять на семена; ~를 뿌리다 сеять; 불화의~ семена раздора; ~[가]먹다 толковый,разумный(о словах); ~가지다 вымереть(о роде); 씨 도적은 못 한다 быть очень похожим на родителей; 씨도 없이 всё, начисто, до конца; 씨를 심다 сеять семена.

씨 II текст. уток.

씨근덕거리다 сильно пытеть(сопеть).

씨나락 семена риса; 볍씨.

씨나리오(um. scenario)сценарий

씨눈 почка.

씨름 Сирым-корейская борьба; ~하다 бороться; биться над чем-л.; ~꾼 борец; ~판 площадка для национальной корейской борьбы; 씨름선수 борец.

씨름판 место(сцена) корейской нацио-нальной борьбы.

씨받이 [-바찌] ~하다 оставлять на семена (на племя).

씨뿌리기 сеяние, посев.

씨실 нити утка.

씨알 1) семя; семена; 2) шелк. грена

씨알머리 бран. отродье.

씨암닭 племенная курица; ~걸음으로 걷다 выступать словно пава.

씨암퇘지 свиноматка.

씨앗 семя; семена.

씨올 нити утка.

씨족(氏族) 1) род; ~공동체 родовая община; 2) кровное

родство; кров-ный родственник

씩~웃다 слегка улыбнуться; усил. стил. вариант 쌕.

-씩 *после числ.* по; 둘~ по два (две); 세 번~ по три раза; 각자에게서 100원~ по сто вон каждого.

씩씩 ~거리다 сопеть; дышать с трудом; пыхтеть; 그는 ~거리며 달려 왔다 Он прибежал задыхаясь.

씰룩 ~거리다 подёргиваться; 눈썹이 ~거린다 брови подёргиваются; ~하다 усил. стил. вариант 실룩[하다].

씰룩거리다 подёргиваться.

씰리콘(*англ.*silicon) ~수지 силиконовая смола.

씹다 жевать; 음식을 소리내어 ~ жевать пищу причмокивая; 말을 씹어 뱉듯하다 с трудом выдавливать слова.

씹히다 *страд. и побуд. залоги от* 씹다

씻기 мытье.

씻다 мыть, смывать; 손을~ мыть руки; 씻을 수 없는 수치 несмываемый позор; 씻은 배추 줄기 같다 *обр.* как огуречик; 씻은 팔알 같다 *обр.* чистый, аккуратный; 씻은 듯[이] начисто; ◇ 씻은듯 부신 듯 а) как ни в чём не бывало; б) всё без остатка.

씻었습니다 мыл.

씽씽하다 бодрый, энергичный

О

о иынъ(назв. кор. буквы ㅇ).

ㅏ двадцатая буква кор. алфавита; обозначает гласную фонему **а**.

아 I а (назв. кор.буквы ㅏ).

아 II межд. о!,ох! 아 해 다르고 어 해 다르다 одно и то же может быть пе-редано по-разному.

아 III межд. 1) испуга, досады ах! эх!; 2) эй! (при обращении); 아 이 사람! эй ты!

-아 I разг. оконч.зват.п.: 아이들아 학교로 가자 дети пойдем в школу!

-아 II интимн.оконч.заключит.ф. предикатива: 종이가 얇아 бумага тонкая.

아기 I ласк.1) малютка, малыш; 2) доченька; 3) сношенька.

아기(牙旗) II королевское знамя; знамя полководца.

아깝다(아까우니, 아까와) прил. жалеть; в знач. сказ. жаль, жалко.

아껴 쓰다 <-> **낭비하다** экономно использовать,экономить;<-> тран-жирить.

아끼다 жалеть, беречь, щадить; 아끼 면 똥(찌)된다(아끼는 것이 찌로 된다) посл.≈если будешь [слишком] беречь, то всё может пойти прахом; 아껴 쓰다 беречь, экономить.

아나운서(англ. announcer) уст. см. 방송원 **아내** жена, супруга.

아니 1) отриц. не, нет; 아니밴 아이 를 자꾸 나라네 = 배지않은 아이를 낳으랜다; см. 배다 II 1); ~땐 굴뚝 에서 연기 날까? *посл.* ≈ *букв.* разве может идти дым из трубы печи, которую не затопили?; 2) межд. удивления, испуга о!,ох!, Боже мой!; 3) вводн.сл. более того, тем более; ~할 말로 не осмеливаюсь(боюсь) сказать, но...

아니다 связка не [быть]; 아니나 다 르랴(다를까)? кстати; 아닌게 아니라 в самом деле, действительно; 아닌 밤중에 вдруг, откуда ни возьмись; 아닌 밤중에 차 시루떡 *погов.* ≈ нео-жиданно повезло; 아닌 밤중에 홍두 깨 내밀 듯 *обр.* неожиданно; 아닌 보살하다 *обр.* притворяться непони-мающим(незнающим).

-아도 оконч. деепр. уступительного: 강물이 얕아도 건너기가 어렵다 хотя река не глубокая, перейти её трудно.

아동(兒童) I ребёнок; ~고음 *муз.* дискант; ~공원 детский парк(городок); ~궁전 дворец пионеров; ~문학 детская литература; ~작가 детский писатель; ~판수 육갑 외듯 (трещать) словно сорока.

아득한 дальний, далёкий; давний; туманный, неясный.

아들 сын. **아들 딸** сын и дочь; дети.

-아라 I разг. груб. оконч. повел. ф.: 보아라! посмотри!

-아라 II оконч. воскл. ф. 아이, 좋아라! как хорошо!

아래 1) а) нижняя часть(чего-л.), низ; б) *сущ.* нижестоящий, подчиненный; в)~이다 быть моложе; 2) послелог под, при; 노동당의 지도~ под руководством Трудовой партии.

아래쪽 1) низ, нижняя часть(сторона); 2) область(страна), расположенная ниже (другой области, страны).

아래층 1) нижний этаж; 2) нижний слой(при сгребании обмолоченного зерна).

아뢰다 1) докладывать, сообщать (вышестоящему); 2) уст. исполнять (перед вышестоящим муз. произведение); говорить(в уважительной форме).

아름 1) обхват; 이 나무는 세 아름이 된다 это дерево в три обхвата; 2) счётн. сл. охапка(напр. дров).

아름다운 красивый, очаровательный, прекрасный.

아름답다 красивый, очаровательный.

아마(亞麻) I лён; ~방적 льнопрядение.

아마(兒馬) II 1) необъезженная низкорослая лошадь; 2) феод. лошадь, дарившаяся государством чиновнику.

아무 1) кто-то; никто(в отриц. предлож.); 2) после фамилии нек-то, некий; 김 ~ некий Ким; 3) какой(-либо), что за...; никакой (при отриц.); ~의심도 없다 нет никакого сомнения; ~말도 하지 않다 не сказать ни слова; ~것도 ни-что, нечего; ~것도 모르다 ничего не знать; ~것도 아니다 ничего со-бой не представлять; ~때 а) ко гда; б) однажды, как-то [раз]; ~ 때에도 никогда; 아무짝에도 쓸모가 없다 совершенно негодный(нену-жный).

아무래도 как (что) ни делай; что бы[то] ни[было]; как бы[то] ни [было]; несмотря ни на что.

아무리 в уступ. предлож. как [бы] ни ..., сколько [бы] ни...; 눈보라 ~ 세차게 날려도 ... как бы ни злилась метель...; ~바빠도 바늘허리에 매여 쓰지 못한다 посл. ≅ вприпрыжку дела не сделаешь.

아무쪼록 1) по мере возможности; по мере сил; 2) во что бы то ни стало. **아버님** вежл. отец.

아버지 отец; Авва.

아비 пренебр. отец; ~없는 후레자식 бран. безродная тварь.

아빠 отец; Авва. **아뿔사** вот беда!

-아서 вариант оконч. деепр. предшествования предикатива; см. -어서.

아쉽다(아쉬우니, 아쉬워) 1) прил. недоставать, не хватать; чувствоваться(об отсутствии кого-чего-л.); 아쉰 소리 слезная просьба; 아쉬운 감 장수 유월부터 한다 посл. ≅ а) букв. (нужда заставит) продавать в июле неспелую хурму; б) поспешишь людей насмешишь; 2) см. 아수하다.

아씨 вежл. господа(обращение слуги к молодой хозяйке).

아예 I см. 애초 [에]I.

아예 II с самого начала; скорее

아예 없애다 уничтожить с самого начала.

아우 I 1) младший брат; 2) младшая сестра; 3) брат, сестра(обращение к младшим по возрасту); 4) вежл. я(в разговоре со сверстником); ~[를] 보다 а) забеременеть (о женщине, имеющей детей); б) родить, произвести на свет(о человеке, имеющем детей);~[를] 타다 худеть, хиреть(о грудном ребёнке, мать которого беременна или родила другого ребёнка)

아우(동생) II младший брат.

아울러 после имени, сопровождаемого ...와 (과) вместе с.., наряду с.., одновременно с..,

아이 I 1) прям. и перен. ребёнок; ~가진 떡 обр. вещь, которую легко отобрать(у другого); ~는 작게 낳아서 크게 길러라 *погов.* ≅ *букв.* ребёнка роди маленьким, а вырасти большим; ~는 칠수록 운다 детей называют стыдом, а не батогом; ~도 낳기 전에 포대기(기저귀) 장만한다 см. 시집[도 가기 전에 포대기(기저귀) 장만한다]I; ~도 사랑하는 데로 붙는다 *посл.* ≅ *букв.* и ребёнок тянется к тому, кто его любит; ~들 보는데 찬물(냉수)도 못먹겠다(어린애 보는데는 찬물도 마시기 어렵다) *посл.* ≅ а) нельзя подавать детям дурного примера; б) быть обезьяной, слепо подражать комуто; ~를 사르고 대를 길렀나 보다 *погов.* ≅ глуп, как пробка; 말도 귀 여겨 들으랬다 см. 세 [살 먹은 아이 말도 귀담아 들으랬다] VII; ~말 듣고 배딴다 *посл.* ≅ следовать советам невежды; ~ 보다 배꼽이 크다 см. 배 [보다 배꼽이 크다] I;~보채듯 *обр.* пристать, как банный лист; ~자라 어른된다 *посл.* ≅ по капелькеморе, по былинкестог; ~좋다니까 종자 닭을 잡는다 *посл.* ≅ *букв.* похвали его ребёнкаи он зарежет последнюю курицу; ~싸움이 어른 싸움된다 *посл.* ≅ *букв.* ~ ссора детей перерастёт в драку взрослых; ~초라니 *этн.* подросток в костюме красного цвета и в маске, участвующий в изгнании злого духа из дворца;~아버지(아비 *пренебр.*) а) отец, имеющий сына и дочь; б) мой муж(в разговоре женщины, имеющей детей) ~어머니(어미 *пренебр.*) а) мать, имеющая сына и дочь; б) моя жена(в разговоре мужчины, имеющего детей); 2) *пренебр.* см. 자식 I; 3) см. 태아 I; 4) *пренебр.* неженатый мужчина.

아이 II *межд.* 1) см. 아이고; 2) при уговаривании ну, милый, хороший! Ну милая, хорошая!

아이고 *межд.* ай! ой!

아저씨 1) дядя(человек одного поколения с отцом); 2) зять(муж старшей сестры); 3) *вежл.* дядя(обращение детей к молодым мужчинам); ~ 아저씨하고 길짐만 지운다 *посл.* ≅ мягко стелетжестко спать.

아주 очень; весьма; 1) очень, совершенно; 2) совсем, навсегда; 3) в знач. межд., выражающего презрение.

아주머니 1) женщина(обращение); тетя(одного поколения с отцом, матерью); ~ 술(떡)도 싸야 사먹지 *посл.* ≅ дружба дружбой, а денежкам счет; 2) обращение к продавцам или хозяйкам среднего возраста; 3) невестка (жена старшего брата); 4) Ваша(его) жена.

아주머님 *вежл.* см. 아주머니.

아주버님 1) мужчина одного поколения с мужем; 2) мужчина(обращение женщины к мужчине); *диал.* см. 아저씨.

아직 ещё; ~까지 до сих пор; ~도 всё ещё. **아직껏** до сих пор.

아찔하다 темнеет в глазах.

아침 утро; ~문안 осведомляться у старшего, хорошо ли тот спал; ~상식 *этн.* жертвоприношение, совершаемое по утрам перед поминальной дощечкой(до похорон);~노을 저녁 비요, 저녁노을~비다 утренняя заря предвещает дождь вечером, а вечерняяутром.

아파트(*англ.* apartment) многоквартирный дом

아프다(아프니,아파) 1) *прил.* болеть; в знач. сказ. больного; 머리가~ болит голова; 2) мучительный, тягостный.

아픔, 고통 боль.

아프리카(*англ.* africa) Африка.

아픈경험(經驗) горький опыт.

아홉 девять; ~줄 고누 игра в корейские шашки на доске с небольшим коли-чеством клеток девятью шашками.

아홉, 구(9) девять. **아홉째** девятый.

아흔 구십(90) девяносто.; ~아홉 섬 가진 사람이 한 섬 가진 사람의 것을 마저 빼앗으려 한다 *посл.* ≈ *букв.* Имеющий 99 мешков зерна готов отобрать у другого человека последний мешок.

악 I 1) 악을 쓰다 прилагать отчаянные усилия, лезть из кожи вон; 2) 악이 나다 приходить в ярость.

악(惡) **II** зло; 악 [이] 세다 очень упрямый; 악이 오르다(악에 받치다) [разо]злиться.

악기 I музыкальный инструмент; ~편성 инструментовка.

악기 II 1) злой умысел; 2) неприятный, дурной запах, вонь.

악성(惡性) плохой характер; злокаственный; ~감기(감모) грипп(в период смены времен года); ~빈혈 злокачесенная анемия; ~선종 злокачественная аденома; ~수종 злокачественный отёк; ~종양 злокачественная опухоль.

악센트(*англ.* accent) 1) лингв. ударение; 2) муз. акцент.

악수 I ливень.

악수(握手) **II** рукопожатие; ~하다 (по)жать руку.

악용(惡用) ~하다 а) неправильно обращаться (использовать); б) злоупотреблять.

악조건(惡條件) плохие(отвратительные) условия.

악착(齷齪) ~스럽다 а) казаться мелочным и чёрствым; б) казаться ужасным(вызывающим содрогаие); в) казаться упрямым(настойчивым, несговорчивым); г) казаться жестоким(бесчеловеч ным); ~하다 а) уст. мелочный и черствый; б) ужасный, вызыва- ющий содрогание; в) упрямый, настойчивый; несговорчивый; г) жестокий, бесчеловечный.

악하다(惡-) 1) злой, злобный; 2) дурной, плохой.

악행(惡行) 1) злодеяние; 2) дурной поступок; дурное поведение.

안 I 1) внутренняя часть чего-л., изнанка; 2) ~[에] а) внутри, в...; 강당 안에 в актовом зале; б) в пределах, в течении; 3) см. 안방 2); 4) см. 안해 I 안 인심이 좋아야 바깥양반 출입이 넓다 *посл.* ≈ *букв.* мужа будут принимать так же, как принимает гостей жена; 5) см. 안짚 1) 안 [이] 달다 см.*посл.* [이 달다] I.

안(案) **II** 1) план; 2) см.안건; 3) гора (стена) загораживающая(что-л.).

안 III *сокр. от* 아니; 안되면 조상 탓 *погов.*≈ нечего на зеркало пенять, коли рожа крива(букв. в неудачах повинны предки); 안 먹는 씨아가 소리만 난다 *посл.*≈в пустой бочке больше звона; 안 본 용은 그려도 본 범은 못 그린다 *посл.* ≈ от слова до дела целая верста(букв. рисует дракона, которого не видел, но не может нарисовать виденого тигра)

안 IV 안[을]받다 быть окружённым заботой детей.

안경(眼鏡) очки; ~자국 вмятины (следы) от очков(на лице).

안과(眼科) 1)офтальмология; 2) азное отделение(напр. в больнице)

안과의(眼科醫)окулист, офтальмолог.

안근(眼筋) мышцы глаза; ~마비 мед. офтальмоневрит, офтальмоплегия; ~절단술 мед.офтальмомио-томия.

안기다 1) быть на руках(у кого-л); быть(в чьихто) объятиях; 2) заставлять(просить) взять на руки (обнять, прижать к груди); 3) сталкивать лбами(кого-л); 4) сажать на яйца(наседку); 5) внушать(чувство); 6) возлагать(от-ветственость на кого-л); 7)наносить удар(напр. кулаком).

안내(案內) 1) сопровождение(гостей); 2) сущ. сопровождающий, экскурсовод, гид, проводник; 3) ознакомление; ~하다 а) сопровождать, водить; б) знакомить, показывать.

안내문(案內文) объявление.

안내서(案內書) путеводитель.

안녕(安寧) ~질서 порядок и спокойствие; ~하다 спокойный, благополучный, здоровый; ~하십니까? Здравствуйте!; ~히 가십시오! Счастливого пути!; ~히 계십시오! Счастливо оставаться!; ~히 주무셨습니까? Доброе утро!; ~히 주무십시오! Спокойной ночи!

안다 1) обнимать, держать на руках, прижимать(к груди); 2) схватиться(за грудь, за живот); 3) поворачиваться (находиться) лицом(к чему-л); 벽을 안고 лицом к стене; 바람을 안고 나가다 идти навстречу ветру; 4) сидеть на яйцах(о наседке); 안는 암탉 잡아먹기 посл.≅ сделать себе во вред(букв. зарезать и съесть наседку, выси-живающую цыплят); 5) питать(в душе), хранить(в памяти); 6) нес-ти(брать на себя) ответственность); 7) прост. получать(удары); 8) давать клубни(напр. о картофеле); 안고 나다 брать(взваливать) на себя(вместо другого); 안아맡다 брать на себя ответственность(вместо кого-л); 안고지다 причинить себе вред, желая навредить(кому-л).

안면(顔面) II 1) см. 낯; ~신경 анат. лицевой нерв; 2) знакомство; ~박대 холодно обращаться с хорошо знакомыми людьми; ~부지 а) не знать в лицо; б) совершенно незнакомый человек; ~ 치레 обращение с малознакомыми людьми.

안방(-房) 1) комната,примыкающая к кухне(в кор. доме); 2) женская половина дома; ~에 가면 시어미 말이 옳고 부엌에 가면 며느리 말이 옳다 посл. ≅ трудно разобраться, кто прав(букв. в женской половине права свекровь, а на кухне сноха).

안부(安否) I 1) здоровье, состояние здоровья, самочувствие; 2) пожелания здлровья и благополучия; ~ 를 전하다, ~하다 передавать пожелания здоровья и благополучия (привет).

안전(安全) I безопасность; ~기사 инженер по технике безопасности; ~기술 техника безопасности;~면도 безопасная бритва; ~보장 обеспечение безопасности; ~보장 이사회 Совет Безопасности(ООН); ~성냥 [безопасная] спичка; ~시거 безопасное видимое расстояние; ~시설 техника безопасности(напр. сооружения); ~장치 предохранительное устройство; воен. предохранитель; ~전류 эл. допустимый ток; ~조약 договор о безопасности;~통로 разминированный проход(в минном заграждении); ~하다 безопасный.

안전(案前) II вежл. Вы, Ваше благородие (обращение канцеляриста к чиновнику).

안절부절 неспокойно; ~을 못 하다 не находить себе места;~하다 беспокоиться.

안정(安定) I устойчивость, стабильность; стабилизация, равновесие тех. успокоение, хим. стойкость;

~상태 устойчивое, стабильное состояние;~시간 тех. время успокоения; ~장치 стабилизатор; ~화폐 твёрдая валюта; ~원자 атом нерадиактивного вещества; ~하다 стабилизировать[ся]; быть устой чивым (стабильным); тех. успокоить[ся]

안정(安靜) II покой; ~하다 1) спокойный,тихий; 2) успокаиваться.

안타깝다(안타까우니, 안타까와) прил. 1) беспокоить; 2) жалеть, досадо- вать, в знач. сказ. жалко.

안팎 1) внутреняя и внешняя стороны; ~곱사등이 а) человек с горбом спереди и сзади; б) обр. беда на беде; 2) жена и муж, супруги; ~살림 домашнее хозяйство и ра- бота вне дома; ~식구 домочадцы; ~심부름 поручение хозяйки и хо-зяина; ~중매 сватовство, устраиваимое супругами; ~노자 расходы на дорогу туда и обратно;~장사 скупка и продажа, перепродажа.

앉다 [-тта] 1) сидеть, садиться, приземляться(о самолёте); 앉아서 주고 서서 받는다 погов. ≅ дать в долг легко, а получить трудно (букв. дают сидя, а получают стоя); 2) располагаться, находиться; 3) занимать (пост, должность); 4) оседать, садиться(напр. о пыли); покрываться (плесенью, грязью); 이끼가 ~ замшеть, покрыться мхом; 5) 통이~ завиваться(о кочане капусты); 6) 앉아[서] без дела, сложа руки; 앉은벼락 гром среди ясного неба; 앉을 자리 дно, нижнее основание предмета.

앉은뱅이 человек с парализованными ногами;~걸음 передвижение в сидячем положении; ~저울 платформенные весы; ~책상 [корейский] низкий письменный стол; ~용 쓴다 прилагать тщетные усилия.

앉히다 1) заставлять (позволять) сесть; усадить, посадить; 2) заставлять(позволять) расположиться; 3) назначить, устроить(напр. на должность); 4) прибивать(пыль); 5) устанавливать(оборудование); 6) вносить отдельно(напр. в бухгалтерскую книгу); 7) отучать(от дурной привычки).

않다(сокр. от 아니하다) служ. предикатив, образующий отриц. ф. от гл. и прил.: 보지~ не видеть; 깊지~ неглубокий.

알 1. 1) яйцо, икра, грена; 알까기 전에 병아리 세지 말라 посл. ≅ цыплят по осени считают; 2) небольшой круглый предмет (стекло для очков, пуля и т. п.); 3) зёрнышко, крупинка; 2. счётн. сл. для мелких круглых предметов: 한 알의 물방울 [одна] капля воды

알- преф. 1) шарообразный, круглый; 알약 пилюля; 2) непокрытый, незакрытый, голый; 알몸 голое тело; 3) настоящий, действительный; 알건달 настоящий лодырь; 4) маленький; 알항아리 кувшинчик.

알곡, 낟알 зерно.

알다(아니, 아오) 1) знать; быть знакомым; знакомиться; 아는 길도 물어 가라 посл. ≅ попытка не пытка спрос не беда(букв. и по знакомой дороге идёт после распросов); 아는 게병(탈) погов. ≅ слыша-л звон, да не знает где он; 아는 놈 붙들어 매듯 обр. спустя рукава(делать что-л.); 아는 도끼에 발등 찍힌다 погов. ≅ букв. топором да по своей ноге; 안다니 똥파리 ирон. всезнайка; 알기는 칠월 귀뚜라미(알기는 태주)

ирон. хвастун; 알던 정 모르던 정 없다 обр. холодный, равнодушный; 알은 체하다 прикидываться знающим; 2) узнавать, постигать, понимать; 3) вспоминать; 4) принимать за .., считать за..,; 5) 알아[서] судя по...; ‖ 알아듣다 понять, расслышать; 알아먹다 прост. а) см. 알아듣다; б) см. 알아보다; 알아보다 а) узнавать; б) распознавать; в) понимать, уяснять 알아주다 а) понимать(чьё-л. положение); б) достойно оценивать, ценить; 알아차리다(채다) догадываться; 알다가도 모르겠다 трудно понять.

알뜰살들 ~하다 бережливый, аккуратный.

알뜰하다 1) очень бережливый (аккуратный); 2) полный, достаточный, зажиточный; 3) тщательный, добросовестный.

알루미늄(англ. aluminium) алюминий.

알리다 1) давать знать, ставить в известность, уведомлять, сообщать; 2) давать понять.

알맞다 соответствующий, подходящий отвечающий(чему-л.).

알몸 1) голое тело, нагота; 2) бор. последний бедняк.

알선(斡旋) содействие, посредничество; хлопотать за(кого-л.), оказывать услугу.

알송달송 ~하다 а) пёстрый(с несимметричными пятнами); б) смутный, путаный(о мыслях).

알아듣다, 이해하다 понимать.

알아맞히다 угадывать.

알아서하세요 поступай как знаешь

알아채다 замечать.

알알이 нареч. каждое зерно, каждый орех, каждое яйцо.

알자(謁刺) уст. визитная карточка (вручаемая при визите к старшему).

알짜 1) самое ценое; 2) сущ. настоящий, действительный.

알카리(англ. alkali) 1) хим. щёлочь; ~금속 щелочной метал; ~축전지 щелочной аккумулятор; ~로금속 щелочноземельные металлы; 2) см. 염기.

알콜(англ. alcohol) 1) спирты, алкоголь; 2) водка.

알파(греч. alpha) альфа; ~입자 альфачастица; ~붕피 альфараспад; ~와 오매가 альфа и омега; от альфы до амеги. **앎** знание.

앓다 [за]болеть; 마음을 ~ болеть(о душе); 앓던 이 빠진 것 같다 обр. будто камень с сердца свалился.

앓아눕다 заболеть, слечь.

-앓이 суф. болезнь, заболевание; 배앓이 желудочная болезнь

암 I 1) самка; 2) рак(болезнь).

암 II 1) мед. рак; 2) перен. больное место 암- преф. самка. 암말 кобыла.

암닭 курица.

암모니아(англ. ammonia) аммиак.

암모니아수(англ.ammonia+水) аммиачная вода, нашатырный спирт.

암페어(англ. ampere) эл. ампер

암행(暗行) поездка инкогнито; ~어사 королевский тайный ревизор; ~하다 ездить инкогнито.

암흑(暗黑) прям и перен. мрак, тьма; ~성운 астр. тёмные туманности; ~천지 а) небо и земля, погружённые в темноту; б) мрачный мир; ~하다 прям. и перен. мрачный, тёмный.

압출법(壓出法) тех. выдавливание, экструдинг.

앗기다 1) быть отобранным(отнятым); 2) быть перехваченным.

앗다 I 1) см. 빼앗다; 2) перехватить (у кого-л.); 3)очищать(от кожуры); лущить(семечки); 4) приготовлять (соевый творог); 5) вырезать, вытачивать; 앗아넣다 с силой всовывать, вкручивать.

-았 суф. прош. вр.: 받았느냐 получил ли?

-았자 оконч. деепр. уступительного: 보~ 별 수 없어 Хоть и смотрели, ничего особенного[не]нашли.

앙(盎) пузатый кувшин с широким горлышком.

앙갚음 возмездие, месть; ~하다 [ото]мстить

앙상스럽다 прил. 1) казаться мрачным (тоскливым, безлюдным, пустынным); 2) казаться голым; 3) казаться костлявым, худым.

앙알거리다 ворчать, брюзжать.

앙앙 I ~불락하다 быть недовольным (огорчённым); ~하다 1) недовольный, неудовлетворённый; 2) быть недовольным(неудовлетворённым).

앙앙 II ~하다 а) реветь(о ребёнке); б) хныкать, капризничать.

앙앙거리다 1) всё время реветь(о ребёнке); 2) всё хныкать, капризничать.

앙증스럽다 прил. 1) казаться миниатюрным(изящным); 2) казаться симпатичным(о чём-л. небольшом); 3) казаться меньше обычного

앙칼스럽다 прил. 1) казаться резким(яростным, острым, злым); 2) казаться упорным (настойчивым).

앙칼지다 1) резкий, яростный, острый, злой; 2) упорный, настойчивый.

앙케트(*фр.* enquete) анкета.

앙탈~[을]부리다,~하다 а)отпираться, отговариваться,выгораживать себя; б) увёртываться, уклоняться; в) упрямиться, не соглашаться, не слушаться.

앞 1. 1) перед, передняя часть (сторона); 앞으로 а) вперёд; б) впредь; 앞에서 в) впереди; г) ранее; 앞의 д) передний; е) предшествующий; 2) перспектива, будущее; 3) доля, часть; 4) нижняя часть живота; 5) см. 앞대; 6) см. 앞발 2); 7) арх. см. 망건 앞; 앞을 다투다 стремиться перегнать друг друга; 앞을 닦다 быть примером во всём; 앞[을] 못보다 прям и перен. быть слепым; 앞이 벌다 непосильный; 앞이깜깜하다(캄캄하다) вешать голову, отчаиваться; 김씨 앞 товарищу Киму; 우리 앞에 제기된 임무 задачи, стоящие перед нами; 앞 뒤 1) ~에 а) спереди и сзади, впереди и позади; б) до и после, раньше и позже; 2) прошедшее и будущее; 3) слова, сказанные до и после; ~를재다 обдумывать со всех сторон, тщательно взвешивать

앞가림 1) положенная(обязательная) работа; 2) элементарные знания; 3) прикрытие, ширма; ~하다 а) выполнять положенную(обязательную) работу; б) иметь минимум знаний; в) закрывать, перен. прикрывать.

앞길 путь впереди; предстоящий путь; перспектива;~이 구만리 같다 обр. блестящий, многообещающий, перспективный.

앞날 1) ближайшие дни; 2) будущее; 3) остаток времени(до срока); 4) остаток жизни; 5) см. 전날.

앞뒤 1) ~에 а) спереди и сзади, впереди и позади; б) до и после, раньше и позже; 2) прошедшее и будущее; 3) слова, сказанные до и после;~를재다 обдумывать со всех сторон, тщательно взвешивать.

앞서거니 뒤서거니 1) то опережая, то отставая; 2) быть во главе, возглавлять; 3) предшествовать; 4) превышать, превосходить; 5) 앞서서

досрочно, раньше.
앞서다 1) обгонять, стоять впереди; 앞서거니 뒤서거니 то опережая, то отставая; 앞서서 досрочно, раньше.
앞서서 досрочно, раньше.
ㅐ тринадцатая буква кор. алфавита; обозначает гласную фонему **э.**
애 I э(название кор. буквы ㅐ).
애 II 1) озабоченность, встревоженность; 2) старания, усилия; 애를 쓰다 (очень)стараться; 3) уст. см. 창자; 애[가] 나다 испытывать досаду, злиться; 애[가]마르다 быть обеспокоенным(встревоженным); 애가 터지다 сильно досадовать; 애를 먹다 испытывать досаду; 애를 먹어다; расстраивать, досаждать (кому-л).
애- I преф. самый; 애초 самое начало
애- II преф. молодой, маленький, ранний; 애호박 молодая тыква.
애국(愛國) любовь к родине, патриотизм; ~[적] патриотический; ~하다 любить родину
애국가(愛國歌) патриотическая песня, гимн. **애국자**(愛國者) патриот.
애완(愛玩) ~하다 любить, ценить (напр. коллекционируемые вещи); любоваться.
애인(艾人) I 1) уст. человек в возрасте пятидесяти лет; 2) этн. кукла, сделанная из полыни(вешалась на ворота в день "тано").
애인(愛人) II 1) любимый(любимая), возлюбленный(возлюбленная); 2) уст. ~하다 любить ближ-него.
애틋하다 1) прил. расстроенный. обеспокоенный; 2) жалкий; печальный; 3) близкий; дружеский.
액(厄) I несчастье, беда, невезение.
액(液) II жидкость; раствор; 유동성액 мет. текучесть.

-액(額) суф. кор. сумма; 소비액 сумма расходов.
액수(額數) 1) сумма; 2) уст. число, количество(людей).
액체(液體) жидкость; ~공기 жидкий газ; ~연료 ждкое топливо; ~열량계 жидкостный калориметр; ~온도계 жидкостный термометр.
앵(甖) I арх. сосуд с высоким горлышком.
앵 II ~하다 пискнуть(о комаре); прожужжать(о насекомом).
앵 III межд., выражающее неодобрение, досаду; ~하다 1) выражать неодобрение(досаду); 2) а) неодобрительный; б)горький, обидный.
ㅑ двадцать первая буква кор. алфавита, обозначает гласную фонему **Я**.
야 I я (назв. кор. буквы ㅑ).
야 II попадание несколько монет в одну (при игре в "расшибалку").
야 III межд. 1) удивления, испуга ах! ой! ай!; 2) призыва эй!
야 IV ограничительная частица только, лишь; 이제야 왔다 только сейчас пришёл.
-야 I разг.оконч. звательного п.
-야 II интимн. оконч. ф. гл. -свя-зки.
야간(夜間) тёмное время суток; вечер, ночь; ~대학 вечерний институт; ~작업 ночная работа.
야구(野球) бейсбол;~선수 бейсболист
야구장(野球場) бейсбольное поле; площадка для игры в бейсбол.
야단(惹端) 1) шум, гам; 누가 이~이요? кто так шумит?; ~법석 гвалт; 2) ругань, скандал; 3) беда, неприятности; ~은 무슨! какая беда! ~을 치다 а) поднимать шум; б) ругаться, скандалить; ~이 나다 а) расшуметься; б) случиться(о беде); ~스럽다 прил. а)

~하다 шуметь; б) ругаться, скандалить.

야외(野外) 1)~에 за городом, в поле; ~훈련 полевые учения; 2) см. ~극장 зеленый(летний) театр.

야위다 худеть.

야적장(野積場) место, где (что-л.) складывается.

야전(野戰) 1) битва(бой) на открытой местности; ~하다 вести бой на открытой местности; 2) сущ. полевой; ~병원 полевой госпиталь.

약 I 1) крепость(перца, табака и т.п.); 2) неприятное чувство, недовольство.

약(藥), 의약 II 1) лекарство, средство; ~ 바르다 мазать лекарство; 2) химикалии; 3) см. 학 약; 4) см. 구두약; 약을 уст. держать аптеку; 약[을] 짓다 добавлять бродильный фермент (напр. в бумагу).

약(葯) III бот. пыльник.

약(籥) IV як(кор. нац. муз. инструмент в виде короткой флейты с тремя отверстиями

-약(藥) суф. кор. лекарство; 감기약 лекарство от простуды.

약국(藥局) аптека; см. 약방

약물(藥-)(янъ) I 1) вода, в которой разведенно(настоянно) лекарство; настой; 2) см. 약수; 3) вода для приготовления целебного отвара; ~을 맞다 см. 물을 맞다.

약물(藥物) (янъ) II лекарственное вещество; ~치료 лечение лекарствами

약바르다(약바르니,약발라) 1) сообразительный, смышленый; 약바른 고양이가 앞을 못 본다(약바른 강아지(고양이) 밤눈이 어둡다) = человек он умный, а под носом у себя ничего не видит; 2) ловкий, продувной, пронырливый.

약방(藥房) 1) аптека; 2) помещение в котором готовят лекарство (в доме янбана); 3) см. 내의원 ~에 감초 a) всюду совать свой нос; б) необходимая(нужная как воздух) вещь.

약속(約束) 의무(義務) 1) обещание обязательство; 2) договорённость ~하다 обещать;~의 обетованный; ~의 땅 1) обетованная земля, 2) обетованный край.

약효(藥效) действие лекарства; ~가 났다 лекарство подействовало.

얄밉다(얄미우니, 얄미워) омерзительный, отвратительный, противный.

얇다 (яп)1) тонкий; 얇디얇다 очень тонкий, тончайший; 2) перен. узкий, ограниченный

얇다랗다(яп) довольно тонкий

얇은, 가는 тонкий.

얌전 ~을 빼다 прикидываться порядочным (приличным); ~스럽다 прил. а) казаться порядочным (приличным, пристойным); б) казаться хорошим(добротным); ~하다 а) порядочный, пристойный, приличный; б) хороший, добротный

양(洋) I 1) овца, баран; 2) перен. овца; 희생~ Агнец.

양(陽) II 1) ян, светлое (мужское) начало (в вост. натурфилософии); 2) кор. мед. "положительные симптомы" (жар, возбудимость, активность); 3) положительное электричество.

양(壤) III арх. утварь; погребаемая вместе с покойником.

양(胖)IV желудок коровы(вола)

양(樣) V 1) после прич. гл. наст. и прош. вр. вводит придат. дополнительное предложение: 그는 학생들이 일하는 양을 본다 он смотрит как работают учащиеся; 2) в ф. твор. п. после прич. буд. вр.гл. для того (чтобы); для...; 뵈일 양으로 잘된 것을 추린다 выбирает хорошее для того, чтобы показать; 학자인 양으로 말한다 он говорит как ученый.

양-(洋) I преф. кор. западный; европейский; 양돼지 свинья европейской породы.

양-(養) II преф. кор. приемный; 양부모 приемные родители.

-양(洋) суф. кор, океан; 태평양 тихий океан.ром, если родится сын, то отец угощает участников пари, а если дочь-участники пари).

양극(兩極) оба полюса; 양극지대 Южный полюс и Северный полюс; 전기에서 анод и катод; ~의 двухполюсный; ~성 полярность; ~지방 полярные зоны; Арктика и Антарктида

양념 1) приправа(к пище); ~절구 ступка в которой толкут прянос-ти; 2) пикантнные подробности; ~하다 а) приправлять(блюдо); б) придавать пикантность.

양도(讓渡) уступка, предача; ~하다 передавать, уступать; ~할 수 있는 допускающий передачу; 소유권을 ~하다 передавать имущественные права; ~인 лицо, передающее права на что...; 피 ~인 лицо, которому что-л. передаётся

양돈(養豚) свиноводство; ~하다 разводить свиней; ~가 свинарь; ~업 свиноводство.

양력(陽曆) солнечный календарь.

양로(養老)[-но] I ~하다 заботиться о престарелых; обеспечивать старость; ~기금 фонд для престарелых; ~연금 пенсия для престарелых; пенсия по старости; ~원 дом для престарелых.

양로(讓路) [-но] II уст. ~하다 уступать дорогу.

양립(兩立) противостояние; [공존] сосуществование; совместимость; ~하다 противостоять, стоять против друг друга.

양말(洋襪) (짧은양말) носки, чулки; (긴양말) ~대님 резинки(подвязки) для носков(чулков)

양면(兩面) обе стороны; ~적 двусторонний; ~인쇄하다 печатать на обеих сторонах листа; ~성 двурушничество; противоречивость; ~정책 двурушни-ческая политика.

양반(兩班) дворянин.

양보(讓步) уступка;~하다 уступать, идти на уступки.

양복(洋服) костюм(европейского стиля); европейская одежда; ~점 ателье европейской одежды; (기성복을 파는) магазин готовой одежды; портновская (пошивочная) мастерская; ~지 материал на костюм.

양복바지 брюки.

양복 솔 платяная щетка.

양복 저고리(상의) пиджак.

양성(養成) подготовка, воспитание, выращивание; ~하다 воспитывать, выращивать, готовить; ~반 специальные курсы; ~소 (краткосрочные) курсы; 인재 ~ подготовка кадров.

양심(良心) I совесть; ~적 совестливый; ~의 가책 угрызения совести; 그는~의 가책을 느끼고 있다 Совесть его грызет;선한양심 добрая совесть

양심(養心) II уст. ~하다 воспитывать характер.

양양(洋洋) I ~하다 а) общирный, безбрежный; б) (바다가~)(앞길이~) прекрасный; 그의 전도가 ~하다 у него прекрасные перспективы.

양양(揚揚) II ~자득 уст. с самодовольным видом; ~하다 довольный, гордый, горделивый; 의기~하다 победоносный, ликуюший; 의기~하다 торжественно; в приподнятом настроении; самодовольно.

양육(養育) II воспитание, выращивание; ~하다 воспитывать, растить, выпестовать; 어린애의 ~을 도맡다 бросать ребенка на воспитание; ~법 метод воспитания; ~비 расходы на воспитание детей, расходы на воспитание; ~원 детский дом, приют; ~자 воспитатель.

양자(養子) приемный сын; ~로 가다 входить в чужую семью в качестве приемного сына; ~로 들다 стать приемным сыном; ~를 들이다(세우다) брать приемного сына; ~하다 양자로 삼다 усыновлять мальчика.

양잠(養蠶) разведение(выращивание) тутового шелкопряда; шелководство; ~하다 разводить(выращивать) тутовый шелкопряд; ~실(室) гренарня; червоводня; ~업 шелководство; шелкопрядильная промышленность; ~업자 шелковод.

양장(의복) иностранная (женская) одежда;(제본)иностранный переплет; ~하다 надевать европейскую одежду.

양편(兩便) I обе стороны;~공사 уст. заслушав обе стороны, выносить справедливое решение.

양편(兩便) II ~하다 а) безупречные (об обеих сторонах); б) обоюдно удовлетворённые.

양해(諒解) I соглашение; договоренность; ~할수 있는 постижимый; понятный; ~하다 понимать; договариваться; достигать соглашения; ~를 구하다 получать соглашение.

양해(諒解) II ~하다 понять, войти в положение

얕다 1)(물이)мелкий, неглубокий; 2) (생각이)поверхностный; 3) (빛깔이) слабый, бледный; 4) (관계가) незначительный; 5) (높이가) невысокий; 6) (지위가) скромный низкий; 얕은꾀 мелкие хитрости.

얕보다 пренебрегать кем-чем-л.

얕잡다 свысока относиться, презирать

ㅐ тридацать первая буква кор. алфавита; обозначает гласную фонему **йэ**.

애 I йэ(назв. кор. буквы ㅐ).

애 II (сокр. от 이아이) этот ребенок

ㅓ двадцать вторая буква кор. алфавита; обозначает гласную фонему **о**.

어 I о(назв. кор буквы ㅓ).

어(敔) II цимбалы с фигурой тигра на верхней крышке.

어 III межд. выражает: 1) испуг, удивление, ах!; 2) сожаление, досаду эх!

-어(語) слово (국어) язык <전문어> термин; 법률~ юридические термины; 속~ вульгаризм; 외국~ иностранный язык; 한국어(한국말) корейский язык.

어-(御) преф.кор. королевский, высочайший;어갑주 королевские доспехи.

-어 1. оконч. деепр. со знач.: 1) предшествования действия: 책을 집어 책상위에 올려놓았다 Взяв книгу, положил её на письменный стол; 2) причины: 물이 깊어 못가오 не могу идти, так как вода глубока; 3) цели: 밥을 빌어 마을로 내려 갔소 они спустились с гор в деревню, чтобы попросить хлеба; **2.** служит для соединения: 1) знаменательного предикатива со служебным: 적어 두다 записывать на всякий случай; 2) компонентов сложного глагола: 일어서다 подниматься, вставать.

어구(語句) [-꾸] фраза.

어귀 1) вход, въезд; 2) начало(дороги)

어긋나다(사물들끼리) не совпадать; не подходить; 어깨뼈가 ~ быть вывихнутым(о плече) (길이) расходиться; разминуться, разойтись(о путях); идти вразрез с кем-чем-л.; противоречить кому-чему-л.; нарушать; 규칙에 ~ противоречить правилам; 기대에 ~ на-дежда не оправдывается; 기대에 어긋나지 않다 оправдываться(надежды).

어기다 нарушать, не соблюдать; 명령을 ~ ослушаться приказа; 법을 ~нарушить закон; 약속을~ нарушить обещание.

어김 нарушение; ~없는 безошибочный; надежный; ~없이 безошибочно; надежно.

어깨 плечо; ~가 무겁다 нести тяжёлое бремя; ~가 가볍다 обр. гора с плеч [свалилась]; ~가 뻐근하다 плечи ноют; ~를 움츠리다 пожимать плечами;~를 겨누고 обр. рука об руку; ~[를] 겯다 а) положить руку друг другу на плечи; б) перен. работать плечом к плечу; ~를 펴다 расправлять плечи ~에 메다 взваливать что-л. на плечи; ~총하다 брать винтовку на плечо(군대명령) (ружьё) на плечо; ~걸이 шаль, платок; ~ 너머 글 знания, полученные в результате общения с учащимся; ~동무(친구) друзья-ровесники; ~뼈 лопатка; ~춤 танец, сопровождающийся движением плеч; 어깻바람 вооружение; энтузиазм; подъем; 어깨죽지 область плечевого сустава; верхняя часть плеча; 어깻짓 движение плечом.

어깨동무 1) друзья-ровесники; 2) ~하다 делать что-л. вместе

어농(漁農) рыболовство и земледелие.

어느 I 1) который, какой; ~구름에서 비가올지 обр. а)трудно предугадать исход дела; б) не узнаешь, когда и что случится; в) неизвес-тно, куда оно делось; ~귀신이 잡아가는지 모른다 посл. ≅ если б знать, где упасть-соломку постелил; ~ 바람들이 불까? обр. разве кто может посягнуть на свой авторитет и благополучие?; ~ 바람이 부는 듯이 обр. как ни в чем не бывало; ~장단에 춤을 춰야 옳을지 обр. не знать под чью дудку плясать; ~ 천년 (세월)에... неизвестно когда же...; ~해가에 когда же; ~ 떡이 더 싼지 모른다 обр. не знать что лучше; 2) некоторый, какой-то; 어느 곳 а) какое место; б) где-то; ~때 а) когда; б) когда-то; ~겨를에 когдато, в какойто момент.

어느 II (의문사로서) который, ка кой; (어느...이나) весь, всякий; какойто, некоторый; ~곳(의문) какое место; (특정장소) где-то; ~겨를에 когда-то; в какой-то момент; ~덧 незаметно. невольно, неожиданно; ~새 незаметно, как-то, уже; ~세월에 неизвестно когда; ~장단에 춤을 춰야 옳을지 не знать под чью дудку плясать; ~정도 от части; до некоторой степени; более или менее; ~틈에 быстро, моментально.

어느 III 1) который, какой; 2) некоторый, какой-то; ~누구도 кто бы ни был, все.

어느새 незаметно, как-то, в какой-то момент

-어도 оконч. деепр. уступ.: 무슨 일이 있어도 내일 까지는 오시오

прихо-дите завтра несмотря на дела.
어두운, 캄캄한 темный.
어두워지다 темнеть; 바깥이 어두워진다 на дворе темнеет.
어둑어둑 ~하다 довольно темный, сумрачный.
어둑하다 тёмный, сумрачный; хмурый.
어둠 темнота, тьма, мрак; ~속에서 в темноте; во тьме; в потемках; ~을 타고 под покровом темноты; ~을 타고 지척을 분간 못할~ полная (непроницаемая) темнота.
어둡다(어두우니, 어두워)(날,공간 따위가) темный, мрачный; 어둔밤중에 홍두깨 내밀듯 = 아닌 밤중에 홍두깨 내밀 듯; см. 아니다; 어둔 밤에 눈끔쩍이기 *посл.≈букв.* подмигивать (кому-л.) тёмной ночью; (감감이) плохой; (정보에) несведущий в чем-л.; плохо осведомленный о чем-л.; 귀가~ плохо слышать; 눈이 ~ плохо видеть; 세상일에 ~ иметь мало опыта; 시국에~ не раз-бираться в текущей политике; 이곳 지리에~ плохо знаком с этой местностью; 어두운 표정이다 иметь хмурый вид; 어두운 과거를 가진 사람 человек с темным прошлым; 어두운 밤 темная ночь; 어두운 색 темный цвет; 어두운전망 мрачные перспективы. **-어든** высок. см. -거든.
어디 I 1. 1) где, куда; ~[로] 갈까? куда ид-ти?; 2) где-то, куда-то?; ~개가 짖느냐 한다 *посл.* ≈ собака лает, ветер носит; ~라 없이 а) куданибудь; гденибудь; б) везде, всюду; 3) в сопровождении 이다 и то очень много; 2. межд. ну, нус; 3. усил. частица 1) разве; ~그럴 수 있어요 разве так может быть?; 2) как же.; 어디가 불편합니까? Что вас беспокоит?; 어디가 아픕니까? Что у вас болит?

어디(의문사로서) II где, куда; (밝힐 필요가 없는 곳) где-то; (정하지 않은 곳) где-нибудь; куда-нибудь; ~까지 насколько; ~까지나 до конца; ~에서 왔습니까? откуда вы приехали?

어디 III 나 ~ 한번 이야기해봐 ну рассказывай
어디서, 어디로부터 откуда.
어디서나, 도처에서 всюду.
어떠하다 1) какой; 건강이 어떠하십니까? Как ваше здоровье? 2) какой-то, какой бы то ни было.
어떤,어느,무슨(어떠한) какой;(어떤 ~라도) какой то ни был; (어느) какой-то ~경우에는 иногда, в ка-ком-то случае; ~곳에서 где-то; ~까닭인지 почему-то; ~때 некогда; когда-то; ~ 용무로 зачем; по какому делу; ~의미로는 в известном смысле; ~이유로 почему, зачем; ~일이 있더라도 во в сяком случае; ~짓을 해서라도 любой ценой; любым способом.
어떻게(의문사) как, каким образом; каким способом; ~해서라도 любой ценой, любым способом 요즘 ~ 지내십니까? как вы поживаете? как (ваши) дела?
어떻다 как, какой; 어떠하다; 어떤 구름에 비가 들어 쓴지 см. 어느 [구름에서 비가 올지];어떻게 된 감투끈인지 обр. бог его знает; 어떤 а) какой, который; б) какой-то; какой бы то ни было.
-어라 I разг. груб. оконч.'повел. ф.: 집어라! возьми!
-어라 II оконч. воскл. ф. прил.: 아이, 물도 참 깊어라! ой, и глубоко же [здесь]! **어려운** трудный.
어려움을 겪다 испытывать трудности.

어려워하다 стесняться; 어려워하지 않고 открыто; не стесняясь; решительно; 어려워하지 마세요 не стесняйтесь, прошу не церемониться.

어렵다(어려우니, 어려워) I 1) трудный, затруднительный, тяжелый; в знач. сказ. трудно; 성미가 ~тяжелый; капризный(о характере); 어려운 길을 하다 пойти(навестить кого-л.) во что бы то ни стало; 2) неловкий; неудобный, робкий; 어렵지만~ простите(виноват), но...

어렵다(일이) II трудный, затруднительный; сложный, тяжелый; (조심스럽다)неловкий, неудобный; (생활이)бедствующий; бедный; 그 사람 앞에서는 ~ чувствовать себя стесненно в его присутствии; 직장 구하기가 ~ трудно (сложно) найти работу; 어려운 살림 стесненные обстоятельства; 대하기 어려운 아버지 строгий отец.

어르다(어르니,얼러) I 1) качать кого-л. на руках, ласкать(ребёнка); 어르고 뺨치기 см. 등 [치고 간 내 먹는다] I; 2) забавляться, играть.

어르신네 вежл. Ваш(его) отец; Вы.

어른 I 1) сущ. взрослый;~도 한 그릇 아이도 한그릇 обр. всем поровну, всем одинаково; 2) человек,совершивший обряд совершеннолетия; 3) сущ. старший, уважаемый; 4) вежл. Ваш(его) отец; ~스럽다 благонравный, веский.

어른 II взрослый, старший; ~을 모시다 жить вместе со всей семьёй

어리광 ~을 부리다(치다,피우다,떨다), ~하다 а) ласкаться, приставать(о ребенке); 2) баловаться.

어리다 I 1) загустевать(о жидкости); 2) увлажняться(о глазах); 3) появляться; выступать наружу; появляться.

어리다 II 1) молодой, маленький; 어린 나무 саженец; 어린누에 гусеницы тутового шелкопряда младших возрастов; 어린 양 ягненок; 어린 중 젓국 먹이듯 погов. ≅ букв. всё равно что соблазнять молодого монаха мясным супом; 2) небольшой, малый(об опыте);низкий(об уровне); 나이가~ молодой; маленький; (미숙) небольшой, маленький, низкий; 눈물이~ увлажняться; 눈에 눈물이 어려있다 Глаза увлажняются, на глазах появляю-тся слезы; 눈이~ ослепительный; ~기억 появляться (как призрак).

어리둥절하다 растерянный, смущенный. **어리석은** глупый.

어린(魚鱗) рыбья чешуя; ~학의 обр. построение войска углом вперёд и углом назад. **어린시절** детство.

어린아이 ребенок, маленький ребёнок; ~같은 행동 ~도 괴는데로 간다(~와 개는 괴이는 데로간다) посл. ≅ букв. ребёнок и собака льнут к тем, кто их любит; ~말도 귀 담아 들으랬다 см. 세 [살 먹은 아이 말도 귀 담아 들으랬다] VIII; ~떡도 뺏어 먹겠다 обр. жадный и подлый.

어린애 сокр. см. 어린아이;~매도 많이 맞으면 아프다 посл. ≅ букв. даже если ребёнок ударит несколько раз и то больно; ~보는 데는 찬물도 마시기 어렵다 посл.≅ дети во всём подражают взрослым.

어림 предположение, наметка; ~도 없다 а) невероятный, невозможный; абсурдный; б) прил. невозможно справиться(с кем-чем л.); неблагоразумный; ~을 잡다(짚다) прикидывать на глазок, приблизительно рассчитывать; ~하다 намечать, предполагать; приблизительно рассчитывать.

어림없다 невероятный, невозможный; абсурдный; (능력이) невероятный, невозможный; абсурдный; 어림없는 수작 нелепые(абсурдные) поступки(слова); 그것은 내 힘으로는 ~ Это выше моих сил.

어림짐작 предположение, допущение, приблизительный расчет.

어머니(母親) мать; ~학교 школа для матерей.

어머님 вежл. см. 어머니.

어멈(하인) молодая служанка.

어미(어머니의 낮춤말) I 1) пренебр. см. 어머니; 2) матка, самка (동물의); ~닭 наседка; ~돼지 свиноматка; ~식물 бот. материнское растение.

어미(魚尾) II 1) рыбий хвост; 2) морщинки в уголках глаз(в физиономике).

어미(語尾) III окончание; ~ 변화 изменение окончаний.

어색하다 неудобный, неловкий, неестественный.

어서 пожалуйста, быстро (재촉)(환영); ~올라오게 пожалуйста, заходите! 어서, 제발 Пожалуйста.

-어서 оконч. деепр. предшествования указ. на: 1) предшествующее действие: 짐을 덜어서 다른 차에 실었다 взяв часть груза, переложил его на другую телегу; 2) способ совершения действия: 전화를 걸어서 불러올리다 вызвать(кого-л.), позвонив по телефону; 3) состояние, в котором выполняется действие: 누워서 글을 읽다 читать лёжа; 4) причину: 병들어서 못온다 не может прийти из-за болезни; 강이 깊어서 건너기 어렵다 перейти реку трудно, так как она глубокая;~내리십시오 Выходите пожалуйста;~들어오십시오 Пожалуйста проходите; ~앉으십시오 Садитесь пожалуйста.

어설프다(어설프니,어설피) 1) неплотно пригнанный, плохо подогнанный; 2) легкомысленный; 3) злой; язвительный, недружелюбный; 4) неряшливый, небрежный; 그물이 неплотно пригнанный; ~일하는 것이 неряшливый, грубый, небрежный, легкомысленный.

어수룩하다 простодушный, нехитрый, наивный; 어수룩한 사람 простак; простодушный (бесхитростный) человек.

어수선하다 спутанный; беспорядочный, разбросанный.

어업(漁業) рыбный промысел, рыболовство; ~권 право на рыбную ловлю; 근해~ рыболовство на прибрежных водах; 원양~ дальний лов рыбы; лов рыбы в открытом море; ~자생 жить рыбным промыслом.

어여쁘다(어여쁘니, 어여뻐) уст. см. 예쁘다; 어여쁘지 않은색시 삿갓쓰고 으스름 달밤에 나선다 обр. плохой человек и поступает плохо.

어용(御用) ~의 наемный, продажный, правительственный, правительственной ориентации, оплачиваемый правительством; ~기자 наемный писака(журналист); сотрудник официоза; ~신문 официоз, газета, субсидируемая правительством; ~학자 ученый, выслуживающийся перед правительством; ~상인 торговец-поставщик (напр. королевского дворца).

어우러지다 сливаться, соединяться, смешиваться.

어울리다 смотреться, выглядеть

гармонировать (조화) подходить к кому-чему-л.; быть к лицу; (교제) обьединяться с кем-л., общаться с кем-л.; 이 색깔들은 서로 잘 어울린다 эти цвета хорошо подходят один к другому; 이 옷이 당신에게 잘 어울린다 эта одежда вам очень идет; вам к лицу эта одежда

어울어지다 сливаться, соединяться.

어음 вексель, вексельный; ~에 이서하다 писать на векселе свои данные; ~을 발행하다 выдавать вексель; ~ 교환 клиринг; ~ 발행인 векселедатель; ~ 수취인 векселеполучатель, векселедержатель; ~할인 вексельный учет, учетная операция; 부도~ неоплаченный вексель; 약속~ простой вексель; 환~ переводный вексель, трата.

어이없다 поразительный, потрясающий; 어이없는 요구 чрезмерное (непомерное) требование; 정말 어이가 없군 смехота одна.

어제 вчера ~밤 вчера вечером; ~가 다르고 오늘이 다르다 обр. всё в мире быстро меняется; ~보던 손님 обр. не успели встретиться, а уже стали друзьями.

어중간(於中間) ~하다(중간쯤 되다) находиться почти на середине; почти средний; (알맞지 않다) неподходящий, непригодный; ~히 наполовину; частично, неполно; 일을 ~하다 недоделывать, делать что-л. кое-как.

어지간하다 подходящий, сносный, терпимый

어지럽다(눈,머리가) кружиться, идти кругом; (무질서) беспорядочный, хаотический; 머리가~ испытывать головокружение; 어지러운 세상 смутные времена.

어질다(어지니,어지오) добрый, любезный, мягкосердечный, милосердный; 어진혼[이] 나가다(빠지다) обр. в голове помутилось.

어쨌든 во всяком случае, в любом случае.

어쩌다 어쩌다가(이따금) иногда, по временам; (뜻밖에) случайно, нечайно; ~있는 일 необычный (необыкновенный) случай; ~ 길에서 그를 만났다 Мы с ним случайно встретились по дороге.

어쩌면(추측) может быть, вероятно, возможно; (감탄) какой, как; ~ 색시가 그렇게 예쁠까? как она красива.

어쩐지 отчего (웬일인지) почемуто; (그래서) неудивительно что, вот почему; ~그가 기쁜 얼굴을 하고 있더라 Это обьясняет его радостное лицо.

어쭙잖다 сокр. от 어쭙지[않다].

어쭙지 ~않다 а) несуразный, нелепый; б) презрительный; неодобрительный.

어찌(방법) как, каким образом; (왜) почему; отчего; ~할 수 없이 поневоле, вынужденно; ~ 할 줄 모르다 не знать, что делать; -ㄴ지(-ㄹ지,-던지) 나는 어찌나 피곤했던지 겨우 집에 돌아 왔다 я так сильно устал, что едва добрался до дома; ~가다(가다가) см. 간혹; ~하면 возможно, вероятно, может быть; ~하여 почему[-то], отчего[-то] ~하였든 во всяком случае, так или иначе; что там ни говори; ~할 수 없다 ничего не поделаешь.

어촌(漁村) рыбацкая деревня, рыбацкий поселок, рыбацкое село.

-어치 стоимость в ...; 만원~(стоимостью в) десять тысяч вон.

어획(漁獲) (생선의) лов рыбы; рыболовство; (해산물의) добыча морских продуктов;~고(량) улов рыбы; обьем добычи морских продуктов; ~기 рыболовный сезон; путина; ~물 улов.

어휘(語彙) 낱말, 단어(單語) слово, лексика; ~가 풍부하다 богатый запас слов; ~론 лексикология; ~적 лексический; лексикологический; ~구성 словарный состав; ~축적 словарный запас.

어휘론(語彙論) лексикология.

억(億) сто миллионов; ~만년 много-много лет; целая вечность; ~만 장자 миллионер.

억류(抑留) задержание, интернирование; ~하다 задерживать; интернировать; ~선 интернированное (задержанное) судно; ~소 лагерь для интернированных; ~자 интернированный, задержанный.

억압(抑壓) давление, притеснение, гнет, угнетение; ~하다 подавлять, угнетать, притеснять;~자 угнетатель; притеснитель.

억지 упрямство, строптивость; натяжка; ~를 쓰다 упрямиться; проявлять упрямство; ~춘향이로 ...을 이루다 с трудом добиться чего-л.; ~이론 натяжка; ~가 사촌보다 낫다 *погов.* ≃ хоть плохое, да своё; ~춘향이 обр. с трудом добиться(чего-л.).

억지로 насильно.

언급(言及) упоминание;~하다 касаться чего-л.; останавливаться на чем-л.; упоминать кого-что-л.(о чем-л.); затрагивать что-л.; 위에서 ~한 вышеуказанный, вышеупомянутый.

언니 обращение женщин к ст. сестре.

언뜻 мельком, украдкой; (우연히) неожиданно, внезапно, вдруг; ~ 눈에 띄다 быстро промелькнуть; ~보다 мельком взглянуть; бегло просматривать; ~ 생각이 떠오르다 кого-л. осенять мыслью; (무언) ~ 보기에 на первый взгляд.

언론(言論) журналистика, слово высказывание, ~의 자유 свобода слова, ~계 круги публицистов, ~인 публицист; ~하다 высказывать, выражать (своё мнение).

언약궤(言約軌) ковчег завета; 여호와 ~ ковчег Господа; 여호와의 ~ ковчег завета Господня; 하나님의 ~ ковчег Божий; 증거~ ковчег откровения.

언어(言語) язык, речь, слова; ~불통 языковые трудности; непонятные места; ~예술 искусство языка; ~장애 афазия, расстройство речи; ~학 языкознание, лингвистика; ~ 지리학 лингвистичекая география; ~ 수작 беседа, разговор; ~도단 невыразимый, неописуемый; ~수작 беседа, разговор.

언쟁(言爭) спор, ссора; ~하다 спорить о ком-л.,о чем-л.; ссортиться с кем-л.; вздорить с кем-л.

언제(堰堤) I дамба, плотина, запруда

언제 II когда;~나(든지) всегда, когда бы то ни было;~부터 с какого времени, как давно; ~까지 до какого времени, как долго; ~인가 как-то; ~쓰자는 하늘타리냐 какой толк в том что есть(если не использовать); ~떠나십니까? Когда вы уезжаете; ~저녁 식사를 할 수 있습니까? Когда можно поужинать?; ~몇 시에 когда(наречие)

언제면 되겠습니까? Когда будет

готово?;~부터 앓았습니까? С какого числа вы больны?

언질(言質) обещание; ~을 받다 полу-чать обещание что...; ~을 주다 обещание, дать слово(обещание), ручаться; ~을 잡다 приводить в доказательство(чьи-л.) слова.

언행(言行) слова и поведение(действие); ~상반 слова расходятся с делом; ~이 일치 слово не расходятся; ~한다 поступать так что бы слова не расходились с делом; 이 일치하지 않는다 он говорит одно, а делает другое; ~록 жизнь и деятельность (воспомина-ния); ~일치 слова не расходятся с делом.

얹다(물건을) класть на что, наложить; (돈을)набавлять, прибавлять

얹히다(놓이다) быть положенным; (소화불량)не усваиваться; (붙어살다) жить за чужой счет; находиться на чьем-л. иждивении;(좌초)садиться на мель; 얹혀살다 а) находиться на чьём-л. иждивении; б) жить на чужой счёт.

얻다 I получать, приобретать, доставать (что-л.); добиваться чего-л.; 아내를~ жениться на ком-л.; 자신을~ уверовать в себя; 남편을 ~ прост. выходить замуж; 병을 ~ заболевать; 얻어들은 풍월 = 들은풍월; см. 듣다 II; 얻으니 타령이냐? шутл. ходить неразлучной парой; 얻은 도끼나 잃은 도끼나 обр. так на так; 얻은 잠뱅이 то, что имеется не в диковинку; 2) находить(что-л.);얻어걸리다 случайно возникнуть(встретиться, попасться); 얻어듣다 случайно узнать(услышать); 얻어 만나다 случайно встретить; 얻어맞다 быть побитым(избитым); 얻어먹다 а) угощаться; б) побираться; жить подаянием; в) быть опозорен-ным(оскорбленным); 얻어터지다 получить повреждение(от удара); ~ 얻어듣다 случайно узнать(услышать); 얻어맞다 быть побитым(избитым); 얻어먹다(대접받다) угощаться; (빌어먹다) побираться; 욕을 ~ быть опозоренным.

얻다, 찾다 II находить(сокр. от 어디다) куда; где.

얼 I душа, дух; 얼[을] 먹다 быть застигнутым в расплох, растеря- ться; 얼[이] 빠지다 см. 넋을 잃다.

얼 II 1) трещина; 2) недостаток, недочет; 3)несчастливый случай, авария; 4) ущерб, понесенный по чудой вине; 얼[을] 먹다(입다, 쓰다) понести ущерб(потерпеть убыток) по чужой вине

얼- 1) преф. имен полу..., мало, слабо..., 얼간 слабый рассол; 2)преф. гл. неясно, сумбурно; 얼버무리다 неясно говорить.

얼굴 лицо, лицевой, личной; 손으로 ~을 가리다 закрывать лицо руками; ~에 ...라고 쓰여져 있다 на лице написано что у кого-л.; ~을 붉히다 багроветь, краснеть; ~을 찌푸리다 корчить рожу(гримасу); ~을 맞대고 с лица на лицо, лицом к лицу; ~빛(안색) цвет лица, выра-жение лица см. 낯; ~가죽이 두껍다 см.낯가죽[이 두껍다]; ~보다 코가 더 크다 см. 배 [보다 배꼽이 더 크다] I; ~을 내놓다 присутствовать(где-л.); ~을 못 들다 см. 낯 [을 못 들다]; ~을 붉히다 см. 낯 [을 붉히다]; ~을 익히다 см. 낯 [을 익히다]; ~이 간지럽다 см. 낯 [이 간지럽다]; ~[이] 깎이다 см. 낯 [이 깎이다]; ~이 뜨뜻하다 стыдный, постыдный; ~에 모닥불을 끼얹는 것 같다 покраснеть до корней волос; ~똥치라다 опозо-риться.

얼다(어니, 어오) (물체가) замерзать; (몸이) коченеть(от холода); (기가 꺽이다) падать духом; становиться застенчивым(неловким); 얼어붙은 ледяной; 강물이 얼어붙었다 река покрылась льдом; 내 손은 방안에서도 언다 руки у меня замерзают даже в комнате; 두려움에 심장이 얼어붙었다 ужас леденит сердце; 언 발에 오줌누기 погов. ≅ как мёртвому припарки 언 소반 받들 듯 обр. осмотрительно, почтительно 얼락녹을락 а) то замерзая, то оттаивая; б) вертя, помыкая (кем-л.); 2) прост. подвыпить, опьянеть.

얼룩 пятнышко, крапина, крапинка; ~이 진 в пятнах; ~을 빼다 выводить пятно; 옷에 묻은 ~ пятна на платье; ~이 빠지지 않는다 пятно не сходит; ~말 зебра, лошадь чубарой масти; ~무늬 пёстрый узор; ~소 пёстрый вол, пёстрая корова.

얼마(의문사로서) сколько; (정도) немного; ~간(다소간)более или менее; (시간) некоторое время; ~ 나(수량) сколько; (수량의 비교) насколько; (감탄) как; ~뒤에 спустя некоторое время; вскоре; ~전에 недавно; 값이 ~입니까? сколько стоит? 먹고 싶으면 ~든지 먹거라 ешь сколько хочешь; 시간이 ~남지않았다 времени осталось немного; ~든지 сколько угодно; ~전에 недавно.

얼마쯤 1) сколько; 2) несколько, немного; 3) некоторое время.

얼마큼 1) несколько, немного; до (в) некоторой степени; 2) наско- лько, как.

얼음 лёд; ~의 ледяной, ледяный; ~장 같다 очень холодный, холодный, как лёд, ледяной; ~지치기하다 скользить по льду; 강의~이 녹았다 река очистилась от льда; ~물 холодная вода со льдом; ~장 льдина; ~판 место, покрытое льдом; ~과자 мороженое; ~냉수 холодная вода со льдом; ~사탕 леденец; ~에 박 밀 듯 обр. а) говорить как по писаному; б) читать гладко;~에 소탄격 обр. растерянность; ~에 자빠진 소눈깔 обр. расширенные от ужаса глаза.

얽다 I (얶다)связывать, спутывать; (꾸며대다) сочинять, писать; 얽어내다 а) связывать и вытаскивать; б) ловко выманить; 얽어매다 прям. и перен. связывать и опутывать; 얽은 구멍에 슬기든다 обр. Нельзя судить о человеке только по внешности.

얽다 II (마마자국) быть рябым(от оспы, в оспинах); (흠) иметь изъяны, быть щербатым; (얽은 얼굴) рябое(от оспы) лицо; 얼거든 검지나 말지 обр. Сплошные прорехи.

얽이 1) обвязывание, перевязывание (какой-л. вещи верёвками); 2) планирование в общих чертах; ~를 치다 а) перевязывать, связывать; обвязывать; оплетать; б) планировать в общих чертах.

얽히다 спутываться, связываться, опутываться; (일이) быть сложным (запутанным); (연루) спутываться, быть причастным к чему-л.; 얽히고 설키다 перепутанный, запутанный, сложный.

엄격(嚴格) строгость; требовательность; ~하다 строгий, требовательный; ~한 구별 отчётливое различие; ~한 사람 человек строгих правил; ≅ 히 말해서 строго говоря, в строгом смысле слова. **엄격한** строгий.

엄지 I большой палец; ~발가락 большой палец(на ноге); ~발톱

ноготь большого пальца(на ноге); ~손가락 большой палец(на руке); ~기둥 береговая опора(моста); ~벌레 насекомое в стадии имаго; ~보 главная балка дома; ~손톱 ноготь большого пальца (на руке); ~총 нос корейского лаптя.

엄지(-紙) II бумага, на которой пишется долговая расписка.

엄청나다 огромный, непомерный, страшный, невообразимый, громадный; 엄청나게 ужасно, страшно, очень, крайне; 엄청나게 큰 огромный, гигантский, исполинский.

엄포 запугивание, пустая угроза; ~놓다 грозиться на словах, запугивать кого-л.,терроризировать;~를 주다,~하다 грозиться на словах.

업 I этн. человек(животное), приносящие счастье дому.

업(業) II 직업 профессия, работа; (불교에서의) карма; ~을 업으로 하다(삼다) заниматься чем-л., быть по профессии кем-л.

-업(業) дело, промышленность; 가공업~ обрабатывающая промышленность.

업다 носить на спине; 아기를~ носить ребенка за спиной(на спине); 업어라도 주고 싶다 готов носить на руках; 업어 온 중 обр. человек, с которым приходится считаться; 업은아기 삼이웃(삼년) 찾는다 погов. ≈ букв. три года ищет ребенка, а он за спиной; 2) ставить вместе(фишки в игре ют); 3) вовлекать, втягивать; 업고들다 вовлекать, впутывать, втягивать; 4) захватить(чужой бумажный змей в воздухе); 업어가도 모를 정도로 자다 спать как убитый, спать мертвым сном.

업적(業績) достижение, заслуга, успехи; 이 사람은 학문에~이 많다 У этого человека много заслуг перед наукой.

없다(존재하지 않다) 1) нет, отсутствовать, не быть, не иметь; 2) (죽고 없다) покойный; 둘도 없는 친구도 ~ редкий(исключительный) друг; 없는 사람 бедняк; 지금은 없는 사람 ныне покойный [человек] 천하에 없는 사람 редкий(исключительный) человек; 없는 꼬리를 흔들랴? погов. ≈ букв. разве повиляешь хвостом, если его нет? 없어 비단 погов. ≈ букв. когда нечего делать, то всё шёлк; 일이 잘못되기만 하면 그 때 가선 없어! если дело провалится, тогда смотри!

없애다 1) терять, утрачивать уничтожать, ликвидировать, истреблять, устранять; 2) (제거) (낭비) расточать, проматывать; 해충을~ истреблять вредных насекомых; 돈을 다 써~ проматывать все деньги.

없어지다(분실) терять, лишаться; (다하다) быть истощенным; 희망이 ~ становиться безнадежным.

없이 без кого-чего-л.; 뜻~ бессмысленно; 소리~ бесшумно; 쉴새~ 일하다 работать без отдыха; 정신~ рассеянно; 틀림이 ~ несомненно; 힘~ бессильно; ~살다(지내다) жить бедно, бедствовать; ~하다 уничтожать, ликвидировать; лишать.

엇- преф. 1) косо; 엇나가다 идти вкось; 2) чуть, немного, слегка.

엇갈리다 1) попеременно меняться; 2)(도중에)разминуться, расходиться; (서로얽히다) переплетаться; 사이가 ~ отдаляться(друг от друга); охладевать(друг от друга).

엇나가다 1) идти вкось(напр. о линии); 2) идти вразрез, резко расходиться(с чем-л.).

-였- суф. прош. вр. предикатива.

-였자 разг. оконч. деепр. предикатива с против. значением.

엉덩이 ягодицы, седалище; ~가 근질근질하다 легкий на подъем, проворный; ~가 무겁다 вялый, инертный, медленный, тяжелый, на подъем; ~에 뿔이 났다 обр. делать наперекор, поступать по-своему(о молодом человеке).

엉뚱하다 несуразный.

엉망 путаница, беспорядок, кутерьма; ~이 되다 портиться.

엉터리 тупой, глупый, лжец, беспочвенный ерунда; ~근거 основание, доверенность; ~없는 неосновательнный, беспочвенный; ~없다 беспочвенный, вздорный, абсурдный.

엊그제(수일 전) несколько дней (тому) назад; (그저께) позавчера

엎다 땅을 ~ опрокидывать, перевертывать; 살림을 ~ сваливать, ниспровергать; (쏟다) вываливать; 엎어누르다 а)опрокинув придавить; б) подавлять, угнетать; 엎어말다 а) накладывать двойную порцию(напр. куксу); б) положить гарнир снизу, а рис(куксу) сверху;엎어삶다 а) ловко обвести вокруг пальца; соблазнить; б) удвоить ставку(в карточной игре)

엎드러지다 1) см. 엎어지다; 엎드러지며 곱드러지다 обр. ≃ катиться кубарем; 2) прост. быть затворником; жить в уединении.

엎드리다 ложиться ничком(плашмя); пасть ничком; 엎드려 사격 воен. а) стрельба лёжа; б) ложись! огонь! (команда).

엎어지다 упасть вперед; (주전자가) опрокидываться; 엎어지면 코 닿을 데 рукой подать; 운수가 ~ перемениться, измениться(о фортуне); 엎어진 놈 꼭 뒤치기 погов. ≃ на бедного Макара все шишки валятся; 엎어진 둥지에는 성한 알이 없다 посл. ≃ букв. в перевёрнутом гнезде целого яйца не бывает.

엎지르다(엎지르니,엎질러) опрокидывать, перевертывать; 창에서 물을 ~ выливать воду за окно; 엎질러 절 받기 см. 옆 [찔러 절 받기]; 엎지른 물 погов. ≃ что с воза упало, то пропало(букв. вылитая вода).

엎치다 (엎다, 엎친데 덮치다) Беда не ходит одна; см. 엎어지다, 엎어뜨리다; 엎쳐뵈다 а) заискивать, раболепствовать; б) прост. см. 절하다; 엎치고 덮치다 обр. ≃ беда не ходит одна; 엎치나 덮치나 = 둘러치나 메치나 см. 두르다; 엎치락덮치락 то один сверху, то другой; 엎치락뒤치락, 뒤치락엎치락: а) ворочаясь с боку на бок; б) то так, то сяк; 엎치락잦히락 то наклоняясь вперёд, то откидываясь назад; 엎친놈 꼭 뒤치기 = 엎어진 놈 꼭뒤치기 см. 엎어지다; 엎친 데 덮치다 обр. беда не ходит одна; 엎친 데= 엎지른 물; см. 엎지르다.

에 тридцать вторая буква кор. Алфавита; обозначает гласную фонему **е**.

에 I **е** (назв. кор. буквы 에).

에 II межд. 1) да-а, м-да(напр. при раздумье); 2) да ладно уж!; 3) ээ (подбирая нужное слово); 4) эх, ты! (при упреке); 5) ах! (при вос-торге, радости).

-에 оконч. дат. п. для неодушевленных предметов со знач.: 1) места нахождения: 도시에 있다 быть(находиться) в городе; 2) адресата действия: 꽃에 물을주다 поливать цветы; 3) направления движения; 학교에 간다 идет в школу; 4) времени совершения действия: 다섯 시에

온다 придет в пять часов; 5) причины: 나무가 바람에 넘어졌다 дерево повалилось от ветра; 6) субъекта действия при гл. страд. залога с послелогом 의하여 파쇼독일군대는 소련군대에 의하여 격퇴되었다 немецкофашистская армия была разгромлена Советской Ар-мией; 7) сферы проявления признака: 이 비에 어디를 가십니까? куда идете в такой дождь?; 8) рус твор. п. содержания: 방이 연기에 가득차다 комната наполнена дымом; 환희에 넘치다 быть переполненным радостью; 9) занимаемого кем-л. поста: 위원장에 누가 당선되었다? кто избран председателем?

-에게 оконч. дат. п. для одушевленных предметов со знач.: 1) обладания предметом: 그 친구에게 책이 있습니까? у него есть книга; 2) адресата действия: 친구에게 편지를 보냈다 послал письмо другу; 3) субъекта действия при гл. страд. залога: 개에게 물렸다 был укушен собакой; 4) объекта действия: 학생들에게 흥미를 가진다 интересуется учениками.

에너지(англ. energy) энергия; сила; мощность; 열~ тепловая энергия; 전기~ электрическая энергия; 태양~ солнечная энергия.

에네르기(нем. Energie) физ. энергия

에다 1) вырезать; 2) причинять боль.

-에서 оконч. местного п. со знач.: 1) места(сферы) активного проявления признака: 집에서 책을 읽는다 читаю книгу дома; 2) исходного пункта: 평양에서 남포로 가는 길입니다 иду из Пхеньяна в Нампхо; 3) объекта сравне-ния: 이 건물은 도시에 건물들 중에서 제일 높습니다 это здание самое высокое в городе; 4) коллективного субъекта действия: 우리 학교에서 이기었다 наша школа победила.

에이즈(англ. AIDS, Acquired Immune Deficiency Syndrome)СПИД(синдром приобретённого иммунодефицита)

에잇 межд. ах (ты)! (при выражении недовольства).

엔지니어(англ. enginer) инженер.

엔진(англ. engine) машина, двигатель; ав. мотор.

엘리베이터(англ. elevator) 1)см. 승강기, 리프트(lift); 2) элеватор.

ㅕ двадцать третья буква кор. алфавита; обозначает гласную фонему ЙО.

여 I йо (название кор. буквы ㅕ)

여 II риф. подводная скала.

여(餘) III после имени с числ. более, свыше, сверх; с лишним; 십오년 여의 세월 период более пятнадцати лет

-여 I вариант оконч. деепр. предшествования; см. -어 II.

-여 II вариант оконч. см.-아 II.

-여지이다 уст. вежл. оконч. повествовательной ф. предикатива.

여간 обыкновенный; ~하다 обычный, обыкновенный; ~이 아니다 необыкно-венный, редкий, чрезмерный; ~똑똑하지 않다 очень умный.

여객(旅客) 1) путешественник; путник; 2) пассажир; ~보험 страхование [жизни] пассажира; (여행자) путешественник; путник; (승객) пассажир;~기 пассажирский самолет;~선 пассажирский пароход.

여관(旅館)(호텔) гостиница второго разряда; мотель; ~에 묶다 остановиться в гостинице второго разряда;~방 номер гостиницы второго разряда.

여권(旅券) заграничный паспорт;

사증 виза. ~이 여기 있습니다 Вот паспорт.

여기 здесь; тут; в этом месте;~까지 до этого места;~로 сюда;~서(여기에) здесь; 여기에서부터 отсюда; ~저기 тут и там; 여기서 그기까지는 멉니까? Далеко ли отсюда?; 여기서 나를 기다려 주십시오 Подождите меня здесь; 여기서 담배를 피울수 있습니까? Здесь можно курить?; 여기서 세워주십시오 Остановите здесь пожалуйста.; 여기에 써넣어 주십시오 Заполните здесь пожалуйста.

여기, 거기, 저기 вот.

여기, 이곳에서 здесь.

여기다 считать, рассматривать; полагать, думать;귀중히~ ценить, дорожить; 여겨 듣다 прислушиваться; 여겨 보다 присматриваться; всматриваться; ~소중히 ценить, дорожить(чем-л.).

여기저기 там и сям, повсюду.

여느 때 как обычно, как всегда.

여덟, 팔(8) восемь; ~번째 восьмой.

여덟째 восьмой.

여드레날 8-е число.

여동생 младшая сестра.

여든, 팔십 восемьдесят; ~에 둥둥이 и в 80лет ребёнок(об инфантильном человеке); ~에 능참봉을 하니 每달에 거둥이 스물아홉 번이라 см. 모처럼 [능참봉을 하니 每 달에 거둥이 스물아홉 번이라]; ~에 죽어도 구들동티에 죽었다 한다 обр. вечно всем недоволен; ~에 첫아이 비치다 обр. а) встретить непреодолимые трудности; б) считать себя пупом земли;~이 앓는 소리 обр. старая песня на новый лад.

여든째 восьмидесятый.

여러 много, несколько; ~차례의 неоднократный; ~모로 так или иначе; ~가지 разного рода; различный; ~번 несколько(много) раз; ~사람 несколько человек; ~분 а) несколько человек; б) граждане; господа(обращение).

여러 번 несколько раз, многократно.

여러모로 с многих точек зрения, во многих отношениях.

여러분(호칭) граждане, господа; 여러 사람 несколько человек.

여럿 множество, много;~의 가는 데 섞이면 병 든 다리도 끌려간다 посл. ≒букв. вместе со всеми пойдёшь и на больных ногах.

여름,하기(夏期) лето; ~의 летний; ~내내 в течении всего лета; ~에 летом, ~날 летний день; ~방학 летние каникулы; ~을 타다 плохо переносить летнюю жару; ~에 하루 놀면 겨울에 열흘 굶는다 посл. ≒ букв. если один день летом прогуляешь,то зимой будешь десять дней голодать.

여보(아내가 남편에게) милый, дорогой; голубчик; (남편이 아내에게) милая, дорогая, голубка, голубушка.

여보게 эй, ты! [по]слушай!(обращение к сверстнику и младшему).

여보세요 1) алло; 2) эй, послушайте(при обращении).

여보시오 (по)слушайте; (전화에서) алло.

여보십시오 вежл. вы!,послушайте!, алло, алло!

여부(與否) так это или не так;~없다 несомненный, безошибочный; 가능~ возможность или невозможность; 성공~ удача или неудача.

여섯, 육(6) шесть; ~(번)째 шестой

여성(女性) женщина; женский пол;

(언어학에서) женский род; ~적 женский, присущий женщине; мягкий, женственный; ~관 взгляд на женщин; ~미 женская красота; ~복 женская одежда; ~해방론 феминизм; 직장~ служащая, работница.

여성(女性) I 1) женский пол; женщина; ~노동자 работница; ~적 женский, присущий женщине; 2) лингв. женский пол.

여성(女聲) II женский голос; ~고음 сопрано;~고음표 муз. сопрааноsый ключ; ~저음 альт; ~저음표 муз. альтовый ключ; ~중음 меццосопрано; ~중창 женский вокальный ансамбль; ~합창 женский хор; ~적 присущий женскому голосу.

여왕(女王) 1) королева, царица; 2) матка (у пчёл); царица(у муравьёв); 3) выдающаяся женщина; 3) королева, царица; ~개미 царица (у муравьев); ~벌 матка(у пчел).

여우 лиса; (암컷) лисица; (새끼여우) лисенок; лисий; ~ 같은 хитрый; ~모피 лисий мех

여위다 худеть, становиться тощим (худым)

여유 I (여력) излишек, избыток; (침착) великодушие и уравновешанность; спокойствие духа; ~가 있다; (사람이) не торопиться, свободный духом; 일분의 ~도 없다 нет ни минуты лишней; ~ 없는 생활 жизнь с ограниченными возможностями(средствами); ~시간 свободное время; ~작작하다 зажиточный, изобильный.

여유(餘裕) II излишек времени; материальный достаток; беспечность.

여자(女子)여성(女性),부인(婦人) женщина; ~같은 женоподобный; (나쁜 뜻에서) немужественный, недостойный мужчины; ~다운 женственный; ~처럼 поженски.

여전히 как прежде, попрежнему.

여쭈다(아뢰다)докладывать, сообщать; спрашивать; приветствовать; 여쭈어 보다 спросить.

여쭙다(여쭈우니,여쭈워) спрашивать, узнавать.

여행(旅行) I путешествие, поездка; ~면장 арх. см. 여권; ~하다 путешествовать, ездить; ~하다 путешествовать, совершать поездку; ~가(자) путешественник, турист; ~가방 чемодан, саквояж; ~기 путевые записи, путевой дневник; дневник путешествия; ~사 туристическое бюро; бюро путешествия; ~안내소 туристическое бюро; ~안내인 гид; путеводитель; ~일정 маршрут путешествия; ~자 수표 дорожный чек; 수학~ образовательная экскурсия; 신혼~ свадебное путешествие.

여행(勵行) II ~하다 а) усердно(прилежно) выполнять; б) поощрять.

여호와(Jehovah) Иегова, Господь (신명 см. 주.); ~닛시 Иегова Нисси = Господь знамя моё; ~살롬 Иегова Шалом = Господь мир; ~의 궤 ко-вчег Господа; ~날 День Господа; ~사자 ангел Господа; ~의 산 гора Господа; ~의 전쟁기 Книга бранная Господа; ~이레 Иегова-Йре=Господь усмотрит.

역(驛) I (железнодорожная)станция, вокзал; ~무원 станционный служащий; ~사 здание вокзала(станции); ~장 начальник станции; ~장실 кабинет начальника станции; ~전광장 привок-зальная площадь; ~전경주 эстафетный бег.

역(役), 배역 II 1) театр; роль (연극에서); 2) пост, должность;

역(役)을 하다 играть роль.

역-(逆-) обратный, встечный, противный; ~풍 противный(встречный) ветер; ~효과 противоположный результат; обратный эффект; 역복사 физ. встречное излучение; 역로그 мат. ан-тилогарифмы.

역겹다(역겨우니, 역겨워) отвратительный, надоевший, противный; 역겨운 냄새 отвратительный(противный) запах; 역겨운 행동 отвратительный (противный)поступок; 이것을 보는 것조차 역겹다 Мне и смотреть на это противно(отвратительно).

역경(逆境) тяжелое (бедственное) положение; неблагоприятная обстановка; бедствие, напасть; беда; ~에 처하다 быть в тяжёлом положении; ~을극복하다 преодолевать бедствие (тяжёлое положение).

역량(力量) 1) сила; силы; мощь; ~대비 соотношение сил; 2) способности; способность к чему-л.;~ 있는 способность к чему-л.; компетентный; ~껏 изо всей силы.

역류(逆流) обратное течение, противоток, обратный ток; ~하다 а) плыть(идти) против течения; б) течь в обратном направлении.

역사(歷史) 1)история;исторический; ~적 исторический; ~문법 историческая грамматика; ~박물관 исторический музей; ~소설 исторический роман; ~순환론 теория исторического круговорота; ~적 유물론 исторический материализм; ~지리학 историческая география; ~상 유래가 없다 не иметь себе равного в истории; ~적으로 볼 때 исторически, с исторической точки зрения; ~적사건 историческое событие; ~가 историк; ~관 исторический взгляд; ~성 историчность; ~ 소설 исторический роман; ~학 историческая наука; история; 2) ~과학 историческая наука; 3) прошлая жизнь; прошлое; жизненный путь.

역설(力說) парадокс; ~하다 парадоксальный; настойчиво разъяснять;~적으로 들리겠지만 это может показаться парадаксальным, но ...

역습(逆襲) ~하다 контратакавать, наносить(контрольный удар).

역시(譯詩) I 1)перевод стихов; 2) переводные стихи.

역시(亦是) II тоже, также, в конце концов; 역시 ~하다, 또한 также.

역할(役割) 1) роль; 2) долг; ~하다 а) играть роль; б)исполнять долг.

역행(逆行) обратный(задний) ход, обратное движение, движение на-зад (вспять); ~하다 идти назад, идти против течения, двигаться назад(в обратном направлении, вспять, задним ходом); 시대에~하다 плыть против течения; ~동화 лингв. регрессивная ассимиляция; ~운동 обратное движение

역효과(逆效果) обратный(противоположный) эффект(результат); ~를 내다 проводить обратный(противоположный) эффект.

엮다(얽어만들다) плести, сплетать, писать; сочинять, составлять.

엮음 1) сущ. сплетённое; 2) сущ. составленное, сочинённое; 3)песня, исполняемая в быстром темпе; ~시조 см.사슬[시조] I.

연(鳶) I бумажный змей; ~을 날리다 запускать (бумажного) змея.

연(蓮) II лотос. лотосовый; ~근

корень лотоса; ~꽃 лотос; ~못 лотосовый пруд.

연(年) III год; ~말 конец года; ~1회 раз в году.

연(聯) IV (시에서의) строфа.

연(連) V подряд; ~이어 подряд, один за другим;바람이~사흘째 분다 Ветер дует третий день подряд.

연결(連結) I связь; сцепка;~농기계 прицепные сельскохозяйственные машины; ~부분 муз. связующая часть; ~장치 прицепное приспособление; ~하다 связывать, соединять, сцеплять, прицеплять; ~버스 прицеплять автобус.

연결(戀結) II уст. ~하다 [по] любить

연계(連繫) 1) связь; смычка; контакт; 2)уст. заключение в тюрьму за соучастие в преступлении; ~하다 а) связывать; устанавливать контакт; б) уст. заключать в тюрьму за соучастие в преступлении(соучастника преступления).

연구(研究),탐사(探査) исследование, изучение; ~하다 исследовать, изучать; ~가 исследователь; испытатель; ~비 расходы(средства) на научноисследо-вательскую работу; ~소 научноиссследовательский институт; лаборатория;~실 кабинет, лаборатория;~원 сотрудник научно-исследовательского института, лаборант; ~회 научноисследо вательское общество, научный кружок; ~적 исследовательский.

연구소(研究所) научноисследовательский институт.

연구실(研究室) кабинет,лаборатория

연극(演劇) пьеса, спектакль; (무대에서) драма, театральное(драматическое) искусство; представление, спектакль; (거짓꾸밈)подделка, фальшивка; ~적 драматический; ~하다 (무대에서)ставить спектакль, давать театральное представление; (거짓으로) подделывать; фальсифицировать; ~계 театральный мир; ~상 театральная премия; ~술 драматическое искусство.

연금(年金),은급(恩級) (연금생활로 넘어간다) пенсия(выйти на пенсию), рента; ~보험 пенсионное страхование; ~종신 пенсионер

연기(連記) I ~투표 голосование списком;~하다 записывать подряд; составлять список.

연기(聯騎) II ~하다 ехать рядом [верхом] на лошадях.

연기(煙氣) III дым; ~가 나다 дымить; ~가 자욱하다 быть охваченным дымом; ~를 내다 дымить чем-л.; ~에 가려서 в дыму.

연기(延期) IV отсрочка, продление срока, пролонгация;~하다 отсрочивать, пролонгировать, продлевать, откладывать, переносить; ~되다 быть отложенным(перенесенным); 돈의 지불기한을 ~ отсрочивать уплату денег;지불~ осрочка уплаты.

연기(演技) V выступление(в теа-тре, кино); ~하다 исполнять, представлять; ~자 исполнитель.

연대(連帶) I ~적 солидарный; ~보증 круговая порука; ~수송 перевозки, ответственность за которые несут несколько транспортных организаций; ~채무 солидарный должник; ~책임 солидарная (совместная) ответственность.

연대(連帶) II солидарность, солидарный;~하다 солидаризироваться с кем-чем-л.; ~책임을 지다 отвечать за что солидарно, нести солидарную ответственность; ~하여 совместно;

солидарно; ~보증 круговая порука; ~성 солидарность; ~채무 совместный должник; ~책임 солидарная (совместная) ответственность.

연대(年代) III полк, годы, переод, эпоха; ~순으로 в хроническом порядке, по годам; ~기 летопись; хроника, анналы; ~표 хронологическая таблица, хронология.

연락(連絡) 1) связь, контакт; ~장교(군관) офицер связи; ~부절 непрерывным потоком; 2) спорт. подача; связь, контакт, сношения; сообщение, коммуникации; ~하다 связываться с кем-л. о чем-л.;~을 취하다 входить в контакт с кем-л.; 전화로 본부와 ~하다 связываться по телефону о штабом; 이 문제는 김씨와 ~하시오 свяжитесь по этому делу с господином Ким; 이 비행기가 출발한지 1시간만에 ~이 두절되었다 С этим самолетом через час после вылета прервалась связь; ~망 сеть связи; ~선 рейсовый пароход.

연락하다 сообщать кому-л., связываться с (кем-л.).

연령, 나이, 연세 возраст; ~순으로 по старшенству; ~제한 возрастные ограничения; ~차 разница в возрасте; ~결혼 брачный возраст.

연료(燃料) горючее; топливо; ~비 расходы на топливо(горючее); 고체(액체) ~ жидкое топливо.

연루 сопричастность; сообщничество; ~되다 быть сопричастным с кем-л.; быть замешанным в чем-л.; 범죄~ сопричастность к преступлению; ~자 соучастник; сообщник; ~하다 быть сопричастным(к чему-л.); быть замешанным (в чём-л.).

연립(聯立) 1) коалиция, коалиционный; ~하다 а) стоять в [один] ряд; б) находиться в коалиции; 2) коалиция; ~내각 коалиционный кабинет [ми-нистров]; ~방정식 мат. система урав-нений; совместные уравнения; ~정부 коалиционное правительство; ~주택 многоквартирный дом.

연마(鍊磨) I тренировка, совершенствование; ~하다 усилено тренировать, совершенствовать; 기술을 ~하다 совершенствовать мастерство.

연마(硏磨) II (기계) шлифовка, полировка; (연구) исследование; ~하다 (기계) шлифовать; полировать; (연구) усердно (ревностно) учиться чему-л.(заниматься чем-л.); освежать знания, совершенствоваться в чем-л.; ~기 наждачная машина; шлифовальный станок

연맹(聯盟) союз, лига, федерация, объединение; 세계직업~ Всемирная федерация профсоюзов(ВФП); 국제 ~ ист. Лига наций. ~에 가입하다 входить в союз,~을 조직하다 образовать союз; ~국 союзник; 국제~ лига наций

연발(連發) непрерывный ряд; ~하다 (사고가) непрерывно (подряд) случаться; (총을) вести непрерывный огонь; (소리를) непрерывно производить; непрерывно звучать; ~권총 револьвер; 6~권총 шестизарядный револьвер~ ~총 автоматическая винтовка;지시문의~поток инструкций; ~사격 воен. беглый огонь; ~장치 воен. установка на огонь очередями; ~하다 а) непрерывно выпускать[ся] (издавать) [-ся]; б) непрерывно производить (звуки); непрерывно звучать; в) вести беглый огонь(огонь очередями).

연방(聯邦) союз, федерация; конфедерация; ~공화국 федеративная республика; ~의회 федеральный совет; ~정부 федеративное правительство; федеративные власти; ~제 федеративный строй; ~협정 союзный договор.

연세(年歲) (나이) возраст.

연속 I продолжение.

연속(連續) II 1) непрерывность; ~적 непрерывный; сплошной; перманентный; ~공리 *мат.* аксиома непрерывности; ~기초 стр. сплошной фундамент; ~도태 биол. непрерывный отбор;~부절 продолжительность, непрерывность; ~스펙트르 сплошной(непрерывный) спектр; ~제 강 непрерывная разливка стали; 2) непрерывно; ~하다 не прекращаться.

연속선(連續線) непрерывная линия.

연속성(連續性) непрерывность.

연쇄(連鎖) 1) цепь; ~반응 цепная реакция;~회로 эл. линейная цепь; 2) соединительное звено; ~하다 последовательно соединять[ся]

연수 уст. ~하다 учить, изучать

연수생(研修生) стажер.

연습(練習) I упражнение; тренировка; репетиция;~하다 упражняться, практиковаться(в чём-л.).

연습(沿襲) II ~하다 следовать традиции.

연습(演習) III ~하다 упражняться, тренироваться, репетировать.

연애(戀愛) I любовь; ~소설 повесть (роман) о любви; ~하다 любить.

연애(涓埃) II обр. очень маленькая вещь.

연역(演繹) лог. дедукция; ~적 дедуктивный; ~적 논증 дедуктивный аргумент; ~추리 дедуктивное умозаключение; ~하다 делать(вывод, заключение); дедуцировать.

연예(演藝) выступление(на сцене); ~공연 представление; концерт; ~써클 кружок художественной самодеятельнос-ти; ~하다 выступать(на сцене); давать представление.

연일(連日) 1)~연야 несколько дней и ночей[подряд];и днём и ночью; ~하다 продолжаться несколько дней подряд; 2) несколько дней подряд; изо дня в день.

연작(連作) 1) монокультура; 2) коллективное творчество; произведение коллективного автора; ~소설 одно литературное произведение, написанное несколькими авторами; 3) серия картин, написанных на одну и ту же тему; ~하다 а) возделывать(монокультуру); б) написать коллективно(художественное произведение); в) написать(серию картин на одну и ту же тему).

연장(延長) 1) продление, пролонгация; ~기호 муз. фермата; 2) мат. продолжение; физ. растяжение; ~하다 продлевать, пролонгировать; продолжать.

연필(鉛筆) карандаш; ~철광 мин. гематит.

연하다 I 1) быть непрерывным; 2) быть связанным; 3) соединять; связывать.

연하다(鍊-) II стирать и гладить (траурную одежду).

연하다(軟-) III мягкий; нежный; светлый.

연합(聯合) объединение; союз; коалиция; уния; альянс; ~내각 см. 연립[내각]; ~부대 воен. соединение; ~정부 см. 연립[정부]; ~하다 объединять[ся], соединять[ся], сочетать[ся]; комбинировать[ся].

연휴(連休) 1) долгие выходные; 2) длительные выходные дни.

열 I било цепа; конец кнута.

열(熱), **열량** II 1) тепло; 2) температура; 3) десять; ~이나다 температурить; ~이식다 охладевать(к чему-л.).

열, 십(10) III десять; 열길 물속은 알아도 한 길 사람 속은 모른다 *посл.* ≈ чужая душа потёмки; 열 냥 부조는 못 할망정 백 냥짜리 제상은 치지 말라 *посл.* ≈ *букв.* не препятствуй жертвоприношению на сто нян, если не можешь помочь и десятью нянами; 열 놈이 죽 한 사발 *погов.*≈ *букв.* на десять душ одна чашка похлёбки; 열두 가지 재주가 저녁거리 없다(열두 가지 새주 가진 놈이 저녁거리가 간 데 없다) *посл.* ≈ одними талантами не проживёшь; 열 번 찍어 안 넘어가는 나무가 없다 *посл.* ≈ капля и камень долбит(букв. нет дерева, которое не упало бы, если по нему ударить топором десять раз); 열 벙어리가 말을 해도 가만 있거라 *посл.* ≈ людских пересудов не переслушаешь; 열 사람 형리를 사귀지 말고 한 사람 죄를 범하지 말라 (열 형리 친치 말고 죄 짓지 말라) см. 삼정승[을 사귀지 말고 내 한 몸을 조심해라]; 열 사람이 백말을 하여도 들을 이 짐작 *посл.* ≈ слухам не верь, а сначала проверь; 열 사람이 지켜도 한 도적놈을 못 막는다 гляди в оба; 열사흘 부스럼을 앓느냐? *посл.* ≈ носится как дурак с писаной торбой; 열 사위는 밉지아니 하여도 한 며느리가 밉다 *посл.* ≈ *букв.* одна невестка ненавистнее десяти зятьёв; 열 소경이 풀어도 아니 듣는다 *погов.*≈ упрямого в семи ступах не утолчёшь; 열 소경에 한 막대 обр. незаменимая вещь(букв. одна палка на десять слепцов); 열 손가락 깨물어 안 아픈 손가락 없다(열 손가락에 한 손가락 깨물어 아프지 않을가?) *посл.* ≈ *букв.* какой палец ни укусивсё больно; 열 손가락으로 물을 뛰긴다 *обр.* бить баклуши; 열 손 한 지레 *обр.* а) работать за десятерых; б) любая машина заменяет десять человек; 열 일 젖히다 *обр.* бросить всё ради(чего-л.); 열에 한 술 밥이 한 그릇 푼푼하다 *посл.* ≈ *букв.* с десятерых по ложке рисаполучится полная миска; 열에 아홉 см. 십상 [팔구].

열(列) IV 1) ряд, шеренга; 2) последовательность.

열- преф. молодой; маленький.

열넷, 십 사(14) четырнадцать.

열다섯, 십 오(15) пятнадцать.

열둘, 십 이(12) двеннадцать.

열셋, 십 삼(13) триннадцать.

열아홉, 십구(19) девятнадцать.

열여덟, 십팔(18) восемнадцать.

열여섯, 십육(16) шестнадцать.

열일곱, 십칠(17) семнадцать.

열하나, 십일(11) одиннадцать.

열기(熱氣) 1) жара; 2) горячий воздух; ~기관 калорическая машина, калорический двигатель; 3) вы- сокая температура тела; 4) волне-ние, возбуждение.

열다 I (여니, 여오) плодоносить, приносить плоды.

열다 II (여니, 여오) открыть; 서랍을 ~ выдвигать ящик(письменного стола); 외교관계를~ устанавливать диплома-тические отношения; 입을 ~ заговорить, начать разговор; 연회를 ~ давать банкет.

열대(熱帶) тропики, тропический (жаркий) пояс;~강우림 влажнотропический лес; ~기단 воздушные массы тропиков;~무풍대 зона тропических циклонов;~무역풍대 зона тропических пассатов; ~전선 метеор. тропический фронт.

열두지파 двенадцать племён(колен) 유다~ Иуда;잇사갈~ Иссахар; 스블론~ Завудои; 르우벤~ Рувин; 시므온~ Симеон; 갓~ Гад; 에브라임~ Ефраим; 므낫세~ Манассия; 베냐민~ Вениамин; 단~ Дан; 아셀~ Асир; 납달리~ Нефдалим.

열등(劣等) ~하다 плохой; низкого качества(сорта); ~한 성적 плохая успеваемость; ~한 상품 товар низкого(плохого) качества.

열리다 I 1) уродиться о плодах; 2) быть раскрытым.

열리다 II 1) быть открытым; 2) открываться; 3) развиваться(напр. об обществе); 4) рассеиваться(о гневе, тоске и т.п.); 가슴이 열렸다 отлегло от сердца.

열매(熱媒) прям.и перен. плод; ~될 꽃은 첫 삼월부터 안다 каков корень, таков и отпрыск; = 될 성 부른 나물은 떡잎부터 알아본다 см. 되다 I; ~를 맺다 прям. и перен. приносить плоды.

열변(熱辯) страстная(горячая) речь; горячее выступление; ~을 토하다 говорить с жаром, выступать со страстной речью. **열쇠**, 키 ключ.

열심(熱心) 1) ~하다 проявлять энтузиазм, рвение; 2) пыл, горячность; энтузиазм, рвение. **열심히** усердно.

열중(熱中) ~하다 увлекаться, отдаваться (чему-л.).

열차(列車) I поезд; ~사령 ж.-д. диспетчер; ~운행표 график движения поездов.

열차(列次) II очередь, порядок; последовательность.

열흘 десять дней; ~굶어 군자없다 см. 사흘[굶어 도적질 안 할 놈 없다]; ~나그네 하루길 바빠한다 посл. ≈букв. спешить пройти десятидневный путь за один день = а) пороть горячку; б) не откладывай на завтра того, что можно сделать сегодня; ~붉은(고운) 꽃이 없다 обр. ничто на свете не вечно; 2)열흘날 десятое число(месяца)

엷다 1) тонкий; 2) светлый, бледный(о цвете); 3) некрепкий, слабый; 4) редкий, негустой; 5) неглубокий, поверхностный.

염려(念慮) забота; озабоченность; беспокойство; ~스럽다 озабоченный, обеспокоенный; ~하다 беспокоиться, заботиться.

염소 коза(여); козёл(남); ~새끼 коздёнок.

엽기(獵奇) повышенный интерес кнеобычному; ~적 проявляющий повышенный интерес к необычному.

엿 патока(из зерновых); тянучка; 엿먹어라 а птичьего молока не хочешь? 엿을 물고 개잘량에 엎드러졌느냐? шутл. волосатый человек.

영감(靈感) I 1) наитие; 2) вдохновение; 하나님의 ~ богодухновение; Всё Писание богодухновенно и полезно для научения, для обличения, для исправления, для наставления в праведности.(2Тим. 3,16)

영감(靈鑑) II покровительство святого духа(Будды).

영감(令監) III 1) вежл. старик; ~의 상투 обр. очень маленький(о предмете);~의상투가 커야 맛이냐 посл. ≈ мал золотникда дорог; 2) мой стрик(жена о пожилом муже); 3) господин(обращение к чиновнику четвёртогопятого ранга).

영광(榮光) слава;~스럽다 славный; почётный; 영광스러운 славный; см. 영예

영구(永久) ~적 вечный; перманентный; постоянный; ~경수 хим. вода с посто-янной жёсткостью; ~기관 вечный двигатель; ~불멸[의] бессмертный; ~장천 вечность; ~준행 постоянно соблюдать; ~중립 юр. постоянный нейтралитет; ~화점 воен. долговременная огневая точка; ~하다 вечный.

영국말 английский язык.

영농(榮農)~기술 агротехника; ~방법 способ ведения сельского хозяйства; ~하다 заниматься сельским хозяйством.

영농술(營農術) агротехника.

영사(領事) консул;~구역 консульский район(округ); ~재판권 право консульской юрисдикции; ~위임장 консульский патент.

영세(零細) I ~농민 мелкий собственник(о крестьянине); ~상품 а) мелкие товары; б) товары низкого качества; ~하다 а) мелкий; раздробленный; парцеллярный; б) бедный, разорившийся.

영세(永世) II вечные времена, вечность; ~ 불망[의] незабываемый, вечный.

영수증(領收證) расписка [в получении], квитанция см.인수증

영양(營養) питательные вещества; ~[가치] питательность; ~교잡 вегетативная гибридизация; ~기관 вегетативный орган; ~단지 торфоперегнойные горшочки, питательные смеси; ~면적 с.-х. площадь питания; ~번식 вегетативное размножение; ~부족 недостаточное питание, гипотрофия; ~상태 упитанность; ~잡종 вегетативный гибрид; ~장애 дистрофия, нарушение питания.

영업(營業) предприятие; торговое дело; ~교잡 с.-х. промышленное скрещивание; ~하다 вести дела; работать(о предприятии); ~하는 시간 время работы(напр. магазин).

영업비(營業費) расходы на ведение дела, административные расходы.

영업세(營業稅) налог на предпринимателей.

영업소(營業所) уст. [торговое] учреждение (предприятие).

영웅(英雄) герой; ~적 героический; ~도시 город-герой; ~서사시 героический эпос; ~칭호 звание героя; ~적으로 героически.

영토(領土) государственная территория; территория, владение; ~적 территориальный; ~완정 территориальная целостность.

영하(零下) ниже ноля.

영화(榮華) I полное благополучие; процветание; расцвет; слава.

영화(映畵) II кино фильм процветание; ~를 찍다 производить киносьемку; снимать фильм; ~에 출연하다 появляться на экране; сниматься в кино; ~화하다 экранизировать; ~각본 киносценарий; ~감독 (кино) режиссер;~관 кинотеатр; ~계 мир кино; ~배우 киноактер; (여배우) киноактриса; ~사업 кинопро-мышленность; ~상영 киносеанс; ~제 кинофестиваль; ~제작소 киностудия; 기록~ документальный фильм; 만화~ мультипликационный фильм; мультфильм; 예술~ художественный фильм; ~적 относящийся к кино, кино...; ~배우 киноактёр; ~축전 кинофестиваль; ~촬영소 киностудия; ~연출가 кинорежиссёр; ~시나

리오 киносценарий.

옅다(깊이가) неглубокий, мелкий, светлый, бедный; 옅은 꾀 перен. шитое белыми нитками

옆 боковая сторона, бок; ~의 боковой; ~으로 물러서다 отходить в сторону; ~으로 피하다 сторониться; ~을 보다 глядеть в сторону; 양 ~에 по бокам; ~길 боковая дорожка; ответвление; ~문 боковая дверь; ~찔러 절 받기 обр. вынуждать(кого-л.) сделать для(кого-л.).

옆갈비 рёбра. **옆구리** бок.

옆길 боковая дорожка, ответвление дороги. **옆바람** боковой ветер.

옆발치 сбоку(под боком) лежащего человека. **옆에** [с]бок[у].

ㅖ тридцать третья буква кор. алфавита; обозначает гласную фонему **йе**.

예 I йе (назв кор. буквы ㅖ)

예 II древность, старина; 예로부터 с давних пор, с древности

예(濊) III племя е(в др.Корее).

예(例) IV 1) пример;[аналогичный] случай, прецедент; ~를 들면 например; 2) образец; ~의 вышеизложенный; вышеуказанный. ~가 없는 беспримерный, беспретедентный;~의 вышеизложенный, вышеуказанный; ~가 되다 служить приером;~를 들다 приводить пример; ~를 들면(컨대) например, к примеру

예(禮)(예의) V 1)этикет; приличия; 2) см. 경례; 3) см. 예식 I 2); ~를 이루다 устраивать свадьбу.

예고(豫告) предупреждение, предуве-домление; ~하다 предупреждать, предварительно уведомлять(извещать), предуведомлять.

예금(預金) 1) ~하다 делать [денежный] вклад; 2) денежный вклад; 은행~ депозитный банк; ~계좌 денежный вклад; ~액 сумма вклад; ~자 вкладчик

예닐곱 шесть или семь.

예매(豫買) I ~하다 заранее покупать

예매(豫賣) II предварительная продажа; ~하다 заранее(превари-тельно) продавать.

예물(禮物) 1) дар, подарок, подношение; 2) подарки, которыми обмениваются жених и невеста; ~반지 обручальное кольцо; 3) подарок невесте от ро-дителей жениха (при нанесении невестой первого визита родителям жениха); 4) презент, подарок; 5) приношение, жертва.

예방(豫防) арх ~대책 предупредительные меры; ~주사 предохранительная прививка; ~하다 предостерегать от неправильных поступков. **예방점검** профилактика.

예배(禮拜) ~하다 а) кланяться духу(Будде); б) совершать богослужение.

예배당(禮拜堂) [христианская] церковь

예배소(禮拜所) помещение, в котором совершается богослужение.

예배일(禮拜日) день, в который совершается богослужение.

예보(豫報) предварительное извещение; предсказания; прогноз(на- пр. погоды); ~하다 заранее извещать; предсказывать.

예비(豫備) 1) ~하다 заранее(предварительно) готовить, подготавливать; 2) приготовление, подготовка, ~시험 предварительный экзамен; ~조약 предварительное соглашение; ~조인 предварительное подписание; ~[적] а) предварительный, подготовительный; б) резервный, запасной; ~부분품 запасные части(детали); ~진지 запасная позиция.

예쁘다(예쁘니,예뻐) милый, красивый, симпатичный; 예쁜자식 매로 키운다 *посл.*≈даже хороших детей надо учить палкой.

예상(霓裳) I *арх.* пятицветная юбка

예상(豫想) II 1) ~하다 предполагать, предусматривать; 2) предположения, ожидания.

예속(隸屬) 1) подчинение, закабаление; порабощение; ~[적] зависимый; ~국가 зависимое государство; ~자본 компрадорский капитал; ~자본가 компрадорская буржуазия; ~하다 подчинять, закобалять, порабощать; 2) уст. слуги.

예수 그리스도 Иисус Христос.

예순 육십(60) шестьдесят.

예술(藝術) искусство;~[적] а) относящийся к искусству; б) художественный, артистический; ~사진 художественная фотография; ~지상주의 теория "искусство для искусства"; ~체조 художественная гимнастика; ~영화 художественный фильм.

예습(豫習) приготовление уроков (домашнее задание); ~하다 готовить (урок, задание).

예식장(禮式場) место для проведения свадебной церемонии.

예약(豫約) 1) ~하다 а) заключить (предварительное соглашение); б) делать(предварительный заказ); 2) предварительное соглашение; предварительный заказ, подписка

예의(禮義) правила поведения и нравственность; ~염치 *конф.*вежливость, чувство долга, бескорыстие; стыдливость(четыре основных добродетели); ~바르다 вежливый, воспитанный, у кого хорошие манеры; ~상 из вежливости, ради этикета.

예인(銳刃) острое лезвие(ножа, меча)

예절(禮節) 1) этикет; 2) манеры. см. 예의

예정(豫定) 1) ~하다 заранее определять, намечать; 2) предположе-ние, намётка; предварительный расчёт; план.

예측(豫測) догадка,предположение; предсказание; ~하다 предугадывать; предполагать;предсказывать.

옛 древний, старый;~부터 с да-вних пор;~적에 в старину; прежде; ~날 = 옛날 ~모습 прежний вид, старый облик; ~사랑 старая любовь; ~이야기 сказка; (과거에 관한 이야기) рассказ о прошлом; ~일 прошлое событие;~정 старая привязанность; ~집(오랜 집) старый(старинный дом); (살던 집) дом, где жил раньше;~추억 воспоминания о былом; ~친구 старинный друг.

옛날 [далёкое] прошлое; древние времена;~부터 с давних пор, времён; ~ 이야기 сказ, сказка; ~옛적 давным-давно; в глубокой древности; ~시어미 범 안 잡은 사람 없다 *погов. ирон.* бывало и я вершил великие дела.

옜다 есть в приказной форме

ㅗ двадцать четвёртая буква кор. алфавита; обозначает гласную фонему **о.**

오(伍) I 1) см. 대오 I; 2) шеренга, ряд (в строю); 3) шеренга из пяти воинов; пять воинов(в шеренге).

오 II (감탄사) ах! ох!; (옳지) правильно; (아랫사람에게) да; ладно.

오(五, 5) III пять; 오리[를] 보고 십 리[를] 간다 *посл. букв.* ≈ за пять

грошей пойдёт за десять ли.
-오- вежл. суф.
-오 оконч. ф. личного отношения, употр. в разговоре равных.
오백(白: 500) пятьсот.
오천(千: 5000) пять тысяч
오금 1) подколенная ямка; 2) см. 팔오금이 저리다 терзаться(из-за допущенной ошибки); 3) см. 한오금; ~아 날 살려라 см. 걸음[아 날 살려라]; ~을 못쓰다 потерять голову; стать рабом; оказаться под каблуком; ~을 박다 поймать на слове; ~을 추지 못 하다 быть обессиленным; ~이 저리다 терзаться из-за допущеной ошибки; ~이 뜨다(~에 돌개바람 들다) а) непоседливый; б) легкомысленный, ветренный; ~이 쑤시다 неугомонный.
오기(傲氣) упорство, упорность; ~를 부리다 упорствовать.
오누이 брат и сестра.
오늘 сегодня; ~따라 именно сегодня; ~의 сегодняшний; ~까지 до сегодняшнего дня; ~밤에 сегодня ночью; ~부터 с сегодняшнего дня; ~날 настоящее(данное) время.
오뉴월 май и июнь; ~감기는 개도 아니 앓는다 шутл. собака и та летом не простужается; ~겨불도 쬐다 나면 서운하다 *погов.*≈ что имеемне храним, а потерявши плачем; ~개가죽 문인가? *обр.* что ты за собой дверь не закрываешь? ~닭이 오죽하여 지붕에 올라가랴 *посл. букв.*≈ в маеиюне(в голодное время) курица лезет на крышу в поисках зёрен; ~더부살이 환자 걱정을 한다 см. 더부살이 [환자 걱정]; ~더위는 암소 뿔이 물러 빠진다 *посл. букв.*≈ от майской (июньской) жары размякнут даже рога у коровы; ~두룽다리 *обр.* пятое колесо в телеге; ~병아리 하루 볕쬐기가

무섭다 *обр.* расти как грибы после дождя; ~소나기는 소 등을 두고 다툰다 *обр.* летние ливни коротки; ~소불알 *обр.* пластом лежать от жары; ~똥파리 *обр.* как надоедливая (назойливая) муха.
-으니까 вежл. оконч. вопр. ф. предикатива.
오다 приходить(도착) прибывать, приходить, приезжать; 잠이~ засыпать; 졸음이~ задремать; 온데 간데 없다 ни слуху ни духу; 전화가 왔다 зазвонил телефон, вас к телефону; 오는정이 있어야 가는정이 있다 *посл.* ≈ как аукнется, так и откликнется; 오라는 딸은 안 오고 외통 며느리만 온다 *посл. букв.*≈ не пришла дочка, которую звал, а пришла невестка; 출장을 ~ приехать в командировку; 와서[는] к, на; 금년에 와서 к нынешнему году; 기회가 ~ возникать(о благоприятной возможности); 불이 ~ зажигаться, загораться(о свете); 세살이 잡혀오는 아이 ребёнок, которому скоро будет три года; 붉어~ краснеть; 오다가다 а) по пути; б) случайно; 오나가나=가나오나 см. 가다 I; 오락 가락하다 а) бродить, слоняться взад и вперёд; 온다 간다는 말없이 втихомолку.
오라 *уст.* красная верёвка, которой связывают преступника; ~를 지다 а) быть связанным верёвкой(о преступнике); б): 오라질 *разг. бран.* проклятый.
오라버니 старший брат(для сестры)
오락(娛樂) I развлечение, отдых; ~하다 развлекаться; ~기 игровой автомат; ~실 комната для развлечений; игровая комната.
오락(誤落) II *уст.* 1) *сокр.* от 오자 [낙서] 2) ~하다 упасть(напр. оступившись).

오래 долго;~다 давний, древний, долгий, длительный; ~오래 очень долго, вечно; 오랜 기간 долгий срок, долгое время; 오랜 우정 долголетняя дружба; ~앉으면 새도 살을 맞는다 *посл.*≅ на высоком посту не засиживайся.

오래 전에, 옛날에 давно.

오래간만이다 сколько лет, сколько зим

오래되다 пройти долго по времени.

오랜만에 за долгое время.

오렌지 апельсин;~나무 апельсиновое дерево;~색 оранжевый цвет

오로지 только, лишь.

오르내리다(층계 따위를) то подниматься, то опускаться; 사람들의 입에) попадать на язык.

오르다 забираться, залезать (높은 곳으로) подниматься; 게재, 기록) быть записанным (занесённым); (전염) зара-жаться чем-л.; (약이) вселяться; 살이 ~ поправляться, полнеть; 오를 수 없는 나무는 처다보지도 말아라 *посл. букв.*≅не смотри на такое дерево, на которое не можешь забраться; 오르락내리락 то подниматься, то опускаться; скакать(о температуре); 살이~ поправляться, полнеть; 때가~ запачкаться, перепачкаться; 올라가다 а) подниматься, взбираться; б) идти (ехать) против течения; в) ехать, идти (из провинции в столицу); г) переходить (напр. в старший класс); д) повышаться(напр. о ценах); е) терять; ж) прост. см. 죽다 올라오다 а) подниматься, взбираться; б) приехать, прийти (из провинции в столицу); в) вырвать, стошнить(напр. от кашля).

오르르 ~하다 а) быстро двигаться(о человеке небольшого роста); б) внезапно закипеть(забурлить); в) разом развалиться(разрушиться; г) с грохотом рухнуть.

오르막 подъём; ~길 дорога в гору.

오른 правый; ~편에서 справа; ~편으로 направо; ~발 правая нога; ~팔 (오른쪽 팔) правая рука; (심복) помощник; ~편(쪽) правая сторона. ~살바 повязка, надеваемая на правую ногу борца; ~씨름 ведение борьбы в правосторонней стойке(в кор. нац. борьбе); ~쪽 правый; ~쪽으로 направо

오리 утка; ~걸음 утинная походка; ~고기 утячье мясо; 새끼~ утёнок; ~홰 탄 것 같다 *погов.* ≅ не в свои сани не садись; ~알에 제 똥묻은 줄 모른다 *посл.* ≅ в чужом глазу соринку видит, а в своём бревно не замечает.

오만(傲慢) I ~무도 наглость и жестокость; ~무례 наглость и бесцеремонность; ~스럽다 прил. казаться наглым; ~하다 наглый.

오만(五萬) II 1) пятьдесят тысяч; 2) тьма, уйма; ~소리를 다 하다 наговорить чепухи.

오만(傲慢) III высокомерие, надменность; ~하다 высокомерный, надменный, заносчивый, кичливый; ~불손하다 высокомерный, надменный.

오명 запятнанная(дурная) репутация; ~을 벗다 восстанавливать репутацию(честь); ~을 쓰다 смыть позор; ~을 씻다 смыть позор; ~을 벗다 восстанавливать репутацию (честь).

오보(誤報) неправильная, неверная информация; ложное сообщение (известие); неверные сведения; неточные данные; ~하다 ложно (неправильно) информировать; дезинформировать; сообщать неверные сведения.

오열(嗚咽) ~하다 всхлипывать.

오염 загрязнение; (군사적으로) заражение; ~되다 быть загрязнённым; ~시키다 пачкать, загрязнять; ~구역 заражённый район; ~물 заражённый предмет; 대기~ загрязнение воздуха; 환경~загрязнение окружающей среды.

오월(五月) май.

오이 огурец; ~넝쿨에 가지 열릴가? *посл.*≅ разве растут баклажаны на огуречных плетях?.

-오이다 уст. вежл. оконч. повеств. ф. предикатива; 꽃이 피오이다 распускаются цветы.

오전(午前) II время до полудня; ~에 до полудня; ~10시에 в десять часов дня.

오점(汚點) помарка, загрязнение, пятно; (평판에 대한) пятно позора, пятно на репутации; ~을 남기다 загрязнять, пачкать, пятнать; ~을 씻다 смывать пятно; ~ 하나 없는 без единого пятна, незапятнанный, безупречный.

오죽(烏竹) I бот. листоколосник чёрный.

오죽 II разг. как, сколько; 그것을 들으면 ~기뻐할까 как он будет рад, услышав это. 오죽이나 как.

오줌, 소변 моча; ~을 누다(싸다) оправляться, мочиться; ~이 마렵다 чувствовать позывы к мочеиспусканию; ~에도 데겠다 ирон. муха крылом перешибёт(о тщедушном человеке).

오직 I только, лишь.

오직 II ошибочный(неверный) диагноз.

오해(誤解) неверное понимание, недоразумение; ~하다 неверно понимать; ~를 초래하다 создавать недоразумение; ~를 풀다 рассеять, разъяснять недоразумение; ~ 때문에 по недоразу-мению.

오후(午後) время после полудня; ~에 время после полудня; ~ 2시에 два часа дня; ~ 11시 11 часов вечера.

오히려 1) наоборот, напротив; скорее всего; 2) все же.

옥(玉)(구슬보석) I 1) драгоценный камень; 2) (보석의 일종) нефрит, яшма;옥에티(옥에는 티나있지) *погов.* ≅и на солнце есть пятна.

옥(獄) II тюрьма; ~바라지하다 носить передачи в тюрьму; ~에 가두다 заключать(засаживать, сажать) в тюрьму; ~살이 пребыва-ние в тюрьме.

옥상(屋上) ~에 на плоской крыше; ~정원 сад на крыше; ~집 надстройка на крыше дома; ~가옥 а) надстройка на крыше дома; б) обр. ненужное повторение.

온 I весь, целый; ~몸이 떨리다 дрожать всем телом; ~몸에 по всему телу; ~힘을 다하여 изо всех сил; ~세상 весь мир; 그는 ~몸이 먼지 투성이다 он весь в пыли; ~거리 вся улица; ~세계 весь мир.

온 II межд., выражающее испуг, удивление ах!, ох!

온갖 всякий, всяческий; ~노력을 다하다 всячески стараться; ~종류의 всякого рода;

온건 ~하다 умеренный, здравый, здоровый; ~책 умеренная политика (тактика); ~파 партия умеренных.

온기(溫氣), 열 I тепло.

온기(溫器) II тепло.

온난(溫暖) ~하다 тёплый, умеренный; ~한 기후 умеренный климат; ~전선 тёплый фронт; ~기단 массы тёплого воздуха.

온도(溫度)열 температура; ~를재다

измерять температуру; ~계 термометр; 연평균 ~ средняя годовая температура.

온돌(溫突) утеплённый пол(в корейском доме); ~방 комната с утеплённым полом.

온실(溫室) теплица;~속의 교육 оранжерейное, тепличное воспитание; ~에서 자란 사람 человек воспитанный как в теплице, изнеженный человек; ~에서 자란아이 тепличный ребёнок; ~식물 оранжерейное растение.

온전 ~하다 целый, полный.

온천(溫泉) горячий(минеральный) источник; ~에 가다 ехать на горячие источники; ~수 горячие минеральные воды; ~장 курорт с горячими(минеральными) источниками.; 온천하다 нетронутый, сохранившийся целиком (напр. о деньгах, имуществе).

온통 все; целиком.

올 I одна(отдельная) нитка; 올이 곧다 прямой(о характере); 올이되다 а) плотный и прочный(о ткани); б) упрямый и заносчивый.

올 (올해의 준말) II этот год; ~여름 лето этого года; 올 одна нитка;~이 곧다 прямой, нелицемерный.

올- преф. ранний(о растениях); 올벼 ранний рис.

올가미(짐승을 잡기 위한) ловушка, петля, аркан; ~를 쓰다 становиться жертвой(чъих-л.) интриг;~를 씌우다 взять хитростью, ловить в ловушку; ~없는 개장사 обр. торговец без капитала.

올라가다 взбираться, лезть вверх; (높은 곳으로) подниматься, взбираться; 거슬러~ идти, ехать против течения.

올리다(높은 곳으로) поднимать; (거행하다) проводить, устраивать; (드리다) давать, преподносить; (얻다) добиваться; (기재) вмещать, вписывать; 결혼식을~ справлять свадьбу; 기도를 ~ молиться, читать молитву; 올려 в сложн. гл. вверх, наверх; 올려다 보다 а) смотреть снизу вверх; б) смотреть с восхищением.

올바로 честно, прямо, правильно.

올봄 весна этого года;~에 весной этого года.

-올시다 вежл. повеств. ф. глаголасвязки 이다. 올해 этот год.

옭다(잡아매다) ловить сеткой; (사람을 정신적으로) ограничивать, стеснять.

옮기다 перемещать, переносить, переводить; 발을~ передвигать ноги; 시선을~ переводить взгляд; 실행(실천)에~ претворять в жизнь; 옮겨앉다 а) пересаживаться; б) переселяться, менять(местожительство).

옮다 1) переезжать, перебираться; перебрасываться(о пожаре, огне); 2) передаваться(о болезни); 3) окрашиваться.

옰 отплата, возмещение; 옰을 내다 возмещать, компенсировать.

옳다 правильный, верный; 옳게 행동하다 поступать правильно; 옳은 해석 верное толкование; 당신 말이~ Вы правы; 옳고 그른 것을 판단하다 определять, что правильно и неправильно. 옳바로 правильно, верно.

옳바르다(옳바르니,옳발라) правильный, верный.

옳지 точно, верно, правильно.

-옵- суф. вежливости в предика- тиве.

옵세트(англ. offset) полигр. офсет, офсетная печать.

옵션 выбор, право выбора(замены).

옷 одежда, платье;~을 벗다 раздеваться;~을 벗은 неодетый, раздетый;~을 입히다 надевать одежду, одеваться; ~치레하다 принаряжаться, приодеваться; ~가지 предметы одежды; ~감 отрез материи; ~걸이 вешалка; ~깃 ворот, воротник; ~맵시 вид (фасон) одежды; ~자락 подол(пола) одежды; ~장 платяной шкаф; 겉~ верхняя одежда; 속~ нижнее бельё; ~은 새 옷이 좋고 사람은 옛사람이 좋다 *посл. букв.* =новое платье лучше старого, но старый друг лучше нового; ~을 입다 а) надевать одежду, одеваться; б) появляться(о плесени на растёртых соевых бобах, из которых готовится соевый творог); 옷 두벌 два комплекта одежды; 의복 одежда.

옹 нарыв, гнойник; фурункул.

옹- *преф.* маленький и неприглядный.

-옹(-翁) уважаемый, почтенный; 간디~ уважаемый Ганди.

옹달샘 неглубокий источник(родник).

옻 1) яд, содержащийся в смоле лакового дерева; 옻나무 лаковое дерево;~이 오르다 отравиться ядом лакового дерева; 2) ожоги на коже, вызванные смолой лакового дерева.

ㅘ тридцать седьмая буква кор. алфавита; обозначает гласную фонему **ва**.

와 I ва(назв. кор. буквы ㅘ).

와 II 1) гурьбой, толпой; 2) с шумом, с гвалтом; ~하다 а)повалить гурьбой; б) шуметь, галдеть.

-와 вариант оконч. совместного п. см.-과.

와이셔츠(*англ.* white shirt) рубашка, сорочка мужская; верхняя рубашка.

완강(頑强) ~하다 упрямый, упорный; стойкий, настойчивый, неподатливый; ~한 저항 упорное сопротивление.

완결(完結) окончание, завершение; ~하다 полностью заканчивать, завершать; ~성 завершённость; ~편 последняя часть.

완곡(婉曲) ~하다 непрямой, уклончивый, эвфемистический, смягчённый; ~히 말하다 выражаться уклончиво, говорить обиняками (с околичностями); ~어법 эвфемизм.

완공(完工) завершене.

완공되다 быть завершенным о строительных работах.

완납(完納) полная уплата, взнос полностью;~하다 уплачивать(вносить) полностью.

완벽(完璧) совершенство, верх совершенства, безупречность; ~하다 совершенный, идеальный, безупречный; ~을 기하다 стремиться к совершенству;~한 준비태세 полная готовность.

완성(完成) завершение, отделка, совершенство; ~하다 завершать, заканчивать, совершенствовать, отделывать; ~ 작업 отделочные работы; ~품 готовая продукция; 자기~ самосовершенствование; ~압연*мет.* чистовая прокатка.

완전(完全) I совершенство; ~ 하다 целый, полный, чистый, совершенный, полноценый, безупречный, безукоризненный; ~히 совершенно, полностью, вполне, целиком; ~한 성공 полный успех; ~을 기하다 стремиться к совершенству; ~ 고용 полная занятость; ~무결 (абсолютное) совершенство, безупречность; ~수 целое число; ~기체 см. 이상[기체]; ~권력 полновластие; ~단백질 полноценный белок(жи-вотный); ~변태 биол. полный метаморфоз, полное превращение; ~비료 полное удобрение; ~색맹 *мед.* ахроматопсия ~조직 текст. раппорт.

완충(緩衝) смягчение ударов;~하다 амортизировать; ~기 амортизатор; ~작용 амортизация, буферное действие;~장치 амортизационные устройства, амортизатор; ~지대 буферная зона.

완치(緩治) излечение; ~가 가능한 излечимый; ~하다 полностью излечиваться, вылечиваться; ~의 희망이 없다 нет надежды на излечение.

완쾌(完快) ~되다 полностью поправиться, вылечиться.

완행(緩行) медленное движение, медленный ход; ~하다 двигаться медленным ходом; ~ 열차 поезд с малой скоростью.

왈(曰) книжн. перед прямой речью говорит; гласит.

왈-(曰) преф.кор. так называемый.

왔다갔다하다 прибыть и пойти; прогуливаться, бродить.

왕(王) 1) монарх, государь; король; 백수의 ~ царь зверей; 2) царь; 유대인의 ~ Царь Иудейский.

왕-(王-) (아주 큰) большой, крупный; ~개미 крупный(гиганский) муравей; ~거미 крупный(гиганский) паук; ~겨 крупные рисовые отруби; ~고모 сёстры отца; 왕가물 сильная засуха; ~의 골짜기 долина царская; ~의 대로 царская дорога; ~의 동산 царский сад; ~의 못 царский водоём; ~의 무덤 могила царя; ~의 문 царские ворота.

왕래(往來) 1) общение; 2) посещение (통행) уличное движение; (친교) общение, связь, переписка; ~하다 ходить туда и обратно (курсировать); 서신 ~ переписка.

왕복(往復) хождение, движение в оба конца, курсирование, поездка в оба конца; ~ 하다 ходить, ездить, курсировать туда и обратно; ~비행 беспосадочный самолёт туда и обратно, челночные полёты; ~요금 стоимость проезда в оба конца, проездная плата туда и обратно; ~운동 двойное поступательновозвратное движение; ~차표 билет в оба конца; ~기관 двигатель(паровой, поршневой); ~수송 встречные перевозки; ~차표 билет туда и обратно; ~엽서 открытка с оплаченным ответом.

왕성(旺盛) расцвет, процветание; ~하다 цветущий, процветающий, быть в расцвете; 원기~하다 быть в прекрасном настроении, быть полным энергии, чувствовать прилив сил; 혈기~하다 полный кипучей энергии, быть в бурном расцвете сил.

왜 тридцать девятая буква кор. алфавита; обозначает гласную фонему **вэ.**

왜 почему, зачем; ~그런지 почему-то, отчего-то, по какой-то причине; ~냐하면 потому что.

왜-(倭) японский; ~군 японская армия; ~정 японское управление.

왜곡 извращение, искажение; ~하다 извращать, искажать.

왜냐하면 почему (왜); ~ 때문이다 потому что(так как, поскольку).

왜소(矮小) ~하다 маленький, короткий, низкорослый, малый ростом, карликовый.

왱왱하다 очень громко читать

ᅰ тридцать четвёртая буква кор. алфавита; обозначает гласную фонему **ве.**

외(外) III ~에 помимо, кроме.

외-(外-) I преф. кор. 1) внешний, наружный; 외저항 эл. внешнее сопротивление; 외할머니 2) по материнской линии.

외- II преф. один единственный, одинокий; 외아들 единственный сын; 외나무 одинокое дерево.

-외(-外) суф. кор. вне...; 계획외 внеплановый.

외곡(-曲) извращение, искажение; ~하다 извращать, искажать.

외교(外交) 1) дипломатия, внешнее отношение(сношения);~[적] дипломатический; ~관계 дипломатические отношения; ~내치 уст. внешние сношения и управления страной;~직급 дипломатический ранг; ~특권 юр. дипломатический иммунитет; 2) предательство; ~하다 а) иметь дипломатические отношения; б) общаться; ~대표 дипломатический представитель.

외국(外國) иностранное государст-во; зарубежные страны, заграница; ~법인 юридическое лицо иностранного государства.

외국어(外國語) иностранный язык.

외눈 один(единственный) глаз; ~하나 깜짝 아니 하다 обр. глазом не моргнёт(о бесстрашном человеке).

외다 1) читать наизусть, декламировать; 2) заучивать, зазубривать, запоминать.

외래(外來) 1) сущ. пришедшее извне;~성원 внештатные работники; ~환자 амбулаторный больной; 2) сущ. иностранный, заграничный; ~상품 импортные товары; ~자본 иностранный капитал.

외로움 одиночество, чувство одиночества. 외로이 одиноко.

외롭다 одинокий; 외로운 마음 чувство одиночества.

외아들 единственный сын.

외우다 заучивать, зазубривать, запоминать; (암송) читать наизусть; 시를 ~ читать стихи наизусть.

외출(外出) выход наружу; ~하다 а) (ненадолго) выходить, отлуча-ться; б) воен. уходить в уволь- нение.

외침(畏鍼) уст.~하다 бояться иглоукалывания.

외톨 1) цельный плод(неделя- щийся на дольки); ~밤이 벌레가 먹었다 посл. ≅ а) единственный сын, и тот плохой; б) единственная дорогая вещь, и то пришла в негодность; 2) см. 외도토리.

왼 левый; 왼편(쪽) левая сторона; 왼고개를 젓다(치다) мотать головой(в знак несогласия); 왼 고개를 틀다 отворачиваться; ~눈도 깜짝 아니 하다 даже глазом не моргнуть; ~발 구르고 침 뱉는다 посл. ≅ заварил кашу, а сам удрал; ~새끼 내던졌다 обр. не глядя выбрасывать.

왼쪽 левая сторона левый.

왼편으로 налево.

욍 ~하다 а) издать звон(напр. о натянутой проволоке); б) со свистом разрезать воздух.

ㅛ двадцать пятая буква кор. алфавита, обозначает гласную фонему ё.

요 I ё(назв. кор. буквы ㅛ).

요 II этот.

요(要) III суть; главное; ~하다 требовать(что-л.), нуждаться(в чём-л.); ~는 по существу, в сущности, короче говоря, в конце концов; 환자는 절대 안정을 ~한다 больному требуется абсолютный покой.

-요 I вежл. оконч. гл.-связки: 저것이 말이요 вон то -лошадь; 이것이 책이요? Это книга?

-요 II оконч. соед. деепр.

-요 III разг. почтит. частица.

요금(料金) плата, цена, взнос; 수도~을 내다 платить за воду; 전기~ плата за электричество; 가스~ плата за газ.

요란(擾亂) ~하다 шумный, громкий, шутливый; 밖이~하다 на улице шумно; ~스럽다 шумный; громкий

요령(要領) суть, сущность; ~있는 дельный, содержательный, относящийся к делу (к вопросу); ~부득하다 не постигать сути; ~을 터득하다 попадать в (самую) точку.

요리(料理) 1) приготовление пищи; 2) пища, блюдо(кушанье) пища, блюдо, кухня; ~정책 подкуп(кого-л.) путём угощения; 3) умелое управление; ~하다 а) готовить пищу; б) умело управлять; справляться; ~강습소(학원) курсы кули-нарии; ~법 способ приготовления пищи; ~사 повар, кулинар; ~점 ресторан; 프랑스 ~ французская кухня.

요맘때 как раз в это время.

요새(要塞) I ('요사이'의 준말) недавно, на днях, за последнее время; ~지은 집 недавно построенный дом.

요새(要塞) II укреплённый пункт; крепость; ~를 구축하다 сооружать крепость; ~화 фортификация; 해안~ морская крепость.

요소(要所) I важное место, важный пункт.

요소(要素) II фактор; ~를 이루다 быть существенно необходимым; составлять неотъемлемую часть.

요술, 손재간 фокус; ~적 волшебный, магический; ~을 부리다 колдовать, показывать фокусы; заниматься магией(колдовством); ~쟁이 фокусник, колдун, маг; ~하다 колдо- вать, показывать фокусы.

요약(要約) краткие выводы; резюме, основное содержание;~하다 подводить итог; резюмировать, суммировать; ~해서 말하자면 коротко(короче) говоря.

요양(療養) I санаторное лечение, выздоровление, излечение; ~하다 излечиваться, поправляться, исцеляться (в санатории);~소 курорт, санаторий, здравница; ~자 пациент; ~지 (климатический) курорт; 결핵~소 туберкулёзный санаторий; санаторий для больных туберкулёзом; ~도시 курортный город; ~병원 больница санаторного типа; ~탁아소 детские ясли санаторного типа; ~하다 излечиваться (поправляться) в санатории.

요양(擾攘) II ~미정 уст. а) нерешительность; б) неокрепшая воля; ~하다 уст. тревожный, беспокойный, смутный.

요업(窯業) керамическая промышленность; керамика; гончарное производство; ~가 специалист по керамике.

요원(要員) I агент, основной, личный состав, необходимый персонал; 기술~ технический персонал; 의료~ медицин-ский персонал; 철도~ железнодорожный агент.

요원(燎原) II поля, охваченные огнём; ~의 불길 а) степной пожар; б) перен. непреодолимая сила.

요원(遼遠) III поля, охваченные огнём; ~의 불길 степной пожар; ~하다 далёкий, отдалённый; ~한 바다 дальние моря.

요인(要因) I 1) основная причина, фактор; 2) ответственное лицо; 3) 요소 фактор.

요인(要人) II важный человек, важная персона, видный деятель, крупная фигура, ответственное лицо; 정부~ руководители; 당 및 정부~ руководители партии и правительства.

요일(曜日) день недели; 오늘은 무슨 ~이냐 Какой сегодня день недели? 화~ 마다 каждый вторник, по вторникам.

요절(腰折) I ~이 나다 см. ~하다 б), в); ~하다 а) надрывать животики со смеху; б) портиться; ломаться; изнашиваться; в) срываться, не осуществляться.

요절(要節) II уст. важный параграф (абзац).

요절나다 (물건이) портиться, ломаться; (일이) срываться, не осуществляться; 우리의 계획이 요절났다 наш план был расстроен(не осуществился).

요점(要點) главный(важнейший) пункт; ~을 말하다 обрисовывать суть, суммировать, говорить по существу;~을 말하자면 в сущности говоря.

요청(要請) просьба, требование; ~하다 просить(что-л.), требовать (что-л.); 그의~으로 по его просьбе; ~서 письменное требование; (письменная) заявка

요한계시록(-啓示錄) Откровение Иоанн/ Откровение/ Откр. Апокалипсис.

요한복음(-福音) Евангелие от Иоанна/ От Иоанна/ Ин.

요한일(이, 삼)서(-書) Первое(Второе, Третье) послание апостола Иоанна/ 1-е (2-е, 3-е) Иоанна/ 1(2,3)Ин.

욕(辱) (욕설) брань, ругань, оскорбления; ~되다 срамиться, позориться; ~되게 하다 посрамлять; ~을 먹다 быть изруганным; ~을 보다 переносить тяжёлые испытания; ~보이다 позорить; ~하다 ругаться, отпускать ругательства;, сыпать руганью, ругать (кого-л.); 뒤에서 ~하다 злословить за глаза(за спиной);~설 бранная речь; ругательство, брань; ~쟁이 сквернослов.

-욕(-慾) жажда; 금전~ жажда золота, алчность к деньгам; 지식~ жажда знаний, алчность к знаниям.

욕구(慾求) желание; потребности; ~하다 желать(чего-л.); ~를 충족시키다 удовлетворять желание; ~불만 неудовлетворённость.

욕망(慾望) чаяние;страстное желание; жажда (чего-л.); ~하다 страстно желать, жаждать, чаять.

욕실(浴室) ванная комната.

욕심(욕망) сильное желание;~이 많은 алчный, жадный, корыстный; ~이 없는 бескорыстный;~쟁이 скряга; ~이 사납다 алчный; корыстолюбивый

욥기 Книга Иова/ Иов / Иов.

용(勇) I 1) все силы(усилия); 용을 빼다 а)прилагать большие усилия; б) иметь большие способности; 2) см. 용기 II

용(龍) II 1) дракон; 용가는데 구름 가고, 범 가는데 바람간다 посл. ≡ куда один, туда и другой; 용 못된 이무기 обр. зловредный человек; 용은 용을 낳고 봉황은 봉황을 낳는다 см. 왕대[밭에 왕대 난다]; 용이 물 밖에 나면 개미가 침노를 한다 уст. посл. ≡ попал в беду от людей пощады не жди; 용의 알을 얻은 것 같다 носиться как курица с яйцом; 2)обр. "дракон", пятый знак двенадцатеричного цикла

-용(用) употребляемый(во что-л), используемый(в чём-л.); 시험용 экзаме-национный; 음식용 идущий в пищу;학생용 для учащихся.

용감(勇敢) доблесть; ~하다 отважный, доблестный, храбрый, мужественный; ~무쌍하다 беспримерно отважный(доблестный, храбрый); ~한 사람 храбрец; ~스럽다 прил. казаться отважным(доблестным).

용광로(鎔鑛爐) доменная печь, домна; ~계통 доменный комплекс; ~밑통 горн доменной печи; ~슬라크 доменный шлак; ~행정 доме-нный процесс; ~용해 доменнная плавка.

용구(用具) принадлежности; 농업~ сельскохозяйственный инвентарь; 소방~ пожарные инструменты; 어업~ рыболовные принадлежности; 필기~ письменные принадлежности

용납(容納) допущение, разрешение; ~하다 проявлять терпимость; ~할 수 없는 недопустимый, непозволительный, непростительный.

용도(用度) I использование; ~가 넓다 широко применяться(использоваться); употребляться для разных нужд.

용도(用道) II уст. способ применения

용돈 карманные деньги, деньги на мелкие расходы.

용량(容量) I вместимость, ёмкость; ~계 фарадметр; ~분석 объёмный анализ; ~부하 эл. ёмкостная нагрузка; ~분석 хим. объёмный ана-лиз.

용법(用法) способ употребления (применения); способ обращения; ~을모르다 не знать как употреблять (что-л.); ~하다 применять(закон).

용변(用便) естественная нужда; ~을 보다 справлять естественную нужду; ~하다 отправлять естественные надобности.

용서(容恕) прощение, ивинение, пощада; ~할 수 없는 непростительный; ~하다 прощать, извинять, щадить; ~를 빌다 извиняться перед кем-л. в чём-то; ~없이 безжалостно, неприклонно, неумолимо; ~하십시오 Изви-ните; 죄의 ~ прощение грехов. 용서해 주다 прощать.

용수철 пружина, рессора;~의 пружинный, рессорный; ~을 넣은 매트리스 пружинный матрац; 나선형의 ~ спиральная пружина(рессора); ~완충기 ж.-д. пружинный буфер.

용의(用意) I намерение,готовность; ~가 있다 намереваться, готовиться; ~ 주도하다 предусмотрительный, заботливый, тщательный; ~하다 намереваться, готовиться.

용의(庸醫) II уст. посредственный (неквалифицированный) медик.

용의자(容疑者) подозреваемое лицо; 살인사건~ подозреваемый в убийстве.

용접(鎔接) I наплавка, сварка; ~하다 сваривать; ~공 сварщик; ~기 сварочный аппарат; ~집게 держатель сварочного прута.

용접(容接) II ~하다 а) встречать (гостя); б) уст. сближаться, завязывать дружбу.

용지(用紙) I бланк, форма;~에 기입하다 заполнять бланк; 주문~ заказной бланк;투표~(избирательный бюллетень).

용지(用地) II земля, участок, полоса отчуждения(отвода); 주택~ земля под строительство жилого дома; 목장~ земля под выпас.

용품(用品) I принадлежности; 가정~ предметы домашнего обихода; 일상~ товары широкого потребления; 여행~ дорожные принадлежности.

용품(庸品) II уст. 1) вещь(товар) низкого качества; 2) низкий ранг.

용해(溶解) I растворение; ~ 성의 растворимый; ~하다 растворять[ся];

물이~하다 растворяться в воде; ~도 степень растворимости; ~성 растворимость; ~액 раствор;~점 точка плавления.

용해(熔解) II плавление, плавка; ~강도 интенсивность плавки; ~용접 сварка плавлением; ~하다 плавиться.

ㅜ двадцать шестая буква кор. алфавита; обозначает гласную фонему У.

우 I У(назв. кор. буквы ㅜ).

우(위) II 1) верхняя часть; ~에 а) на, над; б) выше; 2) вершина; 3) поверхность; 4) верхняя половина тела; 5) верхи, начальство; 6): 우이다 а) превосходить, быть лучшим; б) быть больше(старше); 7) 이(그, 제) 우에 сверх этого(того); в добавление к этому(тому); 8) см. 웃돈 우(위)가 없다 не выше, не больше; 우를 접다 а) иметь подавляющее превосходство; б) превосходить старших; 우[를]주다 приносить выгоду (о торговле); 우-(위)를 집다 ни во что не ставить, относиться свысока

우(優) III очень хорошо, отлично (балл в четырёхбалльной системе)

우(右) IV правая сторона; 우로 돌앗! направо!

-우 суф. образующий побуд. залог от перех. гл.:~지다 брать на себя; -지우다 заставлять, позволять брать на себя, возлагать(на кого-л.).

우거지다 густо расти; густеть; 뜰에 잡초가~ в саду густо растёт трава.

우그러지다 вгибаться, вваливаться, вдавливаться.

우기(雨氣) сезон дождей; ~에 접어들었다 наступил сезон дождей.

우기다 1) настаивать(на чём-л.); 자기의 의견이 옳다고 ~ стоять на своём мнении, упорствовать; 2) настоятельно советовать, навязывать.

우등(優等) высший сорт, ранг, класс; ~으로 대학교를 졸업하다 окончить университет с отличием; ~상 почётный приз; награда за отличные успехи в учёбе; ~생 хорошо успевающий учащийся; отличник; лучший ученик; ~사수 воен. отличный стрелок; ~하다 быть первым(лучшим).

우등상(優等賞) награда за отличные успехи в учёбе.

우량(優良) I ~하다 высококачественный; отборный; превосходный; отличный; ~아 физически крепкий ребёнок;~종(씨앗) отборные(селекционные) семена; (가축) породистое племя; ~주 акции перспективных предприятий; ~품 высококачественный товар.

우량(雨量) II количество дождевых осадков; ~계 дождемер.

우러나다 настаиваться, завариваться; 껌에서 단맛이 우러났다 жевательная резинка потеряла сладкий вкус; 이차는 잘 우러난다 этот чай хорошо заваривается; см. 우러나오다.

우러나오다 возникать, рождаться, приходить в голову; 진심에서 우러나온 감사 сердечная благодарность.

우려(憂慮) опасение, тревога, беспокойство; ~하다 беспокоиться(о ком-л.), тревожиться, опасаться; 감기에 걸릴 ~가 있다 есть опасность простудиться; 그의 건강을 ~하다 опасаться за его здоровье

우리 I (가축의)сарай(загон)для скота, хлев; 돼지~ свинарник; 소~ коровник; 닭의~курятник.

우리 II мы, наш; ~집에서 у нас дома;

~집 наш дом, наша квартира;~집 사람 мой муж, моя жена.

우물 колодец; ~에서 물을긷다 брать воду из колодца; ~가(에) около колодца;~귀신 этн. душа утонув-шего в колодце;~길에서 반살미받는다 обр. неожиданно хорошо поесть; ~안 개구리 обр. ограниченый(недалёкий) человек; ~옆에서 말라 죽겠다 *посл.* ≅ букв. умрёт от жажды около колодца(о совершенно неприспособленном человеке); ~을 파도 한 ~을 파라 *погов.* ≅ за двумя зайцами погонишься, ни одного не поймаешь(букв. колодец рой, но только один); ~에 가 숭늉 찾겠다(달라겠다) см. 보리밭 [에 가 숭늉 찾겠다]; ~에 든 고기 как рыба в воде; 2) см. 보조개; ~이 지다 быть впалым(ввалившимся).

우박(雨雹) град; ~처럼 градом; ~피해 градобитие; ~맞은 소똥(재더미) 같다 обр. очень рябое лицо; ~치다 а) идти(о граде); б) сыпаться градом(о пулях и т.п.).

우발(偶發) случайное возникновение; ~적 사건 случайное (неожиданное) событие; ~하다 случайно(неожиданно) возникать.

우산(雨傘), 양산(洋傘) зонт, зонтик (от дождя); ~을 쓰다 держать зонт в руке;~을 접다 закрывать зонтик; ~을 펴다 открывать зонтик; ~꽂이 подставка для зонтиков;~대 стержень зонтика.

우상(偶像) I идол, фетиш, кумир;~을 숭배하다 поклоняться идолу (кумиру); ~숭배 идолопоклонство, фетишизм; ~숭배자 идолопоклонник.

우상(羽狀) II сущ. перистый;~복엽 бот. перистосложный лист.

우선(于先) I прежде всего;~먹기는 곳감이 달다 *посл.* ≅ жить одним днём (не думая о будущем).

우선(優先) II (먼저)первенство, предпочтение; ~적 преимущественный, предпочтительный; ~하다 пользоваться предпочтением; ~권 преимущественное право; ~배당 преимущество в отношении дивиденда.

우세(優勢) I превосходство, преимущество, перевес; ~하다 превосходящий; ~를 보이다 превосходить, иметь перевес, демонстрировать превосходство; ~를 차지하다 брать верх, пере-вес(над кем-л.); 명백히 ~하다 иметь явное преимущество (перед кем-л.); 병력의~ превосходить в силе; 수적 ~ численное превосходство,численный перевес

우세(牛稅) II уст. налог на вола.

우송(郵送) почтовая посылка; ~하다 посылать по почте;~료 почтовый тариф, оплата.

우수(優秀) I превосходство, выдающее качества; ~하다 превосходный, лучший, отличный; ~한 성적으로 대학을 졸업하다 окончить университет с отличием.

우수(憂愁) II грусть, печаль; меланхолия; ~의 мелонхоличный, грустный, печальный; ~에 잠기다 быть объятым глубокой печалью; быть в глубокой печали;~하다 быть печальным(грустным).

우수수: ~떨어지다 опадать, осыпаться; 바람에 나뭇잎이 ~떨어진다 от ветра с шелестом осыпаются листья;~하다 а) рассыпаться; б) осыпаться(о листьях); в) шелестеть (об осыпающихся листьях).

우승(優勝) первенство, победа; ~하다 одерживать победу, завоёвывать первенство; ~기 переходящее знамя,

знамя присуждаемое за победу; ~자 победитель; ~컵 кубок; ~패 уст. а) лучший побеждает, слабый терпит поражение; б) сильный выживает, слабый поги-бает.

우애(友愛) братство, дружба; ~롭다 братский, дружный, дружеский; ~심 чувство братства (дружбы); братская любовь, дружеские чувства; ~하다 дружить, быть братьями.

우여(紆餘) ~곡절 а) уст. извилины, зигзаги; б) превратности; трудности; ~하다 уст. а) извилистый; б) способный и уверенный; в) гладкий (о фразе)

우연(偶然) случайность; ~하다 случайный, неожиданный; ~히 случайно, неожиданно; ~의 일치 случайное совпадение; ~의 탓으로 돌리다 приписывать случайности, сводить к случайностям; ~히 만나다 случайно встретиться; ~성 случайность; ~적 случайный; ~분자 случайные элементы; ~판단 лог. аксидентальное суждение; ~스럽다 прил. казаться случайным (неожиданным).

우열(優劣) превосходство; ~을 다투다 оспаривать(бороться) за превосходство; ~을 따지다 обсуждать достоинства и недостатки(одного перед другим); давать преимущество в ущерб другому; ~을 가릴 수 없다 одинаковый, равный.

우울(憂鬱) уныние, угрюмость; ~하다 угрюмый, унылый, меланхаличный; ~에 잠기다 предаваться унынию, впадать в уныние; ~한 기분으로 в мрачном настроении; ~해지다 впадать в уныние(депрессию); ~증 меланхоличность; ~증 환자 меланхолик, ипохондрик

우월(優越) I преимущество; ~하다 быть лучшим(превосходящим); превосходить; иметь превосходство, быть лучше других; 기술이~하다 превосходить в технике; ~감을 갖다 иметь чувство превосходства; ~감 чувство(сознание)собственного превосходства; ~성 превосходство, преимущество.

우월(雨月) II обр. 5-й лунный месяц.

우유(牛乳) I молоко; ~를 먹여 키우다 выкармливать молоком; вскармливать детским питанием; ~병 молочная бутылка; ~분말 порошковое молоко.

우유(優遊) II уст.~도일 предаваться бездельем; ~자적 праздно проводить время; ~하다 бродить без дела; гулять

우유부단(優柔不斷) нерешительность; ~하다 нерешительный, колеблющийся; не решаться, колеба- ться, быть в нерешительности.

우이(牛耳) I уст. 1) воловьи (коровьи) уши; ~독경(송경) см. 소[귀에 경 읽기] I; 2) см. 우두머리; ~를 잡다 стать главой, возглавить.

우이(偶爾) II ~득중 уст. случайное совпадение; ~하다 уст. см. 우연[하다]

우정(友情) дружба, дружеские чувства; ~어린 дружеский, исполненный чувством дружбы; ~을 두텁게 하다 укреплять дружбу; ~으로 подружески.

우주(虞主) I поминальная дощечка, приносимая во время жертвоприношения.

우주(宇宙) II вселенная, космос; ~의 космический; ~개발 освоение космоса; ~과학 космология; ~복 (космический) скафандр; ~비행 космический полёт, полёт в космос; ~비행사 лётчик-космонавт; ~비행선 космический корабль; ~정거장 космическая станция;

~공간 космическое пространство; ~광선 космические лучи; ~로케트 космическая ракета; ~먼지 космическая пыль; ~복사 космическая радиация; ~비행복 космический скафандр; ~비행학 астронавтика, космонавтика; ~시대 космическая эра; ~자기 космический магнетизм; ~진화론 космогония; ~인력 см. 만유 [인력] II

우중(雨中) ~에 во времы дождя, в дождь, под дождём;~에도 불구하고 несмотря на дождь; ~을 무릅쓰고 несмотря на дождь.

우즈베키스탄 타슈켄트 Узбекистан Ташкент.   우쭐거리다 важничать.
우쭐하다 важничать, напускать на себя важность, задирать нос

우체(郵遞)~국 почтамп, почта; ~부 почтальон; ~통 почтовый ящик; ~사령 арх. почтальон.

우측(右側) правая сторона; ~에 справа; ~통행 правостороннее движение, движение по правой стороне; ~기발 спорт. правый угловой флаг; ~공격 спорт. правое нападение.

우크라이나 끼예브 Украина Киев.

우편(郵便) почта, корренспонденция; ~으로 보내다 посылать почтой, по почте; ~물 почта, почтовое отправление; ~배달 доставка почты; ~주문 заказ по почте; ~함 почтовый ящик; ~환 почтовый денежный перевод; 항공~ авиапочта; ~배달부 письмоносец, почтальон; ~엽서 почтовая открытка.

우표(郵票) марка; ...에 ~를 붙이다 клеить (почтовую) марку; ~수집 собирание почтовых марок; ~수집가 филателист.

우호(友好) дружба; ~적 дружеский, дружественный; ~관계 дружественные отношения; ~국 дружественное государство; ~조약 договор о дружбе.

우회(迂廻) обход; ~적 обходный; ~적 방법으로 обходным(окружным, окольным) путём;~도로 кружный(окольный) путь;~작전 воен. операция по обходу; ~하다 обходить (что-л.); делать крюк, идти кружным путём.

욱(旭) I "восходящее солнце"(сорт яблок). 욱 II горячо, взволнованно.

운(運) I судьба, фортуна, ~나쁜 невезучий, неудачливый; ~좋은 везучий, удачливый; ~이 나쁘다 не везёт (кому-л.); ~나쁘게도 к неудаче; ~에 맡기고 рискуя, на авось; 그의 ~이 다했다 его звезда закатилась; счастье ему изменило.

운(韻) II рифма; ~을 달다 добавлять к сказанному; ~을 떼다 начинать рассказ.

운동(運動),움직임 движение; кампания спорт.~하다(물리) двигать[ся]; ~경기 спортивное соревнование, матч; ~기구 спортивный инвентарь; ~복 спортивный костюм, спортивная форма; ~선수 спортсмен; ~신경 двигательный нерв; ~요법 лечебная гимнастика; ~장 спорт. площадка, стадион; ~화 спортивная обувь, кеды; ~회 физкультурный(спортивный) праздник; 독립~ движения за национальную независимость; 독립 ~가 борец за национальную независимость; 선거~ избирательная кампания; ~곤난 мед. дискинезия; ~기관 зоол. механизм передвижения; ~요법 мед. кинезотерапия; ~마비 паралич; ~마찰 физ. трение движения; ~성단 см. 성군 II; ~실조 нарушение координации движения; ~중추 центральный двигательный нерв; ~완성증 мед. брадикинезия.

운동량(運動量) физ. 1) кинетический импульс; 2) количество движения.

운명(運命) судьба, рок; ~적 роковой, фатальный, неизбежный, неминуемый; ~에 맡기다 оставить на произвол судьбы; ~을 같이하다 разделять судьбу(с кем-л.); 실패할 ~이다 быть обречённым на провал; ~론 фатализм; ~론자 фаталист

운반(運搬) перевозка, транспортировка; ~하다 перевозить, транспортировать; ~료 плата за перевозку грузов;~비 транспортные расходы; ~선 грузовой лайнер, транспортное судно; ~업 перевозка грузов; ~차 грузовик; ~연층갱도 горн. откаточный штрек.

운송(運送) перевозка, транспортировка; ~하다 перевозить, транспортировать; ~비 транспортные расходы; ~업 первозка грузов; ~업자 человек, занимающийся перевозкой грузов; ~품 перевозимый товар; 화물 ~ первозка грузов.

운영(運營) управление;~하다 вести, управлять, эксплуатировать;기업을 ~하다 управлять предприятием;~비 расходы на управление(эксплуатацию); ~자금 оборотный капитал; ~속도 эксплуатационная скорость; 운영하는 모습이 달라지다 образ управления изменяется.

운용(運用) применение, использование; ~하다 использовать, применять, пускать в ход.

운임(運賃) плата за перевозку; фрахт; стоимость перевозки; ~표 тариф.

운전(運轉) вождение(машины), пилотирование; ~면허시험 экзамен на получение прав; ~면허증 водительские права; ~하다 водить, сидеть за рулём, управлять; 배를 ~하다 управлять кораблём; 자동차를 ~하다 водить автомобиль(автомашину); 그렇게 ~하면 사고낸다 при такой езде происходят аварии; ~대 руль; ~면허증 водительские права; ~석 кабина водителя, ма-шиниста; ~수 машинист, шофёр, моторист; 시~ (пробное) испытание, испытательный пробег; ~하다 а) работать(на станке); б) водить; управлять;~계통 тех. рабочая сис-тема; ~자본 уст. см. 유동 [자본].

운전사(運轉士) водитель.

운전실(運轉室) кабина управления.

운행(運行),움직임 ход (차의) движение, ход; (천체의)обращение; ~하다 ходить, курсировать; 열차의~ эксплуатация железной дороги; 열차 ~ 시간표 расписание поездов; 자동차 ~ движение автомобильного транспотра; ~강도 интенсивность движения.

운행표(運行表) расписание движения транспорта.

울 I (울타리) 1) ободок, край; ~밑에 под забором.

울 II забор(изготовленный из веток).

울긋불긋하다 разноцветный.

울다(우니, 우오) (사람이) плакать; (새, 벌레가) петь, щебетать, чирикать; 울며불며(울고불고) рыдая; 기뻐서~ плакать от радости; 흐느껴 ~ хныкать, плакать, хныкая; 울며겨자먹기 погов. ≡ делать (что-л.) через силу(букв. плакать, но есть горчицу); 우는 애기(아이) 젖준다(울지 않는 아이 젖 주랴) погов. букв.≡ плачущему ребёнку дают грудь; 울고싶자 때린다 (울려는 아이 뺨치기) посл. ≡ а) делать(что-л.) под(каким-л.) предлогом; б) подливать масла в огонь;우는소리 фальшивые

жалобы(стенания, стоны); 우는 살 поющая стрела; 우는토끼 бурундук.
울렁거리다(두근거리다) биться(от волнения).
울리다 звонить(소리가)звучать, раздаваться(о звуках); 심금을 울리는 이야기 трогательный рассказ; 종이 울린다 колокол звонит; 북을~бить в барабан.
울부짖다 громко плакать, реветь, выть; 울부짖는 소리 рёв; 바람이 울부짖는다 ветер воет; 어린아이들이 울부짖는다 дети громко плачут; 짐승이 사납게 울부짖는 зверь страшно ревёт.
울분(鬱憤) чувство обиды; недовольство; ~을 터뜨리다 излить всю обиду(досаду); ~을 그치다 сдерживать гнев(чувство обиды); ~하다 обиженный, недовольный.
울타리 плетень, забор; ..에~를 치다 загораживать, окружать(что-л.) забором; ~밖을 모르다 *посл.* ≅ не видеть дальше своего носа(букв. не знать, что делается за изгородью); ~를 틀다 не пускать(не допускать) посторонних.
울퉁불퉁하다 неровный, негладкий
움 (싹) I почка, побег, росток; ~이 튼다 почка распускается; росток пробивается; ~도 싹도 없다 *обр.* как в воду кануть; 움을 지르다 подавить в зародыше.
움 II 1) погреб; 2) землянка; ~을 묻다 делать(рыть) погреб(землянку); ~안에서 떡 받는다 *посл.* как манна небесная.
움이 트다 росток пробивается.
움직이다 1) приводить в движение, двигаться; 2) действовать; 3) влиять.
웃- верхний; ~마을 верхнее селение; ~사람 старший человек.
웃기다 смешить; 농담하여 ~ смешить шутками.
웃다 смеяться; 남몰래~ смеяться исподтишка(украдкой); 웃고 사람 친다 *посл.* ≅ мягко стелет, да жёстко спать; 웃느라 한 말에 초상 난다 *посл.* ≅ слово не воробей, вылетитне поймаешь; 웃는낯에 침 못 뱉는다(웃는낯에 침뱉으랴?) *посл.*≅ каков привет, таков и ответ.
웃음, 웃음소리 смех; смех, улыбка; 너털~ заразительный смех; 억지~ глупая(притворная,жеманная) улыбка; 쓴~кислая улыбка;~을 짓다 улыбаться; ~을 참다 подавлять смех, сдерживать смех;~속에 칼이 있다(~속에 칼을 품다) *посл.* ≅ де- ржать нож за пазухой.
웃음거리 посмешище; 세상 사람들의 ~가 되다 становиться всеобщим посмешищем.
웅변(雄辯) красноречие, ораторство; ~의 красноречивый; ~ 가 оратор, трибун; ~술 ораторское искусство; ~으로 красноречиво.
ᅯ тридцать восьмая буква кор. алфавита; обозначает гласную фонему **во.**
워 I во(назв. кор. буквы ᅯ).
워낙 (본디) с самого начала, по природе; (아주)очень, ужасно, слишком.
원(員) I феод. местный правитель
원(院) II феод. постоялый двор для проезжих чиновников.
원(圓) III 1) вона(кор. денежная единица); 2) иена(яп. денежная единица); 3) юань (кит. денежная единица).
원(圓), **동그라미** IV круг.
원, 원주 VII окружность.
원-(元) I преф. кор. первоначальный, основной; 원계획 первоначальный

план

원-(遠) II преф. кор. далёкий; 원거리 дальняя дистанция.

원-(圓) III преф. кор. круглый

-원(員) I суф. кор. 1) член(какого-л. коллектива); 노동당원 член Трудовой партии Кореи; 2) лицо (занятое какойл.деятельностью); 청소원 уборщица: 사무원 служащий

-원(院) II суф. кор. учреждение; 과학원 академия наук; 나병원 лепрозорий

-원(元, 原) III суф. кор. место(происхождения); 제조원 место производства(какого-л. товара)

-원(園) IV суф. кор. сад; 동물원 зоопарк.

원가(原價) 1) см. 본값; 2) себестоимость; ~계산 калькуляция.

원격(遠隔) ~측정 телеизмерение; ~하다 отдалённый, удалённый, далеко отстоящий; ~조정 дистанционное управление.

원근(遠近) 1) дальность и близость; расстояние; ~화법 см. 투시[도법]; 2) люди из ближних и дальних мест.

원로(元老) 1) старейший член, ветеран; 2) феод. престарелые сановники; ~대신 престарелые председатель и заседатели государственного совета.

원료(原料) сырьё, сырьевые материалы; ~적재장 мет. шихтовый двор.; 원료 와 자재 сырьё и материалы.

원료비(原料費) расходы на сырьё.

원산지(原産地) место происхождения (производства, произрастания); место-рождение.

원서(原書) I 1) подлинник, оригинал; 2) заявление прошение

원서(爰書) II феод. показания преступника (документ).

원소(元素) I элемент; ~기호 хим. символ.~분석 хим. элементарный анализ; ~주기률 см. 주기[법칙] I.

원소(園所) II могилы членов королевской фамилии.

원수(怨讐) враг; ~[가(를)]지다 стать врагом; ~는 외나무다리에서 만난다 погов. букв. ≅ повстречаться с недругом на одном бревне, перекинутом через речку;~를 갚다 мстить врагу.

원시(原始) I ~적 первобытный; примитивный ~공동체 первобытная община; ~공산제 первобытный коммунизм; ~공통어 лингв. праязык; ~농법 примитивная система земледелия; ~동물 см. 원생 [동물] 1);~석기시대 археол. неолит; ~함수 мат. первообразная(примитивная) функция; ~행성 астр. протопланета.

원심(遠心) сущ. центробежный; ~분리 центрифугирование; ~분리기 центрифуга;~송풍기(통풍기) центробежный вентилятор;~주조 центробежное литьё; ~펌프 центробежный насос.

원액(元額) I первоначальная сумма.

원액(原液) II неразведённая жидкость

원액(冤厄) III огромное несчастье.

원양(遠洋) открытое море; ~항로 большой каботаж; ~항해 плавание (навигация) в открытом море;~어선 рыболовное судно дальнего лова; ~어업 дальний лов рыбы; лов рыбы в открытом море.

원인(原因), 이유(理由) I первопричина, причина, ~하다 проистекать; восходить; объясняться.

원인(猿人) II обезьяночеловек.

원자(原子) I атом; ~가마 атомный котёл (реактор); ~격자 атомная решётка; ~결합 атомная(ковалентная, гомеополярная) связь; ~구조 структура атома; ~무기 атомное оружие; ~물리[학] атомная физика; ~반응기 атомный реактор; ~번호 атомный номер; ~분자설 атомно-молекулярная теория; ~포병 атомная артиллерия; ~폭탄 атомная бомба; ~폭발 атомный взрыв; ~에네르기 атомная энергия; ~외각 внешняя оболочка атома; 공갈정책 политика атомного шантажа.

원자(元子) II старший законный сын короля.

원자력(原子力) энергия атома, атомная энергия; ~발전소 атомная электростанция; ~쇄빙선 атомный ледокол; ~잠수함 атомная подводная лодка.

원칙(原則) принцип; ~적 принципиальный; ~적동격설 филос. теория принципиальной координации.

원피스 платье. 원하다(願-) хотеть.

원하옵건대 пожалуйста.

원한(怨恨) недовольство; досада, обида, горечь; злоба.

월(月) суф. кор. месяц.

월간(月間) I 1) месяц; 2) месячник.

월간(月刊) II 1) ~하다 издавать каждый месяц; 2) ежемесячное издание; ежемесячник

월경(月經) менструация. ~곤난 дисменоррея. ~과다증 гиперменоррея, меноррагия; ~과소증 гипоменоррея, олигоменоррея; ~동통 меноррагия; ~불순 викарное кровотечение.

월급(月給) брусника.; 월급쟁이 презр. человек, живущий на жалованье.

월세(月貰) 1) ежемесячная плата, получаемая за аренду помещения; 2) жильё(помещение), сдаваемое в аренду на условиях ежемесячной платы.

웜(*англ.* worm) тех. червяк.

왜 сороковая буква кор. алфавита; обозначает гласную сонему **ве.**

웨 I (назв. кор. буквы 웨).

웨딩드레스 свадебное платье.

웨치다 кричать; выкрикивать(лозунги *и т.п.*) 웨침 крик; выкрики.

웬 1) какой; 2) какой-то.

웬만큼 нареч. в меру; должным образом; обычно.

웬만하다 сносный, удовлетворительный; средний; обычный.

ᅱ буква кор. алфавита обозначает гласную фонему **ви.**

위 I ви(назв. кор. буквы 위).

위(胃) II желудок.

위(位) III 1. 1)положение; пост, должность; 2) место; 제 1 위를 생취하다 завоевать первое место; 2.счётн. сл. для поминальных дощечек и духов.

위궤양(胃潰瘍) язва желудка.

위급(危急) критический момент, когда решается судьба государства; ~하다 критический, опасный.

위력(威力) мощь, могущество;~사격 воен. беспокоящий огонь;~성당 см. 운력[성당];~정찰 воен. разведка боем. 위로하다 утешать.

위문(慰問) 1) утешение; ободрение; ~편지 письмо на фронт; 2) визит соболезнования; посещение больного; ~하다 а) утешать; подбадривать; б) наносить визит соболезнования; посещать больного.

위범(違犯) ~하다 нарушать(закон), совершать(преступление)

위생(衛生), 위생학 гигиена; ~적 санитарный, гигиенический; ~열차 санитарный поезд; ~자기 санитарнотехни-ческая керамика; ~초소 санитарный пост; ~체조 оздоровительная гимнастика; ~풍치림 зелёная зона

위안(慰安) 1) утешение; 2) развлечение; отдых; ~하다 а) утешать, успокаивать; б) развлекать.

위엄(威嚴) достоинство; внушительность; ~스럽다 прил. казаться полным собственного достоинства (внушительным); ~하다 преисполненный достоинства; внушительный.

위원회(委員會) комиссия; 준비~ подготовительный комитет

위임(委任) уполномачивание, передача в распоряжение; поручение; ~대리 юр. представительство по договорённости; ~통치 мандат(на управление страной); ~하다 поручать, уполномочивать, доверять; передавать в распоряжение.

위치 местонахождение; ~적 позиционный; ~감각 психол.ощущение равновесия; ~천문학 астрометрия; ~에너르기 физ. потенциальная энергия; ~하다 находиться, быть расположенным; 2) лингв. место образования звука; ~적 변화 лингв. позиционные изменения звуков.

위탁(委託) поручение; эк. комиссия; консигнация; ~부화 подбрасывание яиц в гнёзда других птиц; ~수매 эк. комиссионные заготовки; ~판매 эк. комиссионная торговля; ~하다 поручать, доверять; сдавать на комиссию, отправлять(посылать) на консигнацию.

위하다(爲-) служить, ухаживать(за кем-л.).

위하여(爲-) послелог для, за, ради.

위험(危險) опасность;~스럽다 прил. казаться опасным(рискованным).

윗사람 1) вышепоставленный; 2) вышестоящий

윙 ~하다 а) завывать(о ветре); б) просвистеть(напр. о пуле); 3) жужжать (напр. о моторе).

윙크 подмигивание, моргание; ~하다 подмигивать.

ㅠ двадцать седьмая буква кор. алфавита; обозначает гласную фонему **ю.**

유 I ю(назв. кор. буквы ㅠ).

유(酉) II "курица", 10-й знак двенадцатеричного цикла.

유(有) III бытие, существование; 무에서 ~를 창조하다 из не бытия создать бытие.

유(類) IV (무리) группа, класс; 보석~ драгоценности.

유-(有) преф. кор. имеющийся.

유감(有感) I сожаление; ~스럽게도 к сожалению; ~스럽다 достойный сожаления; ~의 뜻을 표하다 выражать сожаление; 재능을 ~없이 발휘하다 полностью проявлять свои способности; ~이지만 к сожалению; ~하다 вызывающий сожаление; ~하게도 к огорчению.

유격(遊擊) вылазка, налёт, рейд; ~하다 совершать рейды(вылазку); ~대 партизанский отряд; ~대원 партизан, боец партизанского отряда; ~전 партизанская волна; ~근거지 партизанская база; ~투쟁 партизанская борьба

유괴(誘拐) ~하다 уводить(увозить) (ребёнка) с помощью обмана.

유급(留級) I второгодично; ~하다 оставаться на второй год; ~생

второгодник.

유급(有給) II ~의 оплачиваемый; ~휴가 отпуск с сохранением содержания; оплачиваемый отпуск; ~휴가제 система оплачиваемых отпусков.

유기(有期) I ~적 органический; ~물 органическое вещество; ~화합물 органическое соединение; ~감각 психол. органическое ощущение; ~금속 화합물 органометаллическое соединение; ~광물 минералы органического происхождения; ~광물질 비료 органоминеральное удобрение; ~물질 а) органическое вещество; б) см. 유기 화합물; ~비료 органические удобрения; ~합성 органический синтез;~화학 органическая химия; ~유리 органическое стекло.

유기(遺棄) II ~하다 оставлять, бросать, забывать;~죄 уголовная ответственность за оставление опекаемых без присмотра и необходимой помощи.

유난: ~하다 особенный, необычный; ~히 особенно, необычно; ~스럽다 прил. казаться особенным (особым, необычным).

유능(有能) ~하다 способный, обладающий навыками, компетентный.

유니폼(англ. uniform) спортивный костюм.

유도(留都) I уст. ~대신 министр, ведающий государственными делами после выезда короля из столицы;~대장 генерал, охраняющий столицу после выезда короля из столицы; ~하다 оставаться (останавливаться) в столице.

유도(乳道) II ~가 좋다(나쁘다) быть достаточным(недостаточным)(о количестве грудного молока).

유도(誘導) III наведение, управление; ~하다 вести, наводить;~미사일 управляемая ракета; ~질문 наводящий вопрос; ~체 дериват; ~탄 управляемый снаряд; ~동기 муз. вводный мотив; ~무기 управляемое оружие; ~지휘관 командир пункта управления и наведения; ~임무 воен. вводная задача; ~발전기 индукционный мотор.

유독(流毒) I арх. 1)~하다 оставлять вредные последствия; вредно влиять; 2) вредные последствия; вредное влияние(чего-л.).

유독(有毒) II ~하다 ядовитый;~가스 ядовитый газ; ~물질 ядовитое вещество;~식물 ядовитое растение

유동(流動) I 1) течение; 2) текучесть; 노동력의 текучесть рабочей силы; ~자금 оборотные средства; ~자본 оборотный капитал;~파라핀 жидкий парафин; ~폰드 оборотный фонд; ~한계 предел текучести(глины, металла и т.п.); ~적 текучий, непостоянный; ~하다 а) течь(о воде); б) передвигаться, перемещаться; быть текучим; ~성(형세의) текучесть; ~식 жидкая пища; ~자본 оборотный капитал: ~자산 ликвидные средства; ~체 жидкое тело.

유동(遊動) II ~기관총 воен. кочующий пулемёт; ~병원 подвижной (полевой) госпиталь; ~하다 свободно двигаться(передвигаться).

유람(遊覽) осмотр, туризм, экскурсия;~하다 осматривать, совершать экскурсию; ~객 эскурсант, турист; ~선 экскурсионный пароход; ~버스 экскурсионный автобус.

유랑(流浪) бродяжничество, скитание; ~목축 유목; ~하다 бродяжничать, скитаться; кочевать; ~하다 скитальческий, бродяжный, кочевой; ~민 кочевой народ; ~자 бродяга, скиталец.

유료(有料) ~의 платный; ~ 주차장 платная стоянка.

유류(遺留) ~하다 оставлять, забывать; ~품 реликвия.

유리(<琉璃) I ляпис-лазурь, лазурит

유리(流離) II ~걸식 (개걸) нищенствование;~방황(표박)странствование(бродяжничество); ~하다 странствовать, бродяжничать.

유리(遊離) III отделение, отрыв, изоляция; ~하다 отделяться, отрываться; ~산소 свободный кислород; ~전자 свободный электрон.

유리(琉璃) IV стекло; ~를 끼우다 вставлять стекло; ~섬유 хим. стеклянное волокно

유리(有理) V (수학) ~수 рациональное число;~방정식 рациональное уравнение; ~분수 рациональная дробь;~분수식 дробнорациональное уравнение; ~정식 рациональное целое выражение; ~함수 мат. рациональная функция.

유리하다 1) отделяться, оторваться; 2) полезный.

유명(有名) ~하다 знаменитый, известный; ~하게되다 стать знаменитым; ~한 음악가 знаменитый музыкант; ~세 бремя славы ~무실 одно название; фиктивность.

유목(遊牧) кочевое скотоводство; ~의 кочевой; ~하다 кочевать; ~민 скотоводы-кочевники; ~종족 кочевое скотоводческое племя.

유무(有無) бытие и небытие; наличие или отсутствие; ~간 независимо от наличия или отсутствия; ~상통 отсутствие одного восполняется другим.

유별(有別) классификация, сортировка; ~나다 особенный, необычный, отличный, различный;~난 사람 необычный человек; ~스럽다 прил. казаться отличным(особенным, необычным)

유사(有事) I чрезвычайные обстоятельства; критический момент;~시에 в случае крайней необходи-мости,в крайнем случае; крайняя необходимость, непредвиденный случай; ~불여 무사 уст. чем больше шуму, тем меньше толку; ~하다 прил. иметь место, случиться.

유사(類似) II ~하다 сходный, подобный;~성 сходство, анология; ~점 сходные черты, сходство.

유산(硫酸) I серная кислота;~나트륨 сернокислый натрий, сульфат натрия; ~마그네슘 сернокислый магний, сульфат алюминия; ~바륨 сернокислый алюминий, сульфат алюминия; ~칼륨 сернокислый калий, сульфат калия; ~칼슘 сернокислый кальций, сульфат кальция; ~알루미늄 сернокислый алюминий, сульфат алюминия; ~암모늄 сернокислый аммоний, сульфат аммония; ~연광 англезит.

유산(遺産) II наследство; ~을 물려받다 получать в наследство(от кого-л.); ~상속인 наследник; 문화~ культурное наследие.

유선(有線) кабель, провод; ~방송 кабельное телевидение; ~기재 воен. проводное средство связи; ~통신 проводная связь.

유언(遺言) I завещание, завет; ~하다 завещать; ~자 завещатель.

유언(流言) II (ложные) слухи;~비어 а) ложные слухи; "утка"; б) провокационные слухи.

유예(猶豫) отсрочка, откладывание; ~하다 отсрочивать; откладывать; ~미결 быть в нерешительности, колебаться

유용(有用) ~하다 полезный, пригодный, применимый; ~성 поле-зность, пригодность, применимость; ~가격 эк. рыночная цена.

유월(<六月) I июнь.

유유(悠悠) I ~하다 спокойный, неторопливый; ~히 걸어가다 идти неторопливо, идти неторопясь; ~자적한 생활을 하다 вести спокойную жизнь; ~도일 uст. праздно проводить время; ~범범 уст. работать нехотя(без желания);~창천 необъятное голубое небо.

유의하다 обращать внимание, интересоваться; принять во внимание; ~해서 듣다 внимательно слушать.

유익(誘益) ~하다 руководить, вести, направлять.

유일(唯一) ~하다 единственный, единый; ~한 희망 единственная надежда;~무이하다 единственный, уникальный; ~적 единственный; ~관리제 единоначалие; 당의 ~사상[체계] единая идеология партии; ~조류론 лит. теория "единого потока". 유일한 единственный.

유전(流傳) I ~하다(широко)распространять.

유전(遺傳) II наследственность;~병 наследственная болезнь; ~자 공학 генная инженерия; ~적 наследственность; ~인자 биол. ген; 2) арх. ~하다 передаваться(из поколения в поколение).

유전(油田) III нефтяное месторождение

유지(維持) I поддержание; сохранение; ~하다 поддерживать, сохранять; 질서를~하다 поддерживать порядок;~사료 с.-х. поддерживающий корм.

유지(油脂) II масла и жиры; ~작물 масличные культуры.

유지하다 поддерживать, сохранять.

유출(流出) 1) истечение(жидкости); сток (воды); эффузия(газа); ~계수 коэффициент стока; ~균등도 степень равномерности стока; 2) утечка(валюты); ~하다 а) истекать; стекать; вытекать; б) утекать за границу(о валюте).

유치(幼稚) I детство, младенчество; ~하다 наивный, примитивный, незрелый; ~원 детский сад; ~원생 воспитанник детского сада.

유치(留置) II задержание; ~하다 задержать, взять под стражу; ~장 тюремная камера.

유치원(幼稚園) детский сад.

유치원생(幼稚園生) воспитанник детского сада.

유쾌(愉快) ~하다 приятный, радостный, весёлый; ~하게 시간을 보내다 весело проводить время; ~감 приятное(радостное) чувство, радость; ~스럽다 прил. казаться весёлым(радостным; приятным).

유통(儒通) I переписка между конфуцианскими учёными.

유통(流通) II 1) циркуляция(воды или газа); 2) обращение(напр. товаров); ~수단 средства обращения; ~자금 оборотные средства; ~자본 оборотный капитал; 3) широкое употребление;~하다 а) циркулировать; обращаться; б) широко употребляться; (경제) оборот, товарооборот; обращение, распространение, распределение; ~량 количество находящегося в обращении; ~망 каналы обращения(товаров); ~비 издержки обращения; ~화폐 находящийся в обращении денежный знак; 자본 ~ оборот капитала.

유포(流布) I распространение; ~하다 распространяться; ~자 распространитель.

유포(油布) II промасленная хлопчато-бумажная ткань.

유학(留學) обучение за границей; ~을 가다 поехать учиться за границу; ~하다 учёба за рубежом; ~하다 учиться за границей.

유학생(留學生) студент, обучающийся за границей.

유한(有限) I ~하다 имеющий предел, ограниченный; ~소수 конечная десятичная дробь; ~집합 конечное множество; ~책임회사 общество с ограниченой ответственностью; ~급수(합렬) мат. конечный ряд; ~화서 бот. конечное соцветие.

유한(有閑) II ~계급 праздные богатые люди; ~마담(부인) праздная дама.

유해(有害) I вредный, пагубный; 흡연은 건강에~하다 курение вредно для здоровья; ~성 вредность; ~노동 работа на вредном производстве; ~무익 вредность; бесполезность; ~하다 вредный.

유해(遺骸) II останки, труп, прах.

유행(流行) 1) мода; ~의 модный, ходячий, распространённый; ~하다 быть в моде, войти в моду; 최신 ~복 модный костюм; ~에 뒤지다 выйти из моды, отстать от моды; ~가 популярная песня, шлягер; ~가수 исполнитель модных песен; ~이다 быть в моде; ~을 따르다 гнаться за модой; 2)распространение(болезни); поветрие; ~하다 распространяться (напр. об эпидемии); ~성감기 грипп.

유형(有形) I форма; ~의 материальный, конкретный, реальный; ~물 вещи; ~무적 уст. имеются подозрения, но улик нет; ~무형 а) форма или бесформенность; б) вещественное и невещественное; ~하다 прил. имеющий форму.

유형(流刑) II ссылка; ~살이하다 жить в ссылке; ~수 ссыльный; ~지 место ссылки.

유혹(誘惑) искушение, соблазн; ~하다 соблазнять, вводить в искушение; ~자 искуситель, соблазнитель; ~적 соблазнитель.

유효(有效) I эффект, годность; ~하다 действенный, имеющий силу; действующий, эффективный;~기간 срок годности; ~숫자 значащая цифра.

유효(有効) II ~면적 полезная площадь; ~수자 мат. значащая цифра;~염소 хим. активный хлор; ~하다 эффективный, действенный.

유휴(遊休) свободный, неиспользуемый; ~설비 бездействующее (неисполь-зуемое) оборудование; ~기자재 свободные средства(материалы); ~노력 свободная рабочая сила; ~자본 бездействующий капитал.

유흥(遊興) развлечение, веселье, кутёж; ~하다 развлекаться, веселиться, кутить; ~비 расходы на развлечения

육(六) I шесть; ~간 대청 комната с деревянным полом в 6 кан(см. 간 II

1); ~호 활자 нонпарель(кегль).

육(肉) II шесть.

육감(肉感) чувственность, сладострастие; ~적 чувственный, сладострастный, соблазнительный; ~적인 아름다움 чувственная красота.

육교(陸橋) виадук, перекидной мост; пешеходный мостик.

육신(六身) (всё)плоть; тело; шесть частей тела (ноги, руки, голова и туловище);~이 튼튼하다 здоровый, крепкий; ~을 쓰다 двигаться (о человеке); ~의 힘 сила плоти.

육아(育兒) воспитание детей; ~하다 растить(воспитывать) ребёнка; ~법 методы воспитания детей; ~식 детское питание; ~실 детская(комната); ~원 детские ясли.

육지(陸地) суша, земля; ~수문학 гидрология суши; ~꽃버들 ива Шверина(Salix Sc'werinii); ~에 행선이라 *погов.*≅ из песка кнута не сплетёшь.

육친(六親) I 1)родня, родственники (отец, мать, старшие и младшие братья, жена, дети); 2) этн. родители, братья,жена и имущество, дети и внуки, нечистая сила и соответствие гадательным формулам(шесть терминов, употребляемых при гадании).

육친(肉親) II кровное родство; ~의 кровный, родной; ~에 любовь между близкими; ~적 кровный, родственный; ~배려 отеческая (материнская) забота

윤(輪) опорное кольцо; ~운동 спорт. упражнение с обручем.

윤기(潤氣) блеск, лоск; ~가 있는 머리카락 блестящие волосы; ~가 흐르다 блестеть, лосниться; ~를 내다 наводить лоск, блеск,вылащивать, полировать.

윤달(潤月) 1) дополнительный 13-й лунный месяц; 2) февраль в високосном году; ~만난 회양목 *обр.* а) коротышка; б) дело, застывшее на мёртвой точке.

윤락(淪落) ~하다 а) разориться и скитаться на чужбине; б) погрязнуть в разврате(в пороках)(о женщине), падение; ~의 падший, погибший; ~하다 пасть;~녀 падшая женщина

윤리(倫理) моральные принципы, правила поведения; этика;манеры; ~적 этичный, этический,моральный; ~학 этика.

윤전(輪轉) вращение; ~인쇄 печатание на ротации; ~인쇄기 см. 윤전기; ~하다 вращаться; ~기 ротационная машина, ротация.

윤택(潤澤) блеск, лоск; ~하다 богатый, обеспеченный.

윤택하다 зажиточный,изобильный

윤활(潤滑) смазка;~하다 гладкий, скользкий, ~유 смазочное масло.

율(律) I закон, правило; 도덕 ~ моральный кодекс.

율 II 1) ритм; 2) см. 음율; 3) восьмистишие на ханмуне, в котором третья,четвёртая, пятая и шестая строки состояли из пяти(семи) слов; 4) уст. уложение о наказаниях; 5) см. 계율.

율동(律動) ритмические движения, ритм; ~적 ритмичный; ритмический; ~무용 ритмический танец; ~체조 см. 예술[체조]; ~유희 ритмические движения под музыку(игра); ~의 ритмический; ~성 ритмичность; ~ 체조 ритмическая гимнастика.

율법(律法) 1) закон, моральные нормы, заповеди; 2) арх. см. 법율; 3)

см. 계율.　　　융(絨) фланель.

융기(隆起) 1) поднятие; подъём, выпуклость; 지각의 ~ поднятие земной коры; ~해안 поднятый берег; 2) мед. бугристость; ~하다 а) подниматься, выступать; б) быть бугристым.

융자(融資) финансирование, кредиты; ~하다 кредитовать, финансировать; 은행에서 ~를 받다 взять кредит в банке; ~적 финансовый.

융통(融通) обращение, оборот; ~하다 пускать в обращение(в оборот); ~성 приспособляемость; ~자본 капитал в обращении

윷 1) ют(кор. игра, заключающаяся в том, что два или более игрока бросают 4 косточки, набирают от 1-го до 5-ти очков, в зависимости от которых передвигается фишка по клеткам, начерченным на бумаге); 2) косточка при игре в ют;~진아비 шутл. азартный человек.

윷놀이 игра в 'ют'; ~하다 играть в ют; ~채찍 арх. плеть стражника королевского дворца.

ㅡ двадцать четвёртая буква кор. алфавита; обозначает гласную фонему ы.

으 ы(назв. кор. буквы ㅡ).

으깨다 1) дробить, разбивать(напр. комки); 2)давить; растирать; мять.

으뜸 глава, первый, главный

으스러지다 разламываться, разбиваться; 손을 ~지게 잡다 крепко жать руку; крепко держать в руках(брать в руки).

으썩 ~하다 хрустнуть.

은(銀) серебро;~빛의 серебристый; ~본위제 эк. серебряный стандарт.

-은 фонет. вариант выделительно-противит. частицы -는 II.

은근(慇懃) вежливость, учтивость; ~하다 вежливый, учтивый, интимный, тайный; ~한 태도 учтивое обхождение

은둔(隱遁) отшельничество; ~하다 удаляться от мира(света); жить затворником; ~자 отшельник, затворник, анахорет; ~처 жилище (убежище)затворника(отшельника).

은밀(隱密) ~하다 секретный, тайный, скрытный; ~한 장소 секретное место; ~성 секретность.

은빛 свет серебра.

은사(恩師) (уважаемый) учитель, наставник

-은새려 суф. после имени какое там, куда там; 만년필~ 연필도 없었다 какое там авторучка, даже руч-ки не было.

은색(銀色) серебристый цвет.

은인(恩人) благодетель; 그는 나의 ~이다 я ему очень обязан, Я в долгу перед ним; 그는 나의 생명의~이다 я обязан ему жизнью; 생명의 ~ вежл. спаситель; 해방의~ вежл.освободитель.

은총(恩寵) благоклонность, благоволение, особое расположение(вышестоящего); ~을 받다 пользоваться благоволением(особым расположением);~을 베풀다 удостоить благоволением, питать особое расположение(к кому-л.).

은폐(隱蔽) утаивание, сокрытие; ~하다 утаивать, скрывать; 진실을 ~하다 утаивать правду.

은행(銀行) I банк; ~에 예금하다 класть деньги на счёт в банке;~에 구좌를 개설하다 открывать счёт в банке; ~가 банкир; ~원 банковский служащий; ~예금 банковский счёт; ~신용 банковский кредит; ~지폐

уст. см. 은행권.

은행(銀杏) II плоды гинкго; ~따기 сбор листьев шелковицы(при котором оставляют часть с черешком).

은행지점(支店) филиал банка.

은혜(恩惠) благодать; ~롭다 благоетельный, милостливый;~를 베풀다 сделать благодеяние, благодействовать(кому-л.); ~를 입다 быть обязанным (кому-л.).

을(乙) 1) 2-й знак десятеричного цикла; 2) 2-й порядковый номер, вторй пункт; второй, "б"(при перечислении); 3) см. 을방; 4) см. 을시.

-을 фонетич. вариант оконч. вин. п.; см. -를.

읊다 декламировать,читать стихи.

음(音) I звук.

음(陰) II 1) инь, тёмное(женское) начало(в вост. натурфилософии); 2) кор. мед."отрицательные симптомы" озноб, апатия, пассивность); 3) см. 음전기; 음으로 при любой возможности.

음극(陰極) отрицательный полюс, катод; ~관 катодная лампа; ~광 катодное свечение.

음력(陰曆) лунный календарь.

음료(飲料) напиток; ~수 питьевая вода.

음모(陰謀) заговор, интриги;(коварный) замысел; ~를 꾸미다 замышлять заговор, замыслить интригу; ~가 заговорщик, интриган; ~하다 устраивать(заговор), интриговать.

음모자(陰謀者) заговорщик.

음성(音聲) I голос; ~기호 звуковой знак;~주파수 звуковая частота;~학 фонетика, фонетист.

음성(陰性) II тёмное(женское) начало;~모음"тёмные гласные"(в др. - кор.фонетике);~교질 хим. отрицательный коллоид; ~원소 хим. электро-отрицательный элемент; ~식물 тенелюбивые растения.

음식(飮食) пища; ~먹다 есть и пить, питаться;~물 пища(и напитки), пищевые продукты; ~점 ресторан, столовая; ~ 싫은건 개나 주지 사람 싫은건 할 수 없다 *посл.≡* невкусную пищу можно отдать хоть собаке,а с ненавистным человеком так не поступишь;~은 갈수록 줄고 말은 갈수록는다 см. 말[은 보태고 떡은 떤다] V

음악(音樂) музыка; ~가 музыкант; ~당 концертный зал;~원 консерватория;~이론 теория музыки;~회 концерт; 고전~ классическая музыка; 교회~ духовная музыка;~적 музыкальный;~적 순간 музыкальный момент; ~작품 музыкаль-ное сочинение(произведение); ~형상 музыкальный образ; ~영화 музыкальный кинофильм.

음양(陰痒) положительное и отрицательное; мужское и женское начала; активное и пассивное, свет и тень, солнце и луна; ~배합 уст. гармония между инь и ян; ~오행설 учение о противоположных началах и пяти стихиях(в вост. натурфилософии).

음행(淫行) 1) прелюбодеяние; 2) непристойный поступок; см. 음란.

읍(邑) (уездный)город;~내 внутри уездного города, в уездном городе.

응 межд. да; ладно(в разговоре с младшими или равными)

응결(凝結) застывание, затвердевание; ~하다 застывать, затвердевать;

конденсироваться, коагулировать; ~력 коагулирущая способность.

응급(應急) ~의 срочный, экстеренный, временный; ~대책 срочные (экстренные)меры; ~수리 срочный ремонт; ~처치 первая(медицинская) помощь; ~접종 срочная эпидемическая прививка

응모(應募) подписка, заявка, вступление; ~하다 откликаться на призыв; ~액 сумма подписки; ~자 подписчик; ~가격 рыночная цена (напр. акции) ниже номинальной стоимости.

응용(應用) практическое применение(приложение);~할 수 있는 применимый; ~하다 применять на практике, использовать в практике; ~과학 прикладная наука; ~문제 прикладная задача.

응원(應援) поддержка;~하다 оказывать помощь(поддержку); ~가 гимн поддерживающей группы;~기 знамя группы поддерживающих; ~단 группа поддерживающих; ~단장 глава группы поддерживающих.

응하다 отвечать; откликаться; соответствовать; 초대에 ~ принимать приглашение; 시험에 ~ сдавать экзамен; 그에 응하여 в соответствии с этим.

ㅢ тридцать шестая буква кор. алфавита; обозначает гласную фонему **ый**.

의(義) I праведность, справедливость, долг; ~로 맺은 형제 названные братья.

의(議) II обсуждения, дискуссия.

-의(義) I суф.кор. смысл, значение; 제일의 основное(первое) значение.

-의(醫) II суф. кор.врач; 부인[과]의 гинеколог, врачгинеколог.

-의 оконч. род. п.; выражает атрибутивное отношение к последующему сущ.; имя в род. п. обозначает: 1) субъект дествия: 당의호소 призыв партии; 2) объект дей ствия: 조국의 보위 защита родины; 3) целое; часть целого обозначается определяемым; 학생들의 대부분 большинство учащихся; 4) качество или свойство: 향수의 냄새 запах духов; 정의의 투사 борец за справедливость; 5) принадлежность: 아저씨의 모자 дядина шапка; 6) количество или степень: 열 마리의 개 десять собак; 갑절의 비용 двойные расходы; 7) место: 운동장의 모래 песок на спортивной площадке; 8) время: 아침의 경치 пейзаж утром; 9) материал: 대리석의 기둥 мраморная колонна; 10) назначение предмета: 재봉침의 기름 масло для швейной машины.

의견(意見) мнение, взгляд, точка зрения; ~을 진술하다 высказывать мнение;~서 мнение, изложенное в письменном виде.

의결(議決) резолюция;решение, постановление; ~하다 решать, постановлять, вносить резолюцию; ~기관 законодательные органы; ~권 право голоса.

의논(議論) обсуждение; спор, дебаты; ~하다 обсуждать, спорить, дебатировать; ~이 맞다 совпадать(о мнениях); ~이 맞으면 부처도 앙군다 *посл.=* было бы согласие, тогда и бог поможет.

의뢰(依賴) просьба, поручение;~하다 полагаться, зависить, просить, поручать(что-л.); ~서 письменная просьба, ходатайство; ~심 привычка полагаться(на других); ~인 клиент(адвоката).

- 520 -

의료(醫療) лечение; ~기구 медицинские инструменты; ~비 плата за(расходы на) лечение;~시설 медицинское учреждение;~기술 врачебная техника; ~처치 врачебное вмешательство.

의무(義務) долг, обязанность; ~의 обязательный; ~감 чувство(сознание) долга; ~교육 обязательное обучение; ~병역제 система обязательной воинской повинности; ~적 обязательный; ~노력일 обязательный минимум труднодней; ~병역제 система обязательной воинской повинности.

의문(疑問) I вопрос; ~스럽다 вопросительный, содержащий вопрос; ~시하다 считать сомнительным; сомневаться; ~대명사 вопросительное местоимение; ~문 вопросительное предложение; ~사 вопросительное слово; ~점 сомнительный пункт.

의문(倚門) II вопрос; ~하다 вопросительное местоимение.

의미(意味) I значение, смысл, замысел, сущность; ~의 смысловой, семантический; ~하다 значить, означать; ~가없다 бессмысленный; ~론 семасиология, семантика; ~적 смысловой, семантический; ~적 기능 лингв. сигнификативная функция;~색채 оттенок значения.

의미(依微) II ~하다 неясный, туманный; нетвёрдый(о памяти).

의사(醫師) I врач; (구어적으로) доктор; (외과의)хирург; (내과의)терапевт; (개업의)практикующий врач.

의사(意思) II мысль; ~가 서로 통하다 понимать друг друга; ~에 따라 в соответствие с волей; ~부도처 уму непостижимо; ~표시 волеизлияние.

의사(議事) III заседание, прения, обсуждение; ~당 парламентское здание; ~록 протокол(заседания); ~방해 обструкция; ~일정 повестка дня, порядок обсуждения; ~하다 обсуждать, дебатировать.

의사(擬似) IV квази...; псевдо...; ~환자 мнимый больной; ~호렬자 мед. холерина; ~하다 мнимый, ложный

의사소통(意思疏通) коммуникация.
의사전달(意思傳達) передача мысли.
의심(疑心) сомнение, подозрение, недоверие; ~스러운 сомнительный; ~하다 сомневаться, подозревать; ~쩍다 несколько сомнительный (подозрительный); ~스럽다 сомнительный; прост. см. 의 II.

의약(醫藥) лекарства; ~분업 разделение аптекарского дела от медицинской помощи; ~품 медикоменты. ~복서 врачевание и воро-жба

의외(意外) ~의 неожиданный; ~로 неожиданно, вопреки ожиданиям, к удивлению.

의존(依存) зависимость;~하다 опираться, зависеть(от кого-л.); 상호~ взаимозависимость;~성 несамостоятельность, зависимость; ~심 чувство зависимости. 의좋게 дружно.

의혹(疑惑) сомнение, недоверие, подозрение; ~을 품다 подозревать, иметь подозрения, ставить под сомнения; ~을 풀다 рассеять сомнение(подозрение); ~을사다 навлечь на себя подозрения; ~하다 сомневаться; подозревать.

ㅣ двадцать девятая буква кор. алфавита; обозначает гласную фонему **и**.

이 I и (назв. кор. буквы ㅣ).

이, 치아 II зуб; (톱날의) зубец, зубья; 낫이 ~가 빠지다 серп зазубрился; ~가 빠지다 зуб выпал; ~가 빠진 그릇 посуда с щербатым краем; 이가 없으면 잇몸으로 산다 обр. этот орешек тебе не по зубам; 이도 안 났다 ~를 갈다 обр. ещё молоко на губах не обсохло; ~를 갈다(갈아 마시다) иметь зуб(на кого-л.);~를 악물다(깨물다, 물다) стиснуть зубы; 이 아픈 날 콩밥한다 обр. оказывать медвежью услугу; 이에서 신물이 나다(돌다) обр. в зубах навязнуть; ~[가 떨리다] плотно подходить (соединяться).

이 III вошь; ~잡듯 тщательно(искать); 이가 칼을 쓰겠다 очень редкий(о ткани).

이 IV 1) после опред. человек; 그 이 он; 이 이 этот человек, он; 2) после опред. словосочет. или предложения тот, который; 모르는 이 тот, кого я не знаю, незнакомый(человек).

이 V эта, это, этот; 이에 대하여 об этом, относительно этого; 2) этот; эта; это; 이 책 эта книга.; 이 거리는 어디로 갑니까? Куда ведет эта улица?; 이 거리의 이름은 무엇입니까? Как называется эта улица?; 이방값은 얼마입니까? Сколько стоит этот номер?; 이방이 마음에 듭니까? Вам нравится этот номер?; 이 약을 몇 번 먹어야 합니까? Сколько раз нужно принимать это лекарство?

이 백(200) двести.

-이- I суф. страдат. и побуд. залогов гл.

-이- II суф., образующий перех. гл. от предикативных прил.: 높다 высокий> 높이다 повышать.

-이 III арх. разг. оконч. интимн. ф. личного отношения.

-이- IV соединит. гласная после основы прил. или гл.

-이- V модальный суф. предикатива со знач.: 1) предположения: 그가 아마 어제 왔다 간 사람이이 он, повидимому, тот человек, который приходил вчера; 2) обязательности действия: 영원히 소련과 함께 나가야 с Советским Союзом на вечные времена; 내 잠간 갔다 오이 я ненадолго схожу.

-이- VI суф. побуд. или страд. за-лога: 살이다 спасать; воскрешать; 물이다 быть укушенным.

-이까 вежл. оконч. вопр. ф. предикатива со знач: 1) встречного вопроса: 어찌 그들인들 잘 살고 싶지 않으이까? Почему же они не хотят хорошо жить? 2) готовности выполнить действие: 내가 다시 가서 가져오이까? Что мне снова пойти и принести?

-이니 оконч. деепр. причины: 5 시면 방안이 훤하니 그 때 읽을수 있겠다 в пять часов в комнате будет светло и можно будет читать.

-이로다 книжн. высок. оконч. повеств. ф. предикатива со знач.: 1) предположения: 우리는 내일 다시 모이로다 завтра, наверно, мы снова соберёмся; 2) обязательности дей ствия: 내가 한 번 만나이로다 я обязательно (с ним) встречусь.

이간(離間) сеяние раздоров(вражды); отчуждение, разобщение; ~을 붙이다 сеять вражду (раздоры); ~하다 вызвать охлаждение(в чьих-л. отношениях); сеять вражду, разобщать, вбивать клин(между кем-л.).

이거(移去) переезд, переселение; ~하다 менять место жительства, переселяться, перезжать; ~이래 уст. приход и расход.

이것 это; ~은 책이다 Это книга.; 이것은 무슨 건물입니까? Что это за

здание?; 이것은 얼마입니까? Сколько это стоит?; 이것을 다려주십시오 Это погладьте пожалуйста.

이겨내다 преодолевать.

이국(異國) чужая(другая) страна; ~의 чужеземный, иностранный; ~살이 하다 жить на чужбине(в другой стране); ~인 чужеземец, иностранец, чужбина; ~정조 экзотика; ~적 чужеземный.

이권(利權) концессионное право; 광산의 ~을 양도하다 отдать рудники на концессию; ~을 얻다 получить (завоевать) концессию.

이기(利己) I эгоизм, себялюбие; ~적 эгоистичный, себялюбивый; ~주의 эгоизм; ~주의자 эгоист.

이기(利器) II предметы комфорта, удобства; 문명의~ удобства, цивилизация.

이기다, 승리하다 II 1) побеждать, преодолевать, одерживать победу (верх); выигрывать; 전쟁에서~ победить на войне; 2) месить, мелко крошить; 어려운 시련을 ~ выдержать тяжёлые испытания; 고개를 못 ~ не держать голову(напр. о грудном ребёнке). **이기심**(利己心) эгоизм.

이김 победа; 마귀를 ~ победа над дьяволом; 죄를 ~ победа над грехом; 죽음을~ победа над смертью.

이까짓 незначительный, пустяковый.

이끌다(이끄니,이끄오) тянуть, привлекать, втягивать, вовлекать; 서로 돕고 서로 옳은 길로~ вести, руководить привлекать.

이끗(利-) выгода, выгодность.

이날 сегодня, в этот день; ~이때까지 до сих пор, до сего времени; по сей день.

이내(以內) в пределах(чего-л.); не свыше; 다섯시 ~에 не позже пяти часов; 삼십일~에 в течении тридцати дней.

이다 1) положить(поставить) на голову; 2) нести(что-л.)на голове; 3) иметь(что-л.) над головой; 달을 이고 가다 идти при луне.

이달 этот(сей) месяц.

이동(以東) I передвижение, перемещение; ~의 передвижной); ~하다 передвигаться, перемещаться; ~도서관 передвижная библиотека; ~전람회 передвижная выставка; ~영사대 кинопередвижка.

이동(以東) II к востоку от..., восточнее..

이듬해 следующий год.

이러다 говориться(делаться) так (таким образом).

이런 межд.ба!; ну и ну!; вт те на!

이렇게, 이와 같이 так.

이렇다(이러니,이러오) так, так вот, таким образом. сокр. от 이러하다. 이러나저러나 так или иначе, в любом случае; 이러니 저러니 и то и другое, и то и сё; ~저렇다 такой и этакий.

이렇듯 до(в) такой степени, в такой мере.

이렇듯이 в такой мере; подобным образом.

이력(履歷) I 1) биография; 2) ~손실 эл. потеря на гистерезис; ~현상 эл. гистерезис; ~환선 эл. кривая гистерезиса; ~이 나다(붙다 잡히다) приобретать опыт(навык).

이력(履歷) II биография; ~이 나다 приобретать опыт, навык; ~서 автобиография, анкета.

이론(異論) I возражение, разногласие; ~없이 единогласно; ~을 내다 возражать; ~하다 расходиться(о мнениях).

이론(理論), 학설(學說) II 1) теория; ~적

теоретический; ~전기공학 теоретическая электротехника; ~화학 см. 물이[화학]~가 теоретик; ~화 теоретизирование.

이롭다(利-)(해롭다) 1) полезный; выгодный; 2) арх. острый(напр. о ноже); 이것은 우리에게 ~ это приносит нам пользу.

이루 다 헤아릴 수 없다 все невозможно сосчитать.

이루다 создавать, образовывать, составлять; 낙원을 ~ создать рай; 뜻을 ~ добиться своей цели; 잠을 ~ заснуть. **이룩하다** достигать.

이륙(離陸) взлёт, отрыв от земли; ~활주 разбег(самолёта); ~하다 взлетать, отрываться от земли.

이르다 I (이르니, 이르러) достигать, доходить, добираться; 결론에 ~ прийти к выводу; 높은 수준에 ~ достигнуть высокого уровня; 목적지에 ~ добраться до места назначения; 이르는 곳마다 везде. 열두 시에 이르러서 к 12 часам; ...에 이르기까지 вплоть до..., включая...

이르다 II (이르니, 일러) 1) говорить; называть; 2) см. 타이르다; 3) см. 고자질[하다]; 4) после инф. с оконч. 기: 이를 것이(데) 없다 не иметь себе равных; 이를테면 допустим, к примеру.

이를테면 допустим, к примеру; скажем, так сказать.

이름 имя, название; ~난 작가 известный писатель; ~으로 от имени; ~을 짓다 давать имя; ~을 붙이다 давать название, называть, именовать; ~성명[이] 없다 разг. см. ~[이] 없다; ~좋은 하눌타리 обр. пустая бочка; ~[이]없다 неизвестный, безымянный; ~을 두다 уст. подписываться;~하다 называть, именовать; ~있는 (높은) знаменитый, известный; ~을 걸다 входить в состав(какой-л. организации).

이리 I молоки.

이리 II сюда; ~오너라 уст. Можно войти?

이리저리 1) туда и сюда; 2) и так и сяк.

이마 1) лоб; 넓은(좁은) ~ высокий (низкий) лоб; ~를 찌푸리다 морщинить лоб; ~를 뚫어도 진물도 안 나온다 а) ему на голове хоть кол теши; б) у него среди зимы снега не выпросишь;~에 부은 물이 발뒤꿈치에 흐른다 посл. ≅ вода, вылитая на голоау, дотечёт до пяток; ~에 피도 마르지 않다 погов. ≅ на губах ещё молоко не обсохло; 2) см. 이마 돌; ~에 와 닿다 вотвот наступит (исполнится).

이발(理髮) стрижка(волос); ~하다 стричь(волосы), постригаться; ~관 парикмахерская;~사 парикмахер;~기계 машинка для стрижки волос.

이별(離別) расставание, разлука, прощание; ~하다 расставаться, прощаться.

이불 одеяло; ~을 덮다 накрываться одеялом; ~ 안 봐 가며 발 편다 = 누울 자리보고 발 뻗는다; см. 눕다 I; ~안(속)활개 (~안(속)에서 활개를 치다) посл. букв.≅ под одеялом размахивать руками.

이비인후과(耳鼻咽喉科) оториноларин-гология

이쁘다(이쁘니,이뻐) красивый, милый, симпатичный, хорошенький; 이쁘장하다 довольно симпатичный(милый); 이쁘디 ~ очень красивый(симпатичный); 이쁜도적 "милый вор"(о любимой замуж- ней дочери, которая тащит всё из родительского дома в свой).

이사(移徙) I переезд;~하다 переезжать(на другую квартиру); переселяться, менять место жительства; ~를 가다(오다) уехать (приехать); ~할 때 강아지 따라 다니듯 *погов.*= путаясь под ногами, мешая(кому-л.)

이사(異事) II странное(необычное) дело.

이사(二四) III ~분기 второй квартал

이사(理事) IV директор, член правления; 상임~ постоянный член правления; ~로 선출되다 быть выбранным в члены правления; ~장 председатель правления; ~회 правление, директорат

이사회(理事會) совет; комитет; 세계평화 ~ Всемирный Совет Мира.

이삭 колос; ~이 많은 колосистый; ~이 나다 колоситься.

이상(異狀) I перемена, ненормальность, аномалия; ~현상 ненормальные(аномальные) явления; 서부전선 ~ 없다 на западном фронте нет перемен; ~이 없다 нет ничего странного, нормальный; 근무중~ 이없음 за время дежурства никаких происшествий не произошло; ~ 생식 см. 세대[교체] II.

이상(異常) II ~하다(정상이 아닌) необычайный, редкостный, ненормальный, странный, экстраординарный, удивительный, феноменальный; ~광선 физ. необыкновенные лучи; ~스럽다 прил. казаться необычным(странным, ненормальным); см. 의심스럽다.

이상(以上) III ~보다 더 많이 свыше, более, не менее; ~한 바엔 поскольку, раз; 열명 ~ свыше десяти человек; ~과 같이 как указанно выше; 사업이 시작된~ 끝까지 해내야 한다 поскольку дело начато, надо довести его до конца.

이상(理想) IV 1) идеал; 2) идеальное состояние; ~적 идеальный; ~기체 физ. идеальный газ; ~을 세우다 создавать идеал; ~화하다 идеализировать;~을 실현하다 осуществить идеал; ~과 현실 идеал и действительность; ~가 идеалист;~주의 идеализм; ~향 утопия.

이성(離城) I уст. ~하다 уезжать из Сеула (столицы).

이성(理性) II разум;~적 разумный; см. 이지,분별 비~적인 неразумный; ~을 잃다 утрачивать разум; ~적으로 행동하다 действовать разумно, ~주의 рационализм;~주의자 рационалист.

이성(異性) III противоположный пол, другой характер, другая фамилия.; ~에 눈을 뜨다 почувствовать себя мужчиной(женщиной); ~생식 см. 세대 [교체] II; ~에 눈을 뜨다 обр. почувствовать себя мужчиной(женщиной).

이슬 роса; 교수대의 ~로 사라지다 кончить свою жизнь на висилице; ~이 내렸다 выпала роса;~에 옷자락을 적시다 промочить полы одежды росой; ~방울 капля росы; 아침~ раннее утро; ~이 되다(~로 사라지다) обр. сложить голову на поле боя (на эшафоте).

이슬비 моросящий дождь; изморось; ~가 내렸다 моросить.

이식(移植) пересадка, трансплантация; ~하다 пересаживать, трансплантировать; ~수술 операция по пересадке; 각막~ пересадка роговой оболочки глаза; 피부~ пересадка кожи

이십(二十) двадцать; ~사금 чистое золото, золото высшей пробы; ~사절기[절, 절기, 절후] этн. 24 сезона сельскохозяйственного года; ~사 방위

уст. этн. 24 направления; ~사 번 [화신]풍 арх. ветры, которые дуют с 6-7 числа 1-го лунного месяца по 20-21 число 4-го лунного месяца; ~사(24)시 часа~팔(28) 수 созвездий(в вост. астрономии); ~팔점 무당벌레 эпиляхна, бахчевая коровка(Epilachna Viginticotoma- culata).

이야기 рассказ, история; ~하다 говорить, рассказывать, сообщить; ~를 걸다 завязать разговор; 감동적인 ~ волнующий рассказ; ~ 꽃을 피우다 разговориться, увлечься рассказом; оживлённо разговаривать (беседовать); ~거리 предмет разговора; тема рассказа; ~꾼 рассказчик; ~책 книга сказок; ~가 났으니 말이지 к слову сказать, кстати.

이양(耳痒) I зуд в ушах.

이양(移讓) II передача, уступка; ~하다 передавать, уступать; 정권 ~ передача власти.

이어받다 наследовать, получать в наследство(по наследству), принимать эстафету.

이어서 затем, далее продолжая, вслед за, сразу.

이왕 ~에 в прошлом, раньше; до этого, уже; ~이면 раз уж так получилось, то...; во всяком случае.

이용(移用) использование, применение, употребление; ~하다 использовать, применять, употреблять; ~가치 стоимость использования, пригодность; ~률 коэффицент использования; ~자 пользователь; ~후생 уст.улучшение условий жизни; ~하다 использовать, применять, употреблять.

이웃 сосед; ~에 살다 жить по соседству (с кем-л.); ~간 между соседями; ~집 соседний дом, дом соседа; ~불안 недовольство соседями; ~사촌 погов. близкий сосед, что близкий родственник; ~하다 жить по соседству

이웃집 соседний дом; дом соседа; ~개도 부르면 온다 посл. даже собака соседа, если её позовёшь, приходит (упрёк); ~ 며느리 흉도 많다 погов.≃ у близкого человека всегда легче найти недостатки; ~무당 영하지 않는다 погов. ≃ не будешь доверять даже самому близ- кому человеку, если знаешь о нём много плохого; ~색씨 믿고 장가 못간다 посл. ≃ букв. на чужую невесту понадеешься, не женишься.

이월(移越) перенос; ~하다 переносить; 다음해로 ~하다 переносить (что-л.)на следующий отчётный год.

이유(離乳) I ~하다 а) отнимать от груди; б) бросать сосать(грудь); ~기 период отнятия от груди; ~식 детская питательная смесь.

이유(理由) II основание, причина; 정당한~ уважительная причина; 아무이유도 없이 без всякой причины; ~불문하고 безоговорочно, независимо от причины; не спрашивая; (не слушая) в чём дело.

이윤(利潤) прибыль(чистая); ~을 얻다 извлекать(получать) выгоду, прибыль; ~을 추구하다 гнаться за прибылью; ~율 норма прибыли; см. 소득.

이율(利律) процент, процентная ставка; норма процента; ~을 계산하다 считать проценты.

이윽고 спустя некоторое время

이의(異議) возражение; ~를 말하다 возражать(кому-л.); ~없습니까? Возражающих нет?; ~하다 иметь (особое мнение).

이익(利益) выгода, прибыль; вызов; ~공제금 отчисления от прибылей; польза; ~이 되는 прибыльный; ~이 적다 делать(приносить) мало прибыли; 사회의~에 봉사하다 служить общественным интересам; см. 유익(有益)이득.

이자(利子) проценты; 무~로 без начисления процентов; 연체~ просроченные проценты.

이전(移轉) I переезд;~하다 переезжать, переселяться, передавать; 집소유권 ~ передача права собственности на дом.

이전(以前) II 1) раньше, прежде; ~부터 с давних пор, давно; ~처럼 как раньше, по-прежнему; 2)см. 예전.

이제 I теперь, сейчас; ~곧 сию минуту; ~까지 до сих пор; ~부터 отныне; ~나 저제나 с нетерпением (ждать).

이제(裡題) II титул, заглавие книги.

이제껏 до сих пор,до сего времени.

이주(移住), 이민(移民) иммиграция; ~하다 переселиться, эмигрировать, иммигрировать; ~민 переселенец, эмигрант, иммигрант; ~메뚜기 перелётная(азиатская) саранча(Locusta migratoria).

이중(二重) ~의 двойной, двойственный; ~으로 вдвое, вдвойне, дважды; ~국적 двойное гражданство, подданство; ~인격자 двуличный человек; ~창 окно с двойными рамами; ~적 двойной, двойственный; ~결합 хим. двойная связь; ~과세 двойной налог; ~대위법 имитационная полифония; ~모음 лингв. дифтонг; ~성격 двойственный характер; ~수소 хим. дейтерий; ~생활 двойная жизнь; ~전신 двойное встречное телеграфирование; ~회로 эл. цепь двусторонней связи; ~화산 см. 복성 [화산] VI; ~영웅 дважды герой; ~요음 муз. двойной мордент.

이쪽 I кусочек раскрошившегося зуба. 이쪽 II эта сторона.

이치(理致) I разумные основания, здравый смысл; резон; 사물의 ~ логика вещей; ~에 맞지 않다 нелогично, не вяжется со здравым смыслом; ~를 깨닫다 понимать внутреннюю закономерность.

이치(吏治) II феод. заслуги уездных начальников(в административной деятельности)

이탈(離脫) отрыв; отход; выход; ~하다 а) отрываться, отходить(от чего-л.); выходить; б) выводить(напр. из боя); отрывать (напр. от масс).

이튿날 второе число, следующий (другой) день; 칠월~ второе июля; ~아침에 на другое утро.

이틀 два дня.

이하(以下) I 1)нижеследующее; дальнейшее менее, не более, меньше, ниже; дальше, в дальнейшем; 수준 ~ ниже уровня; 열명 ~ менее десяти человек; ~생략 остальное опускается.

이하(耳下) II сущ. 1) нижеследующее, дальнейшее; 2) менее,меньше, ниже.

이해(利害) I интересы; польза и вред; выгода и убыток; ~관계 интересы; ~관계인 заинтересованное лицо;~관두 грань добра и зла; ~불계 не считаясь с выгодой и убытками; ~상반 ни пользы ни вреда; ~타산 взвешивать полезность(выгодность); ~의 충돌 столкновение интересов; ~[관계]를 같이하다 иметь общие интересы; ~관계자 заинтересованное лицо.

이해(理解) II понимание, уяснение;

~가 빠르다 понятливый, сообразительный; ~하기 쉬운 доступный, доходчивый; ~하다 понимать, уяснять; соображать; ~되다 укладываться в голове(сознание); 이것은 도저히 ~되지 않는다 это никак не укладывается в моём сознании.

이행(履行) I исполнение, выполнение; ~하다 выполнять, исполнять; 약속을~하다 исполнять обещание; сдерживать слово; 계약을 ~하다 исполнять контракт.

이행(移行) II переход, переворот; ~하다 поворачиваться, переходить; 공산주의에로의 ~ переход к коммунизму.

이후(爾後) I уст. книжн. потом, затем, после [э]того.

이후(以後) II после [э]того; ~임무 воен. последующая задача

익다, 여물다 созревать, поспевать; 눈에~ быть привычным для глаз; 손에~ набивать руку; 낯이~ ваше лицо мне очень знакомо 익은밥 먹고 선소리 한다 обр. говорить глупости.

익명(匿名) аноним, вымышленное имя; 1)~투표 тайное голосование; ~의 편지 анонимное письмо;~하다 скрывать своё имя; ~으로 анонимно; 2) вымышленное имя.

익살 шутка; подшучивание; ~스럽다 шутливый, смешной; комичный; ~부리다 шутить, смешить шутками; ~꾼 шутник; ~을 떨다 шутить; смешить шутками; подшучивать.

익살군 шутник, шутливый человек.

익숙하다(능숙하다) опытный, умелый, искусный; 그는 익숙한 동작으로 차를 수리하였다 он умело ремонтировал машину; 새 환경에 익숙해지다 привыкнуть к новому окружению.

익숙해지다 привыкать.

익히다 I варить(на пару); 눈에 ~ ознакомить; 밤을 삶아 ~ сварить каштаны на пару; 손에~ набивать руку.

익히다 II быть созревшим; готовым (о блюде) 인(印) I печать, штамп.

인(燐) II хим. фосфор; ~비료 фосфорные удобрения.

인-(人) преф. кор. человеческий; 인절미 головокружение от толкотни.

-인(人) суф. кор. человек; 외국~ иностранец.

인가(人家) I жилой дом, жилище.

인가(認可) II разрешение, санкция; признание, одобрение; ~하다 разрешать, санкционировать, признавать, одобрять; ~증 письменное разрешение; лицензия; ~제 лицензионная система.

인간(人間) I человек, человечество; ~적 человеческий; ~관계 отношения между людьми; ~미 человечность, душевность; ~성 человеческая натура; ~고해 уст. мир человеческих страданий; ~대사 крупные события в жизни человека; ~백정 перен. убийца, палач; ~지옥 земной ад; ~쓰레기 бран. подонки.

인간(印簡) II письмо, направляемое местным начальником вместе с новогодним подарком

인격(人格) личность, характер; 이중~ двойная личность; ~을 존중하다 уважать личность; ~자 человек высоких личных качеств; ~적 а) человеческий; б) личный; ~적 권리 юр. лич-ное право.

인계(引繼) I сдача, передача; ~하다 сдавать, передавать; ~자 сдающий, передающий

인공(人工) I человеческое искусство; ~미 искусственная красота; ~적으로 искусственно, рукой человека; ~강우 дождевание; ~수정 искусственное оплодотворение; ~위성 (искусственный) спутник земли; ~호흡 искусственное дыхание; ~적 искусственный; ~구개 лингв. искусственное нёбо; ~기흉 мед. искусственный пневмоторакс; ~도태 см. 인위[도태]; ~면역 искусственный иммунитет; ~방사능 искусственная радиоактивность; ~부화 искусственная инкубация; ~행성 искусственный спутник Солнца; ~영양 искусственное вскармливание(питание); ~지구 위성 искусственный спутник Земли.

인공(囚公) II уст. книжн. ~하여 из-за службы; из-за общественных дел.

인과(仁果) причина и следствие; ~관계 причинная связь; ~응보 воздаяние, возмездие; ~법칙 закон причинности.

인구(人口) население, численность населения; ~밀도 плотность(густота) населения; ~조사 всеобщая перепись населения; ~증가 рост населения.

인기(人氣) 1) популярность, авторитет; ~있는 배우 популярный артист; ~가 있다 пользоваться популярностью; ~를얻다 завоёвывать (приобретать) популярность; ~를 잃다 потерять популярность; 2) настроение(дух) народа; 3) популярость, успех.

인내(忍耐) терпение, выносливость; ~하다 быть терпеливым(выносливым); ~있게 설복하다 терпеливо уговаривать

인도(人道) I 1) гуманность; ~적 человеческий, человечный; гуманный; ~환생 будд. перерождение в человека; 2) уст. совокупление, половое сношение; 3) тротуар, пешеходная дорожка.

인도(引渡) II передача(вещей, прав); ~하다 1) передавать; 2) вести за собой, управлять, руководить.

인류(人類) человечество; ~사 история человечества; ~학 антропология.

인물(人物) личность, человек; ~평 критика личности; ~화 портрет, портретная живопись; 중심~ центральная фигура; ~차지 сущ. ведущий личным составом; ~초인 уст. завлекать(заманивать)человека; ~추심 а) уст. повсюду разыскивать сбежавшего человека; б) арх. отправляться на поиски бежавшего раба(о рабовледельце); ~가난 нехватка талантливых людей.

인민(人民) народ; ~적 народный; ~가요 народная песня; ~경제 народное хозяйство; ~공화국 народная республика; ~교원 народный учитель; ~구두 창작 а) фольклор, устное народное творчество; б) народное творчество; ~군대 народная армия; ~민주주의 독재 народ-нодемократическая диктатура; ~병원 народный госпиталь; ~배우 народный артист; ~전선 народный фронт; ~정권 власть народа; ~주권 народная власть; ~재판 народный суд; ~투표 плебисцит; ~학교 начальная (народная) школа; ~육종 с.-х. народная селекция; ~예술가 народный художник; ~위원회 народный комитет; ~적 입장 точка зрения народных масс.

인사(人士) I человек, лицо; деятель; 정계~ политическая фигура.

인사(人事) II приветствие; ~나누다 обмениваться приветствиями; представляться; распределение кадров; ~문제 кадровые дела (вопросы); ~를 나누다 обмениваться приветствиями; ~를 전하다 передавать привет; ~를 시키다 познакомить(кого-л.), представить(кому-л.); ~를 차리다 соблюдать вежливость, нормы поведения; ~를 드리다 благодарить, выражать привязанность; ~하다 приветствовать, здороваться, знакомиться, представляться; ~부(部長) отдел(начальник отдела) кадров; ~성 вежливость, учтивость; ~행정 работа с кадрами; подбор и расстановка кадров; ~치례로 из вежливости; ~불성 а) потеря сознания, беспамятство; б) неучтивость, невежливость.

인사성(人事性) вежливость; учтивость; ~이 밝다(있다) учтивый, вежливый, соблюдающий этикет.

인상(人相) I черты лица; ~학 физиономика

인상(引上) II повышение; ~하다 повышать; подтягивать вверх, поднимать; 생활비를 ~하다 повышать заработную плату

인상(印象) III впечатление; ~적인 впечатляющий, производящий сильное впечатление; ~을남기다 оставить впечатление; 그는 나에게 좋은 인상을 주었다 он произвёл на меня хорошее впечатление; ~주의 импрессионизм; ~파 школа импрессионизма; ~비평 импрессионистская критика; ~을 주다 производить впечатление.

인생(人生) I (человеческая) жизнь; ~관 взгляды на жизнь; ~철학 философия жизни; ~행로 жизненный путь.

인생(寅生) II 1) рождение в "год тигра"; 2) сущ. родившийся в "год тигра".

인솔(引率) ~하다 вести за собой руководить; возглавлять, командовать, сопровождать; 견학단을 ~하다 сопровождать экскурсантов; 대표단을 ~하다 возглавлять делегацию; 부대를 ~하다 командывать отрядом; ~자 руководитель.

인쇄(印刷) печатание; ~하다 печатать; 그 책은 아직~중에 있다 эта книга всё ещё в печати; ~기 печатная машинка,типографический станок; ~공 печатник; ~물 печатная продукция; печатные материалы; ~소 типография; ~술 искусство книгопечатания; ~업 печатное дело; ~공장 полиграфический комбинат; ~요소 печатная полоса.

인수(引受) I приём; ~하다 принимать; 사업을 ~하다 принимать дела; 상품을 ~하다 принимать товар.

인수(引水) II ~하다 проводить(воду на поля).

인습(因習) предрассудки, старые нравы (обычаи); 낡은 ~을 버리다 избавиться от старых привычек, отвергнуть старые нравы; ~도덕 старая мораль; ~하다 следовать старым привычкам, придерживаться старых нравов.

인식(認識) 1) осознание; 2) сознание, понятие; ~적 познавательный; ~하다 понимать, познавать;~론(철학) теория познания, гносеология; ~부족 недопонимание.

인심(人心) I душа человека, совесть; ~이 좋다 добрый, добродушный, добросердечный; 민심;~을 쓰다 быть щедрым;~을 얻다 снискать симпатии, завоевать общее расположение; ~을 잃다 испортить отношения; ~이 사납다 чёрствый, бессердечный; ~을 사다 прослыть отзывчивым(душевным); ~이 괄리다 прослыть чёрствым (бессердечным).

인연(人煙) I связь; ~이 깊다 очень близкий, тесный; ~이 없다 не связанный(с кем-л.); ~을 맺다 установить связь; ~을 끊다 разорвать связь, поссориться(с кем-л.); ~이 멀다 далёкий, не связанный(с чем-л.); см. 연분I ~하다 связывать; обуславливать, предопределять

인연(夤緣) II ~하다 уст. а) виться(о растении); б) карабкаться вверх; в) продвигаться по служебной лестнице, делать карьеру.

인원(人員). 성원 член; 참가~ состав участвующих(присутствующих); ~을 보충하다 пополнить личный состав; ~점호 перекличка.

인위(人爲) дело человеческих рук; ~적 искусственный; ~적으로 искусственно; ~도태 биол. естественный отбор; ~분류 биол. искусственная классификация.

인접(鄰接) I непосредственное соседство(соприкосновение); ~하다 соседний, непосредственно соприкасающийся; смежный; ~하다 быть смежным, находиться в непосредственном соседстве;, прилегать, примыкать; ~국 сопредельное(соседнее) государство; ~군부대 соседнее подразделение; ~동화 лингв. ассимиляция смежных звуков(по смежности); ~하다 1) быть смежным, находиться в непосредственном соседстве (соприкосновении); 2) соседний; непосредственно соприкасающийся.

인접(引接) II ~하다 а) принимать (посетителя); б) арх. торжественно встречать(высших сановников); в) направлять в рай(о будде Амитабе).

인정(人情) I человеческое чувство;, человеколюбие, сердечность; ~이 많다 сердечный, задушевный; 그는 ~이 없다 у него нет сердца; ~이 있다 внимательный к людям; ~도 품앗이라 = 가는 정이 있어야 오는 정이 있다 см. 가다; ~스럽다 прил. казаться душевным(отзывчивым); ~을 쓰다 а) проявлять доброту(сочувствие); б) делать подношение.

인정(認定) II утверждение, признание; ~하다 утверждать, признавать, квалифицировать; 자신의 패배를 ~하다 признавать себя побеждённым.

인조(人造) искусственный, сделанный человеком; ~가죽 искусственная кожа; ~견사 искусственный шёлк, вискоза; ~구개 см. 인공[구개] I; ~단섬유 см. 스프; ~대리석 искусственный мрамор; ~비료 искусственные удобрения; ~석분 уст. цемент; ~섬유 искуственное волокно.

인종(人種) раса; 황색~ жёлтая раса; ~적 편견 расовый предрассудок; ~문제 проблема рас; ~차별 расовая дискриминация; ~학 этнология; ~적 расовый, этнический.

인증(認證) I заверение;~을 받다(주다) получить(дать) заверение; ~하다 заверять, удостоверять; ~서 удостоверение.

인증(引證) II ~하다 ссылаться, приводить доказательства.

인질(<人質) I заложник; ~로 붙잡아 놓다 брать(кого-л.) заложником.

인질(姻姪) II книжн. я(в разговоре с мужем старшей сестры отца).

인출(引出) I ~하다 вынимать, вытаскивать, вытягивать.

인출(印出) II ~하다 уст. печатать.

인터내셔날(англ. international) Интернационал(организация).

인터뷰(*англ.* interview) интер-вью, собеседование.

인테리(<*лат.* intelligentsia) интеллигенция; ~적 интеллигентский.

인플레[션](*англ.* inflation) инфляция

인형(人形) I кукла; ~극 кукольное представление, кукольный спектакль; ~극장 кукольный театр; ~영화 экранизированное кукольное представление.

인형(仁兄) II уст. книжн. вы(обращение между друзьями).

인화(引火) воспламенение, загорание; ~하다 воспламеняться, загораться; ~물 легковоспламеняющее вещество; ~점 температура(точка) воспламенения.

일, 사업(事業) I работа, дело, занятие; ~하다 работать, трудиться; ~을 보다 вести дела, работать; 무슨 ~이 있으면 알려라 если чтонибудь случится сообщи мне; 뻔한~이다 ясное дело; ~하지 않는 자는 먹지도 말라 кто не работает, тот не ест; ~에는 뼈돌이요, 먹는 데는 감돌이 ирон. в работепоследний, а в едепервый; ~안 하는 가장 обр. пустое место(о человеке); ~삼다 предаваться(чему-л.); увлекаться(чем-л.); служить(чему-л.); ~을 내다 а) вызвать несчастный случай; б) затеять склоку; 이것은 믿을 수 없는 일이다 это невероятно (неправдоподобно); ~없다 ничего, сносно.

일(日) II 1) день(месяца); 2) один день.

일(一) III один, первый; ~편 первая часть ~년 열 두 달 один год; ~분 일초 (одно) мгновение.

일- преф. рано; 일깨다 рано проснуться.

-일(日) суф. кор. день; 공휴일 общий выходной день.

일가(一家) I 1) одна семья; один род; ~문중 родственники, родня; ~친척 члены одного рода; ~못 된게 항렬만 높다 *погов. букв.* ≅ патриарх несуществующего рода; ~끼리 방자한다 живут как кошка с собакой(о родственниках); ~싸움은 개싸움 а) грызутся как собаки(о родственниках); б) милые бранятьсятолько тешатся.

일가(一價) II *сущ.* 1) мат. однозначный; ~함수 однозначная функция; 2) хим. одновалентный.

일간(日刊) I ежедневное издание; ~신문 ежедневная газета; ~하다 ежедневно издавать(выпускать).

일간(一間) II один кан(간 II 2); ~두옥 лачуга; ~초옥 небольшой домик, крытый соломой.

일깨우다 пробуждать, доводить до сознания, уговаривать, убеждать.

일곱, 칠(7) семь; ~째 седьмой; ~목 가래질 работа корейской лопатой всемером; ~목 한 가래 семь человек,работающие одной корейской лопатой; ~이레 49-й день(со дня рождения ребёнка); ~번 재고 천을 째라 *погов.* ≅ семь раз отмерь, один раз отрежь. 일곱째 седьмой.

일과(日課) I 1) работа на день, дневное задание; 2) уроки(в школе) в течение дня.

일과(一過) II ~하다 а)пройти один раз (однажды); б) бросить взгляд, окинуть взглядом.

일관성(一慣性) последовательность.

일괄(一括) ~하다 охватывать, обобщать, суммировать; 법안을 ~ 상정하다 поставить одновременно все законопроекты на обсуждение; 여러 토론자들의 의견을 ~해서 요약하다 обобщить и резюмировать мнения выступавших.

일광(日光) солнечные лучи; ~소득 дезинфекция солнечным светом; ~요법 гелиотерапия, лечение солнечными лучами.

일급(日給) дневной заработок, подённая оплата; ~노동자 подённый рабочий.

일기(日記) I дневник; ведение дневника;~를 쓰다 вести дневник; ~장 дневник.

일기(日氣) II погода; ~예보 (예측) прогноз погоды; ~실황 состояние погоды; ~요소 элементы погоды; ~조건 синоптические условия.

일깨우다 пробуждать, доводить до сознания, уговаривать, убеждать.

일깨움 поучение. **일꾼** работник.

일년(一年) (один) год; ~생 первоклассник; ~생식물 однолетнее растение, однолетке.

일다 I (이니, 이오) 1) появляться; возникать; 2) укрепляться, усиливаться; 3) подниматься; подходить(о тесте); ~일어나다 а) поднима- ться; вставать(на ноги с постели); б) вздыматься; 일어서다 а) подниматься; вставать (на ноги); б) ра-сти, подниматься(напр. о зданиях).

일다 II (이니, 이오) 1) промывать (рис, золото и т.п.); 2) провеивать; просеивать (зерно).

일단(一段) если, только, раз; на время, ненадолго; 그들은 하던 일을 ~ 그만두고 텔레비젼 앞으로 모여 들었다 они на некоторое время оставили рабо-ту и собрались перед телевизором; ~밥 먹고 하다 давайте сначала поедим! ~유사시에 в крайнем случае.

일대(一代) V (одно)поколение, (вся) жизнь; 일생 ~에 한번 밖에 없는 일 единственный случай в жизни; ~기 биография, жизнеописание.

일동(一同) весь коллектив; 졸업생 ~을 대표하여 от имени всех выпусников.

일등(一等) первый класс, первое место, первая степень, первый сорт; ~의 первоклассный, первосортный; ~을 차지하다 занимать первое место; ~성 звезда первой величины;~품 первосортная вещь, первосортный товар.

일람(一覽) просмотр, прочтение, краткое изложение, сводка; ~하다 просматривать, взглянуть; ~표 таблица, график, диаграмма

일러주다 рассказывать, сообщать; 아는데 까지 자세히~그에게 기다려 달라고 일러주오 скажите ему, чтобы он подождал.

일련(一連) ряд, серия, цепь; ~의 사건 цепь событий; ~의 несколько, ряд; ~운동 спорт. комплекс упра-жнений; ~의 문제 ряд проблем.

일류(一流) ~의 первоклассный; ~대학 престижный(знаменитый) университет; ~작가 первоклассный писатель.

일률(一律) ~적 однообразный, шаблонный; ~적으로 по шаблону, одинаково, единообразно, в одинаковой мере, не делая различий.

일반(一般) I общее; ~의 общий; ~적으로 в общем, вообще; ~적으로 말하여 вообще; ~에게 공개하다 обнародовать, предать гласности; ~교육 общее образование; ~교육과정 общеобразовательный курс; ~론 общая теория; ~성 всеобщность; ~인 простые люди; ~회계 общий счёт ~적 [все]общий; ~경기자 полевой игрок; ~개념 общее понятие; ~물리학 общая физика;

~선거권 всеобщее избирательное право; ~화학 общая химия; ~언어학 общее языкознание. 일반(一半) II половина.

일보(日報), 공보 I бюллетень; ежедневная сводка; ~를 작성하여 제출하다 составлять и представлять ежеднев-ный отчёт.

일보(一步) II (один) шаг;~를 내디디다 сделать шаг; ~도 양보하지 않다 не уступать(кому-л.); ~도 물러서지 않다 ни на шаг не отступать (от кого-л.). 일본(日本) Япония.

일본어(日本語) японский язык.

일부(一夫) I 1) один мужчина; ~다처제 полигамия, многожёнство; ~양처 двоежёнство;~종사 уст.почитать только мужа; ~종신 уст. быть верной до конца дней покойному мужу; ~일부제(일처제) моногамия, единобрачие.

일부(一部) II одна часть; ~의 частичный, некоторый; 건물의~ часть здания; ~의 사람들 некоторые люди; ~주권국 полузависимые государства.

일분부(一吩咐) ~거행(시행) уст. немедленно(сразу) выполнять.

일상(日常) обычно, повседневно, всегда; ~적 повседневный, обычный, обыденный; ~하는 말 обиходные слова; ~사 обычное дело; ~생활 повседневная(обыденная) жизнь.

일손 рабочие руки; ~을 놓다 прекратить работу; ~을 돕다 помогать в работе; ~이 딸리다 не хватает рук; ~을 붙들다(잡다, 쥐다) приступить к работе; ~을 쉬다 сделать перерыв в работе, отдохнуть; ~을 떼다 а) см. 일손을 놓다; б)отрывать от работы; ~이 오르다 приобрести сноровку(в работе); ~이 세다 быть быстрым (провор-ным); ~이 잡히다 появиться(о желании работать).

일순간(一瞬間) миг, мгновение;~에 в одно мгновение, моментально, в мгновение ока.

일시(一時) одно время, некоторое время, ~적 временный; ~적인 대책 временное мероприятие; ~경수 временная жёсткая вода; ~기생 временный паразитизм; ~반 때 одно и то же время; ~자석 физ. временный магнит; ~가 바쁘다 очень спешный.

일신(一身) I один человек; сам; ~의 свой, личный; ~상의 문제 личное дело; ~의 안락을 바라지 않다 не стремиться к личному благополучию; ~량역 один имеет две обязанности.

일신(日新) II ~하다 обновляться изо дня в день.

일심(一心) I одна душа, единодушие; ~으로 всей душой, от всей души, всем сердцем; ~단결 полное единодушие и сплочённость; ~동체 неразрывное целое; ~만능 при единодушии всего можно добиться; ~불란 целиком, полностью (посвятить себя); ~정념 уст. одна дума(мысль); ~정력 вся энергия (воля);~하다 быть единодушным

일심(日心) II ~위도 гелиоцентрическая долгота; ~좌표 гелиоцентрические координаты.

일어나다 вставать подниматься, встать; 변혁이~ произошли коренные изменения; 소동이~ поднялся скандал; 잠자리에서~ встать с постели.

일어서다 подниматься, вставать(на ноги); 다시 일어서 앞으로가다 вставать и идти вперёд.

일요일(日曜日) воскресенье.

일용(日用) ~의 повседневный, обиходный; ~품 товары широкого потребления, товары первой необходимости; ~필수품 товары первой необходимости; ~범백 предметы повседневного употребления.

일원(一元) I единое начало, одно начало; ~적 единый, унифицированный, монистический; ~론 монизм; ~론자 монист; ~일차방정식 уравнение первой степени с одним неизвестным.

일으키다 поднимать, возбуждать, вызывать; 공포심(호기심) ~ возбудить(вызвать)страх(любопытство); 먼지를 ~ поднимать пыль.

일을 당하다 подвергаться неприятностям.

일을 한 대가 оплата за выполненную работу.

일일(一日) I 1) см. 하루; 2) ~은 однажды; ~삼추 долго тянуться(о времени, напр. при ожидании); ~천추 один день(тянется) как вечность.

일일(日日) II каждый день, ежедневно

일자리 место работы; ~를 구하다 искать себе работу;~가 나다 иметь результаты(о работе).

일정(一定) I ~하다 определённый, установленный, регулярный; ~하다 определять, устанавливать; ~한 기한 в определённый срок; ~한 수입 регулярный доход; ~한 직업 определённое занятие.

일정(日程) II программа, расписание; 방문~ программа визита; ~에 오르다 встать на повестку дня.

일제히 дружно, все вместе, разом.

일종(一種) вид, род, порода, сорт; ~의 своего рода, своеобразный; 동물(식물)~ один вид животных(растений)

일주(一周) I оборот(один) круг; ~하다 делать оборот; объезжать(обходить); 세계를 ~하다 совершать кругосветное путешествие; ~기 первая годовщина смерти.

일주(一週) II (одна) неделя; ~일이내로 в течение одной недели.

일지(日誌) ежедневные записи, дневник; ~를 기록하다 вести записи, дневник.

일찌기 1) рано; 2) раньше, ещё.

일차(一次) один раз; ~의 первый, первичный; ~방정식 уравнение первой степени; ~산품 первичный продукт; ~시험 первый эк-замен; ~적 первый, первичный; ~계전기 эл. первичное реле; ~선류 эл. первичная катушка; ~전류 пе-рвичный ток; ~전자 первичный электрон; ~전지 физ. первичный элемент; ~함수 линейная функция

일체(一切) 1) всё; 2) ~의 весь; ~역량 все силы; 3) ~[로] в отриц. предлож. нисколько, совершенно.

일체감(一體感) чувство единства (сплочённости).

일출(日出) I ~하다 восход солнца.

일출(逸出) II уст. ~하다 а) скрываться; избегать; б) выделяться, превосходить(других).

일치(一致) совпадение, соответствие, единство, согласие, согласованность; ~하다 совпадать; соответствовать, согласовываться; ~시키다 согласовывать, координировать; приводить в соответствие; 말과 행동의 ~ соответствие между словом и делом; 의견~ совпадение(единство) мнений(взглядов); 완전히 ~하다 находиться в полном соответствие; ~ 단결 единство и сплочённость; ~성 единство, тождественность. **일치하다** совпадать.

일탈(逸脫) ~하다 выходить за пределы(рамки); отклоняться(от чего-л.); 논의가 주제에서 ~했다 спор отклонился от темы.

일터(-擴) место работы; см. 직장 1).

일품(一品) I (одна) вещь; 천하 ~의 самый лучший на свете; ~요리 деликатес.

일품 II 1) труд, затрачиваемый(на что-л.); ~많이 들다 трудоёмкий; 2) диал. см. 품삯.

일하다 работать; 부지런히 ~ работать, не покладая рук.

일행(一行) I спутники; группа, спутник; 관광단~группа туристов; 대표단 ~ все члены делегации.

일흔 (칠십, 70) семьдесят.

일흔째 семидесятый.

잃다 терять; 아들을 전쟁터에서 ~ потерять сына на войне; 입맛을 잃었다 я потерял аппетит/у меня пропал аппетит; 잃은 도끼는 쇠나 좋거니 погов. ≅ что имеем не храним, потерявшиплачем

잃어버리다 терять.

임관(任官) назначение на государственную должность; ~하다 назначать на должность; ~ 되다 получать назначение(быть назначенным) на государственную должность.

임금(賃金) заработная плата; 명목~ номинальная(реальная) зарплата; 최저 ~ минимальная зарплата; 평균~ средний заработок; 월~ месячная заработаная плата; 노동자~ наёмный рабочий; ~투쟁 борьба за повышение зарплаты; ~노예 обр. наёмный рабочий; ~노동 наёмный труд.

임기응변(臨機應變) ~으로 сообразно обстоятельствам; ~하다 приспособляться к обстоятельствам; действовать сообразно обстоятельствам.

임대(賃貸) сдача в аренду(внаём, напрокат);~하다 сдавать в аренду; ~계약 договор об аренде; ~료 арендная плата; ~인 сдающий в аренду.

임면(任免) назначение и увольнение (снятие); ~권 право назначения и увольнения; ~하다 назначать и увольнять.

임명(任命) назначение; ~을 받다 получать назначение; ~하다 назначать (кого-л.); ~장 приказ(доку-мент) о назначении.

임시(臨時) I 1) ~적 а) временный; ~변통 приспособление к обстоятельствам; временные меры; ~변통으로 временно, на время; ~정부 временное правительство; ~하중 стр. временная нагрузка; б) чрезвычайный, внеочередной; ~기호 см. 임시표; ~낭패 неожиданный провал, неожиданная неудача, ~졸판 уст. экстренное решение(рассмотрение); ~회의 чрезвычайная (внеочередная) сессия; эстренное совещание; 2) время; 그 ~에 в это время; 3) в конце придат. предл. когда; ~의 временный, чрезвычайный экстренный, внеочередной; ~로 временно; ~국회 внеочередная сессия парламента; ~열차 специальный поезд; ~총회 чрезвычайное общее собрание; ~휴업 временное закрытие.

임신(姙娠), 잉태 беременность;~하다 забеременеть, быть беременным; ~중에 в период беременности; 그녀는~중이다 она беременна; 그녀는~7개월이다 она находится на седьмом месяце беременности; ~중절 аборт.

임업(林業) лесное хозяйство; лесная промышленность, лесопромышленность; ~지구 лесопромышленный район.

임의(任意) собственное желание; добровольность; ~의 добровольный, самовольный; ~로 по своему желанию(усмотрению); по собственной воле; как угодно; в любое время; ~적 а) добровольный;~보험 добровольное страхование;~선택 свободный выбор; б) самовольный.

임차(賃借), 임대(賃貸) аренда; ~하다 арендовать, взять в аренду; ~료 арендная плата; ~인 арендатор.

임하다(任-) I уст. назначить(кого-л.) на должность, уполномочивать.

임하다 II стоять, находиться, сталкиваться(с чем-л.); 담판에 ~ вступать в переговоры.

임하다(臨-) III 1) соблаговолить прийти навестить(о вышестоящем); 2) достигать(какого-л места); 3) относиться(к подчинённым); обращаться (с подчинённым); 4) наступать(о каком-л. моменте); 5) быть обращённым лицом(к чему-л.); выходить; 6) арх. копировать(напр. картину); писать по прописям

입 рот; ~을 벌리다 открыть рот; ~이 무겁다 крепок на язык; ~이 가볍다 болтливый; ~을 맞추다 целоваться; ~을 놀리다 шутить, сквернословить; ~밖에 내다 проговориться; ~이 짧다 (밭다) быть капризным в еде; ~에 풀칠을 하다 влачить жалкое существование; нищенствовать,сводить концы с концами; ~만 살다 только языком болтать; ~을 모으다 говорить в один голос; ~에 맞다 быть по вкусу; ~에 발린 (붙은) 소리 льстивые слова; ~가 уголки рта; 입만(입은) 살다 (입만 성하다) а) только языком болтать; б) быть привередливым(разборчивым); ~만 까다 только говорить, а ничего не делать; ~만 아프다 без толку говорить; ~안의 소리 бормотание; ~안의 혀 послушание; ~은 비뚤어도 주라는 바로 불라(~은 삐뚤어졌어도 말은 바른 대로해라) *посл.≈* не стыдись говорить, коли правду хочешь объявить; ~을 다물다 а) держать язык за зубами; б)прикусить язык, прекратить говорить;~을 막다 а) заткнуть(кому-л.) рот; заставить замолчать; б) накормить до отвала(досыта); ~을 봉하다 (함봉하다) а) замолкнуть; не желать говорить; б) заставить замолчать; ~을 틀어막다 заставить замолчать (напр. ругающегося); ~을 딱벌리다 раскрыть рот от удивления; ~을 씻기다 заткнуть рот взяткой; ~을 열다(떼다) заговорить, начать говорить; ~이 걸다(질다) говорить грубо; сквернословить; ~이 근질근질하다(가렵다) язык чешется; ~이 달다 аппетитный(о пище); ~이 닳도록 (닳게) при каждом удобном случае(повторять);~이 더럽다 грубый, похабный(о словах); ~이 무겁다 неразговорчивый, несловоохотливый; ~이 무섭다 бояться огласки; ~이 바르다 резкий, прямолинейный; ~이 벌어지다 растянуть рот до ушей; ~이 사복개천 같다 похабный, грубый, вульгарный, непристойный(о словах); ~이 천근같다 очень неразговорчивый, молчаливый; ~이 포도청 см. 목구멍 [이 포도청]; ~이 풍년을 만나다 получить возможность хорошо поесть; ~이 함박 만 하다 сделать довольное лицо; ~이 험하다 резкий(о разговоре); ~이 뜨다 скупой(на слова); ~이 빠르다(재다) а) не уметь молчать (держать язык за зубами); б) см. 입[이 바르다]; ~이 싸다 легкомысленно болтать; ~이 쓰다 а) не идти в горло, не лезть в рот(о пище); б) не нравиться, быть противным; в) не хотеть говорить;

~이 여물다(여무지다) ясный и толковый(о словах); ~이원수 см. 구복[이원수]; ~에 맞는 떡 обр. вещь по вкусу(по душе); ~에 붙은 밥풀 находящийся на своём месте; ~에서 신물이 나다 см. 신물[이 나다] I; ~에서 젖내[가] 나다 см. 젖내[가 나다]; ~에 침이 마르도록(~에 침이 없이) 칭찬하다 захваливать; ~에 혀같다 послушный, покорный; ~에 오르내리다 быть притчей во языцех; ~에 오르다 а) быть предметом(чьего-л.) разговора; ~에 익다 привыкнуть говорить.

입교(入敎) уст. ~하다 приобщаться к религии.

입구(入口)<->출구(出口)вход<->выход

입국(入國) въезд(в страну); ~하다 вступать(въезжать) в пределы страны; ~사증 виза на въезд;~허가서 разрешение на въезд в страну.

입다 одевать, надевать; 부상을~ получить рану, быть раненным; 손해를 ~ терять убытки; нести потери; 그는 양복을 입었다 он надел новый костюм; 구원을 ~ быть спасённым.

입맛. 식욕 аппетит, интерес, увлечение; ~이 좋다 хороший аппетит; ~이 당기다 возбуждать(вызывать) аппетит; ~을 잃다 потерять аппетит; ~이 돌다 появляться(об аппетите); ~을 붙이다 заинтересоваться(чем-л.); ~을 다시다 а) разгораться(об аппетите); б) сожалеть, выражать сожаление; ~이 쓰다 см. 입[이 쓰다].

입문(入聞) II 1) входное отверстие; входная дверь, вход; 2) путь, на который(кто-л.) вступает впервые; 3) введение в курс (какой-л.) науки; 4) вход через дверь; 5) феод. вступление в экзаменационный зал; 6) начало изучения(чего-л.); ~하다 а) впервые вступать на (какой-л.) путь; б) входить через дверь; в)феод. входить в экзаменационный зал; г) прис-тупать к изучению(чего-л.).

입법(立法) законодательство; ~권 законодательная власть; ~기관 законодательный орган; ~자 законодатель;~부 законодательный орган.

입사(入社) I ~하다 поступать на службу в кампанию; ~시험 вступительный(приёмный) экзамен.

입사(入射) II физ. падение; ~광선 падающий луч;~하다 а) впускать, вводить; б) проникать(о свете).

입상(入賞) получение приза(премии); ~하다 получать приз(премию); ~자 лауреат; победитель конкурса; ~작품 премированное произведение.

입석(立石) 1) ~기공 воздвигать памятник, увековечивая(чьи-л.) заслуги; ~하다 а) устанавливать стелу(надгробный камень); б) воздвигать памятник(монумент); 2) см. 선돌.

입술 губа; ~을 깨물다 прикусить губу; ~을 핥다 облизывать губу; ~에 침이나 바르지 обр. лжец.

입신(立身) уст. успех в жизни; ~하다 добиться успеха в жизни, выбиться из низов; сделать карьеру; ~양명 сделать блестящую карьеру и прославиться.

입안(立案) 1) письменное подтверждение; ~하다 составлять план (проект); 2) письменное подтверждение(какого-л. факта); ~자 составитель(автор) плана(проекта).

입원(入院) госпитализация; ~하다 ложиться в больницу; ~시키다

положить больного в госпиталь; ~비 плата за лечение; ~수속 порядок госпитали-зации; ~실 приёмное отделение, приёмный покой

입장(入場) I вход; ~하다 входить; 관람실에~ входить в зрительный зал; 축구선수들이~한다 Футболисты выходят на поле; ~객 посетитель; ~권 входной билет; ~식 церемо-ния открытия.

입장(立場) II позиция, платформа; 딱한~ позиция; 자신의 ~을 명확히 하다 определить свою позицию.

입증(立證) доказательство; см. 증명.

입증하다(立證-) доказывать; под-тверждать.

입찰(入札) торги; ~하다 предлагать цену на торгах;~자 участник торгов; ~참가 участие в торгах.

입체(立体) 1) геометрическое тело; ~적 объёмный, стереометрический; ~교차 развязка маршрутов в разных уровнях; ~구조 стр. пространственная (объёмная) конструкция; ~기하학 стереометрия; ~녹음 стереофоничес-кая запись; ~촬영 стереофотография; ~화학 стереохимия; ~영화 стереокино; 2) куб; ~감 ощущение объёмности; ~기하학 пространственная геометрия, стериометрия;~사진 стереофотография; ~영화 стереокино; ~음향 стереофони-ческий звук, стереозвук; ~파 кубизм; ~효과 стереоэффект.

입학(入學) поступление в школу, институт; ~하다 поступать в школу; ~원서를 내다 подать заявление о приёме; ~금 вступительный взнос; ~시험 вступительный(приёмный) экза-мен; ~생 студент(ученик), поступив-ший в учебное заведение; ~식 церемоние по случаю поступления; ~원서 заявление о приёме в школу; ~지원자 желающие поступить в училище.

입헌(立憲) ~의 конституционный; ~국가 конституционное государство; ~군주국 конституционная монархия; ~군주제 конституционная монархия, конституционно-монархический строй; ~정치 конституционная форма прав-ления; ~정체 конституционный строй; ~하다 принимать(вводить) конститу-цию; ~군주(민주)제 конституционно-монархический (демократический) режим.

입후보(立候補) кандидатура; 1) ~하다 а) выдвигать(кандидатуру); б) выдвигать себя кандидатом; 2) см. 입후보자; 그를~로 추천하다 выста-вить (выдвинуть) его кандидатуру; ~를 사퇴하다 отказываться от выдвижения; ~자 кандидат.

입히다 одевать; 상처를~ нанести рану; 잔디를~ обкладывать(одеть) дёрном; 손해를~ наносить ущерб.

잇다(이으니, 이어) 1) соединять, связывать; 2) продолжать, насле-довать; 3) связывать; 끊어진 실을~ связать разорванную нить; 말을 ~ продолжать говорить, рассказывать; 이어[서] вслед, затем, после этого.

있다 1. 1) быть; иметь[ся]; нахо-диться; оставаться; пребывать; жить; иметь место; происходить; 공장이 멀지 않은 곳에 ~ завод находится недалеко; 내가 돌아 올 때까지 여기 있어라 оставайся здесь до тех опр пока я не вернусь; 이 사건은 오래 전에 있었다 это событие произошло давно; 2) существовать, жить; происходить, иметь место (о событии); 2. 1) после деепр. предшествования: а)(оконч. 고) указывает на длительность дей ствия:

그는 지금 읽고 있다 он сейчас читает б) (оконч. 아/어/여)указ. на состояние: 앉아있다 сидеть; 2) после дат. п. в ф. 있어서 в; для; 이것은 우리에게 있어서 아주 중요하다 это для нас очень важно; 3)входит в конструкцию возможного дей ствия 갈 수 있다 можно идти.

있다가 позже, потом.

잉 ~하다 издать звон(напр. о проводах при порыве ветра).

잉걸불 1) горящие угли; 2) недогоревшие угли.

잉구관(仍舊貫) ~하다 а) оставлять постарому; б) делать попрежнему.

잉모(孕母) уст. см. 임신부.

잉박선(艻朴船) арх. см. 너벅선.

잉부(孕婦) уст. см. 임신부.

잉손(仍孫) уст. потомок по прямой линии в седьмом поколении

잉수(剩數) уст. оставшееся количество(число) остаток.

잉아 текст. галево;~눈 глазок галева.

잉아대 текст. ремизная планка

잉어(<-魚) сазан; ~가 뛰니까 망둥이도 뛴다 *погов*. ≅ куда ветерок, туда и умок.

잉어국(<-魚-) уха из сазана(карпа).

잉어등(<-魚燈) фонарь в форме карпа на шесте(вывешивался в день рождения будды Шакьямуни 8-го числа 4-го лунного месяца).

잉어젓(<-魚-)солёный сазан(карп) (закуска)

잉어회(<-魚膾)хве из сазана(карпа)

잉여(剩餘) остаток, излишек;~가치 прибавочная стоимость; ~율 нормы прибавочной стоимости; ~가치 прибавочная стоимость;~년율 годовая норма прибавочной стоимости; ~가치율 нормы прибавочной стоимости; ~노동 прибавочный труд;~부력 избыточная подъёмная сила(сети); ~생산물 прибавочный продукт.

잉여량(剩餘量) остаток, излишек.

잉용(仍用) ~하다 использовать попрежнему

잉위지(仍爲之) уст. ~하다 как и раньше принадлежать(входить).

잉임(仍任) уст. см. 인임.

잉잉거리다 I звенеть, гудеть(о проводах при сильном ветре)

잉잉거리다 II плакать,хныкать

잉조(剩條)уст.оставшаяся часть

잉존(仍存) ~하다 оставить(что-л.) так, как было.

잉첩(媵妾) арх. см. 첩 II 1).

잉크 чернила; ~병 чернильница.

잉태(孕胎) беременность; ~하다 забеременеть, быть беременной.

잊다 забывать,отбросить, оставить; 근심을 ~ не беспокоиться; 잊을 수 없는 추억 неизгладимые воспоминания.

잊어버리다 забыть.

잊히다 забываться, быть забытым.

잎 I лист.

잎 II счётн. сл. для монет, соломенных мешков и т.п.

잎꼭지 бот. черешок листа.

잎나무 ветки деревьев(как топливо).

잎나물 растение со съедобными листьями.

잎눈 бот. листовая почка.

잎담배 листовой табак.

잎망울 набухшая листовая почка.

잎몸 бот. пластинка листа.

잎샘 ~하다 похолодать в период развертывания листьев.

잎줄기 жилка листа, бот.стержень, листья и стебель.

잎채소 овощи со съедобными листьями. **잎초** диал. см. 잎담배.

ㅈ девятая буква кор. алфавита: обозначает согласную фонему [ч].

자 I (도구) линейка, мерка; 2) см. 척도; 3) ча(мера длины ≅ 30,3 см); 자에도 모자랄 적이 있고 치에도 넉넉할 적이 있다 *посл.* ≅ бывает, что не хватает и большого количества, а от мало́ остаётся; 삼각~ чертёжный треугольник.

자(字) II этн. имя(прозвище), дававшееся после женитьбы.

자(子) III уст. книж. сын.

자(者) IV тк. после опред. 1) человек; 2) пренебр. человек, тип; 3) арх. вещь; то, что; 돈 있는 ~ богатый человек.

자-(自) преф. кор. само..., авто...; 자의식 самосознание; 자화상 автопортрет.

-자(子) I суф. кор. ребёнок.

-자(字) II суф. кор. буква; 자모자 лингв. согласные и гласные.

-자(者) III суф. кор. образует сущ. от сущ. со знач. имени деятеля: 과학자 учёный; 노동자 рабочий; 제국주의자 империалист.

-자 I оконч. пригласит. ф. гл. 이제 가자 пойдём сейчас же.

-자 II оконч. деепр. 1) после основы гл. указ. на мгновенный характер действия: 비가 그치자 해가 났다 как только перестал идти дождь, появилось солнце; 2) после прил. и имён со связкой. указ. на равноценность признака: 국가의 이익이자 또 내 이익이라니까 то, что выгодно государству, выгодно и мне.

자가(自家) уст. 1) свой дом; 2) сам; ~감염 мед. самозаражение; ~광고 см. 자기[광고] VIII; ~당착 противоречить самому себе; ~본위 см. 자기[본위] VIII; ~성형술 мед. автопластика; ~소비 собственное потребление; ~수정 бот. автогамия; ~수혈 автотрансфузия; автоинфекция; ~집종 автоинокуляция; б) самонадеянность; ~암시 самовнушение; ~이식 автотрансплантация; ~완전 автовакцина.

자가용(自家用) сущ. для личного пользования, частный; ~자동차 индивидуальная(частная) машина; ~ 전화 личный(индивидуальный) телефон.

자각(自覺) самосознание, самоощущение; ~하다 сознавать, осознавать(ся); ~심 сознательность; ~존재 주의 филос. экзистенциализм; ~증상 мед. субъективный симптом; ~적 сознательный.

자격(資格) 1) квалификация; компетенция; права; данные чьи-л.; ценз; 2) ~으로 в качестве кого-л.; ~시험 экзамен на квалификацию; ~심사 мандатная комиссия; аттестация; ~증명서 удостоверение о квалификации, аттестат; ~지심 чувство неполноценности, угрызения совести.

자결(自決) 1) самоубийство; 2) самостоятельное решение; самоопределение; ~하다 самостоятельно решать; покончить с собой; ~권 право на самоопределение.

자국, 자취 I след, шрам; ~을 밟다 идти по следу.
자국(自國) II своя(родная) страна; ~의 родной, отечественный; ~어 род-ной язык.
자궁(子宮) 1) анат. матка; ~암 рак матки; ~외 임신 внематочная беременность; ~내막염 эндометрит; ~발육부전 гипоплазия матки; ~절제술 метроэктомия; ~절개술 метротомия; ~폐쇄 маточное заращение; ~출혈 метроррагия; ~탈출 грыжа матки; ~협착증 метростеноз;~하수증 метроптоз.
자극(刺戟) импульс, побуждение, стимулирование; раздражение; воздействие на кого-л.; ~하다 раздражать, возбуждать, воздействовать, побуждать, стимулировать; ~을 받다 полу-чить стимул, быть побуждённым; 물질적 ~ материальный стимул; 신경을 ~하다 раздражать(действовать на нервы);~제 возбуждающее(стимулирующее) средство, стимулятор; ~비료 с.-х. косвенные удобрения.
자극성(刺戟性) 1) сущ. раздражающий, возбуждающий; ~독해물 раздражающие, отравляющие вещества; 2) раздражимость.
자금(資金) капитал; денежный фонд; материальные средства; ~공급 финансирование; ~이 풍부하다 иметь большие средства; располагать большим капиталом; ~난 финансовый кризис, финансовые затруднения; ~부족 нехватка денежных средств; ~동결 заморажи-вание денег.
자급(自給) самообеспечение, самоснабжение; ~하다 самому удовлетворять свои потребности; ~력 способность обеспечить самого себя; ~자족 производство всего необходимого своими силами; ~비료 местные удобрения.
자궁심(自矜心) самовосхваление
자기(自欺) I самообман; ~하다 обманывать самого себя, заниматься самообманом.
자기(磁氣) II физ. магнетизм;~감응 магнитная индукция; ~기동기 эл. магнитный пускатель; ~마당 магнитное поле;~수위계 лимниграф; ~자오선 магнитный меридиан;~저항 магнитное сопротивление; ~적도 магнитный экватор; ~지력선 линии магнитных сил; ~폭풍 магнитная буря; ~회로 магнитная цепь; ~이상 магнитная аномалия;~위도 магнитная широта.
자기(自己), 자신 III 1) сам, свой, себя; ~의 свой, собственный, личный; ~만족 самодовольство; ~암시 самовнушение; ~중심주의 эгоцентризм; ~혐오 отвращение к себе; ~소개 представление себя; 2) фарфор; ~계발 собственная разработка.
자꾸 всё время; непрерывно; то и дело; ~조르다 всё время приставать.; 자꾸 떠오르다 часто вспоминаться.
-자꾸나 разг. груб.оконч. пригласит.ф.: 같이 가자꾸나 пойдём вместе.
자꾸자꾸 то и дело, непрерывно, постоянно.
자나깨나 спит ли, бодрствует ли.
자녀(子女) сыновья и дочери; дети; ~교육 воспитание детей
자다 1) спать, ночевать; 자나깨나 и (ни) днём и (ни) ночью; всё время; 깊이~ крепко спать; 잘못~ плохо спать; 한잠 ~ вздремнуть; 자는 범 고침 주기 자는 범(호랑이)의 코를 쑤시다 (찌르다) посл. = букв. тыкать в нос

спящему тигру; 자다가 봉창 두드린다 обр. нести чушь; 자다가 생병 얻는 것 같다 обр. неожиданно встревожиться; 자다가 얻은 병 обр. неожиданная беда; 자던 중도 떡 다섯 개 посл. ≅ работать не гораздь, а поесть как раз; 자던 아이 깨겠다 посл. ≅ говори, да не заговаривайся; 자도 걱정 먹어도 걱정 обр. постоянная тревога; 2) спать вместе(о мужчине и женщине); 3) стихать (о ветре, волнах); 4) улаживаться, упорядочиваться, стабилизироваться; 5) останавливаться(о часах и т.п.); 6) бездействовать, не работать, простаивать; 7) слежаться, смяться; склеиться; 8) лежать рубашкой вверх(о картах)

자동(自動) автоматическое действие (движение); ~의 автоматический; ~적 спонтанный, самодвижущийся; ~화하다 автоматизиро- вать; 문이 ~으로 열고 닫긴다 дверь открывается и закрывается автоматически; ~소총 автоматическая винтовка; ~조종(장치) автопилот; ~전화 телефонавтомат; ~기록기(기록계) тех. самописец; ~계산기 арифмометр; ~무기 воен. автоматическое оружие; ~보총 автоматическая винтовка;~식자기(식자주소기, 주소기) полигр. линотип; ~저울 автоматические весы; ~적재기(적재차) автопогрузчик; ~직하식 자동차 автосамосвал; ~전화 телефонавтомат; ~정류소 (космическая)авто-матическая станция; ~조종학 кибернетика; ~판매기 автомат(в торговле); ~피아노 муз. пианола; ~하다 действовать автоматически; 2) см. 자동사.

자동차(自動車) автомашина; автомобиль; ~에 타다 садиться в машину; ~를 운전하다 водить машину; ~경주 автогонки; ~공업 автомобильная промышленность; ~공장 автомобильный завод; ~수리소 авторемонтная мастерская; ~운전수 водитель; ~전용도로 автострада; ~주차장 автобаза, автопарк; ~열차 автопоезд; ~차고 гараж; автопарк

자동차 역(정류장) автовокзал.

자동화 автоматизация; ~하다 автоматизировать(ся); ~되다 автоматизироваться.

자라 1) дальневосточная черепаха (Amyda sinencis); ~보고 놀란 가슴 소똥 보고 노란다 посл. ≅ букв. человек, напуганный черепахой, пугается при виде крышки котла;~알 바라듯 обр. очень переживая.

자라다 I 1) расти; 잘 자랄 나무는 떡잎부터 알아본다 = 될성 부른 나물은 떡잎부터 알아본다; см. 되다 I; 2) возрастать, увеличиваться.

자라다 II 1) достаточный; 2) а) доходить (до какого-л. уровня); б) хватать, быть достаточным; 힘이 자라는데 까지 до тех пор, пока хватит сил. **자라라** вырасти.

자랍니다 вырастает.

자랑 гордость;~스럽다 достойный гордости, славный;~하다 гордиться; ~거리 предмет гордости, гордость; ~끝에불[이] 붙는다(~끝에 쉬는다) посл. ≅ похвалился, да и подавился; ~에차다 преисполненный гордости; ~스럽다 достойный гордости.

자랑스럽게 гордо.

자랑스럽다 гордый.

자력(自力) I свои(собственные) силы; ~으로 собственными силами, на свои средства; ~갱생 реконструкция(возрождение) без посторонней помощи(с опорой на собственные силы)

자력(資力) II материальные возможности.

자력(磁力) III физ. магнетизм; ~계 магнитомер; ~선광 горн. магнитное обогащение;~탐광 геол. магнитная разведка.

자료(自了) I ~하다 заканчивать(завершать) своими силами.

자료(資料) II материалы; данные; ~집 сборник материалов; 건축~ строительные материалы.

자루 1) рукоятка; ручка; 도끼 ~ рукоятка топора; 2) счётн. сл. а) для длинных предметов и предметов, имеющих рукоятку; 연필 한 ~ один карандаш; б) для счёта проработанных дней.

자르다(자르니, 잘라) 1) отрезать, разрубать, распиливать, туго завязывать(затягивать); 2) решительно сказать, отрезать; 3) быстро завершить; 4) наотрез отказать; 잘라 말하다 решительно сказать, отрезать; 잘라 먹다 а) откусывать; отрезать и есть; б) не платить, не возвращать долга; присваивать.

자리 1) место; 그 ~에 тут же, на месте; ~를 차지하다 занимать место; ~를 잡아 놓다 оставлять за собой, заказывать место; ~를 잡다 а) занимать место; находиться, располагаться; б) засесть(запасть) в душу(о какой-л. мысли и т.п.); ~를 뜨다 покидать прежнее место; ~유표 бегунок (на логарифмической линейке); 2) циновка; подстилка; 3) сиденье; 4) постель;~를 보다 а) стелить постель; б) ложиться в постель; ~불 일다 вставать(с постели); ~에 눕다 заболеть, слечь(о больном); 5) должность, пост; 6) возможность встретиться(собраться); 7) мат. разряд; ~[가] 나다 оставить след, быть заметным(о проделанной работе);~[가] 잡히다 а) привыкнуть(к какой-л. работе); набить руку;б) утвердиться, быть наведённым(о дисциплине, порядке); в) стабилизироваться (о жизни); ~를 같이 하다 а) сидеть рядом(с кем-л.); б) участвовать вместе (с кем-л.); ~[를] 걷다 проходить(о болезни); улучшаться(о состоянии больного); ~ 다툼하다 бороться за место; ~를 지키다 держаться за место (должность).

자립(自立) самостоятельность; ~적 самостоятельный, независимый; ~하다 быть самостоятельным, независимым, ни от кого не зависеть; ~적 경제 независимая экономика; ~적 단어 лингв. знаменательное слово; ~민족경제건설노선 линия на строительство самостоятельной национальной экономики; ~자영 введение(чего-л.) собственными силами; ~품사 лингв. знаменательная часть речи.

자매(姉妹) 1) сёстры; старшая и младшая сестра; 2) сущ. родственный; ~신문 газеты (напр. принадлежащие одной партии); ~도시 городапобратимы

자멸(自滅) самоуничтожение, самоистребле ние; ~하다 губить себя, обрекать себя на гибель.

자모(字母) 1) азбука; буквы(согласные и гласные); ~문자 лингв. алфавитное письмо; ~순 алфавитный порядок; ~표 алфавит, таблица алфавита; 2) см. 자모표; 3) иероглифы, обозначающие инициали(в др.кит. фонетике); 4) полигр. матрица.

자문(自問) I ~하다 задавать себе вопрос; ~자답 задавать себе вопрос и самому отвечать.

자문(諮問) II запрос; ~하다 делать запрос, запрашивать; ~국회 государственный совет(в монархическом государстве); ~기관 консультативный орган.

자물쇠 [-ссве] замок; ~를 잠그다 запирать на замок; 문을 ~로 잠그다 запереть дверь на замок.

자발(自發) ~적 а) самопроизвольный; добровольный; ~적으로 협력하다 помогать кому-л. самопроиз-вольно; ~적중지 юр. добровольный отказ; б) стихийный, спонтанный; ~하다 а) действовать по своей воле; б) автоматически действовать.

자백(自白) признание; сознание; ~하다 признаваться; сознаваться; ~서 письменное признание.

자본(資本) эк. капитал; ~금융 финансовый капитал; ~고정 основной капитал; ~가 капиталист; ~금 (денежный) капитал; ~주의 капитализм; ~구성 состав капитала; ~계급 см. 자본가[계급]; ~유동 перемещение капитала; ~수출 вывоз капитала; ~순환 обращение капитала; ~집적 концентрация капитала; ~집중 централизация капитала.

자본주의(資本主義) капитализм;~적 капиталис-тический;~기본 경제법칙 основной экономический закон капитализма; ~세계 경제체계 капиталистическая система мирового хозяйства; ~경제 형태 капиталистический уклад; ~적 과잉생산공황 капиталистический кризис перепроизводства; ~적 독점 капиталистическая монополия; ~적 생산양식 капиталистический способ производства

자부(自負) I (само)уверенность; ~하다 быть уверенным в себе(самоуверенным); быть достойным; ~심 самоуверенность; чувство собственного достоинства; гордость.

자부(慈婦) II арх. любящая жена.

자비(慈悲) I 1) милосердие; милость; ~하다 милосердный; ~롭다 добрый; мягкосердечный; ~를베풀다 подавать кому-л. милостыню; миловать кого-л.; ~심 чувство жалости; 2) будд. избавление всего сущего от страданий.

자비(自費) II личные расходы;~로 за свой счет; 그는 이 책을 ~로 출판하였다 он напечатал(издал) эту книгу за свой счет.

자빠지다 하는일에서 따로 떨어져 나가다 отказываться; самоустраняться; 1) опрокинуться; повалиться; упасть на спину(навзничь); 자빠져도 코가 깨여진다(터진다) посл. ≅ букв. упал на спину, а разбил нос(о непредвиденной беде); 2) свалиться, слечь; 3) отказываться, самоустраняться(от дела); 4) прост. см. 늘다; 5) облениться; прирасти к одному месту.

자산(資産) 1) капитал; имущество; средства; ~을 동결하다 заморозить имущество; ~가 человек со средствами; состоятельный человек; ~계급 имущий класс см. 자본가 [계급]; 2) эк. активы.

자살(自殺) самоубийство; ~하다 покончить с собой(с жизнью); ~미수 попытка совершить самоубий-ство; ~자 самоубийца.

자생(自生) 1) произрастание; самозарождение; ~적 самопроизвольный, спонтанный; ~[적] 계급 рабочий класс в период зарождения; ~적 변화 лингв. спонтанное изменение; ~ 자결 продолжить путь в жизни без посторонней помощи; ~하다 а) расти в диком состоянии; б) самозарождаться; ~의 самозарождающийся.

자서전(自敍傳) автобиография; ~적 автобиографический; ~적 작품 автобиографическое произведение.

자선(慈善) благотворительность; филантропия; ~하다 а) самому

основать (что-л.); б) самому добиться (чего-л.); в) заниматься (благотворительностью); г) делать(добрые дела); ~가 благотворитель; филантроп;~단체 благотворительное общество; ~사업 благотворительное предприятие; ~심 щед-рость; сердечная доброта; ~음악회 благотво-рительный концерт.

자세(姿勢) положение, позиция, поза; фигура;~가 좋다 красиво держаться (сидеть; стоять); ~를 바로 가지다 принять надлежащую позу.

자세히 подробно, детально; ~살펴보다 подробно рассматривать; ~일러 주다 подробно рассказывать; ~ 상세하게 подробно.

자수(自首) I юр. явка с повинной; добровольная сдача; ~하다 являться с повинной; признаваться в преступлении; 범인이 경찰에 ~하다 преступник явился с повинной в полицейский участок.

자수(自手) II 1) ~로 своими собственными руками; своими силами; ~삭발 а) стричься самому; б) постригаться в монахи; ~삭발은 못한다 см. 중[이 제머리 못 깎는다] I ; в) взвалить на себя бремя;~성가 строить собственными руками жизнь; ~안맹 см. 제 [손으로 제 눈 찌르기] IX; 2) ~하다 повеситься, перерезать себе горло.

자습(自習) самообразование; самоподготовка; самостоятельное изучение; самостоятельные занятия; ~하다 заниматься(изучать) самостоятельно; ~서 самоучитель.

자식(子息) 자녀(子女) 1) сын и дочь; дети; 2) ласк. ребенок; детка; детёныши;~도 많으면 천하다 посл. ≈ тем, что имеется в изобилии, не дорожат;~둔 곳에는 호랑이도 두남을 둔다(~둔 골은 범도 돌아본다) посл. ≈ даже лютый зверь заботится о своих детёнышах; 3) бран. сукин сын.

자신(自身) I самоуверенность; апломб; вера в себя;~의 уверенный; ~의힘으로 с помощью уверенности.

자신(自信) II ~만만하다 быть уверенным в себе; самоуверенный; 나는 이길~이있다 я уверен в своей победе.

자연(自然) природа; ~하다 естественный;~의 природный; естественный; натуральный; самопрои-звольный; ~적 природный, естественный, натуральный, стихийный; ~계 природа; мир природы; ~ 과학 естественные науки; естествознание; ~과학자 естествовед; естествоиспытатель; ~과학적 유물론 естественноисторический материализм; ~도태 естественный отбор; ~되살이 (갱신) естественное возобновление (леса); ~감모 естественная убыль; ~경관 ландшафт; ~경제 натуральное хозяйство; ~ 기념물 см. 천연 [기념물] I; ~ 개조 преобразование природы; ~로그수 мат. натуральный логарифм; ~면역 мед. естественный иммунитет; ~발생성 самотёк; ~법칙 закономерность природы; ~변증법 филос. Диалектика природы; ~부원 природные богатства; ~적 분업 естественное разделение труда; ~수열 *мат.* натуральный ряд чисел; ~숭배 культ природы;~신교филос. деизм; ~생장론 теория стихийности; ~생장성 филос. стихийность; ~생장적 유물론 филос. стихийный материализм;~자원 естественные ресурсы; ~장애물 воен. естественное препятствие; ~지도 физическая карта; ~지리[학] физическая география; ~지리구 геогра-фическая область; ~철학 натурфи-лософия; ~채권 дебиторская задолженность без права иска; ~채무 кредиторская задолженность без права иска; ~취수 естественное орошение; ~피해 ущерб, понесённый в результате стихийного бедствия; ~음질 муз. натуральный звукоряд; ~스럽다 прил. казаться естественным(безыскусным); ~발생 самозарождение; самопроизвольное рождение; автогенез; ~보호 охрана природы;~사 естественная смерть; ~재해 стихийное бедствие; ~주의 натурализм; ~주의자 натуралист; ~현상 явление природы; стихия; ~히 естественно; натурально.

-자오- уст .суф.предикатива, выражающий вежливость к собеседнику: 듣자오니 слушаю Вас; 받자옵니다 получаю от Вас.

-자옵- суф. предикатива, выражающий почтительность: 듣자옵고... с почтением выслушав Вас...

자원(自願) I собственное желание; добровольность; ~하다 изъявлять желание; ~적 добровольный; ~적으로 добровольно; ~병 доброволец; ~입대 добровольное вступление.

자원(資源) II ресурсы; богатства; 인적~ людские ресурсы;~을 개발하다 эксплуатировать ресурсы.

자위 I 1) место, где лежало(что-л.) тяжёлое; 2) утробный плод; 3) плацента(у каштана); 4) зона защиты(напр. в. футболе);~[가] 돌다 а) начинать перевариваться(о пище); б) см. 자위를 뜨다; в)~[를]뜨다 быть сдвинутым(передвинутым); шевелиться, двигаться(в уробе матери - о плоде); отделяться от плюски(о плоде каштана); образовываться(о бреши, проходе в зоне защиты, напр. в футболе).

자위 II 검은~ радужная оболочка (глаза); 누런~ желток яйца; 흰~ белок.

자위(自衛) III самозащита; самооборона; ~하다 защищать(себя); ~적 для самообороны(самозащиты); ~노선 линия на самооборону; ~조치를 취하다 принимать меры самозащиты; ~권 право на самозащиту.

자유(自由) свобода; воля;~의 свободный; вольный; ~롭게 свобод-но; вольно; ~결혼 брак по любви; ~경쟁 свободная конкуренция; ~도시 свободный город; ~낙하 физ. свободное падение; ~노동 свободная работа; ~선거 свободные выборы; ~자재로 свободно и произвольно; ~전자 физ. свободный электрон; ~전하 эл. свободный заряд; ~주로 см. 공통 [주로]; ~직업 свободная профессия; ~ 재량 юр. свободное усмотрение; ~행로 тех. свободный пробег;~행정 тех. свободный ход; ~운동 спорт. вольные упражнения; ~애호인민 свободолюбивый народ; ~분방하다 свободный; нестеснённый; окрылённый; ~스럽다 свободный; вольный; 언론(출판)~ свобода слова(печати); ~경제 либеральная экономика; ~무역 вольная торговля; фритредерство; ~방임주의 принцип невмешательства; ~사상 свободомыслие; ~시 вольный стих; ~업 свободная профессия; ~의지 добрая воля; ~주의 либерализм; ~주의자 либералист; ~형 вольный стиль.

자유화(自由化) 1) либерализация; ~하다 либерализовывать; ~되다 либерализовываться; 2) примитивный(детский) рисунок.

자율(自律) [-율] 1) сдерживание себя, самоконтроль; 2) филос. нравственная автономия; 3) автономия; самодисциплина;~신경계 автономная нервная система. ~신경계통 анат. авто-номная(вегетативная) нервная

자의(自意) I свои думы(мысли); ~대로 посвоему; как вздумается.

자의(恣意) II своеволие; ~적 самовольный; своевольный; ~로 посвоему; своевольно; произвольно.

자작(自作) I 1) собственное произведение; собственное изделие; предмет собственного изготовления; ~극 самодеятельный спектакль;~농 крестьянинсобственник; ~시 собственное стихотворение; 2) изготовление своими руками; ~자급 удовлетворение потребностей предметами собственного изготовления; ~자수 пострадать по собственной вине; ~자필 самому сочинять и записывать; ~자활 самому содержать себя; ~자연 самому ставить(на сцене) собственное произведение; играть роль в собственной пьесе; ~일촌 основание поселения родственниками(единомышленниками); 3) обработка земли собственными руками; ~하다 изготовливать (сочинять) самому; самому обрабатывать землю.

자작(子爵) II 1) чаччжак(титул 4-ой степени кор. янбана: соотв. виконту); 2) янбан, имеющий титул чаччжак.

자장가 колыбельная песня.

자장자장 межд. баюбай.

자재(自在) I филос. ~[적] "в себе"; ~[적] 계급 "класс в себе"; ~적사물 "вещь в себе"; ~하다 свободный, ничем не стеснённый(не ограниченный).

자재(資材) II материал; ~공급 материальное обеспечение;~계산 материальный учёт; ~과 отдел обеспечения; ~난 трудности с материалами; 건축~ строительные материалы.

자전거 велосипед; ~를 타고 가다 ехать на велосипеде; ~경기 велогонки.

자제(子弟) I вежл. 1) Ваш(его) сын; 2) молодёжь(из чужой семьи).

자제(自制) II самообладание, сдержанность; ~하다 владеть собой; сдерживать себя;~력을 잃다 выходить из себя; терять самообладание;~력 выдержка; сдержанность; самообладание.

자족(自足) самодовольство; самоудовлетворение; ~적 самодовольный; ~하다 быть довольным собой; удовлетворяться.

자존심(自尊心) самолюбие; амбиция; гордость; чувство собственного достоинства; ~이 강한 사람 гордый человек

자주 1) самостоятельность; независимость; ~적 самостоятельный; независимый; ~권 суверенитет; ~독립국가 суверенное и независимое государство;~적평화통일 самостоятельное мирное объединение (родины).

자중(自重) вес порожняка; ж.-д. вес тары; ~계수 ж.-д. коэффициент тары; ~운반 горн.транспортировка под действием силы тяжести

자지러지다 1) съёживаться от страха; 2) вянуть(о растении); 3) звонко раздаваться; 4) изящный, изысканный

자진(自進) I 1) ~하다 делать самому (добровольно); ~하여 добровольно.

자진(自盡) II ~ 하다 умирать в результате голодовки; умирать, отказавшись принять лекарство; иссякать, израсходоваться; высыхать, пересыхать; израсходовать все силы(всю энергию); умирать в результате голодовки.

자질(子姪) I сын и племянник

자질(資質) II 1) врождённые качества; натура; задатки; темперамент; способность; 2) квалификация.

자책(自責) самообвинение; ~하다 обвинять(упрекать)себя; испытывать угрызения совести; ~감 угрызения совести; чувство вины

자체(自體) сам; ~물 сам по себе; ~의 свой, собственный; ~감응 физ. самоиндукция; ~유통자금 эк. собственные оборотные средства; ~방전 эл. саморазряд;~자금 собственные средства(предприятия); ~제동 автоматическое торможение; ~영양식물 автотрофное растение.

자취 I след; ~를 감추다 заметать следы; исчезать; ~를 남기다 оставлять следы;~없이 사라지다 скрываться в неизвестном направлении; бесследно исчезнуть;~를 밟다 идти по следу; ~를 받다 напасть на след.

자취(自取) II ~하다 накликать(навлечь) на себя(беду, несчастье).

자치(自治) автономия; самоуправление; ~하다 осуществлять самоуправление; ~적 самоуправляющийся, автономный; ~의 автономный; ~공화국 автономная республика (область); ~권 право на автономию; ~령 доминион; ~제 система самоуправления; ~행정 автономная администрация; ~회 комитет самоуправления; ~기관 орган самоуправления.

자칭(自稱) 1) самозванец; ~하다 выдавать себя за кого-л.; называться кем-л.; хвастаться; ~의 самозванный; мнимый; ~천자 ирон. хвастун; 3) самоназвание; прозвище для себя.

자타(自他) 1) сам и другие(чужие); 2) лингв. переходный и непереходный глаголы; 3) филос. субъект и объект.

자택(自宅) своя квартира;свой дом; ~에 у себя дома; ~요양 лечение у себя дома;~구속 домашний арест.

자행(恣行) своеволие; самоуправство; широкое хождение(распространение); ~하다 своевольничать; действовать по собственному усмотрению; иметь широкое хождение(распространение).

작(爵) I 1) ранг; 2) титул.

작(作) II после опред. 1) произведение (художественное и т. п.); 2) после фамилии автора написанно (кем-л.).

-작 суф. кор. 1) работа; труд; произведение; 집체작 коллективная работа; 2) урожай; 평년작 средний урожай.

작가(作歌) 1) писатель; литератор; ~의 말 авторская речь; 2) автор;~적 а) писательский; б) авторский.

작금(昨今) 1) вчера и теперь;~양일 вчера и сегодня; 2) на днях, недавно;~양년 прошлый и этот годы.

작년(昨年) [чанъ-] прошлый год; ~에 в прошлом году; ~의 유행복 прошлогодняя модная одежда.

작다 1) маленький, небольшой(о размере); 양복이 ~ костюм мал; 작아도 후추(고추알) погов. = букв. перец мал, да горек; 작은 고추가 더 맵다 посл. = букв. маленький стручок перца самый горький; 2) в знач. сказ. мало; 구두가~ ботинки малы; 3) низкий(о росте); 4) слабый (о звуке); 5) узкий, ограниченный(о кругозоре и т. п.); 6) мелкий, незначительный; 7) короткий(о месяце); 8) в сложн. сл. в ф. 작은 младший; 작은누이 мла-дшая сестра; 9) см. 적다 III; 2) 작은 곰

астр. Малая Медведица; 작은 개 астр. Малый Пес; 작은관 코박쥐 зоол. малый трубконос(Murina ussuriensis); 작은되 малое тве(=0,9 л); 작은론도 муз. рондино; 작은마마 см. 수두; 작은말 лингв. слово со«светлыми» гласными; 작은박쥐 обыкновенная летучая мышь(Vespertilionidae); 작은 사랑 комната сына хозяина; 작은 사위질빵 бот. Ломонос (Clematis pierotii); 작은설 последний день старого года; 작은추석 накануне народного праздника 15-го числа 8-го лунного месяца; 작은떼새 см. 알도요.

작도(作圖) 1) мат. построение; 2) ~하다 делать чертеж(схему); ~법 способ построения.

작렬(炸裂) [챤ьнйол] взрыв; разрыв; ~하다 взрываться; разрываться; ~류탄 воен. бризантная граната; ~작용 бризантное действие.

작문(作門) [챤ъ-] арх. охраняемые ворота казармы; ~[을] 잡다 открывать центральную дверь ведомства (для высокого гостя).

작법(作法) правила написания(чего-л.); уст. ~하다 а)устанавливать обязательные правила; б) колдовать.

작별(作別) расставание; прощание; ~하다 расставаться; прощаться; ~인사를 하다 прощаться

작성(作成) составление; оформление; ~하다 составлять; оформлять; ~자 составитель.

작업(作業) работа; ~하다 работать; ~중에 во время работы; ~대 верстак; рабочий стол; ~량 объем работы; ~반 бригада рабочих; ~복 рабочая одежда; спецодежда; ~시간 рабочее время; ~일 рабочий день; ~장 место работы; рабочее место; ~기준량(정량) норма выра- ботки; ~지시포 наряд(на работу);

~행정 тех. рабочий ход; ~압력 тех. рабочее давление.

작용(作用) 1) ~하다 а) действовать; функционировать; б) влиять; воздействовать; 2) действие; функционирование; 3) влияние; воздействие; 화학~ химический процесс; ~과 반작용 действие и противодействие (реакция); 상호 ~하다 взаимодействовать. 작은 маленький, малый.

작전(作戰) 1) (военная) операция; боевые действия; ~하다 проводить операцию; вести боевые действия; ~을 변경하다 переменить план действий (тактику); 공동~ совместная операция; ~계획 план военных действий; ~[적] оперативный; ~대형 оперативное построение; ~보도 оперативная сводка; ~비행 боевой вылет; ~지대 театр военных действий; ~예술 см. 작전술; ~적 종심 оперативная глубина; 2) изыскание мер (путей); ~하다 изыскивать меры(пути).

작정(作定) решение; намерение; ~하다 решать; намереваться; определять.

작품(作品) (художественное) произведение; работа; творчество; 문학 ~ литературное произведение; 체홉의~ сочинение(творчество) Чехова; ~론 литературная критика; рецензия (отзыв) на произведение; ~명 название произведения; ~집 сборник произведений

작품권(作品圈) [-кквон] цикл(художественных) произведений.

잔(盞) рюмка; чарка; фужер; 포도주 한 ~ бокал вина; ~을 돌리다 пустить бокал по кругу; ~을 기울이다 выпить рюмку(чарку) см. 술잔[을 기울이다].

잔- мелкий; маленький.

잔디 дёрн; газон; трава; ~밭 лужайка; газон; ~찰방 шутл. быть похороненным.

잔업(殘業) сверхурочная работа; ~하다 работать сверхурочно; перерабатывать; ~수당 сверхурочные.

잔치(殘置) 1) пир; банкет; угощение; ~날 день торжества; ~상 праздничный стол; ~집 дом, где происходит торжество; ~하다 а) устраивать пир (банкет, угощение); б) устраивать свадьбу; 2) 결혼식.

잔털 волосок, ворсинка; ~ 제비꽃 фиалка(Viola Okuboi); ~윤노리나무 бот. Pourthiaea coreana (дерево).

잔혹(殘酷) жестокость;~한 жестокий; безжалостный; ~한 사람 жестокий человек; ~하다 жестокий; см. 참혹 [하다].

잘 I соболь(мех).

잘 II 1) хорошо; ~하다 делать(исполнять; вести) хорошо(искусно, умело); успешно осуществлять; ~되다 хорошо получаться; становиться хорошим; 잘되면 제 탓, 못되면 조상 탓 посл. ≡ букв. во всём хорошем моя заслуга, во всём плохом виноваты предки; 잘되는 집은 가지에 수박이 달린다 посл. ≡ в дружной семье всё кончается хорошо; 잘 나다 а) хороший, красивый; б) ирон. хорош; 잘 빠지다 прост.выделяться(среди других); 2) своевре-менно; к месту; 3) легко (напр. пугаться); 4) по крайней мере; 잘 생기다 быть внешне красивым; 잘 가시오 счастливого пути!; ~있어 до свидания; ~(잤니?) хорошо спал.

잘다(자니, 자오) 1) мелкий; 자디~ мельчайший; 잔고기 가시 세다 погов. ≡ мал да удал; 잔줄 무늬거울 круглое зеркало из белой латуни, украшенное резьбой; 2) мелочный(о характере). 잘랐습니다 отрезал.

잘못 ошибка; оплошность; ~ (부사적으로) ошибочно; неумело; как попало; ~듣다 ослышаться;~보다 обознаться; ~하다 ошибаться; совершать ошибку; ~되다 быть не в порядке (неисправным); 이것은 모두 나의 ~이다 все это моя вина.

잘잘 ~끓다 бурно кипеть; ~흔들다 качать, покачивать; ~끌다 тащить (волочить) с шумом(скрипом); ~ 쏘다니다 метаться, суетиться.

잘하다 делать(исполнять; вести) хорошо (искусно; умело); успешно осуществлять.

잠 I 1) прям. и перен. сон; спячка; ~을 자다 спать; прям. и перен. находиться в спячке; 깊이~이 들다 а) погрузиться в глубокий сон; б) эвф. умереть; 고이 잠들라! спите спокойно(в траурной речи);~을 자야 꿈을 꾸지 посл. ≡ букв. будет сонбудут сны;~을 청하다собираться заснуть; ~을 깨다 проснуться; ~을 이루다 засыпать; ~이 모자라다 не высыпаться;~이 늦어지다 проспать; ~이 달아나다 пропадать(о сне); 2) прилипание; слипание.

잠(箴) II арх. предостерегающий тон (письма)

잠결 [-ㄲㅕㄹ] ~에 в полусне; во сне; ~에 듣다 слышать сквозь сон; ~에 남의 다리 긁는다 погов. букв. во сне почесать чужую ногу(вместо своей) (≡а) по ошибке сделать хорошее дело для другого; б) принять чужое за своё.

잠그다(잠그니, 잠가) 1) запирать; закрывать(на замок); 2) закрывать(рот).

잠기다 быть запертым(закрытым)(на замок, запор); 2) сдавить, сжать (горло).

잠깐 недолго; некоторое время; минутку;~기다려주세요 подождите

잠꼬대 прям. и перен. бред; ~하다

бредить; говорить во сне; нести вздор; 이것은 ~같은 소리다 это пустые бредни.

잠복(潛伏) ~적 скрытый; инкубационный период; ~하다 скрываться; прятаться; ~근무 секретная служба; ~기간 инкубационный(скрытый) период; ~적 과잉 인구 эк. скрытое перенаселение; 2) ~[초소] воен. секрет (в сторожевом охранении).

잠수(潛水) 1) погружение в воду; ~하다 погрузиться в воду; ~병 кессонная болезнь; ~복 водолазный костюм; ~부 водолаз; ~함 подводная лодка; ~모함 плавучая база подводных лодок; ~작업 подводные (кессонные) работы; ~함대 подводный флот; 2) ~[어로] глубинный лов рыбы..

잠식(蠶食) ~하다 а) постепенно вторгаться; б) вгрызаться; 시장을 ~하다 малопомалу проникать на рынок.

잠언서(-書) Книга притчей Соломоиовых/ Притчи/ Прич.

잠자다 спать.

잠자리 стрекоза; ~비행기 прост. вертолёт;~날개같다 обр. тонкий и красивый(о ткани);~부접대듯 обр. а) легко перескакивая с одного на другое; б) прилипнув, тут же отстать.

잠자코 молча, безмолвно; ~있는 것이 무식을 면한다 посл. ≅ лучше помолчи, сойдёшь за умного.

잠잠(潛潛) ~하다 1) утихший; успокоившийся; спокойный; молчаливый; безмолвный; ~히 спокойно молча; 2) ~하다 безмолвствовать; молчать.

잠재(潛在) ~적 скрытый; латентный; потенциальный; ~하다 быть скрытым; находиться в скрытом(латентном) состоянии; ~력 потенция; ~의식 подсоз-нание.

잠정(暫定) ~적 временный; ~적 조치 временные меры; ~하다 принять (напр. курс) на короткое время.

-잡- уст. суф. предикатива, выражающий вежливость; 듣잡더니 с почтением слушаю Вас.

잡곡(雜穀) I зерновые(кроме риса); ~밥 смесь из риса и другой крупы, сваренная на пару; ~상 зерновщик.

잡니다 спит.

잡다(雜多) I ~하다 а) беспорядочный, хаотический; путанный; б) всякий разный.

잡다 II 1) ловить; 2) держать(в руках); 3) хватать; захватывать; 4) выбирать; придерживаться; назначать (дату); 시간을 ~ определять время; 5) требоваться; занимать; 6) принять положение; 7) получать; доставать; приобретать; 8) брать(под залог); 9) работать чем-л.; управлять(напр. станком); играть(на чём-л.); 10) бить, резать (дичь, домашний скот); 11) удерживать, задерживать,не отпускать; 12) искать; обнаруживать, находить; 13) перен. ловить(на удочку); 14) убирать (недозревший хлеб); 15) собирать, задерживать(напр. воду); 16) наливать (воду, напр. в котёл); 17) набросать (черновик, план); 18) делать складки; 19) см. 잡치나; 20) выпрямлять; исправлять; 21)гасить (огонь); 22) см. 잡아끌다;23) после имён в вин. и твор. п. признавать, считать; 마음을~ решиться; 자리를 ~ занимать место, располагаться, находиться; 주인을~ останавливтьса(у кого-л.); 잡아당기다 а) тащить к себе; перетягивать(на свою сторону); б) приближать, сокращать (срок); в) помогать; 잡아끌다 вступать; 잡아먹다 а) (зарезать и) съесть; б) изводить, допекать; травить; в) доводить до смерти; г) портить(вещи); д)тратить попусту(время); е) занимать (место); 잡아매다 связывать; 잡아채다 дёрнуть(за что-л.); 잡아떼다 а) отделять, отрывать; сдирать; б) прерывать; разрывать; прекращать (отношения); в) отнимать, отбирать; г) категорически отказывать(ся), отклонять, отрицать; д) притворяться(прикидываться) абсолютно незнающим (невинным); 숟가락을 ~ держать ложку; 어린아이의 손목을~ схватить ребёнка за руку; 차를~ останавли-вать машину; 권력을~ захватить власть; 흠을~ придираться; 중심을 ~ сохранять равновесие; 불길을~ гасить (тушить) огонь; 일정을~ составлять расписание

잡다하다 пёстрый; разношёрстный; разного рода.

잡담(雜談) пустая болтовня; ~하다 вести пустой разговор; попусту болтать.

잡수다 есть; пить; 1) вежл. см. 자시다; 2) арх. совершать(жертвоприношение). 잡수시다 кушать(уваж.).

잡음(雜音) 1) шум; 2) посторонние шумы; 3) ложные недостоверные слухи, кривотолки; 4) вредные разговоры; ~방지기 шумоглушитель.

잡지(雜誌) журнал; ~를 간행하다 редактировать(издать) журнал; ~에 기도하다 написать письмо в журнал;~사 издательство журнала;~책 книга журнального формата; 월간~ ежемесячник; 주간~ еженедельник.

잡초(雜草) сорняк; сорная трава; бурьян; 밭의 ~를 뽑다 полоть сорную траву на поле; см. 잡풀.

잡히다 ловиться.

잣 кедровый орех;~나무 сосна корейская;~죽 жидкая каша из толчёного риса и толчёных кедровых орехов;~나무복령 пахима, растущая на корнях корейской сосны(как материал для лекарства).

잣- преф. мелкий, крошечный; 잣주름 мелкие морщины, морщинки.

잣다(자으니,자아) 1) прясть; 2) качать, выкачивать(воду); 3) крутить, блуждать, плутать; 잡아내다 а) прясть; б) качать, выкачивать(во-ду); в) вызывать(чувство); 감명을 자아내다 производить впечатление.

장(長) I длина.

장(章) II глава книги; 제5~ глава пятая.

장(場), 시장(市場) III место; площадка; помещение; ~을 보다 ходить на базар; 장마다 망둥이 날 줄 아느냐 обр. ты что совсем дурак?; см.시장.

장(腸) IV анат. кишка; ~의 кишечный;~운동 перистальтика; 대(소)~ толстая(тонкая) кишка.

장(醬) V соевый соус; соевая(перечная) паста; 장집에는 가도 말단집에는 가지 말라 посл. ≅ букв. не ходи в тот дом, где речи сладки,а ходи в тот дом, где вкусно готовят приправы; 장이 단 집에 복이 많다 посл. ≅ букв. счастье в том доме, где вкусно готовят приправы; см.간장I

장 VI 장도감 скандал, ссора; 장도감[을] 치다 затевать ссору;устраивать скандал; 장 비 군령 обр. страшная спешка; 장비는 만나면 싸움[이라]обр. близость на почве общих интересов; 장비 호롱 истошные крики; 장 비야 내배 다칠라 ирон. кичиться, важничать.

장-(長) преф. кор. 1) длинный; ~거리 длинная дистанция, большое расстояние; 2) долгий; ~기간 бо-

-장(狀) I суф. кор. письмо; документ;감사장 благодарственное письмо; 표창장 грамота.

-장(場) II суф. кор. место; площадка; помещение; 비행장 аэродром; 건설장 строительная площадка.

-장(丈) III суф. кор. выражающий почтение:주인장 почтенный хозяин.

-장(帳) IV суф. кор. тетрадь; 학습장 ученическая тетрадь.

-장(張) V суф. кор. лист; плитка; 기와장 черепица; 종이장 лист бумаги.

-장(長) VI суф. кор. директор; заведующий; командир; начальник; председатель; 사단장 командир дивизии; 위원장 председатель; 기사장 главный инженер.

-장(章) VII суф. кор. знак, значок; 기념~ юбилейный(памятный) значок.

장갑(掌甲), 수갑 I рукавицы; варежки; перчатки; ~을 끼다 надевать перчатки.

장갑(裝甲) II ~하다 а) бронировать; б) облачаться в доспехи; 2) броня; ~열차 бронепоезд;~수송차 бронетранспортёр;~전차병 бронетанковые войска.

장거리(長距離) дальнее расстояние; длинная дистанция; ~경주 бег(состязание в беге) на длинные дистанции; марафонский бег; ~선수 стайер; ~유도탄 дальнобойный баллистический снаряд; ~전화 междугородний телефон; ~비행 полёт на дальность.

장관(長官) 1) министр(в некоторых странах); 2) воен. начальник; 국무~ государственный секретарь (в США); 3) начальник ведомства.

장군(將軍) 1) генерал; полководец; военачальник; 2) обр. богатырь; 3) шах(в кор. шахматах); ~[을] 받다 выводить короля изпод шаха; защищать короля фигурой; ~[을] 부르다 объявлять шах.

장기(長期) I ~적 длительный; продолжительный; рассчитанный на долгий период; ~화 되다 затягиваться; ~간 долгое(продолжительное) время; долгий (продолжительный) срок; ~계약 долгосроч-ный контракт(договор); ~성 дли-тельность; продолжительность; затяжной характер; ~전 длительная борьба; продолжительный бой; ~협정 долгосрочное соглашение; ~형 длительный срок заключения; ~신용 эк. долгосрочный кредит; ~ 예보 метео. долгосрочные прогнозы.

장기(臟器) II анат. внутренний орган; ~요법 органотерапия; ~제제 препараты, приготовленные из органов животных.

장난 1) баловство; шалость; проказы; ~하다 а) шалить; проказничать; баловаться; б) убивать время; ~꾸러기 шалун; баловник; ~끼 шаловливость; озорство; ~이 아이 된다 погов.≡ из малого рождается великое; 2) пустое времяпрепровождение.

장년(長年) человек зрелого возраста; зрелый возраст;~기 период зрелости; ~층 люди зрелого возраста.

장님 слепой; ~코끼리 말하듯 обр. без знания дела; ~파밭 매기 искать (что-л.) с завязанными глазами; ~도가 шумное место; ~개천 나무란다 см. 봉사[개천 나무란다] III; ~문고리 잡기 см. 봉사[문고리 잡기] III; ~ 북자루 쥐듯 см. 소경[북자루 쥐듯] I; ~사또 구경(은빛보듯) обр. холодно, нелюбезно; ~제 닭 잡아먹듯 см. 소경[제 닭 잡아먹기] I; ~코끼리 말하듯 обр. без знания дела; ~파밭 매기 обр. искать(что-л.) с завязанными глазами; ~도가 шумное место.

장래(將來) [-нэ] будущее, перспективы; ~에 в ближайшем будущем; ~성 будущность; перспективность.

장려하다(獎勵-) поощрять.

장력, 응력 [-нйок] 1) напряжение; растяжение; растягивание; усилие напряжения; 표면~ натяжение поверхностное(поверхности); 2) физ. растягивающее усилие; 3) давление (пара).

장례(葬禮) [-нйе] погребение; похороны;~하다 погребать; хоронить; ~식 похоронный обряд; похороны; ~차 катафалк.

장례식(葬禮式)[-нйе-] похоронный об-ряд, похороны.

장로(長老) [-но] 1) старший; старейшина; уважаемый старец; 2) вежл. см.노장중; 3) рел. пресвитер; ~교회 пресвитерианская церковь.

장마 затяжные(муссонные дожди); ~가 지다 идти несколько дней подряд(о дожде); начинаться(о сезоне дождей); ~철 сезон дождей.

장만하다 приготовить; готовить; приготовлять; обзаводиться; 집을 ~ покупать дом. 장미꽃 роза(цветок).

장부(丈夫) 1) мужчина; 2) см. 대장부; ~일언(일락)이 중천금이라 посл. ≈ букв. обещание настоящего мужчины весомее тысячи монет.

장사,상업(商業) I торговля; купля-продажа; ~하다 торговать; см. 장수 I; ~웃덮기 обр. заботиться(проявлять заботу) только о внешнем виде.

장사(葬事) II 1) погребение; 2) кремация;~하다 а) погребать; б) сжигать, кремировать

장사 III богатырь; удалой молодец; ~가 나면 용마가 난다 посл. ≈ букв. родится богатырь-появится и крылатый конь   장소(場所) место.

장식(裝飾) 1) украшение, декорирование; ~하다 украшать, декорировать, разукрашивать;~공예 декоративное прикладное искусство; ~글자 декора-тивный шрифт;~도안 декоративная графика;~미술 декоративная живопись; ~조각 декоративная скульптура; ~창법 муз. фиоритура; ~악구 муз. орнаментика; 2) украшения.

잦다 I 1) высыхать, испаряться; 2) просачиваться, проникать; 3) утихать, успокаиваться.

잦다 II частый, непрерывный

재(담배)I~를털다 стряхивать пепел

재 II (고개) перевал; горный хребет(кряж).

재(齋) III 1) жертвоприношение Будде с молебном о ниспослании благополучия душам умерших; заупокойная служба.

재(才) IV талант; способности.

재-(再-) пере--; ре--; вос--; 재무장 перевооружение; 재조직 реорганизация; 재생산 воспроизводство.

재거(再擧) ~하다 второй раз попытаться(что-л.) сделать; 2) вторая попытка.

재건(再建) реконструкция, перестройка; ~하다 реконструировать; перестраивать.

재고(在庫) имеющееся на складе; запас чего-л.; ~량 количество запаса чего-л.;~품 запас; инвентарь; ~품 조사 инвентаризация.

재교육(再教育) перевоспитание; переобучение; ~하다 перевоспитывать; переобучать; 직업 ~ повышение квалификации.

재능(才能), 재간(才幹) талант; способности; ~있는 одарённый; талантливый; способный.

재량(裁量) усмотрение; ~껏 по собственному усмотрению; ...의 ~에 맞기다 представлять что-л. на чьё-л. усмотрение.

재물(財物) I состояние; имущество; богатство; ~변작 предпринимательская деятельность(человека, имеющего состояние).

재물 [чэн-] II 1) щёлок; 2) см. 양재물; 3) глазурь для покрытия керамики; ~[을] 내리다 процеживать щёлок с по-мощью сиру.

재미 интерес; ~다 интересный; ~가 없다 неинтересный; неприятный; ~를 보다 достигать успеха; получать результат; ~있게 интересно; ~있는 забавный; ~있다 интересный; ~있대 интересный.

재발 повторная вспышка; новый приступ; ~하다 снова возникать.

재빨리 быстро; расторопно; ловко.

재산(財産) 1) имущество; состояние; средство; 2) собственность, имущество; ~국유 государственное имущество; ~사유 частное (личное) имущество; ~가 состоятельный человек; ~권 имущественные права;~몰수 конфискация имущества.

재생(再生) возрождение; регенерация; ~하다 заново рождаться; возрождаться; регенерироваться;~고무 регенерированная резина; ~타이어 регенерированная шина.

재생산(再生産) воспроизводство; ~하다 воспроизводить; 단순~ (확대) простое (расширенное) воспроизведение

재심(再審) юр. пересмотр; повторное рассмотрение дела; ~하다 пересматривать что-л.; подвергать что-л. повторному рассмотрению; ~을 신청하다 ходатайствовать перед судом о пересмотре дела.

재외(在外) пребывание за границей; ~의 находящийся за границей; заграничный; зарубежный.

재제염(再製鹽) очищенная поваренная соль.

재주(才-) способность дарование, талант; ~껏 приложив все способности(всё умение); ~꾼 особо одарённый(талантливый) человек.

재촉하다 1) требовать, побуждать; 2) подгонять, торопить.

재판(裁判) суд; судебное разбирательство; ~하다 судить; ~권 юрисдикция; ~비용 судебные издержки; ~소 суд;~장 главный судья; ~정 зал(заседаний) суда.

재품(才品) способности и моральные качества

재해(災害) ущерб от стихийных бедствий; ~를 당하다 перетерпеть бедствие; ~대책 меры (мероприятия) против стихийных бедствий; ~보상 компенсация убытков от стихийных бедствий; ~보험 страхование от несчастных случаев; ~지 район бедствий; пострадавший район.

재회(再會)~하다 встречаться опять (снова); ~를 약속하다 условиться с кем-л. встретиться ещё раз.

쟁(爭) тринадцатиструнная цитра.

쟁의(爭議) конфликт; 노동~ трудовой конфликт.

-쟁이 суф. со знач. имени деятеля с презр. оттенком: 양복~ портняжка.

쟁탈(爭奪)~하다 бороться за захват (чего-л.).

장르 жанр.

저 I свирель(без мундштука, с отверстием сбоку).

저(著) II после имени автор, составитель.

저 III 1) я; 2) вон тот, я(сам); 저 잘 난맛에 산다 *погов.* ≃ всяк сам себе хорош.

저-(低) преф.кор. низкий; 저기압 низкое давление. 저걸 другое.

저것 вон то, та; тот предмет.

저금(貯金) сбережения; ~하다 копить деньги; вкладывать деньги в сберкассу; ~을 찾다 снимать (брать) деньги со сберегательной книжки; брать деньги из банка; 은행에~하다 делать вклад в банк; положить деньги в банк; ~통 копилка;통장 сберегательная книжка.

저기 вон то место; там.

저기압(低氣壓) низкое атмосферное давление; циклон.

저녁 вечер; 다~ по вечерам; каждый вечер; ~을 같이하다 вместе ужинать; ~때 вечер; вечером.

저능(低能) слабоумие; ~의 слабоумный; умственно отсталый; ~아 слабоумный ребёнок

저당(抵當) залог; заклад; ~하다 заложить; отдать в заклад; ~되다 быть заложенным; ~권자 кредитор по закладной; ~물 заложенная вещь.

저래서 1) сокр. от (저리하여) так или иначе. 저러다 делать(ся) так.

저리다 онеметь; затечь; потерять чувствительность.

저만큼 в такой степени; также; на таком расстоянии. 저명한 видный.

저물었습니다 вечереть.

저수(瀦水) I ~하다 запасать(воду).; ~량 количество воды в водохранилище; ~지 водохранилище; водоём; резервуар

저수(貯水) II ~식물 бот. ксерофиты; ~조직 бот. водоносная паренхима; ~하다 запасать(воду).

저술(著述) произведение;сочинение; ~하다 писать книгу; ~가 автор.

저승 потусторонний мир; загробный мир; ~길 дорога на "тот свет".

저울 весы; ~에 달다 взвешивать на весах; ~추 гиря для весов.

저자(著者) автор;~불명의 책 книга безызвестного автора.

저장(貯藏) I хранение; складирование; ~하다 хранить; складировать; ~고 склад; хранилище; ~품 запасы; припасы.

저장 II ~용액 фарм. гипотонические растворы.

저조(低潮) I 1) малая(низкая) вода (при отливе); 2) упадок духа, депрессия.

저조(低調) II низкий тон.

저쪽 вон(там), тот.

저축(貯蓄) накопления, сбережения; ~하다 копить; откладывать день-ги; ~심 бережливость.

저택(瀦宅) I ~하다 снести дом и на его месте вырыть пруд(в виде наказания за государственное преступление).

저택(邸宅) II особняк, резеденция; частный дом.

저항(抵抗) отпор; сопротивление; противодействие; ~하다 сопротивляться; противодействовать; оказывать сопротивление; ~기 реостат; ~력 сопротивляемость; сила сопротивления. 저희들, 우리 мы.

적 I 1) отслоившийся(отколовшийся) кусочек (камня, древесины); 2) остаток раковины(на очищенной устрице).

적(敵) II 원수 1) враг, противник, неприятель.

적(籍) III домицилий; ~을 두다 стать членом чего-л.; встать на учёт;~이 있다 быть прописанным.

적 IV 1) после имён время; 2) по-сле опред. ф. предикатива то время, когда; 공부할 적에 во время учёбы; 3) после прич.прош.вр.гл. в сочет. с 있다(없다) приходилось(не приходилось) делать(что-л.); 조선으로 가 본 적이 없소 в Корее побывать не удалось.

적-(赤) преф. кор. красный; 적십자 красный крест.

-적(的) суф.,указ. не опред. функцию имени: 계급적 классовый.

적격(適格) квалифицированность; компетентность; ~의 квалифицированный; компетентный; ~자 лицо, имеющее определённую квалификацию. 적그리스도 Антихрист.

적극(積極) ~적 положительный; позитивный; активный; ~적으로 активно; ~적으로 활동하다 проявлять активность в чём-л.; принять активное участие в чём-л.; ~성 положительность; позитивность; активность; ~책 активные меры; ~화 активизация; ~화하다 акти-визироваться.

적다, 쓰다 1) маленький; 2) записывать, отмечать; 3) мало(о количестве).

적당(適當) ~하다 подходящий; соответствующий; надлежащий; пригодный; уместный; ~하게 соответствующе(надлежащим) образом; как следует;~하다 подходить к кому-чему-л.; соответствовать чему-л.

적당하다 соответствовать, быть подходящим.

적대(敵對) враждебность; антагонизм; ~적 антагонистический; враждебный; ~하다 враждебно относиться к чему-л.; противодействовать чему-л.;занять антагонистическую позицию; ~시 하다 смотреть на кого-л. враждебно; относиться к кому-л. антагонистически; ~감 чувство вражды; враждебность; ~행동 антагонистические действия.

적도(赤道) экватор; ~기단 экваториальный воздух; ~기후 экваториальный климат; ~반경 геогр. эквато-риальный радиус; ~좌표계 астр. экваториальная система координат; ~해류 экваториальное(морское) течение

적요(摘要) ~하다 1) делать заметки, конспектировать; 2) суть, главное(в каком-л. тексте).

적용(適用) применение; ~하다 применять что к чему-л.

적응(適應) соответствие; приспособление; ~하다 соответствовать; приспосабливать; ...에~시키다 приводить в соответствии с чем-л.;~력 способность приспосабливаться; приспосабляемость; адаптация.

적절하다(適切) подходящий.

적중률 точность.

적합(適合) ~하다 соответствовать чему-л.; подходить чему-л.

적히다 быть записанным.

전 I закраина(посуды).

전 II охапка(хвороста).

전(前) III 1) см. 앞; 2)см.이전 II;전에 없이(не было) ни разу; впервые; 3) до, перед, за; до того, как.

전(田) IV книжн. см. 밭.

전(傳) V 1) см. 전기 V; 2) после собств. имени: повесть 춘향~ повесть о Чхун Хян; 3) конф. труд мудреца.

전-(前) преф. кор. передний 전모음 лингв. гласный переднего ряда.

-전(-戰) I бой; война; 방위전 оборонительный бой.

-전(殿) II дворец; храм.

-전(廛) III суф. кор. лавка; 피물전 лавка, торгующая изделиями из кожи.

-전(傳) IV биография; 자서전 автобиография.

전가(轉嫁) ~하다 перекладывать; взваливать; 그에게 책임을 ~하다 взваливать на него ответственность.

전개(展開) развёртывание; развитие; распространение, разложение; ~하다 развёртывать(ся); развивать(ся).

전공(全功) I все заслуги.

전공(專攻) II специальность; ~과목 специальный предмет; ~실습 специальная практика; ~하다 специально изучать, специализиро-ваться(в чём-л.)

전국(全國) вся страна.

전국토 вся государственная территория

전기(前記) I ~[한] вышеупомянутый, вышеуказанный.

전기(傳奇) II ~적 чудесный; ~소설 повесть о чудесах; ~하다 повествовать о чудесах.

전기(電氣) III электричество; электричество; ~를 끊다 отключить; выключить; ~를 끄다 отключать электричество; ~공학 электротехника; ~기관차 электровоз; ~기구 электроприбор; ~료 плата за электроэнергию

전날(前-) день накануне чего-л.; ~에 раньше; в прошлом.

전념(專念) ~하다 сосредоточить все мысли(всё внимание) на чём-л.

전능한(全能-) всемогущий.

전달(傳達) I передача; перенос; ~하다 передавать.

전달(前-) [-ттал] II прошлый(предшествующий) месяц.

전달, 방송(放送) передача.

전도(傳導) I передача; проводимость; ~하다 проводить; передавать; ~체 проводник.

전도(傳道) II проповедь;~하다 проповедовать; ~사 проповедник.

전동(傳動) I передача(движение); ~장치 трансмиссия.

전동(轉動) II вращение;~하다 вращаться.

전라남도 пров. Южная Чолладо

전라북도 пров. Северная Чолладо.

전람(展覽) экспонирование; ~하다 экспонировать; ~품 экспонат; ~회 выставка; ~회장 павильон; выставка.

전래(傳來) передача;~의 наследственный.~하다 передаваться; заимствоваться.

전력(全力) I все силы.

전력(電力) II электроэнергия;~공급 электроснабжение; ~계 ваттметр;~제한 ограничения в потреблении электроэнергии.

전례(典例) прецедент; ~에 따라 исходя из предшествующего примера; так же как раньше; ~를 따르다 основанный на предшествующий пример.

전류(電流) электрический ток; ~고압 электрический ток высокого напряжения.

전망(展望) обозрение; обзор; перспектива; ~하다 обозревать; ~정치 политическое обозрение; ~대 наблюдательная вышка; ~성 перспективность

전면(全面) I вся площадь(поверхность); ~적 всесторонний; полный; сплошной.

전면(纏綿) II ~하다 1) быть крепко связанным; 2) быть крепко связанным узами любви

전문(專門) I специальность; ~적 специальный; специализированный; ~하다 специально изучать; специализироваться; ~가 специалист; ~화 специализация.

전문(全文) II полный(весь) текст.

전반(前半) I первая половина; первый тайм; ~기 первый период; ~전 первая половина игры.

전반(全般) II ~적 всеобщий. всеобъемлющий

전방(前方) I передняя сторона; фронт; ~감시소 передовой наблюдательный пункт; ~진지 передовая позиция; позиция боевого охранения; ~첨병 головная походная застава.

전방(前房) II анат. передняя камера глазного яблока.

전보(電報) I телеграмма; ~를 치다 послать телеграмму; телеграфировать; ~료 телеграмный тариф.

전보(戰報) II сообщение с театра военных действий(с соревнований).

전부(全部) I всё, всё; целиком; полностью; все,весь, целиком.

전부(前部) II передняя часть.

전세(傳貰) I аренда с уплатой аванса; аванс за аренду чего-л.; ~방 комната снятая с уплатой задатка; ~집 дом, арендованный с уплатой аванса

전세(戰勢) II положение на фронте, военное положение.

전속력(全速力) полная скорость; полный ход; ~으로 на полной скорости; ~을 내다 дать(развить) полную скорость; ехать(лететь) на полной скорости

전송하다 проводить.

전술(戰術) тактика; ~[적] тактический; ~비행대 тактическая авиация; ~적 방어 지대 тактическая полоса обороны.

전시(展示) I показ; экспонирование; выставка; ~하다 выставлять; экспонировать; ~품 экспонат; ~회 выставка.

전시(戰時) II военное время; ~상태 военное положение.

전신(全身) I всё тело;~사진 фотография во весь рост; ~[적] общий; ~마비 мед. панплегия; ~마취(몽혼 уст.) общий наркоз; ~만신 всё тело целиком; ~부종 мед. анасар-ка;~불수 кор. мед. полный паралич; ~적 징환 общее заболевание.

전신(前身) II в прошлом(кто-что-л.);그~이 농민이었다 он в прошлом крестьянин.

전신(傳信) III телеграф;~국 телеграф; ~기 телеграфный аппарат;~망 телеграфная сеть;~주 телеграфный столб.

전열(電熱) электронагрев; ~의 электротермический; электронагревательный; ~기 электронагревательный прибор.

전염(傳染) зараза; инфекция; ~성의 заразный; инфекционный; ~하다 быть заразным; заразиться; ~균 бактерии; ~병 инфекционная(заразная; эпидемическая) болезнь;~성 инфекционный характер.

전용(專用) I личное пользование;

исключительное (специальное) применение; ~하다 лично пользоваться чем-л.; исключительно использовать что-л.; ~선 спец. судно; ~차 персональная автома-шина; ведомственная автомашина.

전용(全用) II ~하다 полностью использовать

전자레인지 микроволновая печь.

전쟁(戰爭) война; ~하다 воевать; вести войну; ~고아 сироты войны; ~마당 поле боя; ~모험 военная авантюра;~발원지 очаг войны;~방화자 (도발자) поджигатель войны; ~범죄자 военный преступник;~ 상태 состояние войны; ~접경에 на грани войны; ~상인 воевать, вести войну.

전쟁놀이 игра в войну.

전쟁놀음 1) игра в войну; 2)перен. игра с огнём; ~하다 а) играть в войну; б) перен. играть с огнём.

전제 1) предпосылка; 2) самодержавие

전지(電池) I (электрическая) батарея; гальванический элемент; 건~ батарея сухих элементов; 축~ аккумуля-торная батарея.

전지(轉地) II ~요양 лечение переменой климата; ~사양 кочевое пчеловодство; ~하다 менять климат(местожительство).

전진(前進)과 후퇴(後退) прогресс и регресс

전차(戰車) танк; ~공격 танковая атака;~제대 танковый эшелон;~위험 방향 танкоопасное направление.

전철(前轍) I путь пройденный кем-л.; ~을 밟다 идти чьим-л. путём; повторять чьи-л. ошибки; идти по стопам.

전철(轉轍) II перевод на другой путь (поезда); ~통신 ж.-д. стрелочная связь; ~표식기 ж.-д. стрелочный указатель; ~하다 переводить на другой путь.

전체(全體) весь; всё; все;~성 целостность; ~주의 тоталитаризм.

전체수(全休需) уст.1)полностью готовая пища; 2)целиком зажаренная птица(рыба и т. п.)

전출(轉出) ~하다 переселяться; переезжать; ~자 переселенец.

전통(全通) I ~하다 быть открытым(о всей линии).

전통(傳統) II традиция;~적 традиционный

전통미 традиционный стиль.

전투(戰鬪) бой; битва; ~하다 вести бой; ~기 боевой самолёт; ~[적] боевой; ~경계 боевое охранение;~규정 боевой устав; ~기도 замысел боя; ~[기술]기재(기자재); ~이탈 выход из боя; ~방사성 물질 боевые радиоактивные вещества, БРВ;~보고 боевое донесение; ~보장 боевое обеспечение; ~비행 боевой вылет(полёт); ~적 단결 боевое содружество; ~적 사격 속도 боевая скорострельность; ~정량 разведка боем; ~평성 боевой расчёт; см. 싸움.

전파(傳播) I электрическая волна.

전파(全波) II радиоволны; ~방해 помехи; ~탐지기 радиолокатор; радар

전파(電波) III распространение; ~하다 распространять; ~되다 распрост-рост-раняться.

전표(錢票) талон; ордер; чек; ~를 떼다 выписать чек.

전하다 передавать.

전형(全形) образец; тип; ~성 типичность; ~화 типизация.

전화(電化) телефон; ~시외 междугородний телефон; ~자동 телефонав-

томат; ~를 받다 подходить к телефону; брать трубку; ~를 끊다 повесить(положить) трубку; закончить говорить по телефону; ~하다 говорить по телефону; ~국 телефонная станция; ~료 абонентская плата за телефон; ~번호 номер телефона; ~선 телефонная линия
전환(轉換) поворот; перемена; ~하다 повернуть; переменять.
절 I поклон; ~하다 кланяться; отдавать поклон; ~을 맞다 отвечать поклоном на поклон.
절 II буддийский храм(монастырь)
절(節) III параграф.
절감(節減) уменьшение; сокращение; ~하다 сокращать; урезать; уменьшать;~경비를 하다 сокращать расходы(издержки)
절규(絶叫) громкий крик; вопль; ~하다 громко кричать о чём-л.; вопить о чём-л.
절대(絶對) абсолютность; безусловность; ~의 абсолютный; категоричный; ~로 абсолютно; категорически; безусловно; ~다수 абсолютное большинство;~량 абсолютное количество; ~성 абсолютный характер чего-л.; ~자 абсолют; ~주의 абсолютизм; ~치 абсолютная величина; ~화 абсолютизация.
절대주의(絶對主義) абсолютизим
절망(絶望) отчаяние; безнадёжность; ~적 отчаянный; безнадёжнный; лишённый всяких надежд; ~하다 терять надежду; отчаиваться;~에 빠지다 приходить в отчаяние; ~감 чув-ство отчаяния; отчаяние.
절박(切迫) ~하다 срочный; актуальный; неотложный; настояте- льный.
절세(絶世) ~의 несравненный; бесподобный; ~의 미녀 несравненная красавица.
절실(切實) ~한 настоятельный; насущный; жизненный; ~히 искренне; настоятельно; остро.
절약(節約) экономия; ~하다 экономить; ~정신 бережливость.
절차(節次) порядок; очерёдность; последовательность; процедура; 필요한 ~를 밟다 проходить необходимую процедуру.
절충(折衝) смешение; эклектизм; компромисс; ~하다 идти на компромисс; смешивать; ~안 компромисс; ~주의· эклектизм.
젊다 молодой; 젊음 молодость
젊은 молодой.
젊은인재 молодые кадры.
젊은이 молодой человек.
점(占) I гадание; ~을 치다 гадать.
점(點) II точка; отметка.
점 III фунт.
점검(點檢) осмотр; проверка; инспекция; ~하다 осматривать; проверять; инспектировать.
점령(占領)(강점) оккупация; захват; ~하다 оккупировать; захватывать; ~군 оккупационное войско; ~지 оккупи-рованная территория.
점수(點數),성적 отметка; оценка; ~제 бальная система (оценок).
점심 обед; ~식사중에 за обедом; ~때 обеденное время; время обеда.
점유(占有) присвоение; ~하다 присваивать;~권 право присвоения; ~물 присвоенная вещь.
점잖다 солидный; серьезный; важный;благородный;утончённый.
점점(漸漸) постепенно; мало-помалу; всё более и более.
점진(漸進) постепенное продвиже-

ние; ~적 постепенный; умеренный; ~하다 постепенно развиваться; двигаться; ~주의 принцип (сторонник) постепенного развития.
점차(漸次) постепенно; понемногу; малопомалу; шаг за шагом.
점하다 занимать.
점화장치 бобина.
접(接) прививка; ~을 붙이다 прививать.~하다 прикасаться.
접견(接見) приём;~하다 принимать кого-л.; встречаться с кем-л.; дать аудиенцию кому-л.
접근(接近) приближение; подход; подступ; ~하다 приближаться к кому-чему-л.; подходить к кому-чему-л.; сближаться с кем-чем-л.
접다 складывать; откладывать; 봉투를~ делать конверт; 우산을 ~ закрывать зонтик.
접대(接待) приём; угощение; ~하다 принимать; угощать; ~부 официантка. 접대원 официант.
접선(接線) касательная; ~하다 устанавливаться; связываться.
접속(接續) связь; ~하다 присоединяться к чему-л.; примыкать;~사 союз; ~자 контракт.
접수(接受) приём; ~하다 записывать; оформлять заказ; ~구 окно; ~처 приёмный пункт.
접시, 보시기 чашка.
접어놓다 складывать и класть
접착(接着) ~하다 прилипать; приклеиваться; ~제 клей; клеющее (связующее) вещество
접촉(接觸) (со)прикосновение; контакт; ~하다(со)прикасаться; контактировать; ~을 가지다 устанавливать (поддерживать) контакт с кем-л.

접합(接合) соединение; сращивание; ~하다 соединяться; сращиваться.
젓(갈) солёная рыба(солёные моллюски) с пряностями.
젓가락 палочки для еды; ~질 하다 есть палочками. 젓다 грести.
정 I зубило.
정(情) II чувство; любовь; привязанность ~이 떨어지다 разлюбить; ~이 들다 привыкнуть друг к другу;~을 쏟다 обожать; любить всей душой.
정거(停車) остановка транспорта; ~하다 останавливаться; ~장 остановка; станция.
정거장(停車場) вокзал.
정견(政見) политические взгляды; ~을 발표하다 объявлять (свои) политические взгляды.
정겹다 трогательный; любовный; любвеобильный; дружелюбный.
정계(定界) I установленная граница; ~하다 устанавливать(определять) границу.
정계(政界) II политические круги; политическое поприще.
정교한 тонкий, искусный.
정구(庭球) теннис; ~하다 играть в теннис; ~장 теннисный корт.
정규(正規) ~의 регулярный; нормальный; законный; легальный; должный; ~국 регулярная армия; кадровые войска
정기적으로 переодически, систематически. 정다움 нежность.
정답게 дружески, любезно.
정당(正當) I ~하다 справедливый; надлежащий; ~방위 (оправданная) самозащита; ~성 правильность; справедливость
정당(政黨) II (политическая) пар-

- 563 -

тия; ~원 член партии.

정당화 ~하다 оправдывать(ся)

정돈(整頓) приведение в порядок; уборка;~하다 приводить в порядок

정들다 привязаться, привыкнуть.

정략(政略) политика; политическая уловка; политический ход; ~결혼 брак по расчёту; брак в политических интересах

정류 ~하다 останавливатьсяж ~장 остановка; станция.

정리(整理) упорядочение; урегулирование; реорганизация;~하다 упорядочивать; приводить в порядок; ~교통 регулирование уличного движения. 정리, 공식 формула.

정리하다 приводить в порядок.

정밀(精密) ~하다 точный; тщательный; подробный; ~검사 тщательное исследование; ~가계 тщательные приборы; ~도 точность.

정밀한 작업 тонкая работа.

정보(情報) сообщение; информация; сведения; известие; ~국 информационное бюро (информбюро); ~기관 информационный орган; ~망 информационная сеть; ~원 информатор; работник информационной службы.

정보사회(情報社會) информированное общество.

정보제공 предоставление информации.

정복(征服) I завоевание; покорение; ~하다 покорять; завоёвывать; преодолевать; ~욕 страсть к покорению; ~자 завоеватель; покоритель.

정복(正服) II форменная одежда.

정부(政府) правительство; ~연립(인사) коалиционное(временное) правительство. 정비, 조절 наладка.

정산(定算) точный расчёт(подсчёт); ~하다 точно подсчитывать.

정상(定常) I ~하다 нормальный; регулярный; ~화하다 нормализировать.

정상(情狀) II обстоятельства;~을 참작하다 принять во внимание смягчающие вину обстоятельства.

정성(精誠) искренность; сердечность; ~스럽다 искренний; сердечный; ~어리다 быть до конца искренним.

정수(淨水) I чистая вода; очистка воды; ~기 прибор для отчистки воды; ~장 водоочистительная станция; ~지 водоочистительный пруд.

정수(精髓) II суть; сущность;квинтэссенция 정수리 темя.

정신(精神) дух; душа;~의 душевный; духовный; умственный; ~력 душевные силы; ~분석 психоа-нализ; ~상태 психика; моральное состояние;~위생 психикогигиена; ~이상 душевное(психическое) расстройство.

정액(定額) определённая сумма; ~임금 повременная оплата.

정예(精銳) цвет; элита; отборная часть;~의 лучший; отборный;~부대 отборные войска; цвет армии.

정오(正午) полдень; ~에 в полдень.

정월(正月) январь.

정의(正義) I справедливость; правда ~의 справедливый; ~감 чувство справедливости.

정의(定義) II определение; дефениция

정작 основное; истинное; важное; настоящее;(부사적으로) в действительности; в самом деле; как раз.

정전(停戰) прекращение военных

действий; перемирие; ~담판(회담) переговоры о перемирии; ~중립감독위원회 комиссия нейтральных государств по наблюдению за перемирием; ~협정 соглашение о перемирии; ~하다 прекращать(военные действия). см. 휴전(休戰) перемирие.

정전(停電) II ~하다 прекращать (подачу тока).

정중한 вежливый. 정중히 вежливо.

정직(正直) честность; чистосердечие; ~하다 честный;чистосердечный, прямой; 정직 하구나 честный.

직한 честный.

정치(政治) I политика; государственное управление; ~가 политик; государственный(политический) деятель; ~공작 политическая интрига(махинация); ~국 политбюро; ~범 политический преступник; политический заключённый; ~학 политика(наука); ~학자 учёный специалист по политнаукам; ~활동 политработа.

정통(正統) I самое важное; самая суть; законность; ~하다 ортодоксальный; законный; ~파 ортодоксальная школа.

정통(精通) II ~하다 быть хорошо осведомлённым(сведущим);хорошо знать.

정형(整形) ~수술 ортопедия; пластическая операция; ~외과 ортопедия; ~외과의 ортопед; ортопедист.

젖 молоко; ~을 떼다 отнимать от груди; ~먹이 грудной ребёнок; ~빛 молочный(матовый) цвет; ~줄 грудная железа. 젖가슴 женская грудь.

젖다 намокать; становиться влажным (сырым).

젖산 молочная кислота.

젖소 (молочная) корова.

젖어드는 그리움 охватывающая тоска.

젖을 짜다 доить.

제 I я сам.

제(祭) II фестиваль; юбилей; годовщина.

제(題) III тема; заглавие.

제(때) время.

제(저의) мой.

제(第)2부(部) вторая часть.

-제(-製) изготовленный; сделанный; ~금속 изготовленный из металла.

-제(-制) система.

제가하다 быть главой семьи

제거(提擧) устранение; удаление; ~하다 устранять; удалять.

제공(提供) поставка; снабжение; доставка; ~하다 поставлять; снабжать.

제대로 1) как следует; 2) правильно.

제대로 해내다 выполнять как следует.

제도(制度) I институт; система; порядок; ~교육 учебная система.

제도(製圖) II картография; черчение; ~하다 составлять(карты); чертить.

제목(題目), 표제(標題) заглавие; заголовок; тема

제물(祭物) жертвоприношение.

제본(製本) переплёт; ~하다 переплетать; ~소 переплётная мастерская.

제분(製粉) помол; ~업 мукольная промышленность; ~소 мукольная мельница(мукомольня).

제비 I жребий; ~를 뽑다 тянуть жребий. 제비 II ласточка.

제사(祭祀) жертвоприношение;~하다 совершать(жертвоприношение);~ 제삿날 день жертвоприношения; 산~ живая жертва; 거룩한~ святая жертва; 하나님이 기뻐하시는~ жертва брагоугодная Богу.

제사장(祭司長) священник.
제시(提示) ~하다 представлять; предъявлять; предлагать; показывать; экспонировать.
제약(製藥) III фармацевтик; изготовление(приготовление) лекарств; ~(조제)하다 приготовлять лекарство; ~자(약사) провизор; ~회사 фармацевтическая фирма; ~처방전 рецепт; ~법 фармация; фармацевтика
제어(制御) сдерживание; контроль; вожжи;~하다 контролировать; [문제사안을 조정 중재하다] регулировать; улаживать; упорядочивать; 감정을 ~하다 сдерживать чувства; 자기자신을 ~하다 сдерживаться; держать себя в руках; ~력을 잃다 потерять управление чего-л.; ~기 контролёр; регулятор; ~봉 장치 контрольный стержень; ~장치 контрольная аппаратура; 물가~ регулирование цен на товары.
제언(提言) предложение; представление; пропозиция; предъявление; ~하다 предлагать; предоставлять мнение; вносить предложение; предъявлять; ~을 채택하다 принимать предложение.
제염(製鹽) солеварение; ~의 солеваренный; солеварный; ~하다 производить(варить) соль; ~소 солеварня; солеварница; ~업 солепромышленность; ~노동자 солевар.
제외 исключение; выключение; ...을 ~하고 исключая чего-л.; кроме чего-л.; за исключением кого-чего-л.
제의(提議) I предложение; внесение; ~하다 предлагать; вносить предложение; ~되다 быть предложенным; ...의 ~로 по предложению кого-л.; ~를 받아들이다 принимать (отклонять) предложение.

제의(題意) II смысл темы(заглавия)
제이(第二) второй; ~번째로 во второй раз; ~역할을 하다 играть вторую скрипку; ~간접적으로 из вторых рук; ~기 вторичный период чего-л.; ~당 вторая партия; ~차 세계 대전 вторая мировая война.
제일(第一) ~의 первый; ~을 차지하다 занимать первое место; 세계 ~의 부자 самый богатый в мире; ~먼저 впервую очередь; вопервых; ~ 중요한 важнее всего; 한국~의 명승지 самая живописная достопримечательность в Корее; ~보 первый шаг; ~보충역 резервное пополне- ние; ~봉 самый высокий пик; ~부 первая серия; ~서기 первый секретарь; ~심 первый процесс (предварительное следствие); ~야당 первая оппозиция; ~위 первенство; приоритет; ~인자 мастер на все руки; ~중 уфеп почта первого класса; ~차세계대전 первая мировая война; ~착 прибытие первым.
제자(弟子) ученик; выученик; 소크라테스의~ ученики Сократа;~가 되다 становиться учеником кого-л.; ~를 두다 принимать кого-л. в ученики. 제자들 ученики.
제자리 нужное место; первоначальное место; ~에 두다 поставить кого-что-л. на место; [부적합한 자리]~에 있지 않다 быть не на своём месте; ~좌불안석 душа(сердце) не на месте; ~걸음 шаг на месте; ~걸음 시작 На месте шагом марш!; ~ 넓이뛰기 прыжок с места.
제작(製作) изготовление; ~하다 изготовлять; выделывать; вырабатывать; создавать; ~중이다 что-л. в процессе изготовления; ~대충하다 варганить; портачить; [눈가리고 아웅] элэн

뚱땅 ~하다 печь как блины; ~물(품) изделие; товар; фабрикат; ~법 способ изготовления(приготовления); ~비 издержки производства; ~소 фабрика; завод; ~자 производитель; создатель.

제재(題材) I тема; предмет; материал для литературного произведения.

제재(制裁) II санкции; ~하다 карать; наказывать; применять санкции; санкционировать; 사회적~ социальные санкции(ограничения); 임시~ временные санкции; ~를 가하다 применять санкции(на что-л.); 법률의~를 받다 получать юридические санкции; 위반자에게 ~를 가하다 применять санкции к нарушителю; 꼼짝 못 할 ~ 속에 있는 связанный по рукам и ногам.

제재(製材) III лесозаготовка и распиловка; лесоповал; лесоматериалы; пиломатериалы; ~하다 рубить деревья; пилить брёвна; ~공 лесоруб; лесопо-вальщик; ~공장 лесозавод; ~업 деревообрабатывающая промышленность.

제적(除籍) исключение; отчисление; выключение; ~시키다 исключать кого-л. из списка; выключать; ~당하다 быть исключённым.

제정(制定) I введение; установление; ~을 하다 вводить во что-л.; принимать; устанавливать; определять; налаживать; 법률을 ~하다 издавать(вводить) законы; ~된 법률을 시행하다 вводить в действие закон.

제정(帝政) II монархия; монархический режим; империя; ~하에서 под покровительством императора; ~당 партия, которая поддерживает монархический режим; ~러시아 Императорская Россия; ~(제국주의) 열강 великие державы.

제제(製劑) изготовление лекарств; ~하다 изготовлять(лекарсвенные препараты); препарировать.

제조(製造) изготовление; производство; ~하다 изготовлять; производить; делать для чего-л.; вырабатывать; 한국에서 된(한국 산의) ~ изготовлено (сделано) в Корее; товар корейского изготовления; 펄프로 종이를 ~하다 делать бумагу из бумажной массы; ~법 способ изготовления (производства); ~수단 средства производства; ~시설 производственные мощности; ~업 обрабатывающая промышленность; ~원가 фабричная цена; заводская себестоимость; ~원 предприятие; ~자 изготовщик; производитель; ~ 주물 изготовление заказа; на заказ; ~품 изделия.

제주도 остров, Чеджудо.

제지(制止) I сдерживание; ~하다 отговаривать кого-л. от чего-л.; отвращать кого-л. от чего-л.; сдерживать; удерживать; не давать кому-л. что-л.; [금지] запрещать; ~가 어렵다 удержу нет кому-л.(на кого-л.); ~가 ~하는 것을~하다 удерживать кого-л. от чего-л.; 돈낭비를~하다 не давать кому-л.тратить деньги; 나의~를 뿌리치고 несмотря на все уговоры; 아무런~를 받지 않고 без удержу.

제지(製紙) II производство бумаги; ~하다 производить бумагу; ~ 공장 бумажная фабрика; ~업 бумажная промышленность; ~펄프 бумажная масса.

제창(提唱) инициатива; почин; ~하다 брать на себя инициативу (почин); выдвигать(новую доктрину, теорию); предлагать; ...의 ~으로 по почину кого-л.; 평화의 ~ мирные предложения; 주요(안건)들을 ~하다 выступать с важными инициативами; ~자 застрельщик; инициатор; зачинатель; основоположник.

제철 I соответствующий сезон;~의 своевременный;благовременный; вовремя; в положенное время; в срок;~이 아닌 не по сезону; 모든 일에는~이(때가) 있다 всякому делу своя пора; ~(계절) 상품 сезонный товар.

제철(製鐵) II производство стали; ~의 сталелитейный; сталеплавильный; сталепрокатный; ~하다 выплавлять железо; ~공장(手) сталеплавильный завод; сталелитейная промышленность; 종합~ металлургия.

제쳐놓다 выбрасывать.

제출(提出) предъявление; представление; ~하다 предъявлять; представлять; предлагать; выдвигать; подавать; 성명서를 ~하다 подавать заявление; ~하다 представлять; 통행증을~하다 предъявлять пропуск; ~안 представленный проект(документ); ~자 предъявитель.

제치다 1) обгонять кого-что-л. в чём-л.; перегонять кого-л.; 한국 선수가 일본 선수를 제치고 우승했다 Кореец стал победителем, перегнав японского спортсмена; 2) опередить.

제트 ~의 струйный; реактивный; ~기 реактивный самолёт; ~기류 струйное течение; ~엔진 (воздушно-) реактивный(струйный) двигатель; ~장치 струйный аппарат; ~전투기 реактивный истребитель.

제판(製版) гравировка; приготовление фотогравюры; ~하다 готовить печатную форму; ~술 стереотипия.

제패(制覇) господство; гегемония; ~하다 господствовать над кем-чем-л.; завоёвывать; покорять; главенствовать в чём-л.(над кем-чем-л.) первенствовать над кем-чем-л.; 누구도 따를 수 없는(타의 추종을 불허하는)~ играть первую скрипку; 세계~ мировое господство.

제품(製品) изделие; продукт; продукция; товар; 가죽~ изделие из кожи; 국내~ отечественный товар; 수~ кустарные изделия(подделка); 완~ готовые изделия; 외국~ зарубежный товар; ~원가 себестоимость товара; 한국~ корейский товар(продукт).; см. 생산물

제한(制限) ограничение; лимит; ущемление; предел; ~하다 ограничивать; лимитировать; сводить к чему-л.; ставить рамки; ставить предел чему-л.; ущемлять(права, личную свободу);~내에서 в пределах (в рамках) чего-л.; ~을 벗어나다 выйти из рамок; ~없이 без ограничений; ~을해제하다 снимать ограничение; ~구역 закрытый район (запретная зона);~속도 предельная скорость; ~송전 предельное электроснабжение; ~시간 предельный срок; 군비~ ограничение вооружений; 산아~ предупреждение беременности;수입~ ограничение на импорт; 전력~ предельное электроснабжение; 통행~ ограничение передвижения.

제휴(提携) содействие; сотрудничество; ~하다 взаимно помогать; сотрудничать с кем-л.(в чём-л.); оказывать содействие(содейство-вать) кому-л. в чём-л.; ~(동맹)에 가입하다 вступать в коалицию; ...와 ~하여 в сотрудничестве с кем-л.; поддерживать сотруд-ничество с кем-л.; 가업(합영)~ совместное предприятие;~자 сотрудник;~회사 компания-участница; 경제~(협력)위원회 комиссия по экономическому сотрудничеству; 기술~ техническое сотрудничество.

졌습니까 проиграл.

졌어 проиграл.

조 I бобовое(татарское, птичье, чёрное) просо, чумиза.

조 II дань.

조(條) III пункт; статья(докумен-та); 3개 ~로 구성된 계약 договор, составленный из трёх пунктов;~가(항)마다 по пунктам; по статьям; 흥분 ~로 말하다 говорить тоном выше(ниже); 장난~로 в шутку; 시비~로 с презрительным тоном; 비난~ критически.

조(組) IV маленькая группа; кол-лектив;...와 같은~가 되다 вступать в группу с кем-л.

조각(組閣) скульптура; ваяние; гравировка по чему-л.(на чём-л.); резьба по чему-л.(на чём-л.); ~의 скульптурный; лепной; ~하다 ваять; ~(상)으로 꾸미다 украшать скульптурами; 대리석상을 ~하다 высекать из мрамора;~가 скульптор; ваятель;~상 скульптура;~술 мастерство ваяния;~칼 резец ску-льптора(резак); 청동상 ~ бронзовая статуя.

조각(彫刻) 덩어리 кусок.

조간(朝刊)~신문 утренний выпуск; утренняя газета.

조갈(燥渴), 갈증 жажда; ~하다 пер-есохнуть от жажды;~을 풀다 уто-лить жажду; 폭염으로 ~을 느끼다 жаждать (испытывать жажду).

조개(皁蓋) двухстворчатые(рако-винные) моллюски; беспозвоноч- ное; мягкотелое животное, обычно покрытое раковиной; ~껍데기 ра-ковина; ~류 плас-тиножаберные; ~무지 раковинные кучи; ~살 мясо двухстворчатых моллюсков; ~젓 солёные двухстворчатые моллюс-ки; ~탄 овальный брикет из су- хого каменного угля.

조개더미 куча ракушек.

조건(條件) условие; оговорка; ус-ловность; ~하에 при условии чего-л.; на какихто условиях; под условием; 일정한 ~으로 на определённых усло-виях; ~을 붙이다 оговари-вать; ~으로 삼다 ставить что-л. условием; ...한~에 달려 있다 зависеть от какогото усло-вия(иметь силу при какомто условии); ~문 условное предложение (накло-нение); ~반사 условный рефлекс; 고용~ условия найма; 기후~ климати-ческие условия; 노동~ условия труда; 선적~ условия отгрузки; 수용불가 ~ неприемлемые условия; 시장~ состоя-ние рынка; 인도(공급)~ условия пос-тавки; 전제~ предпосылка; 주거~ условия жизни; 지불~ условия пла-тежа(оплаты); 필수~ непременное условие.

조건부(條件附)~의 условный; ~로 соговоркой; условно; ~로 동의하다 соглашаться (давать согласие) со-говоркой; ~계약 условный конт-ракт; ~권리 условное право; ~승인 условное одобрение; ~채용 усло-вное принятие(назначение).

조국(祖國) родина; отечество; отч-изна; ~을 수호하다 защищать оте-чество; ~을 위해 싸우다 сражаться за родину; ~을 위해 생애를 바치다 отдавать жизнь за родину;~근대화 модернизация родины;~애 любовь к отчизне; ~전쟁 отечественная война.

조그만 маленький. **조금** мало.

조그맣다 маленький; махонький; мелкий; миниатюрный; карлико-вый; кукольный; игрушечный; крохотный; малюсенький; малогабаритный; ~(하찮은) 일 пустяк; мелочь.

조급 нетерпение; ~한 нетерпеливый; торопливый; лихорадочный; поспешный; ~히 с нетерпением; с лихорадочной поспешностью; наспех; наскоро; в пожарном порядке; ~할 것 없다 не на пожар; 출발을 ~히 서두르다 торопить кого-л. с отъездом; 귀가를 ~히 서두르다 торопиться домой;

조기(早期) ранний период; первый этап; ~발화 преждевременное воспламенение; ~핵사찰 досрочная инспекция атомных объектов; ~치료 предупреди-тельное(своевре-менное) лечение; ~시기상조 прежде времени.

조끼 безрукавка; жилет; ~털 джемпер; 구명~ спасательный жилет.

조난(遭難) авария; бедствие; беда; ~당하다 терпеть аварию(бедствие); ~구조대 аварийная служба; ~(구제)기금 вспомогательный капитал; ~선 судно потерпевшее кораблекрушение; ~신호 сигнал бедствия; ~자(이재민) потерпевший; ~현장 место аварии; 자연재해 стихийное бедствие; 조는듯 앉아있다 сидеть и как будто дремать.

조달(調達) снабжение; ~하다 снабжать; обеспечивать кем-чем-л.; поставлять кому-что-л.; завозить; вооружать; добывать; изыскивать; 자금을 ~하다 добывать средства (капитал, деньги); ~과 отдел(служба) снабжения; ~기관 снабженческая организация; ~자 снабженец; ~청

бюро по хозяйственному снабжению; ~자금 изыскание средств; 해외~ закупка заграницей.

조력(助力) помощь; подспорье; поддержка; содействие; опора; подмога; ~하다 помогать кому-л.; содействовать; оказывать поддержку; поддерживать кого-что-л.; ...의 ~으로 с помощью кого-чего-л.; при помощи кого-чего-л.; ~을 청하다 просить у кого-л. помощи.

조롱(操弄) издёвка; насмешка; издевательство; ~하다 издеваться над кем-чем-л.; насмехаться над кем-чем-л.; измываться над кем-л.; ~거리가 되다 подвергаться насмешкам.

조롱하다 насмехаться, издеваться.

조르는구나 просить.

조르다 крепко затягивать; 허리띠를~ затягивать пояс потуже; 돈을 꾸어달라고~ выпрашивать деньги у кого-л.; 요하게~ настойчиво требовать; 성가시게 ~ стоять над чьей-л. душой.

조리(調理) I приготовление пищи; стряпня; ~하다 приготовлять пищу; стряпать; 건강을~하다 следить за здоровьем; ~대 кухонный стол; ~사 повар; кухарка.

조리(條理) II логичность; ~있는 разумный; логичный; ~에 닿지 않은 бессвязный; нелепый; абсурдный; ~있는 결론을 도출하다 приходить к логичес-кому выводу.

조리다 уваривать; выпаривать; 조린 уваренный; 생선을 간장에~ уварить рыбу в соевом соусе; 반쯤~ уварить наполовину.

조립(組立) монтаж; сборка; ~하다 производить сборку(монтаж); собирать; монтировать; ~공 сборщик; монтажник; ~공장 сборочный цех; ~기 сборочная машина; сборочный агрегат; ~부품 детали для сборки; ~식 구조 сборная конструкция;~식 선반 секционный книжный шкаф; ~식 집 сборный дом;~기계 сборка машинных частей.

조마조마 беспокойно; тревожно; нервно; неудобно; ~하게 하다 приводить кого-л. в волнение; смущать; приводить в смятение; не давать покоя кому-л.; вызывать тревогу у кого-л.; взбудораживать кого-л.; ~거리다 тревожиться о чём-л.; ощущать тревогу(беспокойст-во); волноваться; не знать покоя; не находить себе места; принимать близко к сердцу что-л.; бо-леть душой за кого-л.(за что-л.; о ком-л.; о чём-л.).

조만간 в скором времени; в ближайшее время; в недалёком будущем; со дня на день; на днях; 그는 ~ 패간 할 것이다 в ближайшее время он обанкротится.

조명(照明) освещение; озарение; свет; ~하다 освещать; озарять; ~ 기구 осветительный прибор; светильник; ~기사 осветитель; ~등 осветительная лампа; осветительные установки; ~신호 световой сигнал; ~탄 осветительный снаряд; ~무대 сценическое(театральное) освещение.
조명도 освещённость.

조목(條目) пункт; статья; параграф; ~조목 постатейно; по пунктам; по параграфам. 조무라기 мелкота.
조무래기 мелкота.

조밀(稠密) плотность; ~하다 плотный; компактный; густой; ~고 밀도 지역 густонаселённый район.

조바심 тревога; волнение; смятение; ~내다 тревожиться за кого-л.; волноваться; беспокоиться; приходить в беспокойство;быть в тревоге; ~에 휩싸이다 быть охваченным тревогой. 조반(朝飯) завтрак.
조부모(祖父母) дедушка и бабушка (дед и бабка).

조사(調查) I обследование; расследование; ~하다 производить проверку чего-л.; обследовать; расследовать; выяснять; инспектировать; осматривать; обозревать; исследовать; 당국의 ~에 의하면 по расследованию властей; ~중이다 идёт расследование; 성격을~하다 изучать характер; 엄밀히 ~하다 производить тщательное расследование; ~결과 окончательный доклад; ~관 следователь. 조사(助詞) II частица.

조상(祖上) 1) предок; древний предшественник по роду; соотечественник из прежних поколений; ~들의 영적 유산을 보전하다 сохранять духовное наследие предков; 2) соболезнование предки.

조선(朝鮮) I название древней Кореи; ~어 корейский язык; ~인 кореец; кореянка.

조선(造船) II стройка судна; кораблестроение; ~의 кораблестроительный; судостроительный; ~하다 строить судно; ~계획 план судостроения; ~기사 судосборщик; корабельщик, корабел; ~대 спатель; ~산업 судостроительная индустрия (промышленность); ~소 судоверфь; ~술 судостроение.

조성(助成) I помощь; содействие; устроительство; ~하다 помогать; оказывать содействие кому-л. в чём-л.; ~금을 지급하다 субсидиро-вать; финан-сировать; ~금 субсидирование; финансирование.

조성(造成) II составление; создание; организация; формирование; устройство;строительство; ~하다 составлять; создавать; организовывать; 택지를 ~하다 создавать жилплощадь; 녹지를 ~하다 засаживать лесом; 사회 불안을 ~하다 вызывать социальное волнение; 공포 분위기를 ~ запугивать; наводить ужас. 조성되다 создаваться.

조세(租稅) налог; ~를 징수하다 взимать налог; ~를 납입하다 выплачивать налог; ~를 면제 시키다 освобождать от налога; ~를 공제하다 удерживать налог(из жалованья, зарплаты); ~감면 снижение налога; ~범 казнокрад; ~법 положение о налогах; ~법 위반 нарушение налогового законодательства.

조소(嘲笑) см 조롱 насмешка; ~하다 насмехаться над кем-чем-л.; ~받다 подвергаться насмешкам; ~거리가 되다 становиться предметом насмешек.
조소, 비웃음 усмешка.

조속히 возможно быстрее; как можно скорее.

조숙하다 рано созревать(развиться).

조심(操心) осторожность;~히 осторожно; с большой осторожностью; осмотрительно; ~해서 다루다 относиться осторожно к чему-л.; браться осторожно за что-л.; ~하다 [경계하다] остерегаться кого-чего-л.; предостерегать кого-л. от чего-л.; быть осторожным; ~개 Осторожно (злая) собака!; ~불 Будьте осторожны с огнём!

조약(條約) договор; ~상의 권리 договорные права; ~에 조인하다 подписать договор;~을 체결하다 заключить(подписать) договор; ~을 지키다 соблюдать договор; ~을 위반하다 нарушать договор; ~을 파기하다 расторгнуть договор; см. 계약; см. 협정.

조언(助言) совет; рекомендация; указание; ~하다 советовать кому-л.; давать совет; рекомендовать; ~을 구하다 советоваться с кем-л.; просить (спрашивать) совета у кого-л.; ~을 따라 по совету; ~을 따르다 следовать совету кого-л.; ~자 советник.

조업(操業) эксплуатация; работа; ~하다 работать; сдавать в эксплуатацию; вступать в строй.

조예가 깊다 быть очень осведомленным

조용 тишина; тишь; ~하다 тихий; едва слышный; заглушённый; слабый; бесшумный; беззвучный;~히 тихо; ~한 목소리로 тихим голосом; вполголоса; шёпотом; на ухо; под нос; ~하게 들리는 звучать очень тихо(слабо);~한 사람 спокойный(тихий) человек; ~해지다 становится тихо; 쥐 죽은 듯이 ~하다 слышно как муха пролетит(прожужжит); ~히 시키다 водворять тишину; ~히 해! Тише (Тсс)!

조용하다 быть спокойным, тихий
조율(調律) настройка; ~하다 настраивать; ~사 настройщик; 피아노 ~사 настройщик пианино.

조응(照應) следствие; последствие; ~하다 иметь последствия; соответствовать с кем-чем; ...에 ~(부합) 하여 в соответствии с чем-л.; в согласии с чем-л.

조의(弔意) соболезнование и утешение; выражение сочувствия(сожаления); ~를 표하다 выражать соболезнования.

조인(調印) скрепление; скрепа; подписание; ~하다 скреплять подписью; подписывать под чем-л.; расписываться в чём-л.(на чём-л.); ~국 подписавшееся государст-во; ~장소 место подписания; ~가 парафирование договора.

조작(造作) фальсификация; подделка; измышление; ~하다[날조] подделывать; измышлять; 문서를 ~하다 изготовлять фальшивые документы; ~된 보도 ложное сообщение; ~된 소문 ложные слухи.

조장(助長) поддержка; поощрение; содействие; стимул; ~하다 поддерживать;поощрять; стимулировать; служить стимулом кому-чему-л.; 투기를~하다 способствовать спекуляции на чём-л.(чем-л.).

조절(調節) регулирование; налаживание; ~하다 регулировать; налаживать; настраивать; 물가상승을 ~하다 регулировать(контролировать) повышение цен; 방의 온도를~하다 регулировать температуру комнаты; ~기 регулятор; контроль; ~변압기 трансформатор; ~판 клапан регулятора; 음식~ диета.

조정(調停) регулирование; регулеровка; упорядочение; посредничество;~하다 регулировать; 가격을~하다 устанавливать цены; 외교문제를 ~하다 регулировать дипломатические разногласия; ...의 ~으로 благодаря чьему-л. посредничеству; ~에부치다 отдавать(передавать) на арбитраж; ~을 의뢰하다 прибегать к чьему-л. посредничеству; 파업을 ~하다 посредничать в забастовке; 국제분쟁의 평화적 ~ мировые урегулирования международных споров; ~자 посредник; ~위원회 арбитражная комиссия.

조종(操縱) управление(рулём); вождение; ~하다 управлять; водить чем-л.; маневрировать; распоряжаться; ~불능이 되다 потерять управление чего-л.; ~간 руль; ~사 пилот; лётчик; ~실 кабина экипажа; ~장치 рулевой механизм; 부~사 второй пилот.

조준(照準) наводка; прицеливание; визирование; ~하다 наводить; прицеливаться; визировать; ~기 прицел; визир; ~경 окно прицела; ~사격 пробный(пристрелочный) выстрел; ~선 линия прицеливания; ~점 точка прицеливания(наводки); центральный круг мишени; 과학~ оптический прицел.

조직(組織) организация; формулирование; система; образование; учреждение; ~적으로 организованно; в организационном порядке; систематический; ~하다 составлять; образовывать; формировать; организовывать; ~적으로 연구하다 систематически изучать; ~적으로 활동하다 действовать организованно; ~적 투쟁 организованная борьба; 강팀을 ~하다 сформировывать сильную команду; 내각을 ~하다 формировать (организовывать) кабинет; ~을 개편하다 реорганизовывать; ~(조합) 노동자 члены профсоюза;~력 организаторские способности; ~망 сеть организаций;~위원회 организационный комитет; ~자 организатор; ~학 гистология; ~화 систематизация; 세포 ~ клетчатка; 재~ реорганизация.; см. 단체

조직하다 организовать.

조차 даже; аж; 상상~못하다 даже не могу представить себе этого; ...를 쳐다보기~ 하지않다 даже не взглянуть на кого-л.; 바스락대는 소리~ 들리지 않을 정도로 매우 조용하다

Удивительно тихо, даже шороха не слышно; 따뜻하다 못해 덥기~ 했다 было очень тепло, даже жарко; 이는 아이들~ 다 아는 것이다 это даже детям хорошо известно; 광채가 나서 눈이 아프기~했다 светило, аж глазам больно.

조처(措處) 조치 контроль; 필요한~를 취하다 принимать соответствующие(жёсткие; незамедлительные; разумные) меры.

조카(姪女) племянник, племянница
조카딸, 질녀(姪女) племянница.

조퇴(早退) преждевременный уход(с работы, с занятий);~하다 уходить раньше времени; 두 시간 일찍 ~하다 уходить(с работы) на 2 часа раньше.

조판(組版) вёрстка; ~하다 верстать; ~공 верстальщик.

조폐(造幣) чеканка монет; отпечаток на монете; ~하다 чеканить монету; ~공 монетчик; ~국 монетный двор; ~발행 выпуск денежных знаков.

조합(調合) I составление; смешивание(красок); комбинация(цветов) ~하다 составлять; смешивать; мешать с чем-л.; ~물 смесь.

조합(調合) II ассоциация; кооперация; артель; ~을 만들다 организовывать ассоциацию; ~에 가입하다 входить в ассоциацию; ~간부 руководитель профсоюза; ~관리 администрация ассоциации; ~원 член профсоюза; ~장 глава артели; 노동~ профессиональный союз; трудовая артель; 사업별~ союз по производству чего-л.(по отраслям производства); 생산~ производственная кооперация; 협동~ кооператив.

조항(條項) 조 статья; пункт; ~을 규정하다 предусматривать статью; 법으로 규정된~ статья предусмотрена законом; 계약~을 이행하다 выпол-нять условия контракта.

조화(調和) I гармония; соответствие; согласие; ~된 гармоничный; гармонический; созвучный(кому-чему-л.); ~시키다 гармонировать; соответствовать (кому-чему-л.); ~와 (일치)되어 в соответствии с чем-л.; ~가되지 않는 негармоничный; 언행은~를이룬다 слова гармонируют с поступками.

조화(造化) II созидание; творение; чудо; игра природы; диво, ~로운 дивный; изумительный; ~를 부리다 творить чудеса; ~로운(신비한) 일 восьмое чудо света; ~의 신 создатель.

조회(照會) запрос; наведение справок о чём-л.; ~하다 запрашивать кого-л. о чём-л.; справляться; осведомиться о чём-л.; 전화로 ~하다 справляться по телефону; ~가격 (시세) цены за справочные услуги; ~사무소 справочное бюро.

족(足) нога(у животного).

족보(族譜) генеалогическая книга; ~를 개다 проследить происхождение семьи; ~를 편찬하다 составлять генеологию. **족속**(族屬) клан; род.

족하다 достаточный; обеспеченный; 우리에겐 시간이 ~ нам достаточно времени;우리는 한병으로 ~ нам достаточно одной бутылки.

존경(尊敬) уважение; почтение; благоговение к кому-л.; перед кем-л.; ~의 почтенный; уважаемый; ~하다 уважать; почитать; ~을 표하다 почитать; относиться с уважением; ~심에서 из уважения к кому-л., чему-л.; ~을 받다 завоевать уважение; 스승

으로~하다 уважать кого-л. как учителя; ~심 чувство уважения.

존경하는 уважаемый.

존귀(尊貴) ~하다 благородный; великодушный;~성 благородство.

존대(尊待) вежливое обращение (обхождение); ~하다 вежливо обращаться (обходиться) с кем-л.

존립(存立) существование;наличие; присутствие; ~하다 сохранять свои позиции; существовать.

존속(存續) продолжение; продолжительность; ~하다 продолжать существовать; ~시키다 сохранять в целости; хранить; не давать пропасть чему-л.

존엄(尊嚴) достоинство; величие; высокое положение; ~하다 величественный; величавый; святой; благородный; ~성을 떨어뜨리다 портить величие чего-л.; унижать (принижать) достоинство; ~성 достоинство; чувство собственного достоинства; 법의 ~성 величие закона.

존재(存在) существование; бытие; ~하다 существовать; быть; иметь место; находиться; присутствовать; ~하지 않게 되다 прекращать существование; ликвидировать; 달에 생명체가 ~하는가? Есть ли жизнь на луне? 신의 ~를 믿다 верить в существование Бога; -의 ~를 무시하다 игнорировать чьё-л. наличие; -분야에서 중요한~(являе-тся) важ-ным человеком в области чего-л.; ~ 근거[이유] основание для существования; ~론[철학] онтология;~물 сущий предмет; ~수단 средства к существованию.

존폐(存廢) существование и падение чего-л.; 시골 학교의 ~문제 вопрос сохранения или закрытия деревенской школы; ~의 기로에 서다 быть на грани между жизнью и смертью.

졸다 дремать; клевать носом; 졸면서 운전하다 дремать за рулём; 책상에 앉아서 ~ дремать за столом.

졸도(卒倒) обморок; беспамятство; ~하다 падать в обморок; ...으로 인해 ~하다 падать в обморок из-за чего-л.; потерять сознание из-за чего-л.; 뇌졸중으로~하다 разбивать параличом; подвергаться апоплексическому удару.

졸렬 неуклюжесть; ~하다 неумелый; неуклюжий; корявый; топорный; ~한 표현 неуклюжие выражения; ~한필체 корявый почерк; писать, как курица лапой; ~한 변명 неловкое оправдание.

졸리다 дремотный; дремать; 졸려 뵈는 сонный; сонливый;졸려죽겠다 Невольно закрываются глаза; 졸린 사람을 깨우다 разбудить сонного.

졸음 дремота; сонливость; ~이 오다 хотеть спать; одолевает сон; ~이 달아나다 превозмогать дремоту; покидает сон.

좁다 узкий, тесный; ~통로 тесный проход;교제범위~узкий круг друзей; 전문성~ узкая специальность; 소맷부리~ узкий рукав; 거리~ узкая улица; 집에 비해 복도가 좁다 коридор для этой квартиры узок; 의미에서는~ в узком смысле.

좁은 тесный узкий. **좁히다** сузить.

종(種) разновидность;~별 по сорту.

종 звонок.

종강(終講) окончание учебного го-да; окончание лекций.

종결(終結) завершение; окончание; ~하다 завершить; заканчивать;

оканчивать; доводить до конца.

종교(宗敎) религия; вера;верование; 세계의 ~ мировые религии (буддизм, ислам, христианство); 고대슬라브인의~ верование древних славян; ~가 богослов; священник; поп;~관 религиозная точка зрения; ~교리 вероучение; ~심 религиозность; ~(신앙)인 верующий;~학 богословие

종기(終期) I последний срок(период, конец); последняя(заключительная часть); завершающий период.

종기(腫氣) II опухоль; ~가 났다 образовалась опухоль; ~가 가라앉았다 опухоль спала; 신장에 난~ набухание почек; 악성~ злокачесвенная опухоль; 양성~ доброкачественная опухоль.

종년(終年) служанка; горничная; 파출부 домработница.

종놈(-者) слуга; прислужник; прислуга. ~(야유)받들어 모시겠나이다 к вашим услугам.

종두(種痘) прививка от оспы; вакцинация;~를 놓다 вакцинировать; делать прививку от оспы; ~법 способ вакцинации(от оспы);~자국 след от прививки.

종래(從來) ~의(선행하는) предыдущий; предшествующий; ~와 같이 попрежнему.

종료(終了) окончание; завершение; ~하다 завершаться чем; доводить до конца; 성공적으로~되다 завершаться успехом; 핵무기 실험을~하다 прекращать испытания ядерного оружия; ~부 заключительная часть; см. 종결

종류(種類) род; вид; ...와 같은 ~ одной породы(вида, сорта); 대체로 이러한 ~의 в этом роде.

종말론(終末論) эсхатология.

종목(種目) пункт; параграф; ~별로 나누다 разбить на параграфы; ~별 по пунктам; см. 종류.

종별(種別) классификация; систематизация; распределение по какой-либо ситеме; сортировка; ~(분류)하다 классифицировать; сортировать; группировать; 축척에 따른 지도의 ~ классификация или катологизация карт по масштабу;~분류 개요도(시스템) схема (система) классификации; классификацион-ная схема(система); ~분류 기준치 требования для определения категорий; ~분류기호 знак по классификации; классификационный знак(индекс); ~분류 평가 определение классификации; 식기세트 полный ассортимент посуды.

종사(從事) служение; служба;~하다 заниматься чем-л.; служить кому-л., чему-л.(в чём-л.); состоять (или находиться; числиться) на службе; 평생을 예술에~하다 посвящать всю свою жизнь искусству; ~유희 열중하다 предаваться развлечениям; ~에 전념하다(마음을 쏟다) вкладывать всю душу во что-л.; 국대에 ~하다 служить в армии(по военной службе); 자신의 시간을 ...일에(...에게) ~하다(바치다) посвящать часть своего времени кому-л., чему-л..

종소리 колокольный звон.

종속(從屬) подчинённость; подчинение; зависимость; ~적 зависимый;зависящий; обусловленный; несамостоятельный; подчинённый; подвластный; ~하다 находиться в зависимости; подчинять комучему-л. (кого-что-л.); ~관계에 있다(의존하다) зависить от кого-чего-л.; ...에게 ~(의존)되다 быть у кого-л. в зависимости;

~되다 подчиняться кому-чему-л.; быть за-висимым; покоряться кому-л.; повиноваться кому-чему-л.; склоняться (смиряться) перед кем-чем-л.; 주변인들을 자신의 세력하에 ~시키다 подчинять окружающих своему влиянию; 공공의 이익을 위해 개인의 이익을 ~시키다 подчинять личные интересы общественным; 상황에~되다(달려있다) зависеть от обстоятельств; 운명에 ~되다 покоряться судьбе(своей участи); ~국 зависимое государство; ~령 зависимая территория;~적(의존적)상황 подчи-нённое(зависимое) положение.

종식 пресечение; прекращение; остановка;~하다 прекращать(ся); кончать(ся) с чем-л.; переставать; пресекать; 정쟁~ прекращение военных действий.

종신(終身) вся жизнь; по жизни; 결혼은 ~형 женищься раз, поплачешься век; ~연금 пожизненная пенсия; ~직 пожизненная должность; ~형 пожизнен-ное заключение.

종양(腫瘍) неоплазма; опухоль; ~의 опухолевый; ~을 제거하다 удалять опухоль; ~암 раковая опухоль. см. 부스럼.

종이 бумага; ~끼우개 папка для бумаг; ~돈 бумажные деньги; ~쪽 лист; 모눈~ линованная бумага; миллиметровка; ~포장 обёрточная бумага; 종이두장 два листа бумаги

종일(終日) весь день;целый день; круглосуточно; ~ 관광하다 целый день уваствовать в экскурсии по городу; ~일광욕하다 весь день загорать(жариться) на солнце; 비가 ~ 봇물 쏟아지듯 내리다 весь день дождь льёт как из ведра.

종자(種子) семя; семечко; ~의 семенной; ~를 뿌리다 сеять семена (зёр-на); 콩심은데 콩나고, 팥심은데 팥난다 по семени и плод/ что посеешь, то и пожнёшь; ~증식 семеноводство; ~학자 семеновод.

종장(終章) последняя(заключительная) строфа стихотворения

종적 след; ~없이 бесследно; ~을 남기다 оставлять следы; отпечатывать; ~을 남기지 않다 не оставлять следов; бесследно исчезать;~을 뒤쫓다 идти по следу; выследить;~을감추다 исчезать;заметать следы; ~을 없애다 уничтожать следы чего-л.; 인간의 следы с человеческих ног; 고대 도시(문명)의 ~ (следы)остатки древнего города (ранней цивилизации)

종전(從前) ~의 недавно; раньше; прежний; бывший; предыдущий; предшествующий; прошедший; давний; ~부터 с давних времён.

종점(終點) конечный пункт; конечная станция; пункт выгрузки; конечная остановка; ~에서의 운임지불 плата за погрузку товаров на конечной станции.

종족(種族) племя; род; ~적 племенной; этнический; рассовый; национальный;~발생(기원)этногенез(национальное происхождение); ~장 старейшина рода; ~(인종)차별대우 расовая дискриминация; ~(인종)차별주의 расизм; ~학(인종학) этнография; ~학자 этнограф; 백인~ белая раса; ~소수 национальное или рассовое меньшинство

종종 иногда; порой; подчас; в отдельных (некоторых) случаях; от случая к случаю; время от времени; временами; ~일어나다 иногда возникать; 자유는 ~ 불법행위로(방종으로) 변형되곤 한다 свобода иногда оборачивается беззаконием; 그는 ~ 말씨와 행동거지에서 짐짓 외국태생임을 드러내곤 한다 иногда в речи и манерах он нарочно подчёркивает своё иностранное происхождение; ~나는 두통을 앓는다 у меня иногда побаливает голова; 때로는 바보가 진실을~말해 준다 иной раз и дурак правду скажет; ~걸음 мелкие шажки.

종지(終止) завершение; окончание; прекращение; конец; заключение; исход; финал; заключительный аккорд; концовка; апофеоз. ~의 конечный; последний; окончательный; ~하다 кончать; заканчивать; завершать; ~되다 кончать; подходить к концу; быть на исходе; ~를 찍다 ставить точку на чём-л.; подводить черту под чем-л.; 이것으로 끝이다 (관용구) кончен бал; и делу конец; 모든 일은~(마무리)가 중요하다 не хвались началом, хвались концом; ~부 точка; пунктуация(знаки препинания).

종착 ~하다 достигать конечного пункта; ~역 конечная станция; станция прибытия; ~지 конечный пункт(место) прибытия.

종창 см 종기 нарыв; гнойник; веред; чирей; ~이 생기다(곪다) гноиться; ~을 절개하다(터뜨리다) вскрывать нарыв; 눈이 짓무르다 глаза гноятся; 상처에서 고름이나온다 рана гноится; 화농성 гнойное воспаление.

종합(綜合) синтез; обобщение; ~의 синтезированный; ~적 синтетический; комбинированный; комплексный; ~하다 синтезировать; обобщать; ~병원 поликлиника; ~예술 общее искусство; ~체 совокупность

종횡(縱橫) вдоль и поперёк; горизонтально и вертикально; сверху вниз и слева направо; в разных направлениях; ~으로(거침없이) 쏘다니다 ходить вдоль и поперёк (беспрепятственно передвигаться).

좆 мужской половой орган.

좇다 следовать за кем-чем-л. (кому-чему-л.;в чём-л.);идти по пятам; 사건들이란 연달아 일어나곤 한다 события следуют одно за другим; 예를(유행을) ~ следовать примеру(моде); 명예(성공;이윤)를 ~ гнаться за славой(успехом; прибылью); 적을~ гнаться за врагом; 누군가의 뒤를~ идти вслед за кем-л.; 퇴각하는 적을 좇다 преследовать отступающего врага.

좋다 хороший; неплохой; порядочный; отменный; 기분이~ хорошее настроение; 기분이 좋지않다 чувствовать себя нехорошо; 좋은소식을 가져오다 приносить хорошие(приятные) новости; 좋은 냄새가 난다 пахнет приятно; 좋은 평판을 지니다 иметь хорошую репутацию; 건강에 좋지않은(해로운) вредный для здоровья; 그는 신선한 공기를 쐬는 것이 건강에 더욱 좋다 ему полезно побольше быть на свежем воздухе; 더욱 ~ тем лучше; 나쁠수록 좋다 чем хуже, тем лучше; 더없이~как нельзя лучше; 좋다! прекрасно! отлично! замеча-тельно! 가장 ~ лучше всего; 좋은 일 добрые дела(намерения); 좋은교육 хорошее воспитание; 좋은 매너 хорошие манеры; 좋은 행동 хорошее поведение; добросовестное выполнение своих обязаностей.

좋습니다 Хорошо.

좋아져요 стать лучше.

좋아하다 любить; хорошо или одобрительно относиться к кому-чему-л.; 애착을 지니다 быть привязанным к кому-л.; иметь пристрастие(слабость) к

чему-л.; 유혹을 불러일으키다 питать слабость к кому-л.; 홀딱 반하다; 푹 빠지다 души не чаять в ком-л.; быть влю-блённым в кого-л.; быть без памяти(без ума) от кого-л.; пылать любовью(страстью) к кому-л.; 정말 싫다 любить как собака палку; 눈길을 떼지 못하다 не сводить с кого-л. глаз; 취향은 가지각색 на вкус и цвет товарища нет; 정부 любовник(ца); 애호가 любитель. **좋아합니다** люблю. **좋았는데** было хорошо.
좋은 приятный.

좌(左) I левый; ~로 налево; ~경(적 경향) левый уклон; левизна; ~익 왼손잡이 левша.

좌(座) II место для сидения; ~성 созвездие; плеяда.

좌석(座席) сиденье;~에 앉다 садиться; ~에서 일어나다 подниматься со своего места; ~을...에게 양보하다 уступать место кому-л.; ...을 보유한 음식점 ресторан на ...посадочных мест

좌우(左右) левая и правые стороны; ~에 рядом; сбоку; под боком; ~상칭 двусторонняя симметрия; ~청촉 обращаться в разные места с просьбой; ~협공 наносить удары по врагу со всех сторон.

좌익(左翼) левое крыло; левый фланг; ~경향의 левацкий; левофланговый; ~(우익) левое(правое) крыло; ~과격 파 левые экстремисты; ультралевые элементы.

좌절(挫折) обескураженность; уныние; ~하다 отчаиваться в чём-л.; ...를 ~시키다 проводить кого-л. в уныние; ~되다 разбиваться; сломать; терпеть неудачу; проваливаться.

좌측(左側) левая сторона; левый бок; ~공격 атака(нападение) слева; ~수비 수 левый защитник; ~윙 левый крайний

죄(罪) преступление; ~의 преступный; ~를 행하다 совершать преступление; ~(범행)를 자백하다 сознаваться в преступлении; явиться с повинной;~를 인정하다 признать кого-л. виноватым; ...에게~를 전가시키다 свалить вину на кого-л.; свалить что-л. в вину кого-л.; ...의~로(죄목으로) по обвинению в чём-л.; ~(범죄) 현장에서 на месте преступления;~(범죄율)의증가 рост преступности; ~명 квалификация преступления; ~목 перечень преступлений; 유~(무~)판결 обвинительный (оправдательный) приговор.

죄다 затягивать; стягивать чем-л. (ремнём; верёвкой); зажимать; натягивать; подтягивать; перехватывать; (자리를) ~ потесниться; (마음을) ~ вносить напряжённость; быть в тревожном состоянии; 긴장감도는 관계~ натянутое отношение с кем-л.

죄송(罪悚) извинение; ~하다 извиняться перед кем-л.(в том, что ...); принести извинения кому-л.; просить прощения у кого-л.; при-ходить с повинной; чувствовать себя очень смущённым. **죄송하지만** простите, но

주(主) I важность; значимость

주(週) II неделя.

주(註) II примечание(к чему-л.); комментарий.

주(州) IV область; ~의 областной; префектурный; ~지사 префект; ~청 (도청) префектурное управление; 자치~ автономная область.

주 штат.

주거(住居) жильё; ~하다 проживать; обитать; жить; 시골에 ~하다 жить за городом; 외국에 ~하다 жить за границей; ~자 житель; ~지 жилище; жильё; местожительство; ~지역

жилой район.

주고받다 обмениваться; меняться чем-кем-л.(с кем-л.);дать(отдать) и получить(взять); 도움을 взаимно помогать; помогать друг другу; 상호 양보를~ делать взаимные услуги; 타협안을~ пойти на компромисс; 농담(독설,경험)을~ обменяться шутками; 인사를~ обменяться поклонами; поклониться друг другу; 의견을 ~ обменяться мнениями; побеседовать; 시선을~ обменяться взглядами; взглянуть друг на друга.

주관(主觀) I субъект; личное мнение; ~적인 личный; субъективный; ~적 평가(판정) субъективная оценка; ...에 대한 ~적 관계 личное(субъективное) отношение к кому-чему-л.; 사건평가에 있어서의 ~성 субъективизм в оценке событий; ~론 субъективизм; ~성 субъективность; ~적 관념론 субъективный идеализм.

주관(主管) II ~하다 руководить, контролировать отвечая за дело и руководить; распоряжаться.

주권(主權) суверенитет; верховная власть; ~을 준수하다 соблюдать суверенитет; ~을 행사하다 вступать в суверенитет; ~국 суверенные государства; ~자 руководитель, осуществляющий верховную власть; ~재민 суверенитет принадлежит народу.

주기(週期) период; цикл; ~적 периодический; повторяющийся; ~성 периодичность; цикличность; ~(순환) 소수 период дроби; ~적운동 периодическое движение; ~적 현상 периодическое явление; ~표(화학) таблица периодической системы; ~함 수(수학) период функции.

주기도문(主祈禱文) 1) богослужебная молитва; 2) Молитва Господня.

주다 давать; 원조의 손길을 ~ подавать кому-л. руку помощи; 동냥을 ~ подавать милостыню; ...에게 차 잔을~ дать кому-л. чашку чая; 본을 대학교에 기증하다 передавать все свои книги(свою библиотеку); 자유를 предоставлять свободу; ...로부터 온 편지를 전해주다 передавать письмо от кого-л.; 공짜로 ~ отдавать кому-л. бесплатно(даром); 기회를 ~ давать возможность(шанс); 앙갚음을 ~ платить той же монетой; 이 문제에 대해 생각할 여유를 하루만 주십시오 Дайте мне день, чтобы подумать над этим вопросом; 묶어갈 곳을 제공해 주실 수 있습니까? Не могли бы вы устроить меня переночевать; 새로운 법규에 따르면 여성도 남성과 동일한 노동의 대가를 받는다 По новому закону оплата труда женщин приравнивается к оплате труда мужчин.

주도(主導) инициатива; ~하다 возглавлять; ~권을 쥐다(세력을 쥐다) брать на себя руководство чем-л.; становиться(вставать) во главе чего-л.; ~권 главенство; ~력 инициативность; ~자 инициатор; организатор; ~적 역할 ведущая роль.

주동(主動) см 주도 1) ~적 ведущий, руководящий; ~하다 быть ведущим(руководящим); 2) сущ. ведущий, руководящий; инициатор.

주력(注力) главные силы; ~하다 вкладывать силы во что-л.; прилагать все усилия к чему-л.;~부대 постоянная армия; ~함 линей-ный корабль; линкор.

주로(主-) главным образом; в основном; обычно; большей частью.

주룩주룩 пить как из ведра; 땀을 ~ 흘리다 весь в поту; пот градо-м катится; 눈물을 ~흘리다 заливаться слезами.

주르르 сочиться; капать; 코피가 흐르다 у кого кровь течёт из носу; 상처에서 피가~흐른다 кровь сочится из раны; 얼음위로 ~미끄러지다 скользить по льду.

주름 морщина; складка;~지다 покрываться морщинами; ~잡다 закладывать в складки;~살 морщина(на лице); складка.

주리다 голодать; недоедать; щёлкать зубами; питаться манной небесной; ощущать(испытывать) недостаток (нехватку); 주린 голодный; в животе урчит у кого-л.

주말학교 воскресная школа.

주머니 кошелёк; мешок; сума; карман; (женская) сумочка; 두둑한 тугой кошелёк; ~ 얄팍한 тощий кошелёк; безденежье; бедность.

주먹 кулак; ~을 사용하다 пускать в ход кулаки; ...에게 ~질하다 грозить кому-л. кулаком; ударять кулаком; угрожать кулаком; ~구구 счёт по пальцам;грубый подсчёт; грубый эмпирический метод;~구구식 приблизительно; беспорядочно; ~맛을 보다 испытать на себе силу кулака; ~밥 горсть варёного риса.

주모(主母) ~하다 быть зачинщиком в заговоре; ~자 главарь.

주목(注目) взгляд; взор; внимание; ~하다обращать внимание(свой взор).

주무르다 мять; жать; валять(в руках); теребить руками.

주무부(主務部) авторитетный специалист. 주무시다 спать.

주무십시오 спокойной ночи.

주문(主文) заказ;~하다 заказывать; подписываться;~자 заказчик; подписчик. 주문에 의해 만든 заказной.

주물(鑄物) литьё; ~품 литые металлические изделия.

주민(住民) население; жители; ~등록 запись(регистрация) актов гражданского состояния; ~세 резидентский налог; сбор; пошлина.

주방(廚房) кухня.

주변(周邊) окружающая обстановка; окружающие люди; ~인 окружающие;~환경 окружающая обстановка

주부(主婦) хозяйка; 알뜰한~ экономная хозяйка; ~ 빈둥대는 безработная хозяйка; ~들에게 주는 살림의 지혜 советы домашним хозяйкам; 훌륭한~는 티끌하나 용는다 хорошая хозяйка не оставляет и пылинки; 계산적인~ расчётливая хозяйка; 검소한~ бережливая хоз-яйка.

주사(酒邪) I непристойное поведение пьяного;~가 있는 사람 человек который грубо (непристойно) ведёт себя, когда выпьет; ~를 부리다 непристойно вести себя из-за пьянства.

주사(注射) II инъекция, укол, прививка; 피하~를 놓다 впрыскивать под кожу; 환자에게 캠퍼~한 대를 놓다 впрыскивать больному ампулы (камфоры); 장티푸스예방 ~를 맞다 кому-л. делать противотифозную прививку; 예방접종~를 놓다 делать кому прививку(против) от чего-л.; ~기 шприц; инъектор; ~바늘 игла шприца; ~약 лекарство для инъекций; 우두~ инокуляция; 피하~ подкожное вливание.

주사위 игральные кости; кубик; ~를 던지다 бросать кости; ~는 던져졌다 (운명을 결정되었다) жребий брошен; ~놀이를 하다 играть в кости; ~놀이 игра в кости.

주석(主席) I глава; лидер; 중국~의 공식방문 официальный визит президента КНР; 북한~ 김일성의 사망보도 сообщение о кончине северокорейского лидера Ким Ир Сена.

주석(朱錫) II олово; ~으로 만든 оловянный; сделанный из олова; ~을 입히다 лудить; покрывать оловом; ~도금 лужение; покрытие оловом; ~박 станиоль; ~제품 оло-вянная посуда.

주석(註釋) III комментарий; толкование; аннотация; ~하다 комментировать; толковать;~을 달다 снабжать примечаниями; аннотировать; ...에 ~을 달다 давать комментарий к чему-л.; делать оговорку к чему-л.; ~사전 толковый словарь; ~자 комментатор; толкователь.

주선 содействие; услуга; интерцессия; ~하다 оказывать услугу, помощь; ...의~으로 с помощью кого-л.; при содействии кого-л.; ...에게 취직을 ~해주다 найти кому-л. рабочее место; устраивать кого-л. на службу (работу) 주세요 дайте.

주소(住所) адрес; местожительство; ~를 바꾸다 менять адрес(местожительство); ~를 봉투에 쓰다 писать адрес на конверте; ~가 분명치 않다 (주소불명) адрес неизвестен; 당신의 ~가 어떻게 됩니까? Какой ваш адрес? 옛날~로 편지를 보내다 послать кому-л. письмо по старому адресу; ~록 адресная книга; список адресов; ~불명자 человек без адреса; бомж; 안내소~ адресный стол; 영구~ постоянный адрес(местожительство); 임시~ временный адрес(местожительство); 직장~ служебный адрес; ~집 домашний адрес.

주술(呪術) заклинания; заговор; ~로 병을 고치다 лечить болезнь заклинаниями; ~의 위력을 믿다 верить в силу заклинаний; ~사 заклинатель(ница).

주스(juice) сок; 과일~ фруктовый сок; 오렌지~ апельсиновый сок.

주시 пристальный взгляд; ~하다 пристально наблюдать; смотреть испытующим взглядом; ...의 얼굴을 ~하다 пристально смотреть кому-л. в лицо.; 세간의 ~대상이 되다 оказываться в центре внимания.

주식(主食) I основной продукт питания; основная пища.

주식(柱式) II акция; фонды; ~을 모집하다 подписаться на акции; ~을 양도하다 передавать акции; ~을 발행하다 выпускать акции; ~이 하락하다 падают фонды на бирже; ~이 오르다 поднимаются акции в цене; ~거래 торговля акциями; ~계약 фондовые сделки; ~공개 предложение акций; ~매매 биржевые операции; ~배당 дивидент от акций; ~시세 курс акций; ~시장 фондовая биржа; ~액면가 нарицательная стоимость акций; ~자본 акцио-нерский(паевой) капитал; ~투자 инвестиция в акции; ~회사 акционерное общество; акционерная компания. 주십니다 дает.

주야(晝夜) сутки; день и ночь; всё время; не переставая, ~로 염원(念願)~하다 горячо желать и день, и ночь.

주어지다 даваться; предоставляться.
주었습니다 дал.

주역(主役) I главная роль; ~을 맡다 играть главную роль; 어린이는 내일의 ~이다 дети будут завтрашними героями; ~배우 актёр, исполняющий главную роль.

주역(註譯) II перевод с комментариями; ~하다 переводить с комментариями.

주연(酒宴) I пир; пиршество; банкет; ~에 배석하다 обслуживать на пиру; ~을배풀다 давать(устраивать) пир; пировать; 성대한 ~을 배풀다 задавать пир горой; 조촐한 ~을 열다 устраивать пирушку; ...를 위해 ~을 배풀다 устраивать банкет в честь кого-л.

주연(主演) II исполнение главной роли; ~을 맡다 играть главную роль; выступать в главной роли; ~배우 артист, исполняющий главную роль.

주워내다 вытаскивать.

주워담다 собирать и класть; подбирать

주워대다 говорить правдоподобно.

주워듣다 подслушивать; нечаянно слышать; 주워들은 이야기 нечаянно подслушанный разговор.

주워모으다 собирать; 버려진 병들을 ~собирать выброшенные бутылки

주워서 подбирав.

주원료(主原料) основное сырьё.

주원인(主原因) главная причина; главный фактор; ~이 되다 служить главной причиной чему-л.

주위(周圍) окрестность; окружение; ~의 окружающий; прилегающий; соседний; ~를 둘러시의 окрестности города; ~의 영향을 받았다 окружать; ~의 사람들 близкие люди; ~도다 испытывать на себе влияние окружающей среды; ..의 ~ 를 둘러보다 осматривать вокруг чего-л.; ~에는 아무도 없다 никого поблизости нет; ~사정 окружающая обстановка; ~환경 окружающая среда. 주위 사람들 окружающие люди.

주유(注油) заправка; 윤활유~ смазка; ~하다 заправляться(бензином); 자동차에 ~를 하다 заправлять машину; ~펌프 масляный насос.

주의(注意) внимание; ~하다 обращать внимание; ~를 기울이다 обращать внимание на когочто-л.; поставить кому-что-л. на вид; ...의 ~를 돌리게하다 обращать чьё-л. внимание на что-л.;~를 끌다 привлекать внимание; бывать на виду у кого-л.; ...에 ~를 기울이다 уделять особое внимание чему-л.; ~깊게 с вниманием; ...에게 위험 ~를 경고하다 предупреждать кого-л. об опасности; ~를 기울여 바라보다 смотреть сосредоточенно; внимательно смотреть; ~력 внимание; сосредоточеность.

주의 날(부활의날) день воскресения

주의 사자 Ангел Господень.

주의 종 раб Господень.

주의 형제들 братья Господень.

주의하다 обращать внимание, предупреждать.

주인(主人) владелец; хозяин; ~과 손님 хозяин и гость; 정세의 ~(실권자) хозяин положения; ~(당사자)을 제쳐놓고 결정해 버리다 без хозяина решать(рассчитывать); 목장의~에게 과세하다 облагать налогом владельца пастбища; 그는 그자신의~이다 он сам себе хозяин; ~은 부재중 самогото нет дома;여관~владелец гостиницы; ~집 владелец дома.

주인공(主人公) герой(литературный); ~역을 하다 играть роль героя; ~인체 하다 изображать из себя героя; 뚜르게네프 작품의~들 герои Тургенева; 강한 могучий герой; 전설의~ герой легенды; 긍정적 ~ положительный герой; 서정적 ~

лирический герой.

주일(週日) I неделя; 이번 ~에 на этой неделе; 다음~에 на будущей (следующей) неделе; 한~에 두 번 два раза в неделю; 이 ~후에 через две недели; 이 ~ 한번 편지를 쓰다 писать письма раз в две недели; 그는 다음~에 도착한다 он приезжает на будущей неделе; 그는 삼~ 더 머무를 것이다 он остаётся ещё на три недели; 그리스도 고난~ страстная неделя; 부활절~ пасхальная неделя.

주일(主日) II воскресенье; 부활제 후의 첫째 Фомоно воскресенье; первое воскресенье после пасхи; ~마다 по воскресеньям; ~마다 상점은 문을 닫는다 по воскресеньям магазин закрыт; ~학교 религиозная воскресная школа; 부활절~светлое(Христово) воскресенье; 정지~ вербное воскресенье.

주임(主任) заведующий; старший; ~사제 настоятель; 사무~ заведующий канцелярией; 정보~ заведующий отделом информации; 회계~ заведующий финансовой частью.

주입(注入) вливание; ~하다 вливать; заливать; впрыскивать; внедрять; 머릿속에 ...을 ~ 시키다 вбивать кому-л. что-л. в голову; 주사기는 약을 ~하기 위한 도구이다 шприц это прибор для вливания лекарства; ~기 сосуд для вливания(заливки) жидкости; ~식 교육 обучение, основанное на затаскивании(зубрёжке).

주장(主張) мнение, утверждение; настояние; ~하다 настаивать на чём-л.; отстаивать; требовать чего-л.; утверждать; 필요성을~하다 настаивать на необходимости; 자설을~하다 настаивать на своём; 자신의 견해를 ~하다 стоять на своём; отстаивать свою точку зрения; 자식의~대로 처리하다 проводить свою линию; 그는 이것이 진실이라고~하고 있다 он утверждает, что это правда; 모두들 그가 옳다고 ~했다 все утверждали, что он прав.

주재(主宰) управление; руководство; ~의 руководящий; командный; директивный; инструктивный; ~하다 руководить кем-чем-л.; воз- главлять; началь-ствовать над кем-чем-л.; ...을 ~하다 стоять во главе чего-л.; ...의 ~하에 под руко-водством кого-л.; ~자 руководитель.

주저 колебание; нерешимость; ~하다 колебаться в чём-л.; не решаться; не осмеливаться; быть в нерешимости; ~하면서 нерешительно; неуверенно; ~함이 없이 без колебания; 오랜 ~ 끝에 после долгих колебаний; ~하는 걸음걸이 нерешительная походка.

주저앉다 сесть, опуститься, оседать; 피곤한 모습으로 소파에~ устало опускаться на диван; 집이~ рушится дом; 다리가 주저앉았다 мост обвалился.

주정 (винный) спирт; хмельное; алкоголь; ~수준기 уровень спирта (алкоголя); ~음료 спиртные напитки; горячительные напитки.

주제(主題) основная тема; 세계대전을~로 한 글 сочинение на тему о мировой войне;~를 바꾸다 перейти к другой теме; ...에 대한~로 글을 쓰다 писать на тему о чём-л.; ~의 발전 развитие сюжета; ~화 картина написанная на определённую тему; 영화~가 песня к кинофильму.

주조(主潮) I главное течение; ~에 따르다 следовать главному течению; ~에 따라 행동하다 плыть по главному течению; ~에 편승하다 вести себя под давлением обстоятельств; ~에 역행하다 плыть против течения; 아시아 문명의 ~ главное течение культуры Азии.

주조(鑄繰) II литьё; отливка; ~하다 лить; отливать; 모래 거푸집에 의한 ~ лепить фигурки из песка; 대포(종)를 ~하다 лить пушки(колокола); 양초를 ~하다 лить свечи; 탄환을 ~하다 отливать пулю; ~기 литейная машина; 압착 ~(다이케스팅) литьё давлением.

주종(主從) главное и второстепенное; ~관계 отношения мужду начальником и подчинённым.

주차(駐車) стоянка автомобилей; ~위반 과태료를 부과하다 наложить штраф; штрафовать за нарушение правил парковки на стоянке; 노상 ~ стоянка автомобилей на улице(под открытым небом); ~거리 стоянка автомобилей посреди улицы; ~금지 стоянка запрещена; ~위반 벌금통지서 штрафная квитанция за нарушение парковки; 500대 분량의 ~ стоянка на пятьсот автомобилей; ~장 автостоянка; 택시 ~장 место стоянки такси. 주차금지 стоянка запрещается.

주차장(駐車場) стоянка.

주체(柱體) ~를 못하다 не справляться с кем-чем-л.; не совладать с кем-чем-л.; невозможно преодолеть что-л.; не осиливать кого-что-л.;не в состоянии превозмочь.

주체(主體) субъект; основная(главная) часть; самобытность; 민족~성 национальная самобытность.

주최(主催) ~하다 организовывать; устраивать; 단기 강습회를 ~하다 организовывать краткосрочный курс; 파티를 ~하다 организовывать вечеринку; 전람회를 ~하다 уст-раивать выставку; 음악회를~하다 уст-раивать концерт; 만찬을~하다 уст-раивать обед в честь кого-л.; 운동회를~하다 устраивать состязание; ...의 ~자가 되다 быть инициатором чего-л.; ~자 устроитель; инициа-тор; организатор.

주춤 ~하다 резко остановиться; нерешительно двигаться; колебаться; не решаться; 선택에서~거리다 колебаться в выборе; 결단을~거리다 колебаться в решении; 무서워서 ~거리다 нерешительно двигаться от страха.

주택(住宅) 아파트 квартира; дом; жилище; жильё; 6층짜리~ шестиэтажный дом; ~의 정비 благоустройство жилищ; ~문제를 논의하다 обсуждать жилищный вопрос; ~을 보장하다 обеспечить кого-л. жилищем; ~가 улица, застроенная жилыми домами; ~난 трудности с жильём; жилищная проблема; ~배분과 жилищный отдел; ~은행 жилищный банк; ~자금 жилищный фонд; средства на жильё; ~조합 жилищный кооператив; ~지 жилая площадь; жилплощадь; 목조~ деревянный дом.

죽 I десять разновидностей(одеж-ды, посуды); десять штук(о посу-де, о комплектах одежды).

죽(粥) II жидкая каша; кашица; ~을 끓이다 варить кашу; 식은 ~먹기 очень легко получается; 메밀~ гречневая каша; 묽은~ пищевая кашица; 보리~ ячменная каша; 우유~ молочная каша; 좁쌀~ манная каша. 죽(竹) III бамбук.

죽다, 사망하다 умирать от чего-л.; расставаться с жизнью; уходить в иной мир; 병으로 ~ умирать от болезни; 부상으로~умирать от ран;

늙어 ~ умирать от старости; 굶어 ~ умирать от(с) голода; 콜레라로 ~ умирать от холеры.

죽음 смерть; гибель; погибель

죽이다 убивать; уничтожать физически; лишать жизни; убирать; предавать смерти; 총으로 ~ убить из ружья; 한발에 ~ убить наповал; 시간을 ~ убить время; 속도를 ~ снижать скорость; тормозить; 발소리를 ~ заглушать шаги; 그는 전쟁에서 죽었다 он убит на войне; 벼락을 맞고 죽다 кого-л. громом убило.

죽죽 прямо(проводить несколько линий); рядами; ~ 앞으로 나아가다 идти прямо вперёд; ~ 잘라내다 несколько раз отрезать;~줄을 긋다 беспрерывно чертить, проводить линию; 펌프로 물을 ~ 빨아올리다 насос сосёт воду.

준결승(準決勝) полуфинал; 한국은 ~에 나갔다 Корея вышла в полуфинал; ~전 полуфинальное состязание; полуфинальная игра.

준공(竣工) завершение(конец) постройки; окончание строительных работ; ввод в строй;~하다 завершать (заканчивать) строительство; вводить в строй; ~식 церемония окончания(завершения) строительства.

준법(遵法) соблюдение закона; ~정신 дух закона послушания; ~하다 соблюдать закон; следовать закону; придерживаться закону; ~성 законность

준비기간(準備期間) подготовительный срок.

준비(準備) подготовка; приготовление; ~하다 готовить; приготовлять; ~중이다 идёт подготовка; ...이 ~작업에 몰두하다 уходить с головой в работу по подготовке чего-л.; 그의 실패는 부실한~에 기인한 것이다 его неудача объясняется плохой подготовкой; ~금 резервный фонд;~실 комната для подготовки; ~작업 подготовительная работа; 전쟁~ подготовка к войне.

준비물 вещи для подготовки.

준수 I соблюдение; ~하다 блюсти; соблюдать; придерживаться чего-л.; следовать чему-л.; держаться чего-л.; выдерживать; ...에게 비밀을~를 요구하다 требовать от кого-л. сохранения тайны; 요구의~ выполнение требования; 의무 ~ выполнение долга.

준수(俊秀) II ~하다 особенный; замечательный; выдающийся; ~한 청년 выдающийся парень.

준엄(峻嚴)~하다 строгий;суровый; крутой; жёсткий;~하게 처신(행동)하다 поступать жёстко; без послаблений обходиться с кем-л.; ~한 법률 суровый закон;~한 검열 суровая цензура; ~한 얼굴 очень строгое лицо;~한 교육방법 спартанское воспитание.

줄, 선, 금 линия. 줄, 열 ряд.

줄 верёвка; бечёвка; шнур; ~을 서다 вступать в ряды; построиться в ряды;~을 꼬다 вить верёвку;~을 지어 가다 идти рядами;~끝에 가서 서다 спать в хвосте; ~을 바꾸다 начинать с красной строки; 소식 몇 ~만 적어 주세요 напишите мне несколько строк; ~을 놓다 устанавли-вать связи; 좋은 연~이 있다 иметь хорошие связи; 세~로 늘어놓은 의자 стулья в три ряда; 일반석의 세 번째 ~에 в третьем ряду партера; 제일 앞 ~에서 в первых рядах; 연극표를 사기 위한~ очередь за биле- тами в театр; 잘 정렬된 ~ строй-ный ряд; 긴~ длинная очередь; 새로운~ красная строка; 푸른~무늬의 с синими полосами; 고무 ~ ре-зинка; 노끈~ упаковочная верёвка; 빨래~ бельевая верёвка; 전신 ~ телеграфная проволока; 철사~ железная проволока.

줄거리 интрига; ~의 전개 развитие сюжета. **줄기** стебель.

줄다 уменьшаться;сокращаться

줄어들다 уменьшаться; убавляться в чём-л.; 체중이 ~ убавляться в весе; 용적이~ объём уменьшается; 거리가~ расстояние сокращается; 낮이 짧아지고있다 дни сокращаются; дни становятся короче; 도시의 인구가 줄어들었다 население города убавилось.

줄이다(축소하다) I сокращать.

줄이다 II уменьшать; убавлять; 위험을~ уменьшать опасность; 지출을~ уменьшать расходы; 중량을~ уменьшать вес; 예산을~ сокращать бюджет; 군비를 ~ сокращать вооружение; 노동시간을 ~ сокращать часы работы; 길이를 ~ убавлять длину чего-л.; 기한을~ сокращать срок; 속도를~ убавлять скорость; 소매를~ убавлять рукава; 돛대의 일부를~ спускать паруса.

줄줄 журчать; непрерывно течь; 시를 ~ 외우다 бегло заучить стихи; 시냇물이 ~ 흐른다 журчит ручей.

줄지어 выстраиваясь, в ряд.

줌 горсть; 한 ~의 모래 горсть песку; 한~을 쥐다 брать горсть; держать ладонь горстью.

줍다 собирать; подбирать; 흐트러진 서류를 ~ подбирать рассыпанные бумаги; 모자를~ подбирать шляпу

중 I (불교) монах; ~처럼 금욕생활을 하다 жить монахом; ~이제머리 못 깎는다 самому трудно решать дела в свою пользу.

중(中) II середина; ~용 золотая середина; ~용을 지키다 держаться середины; знать середину; 1월 ~순 середина января; 도시의 ~심부에 в центре города; 대화 ~에 в сере-дине разговора; 백중에 среди бела дня; 한밤 ~에 среди ночи; 거리 한 ~에서 среди улицы; 한 겨울에 в середине зимы; 러시아 작가들 ~에 среди руских писателей; ~거리 средняя дистанция; ~거리 달리기 бег на среднюю дистанцию.

중간(中間) середина; промежуток; ~의 серединный; ~에 в ходе; в процессе;...의 중간에 между чем-л.; 일을 ~에 그만두다 бросить дело на середине; 도시간의 직통전화 прямое телефонное сообщение между городами; 1920-30년 사이에 между 1920-м и 1930-м годами; 우리를 간에는 그런 관습이 없다 между на-ми нет такого обычая; 일을 쉬는 사이를 흐르고 있다 река течёт ме- жду двумя горами; 길은 산 사이를 통해 있다 дорога лежит между гор; 서로 간에 между собой; 서로 간에 나누다 разделить что-л. между собой; 그 사이에 между тем; 식사 준비가 되었다 между тем обед был готов; 진퇴양난에 между двух ог- ней; 말하는~에 во время речи(ра-зговора); 인생의 ~에 в середине жизни; ~검토 текущий контроль; ~속력 средняя скорость; ~역 про-межуточная станция; ~층 проме-жуточный слой; средняя(промеж-уточная) ступень; ~파 центристс-кая(нейтральная) группа

중간지점 среднее место.

중간시험(보조시험) зачет.

중개(仲介) посредничество; ~로 по

посредничеству кого-л.; ~하다 посредничать между чем-л.; ~자로 나서다 выступать посредником; ...의 ~를 요청하다 прибегать к посредничеству кого-л.; ~료 плата за посредничество; комиссионные; ~업 посредничество; комиссионерство; ~업자 посредник; комиссионер; маклер; 결혼~인 сват; ~재판소 третейский суд; ~재판 третейское скоe разбирательство; 주식 ~인 биржевой маклер.

중건(重建) реконструкция; перестройка; ~하다 реконструировать; перестраивать; 국민경제의 ~ реконструкция народного хозяйства.

중계(中繼) ~하다 транслировать; предавать(пересылать) через; ~망 трансляционная сеть; ~무역 реэкспорт; ~방송 трансляция; ~방송국 трансляционная станция; ~소 ретрансляционный пункт; ~탑 ретрансляционная башня;~항 транзитный порт.

중고(中古) ветхость; ~의 старый; подержанный; ветхий; обветшалый; потёртый; истрёпанный; ~품 подержанная вещь.

중공업(重工業) тяжёлая промышленность; тяжёлая индустрия; 한국의 ~에서 가장 발달한 분야는 무엇입니까? Какие отрасли тяжёлой промышленности в Корее наиболее развиты?

중국(中國) Китай; 화약은 중국에서 발명된 것으로 간주되고있다 принято считать, что порох был изобретён в Китае; ~은행가들은 러시아 고객들에게 모든 종류의 금융서비스를 제공할 의사를 비쳤다 китайские банкиры заявили о своём намерении предоставлять российским клиентам всевозможные банковские услуги; ~어 китайский язык;~인 китаец.

중금속(重金屬) тяжёлый металл; ~폐기물 처리 обработка отходов тяжёлого металла.

중단(中斷) перерыв; промежуток; пауза;интервал;~하다 прекращать; переставать; прерывать; 작업의 ~ перерыв в работе; 자주 ~되는 작업 работа с перебоями; 회의~ перерыв в заседании; 전류의~ перебой в подаче электрического тока.

중대(重大) ~하다 имеющий первостепенное значение; важный; значимый; весомый; значительный; принципиальный; 한 의의를 지니다 иметь существенное значение; ...의 ~성을 과소평가하다 преуменьшать важность чего-л.;...의~성을 인식하다 осознавать важность чего-л.; 내게는 매우~하다 мне очень важно; ~한 문제 важный вопрос; ~한 사건 историческое событие; 산업의 ~한 부문 важнейшие отрасли промышленности; 사건의 ~성 важность этого дела; ~과제 серьёзная проблема; ~사 важное дело; ~성 важность.

중도(中途) I ~의 по дороге; дорогой; по пути; ~에서 그만두다 бросать в процессе (работы); ~에 돌아오다 вернуться с дороги.

중도(中道) II золотая середина; 생활에 ~가 있는 것 умеренность в жизни; ~를 걷다 придерживаться золотой середины; ~(한도)를 지키다 соблюдать меру; ~주의자 умеренные.

중독(中毒) отравление; интоксикация; ~되다 отравиться; 식~에 걸리다 отравиться едой(пищей); 가스에~되다 отравиться(удушливым) газом; 종교는 사람을 ~시킨다 религия отравляет сознание человека; 상한 생선에 ~되다 отравиться несвежей рыбой; 알코올 ~ алкоголизм; ~성 токсичность; ~성 물질 отравляющее вещество; ядохимикаты; ~자 пристрастившийся к чему-л.; 마약~자 наркоман; 알코올 ~자 алкоголик.

중동(中東) Средний Восток; ~지역 국가들의 평화회담 мирные переговоры стран Среднего Востока.

중량(重量) вес; тяжесть; ~을 늘리다 набирать вес; ~을 줄이다 сгонять вес; ~분석 весовой анализ; ~증가 надбавка веса; ~자동차 тяжёлый(большегрузный) грузовик; 화물~ тяжеловесный груз; 화차~ тяжеловесный товарный вагон; 기체 장비 ~ полётный вес; ~실 вес нетто; ~정미 действительный (чистый) вес; ~총 общий вес.

중력(重力) тяжесть; ~가속도 ускорение силы тяжести; ~중심 центр тяжести; ~계 гравиметр.

중립(中立) нейтралитет; нейтральная (промежуточная) позиция; невмешательство; ~적 어휘 нейтральная лексика; ~을 지키다 соблюдать нейтралитет; ~을 고수하다 быть нейтральным; придерживаться нейтралитета; 정치적~ политика невмешательства; ~권 право на нейтралитет; ~국 нейтра-льное государство; ~선언 нейтра-лизация; ~정책 политика нейтра-литета; ~주의 нейтралитет; нейтрализм;~(비무장)지대 нейтральная зона; 무장~вооружённый нейтралитет; 엄정~строгий нейтралитет

중매(仲買) сватовство;~하다 сватать кого-л. кому-л.(кого-л. за кого-л.); 그는 아름다운 색시 감을 ~ 받았다 за него(ему) сосватали красивую невесту; ~인 сват(ха).

중벌(重罰) суровое(тяжёлое) наказание;~에 처하다 подвергать суровому наказанию; ~을 받다 подвергнуться суровому наказанию; 그는 살인죄로 ~에 처해졌다 его сурово наказали за убийство.

중범(重犯) тяжкое преступление; опасный преступник; ~하다 совершать повторное преступление; ~(상습범)자 рецидивист; ~자의 경우에는 в случае опасного преступника.

중병(重病) тяжёлое заболевание; серьёзная болезнь; ~ 때문에 из-за серьёзной болезни;~에 걸린 тяжко болен; тяжело заболел; ~에 시달린 поражённый серьёзной болезнью; ~을 치료하다 лечиться от серьёзной болезни;~환자 тяжелобольной.

중복(重複) повторение; повтор; тавтология; удвоение; совпадение; ~하다 повторять; твердить о чём-л. (что-л.); дудеть в одну дудку; заладить; удваивать; оказываться одинаковым; 동의어~의 тавтологический; ~된 повторенный; ~수정 двойное оплодотворение;~은 학습의 어머니 повто-рениемать учения; ~을 피하다 избежать повторения; 기사는 상당부분~된다 в статье много повторений.

중부(中部) центральная часть; ~지방 центральный район; ~ 전선 средний фронт.

중상(中傷) I клевета; наговор; ~의 клеветнический; кляузный; ~하다 клеветать; говорить клевету(напраслину) на кого-л.; оговаривать кого-л.; чернить кого-л.; очернять кого-л.; наговаривать; ~자 клеветник; очернитель; ~적 보도 клеветническое сообщение.

중상(重傷) II тяжелое ранение; тяжёлая рана; ~을 입다 получать

тяжёлое ранение; смертельно ранен; ~자에의 한국의 손실 армия, несущая потери(тяжелоранеными); 총탄으로 ~을 입은 병사 боец; тяжелораненый пулей; 치명적인~을 입다 получать смертельное(тяжёлое) ранение; ~자 тяжелораненый.

중세(重稅) I тяжёлые налоги;бремя налогов;~부담 бремя тяжёлых налогов;~의 부담하에 под налоговым бременем; ~를 징수하다 взимать тяжёлые налоги; 재산에 대해 ~를 과세하다 облагать имущество налогами.

중세(中世) II средневековье; ~기 средние века;~사 история средних веков.

중심(中心) I середина; центр; средоточие; ~을 잃다 терять равновесие; 도시의 ~ центр города; 공업의 ~ производственный центр; 사업의 ~지 деловая часть города; 그는 보수당의 ~적 인물이다 он является лидером консерваторной партии; 우리집은 ~가에 위치하고 있다 наш дом расположен в самом центре; ~사상 основная мысль; главная идея;~인물 центральный персонаж; главное лицо; 상업~지 торговый центр(комплекс).

중심(重心) II центр тяжести.

중앙(中央) центр; ~의 центральный; ~에서 в центре чего-л.; ~에 모이다 сосредоточиваться; ~공격수 центральный нападающий; ~아시아 Средняя Азия; ~은행 центральный банк; ~전화국 (центральная) телефонная станция; ~집권화 централизация.

중역(重役) член правления(директората); директор-распорядитель; -를 ~으로 임명하다 назначать кого-л. на ответственный пост; ~으로 부임하다 отправляться на ответственную должность; ~회의에 나가다 предстать перед советом директоров; ~에서 밀려나다 быть исключённым из правления; 내가 ~과 연락을 취하면, 아마도 도움을 받을 수 있을 것이다 я свяжусь с директором, может быть, он сможет помочь; ~회의 правление; совет директоров.

중요(重要) важность; ~시 하다 придавать серьёзное(важное) значение;~성 важность.

중요성 важность. 중요한 важный.

중위(中位) I среднее место(положение); нормальное состояние; стандартный тип; ...의 ~ 이상의 выше(ниже) среднего; ~(중산층) 정도의 생활수준자 среднее сословие; средний слой общества; буржуазия.

중위(中尉) II лейтенант; ~에게 대위의 칭호를 부여하다 присваивать лейтенанту звание капитана; ~는 직위상 대위보다 아래계급이다 лейтенант ниже капитана по званию.

중재(仲裁) арбитраж; третейский суд; ~하다 выражать арбитражное решение; примирять; улаживать; ~로 논쟁을 가라앉히다 разрешать спор третейским судом; 논쟁은~위원회에 맡겨졌다 спор был передан на рассмотрение в арбитраж; ~국 арбитр; ~재판 арбитраж; арбитражные разбирательства; 외환 ~ валютный арбитраж; ~인 арбитр; тререйский судья; третейское решение; примиритель.

중점(重點) важный пункт; суть (дела); самые существенные(основные) факты; ~적 преимущественный; первоочередной; ~적으로

преимущественно; в первую очередь; ~을 두다 уделять особое внимание чему-л.; ~적 사안을 파헤치다 добраться(докопаться)до сути дела; вникать в подробности; ~적 사안으로 돌입하다 подойти прямо к сути дела; без обиняков заговорить о главном; ~을 파악하다 понимать сущность чего-л.

중학교(中學校) средняя школа; средние классы.

중화학공업(重化學工業) тяжелая химическая промышленность.

중히여기다 серьезно воспринимать.

쥐 мышь; мышонок; мышка.

쥐다 взять; держать; схватить.

쥐어박다 ткнуть(кулаком).

즈런즈런 богатый; зажиточный.

즈음 в то время, когда.

즉 то есть, а именно.

즉각(卽刻) немедленно; сразу же.

즉석(卽席) тут же на месте; экспромтом; без подготовки.

즉시(卽時) сразу, тут же; ~불 немедленная уплата.

즉효(卽效) мгновенное действие (лекарства).

즉흥(卽興) импровизация; экспромт; ~적 импровизированный; ~곡 импровизация; экспромт; ~시 стихи, написанные экспромтом; ~연주 импровизация.

즐거운 удовольствие;наслождение; 큰~을 찾다 находить большое удовольствие в чём-л.; ...에게~을 주다 доставлять кому-л. удовольствие; -으로 인해 커다란 ~을 지니다 получать огромное наслаждение от когочего-л.; ~을 경험하다 испытывать наслаждение; ~으로 가득한 삶 жизнь полная наслаждений; 감각적 ~ чувственное (физическое) наслаждение; ~주말 приятный уйкенд.

즐거이 радостно; весело.

즐겁다 довольный; радостный; приятный

즐겁게 весело. 즐겁습니다 рад.

즐기다 любить увлекаться чем-л.; наслаждаться чем-л.; веселиться; хорошо проводить время; 기회가 있는 동안 순간을~ наслаждаться пока есть возможность.

즙(汁) сок(фруктовый); ~을 내다 выжимать сок; ~짜는 기계 соковыжималка.

증(症) I симптом(болезни); внешний признак;병~의 완화 ремиссия; ослабление симптомов;улучшение состояния больного.

증(證) II доказательство; подтверждение; удостоверение; свидетельство; сертификат; 주민등록 ~ удостоверение личности(паспорт); 출생증명 ~ свидетельство о рождении

증가(增加) увеличение; рост; умножение; ~하다 расти; увеличиваться; 인구의 두배 рост численности(населения) в два раза; ~강 수위의 подъём уровня воды в реке; 인구 ~를 예측하다 прогнозировать(предсказывать) увеличение численности населения на 10 процентов; 현저한~ заметное(ощутимое) увеличение; 속도의 대담한~ резкое увеличение скорости; 핵무기 보유국의 ~ увеличение числа государств, располагающих ядерным оружием; 양의~가 질의~를 반영하는 것은 아니다 увеличение количества не от- ражается на качестве; ~량 величина увеличения.

증거(證據) доказательство, улика, свидетельство; ~가 되다 свидетельствовать; служить доказательством; 고고학적 ~ археологические свидетельства; 이론을 유리하게 하는 ~ данные, говорящие в пользу теории.

증명(證明) удостоверение, подтверждение; ~하다 доказывать; ~해 보이다 представить доказательства; 자기 요구의 정당성을 ~하다 доказывать справедливость своего требования; 허위성을~하다 доказывать ложность; ~서류 документальное доказательство.

증상(症狀) симптом; внешний признак; свидетельство; …할 ~을 보이다 есть признаки того что…; 발병 ~을 보이지 않는 환자(보균자) пациент у которого не обнаружены симптомы заболевания;부차적~을 고려한 진단 диагноз с учётом побочных симптомов; 오한~이 나다 у кого обнаружить симптомы лихорадки; 위협적인 ~ угрожающие симптомы; 발병의 조기 ~ ранние симптомы заболевания.

증언(證言) показание свидетеля; свидетельское показание как свидетельство; ~하다 свидетельствовать о чём-л.; ~대에 서게 하다 призвать кого-л. в свидетели; 거짓~ ложные показания

증오(憎惡), 증오심 ненависть; ~하다 ненавидеть; ~를 품고 있다 питать ненависть к кому-л.; ~에 사로잡힌 охвачен ненавистью; …에 대한~감이 야기되다 вызвать ненависть к кому-чему-л.

증인(證人) свидетель; очевидец чего-л.; ~으로 소환하다 вызвать кого-л. в качестве свидетеля; ~으로 법정에 서다 выступать свидетелем; ~ 진술을 하다 давать свидетельские показания;

~을 심문하다 допрашивать свидетеля; ~출두를 거부하다 отказаться быть свидетелем; ~을 매수하다 подкупать свидетеля; ~부재(배석)로 인하여 за неимением(налицо) свидетелей; из-за отсутствия свидетелей; 검사는~을 난처하게 만들었다 прокурор поставил свидетеля в трудное положение; ~선서 приведение свидетеля к присяге; 위~ лжесвиде-тель.

지(地) поле; пашня, луг.

지(智) уму; 지와 일치하는 행 соответствующие уму действия.

지각하다 опаздывать, осознавать, ощущать.

지구(地球) I Земля; мир в котором мы живём; земной шар; ~ 표면 поверхность земли; ~는 태양의 주위를 공전한다 земля вращается вокруг солнца.

지구(地區) II округ; район; участок; 선거 ~ избирательный участок.

지그재그 зигзаг; ломаная линия; ~로 가다 идти зигзагом.

지극하다 чрезвычайный; крайний; огромный; 어머니에 대한 효성이 ~ крайне преданный матери.

지금 сейчас; теперь; ~ 몇 시예요 сейчас сколько времени; ~무엇이 상연되고있습니까? Что сейчас идет в тетре? 지금은 …는 사이에 пока.

지급(至急) срочность; ~한 срочный; безотлагательный; ~히 срочно; незамедлительно; неотложно; без проволоки; 매우~한 경우에는 в особо срочных случаях; ~을 요하는 수리 срочный ремонт; ~우편으로 전송하다 отправлять срочной почтой; ~에 대한 추가 지불 доплата за срочность; 그 일은~을 요한다 это срочное дело. это имеет большую срочность.

지긋지긋~하다 невыносимый; скучный;

утомительный; ~한 일 скучная работа; ~한 날씨 отвратительная погода; 나는 정치싸움이 ~해졌다 мне надоели политические ссоры; 그것에 대해 생각만 해도~하다 даже думать об этом ужасно; 넌덜머리나게 ~하다 надоесть хуже горькой редьки; надоесть как горькая редька; 네 이야기는 정말 ~하다 ты мне все уши прогудел. 지기(知己) I знакомый.
지기(地氣) II испарения с земли.
지껄이다 галдеть; болтать; проговариваться; 두서없이 ~ говорить бессвязно; у кого-л. язык без костей; 쉬지않고~ тараторить; 함부로 трепать языком; давать волю языку; 잘 지껄이는 사람 болтун.
지나가다 проходить; миновать; отходить в прошлое; 숲을 ~ проходить через лес; 지나간 주일 минувшая неделя; 시간이 지나면서 со временем; 기한이 ~ срок истекает; 지나가는 말로 мимоходом; 지나가는 사람 проходящий; 세월이~이 지방으로 태풍이 지나갔다 в этой местности прошёл ураган. 지나갑니다 пройти.
지나다 ... 에 지나지 않다 лишь только; всего лишь; 그것은 변명에 지나지 않는다 это лишь оправдание.
지나서 мимо.
지나치다 миновать; проходить; превышать. 지나칠 정도 чрезмерно.
지난(持難) прошлый; последний; бывший; ~달에 в прошлом месяце; ~ 5년간 за последние 5 лет; ~날 прошлые(минувшие) дни; ~날의 추억 память о прошедших днях; ~날을 그리워하다 скучать о прошлом; ~번 прошлый раз; ~번에 в прошлый раз; на днях; ~번에 받은 편지 последнее письмо; ~ 해 прошлый год.~토요일 в прошлую субботу; ~ 과거의 прошлый.

지난(至難) большая трудность; немыслимо трудный; 이 기록을 깨뜨리는 것은~한 일이다 немыслимо трудно побить этот рекорд.
지내다 проводить время;жить; служить; 하루를~ проводить день; 독서로 ~ проводить время за чтением; 외투 없이 ~ обходиться без пальто; 형사를 지낸 사람 бывший детектив; 그는 도지사를 지냈다 он был губернатором.
지내보다 знакомиться; быть знакомым; испытывать; 사람은 지내봐야 안다 человека можно познать только со временем.
지내자 провести. 지내지 справить.
지능 интеллект; умственные способности; 보통~의 사람 человек со средними умственными способностями; ~이 높은 사람 человек с незаурядными умственными способностями; ~검사 проверка умственных способностей; ~지수 показатель умственных способностей
지니다 иметь при себе; носить; 마음에 ~ хранить в душе; 장서를 많이 ~ иметь большую библиотеку; 무기를~ быть вооружённым; 몸에 권총을~ носить пистолет при себе; 영광을~ пользоваться славой.
지다 I проиграть; терпеть поражение; 지기 싫어하는 упорный; непреклонный; 지기 싫어하는 성격 непреклонный характер; 전쟁에서 ~, 소송에서~ проигрывать судебный процесс; 감정에 ~ предаваться чувствам; 유혹에 ~ 유혹에 지지 않다 не сдаваться соблазну; 그의 재주는 누구에게도 지지 않는다 он никому не уступает в таланте; 일본은 한국에게 2대 1로 졌다 японцы проиграли корейцам со счётом два один

지다 II падать; вянуть; 꽃이 곧 지겠다 скоро завянут цветы; 해가~ заходит солнце; 해가 질 무렵 в сумерках; 얼룩이 지지 않는다 пятно не исчезает.

지다 III взваливать что-л. на спину; нести что-л. на спине; 무거운 짐을 지고 가다 нести тяжёлый груз на спине; 나는 그에게 신세를 졌다 я обязан ему; 그가 이 일에 책임을 지고 잇다 он несёт отве-тственность за что-л.

지대(地帶), 지역(地域) I зона; район; пояс; полоса; ~적 зональная; 공장~ индустриальный район; 녹~ зелёный пояс; 비무장~ демили-таризованная зона; 산악~ гористая зона; 주택 ~ жилой квартал; 중립 ~ нейтральная зона.

지대(地代) II земельная рента; цена на землю; ~가 비싸다 высокая земельная рента.

지대하다 огромный; колоссальный; громадный; 지대한 관심사 огромный интерес; 그는 이 나라 부흥에 지대한 공헌을 하였다 он внёс огромный вклад в реабилитацию этой страны.

지도(地圖) I карта; 지도 한 벌 один набор карт; одна карта; 상세한 ~ подробная карта; ~를 그리다 составлять карту; ~를 보다 читать карту; 백분의 일~ масштаб карты; одна сотая; ~를 따라가다 двигаться по карте; ~제작자 картограф; 도로~ карта дорог; 세계~ карта мира; 역사~ историческая карта.

지도(指導) II руководство; водительство; инструктаж; ~적 руковод-ящий; ~하다 руководить; ...의 ~ а래 под руководством кого-л.; 김 교수의~ 아래서 연구하다 заниматься исследованиями под руководством профессора Кима; 국민교육을 ~하다 вести народное образование; ~적 역할을 하다 играть ведущую роль; ~자의 임무를 맡다 брать на себя обязательство лидера; ~교수 профессор-консультант; ~권 право на руководство; ~권을 쥐다 иметь право на руководство; ~기관 руководящий орган; ~력 способность к руководству; ~방침 руководящий принцип; ~부서 руководство; руко-водители; ~서 справочник; ~원 инструктор; ~층 руководящие круги; 개인~ частное обучение; индиви-дуальная консультация; ~자 руково-дитель.

지독하다 ядовитый; едкий; зло-бный; ужасный; жестокий; 지독한 말 колкая (едкая) речь; 지독한 여자 злобная женщина; 지독한 모욕 грубое оскорбление; 지독한 구두쇠 ужасный скупец; 지독한 추위 лютый холод; 지독하게 공부하다 усердно учиться.; 지독한 감기에 걸리다 сильно простужаться; 지독한 날씨 ужасная погода.

지랄 эпилепсический припадок; бешенство; безумие; ~하다 биться в припадке; безумствовать; беситься; ~치다 бесноваться; ~버릇 сумасб-родство; ~병 эпилепсия; ~환자 эпилепсик

지레 I слишком рано; заранее; ~로 들어올리다 поднимать что-л. рычагом; ~작용 действие рычага.

지레 II слишком рано; заранее; ~알리다 заранее давать знать кому-л.; ~돈을 받다 получать авансом; ~짐작하다 предпологать.

지력(智力), 두뇌(頭腦) умственные способности; интеллект;~이 발달한

интеллектуальный

지령(指令) директива; предписание; приказ; указ; указание; распоряжение; ~을 내리다 давать указ; 무전으로 ~을 받다 получать приказы по радио(рации); ~체계 диспетчерская система; 비밀~ секретный приказ.

지론(持論) сложившиеся мнение; давнее убеждение; ~을 굽히지 않다 отстаивать своё мнение(убеждение); ~대로 실행하다 делать по своему; 나의 ~ 은 ...이다 моё мнение заключается в том, что ...

지루하다 надоедать; наскучить; ~한 여행 томительное путешествие; 지루한 장마 надоедливый сезон дождей; 이야기가 ~ разговор скучный.

지르다 кричать; громко петь; 고함을~ кричать; 발로 정강이를 ~ уда-рить кого-л. по ногам; 빗장을 ~ запирать дверь на засов; 집에 불을 ~ поджигать дом; 질러가는 길이 돌아가는 길이다 тише едешь, дальше будешь.

지름 диаметр; ~이 10 미터 диаметром в десять метров; 반~ радиус.

지름길 кратчайший путь; дорога напрямик; 성공에의~ кратчайший путь к успеху; 서울로 빠지는~ кратчайший путь ведущий в Сеул; 우린~로 왔다 мы ехали прямой дорогой

지리(地理) характер местности; ~적 환경 географическая среда; ~적 경관 географический ландшафт; 그는 그곳 ~에 밝다 он хорошо знаком с характером этой местности; ~ 경도 географическая долгота; 위도 ~ географическая широта; 정치학 ~ геополитика; ~좌표 географическая координата; ~학 топография; география. 지리다 едкий.

지리산(智異山) гора Чирисан.

지망(志望) стремление, мечта; ~하다 желать; стремиться; подавать заявление; 외교관을 ~하다 мечтать стать дипломатом; 나는 신문기자를 ~한다 я хочу стать журналистом; 그녀는 교사직을 ~했다 она подала заявление на должность преподавателя; 그는 중앙대학교에 ~했다 он подал заявление о приёме в университет Чун-Ан;~원서 заявление.

지망자(志望-) заявитель; 대통령 ~ претендующий на пост президе- нта; 문학~ будущий писатель; 취직~ претендент на работу; 여배우~ мечтающая стать актрисой.

지명(指名) I назначение; ~하다 назначать кого-л. кем-л.; вызывать; выдвигать; ~권 право выдвигать (кандидата); ~수배 разыскиваемый полицией.

지명(知名) II репутация;~의 широко известный; ~인사 широко известная личность; ~작가 знаменитый писатель.

지모(智謀) изобретательность; ~가 풍부한 사람 остроумный человек; ~가 뛰어난 사람 чрезвычайно находчивый человек.

지목(指目) указание; показание; ~하다 называть; указывать; опознавать; ...를 범인으로 ~하다 опознавать кого-л. преступником.

지문(指紋) I отпечатки пальцев; ~을 찍다 прикладывать палец; ~을 채취하다 снимать отпечатки пальцев; ~을 남기다 оставлять свои отпечатки пальцев; ~감정법 дактилоскопия; ~ 채취 снятие отпечатков

- 595 -

пальцев.

지문(誌文) II сведения об умершем и месте его захоронения.

지반(地盤) почва; земля; 단단한 ~ прочная почва; ~을 굳히다 укреплять основание; 선거의 ~을 쌓다 агитировать избирателей чтобы добиться своего избирания; ~ 침하 оседание грунта

지방(地方) 구역(區域) I район; местность; область; регион; ~의 местный; провинциальный; ~서북 северозападный район; ~사람 провинциал; ~적 편견 провинциализм; ~에 가다 ехать в деревню; ~공연을 하다 быть на гастролях в провинции; ~검사 районный прокурор; ~검찰청 районная прокуратура; ~공무원 местный чиновник; ~단체 региональный орган; ~분권 децентрализация власти; ~사투리 местный диалект; ~산 изделие местного производства; ~색 местный колорит; провинциализм; ~선거 выборы в местные органы власти; ~세 местный налог; ~시간 местное время; ~신문 местная газета; ~어 местный говор; ~의회 местный парламент; ~자치 местное самоуправление; ~주권 기관 местные органы власти.

지방(脂肪) II жир; сало; ~질의 жирный; ~이 많은음식 жирная еда; ~과다증 липоз; липоматоз; ~광택 лоск; ~대사 липометаболизм; ~도 жир-ность; ~분 жирный компонент; ~분해 липолиз; ~생성 липогенез; ~섬유증 липофиброма; ~성 жировая основа; ~식물성 растительное масло; ~층 жировой слой.

지배(支配) руководство; заведование; господство; правление; ~적 господст-вующий; ~하다 руководить кем-чем-л.; заведовать чем-л.; господствовать над кем-чем-л.; править кем-чем-л.; управлять кем-чем-л.; ~를 받다 быть под контролем; 여론을 ~하다 оказывать влияние на общественное мнение; 감정에 ~되다 поддавляться чувствам; 세계를 ~하다 править миром; ~계급 господствующий класс; ~권 право на управление; ~력 власть; ~인 заведующий; распорядитель; ~자 правитель.

지병(持病) хроническая болезнь; ~을 앓다 страдать от хронической болезни.

지부(支部) отделение; филиал; отдел; ~장 начальник отделения(филиала); заведующий секцией.

지불(支佛) уплата; выплата; платеж; ~하다 выдавать; платить за что-л.; 입장료를 ~하다 платить за вход; 집세를~하다 платить за квартиру; 월급을~하다 выдавать зарплату; ~서류 платёжный документ; ~수단 платёжные средства; 신용~ платёжный кредит.

지붕(-崩) крыша; ~이는 사람 кровельщик; 기와로~을 이다 покрывать дом черепицей; 기와 черепич-ная кровля; 둥근~ купон.

지사(支社) I отделение компании; филиал; ~장 директор филиала.

지사(知事) II местный правитель; губернатор.

지상(至上) I высочайший; верховный; высший; ~권 верховная власть; ~명령 예술 распоряжение президента; ~주의 искусство для искусства.

지상(地上) II на земле; ~의 наземный; ~에 на земле; ~ 10층 건물

10-ти этажное здание; ~에서 모습을 감추다 исчезать с лица земли; ...와 ~전을 벌리다 вести наземную войну с кем-л.; ~관제 센터 центр наземного управления; ~군 наземные войска; ~근무 наземная служба; ~낙원 земной рай; ~ 작전 наземные боевые действия; ~핵실험 ядерное испытание на земле.

지상(紙上) III ...의~에 на страницах газеты; в печати; в прессе; 본 ~에서 в нашей статье; ~에 실리다 печататься в газете; 다음 호 ~에 발표함 напечататься в будущем номере; ~강의 лекция; напечатанная в газете; ~ 공문 пустая бумажка; филькина грамота.

지성(至誠) I чистосердечность; ~껏 с величайшей искренностью; с огромным усердием; ~스럽다 казаться необыкновенно искренним; ~이면 감천이다 терпение и труд всё перетрут.

지성(知性) II разум; рассудок; интеллект; ~적인 интеллигентный; интеллектуальный; ~에 호소하다 надеяться на свои знания; ~인 интеллигент.

지속(持續) поддерживание; непрерывность; длительность; ~적 непрерывный; длительный; ~하다(유지하다) поддерживать; хранить; ~되다 продолжаться; длиться; ~기간 продолжительность; ~력 выносливость.

지시(指示) указание на что-л.; распоряжение; директива; ~하다 указывать; показывать; приказывать; давать директиву(указание); ~에 따라 по указанию; ~에 따르다 выполнять поручение; ~를 기다리다 ждать распоряжения; ~대명사 указательное местоимение;~문 письменное указание; ~서 инструкция; ~판 доска объявлений.

지식(知識) знание; образованность; ~이 있는 образованный; хорошо осведомлённый; знающий; ~이 없는 невежественный; необразованный; безграмотный; 최신의 ~ последние сведения; 단편적인 ~ неполные сведения о чём-л.; 심원한~глубокое знание; 어학~ знание языка; 초보~ элементарное знание; 노어의~이 다소있다 чуть-чуть владеть русским языком; ~을 쌓다 накапливать знания; ~을 보급 시키다 улучшать знание; ~을 향상시키다 распространять знание; ~욕 жажда знаний; тяга к знаниям;~인 образованный человек; ~층 интеллигенция; ~학 логика и теория поз-нания.

지압(指壓) массаж; ~하다 делать кому-л. массаж пальцами; ~술 масажные приёмы.

지역(地域) область; регион; район; область; ~적 местный; районый; региональный; 산업의 ~분포 географическое размещение промышленности; ~대표 делегация района; ~방어 защита зоны(района); ~방언 территориальные диалекты; ~선거구 избирательный округ; ~성 характер местности; ~안보 региональная безопасность.

지연(地緣) I местная связь; ~을 따지다 учитывать место рождения; ~을 배격하다 отказываться от регионализма

지연(遲延) II затягивание; задержка; отсрочка; ~하다 задерживать; медлить; 기차의 도착이 10분이 ~되었다 поезд опаздывает на десять минут; 출발이 ~되었다 отъезд отложен; ~발파 замедленный взрыв; ~작전 искусственная задержка; ~작전을 쓰다 стараться выиграть время.

지열(地熱) I теплота земных недр; теплота земной поверхности; ~의 геотермальный; геотермический; ~발전소 геотермическая электростанция.

지열(止熱) II снижение температуры; ~하다 снижать температуру.

지옥(地獄) ад; ~같은 адский; ~과 극락 ад и рай; ~에 떨어지다 попадать в ад; ~문 врата ада; 생~ настоящий ад; 교통~ чертовские пробки; 시험~ мучительные экзамены.

지우개 ластик; тряпка; резинка; тряпка(для вытирания классной доски).

지우다 грузить; нагружать кого-что-л. чем-л.(кого-что-л. на кого-что-л.) 마차에 짐을 ~ нагружать телегу; 개인적 의무를~ возлагать на личную ответственность; 그녀는 아이를 지웠다 она сделала аборт; 나는 그에 대해 눈물을 지우지 않을 것이다 я о нём не заплачу. 지웁니다 стираю.

지원(志願) I желание; стремление. ~하다 желать; стремиться; подаватьж 입학을 ~하다 поступать. ~을 받아들이다 принимать кого-л. куда-л.; ~병 волонтёр; доброволец; ~서 заявление; ~자 заявитель; 대학입학 ~자 поступающий в университет.

지원(支援) II поддержка; помощь; ~하다 поддерживать кого-л.; помогать кому-л.; оказывать поддержку; 정신적인 ~ моральная поддержка; 적극적인 ~ активная поддержка; ~을 청하다 просить помощи; ~부대 поддерживающая часть; вспомогательные войска; ~포병 поддерживающая артиллерия.

지위(地位) место; должность; ~를 차지하다 занимать пост; ~가 올라가다 продвигаться по службе; ~를 얻다 получать должность; ~를 잃다 терять должность; 여성의 사회적 ~가 향상되었다 общественное положение женщин повысилось; ~가 높은 사람 человек занимающий высокое общественное положение; 사회적~ общественное положение; 책임있는 ~ высокая должность; 교수~ статус профессора. 지으셨습니다 приготовил.

지은이 автор; писатель.

지장(支障) I препятствие; помеха; ~을 주다 мешать; препятствовать; 일을 하는데 아무런~이없다 в работе нет никаких препятствий.

지장(指章) II отпечаток пальца; ~(지문)을 찍다 ставить отпечатки пальцев.

지저분하다 грязный; неряшливый; 방안이 ~ в комнате беспорядок; 지저분한 셔츠 грязная рубашка; 지저분한 거리 грязная улица.

지적(指摘) указывание; замечание; ~하다 указывать; делать замечание; 위에서 ~한 바와 같이 как указано выше; вышеуказанный; вышеупомянутый.

지적하다 указывать; сделать замечание

지점(支店) отделение; филиал; ~을 내다 открывать филиал; 그는 지방 ~으로 전근 되었다 его перевели в местное отделение.

지정(指定) назначение; уполномочие; ~하다 назначать; 날짜를 ~하다 назначать дату (место); 방을 ~하다 отводить комнату кому-л.; ~된 기간 назначеный срок; ~석 заказанное место; ~일 назначенный день.

지정되다 указать; назначать.

지조(志操) верность; 정치적 ~ политическая верность; ~가 고결한 사람 весьма принципиальный(преданный) человек; ~가 없는 사람 неверный человек

지지(支持), 지원 I поддержка; опора; ~하다 поддерживать; подпирать; предавать силы; 여론의 ~를 받다 завоевать поддержку общественности; 국민의~를 얻다 пользоваться поддержкой народа; 정부를 ~하다 поддерживать правительство; 후보~ 연설을 하다 выступать с речью в поддержку кандидата; ~자 сторонник.

지지(遲遲) II медлительность; ~부신하다 идти черепашьим шагом.

지지난 ~달 позапрошлый месяц; ~밤 позапрошлый вечер; ~번에 в позапрошлый раз; ~해 позапрошлый год.

지지리 страшно; ужасно; ~도 못난 얼굴 ужасно безобразное лицо.

지진(地震) землетрясение; ~의 сейсмический; 약한~ слабое землетрясение; 진도 3의 ~ землетрясение силой в три балла; ~ 피해를 보다 пострадать от землетрясения; ...에 강한 ~이 발생하다 у кого-л.(в чём-л.) сильное землетрясение; 이 건물은~이 일어났을 때 아무런 피해도 보지 않았다 это здание во время землетрясения совершенно не пострадало; 지난번 ~으로 100명이 목숨을 잃었다 последнее землетрясение унесло жизни ста человек; ~계 сейсмограф ~관측소 сейсмическая станция; ~대 сейсмическая зона; ~도 сейсмограмма; ~파 сейсмические волны; ~학 сейсмология; ~학자 сейсмолог.

지질(地質) характер грунта; состояние почвы; ~공학 геотехнология; ~도 геологическая карта; ~분석 анализ почвы; ~학 геология; ~학자 геолог.

지참(持參) ~하다 нести что-л. с собой; брать с собой;~금을 딸에게 주다 давать дочери в приданое; ~금 приданое; ~인 имеющий при себе чего-л.; ~금 없는 신부 бесприданница.

지출(支出) расходы; издержки;~하다 оплачивать; тратить.; 수입과 ~ доходы и расходы; ~이 늘다 увеличиваются расходы; ~액 расходования; расходы; 공공~ государственные расходы.

지치다 усталый; утомлённый; ~그는 죽도록 지쳐있다 он устал до смерти; 나는 시종일관 똑같은 일만 하는데 지쳤다 мне надоело делать всё время одно и то же; 나는 서있기에 지쳤다 я устал стоять.

지키다 охранять; защищать; сторожить; 내가 수영하고 있는 동안 내 옷을 지켜다오 посмотри за моей одеждой пока я буду купаться; 도시를 ~ обороняться(защищать) город; 자신의 이익을~ защищать собственные интересы; 법을~ соблюдать закон; 약속을 ~ сдержать обещание; 신의를~ оставаться верным; 침묵을 ~ молчать; хранить молчание.

지폐(紙幣) банкнота; бумажные деньги; купюра; 5루블권 ~ пятирублёвая купюра; 천원권~ однатьсячная купюра вон.; 지폐발행 эмиссия

지표(指標) ~가 되다 становиться ориентиром. 지프(jeep) джип.

지피다 зажигать; поджигать; растапливать; разжигать; 벽난로에 불을 ~ разжигать огонь в камине; 석탄을 ~ разжигать уголь; 장작을 ~ подкладывать дрова.

지하(地下) подпочва; подземелье; ~에서일하다 работать под землёй; ~에 파묻다 зарывать под землю; ~ 50 미터에서 작업하다 работать на глубине пятидесяти метров; ~에 잠들다 спать вечным сном; ~갱도 подземный туннель; ~경제 подпольная экономика; ~보도 подземный проход; ~수 подпочвенная (подземная) вода; ~실 подвал; ~운동 подпольная деятельность;~자원 подземные ресурсы; ~정부 подпольное правительство; ~조직 подпольная организация;~주차장 подземная стоянка; ~철로 подземная железная дорога; ~핵실험 подземное ядерное испытание.

지하철(地下鐵) метро; метрополитен; ~로 가다 ехать на метро.

지향하다 стремиться.

지혈(止血) остановка кровотечения; ~하다 останавливать кровотечение; ~대 турникет; ~법 кровоостанавливающее лечение(средство); ~제 кровоостанавливающее средство.

지형(地形) рельеф местности; топография; ~상의 топографический; ~측량 топографическая съёмка.

지혜(智慧) мудрость; разум; благоразумие; ~로운 мудрый; благоразумный.

지휘(指揮) команда; руководство; управление; ~하다 руководствовать; управлять; ~하에 있다 находиться (быть) под руководством кого-л.; под командой кого-л.; ~를 맡다 принимать на себя командование; ~에 따라 по команде; 바이얼리니스트의 ~로 под управлением скрипача; ~계통 порядок подчинённости; ~관 командир; начальник; командующий; ~권 право на командование; ~대 эстрада; ~봉 дирижёрская палочка; ~자 дирижёр.

직(職) I работа; рабочее место; ~을 구하다 искать работу; устраиваться на службу (работу); ~을 잃다 терять работу; ~에 앉다 вступать в должность; ~을 그만두다 уйти со службы.

직(直) II дежурство; вахта.

직(直) III прямой; ~ 교역 непосредственный обмен.

직각(直角) прямой угол; ...와 ~으로 под углом к чему-л.; ~ 삼각형 прямоугольный треугольник; ~원기둥 прямоугольный цилиндр

직계(直系) прямая линия родства; ~의 по прямой линии кого-л.; ~자손 потомки по прямой линии.; ~혈족 кровное родство; родственник по прямой линии.

직관(直觀)직권; ~주의 интуитивизм; ~으로 해고하다 увольнять кого-л. в качестве уполномоченного; ~을 위임하다 уполномочивать; 의장의 ~으로 이 방에서 귀하의 퇴장을 명한다 как председатель я приказываю выйти вам из этого зала; ~남용 правонарушение, заключающееся в осуществлении законных прав незаконным путём, злоупотребление служебным положением.

직립(直立) ~하다 стоять прямо; ~원인(猿人) архантроп; питекантроп.

직무(職務) долг; обязанность; обязательство; ~상 по должности; ~를 수행하다 выполнять свой долг; ~를 게을리하다 пренебрегать своими обязанос-тями; ~에 충실하다 преданный своему долгу; ~에서 벗어나다 превышать свои полномочия; ~규정 рабочий устав; ~수당 прибавка к зарплате; ~수행 выполнение долга; ~유기 нарушение обязанностей долга; ~태만 халат-ное отношение к служебным обязаностям; ~태만자 не выполняющий служебных обязаностей.

직물(織物) текстиль; ткань; материя; ~공업 текстильная промышленность; ~공장 текстильная фабрика; ~류 текстильные изделия; 견~ шёлковая ткань.

직분(職分) свой долг; свои обязаности; служебный долг; служебные обязанности; ~을 다하다 полностью выполнить свой долг; ~을 지키다 преданный своим обязанностям.

직선(直線) прямая линия; ~적 прямой; непосредственный; ~을 그리다 чертить прямую линию; ~으로 늘어서다 выстраиваться в линию; ~기선 прямая базисная линия;~미 линейная красота; ~코스 прямая дорога.

직설(直說) разговор на чистоту; ~적으로 말하다 говорить(откровенно) прямо.

직수입(直輸入) прямой импорт; ~하다 импортировать прямо из страныпроиз-водителя; ~품 импортные товары из страны-производителя.

직수출(直輸出) прямой экспорт; ~품 экспортные товары.

직업(職業) занятие; профессия; работа; 직업을 그대로 물려받다 получать профессию по наследству; профессиональное образование; ~병 профессиональное заболевание.

직원(職員) сотрудник; служащий; личный состав; штат; ~록 списо-к личного состава; 연구소~ науч- ный сотрудник.

직장(職場) I рабочее место; ~을 구하다 искать рабочее место; ~을 얻다 устраиваться на службу(работу); ~생활 служебная жизнь;

직장(直腸) II прямая кишка; ~암 рак прямой кишки.

직접(直接) I прямо; ~적 прямой; напрямик; 이것은 문제에 ~관계가 있다 это прямо относится к вопросу.

직접(直接)<->**간접**(間接)II прямой <-> косвенный.

직종(職種) род занятий; 당신의 ~이 무엇입니까? Какого рода у Вас занятие?

직진하다 идти(ехать)прямо вперёд

직책(職責) служебная ответственность; служебный долг.

직통(直通) прямое сообщение; ~하다 иметь прямое сообщение; ~전화 прямой телефон.

직행(直行) прямое сообщение;~하다 идти прямо; ехать без пересадки; ~열차 поезд прямого сообщения.

진(眞) истина; правда.

진격(進擊) атака на кого-что-л.; наступление; нападение; ~하다 идти в атаку; наступать; 후면에서 ~하다 атаковать с тыла.

진공(眞空) вакуум; ~역 과장치 вакуумфильтр; ~펌프 вакуумный

насос; ~관 элекронная(вакуумная) лампа; ~청소기 пылесос

진급(進級) продвижение по службе; ~하다 продвигаться по службе; ~시험 переводные экзамены на должность.

진달래 азалия; рододендрон остроконечный.

진달래꽃 цветок азалии.

진동(震動) 1) колебание; вибрация; сотрясение; ~하다 сотрясаться; колебаться; 냄새가 ~하다 издавать сильный запах; 폭발이 공기를 ~시킨다 взрыв сотрясает воздух; 벼락소리가 ~한다 гром гремит; ~수 частота колебания; ~자 вибратор; 2) колебание, вибрация.

진드기 клещ; ~같은사람 приставала; навязчивый(назойливый; настойчивый) человек; ~처럼 요구하다 настоятельно требовать; ~처럼 따라 다니다 навязываться кому-л.; приставать как банный лист.

진로(進路) путь; ~를 잡다 взять (держать) курс.

진료(診療) амбулаторное лечение; ~하다 лечить амбулаторно; ~권 пропуск в поликлинику; ~소 амбулатория.

진리(眞理) истина; правда; 적나라한~ голая истина; 논쟁의 여지가 없는~ бесспорная истина; 영적인 ~ духовная истина; ~를 가진자 носитель истины. 진리란 무엇인가? Что есть истина?

진보(進步) прогресс; ~하다 прогрессировать; идти вперёд; продвигаться; 기술의 ~ прогресс в технике; ~당 прогрессивная партия.

진술(陳述) изложение; высказывание; ~하다 излагать; высказывать о чём-л.; ~서 письменное показание.

진실(眞實), 진리 истина; правда; ~하다 правдивый; действительный; достоверный; ~로 действительно; подлинно; фактически; 거짓을~처럼 말하다 выдавать ложь за истину; ~임을 확인하다 устанавливать истину; ~성 правдивость.

진실하다 правдивый.

진압(鎭) репрессии; подавление; удушение; ~하다 подавлять; 폭동을 ~하다 подавлять мятеж.

진열(陳列) выставка; экспозиция; ~하다 выставлять; экспонировать; 상품을 ~하다 выставлять товары на витрине; ~관 выставочный павильон; ~장 витрина; ~품 выставочный товар; экспонат; 도서~대 стенд с книгами.

진입(進入) вторжение; ~하다 вторгаться (проникать) во что-л.(куда-л.)

진정한 искренний; подлинный; настоящий.

진주(眞珠) I жемчуг; 인조~ искусственный жемчуг; ~목걸이 жемчужное ожерелье.

진주(珍珠) II г. Чинджу.

진지하다 очень вкусный; аппетитный; лакомый кусок; смачный; увлекательный; 맛이 ~ изящный; со вкусом; 흥미진진한 이야기를 하다 расказывать смачно.

진짜 настоящий; подлинный; действительный; ~로 на самом деле; действительно.

진찰(診察) медицинский осмотр; освидетельствование; ~하다 подвергать медицинскому осмотру; осматривать больного; ~료 плата за медицинский осмотр; ~실 ка-бинет врача. 진출하다 выдвигаться.

진통 боль; ...에 ~이 있다 у кого-л. болит что-л.(в чём-л.); ~을 달래다 успокаивать боль; ~제 болеутоляющее средство.

진퇴(進退) продвижение и отступление; подход и отход; ~ 양난 дилема; безвыходное положение; куда ни кинь всюду клин; ~양난에 놓이다 попасть в тупик; стоять перед дилеммой.

진하다 исчерпываться, истощаться, густой, крепкий, острый.

진학(進學) продолжать учёбу(образование) в высшем учебном заведении; получать высшее образование; ~하다 продолжать учиться в вузе; ~률 процент поступивших в вуз.

진행(進行) ход; прогресс; проведение; 회의~ проведение собрания; ~성 중풍 прогрессивный паралич.

진흙 глина; грязь; 그는 온통 ~투성이다 он весь в грязи; ~탕 속을 걸어가다 месить(идти) по грязи.

진흥(振興) ~하다 способствовать подъёму(развитию); развивать; ~책 меры содействующие подъёму; ~회 ассоциация по развитию.

질 I 1) каолин; 2) не покрытая глазурью керамическая посуда

질(質) II 1) качество; 2) натура, характер; 3) вещество, материя; 4) уст. залог, заклад.

질(膣) III анат. влагалище.

질(秩) IV феод. разряд, ранг.

질(帙) V 1) комплект (многотомного сочинения); 2) порядок томов.

-질 суф., образует имена со знач.: 1) повторяющегося действия: 달구질 трамбовка(земли); 2) с пренебр. оттенком: 강도~ грабёж; воровство; 3) со знач. определённого занятия, профессии: 교원~ преподавание.

질겁하다 пугаться до смерти; страшиться; ~게 만들다 внушать страх кому; приводить в трепет; быть грозой для кого-л.; вселять страх в кого-л; 나는 정말 질겁하여 방에서 뛰쳐나왔다 я сильно испугался и выскочил из комнаты; 그의 소식에 모두들 질겁했다 Все мы ужаснулись услышав его сообщение. 질 것 керамика.

질그릇 керамическая посуда; не покрытая глазурью.

질기다 1) прочный; 2) стойкий; 3) жёсткий.

질다 водянистый; жидкий.

질량(質量) масса; 1) качество и количество; 2) физ. масса; ~결손 дефект массы; ~적 а) относящий ся к массе, массовый; б) качественный и количественный; ~보존의 법칙 закон сохранения массы.

질리다 I надоесть кому-л.; наскучить чем-л.; 그여자에게 질렸다 она мне надоела; 무서워서 하얗게 질렸다 лицо побледнело от страха; 시험에서 испытывать страх на экзамене; 질리도록 보다 намозолить глаза кому-л.; 혐오할 정도로 ~ набить оскомину; 질리도록 먹다 сыт по горло чем-л..

질리다 II 1) получить удар(пинок); 2) быть вставленным; быть закрытым (на засов); 3) быть перекинутым(в доске); 4) недоумевать, быть в недоумении; 5) питать отвращение; 6) неровно пропитываться(окрашиваться); 7) стоить.

질문(質問) вопрос; спрос; запрос; ~하다 задавать вопрос кому-л.; спрашивать кого-л. о чём-л.; ~에 답하다 отвечать на вопрос.

질박하다 простой; простодушный; безхитростный; 질박한 태도 простое обращение.

질병(-甁) I глиняная бутыль; ~에도 감로 нектар в глиняной буты-лке(о скрытых достоинствах).

질병 II болезни, заболевания.

질서(秩序) 순서(順序) порядок; ~를 유지하다 поддерживать порядок; ~있는 사회 порядочное общество.

질식(窒息) удушье; удушение;~하다 задохнуться; 연기에~하다 задохнуться в дыму; ~할 것 같다 кого-л. душить; кому-л. тяжело дышиться; ~시키다 душить; удушать; ~사 смерть от удушения.

질을 향상시키다 повышать(улучшать) качество.

질의(質疑) I вопрос; запрос; ~하다 задавать вопрос; спрашивать; ~응답 ответы на вопросы.

질의(質議) II уст. ~하다 обсуждать, дебатировать.

질적(質的) [-쩍] качественный; ~규정성 филос. качественная определённость; ~문제 проблема качества; ~변화 филос. качественное изменение.

질주(疾走)[-쭈] быстрый бег; ~하다 мчаться, быстро бежать.

질주하다 быстро бежать; мчаться; носиться; 전속력으로 ~ нестись во весь опор.

질책(叱責) I порицание; упрёк;~하다 ругать и наставлять; упрекать.

질책(質責) II ~하다 ругать и наставлять.

질책(帙册) III 1) несколько томов, переплетённых в одну книгу; 2) многотомное сочинение.

질타하다 бранить; 여주인은 가정부에게 수프를 제대로 만들지 못한다고 질타했다 хозяйка бранила кухарку за её неумение готовить суп.

질투하다 завидовать; ревновать кому-чему-л.;타인의 성공을~ завидовать чужому успеху; ~심에 사로잡히다 кого-л. берёт зависть; ~심 зависть.

질퍽질퍽 очень мокрый; сырой; 도로가 매우~하다 дорога очень мок- рая.

짊어지다 взваливать на себя; 등에 ~ взваливать на спину; 숙명을 ~ рог тяготеет над кем-л.; 책임을 ~ принимать на себя обязанность.

짐 I вещи, багаж, умалительное обращение короля к самому себе; ~바리 груз, перевозимый грузовым транспортом;~꾼 носильщик; ~짝 упакованная вещь;тюк; вьюк; ~차 воз; товарный поезд;грузовая автомашина; ~을 부리다 разгружать;~을 싣다 грузить; ~이 기울다 ухудшаться(о состоянии дел);~을 꾸리다 собирать багаж

짐짝 упакованная вещь; тюк; вьюк

집 1) дом; ~구석 внутри дома; в доме; 집에서 새던(새는) 바가지 들에 나가도(가도) 샌다 посл. ≈ шила в мешке неутаишь(букв. из дырявого ковша и в поле вода не течёт); 집을 가시다 этн. совершать обряд изгнания злого духа из дома(после выноса покойника); 집을 나다 уходить далеко из дома; 2) гнездо; 3) см. 가정 I; 4) футляр, чехол; 5) свободная клетка; свободное поле(на шашечной доске); ~이 나다 появляться (о свободной клетке); 6) сторона, партия(играющих, напр. в карты); 7) 집에서 эвф. моя жена; мой муж.

-집(集) суф. кор. собрание(сочинений); сборник; 논문집 сборник статей.

-집 суф.1) после фамилий обозначает дом, из которого женщина вышла замуж: 김집 женщина из дома(семьи) Ким; 2) после геогр. назв. наложница; 부산집 наложница, живущая в Пусане.; 집 두 채 два дома.

집결(集結) 1) сбор; сосредоточения; ~구역 воен. район сосредоточения; ~하다 собирать; ~지 место сбора; 2) лингв. интеграция.

집권(執權) I захват власти; ~하다 захватывать власть;~당 правящая партия; ~자 правитель.

집권(集權) II централизация;~하다 сосредоточивать; ~제 централизованное правление.

집념(執念) навязчивая мысль; настойчивость.

집다 1) брать; хватать; поднимать; 손가락으로 ~ брать пальцами(палочками); 2) поднимать, подбирать(напр. с земли); 3) указывать(на что-л.); 집어넣다) класть, совать(напр. в карман); б) прост. устраивать(на работу, в школу); в) вставлять(слово, выражение); 집어내다 а) вынимать выносить; б) выяснять; 집어먹다 а) брать и есть; б) присваивать, захватывать; 집어삼키다 а) легко проглатывать; б) присваивать, захватывать, превращать в свою собственность; 집어세다 а) присваивать; б) сильно бранить; в) есть всё без разбору; 집어치우다 а)убирать(напр. с пути); б) откладывать, оставлять; отбра-сывать(мысль и т.п.); 집어뜯다 а) снимать, сдирать; б) отщипывать; в) язвить.

집단(集團) группа; скопление; группировка; коллектив; ~적 коллективный; групповой; массовый; ~화하다 коллективизировать; ~검진 массовый медицинский осмотр;~군 армия; армейская группа; ~농장 коллективное хозяйство; ~생활 коллективная жизнь; жизнь в коллективе; ~안보 кол-лективная безопасность; ~적 소비 совокупное потребление; ~조치 кол-лективные меры; ~주의 кол-лективизм; ~학살 геноцид; ~행동 кол-лективные поступки;~화 кол-лективизация

집대성(集大成) обобщение; интеграция;~하다 обобщать; 연구원은 다년간의 관찰을 ~하였다 исследователь обобщил многолетние наблюдения.

집돼지 (домашняя) свинья.

집들이 новоселье; переселение в новый дом(на новую квартиру); ~하다 переселяться в новый дом(на новую квартиру); устраивать (справлять) но-воселье.

집무(執務) исполнение служебных обязаностей; ~하다 исполнять свой долг(служебные обязанности); служить; работать; ~중이다 при исполнении служебных обязанностей; ~시간 часы работы; ~지침 руководящий принцип на работе.

집세 квартплата; плата за квартиру; арендная плата; ~를 내다 платить за квартиру; ~를 올리다 поднимать квартплату; 서울은 ~가 매우 비싸다 В Сеу-ле квартплата очень высокая; 당신의 ~는 얼마나 됩니까? Какая у вас квартплата?

집안 семья; внутри дома; в доме; члены семьи; ~의 화목 семейное благоденствие; 좋은 ~출신 благородный человек; 그는 굉장한 ~출신이다 он знатного происхождения;

그는 귀족 ~태생이다 он родом из дворян; ~을 이끌어가다 вести домашние дела; ~사람 член семьи; ~싸움 семейные раздоры; 오랜 ~ древний род; ~일 домашние дела; домашние заботы.

집을 옮기다 переезжать.

집약(集約) интенсивность; ~적 영농법 интенсивная система сельского хозяйства;~투자 интенсивная инвестиция; ~하다 интенсифицировать.

집어내다 вынимать; выносить. 편지를 봉투에 ~ вкладывать письмо в конверт; 휴지통에 ~ бросать в корзину для мусора; 감옥에~посадить(заключить) кого-л.в тюрьму

집어삼키다 глотать; легко проглатывать; съедать; присваивать; за-хватывать; превращать в свою собственность; 남의 재산을 ~ присваивать чужое имущество; 눈물을~ глотать слёзы

집어치우다 бросать; убирать с пути; 생각을~ отбрасывать мысль; 일을~ бросать(прекращать) работу; 쓸데없는 생각을 ~ выбрасывать с головы всякие глупости.

집요(執拗) настойчивость; ~하다 упорный; настойчивый; ~하게 고집을 부리다 прявлять упрямство; упрямствовать в чём-л.; ~하게 요구하다 настойчиво требовать; 그는 ~하게 자신의 의견을 고수한다 он прямо настаивает на своём. 집요한 настойчивый.

집중(集中) I сосредоточение; централизация; ~적 сосредоточенный; централизованый; массированный; ~하다 сосредоточивать; концентрировать; централизировать;~화하다 сосредоточиваться; централизироваться; 주의를 ~하다 сосредоточивать внимание на ком-чём-л.; ..에게 기대가 ~되다 на ком-л. сосредоточивать надежду; ~강의 интенсивный курс; ~사격 сосредоточение огня.

집중(集中) II уст. ~하다 быть умеренным, держаться золотой середины.

집집 каждый дом; все дома;~마다 в каждом доме; ~마다 방문하다 посещать каждый дом.

집착(執着) ~하다 пристраститься; привязаться; упорствовать; настаивать; ~력 пристрастие; увлечённость; упорство.

집체(集體) 1) группа вещей(предметов) набор(вещей); предметов; 2) группа людей; ~적 коллективный; групповой; ~ 토의 коллективное обсуждение; ~적 영도 коллективное руководство; ~적 협의체 система коллегиальности.

집필(執筆) ~하다 сочинять; писать; 작품의 서문을~하다 писать предисловие; ~료 авторский гонорар; ~자 составитель

집합(集合) сбор; собирание; ~하다 собираться; ~개념 собирательное понятие; ~명사 собирательное имя существительное; ~이론 теория множества; ~지 район концентрации; ~체 конгломератор.

집행(執行), **수행**(修行) исполнение; приведение в исполнение; ~하다 приводить в исполнение; исполнять; выполнять; конфисковать; ~권 исполнительная власть; ~기관 исполнительный орган; ~력 сила закона; действенность; ~명령서 исполнительный лист; ~부 рабочие органы; ~유예 отсрочка приведения в исполнение (приговора); условное осуждение;

~위원회 исполнительный комитет;~자 испо́лнитель; 판결 ~자 исполнитель приговора; ~처분 принудительная мера.

집회(集會) собрание; сбор; ~하다 собираться; проводить собрание; ~소 место сбора; ~장 место собрания; зал заседаний; 군중 ~ митинг.

집히다 быть взяытм(пальцами; щипцами); быть схваченным(клешнями); быть поднятым(подобранным).

짓 I движение; жест; поступок; поведение; 바보같은 ~을하다 делать глупости; 위험한 ~을 하다 играть в опасную игру; 고개 ~ движение головой(кивок).

짓 II диал. см. 짓 III.

짓- преф. 1) сильно; 2) как попало

-짓 суф. движение, жест; 고개짓 движение головой(напр. кивок).

짓거리 1) ~하다 сделать(что-л.) в порыве радости(ради смеха).

짓궂다 задиристый.

짓누르다 подавлять; угнетать; прижимать; притеснять; сильно давить; 빈곤이 그를 짓눌렀다 безденежье угнетало его.

짓눌리다 подвергаться угнетению; угнетённый; подавленный; быть сильно подавленным; 근심걱정에 ~ кого-л. угнетает беспокойство.

짓다 делать, создавать, готовить, строить; 옷을~ шить одежду; 집을 ~ строить дом; 밥을~ варить рис(на пару); 시를~ слагать стихи; 이름을~ давать имя; 한숨을~ вздохнуть; 웃음을 ~ улыбаться; 눈물을 ~ заплакать; 무리를 ~ собирать толпу (в стаю); 대오를~ строиться в ряды; 죄를~ совершать преступление.

짓뭉개다 [чин-] сильно завязнуть.

짓밟다 наступать на кого-что-л.; 잔디를 топтать газон; 남의 감정을~ расстраивать чужое чувство; 국토를~ нападать на страну; 사람을~ попирать кого-л..

짓밟히다 быть растоптанным; быть попранным; 개가 말에 짓밟혀 죽다 лошадь затоптала собаку.

짓이기다 подмешать что-куда-л.; месить;꽃봉오리를~ ломать бутон; 곡물을 ~ ломать зёрна; 점토를 ~ месить глину.

징 I горн;~잡이 человек, бьющий в горн;~채 палка, которой бьют в горн

징(<鉦) II подковка, гвозди(предохраняющие подошву от стирания).

징검다리 мост из камней для перехода; ~를 따라 가로지르다 перейти по каменному мосту; ~를 놓다 сооружать мост из камней.

징계(懲戒) порицание; взыскание; ~하다 порицать за что-л.; взыскивать с кого-л.; ~처분을 받다 наложить взыскание; ~권 право на взыскание; ~처분 дисциплинарное взыскание.

징그럽다 противный; отвратительный; гадкий; мерзкий; омерзительный; 보기만 해도 ~ глаза бы не видели кого-что-л.; 징글맞게 바라보다 с отвращением смотреть.

징글맞다 омерзительнй.

징병(徵兵) призыв на военную службу; ~하다 призывать на военную службу; ~제 система призыва на военную службу.

징세(徵稅) ~하다 взимать налоги; наложить на кого-л. налог; ~과 налоговое управление; ~기관 налоговый комитет; ~부담 налоговое бремя; ~원 источники налоговых поступлений.

징수(徵收) I взыскание; сбор; взимание(налогов); 교통위반에 대한벌금을~하다 штрафовать за нарушение правил уличного движения; 과태료를 ~하다 платить штраф.

징수(鉦手) II дворцовый страж, бьющий в гонг.

징역(懲役) каторга; каторжные работы; ~을 살다 находиться на каторге; ~살이를 보내다 сослать на каторгу; ~자 карторжник(ца); 무기 ~ пожизненная каторга.

징조(徵兆), 표식(標識) признак; знак; симптом; намёк;...의~가 되다 становится признаком чего-л.; ...의~를 보이다 намекать на что-л.. 비가 올 ~가 보인다 вероятно будет дождь; 불길한 ~ дурная примета.

짖궂다 докучливый;надоедливый

짙다 I оставаться в достаточном количестве. 짙다 II яркий; сочный.

짙푸르다 яркосиний; яркозелёный.

짚 солома; ~단 пучок соломы; ~바리 стог; стог сена; ~불 горящая рисовая солома.

짚다 опираться на что-л..

짚단 сноп соломы.

짚신 лапти;~도 제 짝이 있다 у каждого есть своя половина; ~감발 онучи.

짚이다 рассматриваться; считаться; быть признанным кем-л

ㅉ девятнадцатая буква кор. алфавита; обозначает согласную фонему чч.

짜개지다 делиться; раскалываться; 반으로 ~ раскалываться пополам.

짜개다 делить, разделять; раскалывать (разбивать, разрезать) [пополам].

짜다 I 1) соленый; изготовлять (напр. мебель); 2) ткать; вязать; 3) создавать, формировать, организовывать; составлять; 4) тайно договариваться (сговариваться); 5) делать пучок(мужскую причёску).

짜다 II выжимать; выдавливать; подыскивать; 장래에 계획을~ составлять план на будущее; 화환을 ~ заплетать венок; 빨래를~ от-жимать бельё; 가구를~ изготовлять мебель. 머리를 쥐어 ~ ломать голову; ~ 말을 짜내어 하다 говорить с трудом; выдавливать из себя; 눈물을 억지로 쥐어~ выдавливать слёзы; 포도를 ~ давить виноград. 짜리 рус. царь.

-짜리 1) суф., после наименования денежных ебиниц достоинством, стоимостью; 일원짜리 물품 вещь стоимостью в одну вону; 2) после имени сущ., выражающего пребметы туалета одетый(во что-л.); 양복짜리 человек в европейском платье.

짜릿하다 острый, пронизывающный (о боли). 짜릿한 풍자 острая сатира.

짜요 соленый.

짜임 построение, планирование, построение, планирование, строй, структура, строй, структура.

짜임새 внешний вид(изделия); ~있는 보고 логичный и содержательный доклад;~있는 연설 строй-ная речь.

짜증 раздражение; недовольство. ~내다 раздражаться; нервничать; 하찮은 일로~내다 раздражаться из-за пустяков; ~나게 하다 действовать на нервы кому-л.; ~스럽게 머리를 젓다 недовольно качать (встряхивать) головой.

짝 I пара чего-л.; парные пред- меты; ~을 맞추다 составлять пару; ~이 잘 맞다 подходить под пару; 짚신도~이 있다 у каждого голубя своя голубка; 신발 한~은 찾았지만 다른 한~은 잃어버렸다 нашёл один ботинок, а второй куда-то пропал; 장갑 한~ одна перчатка; 양말 한~ пара носков; 그게 무슨 ~이냐! Оби-дно! Какое безобразие! 아무~에도 소용이 없다 никуда не годный; 편지를 ~찢다 разорвать письмо; 문을 ~열다 распахнуть дверь; ~갈라지다 с треском разорваться; с треском лопнуть; 줄을 ~긋다 прочертить линию; ~소리나게 후려치다 задавать кому-л. трёпку; ~신 непарная обувь; 얼굴 ~ морда; рожа.

짝 II ~하다 а) брызнуть тонкой струёй(о жидкости); б) издать журчание; в) скользнуть(напр. по льду); г) прочертить линию; д) черкнуть; е) с треском разорваться

짝 III 1) 짝붙다 с шумом прилепиться; 2) 혀를짝차다 причмокнуть языком; 3) 짝 갈라지다 с шумом(с треском) лопнуть(напр. по швам).

짝- преф. непарный; 짝신 непарная обувь.

-짝 суф. презр.: 얼굴짝 морда, рожа.

짝사랑 неразделённая(безответная) любовь; любовь без взаимности; ~하다 любить без взаимности;~에 외기러기 одно сердце страдает, а другое не знает.

짝수(-數) чётное число.

짝짓다 сочетать браком; жениться на ком-л.; выйти замуж за кого-л..

짝짝 чавкать; смаковать; 젖은 옷이 몸에 ~달라붙는다 мокрая одежда липнет к телу; 껌을 ~씹다 чавкая жевать жевательную резинку.

짠 солёный.

짤막짤막 ~나누다 делить на небольшие части; ~하다 короткие; небольшие что-л.

짠하다 подавленный, унылый, печальный.

짧다 короткий; краткий; 짧은 영어로 말하다 говорить на ломанном английском языке; 인생은 짧고 예술은 길다 жизнь коротка, а искусство вечно; 돈밑천이~ испытывать недостаток в деньгах.

짧아지다 укорачиваться; становиться короче.

짧은 короткий; 짧은 기간 краткосрочное время; 짧은 인생 короткая жизнь; 짧은머리 короткая причёска.

짬 1) щель, промежуток; 2) досуг, свободное время; 3) засечка; чёрточка(сделанная кисточкой при подрезании).

짬 досуг; свободное время;~짬짬이 урывками; в перерыве между делом; ~이 있다 у кого досуг; быть свободным; ~이 없다 занятый; у кого-л. мало досуга; 아버지는 짬만 있으면 독서하신다 отец читает книгу урывками.

짭짤하다 1) довольно солёный; прибыльный; 2) разг. ценный; содержательный; интересный; 3) разг.; 짭짤하게 되다 идти на лад(о деле).

째각거리다 тикать; стучать; 시계 추가 ~ стучит маятник часов.

째다 резать; разрезать; подрезать; отрезать; рассекать;손이~ нуждаться в помощи; 외투가 ~ пальто тесное; 연료가 째졌다 бензин кончился; 째는 신발 тесные ботинки.

짹 чикчирик; ~하다 чирикать; ~소리 чириканье.

쩽 лязг; звяканье; звон; ~하다 лязгнуть; звякнуть; прозвенеть; издавать звон; 쥐구멍에도 ~하고 볕들 날 있다 всему свой час/И на нашей улице будет праздник.

쩌렁쩌렁 раздающийся; звучащий; звонкий.

쩌쩌 межд. 1) 혀를~차다 прищёлкивать языком; 2) чцо-чцо (окрик, которым погоняют вола).

쩍 тресканье; ~소리가 나다 трескаться; разорваться с треском; 나무가 ~ 소리를 내며 넘어갔다 дерево свалилось с треском; 컵이~하고 갈라졌다 стакан треснул.

절름발이 пренебр сущ. хромой; ~되다 отставать, перен. хромать.

쩔쩔매다 не знать за что браться; не знать что делать; попасть в тупик; ума не приложу; 돈이 없어 ~ испытывать большую нужду в деньгах; 바빠서~ у кого-л. много дел; быть по горло занятым.

쩡쩡 1) гулко; 2) авторитетно; внушительно; ~하다 а) гулкий; б) авторитетный;внушительный.

쩨쩨하다 скупой; скаредный; ничтожный

쪼가리 небольшой кусок; клочок; ласкуток.

쪼개다 разделять; раскалывать; разбивать; разрывать; 장작을~ колоть (рубить) дрова; 손도끼로 ~ тюкать топориком.

쪼그라들다(쪼그라드니, 쪼그라드오) 1) сморщиться, съёжиться; 2) сокращаться, уменьшаться; 3) ухудшаться.

쪼글쪼글 ~하다 помятый; сморщенный; ~하게 만들다 приминать; помять.

쪼다 клевать; долбить клювом; 새들이 빵을 ~ птицы клюют хлеб; 돌에서 여자의 모습을 쪼아내다 высекать из камня женскию фигуру.

쪼들리다 изнывать от чего-л.; томиться от чего-л.; страдать; 쪼들리는 생활 стеснённая жизнь; 돈에 ~ не хватает денег(времени); 자금이 ~ нуждаться в средствах; 빚에 ~ быть обременённым долгами.

쪼르르 тихо течь; журчать; 지붕에서 물이~ 흘러내리다 вода стекает с крыши; 수도에서 물이 ~흐른다 из водо-провода течёт вода; ~달려가다 бежать мелкими шагами; ~앉다 садиться в один ряд.

쪽 I 1. кусок; обломок; осколок; 2. счётн. сл. часть; долька.

쪽 II волосы, собранные на затылке в узел(причёска вамужней женщины).

쪽 III бот. горец красильный (Polygonum tinctorium).

쪽 IV сторона; 빵 한~ломтик хлеба; 동~ восток; 오른~ правая сторона; 양~ наши и ваши; обе стороны; 어느 ~도 아닌 ни с какой стороны; ~을 못쓰다 быть скованным; парализованным; 누구든지~도 못쓰게 만들다 никому не давать пикнуть.

쪽문(-門)[쪽똔-]калитка в воротах

쪽지 записка; бумажка; кусок бумаги; ~를 건네다 передавать записку; ~에 몇 자 적다 записать несколько строк на бумажке.

쫏다(쪼오니, 쪼아) 1) долбить(клювом; киркой); 2) обрабатывать, обтёсывать(дерево, камень); 3) лязгать (зубами); 4) уст. см. 조아리다; 5) см. 찧다 3).

쫑그리다 1) 귀를~ навострить уши; 주둥이를~ насторожиться(о животном); 입을~ вытянуть губы(напр.

приготовившись говорить); 2) сьёжить[ся], сжать[ся].

쫑긋 ~거리다 поднимать уши; насторожить уши; 개가 귀를 ~세웠다 собака насторожилась.

종알종알 ~대다 тараторить; ворковать

쫓다 заплетать(косу);делать(пучок - о мужчине).

쫓겨나다 быть выгнанным.

쫓기다 1) быть выгнанным(изгнанным); 2) преследовать, следвать по пятам, догонять.

쫓다 гонять; изгонять; прогонять; отсылать; выгонять; 그는 개를 쫓아내며 지팡이를 휘둘렀다 он размахивая палкой отгонял собак; 학교에서 학생을 쫓아내다 исключить студента из школы; 여우를~ гнаться за лисой; 충고를~ следовать чье-му-л. совету; 도망자를 ~ догонять беглеца.

쫙 усил. стил. вариант 좍; брызнуть тонкой струёй; 얼음위로 ~ 미끄러지다 подскользнуться на льду; ~ 휘갈겨쓰다 чёркать; 파도가 해안가로 ~ 밀어닥쳤다 волны нахлынули на берег.; 쫙퍼졌습니다 расширился

쬐다 светить; сиять; озарять; палить; 햇볕을 ~ подвергаться дей ствию солнца; находиться под солнцем; 해가 쬐인 땅 освещённая солнцем земля; 이불을 햇볕에~ подвергать одеяло действию со-лнечных лучей.

쭈구렁 сокр. от 쭈구렁이; ~밤송이가 삼년간다 посл. ≅ гнилое дерево долго скрипит.

쭈글쭈글하다 морщинистый; ~하게 만들다 морщиниться; 옷이~ платье мнётся; 쭈글쭈글한 얼굴 лицо, пок-рытое морщинами.

쭉 I ~펴다 вытягивать; ~늘리다 растягивать; ~ 들이키다 допивать;

하품하며 기지개를 ~켜다 зевая тянуться; 장난감에 손을~뻗치다 тянуться за игрушкой.

쭉 II вдоль, рядом, сильно,начисто, совсем.

쭉정이 1) пустой орех; неналившееся зерно; 2) презр. дурак.

쯔 ччы (назв. кор. буквы ㅉ).

찌 I сокр. от 낚시찌; поплавок;~ 낚시하다 ловить рыбу на поплавок.

찌 II 1) см. 찌지; 2) феод. кусочки бамбука с написанными на них фрагментами из канонических книг, которые вытаскивают из пенала экзаменующиеся.

찌걱거리다 скрипеть; скрежетать.

찌개 густой суп; тушёное мясо; ~가 보글보글 끓다 суп кипит; ~그릇 горшок для густого супа; 된장 ~ густой суп с соевой пастой.

찌그러지다 перекошенный; искажённый; избитый; разбитый; 찌그러진 얼굴 перекошенное лицо; 문짝이 찌그러졌다 дверь покосилась; 핀이 ~ булавка гнётся.

찌꺼기 отстатки(гл. обр. пищи); отбросы; осадок; 타고남은 찌꺼기 зола; 음식 찌꺼기 остатки пищи; 커피 찌꺼기 кофейная гуща.

찌는 듯하다 как будто парилка.

찌다 I растолстеть; стать олсым; поправиться; 살이 찐 толстый; тучный; полный; пухлый; 찌는 듯한 더위 нестерпимая жара.

찌다 II 1) спадать (о воде при отливе); 2) высыхать, испаряться (о воде)

찌다 III 1) варить на пару; парить; 전붕어가 되었다обр.словно варёный; 2) жечь, палить(напр. о солнце).

찌르다 колоть; ...의 심장을~ вонзить кому-л. в самое сердце; 손가락으로

가슴을 ~ тыкать ког пальцем в грудь; 호주머니에 손을 ~ совать руки в карманы; 모자에 핀을 ~прокалывать шляпу булавкой.

찌푸리다 хмурить; морщить; насупиться; 찌푸린 하늘 облачное небо; 그는 눈쌀을 찌푸리며 이야기 했다 он говорил нахмурив брови; 찌푸린 날씨 непогода; хмурая погода.

찌프리다 1) хмурить(брови); морщить(лицо); прищуривать(глаза); 얼굴을 ~ делать кислую мину; 2) хмуриться(о погоде).

찌프차(*англ.* jeep+車) джип, виллис

찍 чирк;~하는 소리를 내다 чиркать чем-л.; ~ 미끌어지다 соскользнуть; 성냥을~긋다 чиркнуть спичкой; 선을 ~긋다 чертить линию по чему-л..

찍다 ставить штамп; печать; штамповать; штемпелевать; 서류에 도장을 ~ поставить печать на документ; 편지에 소인을~ проштемпелевать письмо; 펜을 잉크에~ обмакнуть перо в чернила; 설탕을 찍어 먹다 есть с сахаром; 에 점을 ~ ставить точки над чем-л.; 차장이 차표를 찍는다 проводник компосирует билеты; 찍자찍자 하여도 차마 못 찍는다 только говорить, но не осмеливаться делать.

찍소리 чириканье; одно слово; ~ 못하다 не сметь пикнуть; 그는 찍소리도 못했다 он был в полном замешательстве **찍혔습니다** напечатано.

찍히다 сниматься на фотографию, фотографироваться.

전하다 быть в подавленном настроении

찔레 1) шиповник(плод); 2) ~나무 шиповник; розовый куст.

찔리다 проколотый; 양심이~ кого-л. мучает совесть.

찔찔 1) усил. стил. вариант 질질; 2) волоча; 3) струёй; ~울다 лить слёзы.

찜 I 1) тушёное мясо; тушёная рыба; тушёные овощи; 2) сокр. от 찜질.

찜 II сваренное блюдо; приварка.

찜질 ~하다 делать(компресс); принимать(лечебную ванну).

찜찜하다 неловкий; испытывающий(неудобство);нерешительный.

찝찔하다 солоноватый.

찡 ~하다 отдаваться болью в сердце.

찡찡하다 1) неловкий,неудобный, затруднительный; 2) *прил.* затруднённый(о дыхании напр. при насморке).

찢다 разрывать; раздирать; рвать; терзать; 종이를 ~ рвать бумагу. ...을 절반으로 ~ разорвать что-л. пополам; 조각조각~ рвать(раздирать) на куски (части).

찢어지다 разорвать, порваться(напр. о платье).

찧다 бить; колотить; толочь; раздроблять; 이마를 벽에~расшибить лоб(голову) об стену; 엉덩방아를 ~ неловко шлёпнуться; 코방아를 ~ разбивать нос.

ㅊ девятая буква кор. алфавита; обозначает согласную фонему **чх**.

차(茶) I 1) чай; ~를 끓이다 заваривать чай; ~를 따르다 разливать чай; ~나무 чайное растение; ~잎 чайный лист; лист чайного де-рева; 녹~ зелёный чай; 홍~ чё-рный чай.

차(車) II **1,** колёсный транспорт: повозка, поезд, трамвай, автомобиль и т.п **2,** сухопутное средство передвижения или перевозки; колёсный транспорт; ~를 타고 가다 ехать на машине; ~고 гараж; ~량 вагон; ~사고 автомобильная авария; ~ 트렁크 багажник;~표 билет на автобус(поезд); 급행열~ скорый поезд; 식당~ вагон-ресторан; 왕복 ~표 билет в оба конца; 장작~ вагон дров; ◇ 차치고 포치다 творить произвол, самовольничать.

차(差) III разница; ~가 나다 различие; несходство; отличие; 성격~ несходство характеров; 연령~ разница в возрасте; 임금~ разница в оплате труда; 이것과 저것의 ~ разница между этим и тем.

차(次) IV **1.** после колич. числ. раз; 1) 하루에 수십 차에 걸쳐 по нескольку десятков раз в день; 2) после порядк. числ. служит для счёта повторяющихся явлений; 3) мат. порядок; 4) мат. степень; **2.** 1): 차[로] после имён сущ. с целью; 구경차[로] с целью осмотра; 2) после прич. гл. с оконч. 던 момент; 내가 지금 그리로 가려던 차였다 как раз; между прочим; кстати; когда; 인사~ 내방하다 засвидетельствовать кому-л. своё почтение; 사업~ 만나다 встречаться по делу; 우리가 떠나려던 ~에 그가 왔다 мы как раз собирались уходить, когда он пришёл; ~기 대통령 후 보자 кандидат в президенты на будущий срок; 하루에 수십~에 걸쳐 по несколько десятков в день; 1~방정식 линейное уравнение; 1~자료 первоисточники; 제 2~ 세계대전 вторая мировая война.

-차(車) I суф. кор. повозка; вагон; поезд; 자동차 автомобиль; 침대차 спальный вагон; 급행차 скорый поезд.

-차(次) II суф. кор. материя; отрез (на одежду); 의복차 отрез на одежду.

차갑다 холодный; ледяной; 차가워지다 холодеть; замерзать; леденеть; 차가운 눈으로 쳐다보다 смотреть на кого-л. холодно. 차갑게 말하다 холодно обращаться с кем-л.; холодно принимать кого-л.; обращаться к кому-л. с прох-ладцей; 손발이 차가워지다 у кого-л. руки и ноги замерзают; 차가운 사람 хладнокровный(бессердечный) человек; 찬물 холодная вода; 찬바람 прохладный ветер.

차곡차곡 1) опрятный; аккуратный; постепенно; поэтапный; 가방에 속옷을 ~넣다 положить бельё в чемодан; ~문제를 풀다 решать задачу систематич-но; 2) см. 차근차근.

차관(借款) I государственный заём;

ссуда; кредит; ~을 체결하다 договариваться о займе; ~을 제공하다 представлять заём(кредит); ~단 консорциум.

차관(次官) II заместитель; ~보 помощник государственного секретаря; 외무부~ заместитель министерства иностранных дел.

차광(遮光) ~하다 не пропускать (свет; лучи); ~막 штора; затемнённая занавеска; ~성 светонепроницаемость.

차남(次男) второй(младший) сын.

차녀(次女) вторая (младшая) дочь.

차다 I 1. 1) быть полным(наполненным); пинать; надевать; вцепиться; 사람이~ быть битком набитым людьми; 차면넘친다 у всего бывает свой расцвет и упадок; 2) быть преисполненным(чувством); 3) доходить(до чего-л.); 무릎까지 차는 눈길 снег по колено; 4) быть укомплектованным; достигать (предусмотренного объёма); 5) истекать (о сроке); 6) 찬 как раз; 찬 10년이 지났다 прошло как раз десять лет; 마음에~ быть довольным; 2. образует прил. от имён: 자랑차다 преисполненный гордости.

차다 II 1) ударять(ногой) пинать, лягать;отшвыривать(что-л.ногой); 2) щёлкать,прищёлкивать(языком)

차다 III 1) хватать; схватывать; вцепиться когтями(напр. в добычу); 2) заглушать звук.

차단(遮斷) ~기구 аэростат заграждения; ~선류 перехват; помеха; изоляция; карантин;~하다 загораживать; отключать; отрезать от кого-чего-л.; перехватить; прерывать; заслонить; 퇴로를~하다 отрезать путь к отступлению; ~기 автоматический выключатель; ~선 линия заграждения.

차라리 лучше; скорее; охотнее; 이것은 ~ 그에게 물어보는 편이 나았을 것이다 лучше бы тебе спросить его об этом; 수치를 당하느니 차라리 죽는 것이 낫다 лучше умереть, чем вести позорную жизнь.

차량(車輛) сухопутное средство перевозки или передвижения; ~ 번호판 регистрационный номер; ~ 등록 регистрация машины; ~세 налог на транспорт; ~연결 сцепление вагонов; ~통행금지 проезда нет; ~한계 ж.-д. габарит подвижного состава. **차렸습니다** накрыл стол.

차례(<次例) очередь; порядок; последовательность; ряд; ~로 по порядку; по одиночке; поочерёдно; ~를 기다리다 ожидать свою очередь; ~가 돌아오다 стоять на(в) очереди; ~가 뒤바뀌다 не в порядке; испор-ченный; 나의 뒷~다 очередь за мной; 서두에 있는~ оглавление находится в начале книги.

차례로 по очереди.

차례차례(<次隷次隷) один за другим; попорядку; по очереди; последовательно; ~손님들과 악수하다 по очереди пожать руку всем гостям.

차리다 1) готовить; устраивать; обставлять(дом); 밥상을~ сервировать обеденный столик; 2) иметь, держать(магазин и т. п.); 3) наряжаться; [пере]одеваться; 남복을 ~ переодеваться в мужской костюм(о женщине); 점잔을~ вести себя солидно; 위신을 ~ поддерживать свой авторитет; 체면을 ~ оберегать свою репутацию; 4) удовлетворять(желания и т. п.); 5) собираться(с духом, с силами); 정신

을~ приходить в себя; 6) [пред] принимать; 7) постигать; 눈치를 ~ догадываться; 살림을~ обзавестись семьёй; 회사를~ основать компанию; 잔칫상을~ устраивать пир; 아침을 ~ готовить завтрак; 인사를~ быть исключительно вежливым и воспитанным; 예절을~ соблюдать этикет; 체면을 ~ вести себя солидно; 위신을 ~ поддерживать свой авторитет; 정신을 ~ взять себя в руки; собраться с духом; 로 떠날 차비를 ~ собираться кудато поехать.

차별(差別) отличие; различие; распознавание; разница; дискриминация; ~적인 отличительный; умеющий различать; неравный; ~하다 проводить различие между чем-л.; ~없이 관세 дифференциальный пошлины; ~대우 дискриминация; ~환율 дефференцированный валютный коэфицент; 인종~ апартеид; рассовая дискриминация.

차분하다 успокаиваться; утихомиривать.

차분한 смягчённый; приглушённый; тихий; бесшумный; спокойный; мирный.

차비(差備) I приготовление; подготовка; ~하다 приготавливать; подготавливать; готовить; намереваться; феод. специальное(чрезвычайное) назначение; 아무런~도 없이 без какогонибудь приготовления; см. 차삯 1).

차비(車費) II плата за проезд; стоимость билета на автобусе; стоимость гужевой или автотранспортной перевозки;~는 얼마입니까? Сколько стоит проезд? Сколько надо заплатить за проезд?; 떠날 ~이다 собираться ехать

차압(差押) наложение ареста на имущество должника; ~하다 наложить секвестр на что-л.; 재산을 ~하다 накладывать арест на иму-щество.

차액(差額) разница; баланс;остаток; прибыль; 큰~ большая прибыль; 대차~ расчётный баланс;~지대 эк. дифференциальная(земельная) рента.

차용(借用) заимствование; ~하다 заимствовать; взять взаймы; 그는 10 파운드를 ~해 달라고 부탁했다 он попросил десять фунтов взаймы; 한국의 급속한 일본문화 ~ быстрая рецепция японской культуры в Корее; ~증서 долговая расписка.

차이(差異) разница; различие; расхождение; 신분의~ неравенство в положении; 연령의~ разница в возрасте; 의견의~ разномыслие; раногласие; ~점 точка(пункт) расхождения

차익(差益) (чистая) прибыль; 환~ прибыль на вексельном(валютном) курсе

차일피일 со дня на день; ~미루다 откладывать дело в долгий ящик.

차입(差入) I ~하다 передавать что-л.заключённому; носить(передачу).

차입(借入) II ссуда;~하다 занимать; делать заём; быть в долгах у кого-л.; арендовать; одалживать что-л. кому-л.; ~자금 заёмные сре- дства.

차지(借地) 1) ~하다 арендовать землю; 2) арендованная земля; арендованная местность(земля); заимствование земли; ~하다 арендовать землю;~권 арендное право; ~료 арендная плата; ~증서 долговая запись.

차지하다 1) брать; приобретать; делать своей собственностью; 2) занимать(место *и т. п.*); 3) составлять(какой-л.процент,какое-л. число).

차질(蹉跌) I заколдованный круг; ~이생기다 попасть в неожиданную ситуацию; припирать к стене кого-л.; оступиться и упасть; 사업에 ~이 생기다 привести дело в тупик.

차차(次次) постепенно; малопомалу; шаг за шагом;~일에 익숙해지다 постепенно привыкать к работе; ~ 나아지다 постепенно улучшаться; изменяться к лучшему; ~로 постепенно; помалому

차축(車軸) ось; ~의 осевой; ~간격 расстояние между осями; ~의 하중 нагрузка на ось; 가로~ ось абцисс; 대칭~ ось симметрии; 세로~ ось ординат; 회전~ ось вращения.

차출(差出) уст.~하다 выбирать(кандидата для назначения на должность); ~하다 выбирать; намечать; подбирать; ~를 의장으로 ~하다 кого выбирать председателем.

차츰차츰 постепенно; малопомалу; потихоньку; поэтапно; исподволь; шаг за шагом; ~거북스러움이 사라지다 постепенно неловкость исче-зает; 그녀는 ~ 분위기에 익숙해졌다 она постепенно стала привыкать к обстановке.

차치(且置),물론 ~하고 оставляя в стороне, отвлекаясь от...; ~하다 оставлять в стороне; отвлекаться от чего-л.; уводить в другую сторону от дел; 농담은 ~하고 оставлять шутки в стороне.

차폐(遮蔽) 1)~목표 закрытая(ненаблюдаемая) цель; ~지대 закрытая местность; 2 эл. кран; ~격자 экранирующая сетка; ~까벨 экранированный кабель; ~하다 а) уст. закрывать, укрывать; прикрывать; б) эл. экрани-ровать.

차표(車票) (проездной) билет; билет на проезд; ~를 예약하다 заказывать билет;~를 조사하다 проверять билет; ~를 찍다 компосировать; 이~는 3일간 유효하다 этот билет действителен три дня; 왕복~ билет в оба конца.

차후(此後) после этого; вслед за тем; в дальнейшем;в последстии; спустя(через) некоторое время; ~임무 последующая задача; ~[에] после это-го; ~임무 последующая задача.

착(着) I обозначеное место; прибытие; приезд; 서울~ 비행기 самолёт прибывший в Сеул

착 II 1) плотно; крепко; 2) сразу же; не колебляясь.

착 III 1) спокойно; хладнокровно; 2) эффектно; 3) слегка петляя(изгибаясь).

-착 плотно; тесно; ~ 감기다 плотно обмотать.

착공 I ~하다 проделывать отверстие; проводить дорогу; попусту спорить.

착공(着工) II ~하다 приступать к строительству; начинать строите-льство; ~식 церемония начала строительства.

착념(着念) [чханъ-] ~하다 размышлять, думать.

착륙(着陸) посадка; приземление; приводнение; ~하다 приземляться; делать посадку; 달에~하다 прилуниться; 물에 ~하다 приводняться; 무사히 ~하다 благополучно производить посадку; ~속도 посадочная скорость;~신호 сигнал на посадку; ~장 аэродром; площадка для взлёта и посадки самолётов; ~점 точка приземления; пункт высадки; ~지

зона посадки; 강제~ вынужденная посадка.

착복(着服) присвоение чужого имущества(чужой собственности; чужих денег); растрата общественных(казённых) денег; ~하다 присваивать;захватывать;растрачивать; завладеть чем-л.; 거액의 공금을 ~하다 присваивать огромную сумму казённых денег; 공금~ казнокрадство; ~자 казнокрад; растрадчик.

착실(着實) ~하다 а) твёрдый, верный, надёжный; б) достаточный, состоятельный.

착실하다 верный, надежный; добросовестный, честный.

착오점(錯誤點) [-ччом] ошибка; недоразумение; заблуждение; ~로 по ошибке; по недоразумению;~하다 сделать(совершить;допускать) ошибку; ошибаться; заблуждаться; 커다란~ грубая(большая) ошибка; 철자법~ орфографическая ошибка; ~를 시인 하다 признавать ошибку; 무언가 ~가 일어났음이 틀림없다 должно быть произошла какаято ошибка; 시대~ анархонизм; хронологическая ошибка. 시행~ попытки(пробы) и ошибки.

착용(着用) ношение(носка) одежды; ~하다 носить одежду; 내가 ~하고 다니는 외투 пальто которое я ношу; 누더기가 될 때까지~하다 носить что-л. до износу; 양복을 ~하고 오시오 приходите в костюме.

착유(搾油) I ~의 маслобойный; ~하다 выжимать масло; ~공 рабочий, занимающийся выжимкой масла; ~공장 маслобойня; ~기 маслобойный пресс; ~량 количество выжатого масла.

착유(搾乳) II доение; дойка; ~하다 доить; ~공 дояр[ка];~관 доильная трубка; ~기 доильный аппарат; 기간 ~ лактационный период.

착취(搾取) эксплуатация; ~하다 а) эксплуатировать; б) уст.выжимать (сок и т. п.) в) подвергаться эксплуатации; злоупотреблять; 무자비한 ~ безжалостная эксплуатация; ~자 эксплуататор; 노동~ эксплуатация труда; 노동계급의~ эксплуатация рабочего класса.

착하다 добрый, хороший; 마음씨가 착한 사람 добросердечный человек; добряк; 착하게 행동하다 добросердечно относиться к кому-л.; 행동이 ~ добродетель.　　着한 добрый.

찬(讚,贊) I похвала; одобрение; хвалебная речь; ~하다 хвалить кого-л.; возлагать хвалу кому-л. за что-л..

찬(贊,讚) II гарнир к рису; дежурные блюда; закуски; добавочные блюда.

찬(噴 кит. chuan) III диал. судно, лодка.

찬란(燦爛) блеск; ослепление; ~한 ослепительный; блестящий; глянцевый; 나는 그녀의 ~한 아름다움에 눈이 부셨다 она ослепила меня своей красотой; 별이 ~히 빛난다 звёзды сверкают.

찬물 холодная вода; ~을 끼얹다 обливать холодной водой; ~로 샤워하다 принимать холодный душ; ~먹고 냉방에서 땀낸다 носить воду в решете.

찬사(讚辭) похвала; одобрение; положительный отзыв; панегирик; восхваление; 아낌없는 ~ безмерная похвала; ~를 아끼지 않고 보내다 осыпать кого-л. похвалами.

찬석(鑽石) алмаз.

찬성(贊成) согласие; поддержка; одобрение; ~하다 соглашаться с

кем-чем-л.; поддерживать; одобрять; 계획에 ~하다 одобрять план; 제안에 ~하다 соглашаться с предложением; 만장일치로 ~하다 приходить к единодушному соглашению; ~하는 측에 서다 стоять на стороне, выступающей:"за"; ~의 의견을 말하다 выступать в поддержку кого-чего-л.; 손을 들어~의 뜻을 표하다 поднимать руку за кого-что-л.; ~을 얻다 добиваться согласия; ~연설 выступление за кого-что-л.; ~자 сторонник чего-л.; 투표를 하다 проводить голосование за кого-что-л..

찬조(贊助) поддержка; помощь; ~하다 поддерживать; подпирать; оказывать поддержку; 그녀의 ~하에 при её поддержки; 재정적 ~를 얻다 приобретать финансовую поддерж-ку;~연설을하다 выступать с речью за кого-что-л.; ~출연하다 выступать как гость; ~금 материальная поддержка; денежная по-мощь.

찰(札) арх. кольца(чешуйки) кольчуги

찰- 1) клейкий; глютенозный; очень сильный; 찰기장 клейкое просо; 2) очень сильный; 찰깍쟁이 скупердяй.

찰 것 блюдо из клейкого риса (клейкой чумизы и т. п.).

찰떡 паровой хлебец, смолотый из муки из клейкого риса(из глютинозного сорта зерновой культуры); ~같다 а) очень липкий (клейкий); б) крепкий(о любви, дружбе и т. п.); ~근원 нерасторжимые узы; ~같은 애정 глубокая привязанность.

찰흙 глина; глинозём; ~의 глинистый; глиняный; ~으로 만들다 делать что-л. из глины.

철썩거림 плеск.

참 I 1) истина; правда; святая правда; ~으로 правильно; действительно; подлинно; истинно; откровенно; ~뜻에 있어서 в подлин-ном смысле; 오늘은~덥다! Сегодня очень жарко!

참(站) II почта; станция; ~..하는 ~에 намериваться; собираться; 나는 백화점에 들른~에 책을 구입하였다 когда я зашёл в универсальный магазин, за одно и купил книжку; 나도 점심 이후에 떠날~이다; я тоже собираюсь пойти сразу же после обеда.

참- преф. 1) культивированный; 참벌 домашняя пчела(в противоп. дикой пчеле); 2) очень хороший; высококачественный; 참먹 высококачественная тушь.

참가(參加) участие; ~하다 учавствовать в чём-л.; принимать участие в чём-л.; ~를 신청하다 подавать заявление на участие; 경기에 ~하다 участвовать в соревновании; 회의에 ~하다 принимать участие в конференции; ~국 страна-участница; ~자 участник;~권 право участия в чём-л..

참견(參見) вмешательство; ~하다 вмешиваться; соваться; принимать личное участие; 남의 일에 ~하다 соваться(вмешиваться) в чужие дела; 외주의 ~없이 без вмешательства из вне; 외부의~ постороннее вмешательство; 무의미한참견 бессмысленное вмешательство; 이것은 네가 ~할 일이 아니다 это не твоё дело.

참고(參考) 1)~하다 справка; ссылка; сноска; ~하다 справляться; обращаться за справкой; пользоваться справочным материалом; ~문헌 справочная литература; ~서 справочное учебное) пособие; справочник; настольная книга; ~인 свидетель; очевидец.

참관(參觀) 1) осмотр, посещение; 2) контроль, проверка; ~하다 а) осматривать, посещать с целью осмотра; б)посещать с целью проверки; ~기 запись о результатах обследования; ~인 посетитель чего-л..

참깨 кунджут;~가 짜르냐 기냐한다 обр. а) мышиная возня; б) мелочный человек; ~같다 бисерный (о почерке); ~ 들깨 노는데 아주까리 못 놀가? обр. что, я хуже других? ; ~를 빻다 молоть кунджут.

참다 терпеть; переносить; удерживаться; сдерживаться; 고통을 ~ терпеть страдания; 굴욕을 ~ переносить унижение; 열기를 ~ переносить жар; 모욕을~ переносить оскорбление; 졸음을~ терпеть сонливость; 치통을 참을 수 없는 невыносимый; не в силах терпеть; 아파서 도저히 참을 수가 없다 не в состоянии терпеть боль.

참을성(-性) [-쓰성] терпеливость, выносливость; ~이 있는 терпели-вый; выносливый; ~이 없는 нетерпеливый; раздражённый; ~있게 기다리다 ждат терпеливо; 운동선수의 자질은~이다 хорошему спортсмену присуще терпение; 대단한 ~을 소유하다 обладать ангельским терпением.

참작(參酌) внимание; соображение; ~하다 учитывать; принимать во внимание; брать в расчёт;~할 만한 사정 уважительное обстоятельст- во; 미성년인 점을 ~하여 учитывая несовершеннолетие.

참정(參政) 1) ~하다 входить в правительственный орган; принимать участие в управлении государством; 2) чиновник в государственном совете(в конце династии Ли); ~권 право голоса; избирательное право; участие в политической жизни страны; голосование; участие в голосовании(выборах); ~하다 участвовать в политической жизни страны; участвовать в голосовании; ~권을 행사하다 вступать в право голоса; 여성권 избирательные права женщин.

참정권(參政權) [-кквон] право участия в управлении государством.

참조(參照) "см[отри]" (в книге и т. п.); ссылка на кого-что-л; ~하다 1) смотреть справляться(в книге и т. п.); 2) давать ссылку; ~주석을 달다 снабжать подстрочными примечаниями; 저자는 인용한~문헌을 밝히지 않았다 автор не даёт ссылок на источники;~문헌 справочный материал; наглядные пособия;~서 справочник; ~문헌 리스트 список литературы; 전후~ перекрёстная ссылка.

참패(慘敗) 1) жестокое поражение; 2) тяжелое(позорное) положение; разгром; ~하다 потерпеть жестокое поражение; 그는 자신의 낙선한~감을 어렵사리 이겨내었다 он тяжело перенёс своё поражение на выборах; ~시키다 нанести кому-л; пораже-ние; разгромить кого-л.

참혹(慘酷) суровость;~하다 ужас- ный; жестокий; зверский; 부랑인은~한 모습을 하고 있었다 у бродяги был жалкий(ужасный)вид.

찹쌀 клейкий рис; ~떡 паровой хлебец из муки, смолотой из клейкого риса.

찻길 шоссе; проезжая часть дороги; проезжая дорога.

찻집 чайная; кафе; закусочная.

창 I 1) подошва; 이중~ двойная подошва; 구두 ~을 대다 подбивать подошвы.

창(槍) II копьё; пика; ~을 던지다 метать копьё.

창(唱) III корейская песня, исполненная высоким голосом.

창(窓) IV окно;~가에 서다 стоять у окна; ~을 열어두다 оставлять окно открытым; ~밖을 내다보다 смотреть в окно; ~턱 подоконник; ~틀 оконная рама; 미닫이~ окно с выдвижными створками.

-창(廠) I суф. кор. военный завод; арсенал; 피복창 фабрика военного обмундирования.

-창(瘡) II суф. кор. трудноизлечимый нарыв; язва.

-창 III суф. грязное место; 도랑창 грязная канава.

창간(創刊) создание; основание (журнала; газеты); ~하다 основывать; создавать; 그 잡지는~된지 10년이 된다 этот журнал вышел в свет 10 лет назад; ~기념호 юбилейный номер; ~사 предисловие в первом номере нового журнала или газеты; ~호를 내다 издавать первый номер.

창건(創建) ~하다 создание; ~하다 основывать; учреждать; организовывать; создавать; устанавливать; ~자 основатель; ~일 день создания; 런던의 ~년도는 확실치않다 год основания Лондона не известен; ~위원회를 건립하다 создавать комиссию по учреждению чего-л..

창고(倉庫) [-кко] склад; амбар; кладовая; ~에 보관하다 помещать в склад; хранить на складе; ~료 плата за аренду склада;~업 сдача в аренду склада; ~업자 предприниматель; ~지기 работник(служащий) на складе; кладовщик; 세관~ таможенный пакгауз.

창녀(娼女) проститутка; публичная (уличная) женщина; панельная девица; непотребная женщина; ~출신 бывшая проститутка;~가 되다 становиться проституткой;~와 놀다 гулять с проституткой.

창달(暢達) развитие; рост; движение вперёд; ~하다 развиваться; улучшаться; продвигаться; 문화 ~을 위해 공헌하다 вносить вклад в развитие культуры.

창립(創立,-) [-닙] установление; основание; создание; учреждение; ~하다 учреждать; основывать; создавать; ~50주년을 축하하다 поздравлять с пятидесятилетием со дня основания; 이학교는 1950년도에 되었다 эта школа была основана в 1950 году; 이 회사는 얼마 전에 ~되었다 эта фирма недавно создана; ~위원회 оргкомитет(организацион-ный комитет); ~자 зачинатель; ~총회 учредительное собрание.

창밖 за окном; на улице; ~으로 고개를 내밀다 высунуть голову в окно; ~으로 내던지다 выбросить что-л. за окно; ~을 내다보다 смотреть в окно.

창백(蒼白) бледность; ~한 бледный; бескровный; восковой; неяркий; тусклый; ~해지다 тускнеть; меркнуть; 죽을듯이~한 бледный как смерть; 그녀는 나쁜 소식을 듣고 나서 ~해 졌다 она побледнела, услышав плохую новость; 그녀의 ~함은 그녀가 심한 동요감을 경험했다는 것을 나타내 주었다 её бледность говорила о сильном волне-нии, которое она испы-тывала; 공포감으로 인해~해지다 бледность от страха(ужаса); ~하다 а) серый, мертвеннобледный; б) чистый, ясный.

창살(窓-) 1) оконный переплёт; 2) решётка; 창문에는 ~이 드리워져 있

다 окно заделанно железной решёткой.

창설(創設) сознание; основание; ~하다 см. 창립(創立).

창업(創業,-) создание фирмы;~하다 создавать бизнес; основывать фи-рму; ~이래 со дня основания фир-мы.

창의(創意) изобретательность; творческий замысел; инициатива; ~고안 рационализаторское предложение; 창발성 рационализаторство, изобретательство; ~적인 творческий; оригинальный; ~력이 풍부한 사람 (человек) имеющий много творческих способностей; ~력이 부족한 사람 (человек) имеющий мало творческих способностей; ~성 инициативность.

창의(倡義) II ~하다 созывать ополчение; поднимать на партизанскую борьбу.

창자 кишка;~의 кишечный; 생선의 ~를 빼내다 удалять кишки из рыбы; ~가 뒤틀리다 внутренности переворачиваются.

창작(創作) творчество; создание; ~하다 творить; созидать; сотворить; складывать; слагать; ~적인 творческий; созидательный; ~에 종사하다 заниматься творчеством; ~을 그만두다 бросать творчество; 소설을 ~하다 писать роман; ~가 творец; созидатель; ~력 творческие силы(способности);~성 творческий характер; созидательность; ~집 сборник художественных произведений; ~품 произведение искусства.

창조(創造) творчество, соз[и]дание; ~상상 психол. творческое воображение; ~하다 создавать; творить; заниматься творчеством; ~적 оригинальный; творческий; созидательный; ~적 예술 оригинальное искусство;~물 творение; создание; творчество; ~력 творческие силы (способности); ~성 творческие способности; созидательность; 천지 сотворение мира; 인간의~ сотворение человека; см. 창작

창창하다 тёмносиний; с большими перспективами; густой; ~한 바다 лазурное море; 장래가 창창한 청년 парень с большими перспективами; 갈길이 ~ путь далёкий.

창포(菖蒲) бот. аир благовонный; ~비녀 обточенный корень аира благовонного, украшающий женскую причёску в день корейского традиционного праздника "Тано".

창피(猖披) позор; стыд;~하다 пристыженный; позорный; постыдный;бесчестный;~스럽게 позорно; постыдно; ~를 주다 опозорить; осрамить; ~를 무릅쓰다 навлекать позор на себя; ~를 당하다 позориться; оскорбляться; стыдиться; 아이구 ~해! Обидно! /Какое безобразие!, Стыдно!

찾다 искать; обыскивать; присматривать; находить; 전화로 ~ звать кого-л. к телефону; 은행에서 돈을 ~ снимать деньги из банка; 전당포에서 시계를 ~ выкупить часы из ломбарда; 그녀는 사무실로 그를 찾아갔지만 그는 자리에 없었다 она зашла к нему на работу, но его там не оказалось; 나는 이씨를 찾아갔었다 я посетил мистера Ли.

찾아내다 находить; заставать; узнавать; выяснять.

찾아오다 приходить; приходить с визитом; посещать; навещать; получать обратно; 작업상의 일로 ~ заставать за работой.

채 I 1) барабанная палочка;~를 휘두르다 бить кнутом; высечь плетью; 2) см. 채찍; 채[를] 치다 бить, хлестать, стегать.

채 II лоза, очищенная от лыка.

채 III оглобли(телеги); ручки (носилок); часть палки, лежащая на плече (при переноске груза вдвоём); 채를 잡다 а) класть на плечо (ручки носилок и т.п.); б) руково-дить, верховодить.

채 IV ещё не...; не совсем; 사과가 ~ 익지 않았다 яблоки ещё не(не совсем) созрели; 눈을 뜬 ~로 밤을 지새다 провести всю ночь, не сомкнув глаз.

채(단위) V штука, счётная единица домов и зданий; 집 두~ два здания(дома); 큰~ главное здание.

-채(-菜) суф. кор. салат; 무채 сала-т из редьки.

채광(採光) I освещение;~하다 освещать; давать свет; ~좋은 방 светлая(хорошо освещённая) комната.

채광(採鑛) II горное дело; ведение горных работ;~의 горнодобывающий; горнозаводский;~하다 производить горные работы; разрабатывать рудник; добывать руду; ~공학 горная техника; ~권 право на разработку полезных ископаемых; ~업 горная промышленность; горное производство; ~업자 горняк; горнорабочий; рудокоп; ~지대 горнозаводские районы; рудник; ~기사 штейгер.

채굴(採掘) добыча; выемка угля; ~하다 добывать; копать; разрабатывать; ~권 право на разработку полезных ископаемых; ~량 объём добычи;~공간 горн. выработанное пространство;~공업см.채취[공업];~하다 добывать(уголь и т.п.); разрабатывать полезные ископаемые

채권(債券) I [-кквон] облигация; обязательство;~을 발행하다 выпускать облигации; ~발행 выпуск займа; ~소유자 держатель облигации; ~시장 рынок облигаций; 국가~ государственная облигация; 장기~ (государственная)облигация сроком свыше 15 лет(сроком до 5 лет).

채권(債權) II [-кквон] долговое право; право кредитора; ~국 государственный кредитор; ~법 долговое право; ~자 кредитор; ~압류 наложение ареста на деньги должника, находящиеся у третьего лица.

채납(採納) ~하다 принимать(предложение, требование и т.п.)

채널(channel) канал(передачи);~을 바꾸다 перейти на другой канал; переключить на другой канал.

채무(債務) долговое обязательство; долг; задолжность; ~를 이행하다 выплачивать долг; ~국 государст-водолжник; ~면제 изъятие из долгового обязательства; ~상환 выполнение задолжности; ~자 дебитор; должник.

채소(菜蔬) овощи; ~를 가꾸다 выращивать овощи; ~가게 овощной магазин; ~밭 огород; ~재배 овощеводство; ~저장소 овощехранилище.

채용(債用) принятие; приём; ~하다 применять; перенимать; ~시험 приёмный экзамен.

채우다 I (채우니, 채워) запирать (на замок); застёгивать(на пуговицы); закрывать; 문을 ~ запирать дверь;

단추를~ застёгивать на пуговицы.

채우다 II (채우니, 채워) класть в холодную воду(на лёд)(продукты).

채점(採點) I выставление отметок; ~하다 ставить оценку(отметку; балл); ~법 система учёта успеваемости; пятибалльная система.

채점(採點)[-ччом] II ~하다 ставить (отметку, балл).

채집(採集) коллекция; коллекционирование; ~하다 собирать, коллекционировать.

채택(採擇) принятие(закона; решения); ~하다 принимать; выбрать.

책(冊) 서적 I книга; альбом; ~가방 портфель; ~꽂이 книжная полка.

책(柵) II дамба; частокол.

-책(策) суф. кор. меры; политика; 대항책 контрмеры; 무역책 торговая политика.

책값(冊-) [-캅] цена книги(альбома)

책략(策略) [чхэнъняк] уловка; хитрость; ~을 꾸미다 проделывать махинацию; ~가 махинатор.

책망(責望) ругань; брань; ~하다 бранить; ругать; делать выговор; осыпать ругательствами; выговаривать кому-л. за что-л..

책상(柵狀) I парта, стол письменный; 양소매~ двухтумбовый письменный стол; ~양반 обр. человек, ставший янбаном благодаря своей учёности и высокой нравственности; ~물림(퇴물) обр.книжный червь.

책상(冊床) II ~모자리 (앙판) прямоугольный рисовый рассадник; ~조직 биол. столбчатая(палисадная) паренхима.

책임(責任) обязанность; ответственность; ~을 지다 отвечать за что-л.; нести ответственность;~을 지우다 возлагать на кого-л. ответственность; ~감 чувство(сознание) ответственности;~량 норма выработки; ~자 ответственное лицо.

챔피언(англ. champion) чемпион; победитель (на конкурсе; на выставке); см. 선수권 보유자.

챙 козырёк.

챙기다 убирать за собой; приводить в порядок; 여행짐을 ~ собирать вещи в дорогу.

처(妻) I жена; супруга; ~를 얻다 жениться на ком-л.; ~가 родня жены; дом родителей жены.

처(處) II управление; отдел; 과학기술~ управление по делам науки и техники; 환경~ управление по делам окружающей среды.

처 III беспорядочно; сильно; ~담다 наваливать; ~박다 забивать с силой.

-처 суф. кор. 1) место; 피난처 убежище; 2) управление; отдел.

처갓집 родня(родственники) жены; дом родителей жены;~살이 жить у родителей жены.

처남(妻娚) 1) шурин; 2) младший брат жены, шурин; ~남매 шурин и зять(муж сестры);~의 댁네 병 보듯 обр. формально, без души.

처내다 валить(о дыме).

처넣다 с силой впихивать(всовывать); набивать; 책을 상자에~ набивать коробку книгами; 돈을 증권에 ~ беспрестанно вкладывать деньги в акции.

처녀(處女) девушка; девственница; незамужняя; дева; ~의 девичий; девический; ~다운 скромная; застенчивая; ~작을 발표하다 дебютировать;~가 아이를 낳아도 할 말은 있다 всему своя причина; ~공연

дебют; ~궁 дева; ~생식 девичество; ~성 девственность; ~시절 девичество; ~작 первое произведение; ~작가 дебютант; ~장가 жениться на девице; ~지 девственная почва; целина; новь; 노~ старая дева; 숫 ~ девственница; ~가 아이를 낳아도 제 할 말은 있다 *посл.* ≈ с него (с неё) как с гуся вода; ~면 다 확실인가? обр. не всякое название отражает суть.

처대다 1) [раз] давать направо и налево; 2) поливать как попало; 2) небрежно набивать; 4) неправильно показывать(напр. дорогу).

처럼 разг. частица словно, как; 수정~맑다 чистый как горный хрусталь.

처리(處理) обращение; управление; ~하다 обращаться(с чем-л.); управлять(чем-л.); справляться(с чем-л.); ~되다 решённый; улаженный; 사무를 ~하다 вести дела.

처방(處方) рецепт, предписание; ~을 내리다 прописывать лекарства; принимать меры(к чему-л.); ~전 рецепт; ~[부전] указание(инструкция) по применению лекарства.

처벌(處罰), 징벌(懲罰) наказание; кара; взыскание;~하다 наказывать; карать; взыскивать.

처분(處分) распоряжение;~하다 распоряжаться чем.; ворочать чем.; разделываться с кем-чем-л.; 관대한 ~을 내리다 снисходительно относиться к кому-л.; 적을~하다 расправляться с врагом; 음식을~하다 разделываться с едой; 상품을~하다 распродавать товары; 재고~ распродажа остатков.

처세(處世) ~하다 вести себя; 그는 ~가다 он хорошо себя ведёт; ~술 житейская мудрость.

처소(處所) местожительство; место; 임시~временное местожительство.

처신(處身) поведение; ~하다 вести себя; ~이 사납다 возмутительно вести себя; ~이 없다 недостойный; неприличный; 변덕스럽게 ~하다 держать нос по ветру.

처음 начало, впервые; ~에 вначале; сначала; сперва;~으로 впервые; первый раз; ~의 первый; первоночальный; исходный.

처지다 бессильно опускаться; свисать; висеть; повисать; отставать; падать, спадать; идти королём на позицию.

처하다 находиться; оказываться; 벌금에~ штрафовать; 곤란한 상황 에 ~ оказываться в трудном положении; находиться в затруднительном положении.

척(尺) I мера длины; линейка;~으로 재다 снимать мерку; мерить; 자기 ~으로 남을 재다 мерить кого-л. на свой аршин.

척(戚) II родственные отношения(не по прямой линии).

-척 ~하다 делать вид; претворяться кем-чем-л.; изображать(из себя) кого-л.; 읽는 ~하다 делать вид, что прочитал;아픈~하다 притворяться больным; 바보인 ~하다 ломать комедию.

척결(剔抉) ликвидация; уничтожение; истребление;~하다 ликвидировать;уничтожать; истреблять; изводить; 모조리~하다 сметать всё на своём пути; вырвать с корнем;~자 истребитель.

척박(瘠薄) неплодотворность; ~하다 неплодотворный; бесплодный; худотворный; тощий; ~한 토양 неплодотворная почва.

척했습니다 притворился.

천[직물(織物)] I материя; ткань

천(薦) II уст. см. 추천 III; ~을 트다 а) получать рекомендацию; б) начинать новое дело; приступать к работе.

천(千) III тысяча; 이~명의 학생 две тысячи студентов; ~분의 일 одна тысячная;~년의 тысячелетний; 천일 기도; этн. молиться в течении десяти дней; 천일행자 будд. человек, придающийся аскезе в тече-нии десяти дней; 천일일수 долг, выплачиваемый частями в течении десяти дней; 천갈래만 갈래 множество ответвлений; 천 근 같다 очень тяжёлый; 천 냥 빚도 말로 갚는다 посл. ≅ от словаспасение и от словапогибель; 천 냥에 활인이 있고 한 푼에 살인이 있다 посл. ≅ дружба дружбой, а денежкам счёт

천국(天國) см. 천당; небеса; царство нсбесное; рай; эдем; 지상~ земля обетованная; земной рай.

천대(賤待) унижение; призрение к кому-чему-л.; пренебрежение кем-чем-л.;~하다 унижать; принижа-ть; презирать; пренебрегать кем- чем-л.; относиться с презрением к кому-чему-л..

천둥(우뢰:又賴) гром;~치다 греметь; грохотать; громыхать; ~ 벌거숭이 обр. беззаботный человек;~같이 성을 내다 обр. метать громы и молнии; ~인지 지둥인지 모르겠다 погов. ≅ сам чёрт не разберёт; ~에 개 뛰어 들 듯 бран. не твоё собачье дело;~에 떠는 잠 충이 같이 обр. словно спросонок; ~하다 греметь (о громе). .

천리(千里) [쳔리-] огромное расстояние; ~건곤 уст. вселенная; ~만리 огромное расстояние; ~비린 уст. далёкое кажется близким;~백총마 легендарный конь чхоллима си- зой масти; ~진운 уст. облако вытянутой формы; ~행용 а) протяжённость горного хребта(в геома-нтике); б) уст. излагать историю(какого-л. дела) с самого начала; ~화반 см. 장화반; ~오추마 легендарный конь чхоллима серой масти.

천만(千萬) 1) десять миллионов; 2) огромное количество; 3) перед именами огромный,величайший; ~ 다행 великое счастье; 4) после имён небывалый, невиданный; ~부당 совершенно неразумно(несправедливо); 위험 ~ огромная опасность; 5) ~에 что вы; вот ещё; ◇ ~뜻(꿈)밖 полная неожиданность; ~의말[씀] 입 니다 не стоит благодарности; 2. совершенно; очень; ~부당 совершенно неразумно(несправедливо); ~불가 совершенно неверно(неправильно).

천문(天文) небесные явления и законы; ~관 планетарий; ~년감 астрономический год; ~단위 астрономическая единица; ~대 обсерватория; ~역학 см. 천체[역학]; ~시계 астрономи-ческие часы; ~학 астрономия; ~학자 учёныйастроном; ~천정 астр. зенит; ~항법 астронавигация.

천사(天使) ангел; херувим; ~같은 사 람 ангел во плоти; ангел крото-сти; кроток как ангел; 수호 ~ ангел-хранитель.

천생(天生) данный богом(небом); благодатный; талантливый; ~배필 предначертанный брак; ~연분 небом установленные узы.

천애(天涯) край неба; край земли; очень далёкое место; совершенно одинокий; сиротливый; ~지각 уст. обр. находиться далеко друг от друга; ~이역 обр. дальняядальняя страна; 3) ~[의] совершенно одинокий; ~의 고아 круглый сирота; сиротство.

천연(天然) природа; натура; естественность; ~적 природный; естественный; натуральный; ~가스 природный газ; ~견사 натуральный шёлк; ~기념물 природные реликты; ~림 естественное воспроизводство леса; ~비료 естественное удобрение; ~색 естественный цвет; ~자원 природные ресурсы; естественные богатства; ~섬유 натуральное волокно; ~수지 натуральные смолы; ~스래트 сланец; ~생활 первобытная жизнь; ~작석 магнит(в противоп. электромагниту); ~조림 естественное воспроизводство леса.; ~영양 питание натуральными продуктами; ~스럽다 прил. казаться естественным (натуральным); ~하다 естественный, натуральный; 2.: ~[스레] естественно, натурально.

천연색(天然色) ~사진 цветная фотография; ~영화 цветной фильм.

천재(天才), 재능(才能) одарённость, гений;~적 гениальный; талантливый; одарённый; 어학의 ~ талантливый лин-гвист;~성 гениальность; ~아 талантливый ребёнок; вундеркинд; ~교육 воспитание(развитие таланта).

천정(天井) потолок; ~에 매달려 있다 висеть на потолке; ~그물 сквер (рыболовная сеть); ~기중기 мостовой кран; ~부지 растущий(о це- нах)

천주교(天主教) католицизм.

천지(天地) небо и земля; ~이다 бесчисленный; ~를 진동시키다 будоражить весь мир; ~가 뒤집혀도 даже если весь мир перевернётся; в любом случае; ~개벽 сотворение мира; ~만물 все вещи(предметы); 별~ волшебная (сказочная) страна; ~가 진동하다 сотрясать небо и землю(о грохоте); ~개벽 а) сотворение мира; б) огромные изменения(преобразования); ~분격 обр. отличаться как небо от земли; ~신명 духи неба и земли; 2) после имени: ~이다 бесчисленный; 3) ~에 увы; о, горе!

천천히, 서서히 потихоньку, медленно;~하십시오 делайте неторопясь

천체(天體) набесное тело(светило); ~관측 астрономические наблюдения; ~망원경 телескоп; рефлектор; астрономическая труба; ~물리학 астрофизика; ~학 уранография; ~ 역학 небесная механика; ~물리학 астрофизика; ~분광학 астроспектроскопия;~측광학 астрофотометрия; ~측량학 астрометрия.

천하(天下) 1) весь мир; ~대세 положение в мире; ~무적 непобедимость, непреоборимость;~를 얻은듯 обр. на верху блаженства; ~없는 см. [세상] I; 2) уст.[~에] под небом(небесами); 3) перед именем невиданный, беспрецедентный; неповторимый; ~ 무비하다 несравненный; 4)[~에] самый, наиболее; ~를 호령하다 повелевать миром; ~에 이름을 떨치다 прогреметь на весь мир; ~에 под небом; на свете; ~에 둘도없는 беспрецедентный; невиданный; ~의 영웅 мировой; ~대사 самое крупное событие в мире.

천하다 1) низкий, презренный; 2) унизительный.

천한 말(속어) жаргон.

철 I (계절) время года; сезон;~늦다 появляться позднее; опаздывать; 철 그른 동남풍 погов. ≅ дорого яичко к христову дню; 철 묵은 색시 обр. молодая жена, которая не торопится переезжать в дом свекрови; 철 묵은 색시 승교 안에서 장옷 고름단다 *посл.* = на охоту ехать собак кормить; 철[을] 놓치다 упустить время; 철 [을] 찾아[서] по сезону, в соответствии с сезоном; 3) сокр. от 제철 I.

철 II сообразительность, разум; ~이 들다 поумнеть; ~이 없다 неразумный; несмышлённый; 철나자 망녕난다 *посл.* = а) куй железо, пока горячо; б) и на старуху бывает проруха; 철[을] 모르다 несмышлённый; 철[이] 나다 (들다) поумнеть.

철(鐵) III железо; металл; ~의 железный; ~의 장막 железный занавес.

철(綴) IV подшивка; палка с(материалами); ~하다 подшивать; переплетать; 신문을 ~하다 подшивать; переплетать газеты; 서류 ~ досье; 신문 ~ подшивка газет.

철-(鐵) преф. кор. железный; 철박테리야 железобактерия.

-철(鐵) суф. кор. железо; металл; 압연철 прокатное железо.

철갑(鐵甲) железное покрытие, броня; ~의 броневой;~하다 бронировать; ~상어 сахалинский осётр; ~선 бронированный корабль.

철거(撤去) эвакуация; вывод; отвод (войск); 2) удаление, устранение; ~하다 выводить(войска); очищать (район *и т.п.*); б) удалять, устранять. 철공(鐵工) слесарь.

철공소(鐵工所) мастерская металлоремонта.

철교(鐵橋) металлический(железный) мост; ~를 놓다 наводить (строить; перекидывать; перебрасывать) железный мост.

철근(鐵筋) арматура(железобетон); ~골조 металический каркас; ~ 콘크리트 железобетон; армированный бетон;~앙카 анкер, анкерная связь; ~을 넣다 армировать.

철길 [-ккил] железная дорога; железнодорожный путь; ~을 놓다 проводить железную дорогу; ~건널목 железнодорожный переезд (переход).

철도(鐵道) железная дорога; железнодорожный путь; железнодорожная линия; ~를 부설하다 прокладывать железную дорогу; ~편으로 на поезде; поездом; по железной дороге; ~망 сеть железных дорог; ~선로 линия железной дороги; ~승무원 проводник; 광궤~ ширококолейная железная дорога; ~기중기 железнодорожный подъёмный кран; ~차량 подвижной состав.

-철염(撤廉) ~하다 отменить регентство(матери короля).

철로(鐵路) 1) железная дорога; ~바탕 железнодорожное полотно; ~횡단로 железнодорожный переезд; 2) рельсовый путь

철봉(鐵棒) перекладина; турник; ~을 하다 заниматься на турнике; см. 쇠몽둥이.

철수(撤收) [-ссу] вывод; отвод; ~ 자산 эк. отвлечённые средства; ~하다 а) убираться; б) отводиться; выводиться; отзываться; в) демонтироваться; 군대를 ~시키다 отводить(отзы-вать) войска.

철야(徹夜) бессонная ночь; ~하다 бодрствовать ночью; проводить ночь без сна; ~작업 ночная работа.

철없다 несмышленый, несообразительный; 철없이 굴다 ребячиться; 철없는 행동 ребячий поступок; ребячество.

철저(徹底) [-ччо] ~하다 1. а) последовательный; б) исчерпывающий, полный, доскональный; в) решительный, радикальный; 2. а) быть последовательным; б) быть исчерпывающим(полным, доскональным); в) быть решительным(радикальным); г) проникаться(чем-л.).

철조망(鐵條網) [-ччо-] проволочная сеть; проволочное заграждение; колючая проволока; ~에 걸리다 напарываться на колючую проволоку; запутываться в проволочном заграждении; ~을 치다 ставить проволочные заграждения.

철통(鐵桶) железная бочка(бадья); ~같은 неприступный; незыблемый; ~같은 방위진 неприступная линия обороны.

철폐(撤廢) отмена; упразднение; ~하다 отменять; упразднять; 차별 대우를 ~하다 отменять; упразднять дискриминацию; 악법 ~ упразднение драконовских законов.

철하다(綴-) I подшивать, переплетать(газеты *и т.п.*).

철하다(撤-) II уст. отменять, упразднять; снимать, убирать.

철학(哲學) философия; философское мировоззрение; ~적 философский; ~개론 введение в философию; ~사 история философии; ~자 философ; 자연 ~ натурфилософия.

첨가(添加) дополнение; прибавка; приложение; ~하다 дополнять; добавлять; прибавлять; ~량 добавляемое количество; ~물 добавление; приложение; приправа; ~어 агглютинативный язык.

첨부(添附) приложение; дополнение; ~하다 прилагать; добавлять; 서류를 ~하다 прилагать документы; ~서류 прилагаемые документы.

첩 I ~[을] 박다 заколачивать дверь.

첩(妾) II наложница; любовница.

첩(貼) III пакетик для лекарства

-첩(帖) альбом; 사진~ фотоальбом; 우표수집 ~ альбом для марок.

첩보(捷報) секретная информация; агентурные сведения; ~기관 орган [контр]разведки; ~망 агентурная сеть; ~하다 передавать секретные сведения.

첫 первый; ~걸음을 떼다 делать первый шаг; предпринять; ~걸음 первый шаг; 첫가물 начало засухи (засушливого времени года); 첫 무대 первое выступление на сцене; 첫 삽을 들다(뜨다) обр. приступить к строительным земляным) работам; 첫 상봉 первая встреча; 첫 술에 배 부를가? *погов.* ≡ успех не даётся сразу; 첫 차 первый поезд(трамвай *и т.п.*); 첫 출발 первый шаг(в чём-л.); 첫 출사를 하다 стать чиновником; 첫 페이지 первая страница; 첫 손가락을 꼽다 см. 첫손 [을꼽다]; 첫 해 권농 *погов.*≡первый блин комом;◇ 첫 딱지를 열다(떼다) начинать, делать первые шаги.

첫날 [чхон-] 1) первый день; 2) день бракосочетания; ~저녁 см. ~날밤.

첫눈 I [чхон-] 1) первый взгляд; ~에 들다 приглянуться; ~에 알아보다 узнавать с первого взгляда; ~에 반하다 влюбиться с первого взгляда.

첫눈 II [чхон-] первый снег.

첫딸 первенец(о дочери); ~은 세간 밑천이다 первая дочь матери помощница

첫마디 первые слова; ~에 이해하다

понимать с полуслова.

청 I 1) см. 목청 I; 청[을] 놓아 (놓고) во весь голос; 2) 8-й тон(в нац. музыке).

청 II 1) перепонка; 2) диафрагма; мембрана; ~[이] 떨어지다 лопаться (напр.о переспевшей дыне и т.п.)

청(靑) III сущ. синее.

청(請) IV 1) просьба;~하다 просить; упрашивать; выпрашивать; ходатайствовать; 원조를~하다 просить помощи; ~을 들어주다 удовлетворять пользу; 간절한~ убедительная просьба; мольба; 청[을] 넣다(들다) упрашивать; выпрашивать; ходатайствовать; 2) приглашение.

-청(廳) суф. кор. 1) место; 초례청 место свадьбы; 2) уст. ведомство.

청결(淸潔) 1) ~하다 1. чистый; ~ 하게 하다 чистить; очищать; 2. см. 청소[하다] I; 2) см. 청소 I.

청구(請求) требование; заявка; ~하다 требовать чего-л.; делать за-явку; ~권 право требовать(делать заявку); ~서 требование; заявка; счёт; ~인 требующий чего-л.; проситель; 손해 ~ требование компенсации убытков; 지불~ требование уплаты(платежа).

청년, 젊은이 юноша.

청년들 молодежь; ~기 молодость; ~운동 молодёжное движение; ~회 молодёжное общество; ~회관 дворец молодёжи; ~자제 уст. молодое поколение; ~학생 учащаяся молодёжь.

청렴하다 честный, бескорыстный.

청바지 джинсы.

청부(請負) подряд; контракт; ~하다 взять на подряд; ~맡다 подряжаться; ~공사 работа по контракту; ~살인 убийство по заказу; ~업 подрядные работы; ~업자 подрядчик.

청산(淸算) ликвидация;~하다 погасить, ликвидировать; 회사를 ~하다 ликвидировать торговое общество; 과거를 ~하고 새 생활을 시작하다 похоронить прошлое и начать(вступить) в новую жизнь; клиринг; ~제도 клиринговая система; ~협정 клиринговое соглашение.

청소(淸掃) уборка; ~하다 чистить; очищать; убирать; ~기 пылесос; ~부 уборщик; дворник; ~차 мусороуборочная машина; 대~ генеральная уборка; ~부선 горн. очистная флотация.

청소년(靑少年) (зелёная) молодёжь.

청원(請願) I ходотайствование;~하다 просить о помощи; обращаться за помощью; ~서 (письменное) прошение.

청원(請援) II ~하다 просить о помощи, обращаться за помощью.

청중(聽衆) аудитория; слушатели; ~에게 깊은인상을 주다 производить глубокое впечатление на аудито-рию.

청첩장(請牒狀) приглашение на торжество(письменное).

청취(聽取) слушание; ~하다 слушать, выслушивать, заслушивать; 라디오를 ~하다 слушать радио; ~율 조사 опрос радиослушателей для выяснения популярности радиопередач; ~자 слушатель

청하다 просить.

청혼 предложение; ~하다 делать предложение; просить руки.

체 I ~하다 делать(подавать) вид что...; притворяться что...; 읽은 체하다 делать вид, что прочитал; 본 체만 체하고 с равнодушным видом.

체(滯) II несварение(расстройство) желудка.

체(体) III 1) стиль; 체[를] 받다 копировать стиль, подражать стилю (кого-л.); 2) вид.

-체(体) суф. кор. 1) тело; 다면체 многогранник; 2) структура; 결정체 кристалл; 3) стиль; 말체 разговорный стиль.

체감(遞減) ~하다 постепенно уменьшать(понижать).

체격(體格) телосложение.

체결(締結) заключение(договора); ~하다 заключать(договор).

체계화(體系化) систематизация; ~하다 систематизировать.

체납(滯納) просрочка; ~하다 просрочить(задержаться) с уплатой; ~액 недоимка; просроченная сумма; ~자 недоимщик.

체념하다 обдумать.

체육(體育) физкультура; ~계 спортивные круги; ~관 спортивный зал; ~인 физкультурник;спортсмен

체육관(體育館) дворец спорта; спорт зал.

체육대회(體育大會) спортивное соревнование; состязание.

체중(体重) I вес(тела); живой вес.

체중 II ~하다 а) тяжёлый(о теле); б)уст. солидный(об общественном положении).

체험(體驗) испытание, личный опыт; ~하다 лично испытать; знать по собственному опыту; ~담 рассказ о личном опыте.

쳇바퀴 обруч сита.

쳐다보다 смотреть с уважением.

쳐다보이다 виднеться в высоте.

쳐들다(쳐드니, 쳐드오) поднимать; 고개를 ~ поднимать голову.

쳤습니다(물장난도) плескаться.

초 I свеча.

초(醋) II уксус; 초친놈 а) пропащий человек; б) распущенный человек

초(草) III черновик, набросок; проект; 초[를]잡다(내다) набросать черновик (письма и т.п.); см. 초서 I.

초(楚) IV король(синих в кор. шахматах).

초(初) V 1) после сущ. начало; 학년~ начало учебного года; 2) перед сущ. ранний; первый; 초가을 ранняя осень, начало осени; 3) первая декада(месяца); 초아흐레 9-е число месяца

초-(超) преф.кор. сверх...; супер...; ультра...; 초자연적 сверхъестественный; 초단파 ультракороткие волны.

-초(哨) I суф.кор. пост; 감시초 пост наблюдения.

-초(礁) II суф.кор. риф; 산호초 коралловый риф.

초과(超過) превышение; ~이윤 а) сверхприбыль; б) сверхплановая прибыль; ~실행 перевыполнение; ~ 잉여 가치 избыточная прибавочная стоимость; ~하다 превышать (что-л.).

초급(初級) I сущ. начальный, первичный; ~의 начальный; первичный; ~단체 первичная организация.

초급(峭急) II ~하다 резкий и горячий(о характере).

초대(招待) приглашение; ~하다 а) приглашать(кого-л. в гости); б) принимать (гостей); в) вызывать по приказу короля; ~권 пригласительный билет; ~장 пригласительное письмо; (письменное) приглашение.

초등(初等) I сущ. начальный, элементарный; ~교육 начальное обучение; ~대수학 элементарная алгебра; ~수학 арифметика; ~학원 детский дом для детей школьного возраста; специальное училище; ~의무교육 обязательное начальное обучение; ~의 начальный; элементарный; ~학교 начальная школа.

초등(超等) II ~하다 превосходить средний уровень.

초라하다 1) неказистый, серый; 2) неважный, незначительный.

초래(招來) ~하다 а) оказывать влияние на кого-что-л.; сказываться(на чём-л.); приводить(к чему-л.); повлечь за сабой что-л.; б) уст. звать, приглашать.

초벌(初-) см. 애벌; ~목 первый глоток вина; ~목을 축이다 промочить горло; ~의 первый; первич-ный; ~땜 временная припайка.

초보(初步) первый шаг; начало; ~적 начальный; элементарный.

초원(草原) степь; луг; геогр. степи; ~건초 луговое сено; ~기후 степ- ной климат.

초월(超越) ~입자 физ. гипероны; ~사격 воен. огонь через голову своих войск; ~하다 1.превосходить, превышать; 2. уст. прил. быть выше (кого-чего-л.); выдающийся.

초점(焦點) [-쪼옴] 1) физ., мат. фокус; центр; средоточие; ~거리 фокусное расстояние; ~심도 фото глубина резкости; 2) перен. средоточие.

초청(招請), 초대(招待) приглашение; ~으로 по приглашению; ~하다 приглашать; ~장 официальное приглашение; пригласительный билет.

초콜렛 шоколад.

초토화(焦土化) ~하다 выжечь всё вокруг; ~작전 боевые операции, в которых применяется тактика "выжженной земли"; ~ 전술 тактика "выжженной земли".

촉(觸) I 1) кончик; остриё; 2) выступ, шип.

촉 II ~늘어지다 опуститься, поникнуть.

-촉 суф. кор. наконечник; 철필촉 перо(канцелярское).

촉박(促迫) ~하다 прил. наступать; близкий (о сроке); 시간이 ~하다 пора, время(напр. идти).

촉진(促進) ускорение; форсирование; стимулирование; облегчение; ~하다 ускорять; стимулировать; содействовать развитию чего-л.; двигать вперёд

촉촉하다 сырой; влажный; чуть-чуть сыроватый(влажный)

촌(村) I деревня; 촌닭 관청에 잡아다 놓은 것 같다 погов. букв.≈ словно деревенский петух, попавший в столичное ведомство; 촌닭이 관청 닭 눈빼어 먹는다 посл. букв. ≈ деревенский петух столичному петуху глаз выклюет; 촌적 а) деревенский; б) грубый, простой.

촌(寸) II 1) уст. см. 치 III; 2) степень родства.

촌-(村) преф. кор. деревенский; 촌남자 деревенский житель.

-촌(村) суф. кор. деревня; 문화촌 благоустроенная(культурная)деревня.

촛대 подсвечник.

촛불 свеча.

총 I конский волос.

총(總) II обушник(кор. соломенной обуви).

총(銃) III винтовка, ружьё; перен. оружие; 총[을] уст. составлять ружья в козлы; 총[을] 놓다 стрелять из винтовки(ружья); 총[을] 잡다

взяться за оружие.

총-(總) преф. кор. всеобщий; генеральный; 총공격 генеральное наступление; 총선거 всеобщие выборы.

-총(銃) суф. кор. ружьё; 공기총 пневматическое(духовое) ружьё.

총결산(總決算) [-ссан] общий итог; ~하다 подводить(общий итог); суммировать.

총계(總計) итог; ~하다 1) подводить (общий итог); суммировать; 2) общий итог; см. 결과

총괄(總括) суммирование; обобщение; ~적 суммарный; ~적으로 вообще, в целом; ~하다 суммировать; обобщать.

총량(總量) [-នянъ] общее количество; общий вес, (вес) брутто; суммарная величина;~적으로 в целом.

총력(總力) [-нйок] все силы; вся сила; ~전 тотальная война.

총리(總理) [-ни] 1) ~하다 осуществлять(общее управление); 2) премьерминистр; канцлер; ~대신 уст. премьер-министр(напр. в Японии); 3) главный управляющий; генеральный директор; 4) лидер; см. 내각수상

총명(聰明) хорошая память; ~이 불여둔필이라 и человек с хорошей памятью не всё запомнит;~호학 уст. большие способности и увлечение наукой; ~에지 уст. вежл. мудрость(обычно короля); ~하다 а) умный; понятливый; б)хороший(о памяти).

총애(寵愛) благоволение; особая любовь; ~하다 благоволить(кому-л.); оказывать кому-л. покрови-тельство.

총지휘(總指揮) общее руководство (командование);~하다 осуществлять общее руководство(командование); ~권 полномочия(право) на общее руководство(командывание); общее руководство(командывание); ~자 осуществляющий общее руководство.

촬영(撮影) фотосъёмка; ~하다 фотографировать; снимать; производить съёмку; ~기 фотоаппарат; ~기사 кооператор; ~소 киностудия; ~장 съёмочная площадка; 야외~ натуральная съёмка; съёмка на открытом месте(природе); 야외~ место выездных съёмок.

쵸콜레트(*англ.* chocolate) шоколад.
쵸크(*англ.* chalk) см. 백묵
최-(最) перф. кор. самый;наи...; ~ 하등의 самый плохой; наихудший; ~적의 наиболее подходящий(пригодный; соответствующий); 최신식 новейший образец.

최고(最高) наивысший; максимум; верховный; ~의 самый высокий; самый максимальный; верховный; ~회의 верховный совет.

최근(最近) 1. *нареч.* ~에 в последнее время; в последние дни; не-давно; 2. ~의 (самый)последний; ближайший; ~역사 новейшая история; ~임무 ближайшая задача; ~삼 년간에 за последние три года; ~까지 до последнего времени.

최대(最大) максимум; ~의 наибольший; самый большой; максимальный; ~공약수 наибольший общий делитель;~공척도 *мат.* наибольшая общая мера; ~이격 *астр.* элонгация; ~속도 максимальная скорость; *мор.* максимально возможный ход; ~치 наибольшее значение; ~한 максимум; ~하다 максимальный, наибольший; крупнейший; наивысший.

최선(最善) ~의 наилучший; ~의 노력 всевозможные усилия; максимальное старание; ~을 다하다 делать всё, что возможно.

최소(最小) минимум; ~의 наименьший; малейший; минимальный; ~ 공분모 *мат.* наименьший общий знаменатель; ~공배수 *мат.* общее наименьшее кратное; ~한 минимум; ~하다 наименьший, минимальный.

최신(最新) *сущ.* новейший; ~의 самый новый; самый последний; новейшего типа.

최악(最惡) ~하다 а) *уст.* вреднейший, злейший; б) наихудший; ~의 худший; ~의 상황이다 это хуже всего; ~의 경우에 в худшем случае; ~의 상황을 대비하다 готовиться к худшему случаю.

최우수(最優秀) наилучший; превосходнейший; ~하다 самый превосходный; самый замечате- льный.

최저(最低) минимум; ~의 самый низкий; минимальный; ~강령 программа-минимум;~생활비 прожиточный минимум; ~온도계 *метеор.* минимальный термометр; ~속력 самый малый ход; ~임금 прожиточный минимум; минимальная заработная плата; ~한 минимум; ~하다 самый низкий, минимальный.

최종(最終) 1) *уст.* самый конец; 2) конец, ~의 самый последний; конечный; ~결정 окончательное решение; ~목적 конечная цель; ~일 последний день; ~적 последний, конечный, заключительный; ~속도 конечная скорость; ~질주 *спорт.* финишный бег.

최초(最初) самое начало; начало; ~자극 *эл.* начальный импульс; ~에 в самом начале, сначала; ~의 первый; первоначальный; нача- льный; 그가 ~로 그것을 발견하였다 он первый заметил это.

최후(最後) 1) самая задняя часть, самый конец; ~적 последний, крайний; окончательный, заключительный; ~의 피 한 방울까지 до последней капли крови; ~변론 *юр.* прения; ~통첩 ультиматум; ~임무 последующая задача; 2) последние минуты жизни, смерть; в конце; в последний раз; ~의 последний; крайний; ~로 под конец; на конец; в заключение; ~까지 до конца; до последнего; ~결과 конечный результат; ~수단 единстве-нное оставшееся средство; ~만찬 тайная вечерня; ~통첩 ультиматум.; 최후의 심판 날 Страшный судный день.

추(錘) I гиря для весов; 낚시 ~를 달다 подвешивать грузило; 1) см. 저울추; 2)груз, грузило; 3)грузовой отвес; 4) маятник(часов).

추(醜) II *уст.* низость, подлость.

추(錘) III *счётн. сл.* веретено; 백추 сто веретён.

-추 I *суф.* образует нареч. от предикативных прил.: 곧추 прямо; 늦추 поздно.

-추 II 낮추다 понижать.

추가(追加) дополнение;добавление; ~적 дополнительный; ~하다 дополнять; добавлять; ~계산 дополнительные бюджетные ассигнования; ~량 дополнительное количество; прирост; ~분 дополнительная доля; часть; ~예산 дополнительный бюджет.

추격(追擊) 1) преследование; 적을 ~

하다 гнаться за противником; ~기 истребитель-перехватчик; ~자 преследовать; ~전 бой при преследовании; ~비행 ав. перехват; догон; 2) см. 습진 II; ~을붙이다 уст. а) обучать тактике; б) натра-вливать друг на друга; ~하다 а) преследовать; б) см. 습진[하다] II.

추구하다 стремиться, гнаться преследовать(цель); проводить(политику).

추다 1) [при]поднимать; вытаскивать(сети); 몸을 추지 못하다 не быть в состоянии подняться; 원기를~поднимать дух(настроение); 2) превозносить до небес; 3) искать, рыться; 4) выбирать, выискивать; 5) сгребать(мусор); 추어주다 а) поднимать и взва ливать(напр. груз кому-л. на плечо); б)перехвалить; 추어올리다 а) поднимать; б) захваливать.

추도(追悼) оплакивание; ~하다 скорбеть(об умершем) оплакивать (кого-что-л.); 친구의 죽음을 ~하다 оплакивать смерть друга, ~문 некролог; ~식 панихида; ~식을 행하다 совершать панихиду; ~회 гражданская панихида.

추돌(追突) уст. ~하다 сталкиваться (с чем-л.) сзади; ударяться(о что-л.) сзади;преследовать и нападать с тыла

추락(墜落) падение; низверженпие; ~하다 а) падать(с высоты); б) терять (авторитет, доверие и т.п.); в) уст. падать(о нравах); 비행기를~시키다 сбивать самолёт; ~사 смерть в результате падения с высоты.

추리(推理) 1) вывод, заключение; 2) лог. умозаключение; ~하다 приходить к [умо]заключению; ~력 сила довода; ~소설 детективная повесть.

추모(追慕) ~하다 чтить память (кого-л.); вспоминать; тосковать (по комчём-л.,по кому-чему-л.); хранить память(об умершем); ~탑 обелиск, воздвиг-нутый в память умершего.

추상(抽象) 1) лог. абстракция; ~[적] абстрактный; отвлечённый; ~개념 абстрактное понятие; ~력 способность к абстрактному мышлению; ~[적]명사 отвлечённое имя существительное; ~미 абстрактная красота; ~성 абстрактность; отвлечённость; ~주의 абстракционизм; ~파 абстракционист; ~화 абстрагирование; ~화하다 абстрагировать; ~적노동 эк.абстрактный труд; 2) ~하다 отвлекаться, абстрагироваться.

추석(秋夕)(한가위,중추절) Чусок(день поминовения 15 августа по лунному календарю) нац. кор. праздник; ~빔 новая одежда, которую одевают во время корейского празд-ника урожая.

추악(醜惡) мерзость; ~하다 мерзкий; отвратительный; омерзительный;пакос-тный;безобразный; ~한 행동 безобразный поступок; ~성 мерзость; омерзение.

추억(追憶) воспоминание, память; ~하다 вспоминать; ~담 воспоминания; рассказ о прошлом.

추월(追越) обгон; опережение;~하다 обгонять; опережать; перегонять; ~금지 обгон запрещён.

추위 мороз; холод;~를 타다 не переносить (бояться) холода.

추정(推定) предположение; ~의 предположительный; ~하다 предполагать, полагать; ~증거 презумция невиновности.

추종(追從) послушное следование; безропотное подчинение; ~국가 (стра-на-)сателлит; ~하다 послушно следовать(за кем-л.); безропотно подчиняться(кому-л.); ~자 сателлит; подголосок.

추진(推進) продвижение; ~하다 продвигать; толкать вперёд; двигать; форсировать; ~기 пропеллер; воздушный винт; ~력 движущая сила; ~축 приводной вал; ~장치 горн. механизм подачи.

추징(追徵) дополнительный сбор; ~하다 а) взимать впоследствии (недостающую сумму); б) дополнительно собирать(налоги *и т. п.*); ~금 дополнительный сбор.

추징금(追徵金) пеня; дополнительный сбор.

추천(推薦) рекомендация; выдвижение; ~하다 давать рекомендацию (кому-л.); предлагать; выдвигать; ~서 рекомендательная литература(книга); ~자 рекомендующий; ~장 рекомендательное письмо.

추첨(抽籤) жеребьёвка; лотерея; ~하다 тянуть(жребий); лотерейный билет; ~권 лотерейный билет; ~제 система жеребьёвки; жеребьёвка

추출(抽出) извлечение, хим. экстракция; ~하다 извлекать; вытягивать; хим. экстрагировать; ~기 экстрактор; ~물 вытяжка; экстракт; ~제 извлекатель.

추키다 1) [при]поднимать; 2) резко повышать(цены *и т. п.*); 3) вытаскивать(выкачивать) наверх; поднимать к верху;подтягивать(напр. брюки); 4) см. 부추기다; ‖ 추켜들다 поднимать к верху; подтягивать; 추켜세우다 а) втянуть наверх; б) поднимать, улучшать; в) неумеренно хвалить, захваливать; 추켜올리다 а) см. 추켜들다; б) см. 추켜세우다.

추후(追後) 1) ~마련 уст. последующие приготовления; ~하다[по]следовать(за чем-л.); ~하여 потом, затем, впоследствии; 2) ~[에,로] впоследствии, позже; потом; ~통지가 있을 때까지 впредь до получения дальнейших инструкций.

축(築) I фундамент.

축(軸) II 1) см. 굴대; 2) палочка для навёртывания свитка; 3) ось; вал; центральный стержень.

축(縮) III 축이 가다 а) съёжиться; б) осунуться; 축[이]나다 не хватать; не доставать; 축[이]지다 а) потерять авторитет; б) выдыхаться; ослабевать; в) худеть; 축[을]삽히다 выискивать слабое место (недостатки).

축(軸) IV счётн. сл. 1) 20 календарей; 2) пачка письменных ответов в 10 листов(на экзамене на государственную должность); 3) рулон, свиток; 4) 200 листов корейской бумаги

축 늘어지다 опускаются руки.

축구(蹴球) футбол; ~선수 футболист; ~경기 соревнования по футболу.

축도(縮圖) 1) ~하다 воспроизводить в мелком масштабе; делать(уменьшенную копию); 2) уменьшенная копия; карманное издание (карты, плана).

축산(畜産) животноводство; ~기술자 животновод; ~물 продукты животноводства; ~업 животноводство; скотоводство; ~업자 скотовод; скотопромышленник; ~학 зоотехника; ~기사 зоотехник; ~지구 животноводческий район.

축소(縮小) уменьшение; сокращение; ~하다 уменьшать; сокращать; 군비~ сокращение вооружений; ~강조법 лингв. литота, литотес.

축전(祝電) поздравительная телеграмма;~을 치다 поздравлять(кого-л.) по телефону; давать поздравительную телеграмму; ~기 конденсатор; ~지 аккумуляторная батарея.

축전지(蓄電池) аккумуляторная батарея, аккумулятор; ~전차 см. 축전기차

축제(祝祭) фестиваль;~일 праздник

축조물(築造物) сооружение, постройка, здание.

축축하다 влажный; сырой.

축출(逐出) изгнание: ~경외 уст. изгнание, высылка; ~하다 изгонять.

축하(祝賀) 1) поздравление; приветствие; 2) ~하다 поздравлять(кого-л.) с(чем-л.);приветствовать(кого-что-л.); ~단 группа приветствующих; ~문 приветствие(письменное); адрес; ~식 церемония приветствия(поздравления); ~연 банкет в честь(кого-л.); ~엽서 поздравительная открытка; ~주 вино, которым поздравляют; ~회 чествование.

춘궁(春窮) затруднения с продовольствиями в весенний период(в деревне); ~기 весенний период, связанный с продовольственными затруднениями.

춘분(春分) «весеннее равноденствие» (один из 24 сезонов с.-х. го-да, с 21-22 марта); день весеннего равноденствия.

춘추(春秋) 1) весна и осень; 2) вежл. Ваш (его) возраст, Ваш (его) годы; 3) год; 4) «Весна и Осень» (летопись княжества Лу, 5-ая книга конф. Пятикнижья); ~복 демисезонная одежда; ~대의 конфу-цианские моральные принципы; ~필법 дух конфуцианских канонов; ~정성 арх. молодость императора(короля)

춘추관(春秋館) феод. ведомство, составлявшее исторические труды.

춘하추동(春夏秋冬) четыре времени года.

출가(出嫁) I выход замуж; замужество; ~하다 выходить замуж; ~외인 замужняя дочь;отрезанный ломоть.

출가(出家) II ~하다 а) уйти из дому; порвать с семьёй; б) уходить в монастырь, постригаться в монахи; ~수행 уст. покинуть дом(семью) и заняться изучением (чего-л.).

출결(出缺) 1) выход и невыход (на службу); см. 출결근; 2)см.출결석.

출고(出庫)~하다 выдавать со склада

출고량(出庫量) количество выданного со склада

출구(出口) 1) выход; 비상~ пожарный(запасный) выход; ~변압기 эл. выходной трансформатор; 2) см. 출로; 3): ~하다 экспортировать морем; 3) см. 출구 <-> 입구(入口) выход <-> вход.

출근(出勤) выход(явка) на работу(на службу); ~하다 являться(вы- ходить) на службу(на работу); ~시간 служебные (присутственные) часы.

출납(出納) [-랍] 1) приходы(поступления) и расходы; 2) уст. получение и выдача; ~하다 получать и выдавать; 3) см. 출납원.

출동(出動)[-똥] 1) выступление(в поход); 2) отправка(на фронт); мобилизация; введение в бой; ~하다 а) выступать(в поход); отправлять [ся](на фронт); б) мобили-зовать.

출력(出力) ~하다 1) вкладывать средства(труд); 2) выходная мощность; эл. мощность.

출발(出發) старт; отправление; отъезд; начало; отход; ~의 исходный; стартовый; ~하다 отправляться; выезжать; выходить; исходить(из чего-л.); ~신호 выходной (стартовый) сигнал; ~재료 исходный материал; ~질주 спорт. стартовый разгон.

출산(出産) [-ссан] уст. ~하다 роды; родить(ребёнка); ~률 рождаемость.

출생(出生)[-ссэнъ] рождение; роды; ~하다 родиться.

출석(出席)[-ссок] присутствие;явка; посещение;~하다 быть; присутствовать; являться; посещать; 회의에 ~하다 являться на заседание; ~을 부르다 делать перекличку.

출세(出世) [-ссе] карьера; успех в жизни; ~하다 а) делать карьеру; преуспевать; б) арх. появиться на свет, родиться; в) будд. уходить от мира; г) возвращаться в мир для спасения всего сущего(о буд-де, бодисатве).

출신(出身) [-ссин] 1) социальное происхождение; ~성분 социальная принадлежность; социальное положение; 그는 프롤레타리아~이다 он выходец из пролетариата; 2) уроженец; 그는 서울~이다 он родом из Сеула; 3) образование; профессия; опыт работы; ~교 школа, которую окончил; 그는 대학 ~이다 он из числа окончивших университет; 4) ~하다 а) уст. см. 출세 [하다] I а); б) занимать первую государственную должность; в) сдавать экзамены на государственную должность по военному разряду; 5) сущ. сдавший экзамен на государственную должность по военному разряду.

출아(出芽) 1) ~하다 давать ростки (почки); пробиваться(о ростках, почках); 2) росток, почка; 3) почкование. 출애굽기 исход.

출원(出願) подача заявления(прошения); ~하다 обращаться с просьбой; 특허 ~중 патент заявлен; ~기간 срок для подачи заявления; ~인 проситель.

출입(出入) 1) хождение, [пере]движение; 2) прогулка; 3) вход и выход; 4) посещение; ~하다 а) входить и выходить; б) прогуливаться; пройтись; в) посещать; ~금지 вход запрещён; ~금지하다 запрещать вход и выход; ~구 вход; выход; ~국법 правила выезда (въезда) из страны; ~문 входная дверь; ~자 посетитель; ~증 пропуск; контрольный листок.

출자(出資) [-чча] капиталовложение; финансирование; ~하다 вкладывать (капитал); инвестировать; финансировать; ~금 вложенный капитал; ассигнованные средства; ~액 сумма вложенного капитала(ассигнований); ~자 инвестор; владелец вкладываемого капитала.

출장(出張) [-ччанъ] командировка; ~가다 ехать в командировку; быть в командировке; ~보내다 командировать; ~비 командировочные расходы; ~소 отделение(фирмы); агенства;~지 место командировки; ~하다 быть (находиться) в командировке.

출장비(出張費) [-ччанъ-] командировочные расходы.

출제(出題) [-чче] выдвижение темы; ~하다 выдвигать тему; ставить вопросы.

출판(出板) издание; выпуск; ~하다 издавать; выпускать; ~의 자유 свобода печати; ~부수 тираж; ~계 издательские круги; ~권 авторское право; право издавать; ~물 печать; ~법 закон о печати(издательской

деятельности); ~사 издательство; ~소 издательство; ~업 издательское дело; ~자 издатель; ~기관 органы печати. 출판사(出板社) издательство.
출품(出品) 1) выставка; ~하다 выставлять; экспонировать; 2) ~작 экспонат.
출하(出荷) отправка груза; ~하다 отправлять груз;~안내 авизо.
출현(出現) появление; проявление; ~하다 появляться; проявляться; являться; ~목표 воен. появляющаяся мишень.
출혈(出血) кровотечение; кровоизлияние; ~하다 кровоточить; кровь течёт; ~을 멈추게 하다 останавливать крово-течение; ~량 потеря крови; ~성 геморрагический; ~성 소인 геморрагический диатез; ~성 폐혈증 пастереллёз.
춤 I танец; пляска; 춤[을]추다 а) танцевать; плясать; б) прыгать; скакать; в) прыгать от радости; г) плясать под чужую дудку; ~판이 벌어졌다 начались танцы; ~꾼 танцор; плясун; танцовщик; ~판 танцы; 춤 운동 спорт. танцевальное движение; 춤이나다 приплясывать. 춤 II горсть.
춥다(추우니, 추워) холодный; 몸이 춥다 зябнуть; мёрзнуть; 춥기는 사명당 사처방 очень холодный.
춥습니다 танцевать холодно.
충격(衝激) 1) столкновение; удар; отдача(у ружья); 2) толчок, импульс; ~[적] импульсивный; импульсный; ~하다 а) сталкиваться; ударять; отдавать(о ружье); б) толкать, служить импульсом; ~을 받다 пережить удар; быть потрясён-ным; 그의 죽음은 모두에게 ~을 주었다 его смерть потрясла всех; ~적인 사건 потрясающее событие; ~성 импульсивность.
충고(忠告) совет; ~하다 советовать; ~자 советчик.
충돌(衝突) 1) столкновение; конфликт; ~전리(이온화) эл. ударная ионизация; 2) уст. нападение, удар; ~하다 а) сталкиваться, ударяться; б) уст. нападать, наносить удар.
충동(衝動) 1) ~하다 а) взволновать; б) побуждать; заставлять; 2) импульс; побуждение; толчок; ~적이다 побудительный; ~을 받다 быть потрясённым (растроенным); 일시적인 ~에 못이겨 под влиянием мимолётного импульса; ~을 자아내다 захватывать сердца людей.
충렬(忠烈) [-нйол] верный(преданный) человек; ~하다 а) беззаветно преданный; б) верный (преданный) человек; ~묘 храм, воздвигнутый в память о верноподанном; ~문 арка, воздвигнутая в память о верноподанном.
충만(充滿) ~하다 1. быть наполненным(чем-л.); 2. прил. а) наполненный; б) преисполненный (чем-л.); ~계수 стр. коэффициент наполнения; ~성 наполненность.
충성(忠誠) 1) преданность; верность; 2) конф. преданность монарху; ~스럽다 а) верный; преданный; б) преданный монарху; ~을 다하다 быть преданным(верным) до конца; ~심 верность; ~하다 а) быть верным (преданным); б) быть преданным монарху.
충수,충양돌기(맹장) аппендикс.
충신(忠臣) I верный слуга; преданность;<->간신(姦臣) хороший слуга <-> плохой слуга.
충신(忠信) II уст. преданность и

доверчивость.

충실(充實) ~하다 а) полный; укомплектованный; 내용이~ содержательный; б) здоровый, крепкий(о ребёнке); ~하다 содержательный

충전(充電) I зарядка(аккумулятора и т. п.); ~하다 заряжаться(об аккумуляторе и т.п.); ~전류 зарядный ток.

충전(充塡) II горн. закладка; ~하다 производить(закладку); ~거리 шаг закладки; ~공 закладчик; ~관 закладочная труба; ~광상 закладочное месторождение; ~기 закладочная машина; ~물 закладочный материал; ~제 наполнитель; ~연층 갱도 закладочный штрек.

충족(充足) полное удовлетворение; ~하다 достаточный; ~시키다 удовлетворять полностью; наполнять(набивать) до отказа; 요구를 ~시키다 отвечать требованиям; ~이유 법칙 лог. правило достаточного основания.

충청남도(忠清南道) Южная Чхунчхондо пров.

충청북도(忠清北道) Северная Чхунчхондо.

충치(蟲齒) гнилой зуб; кариес.

췌장(膵臟) поджелудочная железа; ~염 панкреатит; воспаление поджелудочной железы.

취객(醉客) пьяный.

취급(取扱) обращение(обхождение)(с кем-чем-л.); ~하다 обращаться(обходиться) (с кем-чем-л.); 기계를 ~하다 управлять механизмом; 전보를 ~하다 принимать телеграмму; 문제를 ~하다 рассматривать(трактовать) вопрос; ~주의 Осторожно! ~자 заведующий.

취득(取得) приобретение; получение; ~하다 приобретать; получать; ~물 приобретение; приобретённая вещь; ~세 налог на приобретённую вещь; ~시효 приобретательная давность.

취미(趣味) хобби, вкус, склонность, интерес; 책 읽기에 ~를 붙이다 проявлять интерес(склонность) к чтению; ...에 ~를 가지다 иметь вкус (склонность)(к чему-л.); 이것은 나의 ~에 맞지 않는다 это не по моему вкусу; 그는 연극에 ~가 없다 он не увлечён театром; 사람들은 ~가 제각각이다 у каждого свой вкус.

취사(取捨) I ~하다 выбирать; отбирать; ~선택 выбор; отбор; ~선택하다 выбирать; отбирать.

취사(炊事) II приготовление(варка) пищи; стряпня;~하다 приготавливать пищу; стряпать; ~당번 дежурный (дневальный)по кухне; ~도구 кухонная посуда; ~병 повар; ~실 кухня; ~원 повар; ~장 кухня; место приготовления пищи; ~차 походная кухня на автомашине; автокухня.

취소(取消) отмена; аннулирование; ~하다 отменять; аннулировать; ликвидировать; снимать; 결정을 ~하다 аннулировать постановление; 약속을 ~하다 взять слово обратно (назад); 자신의 제의를 ~하다 снять своё предложение; ~권 право на аннулирование(отмены).

취약(脆弱) ~하다 слабый;хрупкий; непрочный;рыхлый;~성 слабость

취업(就業) начало работы(занятий); ~하다 приступать к работе; браться за работу; ~난 трудность получения (нахождения) работы; ~시간 рабочее время;~자 человек, приступивший к работе(вышедший на работу).

취임(就任) вступление в должность; ~하다 вступать в должность; ~사 речь при вступлении в должность; ~식 церемония вступления в должность

취재(取材) сбор материала(информации); подготовка репортажа; ~하다 собирать(отбирать) материал (информацию; данные); освещать в прессе;~길에 오르다 отправиться чтобы подготовить(провести) репортаж; ~기자 репортёр;~반 пресс-группа;~차 репортёрская машина; ~활동 журналистская деятельность; освещённость в печати.

취직(就職) устройство на работу; ~시험 тест при поступлении на службу(работу); ~하다 поступать на работу; ~하다 поступать на работу (службу); получать место; ~난 трудность получения (нахождения) работы.

취침(就寢) отбой; ~하다 ложиться спать.

취하다 I пьянеть; опьянеть; помутиться; 한잔에~ пьянеть от одной рюмки; 취한 пьяный человек.

취하다 II брать; 대책을~ применять; предпринимать; 분명한 태도를 ~ занять определённую позицию.

츄브(<англ. tube) 1) камера(в шине); 2) туба, тюбик.

츠 чхы(назв. кор. буквы ㅊ).

측(側) сторона; 우리 ~에서 볼 때 с нашей стороны; 국민측에 있다 быть на стороне народа.

-측(側) суф. кор. сторона.

측근(側近) 1) близость; 2) ~하다 1. быть приближённым; 2. а) ближайший; б) приближённый.

측량(測量) [чхынънян] 1) измерение; съёмка; ~기사 см. 측량사; ~권측 геод. мерная лента; 2) обдумывание, взвешивание; ~하다 а) измерять; производить измерения(съёмку); б) обдумывать, взвешивать; ~[이] 없다 неизмеримый, бесконечный; ~기 геодезический измерительный прибор;~대 веха; ~사 землемер; ~술 геодезия; ~표 геодезические знаки

측면(側面) [чхынь-] сторона; бок; фланг; стр. торцовая поверхность; мат. боковая грань; боковое ребро; ~공격 а)спорт. боковое нападение; б) воен. атака во фланг;фланговое наступление; ~굴착 горн. боковая проходка;~도 вид сбоку;~적 площадь боковой поверхности

측은(測隱) сострадание; сочувствие; ~하다 сочувствующий; сострадательный; ~지심 сострадание; сочувствие.

측정(測定) 1) измерение; съёмка; ~단위 единица измерения; 2) определение; прикидывание; ~하다 а) измерять; делать съёмку; б) определять; устанавливать; прикидывать; ~기 прибор для определения пройденного расстояния; спидометр; ~단위 единица измерения; ~치 число, полученное при измерении (вычислении).

측후소(測候所) метеорологическая станция.

층(層) 1. 1) пласт, слой; прослойка; 2) этаж; 3) разные разряды; сорта; различия; разница; 층[이]나다(지나다) а) быть неровным(слоистым); б) различаться; 4) см. 계층; 5) см. 층계 2. счётн. сл. пласт, слой; ~을 이루다 залегать пластами; ~수 число(количество) слоёв(этажей); 지식 интеллигентные слои.

-층(-層) суф. кор. пласт, слой; прослойка; 석탄층 каменноугольный пласт; 지배층 правящие круги.

층계(層階) лестница.

층층(層層) слои; пласты; этажи; ярусы; несколько слоёв(пластов, этажей); ~이 слоями; в несколько слоёв(этажей); пластами; в несколько пластов;~석대 камни, уложенные в несколько ярусов; ~시하에 при жизни родителей и деда с бабкой; ~하다 многослойный;многоярусный; многоэтажный

치 I обувь(в речи придворных)

치(値) II мат. значение; 평균~ среднее.

치(徵) III 4-я ступень гаммы(в вост. музыке).

치(齒) IV зубы; ~가 떨리다 дрожать(от гнева и т.п.); 치를 떨다 дрожать(от жадности,гнева и т.п.)

치- преф. вверх; 치올리다 поднимать.

-치(-値) суф. кор мат. значение; 평균치 мат. среднее.

-치 I суф., после имён 1) пасмурная погода; 2) пойманная рыба; 보름치 а) пасмурная погода 15-го числа; б) рыба, пойманная 15-го числа.

-치 II суф.,присоединяется к корню, усиливает знач. л.: 밀치다 сильно толкнуть(пихнуть)

-치 III суф. 1) уроженец; 서울치 сеулец; 시골치 провинциал; 2) вещь; 서양치 вещь европейского происхождения; 3) доля, порция.

치과(齒科) [-ква] мед. одонтология; ~의, ~의사 зубной врач; стаматолог.

치국(治國) уст. ~평천하 управление страной и поддержание мира; ~하다 управлять государством(страной).

치근(齒根) корень зуба; 1) см. 이뿌리; 2) уст. зуб[ы]; ~골막 надкостница зуба; ~막염 воспаление корневой плевры зуба.

치다 I 1) опускать(штору т. п.); 2) закидывать(сети); 3) ставить, раздвигать(ширму); 4) натягивать(сетку от комаров); 5) возводить (стену); 6) оборудовать(позиции); 7) вешать, натягивать(верёвку поперёк чего-л.); 8) плести(паутину); 9) наматывать, обматывать; 붕대를 ~ забинтовывать

치다 II 1) хлестать(о дожде); валить (о снеге); сильно дуть(о ветре); мести(о метели); выпадать(о сильном инее); 파도가 ~ волноваться(о море); 2) бить, ударять; 부시를~высекать искру из кремня; 타자기를~ печатать на пишущей машинке; 전보를 ~ посылать телеграмму; 3) подбивать, подшибать (напр. птицу); 4) стучать; 손뼉을 ~ хлопать в ладоши; 5) нападать, атаковывать; 6) обличать, разоблачать; 7): 집을 ~ приходить в гости без приглашения; 8) [про]бить (о часах); 9) играть(в мяч, карты, кости, на ударном муз. инструменте); 10) забивать(гвоздь и т. п.); 11) ставить(точку, печать, подпись); 12) чертить, проводить(линию); 묵화를 ~ рисовать картину тушью; 13) мешать(игральные кости), тасовать (карты); 14) бить(карту); 15) махать, размахивать; 꼬리를 ~ вилять хвостом; 16) просеивать(муку и т. п.); 17) срезать; подрезать; отрезать; 18) снимать (кожу); очищать(каштан); 19) этн. предотвращать, изгонять(болезнь); 20) выковывать(оружие, инструменты); 21) готовить(кор. паровой хлебец); 22) вить, сучить (верёвку и т. п.); 23) плести, вязать; 24) шинковать(овощи); 25) посыпать (песком и т. п.); поливать(водой); 26) подмешивать; приправлять(кушанье); 27) наливать(вино в рюмку); 28) бросать(палочки в игре ют, игральные кости); 29) примерно (приблизительно) подсчитывать, прикидывать; 30) принимать в расчёт; 31) с именами действия образует сочет. которые означают: произвести действие в соотв. со знач. имени: 건달~гонять лодыря; 도망을~ бежать, спасаться бегством; 장난을~ шалить; 32) издавать звук; 큰소리를 ~ громко крикнуть; 33) после деепр. гл. (оконч. 아,어,여) усиливает знач. гл.: 돌아 ~ резко повернуться; 34) после форм предикативов с оконч. 다고, 라고, 다손 или сущ. в твор. п. считать(что-чем-л.); 35):치고после имён что касается; 우리한국사람 치고 ~ что касается нас, корейцев, то...; 휘갑을 ~ а) завершать, при- ходить к завершению; б)обшивать, окаймлять; 치고 보니 외삼촌이라 за что ни возьмётся, ничего не вы- ходит; 치러 갔다가 맞기도 예사 пойдёшь попросить(что-л.), а тебя (самого) попросят.

치료(治療) [의료] лечение; терапия; ~관장 лечебная клизма; ~식사 диета; ~원조 медицинская помощь; ~하다 лечить;~법 метод лечения; ~비 расходы на лечение; ~제 лечебные средства

치르다(치르니, 치러) 1) платить; рас- плачиваться; 2) переносить, пре- терпевать; 시험을~ сдать экзамен; 3) совершать, выполнять; проводить; устраивать; 4) принимать пищу; есть; 점심을 ~ обедать.

치리권(治理權) [-кквон] уст. право управлять; власть(над кем-л.).

치마 1) (корейская) юбка; ~자락 подол юбки;~가 열두 폭인가 погов. ≅ не суй нос не в своё дело; 2) уст. полы парадного (форменного) халата чиновника; 3) нижняя половина двухцветного бумажного змея.

치명(致命) 1) ~적 смертельный; ~적 손실 невосполнимые потери; ~적 타격 смертельный(роковой) удар; ~상 плотность; 2) арх. самопожерт- вование;~하다 а) уст. быть на грани смерти; б) арх. пожертвовать собой, отдать жизнь(за родину, короля).

치밀(緻密) ~하다 а) плотный; б) тщательный, детальный; ~한머리 утончённый ум; ~도 плотность; ~성 плотность.

치밀다 1)поднимать[ся]; вздыматься; 2) нахлынуть(о чувствах); 격분이~ возмутиться; 3) подступать к горлу(о непереваренной пище при несва- рении желудка).

치밀하다 плотный; тщательный, детальный скурпулезный.

치사(恥事) ~스럽다 казаться[по] стыдным(позорным); ~하다 [по] стыдный; позорный; ~하게 стыдно; позорно

치산(治産) уст. ~하다 хорошо рас- поряжаться имуществом; 금~ неп- равоспособность распоряжаться иму- ществом; 금~자 лишённый права распоря-жаться своим иму-ществом.

치세(治世) уст. 1) мирные времена; 2) царствование; правление; 3) ~하다 мудро править; ...의~에 царство- вание(кого-л. при ком-л.).

치아(齒牙) зубы(человека); ~동통 мед. дентиналгия; ~발생 прорезы- вание зубов.

치안(治安) 1) общественное спокой- ствие; общественная безопасность; 2) уст. водворение спокойствия; ~하다 а) поддерживать(общественное спокойствие); б) уст. водворять (спокойствие); ~을 유지하다 подерживать(сохранять) общественное спокойствие; ~을 방해하다 нарушать общественное спокойствие; ~대 обряд по охране общественного спокойствия(порядка).

치약(齒藥) зубная паста; зубной порошок.

치어죽다 умереть, будучи задавленным(чем-л.).

치열하다 жёсткий, жестокий.

치외법권(治外法權) экстерриториальность.

치욕(恥辱) стыд и позор; бесчестье; ~적 позорный; постыдный; ~스럽다 казаться позорным(постыдным); ~을 안기다 опозорить.

치우다 1) убирать, приводить в порядок, прибирать; 2) доедать, съедать до конца; 3) бросать(оставлять) на середине(дело); 4)прост. выдавать замуж; 5) после деепр. смыслового гл.(оконч. 아, 어, 여) указ. на завершённость обозначенного им действия: 먹어 ~ съесть; 보아 ~ прочитать.

치유(治癒) излечение; ~하다 излечиваться; выздороветь; исцелиться;~할 수 있는 излечимый.

치읓 чхиыт(назв.кор буквы ㅊ)

치이다 стоить; 한 개에 얼마씩 치이는 셈인가요? Сколько стоит каждая штука?

치장(治粧) I прихорашивание; ~하다 нарядиться; разодеться; красиво обставить(комнату);~거리 предмет украшения; украшение; ~술 искусство наряжаться(украшать).

치즈(англ. cheese) сыр.

치통(齒痛) см. 이앓이; зубная боль; 그는 ~을 앓고 있다 у него болят зубы.

친-(親-) преф. кор. 1) дружеский, дружественный; 2) личный; 3) родной; 친누이 родная сестра.

친교(親交) дружественные(дружеские) отношения, дружба, ~를 맺다 завязывать дружбу; ~가 있다 быть в дружбе(с кем-л.); ~를 끊다 порвать дружес-твенные(дружеские) отношения (с кем-л.)

친구(親舊) см. 벗; 1) друг; подруга; товарищ; ~가 되다 подружиться(с кем-л.); ~따라 강남간다 с другом хоть на край света; 어려울 때 ~가 진정한 ~다 друг познаётся в беде (нужде); ~간 дружеские отноше- ния; 2) друг(обращение); 3) арх. см. 친고 II.

친근(親近) ~하다 близкий; ближайший; интимный; ~한 사이 близкие отношения; ~감 чувство близости.

친목(親睦) дружба; ~하다 дружественный; дружеский; ~회 дружеская встреча; союз друзей.

친밀(親密) ~하다 близкий; дружественный; тесный; ~감 чувство большой дружбы; тесная дружба; ~성 дружественность; дружба.

친선(親善) дружба, дружеские отношения; ~적 дружественный; ~조약을 맺다 заключить (с кем-л.) дружбу; ~하다 1. дружественный; 2. дружить; см. 우정(友情).

친절(親切) любезность;сердечность; милость; ~하다 сердечный; любезный; радушный; ~을 베풀다 сделать милость кому-л.; ~스럽다 прил. казаться сердечным(любезным, радушным).

친하다 1. близкий, дружественный. 2. дружить.

친화(親和) 1) дружба; близость; ~하다 дружить; ~력 сила дружбы; 2)

хим. средство.

칠(漆) I 1) см. 옻칠 I; 2) крашение; 3) краска; покрытие(лаком); ~하다 красить; мазать; намазывать; лакировать; 물감으로 벽을칠하다 красить стены краской; ~쟁이 лакировщик; 구두약~ нанесение крема на обувь.

칠(七) II семь; 칠 홉 송장 бран. дурак дураком.

-칠(漆) суф. кор. краска.

칠 백(百) семьсот.

칠 천(阡) семь тысяч.

칠판(漆板) классная доска; ~지우개 тряпка для стирания с классной доски.

칠하다(漆-) 1) красить; 2) мазать, намазывать.

칠했습니다 покрасил.

칡 [чхик] (갈근) бот. пуэрария(Pueraria hirsuta); ~덩굴 плеть пуэра- рии; ~뿌리 корень пуэрарии.

침, 군침 I слюна, слюни; ~을 뱉다 плевать[ся]; плевать(на кого-что-л.); 입에서 군침이 돈다 слюни текут изо рта; 군침을 삼키다 глотать слюну (слюни).

침(鍼) II игла(для иглотерапии); ~을 맞다 получить укол; ~을 놓다 делать иглоукалывание; 환자에게 ~을 놓다 делать больному укол; ~술 лечение иглотерапией; иглотерапия.

침(針) III колючка; шип; игла(у растения); 주사~ шприц; 지남~ стрелка компаса.

침(沈) IV засолка; ~을 담그다 вымачивать (хурму) в солёной воде(для уничтожения терпкости).

-침(針) I суф. кор. игла, стрелка; 주사침 шприц; 지남침 стрелка компаса.

-침(枕) II суф. кор. подушка; 공기침 надувная подушка.

침공(侵攻) вторжение; агрессия; нападение; ~하다 вторгаться; нападать (на кого-что-л.); 강도가 통행인을 습격(침공)하다 разбойник напал на прохожего; ~자 агрессор.

침구(鍼灸) иглоукалывание и прижигание; ~요법 лечение игоукалыванием и прижиганием; ~술 иглотерапия и лечение прижиганием.

침략(侵略) [-냑] агрессия, захват; ~[적] агрессивный, захватнический; ~하다 нападать; захватывать; ~전쟁 захватническая война; ~군 захватническая армия; ~주의 политика агрессии; агрессивность; ~자 агресор; за-хватчик.

침범(侵犯) 1) нарушение(границы); вторжение; 2) посягательство; ~하다 а) нарушать(границу и т. п.); вторгаться; 권리를 ~하다 в) посягать(на права и т.п.); 국경을 ~하다 нарушать границы; 이웃나라를 ~하다 вторгаться в соседнюю страну.

침수(沈愁) заполнение; ~하다 заполняться; 매년 봄마다 이 강둑은 ~된다 каждую весну эта река заполняет берега.

침술(鍼術) лечение иглоукалыванием, иглотерапия.

침울(沈鬱) уныние; подавленность; грусть; ~하다 а) угрюмый; мрач-ный; б) пасмурный(о погоде); ~한 기분 подавленное настроение; 얼굴이 ~해졌다 лицо омрачилось.

침입(侵入) I нападение, вторжение, проникновение; ~하다 проникать; вторгаться; захватывать; оккупировать; ~자 оккупант; захватчик.

침입(浸入) II ~하다 постепенно проникать, просачиваться.

침착(沈着) хладнокровие; самообладание, невозмутимость; ~하다 1) хладнокровный; невозмутимый; спокойный; 2) быть спокойным, успокоиться; ~성 невозмутимость; сдержанность.

침체(沈滯) застой; ~하다 1) а) находиться в состоянии застоя; б) уст. не продвигаться по службе; 2) застойный; ~기 период застоя.

침체기(沈滯期) период застоя.

침체성(沈滯性) [-ссонъ] застойный характер (какого-л. явления); застой.

침취(沈醉) уст. ~하다 сильно опьянеть.

침탈(侵奪) уст. ~하다 насильственно захватывать; отнимать силой.

침통(鍼筒) I коробочка для игл (используемых в иглотерапии)

침통(沈痛) II уныние; ~하다 печальный; унылый; трогательный; ~한 기분 унылое настроение.

침투(浸透) просачивание; проникание; ~하다 просачиваться(о жидкости); проникать(об идеях и т. п.); ~시키다 внедрять; прививать; 물이 지하실로 ~했다 вода просочилась в подвал; ~성 проникающая способность.

침파(沈派) I ~하다 терпеть кораблекрушение.

침파(鍼破) II ~하다 кор. мед. прокалывать(нарыв) иглой для иглоукалывания.

침파산(沈派船) корабль, потерпевший кораблекрушение.

침판(<針盤) сокр. от 나침반.

침펜치(англ. chimpanizee)шимпанзе.

침핍(侵逼) уст. ~하다 захватывать и угнетать.

침하(沈下) ~하다 а) погружаться; б) опускаться, оседать; давать осадку.

침하다 см. 염침[하다].

침하량(沈下量) стр. степень осадки.

침학(侵虐) уст. ~하다 вторгаться и творить насилие.

침해(侵害) посягательство; нарушение; ~하다 посягать(на что-л.); нарушать.

침향(枕向) бот. орлиное дерево

침형(針形) сущ. игловидный, игольчатый.

침혹(沈惑) уст. ~하다 испытывать сильный соблазн.

침활(針潤) хвоя и листья.

침후(沈厚) ~하다 уст. степенный, солидный. **침흘리개** презр. слюнтяй.

칩(англ. chip) чипсы.

칩거(蟄居) ~하다 заточить себя в четырёх стенах; ~생활 затворничество

칩뜨다(칩뜨다, 칩떠) 1) рывком взобраться, вскочить; 2) вскинуть; 칩떠 보다 поднимать(глаза); 칩떠치다 бить(ударять) снизу вверх.

칩룡(蟄龍) [чхимнёнъ] книжн. 1) спрятавшийся дракон; 2) ещё не проявивший себя герой

칩복(蟄伏) уст.~하다 а) зарываться в землю на зиму(напр. о насекомых); б) скрываться(отсиживаться) дома.

칩수(蟄獸) уст. зверь, находящийся в зимней спячке.

칩칩하다 неприятный,противный.

칫솔(齒率) зубная щетка; ~질하다 чистить зубы зубной щёткой.

칭(秤) чхин(мера веса = 60 кг)

칭경(稱慶) уст. ~하다 радоваться (приятному событию).

칭념(稱念) уст. ~하다 просить помнить(не забывать).

칭대(稱貸) уст. ~하다давать(деньги) в рост(под проценты)

칭도(稱道) уст. ~하다 хвалить, одобрительно отзываться.
칭량(稱量) [-냥] уст. ~하다 а) вешать на весах; б) см. 헤아리다.
칭명(稱名) уст. ~하다 называться вымышленным именем.
칭병(稱病) ссылка на болезнь; ~불출 уст. не выходить, ссылаясь на болезнь; ~사직 уст. уходить в отставку под предлогом болезни;
칭사(稱辭) 1) ~하다 хвалить, говорить (похвальные слова); 2) похвала, похвальное слово.
칭상(稱觴) уст. ~하다 хвалить и награждать.
칭선(稱善) уст. ~하다 а) хвалить за доброту; б) одобрять, выступать «за»
칭송(稱頌) I 1) восхваление, воспевание; 2)~하다 восхвалять; воспевать.
칭송(稱誦) II уст. ~하다 прославлять.
칭수(稱首) уст. 1) ~하다 называть первым(чьё-л. имя); 2) выдающийся человек.
칭술(稱述) уст. ~하다 а) излагать (точку зрения); б) см. 칭도[하다].
칭신(稱臣) ~하다 уст. беспрекословно подчиняться приказу короля.
칭양(稱揚) уст. ~하다 восхвалять, превозносить.
칭얼거리다 усил. стил. вариант 징얼 거리다.

칭얼칭얼 усил. стил. вариант 징얼징 얼
칭예(稱譽) хвала; уст. см. 칭찬.
칭원(稱冤) уст. ~하다 а) жаловаться; б) обижаться, быть недовольным.
칭의(稱義) оправдание.
칭정(稱情) уст. ~하다 совпадать(о чувствах, мыслях), быть единодушным.
칭제(稱帝) уст. ~하다 провозглашать себя императором.
칭직(稱職) уст. 1) ~하다 соответствовать должности; 2) должность, соответствующая (чьим-л.) способностям.
칭찬(稱讚) восхищение, похвала; ~하다 хвалить; восхвалять;학생의 솔직함을~하다 хвалить ученика за честность; ~을 퍼붓다 осыпать похвалами.
칭찬하다 хвалить.
칭탁(稱託) ~하다 ссылаться(на что-л.), выдвигать в качестве предлога; ~하고 под видом, под предлогом.
칭탈(稱頉) ~하다 ссылаться на обстоятельства.
칭하다(稱-) называть; звать; 그녀를 미인이라고 ~할 수는 없었다 её нельзя было назвать красавицей.
칭호(稱號) титул, звание; 영웅~ звание героя; 학위~ учёное звание; 군사~ воинское звание.

ㅋ

ㅋ одиннадцатая буква кор. алфавита; обозначает согласную фонему **‹кх›**.

카 1) звукоподр. храпу; 2) звук, издаваемый при еде чего-л. очень острого.

카드(*англ.* card) карточка; 식량공급~ продуктовая карточка.

카렌다(<*англ.* calendar) 1) календарь 2) тех. каландр; каток; ~가공 текст. каланд-рирование.

카리스마(*англ.* charisma) божий дар; харизма; обояние; гениальность; харизматический.

카메라(*англ.* camera) 1) фотоаппарат; съёмочная камера; ~기자 фотожурналист; фотокорреспондент; ~맨 фотограф; оператор; 2) см. 촬영기; 3) камера фотоаппарата.

카바(*англ.* cover) (덮개) 1) покрывало; чехол; покрышка; 2) носки; 3) (후위, 수비) спорт. блокировка.

카바이드(*англ.* carbide) карбид.

카본(*англ.* carbon) 1) см. 탄소봉(棒); 2) см. 탄소; ~사진 фотоснимок на пигментной бумаге с помощью карбропроцесса.

카브(<*англ.* curve) 1) дуга, кривая; 2) см. 굽이돌이; 3) кручёный мяч (в бейсболе *и т. п.*). см. 커브

카세트(*англ.* cassette) кассета; ~플레이어 кассетный плейер.

카운슬러(*англ.* counselor) советник; консультант; адвокат.

카테고리(*англ.* Kategorie) категория; ~별로 나누다 распределять по категориям.

카텐(<*англ.* curtain) занавеска.

카톨릭(*англ.* catholic) католичество; католицизм. ~신자 католик, католичка; см. 천주교

카페(*англ.* cafe) кафе.

카페인(*англ.* caffeine) кофеин.

각 сильно; плотно.

각테일(*англ.* cocktail) коктейль

칸(< 間) I комната; помещение; купе; клетка; 세 ~짜리 집 трёхкомнатный дом; квартира из трёх комнат (трёхкомнатная квартира); см. 간 II.

칼(刀) 1. нож; кинжал; меч; ~을 맞다 быть раненным режущим оружием; получить ножевое ранение; ~로 물 베기 ножом резать воду; ~물고 뜀뛰기 *посл.* ≅ ходить по острию ножа (букв. прыгать с ножом во рту); ~을 먹이다 ~을 허리에 차고 с мечом у пояса; ~날 лезвие ножа; клинок; ~자루 ручка ножа; ~집 ножны; 2. счётн. сл. кусок мяса, отсечённый ножом.

칼국수 лапша.

칼날 лезвие ножа(клинок); ~잡은 놈이 칼자루 잡은 놈한테 당하랴? *посл.*≅ Может ли тот, кто держит нож за лезвие, совладать с тем, кто держит нож за рукоятку?

칼라(*англ.* color) воротник; воротничок; 더블~ отложной воротник; 스탠드~ стоячий воротник.

칼로리(*англ.* calorie) 1) калория; калорийный; ~가(價) теплотвор-ная способность; 2) калорийность.

칼륨[칼리움](*нем.* kalium) калий; 칼리

비누 калийное мыло; 칼리염 калиевые соли; ~비료 калийные удобрения.

캄차드카 반도 Камчатка пов.

캄캄하다 1) очень тёмный; 2) мрачный; беспросветный;слабый; 3) незнающий; 4) тёмный; невежественный; 날이 캄캄해졌다 стемнело; 앞길이~ перспективы мрачные; 소식이 ~ не иметь вестей; 세상일에 ~ ничего не знать, что происходит в мире; 그는 눈앞이 캄캄해졌다 у него опустились руки. **캄캄한** мрачный.

캐다 выкапывать; вырывать; добывать; выяснять; расспрашивать; 석탄을 ~ добывать уголь; 나물을 ~ выкапывать коренья; 그는 필요한 자료를 찾기 위해 책을 캤다 он копался в книгах, чтобы найти нужный материал; 캐어내다 выяснять, доискиваться; 캐어묻다 расспрашивать, выспрашивать.

캐디(*англ.* caddie) человек, подносящий клюшки и мячи при игре в гольф.

캐묻다 расспрашивать; выспрашивать; 길을 ~ расспрашивать о дороге.

캐비닛(*англ.* cabinet) шкаф(с выдвижными ящиками); кабинет; 그는 가장좋은 접시를 이~에 보관한다 он держит свою лучшую посуду в этом шкафу; 내각이 어제 대통령과 회의를 했다 вчера было заседание кабинета министров с участием президента.

캔버스(*англ.* canvas) холст; парусина; картина; ~의 парусиновый; 나는 결코 ~만든 구두를 신지 않았다 я никогда не носил парусиновую обувь; 누가~에 그림을 그렸는가? Кто написал эту картину?

캠퍼스(*англ.* campus) кампус; территория университета; колледжа школы.

캠페인(*англ.* campaign) кампания; 클럽은 기금 모금~을 벌이고 있다 клуб проводит кампанию по сбору денег.

캠프(*англ.* camp) лагерь; см. 야영; ~를 치다 разбить лагерь.

캡(*англ.* cap) кепка, фуражка.

캡슐(*англ.* capsule) капсула.

캥거루(*англ.* kangaroo) кенгуру

-커녕 после имени и инф. с оконч. 기 какое там; куда там; не то что; не только..., но даже; 나무는 ~ 풀도 없다 не только деревьев, но даже травы нет; 비는 ~ 안개도 안 내린다 какой там дождь, даже облачка нет; 이 책은 유익하기는 ~ 매우해롭다 эта книга не только не полезна, но даже очень вредна.

커다란 огромный.; 커다란 보람 большое удовлетворение (резуль-тат).

커다랗다(커다라니,커다라오) 1) большой; огромный; громадный; 커다란 보따리 громадный узел с вещами; 커다란 책임 огромная ответственность; 커다란 실수 большая ошибка; 2) достаточно громкий(о голосе).

커리큘럼(*англ.* curriculum) курс обучения; учебный план; расписание; 일학기 ~ расписание на первый семестр.

커미션(*англ.* commission) доверенность; полномочие; комиссия; поручение; заказ; комиссионное вознаграждение; комиссионные; 5%의 ~을 받다 взимать 5% комиссионных; 에이전트 ~ посредник(при сделках); 나는 월권행위는 할 수 없다 я не могу превысить свои полно-мочия;

커버(*англ.* cover) покрышка; обёртка; обложка; переплёт; конверт; укрытие; покров; ширма; ~하다 закрывать;

покрывать; укрывать; охватывать; 이 책은 모든 주제를 ~한다 эта книга охватывает(даёт) исчерпывающие сведения по всему предмету.

커트(*англ.* cut) резание; изъятие; остановка; иллюстрация; ~하다 резать; отрезать; косить; жать; рубить; валить; срезать; 커트 당한 필름 изъятый кинокадр.

커튼(*англ.* curtain) гардина, занавеска.

커플 два; пара(супруги; жених и невеста); 결혼한~ супружеская пара.

커피(*англ.* coffe) 1) кофе; ~나무 кофейное дерево; 블랙~ чёрный кофе; ~꽃 кофейник; 2) см. 커피차.

컨닝(*англ.* cunning) недостойный поступок на экзамене.

컨디션(*англ.* condition) 1) условие; 2) обстоятельства; 3) душевное состояние; состояние здоровья; 그는 좋은~이다 он в хорошем(плохом) состоянии здоровья.

컨테이너(*англ.* container) контейнер; вместилище; сосуд; резервуар; ~에 짐을 싣다 осуществлять контейнерные перевозки.

컬러(*англ.* color) цвет; оттенок; тон; краска; свет; красочный; цветной; яркий; ~TV цветной телевизор; ~필름 цветной фильм.

컴백(*англ.* comeback) возвращение; выздоровление; ~하다 возвраща-ться; 그는 십년 전에 은퇴했지만 지금 다시~하고자 한다 десять лет тому назад он ушёл от дел, но теперь хочет снова взяться за работу.

컴컴하다 1) очень тёмный; 2) мрачный; беспросветный; 3) см. 캄캄하다

컴퓨터(*англ.* computer) компьютер; вычислительная машина; ~로 계산하다 вычислить с помощью компьютера; ~화 компьютеризация.

컵(*англ.* cup) чашка; кубок; 커피 한 ~할래요? Хотите чашку кофе? 오늘 오후에 은제 ~쟁탈 레이스가 있다 сегодня после обеда состоятся гонки на серебряный кубок; 종이 ~ бумажный стаканчик; см. 잔(盞), 컸어요 расти.

케이블선(*англ.* cable+線) кабельный провод, кабель.

케이블(*англ.* cable) трос; кабель; кабельный; 해저~ подводный кабель; 그들은 시간 내에 ~을 설치하려고 노력하고 있다 они стараются проложить кабель к сроку.

케이스(*англ.* case) ящик; коробка; футляр; чехол; обложка; витрина; случай; дело; падеж; ~속에 병들을 놓아라 поставь бутылки в ящик; 그런 ~내 계획을 변경해야만 한다 в таком случае, мне придётся изменить мои планы; 그는 ~서 졌다 он проиграл дело; 올바른 ~사용하다 употреблять правильный падеж; 담배 ~ портсигар.

케이스, 카세트 кассета.

케이크(*англ.* cake) пирог; торт; печенье; 사과 ~한 조각과 커피를 먹을 수 있을까요? Можно мне кусок яблочного пирога и кофе? 네 시에 차와 ~가 나온다 в четыре часа подают чай с печеньем.

케케묵다 1) очень старый; устаревший; избитый; 2) затхлый; вонючий; затхлость; ~은 냄새가 밀가루 затхлая мука; 케케묵은 표현 избитое выражение

켕기다 натягиваться; опасаться; остерегаться; сопротивляться; 배창자가 켕기도록 웃다 напрягать(надрывать) живот от смеха; 남이 듣는 것을 켕겨하다 остерегаться посторонних ушей.

켜 1. слой; пласт; прослойка; 한~의 점토 слой глины; ~켜이 слоями; пластами; 2. 1) (одна) партия(в какой-л. игре); 2) несколько партий.

켜다 1) пилить; 2) играть; зажигать лампу; включать; 물을 들이~ выпить залпом; 기지개를~ потягиваться; 단단한 나무를 ~ пилить твёрдое дерево; 바이올린을~играть на скрипке; 성냥을 ~ зажигать спичку; 물 한 사발을 단숨에 들이 ~ выпить залпом чашку воды; 헛물을 ~ пропадать даром.

켠 сторона; 저~서라 стой на той стороне; 아래 ~에 앉다 садиться внизу; 아버지 ~의 친척 родственники со стороны отца.

켤레 пара; 한~의 신발 пара обуви; 여러~의 장갑 несколько пар перчаток.

켰습니다 включил.

코 I 1) нос; сопли; носок; узелок; связка из 20 штук(каракатиц); ~가 막혔다 нос заложило; ~를 찌르다 ударить в нос; 아이의 ~를 닦아주다 утереть сопли ребёнку; ~가 뾰족한 단화 ботинки с узкими носками; ~를 내다 завязать узелок; 낙지 두~ 주세요. дайте две связки каракатиц; ~끝 кончик носа; ~담배 нюхательный табак; ~허리 переносица; ~가 땅에 닿다 обр. низко опустить голову; ~를 맞대다 быть носом к носу(лицом к лицу); ~를 박듯 절하다 обр. поклониться до земли;~먹은 소리 а) носовой призвук; ~아래 입 под носом, рукой подать; ~막고 답답하다(숨 막힌다) посл. ≅ самому палец о палец не ударить(букв. заткнул(себе) нос и сам задыхается); ~가 납작해지다 упасть (об авторитете); ~가 높다 задирать нос; ~가 세다 упрямый, своевольный;~가 빠지다 повесить нос; ~를 불다 фыркать(о животном); ~를 떼우다 а) остаться с носом; б) опозориться, оконфузиться; ~에 걸다 а) гордиться,зазнаваться; б) опираться, полагаться; ~에서 단내가 나다 трудиться до седьмого пота; 2) сопли; ~를 풀다 сморкаться; ~묻은 돈 ничтожная сумма денег; ~묻은 떡이라도 빼앗아 먹겠다 бран. грязный поступок; ~아니 흘리고 유복하다; посл. ≅ и рук не приложил, а урожай пожал; 콧김 пар, выходящий из ноздрей при морозе; 콧구멍 ноздря; 콧날 линия носа; 콧등 спинка носа.

코 II узелок(в ячейке сети); ~를 내다 завязать узелок(в ячейке сети).

코골다 храпеть.

코끼리 слон; 새끼 ~ слонёнок.

코너(англ. corner) 1) угол;~킥 см. 우측 2) ~아웃 спорт. корнер(угловой удар).

코드(англ. cord) 1) эл. (присоединительный) шнур; 2) кордная нить; 3) кордная ткань.

코란(англ. Koran) коран.; 회교경전

코르크(нем. Kork) бот. пробка;~피층 пробковая кора, феллодерма;~형성층 пробковый кабий,феллоген

코리언(한국인,한국사람) корейский; кореец, кореянка;корейский язык.

코메디(англ. comedy) 1) см. 희극 I; 2) уст. комический забавный случай.

코멘트(англ. comment) замечание; отзыв; комментарий; ~하다 делать замечания; комментировать; 이 책에 관한 ~를 듣다 слышать отзыв об этой книге.;см. 논평,설명

코미디 комедия; забавное событие; комичный случай; комический; комичный; ~를 하다 играть(разыгрывать; ломать) комедию; ~언 комедийный актёр; 풍자~ сатирическая комедия.

코스*(англ.* course) курс.

코스모스*(лат.* cosmos) 1) космос; вселенная; упорядоченная система; 2) бот. космея.

코스트*(англ.* cost) стоимость; себестоимость; 운송 ~가 너무 높다 стоимость перевозки слишком высока; 시장 ~로 по рыночной (номинальной) стоимости; 잉여~ прибавочная стоимость.

코트*(англ.*coat) куртка; пальто

코피 носовое кровотечение; копия; ~가 흐르다 кровь течёт; ~가 터졌다 у него из носа пошла кровь.

콕 резко; 콕 찌르다 кольнуть, ударить(напр. в носо запахе).

콕콕 очень резко; ~찌르다 сильно колоть, ударять(напр. в нос-о запахе)

콘도미니엄*(англ.* condominium) кондоминиум(гостиница для отдыхающих).

콘베아*(англ.* conveyor) конвейер.

콘사이스*(англ.* concise) краткий словарь.

콘서트*(англ.* concert) концерт.

콘크리트*(англ.* concrete) бетон.

콘트라베이스 контрабас.

콜드*(англ.* cold) ~크림 кольдккрем.

콜레라*(нем.* Chollera) холера; ~균 холерный вибрион; 소아~ детская холера.

콜콜 ~하다 а) булькать(напр. о вытекающей из бутылке жидкости); б) храпеть; в) источать запах.

콜호즈(kolkhoz) колхоз.

콤마*(англ.* comma) 1) запятая; 2) мат. десятичная точка.

콤비(<*англ.* combination) комбинация; сочетание; соединение; гармония; комбинезон; ~가 맞다 сочетаться.

콧물 сопли(сопля); 코를 풀다 сморкаться; ~을 흘리다 распускать сопли; 감기에 걸려 ~이 나온다 я простудился, и у меня течёт из носу.

콩,대두(大豆) I боб; бобовый; горох; гороховый; ~심은 데 ~나고 팥 심은 데 팥 난다(콩날 때 콩나고 팥날 때 팥난다, 콩 날 데 콩 나고 팥 날데 팥난다) *посл.* ≅ что посеешь, то и пожнёшь; 콩도 닷 말 팥 도 닷 말 *погов.* ≅ а) раздавать поровну; б) всё равно, одинаково; что в лоб, что по лбу; 콩 볶듯 а): 콩 볶듯 총소리가 들려왔다 послышался треск выстрелов; б) терзая душу; 콩을 볶아 먹다가 가마(솥) 터뜨린다(깨뜨린다) *посл.* ≅ сделал на копейку, а убытокна рубль(букв. жарил бы бобы, да котёл разбил); 콩본 당나귀 같이 흥흥 한다 *обр.* рад без памяти; 콩튀듯 а) *обр.* придя в ярость; б) см. 콩 [볶듯] 콩 튀듯 팥 튀듯 콩 튀듯 콩이냐 팥이냐 한다 *обр.* выспрашивать, выпытывать; 콩으로 메주를 쑨대도 곧이듣지 않는다 *посл.* ≅ свежо предание, а вериться с трудом; ~과 бобовое; ~과 식물 бобы; ~꼬투리 бобовый стручок; 완두~ горошек.

콩크리트*(англ.* concrete) бетон; ~타입기 бетоноукладчик; ~혼합기 бетономешалка; ~를 치다(타입하다) бетонировать.

콱 1) сильно; 2) плотно.

콸콸거리다 шуметь; бурлить; булькать(о кипящей воде).

쾅 звукоподр. грохоту.

쾌 счётн. сл. 1) связка сушёного минтая по 20 штук в каждой; 2) несколько связок сушёного минтая по 20 штук в каждой; 3) арх. 10 связок мед-ных денег; 4) арх. несколько десятков связок медных денег.

쾌락 радость; наслаждение; ~주의 гедонизм; эпикуреизм; ~주의자 гедонист; эпикуреец.

쾌속(快速) ~하다 очень быстрый, скорый; быстроходный.

쾌차(快差) ~하다 полностью проходить(о болезни); полностью поправиться.

쾌활(快活) ~하다 а) весёлый; жизнерадостный; живой; б) см. 쾌락하다 II.

쾌히(快-) 1) с охотой; с удовольствием; 2) уст. см. 빨리.

쿠데타(프coupd'Etat) государственный переворот.; 비상수단(非常手段), 정치혁명(政治革命), 군사혁명(軍事革命)

쿠숀(англ. cushion) (диванная) подушка.

쿵쾅 ~하다 грохнуть, издать грохот; ~하고 소리를 내다 грохотать; громыхать; ~하고 울리는 소리 грохот; гул; громыхание; ~거리다 издавать грохот.

큐(англ. cue) кий. 큐빗 локоть.

큐피드(англ. Cupid) миф. Купидон.

크 кхы(назв. кор. буквы ㅋ).

크게 широко.

크기 величина; объём; размер; рост; ~가 다르다 отличаться по величине; ~의 величиной с (в) кого-что-л..

크다(크니, 커) I 1. 1) большой; 몸집이 ~ крупного телосложения; 가치가 ~ высокая стоимость; 범죄가~ серьёзное (тяжкое) преступление; 마음이 ~ широкая душа; великодушный; 달이 ~ длинный месяц(о месяце в 31 день); 큰되 "полное тве"(равное 1,8 л.); 큰 말 I "полный маль"(1,8 л.); 큰 말 II усиленный вариант изобразительного (звукоподражательного) слова(в кор. языке); 큰 사람 а) высокий человек; б) большой человек; в) человек, способный справиться с ответственным делом; 큰 사랑 комната стариков (главы семьи)(в кор. доме); 큰 손님 высокий(дорогой) гость; 큰 톱 большая продольная пила; 커도 한 그릇 작아도 한그릇 погов. букв. ≅ за большую работу(дают) тарелку и за малую работу ту же тарелку(об уравниловке); 큰 말이 나가면 작은 말이 큰 말노릇 한다 посл. ≅ на безрыбье и рак рыба (букв. когда нет большой лошади, её работу делает маленькая); 큰 방죽도 개미구멍으로 무너진다 посл. букв. ≅ и большая плотина может быть разрушена муравьями; 크고 단 참외 обр. хорош со всех сторон; 큰 손[을] 쓰다 обр. а) придавать большой размах (чему-л.); б) сделать широкий жест, размахнуться; 신이~ботинки велики; 3) громкий, сильный (о голосе); 4): 크면, 큰즉 в лучшем случае; 5): 크게는 более того; 6): 큰 в знач. преф. старший; 큰아들 старший сын; ‖ 크나크다, 크디크다 очень большой, огромный; 크나 큰 배려 большая(огромная) забота; 2. ратси.

크다 II старший; высокий; великий; огромный; крупный; гигантский; колоссальный; безмерный; массивный; объёмистый; громкий; сильный; хвастаться; важный; увеличивать; развивать; расширять; простирать; преувеличивать; раздувать; расти; расширяться; простираться; 그는 키가 ~ он высокого роста; 이 모임에서는 큰 인물이 말할 것이다 на этом собрании будет выступать важное лицо.

크라운 корона; коронка; тулья; 이에 ~을 씌우다 поставить золотую коронку на зуб.

크레용-(англ. crauon) цветной карандаш

크레파스(<англ. crayon pastel) цветной карандаш(мелок); пастель.

크로스(*англ.* cross) крест; пересечение; переходить;переправляться

크롬(*нем.* Chrome) хром; хромовый;~도금을 포함한 хромистый; ~도금하다 хромировать; ~강 хромовая сталь; ~녹 хромовая окись; ~산 хромовая кислота.

크리스마스(*англ.*Christmas) рел. рождество; рождественский; ~이브 рождественский сочельник; ~트리 рождественская ёлка.

크리스챤(*англ.*Christian) христианин, христианка; христиане.

크림(*англ.* cream) сливки; крем; 얼굴에 ~을 바르다 мазать кремом лицо.

큰소리 1) громкий голос(разговор); 2) брань, крики; 3) хвастовство, бахвальство; ~로 громко; во всю глотку; во весь голос; благим матом; ~를 치다 кричать на кого-л.; бранить; хвастаться; бахвалиться; 그는 문제를 모두 풀겠다고 ~를 쳤다 он хвастался решить все задачи; ~를 내다 повышать голос; говорить громко.

큰일 1) большое(серьёзное; важное) дело(событие); ужасное(страшное; бедственное) дело; трудное(щекотливое) дело; подготовка к свадьбе; ~을 치르다 совершить серьёзное (важное) дело; ~나다 Ужас! Беда! ~나겠다 беда будет; 이것은 ~아니다 это неважно/это не страшно; ~이 일어나지 않았다 ничего серьёзного не произошло; ~을 치다 совершить серьёзное(важное) дело; ~이 나다 а) произойти(о большом) событии; б) см. 야단이 나다; 2) трудное(щекотливое) дело; 3) устройство свадьбы(юбилея *и т. п.*).

클라이막스(*англ.* climax) высшая точка, кульминационный пункт.

클락숀(*англ.* klaxon) клаксон.

쿵쿵이 ирон. сопун.

키 I рост; высота; ~크고 싱겁지 않은 사람없다 все люди высокого роста неловки; 키가 구척 같다 очень большой; самый высокий(о росте); 키는 작아도 담은 크다 *посл. букв.*≅ мал да удал; 키 작으면 앙큼하고 담대하다 ирон. человек маленького роста; 키 크고 묽지 않은 놈 없다 *посл. букв.*≅ нет человека высокого и поворотливого; 키 크고 속없다 *погов.* ≅ велика Федора, да дура; 키 크고 싱겁 않은 사람 없다 *погов.*≅ все люди высокого роста неловки(неуклюжи); 키 큰 암소 똥 누듯 *обр.* а) легко, без труда; б) опрометчиво; легкомысленно.

키 II веялка для зерна, сплетённая из прутьев.

키 III руль(судна); 키[를] 잡다 обр. направлять(работу).

키(*англ.* key) IV 1) см. 건 IV; 2) эл. ключ; кнопка; 3) тех. клин; шпонка; 4) клавиатура (пишущей машинки).

키값 [-깝] ~하다 разг. пренебр. вести себя соответственно(напр. своему возрасту); ~못 하다 вести себя недостойно.

키꺽다리 прост. верзила.

키꼴 прост. высокий рост(человека)

키나(*англ.* guinguina) ~나무 хинное дерево;~껍질 кора хинного дерева.

키내림 ~하다 веять(зерно) при помощи веялки, сплетённой из прутьев.

키논(*англ.* guinone) хинон.

키놀린(*англ.* guinoline) хинолин

키니네(*англ.* guinine) см. 키닌

키닌(*англ.* guinine) хинин.

키다 I сокр. от 켜이다.

키다 II сокр. от 키우다.

키다리 верзила.

키다리란(-蘭) [-난] бот. липарис

(Liparis japonica).
키대 рост(человека).
키대기 сравнивание роста.
키돋움 ~을 하다 приподниматься.
키드득 ~하다 не сдержавшись рассмеяться.
키드득거리다 не сдерживать смеха, неудержимо смеяться.
키드득키드득하다 см. 키드득거리다
키득거리다 см. 키드득거리다.
키득키득하다 см. 키드득거리다.
키들거리다 с трудом сдерживать смех, хихикать.
키들키들 하다 см. 키들거리다.
키로(англ. kilo) см. 킬로.
키르키즈스탄 비스케크 Киргизстан Бишкек. 키버들 см. 고리버들.
키빼기 1) см. 키꺽다리; 2) диал. см. 키 I.
키스(англ. kiss) поцелуй; ~하다 целовать[ся]; 입술에 ~하다 целовать кого-л. в губы.
키우다 давать образование; вскармливать; воспитывать; растить; выращивать; разводить; культивировать; выкармливать.
키윽 кхиык(назв.кор.буквы ㅋ)
키이다 нравиться; 마음에~ прийтись по душе.
키잡이 1) управление судном; 2) сущ. рулевой; 3) ~를 하다 направлять(напр. работу); 4) руководитель; перен. кормчий.
키장다리 1) шутл. верзила; 2) очень высокое дерево; очень высокая трава.

키질 ~하다 а) веять(зерно) при помощи веялки, сплетённой из прутьев; б) перен. раздувать, стимулировать.
키춤 диал. см. 발돋움.
키틴(англ. chitine) см. 갑각소.
키틴질(англ. chitine + 質) хитин; хитиновое вещество.
키퍼(англ. keeper) см. 문지기
킥 ~웃다 хихикнуть.
킥킥 ~하다 см. 킥킥거리다
킥킥거리다 хихикать.
킥킥거리며 прерывистым голосом.
킥하다 хихикнуть.
킬러 убийство; убийца.
킬로(англ. kilo) 1) кило; ~그램 килограмм(кг); ~미터 километр (км); ~그람미터 физ. килограмометр; ~볼트 киловольт; ~와트시 киловаттчас; 2): ~[그람] килограмм; ~[미터] километр.
킬로그람(англ. kilogram) килограммкг.
킬킬~하다 прыснуть(со смеху)
킬킬거리다 прыскать(со смеху)
킷줄 руль(배의 키를 조정하는 줄)
킹 II 킹 소리를 내다 а) хныкать; б) кряхтеть.
킹(王 англ. king) I король; король (в шахматах).
킹킹 ~하다 см. 킹킹거리다.
킹킹거리다 1) хныкать; 2)кряхтеть.
킹하다 1) хныкнуть; 2) крякнуть.

ㅌ двенадцатая буква кор. алфавита; обозначает согласную фонему "тх".

타(他) I книжн. см. 타인 I.

타(朶) II уст. счётн. сл. цветок; бутон.

타-(他) преф. кор. 1) другой [명] (관계가 없는 사람) чужой [명]; (극외자) посторонний [명] (낯선 사람) незнакомый, незнакомец; 타의추종을 불허하다 не иметь себе равных; 2) лингв. переходный; 타동사 переходной глагол

타개(打開) ~하다 преодолевать (трудности); выходить(из кризиса); 난경을 타개하다 найти выход из трудного положения; ~책 меры преодоления (труд ностей).

타격(打擊) удар; ~하다 бить; ударять; ~을 받다 терпеть удар; ~주다 наносить кому-л. удар; 아버지의 사망은 나로서는 큰 ~이었다 смерть отца была для меня большим ударом; сила удара; ударная сила; 대 ~ сильный(мощный) удар; ~을 가하다 (주다) наносить удар.

타결(妥結) соглашение; ~하다 достигнуть соглашения; прийти к соглашению.

타고 다니다 ездить.

타고나다 быть врождённым; быть одаренным.

타고난 врожденный; природный; прирожденный; от рождения; ~팔자 судьба

타다 I 1) гореть; 2) подгорать; 3) загорать; 햇에~ загорать на солнце; 4) сохнуть; сгорать(от засухи-о хлебах); 목이~ пересыхать(о горле); 5) гореть(о душе).

타다 II 1) садиться(на транспорт, на поезд, на лошадь и т. п.); 기차를 타고 приезжать на поезде(поездом); 2) 타고 с помощью; через; сквозь; 3) преодолевать(перевал и т. п.); 4) кататься(на коньках, качелях и т. п.); 5) использовать(что-л.), воспользоваться (чем-л.), играть на чем-л.; исполнять что-л. на чем-л.; испытывать; подвергаться; страдать.

타다 III 1) разрезать; раскладывать; разделять; 가리마를~ делать пробор (на голове); 2) дробить, размельчать (бобы, зерно); 타내다 критиковать (кого-л.); 박을 ~ распиливать тыкву-горлянку на две части.

타다 IV 1) испытывать, подвергаться; страдать; 간지럼을~ чувствовать зуд; 부끄러움을 ~ испытывать стыд(смущение); 더위를 ~ плохо переносить жару; плохо чувствовать себя летом; 2) см. 탄하다 2).

타다 V 1) получать(зарплату, пенсию, выигрыш и т. п.); 2) иметь (счастье, удачу); 타고 나다 быть врождённым; 타고 난 재간 прирождённый талант, врождённые способности.

타다 VI растворять; разводить; смешивать; 물에 ~ разводить в воде.

타당(妥當) ~한 подобающий; уместный; должный; подходящий; надлежащий; целесообразный; ~하다 подобать кому-чему-л.; быть уместным; ~하지 않다 неподобающий; неподходящий; неуместный; неподходящий; ~성 уместность; целесообразность.

타도(打倒) свержение; ниспровержение;~하다 свергать; сбрасывать; низвергать; 제국주의 ~ Долой империализм!

타동사(他動詞) переходный глагол.

타락(墮落) падение; деградация; разложение(моральное) разврат; развращенность: распущенность; ~하다 падать; деградировать; разлагаться; распускаться; испорченный; разложившийся; распущен-ный.

타령 (корейская) национальная мелодия(песня); трудовая(обрядовая) песня; назойливое повторение; ~하다 исполнять (корейскую) национальную мелодию(песню); назойливо повторять; сетовать; 방아 ~ песня о крупорушке (корейская народная песня); 신세~жалоба на несчастную жизнь.

타박상(打撲傷) ушиб, травма, контузия, кровоподтек;~을 입다 ушибиться, получить контузию; 그는 ~을 입었다 его контузило.

타산(打算) расчет; ~적인 расчетливый; ~적인 생각으로 по расчету; ~하다 принимать в расчет.

타성(他姓) инерция; 습관의~ сила привычки; ~적으로 инерционный; ~에 의한 по инерции.

타오르다 загораться, разгораться, вспыхивать, воспламеняться.

타원(楕圓) эллипс, овал; ~형의 эллиптический, овальный; ~형 эллипти-ческая(овальная) форма.

타의(他意) другая мысль, другое намерение(мотивы),задняя мысль, злой умысел; 그에 대하여~는 없다 я не питаю злобу против него.

타이밍(англ. timing) расчет(выбор) времени; ~이 맞게 кстати, вовремя; ~이 맞지 않게 некстати; ~이 나쁜 несвоевременный, неуместный.

타이어(англ. tire) шина, покрышка; ~에 바람을 넣다 надувать шину; ~의 바람이 빠졌다 шина спущена; 공기~ пневматическая шина, пневматика; 솔리드~ массивная шина, грузошина.

타인(他人) чужой, незнакомый; ~은 어떻게 되었건 모르고 не знаю как другие а...; ~의 결점은 눈에 잘 띈다 недостатки чужих хорошо видны; ~의 이름으로 서명하다 под-писываться чужим именем.

타자(打字) ~하다 печатать на пишущей машинке; ~기 пишущая машинка; ~수 машинистка; ~지 бумага для пишущей машинки.

타자기(打字機) пишущая машинка; ~를 치다 печатать на машинке; ~로 친 машинописный; ~인쇄물 машинопись.

타진(打診) мед. перкуссия; ~하다 выстукивать; перкутировать, прощупывать; 환자를 ~하다 выслушивать пациента;병자의 폐를~하다 выслушивать легкие у больного; 의향을 ~하다 узнавать мнение, зондировать почву; 여론의 추세를 ~하다 прощупывать общественное мнение, пускать пробный шар; ~기 молоточек для выстукивания (перкуссии).

타파(他派) разрушение, уничтожение, свержение; ~하다 разбивать, разрушать, уничтожать, свергать.

타향(他鄕) чужбина.

타협(妥協) компромисс, соглашение; ~적 соглашательский, компромиссный; ~하다 идти на компромисс, заключать соглашение, приходить к соглашению; ~안을 짜다 разрабатывать компромисс; ~점을 찾아내다 приходить к взаимопониманию, находить общий язык, идти на компромисс; ~안 компромиссный план ~점 согласованные пункты; ~주의 соглашательство, примиренчество.

탁(託) 1) громко, с треском; 2) вдруг, неожиданно; 3) широко, просторно; ~하고 소리가 나다 хлопнуть; 자루가 ~터지다 мешок с треском лопнул; 줄이 ~끊어지다 верёвка с треском оборвалась(разорвалась); ~치다 громко хлопнуть (стукнуть, ударить); 맥이 ~풀리다 неожиданно почувствовать слабость; 웃음이 ~터지다 вдруг (неожиданно) рассмеяться; 숨이 ~막히다 неожиданно захватить дух(задохнуться); ~쓰러지다 неожиданно повалиться(упасть) на кого-что-л., хлопнуться ~부딪치다 удариться об кого-что-л., натолкнуться на кого-что-л.; 사방이 ~ 트였다 (перед нами) открылся вид; 침을 ~뱉다 плюнуть, сплюнуть.

탁구(卓球) настольный теннис, пингпонг; ~공 мяч для настольного тенниса, ~대 стол для настольного тенниса;~를 치다 играть в пинг понг; ~장 площадка для настольного тенниса, ~채 ракетка для настольного тенниса.

탁월(卓越) превосходство; ~하다 превосходить кого-л., быть выдающимся; ~한 превосходный, выдающийся, исключительный, незаурядный. **탁자**(卓子) стол.

탄광(炭鑛) (угольная) шахта; ~노동자 шахтер, ~가; ~업 каменноугольная промышленность; ~촌 шахтерский посёлок.

탄력(彈力) упругость, эластичность; ~성 있는 упругий, эластичный; ~성 упругость, эластичность.

탄복하다 восхищаться.

탄산가스 углекислый газ.

탄생(誕生) рождение; ~되다 рождаться; ~일 день рождения; ~지 место рождения; ~을 축하하다 поздравлять с днём рождения.

탄성(彈性) упругость, эластичность; ~있는 упругий, эластичный; ~력 сила упругости ~률 модуль упругости.

탄소(炭素) углерод, углеродный; ~와 화합(化合)시키다 карбонизировать; ~강 углеродистая сталь.

탄수화물 углевод.

탄식(歎息) вздох, сожаление; ~하다 вздыхать с сожалением о ком-чем-л..

탄압(彈壓) подавление, притеснение, репрессии, угнетение; ~하다 притеснять, подавлять, подвергать кого-л. репрессии, репрессировать кого-л.; ~을 당하다 подвергаться репрессиям

탄일 день рохдения; см. 생일.

탄탄하다 прочный; надежный; добротный; ровный; гладкий; 탄탄히 ровно; гладко; 길이 탄탄히 나 있다 дорога широкая и прямая; 탄탄대로 широкая и ровная дорога.

탈(奪) маска, поломка, болезнь, предлог; ~의 под видом кого-чего-л. ~을 쓰다 надеть(носить) маску; ~을 벗다 сбросить маску.

탈것 транспортные средства.

탈락(脫落) выпадение; ~하다 быть пропущенным; отходить от чего-л.; выпадать, выбывать из строя; исчезать; отмирать; ~자 уст. отщепенец.

탈모(脫毛) выпадение волос; линька; депиляция; вырывание(уничтожение) волос; ~하다 выпадать; линять ~제 депилаторий; ~증 плешивость.

탈무드(히 Talmud) еврит; Талмуд.

탈바꿈 метаморфоз(-фоза); превращение; анаморфоз; видоизменение; ~하다 видоизменяться; превращаться; 올챙이의 개구리로의 ~ метаморфоз головастика в лягушку; 그는 크게 ~했다 с ним произошла метаморфоза; 유충이 나비로~했다 гусеница превратилась в бабочку.

탈법(脫法) уклонение от закона; нарушение закона; ~행위 незаконный акт

탈색(脫色) обесцвечивание; отбеливание; ~하다 выцветать; обесцвечивать[ся]; ~제 обесцвечивающее вещество.

탈선(脫線) крушение; сход с рельсов; отступление; отклонение; нарушение;~하다 сходить с рельсов; не идти по проторенному пути; отклоняться(от темы); отступать от норм; нарушать правила поведения.

탈세(脫稅) уклонение от уплаты налога; ~하다 уклоняться от уплаты налога.

탈수(脫水) обезвоживание; дегидрация; ~하다 обезвоживать; дегидратировать; лишать что-л. воды(влаги); ~기 дегидратор; ~제 дегидратирующее средство.

탈의실(脫衣室) раздевальня; гардероб. см. 웃보관실

탈주(脫走) бегство; побег; дезертирство; ~하다 убегать от(из) чего-л.; спасаться от чего-л.; дезертировать; ~병 дезертир; перебежчик; ~자 беглец.

탈진(脫塵) истощение памяти; ~하다 слабеть памятью.

탈출(脫出) побег; бегство; избавление; ~하다 спасаться бегством; избавляться от чего-л.; избегать чего-л.; выходить из чего-л.; ~소식 новость(извещение) о бегстве.

탈춤 танец в масках.

탈취(奪取) захват; овладение чем-л.; похищение; ~하다 захватывать(силой); овладеть чем-л.; отнимать(отбирать) силой кого-что-л., у кого-л.; похищать.

탈퇴(脫退) выход; отпадение; ~하다 выходить из чего-л.; отпадать от чего-л.; ~자 вышедшие; отколовшиеся.

탈피(脫皮) отслоение; шелушение; ~하다 сбрасывать кожу(панцирь); линять; избавиться от чего-л.; отделаться от чего-л.; отрешиться от чего-л..

탈환(奪還) ~하다 возвращать что-л. себе; отбирать(назад); отбивать; отвоевывать; 실지를~하다 возвращать отвоеванную территорию.

탐(貪) алчность; ненасытность; ~내다 жаждать; домогаться чего-л.; зави-довать кому-чему-л..

탐구(探究) исследование; изыска-ния; расследование; поиски; ~하다 исследовать; изыскивать; расследовать; искать; ~자 исследователь, ница.

탐나다 стремиться(к чему-л.).

탐내다 жаждать, домогаться, страстно добиваться(чего-л.).

탐닉(眈溺) преданность чему-л,

пристрастие; ~하다 предаваться чему-л.; пристраститься к чему-л.; увлекаться чем-л..

탐독(耽讀) ~하다 читать с увлечением; погружаться в чтение.

탐방(探訪) ~하다 разузнавать кого-что-л. о ком-чём-л.; разведывать что-л. о ком-чем-л., про кого-что-л.; брать интервью у кого-л.; ~기자 репортёр.

탐사(探査), **여행**(旅行) экспедиция; поиски; изыскание; исследование; ~하다 разведывать(о ком-чем-л.; про кого-что-л.); исследовать; ~시추 поисковое бурение; ~작업 разведочная выработка.

탐색(探索) розыск; поиски; расследование; разведка; ~하다 разыскивать; расследовать; разведывать; ~기 разведывательный самолет; ~등 поисковый фонарь; ~선 разведывательное судно.

탐스럽다(貪-) прелестный; очаровательный; радующий глаз.

탐욕(貪慾) ненасытность, алчность; жадность; ~스러운 ненасытный; алчный; корыстный; жадный.

탐지(探知) разведка; ~하다 разведывать; выведывать; выслеживать; ~기 приборы для обнаружения чего-л..

탐험(探險) изыскание, исследование; экспедиция; экспедиционный; ~가 исследователь; изыскатель; ~대 экспедиция;~하다 совершать экспедицию;исследовать; 극지~ полярная экспедиция.

탑(塔) башня, пагода; обелиск; шпиль; 오층~пятиэтажная пагода.

탑승(搭乗) езда(на пароходе, в поезде *и т. п.*); ~하다 садиться(на пароход, в поезд *и т. п.*); ~객 пассажир.

탓 причина; вина; предлог; повод; ~으로 по причине чего-л.; по вине кого-л.; из-за кого-чего-л.; вследствие кого-чего-л.;...의~으로 돌리다 сваливать что-л. на кого-что-л.; припи-сывать что-л. кому-чему-л.; относить что-л. за счет кого-чего-л.; 나이 ~인지 то ли от(из-за) старости; вероятно из-за старости; ...의 ~이다 объясняться чем-л.; быть вызванным чем-л.. 그것은 내 ~이다 это моя вина/я виноват в этом.

탓하다 винить, обвинять; возлагать вину на кого-л.; винить; обвинять кого-что-л. в чем-л.; пе-нять на кого-что-л.;누구를 탓하랴? На кого мне пенять?; упрекать.

탔습니다 получил. **탔어** садился.

탕 густой мясной(рыбный) суп (бульон); 대구~суп(уха) из трески.

탕수육(糖水肉) сладкокислая свинина(китайское блюдо).

탕진(蕩盡) растрата; расточительство; ~하다 полностью истратить, израсходовать, расточать, растрачивать, растранжиривать, проматывать.

태(胎) послед; плацента; ~교 совет (наставление) беременной женщине.

태고(太古) глубокая древность.

태권도(跆拳道) тхэквондо.

태극(太極) первозданный хаос; вселенная; ~기 корейский государственный флаг; ~선 красносиний круг, символизирующий силы света и тьмы.

태도(態度) (견지) отношение, позиция, поведение, манера; ~를 취하다 занимать позицию; относиться к кому-чему-л.; придерживаться какой-л. линии поведения; держаться; 의기양양한 ~로 с торжествующим видом; 거만한 ~를 취하다 держаться высокомерно.

태동(胎動) движение плода; ~하다 шевелиться; возникать; двигаться; проявляться.

태만(怠慢) лень; халатность; небрежное отношение к своим обязанностям; нерадение; ~한 ленивый; небрежный; халатный; нерадивый; ~하다 лениться; лодырничать; небрежно относиться к своим обязанностям; не делать нужного; не выполнять своего долга; 직무~ упущения в работе(по службе); служебное упущение.

태반(太半) большая половина; большая часть; большинство; ~은 большей частью; по большей части.

태부족(太不足) совершенный недостаток(нехватка) кого-чего-л.(в чём-л.); ~한 совершенно недостаточный; ~하다 недоставать чего-л.; 노동력의 ~ совершенная нехватка рабочей силы; 이 금액으로는 ~하다 эта сумма недостаточна; 인력이 ~하다 не хватает рабочей силы.

태산(泰山) высокие горы, множество, очень высокая гора; ~같다 большой; великий; многочисленный; 일이~같다 быть заваленным делами; дел по горло; ~명동에 서일필 гора мышь родила/ шума много, а дела мало;~준령 высокая гора и крутой перевал.

태생(胎生) рождение(появление на свет); 그는 서울~이다 он родом из Сеула; ~동물 живородящие; ~지 место рождения.

태세(太歲) готовность, положение, состояние, позиция; ~를 갖추다 быть готовым к чему-л.; 반격 ~ готовность к контрнаступлению.

태아(胎兒) плод, зародыш, росток.

태양(太陽) солнце; ~이 떠오르다 солнце восходит(встает); ~이 지다 солнце заходит; ~계 солнечная система; ~광선 солнечные лучи; ~전지 солнечная батарея.

태어나다 рождаться; появляться на свет; 부자로 ~ родиться в богатой семье. **태어났습니다** родился.

태연(泰然) ~한 спокойный; хладнокровный; невозмутимый; ~자약하게 с хладнокровием; невозмутимо; спокойно.

태엽(胎葉) пружина рессора; завод; 시계의 ~을 감다 заводить часы.

태우다 I возить; катать; подвозить; подсаживать; посадить кого-л. в вагон; посадить кого-л. на судно; заставлять кататься.

태우다 II сжигать; выжигать; зажигать; воспламенять; терзать; 햇볕에 등을 ~ спалить спину на солнце; 마을을 깡그리~ сжигать село дотла; 애를 ~ терзать душу; душа болит за кого-что-л..

태클 принадлежности; оборудование; ~하다 энергично за что-л. браться; биться над чем-л.(с кем-чем-л.), чем-л. обо что-л..

태평(太平) мир; спокойствие; ~한 мирный; спокойный; благополучный; ~가 песня о мирной и спокойной жизни; ~세월 мирное(спокойное) время.

태평양(太平洋) Тихий океан; ~의 тихоокеанский.

태풍(颱風) тайфун; ~권 зона тайфуна; ~의 눈 центр тайфуна.

택시(*англ* taxi) такси; ~운전수 шофер такси; таксист; ~로 가다 ехать на такси; ~를 잡다 брать(ловить) таксиж ~를 불러주십시오 вызовите такси пожалуйста; ~정류소가 어디입니까? Где стоянка такси?; ~주차장 стоянка такси.

택일 I ~하다 выбирать что-л. одно.

택일(擇日) II выбор подходящего дня для чего-л.; ~하다 выбирать (подходящий день для чего-л.).

택하다 выбирать;избирать; отбирать; пред-почитать когочто-л; кому-чему-л.

탤런트 талант; актёр телевидения.

탬버린 бубен.

탭 метчик.   **탱고** танго.

탱자 плод понцируса трехлисточкового; ~나무 понцирус трехлисточковый.

탱크 танк; резервуар; бак; цистерна; резервуар-хранилище; топливный бак; ~차 автомобильцистерна; 가스 ~ газгольдер; 가스 ~차 автомобиль с баллоном для перевозки газа; 석유 ~ масляный бак(маслобак).

터 I участок под дом; земельный участок; место; фундамент; база; 낚시 ~ место рыбной ловли; 싸움 ~ место драки; боя.

터 II 우리와 잘아는~이다 мы с ним хорошо знакомы; ...하려던~에 как раз в тот момент(в то время; ко-гда); ~할~이다 намереваться; пре-дполагать; иметь в виду; намерен; 지금 나는 떠날 ~이다 я сейчас намерен уехать.

터널 тоннель, туннель.

터놓다 открывать; прорывать; открываться кому-л.; верить кому-л.; изливать душу кому-л., перед кем-л.; признаваться кому-л. в чём-л.; снимать запрет; разрешать; 자기 의향을 ~ сообщать о своих намерениях; 사랑을 고백하다 открываться(объясняться) кому-л. в любви.

터득(攄得) ~하다 понимать; улавливать смысл; усваивать.

터뜨리다 взрывать; рвать; разрывать; раскрывать; разоблачать; открывать; вскрывать; выдавать.

터를 닦다 разравнивать место.

터무니 основание; почва; ~없는 абсолютно беспочвенный; совершенно необоснованный; ~없는 값 бешеные цены; ~없는 비난 беспочвенные обвинения; ~없는 입안(立案) необоснованный проект; ~없다 беспочвенный; неосновательный.

터밭, 남새밭 огород.

터벅거리다 плестись, волочиться.

터벅터벅 брести устало(через силу)

터전 земельный участок под домом; приусадебный участок; база; фундамент; ~을 닦다 заложить фундамент.

터지다 лопаться, расходиться по швам; взрываться; раскалываться; разрываться; трескаться; разойтись по швам(об одежде); 울음이~ зарыдать; 전쟁이~ развязаться (о войне); вспыхнуть; прорываться; продырявливаться; открываться; раскрываться; 폭탄이 ~ взорваться(о бомбе) 웃음이~ разразиться; хлынуть; привалить; разразиться смехом

터치(англ. touch) штрих; черта; легкое прикосновение; легкий удар друг о друга; косание; прикосновение; контакт; ~하다 трогать; касаться чего-л.;контактировать с кем-л.; иметь отношение к чему-л.; ~하지 않다 оставаться в стороне; не вмешиваться во что-л; задевать;

растрогать.

턱 I верхняя и нижняя челюсти, подбородок; 문~ выступ двери; ~을 악물다 сжимать(стискивать) челюсти; ~수염을 기르다 отпустить бороду; ~밑 под подбородком; ~수염 борода; 위~ верхняя челюсть; 아래~ нижняя челюсть.

턱 II порог; небольшой выступ; ~이 지다 иметь выступ; немного выступать.

턱 III угощение по случаю какого-л. события; 한 ~내다 угощать по случаю радостного события.

턱 IV основание; мотив; повод; причина; 이런 일을 할 ~있나 нет причины делать это.

턱 V вдруг; неожиданно; совсем; сильно; крепко; спокойно; хладнокровно; невозмутимо; ~멎다 вдруг остановиться; ...이 ~쓰러지다 неожиданно упасть; 마음을 ~놓다 успокоиться; 숨이 ~막혔다 сильно захватило дух; ...을 ~잡다 крепко взять; 문앞에 ~버티고 서다 невозмутимо встать в дверях.

턱없다 необоснованный.

턱없이 без причины.

털 волосы; волос; волосок; волосинка; шерсть; пух; мех; ворс; ~가죽 шкура; 모피 ~끝도 못 건드리게 하다 нельзя и прикоснуться; ~모자 меховая шапка; ~목도리 шерстяной шарф; ~보 бородач, волосатый человек; ~복숭이 волосатый человек; ~실 шерстяная нить(пряжа); ~옷 шерстяная одежда, одежда на меху; ~외투 меховое пальто; ~장갑 шерстяные перчатки.

털, 모직물(毛織物) шерсть.

털다 стряхивать, вытряхивать, выбивать, сметать, обворовать, обчистить; 옷의 먼지를~стряхивать с одежды пыль; 지붕에서 눈을 털어내다 сметать снег с крыши; 도둑이 빈집을~вор обворовывает пустой дом.

털리다 вытрясаться, потерять деньги в играх. **털모자** шапка.

털석 треск, шум, скрип, грохот

털썩 вдруг; с шумом; 그 자리에 ~주저앉다 так и плюхнулся на этом месте; 벽이 ~무너지다 стена вдруг рухнула; 보따리를 ~내려놓았다 с шумом опустил узел на землю; ~넘어지다 упасть(повалиться; лечь) пластом.

털어놓다 открыть душу; выкладывать; открывать; вытряхивать; 털어놓고 말하면 откровенно говоря; 털어놓고 말하다 говорить по душам; 비밀을 ~ открывать тайну (заговор).

텃밭 приусадебный участок земли; огород возле дома; ~을 갈다 вспахать приусадебный участок.

텃세(貰) I арендная плата за земельный участок.

텃세(勢) II ~하다 пренебрежительно относиться к новичку.

텅 совсем; совершенно; 집은 ~비어 있다 дом совсем(совершенно) пуст; 속이 ~빈 무 совсем пустая внутри редька. **텅 비다** совсем пустой.

테 ободок; обруч; оправа; кайма; окантовка; край; моток; 손수건에 ~를 두르다 окаймить платок; ~를 메우다 набивать обруч; 철사 한 테 моток проволоки.

테니스(англ. tenise) теннис; теннисный; ~코트 теннисный корт; ~를 치다 играть в теннис; ~공 теннисный мяч.

테두리 край(овального предмета); круг; рамки; окружность; габарит;

유엔의 ~안에서 в рамках ООН; ~를 벗어나다 выйти из рамок.

테라스(*англ.* terrace) терраса; насыпь; уступ; веранда; плоская крыша; 사방으로 유리를 끼운~ застекленная терраса.

테러(*англ.* terror) террор; страх; ужас; ~하다 терроризировать; подвергать террору; вселять страх; ~단 террористическая организация; ~리스트 террорист; ~리즘 терроризм

테마(*англ.* theme) тема; предмет; ~음악 музыкальные программы; музыка на одну тему

테스트(*англ.* test) испытание; проверка; тест; ~하다 подвергать испытанию; ~를 이겨내다 выдержать испытание; 한국어 ~ тест(контрольная работа) по корейскому языку.

테이블(*англ.* table) стол; ~에 앉아 있다 сидеть за столом; ~냅킨 салфетка; ~보 скатерть; ~스피치 застольная беседа; ~테니스 настольный теннис.

테이프(*англ.* tape) лента; тесьма; ~를 끊다 разрезать ленту; приходить к финишу первым; ~리코더 магнитофон; 녹음~ магнитная(магнитофонная) лента; 절연~ изоляционная лента.

테크닉(*англ.* technic) техника; технические приёмы; метод; способ; технический; 테크니션 человек знающий свое дело; специалист.

텍스트(*англ.* text) текст; подлинный текст; оригинал; ~북 учебник; руководство.

텐션(*англ.* tension) напряжение; растяжение; натягивание; ~을 완화하다 ослабить напряжение.

텐트(*англ.* tent) палатка; шатер; палаточный; шатерный; ~를 치다 разбить(убрать, сложить палатку); ~생활을 하다 жить в палатках; ~야영 палаточный лагерь; см. 천막.

텔레비전(*англ.* television) телевизор; телевидение; ~을 보다 смотреть телевизор; ~에 나오다 появляться на экране телевизора; выступать по телевидению; ~기자 тележурналист; ~방송 телепередача; телевидение; телевещание; ~영상 телеизображение; ~영화 телефильм; ~탑 телебашня; ~해설가 телекомментатор.

텔렉스(*англ.* telex) телекс; ~로 송신하다 передавать по телексу.

템포(*англ.* tempo) скорость; темп; ритм; 속력을내다 развить скорость; 빠른~ быстрый(медленный) темп; 급~로 с быстрым темпом (скоростью).

토 I частица; служебное слово

토(土) II земля(одна из 5 стихий восточной космогонии).

토기(土器) глиняные изделия; глиняная посуда, не покрытая глазурью; гончарные изделия; керамика; ~공 гончар; ~가마 гончарная печь;~점 гончарная(мастерская).

토끼 кролик; заяц; заячий; кроличий; ~가 제 방귀에 놀란다 заяц самого себя боится; 일석이조 одним ударом убить двух зайцев; ~가죽 заячья шкурка; ~잠 чуткий(неглубокий) сон; ~장 клетка для кроликов; ~치기 ~털 заячий(кроличий) мех.

토대(土臺)(바탕) основание, фундамент, базис, основа; ~하다 основываться; базироваться на чём-л.; ~를 닦다 заложить фундамент; 물질 기술적 ~를 튼튼히 놓다 прочно заложить материально-техническую базу чего-л..토대(土臺),기초(基礎) база.

토라지다 кривиться; коситься; портиться; ухудшаться; несварение желудка; плохо работать; 아침 먹은 것이 토라져 속이 좋지 않다 утром я съел что-то не то, поэтому у меня болит живот.

토론(討論) выступление; прения; дебаты; дискуссия; дискуссионный; ~하다 выступать(в прениях); обсуждать; дискутировать; ~에 붙이다 ставить на обсуждение; подвергать вопрос дискуссии; ~문 текст выступления; ~자 участник прений(дискуссии); выступающий; ~회 дискуссия; семинар; симпозиум.

토마토 помидор; томат;томатный; ~소스 томатный соус; ~주스 томатный сок.

토막(土幕) кусок; отрывок; фраза; фрагмент; куплет; часть; ~내다 резать(рубить) на куски; 아버지는 ~토막 끊어지는 말을 간신히 이어 나갔다 отец с трудом продолжал говорить, то и дело прерывая свою речь; ~극 отрывок из пьесы; ~나무 полено; плашка.

토목(土木) земля и дерево; ~건축 строительство; ~공사 строительные работы; инженерные работы; ~공학 инженеростроительное дело(наука); строительная инженерия; ~기사 инженер-строитель.

토박이 말 местный язык.
토박이 уроженец, туземец.

토벌(討伐) подавление; карательные операции; ~하다 подавлять; карать; проводить карательные операции; ~군 карательные войска; ~대 карательный отряд.

토사(土砂) I земля и песок; ~류 вода, смешанная с землёй и песком; ~붕괴 оползень; обвал.

토사(吐瀉) II ~하다 страдать поносом, сопровождаемым рвотой.

토산물(土産物) местная продукция; местный продукт.

토스 метание; бросание; способ жеребьёвки путем подбрасывания (монеты); ~하다 бросать; кидать; метать; подбрасывать; играть в орлянку.

토실토실 ~하다 пухлый, полный; ~한아이 полный(пухлый)ребенок.

토양(土壤) почва; грунт; ~보호 почвозащита;~산도 кислотность почвы; ~층 верхний слой почвы; ~침식 эрозия почвы;~학 почвоведение; ~학자 почвовед.

토요일(土曜日) суббота; субботний; 안식일교 субботник.

토의(討議) обсуждение; ~하다 обсуждать; ~에 붙이다 ставить на обсуждение; ~대상 предмет обсуждения.

토종(土鐘) культивируемый сорт; местный сорт; местная порода; исстари разводимая порода; 잡종 гибрид; ~닭 местная порода кур; исстари разводимая порода кур.

토지(土地) земля; земельный; ~개량 мелиорация; ~개혁 земельная реформа; ~국유화 национализация земли; ~대장 земельный кадастр; ~법 земельное право; ~이용 землепользование; ~조사 обследование земли.

토착(土着) ~하다 укореняться; прижиться; быть коренным жителем; ~민 аборигены; коренные жители; туземцы.

토코페롤(англ.tocophtrol) токоферол; витамин Е; витаминный; витаминовый; витаминозный.

토하다 вырвать; стошнить; рвать; 그는 토했다 он вырвал; 피를~

плевать(харкать) кровью; 불을~ открыть огонь.

톡 неожиданно; слегка; ~끊어지다 неожиданно лопнуть(разорваться); ~치다 слегка стукнуть(ударить); 말을 ~쏘다 резко сказать; ~불거지다 слегка выступать(выдаваться).; 톡쏘아붙이는 말 резко выпаленные слова.

톡톡하다 плотный и толстый; обильный; зажиточный; сильный; резкий; 톡톡히 сильно; резко; как следует; 그를 톡톡히 혼내주자 давайте его как следует проучим.

톡톡히 достаточно, довольно.

톤 I тон; интонация; модуляция; тон; характер; стиль; тон; оттенок; 흥분된 ~으로 повышенным тоном.

톤(*англ.* ton) II тонна; ~수 тоннаж.

톱 I пила, счётное слово для орехов.

톱 II пила; прядильный гребень; верхушка; вершина; ~을 갈다 точить пилу; ~날 зубья пилы; ~밥 опилки; ~질 распиловка. 톱으로 켜내다 отпилить. **톱니** шестерёнка.

통 I окружность; ширина; 다리 ~이 굵다 толстые ноги; ~아 크다 великодушный; благородный.

통 II группа; толпа; сборище; 한 ~이 되다 объединяться; группироваться.

통 III ~에 по причине; в результате чего-л.; 너무 떠드는 ~에 잘 들리지 않는다 из-за шума плохо слышно.

통 IV совсем; целиком; совершенно; 나는 그의 소식을 ~모른다 мне о нем совсем ничего неизвестно; ~말이 없다 не промолвить ни слова, ~알 길이 없다 узнать совершенно невозможно.

통 V знаток; осведомленный человек; проспект; улица; 러시아어 정통한 사람 знаток русского языка; 해안 ~ приморская набережная.

통(단위) VI счётное слово чеснока; цельный; целый; ~마늘 целая головка чеснока; ~나무 целое бревно.

통(痛) VII кочан; кочанный; 배추 몇 ~ несколько качанов капусты.

통(通) VIII бочка, кадка, счётное слово для писем, ведро, чан, бачок, ванна, ~을 짜다 собирать(монтировать) бочку.

통(筒) IX труба; ~풍관 воздухопроводная труба; вентиляционная труба. **통**(統) X пять дворов.

통, 병(炳) XI баллон.

통계(統計) статистика; итог; учёт; ~를 내다 подводить итог; вести статистику; учитывать; ~국 статистическое управление(бюро); ~원 работник статистического управления; статистик; 인구 동태 статистика рождаемости и смертности(населения); ~표 статистическая таблица; ~학 статистика; ~학자 статистик.

통고(通告) извещение; сообщение; предупреждение; уведомление;~하다 сообщать; извещать;доводить до сведения; докладывать; уведомлять; 편지로 ~하다 извещать письмом; ~장 докладная записка; уведомление.

통곡(通谷) рыдание; горький плач; ~하다 рыдать; горько плакать; ~해도 슬픔을 달랠 수 없다 слезами горю не поможешь.

통과(通過) прохождение через, одобрение, сдача, утверждение; ~하다 одобрить; защищать(диплом), проходить мимо; проезжать; утверждать; 기차가 역을~했다 поезд прошёл станцию(мимо станции); 시험에~

하다 сдать(выдержать экзамен); 결의안을 ~시키다 одобрять проект резолюции; ~무역 торговля через третьи страны; ~세 транзи-тная пошлина; ~화물 транзитные грузы.

통관(通關) ~하다 проходить таможенный досмотр; контролировать (грузы) на таможне; ~세 таможенные пошлины и сборы; ~업 посредничество и оказание услуг при прохождении торговых грузов через таможню.

통근(通勤) ~하다 ходить(ездить) на работу (службу) из дома; ~권 сезонный(проездной) билет; ~열차 рабочий поезд; поезд на кото- ром ездят на работу; ~자 идущий на работу.

통근버스 служебный автобус.

통금(通禁) проход(проезд)запрещен; ~시간 комендантский час; ~위반 нарушение комендантского часа.

통나무 целое бревно; ~집 бревенчатый дом, изба; ~뗏목 бревенчатый плотик; ~배 долбленая лодка; ~집 бревенчатый дом.

통달(通達)~하다 быть хорошо осведомленным(компетентным) в чём-л.; досконально изучать, выучить на зубок; 그는 화학에~한 사람이다 он человек осведомлённый в химии.

통달하다 все познать.

통독(通讀) ~하다 прочитать от начала и доконца(от корки до корки); 밤새 소설을 ~하다 читать роман всю ночь.

통로(通路) проход; проезд; путь; коммуникация; канал; доступ; ~없음 прохода нет.

통문(通文) извещение; циркуляр; циркулярный; ~을 띄우다 послать извещение(циркуляр).

통보(通報) вестник; сообщение; донесение; сводка; ~하다 сообщать; информировать; доводить до сведения; ~서 информационный бюллетень; ~신호 сигнал оповещения; ~체계 информационная система.

통상(通常) I ~의 обычный; обыкновенный; ординарный; простой; повседневный; ~복 повседневная (будничная) одежда; ~회의 очередное задание.

통상(通商) II торговля; коммерция; ~하다 торговать с заграницей; ~권 право на ведение торговли с заграницей; ~대표부 торговое представительство; ~조약 торговый договор.

통성명(通姓名) ~하다 представляться друг другу; знакомиться.

통속 I тайное собрание(сборище); тайная договоренность.

통속(通俗) II широко распространённый обычай; ~적 популярный; общедоступный; ~화하다 популяризировать; ~가요 популярная песня; ~극 пьеса на популярный сюжет; ~성 обыденность; популярность; ~철학 популярное(общедоступное) изложение философских вопросов; ~화 популяризация.

통솔(統率) руководство; командывание; ~하다 руководить, командовать кем-чем-л.; ~력 (единоличное) руководство; ~자 руководитель; лидер; глава; командир.

통신(通信) связь; коммуникация; передача сообщения(информации); корреспонденция; ~하다 сообщать; передавать; ~교육 заочное образование(обучение); ~대학 заочный институт; ~망 сеть связи; ~문 текст сообщения; ~사(社) (телеграфное) агенство; ~사(士) связист; ~원 корреспондент; ~위성 спутник связи.

통신위성(通信衛星) информационный спутник.

통역(通譯) перевод(устный); ~하다 устно переводить; ~관 официальный переводчик; ~원 устный переводчик.

통역하다 переводить.

통용(通用) широкое применение; ~하다 широко употреблять[ся]; широко применять[ся]; ~어 распрост-ранённое слово; жаргон.

통용되다 иметься в обращении.

통일(統一) единство, объединение, унификация, консолидация, единый, объединённый; 국가~ единое государство; ~하다 объединять; унифицировать; соединять; 남북한의 평화적 ~ мирное объединение Южной и Северной Кореи; ~강령 программа объединения (страны); ~국가 объединённое государство; ~성 единство; единообразие; ~안 проект(план) объединения (унификация); ~정부 объединённое правительство.

통장(通帳) I карточка, книжка сберегательная; ~에 1000 원이 있다 на книжке лежит тысяча вон; 배급 ~으로 빵을 받다 получать хлеб по продоволь-ственным карточкам; 배급 ~ продо-вольственная карточка; 예금~сберегательная книжка.

통장(統長) II староста одного села.

통장번호 номер сберкнижки.

통정(通情) 1) адюльтер; нарушение супружеской верности; любовная связь; 2) гуманность;человечность; ~하다 а) понимать друг друга; изливать душу друг другу; б) совершить прелюбодеяние;нарушить супружескую верность.

통제(統制) контроль; контрольный; контролирующий; ~하다 контролировать; осуществлять контроль; ~경제 контролируемая(планируемая) экономика; ~권 право контролировать что-л.; ~력 сила(эффективность) контроля; ~사 командующий морским флотом трех провинций.

통증(痛症) тяжелое состояние болезни; болевое ощущение; боль; страдание;~을 느끼다 испытывать боль; страдать; болеть.

통지(通知) 통보(通報) уведомление; сообщение; информация;~하다 сообщать;информировать;уведомлять; осведомлять кого-л. о чём-л.; 사건을 참석자에게 ~하다 осведомлять присутствующих о событии; 해고를 ~하다 уведомлять об увольнении; ~서 письменное извещение(уведомление); ~표 табель успеваемости.

통째~로 целиком; полностью; ~로 삼켜 버리다 проглотить целиком.

통찰(通察) проницательность; острота; проницательный;~하다 проникать в суть; видеть насквозь; 중요성을 깊이~하다 глубокой проницательностью видеть важность; ~력 проницательность; прозорливость.

통첩(通牒) послание; рапорт; письменное уведомление; нотификация; ~하다 письменно уведомлять; 최후 ~ ультиматум; 최후~을 띄우다 предъявить ультиматум; ~장 письменное уведомление; нота.

통치(統治) правление; управление; режим; господство; ~하다 управлять, господствовать ~권 суверенитет;

국가를~하다 управлять государством; ~계급 правящий(господствующий) класс; ~권 государственная власть; ~자 правитель.

통치제도(統治制度) режим.

통쾌(痛快) ~하다 очень довольный; удовлетворённый; весёлый; радостный; 우리는 축구시합에서~하게 이겼다 мы с большой радостью одержали победу в футбольном матче; ~감 чувство большого удовлетворения (большой радости); ~미 большое удовлетворение; большая радость.

통통 I ~하다 полный; толстый; крупный; большой; пухлый; плотный; жирный; 몸집이 ~한 아이 ребёнок плотного телосложения; ~한 볼 пухлые щёки; ~한 팔 толстая(пухлая) рука.

통통 II ~거리다 шуметь; тарахтеть; гудеть; топать; 트랙터가 ~거렸다 трактор тарахтел; 공이~튀었다 мяч звонко подскакивал; 볼이 ~부었다 щёки опухли; ~걸음 гулкие и быстрые шаги.

통통배 моторная лодка; моторный катер

통풍(通風) проветривание; вентиляция; аэрация; ~하다 проветриваться; ~구 отдушина; вентиляционное отверстие; ~기 вентилятор; дефлектор; ~실 комната с вентиляционным устройством; ~창 форточка; ~통 вентиляционная труба.

통하다(通-) проходить; иметь хождение; быть открытым; включать ток; работать; действовать; быть понятным; ходить; курсировать; передаваться; быть действительным; понимать друг друга; 말은 몰라도 서로 뜻이 통했다 хотя они не знали языка, но друг друга понимали; 전화가 ~ телефон работает; 통하여 через; посредством кого-чего-л.; 일생을 통하여 всю жизнь; 자유선거를 통하여 정부를 수립해야만 한다 необходимо создать правительство посредством свободных выборов; 신문을 통하여 알다 узнать из газеты.

통학(通學) ~하다 ходить(ездить) в школу(или в институт); ~생 учащиеся, посещающие регулярно школу(или институт); ~거리 расстояние от дома до школы; ~버스 автобус(поезд) для учащихся; ~생 учащийся, живущий дома

통합(統合) интеграцияслияние; объединение; укрупнение чего-л.; синтез; ~하다 сливаться; объединять[ся]; укрупнять[ся]; 힘을 ~하다 объединять усилия; ~군 объединённые войска; ~체 объединение.

통행(通行) движение, хождение; ~하다 проходить, проезжать; ~금지 проезд запрещён; ~료(세) плата за проезд; ~증 пропуск.

통화(通話) I телефонный разговор; связь; ~하다 разговаривать по телефону; ~중이다 телефон занят; ~료 плата за телефонный разговор; ~신청 заказ на телефонный разговор.

통화(通貨) II деньги; валюта; ~량 количество денег, находящихся в обороте; ~수축 дефляция(инфляция); ~정책 денежная политика; ~조절 регулирование денег(денежного обращения);~안정 денежная стабильность; ~유통 денежное обращение; ~제도 денежная система.

통화팽창(通貨膨脹) инфляция.

퇴거(退去) перемещение; переезд; переселение; эвакуация; отход; уход; ~하다 оформлять переселение; переезжать; переселяться; отходить; отступать; 다른 도시로~하다 переселяться в другой город; ~령 приказ о перемещении.

퇴근(退勤) возвращение с работы домой; ~하다 уходить с работы; ~길 возвращение с работы; ~시간 время возвращения с работы.

퇴로(退路) путь отхода(отступления);~를 차단하다 прерывать путь отхода.

퇴보(退步) регресс; регрессия; деградация; регрессивный; ~하다 идти вспять, двигаться назад; регрессировать; ухудшаться; отставать; отступать; отвергнуть.

퇴비(堆肥) компост(удобрение, приготовленное из мусора, травы и торфа); компостный; ~하다 приготовлять компост; 썩어서~가 되다 превращаться в компост; ~장 компостная куча.

퇴사(退社) ~하다 уходить со службы; выходить их общества; увольняться; оставлять компанию.

퇴색(退色) линька; выцветание; ~하다 выцветать; обесцвечиваться; терять цвет; блекнуть; линять; ~한 выцветший; 옷감이 ~되었다 материя выцвела.

퇴소(退所)~하다 оставлять службу; уходить с работы.

퇴원(退院) ~하다 выписаться(выходить) из больницы; ~증 больничный лист; бюллетень.

퇴임(退任) отставка; уход(выход) в отставку; ~의 отставной; ~하다 выходить в отставку; покидать службу; уходить с работы.

퇴장(退場) уход с собрания, со сцены; ~하다 покидать(собрание; соревнование и т. п.); уходить со сцены; 회의장에서 ~하다 покидать зал заседаний.

퇴적(堆積) накопление; скопление; нагромождение; аккумуляция; ворох; отложения; наносы; ~하다 нагромождать[ся]; скоплять [ся]; ~물 ворох; груда; осадочные отложения; ~층 аккумулятивные образования.

퇴직(退職) выход в отставку; ~금 деньги, оплачиваемые при уходе со службы.

퇴진(退陣) ~하다 отходить; отступать; отводить; ~시키다 отправлять в отставку; 전투를 계속하면서 ~하다 отступать с боями.

퇴짜 ~를 놓다 не принимать; возвращать; отвергать; ~를 맞다 не быть принятым; быть отвергну- тым; получать отказ.

퇴치(退治) ликвидация; истребление; искоренение; ~하다 ликвидировать; искоренять; истреблять; 악폐를 ~하다 искоренять зло(предрассудки); 문맹을 ~하다 ликвидировать неграмотность.

퇴폐(頹廢) упадок; декаданс; упадочный; декадентский; ~문학 эротическая литература; ~적 упадочнический; ~주의 упадочническое течение; декаденство; ~하다 приходить в упадок; деградировать; ~주의 ~자 декодент; упадочник.

퇴학(退學) ~하다 уходить из учебного заведения; ~시키다 выгонять(исключать) из школы; ~생 учащийся, ушедший из учебного заведения; учащийся, исключённый из учебного заведения; изгнанник.

퇴행(退行) ~하다 отходить; отступать; откладывать; переносить (работу) на другой день.

퇴화(堆花) деградация; регресс; упадок; дегенерация; вырождение; атрофия; ~하다 дегенерировать; регрессировать; деградировать; вырождаться; атрофироваться; 남방 곡식은 북방의 기후에서~하였다 южные злаки в условиях северного кли- мата не прижились.

투(套) привычка; манера; способ; метод; 이런 ~로 таким способом; 상투수단 заезженный способ; 엄한 ~로 말하다 говорить строго; 말하는 ~ манера говорить.

투고(投稿) предоставление статьи, письма заметки *и т.п.* (в редакцию); ~란 колонка для чего-л.; ~하다 писать и посылать в газету(журнал) 논문을 학술지에 ~하다 писать и посылать статью в научный журнал; ~자 (постоянный) сотрудник газеты (журнала).

투과(透過) ~하다 пропускать; пронизывать; ~력 способность проходить(проникать) через что-л.; ~성 проницаемость; пропускаемость.

투기(投機) I спекуляция; афера; авантюра; спекулятивный; авантюрный; ~하다 спекулировать; пускаться на авантюры; ~업에 종사하다 заниматься спекуляциями; ~성 авантюрность; авантюризм; ~업 спекулятивное(авантюрное) предприятие(дело); ~업자 спекулянт.

투기(妬忌) II ревность; подозрительность; зависть; ~하다 ревновать кого-л. к кому-л.; 그는 자기 아내와 친구와의 관계를~하고 있다 он ревнует свою жену к приятелю; ~심 ревность.

투덜거리다 ворчать; бормотать; бурчать себе под нос; 그는 일이 제대로 되지 않는다고 투덜거렸다 он ворчал, что дело не получается как надо; 잘투덜거리는 사람 ворчун.

투명(透明) чистота; прозрачность; ~하다 прозрачный; сквозной; ~성 прозрачность; степень прозрачности; ~체 прозрачное тело; ~한 прозрачный.

투박하다 грубый; неуклюжий; нескладный; ~한 말 грубое слово; ~함 грубость.

투병(鬪病) ~하다 бороться с болезнью(недугом); 그는 오랫동안 음주벽과 투병하여 완쾌되었다 он долго боролся и излечился от пьянства.

투서(投書) анонимка; анонимное письмо; ~하다 писать и посылать анонимное письмо.

투석(投石) бросаемый камень; ~하다 бросать камень; бросаться камнями; ~전 бой с бросанием (друг в друга) камнями.

투성이 весь в масле; 피~ весь в крови; 온통 사람~이다 быть многолюдным(заполненным людьми).

투숙(投宿)~하다 останавливаться в гостинице;~객 постоялец; жилец.

투시(透視) просвечивание, видение насквозь; ~하다 видеть сквозь(через что-л.); просвечивать; 환자를 X광선으로 ~하다 просвечивать больного; ~도 перспективный рисунок(чертеж);~력 проницаемость.

투신(投身) ~하다 целиком посвящать себя(чему-л.); тонуть; топиться; 일생을 학문에 ~ посвящать всю жизнь наукам.

투약(投藥) ~하다 изготовлять лекарство(по рецепту); ~구 окно в аптеке, в котором заказывают лекарство.

투어 путешествие; поездка; турне;

экскурсия; прогулка; тур; 한국을 두루~하다 совершать турне по Корее

투여(投與) ~하다 давать лекарство (дозами).

투영(投映) тень; проекция; проектирование; проекционный; ~하다 проектировать; отражать; бросать (тень; луч света); ~도 чертёж, полученный аксонометрическим способом.

투옥(投獄)~하다 заключать(бросать) в тюрьму; засадить(посадить) в тюрьму; ~된 사람 заключен/ный, ~ная.

투입(投入) передача; загрузка;~하다 подавать; загружать; бросать; забрасывать что-л. куда-л.; вкладывать; помещать(капитал); дополнительно вводить(людей); ~공 загрузчик.

투자(投資) капиталовложение; инвестиция; ~하다 вкладывать(капитал); инвестировать; ~가 вкладчик; ~권 право капиталовложе-ния; ~액 сумма капиталовложений.

투쟁(鬪爭) борьба; битва; бой; сражение; конфликт;~적 боевой;~하다 бороться; сражаться; вступать в конфликт с кем-л.; ~력 боевые силы; ~사 история борьбы; ~심 боевой дух; боевое настроение; 계급~ классовая борьба.

투정(妬情)~하다 клянчить; выпрашивать; приставать; придираться; ~을 부리다 привередничать; капризничать; 그는 내게 돈을 달라고 ~을 부렸다 он клянчил деньги у меня.

투지(鬪志) боевой дух, воля к борьбе; ~만만하다 полный решимости.

투척(投擲) метание(копья; диска); ~하다 метать(копье; диск); ~경기 состязание в метании(копья; диска); ~력 сила броска.

투철(透徹) ~하다 прозрачный; понятный; ясный; последовательный; прозорливый; острый; стойкий; ~한 사람 человек с ясной головой.

투표(投票) голосование; ~권 право голоса; ~자 избиратель; ~하다 голосовать; 찬성 ~하다 голосовать за кого-л.; 반대~하다 голосовать против кого-л.;~에 부치다 ставить на голо-сование; ~소 кабина для голосования; место голосования.;~일 день голосования(выборов); ~지 избирательный бюллетень; ~함 ящик для голосования.

투항(投降) капитуляция; ~하다 капитулировать; сдаваться; 적에게 ~하다 сдаваться врагу; ~자 капитулянт; капитулирующий.

툭 неожиданно(с треском); слегка; резко; прямо; ~끊어지다 неожиданно(с треском) лопнуть (разорваться); ~ 털어놓고 말하다 говорить прямо; 그의 어깨를 ~쳤다 слегка стукнул его по плечу; 말을 ~쏘다 резко сказать; ~불거지다 слегка выступать(выдаваться).

툭하면 то и дело; чуть что; по малейшему поводу; 그는 ~화를 낸다 чуть что, он сердится.

퉁퉁 ~거리다 гулко шуметь; гудеть; тарахтеть; ~붓다 опухнуть; набухнуть; распухнуть; 울어서 눈이 ~부었다 глаза распухли от слез; ~하다 полный;толстый;пухлый.

튀기다 парить, жарить; 줄을 ~ перебирать струны; 물을~ плескаться(брызгаться) водой; 수판을 ~

щелкать на счетах; 물고기를 ~ жарить рыбу.

튀김 рыба, зажаренная в тесте;~새우 креветки, зажаренные в тесте.

튀다 лопаться, взрываться, отскакивать; трескаться; рассыпаться; разогнувшись сойти со своего места; сбежать; брызгать; развлекаться; заметн-о выступать(выдел-яться).

트다 пускать ростки; отращивать; распускаться; пробиваться; трескаться; заниматься; рассветать; открывать; устанавливать близкие отношения с кем-л.; дружить; 찬바람에 얼굴이 텄다 холодным ветром обожгло лицо; 그는 운이 텄다 ему выпало счастье; 추위에 손이 튼다 руки трескаются от холода; 먼동이 트기 시작했다 заря занялась.

트랙(*англ.* track) трек; беговая дорожка; лыжня; ~경기 лёгкая отлетика.

트랙터(*англ.* tracktor) трактор; ~운전수 тракторист.

트랜스(*англ.* transformer) трансформатор; преобразователь.

트랩(*англ.* trap) капкан; ловушка; люк; опускная дверь; ~을 놓다 ставить ловушку; ~에 걸리다 попасться в капкан.

트러블(*англ.* trouble) беспокойство; волнение; неприятность; тревога; затруднение; ~을 일으키다 причинять кому-л. неприятность(беспокойство); ~메이커 нарушитель спокойствия(порядка); смутьян, ~ка.

트럭 грузовик; грузовая автомашина; автовоз;~운전사 водитель грузовика.

트럼펫(*англ.* trumpet) тромбон (труба); ~을 불다 трубить в трубу; ~을 부는 사람 трубач.

트럼프(*англ.* trump) игральные карты.

트렁크(*англ.* trunk) чемодан; дорожный сундук; багажник; ствол; хобот;~를 풀지 않은 채로 살다 жить на чемоданах(в постоянных разъе-здах).

트레이너(*англ.* trainer) тренер; инструктор; тренерский.

트레이닝(*англ.* training) воспитание; обучение; тренировка; тренировочный; ~하다 тренировать; 현장 ~ обучение по месту работы; ~비행 тренировочный полёт; 정구선수들을 ~하다 тренировать теннисистов.

트레이드(*англ.* trade) торговля; сделка; обмен; ~하다 торговать; обменивать; 칼을 강아지와 ~하다 обменивать нож на щенка; ~마크 фабричная марка.

트레일러(*англ.* trailer) трейлер; прицеп.

트이다 быть открытым, чистым; становиться разумнее; освобождаться от чего-л.; 마음이 트였다 на душе стало легко; 숨이~ свободно вздохнуть; 마음이 트인사람 человек с открытой душой; чистосердечный человек.

트집 придирка; ~잡다 придираться; донимать;~쟁이 задира; 말마다~을 잡다 цепляться за каждое слово; ~을 걸다 придираться.

특강(特講) специальная лекция; спецкурс; ~하다 читать специальную лекцию(спецкурс).

특공대(特攻隊) специальный отряд для атаки; коммандос; отряд специального назначения; ~원 боец коммандоса.

특권(特權) I привилегия; льгота; исключительные(особые) права; ~을 가지다 обладать привилегиями (особыми правами); ~을 가진 привилегированный; ~층 привилегированные слои(круги.).

특권(特權) II прерогатива.

특근(特勤) сверхурочная работа; ~하다 работать сверхурочно; ~수당 плата за сверхурочную работу.

특급(特級) специальный разряд, класс; ~으로 졸업하다 окончить курс на <отлично>; ~와인 вино специально-го разряда.

특기(特技) I особое мастерство; особый талант; особые способно- сти.

특기(特記) II особые заметки, пометки; ~하다 особо отмечать; записывать; ~할만한 заслуживающий быть особо отмеченным (упомянутым).

특등(特等) высший разряд, класс, разряд, сорт; ~실 номер <люкс>; каюта высшего класса.

특례(特例) редкий пример; особый случай; исключение. ~를 제정하다 установить исключение; ~법 специальный закон.

특별(特別) ~하다 специальный; особый; особенный; ~히 специально; особо; особенно; ~계좌 специальный текущий счёт; ~법 специальный закон; ~상 особая награда(премия); ~시 город центрального подчинения.

특별시(特別市) город специального назначения.

특별하다 особый, особенный, специальный; 특별한 особенный.

특사(特使) I чрезвычайный посланник; ~를 보내다 посылать чрезвычайного посланника.

특사(特赦) II ~하다 снижать меру наказания кому-л.; миловать кого-л.; 죄인을~하다 миловать престу-пника;

~권 право помилования.

특산품(特産品) товары местного произ-водства.

특색(特色) особенность, характерная черта; особое свойство; колорит; ~없는 사람 бесцветная личность; 민족적 ~ национальный колорит.

특선(特選) специально отобранное (выбранное); ~하다 специально выбирать(отбирать); ~품 специально выбранный товар.

특설(特設) ~하다 специально учреждать, ~반 специальная группа (в учебном заведении).

특성(特性) особенность, специфика, особенности; характерная черта; особенный; характерный; специфический.

특수(特殊) I ~하다 особый; особенный; специфический; ~강 специальная сталь; спецсталь; ~성 особенность; специфика.

특수(特秀) II ~하다 выдающийся; прославленный; ~한 학생 выдающийся ученик.

특유(特有) отличие, специфика; ~하다 отличаться, характерный; отличительный; свойственный; присущий; специфический; ~성 характерность, специфика, своеобразие; 한국~의 풍경 свойственный Корее пейзаж.

특이(特異) характерность, специфичность; ~하다 своеобразный; специфический; ~성 своеобразие, характер; ~점 особенность, отличительная сторона.

특이(特異) характерность, специфичность; ~하다 своеобразный; специфический; ~성 своеобразие, характер; ~점 особенность, отличительная сторона.

특이하다(特異-) своеобразный, специфический.
특장(特長) особое преимущество (достоинство); особая положительная черта
특전(特典), 특혜(特惠) I льгота; особая милость; привилегия; ~을 베풀다 предлагать привилегию; ~을 누리다 пользоваться привилегией.
특전(特電) II сообщение специального корреспондента; ~에 따르면 по сообщению специального корреспондента.
특정(特定) ~하다 особо устанавливать (определять); ~인 доверенное лицо.
특정하다 особый, особенный, специфический.
특정한 동식물(動植物) особые животные и растения.
특종(特種) особый род(вид; спорт); особая порода; сенсационная новость; ~으로 다른 신문을 앞지르다 опубликовать сенсационное сообщение раньше других газет.
특종기사(特種記事) особый вид, сорт.
특질(特質) особенность, характер; отличительное свойство.
특집(特輯) спец. редактирование; ~하다 проводить специальное редакти-рование; ~호 специальный номер(выпуск).
특징(特徵) особенность, характерный признак; специфика; своеобразный; характерный; ~짓다 характеризовать[ся]; 이것은 우리 공장의 ~적인 제품들이다 эти изделия, характерны для нашего завода.
특출(特出) ~하다 особо выдающийся; незаурядный; необыкновенный; ~한 공로 выдающиеся заслуги.

특파(特派)~하다 специально посылать (командировать); ~원 специальный корреспондент; специально посланный (командирован-ный)
특파원(特派員) срециальный корреспондент.
특필(特筆) особая(специальная) запись; ~하다 специально отмечать (записывать); 대서~하다 писать крупным почерком(шрифтом).
특허(特許) патент, специальное разрешение; ~를 소유한 патентованный; ~의 патентный; ~하다 специально разрешать; выдавать патент на что-л.; патентовать; ~권 патентное право; ~약 патентованное средство; ~청 бюро патентов; ~품 патентованный товар.
특허장(特許狀) патент.
특혜(特惠) особое благодеяние; особая милость; преференция; преференциальный; ~를 주다 отдавать преференцию; ~관세 льготная пошлина; ~세율 преференциальный тариф.
특효(特效) особое действие;особый эффект; ~약 лекарство(средство), эффективное для данной болез- ни; специфическое средство.
특히 особенно; особо;в особенности; преимущественно; тем более что; в частности; ~이 표현이 쓰이다 преимущественно употребляется это выражение 튼튼하게 здоров.
튼튼하다 крепкий, прочный, надежный, здоровый; твердый; 튼튼히 здорово; крепко; твердо; 환자가 몸이 튼튼해진다 больной выздоравливает; 한국의 미래는 ~ будущее Кореи надёжно.
튼튼한 здоровый, крепкий.

- 674 -

튼튼합니다 здоровый.
튼튼히 надежно, прочно, твердо
틀 рама; рамка; опора; рамки; предел; форма; станок; машина; машинка; ~에 박힌 традиционный; шаблонный; стереотипный; 낡은 ~에서 벗어나다 избавиться от устаревших порядков; ~을 잡다 ставить в определенные рамки; ~에 맞추다 придерживаться формы; поступать по шаблону.
틀니 зубные протезы.
틀다 крутить; закручивать; вить; собирать; включать; трепать; перечить; мешать; 수도꼭지를~ крутить кран; 라디오를 ~ включать радио; 머리채를 ~ собирать волосы в косу; 시계의 태엽을 ~ заводить часы.
틀리다 не совпадать, не соответствовать; портиться; неудаваться; проваливаться; быть ошибочным (неправильным); 편지의 주소가 틀렸다 на письме был неверный адрес; 그들의 의견은 서로 틀린다 их мнения не совпадают.
틀리면 если это не правильно.
틀린곳 неправильное место.
틀림 расхожий; несоответствие; ошибка; ~없이 несомненно; ~없다 несомненный; безошибочный; 원본과 ~없음 с подлинником верно.
틀어막다 затыкать; скрутив что-л.; закручивать; 수도꼭지를 ~ закручивать(затыкать)кран; 입을 ~ затыкать рот кому-л.; 귀를 솜으로 ~заложить(затыкать) уши ватой.
틀어박히다 быть изолированным; быть заключённым; 방안에 ~ не выходить из комнаты; 수도원에 ~ быть заключённым в монастырь.

틀어지다 искривляться; терпеть неудачу; не удаваться; проваливаться; портиться; кривиться; коситься; 그들의 일이 틀어졌다 их дело провалилось.
틀이 잡히다 рамки образовываются (складываются).
틈 щель, трещина, зазор; отчуждённость; свободное время; удобный случай; шанс; ~나다 найти свободное время; ~새 узкая часть трещины; ~을 내다 найти свободное время; 그들 사이에 ~이 생겼다 между ними черная кошка пробежала; ~을 이용하다 пользоваться шансом.
틈바구니 см. 틈.
틈새 щель; трещина; узкое место; 추위 때문에 돌에 ~가 생기다 камень трескается от холода.
틈타다 пользоваться удобным случаем(моментом); 기회를 틈타서 пользуясь случаем.
틈틈이 во все щели; по временам, в часы досуга, каждую свободную минуту. 틈틈히 время от времени.
틈입 ~하다 неожиданно входить; внезапно врываться.
티 I пылинка, незначительный дефект; частичка; соринка; признак; вид; 눈의 ~를 빼다 вынуть соринку из глаза; ~를 보다 искать изъяны; 없어 чистый; ясный; без изъяна; ~를 내다 делать вид; 학자~를 내다 изображать из себя ученого.
티(англ. tea) II чай; ~룸 кафе(кондитерская); ~스푼 чайная ложка.
티격태격 ~하다 спорить; 시시한 것을가지고~하다 спорить о пустяках.
티끌 соринка и пылинка; ~모아 태산 высокая гора сложена из пы-

линок; из малого набирается большое; по зернышку ворох; по капельке море;~만하다 ничтожный; мельчайший; ~만큼 ни на йоту.; 티끌 모아 태산 высокая гора сложена из пылинок
티눈(-嫩) мозоль.
티슈리 Тишри (유대력의 일곱 번째 달)
티레니아 바다 Тирренское море

티타늄(*англ.* titanium) титан; ~산염 титанат.
티티새 дрозд.
티없이 без никаких дефектов, чисто; 티없이 살고 싶습니다 хочу жить без греха.
팁(*англ.* tip) чаевые; денежный подарок; 여종업원에게 ~을 주다 давать чаевые официантке.

ㅍ

ㅍ тринадцатая буква кор. алфавита, обозначает согласную фонему<пх>

파 I лук; ~의 대가리 головка лука; ~한 단 один пучок лука.

파(派) II 1) фракция; секта; школа; партия; 여러~로 나뉘다 разделяться на фракции; 2) сокр. от 파계 I; 파가 갈라진다 подразделяться на ветви.

파(破) III 1) трещина; разорванное место(напр. на одежде); повреждение; 2) уст. недостаток; порок(у человека); ~잡다 выявлять недостотки.

-파(波) волна; 자기~ магнитная волна; 초음~ ультрозвуковая волна; 전자기파 электромагнитные волны.

파격(破格) 1) отступление от обычных правил; ~적 а) исключительный; б) неправильный; ошибочный; ~하다 отступать от правил (норм); нарушать правила; 2) нарушенные правила(нормы); ~적인 대우를 받다 получать исключительно хорошее обращение.

파견(派遣) посылка; командировка; ~하다 посылать; командировать; отправлять; 사건 조사에 ~하다 командировать на расследование дела; ~군 экспедиционные войска; экспедиционная армия.

파고들다 исследовать; выяснять; расследовать; проникать; допытывать; 자세하게 ~ вдаваться в подробности; 이 편지를 읽고 나니 무언가 가슴 깊이 파고드는 것이 있었다 прочитал я это письмо и что-то меня сильно растревожило.

파괴(破壞) разрушение, ломка; подрыв; ~[적] а) разрушительный; б) подрывной; диверсионный; ~강도 прочность на разрыв; ~분자 подрывной(вредительский) элемент; диверсант; ~한계 физ. предел прочности; ~행위 юр. диверсионный акт; диверсионные(подрывные) действия; ~하다 разрушать, ломать, подрывать; ~력 разрушительная сила; ~자 разрушитель; диверсант; ~활동 подрывная деятельность.

파국(破局) 1) катастрофическое положение; катастрофа; срыв; крах; ~적인 катастрофический;~에 처하다 находиться в катастрофическом положении; ~으로 이끌다 вести что-л. к срыву(к катастрофе); 2) арх. ~하다 закрыть(аптеку).

파급(波及) распространение; ~되다 распространяться на что-л.; отражаться на чём-л.; 소문의 ~распространение слухов; ~하다 распространяться(на что-л.); отражаться(на чём-л.).

파기(破棄) I ~하다 разбивать(разрывать) и выбрасывать; отменять; денансировать; расторгать; 조약의~를 통고하다 денансировать договор.

파기(波器) II разбитая посуда.

파김치 кимчхи из лука; ~가 되다 страшно устать, измучиться.

파내다 выкапывать; 감자를~ выкапывать картофель.

파노라마(*англ.* panorama) панорама.

파다 I 1) копать, рыть; 2) проделывать отверстие; продырявливать; 3) вырезать, гравировать; 4) закруглять, вырезать(напр. ворот); 5) извлекать, добывать полезные ископаемые; 6) докапываться, доискиваться; ‖ 파고 들다 а) поникать; б) допытываться; 파먹다 а) извлекать(выковыривать) и есть; б) точить(напр. дерево-о червях); вгрызаться; в) уничтожать запасы; съедать полностью;

파다 II а) закапывать, зарывать; б) утаивать, скрывать; ~ 묻다 копать; рыть; проделывать; проды-рявливать; вырезать; гравировать; извлекать; добывать; докапываться; доискиваться; подробно расспрашивать; допытываться; 도장을 ~ вырезать печать(штамп); 진실을~ докопаться до правды.

파다(播多) III ~하다 широко распротронённый; 소문이 ~하다 много говорят(о чём-л.).

파도(波濤) волна; ~치다 набегать волнами; 거센~ сильные волны; ~타기 серфинг; см. 물결.

파동(波動) 1) волнение(напр. на море); 2) физ. волна; ~ 역학 волновая механика; 3) отзвук, отголосок; ~전 а) волнообразный; б) скачкообразный, неравномерный; ~설 волновая теория.

파동성(波動性)[-ссонъ] 1) волновые свойства; 2) неравномерность, нестабильность.

파뜩 мгновенно; ~정신이 나다 мгновенно прийти в себя; ~하다 мгновенно прийти(появиться).

파라다이스(*англ.* paradise) см. 낙원.

파란(波瀾) 1) волны и зыбь; 2) затруднения, неполадки; волнения и тревоги; ~만장 перипетии.

파란콩 зеленый горох.

파랗다(파라니,파라오) 1) это синие; яркосиний, зеленый; 파란줄 딱지 조개 Tonicella lineata; 2) очень молодой, зелёный. **파래요** это синее.

파래지다 посинеть, позеленеть

파렴치(破廉恥)~하다 бессовестный, наглый, циничный.

파르르 1) ~떨리다 чуть трепетать на ветру; 2) ~끓다 медленно(слегка) кипеть; 3) ~성을내다 ~떨다 трепетать; дрожать; ~성을 내다 внезапно вспылить; 눈꺼풀이 ~떨린다 веки дрожат.

파릇파릇 ~하다 *прил.* в зеленоватых(синеватых) пятнах (крапинках); чуть зеленоватый(синеватый).

파리 муха; ~목숨 ничтожная жизнь; ~채로~를 잡다 бить муху хлопушкой; ~채 хлопушка; мухоловка; ~경주인 *погов.* ≃ к воспалённым(больным) глазам липнут мухи; ~발 드리다 *обр.* молить, умолять.

파리하다 1) бледный; 2) худой; тонкий; 파리한 얼굴 бледное лицо.

파마[넨트](<*англ.* pernamenet wave) перманент(завивка).

파먹다 извлекать(выковыривать) и есть; точить; грызть; проедать; уничтожать запасы; съедать полностью; 좀이 나사를 파먹었다 моль проедала сукно.

파멸(破滅) уничтожение; гибель; разрушение; разорение; крах; ~적 гибельный; пагубный; ~하다 гибнуть; разрушаться; ~을 초래하다 разорить; погубить; вызывать разрушение.

파문(波紋) 1) рябь, зыбь; 2) отклик, отзвук; воздействие; ~을 던지다 (일으키다) вызвать отклик; оказать влияние; 돌을 던져서 ~이 일어나다 идут круги на воде от брошенного камня; ~을 던지다(일으키다) вызывать отклик; оказывать влияние(шум;

волнение; резонанс). 파문을 일으키다 возбуждать волны.

파묻다 закапывать; зарывать; прятать; утаивать; скрывать; 무를 땅에 ~зарывать редьку в землю; 그는 어머니의 가슴에 얼굴을 푹 파묻었다 он уткнулся лицом в грудь матери.

파묻히다 быть закопанным(зарытым); быть скрытым; 집은 꽃속에 파묻혔다 домик тонет(утопает) в цветах.

파벌(派閥) группировка; фракционная группа; секта; ~적 фракционный; сектантский; ~주의 сектантство; ~싸움 фракционная борьба.

파산(破散) а) разорение; банкротство; крах; ~하다 разориться; обанкротиться; оказаться несостоятельным; потерпеть крах(банкротство); ~자 банкрот; разорившийся (обанкротившийся) человек; б) полностью провалиться, потерпеть крах; в) быть конфискованным(в пользу кредитораоб имуществе должника).

파상(波狀) I волнистость; ~의 волнообразный; волнистый; ~공격 периодические атаки; ~지대 холмистая местность; ~폭격 бомбометание волнами.

파상(破傷) II ушиб; ~하다 ушибать; ~풍 столбняк; ~풍균 столбнячная палочка.

파생(派生) происхождение; деривация; отпочкование; ~적 производный; деривационный; ответвляющийся; побочный; ~하다 проистекать; происходить из чего-л.; отпочковываться; ~물 производное; дериват; ~어 производное слово;~[전] а) производный, деривационный; б) ответвляющийся; побочный; ~어간 лингв. производная основа; ~적 소득 эк. производные доходы; ~적 의미 лингв. деривационное (производное) значение; ~하다 проистекать, происходить(из чего-л.); отпочковываться.

파손(破損) повреждение; ~하다 повреждать; наносить повреждение; получать повреждение.

파송(派送) I ~하다 а) отправлять, посылать; б) см. 파견[하다].

파송 II отправка; отправление; 선교사 ~ отправление миссионера.

파쇄(破碎) ~설비 дробильная установка; ~하다 дробить, размельчать; разбивать(на куски).

파쇄기(破碎機) дробильная машина; дробилка.

파쇼(англ. Fascio) фашизм; фашист; ~독재 фашисткая диктатура.

파수(把守) I страж; караул; ~를 보다(서다) стоять на страже; караулить; сторожить; ~꾼 стража; сторож; ~병 страж; часовой; ~하다 караулить; страж.

파수(波收) II 1) раз; 다음~ следующий раз; 2) расчёты за купленный(проданный) товар каждый 5-ый день; 3) время от одного базарного дня до другого.

파스(англ. pass) 1) см. 통과; 2) см. 합격; 3) уст. бесплатный билет; 4) спорт. пас; 5) сокр. от. 파스포트.

파스텔(англ. pastel) пастель; мелки; пастельный; ~화 пастельная живопись.

파스텔화(англ.pastel+畵) пастель(живопись).

파시즘(um.fascism) фашизм.

파십시오 продайте.

파악(把握) ~하다 постигать; понимать; давать себе отчёт в чём-л.; схватывать; держать в руках; 의미를 파악하다 схватывать(понять) смысл; 사업의 진행을 파악하다 войти в курс дела.

파업(罷業) забастовка; стачка;~하다 бастовать; ~을 일으키다 объявить забастовку; устраивать стачку;~자 забастовщик,забастовщица; стачечник, стачечница; 총~ всеобщая забастовка; см. 동맹 [파업] I.

파열(破裂) I взрыв; разрыв; ~하다 вскрывать; лопаться; разрываться; 포탄이 ~했다 снаряд разорвался; ~음 взрывной звук

파열(波裂) [-욜] II мед. разрыв; ~하다 разбиваться, раскалываться; разрываться,лопаться,расползаться.

파운드(англ. ppound) 1) фунт; 2) (английский) фунт стерлингов.

파울(<англ. faul) нарушение правил игры; ~하다 нарушать правила игры; нечестно играть; ~플레이 нечестная игра; см. 반칙.

파이프(англ. pipe) труба; курительная трубка; мундштук; свирель; дудка; свисток; ~오르간 орган; см. 관 II

파일(англ. file) картотека; подшитые бумаги; подшивка; скоросшиватель;файл

파장(罷場) закрытие базара; окончание экзамена(работы); ~하다 закрываться; заканчивать экзамен(ра-боту); 1) закрытие базара; ~에 엿(수수엿) 장수 обр. а) человек, упустивший возможность продать(что-л.); б) окончание экзамена; 2) время окончания работы; 3) закрываться(о базаре); ~하다 а) закрываться(о базаре); б) заканчивать экзамен(работу).

파종(播種) [по]сев; ~의 посевной; ~하다 сеять; ~후에 김을 매다 пропалывать; ~기 сеялка; ~법 способ посева; ~시기 время(период) посева; ~용 종자 посевное зерно; ~면적 посевная площадь; ~조림 посев леса в горах;~하다 сеять.

파죽지세(破竹之勢) непреодолимая (сокрушающая) сила; ~로 неудержимой лавиной; неудержимо; ~로 나아가다 стремиться вперёд со всё нарастающей силой; сметать всё на своём пути.

파출(派出) ~하다 посылать; отсылать; ~부 подёнщица для домашней работы; уборщица; ~소 полицейский пост; аген-тство.

파출소(派出所) полицейский участок; 1) представительство учреждения, агентство; 2) полицей ский пост(в Корее до 1945 года).

파충류(爬蟲類)[-뉴] зоол. класс пресмыкающихся.

파탄(破綻) срыв; провал; банкротство; ~하다 срывать[ся]; терпеть провал; обанкротиться; разрывать[ся]; 계획이 ~되었다 план провалился.

파티(англ. party) компания, команда, группа, отряд вечеринка.

파편(破片) осколок; 포탄~ осколок снаряда; ~탄 осколочный снаряд.

파행(跛行) ~하다 ковылять; хромать; идти с трудом; медленно двигаться; 일이 ~적이다 дело хромает.

파헤치다 разгребать; копаться; раскидывать; взрывать; разрывать; раскрывать; 닭이 두엄을 ~курица копается в навозе; 비밀을 ~открывать тайну

판(判) I место; обстановка; ситуация; момент; игра; партия; тур; раунд; состязание; 이야기 ~이 벌어졌다 завязалась беседа; ~을 물리다 отложить состязание по борьбе; ~을 치다 выйти победителем; быть на голову выше; 막~에 в последний момент; 노름~ игровое место; 이야기 판이 벌어졌다 завязалась беседа; 판 밖의 사람 постороннее(непричастное) лицо;

판을둘다 а) прожить(промотать) всё состоя-ние(имущество); б) закончиться неудачей, не удаться(о деле); 판을 막다 закончить победой состязание; 판을 물리다 а) оттеснить(зрителей, болельщиков и т. п.); б) отложить (состязания по борьбе); 판[을] 주다 отдавать пальму первенства(кому-л.); 판[을]치다 а) выйти победителем; б) перен. быть на голову выше; 판을 때리다 прост. спускать решение; давать заключение; 판[이] 나다 а) см. 결판[이나다]; б) кончиться, израсходоваться, выйти; в) разориться, обанкротиться; 2. счётн. сл. игра; партия; тур; раунд.

판(板,<盤) II доска; щит; панель; 얇은~ тонкая доска; 절연 ~ изоляционная доска; 바람막이~ щит от ветра; 철근 콘크리트~ железобетонная панель.

판(板,版) III клише; печатная доска; выпуск; издание; ~에 박은 듯하다 как две капли воды; 제 5판 пятое издание; 몇 년도 판이오? Какого года издание?

-판(-版,-板) суф. кор. формат бумаги; 사륙판 формат бумаги ×4 (1/12 листа).

판가름 ~하다 рассудить; решать; делать выбор; 누가 옳고 그른가~해 보자 давайте рассудим, кто прав и кто неправ; 2) см. 판가리.

판결(判決) определение; решение; приговор; ~하다 определять; решать; выносить приговор; ~을 유예하다 отложить вынесение приговора; 그는 무죄 ~을 받았다 он был судом оправдан; 판례 судебный прецедент; ~문 приговор (документ).

판국(-局) ситуация; обстановка; положение; 어떤 ~인지 살펴보아야 만 한다 надо разобраться, что за ситуация(какова обстановка).

판권(板權) авторское право; авторство; 저서의 ~을 갖다 сохранять авторское право на издание; ~소유 авторское право сохранено; 2) см. 판권장.

판단(判斷) решение, определение; суждение; ~하다 решать; определять; судить; ~할 수 없다 нельзя разобраться; невозможно определять; 선과 악을 ~하다 определять, что хорошо и что плохо; ~력 способность(умение) рассуждать; см. 결판.

판도(版圖) территория(владения) страны; владение; область; сфера; ~가 변하다 территория страны изменяется.

판독(判讀) ~하다 расшифровать; разбирать; прочесть; 고대 문자를 ~ разбирать древние записи(буквы).

판로(販路) рынок сбыта; район сбыта; 상품의 ~를 개척하다 открыть рынок сбыта товаров; ~난 трудности сбыта товаров.

판매(販賣) продажа; сбыт; реализация; ~하다 продавать; сбывать; реализовать; ~가 продажная цена; ~고 общая сумма денег, вырученная от продажи; ~권 право на продажу; ~량 количество проданных товаров; ~소 место продажи; ~원 продавец; ~원가 коммерческая себестоимость.

판문점(版問店) Пханмунджом г.

판사(判事) судья; 공평함은 ~의 최고 의 덕목이다 справедливость судьи высшее достоинство; 주심~ главный судья.

판소리 "Пхансори"(классическая народная песня, исполняемая солистом под звуки барабана); корейская опера, драматическая песня.

판이하다 совсем другой(иной) прямо(диаметрально) противоположный.

판자(板子) доска; ~를 대다 обшивать досками; ~쪽 дощечка; см. 널빤지.

판잣집 домишко(лачуга; хибарка) из досок; дощатые хибарки.

판정(判定) определение; решение; ~하다 определять; решать; ~승 победа по очкам; ~패 поражение по очкам.

팔 I 1) рука; ~을 걷고 나서다 взяться за что-л., засучив рукава; ~이 근질근질하다 руки чешутся делать что-л.; ~이 들이굽지 내어굽나?(팔이 안으로 굽지 밖으로 굽으랴?) *посл.* ≃ своя рубашка ближе к телу; ~을 끼고 걷다 идти под руку с кем-л..

팔(八) II восемь; 제 ~의 восьмой; ~분의 일 восьмая; восьмая часть; ~각형 восьмиугольник; 팔 년 병화 *обр.* долго не определяться(об исходе); 팔 년 풍진 *обр.* долгие страдания; 팔 두작 미 плата за обрушивание риса из расчёта двух маль от одного сома см. 섬 I 2) и 말 I); 팔 척 장신 *обр.* великан, гигант(о человеке). 팔 만여 개 около 80.000.

팔 백(800) восемьсот; ~ 금으로 집을 사고 천금으로 이웃을 산다 *посл.букв.* ≃ дом покупают за восемьсот монет, а хороший сосед стоит дороже.

팔 천(8,000) восемь тысяч.

팔꿈치 локоть; ~로 찌르다 подтолкнуть локтём; ~는 가까워도 깨물지는 못한다 близок локоть, да не укусишь.

팔다(파니,파오) 1) продавать; 2) использовать(кого-л.) в своих целях; 이름을~ прикрываться(чьим-л. именем); 3) обращать (взор, внимание *и т. п.*); 귀를~ прислушиваться; 정신을~ страстно увлекаться, отдавать всю душу; 자신의 조국을 팔다 предавать свою родину; 4) покупать(тк. зерновые).

팔다리 рука и нога; конечности; члены; ~뼈 кости конечностей

팔리다 1) быть проданным; 2) быть использованным(в своих целях)(о ком-чём-л.); 3) быть обращённым, направ-ленным(о взоре, внимании *и т. п.*). 돈 몇푼에 ~ продать(себя) за гроши; 그는 그녀에게 넋이 팔려있다 он ею очарован; 술꾼으로 얼굴이 팔린 사람 человек, известный как пьяница.

팔자 судьба; рок; ~소관 судьбы не избежать; ~타령하다 сетовать на судьбу; ~가 사납다 несчастный; богом обиженный; ~를 고치다 выбраться из нужды; вторично выйти замуж.

팔짱 ~을 끼다 засовывать руки в рукава (под мышки); ~을 끼고 앉아 있다 сидеть сложа руки; ~을 끼고 보다 смотреть на что-л., сложив руки на груди крест-накрест; ~을 지르다, ~을 꽂다(끼다) а) засовывать руки в рукава(под мышки); б) ~을 끼고 보다 смотреть(на что-л.), сложив руки на груди крест-накрест.

팔팔 1) ~끓다 а) сильно кипеть, бурлить(о жидкости); б) быть горячим (жарким); 2) ~뛰다 ~하다 горячий; порывистый; несдержанный; живой; бойкий; 그 사람처럼 ~한 사람은 처음 본다 первый раз вижу такого несдержанного человека, как он.

팔프(*англ.* pulp) целлюлоза.

팜플렛(*англ.* pamphlet) памфлет; брошюра; ~저자 памфлетист

팝송(*англ.* popsong) популярная песня; ~콘서트를 열다 устраивать концерт популярной музыки

팡 1) громко,с шумом; 팡 터지다 разорваться (лопнуть); 2) насквозь;

팡뚫리다 насквозь продырявиться.

팥 I фасоль угловатая; адзуки (красные бобы); ~으로 메주를 쑨대도 곧이듣는 사람 лёгковерный человек; ~고물 толчёная фасоль угловатая; ~죽 жидкая рисовая каша с фасолью угловатой.

팥 II чечевица(등나무 콩).

팥죽(-粥) жидкая рисовая каша с фасолью угловатой. 팍 без сил.

패(牌) I группа; партия; компания; дощечка с надписью;жетон;ярлык; торговая марка; карта; ~를 짓다 (짜다) образовывать группу; ~를 잡다 держать банк; быть банкомётом.

패(牌) II 1) дощечка с надписью, визитная карточка; дощечка на двери; бляха; жетон; ярлык; торговая марка; 2) прозвище, перен. ярлык; 패를 잡다 метать банк; быть банкомётом.

패(敗) III поражение; провал; ~하다 терпеть поражение(нсудачу); провалиться; 패를 당하다(입다, 보다) [по]терпеть поражение(неудачу); провалиться.

패(覇) IV 1) выгодная позиция (при игре в кор. шашки); 패를 쓰다 а) занимать выгодную позицию; б) выкрутиться из тяжёлого положения; 2) возможность взять шашку.

패거리(牌-) компания; шайка; 강도 ~ шайка разбойников.

패권(覇權)[-꿘] главенство; господство; первенство; гегемония; ~을 다투다 бороться за господство (гегемонию); ~을 장악하다 главенствовать(господствовать) над кем-чем-л. держать в своих руках власть над чем-л.; ~주의 гегемонизм.

패권자 влалыка.

패기(牌記) честолюбивые стремления; задор; ~만만하다 честолюбивый; полный честолюбивых стремлений; ~있는 사람 честолюбивый человек; честолюбец; 청춘의~ молодой задор.

패다 I 1) колоситься; 2) грубеть(о голосе в переходном возрасте).

패다 II 1) рубить; колоть; сильно бить; избивать; колоситься; 2) быть выкопанным; быть выдолбленным; 장작을~ рубить дрова; 정신을 잃도록~ из-бивать до потери сознания; 보리 이삭이 ~ рожь колосится; 3) диал. см. 새우다 I.

패드(англ. pad) мягкая прокладка; набивка; подушечка; 위생~ гигиеническая прокладка.

패륜(悖倫) безнравственность; аморальность; безнравственный; аморальный; ~하다 нарушать моральные нормы; ~행위 аморальный поступок; ~아 безнравственный человек.

패망(敗亡) поражение; гибель; крах; фиаско; ~하다 потерпеть поражение; ~사 история поражения (разгрома).

패배(敗北) поражение; ~하다 потерпеть поражение; ~자 побеждённый; потерпевший поражение; ~주의 пораженчество; ~주의자 пораженец; ~를 당하다 потерпеть поражение.

패션(англ. fashion) стиль; мода; 최신의 ~을 따르다 следовать последней моде; ~모델 манекенщик, манекенщица; ~쇼 выставка(демонстрация) мод.

패스(англ. pass) проход; путь; сдача экзамена без отличия; бесплатный билет; пропуск; паспорт; пас; передача; ~하다 проходить; сдать; передавать; 시험에 ~하다 сдать экзамен; 공을 ~하다 передавать мяч.

패역한 негодный.

패자(敗者) потерпевший пораже- ние; ~전 игра(состязания) между проигравшими(за право участия в следущем type) выигрывающий; победитель; чемпион; победный; ~는 비난당하지 않는다 победителей не судят.

패키지(англ. package) тюк; кипа; посылка; пакет; пачка; упаковка; ~여행 комплексная туристическая поездка(экскурсия).

패턴(англ. pattern) образец; пример; модель; шаблон; рисунок; узор; система; стиль; характер; 인생의 ~ образ жизни; 무역 ~ структура(характер) торговли.

패표(佩瓢) уст.: ~착풍 обр. напрасные страдания; ~하다 а) носить на поясе черпак из половинки тыквы-горлянки; б) обр. попира- ться, просить милостыню.

패하다(敗-) 1) [по]терпеть поражение; 2) разоряться; 3) становиться изнеможенным; слабеть.

팩 I ~쓰러지다 бессильно падать (валиться); ~돌아서다 резко повернуться; ~끊어지다 легко оборваться.

팩(англ. pack) II пакет; пачка; свя-зка; кипа; вьюк; обёртывание в мокрые простыни.

팩시밀리(англ. facsimile) факсимиле; ~로 보내다 воспроизводить в виде факсимиле; ~전송기 фототелеграф.

팬(англ. fan) I веер; опахало; вентилятор; энтузиаст; болельщик; любитель; ~클럽 клуб болельщиков; 축구 ~футбольный болельщик, болельщица; 영화 ~ любитель, ница кино.

팬 II кастрюля; миска; таз.

팬츠(англ. pants) кальсоны; брюки; штаны.

팬티(англ. panty) трусики; ~거들 панталоны.

팽(彭) ~돌다 очень быстро повернуться; 눈물이~돌다 неожиданно наполниться слезами; 눈앞이 ~ 돌았다 всё поплыло перед глазами.

팽만(膨滿) 1) бот. тургор, тургесценция; 2) ~하다 туго набитый, вздутый(о животе).

팽창(膨脹) расширение; экспансия; дилатация; опухание; ~하다 расширяться; распухать; распространяться; выходить за пределы; 경제 ~ экономическая экспансия; ~계 дилатометр; ~주의 экспансионизм; ~주의자 экспансионист; ~정책 экспансионисткая политика.

팽팽하다 I тугой; ограниченный; узкий; равносильный; равный; ~하게 당기다 туго натянуть; ~한 줄 тугая струна.

퍼뜨리다 широко распространять (популяризировать; пропагандировать); 소문을 ~распространять слухи(болезнь).

퍼뜩 мгновенно; очень быстро; ~생각이 떠올랐다 мгновенно промелькнула мысль.

퍼렇다(퍼러니,퍼러오) тёмно-зелёный; тёмно-синий.

퍼레이드(англ. parade) парад;~하다 проходить строем; маршировать.

퍼붓다 сильно идти; валить; засыпать чем-л.; 질문을 ~засыпать вопросами; 찬물을 ~ обдать холодной водой; 욕설을 ~ обрушиваться с бранью; осыпать ругательствами; 함박눈이 ~ снег валит хлопьями.

퍼센트(англ. percent) процент; 선거인 총수의 80 ~가 투표했다 в выборах приняло участие 80 процентов общего числа избирателей.

퍼즐 вопрос; загадка; головоломка; ~을 풀다 разгадать загадку; разобраться в загадке; 크로스워드 ~ кроссворд.

퍼지다 раздаваться вширь; расширяться; расплодиться; широко распространяться; широко простираться; набухать; разбухать; увеличиваться; 기쁜 소식이 온 나라에 퍼졌다 радостная весть широко распространялась по всей стране; 피가 온 몸에 퍼진다 кровь разносится по всему телу; 얼굴에 미소가 퍼졌다 по лицу разлилась улыбка; 어깨가 раздаться в плечах.

퍽 I очень, значительно; ~덥다 очень жарко; ~기다리다 долго ждать.

퍽 II сильно кольнуть(ткнуть); падать без сил; 총검으로 ~찌르다 сильно кольнуть штыком; 피로해서 ~고꾸라지다 свалиться без сил от усталости.

펀치(*англ*. punch) 1) компостер; 2) удар кулаком; пунш; ~를 먹이다 бить кулаком; ~로 구멍을 뚫다 проделывать(пробивать)отверстия; компостировать; 펀칭볼 подвисная груша для тренировки боксёра.

펄 заболоченное место; топь; поля и луга; равнина.

펄떡 резко; внезапно; 심장이 ~거린다 сердце бьётся; 물고기가 ~걸렸다 рыба билась.

펄럭 ~거리다 развеваться; полоскаться; трепетать; 깃발이 공중에~걸린다 знамёна развеваются в воздухе; 돛이~걸린다 полощутся паруса.

펄쩍 сильно; резко; ~뛰다 вскочить; сильно подскакивать; 기뻐서 ~뛰다 прыгать от радости; вскочить.

펄프(*англ*. pulp) бумажная масса; древесная масса; пульпа; ~를 만들다 превращать в мягкую массу (пульпу); ~재 балансовая древесина.

펌프(*англ*. pump) насос; помпа; ~질을 하다 работать насосом; качать; выкачивать; ~질을 하여 타이어에 공기를 넣다 накачивать(надуть) шину.

펑 громко; с шумом; насквозь; ~터지다 с шумом разорваться(лопнуть); ~뚫리다 насквозь продырявиться.

펑퍼짐하다 довольно широкий; полный; кругленький; 펑퍼짐한 엉덩이 полные ягодицы.

펑펑 громко; с шумом; хлестать; бить струёй; 함박눈이 ~쏟아진다 снег идёт(падает; валит) крупными(большими) хлопьями; ~거리다 разрываться с шумом; усил. стил. вариант 팡팡 I.

페널티(*англ*. penalty) наказание; штраф; ~골 гол, забитый в результате штрафного удара;~에어리어 штрафная площадка; зона штрафных ударов; ~킥 штрафной удар.

페니실린(*англ*.penicillin) пенициллин; пенициллиновый; ~연고 пенициллиновая мазь.

페달(*англ*. pedal) педаль; ножной рычаг; педальный; ~을 밟다 нажимать на педали; работать педалями.

페스트(*англ*. pest) мор; чума; 가축에 ~가생겼다 мор пошёл на рогатый скот; 폐~ лёгочная чума.

페이스(*англ*. pace) шаг; длина шага; скорость; темп; ~를 지키다 идти наравне с кем-л.; не отставать от кого-л.; ~를 내다 увеличить (сдать) темп.

페이지(*англ*. page) страница; эпизод;

яркое событие; страничный; ~를 매기다 нумеровать страницы.

페이퍼(*англ.* paper) бумага; документ; меморандум; научный док-лад; статья; банкноты; кредитные бумаги; бумажный; 샌드~ шкурка (наждачная бумага).

페인트(*англ.* paint) краска; окраска; 회색으로 ~칠하다 выкрасить серой краской; ~가 벗겨졌다 осыпалась краска; ~장이 маляр; 기름 ~ масляные краски; 인쇄용~ печатная краска.

페지 страница.

페지하다 упразднять.

펜(*англ.* pen) перо; ручка с пером; литературный труд; ~으로 살다 жить литературным трудом; ~촉에 잉크를 찍다 обмакнуть перо; ~네임 литератур- ный псевдоним; ~대 ручка для пера; ~화 графика.

펜스(*англ.* fence) забор; ограда; изгородь; ~를 치다 окружить забором; 돌담 каменный забор; 철조망 ~ проволочный забор; колючая изгородь.

펴내다 издавать; опубликовать; выпустить в свет; 신문을 ~ издавать газету.

펴놓다 расстелить; развёртывать; 마루에 양탄자를 ~разостлать по полу ковёр; 꾸러미를 ~ развёртывать пакет

펴다 расстилать; развёртывать; повсеместно осуществлять; увеличивать; расширять; раскрывать; открывать; разглаживать; распрямлять; выпрямлять; 이부자리를 ~ расстелить постель; 주먹을 ~ разжать(раскрыть) кулак; 이마의 주름살을~ разгладить морщину на лбу; 마음을 ~ почувствовать себя свободно; 허리를 ~ расправлять(распря-млять) спину(ноги); 구김살을 다리미로~ загладить складки утюгом; 마음을~ почувствовать себя свободно.

펼치다 развернуть.

펴며 распрямляясь.

펴세요(허리를) распрямляйтесь

펴지다 развёртываться; широко распространяться; увеличиваться; открываться; разглаживаться; выпрямляться; 그는 살이 찌더니 이마의 주름이 펴졌다 он потолстел и у него морщины на лбу разгладились.

편(<餠) I вежл. см. 떡 I; 편보다 떡이 낫다 *посл.* ≅ из одной печи, да не одни калачи.

편(便) II 1) удобный случай, оказия; 자동차 오는 편에 짐을 보내시오 пришлите багаж с попутной машиной; 김씨 친구 편에 보내세요 пришлите с товарищем Кимом; 2) сторона; группа; сторона; направление; ~을 들다 вставать на чью-л. сторону; 맞은~ противоположная сторона; 어느 ~도 양보하지 않는다 ни одна сторона не уступает другой стороне; 철도~으로 на поезде; 내 친구 ~에 편지를 보내시오 пришлите письмо с моим другом; 3) сторона, направление.

편(編,篇) III 1. 1) законченное ли- тературное произведение; 2) часть; раздел; 3) отдельный том; 여러 ~의 예술 영화 несколько художественных кинофильмов; 전집의 제 2~ второй том полного собрания сочинений; 2. 두 편의 시 два стихотворения.

편(片) IV 1) небольшой кусок; 2) (отдельный) корень женьшеня; 편을 짓다(만들다) а) связывать в свя-зку корни женьшеня; б) отбирать корни женьшеня для связывания в связки по 600 г.

편견(偏見) предубеждение; предвзятое мнение; пристрастие; ~이 있는 преду-беждённый; ~없이 без предубеждений (предрассудков); беспристрастно; ~을 가지고 대하다 относиться с предубеждением к кому-л..

편달(鞭撻) ~하다 торопить; подгонять; подхлёстывать; подстёгивать; бить кнутом (бичом; плёткой); 뒤떨어진자를 ~하다 подгонять (подхлёстывать) отстающих.

편도(扁桃) миндаль.

편리(便利) [пхйол-] удобство; комфорт; ~하다 удобный; комфортабельный; ...의 ~를 위하여 для удобства кого-л..

편법(便法) [-ппоп] удобный(доступный) метод(способ); ~을 쓰다 в водить(применять) удобный метод.

편싸움 борьба между двумя группами; состязание в силе и ловкости, проводившееся между жителями двух селений; ~하다 бороться между собой; состязаться в силе и ловкости

편성(編成) I 1) образование, формирование, комплектование; составление, монтаж(фильма); 차량 ~ ж.-д. формирование состава; 2) техническое редактирование; ~하다 а) образовывать, формировать, составлять, комплектовать; монтировать; б) проводить техническое редактирование.

편성(偏性) II образование; формирование; комплектование; составление; монтаж; ~하다 образовывать; формировать; составлять; комплектовать; монтировать; проводить техническое редактирование; 차량~ формирование состава; 사단을~하다 формировать дивизию; ~원 технический редактор; монтажёр.

편안(便安) спокойствие; благополучие; ~하다 спокойный; благополучный; ~히 спокойно; благополучно; ~히 주무십시오 спокойной ночи; 만사가~하다 всё обстоит благополучно

편애(偏愛) пристрастие; особая любовь; ~하다 питать особую любовь; пристраститься к кому-чему-л..

편을 들다 заступиться.

편의(便宜) удобство;средства обслуживания; сервис; ~를 보장하다 создавать(обеспечивать) все удобства; ~상 для удобства; ~시설 удобства; предприятие бытового обслуживания; ~주의 оппортунизм; ~주의자 оппортунист; ~금고 ломбард; ~종사 предоставление королевскому посланцу широких полномочий; ~하다 благопритный, удобный.

편익(便益) удобство; выгода; польза; 농민들의 생활상 ~을 도모하다 создавать удобство(выгоду) для жизни крестьян.

편입(編入) включение; зачисление; ~하다 быть зачисленным(принятым); зачисляться(во что-л.) куда-л.; 대학에 ~하다 зачисляться в университет; ~생 принятый(зачисленный) учащийся; ~시험 экзамен для зачисления.

편저(片楮) составление и выпуск книги;~하다 составлять и писать; ~자 составитель, составительница и автор; см. 편지.

편제(扁提) штат(состав сотрудников); штатное расписание; ~하다 комплектовать штаты.

편지(片紙) письмо; ~하다 писать и отправлять письмо; 돌아가는 길에 이~지를 부치시오 на обратном пути опустите это письмо; ~지 почтовая бумага; ~에 문안 обр. обязательное дело. 편지 드리겠습니다 напишу письмо.

편집(偏輯) I редактирование; ~하다 редактировать; готовить к печати; ~국 редакция; ~원 сотрудник редакции; ~실 редакционный отдел; ~자 редактор;~장 главный редактор.

편집(偏執) редактирование; ~하다 редактировать, готовить к печати.

편찬(編纂) издание; ~하다 составлять и редактировать.

편파(偏跛) ~하다 несправедливый; предвзятый; однобокий; односторонний; ~적인 판단 однобокое суждение; ~성 несправедливость; предвзятость; однобокость; односторонность.

편하다 спокойный; благополучный; лёгкий; удобный; 마음이 편해졌다 на душе стало спокойно; 편치아니하다 вежл. чувствовать боль.

편히 удобно.

펼치다 раскрывать[ся]; развёртывать[ся]; расстилать[ся]; 주먹을 ~ разжимать кулак; 깃발을 ~ развёртывать знамя; 날개를 ~ расправлять крылья; 눈앞에 광활한 벌판이 펼쳐졌다 перед глазами расстилаются необозримые поля; 손을 ~ разжимать кулак; 날개를 ~ расправлять крылья.

폈나요 распрямились.

폈습니다 открыл.

평(評) I оценка; отзыв; критика; рецензия;~하다 оценивать; давать отзыв; рецензировать; ~이 좋은 популярный.

평(坪) II а) пхён(мера земельной площади; 3.3 ㎡); б) мера объёма ≅ 5,9 ²;м) мера площади для измерения площади ткани, стекла и т. п. ≅ 918 см²; г) мера площади для измерения поверхности, напр. покрытой резьбой ≅ 9,2 см².

평-(平-) III простой; обычный; ~사원 рядовой служащий; ~지대 ровная местность.

평가(評價) I оценка; ~하다 оценивать; 그는 좋은 ~를 받고 있다 он пользуется хорошей репутацией; 외모로 사람을 ~해서는 안된다 не следует судить о человеке по его внешности;~인하 эк. девальвация.

평가(平價) II нормальная(умеренная) цена; стабильная цена; ~절상 ревальвация; ~절하 девальвация.; ~를 받다 получить оценку.; ~하다 оценить.

평균(平均) среднее; в среднем; средний; ~하다 брать в среднем; ~이상 выше(ниже) среднего; ~대 бревно; гимнастический снаряд; ~률 средняя пропорция; ~점 средняя отметка; ~치 средняя величина (среднее); ~적 средний; ~ 이윤률 эк. средняя норма прибыли; ~태양시 среднее солнечное время; ~태양일 средние солнечные сутки; ~운동 спорт. упражение на равновесие; ~이하 ниже среднего; 2) сокр. от 평균수: ~하다 1. брать в среднем; 2. средний.

평년(平年) средний по урожайности год; обычный(невисокосный) год; ~작 средний урожай.

평당(坪當) на один пхён; с одного пхёна; ~백만원이다 стоит миллион вон на один пхён.

평등(平等) равенство; ~하다 равноправный; равный; ~권 равноправие; ~선거 равные выборы; ~주의 принцип равенства; ~적 равноправный, равный; ~분포 мат. равномерное распределение

평등권(平等權), 동등권(同等權) равноправие; 남녀~ равноправие мужчин и женщин.

평론(評論) критика; критический отзыв(обзор); рецензия; ~하다 критиковать; делать обзор; рецензировать; 문학 ~계에서 в области литературной критики; ~가 критик; рецензент; обозреватель; ~집 сборник критических статей.

평면(平面) ровная поверхность; площадка; плоскость; ~적 плоский; поверхностный; ~각 плоский угол; ~경 плоское зеркало; ~도 планометрическая карта; ~고치 плоский кокон тутового шелкопряда; ~교차 геодез. развязка маршрутов в одном уровне; ~연마반 плоскошлифовальный станок; ~인쇄 полигр. плоская печать; 2) *мат.* плоскость; ~기하학 планиметрия; ~대칭 плоскость симметрии; ~삼각법 тригонометрия на плоскости; ~좌표 мат. плоские координаты; ~적 а) плоский; б) поверх-ностный, неглубокий.

평민(平民) человек из народа; простой человек; средний слой; простолюдины; простонародье;~적 свойственный простому народу;

평방(平方) I квадрат; ~근 квадратный корень; ~미터 квадратный метр; см. 이승 II; см. 미터.

평방(平枋) II горизонтальная балка.

평범(平凡) ~하다 заурядный; банальный;посредственный; простой; ~히 заурядно; незаметно; посредственно; ~하게 일생을 보내다 жить и умереть назаметно; заурядно прожить свою жизнь.

평상(平常)~시 мирное время; обычное вреяя; ~복 повседневное платье; обычное платье.

평생(平生) вся жизнь; ~동안 всю жизнь; на всю жизнь; в течении всей жизни; ~잊을 수 없다 не забыть на всю жизнь; ~소원 мечта (желание) всей жизни; 일생 ~동락 делить радость.

평소(平素) обычное время; ~와 같이 как обычно; ~의 소망 давно взлелеянное(давнишнее) желание.

평안(平安) ~하다 спокойный; благополучный; нормальный; ~히 спокойно; благополучно; нормально.

평야(平野) равнина; равнинный; ~지대 равнина; равнинная местность

평양(平壤) Пхеньян г.; ~의 황고집이라 уст. обр. косный человек; 평양에 가십니까? Вы едете в Пхеньян?

평온(平穩) спокойствие; ~하다 спокойный; мирный; тихий; ~히 спокойно; мирно; тихо.

평원(平原) равнина.

평의(評議) обсуждение; консультация; ~하다 обсуждать; советоваться; консультироваться; ~원 член комиссии (совета); ~회 комиссия; совет.

평일(平日) будни; будний; 오늘은 ~이다 сегодня у нас будний день; 1) см. 평상시; 2) см. 지난날.

평점(平點) [-쩌옴] 1) балл; оценка; отметка; 2) точки в тексте для выделения важного места; ~을 매기다 поставить отметку(оценку); ~만점을 받다 получить пятёрку.

평정(平定) I ~하다 умиротворять;

усмирять; покорять; 폭동을 ~하다 усмирять мятеж.

평정(平靜) II ~하다 спокойствие; ~한 тихий; спокойный; ~을 유지하다 сохранять спокойствие.

평준(平準) ~하다 выравнивать; делать ровным; 도로를~하다 выравнивать дорогу; ~화 уравнивание; уравнение.

평지(平地) ровное место; ровная местность; равнина; ~풍파를 일으키다 вызывать неожиданную ссору; ~대 равнина; равнинный район; ~돌출 а) взыматься над равниной(о горе); б) обр. появление выдающейся личности в обычной семье; ~낙상 а) удариться, споткнувшись на ровном месте; б) обр. неожиданное счастье; ~지형 геогр. равнинный рельеф; ~토양 геол. равнинная почва; ~풍파 обр. неожиданная ссора.

평판(評判) репутация; популярность; суждение; отзывы; разговоры; слухи; ~이 좋은 имеющий хорошую репутацию; известный; ~이 나쁜 пользующийся дурной славой;~을 나쁘게 하다 испортить репутацию.

평평(平平) ~하다 плоский; ровный; гладкий; ~한 지붕 плоская крыша; ~범범 очень простой, совсем заурядный; посредственный; ~범범하게살다 влачить жалкое существование; ~하다 а) плоский, ровный, гладкий; б) см. 평범하다.

평평한(平平-) плоский.

평행(平行) параллель; параллельный; ~봉 параллельные брусья; ~사변형 параллелограм; ~선 параллельные линии; ~이동 параллельный перенос; ~육면체 параллелепипед.

평형(平衡) равновесие; ~감각 биол. ощущение равновесия; ~상수 хим. константа равновесия; ~장애 мед. нарушение равновесия;~하다 прил. сбалансированный, находящийся в равновесии; ~을잃다 выходить из равновесия; терять равновесие; ~대 бревно; гимнастический снаряд.

평화(平和) мир; спокойствие;~롭다 мирный; тихий; спокойный; ~조약 мирный договор; пакт мира; ~주의 пацифизм; ~주의자 пацифист; ~통일 мирное объединение; ~산업 мирные отрасли промышленности; ~조정 мирное урегулирование; ~옹호자 сторонники мира; ~옹호운동 движение в защиту мира; ~애호 миролюбивый; ~적,~하다мирный, тихий, спокойный.

페로시안화(англ.ferrocyan+化) ~칼리움 железистосинеродистый калий.

폐(弊) I беспокойство; ~를 끼치다 доставлять(наделать) кому-л. хлопот, беспокоить; ~를 끼쳐서 미안합니다 простите (извините за беспокойство)

폐(肺),폐장(肺腸) II лёгкие; ~결핵 туберкулёз лёгких; ~렴 воспаление лёгких; ~암 рак лёгких.

폐간(肺肝) прекращение издания (газеты; журнала); ~하다 прекращать издание.

폐강(閉講) ~하다 закрывать курсы; прекращать лекции.

폐기(廢棄) ~하다 изъять из употребления;списать(за негодностью); отменять; аннулировать; расторгать; денонсировать;~물 негодные вещи; хлам; утиль.

폐농(廢農) 1) ~하다 прекращать(заниматься земледелием); 2) ~이 되다 быть вынужденным бросить занятие земледелием.

페니실린(англ. penicillin) фарм. пенициллин.

폐단(弊端) порок; зло; злоупотребление; ~을 시정하다 исправлять злоупотребления(зло; порок).

폐륜(廢倫) уст. ~하다 а) не хотеть (не иметь возможности) вступить в брак; б) уклоняться от исполнения супружеских обязанностей.

폐쇄(閉鎖) закрытие; запирание; закупорка; ~하다 закрывать; запирать; ~된 생활을 하다 жить замкнуто; ~경제 закрытая экономика; ~기 затвор; ~음 смычный согласный; ~공형 тех. закрытый калибр.

폐습(弊習) 1) дурная привычка; ~을 고치다 исправлять дурную привычку; 2) см. 폐풍.

폐암(肺癌) рак лёгких.

폐업(閉業) I ~하다 закрывать(ликвидировать)предприятие(магазин); прекращать практику(о враче, адвокате).

폐업(廢業) II ~하다 уходить со сцены(об актёре); уходить со службы.

폐지(廢止), 철폐(撤廢) отмена; упразднение; ~하다 прекращать; упразднять; отменять;법률을~하다 упразднять закон; 사유재산의~ отмена частной собственности; ~령 приказ (указ) об упразднении(отмене).

폐질(廢疾) неизлечимая болезнь (приводящая к инвалидности)

폐출(廢黜) уст. ~하다 освобождать от должности; снимать(с работы).

폐품(廢品) утиль; утильный; ~을 모으다 собирать утиль.

폐하다(廢-) 1) прекращать; упразднять; аннулировать; 2) свергать; изгонять; 3) бросать напр. работу.

폐해(弊害) вредные последствия; ущерб; вред; ~를 끼치다 причинить (нанести) кому-л. ущерб; ущерблять.

폐허(廢墟) руины; развалины; ~로 만들다 развалить; 도시는 ~로 변했다 город превратился в развалины.

폐호흡(肺呼吸) лёгочное дыхание.

폐회(閉會) ~하다 закрывать собрание; ~사 заключительное слово; ~식 церемония закрытия собрания (съезда).

포(砲) I артиллерийское орудие; артиллерия; ~격 артиллерийская стрельба; ~수 охотник; ~신 ство-л орудия.

포(包) II (фигура в кор. шахматах).

포(脯) III примерно; приблизительно; 달~ приблизительно месяц; около месяца.

포(包) IV связка из нескольких корней женьшеня; 열~의 인삼 связка из 10 корней женьшеня; см. 초가지.

-포 суф. имён, обознач. время примерно, приблизительно; 해포 примерно год; 달포 приблизительно месяц; около месяца.

포개다 класть друг на друга; складывать(напр. дрова); 장작을 창고에 포개어 쌓다 складывать дрова в сарай.

포고(布告) официальное объявление; оповещение; обнародование;~하다 официально объявлять; оповещать; обнародовать; ~령 объявляемый указ(приказ); ~문 декларация; манифест.

포괄(包括) ~적 всеобъемлющий, охватывающий всё;~하다 содержать, охватывать, включать(в себя).

포근하다 мягкий; нежный; тёплый; 포근히 мягко; нежно; тепло; 포근한 겨울 тёплая зима

포기(抛棄) I ~불고 отказ; заброшенность; ~하다 бросать; оставлять; отказываться от чего-л.; 그는 만사를 ~하고 이 일에 착수했다 он занялся этим делом, отбросив всё остальное.

포기(단위) II отдельное растение; корень; куст; 풀 한 ~를 소중히 여기다 беречь каждую травинку.

포기나누기 черенкование.

포기하다 отказываться, оставлять, бросать на полпути.

포대(布袋) мешок из холста(хлопчатобумажной ткани); 쌀 세~ три холщовых мешка риса

포대기 детское одеяло.

포도(葡萄) виноград; виноградный; ~나무 виноград; ~당 виноградный сахар; глюкоза; ~밭 виноградник; ~주 виноградное вино; ~재배 виноградарство; ~구균 мед. ботриококк; ~농부 виноградарь; ~원 виноградник.

포도주(葡萄酒) вино.

포로(捕虜) пленение; пленник; ~로 잡다 брать в плен; пленить; ~가 되다 попасть в плен; быть очарованным(пленённым); 정욕의 ~가 되다 быть в плену страстей своих; ~병 военнопленный.

포르말린(англ. formalin) формалин; формалинный;формалиновый; ~소독 формалинная дезинфекция.

포말(泡沫) пена; пузырь;작은~처럼 부서지다 лопнуть, как мыльный пузырь; ~회사 дутая фирма; 물거품: ~부유 선광 пенная флотация.

포목(布木) холст и хлопчатобумажная ткань; ~상 торговля(торговец) холстом и хлопчатобумажными тканями.

포부(抱部) желание; намерение; планы на будущее; ~를 이야기하다 говорить о своих намерениях; делиться своими планами.

포상(褒賞) награда; наградной;~하다 награждать когочем-л.; преми-ровать; хвалить; 전공에 대하여 높은 훈장으로 ~하다 награждать за военные заслуги высоким орденом.

포섭(包攝) ~하다 вовлекать; привлекать на свою сторону; ~력 способность(умение) вовлечь(привлечь).

포스터(англ. poster) плакат; афиша; ~의 плакатный;~를 게시하다 вывесить плакат; 벽에 ~를 붙이다 оклеить стены плакатами.

포스트카라(англ.poster colour) гуашь

포악(暴惡) ~하다 жестокий; безжалостный; злой; ~무도하다 крайне жестокий; ~성 жестокость; ~무도 крайня жестокость; ~스럽다 прил. казаться злым(жестоким); ~하다 безжалостный, жестокий.

포옹(抱擁) объятие; ~하다 обнимать; прижимать к груди(к серд-цу); держать кого-л. в объятиях; 그들은 서로 열렬히 ~했다 они крепко обнялись.

포용(包容) ~하다 терпимо(снисходительно) относиться к кому-л.; ~력 снисходительность; терпи- мость.

포위(包圍) окружение;~하다 окружать; 사방에서 ~당한 군대 войска, окруженные со всех сторон; ~망 кольцо окружения;~작전 операция по окружению; ~공격 наступление с целью окружения; ~사격 огне-вое окаймление; ~섬멸 окружение и уничтожение.

포인트(англ. point) пункт; место; пункт; точка; главное; дело; суть;

смысл; момент; счёт; ~는 이것에 있다 в этомто и дело; 출발~пункт отправления; 1) см. 전철기; 2) см. 소수점; 3) см. 득점; 4) полигр. пункт (единица измерения=0,35146 мм);~활자 шрифт определённого кегля.

포자(胞子) биол. спора; ~번식 размножение спорами; ~생식 спорогония.

포장(包裝) I упаковка; ~하다 упаковывать; ~하는 사람 упаковщик, упаковщица; ~지 упаковочная бумага.

포장(鋪裝) II ~공사 мощение; покрытие; ~하다 мостить; покрывать; 콘크리트 ~ бетонированное покрытие; бетонированная дорожка; ~길 мостовая; ~도로 асфальтированная (мощённая) дорога; шоссе.

포장되다 упаковываться.

포장지(包裝紙) упаковочная(обёрточная бумага).

포즈(англ. pose) поза; ~를 취하다 позировать; принимать позу.

포지션(англ. position) место; позиция; положение; отношение; точка зрения; позиция; 강경한 ~을 취하다 занять твёрдую позицию.

포착(捕捉) ~하다 хватать; задерживать; захватывать; схватывать; улавливать; 좋은 기회를 ~하다 ловить удобный случай.

포크(англ. fork) вилка.

포탈(逋脫) уст. ~하다 а) скрываться бегством; б) уклоняться от уплаты налога.

포함(包含) ~하다 содержать[ся]; включать[ся]; ...을 ~하여 включая кого-чего-л.; в том числе; 나도 그 속에 ~되어 있다 в том числе и я; ~량 содержание; количество чего-л. в чём-л.; содержимое.

포함하다 заключить.

폭군(暴君) тиран; деспот; ~같은 тиранический; ~같이 다루다 тиранить кого-л.; тиранствовать над кем-л..

폭넓다 просторный, широкий.

폭넓은 просторный, широкий.

폭동(暴動) 봉기(蜂起) бунт; восстание; ~을 일으키다 поднимать бунт (восстание); ~자 бунтовщик, бунтовщица; восставший; ~하다 поднимать бунт(восстание).

폭등(暴騰) ~하다 подскакивать; ~하는 물가 быстро "растущие" цены.

폭락(暴落) [пхонънак] ~하다 резко падать (о цене); б) падать(об авторитете, престиже); 석유 가격의 ~резкое падение цен на нефть.

폭력(暴力),강요(强要) насилие; насильственные действия; ~적 насильственный; ~을 행사하다 применять силу(насилие); действовать насильственными методами; ~단 террористы; ~배 хулиганы; ~투쟁 насильственная борьба, ~수단 средства насилия; [~적] 혁명 революция, совершаемая насильственным путём.

폭로(暴露) [пхонъно] 1) выявление; раскрытие; обличение; разоблачение; ~하다 открывать; выявлять; раскрывать; разоблачать; 허위를 ~하다 разоблачать обман; ~문학 обличительная литература.

폭리(暴利) ~를 얻다 загребать огромную прибыль; безосновательно наживаться на спекуляции.

폭발(暴發) I взрыв; разрыв; детонация; вспышка; ~적인 разрывной; огромный; потрясающий;~적인 인기 потрясающая популярность; ~하다 взрываться; детонировать; ~시키다

взрывать; произвести взрыв; 휘발유가 든 병이 ~했다 взорвало бутыль бензина; 혁명이 ~하였다 вспыхнула революция; 화산의 ~ извержение вулкана; ~력 сила взрыва; ~물 взрывчатое вещество; взрывчатка; ~성 взрываемость; ~음 звук взрыва; 혁명의 ~ револю-ционный взрыв; ~적 бурный.

폭발(爆發) II взрыв, разрыв; вспышка;~반응 хим. взрывная реакция; ~작용 взрывное действие; ~하다 взрываться, разрываться(о бомбе, снаряде и т. п.).

폭설(暴雪) сильные снегопады;~하다 갑자기 ~이 내렸다 пошёл внезапно сильный снег.

폭소(爆笑) взрыв смеха(хохота); ~하다 громко засмеяться; расхохотаться; разразиться смехом(хохотом); ~가 일어났다 раздался взрыв смеха (хохота).

폭약(爆藥) взрывчатое вещество; заряд; 대포에 ~을 장전하다 забить заряд в пушку; см. 폭발약.

폭언(暴言) резкое слово(выражение); грубая речь; брань; ~하다 говорить очень грубо (жестоко); бранить.

폭염(暴炎) сильная знойная жара; зной; знойный; 한 여름의~ летний зной; 찌는 듯한 ~ томящий зной.

폭우(暴雨) ливень; ~가 쏟아진다 ливень льёт; дождь льёт как из ведра.

폭탄(爆彈) авиационная бомба; 300킬로짜리~을 투하하다 сбрасывать бомбу весом 300 кг. на что-л.;~선언을 하다 выступать с заявлением о переходе к решительным действиям против кого-л..

폭파(爆破) взрыв; разрушение взрывом; подрыв; ~하다 взрывать; подрывать; производить взрыв; ~수 подрывник; ~약 взрывчатое вещество; ~장치 подрывное устройство.

폭포(瀑布) водопад; водопадный; 나이애가라 ~ ниагарский водопад; ~수 вода водопада.

폭풍(暴風) буря; шторм; ураган; ~의 бурный; штормовой; ураганный; ~이 일다 штормить; ~ 때문에 우리는 밤새 눈을 붙이지 못했다 из-за бури мы всю ночь не сомкнули глаз; 찻잔 속의 ~ буря в стакане воды; ~경보를 내리다 предупреждать о буре; ~우 буря и ливень; 환호의~ буря восторгов.

폭행(暴行) насильственные действия; насилие; ~하다 применять(совершать) насилие; прибегать к насилию; буянить; насиловать;~을 가하다 нападать на кого-л.; насиловать (женщину); ~자 насильник.

폰드(англ. pond) рус. 1) фонд; 2) штаты.

폴리에틸렌(англ. polyethylene) полиэтилен.

표(票) I 1)билет; биллютень; ярлык; экзаменоционный билет; 2) голос; 극장~ билет в театр;~를 찍다 компостировать билет;~를 붙이다 наклеивать ярлык; 찬성~를 던지다 голосовать за(против) кого-л..

표(標) II знак; метка; фабричная марка (клеймо); пометка; символ; признак; знак; ~를 하다 помечать; ставить метку;~가 나다 выделяться;иметь характерные признаки.

표(表) III 1) см. 표적 II; 2) (поздравительное) письмо королю; 시간~ расписание; график; 연대~ хронологическая таблица. 표파는 곳이 어디입니까? Где билетная касса? 표를

사십시오 покупайте билет.

표, 일람표(一覽表) табель.

-표(-表) суф. кор. таблица; 시간표 расписание, график; 연도표 хронологическая таблица.

표결(表決) голосование; ~에 붙이다 ставить на голосование; ~하다 голосовать; решать путём голосования; ~권 право голоса.

표기(表記) 1) обозначение; выражение на письме; разметка; надпись; ~하다 обозначать; выражать на письме; размечать; 지도에 점선으로 경계를 ~하다 на карте обозначать границы пунктиром; ~법 способ записи(выражение на письме); правописание; ~되다 обозначаться, писаться.

표기법(表記法) [-ппоп] способ записи (выражения на письме); правописание.

표독(標毒) зловредность; ~스럽다 прил. казаться зловредным(злым); ~하다 зловредный, злой.

표류(漂流) дрейф; дрейфовый; ~하다 дрейфовать; носиться по волнам; ~선 дрейфующее судно; ~자 потерпевший кораблекрушение; см. 유랑.

표리(表裏) 1) верх(лицо) и изнанка (подкладка); внешняяя и внутренняя стороны; 2) слова(думы) и дела; ~부동 двуличность; коварство; ~상응 полная согласованность; ~가 없다 быть прямодушным; 3) арх. материал на платье и подкладка.

표면(表面) поверхность; внешняя (лицевая) сторона; ~적 внешний; наружный; поверхностный; ~적으로 внешне; по виду; ~만으로는 사물의 진상을 알 수 없다 суть вещей не узнаешь по внешнему признаку; ~장력 поверхностное натяжение; ~층 поверхностный слой; ~생활 внешняя сторона жизни.

표면화(表面化) выявление; проявление; ~하다 выявлять[ся]; проявлять [ся]; обнаруживать[ся]; 비밀이 세상에 ~되었다 раскрылась(обнаружилась) тайна.

표명(表明) выражение; изъявление; ~하다 выражать; изъявлять; высказыватья; 동의를~하다 изъявлять согласие(желание).

표방(標榜) ~하다 провозглашать себя сторонником(приверженцем) чего-л.; отстаивать; поддерживать; 자유와 평등을 ~하다 провозглашать себя сторонником свободы и равенства.

표백(表白) отбелка; беление; ~하다 отбелить; белить; обесцвечивать; 아마포를 ~하다 выбелить холст; ~분 хлорная(белильная) известь; ~제 отбеливать; беляшее вещество.

표본(標本) образец; образчик; экземпляр; экспонат; модель; пример; препарат; 학자의~ типичный учёный; 상품 ~ модель товара; ~이 되다 служить образцом; ...의 ~을 따라서 по образцу чего-л.; ~실 демонстрационный зал.

표시(表示) I выражение; выявления; ~하다 выражать; выявлять; 사의를 ~하다 выражать свою благодарность; 그녀는 우정의 ~로 내게 사진을 선물했다 в знак дружбы она подарила мне фотографию; ~기 указатель; индикатор; ~등 сигнальная(индикаторная) лампочка; бортовой фонарь.

표시(標示) II обозначение; знак; ~하다 обозначать; 가격~ цена, обозначенная на товаре.

표식(標識) (опознавательный) знак; [от]метка; символ; 찬성의

~으로 в знак одобрения; ~원자 хим. меченый атом; ~하다 метить; обозначать

표어(標語) лозунг; лозунговый;~를 내걸다 выдвинуть(провозгласить) лозунг; ~판 доска с лозунгом.

표적(標的) мишень; цель; метка; знак; 과녁의~ яблоко мишени;~이 되다 служить мишенью; ~에 맞다 попасть в цель; ~함 корабль-мишень.

표절(剽竊) плагиат; ~하다 похищать (присваивать) чужое произведение; ~자 плагиатор.

표정(表情) 1) выражение лица;~하다 чувство, выраженное на лице; мимика; ~이 풍부한 얼굴 выразительное лицо; 얼굴에 쓴 ~을 짓다 корчить рожу(гримасу; мину); ~술 мимическое искусство.

표제(標題), 비문(碑文) I название; заглавие; тема сочинения на экзамене; ...라는 ~의 소설 роман под названием; ... ~를 붙이다 дать название; ~어 статья; заглавное слово; ~음악 музыкальное произведение, посвящённое чему-л..

표제, 제목(題目) II рубрика.

표준(標準) стандарт; норма; эталон; ~의 стандартный; нормальный; ~에 따라 제작하다 изготовить по стандарту, ~가격 стандартная цена; ~시 поясное время; ~액 эталонная жидкость; ~어 стандартный (нормированный) язык; ~형 стандартный(нормальный) тип; ~기압 стандартная атмосфера(единица давления газа); ~발음법 орфоэпия; ~상태 хим. стандартные состояния; ~설계도 типовой прое-кт; ~전지 эл. нормальный(эталонный) элемент.

표준어(標準語) литературный язык, нормированный(стандартный) язык.

표준화(標準化) нормализация; стандартизация; нормирование; ~하다 нормализовать; стандартизовать; нормировать.

표지(表紙) I обложка(книги); обложечный; 책의 겉 ~ суперобложка; 2) см. 서표.

표지(標識) II способ выражения чего-л.;~등 сигнальный огонь; ~판 доска; полотнище как указатель.

표창(表彰),상(賞) награждение; поощрение; ~하다 награждать кого-чем-л.; поощрять; ~을 내신하다 представить к награждению(награде); 전공에 의해 높은 훈장을 ~하다 награждать за военные заслуги высоким орденом; ~식 церемония награждения; ~자 награждённый; ~장 похвальная грамота.

표출 ~하다 выделять; выносить; 이탤릭체로 ~하다 выделять красивым шрифтом.

표피(表皮) наружный слой; биол. кутикула; эпидерма; эпидермис; надкожица; ~작용 поверхностное действие; ~조직 эпителиальные ткани; ~효과 поверхностный эффект; скинэффект.

표현(表現) выражение; проявление; ~적 выразительный; экспрессивный; ~하다 выражать; проявлять; 이것은 말과 글로 ~할수 없다 это невозможно выразить ни пером, ни словом; ~력 выразительность; экспрессивность; ~법 способ выражения; ~성 выразительность; ~주의 экспрессионизм; ~파 экспрес-сионисткое течение; ~적 기능 лингв. экспрессивная функция.

푯말 столб[ик] как указатель пути;

~을 세우다 ставить(устанавливать) столб; 경계~ пограничный столб; 이정~ верстовой (километровый) столб.
푸 звукоподр. выдоху.
푸념(-念) ~하다 распространяться о своих невзгодах(несчастьях); выражать недовольство чем-л.; жаловаться на что-л.; подавать жалобу.
푸르다(푸르니,푸르러) зеленый; синий; голубой; острый; остроконечный; недозрелый; недоспелый; бодрый; свежий; 푸르디 ~ синийсиний; зелёный-зелёный. см. 붉다; 2) бодрый, свежий; 3) недозрелый, недоспелый.
푸른, 새파란 синий.
푸른 하늘색 голубой.
푸른한 голубой.
푸릅니다 зелёный.
푸릇푸릇 ~하다 прил. в зелёных (синих) пятнах(крапинках).
푸주간(<庖廚間) [-깐] мясная(лавка);~에 들어가는 소걸음 обр. идти как на плаху.
푸짐하다 довольно обильный; щедрый; вполне достаточный; 푸짐히 обильно; щедро; щедрой рукой; 푸짐한 음식 обильное угощение; 푸짐히 나누어주다 щедро раздавать.
푹 полностью, целиком, много, достаточно.
푹하다 тёплый(о погоде).
푼(<分) немного денег; гроши; 나는 한 ~도 남기지 않고 모두 써버렸다 я истратил всё до гроша; 나는 한 ~도 없다 у меня нет ни гроша; пхун(а) старая денежная единица, равная 1/10 тон; см. 돈 I; б) мера длины ≅3 мм.; старая мера веса ≅ 0,375 г).
푼내기(<分-) 1) азартная игра с маленькими ставками; 2) см. 푼거리;

~흥정 обр. грошовая сделка.
푼돈(<分-:작은 돈) гроши; мелочь; 거스름돈을 ~으로 주다 дать сдачи мелочью; 2) см. 잔돈.
풀 I трава; ~을 베다 косить траву; ~대 травинка; ~밭 луг; ~섶 заросли; ~잎 лист травы; ~베기 싫은 놈이 단수만 센다 посл. ≅ косить лень; ~끝에 앉은 새 몸이라 посл. букв.≅ подобно птице, сидящей на кончике травинки; ~을 꺾다 косить траву на зелёные удобрения.
풀 II клейстер; клей; ~로 붙이다 наклеивать; приклеивать клейстером; ~을 먹이다 крахмалить; ~가루 крахмал; ~이 서다 быть накрахмаленным; 풀방구리에 쥐 드나들 듯 обр. как челнок(о снующем человеке); ~이 죽다(꺾이다) становиться вялым; раскисать; 풀이없다 вялый
풀(англ. pool) III плавательный бассейн; бассейн для плавания; см. 수영상(풀장)
풀기(-氣) [-끼] 1) клейкость; накрахмаленность; ~없다 становиться вялым(апатичным); падать духом; ~죽다 становиться вялым(апатичным), раскисать.
풀다(푸니,푸오) 1) развязывать; распутывать; распаковывать; расформировать; 2) снимать; 3) выпускать; освобождать; 코를~ высморкаться; 몸을 ~ разрешиться от бремени; 4) растворять; разгонять; рассеивать; снимать; разряжать; срывать; удовлетворять;разрешать; разгадывать; расшифровать; разоружать[ся]; распускать; налаживать; 매듭을~ развязывать узел(пояс); 화를~рассеивать гнев(подозрение).
풀리다 1) развязываться; распутываться; распаковываться;. расфор-

мироваться; рассеиваться; растворяться; таять; 2) быть снятым (о запрете, ограничении); 3) быть выпущенным(освобождённым); освободиться 4) быть растворённым (разведённым)(в воде); 6) быть сорванным(о гневе); 7) проходить(об усталости); 8) быть нейтрализованным(о действии яда); 9) быть удовлетворённым(о желании); 10) быть разгаданным([раз]решённым); 11) быть налаженным(о деле); 12) быть разъяснённым (растолкованным); 13) быть поднятым(о целине); 14) быть превращённым в заливное поле(о суходольном поле); 15): 힘이~ расслабляться; 16) таять(о льде); освобождаться ото льда(о реке); 17) смягчаться; [по]теплеть(о погоде); 18) [за-]туманиться (о глазах).

풀벌레 насекомые, живущие в траве.

풀베기 сенокос; ~하다 косить траву.

풀뿌리 корень травы.

풀색, 녹색(綠色) зеленый.

풀숲 заросли.

풀썩 лёгким облаком; бессильно; 연기가 ~ 피어오른다 дым поднимается лёгким облаком; 땅에~ 주저앉다 бессильно опуститься(сесть) на землю.

풀이 1) ~하다 а) [раз]решать, разгадывать; б) разгонять(напр. тоску); в) удовлетворять(желание); г) рассеивать(сомнение); 2) мат. решение.

풀이 죽다 становиться вялым, становиться покладистым.

풀잎 [-립] лист травы.

풀칠~하다 клеить; намазывать клеем; перебивать коекак; 간신히 입에 ~하다 сводить концы с концами; влачить жалкое существование.

품 I 1) объем(верхнего платья) в груди; пазуха; объятия; 윗도리의 품이 좁다 пиджак узок;~에 넣다 заключать в объятия; 2) пазуха; 3) объятия.

품 II 1) затраты труда(силы); ~을 갚다 отрабатывать за оказанную услугу; ~이 들다 быть трудоёмким; 품을 들이다 вложить труд(силы); 품을 메다 откладывать работу; ~[을] 앗다 отработать за оказанную услугу; 2) 품을 사다 нанимать(рабочих); ~을 팔다 наниматься; работать на кого-л.; ~삯 плата (вознаграждение) за(наёмный) труд; ~앗이 взаимопомощь

품 III признак; состояние; обстановка; 일이 되어 가는 ~이 시원치 않은 것 같다 похоже на то, что ход дела неудовлетворителен.

품(品) IV 1) качество; 2) товар; вещь; предмет.

품(品) V товар; предмет; 전시~ экспонат; 창작~ произведение; 수출~ экспортные товары.

-품(-品) суф. кор. товар; предмет; 수출품 экспортные товары.

품격(品格) достоинство; качество (человека); ~을 떨어뜨리다 ронять своё достоинство.

품귀(品貴) нехватка(недостаток) товара; дефицит; ~의 недостаточный; дефицитный; 설탕이~상태다 сахара мало; сахара недостаточно; ~상품 дефицитный товар.

품다 [-따] 1) носить за пазухой; 2) обнимать; прижимать к груди; таить в душе что-л.; питать(чув-ство); высиживать птенцов; 3) прикрывать крыльями птенцов; 희망을~ лелеять надежду; 애정을 ~ питать любовь.

품목(品目) 1) перечень товаров (предметов); наименование товаров; ~별로 세다 перечислять по предметам; 주요 수출~ главные экспортные товары; 2) уст.см.품명.

품사(品詞) часть речи; ~전환 конверсия.

품삯[-ссак] плата(вознаграждение) за (наёмный) труд.

품안(品案) феод. книга с записью имён чиновников в порядке следования классов.

품앗이 взаимопомощь.

품위(品位) 1) положение(в обществе); достоинство; чувство собственного достоинства; качество; ~를 유지하다 держать себя с большим достоинством; ~가 60%인 철광 железная руда с содержанием 60% железа.

품종(品種) 1) ассортимент; 2) биол. сорт; порода; ~교배(교잡) см. 품질.

품질(品質) качество товара; ~이 좋은상품 товары хорошего(плохого) качества; ~검사 бракераж; ~검사원 бракёр.

품행(品行) поведение; см. 행위

풉니다 решать.

풋 недозрелый; неспелый; новый; поверхностный; неглубокий; недостаточный; ~감 незрелая(зелёная) хурма;~것 неспелые фрукты; первое зерно; ~고추 неспелый красный перец; ~내기 новичок; неопытный человек; ~나물 съедобные травы, собранные в начале весны, ~사랑 зарождающаяся любовь; первое лёгкое увлечение; ~콩 неспелые соевые бобы.

풋것 1) неналившиеся зерновые; неспелые фрукты(овощи); 2) первое зерно; первые фрукты(овощи)(в данном сезоне).

풋나물 [пхун-] съедобные травы, собранные в начале весны; ~먹듯 обр. не жалея, не экономя.

풋내기 [пхун-] презр. 1) новичок, неопытный(человек);2) молокосос.

풍(風) 1) см. 허풍 2) натянутое полотно (защищающее от ветра); 3) кор. мед. паралич; 4) вид; наружность; обычай; манера; ветер; стиль; 외국인~ вид иностранца; 그는 학자~의 사람이다 в нём есть что-то от учёного; 서북~이 분다 северо-западный ветер дует.

-풍(-風) I суф. кор. 1) обычай; 2) вид, наружность; 외국인풍 вид иностранца.

-풍(-風) II суф. кор. ветер; 서북풍 северо-западный ветер.

풍경(風景) I вид; пейзаж; ландшафт; 산악 ~ горный пейзаж; 그림 같은 ~ живописный ландшафт; ~화 пейзаж; ~화가 пейзажист; ~서정시 пейзажная лирика.

풍경, 경치(景致) II пейзаж.

풍경화 пейзаж(картина)

풍기다 распространяться;испускать; вонять чем-л.; 냄새를 ~ издавать (разносить) запах; 향기로운 라일락 냄새가 방으로 풍겨왔다 в комнату струился аромат сирени; 차에서 비린내가 ~ чай воняет рыбой.

풍년(豊年) богатый урожай; урожайный год; изобилие(множество) чего-л.; 올해는 ~이 들것 같다 в этом году, видно, будет богатый урожай; ~가 песня об урожайном годе; ~거지 обр. неудачник; 2) обр. множество, изобилие(чего-л. полученного, добытого).

풍랑(風浪) ветер и волны; большие волны, вызванные ветром; жизненные трудности (невзгоды); ~을 겪다 страдать от жизненных трудностей.

풍류(風流) изящество;элегантность; вкус; ~의 изящный; элегантный; ~스럽다 казаться изящным(элегантным); ~객 любитель музыки; ~남아 элегантный мужчина; ~풍악 ~다재 уст. музыкальный и талантливый человек; ~하다 а) выглядеть элегантным; б) играть на музыкальном инструменте.

풍만하다(豊滿-) богатый; обильный; полный; пухлый; округлый; 풍만한 고장 благодатный край; 가슴이 풍만한 여인 полногрудая женщина.

풍모(風貌) облик; внешность; черты; вид; 당당한 ~를 갖추고 있다 иметь импозантную внешность; 아름다운~ прекрасные черты.

풍부(豊富) ~하다 богатый; обильный; могучий; сильный; 돈이 ~한 обильный золотом; ~한 경험 богатый опыт; ~화 обогащение.

풍성(豊盛) богатство; обилие; ~하다 богатый; обильный; ~한 음식 богатая еда. ~하게 준비하다 обильно приготовить.

풍성하다 богатый, обильный.

풍속(風俗) обычаи; нравы; 시골 ~ деревенские обычаи; 나는 이 땅의 ~을 모른다 я не знаю здешних обычаев; ~도 жанровая картина; ~소설 жанровый роман.

풍습(風習) обычаи; привычки; ~에 따르다 соблюдать привычки.

풍요(豊饒) ~하다 зажиточный; обильный; богатый; ~로운 인생 зажиточная жизнь; ~로운 대지 изобильный край.

풍요롭다 богатый, зажиточный.

풍운(風雲) 1) ветер и тучи; смутные времена; ~아 удачливый искатель приключений; везучий авантюрист; ~어수 арх. обр. близкие(дружеские) отношения между королём и вассалом(сановником); 2) обр. смутные времена; ~조화 неожиданные (непредвиденные) происшествия.

풍유(諷諭) иносказание, аллегория; ~적 иносказательный, аллегорический; ~하다 давать понять при помощи аллегории; б) высмеивать, прибегая к аллегориии.

풍자(諷刺) сатира; ~적 сатирический; ~하다 высмеивать зло; ~가 сатирик; ~극 сатирическая пьеса; ~성 сатири-ческий характер; ~화 сатирическая картина(карикатура); ~문학 сатирическая литература; ~소평 сатирическая заметка; ~소품 сатирический очерк(рассказ).

풍작(豊作) богатый урожай; ~기근 трудности, испытываемые деревней в урожайный год из-за падения цен на зерно.

풍족(豊足), **유족**(裕足) ~하다 зажиточный; изобильный; ~하게 살다 жить в богатстве; ~한 삶 изобильная жизнь; 풍족한 생활 зажиточная жизнь.

풍토(風土) климатические и почвенные условия района; природные условия местности; ~병 эндемия; ~순화(순응) акклиматизация.

풍파(風波) 1) (штормовая) волна; невзгоды; треволнения; ~를 겪다 переживать(преодолевать) невзгоды; 인생의 ~ волны житейского моря; житейс- кие бури; 세상~ житейские бури.

프라이드(англ. pride) гордость; чувство гордости; ~가 센 гордый;

испытывающий законную гордость.

프랑카드(<*англ*. placard) плакат, транспарант с лозунгом.

프레스(*англ*. press) пресс; печатный станок; печать; пресса; ~로 찍다 зажать в пресс; ~복스 места для представителей печати; ~공 прессовщик.

프로그램(*англ*. program) план; программа; программа;~을 짜다 составлять программу; ~에 따라 по программе чего-л.; 정책~ политическая программа; ~뮤직 музыка, посвящённая чему-л.; TV~ программа телепередач.

프로그래머 программист.

프로레타리아트(<*нем*. Proleta-riat) 1) пролетариат; ~의 상대적 빈궁화 эк. относительное обнищание пролетариата;~의 절대적 빈궁화 эк. асолютное обнищание пролетариата.

프로젝트(*англ*. project) проект; план; ~를 짜다 проектировать; составлять проект; разработать проект; ~법 метод проектов.

프로판(*англ*. propane) хим. пропан.

프로펠라(*англ*.propeller) воздушный (гребной) винт, пропеллер.

프롤로그(*англ*. prologue) пролог

프리미엄(*англ*. premium) награда; премия; надбавка; вознаграждение; ~을 붙여 пользуясь большим спросом; ~을 유발하다 поощрять премией; ~시스템 премиальная система.

프리즘(*англ*.prism) физ. призма

프린트(*англ*. print) оттиск; отпечаток; печатание; печать; ~하다 печатать; появиться в печати; сделать оттиск с чего-л.; ~공 печатник; ~물 печатный материал; см. 등사; см. 등사물

플라스틱(*англ*. plastic) пластмасса (пластическая масса); пластмассовый; ~제품 изделие из пласта-ссы.

플래시(*англ*. flash) вспышка; сверкание; вспышка; лампа; ручной электрический фонарь; ~를 터뜨리다 зажигать лампу вспышку.

플랜(*англ*. plan) план; проект; замысел; ~을 짜다 составлять план; планировать; проектировать.

플랫폼(*англ*. platform) перрон.

플러스(*англ*. plus) плюс; 2~3은 5 два плюс три равно пяти; ~8도 плюс восемь градусов

플레이(*англ*. play) игра; забава; ~하다 играть; забавляться; 페어~ честная игра; ~어 спортсмен; иг- рок; плейер.

플롯(*англ*. plot) фабула; сюжет; заговор; интрига; ~을 짜다 составлять сюжет; составлять заговор; интриговать; плести интриги.

플루토니움(*англ*. plutonium-) хим. плутоний.

피, 혈액(血液) I кровь; ~의 대가로 ценой жизни; ~가 끓다 кровь кипит; ~가 난다 кровь идёт, кровоточит; начинается кровотечение; ~를 멈추다 остановить кровь(кровотечение);~가 묻다 быть в крови; ~검사 анализ (исследование) крови; ~고름 сукровица; ~눈물 горькие слёзы; ~순환 кровообра-щение; ~를 빨다 эксплуатировать, сосать кровь; ~묻은 발톱 обр. руки, обагрённые кровью; ~와 살로 만들다 обр. усвоить, овладеть (знаниями *и т.п.*); ~와 살이(살로)되다 войти в плоть и кровь.

피 II воробьиное просо (Echinochloo crussgall).

피(皮) III обёртка; тара; обёрточный; тарный.

피-(皮-) I преф. кор. с пассивным знач.: ~선거권 право быть избранным; 피해자 пострадавший, жертва.

피-(皮-) преф. кор. кожура; кожа; 피밤 неочищенный каштан.

-피(-皮) суф. кор. кожа; шкура; 양피 овчина.

피격(被擊) ~되다 подвергаться нападению(атаке); быть атакованным; 그는 두 명의 강도에게 ~당했다 на него напали два бандита;~하다 подвергаться нападению.

피고(被告) ответчик; подсудимый; обвиняемый; ~석 скамья подсудимых; ~측 변호인 защитник обвиняемых.

피곤(疲困) 피로(疲勞) усталость; утомление;~하다 усталый; утомлённый;~을 풀다 снимать усталость; ~해서 녹초가 되다 изнемогать от усталости; ~한 모습 усталый вид.

피난(避難) убежище; убежищный; ~하다 бежать; скрываться; искать убежища; ~살이하다 найти убежище; ~민 беженец; ~처 убежище; укрытие.

피날레(*англ.* finale) финал; финал (финальная встреча); финальный; 찬란한~ блестящий финал;~출전자 финалист.

피다 1) цвести; расцветать; распускаться; 2) разгораться; 3) поправляться; хорошеть; 4) запылать; 5) расплываться;растекаться; 6) диал. см. 번지다 I 1); 7) диал. см. 패다 I; 피어나다 а) загореться, запылать; б) пробиваться(о ростках); распускаться(о цветах); в) улучшаться (напр. о жизни); г) приходить в себя, возвращаться к жизни; 사과 꽃이 피어있다 яблоня цветёт; 그녀는 날이 갈수록 얼굴이 피어난다 она хорошеет с каждым днём.

피동(被動) пассивность; пассивные действия; ~적 пассивный; бездеятельный; ~적 역할을 하다 играть пассивную роль; ~형 форма страдательного залога; 2) см. 피동상 лингв. страдательный залог; ~형동사 лингв. страдательное причастие.

피동사(被動詞) лингв. глагол страдательного залога.

피라미드(<*лат.* pyramid) пирамида (египедская).

피력(披瀝) ~하다 открывать душу; 소감을 ~하다 делиться впечатлениями(чувствами) с кем-л.; высказывать своё мнение.

피로(披露)~하다 а) знакомить(напр. с документом); б) оповещать, объявлять

피리 свирель; дудка; ~를 불다 играть на свирели(дудке).

피막(皮膜) плотная оболочка; покров; плева; капсула; ~형성 инцистирование; 처녀막~ девственная плева; ~부유선광 горн. плёночная флотация.

피발[-빨] прилив крови(к какой-л. части тела); 눈에~이서다 наливаться кровью(о глазах); 핏발이 삭다 отлыхуть(о прилившей крови).

피복(被服) I одежда; обмундирование;~을 공급하다 обмундировать; ~공장 швейная фабрика;~상 торговля одеждой;торговец одеждой.

피복(被覆) II покров; оболочка;~하다 покрывать; обшивать; облицовывать что-л. чем-л.; ~선 обмотанный проволокой; кабель; ~식물 бот. покровные растения; ~상피 анат. покровный(защитный) эпителий; ~을 한 전선 обмотанный провод.

피부(皮膚) см. 살가죽; кожный покров; кожа; ~과 дерматология; кожно-венерическое отделение; ~과 의사 дерматолог; ~병 кожная болезнь; дерматоз; ~색 цвет кожи; ~암 рак кожи; ~염 дерматит; ~호흡 кожное дыхание; ~각화증 ороговение кожи; ~감각 чувствительность кожи; ~괴사 мед. некродермия; ~동맥 кожная артерия; ~비후 мед. омозолелость; ~반사 кожный рефлекс; ~수종 водянка кожная;

피부과(皮膚科) [-ккв а] 1) дерматология (отрасль медицины); 2) кожно-венерическое отделение (больницы).

피빛 [-ппит] цвет крови.

피사체(被寫體) I натура; ~를 보고 그리다 с натуры рисовать.

피사체(被射體) II цель; проектируемое тело.

피살(被殺) ~하다,~되다 быть убитым; ~자 убитый; погибший; жертва; ~자 가족 семья погибшего.

피상(皮相) внешняя сторона; поверхность;~적 поверхностный; внешний; ~적인 견해 поверхностный взгляд;~적으로 관찰하다 скользить по поверхности; ~전력 эл. кажущаяся мощность.

피선(被選) ~하다 быть избранным; ~되다 быть избранным; ~거권 право быть избранным; ~거인 избираемый; человек, имеющий право быть избранным; ~자 выбранный; избранный.

피스톤(англ. piston) 1) тех. поршень;~링 поршневое кольцо;~펌프 поршневой насос; 2) пистон, клапан(у духовых муз. инструментов)

피습(被襲) ~하다 подвергаться нападению.

피신(避身) ~하다 скрываться; укрываться; скрываться из виду(из глаз); ~처 убежище; укрытие.

피아노(англ. piano) пианино; фортепиано; рояль;~를 치다 играть на рояле; ~곡 фортепианная пьеса; ~연주자 пианист.

피어라 цвести. **피었다** расцвёл.

피우다 1) 꽃을~ разжигать(огонь); топить (печь); поднимать(возню); проявлять(усердие); цвести; издавать; распространять(запах); 재주를 ~ пуститься на хитрости; 향을 ~ курить(жечь) фимиам; 부지런을 ~ проявлять усердие.

피읖 пхиып(назв.кор.буквы ㅍ)

피의자(被疑者) подозреваемый; подозрительный человек; ~ 혐의를 받고 있다 быть под подозрением.

피임(避妊) I предупреждение беременности; ~하다 предупреждать беременность; ~법 способ предупреждения беременности; ~약 противозачаточные средства.

피차(彼此) то и это; ~의 обоюдный; взаимный; ~간 между собой; друг с другом; ~에 с той и другой стороны; ~일반이다 быть одинаковыми.

피치(англ. pitch) высота тона(зву-ка); килевая качка; шаг; подача; 급 ~로 на большой скорости; ~를 올리다 набирать скорость; ускорять ход; ~콕스 пековый кокс.

피크닉(англ. picnic) пикник; ~에 참여하다 участвовать в пикнике; 그들은 호수에서 ~을 열려고 한다 они собираются устроить пикник на озере.

피킷(*англ.* picket) пикет; сторожевая застава; ~을 설치하다 выставлять пикет;расставлять заставы; ~라인 пикеты; заслон пикетчиков.

피트(*англ.* feet) фут(=30,48 см)

피폐(疲弊) ~하다 истощаться; утомляться; беднеть; скудеть; 토지가 완전히 ~해 버렸다 почва истощилась; 전쟁으로 ~해진 나라 страна, истощённая войной;~상 утомлённый вид.

피하(皮下) ~의 подкожный; ~주사 подкожное впрыскивание; инъекция; ~조직 подкожная клетчатка; ~지방 подкожный жир; ~지방조직 подкожная жировая ткань; ~일혈 подкожное кровоизлияние.

피하다 избегать; уклоняться; избавляться; укрываться; прятаться; 피할 수 없는 неизбежный; неминуемый; 위험으로부터 ~ избегать опасности (трудности); 교제를 ~ уклоняться от знакомства с кем-л.; избегать общества.

피해(被害) 1) ~하다 ущерб; вред; убыток; повреждение; ~를 끼치다 причинить(нанести) кому-л.ущерб; ~를 입다 пострадать; понести(терпеть) ущерб; ~자 пострадавший; жертва;потерпевший,потерпевшая; ~지 район, пострадавший от стихийного бедствия.

피혁(皮革) кожа; кожаный; кожевенный; ~을 무두질하다 выделывать кожу; ~공장 кожевенный завод; ~산업 кожевенная промышленность; ~제품 кожаное изделие.

피흘림 проитие крови.

픽 1)~끊어지다 легко оборваться; 2)~쓰러지다 бессильно повалиться; 3) ~터지다; 4) ~웃다 прыснуть со смеху; 5) ~돌아서다 резко повернуться

픽업(*англ.* pickup) звукосниматель; адаптер; выбор; ~하다 заезжать (заходить) за кем-чем-л.; 나는 당신을 5시에 ~하러 갈 것이다 я заеду за вами в пять часов;~트럭 пикап.

핀셋트(*англ.* pincette) пинцет.

핀잔 1) укор; упрёк; 2) насмешка; ~을 먹다 ~을 주다, ~하다 укорять; упрекать; насмехаться над кем-чем-л.; ~먹다 подвергаться упрё-кам(насмешкам); 호되게 ~하다 осыпать кого-л. упрёками; ~스럽다 прил. казаться упрёком(насме-шкой).

핀치(*англ.* pinch) крайняя нужда; стеснённое положение; ~에 몰리다 быть в стеснённом положении; ~히터 игрок, делающий удар вместо игрока с битой.

핀트(*англ.* pint) фокус; суть; главное содержание;~를 맞추다 помещаться (собираться) в фокусе; 이야기 ~를 놓치다 не понимать суть рассказа

필(疋) I рулон; 옥양목 한 ~ один рулон перкаля.

필(筆) II пхиль(мера площади = 11,62 м.кв.).

필(必) III окончание; 불~ оплаченный; выплаченный.

필(匹,疋) IV голова; 말 다섯~ пять голов лошадей.

필기(筆記) ~하다 писать; записывать; ~시험 письменный экзамен; ~장 тетрадь для записей.

필답(筆答) [-ттап] письменный ответ; ~시험 письменный экзамен; ~하다 давать(письменный ответ).

필독(必讀) [-тток] ~참고서 обязательная литература(напр. к семинару); ~하다 обязательно читать.

필두(筆頭) кончик кисти(пера); первый в списке; ~로 начиная с кого-л.; во главе с кем-л.; 대통령을 ~로 во главе с президентом; 1) см. 붓끝; 2) ~로 начиная(с кого-л. при перечислении); во главе(с кем-л).

필라멘트(*англ.* filament) эл. нить накала.

필름(림)(*англ.* film) плёнка; фильм; 그녀는 ~을 잘받는다 она очень фотогенична; 영화~ киноплёнка(фотоплёнка); 흑백~ чёрнобелая(цветная) плёнка.

필법(筆法) владение кистью; почерк; литературный стиль; 그의 ~은 유명하다 его почерк известен.

필생(畢生) вся жизнь; ~의 пожизненный; ~의 사업 работа всей жизни; ~의 작품 лучшее произведение; шедевр.

필수(必須)[-ссу] необходимость; ~의 обязательный; непременный; необходимый; ~조건 необходимое условие; ~과목 обязательные предметы(дисциплины); ~[적] обязательный, непременный.

필수품(必需品) необходимое; предметы первой необходимости; 생활~ ежедневное необходимое(в повседневной жизни); ~만을 가져가시오 возьмите с собой самое необходимое.

필승(必勝) ~하다 непременно одержать победу; ~불패 непобедимый; ~의 신념 неугасимая вера; твёрдая уверенность.

필시(必是) [-сси] непременно; обязательно; ~그는 늦을 것이다 он непременно опоздает.

필연(必然) необходимость; неизбежность; ~적 обязательный; непременный; неизбежный; ~코 обязательно; непременно; неизбежно; 당시 그들은 전쟁이 ~적이라고 이해 했다 тогда они поняли, что война неизбежна; ~성 необходимость.

필요(必要) надобность; необходимость; потребность; нужда; ~하다 нужный; необходимый; ~하다면 если понадобится; ~에 따라 по мере необходимости; 말할 ~가 없다 следует(на-до) говорить; 서두를 ~는 없다 незачем спешить; ~량 потребность; нужда; ~성 необходимость.

필자(筆者) автор; составитель; авторский; составительский; ~원고료 авторский(составительский) гонорар; 논설~ автор статьи.

필적(筆跡) I почерк; 그는 ~이 좋다 он пишет хорошим почерком/у него хороший почерк; 알아보기 어려운 ~ неразборчивый почерк.

필적(匹敵) II [-ччок] ~하다 быть ровней(парой); 그에게는 ~할 만한 사람이 없다 ему нет равных; 그 여자는 당신에게 ~할 만 한 사람이 아니다 она вам не ровня.

필터(*англ.* filter) фильтр; ~담배 сигарета с фильтром.

필통(筆筒) 1) дорожный пенал для ручек, кистей *и т.п.*; 2) стакан для карандашей(кистей); ~타구 плевательница цилиндрической формы.

필패(必敗) ~하다 непременно потерпеть поражение(крах).

필필이(疋疋-) нареч. 1) каждый рулон; 2) рулонами.

필하다(畢-) кончать; завершать; 병역을~ завершать воинскую повинность; 검사를 ~ кончать проверку.

필혼(畢婚) ~하다 последним вступать в брак; последний брак в

семье.

필화(筆禍) неприятности, навлечённые на себя статьёй(письмом); ~를 입다 попасть в беду, навлечённую на себя статьёй.

필화(筆禍) I уст. беда, навлечённая на себя статьёй(письмом *и т.п.*).

필화(筆華) II уст. обр. сущ. хорошо написанное(сочинённое).

필획(筆劃) см. 자획 I.

필휴(必攜) ~하다 обязательно иметь при себе(носить с собой)

필흔(筆痕) следы написанного; отпечатки букв.

필흥(筆興) интерес к письму(рисованию).

핍근(逼近) ~하다 приблизиться, подступить вплотную.

핍박(逼迫) ~하다 нуждаться; испытывать крайние затруднения; оказывать давление; вынуждать; притеснять; 그녀는 의붓아들을 몹시 ~한다 она сильно притесняет сво-его пасынка

핍색(逼塞) ~하다 быть безвыходным (о положении).

핍월(乏月) обр.4-й лунный месяц.

핍인(乏人) уст. ~하다 не хватать нужных(способных) людей

핍재(乏財) I уст. ~하다 не хватать (недоставать) средств.

핍재(乏材) II см. 핍인.

핍전(乏錢) уст. ~하다 недоставать (не хватать) денег.

핍절(乏絶) I уст. см. 절핍 I.

핍절(逼切) II ~하다 правдивый и убедительный.

핍진(乏盡) I полностью иссякать (истощаться).

핍진(逼眞) II ~하다 а) близкий к жизни, реалистичный; б) правди-вый, честный.

핍축(逼逐) уст.~하다 а) вытеснять, изгонять(откуда-л.); б) гнаться по пятам.

핍하다(乏-) арх. недоставать; иссякать.

핏기 цвет крови; 이 소식을 듣자 그녀의 얼굴에서 ~가 가셨다 она побледнела, когда услышала это известие.

핏덩이 небольшой сгусток крови; новорождённый(грудной)ребёнок.

핏발 прилив крови; ~이 서다 наливаться кровью.

핏줄 кровеносные сосуды; род; родство; происхождение; ~관계 родственные связи; ~주사 внутривенное вливание.

핑 очень быстро; неожиданно; вдруг; 감격해서 눈물이 ~돌다 неожиданно наполниться слезами; 눈앞이 ~돌았다 всё поплыло перед глазами; 머리가 ~돌았다 голова вдруг закружилась.

핑계 1) предлог, повод; ~가 좋아서 사돈네 집에 간다 обр. под благовидным предлогом отлучиться (куда-л.); ~핑계 도라지 케러 간다 обр. отправляться гулять под благовидным предлогом; ~없는 무덤 없다 обр. избегать ответственности ссылаясь(на что-л.); 2) оправдание; ~하다 а) ссылаться(на что-л.); находить предлог; б) оправдываться.

핑계 предлог; повод; оправдание; ~하다 находить предлог; ссылаться на что-л.; ~없는 무덤 없다 избегать ответственности, ссылаясь на что-л.; 제법 그럴싸한 ~를 대어 под благовидным предлогом.

핑고 см. 핑구.

핑구 волчок(с ручкой для вращения).

핑그르 1) ~돌다 быстро повернуть(что-л.) 2): 눈물이 ~돌다 неожиданно наполниться слезами(о глазах); 3) 눈앞이 ~돌았다 всё поплыло перед глазами.

핑글핑글~하다 вертеться, кружиться

핑기 диал. см. 핑계

핑둥이 диал. см. 팽이.

핑잔 диал. см. 핀잔.

핑크(*англ.* pink) розовый цвет; ~색의 розовый; ~무드 влюблённое настроение.

핑퐁(*англ.* pink-pong) настольный теннис; пингпонг.

핑핑 I ~하다 а) поворачиваться, крутиться, вращаться; б) кружиться (о голове).

핑핑 II *нареч.* налившись соком; ~살이 찌다 тучнеть; жиреть

핑핑 III 1) звукоподр. свисту пули: 총알이~귀를 스쳐 지나간다 просвистеть над ухом (о пуле); 2) пулей.

핑핑하다 1) туго натянутый; 2) достаточный; удовлетворительный; 3) см. 피둥피둥[하다]

ㅎ

ㅎ четырнадцатая буква кор. алфавита; обозначает согласную фонему <x>

하 I 1) низ; 2) последняя часть (чего-л.); 3) после имён: ~하에[서] 하의 под; в; при: 사회주의 하에 при социализме.

하 II очень; 하 많다 очень много.

하 III звукоподр. выдоху фу; межд. ах!(при выражении радости, восхищения, печали).

하계(夏季) лето; летний сезон; летняя пора; ~방학 летние кани- кулы.

하고(何故) 그는 종이~ 연필을 가져왔다 он принёс бумагу и карандаш.

하권(下卷) второй том(в двухтомнике); третий(последний том в трёхтомнике).

하급(下級) низший класс(разряд).

하나, 일(一) один; ~같다 одинаковый; ~같이 точь в точь; 하나~ один за другим; по одному.

하나같다 одинаковый точь в точь.

하나님 (англ. God) бог. см. 하느님; ~나라 Царство Бохь; ~을 아는 것 боговедение; ~의 божий; ~의 뜻 воля Божья; ~께서 내리신 축복 благословение Бога, ниспосланные благословения; ~의 사람 божий человек; ~의 사자 Ангел Господень; ~의 산 гора Господня; ~의 아들 Сын Бога, Божий Сын; ~의 양무리 божье стадо; ~의 임재 наличие Бога, присутствие Бога; ~의 현현 явление Бога, богоявление; ~의 형상 образ Божий.

하나요 пожалуйста.

하나하나 по одному.

하늘 небо, небеса; ~의 별 따기 трудное дело; ~빛 свет; ~같다 обр. попасть пальцем в небо; 갠(흐린)~ белое; ~높은 줄 안다 обр. отличаться как небо от земли; ~을 보아야 별을 따지 посл. ≅ букв. прежде чем достать звезду нужно увидеть небо; ~이 무너져도 솟아날 구멍이 있다 посл. ≅ из любого по-ложения есть выход; ~같이 обр. твёрдо как на бога (надеяться); ~에 계신 Сущий на небесах; ~여신 богиня неба.

하늘나라 Царство Бохь.

하늘빛 голубой(небесный) цвет.

하다(하여, 해) делать, производить; 할 수 없다 нечего не поделать; ~하다 быть на побегушках; 전화를 ~ говорить по телефону; 운동을 ~ заниматься спортом; 나무를 ~ заготавливать топливо(дрова).

하단(下壇) 1) нижняя оконечность (чего-л.); 2) район(участок), расположенный ниже (чего-л.).

하달(下達) ~하다 а) отдавать(приказ); спускать(указание); б) отдаваться (о приказе).

하답(下答) уст. 1) ~하다 писать(ответ) (о вышестоящем); 2) вежл. письменный ответ(от вышестоящего).

하대(下待) ~하다 а) плохо(пренебрежительно) обращаться; б) невежливо обращаться; фамильярно общаться.

하도(下道) уст. 1) отдаленная провинция; 2) южные провинции(пров. Южн. и Сев. Чхунчхондо, Южн. и Сев. Кёнсан-до, Южн. и Сев. Чоллало).

하등(下等) низкий класс(разряд, сорт); ~을 맞다 получить плохую оценку(о чиновнике при переаттестации); ~동물 низшие животные; 식물 низшие растения.

하락(下落) ~하다 1) падать снижаться (о ценах); 2) понижаться(о разряде).

하루 1) день и ночь, сутки; ~건너 через день; ~ 바삐 как можно скорее, быстрее; ~아침 короткое время; 2) один день; ежедневно; день ото дня; с каждым днём; день за днём; ~ 아침에 короткое время.; ~가 다르게 급변하고 있다 резко меняться изо дня в день.; ~가 다르게 성장하다 вырастать(развиваться) не по дням, а по часам.

하루갈이 площадь, вспахиваемая одним волом за один день.

하루거리 перемежающаяся лихорадка.

하루길 расстояние, преодалеваемое за день.

하루바삐 как можно скорее.

하루살이 зоол. подёнка; ~하다 жить одним(сегодняшним) днём.

하루 종일 весь день.

하류(河流) I течение реки.

하류(下流) II нижнее течение; низовье реки; ~사회 непривилегированное сословие.

하마트면 чуть было не..., едва не...

하물며 тем более.

하반기(下半期) вторая половина (какого-л.) срока;второе полугодие

하반부(下半部) нижняя(вторая) часть(чего-л.).

하반신(下半身) нижняя половина тела.

하복부(下腹部) анат. подчревная область.

하부(下部) 1) нижняя часть(чего-л.); 2) нижестоящее(подчинённое) учреждение; 3)сущ. нижестоящий; подчинённый

하산(下山) спуск с горы; ~하다 спускаться с горы.

하세요 сделайте.

하셨습니다 сделал.

하소연하다 жаловаться на судьбу; сетовать(с целью вызвать сострадание).

하수(河水) ~관 сточные воды; ~구 сточная канава; ~도 канализация.

하수(下水) 1) грязные(сточные) воды; 2) см. 하수도: ~가스 газы образующиеся в канализации при разложении органических веществ; ~공사 канализационные работы.

하숙(下宿) пансион; ~하다 жить в пансионате; ~방 комната в пансионате; ~비 плата за пансион; ~생 пансионер; ~집 пансионат.

하순(下旬) последняя третья декада месяца.

하얀 белый цвет; белоснежный цвет; белая краска.

하얗다(하야니, 하야오) совершенно белый, белоснежный.

하여간(何如間) так или иначе; во всяком случае; ~나는 올 것이다 в любом случае приду.

하여간(에) во всяком случае; в любом случае.

하여금 книж. после твор. п. указ. на реал. субъект при гл. побуд. залога: 그 사람으로 ~가게 하시오 заставьте его пойти; позвольте ему пойти; 나로~기다리게 하지 마시오 не ждите меня

하염없다 удручённый, потерянный;

пустой, бесцельный; праздный.
하염없이 удрученно, бесцельно.
하우스(*англ.* house) дом.
하위(下位) низкое расположение; ~개념 см. 저급[개념]; ~지방 бот. нижняя завязь; низкое положение в обществе; невысокий пост.
하의(下衣) брюки, юбка, трусы *и т.п.*; см. 아래옷, 바지
하이힐(*англ.* high heel) женские туфли на высоких каблуках.
하인(下人) уст. слуга.
하자(瑕疵) сделаем, пятно; недостаток; изьян; порок. ~없는 без изьяна; безупречный; 이 빌딩은 ~가 많다 у этого здания много изьянов.
하잘 것 없다 незначительный, пустяковый.
하지(夏至) этн. "летнее солнцестояние" (один из 24 сезонов с.-х. года; с 21-22 июня).
하차(下車) ~하다 высаживаться выходить(из вагона *и т.п.*); выгружать (из телеги, поезда и т.п.).
하찮다 неважный;нехороший; несущественный; незначительный.
하천(河川) река, ручей; ~부지 площадь земли, занимаемая руслом земли.
하체(下体) нижняя половина тела.
하키(*англ.* hockey) хоккей.
하편(下篇) вторая(третья) часть произведения, состоящая из двух (трёх) частей.
하품 зевота, зевок; ~하다 зевать.
하프 арфа.
하필(何必) ~너냐? почему именно так?
하행(下行) ~하다 выезжать(приезжать) в провинцию; вылетать (прилетать) в провинцию
하향(下向) ~하다 направляться вниз; снижаться; нижняя сторона.
하혈(下血) ~하다 течь(о крови, напр. при геморрое).
학(鶴)(두루미) журавль.
-학(-學) суф.кор.наука; учение; часто переводится-логия,-ведение, -знание, -графия; 언어학 языкознание.
학감(學監) уст. школьный инспектор.
학과(學科) отделение, группа, курс; ~목 предмет, дисциплина; ~시간표 расписание занятий.
학과장(學科長)강좌장 зав.кафедрой.
학교(學校) школа; учебное заведение; ~교육 обучение в школе; ~위생학 школьная гигиена.
학교장(學校長) директор школы
학교전(學校前) сущ. дошкольный; ~교육학 дошкольная педагогика; ~[교양]기관 дошкольное детское учреждение; ~위생학 гигиена детей дошкольного возраста.
학급(學級) класс(в школе); ~담임 классный воспитатель(руководитель).
학기말(學期末) конец семестра(четверти).
학년(學年) класс; учебный год; ~말시험 годовой, итоговый экзамен; 제1 ~ первый курс.
학력(學歷) пройденный курс обучения, полученное образование.
학문(學問) наука, учение, знание.; 학문을 익히다 приучаться к науке.
학부(學部) факультет; [основной] курс(в высшем учебном заведении в противоп. подготовительному).
학비(學費) плата за учебу.
학사(學士) кандидат наук.
학생(學生) учащийся, школьник, студент.
학설(學說) теория, учение, доктрина.

학수(鶴首) журавлиная шея; ~고대하다 обр. с нетерпением ждать.
학술(學術) наука и техника; ~단체 научный коллектив; ~어 научно-техническая терминология; ~지 научный журнал; ~적 научно-технический; ~용어 научно-техническая терминаль-гия.
학업(學業) учёба, занятия.
학원(學院) I учебное заведение.
학원(學院) II спец. школа; училище
학위(學位) ученая степень; ~논문 диссертация.
학자(學者) ученый; ~금(학비) расходы на обучение.
학장(學長) директор института; ректор(вуза)
학회(學會) 1) научное общество-научное общество; 2) общество по распространению научных знаний; 3) будд. место для занятий.
한(恨) I досада, сожаление, недовольство;~한이 되다 досадно что...; ~한이 없다 в знач. сказ. не жалко.
한(限) II предел; ~이 없다 беспредельный; безмерный; бесконечный; 가능한 한~ по мере возможности.
한(一) III опред. ф. один,одна,одно ~두어 시간 지나서 прошло 2 часа; ~날 день; ~시 час.
한(漢) IV король(в кор. шахматах).
한- преф. кор. большой; ~더위 самая жара; 한가운데에 в самой середине; как раз в центре.
한가로이 нареч. на досуге; праздно
한가롭다 свободный, праздный.
한가운데 самая середина; самый центр
한가위 см. 중추절(仲秋節); см. 추석(秋夕) чусок (осенний праздник урожая).

한강(漢江) р. Ханган.
한 걸음 первый шаг; ~에 в один шаг.
한겨울 середина зимы.
한결 ещё более, довольно(-таки); ~같이 единообразно, единодушный, всеобщий.
한국(韓國) Корея; ~어 корейский язык.
한국말 корейский язык.
한글 корейская письменность(алфавит); ~전용학교 школа для взрослых по ликвидации безгра мотности.
한글 맞춤법 орфография(правила правописания) корейского языка.
한글날 день Хангыла.
한글학교 школа корейского языка.
한꺼번에 разом в один присест;все сразу (одновременно).
한끼 разовый прием пищи.
한나절 полдня
한낮 полдень; ~에 в полдень.
한돌 один круг.
한동안 некоторое время.
한 두(一 二) в знач. опред. один-два;~번 не один раз;неоднократно(в отр. пред.).; 한 두 가지가 아니다 не один, два(вид или дело).
한둘 один-два; ~이 아니다 много.
한라산(-山) гора Халласан.
한류성(寒流性) ~어족 холодноводные рыбы; рыбы холодных вод.
한마디 одно слово, одно лишь.
한마음 единая душа.
한문(漢文) китайская письменность.
한민족(韓民族) корейская нация.
한밑천 крупные материальные средства.
한바탕 порядочно, изрядно.
한반도(韓半島) Корейский полуостров; см. 조선반도.

한반도 지도(韓半島 地圖) карта Корейского полуострова.
한밤 I глубокая ночь; ~에 глубокой ночью; 벌써~ уже глубокая ночь.
한밤중 глубокая ночь; см. 한밤
한방(漢方) корейская медицина.
한번 [один] раз.
한복(韓服) корейский национальный костюм(одежда).
한산하다 праздный; тихий; захолустный
한세상(-世上) всю жизнь; лучший период жизни.
한숨 некоторое время, тяжелый вздох; ~을 짓다 тяжело вздохнуть.
한식(韓食) корейская еда корейское блюдо.(한국음식).
한식집(韓食-) корейский ресторан.
한심(閒心) ~하다 достойный сожаления; трудный; щекотливый.
한심하다 жалкий.
한 쌍 уст. пара.
한없다 бесконечный; см. 끝이 없다.
한의사(韓醫師) врач восточной медицины(врач, лечащий по методу нетрадиционной медицины).
한 입 베물다 откусывать один раз.
한자(漢子) арх. пренебр. бугай(о человеке).
한 자루 одна шутка.
한잠 самый крепкий сон; ~자다 крепко спать.
한 장 один лист.
한정(限定) ограничение, лимит; ~하다 ограничивать; лимитировать; ~되다 ограничиваться, лимитиро-ваться.
한쪽 одна сторона.
한참 долго, некоторое время; ~동안 в течении долгого времени.
한창(寒瘡) I самый разгар, самое время; ~나이 цветущий возраст; ~때 золотое время.
한창(寒脹) II кор. мед. болезнь при которой холодеют конечности, вздувается живот, появляются по-нос и рвота.
한창때 цветущий возраст.
한층(-層) [ещё] более.
한 치 маленькое расстояние около 3 см; (3.3 см);~앞을 못 보다 не видит, что под носом творится.
한치의 착오 маленькая ошибка
한칼 ~에 одним ударом(ножа); одним взмахом(меча); кусок мяса (рыбы).
한탄(恨歎) сетование; ~하다 сетовать; сожалеть.
한턱 угощение; ~내다 угощать (когол.)
-한테 разг. оконч. дат. п. 1) указ. на исход. пункт действия: 동무들~ 칭찬을 들었다 получил пригла- шение от товарищей; 학생~ 책을 주다 дать книгу ученику.
한통속 единомышленники; избранники.
한파(寒波) метеор. волна холода.
한판(-判) тайм; раунд; партия; 장기 ~두다 сыграть(одну) партию в шахматы
한편으로는 с одной стороны.
한평생 вся жизнь;целая жизнь
한포기의 배추 один качан капусты
한풀~죽다 падать духом; 더위가 ~ 꺾였다 быть сломленным(о духе)
한풀꺾이다 упасть духом.
한풀이(恨-) развеивание досады; ~하다 проходить(о чувстве досады; недовольства); срывать зло(на ком-л.); оплачивать(кому-л.).
할(割) I десятая часть.
할 II будд. 1) восклицание, изда-

ваемое монахом во время созерцания; 2) вздохи сожаления, издаваемые монахом, когда во время созерцания к нему приходит ненужная мысль.

할 III ~할 무렵 во время; когда (действие).

할까 сделать.

할당(割當) ~하다 распределять; выделять; выдавать по норме

할례 обрезание; ~받은 자 холм обрезания;~산 холм обрезания

할말 то что хотелось сказать, разговор;~ 없다 без разговора; ~이 있어요 У меня к вам разговор.

할머니 бабушка.

할부(割賦) кредит, продажа в рассрочку.

할아버지 дедушка.

할인(割引) скидка; ~권 свидетельствующий документ; ~시장 расцарапать; ~하다 делать скидку.

할증(割增) ~하다 делать(наценку).

할퀴다 царапать, чесать.

할 텐데 хорошо бы сделать.

핥다 лизать, лакать.

함 I большой глиняный чан

함(緘) II книжн."запечатано"(надпись на конверте).

함(銜) III уст. изменённый личный иероглиф(в подписи); ~[을]두다 уст. подписываться.

함(函) IV 1) сундук(напр. для одежды); ~진 아비 уст. человек, посылаемый женихом с подарками в дом невесты

함구령(緘口令) 1) период эксплуатации военного корабля со дня спуска на воду; 2) предельный срок службы военного корабля.

함께 вместе (с); см. 같이.

함락(陷落) падение, свержение, взятие; ~하다 обвалиться; обрушиться; пасть(напр. о крепости); ~지진 геол. депрессивное землетрясение.

함몰(陷沒) ~하다 утонуть; погрузиться в воду; провалиться в землю; разориться; обанкротиться.

함박꽃 пион.

함박눈 хлопья снега.

함부로 беспорядочно, как попало, беспорядочно, как попало, неосторожно, как попало, необдуманно, неосторожно.

함빡 насквозь(промокнуть).

함정(陷穽) ловушка яма, ловушка, западня.

함축(含蓄) ~하다 таить в себе; содержать;~된 의미 сжатый смысл.

합(盒) I широкая латунная миска с крышкой.

합(合) II сущ. итого; всего; мат сумма.

합격(合格) ~하다 выдержать(испытание, экзамен); отвечать предъявленным требованиям; соответствовать(стандарту,кондиции, нормам).

합계(合計) итог, итого, ~하다 проводить(итог);подытоживать; итог;итого

합니다 делать.

합당~하다 объединять(партии)

합동(合同) I объединение, слияние; ~소유 юр. совместная собственно- сть; ~행동 совместные действия; ~접속사 лингв. соединительный союз; ~공리 аксиома конгруэнтно-сти;~기호 знак конгруэнции;~하다 объединяться; сливаться; совпадать; сливаться.

합동(合洞) II ~하다 объединять (деревни, участки города).

합력(合力) объединённые усилия; сотрудничество; ~하다 объединять усилия; сотрудничать.

합류(合流) ~하다 прям. и перес. сливаться.

합리(合理) ~적, ~하다 рациональный; разумный; целесообразный.

합리화(合理化) рационализация

합명(合名) ~회사 общество с солидарной ответственностью, полное товарищество; ~하다 совместно подписываться.

합방(合邦) ~하다 объединять(страну).

합법(合法) легальный; законный; ~적 투쟁 легальная борьба.

합병(合倂) объединение; слияние; ~하다 объединять; сливать; ~증상 мед. симптом компликации.

합산(合算) ~하다 складывать; суммировать; подводить(итог)

합성(合成) соединение, синтез, сложение; ~국가 федеративное государство; федерация; ~약어 аббревиатура; ~사료 с.-х. концентрат; ~섬유 синтетическое волокно; ~하다 соединяться; синтезироваться; ~고무 синтетический каучук; ~수지 синтетические смолы; ~약품 синтетические лекарственные вещества; ~염료 синтетический краситель.

합세(合勢)~하다 объединять силы.

합숙(合宿) ~하다 жить в общежитии; общежитие.

합의(合議) ~재판 суд, выносящий коллегиальное решение; ~하다 коллегиально осуждать (рассматривать, решать).

합작(合作) совместное проведение работы; ~하다 совместно создавать (что-л.); вместе работать.

합창(合唱) хоровое пение; ~하다 петь хором; петь о хоре; ~곡(曲) музыкальное произведение для хора; ~단 хоровой ансамбль; ~대 хор.

합치다 соединяться, объединяться.

합하다 1) суммировать; 2) соединяться; объединяться; 힘을 합하여 общими усилиями. 합해서 вместе.

합환주(合歡酒) этн. рюмки с вином, которыми обмениваются жених и невеста на свадьбе.

핫- преф. 1) ватный, на вате; 핫바지 ватные брюки; 핫아비 женатый(мужчина); 핫어미 замужняя (женщина).

항(港) I порт.

항(項) II пункт, статья, параграф.

항 III 항우 силач; богатырь.

항간(巷間) ~에 среди простых людей; среди народа; среди лю- дей.

항거하다 сопротивляться.

항공(航空) воздухоплавание; ~경보 воздушная тревога; ~기상학 авиационная метеорология;~기지 авиабаза; ~력학 аэродинамика; ~연락소 пункт воздушной связи; ~육전대 воздушно-десантные войска; ~모함 авианосец; ~방어 противовоздушная оборона ПВО; ~사진 аэрофотоснимок; ~천문학 авиационная астрономия; ~초소 пост наблюдения за воздухом; ~우편 авиапочта; ~하다 летать.

항구(港口) порт; ~도시 портовый город.

항구도시 портовой город.

항법(航法) кораблевождение; самолётовождение; ~근무 штурманская служба

항복(降伏),투항(投降) капитуляция; ~하다 капитулизироваться; сдаваться.

항속(航續) продолжительность полёта(плавания); ~비행 полёт на продолжительность;~하다 длиться(о полёте, плавании).

항원(抗原) биол. антиген; ~구조 антигенная структура; ~료법 антигенотерапия.

항의(抗議), 반항(反抗) протест; ~하다 протестовать.

항쟁(抗爭) сопротивление; ~하다 сопротивляться; бороться(против чего-л.).

해 I 태양 солнце; ~가 지다 солнце садится; ~질녘에 к заходу солнца, на закате солнца; ~질무렵에 на закате солнца; ~가 뜬다 солнце восходит; ~가 진다 солнце заходит (садится); ~가 길어진다 дни стали длиннее; ~ 가 짧아졌다 дни стали короткие.

해(年) II год; 열~만에 за 10 лет;~와 달이 바뀌어졌다 много воды утекло.

해 III вещь;이것이 네~다 Это твоё.

해 IV ~놓다 сделать;~주다 делать для кого-л.

해(害) V ущерб, вред, порча; ~를 주다 наносить(причинять) кому-чему-л. вред(ущерб); вредить кому-чему-л.; ~를 입다 потерпеть (понести) вред (ущерб).

해(海) VI море; 동~ Восточное море; 지중~ Средиземное море

해-(該) преф. новорождённый; этого года.

-해(海) Восточное море.

해갈(解渴) ~하다 утолять жажду; напоить землю; найти средства (деньги).

해결(解決) разрешение; решение; ~하다 разрешать; быть разрешён-ным; улаживаться; ~책 меры, мероприятия, средства для разреше-ния.

해고(解詁) увольнение; ~하다 увольнять, снимать, рассчитывать; ~되다 увольняться, быть рассчитаным.

해고하다 увольнять с работы.

해괴(駭怪) ~ 망측하다 очень странный, чудовищный.

해군(海軍) [военно-морской] флот. военноморские, военно-морской флот; ~의 военно-морской; ~기지 военно-морская база; ~력 военно-морская сила.

해난(海難) бедствие на море, кораблекрушение; ~신호 сигнал бедствия, SOS.

해내다 проделать(работу), одолеть, победить.

해넘이 заход солнца, закат.

해녀(海女) ныряльщица(искательница жемчуга, губок и т.п)

해답(解答) ответ, решение(задач); ответ(на экзаменационный вопрос); ~하다 решать; отвечать на что-л.

해당(該當) ~하다 данный, соответствующий; ~하다 соответствовать кому-чему-л.; подходить к чему-л.; ~액 подходящая(соответствую-щая) сумма; ~자 подходящий(соответствующий) человек.

해독(解毒) расшифровка; дешифровка; ~하다 расшифровывать; дешифрировать; ~자 расшифровщик(-щица);дешифровщик

해돋이 восход солнца.

해득(解得) понимание; постижение; ~하다 понимать; улавливать; постигать.

해라 체 повелительная речь.

해롭다 вредный; ядовитый; пагубный. 알콜은 건강에~ Алкоголь

пагубно отражается на здоровье.
해류(海流) морское течение.
해륙[연]풍(海陸[軟]風) бриз.
해리(海里) морская миля; узел.
해마다 каждый год, ежегодно
해말갛다 белоснежный.
해말개지다 становиться белоснежным.
해말쑥하다 белый и чистый.
해맑다 ослепительно белый и чистый.
해면(海面) поверхность моря; уровень моря; морское пространство; ~으로부터 1000미터높이 1000 метров над уровнем(выше уровня) моря.
해박(該博) ~하다 обширный, глубокий (о знаниях); эрудированный, очень образованный; ~한 지식 широкий;обширные знания; глубокие знания; эрудированный.
해발(海拔) высота над уровнем (выше уровня) моря; 이 산은~ 2000 미터이다 Высота этой горы две тысячи метров над уровнем моря.
해방(解放) освобождение; раскрепощение; эмансипация; ~의 освободительный; ~하다 освобождать; раскрепощать; отцеплять; ~구 освобождённый район; ~군 освободительная армия; ~자 освобо дитель(~льница).
해볕에 타다 загорать.
해보다 пробовать; испытывать; проверять; пытаться; делать опыт.
해부(解剖) вскрытие; диссекция; анатомирование; анализ; разбор; ~학 анатомия; ~의 анатомический; ~하다 вскрывать; анатомировать; анализировать; разбирать; ~도 скальпель; ~실 анатомический театр.
해빙(解氷) таяние льда; вскрытие реки *и т. п.*; оттепель; ~하다 таять; ~기 период таяния льда(от-тепели).

해산(解産) I деторождение, роды; ~구완 (구원) см. 해산바라지; ~미역 морская капуста для роженицы; ~쌀 рис для роженицы ~미역 같다 шутл. горбун; ~하다 родить [ребёнка].
해산 II роспуск; расформирование; ~하다 расходиться; распускаться; расформировать; разгонять.
해상(海上) I на море; ~무역 заморская торговля.
해상(海商) II 1) морская торговля; 2) торговля продуктами морского промысла; 3) купец, занимающийся морской торговлей; 4) торговец, продающий продукты морского промысла.
해석(解釋) анализ; интерпретация; истолкование; толкование; понимание; комментарии; ~하다 толковать; истолковывать; комментировать; разъяснять; интерпретировать; понимать; ~자 истолкователь; комментатор; интерпретатор; ~학 теория анализа; аналитическая математика.
해석법(解釋法) аналитический метод.
해석자(解釋者) истолкователь, комментатор, интерпретатор.
해석학(解析學) 1) теория анализа; 2) аналитическая математика.
해설(解說) разъяснение; пояснение; объяснение; толкование; комментарий; ~하다 разъяснять; объяснять; пояснять; толковать; комментарий; ~자 толкователь; комментатор; 뉴스 ~комментарии(текущих событий).
해소(-消) I устранение; растворение; ликвидация; расторжение; аннуляция; разрешение; ~하다 растворяться; расформировать; ликвидировать; расторгать; аннулировать; решать;

разрешать

해소(解訴) II~하다 отказаться(напр. от иска).

해수(海水) морская(солёная) вода; ~욕 морское купание; ~욕복 купальный костюм; плавки; ~욕장 морской курорт; пляж; ~욕을 하다 купаться в море

해(바다) 수영(水泳) купание в море, морские купания; ~장 морской пляж.

해수욕장 морской пляж.

해안(海岸) морсой берег, морское побережье; взморье; ~경비 береговая охрана; ~선 береговая линия; ~을 따라 вдоль берега; по берегу; ближе к берегу; ~지방 прибреж- ный район.

해약(解約) расторжение контракта (договора); ~하다 расторгать(ликвидировать) контракт;~금 неустойка.

해양(海洋) море; океан; ~의 океанский; морской;~학 океанография

해어지다 трепаться; износиться; протираться.

해엄(解嚴) уст. ~하다 снимать, отменять (запрет, ограничения и т. п.).

해열(解熱) понижение(снижение) температуры; ~하다 снижать температуру; снимать жар; ~제 жаропонижающее средство.

해외(海外) заграница; ~의 заграничный; зарубежный; иностранный;~에 나가다 ехать за границу; ~로 부터 из заграницы; ~에서 за границей; ~방송 зарубежное радио(теле)передача; ~파병 отправка войск за пределами государства; ~ 지점을 설치하다 открыть филиал за рубежом; ~로 진출하다 прорываться за границу; ~로 눈을 돌리다 бросать взгляд за рубеж.

해운(海運) транспортировка морем; морские перевозки; ~업 морские перевозки; предприятие морских перевозок.

해임(解任) освобождение; увольнение; ~하다 освобождать от должности; снимать с работы; увольнять с работы; увольнять со слу-жбы; ~장 приказ об освобождении от должности; отзывная грамота.

해저(海底) дно моря; ~의 подводный; ~전선 подводная телеграфная линия(кабель); ~전신 подводный телеграф.

해적(害敵) морской разбойник, пират; ~선 пиратское судно;~판 нелегальная книга, самовольное переиздание; ~행위 пиратство; пиратские действия.

해제(解除) снятие, отмена, демонтаж, освобождение, разоружение, отбой, разграждение, обезвреживание; ~하다 отменять, снимать, освобож-дать, аннулировать, разоружать, давать отбой; ~권 право аннули-рования; 봉쇄 ~ снятие блокады.

해조류(海藻類) морские водоросли.

해주다 делать что-л. кому-чему-л.; производить; совершать.

해직(解職) освобождение от работы (должности); увольнение;~의 увольнительный; ~하다 освобождать от должности; снимать с работы; увольнять.

해질녘 заход(закат) солнца; ~에 к заходу солнца; на заходе солнца.

해질 무렵 во время заката.

해체(解體) разбор; разборка; демонтаж; расчленение; роспуск; ~하다 разбирать; демонтировать; ликвидировать; расчленять.

해충(害蟲) вредитель, вредные насекомые.
해치다 ущерб, порча, вредить, наносить вред.
해치우다 решительно сделать что-л., успешно выполнить что-л., справиться с чем-л.,полностью сделать, выполнять, переделать, уничтожить, ликвидировать, покончить с кем чем-л., прикончить, уложить на месте, убить, убрать.
해학(諧謔) I юмор; юмор; ~극 юмористический спектакль; ~적인 юморис-тический; ~을 하다 шутить; ~문학 юмористическая литература, юмористика
해학(海壑) II уст. 1) море и бездна (пропасть); 2)обр. беспредельность, бесконечность, бездонность.
핵(核) ядро; косточка;~가족 маленькая семья; ~무기 ядерное оружие; ~무장 ядерное вооружение; ~무장금지지대 безатомная зона; ~물리학 ядерная физика; ~반응 ядерная реакция; ~분열물질 расщепляющиеся материалы; ~연료 ядерное топливо; ~열의 термоядерный; ~열무기 термоядерное оружие; ~에너지 ядерная энергия; ~의 ядерный; ~잠수함 ядерная подводная лодка; ~탄두 снаряд имеющий(ракета, имеющая)ядерный заряд; ~폭발 ядерный взрыв; 원자~ ядро атома.
핵반응(核反應) физ. ядерная реакция.
핵분열(核分裂)[-йол] 1) биол. деление ядра, кариокинез; 2) физ. расщепление, распад ядра
핵산(核酸) нуклеиновая кислота.
핵심(核心) ядро; серцевина; суть; сущность; ~적 основной; ведущий; центральный; ~체 ядро.

핵탄(核彈) бомба.
핸드(англ. hand) рука; ~북 краткое руководство; справочник.
핸드백(англ. handbag) дамская сумочка; ручной чемоданчик.
핸드볼(англ. handbol) гандбол.
핸들 (англ. handle) ручка; рукоятка; руль; рулевое колесо; ~을 잡다 держать руль; ~을 돌리다 править (рулём)
핸디캡(англ. handicap) невыгода; невыгодное положение; помеха.
헬쑥하다 неузнаваемо исхудавший (о лице)
햄(англ. ham) I ветчина.
햅쌀 рис нового урожая(крупа); ~밥 варёный рис(каша) из нового урожая.
햇볕 солнечный свет; ~을 쬐다 греться на солнце.
햇빛 солнечный свет; солнечные лучи.
햇살 солнечное свечение, солнечные лучи.
했습니다 сделал.
행(行) I строка; строчка; ряд букв; аскетизм 15쪽 6~ шестая строка 15-й страницы; 위에서 6째~ шес-тая строка сверху.
행(-行) II 서울 ~ в Сеул.
행군(行軍) марш; поход; походное движение; ~하다 маршировать; идти в поход; ~대형 походный порядок; маршевое построение; ~로 маршрут движения; ~가 походная песня.
행글라이딩 дельтаплан.
행동(行動) поступок, действие, акт, акция, поведение, движение; ~적 действенный; ~하다 действовать, поступать, вести себя; ~에 옮기다 осуществлять; ~을 취하다 предпринимать действия; ~거지 манера

держать себя, поведение; ~력 подвижность, оперативность; ~반경 радиус действия;~주의 бихевиоризм.

행락(行樂) наслаждение; ~의 увеселительный; ~하다 наслаждаться кемчем-л.; ~주의 эпикуреизм.

행려(行旅) странствование; путешествие; ~하다 странствовать; путешествовать; ~병사자 человек, умерший в пути.

행렬(行列) **행진**(行進) шествие; толпа; процессия; колонна, вереница; очередь; ряды; хвост; матрица; ~하다 шествовать.

행방(行方) местонахождение; направление(место); ~을 감추다 заметать следы; скрываться;сбиваться со следа; исчезать; ~을 알아맞추다 найти кого-л.; ~불명되다 безвести пропасть; ~불명자 пропавший безвести.

행복(幸福) счастье; ~한 счастливый; ~하게 살다 жить в счастье (благополучно); ~감 ощущение счастья.

행복하세요 будьте счастливы.

행사(行事) торжественное мероприятие; торжества; празднование; событие, мероприятие, парад; ~하다 отмечать событие; проводить мероприятие.

행상(行商) торговля вразнос; ~하다 торговать(продавать) вразнос; ~인 торговец в разнос.

행선지(行先地) место назначения; цель.

행성(行星) **유성**(流星) планета; ~계 планетарная система; ~상 성운 планетарные туманности; ~운동 движение планет.

행세(行勢) I злоупотребление властью; ~하다 использовать(иметь; злоупотреблять) властью; хозяйничать; распоряжаться как у себя дома; хозяйничать в чужом доме.

행세(行世) II манеры; образ действий; поведение; ~가 못되다 плохое (неприличное) поведение; 주인 хозяйничать(напр. в чужом доме); ~를 하다 вести себя(каким-л. образом).

행실(行實) поведение.

행운(幸運) счастливая судьба, счастье удача, везение; ~아 счастливец,~ица; удачник, ~ца; баловень судьбы; ~을 타고난 счастливый; удачливый.

행위(行爲) действие, пос тупок, акт, поведение. см. 행동; ~의 주체 субъект действий

행음하다 впасть в блуд; впадать в блуд.

행인(行人) путник, прохожий; человек, изучающий буддизм.

행적(行績) результаты деятель-ности; достижение; прочие дела.

행정(行政) I управление, администрация; ~의 административный; ~관(官) администратор; чиновник административного органа; ~구역 (區域) админи-стративный район; ~기관(機關) административный орган; ~권(權) админи-стративная (исполнительная) власть; ~부(府) администрация(о политике); высший орган административной (исполнительной) власти; правление; ~비(費) административно-управленческие расходы; ~학(學) административные науки.

행정(行程) II 1) расстояние, дистанция; 2) далёкий путь; 3)процесс (ход событий).

행진(行進) марш; поход; парад; шествие; движение вперёд; ~하다 маршировать; шествовать; ~곡 марш; 장송 ~곡 траурный марш.

행차(行次) выезд; поездка(вышестоящего); путешествие; ~하다 выезжать; отправляться в путь; ездить; вояжировать; отправляться в вояж.

행하다 делать; действовать; совершать; производить; вести; поступать; вести себя; совершать; выполнять; осуществлять; практиковать; проводить; отправлять; устраивать; праздновать; вести переговоры; 행해지다 совершаться; исполняться; осуществляться; происходить; иметь место; быть распространённым; быть в моде.

향(香) I благовония; запах; аромат; ~을 피우다 сжигать курения.

향 II аромат, сандаловые стружки для алтаря.

향긋하다 с нежным ароматом; душистый; пахучий.

향기(香氣) душистый запах, аромат; ~롭다 ароматный, душистый, пахучий, благовонный; ~로이 ароматно, с ароматом, с приятным запахом.

향기로운 ароматный.

향도(香徒) водительство; ведущий; головной; направляющий; ~하다 вести; направлять; руководить; ~자 предводитель; вождь.

향락(享樂), 기쁨 наслаждение; ~적 увеселительный; ~하다 наслаждаться чем-л.; ~주의 эпикуризм.

향료(香料) курильница благовоний; ароматические(душистые) вещества; благовония; специи; пряность; духи.

향상(向上) повышение; рост; подъём; улучшение; ~하다 повышаться; подниматься; расти; улучшаться; делать прогресс.; ~시키다 улучшать, повышать; ~되다 улучшать; улучшено.

향수(香水) I духи, одеколон; ~를 뿌리다 надушить кого-что-л.; 자기 몸에 ~를 뿌리다 надушиться.

향수(鄕愁) II тоска по родине (по дому); ностальгия; ~를 느끼다 тосковать по родине.

향연(饗宴) банкет; торжественный (званый) обед; ~을 벌리다 устраивать банкет; ~장 банкетный зал.

향유하다 обладать, наслаждаться.

향토(鄕土) родина; родные места; родная земля; родной край; ~적 местный; народный; ~사 история родного края; ~색 местный колорит; ~지 записки родного края.

향하다 быть обращённым к чему-л. (в какую-л. сторону),обращаться к кому-чему-л., направляться(ку-да-л.), отправляться; пойти; развиваться; ~을(로) 향하여(в направлении; по отношению) к кому-чему-л.; лицом к кому-чему-л.; 그 집은 바다쪽을 향하고 있다 Дом выходит на море; 거울을 향하여 앉다 сидеть перед зеркалом.

향하였습니다 обращаться.

향학열(向學熱) орячее стремление к учению; энтузиазм в учёбе.

허(許) I после меры длины примерно.

허 II ах; ой; а; увы; ох.

허가(許可) разрешение, позволение, допуск, санкция;~장 [письменное] разрешение,права, документ,лицензия; ~하다 разрешать, позволять, санкционировать, допускать кого-что-л. до кого-чего-л.(к кому-чему-л.); ..의 ~를 얻어 с разрешения кого-л.; ~제 система лицензий;

лицензионная система; ~증 письменный допуск; разрешение; пропуск.
허가품(許可品) лицензионный товар.
허겁(虛怯) ~[을]떨다 бояться, быть трусливым(пугливым); ~스럽다 казаться трусливым; ~하다 1) трусливый; 2) бояться; трусить.
허겁지겁(虛怯-) торопливо, поспешно, взволнованно, второпях, в спешке, в суете; ~하다 попусту спешить, взволнованно суетиться.
허공(虛空) пустота, пространство; ~에 в пространстве.
허구(虛構) 1)выдумка; фабрикация; 2) лит. вымысел; ~적 ложный, выдуманный, сфабрикованный, фиктивный; ~하다 выдумывать, фабриковать.
허기(虛飢) чувство голода, голод; ~지다 обессилеть от голода, проголодаться.
허다(許多) многое множество; великое множество;~하다 многочисленный; ~히 многочисленно;очень много; во множестве.
허덕이다 биться как рыба о лёд; метаться; барахтаться; корчиться.
허둥거리다 быть неугомонным; нервничать; суетиться; шататься; идти нетвёрдой походкой; переживать; волноваться; барахтаться; метаться.
허둥지둥하다 быть неугомонным, нервничать, суетиться, шататься, идти не твёрдой походкой, переживать, волноваться, метаться из стороны в сторону
허드렛일 пустяковое дело, пустяковая работа.
허락(許諾) разрешение; согласие; ~하다 разрешать; давать согласие на что-л.; одобрять; 누구의 ~을 받고 당신은 이방에 들어왔습니까? Кто вам позволил войти в эту ком- нату?
허름하다 поношенный; потрёпанный.
허리(虛痢) I пояс, талия, бёдра; ~가 굽은 сгорбленный; ~를 구부리다 наклоняться, нагибаться, горбиться; ~를 굽혀 인사하다 склониться в низ; ком поклоне; раскланиваться в пояс; ~를 펴다 выпрямляться; ~띠 пояс, ремень.
허리(虛痢) II кор. мед. сильный поднос
허리띠 пояс, ремень; ~를 매다 надевать ремемь; ~를 졸라매다 напрячь все силы; ~를 차고 있다 носить ремень; подпоясываться ремнём; застегивать ремень; ~를 풀다 растегнуть ремень. 허리뼈 поясничные позвонки.
허무(虛無) ничто; небытие; ~하다 несуществующий; пустой; тщетный; ~감 чуство безнадёжности (опустошённости); ~주의 нигилизм; ~적 а) пустой; б) нигилистический; ~맹랑 фальшь, беспочвенность:~하다 а) пустой; тщетный; б) одинокий и грустный; в) скучный неинтересный.
허물(虛物) I недостаток; дефект; промах; ошибка; проступок; вина; ~을 벗다 смывать позор.
허물 II кожа; ~[을] 벗다 1) слезать о коже; 2) менять кожу.
허물없다 быть чистым(не запятнанным); беззастенчивый; нестесняющийся; нестеснённый; бесцеремонный; откровен ный.
허물없이 без всяких стеснений; без церемоний;запросто; свободно; вольно; душа в душу, подружески.
허비(虛費) напрасные расходы; растрата; трата; ~하다 напрасно(вп-

устую, попусту) тратить; растрачивать; транжирить.

허세(虛勢) блеф; зазнаться; показное могущество; ~를 부리다 важничать; пускать пыль в глаза; запугивать.

허송(虛送) пустое времяпрепровождение; ~하다 попусту проводить время; тратить зря(время); бить баклуши; баклушничать; бездельничать.

허술하다 дряхлый; ветхий; изношенный; слабый; непригодное к использованию.

허약(虛弱) ~하다 слабый; хилый; тщедушный; ~성 слабость; хилость; тщедушие; ~자 хилый(слабый; тщедушный) человек.

허영심(虛榮心) тщеславие; тщеславность; ~이 강한 тщеславный.

허용(許容) допущение; разрешение; позволение; ~하다 допускать; разрешать; позволять; санкционировать; ~오차 допустимая ошибка; допустимое отклонение.

허울 (внешний) вид; внешность; притворство; маскировка; прикрытие; ~좋다 внешне красивый.

허위(虛僞) ложь; подделка; ложный; подложный; ~날조 ложь и фальсификация; ~보고 ложное донесение; ~신고 ложный сигнал; ~진술 ложное показание.

허전(虛傳) уст. ~장령 передача приказа военачальника в искажённом виде; ~하다 сообщать, передавать в искажённом виде.

허탈(虛脫) изнеможение, истощение, упадок сил, лишённый сил; ~한 изнеможённый; ~감 чувство поверженного состояния; ~상태 состояние полного бессилия, опустошение.

허탕 безрезультатность, бесплодность; ~을 치다 ничего не получить(за проделанную работу), получить кукиш с маслом; ~을 치고 돌아서다 уходить с пустыми руками.

허튼소리 чушь, вздор, чепуха, пустой звук; ~를 하다 болтать, нести чушь (чепуху).

허튼수작 пустая болтовня; несерьёзные поступки; ~를 하다 пустословить, нести чепуху.

허튼 짓 никчёмные занятия.

허파 лёгкое; лёгкие; ..는 허파에 바람이들었다 Смешинка в рот попала(залетела) кому-л.

허풍(虛風) хвастовство; преувеличение; ~떨다 бахвалиться чем-л.; ~치다 хвастаться, преувеличивать, раздувать; ~선이 хвастун.

허황하다 вздорный; невероятный; неправдоподобный; нелепый.

허황된 과장 беспочвенное преувеличение.

헉 ~하다 а) свалиться от усталости; б) отшатнуться, отпрянуть; в) неожиданно наброситься(налететь)

헌 старая вещь, старьё хлам, рухлядь.

헌 것 старая вещь, старьё хлам, рухлядь.

헌금(獻金) денежное пожертвование; ~하다 жертвовать [деньги] на что-л.

헌납(獻納) ~하다 преподносить что-л. кому-л.; приносить что-л. в дар; жертвовать что-л.;~품 под-ношение; дар.

헌법(憲法) конституция;~의 конституционный; ~개정 поправка к конституции.

헌신(獻身) самоотверженность; самопожертвование; ~적으로 самоотверженно; ...에 헌신하다 посвящать себя чему-л.; жертвовать собой ради кого-чего-л.; отдавать всего себя.

헐값 низкая(бросовая) цена; дешёвка; ~으로 사다 купить дёшево(по дешёвке; по дешёвой цене).

헐다 стать старым(негодным).

헐떡거리다 задыхаться.

헐뜯다 клеветать на кого-что-л.; порочить.

헐레벌떡 ~하다 тяжело дышать; задыхаться; ~뛰어오다 прибежать задыхаясь.

헐리다 ломаться; разрушаться; разваливаться; разбиваться; быть сломанным(разрушенным); быть початым (о запасах).

헐벗다 быть раздетым и разутым; страдать от нищеты; дойти до нищеты.

험난(險難) крутость; трудность и опасность; ~하다 крутой; обрывистый; отвесный; трудный и опасный.

험담(險談) злословие; пересуды; ~하다 злословить; отзываться о ком-л.; пересуживать.

험악(險惡) ~하다 грозный; опасный; острый; плохой; неблагоприятный; серьёзный; тяжёлый; угрожающий; зловещий; злой; свирепый; хищный; скверный.

험하다 крутой, отвесный, обрывистый, суровый, грозный, опасный, мерзкий, грубый, бестактный, чёрный, неприступный.

헛- преф. 1) пустой; 헛자랑 пустая похвала; 2) ложный, показной; 헛말 ложь; 3) ненужный, напрасный, бесполезный; 헛일 напрасная работа.

헛갈리다 быть неразличимым, смещаться с чем-л.; потерять, сбиваться с пути (дороги), быть запутанным(перепутанным), растеряться, быть в замешательстве; запутаться, затеряться.

헛걸음 нетвёрдая походка; ~하다 попусту избить ноги, зря(напрасно) ходить.

헛고생 ~하다 напрасно мучиться.

헛기침 притворный кашель, покашливание(как условный знак); ~하다 кашлянуть.

헛소리 болтовня; вздор; чепуха; бессмыслица; нелепость; бред; ~하다 бредить; нести(говорить; мо-лоть) вздор; врать.

헛소리꾼 болтун, враль.

헛소문 ложный слух.

헛수고 бесполезный(напрасный) труд, мартышкин труд; напрасные усилия;~하다 напрасно трудиться; работать впустую; биться головой об стенку.

헛일 бесполезное [напрасное] дело (труд, занятие); никчемное дело; бесполезное занятие;~하다 делать бесполезную(бесплодную) работу.

헝겊 кусок ткани, лоскут, заплата; ~을 대다 латать, класть заплату на что-л.

헝클어지다 запутываться, взлохматиться, осложняться, спутываться, перепутываться.

헤 слегка [улыбнуться].

헤게모니 гегемония.

헤드(англ. head) голова; глава; руководитель; начальник; способность; ум; передняя часть; верх; верхняя часть.

헤드라인(англ. headline) заголовок;

заглавие.

헤드라이트(*англ.* head-light) головной фонарь; передняя фара автомобиля.

헤딩(*англ.* heading) удар головой.

헤르쯔(*нем.* Hernia) физ. герц.

헤매다 1) бродить, шататься; 2) перескакивать с одной мысли на другую; 3) перен. биться, метаться; 4) скитаться.

헤비(*англ.* heavy) тяжёлый; обременительный; обильный; буй ный; трудный; сильный; высо-кий; мрачный; бурный; ~급 тя-жёлый вес.

헤비다, 할퀴다 царапать.

헤아리다 считать, высчитывать; принимать в соображение; различать, распознавать; вывешивать; прикидывать, предугадывать; представлять; догадываться, разгадывать.

헤어나다 перейти, перелезть, переправиться.

헤어벤드 лента(или узкая повязка на голову).

헤어브러시 расчёска.

헤어스타일 причёска.

헤어졌습니다 расстался.

헤어지다 рассыпаться, разлучаться, расходиться, трескаться, разойтись, разводиться, прощаться, высыпаться.

헤어지다 1) рассыпаться; высыпаться; 2) расходиться, расставаться; 3) трескаться(напр. о губах от жа-ра).

헤어핀 шпилька.

헤엄 плавание.

헤엄치고 плавать; купаться.

헤집다 ковырять[ся], царапать[ся], скрести[сь], копаться, рыться, разбрасывать; 땅을 ~ копаться в земле.

헤치다 разгребать, разбрасывать, раскидывать, развязывать, раздвигать, рассеивать, распаковывать, распахивать, преодолевать.

헤프다 непрочный, неэкономный, болтливый, многословный, сердобольный, мягкосердечный

헥타르(*англ.* hectare) гектар.

헬레니즘(*англ.* hellenism) эллинизм.

헬륨(*англ.* helium) гелий.

헬리콥터(*англ.* helicopter) вертолёт.

헬멧(*англ.* helmet) шлем.

헷갈리다 затеряться, потерять, быть в замешательстве(растерянности), быть запутанным(перепутанным), перепутать; 셈이 ~ сбиться со счёта.

헹가래 подбрасывание.

헹구다 споласкивать, поласкать.

혀 язык; языковый; язычок; жало; ~끝 кончик языка; ~를 내밀다 показывать(показать) язык; высовывать(высунуть) язык; ~를 차다 цокать языком; ..를 ~로 핥다 лизать языком что-л.; ~꼬부라진 소리 бормотание, невнятная речь; ~끝 кончик языка; ~짧은소리 невнятные звуки, невнятное произношение.

혀바닥 [-빠-] 1) спинка языка; ~에 침이나 묻혀라 не рассказывай мне сказок.

혀뿌리 корень языка.

혁명(革命) революция; переворот; ~가 революционер; ~적 революционный; ~하다 совершать (осуществлять) революцию; вести революционную работу; ~군 революционная армия; ~사 история револю-ции.

혁신(革新) обновление; новаторство; ~적 новый; новаторский; ~하다 обновлять; реформировать; ~을 일으

키다 совершить революцию в чём-л.; ~정당 партия новаторов.

현(弦) тетива; хорда, четверть.

현-(現-) настоящий; нынешний; современный; существующий;~국경 существующая граница; ~정권 нынешняя[поли-тическая] власть; ~정부 нынешнее правительство; ~정세 современное (нынешнее) положение.

현(舷) I рот. **현**(絃) II струна.

현-(現) преф. кор. нынешний, стоящий, современный.

현관(玄關) передняя; вестибюль; парадный вход(подъезд); ~문 дверь в вестибюль(переднюю); входная дверь.

현금(現金) наличные деньги, наличные, теперь, нынче, ныне; ~의 кассовый; ~으로 지불하다 платить наличными(деньгами);~을 받고 팔다 продавать за наличный расчёт; ~화하다 обналичить; ~거래 кассо-вая сделка; сделка за наличный расчёт; ~판매 가격 цена при уп- лате наличными.

현금 자동 지급기 автомат по выдаче денег.

현기(眩氣) головокружение; ~가 나다 голова кружится; ~를 일으키다 вскружить голову.

현대(現代) современная эпоха; наше время; настоящее время; ~극(劇) современная драма[пьеса]; пьеса (драма) из современной жизни; ~문학 (文學) современная литература; ~의 современный; ~에 있어서 в настоящее время;в наше время; ~문 текст, написанный современным стилем; современный литературный стиль; ~성 современность; современные особенности(черты); ~식 современный стиль (образец; тип); ~식의 в современном стиле; современный; новейший; модернистский; ~인 современник; ~전 современная война; ~화 модернизация; ~화하다 модернизировать[ся]; ~사회 современное общество; ~어 современный язык; ~인 современныя человек; ~는 생활의 박자가 매우 빨라진 시대이다 Современный мир эпоха ускоренного ритма жизни.

현란하다 ослепительный, лучезарный.

현명(賢明) ~하다 умный; разумный; мудрый.

현모(賢母) мудрая мать;~양처 мудрая мать и добрая жена.

현물(現物) натура; наличный товар; ~의 натуральный; наличный; ~거래 сделка на наличный товар; ~시장 рынок наличного(реального) товара.

현미경(顯微鏡) микроскоп; микроскопный; ~적 микроскопический; ~사진 микрограф; микроснимок; 전자~ электронный микроскоп.

현상(現象) 1) явление, феномен; ~계 реальный мир; ~론 феномена-лизм; ~학 феноменология; 2) проявление; ~하다 проявлять; ~액 проявитель; ~지 фотобумага; 3) премия, приз; ~하다 премировать; ~에 당선하다 взять приз; получить (выиграть) премию(приз); ~금 премия(денежная); приз; ~당선자 лауреат; премированный

현세(現世) современный мир; ~에서 на этом свете; ~적 мирской; земной.

현수(懸垂) подтягивание на турнике; спорт. вис; ~의 подвесной; висячий; ~교 подвесной мост; ~막 подвесной мост.

현실(現實) реальность, действительность; ~적 действительный, реальный; ~화하다 реализовывать; проводить в жизнь; ~감 чувство реальности; ~성 реальность; ~주의

реализм; ~화 реализация.

현실성(現實性) реальность; чувство реальности.

현안(懸案) открытый вопрос; нерассмотренный проект(план; вопрос); ~으로 남겨두다 оставлять вопрос открытым; ~을 토의에 붙이다 представить проект на обсуждение.

현장(現場) место работы; место нахождения(действия); ~에서 на месте [действия]; 범행의 ~을 덮치다 заставать(ловить) на месте преступления; 건설~ строительная площадка; 건설 ~감독 начальник стройки; 사건~ место происшествия.

현장부재증명(現場不在證明) алиби.

현재(現在) настоящее[данное]время; теперь; ~의 настоящий; теперешний; ~의 시점에서는 в данный момент; пока на время; ~까지 до сих пор; 일을 ~대로 놓아두다 оставить дело так, как оно есть; ~완료 настоящее завершенное время.

현저(顯著) ~하다 значительный; заметный; видный; явный; очевидный; замечательный; примечательный; поразительный; ~히 значительно; в значительной мере; в высшей степени.

현존하다 существовать; находиться; иметься в наличии.

현지(現地) место; поле действия; ~의 местный на месте; ~조사 расследование на месте.

현직(現職) должность занимаемая в настоящее время.

현행(現行) ~의 [ныне] действующий; существующий; ~범으로 붙잡히다 быть пойманным на месте преступления; быть захваченным с поличным; ~범 преступник, пойманный с поличным; ~법 действующий закон; ~제도 дей-ствующая система.

현행범(現行犯) 1) преступление, совершённое в (чьём-л.) присутствии; 2) преступник, пойманный с поличным.

현행법(現行法) [-ппоп] действующее законодательство, действующий закон.

현혹(眩惑) ослепление; очарование; ~적인 чарующий; ослепительный; очаровательный; ~하다 ослеплять; очаровывать; ~되다 быть ослеплённым; быть очарованным.

현황(現況) сложившаяся ситуация; настоящее состояние(положение); положение в данный момент.

혈(穴) точки для иглоукалывания и прижигания; горная жила; хороший участок для могилы.

혈관(血管) кровеносные сосуды; ~계 кровеносная система; ~주사 внутривенное вливание

혈기(血氣) пылкость(горячность; страстность); ~의 пылкий; горячий; страстный; 젊은~로 с юношеским пылом; ~왕성하다 полный силы (кипучей энергии); быть в [самом] полном соку; кровь играет(кипит; горит).

혈로(血路) выход из окружение; выход из трудного положения; ~를 뚫다 прорваться из окружения; ~를 뚫고 나가다 пробиваться(проклады-вать путь) сквозь ряды неприятеля; пробиваться через фронт противника.

혈루병(血淚病) кровотечение.

혈색(血色) цвет лица; покраснение кожи; румянец; цвет крови; 그는 ~이 나쁘다 он бледен; 그는 ~이 좋다 У него здоровый цвет лица.

혈압(血壓) кровяное давление; 그는 ~이 높다 У него повышенное

кровяное давление; ~을 재다 измерять кровяное давление; ~계 сфигмоманометр; тонометр.

혈액(血液) кровь; ~검사 анализ(исследование) крови; ~순환 кровообращение; ~은행 хранилище крови [для переливания]; ~형 группа крови.

혈육(血肉) [кровный] родственник; кровное родство; родной ребёнок.

혈족(血族) кровный родственник; ~결혼 брак между родственниками; ~관계 кровное родство.

혈청(血淸) сыворотка; серум; ~요법 сывороточное лечение; серотерапия; 디프테리아~ противодифтерийная сыворотка.

혈통(血統) родословие; родословная; происхождение; ~이 좋은 из хорошей семьи.

혈혈단신(孑孑單身血型) одинокий (безродный).

혐오(嫌惡) отвращение; ненависть; ~하다 ненавидеть; ~의 감정을 품다 питать ненааисть к кому-чему-л.; ~할(스러운) ненавистный; отвратительный; гнустный; омерзительный; гадкий; ~감(느낌) чувство отвращения; ~하다 ненавидеть, не выносить.

혐의(嫌疑) подозрение; ~자 подозреваемый; ~가 있는 подозрительный; ...의 ~로 по подозрению в чём-л.; ~를 두다 подозревать кого-л. в чём-л.; ~를 받다 быть под подозрением(на подозрении).

협공(挾攻) охват противника с флангов; ~하다 охватить противника с флангов.

협공전(挾攻戰) охват противника с флангов.

협궤(挾軌) узкая колея; ~의 узкоколейный; ~철도 узкоколейная железная дорога; узкоколейка.

협동(協同) сотрудничество; совместные действия; содружество; взаимодействие; ~적 совместный; ~하다 сотрудничать с кем-л.; содействовать; действовать сообща (совместно); ~하여 во взаимодействии; ~자 совместно работающий; товарищ по работе; ~조합 кооперация; артель; ~체 содружество; ~화 кооперирование; ~정신 дух сплочённости; ~과 단결 сплочённость и единство.

협력(協力) объединение, слияние, сотрудничество, взаимодействие, поддержка; ~하다 сотрудничать, объединять усилия, действовать совместно, поддерживать; ~자 сотрудник.

협박(脅迫) угроза, шантаж, запугивание; ~적 угрожающий, шантажисткий; ~하다 угрожать, запугивать, грозить, шантажировать; ~장 угрожающее письмо, записка с угрозами.

협상(協商) переговоры; согдашение; конвенция;договор;договорённость; ~하다 вести переговоры, консультироваться; ~조약 соглашение; союз; ковенция; ~회 переговоры, совещание.

협소(狹小) ~하다 узкий; тесный; ограниченный; ~한 방 маленькая и узкая комната.

협약(協約) соглашение,пакт, договор, конвенция; ~하다 заключать соглашение; согласоваться.

협의(協議) совещание, совет, обсуждение, консультация; ~하다 совещаться, совместно обсуждать, консуль-тироваться ~제 коллегиальность; ~진단 консилиум; ~회 совещание; конференция; совет; объединенная комиссия; ~안 повестка дня совещания

협잡(挾雜) мошенничество; жульничество; афёра; ~하다 обманывать, мошенничать, жульничать, заниматься афёрами; ~꾼 мошенник, жулик, аферист; ~배 мошенники, жулики

협정(協定) соглашение, конвенция пакт; ~하다 соглашаться с кем-л.; приходить к соглашению, договариваться; ~가격 конвенционная (договорная) цена; 신사~ джентельменское соглашение; 어업~ соглашение о рыболовстве; 한.러 무역~ соглашение о товарообороте между Россией и Кореей; 항공 ~ соглашение о воздушном сообщении.

협조(協助) помощь, содействие сотрудничество; ~하다 помогать кому-чему-л.,содействовать кому-чему-л.; ~심 чувство локтя; ~자 человек, оказывающий помощь; помощник(~ ца).

협회(協會), 연맹(聯盟) ассоциация; общество; ~원 член ассоциации (общества).

혓바늘 язвы на языке.

혓바닥 спинка языка; ~을 놀리다 болтать языком.

형(兄) I старший брат для мальчиков; 형만한 아우 없다 старший брат во всём первый.

형(形) II форма; вид; облик.

형(型) III образец; тип; форма.

형광(螢光) мерцание светлячка; флюоресцения; ~에 의한(~성의) флюоресцентный; ~을 내다 флюоресцировать; ~도료 флюоресцентная лампа; ~등 флюоресцентный краситель; ~염료 флюоресцентный краситель; ~체 флюоресцирующее вещество.

형광색(螢光色) флюоресцентный цвет.

형극(荊棘) шипы; колючки; терни; ~의 길을 가다 идти по тернистому пути; ~의 관 терновый венец; ~의 길 тернистый путь.

형기(刑期) срок наказание; ~를 복역하다 отбывать срок [наказания]; ~를 마치다 отбыть срок.

형님 брат(уважительная форма)

형벌(刑罰) наказание; кара; ~하다 наказывать; карать; ~을 받다 подвергаться наказанию; ~권 право карать, наказывать.

형법(刑法) уголовное право; уголовный кодекс.

형사(刑事) сыщик; уголовное дело; криминальное происшествие;право; ~재판 судебное разбирательство; уголовный процесс; ~사건 уголовное дело; ~소송 уголовнопроцессуальное право; ~범인 уголовный преступник;~범죄 уголовное преступление;~부 уголовный розыск; ~ 재판 уголовный процесс.

형상(形狀) I форма; вид; фигура.

형상(形象) II изображение; образ; форма; вид; конфигурация; явление; феномен; ~적 образный; ~하다 (~화하다) изображать; воплощать в художест-венной форме; ~력 образность; ~성 образный характер; образность; изобразительность

형설(螢雪) рвение и упорство в учении; старательность(усердие) в учёбе; ~지공 плоды усердных занятий; результаты усердной учёбы.

형성(形成) образование, формирование, составление; ~하다 образовывать, составлять, формировать; ~기 годы образования; ~층 камбий; 성격~ становление характера; ~되다 образовываться

형세(形勢) положение; состояние; обстановка; ситуация; конъюктура; 나쁜~ неблагоприятное положение; 좋은~ благоприятное положение; ~를 보다 следить за ходом событий, выжидать, сообразоваться с обстоятельствами.

형수(兄嫂) жена старшего брата

형식(形式) форма, формальность, формула, внешний вид; ~주의 формализм; ~적 формальный; ~에 얽매이다 держаться формы, быть формалистом; ~을 없애다 отбросить все формальности; ~을 차리다 соблюдать формальности; ~미 красота формы; ~주의 формализм; ~주의의 формалистический, формалистичный; ~화 формализация; ~화하다 формализовать.

형언(形言) ~하다 выражать словами; ~할 수 없는 невыразимый, неописуемый.

형용(形容) изображение; описание; фигура; ~하다 изображать; описывать; выражать фигурально.

형용사(形容詞) имя прилагательное; эпитет.

형이상(形而上) ~의 метафизический; абстрактный; ~학 метафизика.

형제(弟兄) брат(старшие и младшие братья); сестра(сестры); ~의 братский; сестринский; ~간 братские отношения; ~애 братская любовь; ~자매 сёстры; 의~ названный брат; побратим; 이복~ сводный брат; 친~ родной брат.

형체(形體) форма; фигура; корпус; остов.

형태(形態) 형식(形式) форма, вид, образ; ~론 морфология; ~론적 морфологический; ~소 морфема.

형통(亨通) ~하다 исполняться, получаться; сбываться.

형틀 скамья для пыток; ~지고 와서 매 맞는다 *посл.* ≈ пошёл по шерсть, а вернулся стриженным.

형편(形便) положение, состояние дел; ~없다 невозможный; невыносимый; недопустимый; печальный; прискорбный; бесформенно; ~이 펴이다 улучшаться, становиться лучше; ~이 좋으면 при благоприятных обстоятельствах если обстоятельства сложатся хорошо (позво-лят); 지금~ 으로는 при этих обстоятельствах; в этой ситуации

형평(衡平) равновесие; устойчивость; спокойствие;~을 잃다 терять равновесие;~을 지키다 сохранять равновесие;~을 취하다 устанавливать равновесие.

형형색색(形形色色) различный; разноцветный~의 различный; разный; разнообразный; разноцветный; всякий; всякого рода.

혜존(惠存) книжн. "на добрую память"дарственная надпись.

혜택(惠澤) благодеяние, милость, милосердие, благотворительность, благотворение, милостыня, благоприятствование, забота, благо; ~받은 счастливый, осчастливленный, привилегированный, пользующийся преимуществом, благодатный; ~을 주다 оказывать благодеяние, подавать милостыню; 우리들은 자연의 ~을

만끽하고 있다 мы наслаждаемся благами природы; 우리들은 좋은 기후의 ~을 받았다 погода нам благоприятствовала.

호 I 1. нареч. ух(напр. при съедании чего-л. острого); 2. межд. ах! (при выражении восхищения *и т. п.*).

호(弧) II мат. дуга.

호(湖) III озеро; см. 호수.

호(壕) IV ров; окоп; яма; траншея.

호(濠) V крепостной ров, наполненный водой.

호(毫) VI кончик писчей кисти.

호(號) VII 1) псевдоним; 2) почётное имя; 3) номер.

호(戶) VIII 1) двор; 2) дом; ~농가 двадцать крестьянских дворов.

호(毫) IX одна тысячная.

호-(好) хороший; любящий; славный; удобный; высокий; благоприятный.

-호(號) суф. кор. 1) почётное имя; 천리마호 имени чхолима; 2) номер; 창간호 первый номер(напр. журнала).

호각(互角) ~의 равный; одинаковый; ~으로 вничью; ~지세 равные силы.

호감(好感) доброжелательность;~이 가는 симпатичный; ...에게~을 주다 производить хорошее впечатление на кого-л.; располагать; ...의~을 사다 завоевать симпатию; получать хорошее впечатление;...에게~이 가다 чувствовать (питать) симпатию(расположение) к кому-л.; симпотезировать кому-чему-л.; 그는 신입생에게~을 주었다 он расположил к себе новичков.

호강하다 жить в роскоши.

호격(呼格) [-кكйок] лингв. звательный падеж; ~조사 окончание звательного падежа.

호구(戶口) уст. количество дворов и число жителей; ~조사 уст. перепись дворов и населения.

호구지책(糊口之策) уст. средства к существованию.

호국(護國) защита родины; ~하다 защищать отечество.

호기(豪氣) 1) неустрашимость, смелость;~남아 смелый мужчина; ~만발 проявление храбрости(смелости, дерзновения); ~만장 высокий героизм; ~[를] 부리다(피우다)вести себя смело;~스럽다 прил. казаться смелым(отважным); 2) широкая натура, благородство

호기심(好奇心) любопытство; ~으로 из любопытства.

호남[아](好男[兒]) перен. храбрый рыцарь.

호되다 очень сильный; тяжёлый

호두(<胡桃) грецкий орех(плод); ~강정 пирожное из грецких орехов; ~나무 грецкий орех(дерево);~튀김 грецкие орехи,обвалянные в муке и поджаренные с солью в кунжутном масле; ~속 같다 обр. сложный; запутанный.

호들갑 ветреность; ~스럽다 ветреный; легкомысленный; опрометчивый; ~을 떨다 вести себя опрометчиво; ветреничать;~[을] 부르다(떨다) вести себя опрометчиво.

호떡 сладкие пирожки с начинкой из сладкой фасоли.

호락호락 ~하다 а)слабый(о человеке); б) лёгкий(о работе).

호랑이(虎狼狸) 1) см. 범; тигр; ~ 눈썹 (범)нависшие брови; ~날고기 먹는 줄 누가 모르랴 *посл.* ≈ шила в мешке не утаишь; ~이 담배 먹을적 обр. при царе Горохе; ~더러(~에게) 고기를 달란다 *посл.* ≈ у скупого снега зимой не выпросишь(букв. у тигра просит мяса); ~이도 제말하면 온다 *погов.* лёгок на помине;~이보고 창구멍 막기 *погов.* ≅ утопаю-щий хватается за соломинку(букв. увидев тигра, заделывать ок-но); ~잡고 볼기 맞는다 *посл.* ≅ не зная броду, не суйся в воду; ~이 에게 개를 꾸어 준다 *посл.* ≅ что с возу упало, то пропало (букв. дать собаку в долг тигру); ~에게 물려가도 정신만 차리면 산다 *погов. букв.* и в лапах тигра уцелеешь, если не растеряешься; 2) *обр.* свирепый человек, зверь.

호령(號令) 1) ~하다 а) отдавать (команду, приказ); б) громко кричать(на кого-л.); делать выговор; 2) команда; приказ; 3) окрик; выговор; 4) уст.см. 구령

호리 лёгкая соха(в которую впрягают одного вола).

호리호리하다 тонкий и стройный

호명(呼名) ~하다 называть(выкликать) по имени.

호미 тяпка; мотыга; ~질하다 обрабатывать землю мотыгой; ~로 막을 것을 가래로 막는다 *посл.* ≅ стрелять из пушки по воробьям;~를 씻다 заканчивать прополку приме-рно к 7-му лунному месяцу.

호미자락 ~으로 на глубину мотыги (промочить землю-о дожде).

호밀 рожь; ~밭 ржаное поле.

호박 1) тыква; ~잎 семена тыквы; ~씨 листья тыквы; ~덩굴 뻗을적 같아서야 *посл.* ≅ первому кону не радуйся; ~ 쓰고 돼지(돝의) 굴로 들어간다 *см.* 섶 [을 지고 불로 들어간다] III; ~이 굴다 (떨어지다) *обр.* неожиданно по везти(посчастливиться); ~에 말뚝박기 *обр.* озорство; ~에 청개구리 뛰어 오 르듯 *погов.* молод ещё подшучивать над старым че-ловеком; ~에 침주기 (놓기, 두기) *обр.* как по маслу; 2) говядина(в арго будд. монахов)

호반(湖畔) берег озера.

호별(戶別) каждый двор(дом); ~방문 하다 посещать каждый дом; ~로 (отдельно) по домам; ~방문 посещение каждого двора; ~세 подворный налог.

호사(豪奢) 1) ~스럽다 чрезмерно роскошный;~하다 жить на широкую ногу; жить роскошно; 2) роскошь.

호색(好色) ~하다 чувственность; ~의 чувственный; сладострастный; сластолюбивый; ~가 сластолюбец сладострастник; ~한 *бран.* бабник.

호선(互選) взаимный выбор; ~하다 избирать из своей среды(из числа выборщиков); кооптировать.

호소(呼訴) I ~하다 подавать(жалобу); жаловаться.

호소(號召) II призыв; обращение; ~적 призывный; ~하다 призывать(к кому-чему-л.); обращаться(к кому-чему-л.); взывать(к кому-чему-л. о чём-л.); ~문 обращение; воззвание.

호송(護送) конвоирование; эскортирование; сопровождение; охрана; ~하다 конвоировать; эскортировать; ~대 конвой; конвойный отряд; эскорт; охрана; ~선 конвойное судно; эскортный корабль; ~선단 конвой; конвоируемый караван судов; ~원 сопровождающий; ~비행 *воен.* конвоирующий полёт; ~사격 *воен.* огневое сопровождение; ~하다 сопровождать; конвоировать; эскортировать

호수(湖水) I озеро.

호수(號數) II [-ссу] номер(чего-л.); ~를 매기다 ставить номер; нумеровать

호스(*англ.* hose) шланг.

호스텔(*англ.* hostel) общежитие; тур база.

호시(虎視) взгляд тигра, выслеживающего добычу; ~탐탐하다 быть готовым броситься в любую минуту(как тигр на добычу).

호신(護身) самооборона; самозащита;~하다 защищаться;~술 искусство самообороны(самозащиты); ~책 средства самообороны(самозащиты).

호언(豪言) уст. громкие слова; ~장담 пустые разговоры; громкое заявление; ~하다 говорить громкие слова; хвастаться; бахвалиться.

호연(浩然) книжн. ~하다 великодушный; ~히 широко; великодушно; ~지기 мировая энергия; ~지기를 기르다 подбодрять; возбуждать; поднимать настроение.

호우(豪雨) ливень; ~가 내리다 лить(о дожде); ~경보 предупреждение метеослужбы о ливневом дожде.

호위(護衛) охрана; конвоирование; сопровождение; ~하다 охранять (дворец); конвоировать; эскортировать; ~대 эскорт; охрана; конвойный отряд; ~병 конвойный;~함 конвойный(эскортный) корабль.

호응(呼應) отклик; отзыв; резонанс; согласование; ~한 согласованный; ~하다 откликаться; согласовать(с кем-л.); ~시키다 согласовывать(с чем-л.); поступать согласно(с кем-чем-л.); ~하여 согласованно(с кем-чем-л.); ~판매 продажа товаров выполнившим государственные поставки.

호의(好意) 1) добрая воля; 2) доброе расположение; доброжелательность; отношение; ~적인 доброжелательный; дружелюбный; любезный; ~적으로 доброжелательно; дружелюбно; ~를 가지다 быть дружески расположенным(к кому-чему-л.); ~를 보이다 проявлять дружеское расположение; ~를 보이다 ~호식 хорошая одежда и хорошее питание.

호의호식(好衣好食) хорошая одежда и хорошее питание; ~하다 жить на широкую ногу; хорошо питаться и одеваться; жить припеваючи.

호적(戶籍) сетейная запись; уст. книга переписи населения и домов (дворов); ~에 넣다 записывать (кого-л.) в книгу записи; ~계 регистратор; ведущий семейной записи; ~등본 копия семейной записи; выписка из семейной записи; ~법 закон о семейной записи; ~부 книга семейной записи; ~초본 выписка из подворных списков.

호전(好轉) поворот к лучшему; улучшение; ~하다 принимать благоприятный оборот; ~되다 изменяться к лучшему; улучшаться.

호젓이 одиноко; пустынно.

호젓하다 одинокий; заброшенный; глухой; пустынный; 호젓한 감정 чувство одиночества.

호주(戶主) глава семьи; ~권 права главы семьи.

호주머니 карман; ~에 넣다 класть в карман; ~에서 꺼내다 вынимать(что-л.) из кармана; ~안 внутренний карман.

호출(呼出) 1) вызов; приглашение (требование) явиться; ~하다 вызывать; ~번호 позывной номер; ~신호 позывной сигнал; ~대호 *воен.* кодовое название; ~선택기 селекторное устройство; ~신호건 телеграфный ключ для посылки вызова; 2) *феод.* вызов в ведомство; ~하다 а) вызывать; б) феод. вы- зывать в ведомство.

호치케스(*англ.* hotchkiss) скрепка для подшивки дел.

호칭(互稱) 1) наименование; имя; название; ~하다 называть по имени; 2) зов, призыв.

호탕(浩蕩) ~하다 а) бескрайний, необозримый; б) сильный, могучий; в) полный радости; жизнерадостный; г) прекрасный; ~분방 уст. экстравагантность.

호텔(*англ.* hotel) отель, гостиница.

호통(號筒) 1) ~하다 сердито кричать; зло ругаться; выкрикивать угрозы; 2) злобный (сердитый) оклик; злобная ругань; ~[을] 치다 а) громко(зло) ругаться; сердито кричать; выкрикивать угрозы; б) громко окликнуть.

호통을 치다 громко ругаться.

호평(好評) 1) ~하다 положительно оценивать; 2) положительная оценка, хороший отзыв, хорошая репутация; ~을 받다 пользоваться успехом; иметь большой успех; быть хорошо принятым.

호프(*англ.* hop) бот. хмель.

호호(晧晧) I ~백발 а)седые волосы, седина; б) седой старик; ~하다 уст. а) белоснежный; б) очень яркий, блестящий

호호(呼號) II уст. ~하다 а) громко кричать(выкрикивать); б) громко звать

호화(豪華) ~자체 молодой человек из богатой семьи; ~찬란하다 великолепный, блестящий; ~스럽다 см. 호화롭다; ~하다 роскошный; пышный; великолепный; ~로이 роскошно, пышно, великолепно; ~판 1) роскошное издание; 2) ~으로 роскошно, пышно.

호환(互換) *кор. мед.* 1) ~하다 приготовлять(пилюли) на крахмале (клейстере); 2)пилюли на крахмале (клейстере); 3) взаимный обмен; ~하다 взаимно обмениваться; ~성 взаимозаменяемость; 4) *мат.* транспозиция.

호황(好況) высокая конъюнктура; бум.

호흡(呼吸) дыхание; биол. газообмен; ~하다 дышать; вдыхать и выдыхать; ~이 맞다 совпадать; быть единодушным; 인공~ искусственное дыхание;~곤란 одышка; ~기 органы дыхания; ~운동 дыхательное упражнение; ~수 число дыханий; ~강도 интенсивность дыхания; ~기관 органы дыхания; ~중추 дыхательный центр; ~을 같이하다 жить единым дыханием(с кем-чем-л.); ~이 맞다(통하다) совпадать(о мыслях, стремлениях)

혹 I желвак; шишка; нарост; выпуклость(на месте пайки); ~부리 человек с шишкой; 혹 데러갔다가 혹 붙였다 *посл.* ≅ пошёл по шерсть, а вернулся стриженным.

혹 II 1) фу(при выдохе); 2) 혹 마시다 с шумом втянуть в себя(жидкость).

혹간(或間) иногда; по временам

혹독(酷毒) жёсткость; ~하다 злой; жестокий; безжалостный; свирепый; лютый.

혹사(酷使) I ~하다 а) заставлять работать без отдыха; жестоко эксплуа-тировать; б) не беречь(машины, оборудования).

혹사(酷似) II ~하다 очень похожий, сходный.

혹시(或是) 1) возможно, может бы-ть; 2) если; ~를 몰라서 на всякий случай.

혹은(或-) или.
혹자(或者) некий; некоторые; ~는 ... ~는 один..., а другой.
혹평(酷評) суровая оценка, резкая критика; ~하다 резко критиковать; давать суровую оценку.
혼(魂) I дух; душа; см. 넋; 혼[이] 나다 а) сильно испугаться; б) пройти суровое испытание; в) быть наказанным(изруганным); г) не в силах терпеть; 혼[이] 뜨다 сильно испугаться.
혼(англ. hone) II тех. хон, хонинговальная головка.
혼구멍(魂-)[-꾸-]~을 만나다 прост. а) перепугаться; б) пройти тяжёлое испытание.
혼기(婚期) брачный возраст; ~를 놓치다 отцвести; остаться старой девой.
혼나다 сильно испугаться.
혼내다 быть наказанным(изруганным).
혼담(婚談) переговоры о женитьбе; сватовство.
혼돈(渾沌,混沌) 1) хаос; ~하다 а) хаотичный; перепутанный; б) туманный, неясный; неотчётливый; 2) первозданный хаос (в вост. философии); ~세계(천지) а) мир(вселенная) в состоянии хаоса; б) обр. помутнение сознания.
혼동(混同) смешивание, смешение; ~하다 а) смешивать, путать; б) не различать, не разбирать.
혼란(混亂) кризис беспорядок; хаос; ~하다 хаотичный; беспорядочный; -하다 быть в беспорядке; быть в хаотичном состоянии; ~되다 находиться в смятении; впасть в смятение; ~을 일으키다 приводить в беспорядок; вносить анархию; ~일어났다 поднялась(началась) смута; ~기 смутные времена; ~상태 хаотичность; путаница.
혼란성(混亂性) [혼-쏜] хаотичность.
혼령(魂靈) [혼-] см. 영혼(靈魂).
혼례(婚禮) [혼-] свадьба; бракосочетание; ~식 свадебный обряд; ~를 올리다 совершать брачный обряд; справлять свадьбу; ~식 церемония бракосочетания; свадьба; ~상[혼ㅅ-상] свадебный стол.
혼미(混迷) смущение; заблуждение; ~하다 смущать; приводить(кого-л.) в смущение; ~에 빠지다 приходить в смущение.
혼비백산(魂飛魄散) уст. 1) душа в пятки ушла; 2) паника; испуг; ~하다 пугаться; быть(находиться) в панике; ~하여 달아나다 бежать в панике.
혼사(婚事) свадебный обряд; свадьба; ~를 정하다 помолвить(кого-л. с кем-л.); ~를 치르다 справлять свадьбу; ~말 하는데 장사 말 한다 посл. ≈ ни к селу, ни к городу (что-л. сказать); ~하다 заниматься свадебными делами.
혼선(混線) перепутывание проводов;~하다 запутываться; путаться; сбиваться.
혼선되다 запутываться.
혼성(混-) I смешение; смешивание; ~의 смешанный; комбинированный;~체 смесь; ~경기 смешанное соревнование.
혼성(混成) II ~대대 воен. сводный батальон; ~방어 спорт. комбинированная защита; ~지뢰원 комбинированное(смешанное) минное поле; ~편대 комбинированный боевой порядок самолётов; ~언제

дамба(плотина), построенная из различных строительных материалов(напр. камня и земли); ~하다 перемешивать[ся]; смешивать[ся]; комбинировать[ся].

혼성(混聲) III ~중창 вокальный дуэт; ~합창 смешанный хор.

혼수(昏睡) ~상태 мед. кома, глубокий сон; транс; ~하다 а) уснуть мёртвым сном; б) быть в бессознательном состоянии; ~에 빠지다 впасть в забытьё; ~의 상태에 있다 быть в бессознательном состоянии.

혼용(混用) ~의 смешанное употребление; комбинированный; ~하다 а) смешивать; перемешивать(что-л. при употреблении); б) смешивать, употреблять(что-л. вместо другого)

혼인(婚姻) бракосочетание; ~하다 вступать в брак;~신고 регистрация брака, свидетельство о бракосочетании; ~를 내다 регистрироваться.

혼인날(婚姻-) день бракосочетания

혼인집(婚姻-) [-ㅉ집] дом, где происходит свадьба; ~에서 신랑 잃어 버린다 посл. ≅ букв. потерять жениха на свадьбе.

혼자 один, сам, сама; ~의 один; единственный; ~있다 быть одиноким; ~서 один; сам; ~되다 а) овдоветь; б) см. 홀로되다; 그녀는 혼자되었다 она осталась одна; ~씨름 размышления.

혼잡(混雜) сутолока; суматоха; беспорядок; давка; толкотня; ~하다 суматошный; суетливый; беспорядочный; ~하다 быть в беспорядке; перепутываться; ~을 이루다 царит суматоха; ~스럽다 а) прил. казаться суматошным(суетливым); б)см. 혼란 [스럽다 II;~하다 а) суматошный, суетливый; б) см. 혼란 [하다] II.

혼쭐(魂-) ~[이] 나다(빠지다) перепугаться до смерти.

혼탁(混濁) помутнение; мутность; ~하다 мутный; грязный; тёмный; ~하다 стать мутным; ~하게 하다 замутить; ~해지다 помутнеть.

혼합(混合) смешение; ~경고 (комбинированный) пластырь; ~연결 эл. смешанное соединение; ~열차 товаро-пассажирский поезд; ~박자 муз. смешанный такт; ~물 смесь; ~한 смешанный;~하다 смешивать(перемешивать) (что-л. с чем-л.); ~기 смеситель; ~비료 компост; составное удобрение.

혼혈(混血) смешанная кровь; рассовое смешение; ~아 метис, ребёнок от смешанного брака

홀(笏) I феод. табличка с указанием фамилии и ранга чиновника(которую он держит в руках на аудиенции у короля)

홀(англ. hall) II 1) большой зал; холл; 2) см. 회관; 3) см. 식당

홀(忽) III одна стотысячная.

홀 IV скипетр.

홀- преф. один, единственный; 홀몸 одинокий человек; вдовец; вдова.

홀가분하다 1) ощущать легкость; 2) простой, удобный; 3) несерьёзный, пустяковый.

홀대(忽待) [-ㄸㅐ] 1) ~하다 принимать без должного внимания; плохо (грубо) обходиться(с кем-л.); 2) недостаточно внимательный приём.

홀딩(англ. holding) захват мяча в волейболе(как нарушение правил)

홀딱 1) абсолютно, полностью; целиком; ~반하다 влюбиться без памяти; ~벗다 раздеться догола; 2) ~삼키다 сразу проглатывать; 3) легко, свободно; ~거리다 1) разде-вать[ся]

догола; оголять[ся]; 2) перевёртывать[ся]; опрокидывать[ся]; 3) сразу проглатывать; 4) соблазняться.

홀랑 1) голо; начисто; 2) легко; свободно; ~벗어진 대머리 совершенно лысая голова; 3) см. 홀딱 1), 3); ~하다 1. слишком широкий; очень свободный; 2. легко опадать(выпадать).

홀로 один, одиноко; ~되다(나다) овдоветь; ~쓰이다 использоваться в одиночку.

홀몸 одинокий человек, вдовец, вдова; 홀몸이 아니다 иметь в чреве ребенка.

홀수 нечётное число.

홀연(히) вдруг; внезапно.

홀짝 ~하다 нечётный и чётный, образ приёма жидкой пищи; ~거리다 пить залпом.

홀쪽 살이~빠지다 сильно похудеть; ~하다 а) слишком тонкий; б) узкий продолговатый (о лице); в) ввалившийся; г)худой,высохший

훑어보다 тщательно осматривать.

홈 I канавка, желобок, паз; ~을 파다 делать паз.

홈(*англ.* form) II сокр. от 플래트홈.

홈끌 штихель, резец (для гравирования)

홈파다 1) немного углублять; 2) делать паз.

홉(<合) хоп(мера жидкостей и сыпучих тел=0,18л.).

홍(洪) обр. шаляйвалай.

홍건(紅巾) арх.1) красный платок; 2) траурная головная повязка красного цвета.

홍동백서(紅東白西) этн. порядок расположения жертвенных фруктов, при котором красныена восточной стороне, белыена западной.

홍두깨 1) скалка для катания белья; 2) с.-х. огрех; ~생갈이 перепашка огрехов; ~로 소를 몬다 обр. глупо вести себя, совершать глупый поступок; ~에 꽃이 핀다 = 죽은 나무에 꽃이 핀다; см. 죽다; 3) костреп (часть говяжьей туши).

홍보(弘報) 1) широкое оповещение; информирование; ~하다 широко оповещать(о чём-л.); 2) красный платок(для завязывания вещей).

홍삼(紅蔘) красный культивированный женьшень(пропаренный и высушенный).

홍수(洪水) 1) см. 큰물; ~조절지 водохранилище для регулирования уров ня воды во время наводнения; 2) обр. людской наплыв; 3) обр. лавина; наводнение, разлив, ~나다 наводнять; ~가 일다 быть заполненным; заполнять; ~기 период наводнений; 노아의 대 홍수 всемирный.

홍시(紅柿) спелая хурма; см. 연감; ~먹다 이 빠진다 ≅ обр. оказаться не по зубам.

홍익(弘益) огромная прибыль; общественное благо; ~사업 общественное предприятие.

홍익인간(弘益人間) расширение благо состояния народа.

홍조(紅潮) 1) красноватый цвет щёк; ~되다 покраснеть(напр. от смущения); 2) краска на лице, румянец (напр. от смущения); 3) отражение утренней зари(напр. в море); ~를 띤 румяный; залитый румянцем; ~를 띠다 покрасеть.

홍합(紅蛤) 1) см. 섭조개; 2) мидия; морская мидия(Mitilus crassitesta).

홑 1) один слой(ряд); 2) 홑으로 в небольшом числе(количество); 홑으로 보다 не считать важным(серьёзным).

홀- преф. один, одинокий; 홀몸 одинокий человек; 홀이불 одеяло из одного слоя ткани
홑것 одежда из одного слоя ткани.
홑겹 один слой.
홑이불 [혼니-] 1) лёгкое(летнее) одеяло; 2) пододеяльник, простыня.
화(和) I книжн. мир; согласие.
화(和) II хва(кор. духовой муз. инструмент, сотоящий из 13 тру-бок, соединённых вместе).
화(火) III 1) огонь(одна из пяти стихий в вост. космогонии); 2) сокр. от 화요일.
화(火) IV гнев; ~나다 гневный; рассерженный; ~가 가라앉다 остыть; ~가 끓다 кипеть от гнева; ~가 나게하다 злить; сердить; ~가 나다 злиться; сердиться;~가 나 있다 быть в гневе; ~를 내다 дать волю(выход) своему гневу; гневаться(на кого-что-л.); ~를 누그뜨리다 смягчать гнев; 화가 홀아비 동심하듯 злой как старая дева; 화를 끓이다 кипеть гневом.
화(禍) V несчастье; беда; ~를 당하다 попадать в беду; ~를 면하다 спасаться(избавляться) от беды; ~를 부르다 вызывать несчастье; ~를 자초하다 накликать на себя беду.
화(化) VI --ация; --ение. ~하다 стать чем-л.; подвергаться влия-нию чего-л.; преобретать дух чего-л.. 중대~ стать важным; преобретать важное значение. 협동~하다 кооперироваться.
화(花) VII цветок.
화(畵) VIII рисунок; картина; живопись; 전쟁~батальная живопись. 풍경~ пейзажная живопись. см. 그림.
-화(花) I суф. кор. цветок(в назв. цветов).

-화(化) II суф. кор. превращение (во что-л.; часто соотв. по знач. русск. суф. ...ация, ...ение); 기계화 механизация; 복잡화 усложнение.
-화(畵) III суф. кор. рисунок, картина; 초상화 портрет; 역사화 картина на исторический сюжет.
-화(貨) IV суф. кор. монета; 백동화 никелевая монета.
-화(火) V суф. кор. огонь; 십자화 перекрёстный огонь.
-화(靴) VI суф. кор. обывь; 방한화 валенки.
화강(花崗)~반암 гранитпорфир; ~섬록암 гранодиорит; ~섬장암 граносиенит; ~편마암 гранитогнейс.
화강석(花崗石) гранит.
화공(化工) химическая промышленность; ~품 химикат; химикалии.
화관(花冠) венчик; венок;гирлянда; 들꽃으로 ~을 만들다 плести венок из полевых цветов; ~족두리 косы, уложенные на голове и украшен-ные драгоценностями; см. 꽃부리.
화근(禍根) источник бедствий(несчастий); ~을 없애다 устранять (изживать) корень зла.
화급(火急) крайняя необходимость; критические обстоятельства;~하다 срочный; экстренный; безотлагательный;~히 экстренно; срочно.
화기(和氣) I 1) тихая и ясная погода; 2) мир, согласие; мирная атмосфера; ~애애 мир и согласие.
화기(火氣) II 1) огонь; ~엄금 "Огнеопасно"; 소~ огнетушитель; 2) ожог; 3) см. 화증.
화끈거리다 загореться (от стыда, гнева), пахнуть жаром.
화농(化膿) нагноение; ~성의 гноящийся; гнойный; гноеродный; ~하다

нагнаиваться; гноиться; ~시키다 нагнаивать; гноить; ~균 гноеродные бактерии; ~구균 гноеродные кокки.

화다닥 неожиданно; поспешно; наспех; ~하다 делать наспех; ~뛰어 가다 поспешно выбежать; ~뛰어 일어 나다 поспешно вскочить.

화단(花壇) клумба.

화답(和答) ~하다 отвечать стихами (песней).

화랑(花郎) феод. 1) конфедерация хваранов(воен. организация молодых аристократов в государстве Силла, проходивших подготовку к военной и государственной службе); 2) магистр конфедерации хваранов; ~도 моральные принципы члена конфедерации хваранов; ~제도 система отборов кандидатов на военную и гражданскую службу через конфедерацию хваранов; 3) см. 화랑이.

화력(火力) 1) сила огня; огневая мощь; ~기재 огневые средства; ~계선 огневой рубеж; ~밀도 воен. плотность огня; ~전투 огневой бой; ~지대 воен. полоса огня; ~포위 воен. огневое окаймление; 2) сущ. тепловой, тепло...; ~발전 выработка электроэнергии тепловой электростанцией; ~발전소 тепло вая электростанция(ТЭС);~의 우세 превосходство в огневых средствах; ~전 огневой бой; огневая перестрелка; ~전기 электроэнергия, вырабатываемая тепловой электростанцией.

화로(火爐) жаровня; ~방석 подстилка под жаровней; ~가에(전에) 엿 [붙여]놓았나? см. 솥뚜껑[에 엿 놓았나?]; Щипцы; см. 화마 III.

화류(花柳) 1) книжн. цветы и ива; 2) женщина лёгкого поведения; проститутка; ~계 квартал публичных домов; ~병 венерическая болезнь; ~

동풍 уст. цветы, ива и весенний ветер.

화면(畵面) 1) лицевая сторона картины(плана); 2) иллюстрация, картинка, чертёж(напр. на книжной странице); 3) кино экран; картина; изображение; 텔레비~ телевизионный экран.

화목(和睦) примирение, умилостивление; 1) ~하다 дружный; согласный; 2) ~하게 согласно; счастливо; дружески.

화목제(和睦祭) мирная жертва.

화문(花紋) цветочный узор; ~석 циновка с вышитыми на ней цветами; см. 꽃무늬.

화물(貨物) груз, багаж; ~의 грузовой; товарный; ~선 грузовое судно;~열차 товарный поезд; ~자동차 грузовик; ~차 товарный вагон; 경 ~자동차 грузовой автомобиль малой грузоподъёмности; моло- литражный грузовой автомобиль.

화산(火山) вулкан; ~작용 вулканизм; ~의 вулканический; ~암 лава; ~재 вулканический пепел; 사~ потухший вулкан; 활~ действующий вулкан; 휴~ временно потухший вулкан; ~대 вулканический пояс; ~도 вулканический остров

화살 стрела; ~표 знак; ~을 쏘다 пустить стрелу; ~대 стержень; ~표 знак "стрелка"; ~에 맞다 быть поражённым стрелой.

화상(火傷) ожог;~의 ожоговый; ~을 입다 обжечься; получить ожог; ~환자 ожоговый больной.

화성(化成) превращение; изменение. ~의 синтетический; ~하다 превращаться; изменяться; ~공업 химическая промышленность; промышлен-

ность синтетических материалов.
화술(話術) искусство(имение) говорить
화실(畵室) студия, мастерская.
화약(火藥) порох; взрывчатое вещество; ~의 пороховой; ~고 пороховой склад.
화염(火焰) пламя;~에 싸이다 быть охваченным пламенем; ~방사기 огнемёт; ~병 бутылка с горючей смесью; зажигательная бутылка.
화요일(火曜日) вторник; ~에 во вторник.
화원(花園) цветочный сад.
화의(和議) мирные переговоры; примирение; соглашение; компромисс; ~하다 вести переговоры о мире; ~를 맺다 заключить мир; ~를 신청하다 просить о компромиссном соглашснии.
화이트(англ. white) белый; бледный; седой; невинный; чистый; белый цвет.
화장(化粧) I туалет; косметика; ~의 туалетный; косметический; ~하다 пудриться; белиться; заниматься туалетом; ~기 следы от грима (макияжа); ~대 туалетный столик; ~도구 туалетные принадлежности; туалетный прибор; ~수 косметическая вода; ~실 туалет; ~품 косметика; ~품점 парфюмерный магазин.
화장(火葬) II кремация; ~하다 кремировать; сжигать; предавать кремации; ~장 место кремации.
화장지(化粧紙) туалетная бумага; макулатура; ненужные бумаги; ~통 корзина для бумаг(мусорное ведро).
화재(火災) пожар; ~가 일어나다 вспыхнуть(случиться; возникнуть; сделаться; быть) пожар; ~를 끄다 потушить пожар; ~를 당하다 сгореть; выгореть; пострадать от пожара; ~를 일으키다 вызвать пожар; ~다! Пожар! ~가 커져 가고 있다 пожар усиливается; ~보험 страхование имущества от пожара.
화전(火田) 1) подсека; ~을 일구다 заниматься подсечным земледелием; ~농사 подсечное земледелие; ~민 крестьянин, занимающийся подсечным земледелием.
화제(話題) 1) тема рассказа(разговора); ~를 돌리다 свести разговор на другую тему; 2) предмет разговора; ~에 오르다 стать предметом разговора; ~에 올랐을 때 когда шла речь(о ком-чём-л.); ~를 바꾸다 менять тему разговора; ~에 오르다 стать предметом разговора.
화창(和暢) ~하다 а) тёплый и ясный(о погоде); ласковый(о ветре); б) мирный, безмятежный.
화초(花草) 1) декоративные растения; 2) перед именами; ~밭 цветник; клумба; ~재배 цветоводство; ~밭 цветник; ~밭에 괴석 обр. всякий пустяк на своём месте нужен.
화촉(樺燭) цветная восковая свеча; свадебный обряд; ~동방 спальня молодожёнов(в дни свадьбы).
화평(和平) примирение, мир; ~하다 мириться с кемчем-л.
화폐(貨幣) деньги, валюта; ~거래 денежный оборот;~의 교역 валютная операция; ~의 교환 가증법 эк. ажио, лаж; ~개혁 денежная реформа; ~계산 денежный учёт; ~단위 денежная единица; ~유통 денежное обращение; ~시장 денежный рынок; ~자본 денежный капитал; ~주조권 право чеканки;~지대 денежная рента; ~퇴장 изьятие денег из обращения; ~포장

денежный знак; ~위조자 фальшивомонетчик; ~가치 монетная ценность; ~교환 валютный(денежный) обмен; ~제도 система денежного обращения.

화포(火砲) 1) старинная пушка; 2) уст. пороховое оружие; огнестрельное орудие.

화학(化學) химия;~공학 химическая инженерия[технология]; ~섬유(纖柔) искусственные и синтетические волокна; ~자 химик; ~적 химический; ~공업 химическая промышленность; ~계 химики; среда(круги) химиков; ~기호 химический знак; ~무기 химическое оружие; ~방정식 химическое уравнение; ~분해 химическое разложение; химический распад; ~비료 химическое удобрение;~섬유 синтетические смолы; ~수지 синтетические смолы; ~식 химическая формула; ~약품 химикалии; ~요법 химиотерапия;~원소 химический элемент; ~자 химик;~작용 химическое действие; ~전 химическая война; ~제품 химикаты; ~펄프 (искусственная) целлюлоза; ~화 химизация; 무기~ неорганическая химия; 생~ биохимия; 유기~ органическая химия.

화합(化合) I соединение; комбинация; ~하다 соединяться; ~물 соединение; ~열 теплота образования (соединения).

화합(和合) II согласие; лад; ~하다 ладить; жить(работать) дружно (в согласии);~하여 дружно.

화해(和解) примирениемирное разрешение; компромисс; ~하다 мириться с кем-чем-л..

화형(火刑) сжигание на костре; ~하다 сжигать на костре; ~당하다 быть сожжённым на костре; ~식 церемония сжигания на костре(чучела); ~장 место сжигания на костре.

확 I углубление в ступке.

확 II ~하다 а) налететь(о порыве ветра); б) ударить в нос(о резком запахе); в) внезапно покраснеть (о лице); г) взвиться(о пламени); д) резко открыться(о двери *и т.п.*); внезапно пройти(о каком-л. чувстве); ж) неожиданно (быстро) исполниться (о деле).

확(確) III внезапно; неожиданно; вдруг; ~일어나다 внезапно пройти (날아와) ...에 ~부딪히다 внезапно пройти; 코를 ~찌르다 ударить в нос;~열다 распахнуть; ~열리다 резко открыться; ~일어나다(불꽃이) взвиться; ~붉어지다 внезапно покраснеть.

확고(確固) ~부동 непоколебимый, незыблемый; ~하다 твёрдый; непоколебимый; решительный; ~부동 하다 непоколебимый; незыблемый.

확답(確答) 1) ~하다 давать определённый(окончательный)ответ; 2) определённый(окончательный) ответ.

확대(擴大) расширение;увеличение; ~재생산 эк. расширенное воспроизводство; ~하다 увеличивать; расширять; ~경 увеличительное стекло; лупа; ~기 увеличитель; ~율 степень; ~회의 расширенное заседание.

확률(確率) [хваньнюл] мат. вероятность; ~공간 мат. случайное пространство;~론 теория вероятности.

확립(確立) установление, утверждение; ~하다 определяться; утверждаться.

확보(確保)[полное]обеспечение; гарантия; ~하다 обеспечивать; гарантировать.

확산(擴散) диффузия; рассеивание; разбрызгивание; ~하다 рассеиваться; распространяться; разбрызгиваться.

확신(確信) твёрдая уверенность убеждение; ~있게 уверенно, убеждённо; ~하다 быть уверенным; быть убеждённым

확실(確實) ~무의 достоверность;~하다 надёжный; ~히 достоверно; точно; ~히 하다 обеспечивать; гарантировать; подтверждать; подкреплять; ~하다고 생각하다 быть уверенным в чем-л.; ~성 точнос-ть; ~시 하다 достоверно считать кого-что-л. кем-чем-л.

확언(確言) утверждение; ~하다 говорить точно(определённо); утверждать

환(環) I кольцо; звено.

환(換) II пересылка денег переводным векселем(траттой).

환(圜) III хван(старая денежная единица; соотв. воне).

환각(幻覺) ~하다 отправлять обратно; возвращать; ~제 наркотик.

환갑(還甲) 60лет, шестидесятилетие, поздравление по случаю шестидесятилетия; ~잔치(殘置) банкет по случаю шестидесятилетия; ~날 день; ~상 (накрытый)стол на случай шестидесятилетия; ~상을 차리다 угостить угощением по случаю шестидесятилетия; ~잔치 банкет(пир) по случаю шестидесятилетия.

환경(還京) I уст. возвращаться в Сеул

환경(環境) II окружающая среда; обстоятельство, обстановка; 배기가스에 의한 ~오염 загрязнение окружающей среды выхлопными газами; 산업폐기물에 의한 ~오염 загрязнение среды промышленными отходами; ~상태 감시반 служба по контролю окружающей среды; ~개선 улучшение(условий) окружающей среды; ~ 보호 защита окружающей среды; ~ 보호단체 организация защитников окружающей среды; ~보호활동 деятельность по охране окружающей среды; ~악화 ухудшение (условий) окружающей среды; ~위생 гигиена окружающей среды; 도시~ городская среда; 생태학적~ экологическая среда; 서식~ среда обитания; 자연 ~ природная (естественная) среда.

환골탈태(換骨奪胎) обр. 1) изменяться в лучшую сторону;2) похорошеть(напр. о женщине); 3) улучшить (чьё-л. сочинение)

환금(換金) обращение в деньги; реализация;~하다 обращать в деньги; реализовывать.

환기(喚起) I привлечение; ~하다 привлекать;вызывать;пробуждать; поднимать на что-л.

환기(換氣) II вентиляция; ~하다 проветривать; ~가 좋은 хорошо вентилируемый(проветривающийся); ~장치 вентиляционное устройство; ~창 вентиляционное окно; форточка.

환난(患難) заботы(тревоги) и несчастья;~상구 уст. помогать друг другу в беде (несчастье)

환도뼈(還刀-) анат. 1) подвздошная кость; 2) бедро; ~의 큰 힘줄 жилы на составе бедра.

환락(歡樂) развлечение; удовольствие; увеселение; наслаждение; ~가 квартал питейных заведений.

환류(還流) отлив; обратное тече- ние; ~하다 возвращаться.

환멸(幻滅) разочарование; ~적 разочарованный; ~을 느끼다 разочароваться в ком-чём-л..

환불(換拂) возврат денег, выплата денег после перерасчета; ~하다 возвращать деньги.

환산(換算) пересчёт; перевод;~하다

пересчитывать; переводить; 원을 루불로 ~하다 перевести воны в рубли; 루불로 ~하여 в переводе (пересчёте) на рубли(доллары); ~률 валютный курс.

환상(環狀) I сущ. кольцеобразный; ~성운 астр. кольцеобразная планетарная туманность; анат. перстевидный хрящ; ~연골 анат. перстевидный хрящ.

환상(幻想) II призрак; иллюзия; заблуждение, фантазия; ~곡 фантазия; ~적 иллюзорный, фантастический; ~하다 питать иллюзии; фантазировать.

환생(還生) перерождение; реинкарнация;~하다 уст. а) возвращаться к жизни; б) оживать.

환송(歡送) (торжественные) проводы; ~회 прощальный митинг; ~하다 торжественно провожать; ~연 торжественный банкет.

환심(歡心) радостное настроение; ~을 사다 привлекать расположение; заслуживать благосклонность.

환영(歡迎) приветствие видение; мираж; радушный прием; ~하다добро пожаловать; ~을 받다 встретить приём; ~회를 베풀다 устраивать встречу; ~사 приветственная речь; ~연 банкет(приём) по случаю встречи;~회 встреча; ~합니다! добро пожаловать!; ...을(를) ~하여 в честь (кого-л.).

환율(換率) валютный курс; 공정~ официальный(установленный) курс.

환자(患者) пациент больной; ~명부 список больных.

환전(換錢) перевод денег, конвертация; ~하다 разменивать; менять деньги.

환절(換節) переход сезона; ~기 переходное время года; ~하다 сменяться

환치(換置) перестановка; замена; перекладка; ~하다 перекладывать; заменять; замещать; перемещать; менять местами; ~구좌 текущий счёт (для перечисления); ~하다 перечислять.

환하게(煥-) светло.

환하다 1) яркий(о свете; материи); светлый; 2) ясный, явный, очевидный; 3) открытый, широко простирающийся; 4) свежий (о внешнем виде); гладкий (напр. о лице); 5) освежающий, холодящий; 6) знакомый, осведомлён- ный

환호(歡呼) ликование; ~하다 радостно воскликнуть; ~성 ликующие возгласы; радостные крики.

환희(歡喜) восторг; ~에 찬 восторженный; радостный; ~하다 обрадоваться чему-л.; ликовать.; 환희의 미소 радостная улыбка.

활(弓) 1) лук (оружие); 활과 과녁이 서로 맞았다 обр. вовремя прийти (о счастливом случае); 활을 메우다 сделать новый лук; 활을 부리다 снять тетиву; 활이야 살이야 обр. громко ругать(бранить); ~을 쏘다 стрелять из лука; пускать стрелу; 2) смычок.

활강(滑降) спуск; ~하다 спускаться; катиться по наклонной плоскости; ~경기 соревнования по скорос-тному спуску; ~경주 соревнования по(скоростному) спуску.

활개(闊-) (раскинутые) руки(ноги); ~치다 размахивать руками; действовать энергично; ~를 펴다 расправить крылья.

활개똥 сильный понос.

활개짓 [-ччит] ~하다 а) размахивать(крыльями); б) размахивать (руками) (при ходьбе).

활기(活氣) оживление энергия; одушевление; оживление; ~있는 оживлённый;живой;энергичный; ~가 없다 неживой;безжизненный; вялый; ~가 붙다 оживляться; ~차다 оживленный, активный

활달(豁達) ~하다 живой; энергичный; благожелательный; великодушный.

활동(活動) деятельность; ~적 действенный, действующий; ~적인 активный; деятельный; энергичный; ~하다 действовать; развивать деятельность; ~가 активист, деятель; ~력 работоспособность; ~분자 активист, актив; ~성 деятельность; активность; ~의 자유 свобода действия.

활력(活力) жизнеспособность; ~설 витализм; ~소 укрепляющее(тонизирующее) средство.

활로(活路) выход из положения; средства к существованию; ~를 개척하다 находить путь.

활발(活潑) активность, энергия (жизненная); ~하다 живой; оживлённый; энергичный; ~해지다 оживляться; ~함 живость

활보(闊步) ~하다 идти большими шагами; важно шествовать; гордо выступать.

활성(活性) активность; ~제 активирующее вещество; ~탄 активированный уголь; ~화 активизация; ~화하다 активизировать; активизироваться; ~도금 тех. активное покрытие;~부식 с.-х. деятельный перегной.

활약(活躍) деятельность, активность. ~하다 играть активную роль; быть активным.

활어(活魚) живая рыба.

활엽수(闊葉樹) лиственные деревья; ~림 лиственный лес.

활용(活用) спряжение глаголов и прилагательных, предикатива использование; ~하다 применять на практике; использовать по назначению; ~되다 практиковаться, использоваться.

활자(活字) шрифт; литера; ~를 맞추어 판을짜다 набирать; составлять набор; ~를 줍다 набирать; подбирать литеры; ~체 печатный шрифт; ~화 издание типографическим способом; ~화하다 издавать типографическим способом; ~체계 стандарт шрифтов; ~호수 кегль.

활주(滑走) скольжение; планирование; ~하다 скользить; планировать; ~로 взлётная дорожка(полоса).

활짝 피다 полностью распускаться.

활활 ослаб. стил. вариант 훨훨; ~날다 плавно парить;~타오르다 пылать; ~부치다 энергично обмахиваться; ~벗다 сбрасывать.

황(黃) I 1) сущ. жёлтое; 2) см. 석류황; 3) безоаровый камень; 황이 들다 образовываться(о безоаровом камне); 4) жёлтая мучка(напр. на стебле пшеницы); 황이 내리다 а) появляться(о жёлтой мучке); б) образовываться(о нарыве на шее или ногах вола); 5) 황이 끼다 появляться(о желтоватых пятнах на женьшене); см. 황색(黃色).

황(凰) II миф. самка птицыфеникса.

황갈색(黃褐色) [-ссэк] тёмножёлтый (светло-коричневый) цвет.

황금(黃金) золото; ~색 золотой цвет;

~의 золотой; ~만능 власть; ~만능의 сребролюбивый;~만능주의 принцип всемогущества денег; ~빛 золотой; ~시대 золотой век; ~정책 политика подкупа; ~예복 парадное платье короля, отливающее золотом; ~나락 золотистые колосья риса.

황달(黃疸) желтуха.

황당(荒唐) ~무계 беспочвенный, необоснованный; ~하다 вздорный; ложный; пустой; ~무계하다 беспочвенный; необоснованный.

황무(荒蕪) ~하다 запущенный; заросший сорняками; залежный; ~지 пустошь; залежная земля.

황색(黃色) 1) жёлтый цвет; ~루싼 с.-х. жёлтая люцерна; 2) перен. сущ. жёлтый; ~노조 жёлтый профсоюз; ~신문 жёлтая пресса; ~의 жёлтый.

황색종(黃色種) жёлтый сорт(напр. фруктов); ~담배 жёлтый табак.

황소(黃牛) бык, вол; ~걸음 ленивая походка; кропотливая работа; ~고집 упрямец; ~바람 обр. ветер, задувающий в щели; ~울음 обр. громкий плач, рёв; ~같다 сильный, как вол.

황소 ↔ 암소 бык ↔ корова.

황옥(석)(黃玉石) топаз.

황인종(黃人種) жёлтая раса.

황천(黃泉) потусторонний мир; ~으로 가다 отправиться на тот свет; ~객 покойник; ~길 дорога на тот свет; 2) см. 저승; ~의 나그네를 짓다 обр. отправиться на тот свет.

황토(黃土) лёсс; ~물 жёлтая(лёссовая) вода.

황폐(荒廢) запустение; разорение; опустошение;~하다 заброшенный; пустынный;~하다 быть заброшенным(запущенным); опустошаться; разоряться; быть разрушенным; ~화 запустение; разорение; ~화 시키다 привести к разорению(запустению); ~화하다 забросить; запустить; прийти в запустение.

황혼(黃昏) сумерки; ~의 сумеречный; 대지는~이 찾아들었다; на землю опустились сумерки; ~이 깃들다 сгуститься (о сумерках), стемнеть

황홀(恍惚) восторг; очарование; ~하다 очарованный; великолепный; ~하게 하는 чарующий; очаровательный; ~하게 하다 заворожить; очаровать; пленить; ослепить; ~해하다 очароваться; прийти в восторг; ~경 очарованность.

황후(皇后) императрица.

홰 насест; ~에 앉다 сидеть на насесте.

홰 петухи; ~를 치다 хлопать крыльями

홱 резко; круто; порывисто; живо; быстро.

횃불 факел; ~놀이 состязание при свете зажжённых факелов; ~시위 факельное шествие.

회(會) I общество; ассоциация.

회(膾) II хве, мелко нарезанное сырое мясо(рыба).

회(回) III раз.

회갑(回甲) 60 летия, юбилей = 환갑 60-летний юбилей.

회개(悔改) 1) раскаяние в ошибках и желание исправиться; ~하다 раскаиваться и исправляться; 2) покаяние; ~기도 молитва покаяния; ~로의 부름 призыв к покаянию.

회견(會見), 회담(會談) переговоры; встреча; приём; ~하다 кому дать интервью; принимать кого-л.; 기자

~ прессконференция.

회계(會計) подсчёт; расчёт; счёт; уплата; расплата; ~원 счетовод; ~하다 вести счета; вести учёт; ~감사 проверка отчётности; ~과 финансовый (расчётный) отдел; ~보고 финансовый отчёт; ~부 приходно-расходная книга; ~사 бухгалтер; ~연도 финансовый (отчётный) год; ~원 кассир; ~학 счетоводство; бухгалтерия.

회고(懷古) репроспекция; воспоминания; ~적인 репроспективный; ~하다 оглядываться назад на прошлое; ~담 воспоминания; ~록 мемуары.

회관(會館) зал; помещение(общественного пользования); 문화~ дом культуры.

회교(回敎) ислам; ~국 исламская страна; ~권 мусульманские страны; ~도 мусульманин.

회귀(回歸) оборот; возвращение; рейс;~하다 вращаться; возвращаться; ~의 оборотный; возвратный; периодический; повторяющийся; ~선 тропик; ~열 возвратный тиф;남북~선 тропик Козерога(Рака)

회담(會談) беседа; переговоры; ~하다 беседовать; вести переговоры; ~을 결렬시키다 прервать(сорвать) переговоры; 국교정상화 비공식~ неофициальное совещание; 수뇌~ переговоры(встреча) в верхах; переговоры (встреча) на высшем уровне.

회람(回覽) циркуляр; ~하다 читать и передавать другим; ~되다 циркулировать; ~장 циркулярное письмо; ~판 доска для извещений.

회복(回復) восстановление; выздоровление; ~기 период выздоровления; ~기에 있다 выздоравливать; ~하다 восстановить.

회부(回附) отсылка; передача; ~하다 отсылать; пересылать; передовать на рассмотрение; 인쇄에~하다 сдавать в печать; ~안 законопроект, представленный на рассмотрение.

회분(灰分) зола.

회비(會費) членский взнос.

회사(會社), 상사(商社) компания, фирма; ~원(員) служащий компании (фирмы).

회상(回想) воспоминание; ~록 воспоминания, мемуары;~하다 вспоминать; ~기 записки о прошлом; воспоминания, ~록 воспоминания.

회색(灰色) серый цвет; ~의 серый; сероватый; пепельный;~분자 неустойчивые(колебающиеся) элементы.

회생(回生) возвращение к жизни; воскресение; оживление; ~하다 воскресать.

회선(回旋) вращение; виток. ~상의 свёрнутый; ~교 разводной мост; ~기 중기 поворотный башенный кран; ~운동 нутация.

회수(回收) I возврат; возвращение; ~하다 отбирать назад; отнимать; изымать; ~품 возвращённые(изъятые) вещи(предметы); 우주선 ~ возвращение на землю космического коробля

회수(回數) II частотность; ~를 거듭하다 повторять много раз; ~가 많아지다 учащаться; ~권 билетная книжка.

회식(會食) совместная трапеза сотрудников; ~하다 обедать за общим столом(в компании).

회신(回信) ответное письмо; ответная телеграмма.

회심(回心) I ~하다 изменить мнение; обратиться в другую веру.

회심(會心) II близость; ~의 близкий по духу; ~의 미소를 띠고 с удовлетворённой улыбкой; ~작 работа(труд) по душе(по сердцу); ~지우 закадычный(задушевный) друг.

회오리 вихрь; ~치다 вихриться; кружиться вихрем; ~바람 смерч, вихрь.

회원(會員) член общества; ~명부 список членов; ~국 странаучастница ассоциации; ~증 членское удостоверение; членский билет; 명예~ почётный член; 정~ постоянный член; 준~ членкорреспондент.

회유(悔諭) умиротворение; примирение; ~하다 уговаривать; умиротворить; ~정책 политика умиротвореня.

회의(會議) I собрание; заседание; конференция; совещание; сессия; совет; конгресс; ~장 место заседания (собрания); ~중이다 быть на заседании; заседать; совещать; ~록 протокол; ~사항 повестка дня; порядок обсуждения; ~소 здание (помещение) для собраний(совещаний); ~실 зал заседания; конференцзал; ~장 место заседания (собрания); 국무 Совет министров; 최고~ совещание в верхах.

회의(懷疑) II сомнение; недоверие; ~적 скептический;недоверчивый; ~하다 сомневаться; впадать в сомнение; ~론 скептицизм; ~론자 скептик; ~심 недоверчивость; скепцитизм.

회임(懷妊) зачатие; беременность; ~하다 забеременеть; быть беременной.

회장(會長) председатель собрания, президент общества; ~직 председательство.

회전(回傳) вращение, обращение кружение; ~목마 карусель; ~의자 вращающееся кресло; ~식 вращающийся; вращательный; поворотный; ~하다 вращаться; вертеться; ~시키다 вращать; вертеть; ~기 ротор; ~등 вращающийся фонарь(прожектор); ~무대 вращающаяся сцена; ~문 вращающаяся поворотная дверь; ~속도 число(скорость) оборотов в минуту; ~수 число оборотов; ~운동 вращательное движение; ~율 оборачиваемость; ~의자 вращающийся стул; ~자 ротор; ~자금 оборотные средства (фонды); ~장치 поворотный механизм; поворотное устройство; ~주기 период вращения; ~축 ось.

회진하다 делать обход, обходить больных.

회초리 розги.

회충(蛔蟲) аскарида; ~약 глистогонное средство; ~증 аскаридоз.

회칙(會則) устав общества.

회피(回避) уклонение; избежание; ~적 уклончивый; ~하다 уклоняться от кого-чего-л.; ~성 увёртливость.

회화(會話) I картина, произведение живописи, разговор, ~체 разговорный стиль; ~하다 разговаривать; беседовать.

회화(繪畵) II живопись; картина; рисунок; ~적 живописный; изобразительный; графический; ~를 하다 заниматься живописью; ~기술 живописная техника; см. 그림.

획 I резко; порывами; 고개를 ~돌리다 резко повернуть голову; 바람이 ~불다 дуть порывами; ~던지다 швырнуть; ~뿌리치다 отдёрнуть.

획(劃) II черточка.

획득(獲得) получение; приобретение; захват; ~하다 получать; приобретать;захватывать; завоёвывать; ~물 приобретение; ~표수 число полученных голосов; ~형질 приобретённый признак.

획일(劃一) единообразие; унификация; стандартизация; ~적 единообразный; стандартный; ~주의 принцип единообразия(унификации); ~화 стандартизация; унификация; ~화하다 стандартизировать; унифицировать.

횡(橫) поперечник; ширина; ~적 горизонтальный; поперечный; ~으로 поперек; в ширину; горизон- тально.

횡단(橫斷) пересечение; ~보도 пешеходный переход; ~철도 пересекающиеся железные пути; ~의 поперечный; ~하다 пересекать; переходить;переезжать; ~하여 через что-л.; ~로 дорога пересекающая что-л.; переезд; ~면 поперечный разрез(профиль); поперечное сечение; 태평양 ~비행 перелёт через Тихий океан.

횡령(橫領), 절취(截取) хищение; захват; присвоение; ~하다 захватывать; присваивать; ~자 захватчик; узурпатор; ~죄 захват.

횡사(橫死) насильственная смерть; ~하다 умирать насильственной смертью.

횡선(橫線) поперечная горизонтальная(линия); ~을 긋다 перечёркивать; подчёркивать.

횡설수설(橫說竪說) несвязная речь; всякая всячина; ~하다 нести еру-нду.

횡액(橫厄) неожиданное несчастье; неожиданная беда.

횡재(橫財) неожиданное приобретение(богатство); ~하다 неожиданно получить(богатство); разбогатеть.

횡포(橫暴) тирания; насилие; деспотизм; произвол; ~하다 тиранический; самовластный; своеволь-ный; деспотический; ~하게 굴다 тиранствовать; ~성 деспотизм.

효(爻) I шесть горизонтальных черт в триграмме Ицзина.

효(孝) II почитание родителей; ~경 книга о сыновьем и дочернем почтении к родителям; ~녀 почтительная дочь; ~도 почтительность к родителям; ~도하다 быть почтительным к родителям; ~부 почтительная сноха;~성 почтительность к родителям; ~성스럽다 почтительный к родителям; ~심 почтительность к родителям; ~자 почтительный сын; ~친하다 почитать родителей; ~행 почтительное отношение к родителям; ~행스럽다 исполняющий сыновий(дочерний) долг; ~행하다 быть хорошим сыном (хорошей дочерью)

효과(效果) эффект; ~적 эффективный; ~가 없는 безрезультатный; недействующий;~가오르다 давать эффект; оказывать действие.

효능(效能) эффект, полезное действие; ~이 있는 действительный; эффективный; ~이잃다 утрачивать силу; ~을 낳다 оказывать дейст-вие; производить эффект.

효도(孝道) почтительность к родителям.

효력(效力) действие, эффект, сила; ~반경 воен. радиус поражения; ~사격 стрельба на поражение.

효률(效率) [-юл] коэффициент полезного действия, КПД.

효부(孝婦) почтительная сноха; ~없

는 호자 없다 посл. ≅ букв. без доброй снохи не бывает доброго сына.

효성(孝誠) почтительность к родителям, преданное чувство к родителям; = 효도(孝道),

효심(孝心) почтительность к родителям.

효자 преданный, почтительный сын.

효험(效驗) эффект; хороший результат.

후(後) I после кого-чего-л.; через кого-что-л.; по ком-чём-л.; 그~ после того; впоследствии; потом; затем; 전~ после войны; 한 시간 ~ 에 через час; 현지도착 ~에 по прибытии на место.

후(候) II пять дней, пятидневка, полудекада.

후 III ~ 불다 дунуть; уф!; ~하고 한숨을 내쉬다 вздохнуть с облегчением.

후-(後-) задний; [по]следующий; ~시대 последующая эпоха.

후견(後見) опека, опекунство; ~하다 опекать; опекунствовать над кем-л.; ~인 опекун.

후계(後繼) преемственность; ~의 следующий; ~자 преемник, преемница.

후기(後期) последний период; второй семестр; вторая половина года.

후끈하다 горячий; жаркий; покраснеть (от злости).

후닥닥 неожиданно; поспешно; наспех; быстро; ~거리다 поспешно (неожиданно) вскакивать; делать наспех; ~하다 неожиданно(поспешно) вскочить; сделать наспех.

후려치다 хлестать; бить с размаху; сильно атаковать.

후련하다 почувствовать облегчение.

후리다 1) см. 훑이다 I; 2) ударять (бить) с размаху;후려치다 хлестать; 3) быть изогнутым; 4) гнаться; 5) хапнуть; 6) незаметно стянуть.

후반(後半) вторая половина;второй тайм; ~기 вторая половина года; второе полугодие; ~부 вторая часть; ~전 вторая часть(половина) игры; второй тайм(период).

후방(後方) задняя часть(сторона); тыл; ~근무 служба в тылу; ~근무를 하다 служить в тылу; ~병원 тыловой госпиталь; ~부대 тыловая часть.

후보(候補) I кандидатура; ...를 대통령~자로 추천하다 выдвигать кого-л. кандидатом (в качестве кандидата) в президенты; ~자로서 입~하다 выставить свою кандидатуру; ~선수 запасной игрок; ~자 кандидат, кандидатка; 입~하다 выступать кандидатом; 당원~자 кандидат в члены партии; ~생 слушатель; кадет; ~지 район, предназначенный для чего-л.

후비다 копать; ковырять чем-л. в чём-л.; раскапывать; разоблачать; раскрывать; 이쑤시개로 이를~ ковырять зубочисткой в зубах.

후생비(厚生費) расходы на бытовое обслуживание(на службу быта).

후속(後續) ~의 последующий; следующий; ~부대 отряд усиления (подкрепления).

후송(後送) отправка в тыл; эвакуация; ~하다 отправлять в тыл; эвакуировать; ~소 эвакуационный пункт; ~자 эвакуированный; ~차 поезд(автомашина) с эвакуированными.

후예(後裔)(후손)<->조상(祖上) кровные потомки<->предки.

후원(後援) подкрепление; поддержка; спонсорство; протекция; покровительство; шефство; прикрытие; ~하다 поддерживать; покровительствовать; протежировать; спонсировать; оказывать кому-л. протекцию(поддержку); шефствовать над кем-чем-л.; ~단체 организация(учреждение), взявшая шефство над кем-чем-л.; шеф; ~부대 подкрепление; части усиления; ~자 покровитель, покровительница; спонсор; сторонник, сторонница; патрон; шеф;~회 общество для поддержки кого-л.

후원회(後援會) общество и т.п., созданное для поддержки(кого-чего-л.)

후유증(後遺症) осложнения после болезни; последствия.

후일(後日) последующие дни; будущее;~담 рассказ о случившемся впоследствии(позже).

후진(後進) отставание; регресс; движение назад; задний ход; молодой(человек); младший; молодёжь; подрастающее поколение; ~하다 двигаться назад; давать задний ход; отставать; регрессировать; ~국 слаборазвитая (отсталая) страна, ~성 отсталость.

후천(後天) ~적 приобретённый; апостериорный; ~적으로 апостериори; ~병 приобретённая болезнь; ~성 апостери-орность.

후천성(後天性) приобретенное свойство; ~면역결핍증 СПИД(Син-дром приобретённого иммуного дефицита)

후추 зёрна чёрного перца; чёрный перец.

후퇴(後退) отступление; отход; отдача; ~의 отступательный; ~하다 отступать; отходить; двигаться назад; поворачиваться назад; откатиться; ~로 путь отступления; ~작전 отступательный манёвр.

후편(後便) задняя(обратная)сторона; следующее послание; ~에 보내다 посылать со следующим посланием(в следующий раз).

후회(後悔) раскаяние; покаяние; ~하다 раскаиваться в чём-л.; ~막급하다 запоздало раскаиваться в чём-л.; ~막심하다 очень досадный.

훅 ~ 들이마시다 с шумом втянуть в себя(жидкость); фу; 등잔불을 ~ 불어 끄다 дунуть и погасить коптилку; 집을 ~떠나다 неожиданно покинуть дом; 담을 ~뛰어넘다 проворно перепрыгнуть через стену.

훅(hook) (고리) крючок; хук.

훈(暈) I ореол, сияние, нимб; 2) краснота(вогруг нарыва); 3) расплывшееся пятно(от чернил, тушина бумаге)

훈(壎) II корейская окарина(из глины)

훈(熏) III кор. мед. 1) вдыхание паров лекарства; 2) окуривание.

훈(訓) IV пояснения значения иероглифа.

훈계(訓戒)(타이름) предостережение; предупреждение; наставление; ~하다 предостерегать; предупреждать; наставлять; увещевать.

훈련(訓練)연습(演習) обучение; учёба; подготовка; тренировка; дрессировка; ~하다 обучать, тренировать; дрессировать; ~비 расходы на обучение; ~생 слушатель(курсант) учебного подразделения; ~소 учебное подразделение; место обучения(тренировки); ~원 учеб- ный центр(для подготовки); ~장 учебное поле; учебный плац; 군사~ военное обучение; 직업~ обучение ремеслу.

훈련원(訓鍊院) [훌-] феод. центральное ведомство военной подготовки.

훈령(訓令) инструкция; указание; директива; предписание; наказ; ~을 내리다 давать директиву; инструктировать

훈민정음(訓民正音) корейской алфавит, созданный Сечжоном, корейская национальная письменность, созданная в 1442 г. (한글의 최초의 이름) "Хунминч-жонэм"- первое название корейского алфавита, корейская национальная письменность(1444 год).

훈시(訓示) указание; инструкция; наставление; ~하다 наставлять; указывать.

훈장(勳章) орден; знак отличия; ~을 수여하다 наградить кого-л. орденом; вручить орден; ~수여식 церемония вручения ордена.

훈하다 окуривать[ся] парами лекарства(дымом сжигаемых целебных веществ).

훌라후프(Hula-Hoop) обруч.

훌륭하다 великий; выдающийся; знатный; знаменитый; замечательный; известный;превосходный; прекрасный; Здорово! Молодец! 훌륭한 일을 하다 делать замечательное дело.

훌쩍 ~들이마시다 пить залпом; втянуть в себя; ~뛰다 подпрыги-вать; ~뛰어오르다 вскакивать.

훌쩍거리다 шмыгать носом(во время плача).

훑다 отдирать; обдирать; сдирать; внимательно(тщательно) осматривать; промывать начисто; полностью прочищать.

훑어보다 оглядывать; окинуть (обвести)взглядом(взором; глазами)

훗날 следующий день, впоследствии.

훗달 следующий день.

훤칠하다 длинный и гладкий; идеально чистый и свежий

훤하다 светлый; проясняющийся; несомненный; ясный; широко раскинувшийся; белый и благородный(о лице).

훤히 светло.

훨씬 гораздо; весьма; значительно; намного; далеко; ~전에 очень да-вно; значительно раньше чего-л.

훼방(毀謗) клевета; помеха; преграда; преграждение; препятствие; ~놓다 клеветать на кого-что-л.; вредить кому-чему-л.; мешать кому-чему-л.; пре-граждать что-л. кому-л.; чинить препятствия; ~꾼 клеветник; вредитель; см. 참람.

훼손(毀損) повреждение; дискредитация; ~하다 испортить; повредить; дискредитировать; подрывать.

휑하다 пустой; впалый; осведомлённый; см. 휑뎅그렁하다.

휘 I мерка для зерна(равная 15-20 маль; см. 말).

휘 II роспись(здания), напоминающая рыбью чешую(волны, сеть).

휘(諱) III 1) имя при жизни (у взослого человека).

휘(徽) IV лады(на грифе комунго).

휘(麾) V жёлтый флажок с изображением дракона (1) как дирежёрская палочка; 2) как военный сигнал).

휘 VI 1) со свистом; ~몰아치다 завывать(о ветре); ~부리다 свистеть; ~몰아쉬다 выдохнуть со свистом; 2) кругом; ~돌아보다 осмотреть(всё) вокруг.

휘갈기다 (безжалостно; беспощадно) хлестать; бить; дать пощечину, написать скорописно(небрежно).

휘날리다 развевать(ся); кружить (ся); мести; прославлять.

휘다 гнуть(ся); прогибать(ся); подгибать(ся); сгибать(ся); пригибать(ся); быть искривлённым, быть согнутым; клонить(ся).

휘두르다 размахивать; распоряжаться; помыкать; ошеломить; проявлять; обнаруживать.

휘딱 быстро; стремительно; неожиданно; см. 후딱.

휘발(揮發) ~하다 улетучиваться; испаряться; ~성 летучесть; ~성의 летучий; ~유 бензин.

휘발유(揮發油) бензин, газолин; ~펌프 бензонасос; ~유면계 указатель уровня бензина.

휘젓다 мешать; размешивать; махать; размахивать; расстраивать; приводить в беспорядок.

휩쓸다 сметать; сдувать всё вокруг; смывать; уносить; широко распространять; охватывать.

휴가(休暇) каникулы; отпуск; 일개월의 ~를 취하다 взять отпуск на месяц; ~를 얻다 получать отпуск; ~를 주다 дать отпуск; 그는 지금 ~중이다 Сейчас у него отпуск; ~비 деньги, выплаченные за отпуск; отпускные; 무급~ отпуск без содержания; 산전 산후 ~ декретный отпуск; отпуск по беременности и родам; 여름~ летние каникулы; 유급~ оплачиваемый отпуск; 일개월~ месячный отпуск.

휴간(休刊) ~하다 временно приостанавливать(периодическое издание).

휴강(休講) пропуск лекции; ~하다 пропускать лекции; быть свободным от лекций.

휴게(休憩) отдых; перерыв; передышка; привал; ~하다 отдыхать; делать перерыв; ~소 место отдыха; ~시간 перерыв; антракт; ~실 комната отдыха.

휴교(休校) (временное) закрытие школы; ~하다 закрывать(школу; учебное заведение); быть закрытым; ~령 приказ о закрытии школы; временно прекращать занятия.

휴대(携帶) ношение(при себе); ~하다 брать с собой; носить(возить; иметь) при себе; ~용 портативный; переносный; ручной; ~용 녹음기 портативный магнитофон; ~용 무선기 портативная радиостанция; ~용전화기 переносной телефонный аппарат; ~품 носимые(имеющиеся при себе) предметы; ручной багаж; личные вещи; ~품 보관소 гардероб; камера хранения.

휴면(休眠) анабиоз; спячка; ~하다 быть(находиться) в спячке; ~에 들어가다 залечь в спячку; ~기 периодспячки(анабиоза).

휴무(休務) (временный) отдых; временное закрытие(прекращение работы); ~하다 устраивать перерыв в работе; временно закрывать(быть закрытым); временно прекращать работу(не работать); ~일 выходной день; 금일 ~ Сегодня закрыто.

휴식(休息) отдых; ~하다 отдыхать; ~처 место отдыха; ~일 день отдыха.

휴업(休業) временное закрытие предприятия; ~하다 временно закрывать предприятие; ~령 приказ о временном закрытии предприятия.

휴일(休日) выходной день; праздник.

휴전(休戰) перемирие; прекращение военных действий; ~하다 прекращать военные действия; ~감시위원회 комиссия по наблюдению за выполнением условий перемирия; ~선 линия фронта к моменту перемирия; ~협정 согла-

휴정(休廷) ~하다 не заседать; делать перерыв в заседании; ~일 неприёмный день.

휴즈(<англ. fuse) эл. плавкий предохранитель).

휴지(休紙) 1) туалетная бумага; макулатура; ненужные бумаги; ~통 корзина для бумаг(мусорное ведро); 2) ~시행 уст. отмена(проекта); ~진봉 феод. передача местными чиновниками вышестоящим столичным чиновникам документов на право владения землёй, отобранной у крестьян.

휴지통(休紙桶) корзина для бумаг; урна.

휴직(休職) временное отставление (отстранение от должности);~하다 временно не работать; временно отстраняться от должности; ~자 временно неработающий.

휴진(休診) уст. ~하다 временно не принимать больных.

휴학(休學) временное непосещение школы; академический отпуск; временный перерыв в занятиях; ~하다 временно не посещать школу; временно прекращать учёбу.

흉(凶) шрам; рубец; недостаток; слабость; порок; пятно; изъян; дефект.

흉금(胸襟) душа; ~을 울리다 дойти до сердца;~을 털어놓다 открывать душу; ~을 털어놓고 말하다 говорить без утайки(по душам).

흉기(凶器) смертоносное оружие; орудие убийства.

흉내(哅-) подражание; передразнивание; имитирование; подражание; ~내다 передразнивать; подражать кому-чему-л.(кому в чём-л.); следовать примеру кого-чего-л.; брать пример с кого-че-го-л.; ~내어 в подражание чему-л.; по примеру кого-чего-л.

흉년(凶年) I плохой(чёрный; неурожайный; голодный) год; неурожайный(урожайный) год неурожайный (голодный) год; ~들다 быть неурожайным(о годе).

흉년(凶年) II <-> 풍년(豊年) неурожайный год <->урожайный год.

흉물(凶物) чудовище; гнусная(мерзкая) личность; ~스럽다 чудовищный; зловещий; гнусный; подлый; мерзкий.

흉보다 выявлять недостатки; обличать порок; говорить о чужих недостатках; дурно отзываться, говорить пренебрежительно.

흉부(胸部) грудь; грудной; ~질환 болезнь лёгких.

흉악(凶惡) ~하다 злой; жестокий; злостный; зловредный; лютый.

흉중(胸中) душа; мысль; намерение; желание;~에 사무치다 проникаться душой; ~을 떠보다 прощупывать намерения кого-л.;~을 밝히다 открывать душу кому-л.;~을 토로하다 излить душу кому-л.(перед кем-л.).

흉측(凶測) ~하다 мерзкий; подлый; порочный.

흉터 шрам; рубец; следы ранения.

흉하다 противный; отвратительный; отталкивающий; коварный; вероломный; плохой; ругать; хулить (злополучным; несчастливым); злополучный, несчастливый

흉허물 порок; недостаток; ~없다 дружный; откровенный.

흐느끼다 всхлипывать.

흐느끼며 плакать

흐느적거리다 легко(чуть) колыхаться

(развеваться).
흐렸어요 был хмурым.
흐르다 I течь; протекать; проходить; плыть; парить; сочиться; иметь склонность к чему-л.; скатиться к чему-л.(на что-л.); предаваться чему-л.;распространяться; протягиваться; выступать наружу; проявляться; становиться заметным; блестеть; лосниться; проходить; струиться; воцариться; 감정으로~поддаться порыву чувства; 구름이 하늘을 흘러간다 Облака текут по небу; 눈물이 볼을 타고 흘러내렸다 Слеза покатилась по щеке; 산기슭에 안개다 흐르고 있다 У подножья горы плывёт туман; 상처에서 피가 뚝뚝흐른다 Из раны сочится кровь; 상처에서 피가 펑펑 흘러나온다 Кровь струится из раны; 세월이 빨리 흘러간다 Время течет быстро/ Время быстротечно; 아름다운 멜로디의 음악이 흐르고 있다 Звучит прек-расная музыка; 이상주의로 ~ обра-титься к идеализму; 이 전선을 타고 전류가 흐르고 있다 По этому проводу проходит ток; 흘러나가다 выливаться; вытекать; 흘러내리다 соскальзывать; спадать; 흘러들다 вливаться во что-л.; втекать во что-л.; впадать во что-л.
흐름 течение; поток; школа(направление в области науки);линия; потомство; ~을 거슬러против течения; 사람의 ~ людской поток; 사상의 ~ идейные течения.
흐리다 неясный; нечёткий; смутный; мутный; грязный; пасмурный; облачный; покрытый облаками; несвежий; загрязнённый; слабый; покрывать облаками; мутить; загрязнять; пачкать; порочить; омрачить; делать неясным(нечётким).
흐리하다 1) мутноватый, грязноват-ый; 2) немного пасмурный; 3) немного озабоченный; 4) подслеповатый(о глазах); 5) очень хриплый(о голосе); 6) очень неаккуратный(о должнике).
흐린 пасмурный.
흐림 хмурый.
흐립니다 хмурый.
흐릿하다 чуть мутный(грязный); чуть пасмурный; слабый
흐물거리다 быть очень мягким (зыбким, топким); жевать; подтрунивать над кем-чем-л.
흐뭇하다 довольный; удовлетворённый; удовлетворительный; полный; законченный.
흐지부지(-之) смутно, неясно, определённо; ~하다 1) делать смутным(неясным); 2) смутный, неяс-ный.
흐트리다 спутать; запутать; перепутать; смешать; приводить в беспорядок; расстраивать; растрёпывать.
흑(黑) I 1) сущ. чёрное; 2)см. 흑지 I
흑 II ~하다 а) всхлипнуть; б) охнуть (неожиданно попав в холод-ную воду).
흑- преф кор чёрные; тёмный; 흑포도 чёрные виноград; 흑갈색 тёмнокоричневый цвет
흑막(黑幕) чёрный занавес; закулисная сторона; подоплёка; 외교적 음모의~을 벗기다 вскрывать обнаруживать подоплёку дипломатических интриг; 정계의 ~ политический интриган.
흑백(黑白) чёрное и белое; дурное и хорошее; правда и ложь; ~을 가리다 выяснять, кто прав; ~영화 черно-белый фильм; черно-белый; чёрный и белый цвет; ~사진 чёрно-белый снимок.

흑색(黑色) чёрный цвет; чернота; ~의 чёрный; ~으로 보이다 чернеться; ~인종 чёрная раса см. 흑인종, 흑인

흑심(黑心) чёрный замысел; чёрная душа; ~을 품다 таить(вынашивать) чёрный замысел

흑인(黑人) негр; ~의 негроидный; негритянский; ~종 негроидная раса.

흑해(黑海) Чёрное море.

흔들거리다 колыхать(ся); слегка раскачивать(ся); дрожать; потрясать(ся); потряхивать(ся); мерно покачиваться; мерно колебать(ся); шатать(ся); сотрясаться; ходить ходуном; 발을 ~ болтать ногами.

흔들다 шатать; качать; трясти; потрясать; будоражить; разрушать; подрывать; махать; кивать; расталкивать; будить; стряхивать; 권위를~ подрывать авторитет.

흔적(痕迹) след; отпечаток; старая площадка; развалины; 수레바퀴의 ~ колея; ~을 좇아 во(в) след; по следу; ~도 없이 사라지다 исчезнуть без следа; бесследно исчезнуть; ~을 감추다 замести следы; едва заметная(ничтожная) часть.

흔쾌(欣快) ~하다 весёлый; радостный; приятный; благоприятный; ~히 приятно; охотно; с удовольствием; радушно; с готовностью.

흔하다 поным-полно, много; нередко встречаться.

흔히 часто.

흘러가다 тень, растекаться.

흘러나오다 вытекать.

흘렸습니다 пролил.

흘리다 заставлять(позволять); лить; проливать; выливать; просыпать; рассыпать; ронять; терять; лишаться чего-л.; разделять(распределять) понемногу(частями); писать неразборчиво(скорописью); делать едва заметные штрихи; прослушать; пропустить мимо ушей; пускать по течению; сплавлять; выболтать; выдавать; открывать; извещать кого-л. о чём-л

흘연(屹然) книжн. ~[히] ввысь, высоко; ~독립 уст. обр одиноко возвышаться; ~하다 величественно вздыма-ющийся ввысь; величественный, внушительный.

흙 земля; почва; грунт; ~더미 куча земли; ~덩이 ком; глыба(земли; глины); ~먼지 пыль; ~바닥 земляной пол; ~벽 неоклеенная стена; глинобитная стена; ~벽돌 сырцовый (необожжённый)кирпич; саман; ~빛 землистый цвет; ~장난 лепка из глины; ~장난하다 лепить из глины; ~집 глинобитный дом; ~칠하다 пачкать; обмазывать землёй(глиной); ~탕 мутная(гря-зная) вода; ~탕길 грязная дорога; ~투성이다 быть выпачканным(измазанным) грязью; 흙을 메워 넣다 покрывать глиной.

흙탕물 мутная(грязная) вода грязь и слякоть.

흠(欠) I см. 흥 трещина; надлом; повреждение; царапина; пятно; изъян; дефект; недостаток; ~나다 появляться(о трещине); ~내다 нанести царапину.

흠(상처,흉터) II след от раны, шрам

흠 III да!; гм!

흠모(欽慕) благоговение; любовь; ~하다 почитать и любить; обожать; благоговеть.

흠뻑 совсем; насквозь(промокнуть); обильно; сильно; ~젖다 (совсем)

вымокнуть;(насквозь) промокнуть; 땀에 ~젖다 сильно вспотеть; 나는 땀에 ~젖었다 Я весь в поту; 물을 ~주다 обильно поливать.

흠칫 от испуга; от неожиданности; ~하다 вздрогнуть от испуга(неожиданности).; ~거리다 вздрагивать от испуга(не-ожиданности).

흡기(吸氣) 1) см. 들숨; 2) вдох, всасывание; ~하다 вдыхать, втягивать, всасывать.

흡사(恰似) близкое(поразительное) сходство; ~하다 почти одинаковый (похожий); быть очень похожим на кого-что-л.; иметь большое сходство с кем-чем-л.;~히 словно; как будто; совсем как.

흡수(吸收) всасывание; впитывание; поглощение; абсорбция; втягивание; вовлечение; ~하다 всасывать, вбирать в себя; впитывать; поглощать; абсорбировать; втягивать; вовлекать; ~량 объём всасывания(абсорбции); ~력 сила всасывания(абсорбции); всасываемость; ~성 поглотительные(абсорбционные) свойства; поглощаемость; ~율 коэффициент поглощения; ~제 абсорбент.

흡연(吸煙) курение; ~하다 курить; ~실 курительная комната; ~장 место для курения; ~찻간 вагон для курящих.

흡인(吸引) аспирация; всасывание; впитывание; засасывание; привлечение; вовлечение; ~하다 всасывать; впитывать; засасывать; присасывать; притягивать; привлекать; вовлекать; ~력 притяжение; сила всасывания.

흡입(吸入) ингаляция; всасывание; вдыхание; поглощение; ~하다 всасывать; вдыхать; делать ингаля-цию.

흡족(洽足) довольство; удовлетворение; ~하다 достаточный; обильный; довольный; быть довольным (удовлетворённым).

홍 I ~하고 코를 풀다 громко высморкаться.

홍 II ах!; эх, ты!

홍(興) III интерес; удовольствие; ~을 돋구다 приподнимать(повышать) настроение; ~이 나다 прийти в весёлое настроение; заинтересоваться чем-л.; развлекаться; забавляться чем-л.; веселиться.

홍겹다(興--) приподнятый(о настроении); радостный; весёлый; забавный; потешный.

홍망(興亡) взлёт и падение;~성쇠 процветание и упадок; величие и падение.

홍미(興味) интерес; занимательность; вкус к чему-л.; ~가 있는 интересный; занимательный; ~를 가지다 заинтери- соваться кем-чем-л.; иметь интерес (вкус) к чему-л; находить удовольствие в чём-л.; 나는 이것에 ~를 가지고 있다 Это меня интересует; ~진진하다 очень интересный; увлекательный; ~진진 увлечение, заинтере-сованность.

홍분(興奮) волнение; возбуждение; раздражение; ~하다 быть в возбуждении; быть возбуждённым; волноваться; возбуждаться; раздражаться; ~시키다 волновать; возбуждать; раздражать; ~하여 в возбуждении; возбуждённо; взволнованно; 나는 커피로 ~했다 Кофе возбудило меня; ~성 возбудимость; ~제 возбуждающее(тонизирующее) средство.

홍업(興業) развитие промышленности; ~의 промышленный; ~하다 поднимать промышленность.

흥정 купля и продажа; торговля; торг; посредничество при торговле; ~하다 посредничать при заключении торговой сделки; заниматься маклерством; торговать(ся); ~거리 предмет торга (торговой сделки); ~꾼 посредник.

흥청망청(興淸亡淸) разгульно; радостно; самодовольно; ~하다 разгуляться.

흥취(興趣) интерес, склонность; см. 흥

흥하다 процветать; расцветать

흥행(興行) представление; сценическое исполнение; ~하다 давать представление; исполнять; ~계 театральный мир; ~권 право постановки(представления);~물 представление; постановка; ~사 антрепренёр.

흩날리다 разметаться; развеваться на ветру.

흩뜨리다 разбрасывать; рассыпать; разгонять; рассеивать; отвлекать; рассосать; путать; спутать; перепутать.

흩어지다 рассеиваться; разлетаться; расходиться; рассыпаться; разбрасываться; разваливаться;разлучаться; разбредаться.

흩어짐(англ. diaspora) рассеивание.

흩어뜨리다 разбрасывать, рассеивать;распространять, разгонять.

흩이다[-чхи-] быть разбросанным (раскиданным, рассыпанным); см. 흩어지다

희-(稀) преф., кор. 1) жидкий, разбавленный; слабый; 희류산 слабый раствор серной кислоты; 2) редкий; 희금속 редкие металлы.

희귀(稀貴) ~하다 редкостный; редкий; драгоценный; ~본 редкая книга; ~성 редкость.

희귀하다 редкостный, драгоценный.

희극(喜劇) комедия; комедийный; ~적 комический; комичный; ~배우 комик; комедийный актёр; комедийная актриса; буффон.

희끗거리다 белеть; 어둠속에서 그녀의 원피스가 희끗거렸다 В темноте белело её платье.

희나리 (덜 마른 장작)сырые дрова.

희년(稀年) 70 лет; юбилейный год.; см. 희수(稀壽). 고희(古稀).

희다 белый; ясный; чистый; седой.

희락(喜樂) радость.

희랍(希臘) Греция; ~의 греческий; ~어 греческий язык; ~인 грек, гречанка.

희망(希望), 소원, 기대 желание; надежда; ~하다 желать; хотеть; надеяться;...에~을걸다 понадеяться на кого-что-л.; ~에 찬 подающий надежды; многообещающий; ~이 없는 безнадёжный; ~적으로 с надеждой; оптимически; ~자 желающий(сделать что-л.).

희멀겋다(희멀거니, 희멀거요) 1) яркий (о свете), ясный (о луне); 2) красивый и благородный(о лице)

희미(稀微) ~하다 слабый; еле(едва) заметный; смутный; неясный; тусклый; ~하게 слабо; еле заметно.

희박(稀薄) ~하다 жидкий; тонкий; слабый; редкий; негустой; неглубокий; разбавленный; разжиженный; разреженный; ~하게 하다 разжижать; разредить; разбавлять; разводить; 인구가 ~한 малонаселённый.

희비(喜悲) радость и печаль; ~극 трагедия и комедия; трагикомедия; радость и горе.

희생(犧牲) жертва; ~적 жертвенный; героический; самоотверженный;~하다 жертвовать кем-чем-л; приносить кого-что-л. в жерт-ву; ~을 치르다 приносить жертвы; 어떠한 ~을 치르더라도 любой це- ной; ...을 ~하여 за счёт чего-л.; в ущерб чему-л.; ~자 жертва; потерпевший; пострадавший; ~자를 내다 понести жертвы; иметь потерпевших; ~정신 дух самопожертвования; ~타 жертва в (бейсболе); ~물 жертва; потеря.

희석(稀釋) разбавление; ~하다 разбавлять; разжижать; ~도 степень разжижения(разведения); ~액 жидкий раствор.

희소하다 очень редкий(малочисленный)

희열(喜悅) восторг; восхищение; ликование.

희한(稀罕) ~스럽다 прил. казаться редкостным; ~하다 редкий; редкостный; невиданный.

희희낙낙(喜喜樂樂) ~하다 быть очень довольным; радоваться кому-чему-л.; веселиться.

흰, 새하얀, 백색(白色) белый.

흰머리 седина; проседь; голова с проседью; седая голова.

횡하다 одурманенный; ошеломлённый; прил. идти кругом(о голове).

히 нареч. выражает 1) иронию, насмешку; 2) удовлетворение.

-히- I суф. образует перех. гл. от прил.; 더럽히다 пачкать,загрязнять.

-히- II суф. образует; 1) гл. страд. залога; 먹히다 быть съеденным; 2) гл. побуд. залога 앉히다 заставить (позволить) сесть, усадить, посадить.

히브리 사람 еврей; еврейка.
히스테리(англ. Hysterie) истерия; истерика; ~적 истерический; истеричный; 그녀는 ~를 일으켰다 она закатила истерику; ~성 истеричность; ~환자 истерик, истеричка.

히죽 ~하다 довольно усмехнуться; ухмыльнуться; ~웃다 довольно улыбнуться.

히터(англ. heater) нагревательный прибор; радиатор; ~를 달다 поставить радиатор.

히트(англ. hit) успех; удача; бестселлер; ~하다 добиться успеха.

히히거리다 хихикать.

힌놈의 골짜기 долина Еннома.

힌 гин = древнееврейская мера объёма. (용량단위).

힌두교 индуизм.

힌지 стр. шарнирное соединение, шарнир.

힌트(англ. hint) намёк; приём; уловка; ~를 주다 подавать намёк; наводить на мысль; намекать на кого-что-л.(о чём-л.)

힐거(詰拒) уст. ~하다 спорить, соперничать

힐금 ~하다 покоситься, косо взглянуть.

힐금거리다 коситься,косо смотреть.

힐금힐금 ~하다 см. 힐금거리다.

힐긋 ~하다 искоса взглянуть.

힐긋거리다 искоса смотреть.

힐긋힐긋 ~하다 см. 힐긋거리다.

힐끔 ~보다 косо взглянуть.

힐끔거리다 см. 힐끗거리다.

힐끔거리다 косо смотреть;коситься; косо взглянуть.

힐끔힐끔 ~ 하다 см. 힐끔거리다.

힐끗 ~보다 искоса взглянуть.

힐끗거리다 искоса смотреть.

힐기야 Хелкия (인명).

힐난(詰難) выговор; укор; упрёк; см. 비난; ~하다 укорять кого-что-л. в чём-л.; упрекать кого-что-л. за что(в чём; чем-л.); ~조 укоряющий тон.

힐난조(詰難調)[-난쪼]укоряющий тон.

힐렌 Хилен(지명).

힐렐 Гиллел(인명).

힐문(詰問) перекрёсный допрос; запрос(вопрос) с требованием объяснений; 1) ~하다 требовать объяснений у кого-л.; строго допрашивать; расспрашивать кого-л. о чём-л; 2) ~하다 расспросить; расспрашивать.

힐문조(詰問調) [-쪼] строгий придирчивый тон.

힐조(詰朝) [-쪼] уст. утро следующего дня.

힐주(詰誅) уст. ~하다 бранить и наказывать

힐척(詰斥) уст. ~하다 отругать и выгнать(отказать).

힐책(詰責) ругань; брань; упрёки; выговор; порицание; осуждение; ~하다 укорять кого-что-л. в чём-л.; упрекать кого-что-л. за что(в чём; чем-л.); порицать кого-что-л. за что-л.; осуждать; делать выговор.

힐카니움 Гирканион (지명).

힐항(詰抗) I ~하다 пререкаться.

힐항(頡頏) II уст. ~하다 порхать (о птицах).

힘(力) сила; мощь; физическая сила; способность; усилие; труд; успехи; энергия; помощь;влияние; ~겹다 непосильный; очень тяжёлый; ~내다 прилагать старания(усилия); ~들다 требоваться(о силе, труде); ~겹게 с большим трудом; ~껏 изо всех сил; с силой; ~세다 сильный; могущественный; мощный; могучий; энергичный; влиятельный; ~차다 полный сил, энергичный; ~없다 слабый; бессильный; беспомощный; бездарный; нет силы; ~있다 есть сила; ~에 알맞게 по мере сил; по силам; ...의 ~으로 с помощью кого-чего-л.; силами кого-чего-л.; ~이 닿는 데 까지 насколько хватит сил; сколько(что) есть мочи; ~주어 энергично; с подъёмом; подчёркнуто; ~차게 уверенно; энергично; сильно; ~나다 ободряться; набраться силы; ~나게 하다 ободрять; поддерживать; ~들다 быть трудным (тяжёлым; непосильным; трудоёмким); ~들이다 тратить много энергии; браться с энергией за что-л.; быть очень заинтересованным в чём-л.; ~에 부치다 быть не по силам(не под силу); быть свыше сил; ~쓰다 прилагать старания (усилия); стараться; помогать кому-чему-л.; оказывать кому-л. содействие(помощь); содействовать кому-чему-л.; служить поддержкой; -에 ~을 얻다 воодушевляться чем-л.; ~을 겨루다 мериться силами с кем-л.; ~을 다하다 прилагать все усилия; употреблять все силы; ~을 떨치다 проявлять силу; проявлять влияние; ~을 믿다 положиться на кого-что-л.; ~을 합쳐 돕다 содействовать кому-чему-л.; ~을 합치다 объединять усилия; соединять силы; ~이 빠지다 разочаровываться; быть обескураженным; пасть духом; опустить руки; ~이 없다 быть не в силах; обессилить; ~주다 собрать(сосредоточить) силы; особо подчёркивать; делать ударение; ~살 мышца; мускул; ~살의 мышечный; мускульный; ~장사 силач; богатырь; ~줄 сухожилие; жилы; волокно; фибра; жилка; вена; жила.;~에 의해 좌우되다 зависеть от си-лы; ~이 더 커지기 전에 손을 쓰다 принять меры до того, как станет сильным.; *см.* 체력(體力) сила.

힘겨룸 ~하다 мериться силами
힘겹다 очень тяжелый, непосильный.
힘껏 сильно.
힘내기 ~하다 держать пари кто сильнее.
힘들다 трудно.
힘들고 괴롭다 тяжело и мучитель.
힘살 мышца.
힘세다 могущественный, мощный
힘써 с силой **힘쓰다** стараться.
힘없이 скучно, уныло.
힘입다 получать поддержку.

힘있다 сильный, прямой;
힘자랑 хвастовство.
힘장사(-壯士) силачь, богатырь
힘주다 давать силы.
힘줄 1) жилы, сухожилия; 2) кровеносные сосуды; 3) жила.
힘줌말 выразительное слово.
힘차다 полный сил, энергичный.
힘차게 крепко; **힘차게 휘날리고 있다** сильно развеваться.
힛대 Иддай (인명).
힝 1) межд. выражающее иронию; 2) звукоподр. сморканию.
힝그럭 стрела в форме листочка ивы.